S0-BEP-892

DICTIONNAIRE BORDAS

DE

LITTÉRATURE FRANÇAISE et francophone

DICTIONNAIRE BORDAS

DE

LITTÉRATURE FRANÇAISE et francophone

par

Henri Lemaître

Ancien élève de l'École normale supérieure
Agrégé des lettres – Docteur ès lettres

Bordas

ISBN 2-04-016169-4

Ont collaboré à la rédaction
de ce dictionnaire,
sous la direction de Henri Lemaître :

Patrick Berthier
Michèle Bloch
Jean-Louis Joubert
Mohamadou Kane
Line Karoubi
Françoise Mignault
Christine-Claire Radulescu
Yvonne Seriès
Pierre Versins

Les listes d'œuvres ont
été établies par
Line Karoubi
Xavier Langlade

À la fin de chaque article traitant d'un auteur, figure la liste complète des œuvres de celui-ci. Le genre des ouvrages cités est indiqué, entre parenthèses, selon les distinctions suivantes : (E) essai ; (N) narratif ; (P) poésie ; (T) théâtre.
S'il y a lieu, on trouvera également un résumé de ses œuvres principales.

AVANT-PROPOS

Parmi les divers modes d'approche et de connaissance de la littérature, le dictionnaire est sans doute le moins exposé au risque d'arbitraire que comporte toute ordonnance *a priori* du domaine littéraire : en prenant, pour principe, l'ordre le plus neutre qui soit, l'ordre alphabétique, et, pour matière, les auteurs et leurs œuvres, il est conduit à se faire d'abord le miroir, aussi fidèle que possible, des *faits littéraires* ; le lecteur a ainsi à sa disposition, grâce aussi à une évidente commodité de consultation, les données essentielles qui lui permettront de fonder valablement son appréciation personnelle et de nourrir substantiellement sa culture littéraire.

Il n'en est pas moins vrai qu'un dictionnaire se doit d'être encore, selon le besoin du lecteur, soit un instrument de travail, soit un moyen de satisfaire aux diverses exigences de la curiosité culturelle, soit les deux ensemble ; or il ne peut remplir cette double fonction que s'il offre des éléments suffisants de *compréhension* des faits littéraires, qu'il ne doit pas se contenter de simplement enregistrer, mais dont il tentera de rendre assimilables la richesse et la complexité ; ce qui suppose que chaque article comporte aussi une analyse et une mise en perspective des divers éléments constituant l'essentiel d'une œuvre : à cet égard, l'application du principe alphabétique à un dictionnaire d'*auteurs* permet à la fois d'individualiser l'approche de chaque écrivain et de ses œuvres, et de le situer dans une perspective historique et esthétique, double méthode susceptible de répondre au besoin non seulement de connaissance mais aussi de compréhension du lecteur. Tels sont les principes généraux qui ont inspiré la conception de notre dictionnaire et qui commandent sa forme et son contenu.

Voici donc un dictionnaire de littérature qui se propose de couvrir la totalité du domaine littéraire français, des origines à nos jours, en y incluant naturellement, auprès de la littérature proprement « française », les littératures dites « francophones ». Mais on a voulu aussi que ce fût un ouvrage maniable et accessible tant par sa dimension et son format que par son prix, et, pour atteindre cet objectif, on s'est imposé comme règle un effort de concision, qui ne rend certes pas la tâche plus aisée, qui exige que chaque article retienne tout l'essentiel mais ne retienne que l'essentiel ; sans doute est-ce là un des meilleurs moyens de faire aussi que, dans un âge dominé par la suprématie scientifique et technologique, la culture littéraire soit rendue plus largement et plus aisément accessible, afin de jouer le rôle qui est le sien, celui d'une véritable compensation intellectuelle et spirituelle.

Ce dictionnaire est ainsi, pour l'essentiel, un dictionnaire alphabétique d'*auteurs*, mais fait aussi leur place aux *œuvres anonymes* et aux *termes littéraires*, principalement ceux qui relèvent du vocabulaire de l'histoire et de la critique littéraire. Les articles sur les auteurs sont complétés par une partie documentaire comportant la liste complète des œuvres de chaque écrivain avec indication du genre littéraire et de la date, liste arrêtée au plus près de la mise sous presse de l'ouvrage et suivie éventuellement de résumés d'œuvres, lorsqu'il s'agit d'œuvres particulièrement importantes ou significatives. On trouvera en fin de volume deux autres compléments documentaires :

1. Une *bibliographie méthodique* où sont présentés tout d'abord des ouvrages généraux sur la littérature française et sur les principaux genres littéraires, puis, siècle après siècle, les ouvrages traitant des divers aspects de la littérature de chaque époque et enfin, suivant l'ordre alphabétique des écrivains, toujours siècle après siècle, les ouvrages particuliers consacrés à chacun d'eux.
2. Un *index des œuvres* regroupant, dans l'ordre alphabétique des titres, avec renvoi à leur auteur, les œuvres qui font l'objet, dans le corps du dictionnaire, d'une analyse, d'un commentaire ou d'un résumé : de la sorte, le lecteur pourra aisément, à partir d'un titre d'œuvre, se reporter à l'article concernant son auteur.

Quant aux articles eux-mêmes, s'il est vrai que leur développement est souvent proportionnel à l'importance littéraire de l'auteur concerné, telle qu'elle est généralement reconnue, il n'en est pas moins vrai qu'il est aussi déterminé par d'autres facteurs, par exemple la dimension matérielle de l'œuvre en question : si l'article sur La Bruyère, « homme d'un seul livre », est moins long que ceux consacrés à Corneille, Molière ou Racine, cela ne signifie certes pas que La Bruyère soit un écrivain moins « important » ! De même si l'on compare l'article sur Hugo, écrivain surabondant, à l'article sur Mallarmé, poète rare. Mais surtout les articles, quel que soit leur développement, se donnent essentiellement pour objet une *description* de l'œuvre de chaque auteur, qui puisse aussi permettre de le situer par rapport au *moment littéraire* auquel il appartient, afin d'aboutir ainsi à la synthèse d'un point de vue *historique* et d'un point de vue *critique*. Aussi n'a-t-on généralement retenu de la biographie d'un auteur que les éléments indispensables à la compréhension de son œuvre, de sorte que la part consacrée à la biographie peut varier dans d'importantes proportions d'un écrivain à l'autre.

Enfin, tout en refusant de céder à un « modernisme » excessif et en veillant à ne point trop suivre des modes passagères, on a cru devoir accorder une place relativement importante à la littérature contemporaine – ici occupent toute la place qui leur revient les littératures francophones ; on ne s'est certes pas dissimulé les risques qu'entraîne un tel parti : outre que l'œuvre des écrivains contemporains vivants n'est pas achevée et que, par conséquent, la description qui en est donnée ne peut être que provisoire et, pour ainsi dire, « à titre précaire », ce parti impose, si l'on ne veut pas se contenter d'un simple et fastidieux catalogue, des choix difficiles, pour ne pas dire impossibles ! On s'est donc efforcé, en ce qui concerne ces choix et la rédaction de ces articles « contemporains » d'être tout particulièrement scrupuleux, en évitant le plus possible les jugements de valeur et en mettant l'accent sur les *caractéristiques* propres d'une œuvre, ce qui est d'ailleurs conforme au principe général de ce dictionnaire. À cet égard, l'équipe rédactionnelle et l'équipe éditoriale ont conjugué leurs efforts en une étroite collaboration pour réduire le plus possible les risques divers de cette entreprise. Grâce à cette même collaboration et à la mise en œuvre d'un contrôle réciproque des informations, on s'est efforcé aussi de réduire le risque d'erreur matérielle ou d'omission involontaire qui guette un ouvrage de cette ampleur. Il serait présomptueux de prétendre y avoir pleinement réussi : nous serons reconnaissants aux lecteurs, et aussi aux auteurs s'il en est qui nous font l'amitié de nous lire, de nous signaler toute erreur qui aurait pu échapper à notre vigilance. Nous les en remercions à l'avance, en les assurant que leurs éventuelles mises au point seront prises en compte dans les réimpressions à venir.

Henri LEMAÎTRE

ABBAYE (groupe de l'). Décidés à « vivre librement et en commun de leur travail », un groupe de jeunes gens, artistes et écrivains, fonde à la fin de 1906 une sorte de phalanstère intellectuel qui s'installe à Créteil, près de Paris, dans un domaine délabré dont ils veulent faire une nouvelle abbaye de Thélème. Le poète Ch. Vildrac, beau-frère de G. Duhamel, en est le principal instigateur. Se joignent à lui, outre G. Duhamel, le poète René Arcos et le peintre Albert Gleizes, et, un peu plus tard, le compositeur Albert Doyen, les peintres H. Doucet et Berthold Mahn, des écrivains tels que Henri-Martin Barzun et A. Mercereau, et le typographe Linard. Animés des mêmes aspirations spirituelles et des mêmes préoccupations sociales, ils sont guidés par un esprit de collaboration fraternelle et de solidarité avec le monde des hommes, et pratiquent pour subsister un travail artisanal collectif en se faisant imprimeurs. Ils publieront ainsi une dizaine d'ouvrages, notamment *la Vie unanime* de J. Romains, un des familiers de l'Abbaye avec Luc Durtain (dont *l'Étape nécessaire* a servi de manifeste au groupe). Cependant, malgré encouragements et commandes, les difficultés matérielles ne tardent pas à surgir, et les désaccords s'ajoutent à l'épuisement des ressources. Au début de 1908, l'expérience doit être abandonnée. Elle n'en aura pas moins des prolongements féconds : Vildrac consacrera à la vie collective ses poèmes du *Livre d'amour*, G. Duhamel, profondément marqué, évoquera l'Abbaye dans l'un des volumes de sa *Chronique des Pasquier (le Désert de Bièvres)* et dans une œuvre autobiographique, *le Temps de la recherche,* et J. Romains transformera en vue générale ces aspirations qui n'étaient pas sans parenté avec le lyrisme social de l'Américain Walt Whitman (1819-1892).

ABÉLARD ou **ABAILARD Pierre.** Le Pallet (Loire-Atlantique) 1079 – Chalon-sur-Saône 21.4.1142. Issu d'une famille de la petite noblesse, il est destiné à la carrière militaire. Mais, dès son plus jeune âge, il préfère « le conflit des discussions publiques aux trophées de guerre ». Il s'adonne à l'étude et suit le cours de Thierry de Chartres, puis ceux de Roscelin et de Guillaume de Champeaux. D'emblée, A. s'impose comme un brillant sujet, et Guillaume de Champeaux n'admet pas longtemps les objections continuelles de son élève. A. quitte l'école pour voler de ses propres ailes. À Melun, il rassemble quelques-uns de ses amis, qui, peu à peu, deviendront ses disciples. En marge de l'enseignement officiel, il devient alors un véritable maître. Aidé par un physique avenant et par une élocution aisée, A. verra sa réputation franchir les frontières : l'Europe entière se déplace pour suivre son enseignement. Revenu à Paris, il continue ses attaques contre Guillaume de Champeaux à propos du problème des « universaux ». Après quelques années de gloire, il séduit Héloïse, dont il était le précepteur, et l'oncle de celle-ci, le chanoine Fulbert, les contraint au mariage. Cette union ayant été tenue secrète, selon la volonté d'Héloïse, Fulbert, persuadé qu'Abélard n'a pas réparé sa faute, le fait émasculer (1118).

A. se fait moine à Saint-Denis, puis s'établit en Champagne, à Maisoncelle. En 1121, son *Traité de la Trinité,* violemment combattu par Bernard de Clairvaux, est condamné par le concile de Soissons. Après des pérégrinations diverses, il fonde un nouveau monastère, le Paraclet, et en confie la direction à Héloïse. En 1125, il est nommé abbé de Saint-Gildas-de-Rhuys. Persécuté par les moines, dont il veut réformer les mœurs, il quitte le monastère et revient à Paris en 1136. Sa *Théologie* est condamnée en 1140 par le concile de Sens ; après quoi, il se réfugie à Cluny. A., dont on a trop tendance à ne retenir que son idylle avec Héloïse, tient une place importante dans l'histoire de la pensée médiévale. Il apparaît comme l'un des premiers « émules des péripatéticiens » : le monde ne peut s'expliquer par un principe unique ; la recherche de la vérité consiste moins à marcher dans les voies toutes tracées du mysticisme et de la contemplation passive qu'à lutter en permanence pour arracher à l'univers le secret de ses lois et tenter de les expliquer rationnellement. Sans jamais se dresser ouvertement contre l'Église, A. a cependant contribué, bien avant Descartes, à ouvrir la voie à l'esprit critique en pratiquant déjà le doute méthodique. Manuscrits sujets aux erreurs des copistes et traductions passibles de contresens sont scrupuleusement vérifiés ; chaque texte étudié est replacé dans son contexte et dans son cadre historique. Éthiquement, A. met en évidence la morale des intentions : le « péché », dont il eut à souffrir sa vie durant, est moins important que les causes qui l'ont provoqué.

Plus que ses œuvres, c'est l'indépendance de son esprit, l'activité qu'il déploya pour imposer cette œuvre qu'il faut retenir en dernière analyse.

Quant à la légende exemplaire de ses amours avec Héloïse, on ne peut sans doute mieux faire, pour en souligner la signification, que citer ce qu'écrivait Guizot en 1838 : « Après six cent soixante-quinze ans, Héloïse et Abailard reposent encore ensemble dans le même tombeau ; et tous les jours, de fraîches couronnes, déposées par des mains inconnues, attestent, pour les deux morts, la sympathie sans cesse renaissante des générations qui se succèdent. L'esprit et la science d'Abailard auraient fait vivre son nom dans les livres ; l'amour d'Héloïse a valu, à son amant comme à elle, l'immortalité dans les cœurs. » Les deux amants ont en effet accédé à la même dignité mythologique que Tristan et Yseut, et l'on comprend que J.-J. Rousseau ait choisi *la Nouvelle Héloïse* comme sous-titre pour son grand roman d'amour et de vertu.

Œuvres. *Tractatus de unitate et trinitate divina,* 1120 (E). – *Gloses et Petites Gloses sur Porphyre, les Catégories et l'Interprétation d'Aristote, les Divisions et les Topiques de Boèce,* 1121 (E). – *Dialectica,* 1121 (E). – *Sic et non,* 1121 (E). – *Theologia christiana,* 1123 (E). – *Introductio ad theologiam,* 1125 (E). – *Commentaire sur l'Épitre aux Romains,* 1125 (E). – *Ethica sive Scito te ipsum,* après 1129 (E). – *Epistulae ad Heloïssam* (34 homélies, 93 *hymni* et *sequentia*), vers 1130. – *Solutiones problematum Heloïssae,* s.d. – *Historia calamitatum Abaelardi,* vers 1136. – *Carmen ad Astrolabium,* s. d. – *Professio fidei seu Apologia,* vers 1140 (E). – *Dialogue entre un philosophe, un juif et un chrétien,* vers 1141 (E). – *Lettres d'Abélard et d'Héloïse* traduites en français sur les manuscrits de la Bibliothèque impériale, par M. Oddoul, 1864. – *Correspondance Abélard-Héloïse* (texte traduit et présenté par P. Zumthor), 1979.

ABELLIO Raymond, Georges Soulès, dit. Toulouse 11.11.1907. Enfant chétif et d'humble origine, il est remarquablement doué et d'une grande précocité intellectuelle. Brillant élève à Toulouse, sa ville natale, il entre à Polytechnique et deviendra ingénieur des Ponts et Chaussées. Mais, tandis que ses vingt premières années lui apparaîtront plus tard comme « l'approfondissement d'un conflit latent entre l'autorité et la liberté », il s'est trouvé, à Paris, confronté à un monde nouveau, et c'est alors la brusque éclosion chez lui d'un sentiment révolutionnaire ardent. Il adhère en 1932 au parti socialiste S.F.I.O., où il rejoint la tendance Gauche révolutionnaire. Cofondateur du Centre polytechnicien d'études collectivistes, il en sera premier secrétaire. Fait prisonnier au cours des combats de 1940, il rentre en France en mars 1941 et adhère au M.S.R. (Mouvement social révolutionnaire), de tendance proallemande. Il n'en participe pas moins à un mouvement clandestin, compose un journal, *Force libre*, et rend certains services à la Résistance. Après la Libération, il devra cependant s'exiler en Suisse jusqu'à ce que son activité des années de guerre ait été clarifiée. Acquitté, il renonce à l'action politique, dont il s'est peu à peu détaché, se consacre à son œuvre philosophique et littéraire et se livre à des recherches ésotériques et phénoménologiques, qu'il évoquera dans des essais et romans partiellement autobiographiques. En 1946, son premier roman, *Heureux les pacifiques,* a obtenu le prix Sainte-Beuve. Il décrit dans ce tableau des années d'avant-guerre une jeunesse française polytechnicienne et marxiste, qui mêle à l'ambition politique et au désir d'action la recherche d'un idéal de pureté et d'une connaissance des vérités profondes, à laquelle seule la Bible offre une réponse. *Les yeux d'Ézéchiel sont ouverts* poursuit, sous le couvert de la fiction, une quête métaphysique à travers le tumulte d'une période qui va de la guerre d'Espagne à l'après-guerre. L'auteur y développe ses idées sur le monde et les forces en présence, la coexistence de Dieu et du Mal, et montre l'homme déchiré et hanté par l'angoisse du cataclysme. Troisième volet de ce cycle romanesque, *la Fosse de Babel* confirme la puissance visionnaire d'A. et son attirance pour l'ésotérisme, en exprimant sa nostalgie du surhomme, seul capable de dominer le monde et de le conduire vers un destin supérieur. Ces conceptions métaphysiques, inspirées d'un sens mystique peut-être dû à son origine occitane – il est du pays qui a vu naître l'hérésie cathare –, seront explicitées dans plusieurs essais denses et difficiles. Engagé dans tous les dédales de l'action et de la pensée humaines. A. cherche alors à se définir dans ce que sa vie peut avoir d'universel et d'éternel. *Ma dernière mémoire : un faubourg de Toulouse*, premier tome de *Mémoires* qui entendent davantage être la reconstitution du sens d'une destinée qu'un récit chronologique, englobe la vie d'A. jusqu'à son entrée à Polytechnique (1927). Deux autres volumes sont prévus. L'auteur souhaite exprimer dans cet ensemble « le constant ressaisissement d'un homme par lui-même dans la vision d'une seconde mort qui hante aujourd'hui le monde ».

Œuvres. *Heureux les pacifiques*, 1946 (N). – *Les yeux d'Ézéchiel sont ouverts*, 1950 (N). – *Vers un nouveau prophétisme*, 1950 (E). – *La Bible, document chiffré*, 1950 (E). – *Assomption de l'Europe*, 1954 (E). – *La Fosse de Babel*, 1962, rééd. 1984 (N). – *La Structure absolue*, 1964 (E). – *Ma dernière mémoire*, I. *Un faubourg de Toulouse*, 1972 (N). – *Dans une âme et un corps, journal, 1971*, 1973 (N). – *La Fin de l'ésotérisme*, 1973 (N). – *Ma dernière mémoire*, II. *Les Militants (1927-1939)*, 1975 (N). – *Approches de la nouvelle gnose*, 1981 (E). – *Montségur*, 1982 (N). – *Visages immobiles*, 1983 (N). – Avec Charles Hirsch, *Introduction à une théorie des nombres bibliques*, 1984 (E).

ABOUT Edmond François Valentin. Dieuze (Moselle) 24.2.1828 – Paris 16.1.1885. Entré à l'École normale supérieure en 1848, à l'École d'Athènes en 1851, il délaisse tôt l'enseignement pour la plume. Constamment anticlérical mais bien vu de la Cour sous le second Empire, il se rallie aux idées républicaines dès 1871 et consacre la fin de sa vie à la critique et à la polémique dans son journal, *le XIXe Siècle*. De *la Grèce contemporaine*, pamphlet alerte qui marqua ses débuts, en 1854, au *Roman d'un brave homme*, paru en 1880, la production d'A. fut toujours très variée. Son *Roi des montagnes* et son *Homme à l'oreille cassée* ne doivent pas faire négliger de charmants recueils de nouvelles comme *les Mariages de Paris*. Au théâtre, A. obtint avec *Gaetana* un succès de scandale politique. Il fut par ailleurs un journaliste au style vif, précis, incisif, plein d'humour et d'esprit frondeur, dont la production fut abondante. Acad. fr. 1884.

Œuvres. *La Grèce contemporaine*, 1854 (E). – *Tolla*, 1855 (N). – *Les Mariages de Paris*, 1856 (N). – *Le Roi des montagnes*, 1857 (N). – *Germaine*, 1857 (N). – *La Question romaine*, 1861 (E). – *Le Progrès*, 1861 (N). – *Gaetana*, 1862 (T). – *Le Cas de M. Guérin*, 1862 (N). – *L'Homme à l'oreille cassée*, 1862 (N). – *Le Nez d'un notaire*, 1862 (N). – *Madelon*, 1863 (N). – *Le Turco*, 1866 (N). – *L'Infâme*, 1867 (N). – *Les Mariages de province*, 1868 (N). – *Guillery*, 1868 (T). – *Le Roman d'un brave homme*, 1880 (N).

ABRANTÈS, Laure Saint-Martin Permon, duchesse d'. Montpellier 1784 – Paris 1838. Sa mère, d'origine corse et descendante de la famille des Commène, est intimement liée avec les Bonaparte. A seize ans, Laure épouse Junot, qui deviendra maréchal d'Empire et duc d'Abrantès. Elle mène une existence brillante, recevant dans son salon les célébrités littéraires et artistiques et la haute société impériale. Malgré la mort de son mari et la chute de l'Empire, elle continue de tenir salon et, sa fortune dissipée, se retire à Versailles. C'est là que le jeune Balzac, qui habite également la ville, fera sa connaissance en 1826. Leur liaison passagère sera pour l'écrivain débutant l'occasion de se documenter d'une manière précise et détaillée sur l'époque napoléonienne. La duchesse, qui a décidé de vivre désormais de sa plume, publie vingt-quatre volumes de *Mémoires*, qui contiennent nombre d'anecdotes et de récits piquants. Elle sera l'auteur de plusieurs romans vite oubliés et écrira dans diverses revues.

Œuvres. *Mémoires historiques sur Napoléon, la Révolution, le Directoire, le Consulat, l'Empire et la Restauration*, 18 vol., 1831-1834. – *Mémoires sur la Restauration, la Révolution de 1830 et les premières années du règne de Louis-Philippe*, 6 vol., 1836. – *Histoire des Salons de Paris sous Louis XVI, le Directoire*, etc., 6 vol., 1837-1838. – *L'Amirauté de Castille*, 1832 (N). – *La Duchesse de Valombray*, 1834 (N).

ACADÉMIE FRANÇAISE. Au début du XVIIe s., le goût des choses de l'esprit ainsi que des conversations galantes et raffinées se répand avec la vogue des salons mondains et précieux, et avec celle des "académies" réunissant des hommes de lettres que préoccupent les questions érudites et littéraires. C'est ainsi que, vers 1629, se rencontrent chaque semaine chez Valentin Conrart – riche bourgeois et poète lettré – des écrivains tels que Godeau, Chapelain, Gombauld, qui lisent des vers, commentent les ouvrages du jour et discutent grammaire, pureté de la langue et du style. A ce groupe se joignent encore N. Faret, Desmarets et surtout Boisrobert, favori et « gazette vivante » de Richelieu, qui ne manque pas d'instruire le cardinal de ces activités. Celui-ci offre sa protection à la compagnie en l'invitant à se constituer en corps officiel. Ainsi naîtra l'Académie française, qui prend le relais de l'ancienne académie du Palais fondée au siècle précédent par A. de Baïf et protégée par les Valois. Elle tient sa première séance en mars 1634 et reçoit en 1635 sa consécration officielle par lettres patentes de Louis XIII – lettres que le Parlement ne ratifiera qu'en 1637. Les académiciens, dont le nombre est limité à quarante (chiffre qui ne sera atteint qu'en 1639), doivent recevoir l'agrément du cardinal. Par la suite, ils se recruteront par élection. Leur tâche principale sera « de travailler avec tout le soin et toute la diligence possibles à donner des règles certaines à notre langue et à la rendre pure, éloquente et capable de traiter les arts et les sciences ». Ils devront établir un dictionnaire, une grammaire, une rhétorique et une poétique. Rhétorique et poétique ne verront jamais le jour, mais, sur l'initiative de Chapelain, l'Académie s'attache à la composition d'un *Dictionnaire de la langue française.* Au bout de dix ans, grâce à la direction compétente et énergique de Vaugelas, le dictionnaire atteint la lettre I. Après la mort de Vaugelas, le travail se ralentit, et l'ouvrage ne sera achevé qu'en 1694. L'Académie publiera par la suite de nouvelles éditions de son *Dictionnaire* (1718, 1740, 1762, 1798, 1835, 1878, 1935), en conservant pour règle de s'en tenir à l'usage généralement établi. En grammaire, elle reprendra, en les révisant et en les complétant, les importantes *Remarques sur la langue française* de Vaugelas, mais ne publiera qu'en 1932 son unique *Grammaire de l'Académie.* Dans ses débuts, elle consacre aussi une partie de son temps à des discours en prose sur des sujets variés, au choix de ses membres. Elle s'occupe encore d'examiner leurs ouvrages ainsi que ceux des meilleurs auteurs, afin d'en tirer des exemples pour la langue, et discute des mérites des œuvres qui lui sont soumises. Elle se trouvera ainsi impliquée par Richelieu dans la « querelle du *Cid* », pour départager partisans et détracteurs de Corneille. *Les Sentiments de l'Académie sur la tragédie du Cid* (1638), rédigés par Chapelain au nom de ses confrères, sont une critique nuancée de l'ouvrage de Corneille, jugé séduisant, même s'il n'est conforme ni aux règles ni aux bienséances. Après la mort de Richelieu (1642), l'Académie choisit le chancelier Séguier comme protecteur, et, lorsque ce dernier meurt en 1672, c'est Louis XIV lui-même qui lui succède. La Révolution supprimera l'Académie française, en même temps que les autres académies, en 1793. Remplacée par un Institut national des sciences et des arts (1795), elle est réorganisée par Bonaparte en 1803 et par Louis XVIII en 1816. Elle ne renaîtra cependant véritablement que sous Louis-Philippe, sur l'initiative de Guizot (1832). Présidée par un directeur annuel, assisté d'un chancelier, elle possède également un secrétaire perpétuel. L'élection d'un nouveau membre doit être ratifiée par le chef de l'État, et le récipiendaire prononce, lors de sa réception, un discours de « remerciement » en faisant l'éloge de son prédécesseur, selon un usage inauguré en 1640 par l'avocat Patru. Les séances de réception sont devenues publiques depuis la réception de Bossuet (1671). On ne démissionne pas de l'Académie française, mais certains académiciens ont pu ostensiblement s'abstenir d'assister aux séances en signe de protestation (Mgr Dupanloup, pour ne pas siéger aux côtés du positiviste Littré ; P. Benoit, pour s'élever contre le refus du général de Gaulle d'approuver l'élection de P. Morand ; P. Emmanuel, pour protester contre l'élection de F. Marceau). Après la guerre de 1939-1945, l'Académie a exclu certains de ses membres qui, accusés de collaboration avec l'Allemagne, avaient encouru des condamnations devant les cours de justice ; le maréchal Pétain, Ch. Maurras, A. Bonnard, A. Hermant. Parmi les activités diverses de l'Académie, on mentionnera l'attribution de prix destinés à encourager le talent et à récompenser des écrivains (près de cent vingt prix littéraires, parmi lesquels le prix de la Langue française, le grand prix de Littérature, le grand prix du Roman, etc.) ou de prix d'un caractère philanthropique, récompensant des actes de vertu ou de dévouement, ou d'aide aux familles nombreuses, ou encore secourant les infortunes (en particulier, en faveur de savants, d'écrivains, d'artistes). On trouvera ici la liste (mise à jour, en ce qui concerne les membres actuels, à la date de juin 1985) des principaux titulaires des quarante fauteuils depuis 1634, date de la fondation.

1er fauteuil : Séguier, 1635 ; Boileau-Despréaux, 1684 ; Buffon, 1753 ; Augier, 1857 ; duc de Broglie, 1944.
2e fauteuil : Conrart, 1634 ; Montesquieu, 1727 ; Dumas fils, 1874 ; Theuriet, 1896 ; Richepin, 1908 ; Mâle, 1927 ; pasteur Boegner, 1962 ; duc de Castries, 1972.
3e fauteuil : cardinal de Bernis, 1744 ; V. Cherbuliez, 1881 ; Faguet, 1900 ; Clemenceau, 1918 ; Carcopino, 1956 ; Caillois, 1971 ; Mme M.Yourcenar, 1980.
4e fauteuil : Desmarets de Saint-Sorlin, 1634 ; Massillon, 1719 ; Ballanche, 1842 ; Heredia, 1894 ; Barrès, 1906 ; Jean Tharaud, 1946 ; P. Emmanuel, 1968 ; Hamburger, 1985.
5e fauteuil : Ogier de Gombauld, 1634 ; Gresset, 1748 ; Cousin, 1830 ; de Flers, 1920 ; Huyghe, 1960.
6e fauteuil : Segrais, 1662 ; Campistron, 1701 ; Destouches, 1723 ; Chamfort, 1781 ; Porto-Riche, 1923 ; Benoit, 1931 ; Paulhan, 1963 ; Ionesco, 1970.
7e fauteuil : Chapelain, 1634 ; Benserade, 1674 ; Sedaine, 1786 ; Lamartine, 1829 ; Bergson, 1914 ; Daniel-Rops, 1955 ; P.H. Simon, 1966 ; Roussin, 1973.
8e fauteuil : Malleville, 1634 ; abbé de Saint-Pierre, 1695 ; Lefranc de Pompignan, 1759 ; Royer-Collard, 1827 ; Herriot, 1946 ; J. Rostand, 1959 ; Déon, 1978.
9e fauteuil : du Ryer, 1646 ; Boufflers, 1788 ; Baour-Lormian, 1815 ; Ponsard, 1855 ; Sardou, 1877 ; Prévost, 1909 ; Henriot, 1945 ; Guéhenno, 1962 ; Decaux, 1979.
10e fauteuil : Godeau, 1634 ; Fléchier, 1673 ; Saint-Lambert, 1770 ; Musset, 1852 ; Laprade, 1858 ; Coppée, 1884 ; Aicard, 1909 ; Guitton, 1961.
11e fauteuil : Brifaut, 1826 ; Sandeau, 1858 ; About, 1884 ; Hazard, 1940 ; Morand, 1968 ; Peyrefitte, 1977.
12e fauteuil : abbé Cotin, 1655 ; Pailleron, 1882 ; Hervieu, 1899 ; Curel, 1918 ; Le Goffic, 1930 ; Romains, 1946 ; d'Ormesson, 1973.
13e fauteuil : La Mothe Le Vayer, 1639 ; Racine, 1672 ; Crébillon, 1731 ; Scribe, 1834 ; Feuillet, 1862 ; Loti, 1891 ; Claudel, 1946 ; Schumann, 1974.
14e fauteuil : Mainard, 1634 ; P. Corneille, 1647 ; Th. Corneille, 1684 ; Houdar de La Motte, 1710 ; Lemercier, 1810 ; Hugo, 1841 ; Leconte de Lisle, 1886 ; d'Harcourt, 1946 ; Mistler, 1966.
15e fauteuil : Labiche, 1880 ; Meilhac, 1888 ; Lavedan, 1898 ; Chamson, 1956 ; Braudel, 1984.
16e fauteuil : Maurras, 1938 ; Levis-Mirepoix, 1953 ; L. S. Senghor, 1983.
17e fauteuil : Tristan l'Hermite, 1649 ; Nivelle de La Chaussée, 1736 ; Marmontel, 1763 ; Littré, 1871 ; Pasteur, 1881 ; Delay, 1959.
18e fauteuil : Charpentier, 1650 ; Tocqueville, 1841 ; Lacordaire, 1860 ; maréchal Foch, 1918 ; maréchal Pétain, 1929 ; François-Poncet, 1952 ; E. Faure, 1978.
19e fauteuil : Patru, 1640 ; abbé Barthélemy, 1789 ; M.-J. Chénier, 1803 ; Chateaubriand, 1811 ; Gregh, 1952 ; Clair, 1960 ; Moinot, 1982.
20e fauteuil : Bussy-Rabutin, 1665 ; Écouchard-Lebrun, 1803 ; Mignet, 1836 ; Lemaitre, 1895 ; Bordeaux, 1919 ; Maulnier, 1964.
21e fauteuil : Gomberville, 1634 ; Huet, 1674 ; Colardeau, 1776 ; La Harpe, 1776 ; Montalembert, 1851 ; Achard, 1959 ; Marceau, 1975.
22e fauteuil : Saint-Amant, 1634 ; Halévy, 1884 ; Brieux, 1909 ; F. Mauriac, 1933 ; Green, 1971.
23e fauteuil : Colletet, 1634 ; Perrault, 1671 ; Delille, 1774 ; Boylesve, 1918 ; Hermant, 1927 ; Gilson, 1946 ; Gouhier, 1979.
24e fauteuil : Colbert, 1667 ; La Fontaine, 1684 ; Marivaux, 1742 ; Sully Prudhomme, 1881 ; H. Poincaré, 1908 ; Capus, 1914 ; Estaunié, 1923 ; Pasteur Vallery-Radot, 1944 ; Wolff, 1971.
25e fauteuil : d'Alembert, 1754 ; Nodier, 1833 ; Mérimée, 1844 ; Taine, 1878 ; Donnay, 1907 ; Pagnol, 1946 ; J. Bernard, 1975.
26e fauteuil : Suard, 1774 ; Maurois, 1938 ; Arland, 1968.
27e fauteuil : Fontenelle, 1691 ; Bernardin de Saint-Pierre, 1803 ; Soumet, 1824 ; Kessel, 1962 ; Droit, 1980.
28e fauteuil : Guez de Balzac, 1634 ; Hénault, dit le Président Hénault, 1723 ; Delavigne, 1825 ; Sainte-Beuve, 1844 ; Janin, 1870 ; Brunetière, 1893 ; Farrère, 1935 ; Troyat, 1959.
29e fauteuil : Quinault, 1670 ; Florian, 1788 ; Cl. Bernard, 1868 ; Renan, 1878 ; Montherlant, 1960 ; Lévi-Strauss, 1973.
30e fauteuil : Racan, 1634 ; Bonald, 1816 ; Ancelot, 1841 ; Bazin, 1903 ; Duhamel, 1935 ; Druon, 1966.
31e fauteuil : Furetière, 1662 ; Condillac, 1768 ; Bornier, 1893 ; E. Rostand, 1901 ; Bédier, 1920 ; Jérôme Tharaud, 1938 ; Cocteau, 1955 ; Rueff, 1964 ; Dutourd, 1978.
32e fauteuil : Vaugelas, 1634 ; Scudéry, 1649 ; Dangeau, 1667 ; Vigny, 1845 ; Nolhac, 1922 ; Massis, 1960 ; Izard, 1971 ; Robert Aron, 1974 ; Rheims, 1976.
33e fauteuil : Voiture, 1634 ; Voltaire, 1746 ; Ducis, 1778 ; Barante, 1828 ; du Camp, 1880 ; Bourget, 1894 ; Jaloux, 1936 ; Vaudoyer, 1950 ; Brion, 1964 ; Mohrt, 1985.
34e fauteuil : Fénelon, 1693 ; Dormont de Belloy, 1771 ; R. Poincaré, 1909 ; Bain-

ville, 1935 ; Pesquidoux, 1936 ; Genevoix, 1946 ; Bourbon-Busset, 1981.
35e fauteuil : Cuvier, 1818 ; Claretie, 1888 ; maréchal Joffre, 1918 ; Leprince-Ringuet, 1966.
36e fauteuil : La Bruyère, 1693 ; Barbier, 1869 ; abbé Bremond, 1923 ; Bellessort, 1935 ; Gaxotte, 1953 ; Soustelle, 1983.
37e fauteuil : Bossuet, 1671 ; Ampère, 1847 ; Prévost-Paradol, 1865 ; cardinal Daniélou, 1972 ; R.P. Carré, 1975.
38e fauteuil : Malesherbes, 1775 ; Thiers, 1833 ; Lesseps, 1884 ; France, 1896 ; Valéry, 1925 ; Mondor, 1946 ; Gautier, 1972.
39e fauteuil : abbé Dubos, 1719 ; Condorcet, 1781 ; Nisard, 1850 ; de Voguë, 1888 ; H. de Régnier, 1911 ; J. de Lacretelle, 1936.
40e fauteuil : Cabanis, 1803 ; Destutt de Tracy, 1808 ; Guizot, 1836 ; Berthelot, 1901 ; Chastenet, 1956 ; Dumézil, 1978.

ACADÉMIE GONCOURT. Institution littéraire créée à la suite du testament d'Edmond de Goncourt, datant de juillet 1874, pour faire pièce au traditionalisme de l'Académie française. Elle avait mission, à son origine, de décerner un prix d'une valeur de 5 000 F-or au bénéfice de l'auteur du « meilleur volume d'imagination et de prose » paru au cours de l'année, et devait réunir Théodore de Banville, Barbey d'Aurevilly, Philippe de Chennevières, Léon Cladel, Alphonse Daudet, Flaubert, Fromentin, Paul de Saint-Victor, Louis Veuillot, Zola.
A la mort d'E. de Goncourt, en 1896, un certain nombre de ces écrivains avaient disparu, et la famille Goncourt fit un procès. Si bien que la première Académie ne naquit officiellement que le 19 janvier 1902 et se composait ainsi : Joris-Karl Huysmans, Léon Hennique, Octave Mirbeau, Paul Margueritte, Gustave Geffroy, les frères Rosny, Élémir Bourges, Lucien Descaves, Léon Daudet. Au cours des années, l'académie Goncourt a compté comme membres des personnalités aux talents aussi divers que Jules Renard, Courteline, Colette, Sacha Guitry, La Varende, Jean Giono, Pierre Mac Orlan. Actuellement, l'Académie se compose de : D. Boulanger (né en 1928, élu en 1983) ; H. Bazin, président (né en 1911, élu en 1958) ; J. Cayrol (né en 1911, élu en 1973) ; E. Charles-Roux (née en 1920, élue en 1983) ; A. Stil (né en 1921, élu en 1977) ; M. Tournier (né en 1924, élu en 1972) ; F. Mallet-Joris (née en 1931, élue en 1970) ; F. Nourissier, secrétaire général (né en 1927, élu en 1977) ; E. Roblès (né en 1914, élu en 1973) ; R. Sabatier (né en 1923, élu en 1971).
Le prix qu'elle décerne à la fin de chaque année, à l'issue d'un déjeuner au restaurant Drouant, place Gaillon, à Paris, est un moment de la vie littéraire française que met en vedette parfois la vivacité du débat des académiciens. Il est admis que le prix Goncourt a une valeur publicitaire et commerciale importante pour son éditeur, mais le public contemporain et la postérité n'ont pas toujours ratifié les choix des académiciens. Il est arrivé que ceux-ci, de leur côté, couronnent des réputations déjà bien établies. Il reste cependant à l'honneur de l'Académie d'avoir révélé au grand public des œuvres et des auteurs en leur temps injustement méconnus, tels *À l'ombre des jeunes filles en fleurs,* de Marcel Proust, en 1919, *la Condition humaine,* d'André Malraux, en 1933. (Voir PRIX LITTÉRAIRES.)
A la différence de l'Académie française, l'académie Goncourt s'est très tôt ouverte aux femmes ; c'est ainsi qu'elle a compté au nombre de ses membres Judith Gautier, Colette, Françoise Mallet-Joris.

ACHARD Marcel. Sainte-Foy-lès-Lyon 5.7.1899 – Paris 4.9.1974. Dès 1924, il se fait connaître par *Voulez-vous jouer avec moâ ?,* fantaisie poétique à la fois cocasse et émue qui marque le début d'une longue série de pièces diversement réussies, un peu supérieures au théâtre de boulevard, dont elles ont la trame mince et les situations artificielles mais qu'elles dépassent par un art discret qui laisse deviner, derrière l'humour, l'amertume de la vie, derrière des ficelles d'homme de scène, de vrais drames du cœur. Acad. fr. 1959.

Œuvres. *Voulez-vous jouer avec moâ ?,* 1924 (T). – *Jean de la Lune,* 1929 (T). – *Domino,* 1932 (T). – *Noix de coco,* 1936 (T). – *Adam,* 1939 (T). – *Auprès de ma blonde,* 1946 (T). – *Nous irons à Valparaiso,* 1947 (T). – *Le Moulin de la Galette,* 1951 (T). – *Les Compagnons de la Marjolaine,* 1953 (T). – *Patate,* 1954 (T). – *L'Idiote,* 1960 (T). – *La Polka des lampions* (comédie musicale), 1961 (T). – *Turlututu,* 1962 (T). – *Machin-Chouette,* 1964 (T). – *Eugène le mystérieux* (comédie musicale), 1964 (T). – *Gugusse,* 1968 (T). – *La Débauche,* 1973 (T).

Jean de la Lune

D'un côté un garçon, Jef, un peu nigaud d'apparence, mais d'une telle simplicité qu'il en tire une inépuisable confiance en lui-même ; de l'autre, une fille effrontée, sensuelle, ayant le goût de la tromperie et du mensonge, Marceline, assortie d'un frère, Clotaire, dit Clo-Clo, chansonnier bohème doué d'une solide vocation de parasite. Jef aime Marceline et finit par l'épouser. Au long de cinq années, la patience douce et rêveuse de Jef n'a d'égale que la frivolité, pour ne pas dire la cruauté presque perverse de Marceline. Celle-ci finit, malgré les remontrances intéressées de Clo-Clo, par envisager de quitter son époux pour un jeune homme que son caprice l'incite à transformer en amant. Mais elle ne s'est pas rendu compte que, pendant toutes ces années, l'image que Jef s'était fait d'elle devenait progressivement sa vérité, et, au moment de partir, elle s'aperçoit que l'amour de Jef l'a désarmée. Il ne lui reste plus qu'à former avec lui le couple dont il avait rêvé : le rêve de « Jean de la Lune », par sa propre force, est devenu réalité.

Domino

Une jeune femme, Lorette, qui aime son mari, Jacques, et qui en est aimée, a cependant aimé autrefois François, ami de son mari. Elle a conservé une lettre de François, que Jacques découvre ; et c'est alors le déchaînement de la jalousie. Pour tirer Lorette d'affaire, son amie Christiane lui a conseillé d'insérer dans un journal une petite annonce et de choisir par ce moyen quelqu'un qui pourrait prendre la place de François et convaincre le mari, à ses risques et périls (risques qui seront honnêtement rémunérés), que cet amour passé est définitivement mort. Lorette choisit François Dominique, dit Domino, qui accepte de jouer le jeu et qui, peu à peu, s'y laisse prendre ou en tout cas paraît s'y laisser prendre. Mais c'est Lorette surtout qui s'y trouve prise, car la fantaisie et la séduction de Domino lui révèlent la banalité ennuyeuse de la vie qu'elle mène entre son mari et François. Le stratagème imaginé par Christiane a finalement échoué, et la pièce se termine sur la brouille de Jacques et de François, tandis que Lorette, silencieuse, songe à les quitter tous deux.

ACKERMANN Mme Louise, née **Victorine Choquet.** Paris 1813 – Nice 1890. Née de parents d'origine picarde qui se retirent bientôt dans l'Oise, elle a une enfance isolée et sauvage, et vit au milieu des livres, entre un père voltairien et une mère pieuse. De 1829 à 1832, elle suit les cours d'un pensionnat et commence à écrire des vers, confidences d'une âme sensible et secrète *(l'Homme ; Élan mystique).* En 1838, elle séjourne à Berlin pour perfectionner sa connaissance de l'allemand ; elle y retourne trois ans plus tard, après la mort de ses parents. Elle y épouse le philologue théologien Paul A. en 1843. Union heureuse, bientôt brisée par la mort de Paul A. (1846). La jeune femme vivra désormais de ses souvenirs dans une retraite studieuse. Elle se fixe près de Nice, partageant son temps entre l'exploitation d'un domaine et la lecture. Elle compose des *Contes,* gracieux mais sans grande originalité, que suivront des *Contes et Poésies,* empreints d'un sombre pessimisme. La poésie, qu'elle avait abandonnée lors de son mariage, lui inspire d'abord des œuvres traduisant le plus souvent un état d'âme mélancolique ou une force virile, et va lui apporter la consolation et la notoriété. Après les vers de *In memoriam,* elle publie des *Poésies philosophiques,* d'un sentiment âpre et désespéré, exprimant à la fois une révolte contre le destin de l'homme et une acceptation stoïque, pessimiste et athée de la destinée. Douloureuse, mais classique dans ses accents, elle s'appuie sur la lecture de Pascal et de Musset, ses auteurs préférés, ainsi que sur celle de Spinoza, mais également sur celle des philosophes allemands – Schopenhauer en particulier. En 1874, elle publie son recueil *Premières Poésies et Poésies philosophiques.* Rentrée à Paris définitivement à cette date, elle réunira chaque semaine un cercle d'amis dont feront partie des poètes (Sully Prudhomme, Coppée, Lahor, Rollinat) et des femmes de lettres (Mmes d'Agoult, Juliette Adam...).

Œuvres. *L'Homme,* 1830 (P). – *Élan mystique,* 1832 (P). – *Aux femmes,* 1835 (P). – *Renoncement,* 1841 (P). – *In memoriam,* 1850-1852 (P). – *Contes,* 1855. – *Premières Poésies,* 1862. – *Poésies philosophiques,* 1871. – *Premières Poésies et Poésies philosophiques,* 1874 (recueil). – *Pensées d'une solitaire,* 1882. – *Ma vie,* 1885. – *Journal,* posth., 1927. – *Lettres inédites pendant ses séjours en Allemagne et en Angleterre,* posth., 1929.

ACROSTICHE. Forme de poème où les lettres initiales de chaque vers, lues verticalement, forment le nom du sujet. Par exemple :

M on aimée adorée, avant que je m'en aille,
A vant que notre amour, Maria, ne déraille,
R âle et meure, m'amie, une fois, une fois,
I l faut nous promener tous deux seuls dans les bois.
A lors je m'en irai plein de bonheur je crois.

APOLLINAIRE, *Poèmes retrouvés.*

ADAM Mme Edmond, née **Juliette Lamber.** Verberie (Oise) 1836 – Callian (Var) 1936. Fille d'un médecin très attaché aux idées républicaines, elle affiche, dès

1848, des convictions socialisantes en prenant parti pour les ouvriers des Ateliers nationaux, ce qui la fera exclure du pensionnat où elle est élève. A quinze ans, on la marie à un avocat parisien, Me La Messine, un viveur peu délicat qui bientôt la délaisse. Un livre de Proudhon, *De la justice dans la Révolution...*, attaquant avec insolence les femmes, Juliette le réfute dans un plaidoyer pour les femmes, *Idées anti-proudhoniennes,* qui la rend immédiatement célèbre. Elle entre ainsi en rapport avec G. Sand et Mme d'Agoult, toutes deux républicaines, et rencontre, dans le salon de Mme d'Agoult, nombre de personnalités marquantes de l'époque, parmi lesquelles celui qui deviendra, en 1868, son second mari, Edmond Adam, conseiller d'État, d'opinions républicaines et qui est appelé à jouer un rôle important dans le monde politique français. Réfugiée à Chauny dans sa famille, elle écrit trois romans qui paraîtront d'abord dans des revues, *Mon village, le Mandarin,* et les *Récits d'une paysanne,* œuvres marquées par l'influence de G. Sand et témoignant de son intérêt pour le sort des femmes. Malade, elle part pour Cannes, où elle prépare de nouvelles œuvres et fait construire une villa, « Bruyères », où elle recevra plus tard ses amis, entre autres le grand tribun et homme politique Gambetta. Rentrée à Paris, elle accueille républicains, littérateurs et artistes, se passionne pour la politique et s'intéresse à l'actualité artistique et littéraire. En 1870, la proclamation de la République la remplit de joie. Mêlée à la vie de la population parisienne, elle en partage les épreuves pendant le siège de Paris. Elle en fera revivre les heures de souffrance dans son *Journal d'une Parisienne.*

En 1877, après la disparition de son mari, elle fonde, avec l'aide efficace de Girardin, la *Nouvelle Revue* (1879), qu'elle veut d'orientation républicaine et libérale. Elle rédigera elle-même des articles de politique étrangère (sous le pseudonyme de comte Paul Vasili), un roman, *l'Abîme,* et des études remarquables sur la société des principales capitales européennes. Une pléiade de collaborateurs de valeur – écrivains de premier plan et jeunes auteurs – s'associent à son entreprise : Flaubert, qui donne son *Bouvard et Pécuchet* et amènera notamment Maupassant et Tourgueniev, Theuriet, Richepin, Bourget, les Rosny, L. Daudet, P. Margueritte et surtout P. Loti, qui publiera dans la revue toutes ses œuvres. Entre Loti et J.A. naît une amitié profonde dont on trouve l'écho dans les *Lettres de P. Loti à Mme J. Adam, 1880-1922.* J.A. compose encore deux romans, *Païenne,* qui scandalise, et *Chrétienne,* qui marque une évolution vers le catholicisme. Moins imaginative qu'observatrice, elle ne donne cependant que des œuvres estimables et bien faites, dont l'attrait est bien moins vif que celui des *Souvenirs,* mine de précieuses informations sur les débuts de la IIIe République et sur les grandes figures qu'elle a connues, dont elle trace le portrait avec beaucoup de vie. Après 1914, elle vit retirée à Gif, près de Port-Royal-des-Champs, toujours active ; en 1919, un de ses derniers gestes politiques sera de réclamer le droit de vote pour les femmes françaises. Elle mourra presque centenaire, après avoir tenu un rôle d'égérie politique pendant toute une vie riche d'événements, d'amitiés et de lutte courageuse.

Œuvres. *Idées anti-proudhoniennes,* vers 1858 (E). – *Mon village,* 1860 (N). – *Le Mandarin,* 1860 (N). – *Récits d'une paysanne,* 1862 (N). – *Récits du golfe Jouan,* s. d. – *Voyage autour du grand pin,* s. d. – *Journal d'une Parisienne,* 1873. – *L'Abîme,* 1879 (N). – *Païenne,* 1883 (N). – *Souvenirs,* 7 vol, 1902-1910. – *Chrétienne,* 1913 (N).

ADAM Paul. Paris 7.12.1862 – 1.1.1920. Il doit, dès sa jeunesse, vivre de sa plume et hésite alors entre naturalisme et symbolisme : après avoir évoqué la Lorraine boulangiste dans le barrésien *Mystère des foules,* il consacre un cycle de quatre romans, *le Temps et la Vie,* à l'épopée napoléonienne. En 1910, dans *le Trust,* il se livre à une attaque vigoureuse contre l'industrie capitaliste. Écrivain désordonné et assez peu soucieux de perfection formelle, A. laisse une œuvre de valeur incertaine, mais dont l'intérêt principal réside dans sa façon d'aborder l'évolution économique et sociale de son temps.

Œuvres. *Chair molle,* 1885 (N). – *Soi,* 1886 (N). – *Le Thé chez Miranda,* 1887 (N). – *Être,* 1888 (N). – *En décor,* 1890 (N). – *Les Robes rouges,* 1891 (N). – *Le Vice filial,* 1892 (N). – *Le Mystère des foules,* 1895 (N). – *La Force du Mal,* 1896 (N). – *Basile et Sophie,* 1899 (N). – *Le Temps et la vie* (4 romans) : *la Force,* 1899 ; *l'Enfant d'Austerlitz,* 1901 ; *la Ruse,* 1903 ; *Au soleil de juillet,* 1903). – *Irène et les Eunuques,* 1907 (N). – *La Morale des sports,* 1907 (E). – *Le Malaise du monde latin,* 1910 (E). – *Le Trust,* 1910 (N). – *La Ville inconnue,* 1911 (N). – *Stéphanie,* 1913 (N). – *Le Lion d'Arras,* 1919 (N). – *Le Culte d'Icare,* 1923 (N).

ADAM DE LA HALLE, dit aussi **ADAM le Bossu.** Arras v. 1235 – Naples v. 1285.

Ce fils de bourgeois est destiné à la vie monastique. Mais il est « osté de clergie » par un mariage qui met fin à ce projet et, en 1282, il suit le comte d'Artois à la cour de Charles d'Anjou et compose des divertissements pour la cour de Naples. Poète lyrique, A. écrit des pièces amoureuses, destinées – croit-on savoir – à sa femme. Elles prennent forme de rondeaux, de pastourelles, de virelais, de motets. Polyphoniste averti, il en compose lui-même l'accompagnement musical. Mais il est surtout connu pour ses jeux dramatiques, qui sont encore représentés de nos jours : *le Jeu de la feuillée* et *le Jeu de Robin et Marion.* L'œuvre dramatique d'A. est la première manifestation importante d'un théâtre profane et en même temps comique, critique et féerique. A l'exemple de son concitoyen Jean Bodel, A. est encore l'auteur d'un *Congé,* qu'il écrivit lorsqu'il dut quitter sa ville à la suite de conflits municipaux.

Œuvres. *Le Jeu de la feuillée,* 1262 (T). – *Congé,* 1272 (P). – *Le Jeu du Pèlerin,* 1282 (T). – *Le Jeu de Robin et Marion,* 1282 (T). – *Le Roi de Sézile,* 1285 (P). – *Li Rondel Adan* (14 rondeaux, un rondeau-virelai, une ballade), s. d. (P). – *Le Jeu de la feuillée,* éd. établie par E. Langlois, 1923 ; J. Dufournet, 1977. – *Le Jeu de Robin et Marion,* éd. établie par E. Langlois, 1924. – *Congé,* éd. établie par P. Ruelle, 1965.

Le Jeu de la feuillée

Sorte de revue satirique mêlée de féerie. L'action se déroule à Arras à la fin du printemps. Adam, lui-même en scène, se prépare à partir pour Paris, malgré les risques que comporte l'abandon de sa femme, Marie. Nous voyons aussi paraître la Roue de Fortune, qui renverse la situation des notables d'Arras : mais c'est comme le songe d'une nuit de printemps ! Lorsque le jour succède à la nuit, avec lui le réel succède au féerique et la satire au rêve, tandis qu'un moine chargé de reliques est contraint de les laisser en gage à l'aubergiste pour payer les consommations de tous les buveurs ! La pièce doit son titre à ce que sa partie féerique se passe sous la « Loge de feuillage » dressée à l'intention des fées durant la nuit de la Saint-Jean.

Le Jeu de Robin et Marion

Divertissement dramatique inspiré du genre poétique de la pastourelle. Décor champêtre simultané : une prairie d'un côté, des maisons de paysans de l'autre. Action fort simple et statique : la bergère, Marion, est l'enjeu de la rivalité entre Robin et le Chevalier. Mais les personnages deviennent des types (les paysans, le Chevalier) ou des caractères (Marion, fière et spirituelle ; Robin, un peu vantard et néanmoins charmant). Tandis qu'elle garde son troupeau, Marion, promise – et fidèle – au jeune paysan Robin, est l'objet des entreprises galantes d'un chevalier de passage, qui ne peut résister à son charme alors qu'elle chante une chanson d'amour à l'adresse de Robin, où le nom de ce dernier revient comme un refrain. Elle s'amusera à railler le Chevalier tout en l'aiguillonnant, tandis que Robin ira chercher du renfort pour expulser l'intrus. Il se fera cependant rouer de coups, et c'est Marion qui, par sa seule astuce, se débarrassera du Chevalier. La compagnie paysanne se met alors à jouer à différents jeux, et, après un incident vite réglé (un loup a emporté une brebis, que Robin – c'est sa réhabilitation – aura tôt fait de récupérer), la pièce s'achève sur une farandole au son de la musette. Dialogué, dansé et chanté, ce jeu préfigure la comédie-ballet du XVIIe s. et même l'opérette moderne.

ADAM de Saint-Victor. Vers 1112 – 18.7.1192. Entré à la fameuse abbaye de Saint-Victor dans les années 1180, il consacra dès lors sa vie à sa vocation religieuse et à la rédaction de son œuvre, exprimant, poétiquement, les idées du maître des lieux, Hugues de Saint-Victor. Il a laissé un nombre important de *Proses* et de *Séquences* (morceaux chantés à la messe après le « graduel » et l'« alléluia »), où il médite sur les grands mystères chrétiens.

Œuvres. *Œuvres poétiques,* éd. établie par L. Gautier, 1958-1959.

ADAMOV Arthur. Kislovodsk (Russie) 23.8.1908 – Paris 14.3.1970. Issu d'une famille de riches propriétaires du Caucase dépossédés par la révolution russe, le jeune Arthur fera ses études au lycée de Genève, où sa famille s'est réfugiée, puis au lycée de Mayence : existence difficile d'exilés, vendant des bijoux à la sauvette pour subvenir à leurs besoins. L'enfance d'A., perturbée par des migrations constantes, contribuera à faire de lui un angoissé, aux prises avec des obsessions sexuelles et religieuses qu'il traduira dans *l'Aveu,* confession impudique publiée en 1946, qu'il reniera d'abord pour la reprendre ensuite dans *Je et Ils.* Parvenu au bout de lui-même, il lui faut trouver un nouveau moyen pour exprimer ses fantasmes, ses craintes, ses inhibitions. Le théâtre répondra à ce besoin d'incarnation de sa névrose : A. met en scène des personnages dérisoires, sado-masochistes, *séparés* (le mot est de lui : « Je suis séparé »), qui présentent une parenté certaine avec les personnages de Strindberg et surtout de Dostoïevski, dont A. donnera de remarquables traductions. Pour rendre ce *no man's land* poétique, il utilise délibérément le langage des lieux communs. Mais peu à peu, A., se rappelant la leçon des surréalistes, prend conscience de la responsabilité de la société. *Le Ping-Pong* montre que le « monde à machines » encourage et même provoque l'abrutissement de l'homme moderne, son incertitude, ses craintes, sa névrose intérieure. Puis l'influence déterminante de Brecht oriente A. vers le théâtre politique : sans trop compter sur l'efficacité de la fable, A. espère seulement que le public se désolidarise d'un « spectacle négatif » où le lecteur se divertit, pour s'interroger sur les causes profondes du malaise de l'homme dans le monde moderne. Mais subsiste le thème irréductible de la « séparation », qui conduira A. au suicide.

Œuvres. *L'Aveu*, 1946 (N). – *L'Invasion*, 1950 (T). – *La Grande et la Petite Manœuvre*, 1950 (T). – *La Parodie*, 1950 (T). – *Tous contre tous*, 1953 (T). – *Le Professeur Taranne*, 1953 (T). – *Le Sens de la marche*, 1953 (T). – *Comme nous avons été*, 1954 (T). – *Le Ping-Pong*, 1955 (T). – *August Strindberg, dramaturge*, 1955 (E). – *Paolo Paoli*, 1957 (T). – *Printemps 71*, 1961 (T). – *Le Temps vivant*, 1962 (T). – *La Politique des restes*, 1963 (T). – *Ici et maintenant*, 1964 (E). – *Sainte Europe*, 1965 (E). – *M. le Modéré*, 1968 (T). – *L'Homme et l'Enfant* (souvenirs), 1968. – *Off Limits*, 1969 (T). – *Je... Ils...*, 1969 (N). – *Si l'été revenait*, 1969 (T).

La Grande et la Petite Manœuvre

Pièce construite sur l'opposition de deux personnages : le Militant et le Mutilé. Le premier, incarnation de la « petite manœuvre », agit au nom de son idéal révolutionnaire et échouera. Le second, incarnation de la « grande manœuvre », la condition humaine, se mutile lui-même, pour obéir à des ordres mystérieux.

Le professeur Taranne

Née d'un rêve, cette pièce met en scène un professeur accusé d'exhibitionnisme, qui ne cesse de s'accabler lui-même au lieu de se défendre : devant les développements catastrophiques de la situation, il en viendra à perdre le sens de sa propre identité.

Le Ping-Pong

Deux vieillards, Arthur et Victor, sont fascinés par un billard électrique. Ils vont consacrer toutes leurs forces et leur intelligence au service de cet objet dérisoire et mécanique, et, du coup, leur vie est dominée par l'absurdité issue de la disproportion entre leur frénésie et la vaine mesquinerie de leur « idéal ».

ADAPTATION. 1° Opération qui consiste à traduire une œuvre littéraire dans une autre langue en introduisant des éléments nouveaux (principalement textuels) qui, dans le dessein de l'adaptateur, n'ont pour mission que de rendre le texte ainsi obtenu plus fidèle à l'esprit de l'original.
2° Opération qui consiste à recomposer une œuvre dans un mode d'expression différent de celui de l'original : le film *le Rouge et le Noir* de Claude Autant-Lara est une adaptation cinématographique du roman de Stendhal portant ce même titre ; le roman de Dostoïevski *les Possédés* a fait l'objet d'une adaptation théâtrale en français par Albert Camus. En ce sens, l'adaptation est un moyen de diffusion des œuvres littéraires abondamment utilisé par le cinéma et la télévision.

ADENET le Roi. Brabant v. 1240 – v. 1300. Élevé à la cour du duc de Brabant Henri III, il fit de nombreux séjours en France, accompagna en Italie Guy de Dampierre, comte de Flandres, et participa à la croisade de 1270. Il resta auprès de son maître pendant plus de trente ans, le suivant dans ses pérégrinations. A. a remanié d'anciennes chansons de geste en les mettant au goût du jour. Il ajoute à ces rudes récits des épisodes romanesques et introduit une politesse raffinée qui ne va pas sans une certaine préciosité, de sorte que son œuvre représente une sorte de synthèse de la tradition épique et de la tradition romanesque. *Beuves de Commarchis* est un remaniement du *Siège de Barbastre ; les Enfances Ogier*, une reprise de *la Chevalerie Ogier*. On lui attribue sans certitude *Berte au gran pié* (voir cet article). Il a écrit un roman, *Cléomadès* (v. 1275), où il laisse libre cours à son imagination fantastique ; cette œuvre lui fut sans doute inspirée par les légendes hispano-mauresques.

Œuvres. *Œuvres*, éd. établie par A. Henry, 1951.

AICARD Jean-François Victor. Toulon 4.2.1848 – Paris 13.5.1921. Ses études mâconnaises lui firent connaître Lamartine vieillissant et adopter son idéal poétique ; comme dramaturge, il se situe dans la lignée d'Augier. Enfin, ce méridional élébra sa province dans les *Poèmes de Provence* et dans le roman *Maurin des Maures*, son œuvre la plus connue, au ittoresque moins vigoureux mais plus éaliste que le *Tartarin* de Daudet. Avec e dernier et d'autres, A. a contribué avec erveur à l'essor littéraire de sa région. cad. fr. 1909.

Euvres. *Jeunes Croyances*, 1867 (P). – *ygmalion*, 1872 (T). – *Mascarille*, 1873 T). – *La Chanson de l'enfant*, 1875 (P). *Poèmes de Provence*, 1864-1878 (P). – *thello ou le More de Venise*, 1882 (T). *Lamartine*, 1883 (P). – *Le Père Lebonard*, 1889 (T). – *Le Roi de la Camargue*, 890 (N). – *L'Ibis bleu*, 1893 (N). – *Maternité*, 1893 (N). – *Diamant noir*, 1895 N). – *Jésus*, 1896 (P). – *Le Dieu dans 'Homme*, 1896 (P). – *Benjamine*, 1906 N). – *Maurin des Maures*, 1908 (N).

IMERI DE NARBONNE. Chanson e geste en 4 708 décasyllabes, attribuée, ans certitude, à Bertrand de Bar-sur-ube, qui raconte le retour de Charlemagne après le désastre de Roncevaux. rrivé au pied des murs de la ville de Narbonne, Charlemagne veut s'en emparer pour en faire don à un des fidèles ompagnons qui lui restent. Las de la uerre, tous refusent, à l'exception d'Aimeri, qui se propose d'attaquer Narbonne. réussit dans son entreprise. Ensuite, en uête de femme, il s'éprend d'Ermengart, œur du roi des Lombards. Il ira la onquérir jusqu'en Lombardie. Mais, pendant son absence, les Sarrasins ont repris Narbonne. Aimeri la reprend à son tour. t c'est sur l'herbe ensanglantée que sont élébrées les épousailles d'Aimeri et d'Ermengart, qui l'a rejoint. « Sur le pré où ous avez vaincu, vos noces seront elles. »

ette épopée, qui appartient au « Cycle u Roi », a inspiré l'un des plus célèbres oèmes de *la Légende des siècles* de Hugo, Aymerillot ».

IMERIC de Péguilhan. Toulouse fin IIe s. – 1228. Troubadour occitan qui écut dans l'entourage d'Alphonse VIII de astille puis de Pierre III d'Aragon. Il emble que sa carrière se soit achevée en talie. Représentant de la conception la lus aristocratique de la poésie lyrique, A. st considéré par Dante comme un maître.

ÏSSÉ Melle. v. 1695 – Paris 1733. ircassienne d'origine noble, elle est achetée vers l'âge de quatre ans à un marchand 'esclaves, pour la somme de 1 500 livres, ar un grand seigneur débauché, le comte de Ferriol, alors ambassadeur de France à Constantinople, qui la destine à ses plaisirs. Le diplomate la ramène à Paris et lui fait donner une excellente éducation. Le charme et l'esprit de la jeune fille la feront rechercher par la société mondaine et libertine de la Régence et lui valent les succès les plus flatteurs. Elle suscite des passions, fréquente les salons parisiens et est en relation avec nombre de personnalités du monde des lettres et des arts de son époque. Maîtresse du chevalier d'Aydie, qu'elle aime passionnément, elle refuse, par délicatesse, de l'épouser, faute de fortune, et meurt de la tuberculose peu après avoir renoncé à lui. Ses *Lettres à Mme Calandrini*, publiées pour la première fois en 1787 avec des notes de Voltaire, sont écrites avec grâce et naturel, et témoignent de la profondeur des sentiments de la jeune femme envers son amant, en même temps qu'elles contiennent de précieuses indications sur la société du temps.

AJALBERT Jean. Clichy-la-Garenne 1863 – Cahors 1947. Avocat, il lutta pour la révision du procès Dreyfus. Voyageur, chargé de mission au Laos, il sera aussi conservateur du château de Malmaison, puis de la manufacture nationale de Beauvais. Auteur de recueils poétiques, de récits de voyages et de nouvelles, peintre de mœurs dans ses romans, il a trouvé sa meilleure inspiration dans ses romans exotiques. Il se rattache à l'école naturaliste, a adapté, pour le Théâtre-Libre, *la Fille Élisa*, des frères Goncourt, et, en 1917, est devenu membre de l'académie Goncourt, en remplacement d'O. Mirbeau. Il fut également un critique d'art apprécié et l'auteur d'un *Art d'écrire* dont l'influence diffuse, en particulier dans l'enseignement, ne fut pas négligeable.

Œuvres. *Sur le vif*, 1885 (P). – *Paysages de femmes*, 1887 (P). – *Le P'tit*, 1888 (N). – *En amour*, 1890 (N). – *Notes sur Berlin*, 1894 – *L'Auvergne*, 1897. – *Les Deux Justices*, 1898 (N). – *La Forêt Noire*, 1899. – *La Tournée*, 1901 (N). – *Sao-van-Di (mœurs du Laos)*, 1905 (N). – *Raffin-Su-Su*, 1921 (N). – *L'Art d'écrire*, 1923 (E). – *Mémoires en vrac*, 1938.

AJAR Émile. A la mort de Romain Gary, le 2 décembre 1980, on découvrit que ce n'était pas Paul Pavlovitch, son neveu, qui se dissimulait sous le pseudonyme d'Émile Ajar, mais Gary lui-même. La mystification, qui tenait de la supercherie littéraire et du dédoublement de personnalité, défraya la chronique : « C'était une nouvelle naissance, je recommençais.

Tout m'était donné encore une fois. J'avais l'illusion parfaite d'une nouvelle création de moi-même par moi-même. » Telle est la justification laissée par un écrivain qui a cumulé jusqu'à un point rarement atteint les errances de la vie et de l'imaginaire. Quoi qu'il en soit, l'œuvre écrite sous le pseudonyme d'Ajar conserve sa propre autonomie et rend un son bien distinct de celle de Gary. De *Gros Calin* à *l'Angoisse du roi Salomon* en passant par *la Vie devant soi*, pour lequel A. obtint et refusa le Goncourt en 1975, les romans sont de vastes bouffonneries métaphysiques, à l'ironie mordante, d'un style d'une fausse naïveté éblouissante. La critique a d'ailleurs parfois dénoncé la virtuosité par trop fabriquée de ce conteur insolite. C'est autour de la quête de l'identité et du thème du double que s'organise toute son œuvre romanesque. *Pseudo* est à cet égard exemplaire, qui conte la tragédie d'un homme pas vraiment sûr d'exister mais que ses contemporains persistent à croire vivant et célèbre. Qu'il s'agisse de la relation entre un solitaire et un python dans *Gros Calin* ou de l'amour d'un petit émigré pour une très vieille femme dans *la Vie devant soi*, A., en partant d'une réalité sociale qu'il refuse, crée un autre univers dans lequel la logique et le rationalisme traditionnels font place aux travestissements les plus déroutants. (Voir GARY Romain.)

Œuvres. *Gros Calin,* 1974 (N). – *La Vie devant soi,* 1975 (N). – *Pseudo,* 1976 (N). – *L'Angoisse du roi Salomon,* 1979 (N).

ALAIN, Émile Chartier, dit. Mortagne-au-Perche (Orne) 3.3.1868 – Le Vésinet 2.6.1951. Après avoir eu Jules Lagneau comme professeur de philosophie, il entre à l'École normale supérieure en 1889 et mène une carrière de professeur à Rouen, puis, en khâgne (préparation à l'École normale supérieure), à Henri-IV. Dès 1907, son activité journalistique s'exprime abondamment dans les *Propos* qu'il publie dans *la Dépêche de Rouen ;* en 1913-1914, de vives polémiques l'opposent à Bernanos dans ce même journal.

Pur rationaliste, A. se refuse aux effets de style pour adopter une phrase imagée mais sèche, volontiers paradoxale ; auteur de nombreux essais critiques, il cache souvent, sous un bon sens d'apparence bonhomme, une réelle perspicacité et une grande habileté à dégager l'essentiel. Par son refus d'accepter les résumés tout faits, les idées reçues, il a fait valoir pendant de longues années une méthode foncièrement probe d'approche de la vérité. Sa pensée philosophique, dont l'humanisme cartésien s'est exprimé dans *Idées,* nous semble aujourd'hui l'ouvrage d'un bon amateu voire d'un dilettante. Il a porté plus d fruits par son influence pédagogique, qu a marqué nombre de ses élèves avant l Seconde Guerre mondiale. Cet « éveilleu de curiosités » fut un moraliste apprécié son refus socratique de toute méthod desséchante a séduit nombre de lecteu et d'auditeurs, et, même relativemen méconnu aujourd'hui, il demeure l'un de grandes figures intellectuelles de la pre mière moitié du XXe siècle.

Œuvres. *Cent un Propos d'Alain* (5 sé ries, 1908-1928 (E). – *Propos d'Ala* (2 vol.), 1920 (E). – *Système des beau arts,* 1920 (E). – *Mars ou la Guerre jugé* 1921 (E). – *Quatre-Vingts Chapitres su l'esprit et les passions,* 1921 (E). – *Propo sur l'esthétique,* 1923 (E). – *Propos sur christianisme,* 1924 (E). – *Éléments d'un doctrine radicale,* 1925 (E). – *Souveni concernant Jules Lagneau,* 1925. – *L Citoyen contre les pouvoirs,* 1926 (E). *Propos sur le bonheur,* 1928 (E). – *Étud sur Descartes,* 1928 (E). – *Entretiens a bord de la mer,* 1929 (E). – *Propos su l'éducation,* 1932 (E). – *Idées,* 1932 (E – *Propos de littérature,* 1934 (E). – *Le Dieux,* 1934 (E). – *Propos de politiqu* 1934 (E). – *Stendhal,* 1935 (E). – *Propo d'économie,* 1935 (E). – *Histoire de me pensées,* 1936. – *Sentiments, Passions e Signes,* 1936 (E). – *Avec Balzac,* 1937 (E – *Esquisses de l'homme,* 1937 (E). – *Le Saisons de l'esprit,* 1937 (E). – *Propos su la religion,* 1938 (E). – *Préliminaires l'esthétique,* 1939 (E). – *Minerve ou De l sagesse,* 1939 (E). – *Suite à Mars :* I *Convulsion de la force,* 1939 (E) ; II. *Éche de la force,* 1939 (E). – *Vingt Leçons su les beaux-arts,* 1939 (E). – *Vigiles d l'esprit,* 1942 (E). – *Humanités,* 1943 (E – *Lettres à Sergio Solni sur la philosophi de Kant,* 1946. – *Politique,* 1951 (E).

ALAIN de LILLE (Alanus ab insu lis). Lille entre 1115 et 1120 – Cîteau v. 1202. Théologien et professeur, poèt aussi, s'exprimant en latin, il est l'un de grands représentants du premier huma nisme français, celui du XIIe s. Sa théologi s'efforce d'assimiler à la fois le néo platonisme et certains éléments d'aristoté lisme pour pouvoir, dans la pratique fonder rationnellement la réfutation de grandes hérésies contemporaines – l'héré sie cathare, en particulier. Poète, A. es l'auteur d'œuvres symboliques et philoso phiques écrites en hexamètres, et caracté ristiques de la littérature néo-latine d XIIe s. Il fut surnommé le Docteu universel.

Euvres. *Règles ou maximes théologi-'ues. – La Foi catholique contre les érétiques. – Anticlaudien* (P). – *Lamenta-ions de la Nature* (P).

ALAIN-FOURNIER Henri, Alban Four-ier, dit. La Chapelle-d'Angillon (Cher) 0.10.1886 – Les Éparges (Meuse) 2.9.1914. Ayant échoué au concours de 'École normale supérieure (1907), il ommence une carrière de journaliste. Il ublie *le Grand Meaulnes* en 1913 et lisparaît l'année suivante, dans un combat ıon loin de Verdun. Après sa mort, on ublia des fragments d'un second roman, ın recueil d'articles et divers volumes de orrespondance, notamment avec son ami le collège Jacques Rivière (1905-1914, ubl. 1926-1928) : cette dernière publica-ion est la seule qui n'ait pas souffert de 'éclat extraordinaire du seul livre achevé ar l'auteur. L'originalité du *Grand Meaulnes* – que certains jugent mal onstruit – réside dans une atmosphère ınique, faite de la simplicité d'une enfance réservée, mêlée au romanesque le plus lébordant, parfois au lyrisme le plus norbide. A.-F. ne se démode pas, même i, à certains égards, son œuvre « date », ar il a su, dans les plus beaux épisodes le son livre, se placer et placer son lecteur ıors du temps, au cœur d'un univers où 'adolescence se métamorphose en éternité.

Euvres. *Le Grand Meaulnes,* 1913 (N). - *Colombe Blanchet* (inach.), posth., 1922 N). – *Miracles,* 1924 (E). – *Correspon-lance,* 1926-1928.

Le Grand Meaulnes

Le héros central, Augustin Meaulnes, ırrive comme pensionnaire chez un maître l'école solognot, dont le fils, François, est e narrateur du roman. La vie du « grand Meaulnes » (l'adjectif, qui décrit au départ on apparence physique, est peut-être aussi ymbolique de son destin surnaturel) se rouve bouleversée par la « fête étrange » ı laquelle il assiste et même participe, éception costumée dans une vieille pro-riété où il s'est, malgré lui, retrouvé une ıuit, après s'être égaré. Il y rencontre la elle et énigmatique Yvonne de Galais, la 'evoit le lendemain, tombe amoureux l'elle, mais la perd de vue. Lorsque, grâce ı François, il la retrouve et l'épouse, c'est oour partir aussitôt, à la requête de 'inquiétant Frantz, son beau-frère, pour ın voyage d'où il ne reviendra qu'après a mort en couches de sa jeune femme.

ALBÉRÈS René-Marrill. Perpignan 1921 – 1982. Après une carrière universi-aire (il fut élève de l'École normale supérieure), il a publié des ouvrages de littérature comparée et de nombreux essais critiques. Il se fait de la critique littéraire une idée à la fois classique, par la rigueur et la précision de l'analyse, et ouverte sur les recherches modernes : cette tentative synthétique fait de A. l'un des critiques les plus équilibrés et les plus perspicaces de sa génération.

Œuvres. *L'Aventure intellectuelle du XXe siècle,* 1950 (E), rééditions en 1958-1963-1969. – *Les Hommes traqués,* 1955 (N). – *L'Odyssée d'André Gide,* 1955 (E). – *Gérard de Nerval,* 1955 (E). – *Bilan littéraire du XXe siècle,* 1956 (E). – *Argentine,* 1957 (E). – *Unamuno,* 1957 (E). – *Esthétique et Morale chez Jean Giraudoux,* 1957 (E). – *L'Autre Planète,* 1958 (N). – *Stendhal,* 1959 (E). – *Jean-Paul Sartre,* 1960 (E). – *Saint-Exupéry,* 1961 (E). – *Histoire du roman moderne,* 1962 (E), rééditions en 1967-1971. – *La Genèse du « Siegfried » de Giraudoux,* 1963 (E). – *Littérature Horizon 2000,* 1966 (E). – *Métamorphoses du roman,* 1966 (E). – *Manuscrit enterré dans le jardin d'Eden,* 1967 (N). – *Le Roman d'aujourd'hui (1960-1970),* 1970 (E). – *Le Comique et l'Ironie,* 1973 (E). – *Vers l'âge adulte,* 1973 (E). – *Littérature horizon 2000,* 1974 (E).

ALBERT-BIROT Pierre. Angoulême 22.4.1876 – Paris 1967. D'abord sculpteur et peintre, disciple de Gustave Moreau (comme Georges Rouault), A.-B. fréquente le Montparnasse des années 1900. Ayant opté pour la sculpture, il exécute une statue monumentale, *la Veuve,* qui, achetée par l'État, figure au centre du cimetière d'Issy-les-Moulineaux. C'est après la guerre de 1914 que A.-B. se tourne vers la poésie, fonde en 1916 la revue *SIC* (= Sons, Idées, Couleurs), où débutèrent notamment Soupault et Radiguet, et rencontre, la même année, Apollinaire : A.-B. organisera en 1917 la représentation de son « drame surréaliste », *les Mamelles de Tirésias,* représentation qui fut l'occasion d'un scandale mémorable. C'est alors que A.-B. aborde aussi le théâtre, tandis que *SIC* apparaît comme un des signes annonciateurs du surréalisme ; mais A.-B. se tiendra toujours à l'écart du groupe dirigé par Breton. En effet il reste indépendant, curieux d'insolite, curieux surtout de découvertes verbales, comme si le jeu poétique du langage ouvrait spontanément à la fois sur la conquête de soi et sur la possession du monde *(Trente et un poèmes de poche. Poèmes à crier et à danser).* C'est en 1933 qu'à la suite d'une intervention décisive de Jean Paulhan, l'éditeur Denoël publie *Grabinoulor,* dont le livre premier (l'ouvrage complet en comportera six) avait paru dans *SIC* en 1921 ; une réédition améliorée paraîtra chez Gallimard en 1964. *Grabinoulor* est une sorte d'épopée moderne où l'autobiographie imaginaire fait appel, pour élargir son espace et ses horizons, à des « héros » qui sont aussi bien Rabelais que Fantômas, Lewis Carroll et Arsène Lupin. Cette œuvre peut être aujourd'hui considérée comme la source poétique d'une vaste mythologie moderne.

Œuvres. *Manifeste du théâtre nunique,* 1916 (E). – *Trente et un poèmes de poche,* 1917 (P). – *Poèmes à crier et à danser,* 1916-1924 (P). – *Larountala,* 1919 (T). – *L'Homme coupé en morceaux,* 1921 (T). – *Le Bondieu,* 1922 (T). – *La Lune ou le Livre des poèmes,* 1926 (P). – *Grabinoulor* (écrit en 1921), 1933, rééd. 1964 (N). – *Amusements naturels,* 1945 (P). – *Cent dix gouttes de poésie,* 1952 (P). – *Graines,* 1965 (P). – *Poésie 1916-1924,* 1967 (P). – *Théâtre complet* et *Œuvres poétiques,* en cours de publication (1985).

Grabinoulor

Trois livres (ou trois « chants ») écrits en prose, mais une prose qui s'apparente à la poésie moderne par la rhétorique du récit : flot d'aventures mi-réelles, mi-imaginaires qui s'enchaînent selon un rythme dont la continuité est figurée par l'absence de ponctuation. Le héros, Grabinoulor, possède le merveilleux pouvoir de traverser le temps et l'espace en vertu d'une double ubiquité, et d'accomplir ainsi des exploits aussi insolites que surhumains.

ALCOFORADO Mariana. Beja (Portugal) 4.1640 – 22.4.1723. (Voir GUILLERAGUES.)

ALEMBERT, Jean Le Rond, dit **d'.** Paris 16.11.1717 – 29.10.1783. Fils naturel du chevalier des Touches, commissaire d'artillerie, et de Mme de Tencin (dont le salon est fréquenté par Marivaux, Montesquieu, l'abbé Prévost, Duclos, Fontenelle...), il est abandonné dès sa naissance sur les marches de la chapelle Saint-Jean-le-Rond (d'où son nom), à Paris. La femme d'un vitrier, Mme Rousseau, le recueille et lui servira de mère. Grâce aux subsides fournis par son père, absent de Paris au moment de sa naissance, d'A. peut faire d'excellentes études au collège Mazarin. Remarquablement doué, il s'intéresse surtout aux sciences, en particulier aux mathématiques et à la physique, et ses travaux vont lui valoir une rapide renommée tant en France qu'à l'étranger. Nommé membre de l'Académie des sciences en 1746 et de plusieurs académies étrangères, dont la Société royale de Londres et l'Académie de Berlin, il entre en 1754 à l'Académie française et en devient le secrétaire perpétuel en 1772. Il y prononça des *Éloges* unanimement appréciés, en particulier l'*Éloge de Marivaux,* et composa une *Histoire des membres de l'Académie morts de 1700 à 1772.* Jouissant de l'estime et de la considération dues à ses mérites, d'A. est l'hôte apprécié des salons mondains parisiens : ceux de Mme Geoffrin, de Mme du Deffand, enfin de Julie de Lespinasse lorsque celle-ci, chassée par Mme du Deffand, créa son propre cercle philosophique. Il sera pour Mlle de Lespinasse, qu'il aime sans espoir, un ami constant et fidèle jusqu'à sa mort. Dans son salon, véritable « laboratoire de l'*Encyclopédie* », il retrouve la plupart des philosophes et des collaborateurs de l'œuvre collective qu'il a animée pendant plusieurs années aux côtés de Diderot, son ami de jeunesse. C'est lui, en effet, qui s'est chargé de la présentation de l'ouvrage dans son *Discours préliminaire,* texte qui témoigne de la rigueur et de la clarté de son esprit, de sa vaste culture et de son érudition, en même temps que de son talent d'écrivain. Pour l'*Encyclopédie* encore, il a rédigé ou revu les articles scientifiques; il est également l'auteur des articles BEAU, COLLÈGE, CORRUPTION, ÉCOLE (PHILOSOPHIE DE L'), FORTUNE, SITUATION, et surtout GENÈVE (1757). Ce dernier texte, tout en faisant l'éloge de la cité suisse et de ses institutions, déplore l'absence de théâtre et le préjugé des pasteurs contre les comédiens. Il lui vaut de la part de Rousseau la fameuse réponse que constitue la *Lettre à d'Alembert sur les spectacles* (1758). Excédé par les blâmes et par les remous que suscite l'article GENÈVE, par les censures malveillantes et incompétentes, enfin par les incessantes attaques contre l'*Encyclopédie* et ses collaborateurs, accusés de corruption et de perversion, d'A. abandonne finalement une entreprise qu'il croit vouée à l'échec, mais sans cesser d'en soutenir les idées. Frédéric II lui proposera sans succès la présidence de l'Académie royale de Prusse; Catherine II essaiera vainement de l'attirer à sa cour : savant modeste et simple, d'A. préfère se consacrer à ses travaux. En dehors de son œuvre scientifique proprement dite, d'A. s'intéresse à de multiples sujets, qu'il a étudiés dans un certain nombre d'essais divers dont les plus intéressants traitent des problèmes de la musique. Les rééditions successives s'augmenteront, entre 1763 et 1785, de nombreux essais sur l'art de traduire, les principes des connaissances humaines, l'élocution oratoire et le style, l'usage et l'abus de la philosophie en matière de goût, la liberté en musique, la poésie, l'harmonie des langues et la latinité des Modernes. Sa *Correspondance* avec Voltaire (publiée par Condorcet) exprime ses idées philosophiques et religieuses avec beaucoup de netteté et de force.

Œuvres. *Mémoires sur le calcul intégral,* 1739. – *Sur la réfraction des corps solides,* 1741. – *Traité de dynamique,* 1743. – *Traité de l'équilibre et du mouvement des fluides,* 1744. – *Réflexions sur la cause générale des vents,* 1746. – *Recherches sur les cordes vibrantes,* 1747. – *Recherches sur la précession des équinoxes,* 1749. – *Discours préliminaire (Encyclopédie,* tome I), 1751. – *Articles pour l'Encyclopédie,* 1751 à 1759. – *Essai sur la résistance des fluides,* 1752. – *Éléments de musique théorique et pratique, suivant les principes de Rameau,* 1752. – *Essai sur la société des gens de lettres et les grands,* 1753. – *Mélanges de littérature, d'histoire et de philosophie,* 1753 (réédités entre 1763 et 1785). – *Réflexions sur la musique,* 1754. – *Recherches sur différents points importants du système du monde,* 1754. – *Éloge de Monsieur le Président de Montesquieu,* 1757. – *Lettre à J.-J. Rousseau,* 1759. – *Essai sur les éléments de philosophie et sur les principes des connaissances humaines,* 1759. – *Sur la destruction des Jésuites en France,* 1765. – *Éloges historiques des académiciens morts entre 1700 et 1770,* 1772. – *Œuvres et Correspondance inédites,* comprenant, entre autres : *Fragments sur l'opéra* et *Réflexions sur la théorie de la musique,* posth., 1887.

Discours préliminaire de l'Encyclopédie Démonstration, en trois parties, du bien-fondé de la méthode scientifique, dont les créateurs sont Descartes et les philosophes anglais. Seules les sciences exactes peuvent fournir à l'homme une règle rationnelle de vie et de pensée. Faute de cette règle, l'obscurantisme médiéval avait produit une barbarie et un fanatisme indignes de la raison humaine. Il a donc fallu attendre Descartes et Newton pour que la pensée scientifique s'impose et s'épanouisse au XVIIIe s. Dans la troisième et dernière partie, d'A. explique le but que se sont proposé les auteurs de l'*Encyclopédie :* le rassemblement de toutes les manifestations de l'esprit humain dans toutes les disciplines.

ALEXANDRIN. Vers typiquement français, composé de douze syllabes dont la césure se trouve généralement après la sixième syllabe. Tout d'abord vers de l'épopée, l'alexandrin fut mis à l'honneur sous le nom de *vers héroïque* (par opposition au décasyllabe, *vers commun*) par Ronsard, dans des *Hymnes.* Il fut désormais utilisé dès qu'il s'agissait d'exprimer une idée de grandeur. Le classicisme français s'en servit abondamment. Le nom de ce vers se rattache à celui d'Alexandre le Grand, héros du *Roman d'Alexandre* où cette forme de vers est employée pour la première fois.

ALEXIS Paul. Aix-en-Provence 16.6.1847 – Levallois-Perret 28.6.1901. Ayant attiré l'attention de Zola, son ami, par un pastiche de Baudelaire (*Vieilles Plaies,* 1869), ce licencié en droit passa sa vie dans l'ombre du chef des naturalistes, qui le fit entrer dans le groupe de Médan. Son inspiration difficile et son travail lent expliquent une œuvre indécise bien que très vivante. Il fut également journaliste.

Œuvres. *Vieilles Plaies,* 1869 (P). – *Celles qu'on n'épouse pas,* 1879 (T). – *Après la bataille* (dans : *les Soirées de Médan*), 1880 (N). – *Le Journal de M. Mure,* 1880 (N). – *La Fin de Lucie Pellegrin,* 1880 (N). – *Émile Zola, notes d'un ami, avec des vers inédits d'Émile Zola,* 1882. – *Le Collage,* 1882 (N). – *Le Besoin d'aimer,* 1885 (N). – Avec O. Méténier, *Monsieur Betsy,* 1890 (T). – *Madame Meuriot,* 1891 (N). – Avec Giacosa, *La Provinciale,* 1893 (T). – *La Comtesse,* 1897 (N).

ALIBERT François-Paul. Carcassonne 1873 – 1953. Humaniste nourri de latinité, cet ami de Maurras a laissé une œuvre poétique au lyrisme sévère et parfois laborieux dans son mélange valéryen d'abstraction et de sensibilité.

Œuvres. *Le Buisson ardent,* 1912 (P). – *Odes,* 1922 (P). – *Églogues,* 1922 (P). – *Élégies romaines,* 1923 (P). – *Épigrammes,* 1932 (P). – *Nouvelles Épigrammes,* 1937 (P). – *Le Colloque spirituel,* 1948 (P).

ALISCANS (les). Chanson de geste du cycle de Guillaume d'Orange, composée de laisses assonancées. Seconde moitié du XIIe s. Cette chanson rapporte l'épisode central de la vie de Guillaume, la bataille des Aliscans. Elle se divise en deux parties. Dans la première est d'abord développé le récit de cet engagement au cours duquel Guillaume perd son neveu, Vivien, et connaît l'amertume de la défaite. L'auteur nous montre ensuite Guillaume – qu'anime le souci de ne pas faillir aux yeux de son épouse Guibourc – parvenant, grâce à des renforts difficilement obtenus, à renverser la situation et à remporter la victoire; Vivien est vengé. La seconde partie est dominée par la figure de Rainouart, personnage mi-grotesque, mi-héroïque, qui se fait remarquer par une force surhumaine. L'antinomie entre les deux parties ne doit pas surprendre, *les Aliscans* donnant en effet une somme assez représentative de la grandeur et de la bouffonnerie simultanées qui caractérisent la littérature du Moyen Âge. Dans son *Paradis,* Dante place Rainouart aux côtés de Guillaume. Ce même thème se trouve traité dans la *Chanson de Guillaume.*

ALLAIN Marcel. (Voir SOUVESTRE Pierre.)

ALLAIS Alphonse. Honfleur 1855 – Paris 28.10.1905. Après un stage en pharmacie et des études sur la photo en couleurs avec Ch. Cros, A. fonde au quartier Latin le cabaret du *Chat-Noir,* où il se produit lui-même; en même temps, il écrit, pour le *Gil Blas* et le *Journal,* des chroniques intitulées *la Vie drôle.* Chaque année il réunit sa production en volume. Son comique a pour principal ressort le contraste entre le sérieux de l'expression et le burlesque ou l'absurde de l'exprimé. Son œuvre, inégale du fait de son abondance, reste parmi les meilleures du genre et comme le modèle d'un style.

Œuvres. *À se tordre,* 1891 (N). – *Vive la vie !,* 1893 (N). – *Pas de bile,* 1893 (N). – *Le Parapluie de l'escouade,* 1894 (N). – *Deux et deux font cinq,* 1895 (N). – *On n'est pas des bœufs,* 1896 (N). – *Album primoavrilesque,* 1897 (N). – *Amours, délices et orgues,* 1898 (N). – *L'Affaire Blaireau,* 1899 (N). – *Pour cause de fin de bail,* 1899 (N). – *Ne nous frappons pas,* 1900 (N). – *Captain Cap,* 1902 (N).

ALLÉGORIE [grec : *allos* = autre; *agoreuein* = parler. Littéralement : parler en d'autres termes]. Procédé littéraire, surtout poétique, qui consiste à exprimer un *sens* en l'incarnant dans une *figure.* Dans sa forme la plus traditionnelle, pratiquée avec prédilection par la poésie médiévale, des troubadours au *Roman de la rose,* la figure allégorique transforme en personnage une idée ou une qualité; ainsi en est-il du pseudonyme par lequel les troubadours désignaient leur dame (ex. : *Bel Vezer* = Beau Visage) et des figures qui peuplent l'univers de Guillaume de Lorris (*Bel-Accueil, Danger,* etc.). À l'époque classique, la figure allégorique est souvent empruntée à la mythologie et coïncide avec le symbolisme de tel ou tel personnage divin (Jupiter, Neptune); mais il arrivait que la mythologie elle-même utilisât des figures allégoriques selon le sens précédent (ex. : la Discorde). À l'époque moderne, à partir de Baudelaire (cf. *les Fleurs du mal,* « le Cygne » : « [...], tout pour moi devient allégorie »), le symbolisme a tenté de renouveler l'allégorie tout en lui conservant son caractère « figuratif » : il s'agit alors de la figure concrète où s'incarne et se développe une obsession, un symbole ou un mythe (« le Bateau ivre », de Rimbaud, « l'Azur », de Mallarmé).

AMIEL Denys. Villegailhenc (Aude) 5.10.1884 – Nice 10.2.1977. Secrétaire du dramaturge Henry Bataille, sur qui il publie une étude (1909), il va devenir lui-même un auteur dramatique apprécié du public, pratiquant avec talent la comédie de boulevard, mais en lui ajoutant une nuance de théâtre intimiste : ses personnages dissimulent, sous un bavardage artificiel, leurs sentiments profonds. Sa première comédie, *Près de lui* (1911), est créée par Antoine, à l'Odéon. Plusieurs de ses pièces seront jouées à la Comédie-Française, cependant que le théâtre Saint-Georges représentera celles qu'il compose entre 1932 et 1939 : il s'intéresse particulièrement à la psychologie féminine et aussi, entre autres, au problème du couple. *La Souriante Madame Beudet* (1921), tragi-comédie et peinture des mœurs bourgeoises écrite en collaboration avec A. Obey, reste sa pièce la plus célèbre.

Œuvres. *La Souriante Madame Beudet,* 1921 (T). – *Le Voyageur,* 1923 (T). – *Le Couple,* 1923 (T). – *Monsieur et Madame Un Tel,* 1925 (T). – *Décalage,* 1931 (T). – *Trois et une,* 1932 (T). – *L'Homme,* 1934 (T). – *La Femme en fleur,* 1935 (T). – *Ma liberté,* 1936 (T). – *Famille,* 1937 (T). – *La Maison Monestier,* 1939 (T). – *Le Nouvel Amour,* 1946 (T). – *La Dormeuse éveillée,* 1949 (T). – *Les Naufragés,* 1956 (T).

AMIEL Henri Frédéric. Genève 27.9.1821 – 11.5.1881. Écrivain suisse d'expression française. Sa famille, originaire de Castres (Tarn), s'était établie à Genève, où il est né. Aîné de trois enfants il n'a que treize ans lorsque son père se suicide après la mort de sa mère. Il fait ses études à Genève, voyage en France et en Italie, puis s'inscrit en 1844 à l'université de Berlin, où il étudiera, jusqu'en 1848 la philosophie, la théologie, l'esthétique l'histoire, la psychologie et la philologie En 1849, il est nommé sur concours professeur d'esthétique à l'académie (la future université) de Genève. À partir de 1854, il y enseigne la philosophie et remplira également diverses autres fonc tions universitaires. Mal à l'aise dans son métier d'enseignant, il en diagnostique lui-même les raisons dans son *Journal* : « manque d'aisance, de grâce, de mesure, de prudence d'esprit... »; il lui arrive même d'oublier ses cours ! De tempérament timide et velléitaire, il souffre de l'incompréhension de son entourage, n'entretient que des rapports formels avec ses collègues, vit plutôt à l'écart de toute société. Il plaît certes aux femmes, lesquelles constituent la majorité de son auditoire, mais il restera célibataire. De langue française, il est d'autre part imprégné de culture et de philosophie germaniques, et se passionne pour la pensée de Schelling et de Hegel, qui l'influencent profondément : à cet égard, il est un exemple remarquable d'interpénétration des deux cultures. Ses activités littéraires publiques sont restreintes : des recueils poétiques (assez légitimement oubliés), des traductions de l'anglais et de l'allemand, quelques essais critiques. Mais l'œuvre qui va retenir, en fait, l'attention de la postérité, c'est le *Journal intime* qu'il tient de 1847 à sa mort, et qui comporte 16 867 pages manuscrites. S'enfermant dans son narcissisme, A. se regarde vivre, essaie de se connaître et de se comprendre, s'efforce, comme il dit, d'analyser « impersonnellement » sa subjectivité : il se critique avec une pénétrante intelligence et se livre à une véritable introspection analytique : « Je suis une réflexion qui se réfléchit, comme deux glaces en face l'une de l'autre », écrit-il. Auprès de ce qui relève d'un simple aide-mémoire personnel, familial et professionnel, le *Journal* contient des vues perspicaces et originales sur la philosophie et sur la musique, mais surtout *reflète* en effet fidèlement la nature mélancolique de son auteur, ses angoisses, ses doutes et ses scrupules : « Le tourbillon m'entraîne, j'ai fort à faire à me cramponner soit à la réalité, soit à mon individualité, qui s'évanouissent dans le tumulte de la vie universelle et m'échappent à moi-même. L'immense variété des choses, des activités, m'étourdit parfois jusqu'à l'ivresse et au vertige. Tout me tente, m'attire, me polarise, me métamorphose et m'aliène momentanément de ma personnalité, qui, volatilisée, expansive et centrifuge comme l'éther, tend toujours à se perdre dans l'espace sans bornes ou, inversement, à se condenser dans un point insignifiant de sa propre étendue. » Une progressive aboulie s'empare de lui, qu'il essaie vainement de combattre (c'est, curieusement, au cours de l'une de ses fugaces tentatives pour se ressaisir qu'il compose, en 1857, ce qui est devenu l'hymne national de la Suisse romande, *Roulez, tambours !*). Toute sa force créatrice se trouve absorbée par l'observation du moi. Les problèmes de l'amour et de la sexualité hantent aussi A., tout au long de sa vie, et là encore, il n'arrive pas à les surmonter malgré une attirance naturelle vers les femmes (*Délibérations sur les femmes*) : « J'ai la pudibonderie du bonheur et l'impuissance par excès de respect... La continence en tout genre est devenue ma fatalité. En me liant par l'habitude et par les antécédents, en devenant de vertu volontaire défiance instinctive, elle a fait de moi presque un eunuque de vocation, un être sans sexe, vague et timoré. » Même irrésolution quant aux croyances : A. balance entre des systèmes différents, sans chercher à les dominer. Cette perpétuelle méditation de l'écrivain sur lui-même, riche d'enseignement, A. semble en avoir pressenti l'intérêt vers la fin de sa vie, lorsqu'il exprima le vœu de voir tirer le meilleur de son *Journal* pour en préparer une publication posthume.

Œuvres. *Les Grains de mil*, 1854 (P). – *Il Penseroso*, 1858 (P). – *La Part du rêve*, 1863 (P). – *Jour à jour*, 1880 (P). – *Journal intime*, 1847-1881. – Éd. du *Journal intime* établies par E. Schérer, 1883; B. Bouvier, 1927; L. Bopp, 1948 ; B. Gagnebin, G. Poulet, 1966. Depuis 1976, une éd. intégrale est en cours sous la direction de B. Gagnebin et Ph. M. Monnier.

AMROUCHE Jean El Mouhov. Ighil Ali (Algérie) 1906 – Paris 1962. Écrivain franco-algérien. De souche kabyle, il sera élevé dans la religion catholique. Sa mère, Fathma Aït Mansour, décrira dans *Histoire de ma vie* l'existence de la famille catholique insérée dans le milieu musulman. C'est en Tunisie, où ses parents ont émigré, qu'il fait chez les Pères blancs ses premières études. Il sera ensuite élève à l'École normale supérieure de Saint-Cloud, puis retournera en Tunisie enseigner la littérature française. Il débute dans les lettres en écrivant poèmes, essais et chroniques pour des revues (principalement pour les *Cahiers de Barbarie*). Deux recueils poétiques, *Cendres* et *Étoile secrète*, révèlent les aspiration spirituelles d'une âme mystique et seront suivis d'une traduction des *Chants berbères de Kabylie*, où A. réussit admirablement à mettre en valeur les richesses poétiques et spirituelles des traditions orales de son pays natal. En 1943, A. entre au ministère de l'Information à Alger; en 1944, il passe à la Radiodiffusion française. Il fonde à Alger la revue *l'Arche*. Ses remarquables entretiens radiophoniques avec Claudel, Gide et Mauriac assurent sa notoriété de critique littéraire à la radio. Artisan sincère d'un dialogue franco-algérien, il agit dans le sens de la modération, mais sera déçu par l'incompréhension, l'intransigeance et les atermoiements des milieux officiels français, qui rendent chaque jour plus intolérable le joug de la puissance coloniale à un peuple évoluant rapidement sous la pression des événements. A. se découvre irréductiblement algérien. Déjà en 1946, cherchant à définir le tempérament maghrébin, il a intitulé son essai sur le génie africain : *l'Éternel Jugurtha,* en référence à l'ennemi des Romains, figure de la révolte et de la résistance. En 1958, il prend parti avec éclat, mais non sans un déchirement profond, pour l'insurrection algérienne, par des conférences et de nombreux articles publiés dans la presse. Ses derniers poèmes – des « chants de guerre » – dénoncent le mirage d'une « intégration » impossible qui l'a exilé de sa seule patrie, l'Algérie. Il a laissé un *Journal* dont la publication apportera sans doute des indications précieuses pour la connaissance de l'homme et du poète.

Œuvres. *Cendres,* 1934 (P). – *Étoile secrète,* 1937 (P). – *Chants berbères de Kabylie* (trad.), 1939 (P). – *L'Éternel Jugurtha,* 1946 (E). – *Esprit et Parole,* posth., 1963 (P). – *Journal,* posth., à paraître.

AMROUCHE Marguerite-Taos. Tunis 4.3.1913 – Paris 2.4.1975. Écrivain kabyle d'expression française. Sœur de l'écrivain Jean Amrouche (voir ce nom), M.-T. A. est l'une des rares femmes maghrébines romancières d'expression française. Elle appartient par son père à une vieille et turbulente famille kabyle mais reçoit une instruction française et une éducation religieuse catholique. Très rapidement, elle prend conscience de sa double appartenance et du rôle de médiatrice qu'elle sera amenée à jouer. La volonté de sauver de l'oubli la tradition musicale et poétique des Berbères de Kabylie s'impose à elle comme une nécessité. *Le Grain magique* est un recueil composite qui présente un large éventail de poèmes, histoires et proverbes rassemblés par ses soins. Il révèle ces « chants magiques » kabyles non seulement à la France et à l'Occident mais surtout aux autochtones d'Afrique. Incapable de choisir définitivement entre la France et la Tunisie, M.-T. A. effectue jusqu'à la guerre d'incessants aller-retour entre Paris et Tunis puis se fixe deux ans à Manosque chez Jean Giono en compagnie de son mari et de sa fille. En 1949 elle collabore à Paris à de nombreuses émissions radiophoniques, donne des concerts et enregistre en 1966 son premier disque qui obtint à l'unanimité le grand prix d'ethnologie musicale de l'Académie du disque français. Tout comme ses chants, ses romans traduisent la blessure du déracinement et le sentiment d'un irrémédiable exil. C'est le drame d'Améno, l'héroïne de *l'Amant imaginaire,* tiraillée entre l'Occident qui la repousse et l'Orient auquel elle regrette amèrement d'avoir tourné le dos. C'est pourquoi M.-T. A., refusant un tel destin, recueille à la source la tradition la plus rare et la plus fragile d'une culture orale, comme un antidote au poison de l'oubli.

Œuvres. *Jacinthe noire,* 1947 (N). – *Rue des Tambourins,* 1960 (N). – *Le Grain magique,* 1966 (P). – *L'Amant imaginaire,* 1975 (N). – *Solitude, ma mère,* 1976 (N).

Disques. *Florilège de chants berbères de Kabylie,* 1966. – *Chants de processions, méditations, danses sacrées berbères,* 1968. – *Chants de l'Atlas, tradition millénaire des Berbères d'Algérie,* 1971.

AMYOT Jacques. Melun 29.10.1513 – Auxerre 7.2.1593. D'une famille d'artisans modestes, A. put, grâce à une bourse, faire ses études au collège du Cardinal-Lemoine, à Paris. Maître ès-arts (1532), il enseigna, dix années durant, comme lecteur de grec à Bourges, et affirme « avoir pris un fort grand plaisir à faire cet exercice » (de 1536 à 1546). François Ier, intéressé par ses travaux de traduction, et pour l'encourager à poursuivre celle de Plutarque qu'il avait commencée, lui accorde, en 1547, le bénéfice de l'abbaye de Bellozane. Pendant près de cinq ans, A. voyage en Italie, essentiellement pour consulter les manuscrits de la bibliothèque Vaticane. En 1551, il se verra confier par le cardinal de Tournon une mission auprès du concile de Trente. Rentré en France, A. est chargé de l'éducation des futurs Charles IX et Henri III (1557). En récompense de ses bons services, il est nommé grand aumônier de France en 1570, et consacre alors la majeure partie de son temps à l'étude et à l'organisation de son diocèse. Pacifiste, il est accusé de trahison à la suite de l'assassinat du duc de Guise (1588) : les ligueurs le soupçonnent d'avoir approuvé cette action. Menacé, il quitte Auxerre (1589) et rentre dans son domaine, réhabilité, sans que toutefois, jusqu'à sa mort (1593), la méfiance à son sujet ait été dissipée.
A. offre cette particularité d'avoir produit une œuvre originale avec les traductions qu'il fit d'Héliodore, de Sophocle, d'Euripide, de Longus et de Diodore de Sicile.

Il a donné à des générations une traduction exhaustive des *Vies des hommes illustres* de Plutarque et des *Œuvres morales* du même auteur. « Nous autres, ignorants, étions perdus, si ce livre ne nous eût relevés du bourbier : grâce à lui, nous osons à cette heure et parler et écrire », a pu dire Montaigne à propos des *Vies des hommes illustres.* A. eut l'originalité, en ce siècle de savoir et d'érudition, de mettre à la portée de tous une œuvre parfois obscure qu'il sut élaguer et rendre cohérente sans en changer la signification profonde. Il s'est efforcé de mettre en valeur la suite des idées et de « franciser » ce qui pouvait paraître étranger au public français (c'est ainsi qu'il attribue aux stratèges grecs les grades de l'armée d'Henri II). Avant tout, il démontrait que la langue française était tout aussi capable que les langues anciennes d'exprimer les multiples détours de la pensée. Il cherchait à la rendre plus claire, à lui donner plus d'aisance, et les éditions successives révèlent le considérable travail d'épuration et de précision qu'A. fit sur la langue française, au point qu'il donne souvent l'impression de réinventer un Plutarque français et moderne tout en conservant l'authenticité antique et grecque. D'autre part, en un temps de troubles, la diffusion des *Œuvres morales* de Plutarque proposait un idéal de tempérance favorable au rétablissement de la paix. Et Montaigne pourra dire de cette œuvre magistrale : « C'est notre bréviaire. »

Œuvres. Traductions du grec : d'Héliodore, *l'Histoire éthiopique d'Heliodorus contenant dix livres traitant des loyales et pudiques amours de Theagenes thessalien et Chariclea éthiopienne,* 1547 ; – de Diodore de Sicile, *les Sept Livres des Histoires,* 1554 ; – de Longus, *les Amours pastorales de Daphnis et de Chloé,* 1559 ; – de Plutarque, *Vies des hommes illustres grecs et romains comparées l'une avec l'autre par Plutarque de Chéronée,* 1559 ; rééditions revues et corrigées, 1565, 1567, etc. ; *Œuvres morales et œuvres meslées de Plutarque,* 1572. – *Vies des hommes illustres,* éd. établie par G. Walter, 1959.

ANACRÉONTIQUE (poésie). Le modèle en est l'œuvre du poète grec Anacréon (VIe s. av. J.-C.), que caractérise un lyrisme amoureux surtout orienté vers le raffinement de l'expression. La tradition anacréontique, après avoir inspiré la poésie alexandrine *(Anthologie grecque),* influencera des poètes latins comme Catulle et Horace, et, à travers eux, la poésie italienne de l'âge humaniste. L'anacréontisme devient alors une véritable manière poétique, qui se diffuse largement en Europe et particulièrement en France, à la suite de la traduction des *Odes* d'Anacréon par H. Estienne (1554) : telle est, par exemple, la manière de Ronsard dans ses œuvres légères, le *Bocage* ou les *Mélanges.* Après avoir inspiré certains aspects de la poésie précieuse et mondaine du XVIIe s., l'anacréontisme français connaît son âge d'or avec les poètes érotiques du XVIIIe s., entre autres Parny ou Bertin, et atteint son agogée dans les *Bucoliques* d'André Chénier. Mais il ne tarde pas à apparaître, dès le début du XIXe s. comme une manière anachronique et désuète, et ne connaîtra plus qu'une résurrection éphémère, dans le cadre du mouvement de renaissance néo-hellénique auquel Baudelaire a donné le nom d'*école païenne,* avec les neuf *Odes anacréontiques* que Leconte de Lisle écrit en 1855 et qu'il joindra à son recueil des *Poèmes antiques.* Peut-être trouve-t-on encore des traces sensibles d'anacréontisme au début du XXe s. dans l'œuvre d'un écrivain comme Pierre Louÿs.

ANCELOT Arsène-Jacques-François-Polycarpe. Le Havre 9.2.1794 – Paris 7.9.1854. En opposant sa tragédie néo-classique et monarchiste *Louis IX* aux *Vêpres siciliennes* de Delavigne, les ultras lui ménagent l'appui de Louis XVIII dès 1819 et font de lui le symbole littéraire de leurs idées politiques. En 1830, A. perd et l'appui royal et sa situation dans l'administration de la Marine. Dès lors, il se consacre au vaudeville alimentaire et au journalisme, et cesse d'appartenir à la littérature. Acad. fr. 1841.

Œuvres. *Louis IX,* 1819 (T). – *Fiesque d'après Schiller,* 1824 (T). – *L'Homme du monde,* 1826 (N), 1827 (T).

ANCIENS ET DES MODERNES (Querelle des). Célèbre différend littéraire qui a opposé, dans la seconde moitié du XVIIe et au début du XVIIIe s., partisans des Anciens et des Modernes. Les premiers, qui ont pour « dieux du Parnasse » Homère et Virgile, cherchent dans l'imitation des Anciens, soumise aux principes de la raison et du naturel, des règles d'art guidant les écrivains et permettant aux critiques de juger sainement leurs contemporains. Ils comptent parmi eux les plus grands écrivains du XVIIe s., dont les chefs-d'œuvre sont des modèles d'art classique : La Fontaine – qui, dans son *Épître à Huet* (1687), formule les idées essentielles des grands classiques ; Racine ; Molière ; La Bruyère – qui raillera les Modernes en défendant les Anciens dans son *Discours sur Théophraste* ; Boileau – qui se fait le champion des Anciens dans ses *Réflexions sur Longin* (1694). Les Modernes revendiquent la liberté d'inspiration, la nécessité de s'affranchir de l'autorité stérile et discutable des Anciens, proclament la prééminence de la raison, dont les conquêtes successives justifient la croyance dans le progrès des arts comme dans celui des sciences, et voient dans l'enrichissement des préceptes par l'expérience des siècles un facteur de la supériorité des Modernes sur les Anciens. En 1635, déjà, Boisrobert a trouvé les Anciens « sans goût et sans délicatesse », mais c'est Desmarets de Saint-Sorlin qui déclencha la première querelle en affirmant la supériorité du merveilleux chrétien sur le merveilleux païen (préface de *Clovis,* 1657; *Délices de l'esprit,* 1658 ; et surtout *Défense du poème héroïque,* 1674). À propos d'inscriptions à porter sur les monuments ou les tableaux (en partie à Versailles), on débattra de la supériorité du français sur le latin, comme le marque en particulier l'écrit de l'académicien érudit François Charpentier, *De l'excellence de la langue française* (1683). L'intervention de Saint-Évremond en 1685 (*Sur les poèmes anciens*) montre que la thèse des Modernes n'est pas sans rapport avec la contestation critique par laquelle s'exprime l'esprit libertin, et avec les développements de l'esprit mondain dans son opposition à l'esprit classique. Ce sont en effet des mondains qui déclencheront la grande querelle : Charles Perrault, en particulier, lorsqu'il lira à l'Académie, en janvier 1687, son *Siècle de Louis le Grand,* qui provoquera la réaction immédiate de La Fontaine ; Perrault, qui fera peu après appel, dans ses *Parallèles,* à l'opinion des femmes pour décider de la question ; c'est un mondain libertin, Fontenelle (fustigé par La Bruyère dans son portrait de Cydias comme un « bel esprit » professionnel), qui envenimera la querelle avec sa *Digression sur les Anciens et les Modernes* (1688), où se trouve portée au premier plan l'idéologie du Progrès, déjà présente, certes, mais plus discrètement, chez Perrault. Bien que la querelle semble s'apaiser vers la fin du siècle lorsque l'intervention du Grand Arnauld opère la réconciliation personnelle de Boileau et de Perrault, elle rebondit plus tard à propos d'Homère entre Mme Dacier, traductrice de *l'Iliade* (1699), et Houdar de La Motte, qui adapte Homère selon le goût moderne : l'une proteste dans ses *Causes de la corruption du goût* (1714) ; l'autre persévère dans ses *Réflexions sur la critique* (1715). La querelle ne sera que superficiellement réglée, dans son aspect purement littéraire, par Fénelon, qui, dans sa *Lettre à l'Académie,* tente une synthèse, d'ailleurs habile, entre les deux thèses. Mais, plus profondément, la querelle, derrière ses apparences littéraires, mettait en question un principe essentiel de l'idéologie classique (autorité et tradition) et préparait le mouvement philosophique du XVIIIe s.

Parallèle des Anciens et des Modernes
Perrault y rassemble ses arguments en faveur des Modernes, sous la forme de dialogues au cours desquels s'affrontent d'une part un abbé et un chevalier, porte-parole des Modernes, et d'autre part un président de cour, champion des Anciens. L'auteur tente de montrer, à travers ces dialogues, que les artistes modernes doivent se dégager, comme les hommes de science, de l'autorité des Anciens et se conformer ainsi à la loi du progrès. En vertu de ce déterminisme du progrès de l'esprit, P. affirme même que tous les Modernes sont supérieurs aux Anciens et que, par conséquent, le siècle de Louis XIV est un « sommet de perfection ».

Digression sur les Anciens et les Modernes
Fontenelle élabore en philosophe la thèse rationaliste du progrès et met au service de la défense des Modernes tout le brio de son esprit. Il part du principe que, la nature humaine étant constante à travers le temps, il doit y avoir dans l'âge présent autant de génies – autant d'Homères et de Platons – que dans l'Antiquité. Il s'ensuit que les auteurs modernes ont sur les Anciens un avantage évident : ils bénéficient de tout l'acquis des Anciens ; leurs œuvres sont donc nécessairement supérieures à celles des Anciens, puisque le génie est constant et que la « science » ne cesse de croître au cours des temps.

ANDELY Henri d'. Deuxième quart du XIIIe s. Sans doute d'origine normande, il semble qu'il ait écrit pour les milieux universitaires parisiens après 1220. Son œuvre majeure est sans contredit *le Lai d'Aristote,* fabliau de 580 vers octosyllabiques. Le thème en est d'origine orientale : Aristote, maître d'Alexandre, reproche vivement à son élève de délaisser les besognes politiques pour les joies de l'amour. Alexandre décide de changer de conduite. Mais la dame intéressée, avertie de la cause soudaine de l'indifférence de son amant, décide de faire comprendre au philosophe les secrets du cœur humain. Elle exerce sur lui une séduction qui est un franc succès. Pour plaire à sa nouvelle dame, le vénérable philosophe consent à lui servir de monture ! Alexandre s'amuse beaucoup de cet incident, et Aristote, en philosophe, répond : « Sire, voyez si j'avais raison de craindre l'amour pour vous qui êtes dans l'ardeur de la jeunesse, puisqu'il a pu me réduire aussi, moi qui suis plein de vieillesse... »

Œuvres. *La Bataille des vins,* vers 1223 (P). – *Le Dit du chancelier Philippe,* 1236 (P). – *La Bataille des sept arts,* s. d. (P). – *Le Lai d'Aristote,* s. d. (P).

ANDRÉ LE CHAPELAIN. XIIe s. On suppose qu'il vécut à la cour de Marie de Champagne, la protectrice et l'inspiratrice de Chrétien de Troyes. Il est l'auteur d'un *De arte honesti amandi* (1185), sorte de codification de l'amour courtois. A. s'y inspire tout à la fois d'Ovide et des troubadours. Ce traité est suivi de *De reprobatione amoris,* qui dénonce, cette fois, l'amour, considéré comme source de l'adultère. Coupable de désirs charnels *(mixtus),* l'amour se doit d'être régularisé. Aimer devient véritablement un art, qui n'est plus improvisé par la personnalité du poète mais dicté par un code permettant de contrôler la lyrique amoureuse, de condamner ses excès. Ces deux ouvrages seront traduits au XIIIe s. par Drouart la Vache.

ANNALES. Simple enregistrement chronologique des faits et événements historiques rédigé année par année. À l'origine, à Rome par exemple, les annales constituaient les archives officielles de l'État. Elles représentent la forme primitive de l'histoire écrite et sont la source et l'origine du genre plus littéraire que constituera, au Moyen Âge, la chronique. Mais déjà dans l'Antiquité, Tacite avait intitulé *Annales* le récit des événements antérieurs à son temps.

ANNALISTE. Nom donné aux rédacteurs d'annales. En un sens plus large, le terme peut distinguer aussi l'auteur d'un récit historique à structure purement chronologique.

ANONYME [grec *anônumos : an* privatif, *onoma* = nom]. Écrit appartenant généralement à des périodes anciennes, et dont l'auteur est inconnu. Souvent l'anonymat d'un texte est dû non au manque de documents de référence, mais au fait que l'auteur n'a pas cru utile d'apposer sa signature au bas de son œuvre. Les auteurs des chansons de geste, par exemple, se contentaient de les chanter en public sans souci d'appropriation personnelle. Chrétien de Troyes peut être considéré comme un des premiers écrivains européens conscients de leur fonction. À l'époque moderne, on trouve encore des « anonymes » : l'auteur préfère taire son nom soit par discrétion – mais cela est assez rare –, soit – cas le plus fréquent – par précaution, pour éviter la censure politique ou morale (*cf.* la *Satire Ménippée* et les *Cent Nouvelles nouvelles*). Les exégètes se donnent pour tâche de restituer les œuvres à leurs auteurs, sans que cette entreprise puisse toujours être couronnée de succès.

ANOUILH Jean. Bordeaux 23.6.1910. Secrétaire de Louis Jouvet en 1928, il assiste comme à une révélation à la création par ce dernier du *Siegfried* de Giraudoux. Il décide dès lors de ne vivre que du théâtre, et il tient encore aujourd'hui cette gageure avec brio. Sa vie se confond avec une longue liste de titres, qu'A. lui-même divise en pièces roses, noires, brillantes, grinçantes, costumées, etc. selon un choix parfois arbitraire. Les premières pièces, bien accueillies, furent *l'Hermine ; le Voyageur sans bagage ; la Sauvage ;* la carrière d'Anouilh atteint un premier sommet avec *Antigone,* qui modernise avec bonheur un thème éternel. Après la guerre, à raison d'au moins une pièce chaque année, A. semble s'orienter vers une veine plus autobiographique et peut-être aussi plus stérile. Considéré à l'étranger comme le premier auteur dramatique français de son temps, il lui a fallu attendre 1971 pour voir une de ses pièces jouée par la Comédie-Française (encore s'agissait-il d'une reprise, celle de *Becket*). Son œuvre revient sur plusieurs thèmes bien personnels : l'impossible pureté, le désir absolu, le poids du passé, l'échec du couple, etc. L'ensemble du théâtre d'A., presque aussi grinçant dans les pièces « roses » que dans les autres, dessine la silhouette d'un des auteurs les plus amèrement pessimistes de notre temps. C'est que sa vision du monde est fondamentalement tragique, et que, selon lui, toute acceptation de la vie conduit inéluctablement à l'avilissement. Quelle que soit la couleur ou la tonalité qui leur est attribuée, c'est, dans toutes ces pièces, la même humanité, les mêmes personnages que guette impitoyablement la souillure ou la corruption, ou qui, en cas de révolte ou de refus, rencontrent l'échec et souvent l'humiliation : il n'y a pas de « juste-milieu ». Toutefois, le théâtre d'A. échappe à la tentation naturaliste et répugne à toute forme d'engagement ; le dramaturge, s'il est ironique jusqu'à la causticité ou au sarcasme, n'est pas pour autant impassible ; il « grince », lui aussi, ou bien il admire, sans vouloir tout à fait l'avouer, ceux de ses héros qu'obsède la pureté, même s'ils échouent ; peut-être même éprouve-t-il quelque pitié pour ces « pauvres types » qu'il transforme en bouffons inconscients. Cette gamme d'émotions complexes atteint le spectateur directement, grâce à la virtuosité dont A. fait preuve dans l'exercice de son métier (dont il ne répugne pas à employer les « ficelles », même parfois les plus grosses), dans son maniement efficace du langage dramatique, dans le pouvoir qu'il a, et qu'il exploite très consciemment, de peupler la scène aussi bien de fantoches mécaniques que de héros doués d'âme. C'est cette virtuosité qui explique son succès, lequel ne se dément point, qui explique aussi, aux yeux de certains, qu'A. en vienne à « tourner en rond » à force d'exploiter un système dramatique et une manière de langage qui ont trop servi. Quoi qu'il en soit, on ne peut nier que son œuvre soit une des plus marquantes du théâtre du XXe s.

Œuvres. L'auteur a opéré lui-même le classement de la plupart de ses œuvres en un certain nombre de catégories : pièces roses, noires, brillantes, grinçantes, costumées, etc. *L'Hermine,* pièce noire, 1932 (T). – *Mandarine,* 1933 (T). – *Y avait un prisonnier,* 1935 (T). – *Le Voyageur sans bagage,* pièce noire, 1937 (T) [porté à l'écran par Anouilh en 1943]. – *Le Bal des voleurs,* pièce rose, 1938 (T). – *La Sauvage,* pièce noire, 1938 (T). – *Léocadia,* pièce rose, 1939 (T). – *Le Rendez-vous de Senlis,* pièce rose, 1941 (T). – *Eurydice,* pièce noire, 1942 (T). – *Antigone,* pièce noire, 1944 (T). – *Jézabel,* pièce noire, 1946 (T). – *Roméo et Jeannette,* pièce noire, 1946 (T). – *L'Invitation au château,* pièce brillante, 1947 (T). – *Ardèle ou la Marguerite,* pièce grinçante, 1952 (T). – *La Répétition ou l'Amour puni,* pièce brillante, 1950 (T). – *Colombe,* pièce brillante, 1951 (T). – *Deux Sous de violettes* (scénario de film), 1951. – *La Valse des toréadors,* pièce grinçante, 1952 (T). – *Médée,* pièce noire, 1953 (T). – *L'Alouette,* pièce costumée, 1953 (T). – *Cécile ou l'École des pères,* pièce brillante, 1954 (T). – *Ornifle ou le Courant d'air,* pièce grinçante, 1955 (T). – *Pauvre Bitos ou le Dîner de têtes,* pièce grinçante, 1956 (T). – *L'Hurluberlu ou le Réactionnaire amoureux,* pièce grinçante, 1959 (T). – *Becket ou l'Honneur de Dieu,* pièce costumée, 1959 (T). – *Humulus le muet,* pièce rose (écrite en 1930), 1960 (T). – *La Foire d'empoigne,* pièce costumée, 1960 (T). – *La Grotte,* pièce grinçante, 1961 (T). – *L'Orchestre,* 1962 (T). – *Ne réveillez pas Madame,* pièce baroque, 1965 (T). – *Fables,* 1967. – *Le boulanger, la boulangère et le petit mitron,* pièce grinçante, 1968 (T). – *Cher Antoine ou l'Amour raté,* pièce baroque, 1969 (T). – *Les Poissons rouges,* pièce grinçante, 1970 (T). – *Le Directeur de l'Opéra,* pièce baroque, 1972 (T). – *Tu étais si gentil quand tu étais petit,* pièce secrète, 1972 (T). – *Fables,* 1973. – *Monsieur Barnett,* suivi de *L'Orchestre,* 1975 (T). – *L'Arrestation,* pièce secrète, 1975 (T). – *Le Scénario,* pièce secrète, 1976 (T). – *Chers Zoiseaux,* 1977 (T). – *La Culotte,* 1978 (T). – *La Belle Vie,* 1980 (T). – *Le Nombril,* 1981 (T).

Le Bal des voleurs

Histoire rocambolesque d'un trio peu recommandable qui sévit à Vichy. A travers de nombreux rebondissements en forme de ballet, accompagnés de méprises et de quiproquos, les trois voleurs en viennent à décider de s'attaquer aux bijoux d'une curiste fort distinguée... La fantaisie de l'auteur fait le reste.

Le Voyageur sans bagage

Le décor initial : une gare en 1918. Le personnage : un soldat, seul, dont la mémoire est vide. Recueilli à l'asile, Gaston se sent bien dans sa peau et ne cherche en aucune manière à retrouver son passé. Cependant, dix-huit ans plus tard, on lui fait rencontrer la famille Renaud, dont le fils a été porté disparu, et qui se trouve être effectivement sa vraie famille. Alors Gaston recompose ce qu'il avait été : Jacques Renaud, jeune bourgeois peu sympathique et plutôt méprisable. Quelle distance entre ce qu'il était réellement et ce qu'il est devenu ou qu'il a rêvé de devenir ! Gaston, effondré, décide de prendre la fuite : un petit Anglais, dont la famille a tout entière péri dans un naufrage, sera son compagnon.

Antigone

Transposition moderne de la tragédie de Sophocle, dont l'action est, pour l'essentiel, exactement respectée ; mais la modernisation se traduit par des anachronismes délibérés, à la fois dans les costumes et dans le langage, qui sont ceux du XXe s. Un prologue présente les personnages et explique ce qu'est la tragédie. Créon a donc pris le pouvoir à Thèbes et a décidé que, des deux fils d'Œdipe morts devant la cité, l'un, Étéocle, le bon, aura des funérailles solennelles, l'autre, Polynice, le mauvais, ne sera pas inhumé (Créon avouera plus tard que les corps étaient dans un tel état qu'on ne pouvait distinguer les frères l'un de l'autre et qu'on a choisi au hasard !). Antigone refuse cette discrimination et va couvrir de terre le corps de Polynice, cela par deux fois. Prise en flagrant délit, elle est arrêtée, et, après un long débat en forme de dialogue de sourds avec Créon, celui-ci la condamne à mort. Hémon, le fiancé d'Antigone, se suicide, et, après lui, la reine fait de même. Créon, accablé, n'en est pas moins dans l'obligation de continuer à assumer le pouvoir...

Becket ou l'Honneur de Dieu
Henri II Plantagenêt, roi d'Angleterre, a nommé Becket, son ami et ancien compagnon de débauche, archevêque de Cantorbéry. Au grand étonnement du roi, l'archevêque se convertit à la défense de l'« honneur de Dieu ». Le combat qui va opposer les deux hommes conduira Becket à la mort, le roi l'ayant condamné pour avoir fait passer au second rang l'« honneur du royaume ».

ANQUETIL-DUPERRON Abraham Hyacinthe. Paris 1731 – 1805. Quatrième enfant d'un marchand d'épices, il fait de brillantes études et se passionne pour les langues orientales, qu'il va perfectionner aux Pays-Bas, aux séminaires jansénistes de Rhynswijk et d'Amersfoort. Il a à la fois le goût de l'aventure et celui de l'austérité. Attaché à la Bibliothèque du roi, il a l'occasion de lire quelques lignes d'écriture zende, qui le décident à s'engager dans la Compagnie des Indes en 1754 pour pouvoir étudier sur place les anciennes doctrines religieuses et les Écritures sacrées du culte de Zoroastre. Il passera sept ans à parcourir l'Inde, de 1755 à 1762, le plus souvent à pied, vivant comme les indigènes lorsqu'il est sans argent, déployant une énergie infatigable, malgré les maladies et les obstacles qu'il lui faut surmonter. À Sourate, il parvient à se procurer les livres sacrés de Zoroastre et divers ouvrages anciens écrits dans la langue qu'il s'efforce de déchiffrer. En même temps, habillé en Parsi, il observe la vie et les mœurs de la population et ses coutumes religieuses. En 1762, il a réuni cent quatre-vingts manuscrits, avec des échantillons de presque toutes les langues de l'Inde, l'*Avesta* de Zoroastre et les premiers textes des *Védas.* Rapatrié par les Anglais, *via* l'Angleterre, il en profite pour visiter Londres et surtout pour se rendre à Oxford et comparer ses manuscrits à ceux de la Bodleian Library. A son retour à Paris, il remettra ses manuscrits à la Bibliothèque du roi et, en 1771, publiera la traduction du *Zend-Avesta* et des *Livres sacrés des Guèbres,* précédée de la relation de son voyage (3 vol.). Les éloges qu'on lui décerne ne sont cependant pas sans réserves, et il doit se défendre contre des campagnes de dénigrement, tant françaises qu'anglaises. Membre associé de l'Académie des inscriptions depuis 1765, il multiplie les communications sur ses travaux. En Allemagne, Herder reconnaît, l'un des premiers, toute l'importance des découvertes d'A.-D. En France, des esprits comme Condorcet et Turgot lui sont favorables – mais ce n'est que trente ans après sa mort qu'on lui rendra réellement justice, grâce aux orientalistes Burnouf et Darmesteter. Sa notoriété s'étendant, A.-D. correspond avec nombre de savants étrangers et de voyageurs, qui lui font parvenir des manuscrits orientaux. En 1778, il publie la *Législation orientale,* qui réfute Montesquieu et le lieu commun du prétendu despotisme asiatique. Il accueille la Révolution avec enthousiasme, mais s'élève bientôt contre ses abus. Il veut « être libre librement », vit dans la misère, en ascète, et s'estime tout de même « le seul homme véritablement heureux qu'il y eût peut-être alors en France » (Dacier). Ardent patriote, il n'accepte pas la perte des territoires indiens et met tout son espoir en Bonaparte, ce qui ne l'empêchera pas de refuser de prêter serment de fidélité à l'Empereur, en 1804, à l'Académie des inscriptions, dont il démissionne alors. À sa mort, il laisse dans ses papiers des fragments de vocabulaires orientaux, dont les éléments de trois dictionnaires de malabar, sanscrit et télougou, des matériaux pour la traduction du *Shah-Nameh,* une traduction de Job, une analyse d'Isaïe, des mémoires de théologie et d'exégèse, des notes de travail et un cahier de *Pensées détachées* (1780-83). La diffusion de l'œuvre de A.-D. a joué, directement ou indirectement, un rôle important dans la formation du mythe oriental de l'âge romantique. A cet égard, A.-D. mériterait une place mieux reconnue dans l'histoire littéraire.

A.-D. était le frère cadet de l'historien **Louis-Pierre ANQUETIL** (1723-1806), auteur d'ouvrages réputés dont un précis d'*Histoire universelle* (9 vol., 1799) et une *Histoire de France* (4 vol., 1805).

Œuvres. *Voyage aux Grandes Indes,* précédant le *Zend-Avesta, ouvrage de Zoroastre,* et les *Livres sacrés des Guèbres* (trad.), 1771 (E). – *La législation orientale,* 1778 (E). – *Recherches historiques et géographiques sur l'Inde,* contenant quatre Upanishads (trad.), 1786-1787 (E). – *L'Inde en rapport avec l'Europe,* 1798 (E). – *Oupnek'kat, id est, Secretum Legendum* (traduction latine des Upanishads, extraits théologiques des Védas), 1802-1804. – *Observations sur le voyage aux Indes orientales du P. Paulin de Saint-Barthélemy,* posth., 1808.

APOCRYPHE [grec *apokruphos*= tenu secret]. Se dit d'un texte qui ne semble pas authentique. Désigne particulièrement un écrit que l'Église catholique ne reconnaît pas comme faisant partie du *canon* biblique : ainsi les troisième et quatrième livres d'Esdras, dans la Bible, sont des apocryphes.

APOLLINAIRE Guillaume, Wilhelm-Apollinaris de Kostrowitzky, dit. Rome 26.8.1880 – Paris 9.11.1918. Naturalisé français en 1916. Né d'un officier italien et d'une jeune Polonaise, brillant ornement de la société romaine, mais bientôt abandonnée par son amant, A. passe une enfance et une adolescence irrégulières dans les milieux du jeu à Monaco. Des études inégales poursuivies dans de nombreux lycées lui donnent une culture riche mais anarchique. Transplanté à Paris en 1891, il y vit jusqu'à la guerre, sauf un séjour comme précepteur en Rhénanie, au cours duquel il tombe amoureux d'une jeune gouvernante anglaise, Annie Playden, qui l'éconduit. Après 1904, il fait partie des « Parisiens » : Picasso, Derain, Vlaminck, Max Jacob ; il rencontre Marie Laurencin, avec qui il restera lié jusqu'en 1912. Depuis 1903, il publiait des poèmes, parfois dans ses propres revues *(le Festin d'Ésope, les Soirées de Paris)* ; il les réunit dans *Alcools* en 1913, et c'est dès lors en homme célèbre qu'il pose au sectateur de toutes les nouveautés. Engagé volontaire en décembre 1914, il connaît la guerre – et de nouvelles amours –, jusqu'à sa blessure à la tempe (17 mars 1916), qui rend nécessaires deux trépanations. Il publie encore *Vitam Impendere Amori,* fait créer au théâtre les demi-scandaleuses *Mamelles de Tirésias* (26 novembre 1917), épouse le 2 mai 1918 Jacqueline Kolb, la « Jolie Rousse » des *Calligrammes,* mais succombe après quelques mois de bonheur, victime de la grippe « espagnole ».

Vie agitée, à la mesure d'une œuvre variée et fort inégale. Surtout poète, A. s'est aussi intéressé au roman historique, à la littérature érotique, domaine qu'il a enrichi de nombreux textes, et à la critique, notamment picturale : il contribua au succès du douanier Rousseau et, en 1913, il réunit dans ses *Peintres cubistes* un certain nombre d'articles déjà parus en revue. Toutefois ses deux chefs-d'œuvre sont des recueils de poèmes, *Alcools* et *Calligrammes. Alcools* fut rédigé entre 1898 et 1912. L'absence systématique de ponctuation, décidée lors de la correction des épreuves, n'est qu'un symbole matériel de l'accent nouveau donné par ce recueil à la production poétique française. Difficile à caractériser dans sa variété, puisqu'il va de la simplicité d'une rengaine (« le Pont Mirabeau », « Marie ») à l'obscure complexité de « Cortège », *Alcools* s'illumine notamment de deux ensembles magnifiques : « les Rhénanes », neuf poèmes inspirés par le voyage de 1902, d'un romantisme capricieux et sensuel, et « la Chanson du Mal-Aimé », longue évocation de la perte d'Annie Playden, à la recherche de laquelle A. avait fait deux fois, vainement, le voyage de Londres ; c'est peut-être la plus belle réussite musicale du poète, notamment dans ses subtils effets de refrain. Enfin, il faut mettre à part « Zone », vaste composition résolument moderniste, célébration « cubiste » écrite juste avant la publication et placée en tête du recueil, non sans provocation. *Calligrammes,* publié en 1918, est sous-titré « poèmes de la guerre et de la paix ». Seuls quelques poèmes y justifient ce titre étrange, qui utilisent les possibilités de la typographie pour *figurer* matériellement le sujet traité. D'autres pièces inaugurent le genre du poème-conversation. Depuis sa mort, après un temps d'excès dans l'admiration comme dans le dénigrement, A. a trouvé, surtout depuis 1945, la place qui lui revient : moins celle d'un novateur, parce qu'il a eu le tort de ne systématiser aucune de ses intuitions, que celle d'un génie lyrique et d'un musicien du langage, capable, comme les plus grands, de Ronsard à Verlaine, de mettre en lumière des ressources insoupçonnées du verbe poétique.

Œuvres. *Les Mémoires d'un jeune Don Juan,* 1905 (N). – *Les Onze Mille Verges,* 1907 (N). – *L'Enchanteur pourrissant,* 1909 (N). – *La Poésie symboliste,* 1909 (E). – *L'Hérésiarque et Cie,* 1910 (N). – *Le Bestiaire ou Cortège d'Orphée,* 1911 (P). – *Les Peintres cubistes,* 1913 (E). – *Alcools,* 1913 (P). – *Les Méditations esthétiques,* 1913 (E). – *La Fin de Babylone,* 1914 (N). – *Les Trois Don Juan,* 1914 (N). – *L'Antitradition futuriste,* 1914 (E). – *Le Poète assassiné,* 1916 (N). – *Vitam Impendere Amori,* 1917 (P). – *La Case d'Ormone,* poèmes de guerre repris dans *Calligrammes,* 1918 (P). – *La Très Plaisante Histoire... de Perceval le Gallois,* 1918 (N). – *Le Flâneur des deux rives,* 1918 (N). – *Les Mamelles de Tirésias,* 1918 (T). – *Couleur du temps,* 1920 (T). – *La Femme assise,* posth., 1920 (N). – *Le Verger des amours,* posth., 1924. – *Il y a...,* posth., 1925 (P). – *Le Cortège priapique,* posth., 1925. – *Anecdotiques,* posth., 1926 (E). – *Les Épingles,* posth., 1928 (N). – *Contemporains pittoresques,* posth., 1929 (E). – *L'Esprit nouveau et les poètes,* posth.,

1946 (E). – *Ombre de mon amour* (Poèmes à Lou), posth., 1947 (P). – *Lettres à sa marraine,* posth., 1948. – *Le Guetteur mélancolique,* posth., 1952 (P). – *Tendre comme le souvenir* (lettres), posth., 1952. – *Les Diables amoureux,* posth., 1965 (E). – *Lettres à Lou,* posth., 1969.

Alcools

Diversité des pièces produisant un effet délibéré de mosaïque insolite ; assemblage inattendu de sensations et de souvenirs rêvés et vécus ; rythmes calqués sur les sinuosités de la vie, de la mémoire et du rêve ; absence de ponctuation et irrégularité des formes, tout concourt à créer la surprise. La place de « Zone » en tête du recueil contribue à donner à ce poème valeur de manifeste : évocation simultanée, et même « simultanéiste » puisque cette simultanéité constitue une véritable poétique, des images intérieures et des *flashes* de la vie moderne. À l'autre pôle, le célèbre « Pont Mirabeau », où fluidité et musique s'allient pour traduire le multiple glissement de l'eau, du temps et de l'amour. Enfin deux ensembles lyriques : « la Chanson du Mal-Aimé », tout en conservant la technique simultanéiste de la juxtaposition des impressions, la combine avec la structure de l'alternance et du refrain pour traduire, à la faveur des correspondances entre la vie personnelle et les mythes, la douleur et la mélancolie d'un cœur à la recherche de l'amour perdu ; lyrisme, donc, de caractère romantique, qui inspire aussi « Rhénanes », série poétique où les souvenirs d'Allemagne, associés à l'image d'Annie, se composent avec les légendes germaniques (« La Loreley ») ou avec des scènes de genre modernes (« Mai ») pour figurer et exorciser à la fois le mal d'amour. Quant au titre général, *Alcools,* il évoque la multiple ivresse intérieure du poète, cet *alcool brûlant* et cette *eau-de-vie* dont il est question à la fin de « Zone ».

Les Peintres cubistes

Essai-manifeste où l'entreprise de justification de la peinture cubiste est l'occasion pour A. de définir quelques-uns de ses principes esthétiques : absence de sujet, réorganisation des éléments naturels en « ensembles nouveaux », substitution d'une « réalité de connaissance » à la « réalité de vision », recours aux structures géométriques et à leurs combinaisons. Dans la seconde partie, A. analyse l'œuvre d'un certain nombre de peintres cubistes, entre autres Picasso et Braque.

Le Poète assassiné

Description de la condition du poète Croniamental et récit de sa révolte. Ulcéré par les honneurs que reçoit un savant, il décide de le défier pour se venger ; mais la foule ingrate tue Croniamental. Dès après sa mort, cette même foule rend hommage au poète, qui est devenu, par sa disparition, un génie. C'est le thème du poète maudit, selon l'expression de Verlaine, dans la tradition romantique du Chatterton de Vigny, mais sur un ton satirique et burlesque.

Calligrammes

Le recueil est composé de deux éléments : 1. Quelques « poèmes-objets », dont le thème est représenté graphiquement par la disposition des vers sous une forme qui dessine les contours de l'objet (« la Colombe poignardée » et « le Jet d'eau »). 2. Les « poèmes-conversation », qui mettent en œuvre la technique présurréaliste du « hasard objectif » en juxtaposant arbitrairement, du moins en apparence, des fragments de conversation mis bout à bout, technique qui produit des correspondances et des rencontres insolites, en même temps que des rythmes libres de toute contrainte externe.

AQUIN Hubert. Montréal 1929 – 15.3.1977. Écrivain québécois. Après des études en sciences politiques à Paris et en Suisse, il est, simultanément ou successivement, écrivain radiophonique, réalisateur de cinéma, animateur d'émissions télévisées, homme d'affaires, courtier en valeurs mobilières. Son orientation politique le pousse à rejoindre le mouvement séparatiste clandestin du Front de libération québécois. A la suite d'une arrestation par la Gendarmerie royale canadienne en 1964, il passe de la prison à un institut psychiatrique pour y être examiné en attendant son procès. C'est à la suite de cette détention qu'il écrit son premier roman, *Prochain Épisode,* pour passer le temps aussi bien que pour éviter l'influence morbide de son séjour forcé chez les malades mentaux. Dès sa parution, l'œuvre connaît un vif succès. Acquitté en justice, A. collabore à quelques émissions à Radio-Canada. Il tente de retourner en Suisse, où il avait séjourné six mois avant son arrestation, mais se voit refuser son permis de séjour par les autorités. Il se met alors à son second roman, *Trou de mémoire,* qui exprime un intense désir de liberté et dénonce certains travers du milieu québécois. Il se donne la mort en 1977, laissant une œuvre assez réduite mais qui bouleverse par son réalisme et sa sincérité.

Œuvres. *Prochain Épisode,* 1965 (N). – *Trou de mémoire,* 1968 (N). – *L'Anti-*

phonaire, 1969. – *Point de fuite,* autobiographie, 1971. – *Double sens,* 1972 (T). – *Neige noire,* 1974 (N). – *Blocs erratiques* (textes politiques et polémiques), posth., 1977.

Prochain Épisode

Roman d'espionnage partiellement autobiographique, rédigé à la première personne, sorte de dédoublement mythique de la réalité vécue par le narrateur. L'auteur-acteur du récit s'identifie à la collectivité québécoise engagée dans la révolution pour la libération nationale. L'action se situe à Lausanne, puis à Montréal, où le héros est arrêté. La transposition romanesque, écrite tantôt au présent, tantôt au passé, s'explique par une tentative pour échapper à l'échec et à la détresse de l'internement dans un hôpital psychiatrique. Les passages où le héros décrit sa plongée dans son subconscient, et la catharsis littéraire à laquelle il se livre, sont des réussites incontestables : il s'établit tout un réseau de correspondances, qui ne manquent pas d'être assez troublantes, entre l'auteur et son double, le héros. Le mystère et le doute planent constamment sur l'identification des autres personnages romanesques en raison de la projection compensatoire dont ce roman est l'objet.

ARAGO Jacques. Estagel (Pyrénées-Orientales) 10.3.1790 – Brésil 1. 1855. Grand voyageur, devenu très tôt presque aveugle, il se consacra à une abondante production, surtout théâtrale, de 1822 à 1852. Directeur du journal *la Tribune dramatique* (1845), il partit pour l'étranger à la fin de sa vie.

ARAGO Étienne, frère du précédent. Estagel 1802 – Paris 1892. Compagnon de Balzac dans sa jeunesse, il fut, dans sa vie et son œuvre, un républicain convaincu et, dans *le Deux-Décembre,* recueil poétique en cinq chants, flétrit Napoléon III. Il produisit aussi une centaine de pièces – oubliées aujourd'hui –, principalement des vaudevilles, mais cet écrivain assez médiocre réserva toujours le meilleur de lui-même à l'action.

Œuvres. Jacques ARAGO. *Promenades autour du monde,* 1852. – *Souvenirs d'un aveugle,* 1838. – *Voyage autour du monde,* 1838-1840.
Étienne ARAGO. *Le Deux-Décembre,* 1822 (P). – *Une voix de l'exil,* 1860 (E).

ARAGON Louis. Paris 3.10.1897 – 23.12.1982. Après une enfance qu'il évoquera un demi-siècle plus tard dans *les Voyageurs de l'impériale,* le jeune A. fait ses études secondaires à Neuilly ; ses auteurs préférés sont Barrès, Gorki, Rousseau. Après son baccalauréat, il commence sa médecine, notamment au Val-de-Grâce, où il fait la connaissance d'André Breton (1917). Ensemble, ils se lancent dans l'aventure surréaliste, dont A. gardera les marques longtemps après son adhésion au parti communiste : le roman autobiographique *Aurélien* contient d'intéressants témoignages sur cette période de sa vie. En novembre 1928, il rencontre Elsa Triolet. Plus tard, ils se rendent ensemble en U.R.S.S., voyage au cours duquel éclate la guerre d'Espagne : durant celle-ci, A. déploie une intense activité politique et poétique. Sous l'Occupation, cette activité se poursuit et revêt un caractère patriotique. A. dirige, dans la clandestinité, *les Lettres françaises,* dont la publication continuera encore quelques années après la Libération : A. s'était d'ailleurs déjà fait connaître comme journaliste, avant la guerre, à *Ce soir.* Mais la période stalinienne correspond à une éclipse relative de l'écrivain ; la réaction contraire qui la suivit semble en revanche avoir libéré à nouveau les facultés créatrices d'A., dont, au soir de sa vie, la production est abondante et forte. Ses premières œuvres publiées furent des poèmes ; le surréalisme, qu'A. ne considère que comme un point de départ, fait place, à travers l'exercice verbal, à un lyrisme déjà très personnel. On retrouve cette dualité dans la désuétude volontaire du *Paysan de Paris,* son premier roman, qui évoque les constructions d'Haussmann. Par la suite, l'œuvre d'A. est très diversifiée.
Sur le plan romanesque, on lui doit successivement les explorations du « monde réel » que sont *les Cloches de Bâle* et *les Beaux Quartiers,* et ce qui devait être leur couronnement, *les Communistes,* histoire (inachevée) du peuple français en 1939-40. En 1958, A. romancier donne sa meilleure œuvre, *la Semaine sainte ;* bâtie selon le même principe de conversations multiples que *les Communistes,* cette œuvre est beaucoup plus vivante, colorée, pleine de jeunesse dans son évocation des incertitudes politiques du jeune Géricault en 1815. Toujours curieux des recherches d'autrui, qu'il s'assimile avec une remarquable agilité, A. a publié ensuite *la Mise à mort* et *Blanche ou l'Oubli,* romans qui utilisent des procédés de collage proches de ceux du cinéaste J.-L. Godard, et qui creusent avec des bonheurs divers les thèmes du double et de l'incertitude. Comme poète, A., depuis sa jeunesse surréaliste, a connu deux périodes fécondes, coupées par des vides assez nets :

la première coïncide avec la Seconde Guerre mondiale, qui vit fleurir les recueils où se conjuguent, par l'assimilation de la France à la femme aimée, patriotisme et élans amoureux ; malgré quelques libertés, la facture retrouve souvent l'alexandrin et ne se refuse pas les effets rhétoriques. La seconde période heureuse du poète précède, entre 1956 et 1963, les œuvres ultimes du romancier ; de réalisation très brillante, la production lyrique d'A. culmine alors dans *le Fou d'Elsa,* poème épique de grande envergure qui retrace la chute de Grenade (1494) et autour d'elle, décrite avec une virtuosité complaisante, la civilisation islamique de l'Andalousie. Plus tard, cependant, le lyrisme d'A. a paru s'apaiser dans sa forme, si sa ferveur messianique n'a pas faibli.
Même disparu, A. reste, et comme écrivain et par l'envergure de son personnage politique tourmenté, une des figures de proue du XXe s. ; son rayonnement dépasse le seul plan littéraire pour atteindre celui où un homme, ne niant pas les contradictions de sa vie, se veut avant tout chercheur sincère de sa vérité.

Œuvres. *Feu de joie,* 1920 (P). – *Anicet ou le Panorama,* 1921 (N). – *Les Aventures de Télémaque,* 1922 (E). – *Paris la nuit,* 1923 (E). – *Les Plaisirs de la capitale,* 1923 (E). – *Le Libertinage,* 1924 (E). – *Une vague de rêves,* 1924 (E). – *Le Mouvement perpétuel,* 1926 (P). – *Le Paysan de Paris,* 1926 (N). – *Voyageur,* 1928 (P). – *Traité du style,* 1928 (E). – *La Grande Gaîté,* 1929 (P). – *La Chasse au snark* (trad. de Lewis Carroll), 1929. – *La Peinture au défi,* 1930 (E). – *Persécuté persécuteur,* 1931 (P). – *Aux enfants rouges, éclairez votre religion,* 1932 (P). – *Hourrah l'Oural !,* 1934 (P). – *Les Cloches de Bâle* (t. I du *Monde réel*), 1934 (N). – *Pour un réalisme socialiste,* 1935 (E). – *Les Beaux Quartiers* (t. II du *Monde réel*), 1936 (N). – *Le Crève-Cœur,* 1941 (P). – *Cantique à Elsa,* 1942 (P). – *Les Yeux d'Elsa,* 1942 (P). – *Le Crime contre l'esprit,* 1942 (E). – *Brocéliande,* 1942 (P). – *Les Voyageurs de l'impériale* (t. III du *Monde réel*), 1942 (N). – *En français dans le texte,* 1943 (P). – *Matisse-en-France,* 1943 (E). – *Le Musée Grévin,* 1943 (P). – *France, écoute, neuf chansons interdites,* 1944 (P). – *Je te salue, ma France,* 1944 (P). – *Aurélien* (t. IV du *Monde réel*), 1944 (N). – *Saint-Pol Roux ou l'Espoir,* 1945 (E). – *En étrange pays dans mon pays lui-même,* 1945 (E). – *Servitude et Grandeur des Français,* 1945 (N). – *La Diane française,* 1946 (P). – *L'Homme communiste,* t. I, 1946 (E). – *Les Poissons noirs* (préface du *Musée Grévin*), 1946 (E). – *Chroniques du bel canto,* 1946 (E). – *Apologie du luxe* (Matisse), 1946 (E). – *La Culture et les hommes,* 1947 (E). – *Le Nouveau Crève-Cœur,* 1948 (P). – *Les Communistes,* 6 vol. (dernière partie du *Monde réel*), 1949-1951 (N). – *La Lumière et la Paix* (discours), 1950. – *L'Art et le sentiment national,* 1951 (E). – *Hugo, poète réaliste,* 1952 (E). – *Avez-vous lu Victor Hugo ?,* 1952 (E). – *L'Exemple de Courbet,* 1952 (E). – *Les Egmont d'aujourd'hui s'appellent André Stil,* 1952 (E). – *La Vraie Liberté de la culture,* 1952 (E). – *L'Homme communiste,* t. II, 1953 (E). – *Mes caravanes et autres poèmes,* 1954 (P). – *Les Yeux et la Mémoire,* 1954 (P). – *Journal d'une poésie nationale,* 1954 (E). – *La Lumière de Stendhal,* 1954 (E). – *Littératures soviétiques,* 1955 (E). – *Introduction aux littératures soviétiques,* 1956 (E). – *Le Roman inachevé,* 1956 (P). – Avec Jean Cocteau, *Entretiens sur le musée de Dresde,* 1957. – *La Semaine sainte,* 1958 (N). – *Un perpétuel printemps,* 1958 (E). – *Elsa,* 1959 (P). – *Djamila* (trad. de Tchinguiz Aitmatov), 1959. – *J'abats mon jeu,* 1959 (E). – *L'un ne va pas sans l'autre,* 1959 (E). – *Les Poètes,* 1960 (P). – *Elsa Triolet choisie par Aragon* (préface et anthologie), 1960. – Avec André Maurois, *Histoire parallèle des États-Unis et de l'U.R.S.S.,* 1962. – *Le Fou d'Elsa,* 1963 (P). – *Publication des « Œuvres croisées » d'Elsa Triolet et d'Aragon* (romans avec préfaces originales), 1964-1968. – *Le Voyage de Hollande,* 1964 (P). – *Il ne m'est Paris que d'Elsa,* 1964 (P). – *Les Collages* (contient *la Peinture au défi,* 1930), 1965 (E). – *La Mise à mort,* 1965 (N). – *Les Contes de quarante années,* 1966 (E), tome IV des *Œuvres croisées ; le Cahier noir,* 1923-1926 ; *La Sainte Russie,* 1933 ; *Servitude et Grandeur des Français* (déjà cité), 1945 ; *Damien ou les Confidences,* 1962 ; *Shakespeare en meublé,* 1962 ; *les Histoires ; le Mentir-vrai.* – *Élégie à Pablo Neruda,* 1966 (P). – *Blanche ou l'Oubli,* 1967 (N). – *Les Chambres, poèmes du temps qui ne passe pas,* 1969 (P). – *Je n'ai jamais appris à écrire ou les Incipit,* 1969. – *Henri Matisse, roman,* 1971. – *Théâtre/Roman,* 1974 (N). – *Chroniques de la pluie et du beau temps,* 1979 (P). – *Les Adieux et autres Poèmes,* 1982 (P). – *Choix de Poèmes,* posth., 1983 (P).

Les Beaux Quartiers

Le personnage central, Armand, appartient à un milieu de la bourgeoisie méridionale. Après une enfance pieuse, il entre en contact avec la médiocrité politique de la province. Il monte à Paris, le Paris d'avant 1914, où il découvre les relations complexes et souvent clandestines de la politique avec les affaires. Son frère Edmond, étudiant en médecine, a une liaison avec Carlotta, jeune maîtresse d'un financier d'âge mûr, Quesnel, le roi des taxis, qui entraîne Edmond au jeu. Tandis que son frère est alors exposé au chantage d'un policier, Armand se trouve réduit à la misère et contraint de gagner sa vie. Il est alors embauché – pour y travailler – dans une usine en grève ; mais, découvrant ainsi la condition prolétarienne, il prend alors conscience d'être un « jaune » et rejoint les grévistes et leur syndicat. Ainsi le roman, qui est bien aussi l'histoire de l'éducation sentimentale d'Armand, d'abord pendant son adolescence dans sa province, puis à Paris, est avant tout cependant l'histoire de son éducation sociale.

La Semaine sainte

Roman historique par le sujet et par certains aspects de la technique narrative. Mais le romancier ne choisit pas par hasard un moment (la semaine de 1815 qui ouvre les Cent-Jours) où l'historique revêt une *signification* exemplaire (d'où le titre) : c'est donc aussi un roman symbolique où la narration se dépasse en révélation du « sens de l'histoire ». Période de crise donc, illustrée historiquement par les hésitations de Louis XVIII et de son entourage, suivies de la fuite à Gand. Au cœur de cette crise, un personnage central, le jeune peintre Théodore Géricault, déçu par son échec au Salon de 1814 et qui s'abandonne alors à sa passion pour les chevaux (dont témoigne par ailleurs son œuvre) : il suivra le roi comme mousquetaire un peu par hasard, ou plutôt par simple obéissance à son uniforme : il est alors (et l'on songe au Fabrice de Stendhal à Waterloo) le témoin du non-sens de la situation où il se trouve simplement placé ; puis, peu à peu, à la faveur de divers incidents (par exemple, telle conversation surprise entre des partisans clandestins de l'Empereur), il devient capable de prendre du recul par rapport à la situation : le témoin devient observateur ; en lui grandit l'intuition que non seulement il se passe quelque chose, mais que la complexité incompréhensible des événements obéit en fait à une « raison organisatrice », qui donne son sens à l'histoire et sa légitimité à l'engagement. Roman d'une éducation historique, qui est aussi le roman de la mise en relation de l'individu avec le sens de l'histoire.

Blanche ou l'Oubli

Utilisant, mais en les assimilant et en les dépassant, certains procédés techniques du « nouveau roman », A. écrit ici l'autobiographie intérieure du linguiste Geoffroy Gaiffer (né, comme A. lui-même, le 3 octobre 1897). Abandonné par Blanche, avec qui il s'était lié dans les années 20 (nous sommes en 1965), il cherche à en reconstituer l'image à l'aide d'un monologue intérieur pour lequel il met en œuvre les mots : mais, linguiste, il est un spécialiste, et il sait quelle est l'incapacité du langage à traduire ou à reconstituer le vécu (il est en quelque sorte l'anti-Proust). De là vient son complexe d'impuissance, qui cependant ne détruit pas sa nostalgie de la Blanche qu'il a connue et aimée. Un autre personnage, Marie Noire, est engagé dans une aventure parallèle et cependant toute différente : elle écrit sur Geoffroy et Blanche un roman qui prétendrait, lui aussi à l'aide des mots, reconstituer, grâce au mensonge esthétique, la « vraie vérité » du passé. Mais les mots ont changé, comme le monde a changé, comme ont aussi changé, irrémédiablement, Geoffroy et Blanche, comme est en train de changer, tandis qu'elle écrit, Marie Noire elle-même. Lorsque Blanche réapparaît, elle ne peut être vraiment reconnue : Geoffroy, qui est tout au long comme obsédé par *l'Éducation sentimentale* de Flaubert, reçoit d'elle un adieu qui évoque explicitement (sous la forme d'une citation) celui de Mme Arnoux à Frédéric et il ajoute : « Je me suis caché les yeux dans les mains, pour ne plus voir que l'oubli. Les cendres chaudes de l'oubli. »

ARBAUD Joseph d'. Meyrargues (Bouches-du-Rhône) 1874 – Aix-en-Provence 2.3.1950. Écrivain provençal. C'est à vingt ans, alors qu'il est gardian et manadier en Camargue, qu'il découvre sa vocation poétique. Après une maladie qui l'oblige à se rendre en Suisse pour sa convalescence, il doit renoncer à la vie rude de la Camargue et il se retire à Aix, où il se consacre à son œuvre littéraire, qui continue et prolonge, mais selon les exigences d'une évidente originalité, la tradition mistralienne. Avec les contes et les nouvelles de d'A., la prose provençale atteint une sorte de perfection classique. Mais c'est le recueil posthume *les Chants palustres (Li Cant palustre),* où sont rassemblés les poèmes de Camargue, qui révèle le plus pleinement l'originalité d'un maître de l'harmonie musicale et rythmique de la langue, instrument d'expression d'un lyrisme à la fois passionné et dominé.

Œuvres (en provençal). *Le Laurier d'Arles,* 1913 (P). – *Les Rameaux d'airain,* 1920 (P). – *Le Noël gardian,* 1924 (P). – *La Bête du Vaccarès,* 1926 (N). – *La Sauvagine,* 1929 (N). – *La Caraque,* 1937 (N). – *Les Chants palustres,* posth., 1951

(P). – *Naissance de l'automne,* posth., 1951 (P). – *La Combe,* posth., 1954 (P).

ARCOS René. Clichy-la-Garenne 1881 – 1959. D'ascendance espagnole par son père et breton par sa mère, il est – avec Vildrac et Duhamel – l'un des fondateurs du groupe de l'Abbaye (voir ABBAYE). Poète, il recherche l'expression concrète, marquant une volonté de rupture avec le symbolisme, dans des œuvres vibrantes d'aspirations généreuses et de foi humanitaire. Ses premiers poèmes, écrits entre 1898 et 1902, sont groupés dans le recueil de *l'Âme essentielle.* L'Abbaye imprime ceux qui composent *la Tragédie des espaces.* Les mêmes sentiments de solidarité et de fraternité avec les hommes se retrouvent dans le théâtre d'A. et dans ses romans et nouvelles. Très lié avec Romain Rolland, dont il partageait les convictions, il avait fondé en 1922, sous son patronage, la revue *Europe,* qu'il dirigea jusqu'en 1940.

Œuvres. *L'Âme essentielle,* 1903 (P). – *La Tragédie des espaces,* 1906 (P). – *Ce qui naît,* 1910 (P). – *L'Île perdue,* 1913 (T). – *Le Sang des autres,* 1918 (P). – *Le Mal,* 1918 (E). – *Le Bien commun,* 1919 (N). – *Caserne,* 1920 (N). – *Autrui,* 1929 (N). – *Médard de Paris,* 1929 (N). – *Souvenirs,* 1945. – *De source,* 1948 (N). – *Romain Rolland,* 1950.

ARDOUIN Coriolan. Écrivain haïtien. (Voir NÉGRO-AFRICAINE [LITTÉRATURE].)

ARÈNE Paul Auguste. Sisteron 26.6.1843 – Antibes 17.12.1896. Écrivain provençal. Issu d'une famille modeste, il poursuit une carrière également modeste de maître d'étude à Marseille, puis au lycée du Prince impérial (ultérieurement lycée Michelet) à Vanves. C'est seulement en 1885 que l'Odéon représente – et c'est d'emblée un succès – sa première comédie, écrite vingt ans plus tôt, *Pierrot héritier* (en un acte). Il se décide alors à abandonner l'enseignement pour le journalisme et la littérature, et il apportera à Alphonse Daudet sa collaboration pour la composition des *Lettres de mon moulin.* Poète, il publie des vers français, surtout dans *le Parnasse contemporain,* des poésies en langue d'oc dans *l'Armana prouvençau,* la *Revue félibréenne, les Soleillades,* et il participe en 1879 à la création du félibrige de Paris. Inspiré par sa Provence natale, influencé par Mistral et par Aubanel, il est surtout un romancier et un conteur de talent, à la verve légère et poétique, au style sobre et concis, qualités également sensibles dans ses évocations de Paris et de l'Île-de-France ou dans ses récits de voyages.

Œuvres. *Pierrot héritier,* 1865 (T). – *Le Parnassiculet contemporain,* 1867 (P). – *Jean des Figues,* 1870 (N). – *Les Comédiens errants,* 1873 (T). – *Le Duel aux lanternes,* 1873 (T). – *L'Ilote,* 1875 (T). – En collaboration avec A. Daudet, *le Char* (T). – *La Gueuse parfumée,* 1876 (N). – *La Pologne sans le savoir,* 1878 (T). – *Contes de noël,* 1879 (N). – *Au bon soleil,* 1881 (N). – *Paris ingénu,* 1882 (N). – *Vingt Jours en Tunisie,* 1884. – *Contes de Paris et de Provence,* 1887 (N). – *La Chèvre d'or,* 1889 (N). – *La Vraie Tentation de saint Antoine* (conte de Noël), 1890 (N). – *Le Midi bouge,* 1891 (N). – *Des Alpes aux Pyrénées,* 1891. – *Domnine,* 1894 (N). – *Friquettes et Friquets,* posth., 1896 (N). – *Poésies,* posth., 1900. – *La Veine d'argile* (anthologie posth.), 1928. – *Vers la Calanque* (anthologie posth.), 1931. – *Croquis parisiens et provinciaux,* contes choisis, posth., 1984.

ARISTOTÉLISME. Doctrine philosophique d'Aristote, de ses disciples et de ses successeurs ; l'aristotélisme exerça une influence particulièrement importante tout au long du Moyen Âge européen. Quant à la poétique aristotélicienne, diffusée au XVIe s. par Scaliger, elle sera la principale source théorique de la dramaturgie classique, et c'est sur la question de la fidélité aux principes aristotéliciens que se développèrent la plupart des polémiques à ce sujet (la « querelle du *Cid* » [1637-1638] ; les trois *Discours sur le poème dramatique* qu'écrivit Corneille [1660]).

ARLAND Marcel. Varennes-sur-Amance (Haute-Marne) 5.7.1899. Issu d'une famille de petite bourgeoisie rurale, il n'a que trois ans lorsque meurt son père et il sera élevé par une mère au tempérament nerveux et instable, mais aussi auprès de grands-parents dont il garde un souvenir attendri. Son œuvre, marquée par un amour profond de la campagne et des êtres qui y vivent, évoquera souvent les figures familières de son enfance. Après une scolarité brillante au collège de Langres, il poursuit à Paris des études de lettres et collabore à un périodique intitulé *l'Université de Paris ;* il se laisse momentanément séduire par le dadaïsme, puis par le surréalisme, mais, surtout soucieux de se retrouver soi-même, il rejette les « pétarades littéraires », les doctrines et l'engagement politique. Pour lui, la littérature est une religion, « une sorte de salut » qui doit avoir « une valeur éthique autant qu'esthétique ». Son premier livre, *Terres étrangères* (1923), retient l'attention de Gide et de V. Larbaud par son art pathétique et dépouillé, son style parfaitement maîtrisé. La *Nouvelle Revue française,* que dirige Jacques Rivière, publie son étude sur les jeunes tendances littéraires, *Sur un nouveau mal du siècle,* et il collaborera désormais régulièrement à la *N.R.F.,* dont il deviendra codirecteur avec J. Paulhan, en 1953. Alors qu'il est encore professeur de lettres dans un collège libre de Jouy-en-Josas (il y restera jusqu'en 1929), il publie plusieurs récits, où s'exprime un art discret au service d'une exploration minutieuse du « monde intérieur ». La conscience lucide de cette fonction de l'écrivain selon A. inspire des essais où il s'interroge sur sa vocation et le sens de son expérience littéraire. En 1929, A. accède à la notoriété avec l'attribution du prix Goncourt à son roman, *l'Ordre,* dont le héros, Gilbert, esprit inquiet et révolté, au nihilisme destructeur, a la « vocation du malheur ». *Les Carnets de Gilbert,* partiellement écrits à la même époque et publiés en 1931, sont un dialogue entre le romancier et son personnage et soulignent la pensée profonde d'A., qui voit, dans « le désir d'être en paix, le goût du néant », le secret moteur de nos actions. Dans les années suivantes, l'écrivain, sans renoncer entièrement au roman, s'oriente surtout vers la nouvelle et tend à « créer un monde plus humain, où le trouble lui-même trouve une sorte d'harmonie ; moins violent d'apparence, pas plus apaisé, mais d'un frémissement plus intime ». *Terre natale* est ainsi une confession pudique et discrète qui évoque les souvenirs du passé et tente de comprendre les êtres chers dans leur réalité profonde. Mobilisé en 1939, rendu à la vie civile l'année suivante, A. refuse de s'associer avec Drieu la Rochelle qui, après l'armistice, a accepté la direction de la *Nouvelle Revue française.* Il écrit pour divers journaux et périodiques et publie une importante et caractéristique *Anthologie de la poésie française* ainsi que divers essais. Le thème de l'enfance – qui est une des obsessions de l'écrivain – domine le récit *Zélie dans le désert,* pitoyable tragédie d'un personnage qui n'est pas sans évoquer la Mouchette de Bernanos. Au lendemain de la guerre, c'est, au-delà même de la méthode critique d'analyse des œuvres, la recherche des valeurs et d'une raison d'être de la littérature qui inspire avant tout un auteur devenu principalement essayiste et critique et l'un des analystes les plus lucides du malaise de l'époque. Mais cette analyse s'intègre à une vue plus globale de la problématique de la création littéraire, à travers ses aspects techniques (*la Prose française : anthologie, histoire et critique d'un art,* prose qu'il considère non comme « un instrument », mais comme « un être ») ou spirituels : ainsi *la Grâce d'écrire,* comme le dit clairement son titre, est, par le moyen d'une psychologie de la création, un véritable traité de « spiritualité » littéraire : « J'aime avant tout dans l'œuvre d'art... l'un des hauts modes où l'homme s'exprime, se délivre et trouve son harmonie, l'un des moyens les plus purs, peut-être, par où il tend à s'accomplir. » De même, après la Préface aux *Œuvres de Valery Larbaud,* où le même thème est appliqué à ce cas particulier, *Je vous écris* est, sous la forme d'une correspondance imaginaire, une suite de méditations sur l'intimité même de l'expérience créatrice. A. accède alors à ce qu'il appelle *la Musique des anges,* voix intérieure qui naît de l'interrogation spirituelle, et qu'il cherche à saisir et formuler dans le moment même où elle se forme ; réflexion-introspection déjà amorcée dans *la Nuit et les Sources,* avec des lettres à Supervielle, à Chardonne et à divers correspondants, qui explique aussi sans doute que ce soit A. – au demeurant critique d'art éclairé – qui ait publié en 1960 la *Correspondance Georges Rouault-André Suarès.* Quant aux récits et nouvelles publiés après 1945, ils sont d'un maître de la nouvelle et d'un grand prosateur. Ces œuvres, où se retrouvent les frustrations de l'enfant, les inquiétudes de l'adolescent, les déchirements du couple, l'impossibilité de communiquer, créent un univers sombre et tourmenté, marqué par la gravité de la pensée et du sentiment. Toutes réunissent l'évocation d'un moment critique dans l'histoire d'une personnalité et celle d'un paysage âpre et solitaire (comme celui qui a marqué l'enfance de l'auteur) pour mettre en œuvre, au-delà de l'analyse psychologique du tourment des êtres, la recherche d'un « accord avec le monde fondamental ». L'écriture est toujours discrète et retenue, source de densité dramatique et de pudeur expressive, et traduit, dans la clarté d'une prose parfaitement pure, sans toutefois en trahir le caractère secret, les troubles obscurs du monde intérieur. Car telle est bien, selon A., la fonction, décisive et paradoxale à la fois, de l'expression littéraire et ce qui en fonde la dignité esthétique. Riche de substance, et d'une haute qualité, l'œuvre de A. lui a valu le grand prix de Littérature de l'Académie française en 1952 et le grand prix international des Lettres en 1960. Acad. fr. 1968.

Œuvres. *Terres étrangères,* 1923, rééd. avec une lettre-préface à André Malraux (N). – *La Route obscure,* 1924 (N). – *Étienne,* 1924 (N). – *Monique,* 1926, éd. revue 1949 (N). – *Âmes en peine,* 1927 (N). – *Étapes,* 1927 (N). – *Où le cœur se partage,* 1927 (N). – *Édith,* 1929 (N). – *L'Ordre,* 1929 (N). – *Les Carnets de Gilbert,* 1931 (N). – *Antarès,* 1932, rééd. 1945 (N). – *Les Vivants,* 1934 (N). – *La Vigie,* 1935 (N). – *Les Plus Beaux de nos jours,* 1937 (N). – *Terre natale,* 1938 (N). – *La Grâce,* 1941 (N). – *Anthologie de la poésie française,* 1941. – *Sur une terre menacée,* 1941 (E). – *Une passion romantique : A. de Vigny et Marie Dorval,* 1943 (E). – *L'Œuvre poétique de Jean de Sponde,* 1943 (E). – *Le Promeneur,* 1944 (E). – *Zélie dans le désert,* 1944 (N). – *Il faut de tout pour faire un monde,* 1947 (N). – *Chronique de la peinture moderne,* 1949 (E). – *Marivaux,* 1950 (E). – *Lettres de France,* 1951 (E). – *La Prose française : anthologie, histoire et critique d'un art,* 1951. – *La Consolation du voyageur,* 1952, rééd. 1963, 1978 (N). – *Essais et Nouveaux Essais critiques,* 1952. – *La Grâce d'écrire,* 1955 (E). – *L'Eau et le Feu,* 1956 (N). – *À perdre haleine,* 1960 (N). – *Je vous écris,* 1960-1963 (E). – *La Nuit et les Sources,* 1963 (E). – *Le Grand Pardon,* 1965 (N). – *La Musique des anges,* 1967 (N). – *Attendez l'aube,* 1970 (N). – *Proche du silence,* 1973 (E). – *Avons-nous vécu ?,* 1977 (E). – *Ce fut ainsi* (souvenirs), 1979. – *Dans l'amitié de la peinture,* 1980 (E). – *Mais enfin qui êtes-vous ?,* 1981 (E). – *La Lumière du soir,* 1983 (E).

L'Ordre

Reflet transposé des inquiétudes d'une génération, celle de l'auteur, sous la forme d'un roman semi-autobiographique et de conception classique : le héros, Gilbert Villars, à la fois orgueilleux et timide, égoïste et cependant ouvert à l'idéal le plus élevé, est analysé dans une situation et un état de crise, au moment où il vient de quitter le collège de Vendeuvre et s'apprête à passer de l'adolescence à l'âge adulte. Tenté par le nihilisme, il apparaît comme un révolté, un « contestataire » avant la lettre, mais il manquera sa vie, fera son propre malheur et ne pourra masquer à ses propres yeux son échec qu'en se transformant en bourreau et en infligeant de cruelles souffrances à son demi-frère Justin et à la femme de celui-ci, Renée. L'analyse psychologique, à la fois impitoyable et compréhensive, est ici le fait d'un moraliste ; elle tend à définir et décrire la tentation nihiliste, et à diagnostiquer ses effets et les raisons de son échec à travers un personnage qui, malgré sa sincérité et son intelligence, « entraîne dans le drame tous ceux qui sont liés à son destin ».

ARNAUD DANIEL. XIIe s. Troubadour occitan. Originaire du Périgord, il n'a laissé que dix-huit poèmes, dont deux avec accompagnement musical. Dante avait une très haute idée de celui qui « surpasse tous les poètes de son pays par ses chants d'amour et par ses proses de roman ». Pétrarque, de la même manière, le nomme « le grand maître d'amour ». A. D. était surtout un scrupuleux faiseur de poèmes. Il le dit lui-même : « Je fais des vers, les rabote et les polis. » Il appartient à la classe des troubadours de l'époque dite classique, ces poètes qui s'appliquent surtout à construire une poésie savante, utilisant des formes toujours plus compliquées. A. D. aime les rimes rares (« trobar ric »), les formes recherchées (comme le « sextine », dont il serait l'inventeur). Il pratique aussi la poésie hermétique (« trobar clus »). Cette poésie, par trop intellectuelle et parfois maniériste, s'élabore au détriment du lyrisme originel de la poésie occitane qu'A.D. voulait ainsi renouveler.

ARNAULD. Famille d'intellectuels du XVIIe siècle célèbre par ses liens avec Port-Royal. **Antoine Arnauld** (1560-1619), avocat général de Catherine de Médicis, apporta dans ses *Philippiques* son soutien à Henri IV et se fit pour celui-ci l'ennemi des jésuites. Il eut vingt enfants, parmi lesquels **Robert** dit **Arnauld d'Andilly** (1589-1674), traducteur élégant mais peu fidèle de nombreux textes religieux, père de la **Mère Angélique de Saint-Jean** (1625-1684) ; **Catherine,** mère d'**Antoine Le Maistre** et de **Le Maistre de Saci ; Jacqueline** (1591-1661), la **Mère Angélique ; Jeanne** (1593-1671), la **Mère Agnès ; Henri** (1597-1692), évêque d'Angers ; et surtout **Antoine Arnauld,** dit **le Grand Arnauld** (Paris 8.2.1612 – Bruxelles 7.8.1694). Très jeune, Antoine connaît Saint-Cyran, dont l'influence sera sur lui profonde et durable. Il poursuit des études théologiques, est ordonné prêtre en 1641 et reçu docteur en Sorbonne ; il développe une théorie de la prédestination et de la grâce tirée non de Jansénius, dont il ignore les œuvres, mais de saint Augustin, dont Saint-Cyran lui a montré l'intérêt. Il publie en 1643 *De la fréquente communion,* où se retrouve l'influence de Saint-Cyran, puis devient, après la mort de celui-ci, le maître à penser des milieux jansénistes. Il ne défend pas les cinq propositions prétendument tirées de l'*Agustinus,* mais soutient que la doctrine janséniste n'est pas affectée par leur condamnation. De là naît la « querelle de la grâce », marquée par l'exclusion d'A. de la faculté de théologie (1656), par ses pamphlets contre le « formulaire » de 1657 et par la publication des *Provinciales,* dont, conscient de la lourdeur de son style, il confie la rédaction à Pascal, à qui il fournit les documents ainsi que la division en question de droit et question de fait. Dix ans de faveur suivent ces luttes, puis A. s'exile aux Pays-Bas, dans des conditions matérielles très difficiles, pour préserver sa liberté. Il y manifeste une activité inlassable comme philosophe, théologien, polémiste, mais toujours indépendant, logique et intègre, allant même jusqu'à défendre les jésuites lorsque ceux-ci sont injustement accusés. D'une intelligence remarquable, capable de s'appliquer à tous les domaines, il compose aussi des ouvrages pédagogiques pour les « petites écoles » de Port-Royal, collabore, avec Nicole, à la *Logique de Port-Royal* et, par les *Quatrièmes Objections aux Méditations,* montre qu'il est près d'adopter la philosophie cartésienne. La lourdeur et le manque d'élégance de son style n'ont malheureusement permis à aucun de ses quelque cent ouvrages de survivre vraiment. (Voir LOGIQUE DE PORT-ROYAL.)

Œuvres. Antoine ARNAULD. *Coppie de l'Anti-espagnol faict à Paris par Antoine Arnauld* (1re éd.) 1590. – *L'Anti-espagnol, autrement dit les Philippiques d'un Démosthène français* (2e éd.) 1592. – *Plaidoyer pour l'Université de Paris, demanderesse, contre les Jésuites défendeurs,* 1594. – *Les Savoisiennes* (1re Savoisienne, vers 1600).
ARNAULD D'ANDILLY. *Mémoires,* posth., 1734. – *Journal* I, 1614-1620, posth., 1857 ; II, 1620-1632 (10 vol.), posth., 1888-1909. – *Vie des saints Pères du désert,* 1647-1653. Traductions : de Jansénius, *Discours de la réformation de l'homme,* 1644 ; de saint Augustin, *les Confessions,* 1649 ; de sainte Thérèse d'Avila, *Méditations,* 1649 ; *Œuvres,* 1670 ; de Josèphe, *Histoire des Juifs,* 1667-1668.
LE GRAND ARNAULD. *Objectiones quartae in Meditationes,* 1641. – *De la fréquente communion,* 1643. – *La Tradition de l'Église sur la Pénitence,* 1644. – *Deux Apologies pour Jansénius,* 1644-1645. – *Novae Objectiones in Meditationes,* 1648. – *Apologie pour les Saints Pères,* 1650. – *Lettre à une personne de condition,* 1655. – *Seconde Lettre à un duc et pair,* 1655. – *Dissertatio theologica quadripartita,* 1656. – Avec Lancelot, *Grammaire générale raisonnée,* 1660. – Avec Nicole, *la Logique de Port-Royal,* 1662. – *Apologie pour les religieuses de Port-Royal,* 1665. – *Nouveaux Éléments de géométrie,* 1667. – Avec Nicole, *Perpétuité de la Foi,* 1669-1672-1679. – *Renversement de la morale de Jésus-Christ par les calvinistes,* 1672. – *L'impiété de la morale des calvinistes,* 1675. – *Nouvelle Défense du Nouveau Testament de Mons,* 1679. – *Apologie du clergé de France et des catholiques d'Angleterre contre le ministre Jurieu,* 1681. – *Traité des vraies et des fausses idées,* 1683. – *Réflexions philosophiques et théologiques sur la nature de la grâce,* 1685. – *Fantôme du jansénisme,* 1686. – *Tradition de l'Église romaine sur la grâce et la prédestination,* 1687-1690. – *Œuvres complètes,* posth., 1775-1783.

ARNAUT DE MAREUIL. Seconde moitié du XIIe s. – av. 1205. Troubadour occitan. Originaire du Périgord, ce clerc lettré devenu troubadour s'éprend de la comtesse de Burlatz, fille de Raymond V de Toulouse et femme de Roger II, vicomte de Béziers, son protecteur. Pour elle, il compose des « saluts d'amour », et c'est son ami, le jongleur Pistoleta (surnom signifiant « petite lettre »), qui aurait servi de messager entre la dame et le poète. Selon certains biographes, le roi Alphonse d'Aragon, troubadour et rival d'A., aurait découvert l'intrigue. A., contraint de s'éloigner, trouva alors accueil à la cour de Guillaume VIII de Montpellier, où il devait séjourner de nombreuses années. On lui attribue trente-neuf chansons, dont vingt-six sont d'une authenticité certaine. Il s'illustre dans le genre particulier du « salut d'amour », sorte d'épître courtoise en vers où se révèlent ses dons de poète raffiné et délicat. Il est aussi l'initiateur du genre didactique dans la poésie des troubadours par ses « ensenhamens », sorte d'enseignement de l'idéal courtois à l'usage de la société aristocratique.

ARNOUX Paul Alexandre. Digne 27.2.1884 – Paris 1973. Il fait ses études à Lyon, où il rencontre Charles Dullin, avec qui il se lie. Il débute dans les lettres par la poésie et s'essaie aussi au théâtre. Mais il abandonne bientôt la versification, qu'il ne reprendra que beaucoup plus tard, pour s'attacher à une fusion littéraire de l'imaginaire et du vécu, sous le signe, le plus souvent, du fantastique et du merveilleux, qu'il traduit dans une prose habile et variée, synthèse de réalisme aigu et de suggestion poétique, efficacement incarnée dans un style brillant et nerveux. Son imagination est fascinée par les mythes et les légendes, et le pousse à privilégier des sujets et des thèmes inspirés du romantisme allemand et de ses prolongements modernes : sa traduction des deux *Faust* de Goethe illustre cette prédilection. Dans le même esprit, il recompose une *Légende du roi Arthur* et tire des sources médiévales le mélodrame féerique *Huon de Bordeaux,* dont Dullin fait son spectacle d'inauguration du théâtre de l'Atelier. Le domaine espagnol ne lui est pas non plus indifférent : il traduit le *Romancero moresque* (1921), ainsi que diverses comédies de Calderon (1922-1945), mais surtout il tire du *Quichotte* de Cervantès une « épopée chorégraphique », *Le Chevalier errant,* qui sera représentée avec succès en 1950 sur une musique de Jacques Ibert. Suivant ce même type d'inspiration, A. est aussi l'auteur d'une féerie pour enfants, *Petite Lumière et l'Ourse,* d'un mystère, *Faut-il brûler Jeanne ?,* et d'une libre adaptation de *l'Amour des trois oranges,* de Gozzi. D'autre part, son œuvre de narrateur est abondante et variée, que caractérisent la qualité formelle du style et la finesse de l'analyse psychologique – manifeste dès 1912 dans un récit comme *Didier Flaboche.* Il s'attache à percer le secret de personnalités exceptionnelles, qu'elles soient réelles (*le Rossignol napolitain* évoque le musicien Stradella, *Une âme et pas de violon* le poète Tristan Corbière, et *Algorithme* le mathématicien Évariste Gallois) ou imaginaires comme dans *Flamenca,* d'après un récit provençal du XIIIe siècle. Intéressé tout particulièrement par les techniques de la description littéraire, et sensible aux formes les plus diverses du pittoresque, A. a été l'un des meilleurs peintres de sa Provence natale et tout aussi bien de Paris. Il reçut en 1956 le grand prix national des Lettres et fut élu à l'académie Goncourt en 1947.

Œuvres. *L'Allée des mortes,* 1906 (P). – *Voiture,* 1907, (P). – *Au grand vent,* 1909 (P). – *La Mort de Pan,* 1909 (T). – *Didier Flaboche,* 1912 (N). – *La Belle et la Bête,* 1913 (N). – *Abisag ou l'Église transportée par la foi,* 1919 (N). – *Le Cabaret,* 1919 (N). – *La Légende du roi Arthur,* 1920. – *Romancero moresque* (trad.), 1921. – *Indice 33,* 1921 (N). – *La Légende du Cid Campeador,* 1922. – *Huon de Bordeaux,* 1922 (T). – *Écoute s'il pleut,* 1923 (N). – *Petite Lumière et L'Ourse,* 1923 (T). – *Règne du bonheur,* 1924 (N). – *Le Chiffre,* 1926 (N). – *Haute-Provence,* 1926 (E). – *Rencontres avec Wagner,* 1927 (E). – *Carnet du Juif Errant,* 1930 (N). – *Merlin l'Enchanteur,* 1931 (N). – *Une âme et pas de violon,* 1935 (N). – *Le Rossignol napolitain,* 1937 (N). – *Paris-sur-Seine,* 1939 (E). – *Rhône, mon fleuve,* 1944 (E). – *Hélène et les guerres,* 1945 (N). – *Géographie sentimentale,* 1946 (E). – *Le Chevalier errant,* 1946 (T). – *L'Amour des trois oranges* (adaptation), 1947 (T). – *Algorithme,* 1948 (N). – *Paris, ma grand-ville,* 1949 (E). – *Contacts allemands, journal d'un demi-siècle,* 1950 (E). – *Études et Caprices,* 1952 (E). – *Les Crimes innocents,* 1952 (N). – *Faut-il brûler Jeanne ?,* 1954 (T). – *Petits Poèmes,* 1954. – *De Chamisso au royaume des ombres,* 1954 (E). – *Bilan provisoire,* 1955 (N). – *Double Chance ou le Gros Lot,* 1959 (N). – *Le Règne du bonheur,* 1960 (N). – *Zulma l'infidèle,* 1960 (N). – *Visite à Mathusalem,* 1961 (E). – *Le Siège de Syracuse,* 1962 (N). – *Flamenca,* 1965 (P).

ARON Raymond. Paris 14.3.1905 – 17.10.1983. Issu d'une famille où la vie intellectuelle était en honneur, A., après d'excellentes études au lycée de Versailles et au lycée Condorcet, entre à l'École normale supérieure dans la promotion de 1924 et y est le condisciple de Jean-Paul Sartre, avec qui il entretiendra des relations d'abord amicales, puis de plus en plus conflictuelles. Reçu premier à l'agrégation de philosophie en 1928, il est par là promis à une carrière universitaire brillante qui fera de lui plus tard un maître incontesté. Mais en attendant, il oriente sa réflexion initiale dans deux voies connexes, celle de la sociologie et celle de la philosophie de l'histoire, suivant les perspectives ouvertes par son attention particulière à la philosophie allemande, de Hegel à Marx. C'est alors qu'il séjourne en Allemagne de 1930 à 1933, au moment de la montée de l'hitlérisme. Ces années allemandes semblent avoir joué un rôle décisif dans l'évolution de sa pensée : voici en effet que l'intellectuel-philosophe, attaché à une recherche théorique sur l'Histoire et son sens, se trouve directement au contact de l'Histoire immédiate dans sa réalité concrète et dans une de ses manifestations les plus dramatiques. Dès lors, sa vocation est claire à ses yeux : il n'aura de cesse qu'il n'ait éclairci et élucidé la relation entre la philosophie et le réel, ce à quoi le préparait déjà sa formation de sociologue. Aussi sa réflexion va-t-elle désormais englober la totalité du champ historique, sous le signe d'un réalisme méthodique auquel il restera indéfectiblement fidèle, de l'histoire proprement dite à la politique, et de la politique à l'économie : réflexion unifiée, dans sa diversité même, par la recherche des fondements d'un humanisme moderne des valeurs qui devra tout aussi bien servir de référence pour résoudre les problèmes de l'enseignement et de l'Université.

Aussi l'intellectuel se trouve-t-il alors confronté au problème de l'engagement, et il se sent moralement obligé de ne point rester à l'écart d'une forme d'action qui puisse se concilier avec sa tâche de réflexion. Tenté d'abord par l'action politique directe, « sur le terrain », A., en 1946, se rallie au général de Gaulle (qu'il avait déjà rejoint à Londres dès juin 1940), et, à partir de 1947, occupe un poste important, auprès d'André Malraux, à la direction du R.P.F. (« Rassemblement du Peuple Français »). Bientôt pourtant il décide de donner la préférence à la double forme d'action qui lui paraît le mieux correspondre à sa vocation propre, l'action universitaire et l'action journalistique. Il s'affirme de plus en plus comme un enseignant, au sens le plus exigeant du terme, et le journaliste lui semble ne devoir être qu'un adjoint de l'universitaire (il omettra, délibérément, de demander la « carte de presse » à laquelle pourtant il a droit !). Collaborateur du *Figaro*, puis de *l'Express*, ainsi que de diverses revues telles que *Liberté de l'esprit* et *Preuves*, il est plus qu'un simple journaliste : un expert en matière sociologique et économique, un penseur politique dont l'influence se diffuse de plus en plus largement en France et hors de France ; la plupart de ses chroniques ou articles seront réunis en volumes. Il lui arrive, le plus souvent un peu malgré lui, de se trouver mêlé à d'âpres controverses et il se révèle alors un polémiste redoutable. Dans le même temps, l'universitaire, professeur à la Sorbonne puis au Collège de France, le « mandarin », comme il se qualifie lui-même, non sans ironie, dans ses *Mémoires*, poursuit sa tâche de philosophe de l'histoire des sociétés industrielles et apparaît de plus en plus comme le continuateur de la lignée moderne des grands penseurs politiques.

Or de quelque sujet qu'il s'agisse, quelque forme que revête l'expression de la pensée (de l'article de journal au « traité » universitaire, de l'actualité la plus immédiate à la synthèse globale des données d'un problème), l'intellectuel-philosophe, parce qu'il a aussi le souci de l'efficacité, s'efforce avec succès de traduire sa pensée dans un langage susceptible de concilier hauteur de vues et simplicité d'expression : à cet égard, l'œuvre de A. peut être considérée comme un modèle de communication intellectuelle et à cette technique de communication il doit sans doute l'étendue de son influence.

Lorsque, peu avant sa mort, paraissent en 1983 ses *Mémoires*, avec, pour sous-titre, *50 ans de réflexion politique*, il y livre au public, à travers sa propre histoire mêlée à celle de son temps, son testament intellectuel et politique, l'ultime bilan de sa réflexion sur l'histoire contemporaine et sur ses principaux acteurs. Il entre ainsi de plain-pied dans la galerie des grands mémorialistes français.

Œuvres. *La Sociologie allemande contemporaine,* 1935, rééd. 1981. – *Introduction à la philosophie de l'histoire. Essai sur les limites de l'objectivité historique,* 1938, rééd. 1981. – *Essai sur une théorie de l'histoire dans l'Allemagne contemporaine ; la philosophie critique de l'histoire,* 1938, rééd. 1970. – *L'Homme contre les tyrans,* 1945. – *De l'armistice à l'insurrection nationale,* 1945. – *L'Âge des empires et l'avenir de la France,* 1945. – *Le Grand Schisme,* 1948. – *Les Guerres en chaîne,* 1951. – *L'Opium des intellectuels,* 1955. – *Espoir et peur du siècle. Essais non partisans,* 1957. – *La Tragédie algérienne,* 1957. – *L'Algérie et la République,* 1958. – *La Société industrielle et la guerre,* 1958. – *Immuable et changeante, de la IVe à la Ve République,* 1959. – *Dimensions de la conscience historique,* 1960. – *Dix-huit leçons sur la société industrielle,* 1962. – *Paix et guerre entre les nations,* 1962. – *Le Grand débat,* 1963. – *La Lutte des classes,* 1964. – *Démocratie et totalitarisme,* 1966. – *Trois essais sur l'âge industriel,* 1966. – *Les Étapes de la pensée sociologique,* 1967. – *La Révolution introuvable,* 1968. – *De Gaulle, Israël et les Juifs,* 1968. – *Les Désillusions du progrès,* 1969. – *D'une Sainte Famille à l'autre. Essais sur les marxismes imaginaires,* 1969. – *De la condition historique du sociologue,* 1970. – *Études politiques,* 1972. – *République impériale, les États-Unis dans le monde,* 1972. – *Histoire dialectique de la violence,* 1972. – *Penser la guerre, Clausewitz,* 1976. – *Essai sur les libertés,* 1977. – *Plaidoyer pour l'Europe décadente,* 1977. – *Les Élections de mars et la Ve République,* 1978. – *Le Spectateur engagé* (entretiens avec J.-L. Missika et D. Wolton), 1981. – *Mémoires. 50 ans de réflexion politique,* 1983. – *Histoire et politique* (textes et témoignages), posth., 1985.

ARP Jean (Hans). Strasbourg 16.9.1887 – Paris 1966. Écrivain alsacien. Il étudia à l'académie des Beaux-Arts de Weimar (1905-07), à Munich, où il fréquenta Klee et Kandinsky, et à l'académie Jullian, à Paris (1908) : son œuvre de peintre occupe d'ailleurs une place notable dans l'histoire de l'art surréaliste. Puis il se fixa en Suisse, à Weggis, et à Zürich. Ayant rencontré les artistes du *Blaue Reiter* à Munich et collaboré à la revue *Der Sturm,* il fut, avec

H. Ball et T. Tzara, un des fondateurs du mouvement Dada au « cabaret Voltaire », à Zürich. En 1925, A. se rallia aux surréalistes et se fixa à Meudon. Après 1945, il entreprit des voyages à travers l'Amérique et la Grèce.

A., qui écrit ses poèmes tantôt en allemand tantôt en français, a su assurer au dadaïsme une place durable en littérature. Par ses combinaisons audacieuses d'images et de mots, il amène le lecteur à faire abstraction de toute logique et de toute norme. Sa poésie prospecte le domaine de l'alogique, où le paradoxe se supprime lui-même. Il s'applique méthodiquement à éliminer toute relation rationnelle. Dans ses œuvres tardives, où il s'est détaché du dadaïsme, l'inhumanité du monde lui arrache des accents élégiaques et désespérés.

Œuvres. (en français). *Des taches dans le vide,* 1937 (P). – *Poèmes sans prénoms,* 1941 (P). – *Rire de coquille,* 1944 (P). – *Rêves de mots et Astres noirs,* 1953 (P). – *Jours effeuillés,* 1966 (P).

ARRABAL Fernando. Melilla (Maroc espagnol) 11.7.1932. Dramaturge espagnol d'expression française. Sa personnalité est profondément marquée par une enfance vécue au cœur de la guerre d'Espagne (son père, officier républicain, fut arrêté par les troupes franquistes, et, malgré ses recherches, son fils ne put retrouver sa trace). A. s'installe définitivement en France en 1955. Malade, il est aussitôt hospitalisé et fait un long séjour dans un sanatorium. C'est alors qu'il se met à écrire des œuvres qui relèvent d'une sorte de théâtre imaginaire et obsessionnel (*Cérémonie pour un Noir assassiné ; le Labyrinthe ; les Deux Bourreaux).* Remarqué par le metteur en scène J.-M. Serreau, *Pique-nique en campagne* est représenté en 1959, et l'œuvre dramatique d'A. commence à paraître en librairie cette même année. Dès lors se succéderont, avec des fortunes diverses, *Guernica, le Tricycle* et, à partir de 1965, des œuvres d'un caractère nouveau et provocant : A., en effet, rejoint le groupe formé par Topor, Sternberg, Jodorowsky et s'engage dans une expérience désignée sous le nom de « théâtre panique », selon une tendance manifestée ailleurs dans le monde, en particulier par le *Living Theater* américain : expérience inaugurée en 1966 avec *l'Architecte et l'empereur d'Abyssinie,* continuée avec *le Grand Cérémonial* (1966), *le Jardin des délices* (1969) et poursuivie avec des spectacles parfois dépourvus de paroles comme *Strip-tease de la jalousie* ou *les Quatre Cartes.* Mais, sous ses divers aspects, cette œuvre vise à pousser jusqu'à ses conséquences extrêmes le « théâtre de la cruauté » en ordonnant un spectacle de fête qui, dans le cas du « théâtre panique », devient l'occasion de la mise en scène de véritables rites sacrificiels. Il est clair que ce théâtre ne peut que rejeter les structures dramatiques pour, au contraire, privilégier – et tenter par là d'exorciser – les fantasmes personnels d'un homme qui fait fi de tout tabou, pratique comme un art le sacrilège, instaure une fête primitive et délibérément barbare, virant de façon imprévisible de la laideur à la beauté, de la violence à la tendresse, laissant large place, – comme il le dit lui-même – au déploiement du cauchemar. Il lui est arrivé de s'exprimer aussi par des œuvres d'apparence narrative et, plus récemment, par le cinéma : son premier film, *Viva la muerte* (1971), libère, dans une sorte d'innocence située au-delà de la provocation, les mêmes images obsessionnelles que le « théâtre panique ».

Œuvres. Théâtre I : *Oraison, les Deux Bourreaux, Fando et Lis, le Cimetière des voitures,* 1958 (T). – *Baal Babylone,* 1959 (N). – *L'Enterrement de la sardine,* 1961 (N). – *La Pierre de la folie,* 1963 (P). – *Fêtes et Rites de la confusion,* 1967 (N). – Théâtre II : *Guernica, le Labyrinthe, le Tricycle, Pique-nique en campagne, la Bicyclette du condamné,* 1968 (T). – Théâtre III : *le Grand Cérémonial, Cérémonie pour un Noir assassiné, Dieu est-il devenu fou ?,* 1968 (T). – Théâtre IV : *Concert dans un œuf, le Couronnement,* 1969 (T). – Théâtre V : *Théâtre panique, l'Architecte et l'empereur d'Assyrie,* 1967 (T). – Théâtre VI : *le Jardin des délices, Bestialité érotique, Une tortue nommée Dostoïevski,* 1969 (T). – Théâtre VII : *Théâtre de guérilla, Et ils passèrent les menottes aux fleurs, l'Aurore rouge et noire,* 1969 (T). – Théâtre 1969 : *la Contestation, le Grand Guignol,* 1969 (T). – Théâtre 1969 : *le Théâtre baroque,* 1969 (T). – Théâtre VIII : *Opéras paniques, Ars amandi, Dieu tenté par les mathématiques,* 1970 (T). – Théâtre 1970 : *Théâtre en marge,* 1970 (T). – Théâtre 1971 : *les Monstres,* 1971 (T). – *Viva la muerte* (film), 1971. – Théâtre IX : *le Ciel et la merde, la Grande Revue du XXe siècle,* 1972 (T). – Théâtre 1972 : *Bob Wilson,* 1972 (T). – Théâtre X : *Bella ciao, la Guerre de mille ans,* 1972 (T). – *La Panique,* 1973 (T). – *J'irai comme un cheval fou* (film), 1973. – *Sur le fil, ou la Ballade du train fantôme,* 1974 (T). – *Jeunes Barbares d'aujourd'hui,* 1975. – Théâtre XI : *la Tour de Babel, la Marche royale, Une orange sur le mont Vénus, la Gloire en images,* 1976 (T). – *La*

Pierre et la folie, 1977 (P). – *Plaidoyer pour une différence* (entretien avec A. Chesneau et A. Berenguer), 1978. – Théâtre Bouffe, XII : *Vole-moi un petit milliard, le Pastaga des loufs ou Ouverture orang-outang, Punk et Punk et Colegram,* 1978 (T). – Théâtre XIII : *Mon doux royaume saccagé, le Roi Sodome, Le Ciel et la merde II,* 1981 (T). – Théâtre XIV : *L'Extravagante réussite de Jésus Christ, Karl Marx et William Shakespeare, Lève-toi et rêve,* 1982 (T). – *La Tour prends garde,* 1983 (N). – *Lettre à Fidel Castro,* 1984 (E). – Théâtre XV : *Les Délices de la chair, la Ville dont le prince était une princesse,* 1984 (T).

Le Grand Cérémonial

Le monde de la passion et de la cruauté : le maître de cérémonies, Casanova, dont la laideur est liée à l'érotisme, torture des femmes ; sa mère l'aide dans ces séances rituelles au cours desquelles une femme est sacrifiée. Les victimes sont consentantes et offrent même à Casanova des armes afin qu'il puisse accomplir avec plus de perfection son « grand cérémonial ».

Le Jardin des délices

Laïs, pour pouvoir devenir une vraie femme, n'envisage comme partenaire possible qu'un monstre : dans la violence et le merveilleux mêlés, elle sera la maîtresse d'un chimpanzé, auquel elle s'unira dans un œuf géant, inspiré d'ailleurs du célèbre tableau de Jérôme Bosch dont A. a emprunté le titre.

ART ORATOIRE. (Voir ÉLOQUENCE.)

ARTS LIBÉRAUX. Au Moyen Âge, cette expression désignait l'ensemble des connaissances pratiques et théoriques utiles à l'homme. C'est dans les universités qu'étaient enseignés les arts libéraux : la grammaire, la dialectique et la rhétorique (qui formaient le *trivium*) ; l'arithmétique, la géométrie, l'astronomie, la musique (qui formaient le *quadrivium).*

ART POÉTIQUE. Ouvrage théorique mais de caractère littéraire, et souvent composé en vers, où sont exposées les conditions de la création poétique et les lois de son expression formelle. Tout art poétique se réfère à une esthétique cohérente qui détermine son orientation et son contenu. Ce genre, qui peut aussi intégrer des éléments de critique littéraire et même de polémique, est surtout florissant au cours des âges « classiques », qui valorisent une esthétique de l'ordre et de la règle : le siècle d'Auguste avec Horace ; le siècle de Louis XIV avec Boileau. Mais à l'intérieur de ce genre s'instaure aussi la distinction entre l'exposé d'une doctrine qui sert de principe *a priori* à la création poétique (*Défense et illustration de la langue française* de Du Bellay) et le bilan d'une expérience acquise (l'*Art poétique* de Boileau).

ARTAUD Antonin. Marseille 4.9.1896 – Ivry-sur-Seine 4.3.1948. Rarement l'œuvre et la vie d'un homme auront été aussi étroitement liées, noyées qu'elles furent dans l'amertume de l'échec, puis de la folie. Venu à Paris en 1920, A., qui, dès ses premiers essais poétiques, s'est heurté à une atterrante impuissance d'écrire ce qu'il veut, se lie d'abord avec les surréalistes. Breton lui confie le nº 3 de *la Révolution surréaliste,* consacré à l'Orient, mais la virulence insurrectionnelle de ce déchiré, qui trouve, à s'exprimer, sa raison de vivre, ne peut convenir à un mouvement qui prépare son rapprochement avec le parti communiste. A. est expulsé, et ses anciens amis l'insultent dans une brochure intitulée *Au grand jour* (1927). Revenu à sa souffrance, A. se consacre au théâtre : disciple de Dullin à l'Atelier depuis 1922, il fonde seul le « théâtre Alfred-Jarry » (1927), puis le « théâtre de la cruauté » (1932). Le célèbre volume *le Théâtre et son double* (1938) réunit des textes écrits de 1931 à 1933 : au lieu de se perdre dans la psychologie, « créer des mythes, voilà le véritable objet du théâtre ». Mais l'échec de sa pièce *les Cenci* (1935) l'entraîne à chercher dans la vie le « théâtre » que le théâtre lui refuse ; il part pour le Mexique (janv-nov. 1936). Quelque temps après ce voyage, au cours duquel il s'était drogué, une crise de folie entraîne son internement. Il restera neuf ans à Rodez, accumulant rage et aigreur contre la terre entière. Des textes délirants et atroces, comme *Van Gogh ou le Suicidé de la société,* séparent sa libération de sa mort. Celui qui fut Marat dans le film de Gance, *Napoléon* (il avait déjà figuré au cinéma dans la *Jeanne d'Arc* de Dreyer), représente pour l'histoire littéraire un nouveau « cas », dans la ligne des poètes maudits » du XIXe s. ; pour l'angoisse moderne, c'est un prophète douloureux, un précurseur que certains considèrent comme génial.

Œuvres. *Sonnets mystiques,* 1913 (P). – *Tric-trac du ciel,* 1924 (P). – *L'Ombilic des limbes,* 1925 (P). – *Le Pèse-nerfs,* 1925. – *Correspondance avec Jacques Rivière,* 1927. – *L'Art et la Mort,* 1929 (E). – *Le Moine,* 1931 (N). – *Manifeste du théâtre de la cruauté,* 1932 (E). – *La Coquille et le Clergyman* (E). – *Sorcellerie et Ci-*

néma (E). – *Héliogabale ou l'Anarchiste couronné,* 1934. – *Les Cenci* (adapt.), 1935 (T). – *Le Théâtre et son double* (reprend le manifeste sur le théâtre de la cruauté, déjà cité), 1938 (E). – *Lettres de Rodez,* 1946. – *Van Gogh, le suicidé de la société,* 1947 (E). – *Pour en finir avec le jugement de Dieu,* 1948 (E). – *Au pays des Tarahumaras,* 1948. – *Lettre à Jacques Prévert contre la Kabbale,* posth., 1949 (E). – *Artaud le Mômo,* posth., 1950 (E). – *Ci-gît,* posth., 1953 (E). – *Galapagos,* posth., 1953 (E). – *Vie et Mort de Satan-le-Feu,* posth., 1953 (E). – *Lettres à Genica Athanasion,* posth., 1969. – *Nouveaux Écrits de Rodez* (avec une préface du decteur G. Ferdière), posth., 1977. – *Œuvres complètes,* T. I (vol. 1) : *Préambule ; Adresse au pape et au dalaï-lama ; Correspondance avec Jacques Rivière : l'Ombilic des limbes ; le Pèse-nerfs et Fragments d'un journal d'enfer ; l'Art et la Mort ; Premiers Poèmes (1913-1923) ; Premières Proses ; Tric-trac du ciel ; Bilboquet ; Poèmes (1924-1935).* T. I (vol. 2) : *Textes surréalistes ; Lettres.* T. II : *l'Évolution du décor ; Théâtre Alfred-Jarry ; Trois Œuvres pour la scène ; Deux Projets de mise en scène ; Notes et comptes rendus ; A propos d'une pièce perdue ; A propos de la littérature et des arts plastiques.* T. III : *Scénarii ; A propos du cinéma ; Interviews ; Lettres.* T. IV : *Le Théâtre et son double ; le Théâtre de Séraphin ; les Cenci ; Dossiers du « Théâtre et son double » et des « Cenci ».* T. V : *Autour du « Théâtre et son double » ; Articles à propos du théâtre de la N. R. F. et des « Cenci » ; Lettres ; Interviews ; Documents.* T. VI : *« le Moine » (de Lewis), raconté par Antonin Artaud.* T. VII : *Héliogabale ; les Nouvelles Révélations de l'être.* T. VIII : *Sur quelques problèmes d'actualité ; Deux Textes pour « Voilà » ; Pages de carnets, notes intimes ; Satan ; Notes pour les cultures orientales, grecques, indiennes ; le Mexique et la civilisation ; Messages révolutionnaires ; Lettres.* T. IX : *les Tarahumaras ; Lettres de Rodez.* T. X : *Lettres écrites de Rodez (1943-1944),* 1974. T. XI : *Lettres écrites de Rodez (1945-1946).* T. XII : *Artaud le Mômo ; la Culture indienne ; Ci-gît,* 1974. T. XIII : *Van Gogh, le suicidé de la société ; Pour en finir avec le jugement de Dieu ; le Théâtre de la cruauté,* 1974. T. XIV (2 vol.) : *Suppôts et Supplications,* 1978. T. XV : *Cahiers de Rodez (février-avril 1945),* 1981. T. XVI : *Cahiers de Rodez (mai-juin 1945),* 1981. T. XVII : *Cahiers de Rodez (juillet-août 1945),* 1982. T. XVIII : *Cahiers de Rodez (septembre-novembre 1945),* 1983. T. XIX : *Cahiers de Rodez (décembre 1945-janvier 1946),* 1984. T. XX : *Cahiers de Rodez (février-mars 1946),* 1984.

Le Théâtre et son double

Ce n'est pas un livre construit, mais un recueil d'articles et de conférences, d'extraits de lettres, avec surtout deux manifestes dont le titre résume la théorie dramatique d'A. : *Théâtre de la cruauté.* Il s'agit de créer et d'incarner un spectacle total, où spectateurs et acteurs communieraient sous des formes diverses dans l'expression, physique, gestuelle et mimique, des rapports et conflits « mythiques » de l'humanité, cela par une expression elle-même prélogique, mythique, onirique, dont les images devront imposer directement et physiquement leur présence sans l'intermédiaire des « structures » dites dramatiques. Le langage du théâtre n'est donc plus constitué par un texte mais doit se proposer des moyens nouveaux pour créer une magie proche de celle du théâtre oriental, en particulier du théâtre balinais, où se confondent, dans la même unité expressive, la parole, la musique et le geste. C'est dans cette perspective que se définit la « cruauté » dont parle A., sorte d'extrémisme dramatique résultant du paroxysme convergent de tous les éléments constitutifs de l'expression.

ARVERS Félix. Paris 1806 – 1850. Après des études de droit, il est clerc de notaire de 1830 à 1836, puis se consacre à une carrière de dramaturge. Il avait débuté dans les lettres par la poésie et est resté célèbre comme l'auteur du « sonnet du siècle » (« sonnet imité de l'italien »), pièce poétique composée pour Marie Nodier, la fille de Charles Nodier, qu'il a rencontrée au cours des soirées de l'Arsenal, et qu'il a aimée sans espoir. A l'occasion de ce sonnet *(Mon âme a son secret, ma vie a son mystère...),* désigné par la postérité sous le seul titre de « Sonnet d'Arvers », Sainte-Beuve, après avoir noté que le poète s'était « un peu dispersé dans les petits théâtres et dans les plaisirs », déclare qu'il a eu « dans sa vie une bonne fortune et a éprouvé une fois un sentiment vrai, délicat, profond et [...] l'a exprimé dans un sonnet adorable [...], tendre et chaste : un souffle de Pétrarque y a passé ». Écrit sans doute entre 1830 et 1833, le « Sonnet d'Arvers » fut inséré dans un recueil de 1833, *Mes heures perdues,* qui contient aussi un drame historique à la mode romantique, *la Mort de François I*[er] (qu'on a pu comparer au *Roi s'amuse* de Hugo), ainsi qu'une comédie en vers, *Plus de peur que de mal.* La célébrité du sonnet a fait oublier, peut-être à tort, qu'A. fut un dramaturge habile et fécond et surtout un des bons spécialistes du genre alors en vogue, le vaudeville, grâce auquel il obtint, entre 1835 et 1850, de nombreux succès avec des pièces écrites en collaboration.

Œuvres en collaboration. Avec d'Avrecourt : *Les Dames patronnesses,* 1836 (T). – *Delphine ou Heureux après moi,* 1838 (T). – *Rose et Blanche,* 1839 (T). – *Les Parents de la fille,* 1841 (T). – *La Course au clocher,* 1842 (T). – *Le Second Mari,* 1843 (T). – *Les Anglais en voyage,* 1845 (T). – *Lord Spleen,* 1846 (T). – Avec Scribe : *A quelque chose malheur est bon,* 1845 (T).

ASSONANCE [latin *assonare* = faire écho]. Écho phonétique entre deux fins de vers, reposant seulement sur l'identité de la dernière voyelle accentuée (ex. *â* de *âge* et de *âme*). Les plus anciens poèmes français, telle *la Chanson de Roland,* utilisent l'assonance et non la rime, car ils sont destinés à l'audition, non à la lecture. Par extension, l'assonance désigne aussi le jeu des voyelles à l'intérieur d'une phrase poétique. Elle est alors appelée « assonance-modulation ». Ex. répétition des « i » dans :

Je ne me sentis plus guidé par les haleurs :
Des Peaux-Rouges criards les avaient pris pour cibles... (Rimbaud, *le Bateau ivre.*)

ASSOUCY ou **DASSOUCY, Charles Coypeau** ou **Couppeau, sieur d'.** Paris 1605 – 1677. Son père était avocat au parlement de Paris ; à sa mère, d'origine italienne, il devra ses dons de musicien et d'instrumentiste, qui se révèlent très précocement en même temps que de remarquables dispositions pour la poésie, ce qui fait du petit Charles une manière d'enfant prodige. Dès l'âge de seize ans, il choisit de mener une vie aventureuse et errante qui le conduit d'abord en Provence : c'est à cette époque qu'il décide de substituer à son patronyme, Coypeau (ou Couppeau), le pseudonyme fantaisiste de sieur d'A. Son activité est alors surtout musicale : luthiste de talent, il chante, compose des airs, donne des leçons et trouve ainsi le moyen d'assurer sa subsistance. Il acquiert même une certaine notoriété, et, revenu à Paris, en 1637, il s'y fait rapidement une brillante réputation de virtuose qui lui procure d'efficaces protecteurs : il est introduit à la Cour, fréquente les milieux intellectuels « libertins » et se lie d'amitié avec des hommes de lettres comme Saint-Amant, Cyrano de Bergerac et, un peu plus tard, Chapelle. C'est ainsi que son itinéraire, parti de la musique, aboutit à la littérature : d'A. entre dans une troupe d'artistes italiens invités par Mazarin et commence à écrire des vers. Suivant une mode du temps, bien accordée à son tempérament, il choisit d'imiter la manière de Scarron et dépasse bientôt son modèle. A partir de ce moment, en effet, il devient l'un des représentants les plus typiques du « burlesque », et c'est à ce titre que d'A. a sa place dans l'histoire littéraire : l'opinion contemporaine la lui a reconnue, dès avant sa mort, en le surnommant l'« Empereur du burlesque ». Sa première grande réussite dans ce genre, *le Jugement de Pâris* , reçut du public un accueil appréciable et sera suivi du succès plus marqué et plus durable d'*Ovide en belle humeur,* parodie du premier livre des *Métamorphoses* du poète latin. La même année, il compose la musique de scène (perdue) de l'*Andromède* de Corneille et surtout écrit une « comédie en musique », *les Amours d'Apollon et de Daphné,* dédiée au roi et dont nous n'avons conservé que le texte : fondée sur le principe de l'alternance d'airs chantés et de vers déclamés, c'est une première tentative, dans le genre pastoral, d'opéra à la française. Mais ce ne sont là que des intermèdes dans la carrière littéraire de d'A., qui, pour l'essentiel, reste fidèle à son inspiration burlesque avec *le Ravissement de Proserpine* et ses *Poésies et Lettres contenant diverses pièces héroïques, satiriques et burlesques.* Il quitte Paris – assez brusquement, semble-t-il –, se joint à Lyon à la troupe de Molière en 1655 ; on le retrouve à partir de 1657 en Italie, où il reprendra ses activités de musicien et de luthiste. Dénoncé comme athée, il est emprisonné à Rome et écrit alors un ouvrage contre l'athéisme, *Pensées de M. d'A. dans le Saint-Office de Rome,* qui le fait libérer. Rentré en France, il publie ses *Rimes redoublées* et, après la mort de Molière, célèbre la mémoire de son ami dans *l'Ombre de Molière et son épitaphe.* A nouveau dénoncé, cette fois pour sodomie, il est emprisonné au Petit-Châtelet ; mais il a gardé des protecteurs, qui réussissent à le faire libérer et à le faire entrer dans la musique du roi, à qui il dédie le récit de ses *Aventures.* Il meurt peu de temps après. Victime d'un injuste oubli, d'A. reste l'un des représentants les plus doués et les plus truculents des formes « marginales » de la littérature du XVIIIe siècle.

Œuvres. *Le Jugement de Pâris en vers burlesques,* 1648 (P). – *L'Ovide en belle humeur,* 1650 (P). – *Les Amours d'Apollon et de Daphné,* 1650 (T). – *Le Ravissement de Proserpine,* 1653 (P). – *Poésies et Lettres,* 1653. – *Attractions burlesques,* 1653 (E). – *Rimes redoublées,* 1671 (P). – *L'Ombre de Molière et son épitaphe,*

1673 (E). – *La Prison de M. Dassoucy,* 1674 (N). – *Les Pensées de M. Dassoucy dans le Saint-Office de Rome,* 1676 (N). – *Les Aventures de M. Dassoucy* (2 vol.), 1677 (N). – *Les Aventures d'Italie,* 1677 (N).

AUBANEL Joseph Jean Marie Baptiste Théodore. Avignon 26.3.1829 – 31.10.1886. Écrivain provençal. Descendant d'une vieille famille du Comtat, ce compagnon de F. Mistral délaisse vite le français et chante en langue d'oc son amour déçu pour Jenny Manivet dans les poèmes de *la Miougrano entreduberto* (*la Grenade entrouverte*). Marié en 1861, il reprend l'imprimerie paternelle et ne quitte Avignon que pour quelques voyages. En 1885, son recueil *li Fiho d'Avignoun (les Filles d'Avignon),* qui allie la sensualité et la violence à une tristesse morbide, fut jugé scandaleux par l'Archevêché ; il dut en détruire l'édition et peu après mourut d'une apoplexie. Malgré de très beaux vers posthumes, A., ce grand lyrique de la Provence moderne, est condamné par sa langue à rester méconnu ; cela est encore plus vrai de son théâtre, dont la sombre puissance a trop rarement trouvé ses justes interprètes.

Œuvres. *La Grenade entrouverte,* 1860 (P). – *Le Pain du péché,* 1878 (T). – *Les Filles d'Avignon* 1885 (P). – *L'Arrière-Soleil,* posth., 1899 (P).

AUBE. Genre littéraire médiéval. Accompagnée d'une mélodie savante, qui remonte à une tradition ancienne, l'aube comporte trois thèmes essentiels : la séparation des amants à l'aube ; le chant des oiseaux et le lever du soleil ; l'intervention du guetteur, qui interdit à tout importun de s'approcher et prévient les amants qu'avec l'aube est venu pour eux le moment de la séparation.

AUBERT DE GASPÉ Philippe. Saint-Jean-Port-Joli 30.10.1786 – Québec 1871. Écrivain canadien-français. Fils d'un membre du Conseil législatif du Bas-Canada, à qui il succède comme seigneur de Saint-Jean-Port-Joli, il passe une petite enfance émerveillée au manoir familial. C'est la source principale de son inspiration. Il fait des études classiques et de droit à Québec, et sa prodigalité lui attire de nombreuses amitiés. Bientôt couvert de dettes et insolvable, il est emprisonné. Il se retire ensuite dans son manoir de Saint-Jean-Port-Joli.
Nourri des classiques, de Chateaubriand et de Walter Scott, il entreprend, à soixante-quinze ans, d'évoquer les mœurs canadiennes du temps de son enfance, dans un long roman, un classique du XIXe s., le livre le plus charmant de cette époque, *les Anciens Canadiens* (1863). Il veut, par cette œuvre, sauver de l'oubli les récits et les légendes qui ont enchanté son enfance, fixer avant qu'elles ne disparaissent les tournures de langage, les habitudes de vie et les traditions d'antan. L'œuvre a une grande valeur documentaire en ce qui concerne les anciens Canadiens et le régime seigneurial. Trois ans plus tard, en 1866, il publie dans ses *Mémoires* tout ce qu'il n'avait pu faire entrer dans son récit. C'est une chronique de première main sur toute cette époque. Son œuvre reflète fidèlement la naissance d'une civilisation originale en Nouvelle-France et permet d'apprécier la signification des origines françaises des Québécois.
Dans les *Mémoires* comme dans *les Anciens Canadiens,* l'auteur se montre un témoin fidèle, un narrateur spirituel, un conteur allègre. Un charme vieillot s'ajoute à la valeur sociologique de ces documents, qu'on lit toujours avec plaisir.

Les Anciens Canadiens.

Tableau vivant et naturel de la vie quotidienne au Canada sous le régime français et au moment de la conquête anglaise. Décor familier, intrigue simple, psychologie vraisemblable, quoiqu'un peu sommaire. Les deux héros sont deux jeunes gens qui se lient d'amitié pendant leurs études au petit séminaire de Québec, l'Écossais Archibald Cameron de Locheill et le Canadien français Jules d'Haberville. Ils passent ensemble, en compagnie de la sœur de Jules, Blanche, de merveilleuses vacances au manoir d'Haberville. Mais lorsque éclate la guerre de Sept Ans, Archibald sert sous les ordres du général Wolfe, et il fait incendier, au cours d'une opération militaire à laquelle il participe, ce manoir où il s'était, peu auparavant, épris de Blanche d'Haberville – et celle-ci du jeune homme. Mais Blanche impose silence à son cœur en refusant d'épouser celui qui ne peut plus être pour elle qu'un « cher ennemi ». Quant à son frère Jules, il se montre, lui, moins intransigeant et, finalement, épousera l'Anglaise qu'il aime. Une des originalités de cette œuvre tient à ce que le récit proprement romanesque est entrecoupé de chansons folkloriques qui, outre leur charme propre, essentiellement fait d'une imperturbable gaieté, constituent un précieux document sur la culture populaire des « Anciens Canadiens ».

AUBERT DE GASPÉ Philippe. 1814 – 1841. Fils du précédent. Il mérite de survivre comme auteur du premier roman proprement canadien-français, *le Chercheur de trésor ou l'Influence d'un livre* (1841).

AUBIGNAC, François Hédelin, abbé d'. Paris 1604 – Nemours 1676. Petit-fils du chirurgien Ambroise Paré par sa mère et fils d'un avocat au parlement, il sera lui-même avocat avant d'entrer dans les ordres (1627) et de devenir le précepteur du duc de Fronsac, un neveu de Richelieu. Abbé d'A. et de Meimac, il résignera ses bénéfices vers la fin de sa vie pour se retirer à Nemours auprès de son frère. Protégé du Cardinal, dont il partage le goût pour le théâtre, d'A. prend une part active à la vie littéraire de son temps. Il fréquente les salons mondains et littéraires, écrit des vers précieux et sera l'auteur moraliste de l'histoire allégorique *Marcarise ou la Reine des îles Fortunées.* Il se brouille avec Mlle de Scudéry en lui disputant l'invention de la *Carte du Tendre* dans la *Relation du Royaume de Coquetterie,* ouvrage où apparaît pour la première fois le mot « précieuse », se querelle avec Ménage à propos de l'unité de temps dans le théâtre de Térence et rédige contre lui un *Térence justifié.* Richelieu le charge de dresser un plan de pratique du théâtre, après que d'A. lui a fait parvenir son *Projet pour le rétablissement du théâtre français,* qui propose des réformes d'organisation d'ordre général et en particulier la création d'une Intendance des théâtres. *La Pratique du théâtre,* à laquelle il travaille jusqu'en 1657, est l'œuvre d'un théoricien et va contribuer à l'évolution de la tragédie vers sa forme classique. Selon d'A., la vraisemblance est « l'essence du poème dramatique sans laquelle il ne se peut rien faire ni dire de raisonnable sur la scène » ; quant à la règle des trois unités (unités d'action, de temps et de lieu, qui resserrent l'action), son application augmente l'intensité dramatique et fait porter l'intérêt sur les caractères et les passions des personnages : elle apparaît donc fondée « non en autorité, mais en raison ». Les sujets doivent respecter la bienséance, et le tragique, tel que d'A. le considère, est proche de la conception racinienne de la tragédie-crise : la pièce doit commencer « le plus près possible de la catastrophe, afin d'employer moins de temps au négoce de la scène et d'avoir plus de liberté d'étendre les passions et les autres discours qui peuvent plaire ». Corneille, à qui il a d'abord été favorable, lui paraît critiquable sur tous les points développés dans sa *Pratique.* En 1666, il compose une *Dissertation sur la condamnation des théâtres,* qui prend la défense du théâtre attaqué au nom de la morale et de la religion. Enfin, d'A. soulève pour la première fois la « question homérique » dans ses *Conjectures académiques,* où il s'applique à démontrer qu'Homère n'a pas existé.

Œuvres. *Traité de la nature des satyres, brutes, monstres et démons,* 1627 (E). – *Discours sur la troisième comédie de Térence intitulée « Héautontimorouménos »,* 1640 (E). – *Projet pour le rétablissement du théâtre français,* v. 1640. – *Cyminde ou les Deux Victimes,* 1642 (T). – *La Pucelle d'Orléans,* 1642 (T). – *Zénobie,* 1647 (T). – *Relation du Royaume de Coquetterie,* 1654 (N). – *Térence justifié,* 1656 (E). – *La Pratique du théâtre,* 1657 (E). – *Remarques sur la tragédie de Sophonisbe,* 1663 (E). – *Deux Dissertations concernant le poème dramatique* (sur *Sophonisbe* et *Sertorius*), 1663 (E). – *Troisième et Quatrième Dissertation,* 1663 (E). – *Macarise ou la Reine des îles Fortunées,* 1663 (N). – *Les Conseils d'Ariste à Célimène,* 1665 (N). – *Dissertation sur la condamnation des théâtres,* 1666 (E). – *Roman des lettres,* 1667 (N). – *Amelonde,* 1669 (N). – *Essais d'éloquence chrétienne,* 1671. – *Conjectures académiques ou Dissertations sur l'Iliade,* posth., 1715.

AUBIGNÉ Théodore Agrippa d'. Pons 8.2.1552 – Genève 9.5.1630. Élève doué, il fut dès l'enfance consacré à la cause protestante, entremêlant jusqu'en 1570 l'étude et le combat. En août 1570, âgé de dix-huit ans, il s'installe, après la paix de Saint-Germain, dans son domaine des Landes-Guinemer, non loin du château de Talcy, propriété de la famille Salviati, où vivait alors Diane, nièce de la Cassandre de Ronsard. Elle devint bientôt la fiancée du jeune gentillhomme et le soigna attentivement lorsqu'il fut atteint d'une très grave blessure au cours d'une embuscade dans un village de Beauce. Mais, peu après, le père de Diane rompait ces fiançailles « sur le différend de la religion ». Il semble que Diane elle-même, après avoir consenti sans beaucoup de chaleur, se soit ensuite définitivement détournée de son « fiancé ». Telle est la source biographique d'une œuvre longtemps oubliée, *le Printemps* (accompagné de *l'Hécatombe à Diane*), stances (1 697 vers) et cent sonnets écrits entre 1571 et 1573. Tout en restant imprégné de l'influence de Ronsard et, à travers lui, de la poésie pétrarquiste, *le Printemps* est marqué par le déchaînement d'une imagination sombre et pathétique, acharnée à faire exploser en poésie la violence expressive d'un amour perdu, imagination qui culmine dans le triomphe des images funèbres et sanglantes, ainsi que dans des visions de guerre et d'horreur macabre. Aussi ce recueil a-t-il pu être reconnu par les modernes comme un des sommets de la poésie baroque. Cette même imagination, qui élève l'œuvre de l'amoureux déçu très au-dessus de la préciosité pétrarquiste, fait du militant et du soldat, dans *les Tragiques,* l'un des plus grands parmi les poètes épiques français, proche à beaucoup d'égards du Hugo des *Châtiments.* Car la déception amoureuse n'empêche pas d'A. de rester un lutteur infatigable : pendant quinze années, il est le fidèle compagnon d'Henri de Navarre, auprès de qui il occupe les fonctions de maréchal de camp. Puis, déçu par la politique de conciliation d'Henri IV, il s'exilera à Genève, où il restera jusqu'à sa mort. C'est pendant les moments de répit que lui laissait son activité combattante qu'il écrivit *les Tragiques,* sans doute à partir de 1577 ; le plan de son vaste poème, nous dit-il, lui fut communiqué comme en une vision durant la fièvre consécutive à une blessure reçue au cours d'un de ses nombreux combats : symbole de l'unité en lui du poète, du visionnaire et du militant. Dans *les Tragiques,* en effet, le fanatisme du militant s'épanouit en allégories visionnaires où s'exprime l'autre aspect, épique et apocalyptique, du baroque. Un peu plus tard, d'A. composera *les Aventures du baron de Faeneste,* qui opposent deux modes de vie, celui du catholique Faeneste (du grec *phaïnestai* = paraître) et celui du protestant M. d'Énay (*einai* = être). *La Confession catholique de M. de Sancy,* ouvrage d'actualité polémique, stigmatise les conversions forcées. Enfin *l'Histoire universelle* est en fait une chronique des conflits religieux entre 1553 et 1602 puis entre 1602 et 1622. L'auteur se veut historien mais reste un partisan, fort bien documenté d'ailleurs, et l'œuvre vaut plus par les qualités personnelles et littéraires du mémorialiste que par celles de l'historien. D'A. reviendra à la poésie avec *l'Hiver* (pendant du *Printemps,* comme la vieillesse est le pendant de la jeunesse), où les expériences de toute une vie donnent naissance à un lyrisme élevé jusqu'à une dimension d'éternité. Redécouverte, mais non sans quelque malentendu, à l'époque du romantisme, l'œuvre poétique d'A. connaîtra en notre siècle une étonnante promotion posthume, pleinement justifiée d'ailleurs : la vitalité et la puissance de l'inspiration donnent tout son sens à l'épopée, et de nombreuses pages, dont quelques-unes sont devenues célèbres et figurent dans toutes les anthologies, dégagent une beauté farouche et fascinante.

Œuvres. *Le Printemps ; l'Hécatombe à Diane* (écrit entre 1571 et 1573), publ. 1874 (P). – *Les Tragiques,* 1616 (P). – *Les Aventures du baron de Faeneste,* 1617, 1619, 1630 (N). – *Histoire universelle depuis 1553 jusqu'en 1602* (et de 1602 et 1622), posth., 1776. – *Confession catholique du sieur de Sancy,* posth., 1660. – *Sa vie à ses enfants ou Mémoires de la vie de Théodore Agrippa d'Aubigné,* posth., 1729. – Œuvres d'Agrippa d'Aubigné, contenant *le Printemps, l'Hiver* et *la Création* (écrite entre 1620 et 1630), posth., 1874.

Les Tragiques

Neuf mille vers composant sept chants : I. *Misères.* II. *Princes.* III. *La Chambre dorée.* IV. *Les Feux.* V. *Les Fers.* VI. *Vengeances.* VII. *Jugement.* Les titres sont par eux-mêmes significatifs du mouvement qui entraîne le poème et rythme sa progression ascendante : *Misères* développe une vaste fresque réaliste de la France dévastée et meurtrie. *Princes* s'en prend aux plus hauts responsables, et l'inspiration, originellement satirique, à force de violence dans les tableaux d'apocalypse (le massacre de la Saint-Barthélemy), s'élève jusqu'à une sorte de fantastique visionnaire. Dans une veine toujours satirique, mais avec moins d'élévation, *la Chambre dorée* s'attaque aux organes judiciaires du pouvoir. *Les Feux,* ce sont ceux des bûchers où périssent les protestants, et *les Fers* sont ceux de la captivité et de la torture : c'est l'occasion pour le poète de glorifier la constance de ses martyrs. Avec *Vengeances,* c'est Dieu lui-même qui apparaît, le Dieu vengeur et agissant que le poète convoque, au début de son dernier chant, pour l'ultime *Jugement :* alors le poème s'achève sur une puissante vision mystique rythmée par la célèbre *Résurrection des morts* suivie d'un *Jugement dernier* et d'une *Vision des Enfers* qui préparent le point culminant de la contemplation finale : *Tout meurt, l'âme s'enfuit et, reprenant son lieu,/Extatique se pâme au giron de son Dieu.*

AUCASSIN ET NICOLETTE. Première moitié du XIIIe s. Chantefable [*fabler* = parler, dialoguer] écrite en dialecte picard, d'un auteur inconnu peut-être originaire du Hainaut. Elle fait alterner des parties dialoguées en prose et des laisses lyriques, en vers assonancés de sept syllabes s'achevant sur un vers de quatre syllabes, accompagnées d'une mélodie notée (musique de caractère trochaïque). Prenant pour thème les amours contrariées de deux adolescents et étoffant son récit par de nombreux épisodes (la guerre, la fuite des amants, la séparation et les aventures, la reconnaissance finale), l'auteur mêle les motifs du roman idyllique aux motifs romanesques et chevaleresques des romans courtois, qu'il parodie avec une ironie malicieuse et une verve parfois burlesque et caricaturale. La chantefable tout entière se joue en un monde renversé où la fantaisie paradoxale et l'illogisme cocasse remplacent le merveilleux féerique mais déjà monotone de la tradition littéraire (ainsi Aucassin le Franc porte un nom arabe ; Nicolette, la Sarrasine, fille du roi de Carthage, a un nom bien français ; au pays merveilleux de Torelore, le roi reste au lit et la reine est à la tête de l'armée qui se bat à coups de pommes pourries, d'œufs et de fromages frais). L'auteur, qui possède la maîtrise de son art, veut se divertir et divertir son public. Il ménage avec habileté ses effets, ses dialogues sont alertes et bien conduits, ses personnages campés avec finesse, vérité et naturel, et il se dégage de l'œuvre, unique en son genre, une poésie gracieuse et naïve, toute de charme et de fraîcheur. On a cru y déceler l'influence de la littérature mozarabe et celle des romans gréco-byzantins, mais on peut surtout remarquer une connaissance approfondie de la littérature et de la tradition françaises du temps chez un écrivain capable de s'en inspirer et de les parodier avec une telle adresse. Si on ignore quel a été le succès de l'œuvre, on sait qu'elle a été imitée au moins une fois, dans la *Chanson de Clarisse et Florent,* l'une des suites de la geste de *Huon de Bordeaux.*

AUDIBERTI Jacques. Antibes 25.3.1899 – Paris 10.7.1965. Après ses études au collège d'Antibes, il est greffier au tribunal de cette ville. Tourmenté par le démon littéraire, il « monte » à Paris, entre au *Journal,* puis passe au *Petit Parisien,* où, durant quinze années, il s'imprègne de ce qu'il appellera la « poésie de banlieue ». En 1929 paraît, à compte d'auteur, son premier recueil poétique, *l'Empire et la Trappe,* aussitôt remarqué : c'est le début d'une carrière que couronnera en 1964 le grand prix national des Lettres. Dès ce moment, A. se préoccupe peu de se soumettre aux règles des « genres » : en 1938, il publiera un « roman », *Abraxas,* où se libère la luxuriance de son génie sous la forme d'une vaste fresque à épisodes qui relève plutôt de la poésie épique. Œuvre importante car on y trouve exprimée, à travers la luxuriance même des épisodes, l'idée qui hantera toute l'œuvre d'A., l'obsession de la présence, tantôt sournoise et tantôt manifeste, du Mal au cœur même de la pureté. A. sera donc, toutes formes mêlées, poète, romancier, dramaturge, et chacune de ses œuvres est avant tout éclat de mots, nostalgie d'un impossible état d'innocence ; ce drame de l'innocence en quelque sorte condamnée et taraudée de l'intérieur par le germe du Mal est au cœur de romans comme *le Maître de Milan* ou *Marie Dubois,* et l'on dirait que le recours à la magie des mots, à leur pouvoir de dégagement d'un « endroit sacré », où l'homme peut se réfugier et se refaire dans le merveilleux et le fantastique, est la seule voie de salut ouverte à cette innocence à la fois nécessaire et bafouée. Aussi le théâtre, auquel il viendra assez tard, sera-t-il finalement le mode d'expression où A. s'est le plus complètement exprimé. Les mots font irruption sur la scène comme pour susciter l'action : de ces mots naissent des rêves, des personnages, des légendes, et ce jeu verbal est comme la figuration et le germe d'un jeu dramatique où la fantaisie est à la fois adversaire et complice du Mal omniprésent. Dans tout ce théâtre se fait jour, à travers les inventions les plus folles, un manichéisme profond issu du conflit de l'âme et de la chair, et le thème qui revient constamment, c'est, comme l'a dit A. lui-même, celui de l'*incarnation :* toute incarnation tend à marier l'eau avec le feu, la pureté avec le mal, et, jusque dans la bouffonnerie, le fantastique ou le lyrisme, cette fatalité de l'incarnation développe toutes ses conséquences. C'est dans cette forme théâtrale, qui devient, à partir de 1946, son mode d'expression privilégié, que le génie d'A. s'est le plus librement épanoui : les situations, où s'unissent fantastique et bouffonnerie, naissent d'un langage abracabrant qui, au-delà des mots provoquant le rire ou suggérant la tendresse, cherche à saisir poétiquement l'homme « ab-humain », un homme débarrassé de l'humanisme bien-pensant, un homme qui refuse désormais de se considérer comme le centre du monde et qui s'applique à saisir instinctivement, à travers un comportement essentiellement ludique, le tout dont il serait le microcosme. Dans quelque « genre » qu'il choisisse de s'exprimer, A. pratique délibérément le déchaînement libertaire de l'imagination verbale, et il apparaît dès lors comme un des grands représentants modernes du baroque, en particulier par son pouvoir de création d'un fantastique issu d'une perpétuelle oscillation du langage entre la fantaisie et le symbolisme : ainsi s'explique sans doute que le dramaturge, plus encore que le poète ou le romancier, réalise, dans les plus accomplies de ses œuvres, une étonnante alliance du bouffon et du tragique.

Œuvres. *L'Empire et la Trappe,* 1929 (P). – *L'Ampelour,* 1937 (T). – *Race des hommes,* 1937 (P). – *Abraxas,* 1938 (N). – *Septième* 1939 (N). – *Des tonnes de semence,* 1941 (P). – *Urujac,* 1941 (N). – *La Nouvelle Origine,* 1942 (E). – *Carnage,* 1942 (N). – *Poésies,* 1942. – *Le Retour du divin,* 1943 (N). – *Toujours,* 1944 (P). – *La Nâ,* 1944 (N). – *Vive Guitare,* 1946 (P). – *Quoat-Quoat,* 1946 (T). – *Le Mal court,* 1946 (T). – *Monorail,* 1947 (N). – *Talent,* 1947 (N). – *Le Victorieux,* 1947 (N). – *Les Femmes du bœuf,* 1948 (T). – *La Fête noire,* 1949 (T). – *Le Maître de Milan,* 1950 (N). – *Pucelle,* 1950 (T). – *Marie Dubois,* 1952 (N). – *Rempart,* 1953 (P). – *Les Naturels du Bordelais,* 1953 (T). – *Les Jardins et les Fleuves,* 1954 (N). – *La Beauté de l'amour,* 1955 (P). – *Le Cavalier seul,* 1955 (T). – *La Poupée,* 1956 (N). – *La Hobereaute, ou Opéra parlé,* 1956 (T). – *La Mégère apprivoisée,* 1957 (T). – *Infanticide préconisé,* 1958 (N). – *Ouallou,* 1959 (T). – *L'Effet Glapion,* 1959 (T). – *La Logeuse,* 1960 (T). – *La Fourmi dans le corps,* 1962 (T). – *Pomme, pomme, pomme,* 1962 (T). – *La Brigitta,* 1962 (T). – *Les tombeaux ferment mal,* 1963 (N). – *L'Opéra du monde,* 1964 (T). – *Ange aux entrailles,* 1964 (P). – *Dimanche m'attend,* 1965 (N).

Quoat-Quoat

Nous sommes embarqués, avec le jeune archéologue Amédée, sur un navire à destination du Mexique, à la recherche du trésor de l'empereur Maximilien. L'étrange capitaine du navire est autoritaire et même tyrannique : son règlement interdit à Amédée de parler à sa fille Clarisse, bien que les jeunes gens soient amis d'enfance. Le héros, incapable de respecter ce règlement, est condamné à mort. Il offre, pour se racheter, d'épouser Clarisse, use de tous les arguments possibles et imaginables pour fléchir le capitaine, qui se montre certes compréhensif mais tout aussi intransigeant. Apparaît alors une Mexicaine, qui, à son tour, menace Amédée de le tuer, sous prétexte qu'il sacrifierait une « cause sublime » pour une « omelette froide ». Le pauvre garçon parvient à échapper à la Mexicaine, mais le capitaine fera volontairement sauter le navire, car il en a assez de ce navire, de ces passagers, de ce règlement.

Le Mal court

Conte philosophique sous forme de comédie burlesque. Voici la joyeuse, innocente et parfaite princesse de Courtelande, Alarica. Mais, à travers l'opposition bouffonne de l'Orient et de l'Occident, elle va découvrir le Mal, le Mal qui court en tous lieux, et qui se manifeste dans l'échec de son mariage avec le roi Parfait d'Occident. Alarica, dès lors, modèle de toute pureté, décide d'entrer elle aussi dans cette course du Mal ; elle s'empare du pouvoir, et son règne risque bien d'être celui du Mal dès lors qu'elle a usurpé la place de son père, le roi Célestinic. Le Mal continuera de courir, et la pure Alaraica, en participant à cette course, ne fait qu'en accélérer l'allure : cette accélération finirait-elle par épuiser la course du Mal ? L'auteur laisse en suspens la réponse à cette question.

Le Maître de Milan

L'action de ce roman, de forme très classique, se situe dans un quartier pauvre de Milan. Mathilde, une femme de cinquante ans, a recueilli sa nièce Franca, orpheline et muette, qui va, à l'insu de sa tante, découvrir l'amour en la personne du gouverneur. Celui-ci, Genio, installe Franca dans une chambre où il a seul accès, mais il ne peut évidemment envisager un mariage, non seulement par respect de la loi, mais surtout parce qu'il reste très attaché à sa femme, Bianca. En effet les deux femmes sont complémentaires. Quand un jour Franca ne se trouvera pas au rendez-vous, Genio visitera le quartier de Mathilde et de Franca : il y reviendra souvent, fasciné qu'il est, intéressé et ému, par les gens de cette rue, au point qu'il décide d'écrire un roman inspiré par les personnages de ce quartier et dont le titre sera *Omertà,* c'est-à-dire *Complicité.* Mathilde lira ce roman et comprendra peu à peu l'amour caché de Franca, qui se révolte de plus en plus contre sa tante... C'est alors que Mathilde tombe, comme par hasard, de la fenêtre de l'appartement.

AUDISIO Gabriel. Marseille 1900 – Paris 26.1.1978. Issu d'une famille d'artistes – sa grand-mère maternelle a fait une carrière de prima donna, son père est d'abord chanteur avant de devenir directeur de théâtres (Théâtre municipal, puis Opéra d'Alger) –, il passe une partie de sa jeunesse en Algérie, fait des études de lettres et de droit, ainsi que d'histoire et de civilisation musulmanes. Engagé volontaire en 1918, il retourne ensuite en Algérie comme fonctionnaire et exercera diverses fonctions administratives à Alger, puis à Paris, après 1929, tout en se consacrant à des activités littéraires variées. Mobilisé en 1939, il est incarcéré à Fresnes en 1943, pour faits de résistance. Après la guerre, il sera successivement directeur du Service algérien d'information et de presse à Paris, conseiller culturel aux Affaires algériennes et chargé de mission pour les échanges culturels et artistiques avec l'Algérie. Producteur à l'O.R.T.F., il a réalisé de nombreuses émissions littéraires et dramatiques, en particulier sur le *Théâtre franco-musulman* et les *Écrivains d'Algérie,* et sur le théâtre d'Euripide. Poète, romancier et essayiste, un des principaux animateurs de l'école littéraire d'Afrique du Nord, il consacre la plus grande part de son œuvre à la Méditerranée. Ses premières poésies, qui exaltent la fraternité humaine, sont marquées par des tendances unanimistes (A. a été l'élève de J. Romains au lycée Rollin). Son lyrisme généreux, riche en images fortes et en sonorités verbales, évoque surtout la vie, la beauté et la lumière des pays méditerranéens. Joie de vivre, cordialité et solidarité humaines se reflètent dans des récits et romans dont le meilleur, *les Compagnons de l'Ergador,* est une version moderne de *l'Odyssée.* On doit aussi à A. des biographies vivantes et bien documentées de Haroun-al-Raschid et surtout d'Annibal. Il est l'auteur d'essais sur le génie de la Méditerranée, en particulier *Ulysse ou l'Intelligence,* qui personnifie en Ulysse le génie méditerranéen et l'homme universel, libre par son intelligence et assumant pleinement sa condition humaine. Enfin, après des souvenirs de son emprisonnement pendant la guerre, *Feuilles de Fresnes,* A. évoque dans *l'Opéra fabuleux* ceux de l'Algérie qu'il a connue, l'Algérie de son enfance, qui se confond avec l'image de son père « dans un décor d'opéra fabuleux », avec ses mœurs et ses coutumes, ses préjugés de race, et celle de la « belle époque » du colonialisme, entre 1925 et 1930. Il y parle de la vie culturelle à Alger, de la naissance, après 1920, du théâtre arabe, qui permet aux Algériens de prendre conscience de leur existence, de leur personnalité et de leur langage, des écrivains qu'il a approchés et connus, Brieux, Richepin, Gide, Valéry, Montherlant, Duhamel, Dorgelès.

Œuvres. *Hommes au soleil,* 1923 (P). – *Poème de la joie,* 1924 (P). – *Ici-bas,* 1927 (P). – *La Vie de Haroun-al-Raschid,* 1930 (N). – *Antée,* 1932 (P). – *Jeunesse de la Méditerranée,* 1935 (E). – *Sel de la mer,* 1936 (E). – *La Cage ouverte,* 1938 (P). – *Amour d'Alger,* 1938 (E). – *Les Compagnons de l'Ergador,* 1941 (N). – *Danger de vie,* 1943 (P). – *Misères de notre poésie,* 1943 (E). – *Poèmes du lustre noir,* 1944 (P). – *Ulysse ou l'Intelligence,* 1946 (E). – *Les Augures,* 1946 (E). – *Feuilles de Fresnes,* 1946 (P). – *Rhapsodies de l'amour terrestre,* 1949 (P). – *Fables,* 1950-1956-1967. – *Visages de l'Algérie,* 1953 (N). – *Contre-temps,* 1963 (N). – *Le Zodiaque fabuleux,* 1957 (P). – *Feux vivants,* 1958 (E). – *Annibal,* 1961 (N). – *À n'y pas croire* (récits et portraits), 1967 (N). – *Louis Brauquier,* 1966 (E). – *L'Opéra fabuleux,* 1970 (N). – *Racine de tout,* 1974 (P). – *De ma nature,* 1978 (P).

AUDOUX Marguerite. Bourges 1863 – Paris 1937. Fille d'humbles ouvriers, elle est élevée dans un orphelinat de Bourges, puis placée dans une ferme de Sologne. Elle vient à Paris, seule, à dix-huit ans, et, pour subsister, travaillera comme couturière à la journée jusqu'à ce que l'état de sa vue le lui interdise. Autodidacte, elle a eu la révélation de la littérature en lisant autrefois *les Aventures de Télémaque.* Simplement et naturellement, elle se met à écrire ses souvenirs d'enfance, son existence de privations et de misère. Ch.-L. Philippe, qui la connaît, prend son manuscrit pour le faire lire à O. Mirbeau. Ainsi paraîtra *Marie-Claire,* roman autobiographique dont Mirbeau écrit la préface et qui obtient le prix Femina. Dès lors, M. A. va collaborer à des périodiques et revues, et composera d'autres romans, qui, malgré d'attachantes qualités, obtiendront un moindre succès. Son œuvre se rattache aux débuts de la littérature populiste en France.

Œuvres. *Marie-Claire,* 1910 (N). – *Le Chaland de la reine, la Fiancée,* 1910 (N). – *L'Atelier de Marie-Claire,* 1920 (N). – *De la ville au moulin,* 1926 (N). – *Douce Lumière,* posth., 1937 (N).

AUGIER Guillaume Victor Émile. Valence 17.9.1820 – Croissy 26.10.1889. Après des études de droit, il aborde le théâtre sous l'influence de la *Lucrèce* de Ponsard (1843), et ses huit premières pièces sont en vers ; la meilleure d'entre elles, *l'Aventurière* (1848), pose A. comme le porte-parole de la bourgeoisie et l'adversaire, au nom d'une « école du bon sens » (Baudelaire), des outrances romantiques. Sous le second Empire, A. devient l'auteur officiel du régime ; député de la Drôme (1852), membre de la maison civile de Napoléon III, il multiplie les succès. Sa plus célèbre pièce, *le Gendre de M. Poirier* (Gymnase, 1855 ; Comédie-Française 1864), est restée au répertoire. Acad. fr. 1857.

Œuvres. *La Ciguë,* 1844 (T). – *L'Homme de bien,* 1845 (T). – *L'Aventurière,* 1848 (T). – *Gabrielle,* 1849 (T). – *Le Joueur de flûte,* 1850 (T). – *Sapho,* 1851 (T). – *Diane,* 1852 (T). – *Philiberte,* 1853 (T). – *La Chasse au roman,* 1853 (T). – *La Pierre de touche,* 1853 (T). – *Le Gendre de M. Poirier,* 1855 (T). – *Le Mariage de l'Olympe,* 1855 (T). – *Ceinture dorée,* 1855 (T). – *Les Lionnes pauvres,* 1858 (T). – *Un* *beau mariage,* 1859 (T). – *Les Effrontés,* 1861 (T). – *Le Fils de Giboyer,* 1862 (T). – *Maître Guérin,* 1864 (T). – *La Contagion,* 1866 (T). – *Paul Forestier,* 1868 (T). – *Lions et Renards,* 1869 (T). – *Jean de Thommeray,* 1873 (T). – *Mme Caverlet,* 1876 (T). – *Les Fourchambault,* 1878 (T).

Le Gendre de M. Poirier

M. Poirier, bourgeois enrichi dans le commerce, marie sa fille Antoinette au marquis Gaston de Presles (ici, l'auteur s'est évidemment souvenu, pour choisir son point de départ, du M. Jourdain de Molière) ; mais le marquis entretient une liaison aristocratique avec Mme de Montjoy. M. Poirier confie au parrain de sa fille, son ami Verdelet, qu'il voudrait bien corriger son gendre, à ses yeux un peu trop oisif ; Antoinette tente, de son côté, d'agir sur son mari dans le même sens. Quant à Gaston, lui, il voudrait bien voir son beau-père payer ses dettes ; celui-ci décide alors de mettre en vente le château de Presles : Gaston finira – après les interventions attendrissantes de sa femme – par se repentir de ses fautes, et le beau-père, après lui avoir reconnu des « sentiments véritablement libéraux » et lui avoir déclaré qu'il est « digne d'être un bourgeois », se laisse aller, pour finir, à des rêves d'ascension politique. Il convient de noter à ce propos que, si la pièce a été représentée sous le second Empire, l'action est située sous le règne de Louis-Philippe.

AULNOY, Marie-Catherine Le Jumel de Barneville, comtesse d'. Barneville vers 1650 – Paris 14.1.1705. Mariée à un homme grossier et brutal, elle tenta de se défaire de lui en le faisant dénoncer pour lèse-majesté. Mais l'affaire fut découverte, et elle dut fuir en Flandre, en Angleterre et en Espagne, menant une vie aventureuse. De retour à Paris, elle tint un salon brillant et, contre toute attente, composa pour les enfants de charmants *Contes de fées* et de nombreux récits. Ses ouvrages historiques sur la Cour d'Espagne et la Cour d'Angleterre, dans lesquels la compilation l'emporte sur l'expérience vécue, furent pourtant pendant longtemps une source de documentation.

Œuvres. *Mémoires de la cour d'Espagne,* 1690. – *Hippolyte, comte de Douglas,* 1690. – *Relation du voyage d'Espagne,* 1691. – *Jean de Bourbon, prince de Carency,* 1691. – *Nouvelles espagnoles,* 1692 (N). – *Mémoires historiques de ce qui s'est passé de plus remarquable depuis l'an 1672 jusqu'en 1679,* 1693. – *Mémoires de la Cour d'Angleterre,* 1695. – *Histoire chronologique d'Espagne,* 1696. – *Contes de fées,* 1697 (N). – *Nouveaux Contes de fées ou les Fées à la mode,* 1698 (N). – *Les Illustres Fées,* 1698 (N).

AUTOBIOGRAPHIE. Au sens strict : vie d'une personne ou d'un personnage écrite par lui-même. Les *Mémoires* comportent souvent une part autobiographique, mais débordent l'autobiographie proprement dite. Il en est de même du *Journal,* dont cependant la forme « intime » met l'accent sur une dominante autobiographique (Amiel, Gide, Julien Green). On ne peut dire que l'autobiographie soit proprement un genre littéraire, à moins que l'on n'englobe sous cette désignation, en lui donnant un sens large, les diverses formes de la littérature directe à la première personne : domaine littéraire qui peut alors s'étendre, par exemple, des *Essais* de Montaigne aux *Confessions* de Rousseau. Il conviendrait sans doute de parler plutôt de *littérature autobiographique,* en soulignant l'importance du genre de l'*autobiographie transposée* ou *romancée,* en particulier au cours de l'âge romantique, de J.-J. Rousseau (*Julie ou la Nouvelle Héloïse*) à Chateaubriand (*René*), Benjamin Constant (*Adolphe*), George Sand (*Indiana*) et Fromentin (*Dominique*). La transposition romanesque de l'autobiographie peut donner naissance à des développements considérables : elle est le point de départ de presque toute l'œuvre d'André Gide, et, comme le prouve l'ébauche de *Jean Santeuil,* toute *la Recherche du temps perdu* de Marcel Proust en est issue. Il semble que, depuis les années 1950 environ, on assiste à une renaissance littéraire de l'autobiographie directe (de F. Mauriac, J. Green, M. Jouhandeau, A. Malraux, M. Leiris, J. de Bourbon-Busset jusqu'à Nathalie Sarraute [*Enfance,* 1983] et Robbe-Grillet [*Le Miroir qui revient*]).

AVANT-GARDE. Mouvement esthétique minoritaire, généralement militant, qui propose ou croit proposer l'art de demain. Auprès de la majorité, il fait généralement scandale : ainsi *les Fleurs du mal* de Baudelaire furent-elles condamnées par les tribunaux. De nos jours, le mot « avant-garde » n'a plus guère de signification précise, chacun des groupes artistiques se voulant à l'avant-garde de l'art, de telle manière qu'il devient difficile de discerner la véritable avant-garde au milieu d'une surabondance de doctrines ou théories qui recherchent à tout prix la nouveauté pour elle-même.

AVELINE Claude, Evgen Avtsin, dit. Paris 19.7.1901. Fils de parents russes, il fait ses études à Versailles et à Paris. A dix-huit ans, il rencontre A. France, qu'il admire et dont il se déclare le disciple. (Il réunira d'ailleurs plus tard, avec Henriette Psichari, des textes épars du maître, sous le titre de *Trente Ans de vie sociale*, en les accompagnant de commentaires.) De vingt à trente ans, il se fait éditeur d'art, avec l'appui de France, Gide et Bourdelle. Il se consacrera ensuite à la littérature. Son œuvre narrative, abondante et variée, lui vaudra en 1952 le grand prix de la Société des gens de lettres. Écrivain au style aisé, il associe dans ses romans l'analyse psychologique aux préoccupatlons sociales, notamment dans sa trilogie *la Vie de Philippe Denis,* qui retrace l'éducation intellectuelle et sentimentale d'un adolescent après la Première Guerre mondiale. Il est aussi l'auteur de divers récits et nouvelles (*le Point du jour,* souvenirs d'enfance romancés, *le Temps mort,* récits de la période 1940-1944), de contes pour enfants (*Baba Diène et Morceau de sucre, De quoi encore ?*), de nombreux essais, de récits de voyage, de poèmes et d'études critiques.

Œuvres. *Antoine Bourdelle,* 1924 (E). – *Le Roman d'une ville : La Charité-sur-Loire,* 1924 (E). – *Steinlen, l'homme et son œuvre,* 1926 (E). – *Rodin, l'homme et son œuvre,* 1927 (E). – *Le Point du jour,* 1929 (N). – *La Vie de Philippe Denis : Madame Maillart, les Amours et les Haines, Philippe,* 1930-1955 (N). – *Suite policière : la Double Mort de Frédéric Belot,* 1932, *l'Abonné de la ligne U,* 1947, *le Jet d'eau,* 1947 (N). – *Le Prisonnier,* 1936 (N). – *Baba Diène et Morceau de sucre,* 1936 (N). – *Le Temps mort,* 1940-1944 (N). – *Avec toi-même,* 1944 (E). – *Les Devoirs de l'esprit,* 1945 (E). – *De quoi encore ?* 1946 (N). – *Plus vrai que soi,* 1947 (E). – *Et tout le reste n'est rien,* 1947 (E). – *Le Bestiaire inattendu,* 1954. – *C'est vrai, mais il ne faut pas le croire,* 1955. – *Pour l'amour de la nuit,* 1956 (N). – *Mots de la fin,* 1957. – *Le Poids du feu,* 1959 (N). – *Les Réflexions de Monsieur F.A.T.,* 1963 (E). – *Avec toi-même,* 1963 (E). – *L'Abonné de la ligne U,* éd. définitive, 1964 (N). – *Portrait de l'oiseau qui n'existe pas et autres poèmes,* 1965 (P). – *Brouard et le désordre,* 1963 (T). – *Célébration du lit,* 1967. – *L'Œil-de-chat,* 1970. – *Monologue pour un disparu,* 1973 (P). – *Le Haut Mal des créateurs* (E). – *Hoffmann Canada,* 1977 (N).

AYMÉ Marcel. Joigny 28.3.1902 – Paris 1967. Fils d'un maréchal-ferrant de l'Yonne, il perd sa mère à deux ans et est élevé d'abord dans un village du Jura par ses grands-parents maternels, puis à Dole par une de ses tantes. De famille républicaine et laïque, il fait tout enfant l'expérience des haines et rancunes suscitées par la question du « cléricalisme » et de son contraire : évoquant ses souvenirs d'écolier, il dit lui-même qu'alors, pour lui, « la religion, ça se présentait mal ». Il se proposait de devenir ingénieur, mais une grave maladie empêcha l'adolescent de répondre à cette vocation : il exercera divers métiers, dont celui de journaliste dans une agence de presse. De nouveau malade, il met à profit sa convalescence pour se lancer dans la littérature avec un roman, *Brûlebois.* L'ouvrage est assez bien accueilli, ce qui incite l'auteur à poursuivre ce qu'il appelle un « honorable passe-temps ». Ainsi se suivent régulièrement d'autres romans, dont *la Table aux crevés,* qui reçoit en 1929 le prix Théophraste-Renaudot. Ce succès décide A. à se consacrer entièrement à la littérature. C'est *la Jument verte* qui, en 1933, fonde la réputation littéraire d'A., dès lors célèbre pour son génie d'humoriste capable de mettre en œuvre tous les registres du comique, de la bouffonnerie à l'ironie, de la verdeur salace à la finesse parodique. Génie que confirmeront régulièrement les œuvres suivantes, où, peu à peu, s'affirme une orientation plus directement satirique, avec, pour têtes de Turc, la « bêtise au front de taureau », l'ambition, la prétention, le snobisme, la corruption, sous toutes leurs formes, individuelles et sociales. Mais la tentation anarchisante, voire nihiliste, que recèle la causticité de cet humour se combine avec l'allégresse et la bonne humeur d'un bon sens aussi généreux qu'impitoyable, de même que le réalisme « paysan » fait bon ménage avec la fantaisie et le merveilleux, car cet humoriste et ce satirique est aussi un poète, et sans doute l'unité de son inspiration tient à un sens très aigu du pittoresque, celui des hommes mais aussi celui de la nature, celui du réel et du quotidien mais aussi celui de l'imaginaire ; ce qui permet à A. de peindre avec un égal bonheur les banlieues ouvrières et les beaux quartiers, leur population, leurs classes sociales, leur manière de vivre et de se mouvoir avec une suprême aisance dans le fantastique et le merveilleux. Le mélange naturel et spontané du réel et du merveilleux, du fantastique et du quotidien, sous le signe d'un humour toujours présent, explique que le génie d'A. se soit le plus pleinement accompli dans le genre du conte : *le Vin de Paris* contient, entre autres, cette « Traversée de Paris » rendue célèbre par le film d'Autant-Lara. Cette inspiration s'épanouit dans les *Contes* proprement dits, où l'art du récit et la simplicité poétique de l'imagination débouchent sur une sorte de sagesse à la fois indulgente et désabusée, où revit la tradition d'un La Fontaine. Pour achever le panorama de cette œuvre forte et abondante, il faut mentionner l'intérêt que présente l'œuvre de l'essayiste, auteur du virulent *Confort intellectuel,* et la vigueur de l'œuvre dramatique couronnée par *Clérambard* et *la Tête des autres,* qui ont l'un et l'autre fortement marqué l'histoire du théâtre français dans les années 50.

Œuvres. *Brûlebois,* 1926 (N). – *Aller-Retour,* 1927 (N). – *Les Jumeaux du Diable,* 1928 (N). – *La Table aux crevés,* 1929 (N). – *La Rue sans nom,* 1930 (N). – *Le Vaurien,* 1931 (N). – *Le Puits aux images,* 1932 (N). – *La Jument verte,* 1933 (N). – *Le Nain,* 1934, (N). – *Les Contes du chat perché,* 1934 (N). – *Maison basse,* 1935 (N). – *Le Moulin de la Sourdine,* 1936 (N). – *Gustalin,* 1937 (N). – *Derrière chez Martin,* 1938 (N). – *Silhouette du scandale,* 1938 (E). – *Le Bœuf clandestin,* 1939 (N). – *La Belle image,* 1941 (N). – *Travelingue,* 1941 (N). – *La Vouivre,* 1943 (N). – *Le Passe-Muraille,* 1943 (N). – *Le Chemin des écoliers,* 1946 (N). – *Le Vin de Paris,* 1947 (N). – *Uranus,* 1948 (N). – *Lucienne et le boucher* (écrit en 1932), 1948 (T). – *Le Confort intellectuel,* 1949 (E). – *En arrière,* 1950 (N). – *Clérambard,* 1950 (T). – *Autres Contes du chat perché,* 1950 (N). – *Vogue la galère* (écrit en 1936-1937), 1951 (T). – *La Tête des autres,* 1952 (T). – *Les Oiseaux de lune,* 1956 (T). – *La Mouche bleue,* 1957 (T). – *Derniers Contes du chat perché,* 1958 (N). – *La Tête des autres* (nouvelle version), 1959 (T). – *Les Tiroirs de l'Inconnu,* 1960 (N). – *Louisiane,* 1961 (T). – *Les Maxibules,* 1961 (T). – *La Consommation,* 1963 (T). – *Le Minotaure,* 1963 (T). – *Le Placard* (adaptation de Kopit), 1963 (T). – *La Nuit de l'iguane* (adaptation de T. Williams), 1965 (T). – *La Convention Belzébir,* 1966 (T). – *Enjambées,* 1967 (N).

La Vouivre

Alors qu'il est en train de cultiver son champ, Arsène Muselier, paysan de Franche-Comté, rencontre la fameuse Vouivre (en patois jurassien : la Fille aux serpents). Cette figure de la mythologie régionale attire les hommes par son diadème orné d'un rubis qui suscite les convoitises. Ceux qui tentent de s'en emparer doivent vite lâcher prise, car aussitôt des milliers de vipères surgissent de toutes parts. Mais Arsène fait exception, car il est moins fasciné par la pierre précieuse que par la fille. La Vouivre elle-même tombe amoureuse de lui et le poursuit de ses assiduités, mais le paysan n'en perd pas pour autant son bon sens. Malheureusement, cette histoire à mi-chemin du réalisme, du merveilleux et de l'humour finira mal pour Arsène, qui périra sous la morsure des vipères, devenues indépendantes de la volonté de la Vouivre.

La Tête des autres

Grinçante satire, sous forme de comédie, du monde de la justice, à travers une suite d'enchaînements et de péripéties humoristiques engendrant des situations à la fois communes et insolites : une femme est simultanément la maîtresse de deux procureurs et d'un condamné à mort innocent, et c'est de cette situation ambiguë que naîtra son double affrontement avec la vérité et avec la justice.

B

BACHAUMONT Louis Petit de. Paris 1690 – 1771. Il est l'auteur des *Mémoires secrets pour servir à l'histoire de la république des lettres,* plus connus sous le nom de *Mémoires de Bachaumont.* Constituant un document précieux pour l'histoire des idées sous le règne de Louis XV, ce texte fut commencé par B. en 1762, puis continué par Pidansat de Mairobert et par Mouffle d'Angerville.

BACHELARD Gaston. Bar-sur-Aube 27.6.1884 – Paris 16.9.1962. Issu d'une famille modeste (son grand-père était cordonnier, son père tenait un débit de tabac), B. eut, dans la forêt champenoise, une enfance libre, proche de la nature et de ses éléments, de la terre, de l'eau, qui incitent à la rêverie, à la libre expression de l'imagination. Il fréquente l'école puis le collège, dont il gardera un fâcheux souvenir. A dix-huit ans, il choisit une carrière modeste dans l'administration des postes et sera nommé d'abord à Remiremont (1903-1905), puis à Paris (1907-1913). Durant ses rares loisirs, il commence une licence de mathématiques, qu'il obtient en 1912. La guerre éclate. Il passe cinq ans sous les drapeaux. Période malheureuse : il n'en parlera pas. A la fin de la guerre (il a trente-quatre ans), il entre dans l'enseignement secondaire. Durant onze années, il sera professeur de physique au collège de Bar-sur-Aube. Parallèlement, il poursuit inlassablement ses études ; 1920 : licencié de philosophie ; 1922 : agrégé ; 1925 : docteur ès lettres. En 1930, il est nommé à la faculté des lettres de Dijon pour enseigner « l'histoire et la philosophie des sciences ». Itinéraire remarquable d'un homme venu tard à la connaissance et qui garda, sa vie durant, un esprit libre par rapport au savoir, ce qui lui permit de l'organiser sans données *a priori.* Tout à la fois poétiques et scientifiques, ses travaux opèrent une synthèse entre ces deux domaines. En 1928, son *Essai sur la connaissance approchée* représente une véritable révolution épistémologique. En 1938, la *Psychanalyse du feu* rénove profondément la critique littéraire. B. affirme que l'invention dans la recherche scientifique et dans le processus de la création littéraire n'est qu'une seule et même chose ; il nie la durée continue du temps pour ne retenir que les instants où la vérité scientifique éclate, où l'image poétique surgit, résultats d'un long cheminement savamment contrôlé. S'opposant à la spécialisation à outrance de notre temps, B. tente de concilier les deux courants constitutifs de l'esprit, raison et imagination, unité conquise par l'intelligence sur les antinomies apparentes que présente le monde. Ainsi s'explique l'influence considérable de B. sur la « nouvelle critique » et, à travers elle, sur la conception contemporaine de l'inspiration littéraire et poétique. La création comme la compréhension littéraires sont essentiellement de l'ordre de l'imaginaire ; la substance de la réalité littéraire comme du langage qui l'exprime est l'image : l'originalité du créateur se mesure à celle de ses images, lesquelles sont comme les projections dans la conscience, grâce à l'action de l'imagination, des représentations archétypales de l'inconscient : par là, la pensée de B. se rattache certes à la psychanalyse, mais en la dépassant. Toute recherche littéraire qui se préoccupe d'adhérer authentiquement au processus créateur doit donc se définir comme une exploration compréhensive de la réalité spécifique de l'image (Voir PSYCHANALYSE ET CRITIQUE LITTÉRAIRE.)

Œuvres. *Essai sur la connaissance approchée,* 1928 (E). – *La Valeur inductive de la réalité,* 1929 (E). – *La Dialectique de la durée,* 1933 (E). – *Le Nouvel Esprit* *scientifique,* 1934 (E). – *La Formation de l'esprit scientifique,* 1938 (E). – *La Psychanalyse du feu,* 1938 (E). – *Lautréamont,* 1939 (E). – *La Philosophie du non,* 1940 (E). – *L'Eau et les rêves,* 1942 (E). – *L'Air et les songes,* 1942 (E). – *La Terre et les rêveries du repos,* 1945 (E). – *La Terre et les rêveries de la volonté,* 1948 (E). – *Le Rationalisme appliqué,* 1949 (E). – *L'Activité rationaliste de la physique contemporaine,* 1951 (E). – *La Poétique de l'espace,* 1957 (E). – *La Poétique de la rêverie,* 1960 (E). – *La Flamme d'une chandelle,* 1961, rééd. 1984 (E).

BACULARD d'ARNAUD François Thomas Marie de. Paris 1718 – Paris 1805. Protégé de Voltaire, il se signale par sa précocité de poète. Devenu le correspondant littéraire de Frédéric II, qui le fait venir à Berlin et l'appelle son « Ovide », il ne tarde pas à se brouiller avec Voltaire, qui se venge de lui par de cruelles épigrammes. Rentré à Paris en 1755, B. décide de se consacrer à la littérature, mais sa carrière commence par un incident qui l'oppose à Beaumarchais dans le cadre des démêlés de ce dernier avec le conseiller Goszman. Beaumarchais, dans ses *Mémoires contre Goszman,* entreprendra alors de discréditer « le boursouflé B., qui prétend avoir mesuré dans son cœur les sombres profondeurs de l'enfer » – ce qui entraînera de nouvelles railleries de la part de Voltaire. B. mènera tout le reste de sa vie une existence assez besogneuse et retirée, et mourra dans la misère après avoir été emprisonné pendant la Terreur, laissant son nom quelque peu entaché du ridicule que les pointes acerbes de Voltaire et de Beaumarchais lui avaient prodigué. Poète assez médiocre, il est l'auteur d'odes et autres poésies de circonstance, et a traduit les *Lamentations de Jérémie.*
Mais c'est à ses romans et à son théâtre, qui font de lui l'introducteur du genre noir en France, qu'il doit sa réputation. Il y prône un moralisme naïf et bien-pensant, une sensibilité bourgeoise vertueuse et timorée. Répugnant aux excès du sentiment, il met en scène le pathétique d'êtres qui sont formés exprès pour épuiser « l'acharnement du malheur » et dont le cœur tourmenté « est toujours livré à la mélancolie » et à un sentimentalisme sombre. Ses romans, dont certains subissent l'influence anglaise alors à la mode, sont d'un continuateur emphatique et déclamatoire de l'abbé Prévost, sans grande imagination mais possédant une certaine culture ; ils sont surtout marqués par le goût du romanesque macabre et mélodramatique. Son théâtre offre « des horreurs délicieuses pour l'âme » (préface du *Comte de Comminges,* 1765) et accumule les effets lugubres et violents qui provoquent l'épouvante chez les spectateurs. Venant s'ajouter à la mimique des acteurs, la mise en scène accentue l'intensité expressive et amplifie les effets d'horreur souhaités (tombes, ossements, souterrains, fosses, crânes, etc.). B. apparaît ainsi comme le précurseur du mélodrame qui va se développer en France dès la fin du XVIIIe s., joignant le « sombre parfait » qu'applaudit B. chez Shakespeare aux influences mêlées de Young, d'Ossian et des romans noirs anglais de Lewis et de Mrs. Radcliffe. Le renouveau d'intérêt porté par l'époque moderne aux aspects « frénétiques » de la littérature romantique a contribué à restituer à B. la place qui lui revient dans cette révolution du goût qui s'opère alors en France et sans laquelle certains aspects du romantisme de 1830 resteraient incompréhensibles.

Œuvres. *Odes sur la naissance de S.A.R. Mgr le Prince de Condé,* 1736 (P). – *Coligni ou la Saint-Barthélemy,* 1740 (T). – *Les Époux malheureux,* 1746 (N). – *Sur la mort du maréchal de Saxe,* 1750 (P). – *Ode sur les arts,* 1754 (P). – *Ode à la France sauvée,* 1757 (P). – *Les Lamentations de Jérémie,* 1757 (P). – *A la nation,* 1762 (P). – *Fanni ou « l'Heureux Repentir »,* 1764 (N). – *Les Amants malheureux,* suivi de *les Malheurs du comte de Comminges,* 1765 (T). – *Sidnei et Silly,* 1766 (N). – *Euphémie,* 1768 (T). – *Fayel,* 1770 (T). – *Anne Bell, histoire anglaise,* 1772 (N). – *Les Épreuves du sentiment,* 1772 (N). – *Zénothémis,* 1773 (N). – *Mérinval,* 1774 (T). – *Les Délassements de l'homme sensible,* 1783-1787 (N). – *Robinson Crusoë dans son île,* 1787 (T). – *La Vraie Grandeur,* 1789 (P).

BAÏF Jean-Antoine de. Venise 19.2.1532 – Paris 10.1589. Fils d'un diplomate français et d'une Vénitienne, il reçoit dès son jeune âge une éducation humaniste. L'érudit Charles Estienne lui enseigne le latin, le Crétois Vergèce les rudiments du grec. Un élève de Budé, Toussaint, puis l'helléniste Jean Dorat assurent la suite de cette formation. Lazare de Baïf, père du futur poète, a pour secrétaire le jeune Ronsard, compagnon et ami d'Antoine. Ensemble, les deux garçons suivront les leçons de Dorat au collège de Coqueret, en même temps que du Bellay, également passionné par les lettres antiques. Épris d'un même idéal, les jeunes gens constituent bientôt *la Brigade,* qui, s'élargissant, devient le groupe de *la Pléiade* et décidera de l'orientation des lettres françaises pour plus de deux siècles. B. débute dans la poésie en composant un *Tombeau de Marguerite de Navarre* et une œuvre dans le genre pétrarquiste, alors à la mode, les *Amours de Méline,* sonnets et pièces lyriques adressés à une dame imaginaire. Les quatre livres de *l'Amour de Francine* célèbrent une jeune fille dont le poète est tombé amoureux. L'œuvre comporte des chansons et deux cent quarante-huit sonnets inspirés non seulement des Italiens (Pétrarque, Sannazar, etc.), mais de certains modèles antiques (Catulle, Properce, Ovide, Tibulle). En 1556, B. traduit du latin le *Traité de l'imagination* de Pic de La Mirandole. Il voyage avec Ronsard, séjourne en Normandie chez le poète Vauquelin de La Fresnaye, et fait le voyage d'Italie (1562-1563). Après un poème didactique inspiré de Pontus de Tyard, *le Premier des météores,* B. se lance dans une tentative ambitieuse de restauration du théâtre antique en composant une comédie d'après Plaute, *le Brave,* écrite dans une langue familière et réaliste, et pour laquelle Ronsard et Belleau, entre autres, écrivirent des intermèdes. Dans la même ligne, il traduira ou adaptera Térence aussi bien que Sophocle.

En 1570, B. crée, sous la protection de Charles IX et avec le musicien Thibault de Courville, une académie de poésie et de musique qui groupe des poètes comme Jodelle et Pibrac, et des musiciens : Cl. Le Jeune, Mauduit, du Caurroy... Elle se propose surtout de faire revivre la poésie lyrique chantée telle que la pratiquaient les Anciens, et même, en se servant du rythme, de reconstituer, dans le ballet de cour, le spectacle intégral antique. La mort de Charles IX changera l'orientation de l'académie, qui, devenue académie du Palais sous Henri III, consacre ses travaux à l'éloquence et aux questions philosophiques et morales. En 1573, B. avait dédié à Charles IX ses *Œuvres en rime ;* érudite, peu imaginative et souvent laborieuse dans l'expression, la poésie de B. ne recueille qu'un médiocre succès. Il va alors se livrer, avec ses *Étrennes de poésie française en vers mesurés,* à une tentative audacieuse pour associer à une versification purement métrique sur le modèle gréco-latin, avec alternance des syllabes longues et brèves, un système orthographique nouveau fondé sur un phonétisme indiquant la valeur des longues et des brèves. Le vers français n'étant pas scandé et la versification française prenant pour base le nombre de syllabes, cette réforme, qui ne tient pas compte de la nature de la langue, échoue. B. essaie aussi, sans plus de succès, d'introduire un vers nouveau de quinze syllabes, le *baïfin,* sans rime, tentative qui se fonde sur la métrique grecque et reprend une idée déjà esquissée, notamment, dans la *Défense et Illustration* rédigée par du Bellay en 1549. Cependant, la versification dite *mesurée* peut se justifier lorsqu'elle reçoit un accompagnement musical ; elle offre alors de nouvelles possibilités d'expression qui contribueront au renouvellement de la musique vocale et profiteront aussi à l'opéra-ballet. B. publie ensuite, en dehors de poèmes de circonstance, des *Mimes, Enseignements et Proverbes* qu'il augmentera de nouvelles œuvres (apologues, épîtres, adages et sentences) au fur et à mesure des années, au total sept mille cinq cents vers de poésie gnomique : il y révèle une tendance satirique toujours plus vive qui le mène à la création originale du mime politique. L'auteur trouve dans cette œuvre personnelle et vigoureuse sa meilleure inspiration, en exploitant une veine réaliste jusque-là dédaignée au profit de l'humanisme. Il se tourne aussi vers l'inspiration religieuse, et, en 1586, publie une traduction des *Psaumes.* C'est encore en 1586 qu'il reçoit la consécration des jeux Floraux de Toulouse et qu'il fait paraître deux cents chansonnettes mesurées, d'inspiration pétrarquiste et alexandrine, mais auxquelles il trouve le moyen de conserver un certain caractère populaire. Esprit actif, curieux, érudit mais instable, B., fervent de l'hellénisme, a eu le mérite d'initiatives hardies ; sa contribution à l'enrichissement des lettres françaises dans le renouveau qui s'opère au XVIe s. est digne d'attention et s'inscrit bien dans le programme de la Pléiade, que d'autres devaient illustrer d'une manière plus brillante.

Œuvres. *Tombeau de Marguerite de Navarre,* 1552 (P). – *Le Ravissement d'Europe,* 1552 (P). – *Les Amours de Méline,* 1552 (P). – *L'Amour de Francine,* 1555 (P). – *Le Brave,* 1567 (T). – *Le Premier des météores,* 1567 (P). – *Œuvres en rime (Poèmes, Amours, Jeux, Passe-temps),* 1573 (P). – *L'Eunuque* (adapt. de Térence), 1573 (T). – *Antigone* (adapt. de Sophocle), 1573 (T). – *Étrennes de poésie française en vers mesurés,* 1574 (P). – *Mimes, Enseignements et Proverbes,* 1576, 1581, posth., 1597 (P). – *Psaumes* (trad.), 1586 (P). – *Chansonnettes mesurées,* 1586 (P).

BAILLON André. Anvers 1875 – Saint-Germain-en-Laye 1932. Écrivain belge d'origine française. En 1919, ayant décidé d'interrompre sa carrière de journaliste à Bruxelles, il se consacre au roman. La simplicité avec laquelle il sait mettre en valeur des sujets empruntés à la banalité du quotidien accentue l'effet émotif de ses œuvres.

Œuvres. *Moi quelque part,* 1919 (N) [réédité sous le titre : *En sabots,* 1923]. – *Histoire d'une Marie,* 1921 (N). – *Zonzon Pépette,* 1923 (N). – *Par fil spécial,* 1924 (N). – *Un homme si simple,* 1925 (N). – *Chalet I,* 1926 (N). – *La vie est quotidienne,* 1929 (N). – *Le Neveu de Mlle Autorité,* 1930 (N).

BALLADE. Chanson à danser (*baller*) qui a donné naissance à une forme fixe d'expression poétique. Elle est constituée de strophes égales dont le dernier vers se répète à la fin de chaque strophe, jouant ainsi un rôle de refrain. Le système des rimes est un des éléments essentiels de cette forme : dans toute sa rigueur, le poème doit être construit exclusivement sur deux rimes ; mais la forme la plus répandue de la ballade est plus libre, tout en restant soumise à des règles strictes : on fait alors appel à un plus grand nombre de rimes en se contentant de rappeler dans les strophes suivantes celles de la première. Boileau, dans son *Art poétique* (ch. II), dira : « La ballade, asservie à ses vieilles maximes, / Souvent doit tout son lustre au caprice des rimes. »
L'âge d'or de la ballade se situe au XIVe siècle avec Charles d'Orléans et Villon, mais elle sera, comme les autres formes fixes du Moyen Âge, condamnée par du Bellay, dans sa *Défense et illustration de la langue française* au nom des principes de la nouvelle poésie. Dans le cadre de la renaissance médiévale de l'âge romantique, la ballade sera librement reprise, en particulier par Hugo (*Odes et Ballades*). A l'époque présymboliste et symboliste, elle connaîtra une certaine faveur dans la mesure où elle permet au poète d'exercer sa virtuosité (Théodore de Banville, Paul Fort). Le terme enfin désigne, dans le folklore, une forme de poésie populaire proche de la chanson.

BALLANCHE Pierre Simon. Lyon 4.8.1776 – Paris 12.6.1847. A la fin de ses études, il devient l'associé de son père dans l'entreprise lyonnaise d'imprimerie que celui-ci a créée et complète sa formation en se cultivant par de nombreuses lectures. Dès 1801, il publie un essai, *Du sentiment considéré dans ses rapports avec la littérature et les arts,* où il développe une sorte d'esthétique mystique très proche des idées proclamées dans le même temps par Chateaubriand, ce qui va rapprocher les deux hommes dans une amitié profonde et fidèle : B. sera l'imprimeur de Chateaubriand et, en 1805, l'accompagnera dans les Alpes. Un amour déçu lui inspire des élégies en prose ainsi qu'un récit historique, *Inès de Castro,* qu'il présente à l'académie de Lyon en 1811. C'est l'année suivante que B. fait à Lyon la rencontre de Mme Récamier, à qui il vouera un culte platonique et qu'il suit en Italie. Il écrit alors un texte curieux et révélateur, *Antigone,* qui développe un thème destiné à devenir l'obsession centrale de B., celui de l'expiation rédemptrice.
Nommé en 1816 président de l'académie de Lyon, il décide pourtant d'abandonner son imprimerie pour s'installer à Paris, où il est sans doute attiré à la fois par Chateaubriand et par Mme Récamier. Il appartiendra, en tout cas, au cercle littéraire qu'ils animent ; il y apporte le romantisme d'une spiritualité mystique et « surnaturaliste » qui lui vaut de la part de Chateaubriand le surnom d'« hiérophante » (titre du prêtre qui présidait en Grèce aux mystères d'Éleusis et qui détenait les secrets de l'initiation). Surnom parfaitement justifié par l'œuvre qu'alors B. entreprend, une grande épopée visionnaire dont il ne publiera, de 1827 à 1832, que des fragments sous le titre : *Essais de palingénésie sociale.* Ces essais comprennent, entre autres, *la Ville des expiations,* la partie sans doute la plus significative de cet ensemble : c'est le thème de la régénération collective par l'expiation, car B. voit dans l'histoire humaine un processus de chute, et, à ses yeux, la régénération ne se peut obtenir que par une contestation mystique de l'histoire et de la nature. Par là, B. inaugure et annonce le grand courant surnaturaliste qui s'exprimera dans la seconde moitié du siècle, de Baudelaire à Barbey d'Aurevilly. De la sorte, et au-delà des influences dominantes de Leibniz, de Vico, de l'ésotérisme lyonnais, l'œuvre de B. témoigne, à l'intérieur du romantisme, d'une originalité prophétique. Après avoir connu une certaine notoriété grâce à un article élogieux de Sainte-Beuve, B. exercera une influence non négligeable sur Hugo et sur E. Quinet, et il achèvera sa vie dans le cercle littéraire qui était son milieu d'élection, le cercle de Mme Récamier, auprès de laquelle il demandera à être enterré. Acad. fr. 1842.

Œuvres. *Du sentiment considéré dans ses rapports avec la littérature et les arts,* 1801 (E). – *Fragments,* 1808-1809 (P). – *Inès de Castro,* 1811 (N). – *Antigone,* 1813 (N). – *Essai sur les institutions sociales,* 1818 (E). – *Le Vieillard et le Jeune Homme,* 1819 (N). – *L'Homme sans nom,* 1820 (N). – *Élégie,* 1820 (P). – *Essais de palingénésie* *sociale : Prolégomènes,* 1827 (N) ; *Orphée,* 1829 (N) ; *la Vision d'Hébal,* 1831 (N) ; *la Ville des expiations,* 1832 (N).

BALZAC Jean-Louis Guez de. Angoulême 1595 – 1654. Destiné à la carrière politique, il poursuit des études très sérieuses avec des maîtres comme le P. Garasse et Heinsius, célèbre commentateur d'Aristote ; il a des condisciples comme Théophile de Viau. À quinze ans, il se reconnaît disciple de Malherbe. Un séjour à Rome, avec le cardinal de La Valette, fortifie son goût de l'Antiquité mais marque l'apogée précoce de sa carrière politique. Lors de son retour en France, une promotion trop lente à son gré lui fait craindre la disgrâce, et il se retire dans son Angoumois natal. Il exerce dès lors un véritable empire sur le monde littéraire, dont il reste proche par sa correspondance avec les grands et avec les beaux esprits : à ses vingt-sept livres de *Lettres* s'ajoutent plusieurs traités. B. inaugure dans la prose la révolution imposée à la poésie par Malherbe. Il en bannit les émotions et la spontanéité, mais enferme, dans les balancements et les figures de son style superbe, une implacable logique et une clarté inconnues au XVIe siècle. Par là il appartient au siècle de Descartes, qui l'admirait et figurait parmi ses correspondants, et crée la prose classique. Il a du goût (son attitude lors de la querelle du *Cid* le prouve) et, s'il met en œuvre une véritable rhétorique de la prose, il reconnaît que : « Savoir l'art de plaire ne vaut pas tant que savoir plaire sans art. » Ses œuvres complètes ont été publiées à Paris en 1665. Acad. fr. (membre fondateur) 1634.

Œuvres. *Lettres,* 1624. – *Le Prince,* 1631 (E). – *Le Barbon,* 1648 (E). – *Tres libri carminorum,* 1650 (P). – *Le Socrate chrétien,* 1652 (E). – *Entretiens,* posth., 1657 (E). – *Aristippe ou De la cour,* posth., 1658 (E). – *Œuvres complètes* (2 vol.), posth., 1665.

BALZAC Honoré de. Tours 20.5.1799 – Paris 18.8.1850. Fils d'un fonctionnaire de l'administration militaire, il passe son enfance loin de ses parents, d'abord en nourrice, puis en pension, notamment chez les oratoriens de Vendôme (juin 1807-avril 1813). En 1814, il déménage avec sa famille pour Paris, où il mène de front des études de droit et un apprentissage de clerc. Dès 1819, sa vocation littéraire se dessine : dans un logis mansardé de la rue Lesdiguières, B. compose une mauvaise tragédie, *Cromwell,* et deux récits philosophiques restés inachevés. De 1822 à 1825, il publie ses premiers romans, généralement écrits en collaboration et sous pseudonymes. En 1822, B. noue avec Mme de Berny, de vingt-trois ans son aînée, une liaison qui durera jusqu'à la mort de celle-ci (1836). Jusqu'en 1829, diverses tentatives de publication se soldent par des échecs et par des dettes considérables. En 1829, année de la mort de son père, B. commence à fréquenter les salons et publie sous son nom *le Dernier Chouan,* ouvrage pouvant être considéré comme le premier volume de *la Comédie humaine.* En 1830 et 1831, B. conquiert la célébrité par une abondante production journalistique (notamment à la *Revue de Paris* et à la *Revue des Deux-Mondes*) et romanesque (*Gobseck ; la Peau de chagrin*). En 1832 se noue le destin sentimental de l'écrivain : il entre en relations épistolaires avec « l'Étrangère », Mme Hanska, riche Polonaise qu'il n'épousera qu'en 1850 ; cette même année 1832, il subit un échec amoureux auprès de la marquise de Castries.
Parmi ses *Contes philosophiques* paraît son préféré, *Louis Lambert.* En septembre 1833, c'est la première rencontre avec Mme Hanska, à Neuchâtel, dans le même temps que paraissent *le Médecin de campagne* et *Eugénie Grandet.* À partir de cette date, les faits les plus importants de la vie de B. se confondent avec la composition d'une œuvre qui l'absorbe de plus en plus. En 1836, B. perd de nouveau de l'argent en tentant, sans succès, de renflouer une revue légitimiste, *la Chronique de Paris.* En juillet 1836 et au printemps 1837, il voyage en Italie pour les intérêts d'une de ses maîtresses, la comtesse Guidoboni-Visconti. En juillet 1838, il s'installe aux Jardies, propriété qu'il s'est fait aménager près de Sèvres. En 1840, après une nouvelle expérience malheureuse de direction journalistique *(la Revue parisienne),* l'écrivain s'installe dans l'actuelle « maison de Balzac » (rue Raynouard). En 1841 enfin, B. conçoit l'ensemble que formera son œuvre sous le titre de *la Comédie humaine.* La publication s'échelonne de 1842 à 1848. En 1843, B. passe l'été à Saint-Pétersbourg avec Mme Hanska devenue veuve ; en 1845, c'est à Dresde qu'il la retrouve. À partir de 1846, l'état de santé de B. inspire de l'inquiétude. L'écrivain délaisse peu à peu la plume pour retrouver Mme Hanska, soit à Paris, soit en Ukraine. Cependant il donne encore deux chefs-d'œuvre, *la Cousine Bette* et *le Cousin Pons.* En 1849, il échoue à l'Académie. Ses crises cardiaques vont se multipliant. Le 14 mars 1850, il épouse enfin Évelyne Hanska et regagne Paris avec elle ; il y meurt cinq mois plu

tard. D'une œuvre immense dont la critique commence seulement à mettre en valeur les aspects méconnus, un ensemble isolé se dégage, prestigieux : *la Comédie humaine.* Quatre-vingt-quatre épisodes achevés, les uns de dix pages, certains de six cents, et de multiples ébauches dont trois ouvrages très avancés *(les Paysans, les Petits Bourgeois, le Député d'Arcis),* telle est la partie réalisée d'un projet monumental qui, dans l'esprit de son auteur, devait comporter cent trente-sept titres. Entreprise unique moins par ses dimensions que par la variété des domaines méthodiquement explorés dans les *Études de mœurs* (comprenant six séries de « scènes »), *les Études philosophiques* et enfin *les Études analytiques* (très incomplètes). La tendance générale de *la Comédie humaine* serait mieux définie par le terme d'« histoire des mœurs » que par celui, trop et mal utilisé, de « réalisme » ; certes, B. l'a dit, « les écrivains n'inventent jamais rien », et les recherchcs actuelles de la critique découvrent sans cesse de nouvelles « sources » aux situations et aux personnages. Mais cette « concurrence à l'état civil », qui s'appuie sur un système original consistant à faire apparaître les mêmes personnages dans toute une série d'œuvres, ne doit pas dissimuler les dimensions épiques de l'ensemble : les données initiales, grandies par l'imagination et par un style efficace, s'épanouissent en un recueil d'« images » de la société du XIXe s. qui sont beaucoup plus qu'un témoignage historique. Outre ses ambitions descriptives et son ampleur matérielle, qui la situent déjà à part dans la littérature française, *la Comédie humaine* offre un échantillonnage d'originalités la plaçant en tête de la production romanesque universelle. Goriot, Rastignac, Rubempré, Claës, ces héros devenus des types, B. les a moins inventés que déduits d'un système complexe dont la théorie se trouve dans *Louis Lambert* et la figuration symbolique dans *la Peau de chagrin :* pour B., il faut choisir entre vivre violemment et peu, ou vieux et replié sur soi. La meilleure illustration de ce thème est offerte par sa propre vie, qui se consuma au feu même où se forgeait l'œuvre. L'immobilisme politique et moral que B. prônait en écrivant « à la lueur de deux vérités éternelles : la Religion, la Monarchie », est démenti par le souffle révolutionnaire de mainte page. La simple chronique annoncée par celui qui se disait « secrétaire de la société » s'enfle souvent en œuvres visionnaires. Romancier réaliste, il offre à l'historien de son siècle des mines de documents. En outre – sans doute est-ce là le trait saillant de son génie –, il demeure un des plus subtils peintres du cœur qu'ait connus la littérature.

Peut-on dire quels sont, dans l'univers de B., les volumes majeurs ? La vraie connaissance de ce monde, si elle peut négliger les *Contes drolatiques* ou le théâtre, doit commencer par la lecture complète de cet unique livre qu'est *la Comédie humaine :* comment saisir autrement la richesse et l'épaisseur familière des œuvres reliées entre elles par le retour des personnages ? On peut toutefois isoler des cycles qui donnent une idée réduite de l'aspect de l'ensemble : ainsi les trois œuvres où figure Vautrin. S'y succèdent le chef-d'œuvre des *Scènes de la vie privée, le Père Goriot ;* la chronique cruelle et virtuose d'une presse pourrie, *Illusions perdues ;* les bas-fonds fourmillants d'un feuilleton génial, *Splendeurs et Misères des courtisanes ;* s'y côtoient Goriot, « Christ de la paternité », Vautrin, personnification prénietzschéenne des idées de B. sur la puissance, Esther, modèle de ces courtisanes sublimes qui sont les muses du monde balzacien... Cependant, s'en tenir là serait négliger des œuvres essentielles, et notamment celles où B., personnage le plus fréquent de sa *Comédie,* se met lui-même en scène, sous divers déguisements, entre autres celui de d'Arthez, l'écrivain parfait que B. voulait devenir *(Illusions perdues),* et de Nathan, l'écrivain imparfait qu'il était à ses heures *(Une fille d'Ève) ;* sans oublier Félix de Vandenesse, héros de ce *Lys dans la vallée* où l'auteur a tenté de traduire, en un long poème en prose, l'univers réel et rêvé de ses amours. Plus qu'à un choix vraiment significatif, toujours trop abondant et toujours trop partiel, ces quelques indications permettent d'arriver à la reconnaissance de l'universalité d'une œuvre à laquelle les morceaux choisis d'*Eugénie Grandet* et les idées reçues d'un siècle de critique ont accolé trop d'étiquettes restrictives. Les recherches menées actuellement dans tous les pays tendent, heureusement, à faire apparaître derrière le « plus fécond de nos romanciers » le puissant poète d'un genre littéraire dont son œuvre couronne l'éphémère apogée.

Œuvres non publiées. *Cromwell,* 1819 (T). – *Sténie,* 1820 (N). – *Falthurne,* 1820 (N). – *Le Nègre,* 1823 (T).

Œuvres anonymes ou sous pseudonymes. *L'Héritière de Birague,* 1822 (N) [A. de Viellerglé et Lord R'Hoone]. – *Jean-Louis,* 1822 (N) [Lord R'Hoone]. – *Clotilde de Lusignan,* 1822 (N) [Lord R'Hoone]. – *Le Centenaire,* 1822 (N) [Horace de Saint-Aubin]. – *Le Vicaire des Ardennes,* 1822 (N) [Horace de Saint-Aubin]. – *La Dernière Fée,* 1823 (N)

[Horace de Saint-Aubin]. – *Du droit d'aînesse,* 1824 (E) [anon.]. – *Histoire impartiale des jésuites,* 1824 (E) [anon.]. – *Annette et le Criminel,* 1824 (N) [Horace de Saint-Aubin]. – *Code des gens honnêtes,* 1825 (E) [anon.]. – *Wann Chlore,* 1825 (N) [anon.].

Œuvres ébauchées (entre 1830 et 1848). *Échantillons de causeries françaises,* 1832-1845 (N). – *Aventures administratives d'une idée heureuse,* 1834 (E). – *Sœur Marie des Anges,* 1835-1838 (N). – *Les Martyrs ignorés,* fragment du *Phédon d'aujourd'hui,* 1837 (N). – *La Frélore,* 1839 (N). – *Valentine et Valentin,* 1842 (N). – *Le Programme d'une femme veuve,* 1843-1844 (N). – *Entre savants,* 1845-1848 (N). – *L'Hôpital et le Peuple,* 1846 (N). – *La Gloire des sots,* 1847 (N). – *Mademoiselle du Vissard ou la France sous le Consulat,* 1847 (N). – *Le Théâtre comme il est,* 1847 (N). – *La Femme auteur,* 1848 (N). – *Un caractère de femme,* 1848 (N). – *Les Héritiers Boirouge* (N). – *Les Méfaits d'un procureur du roi* (N). – *La Modiste* (N). – *Le Prêtre catholique* (N).

Œuvres publiées sous le nom de Balzac. *Les Chouans,* 1829 (N). – *Physiologie du mariage,* 1829 (N). – *Un épisode sous la Terreur,* 1830 (N). – *El Verdugo,* 1830 (N). – *Étude de femme,* 1830 (N). – *Étude de mœurs par le gant,* 1830 (N). – *Traité de la vie élégante,* 1830 (N). – *La Vendetta,* 1830 (N). – *Gobseck,* 1830 (N). – *Le Bal de Sceaux,* 1830 (N). – *La Maison du chat-qui-pelote,* 1830 (N). – *Une double famille,* 1830 (N). – *La Paix du ménage,* 1830 (N). – *L'Adieu,* 1830 (N). – *L'Élixir de longue vie,* 1830 (N). – *Une passion dans le désert,* 1830 (N). – *Sarrasine,* 1830 (N). – *Le Réquisitionnaire,* 1831 (N). – *Les Proscrits,* 1831 (N). – *La Peau de chagrin,* 1831 (N). – *L'Auberge rouge,* 1831 (N). – *Le Chef-d'œuvre inconnu,* 1831 (N). – *Jésus-Christ en Flandre et l'Église,* 1831 (N). – *Maître Cornélius,* 1831 (N). – *Contes bruns,* 1832 (N). – *Le Message,* 1832 (N). – *Madame Firmiani,* 1832 (N). – *Le Colonel Chabert,* 1832 (N). – *La Grande Bretèche,* 1832 (N). – *La Bourse,* 1832 (N). – *Le Curé de Tours,* 1832 (N). – *La Femme abandonnée,* 1832 (N). – *La Grenadière,* 1832 (N). – *Louis Lambert,* 1832 (N). – *Les Marana,* 1833 (N). – *Ferragus,* 1833 (N). – *Le Médecin de campagne,* 1833 (N). – *Eugénie Grandet,* 1833 (N). – *L'Illustre Gaudissart,* 1833 (N). – *La Recherche de l'absolu,* 1834 (N). – *La Duchesse de Langeais,* 1834 (N). – *Histoire des Treize,* 1833-1835 (N). – *Un drame au bord de la mer,* 1835 (N). – *Le Père Goriot,* 1835 (N). – *La Fille aux yeux d'or,* 1835 (N). – *Melmoth réconcilié,* 1835 (N). – *Le Contrat de mariage,* 1835 (N). – *Seraphita,* 1835 (N). – *L'Interdiction,* 1836 (N). – *La Messe de l'athée,* 1836 (N). – *Facino Cane,* 1836 (N). – *Le Lys dans la vallée,* 1836 (N). – *La Vieille Fille,* 1836 (N). – *L'Enfant maudit,* 1837 (N). – *Les Employés,* 1837 (N). – *Gambara,* 1837 (N). – *Contes drolatiques,* 1832-1833-1837 (N). – *Grandeur et décadence de César Birotteau,* 1837 (N). – *Traité des excitants modernes,* 1838 (E). – *La Maison Nucingen,* 1838 (N). – *Une fille d'Ève,* 1839 (N). – *Le Cabinet des antiques,* 1839 (N). – *Le Curé de village,* 1839 (N). – *Béatrix,* 1839 (N). – *Les Secrets de la princesse de Cadignan,* 1839 (N). – *Massimilla Doni,* 1839 (N). – *Pierrette,* 1840 (N). – *Vautrin,* 1840 (T). – *Pierre Grassou,* 1840 (N). – *Z. Marcas,* 1840 (N). – *Un prince de la bohème,* 1840 (N). – *Une ténébreuse affaire,* 1841 (N). – *Sur Catherine de Médicis,* 1830-1841 (E). – *Ursule Mirouet,* 1841 (N). – *La Fausse Maîtresse,* 1841 (N). – *La Rabouilleuse,* 1842 (N). – *Mémoires de deux jeunes mariées,* 1842 (N). – *Autre Étude de femme,* 1842 (N). – *La Femme de trente ans,* 1842 (N). – *Les Ressources de Quinola,* 1842 (T). – *Albert Savarus,* 1842 (N). – *Un début dans la vie,* 1842 (N). – *Illusions perdues,* 1837-1843 (N). – *Honorine,* 1843 (N). – *La Muse du département,* 1843 (N). – *Modeste Mignon,* 1844 (N). – *Gaudissart II,* 1844 (N). – *Les Paysans,* 1844 (N). – *Un homme d'affaires,* 1845 (N). – *Petites Misères de la vie conjugale,* 1845-1846 (N). – *Comédiens sans le savoir,* 1846 (N). – *La Cousine Bette,* 1846 (N). – *Le Cousin Pons,* 1847 (N). – *Le Député d'Arcis,* 1847 (N). – *Splendeurs et Misères des courtisanes,* 1838-1847 (N). – *L'Envers de l'histoire contemporaine,* 1842-1848 (N). – *Mercadet ou le Faiseur,* posth., 1851 (T).

Liste alphabétique des œuvres publiées sous le nom de Balzac. *Adieu (l'),* 1830. – *Albert Savarus,* 1842. – *Auberge rouge (l'),* 1831. – *Autre Étude de femme,* 1842. – *Bal de Sceaux (le),* 1830. – *Béatrix,* 1839. – *Bourse (la),* 1832. – *Cabinet des antiques (le),* 1839. – *Chef-d'œuvre inconnu (le),* 1831. – *Chouans (les),* 1829. – *Colonel Chabert (le),* 1832. – *Comédie humaine (la),* 1842-1848. – *Comédiens sans le savoir (les),* 1846. – *Contes bruns,* 1832. – *Contes drolatiques,* 1832-1833-1837. – *Contrat de mariage (le),* 1835. – *Cousine Bette (la),* 1846. – *Cousin Pons (le),* 1847. – *Curé de Tours (le),* 1832. – *Curé de village (le),* 1839. – *Début dans la vie (Un),* 1842. – *Député d'Arcis (le),* 1847. – *Double famille (Une),* 1830. – *Drame au bord de la mer (Un),* 1835. – *Duchesse de Langeais (la),*

1834. – *Élixir de longue vie (l')*, 1830. – *Employés (les)*, 1837. – *Enfant maudit (l')*, 1837. – *Envers de l'histoire contemporaine (l')*, 1842-1848. – *Épisode sous la Terreur (Un)*, 1830. – *Étude de femme*, 1830. – *Étude des mœurs par le gant*, 1830. – *Eugénie Grandet*, 1833. – *Facino Cane*, 1836. – *Fausse Maîtresse (la)*, 1841. – *Femme abandonnée (la)*, 1832. – *Femme de trente ans (la)*, 1842. – *Ferragus, chef des dévorants*, 1833. – *Fille aux yeux d'or (la)*, 1835. – *Fille d'Ève (Une)*, 1839. – *Gambara*, 1837. – *Gaudissart II*, 1844. – *Gobseck*, 1830. – *Grande Bretèche (la)*, 1832. – *Grandeur et Décadence de César Birotteau*, 1837. – *Grenadière (la)*, 1832. – *Histoire des Treize*, 1833-1835. – *Homme d'affaires (Un)*, 1845. – *Honorine*, 1843. – *Illusions perdues*, 1837-1843. – *Illustre Gaudissart (l')*, 1833. – *Interdiction (l')*, 1836. – *Jésus-Christ en Flandre et l'Église*, 1831. – *Louis Lambert*, 1832. – *Lys dans la vallée (le)*, 1836. – *Madame Firmiani*, 1832. – *Maison du chat-qui-pelote (la)*, 1830. – *Maison Nucingen (la)*, 1838. – *Maître Cornélius*, 1831. – *Marana (les)*, 1833. – *Massimilla Doni*, 1839. – *Médecin de campagne (le)*, 1833. – *Melmoth réconcilié*, 1835. – *Mémoires de deux jeunes mariées*, 1842. – *Mercadet ou le Faiseur*, posth., 1851. – *Message (le)*, 1832. – *Messe de l'athée (la)*, 1836. – *Modeste Mignon*, 1844. – *Muse du département (la)*, 1843. – *Paix du ménage (la)*, 1830. – *Paméla Giraud*, 1843. – *Passion dans le désert (Une)*, 1830. – *Paysans (les)*, 1844. – *Peau de chagrin (la)*, 1831. – *Père Goriot (le)*, 1835. – *Petites Misères de la vie conjugale*, 1845-1846. – *Physiologie du mariage*, 1829. – *Pierre Grassou*, 1840. – *Pierrette*, 1840. – *Prince de la bohème (Un)*, 1840. – *Proscrits (les)*, 1831. – *Rabouilleuse (la)*, 1842. – *Recherche de l'absolu (la)*, 1834. – *Réquisitionnaire (le)*, 1831. – *Ressources de Quinola (les)*, 1842. – *Sarrasine*, 1830. – *Secrets de la princesse de Cadignan (les)*, 1839. – *Séraphita*, 1835. – *Splendeurs et Misères des courtisanes*, 1838-1847. – *Sur Catherine de Médicis*, 1830-1841. – *Théorie de la démarche*, 1833. – *Traité de la vie élégante*, 1830. – *Traité des excitants modernes*, 1838. – *Une ténébreuse affaire*, 1841. – *Ursule Mirouet*, 1841. – *Vautrin*, 1840. – *Vendetta (la)*, 1830. – *Verdugo (El)*, 1830. – *Vieille Fille (la)*, 1836. – *Z. Marcas*, 1840.

Catalogue établi par Balzac pour « la Comédie humaine » (ordre adopté en 1845 pour une édition complète en 26 tomes). Les ouvrages indiqués en gras sont ceux qui restent à faire.
Première partie : ÉTUDES DE MŒURS. Six livres : 1. *Scènes de la vie privée*. – 2. *Scènes de la vie de province*. – 3. *Scènes de la vie parisienne*. – 4. *Scènes de la vie politique*. – 5. *Scènes de la vie militaire*. – 6. *Scènes de la vie de campagne*.
Scènes de la vie privée : 1. ***Les Enfants***. – 2. ***Un pensionnat de demoiselles***. – 3. ***Intérieur de collège***. – 4. *La Maison du chat-qui-pelote*. – 5. *Le Bal de Sceaux*. – 6. *Mémoires de deux jeunes mariées*. – 7. *La Bourse*. – 8. *Modeste Mignon*. – 9. *Un début dans la vie*. – 10. *Albert Savarus*. – 11. *La Vendetta*. – 12. *Une double famille*. – 13. *La Paix du ménage*. – 14. *Madame Firmiani*. – 15. *Étude de femme*. – 16. *La Fausse Maîtresse*. – 17. *Une fille d'Ève*. – 18. *Le Colonel Chabert*. – 19. *Le Message*. – 20. *La Grenadière*. – 21. *La Femme abandonnée*. – 22. *Honorine*. – 23. *Béatrix ou les Amours forcées*. – 24. *Gobseck*. – 25. *La Femme de trente ans*. – 26. *Le Père Goriot*. – 27. *Pierre Grassou*. – 28. *La Messe de l'athée*. – 29. *L'Interdiction*. – 30. *Le Contrat de mariage*. – 31. ***Gendres et Belles-Mères***. – 32. ***Autre Étude de femme***.
Scènes de la vie de province : 33. *Le Lys dans la vallée*. – 34. *Ursule Mirouet*. – 35. *Eugénie Grandet*. – 36. *Les Célibataires : Pierrette*. – 37. *Le Curé de Tours*. – 38. *Un ménage de garçon en province (la Rabouilleuse)*. – 39. *Les Parisiens en province : l'Illustre Gaudissart*. – 40. ***Les Gens ridés***. – 41. *La Muse du département*. – 42. ***Une actrice en voyage***. – 43. ***La femme supérieure***. – 44. ***Les Rivalités : l'Original***. – 45. ***Les Héritiers Boirouge***. – 46. *La Vieille fille*. – 47. *Les Provinciaux à Paris : le Cabinet des antiques*. – 48. ***Jacques de Metz***. – 49. *Illusions perdues*, 1re partie : *les Deux Poètes ;* 2e partie : *Un grand homme de province à Paris ;* 3e partie : *les Souffrances de l'inventeur*.
Scènes de la vie parisienne : *Histoire des Treize :* 50. *Ferragus* (1er épisode). – 51. *La Duchesse de Langeais* (2e épisode). – 52. *La Fille aux yeux d'or* (3e épisode). – 53. *Les Employés*. – 54. *Sarrasine*. – 55. *Grandeur et Décadence de César Birotteau*. – 56. *La Maison Nucingen*. – 57. *Facino Cane*. – 58. *Les Secrets de la princesse de Cadignan*. – 59. *Splendeurs et Misères des courtisanes*. – 60. *La Dernière Incarnation de Vautrin*. – 61. ***Les Grands, l'Hôpital et le Peuple***. – 62. *Un prince de la bohème*. – 63. *Les Comiques sérieux (les Comédiens sans le savoir)*. – 64. *Échantillons de causeries françaises*. – 65. ***Une vue du palais***. – 66. *Les Petits Bourgeois*. – 67. ***Entre savants***. – 68. ***Le Théâtre comme il est***. – 69. ***Les Frères de la consolation*** *(l'Envers de l'histoire contemporaine)*.
Scènes de la vie politique : 70. *Un épisode sous la Terreur*. – 71. ***L'Histoire et le***

Roman. – 72. *Une ténébreuse affaire.* – 73. ***Les Deux Ambitieux.*** – 74. ***L'Attaché d'ambassade.*** – 75. ***Comment on fait un ministère.*** – 76. *Le Député d'Arcis.* – 77. *Z. Marcas.*

Scènes de la vie militaire : 78. ***Les Soldats de la République*** (3 épisodes). – 79. ***L'Entrée en campagne.*** – 80. ***Les Vendéens.*** – 81. *Les Chouans.* – *Les Français en Egypte* (1er épisode). – 82. ***Le Prophète*** (2e épisode) ; 83. ***Le Pacha*** (3e épisode) : 84. *Une passion dans le désert.* – 85. ***L'Armée roulante.*** – 86. ***La Garde consulaire.*** – 87. ***Sous Vienne,*** 1re partie : ***Un combat ;*** 2e partie : ***l'Armée assiégée ;*** 3e partie : ***la Plaine de Wagram.*** – 88. ***L'Aubergiste.*** – 89. ***Les Anglais en Espagne.*** – 90. ***Moscou.*** – 91. ***La Bataille de Dresde.*** – 92. ***Les Traînards.*** – 93. ***Les Partisans.*** – 94. ***Une croisière.*** – 95. ***Les Pontons.*** – 96. ***La Campagne de France.*** – 97. ***Le Dernier Champ de Bataille.*** – 98. ***L'Émir.*** – 99. ***La Pénissière.*** – 100. ***Le Corsaire algérien.***

Scènes de la vie de campagne : 101. *Les Paysans.* – 102. *Le Médecin de campagne.* – 103. ***Le Juge de paix.*** – 104. *Le Curé de village.* – 105. ***Les Environs de Paris.***

Deuxième partie : ÉTUDES PHILOSOPHIQUES. 106. ***Le Phédon d'aujourd'hui.*** – 107. *La Peau de chagrin.* – 108. *Jésus-Christ en Flandre.* – 109. *Melmoth réconcilié.* – 110. *Massimilla Doni.* – 111. *Le Chef-d'œuvre inconnu.* – 112. *Gambara.* – 113. *Balthazar Claës ou la Recherche de l'absolu.* – 114. ***Le Président Fritot.*** – 115. *Le Philanthrope.* – 116. *L'Enfant maudit.* – 117. *Adieu.* – 118. *Les Marana.* – 119. *Le Réquisitionnaire.* – 120. *El Verdugo.* – 121. *Un drame au bord de la mer.* – 122. *Maître Cornélius.* – 123. *L'Auberge rouge.* – 124. *Sur Catherine de Médicis :* I. *Le Martyre calviniste.* – 125. *Id. :* II. *La Confession des Ruggieri.* – 126. *Id. :* III. *Les Deux Rêves.* – 127. ***Le Nouvel Abélard.*** – 128. *L'Élixir de longue vie.* – 129. ***La Vie et les Aventures d'une idée.*** – 130. *Les Proscrits.* – 131. *Louis Lambert.* – 132. *Séraphita.*

Troisième partie : ÉTUDES ANALYTIQUES. 133. ***Anatomie des corps enseignants.*** – 134. *La Physiologie du mariage.* – 135. ***Pathologie de la vie sociale.*** – 136. ***Monographie de la vertu.*** – 137. ***Dialogue philosophique et politique sur les perfections du XIXe siècle.***

(N'étaient pas prévues à ce catalogue et ne comportent pas de numéro les œuvres suivantes : *Un homme d'affaires ; Gaudissart II ; les Parents pauvres (la Cousine Bette ; le Cousin Pons) ; Petites Misères de la vie conjugale.*

Les Chouans

L'action du premier roman que B. signa de son nom se situe en Bretagne en 1799, au moment où la chouannerie, catholique et monarchiste, s'insurge contre le gouvernement. Ce qui place *les Chouans* à la charnière du roman historique et du roman contemporain. Le marquis de Montauran, dont le pseudonyme d'insurgé est *le Gars*, anime la résistance bretonne ; pour briser cette résistance en éliminant son chef, Fouché envoie en Bretagne la belle Mlle de Verneuil, en lui donnant pour mission de séduire puis de livrer le Gars. Mais s'il cède, en effet, à Mlle de Verneuil, celle-ci n'est pas insensible au charme du marquis. À partir de là se développe, à travers de nombreux rebondissements et péripéties, un roman d'aventures, de guerre et d'amour, jusqu'au mariage des deux héros. Mais ils seront bientôt tués à la suite de l'intervention d'un autre agent du gouvernement, le policier Corentin, dont c'est ici la première apparition, et qui était destiné à jouer un rôle important dans plusieurs épisodes de *la Comédie humaine* (cf. *Une ténébreuse affaire*). Cette intervention de Corentin inaugure la future lignée politico-policière de *la Comédie humaine.*

Le Père Goriot

La pension Vauquer, rue Neuve-Sainte-Geneviève, à Paris, milieu médiocre où se trouve fortuitement réunie une « microsociété » assez hétéroclite. Après la description minutieuse et symbolique du cadre de la pension, qui sert de prologue à l'entrée en scène de ses habitants, voici les pensionnaires : Victorine Taillefer, jeune orpheline secrètement éprise d'Eugène de Rastignac, étudiant en droit monté de sa province à Paris et ambitieux de pénétrer dans le « monde » parisien ; Vautrin, personnage mystérieux qui cache sous une apparence bourgeoise on ne sait quoi d'inquiétant ; le père Goriot, ancien vermicellier retiré, vieillard souffre-douleur de la compagnie. C'est autour de lui que va se nouer le drame, celui de la déchéance progressive d'un homme que ruine, financièrement et psychologiquement, l'amour passionné qu'il porte à ses deux filles, épouses, grâce à l'argent de leur père, l'une, Anastasie, du comte de Restaud, aristocrate peu reluisant, l'autre, Delphine, du banquier-baron de Nucingen. Goriot, dont la fortune est déjà bien entamée, continue à se laisser dépouiller. Pendant ce temps, Eugène rencontre Delphine et tombe amoureux d'elle. Mais il lui faudrait être riche. Vautrin, qui le prend sous sa protection, on ne sait trop pour quel motif (avouable ou non), se chargerait bien de lui trouver une fortune en faisant disparaitre le frère de Victorine. Il ne resterait plus à Eugène qu'à épouser celle qui serait, alors, une riche héritière. Cependant Rastignac résiste à la tentation, et il découvre à cette occasion que le petit-bourgeois Vautrin n'est autre qu'un ancien forçat évadé. Quant au père Goriot, il continue à s'enfoncer délibérément dans son destin de « Christ de la paternité » ; il renonce à tout ce qu'il peut encore avoir pour bénéficier d'une visite de ses filles, qui ne lui accordent en échange qu'indifférence, et profitent de sa passion paternelle pour poursuivre leurs exigences. Ainsi, Goriot se trouve inéluctablement conduit à une fin misérable : au moment de mourir il attend encore ses filles, et seul en lui survit cet ultime et unique désir. Elles ne viendront pas. Goriot mourra dans les bras de Rastignac, qui, après les obsèques, décide d'entreprendre la conquête de Paris en commençant par celle de Mme de Nucingen. Ce roman est formé de deux lignes directrices parallèles : la tragédie paternelle de Goriot et l'éducation sociale et sentimentale d'Eugène de Rastignac.

La Peau de chagrin

Roman « philosophique », c'est-à-dire symbolique. Le jeune Raphaël de Valentin vient d'épuiser au jeu ses dernières ressources et songe à se donner la mort. Le salut provisoire et apparent lui vient de la découverte qu'il fait chez un vieil antiquaire d'un talisman : une peau de chagrin qui permet à son détenteur de satisfaire aussitôt tous ses désirs, talisman en accord avec le tempérament de Raphaël, passionné et impatient, porteur aussi d'une grande œuvre sur la « Théorie de la volonté ». Mais chaque désir satisfait rétrécit la peau de chagrin, comme chaque passion assouvie raccourcit la vie. Raphaël plonge alors dans une intense mais indécise existence que dominent ses oscillations amoureuses entre la cruelle Foedora et l'angélique Pauline. Ce comportement s'accompagne – hélas ! – de l'impitoyable rétrécissement de la peau de chagrin, et Raphaël, malgré ses vains efforts pour conjurer le sort, disparaîtra avec elle. Telle est l'alternative humaine : ou vivre intensément et mourir jeune, ou vivre longtemps dans la médiocrité.

Le Médecin de campagne

Dans le cadre d'un paysage savoyard, le colonel Genestas est venu voir le docteur Benassis, avec qui il converse longuement, et c'est l'occasion d'une véritable confession du médecin ; le personnage de Benassis apparaît comme auréolé de mystère, et il est, dans ce village, une sorte de providence. La conversation se partage entre un échange de réflexions sur l'actualité sociale et politique (thèmes chers à B. : le rôle de l'aristocratie, de l'Église, le problème du suffrage universel) et une évocation de l'aventure napoléonienne, à laquelle ont participé chacun des deux interlocuteurs. Mais le docteur Benassis est aussi un homme : c'est à la suite d'un amour malheureux qu'il est venu se retirer dans ce village de montagne, où il exerce comme un véritable sacerdoce ses fonctions de médecin et de maire. L'inscription de sa tombe, sur laquelle s'achève son histoire, dit simplement : « CI-GÎT LE BON MONSIEUR BENASSIS, NOTRE PÈRE. »

Le Lys dans la vallée

C'est la confession que le jeune Félix de Vandenesse adresse à celle qu'il doit épouser, Natalie de Manerville, car, lui dit-il, « ma vie est dominée par un fantôme ». Il a rencontré à un bal, en Touraine, une jeune femme d'une pure beauté dont il s'est aussitôt épris, Henriette de Mortsauf. Mariée, mère de famille, plus âgée que lui de sept ans, Henriette n'est pas insensible au charme de Félix : ils se retrouvent, en vacances, au château de Clochegourde, dans la vallée de l'Indre, et le jeune homme perçoit quelque affinité entre le paysage et l'âme d'Henriette ; tel est le sens du titre donné par B. à cette confession. Henriette se laisser aller à la douceur de la tendresse, mais Félix doit se séparer d'elle pour faire son chemin à la cour, où Louis XVIII le remarque. Resté fidèle à Henriette, Félix entretient avec elle une correspondance suivie, et il la retrouvera en Touraine deux ans plus tard. Félix doit à nouveau regagner Paris : il y sera subjugué par la tapageuse Anglaise lady Dudley, et, lorsque Henriette en sera informée, sa souffrance sera telle qu'elle mettra sa vie en danger. Las de lady Dudley, qu'il n'a jamais vraiment aimée, Félix accourt à Clochegourde pour recueillir le dernier soupir d'Henriette, dont une lettre lui révèle quelle passion se cachait sous la pureté et la tendresse de son amie.

Illusions perdues

Cet ouvrage se compose de trois parties.
I. *Les Deux Poètes*. À Angoulême, David Séchard a épousé la sœur de son ami Lucien Chardon. Tous deux rêvent de poésie, mais David doit assumer la succession de son père, qui se retire, à la tête d'une imprimerie. Lucien, lui, acquiert un certain renom littéraire dans les cercles mondains d'Angoulême ; il s'y laisse séduire par Mme de Bargeton, avec qui il s'enfuit à Paris.
II. *Un grand homme de province à Paris*. Lucien, qui a repris le nom de sa mère et se nomme désormais Lucien de Rubempré,

fait l'apprentissage de Paris, et plus précisément des milieux de la littérature et de la presse. Il est d'abord partagé entre le cercle de Daniel d'Arthez, que caractérise la pureté de l'esprit et de l'âme, et le journalisme, où l'introduit Lousteau – le journalisme et la « librairie », où règnent la corruption, l'envie et l'arrivisme. Lucien tente de jouer le jeu ; il éreinte le dernier livre de Nathan, le protégé du tout-puissant libraire Dauriat, qui se trouve de la sorte amené à accepter un manuscrit de Lucien. Connaissant ainsi le succès, Lucien est adulé et sollicité ; mais la voie où il s'est engagé est pleine de périls, et il n'a pas la stature qui lui permettrait de les affronter. Aussi, au terme d'une suite de péripéties qui jalonnent sa chute, réduit à la misère, Lucien regagne-t-il Angoulême comme un vagabond et songe-t-il à se donner la mort.

III. *Les Souffrances de l'inventeur.* Pendant ce temps, David, victime de l'indélicatesse de Lucien, a été emprisonné pour dettes. Le remords confirme Lucien dans ses idées de suicide ; c'est alors qu'il rencontre un étrange prêtre espagnol, Carlos Herrera (qui n'est autre que Vautrin) ; celui-ci s'engage à sauver Lucien et même à faire sa fortune. Lucien accepte de se livrer à lui. De son côté David, après avoir recouvré la liberté, pourra, grâce à l'héritage de son père, mener une vie paisible en se consacrant aussi aux plaisirs de l'esprit.

Splendeurs et Misères des courtisanes
Si l'histoire de David se termine heureusement avec *Illusions perdues*, celle de Lucien, pour ainsi dire accouplé à Vautrin, se continue ici. Vautrin entreprend de marier Lucien avec la fille aînée de la duchesse de Grandlieu, l'une des grandes familles du faubourg Saint-Germain. Il faut aussi de l'argent ; qu'à cela ne tienne : Vautrin utilisera le pouvoir qui est le sien sur une courtisane qu'il réduira à la misère pour l'amour de Lucien. D'autre part, il s'arrange pour faire chanter le baron de Nucingen. Ces manœuvres, un moment couronnées de succès, finissent par se retourner contre Lucien et Vautrin, qui échouent en prison. L'instruction de leur affaire est l'occasion pour B. de peindre les milieux de la magistrature et de la police. Il apparaît que la cause des deux hommes est mauvaise, et, un jour, Lucien se pend dans sa cellule. Quant à Vautrin, il se tirera d'affaire, et même il finira par se « reconvertir » en devenant lui-même chef de la police.

BANDE DESSINÉE [B.D., Bédé]. Le recours à la fonction significative de l'association, sous quelque forme technique que ce soit, entre expression visuelle et expression verbale est un phénomène culturel quasi universel : certains poèmes de l'Égypte ancienne, placés dans la bouche du mort, ont pour fonction de rendre plus expressives les scènes représentées, et réciproquement ; c'est là une des raisons essentielles de la décoration des tombeaux ; il en est de même pour certains « rouleaux » chinois, et, sur les vases grecs, figurent, auprès des images, les noms des personnages. En forçant sans doute un peu les choses, il ne serait pourtant pas absurde de voir là les éléments fragmentaires d'une « préhistoire » de la B.D., qui pourrait d'ailleurs faire appel à bien d'autres exemples : en regroupant à la suite, sous forme de séquences, les illustrations de tels romans du XVIIIe ou du XIXe siècle, avec leurs légendes, généralement faites avec des citations du texte, n'obtiendrait-on pas finalement quelque chose d'assez proche d'une bande dessinée ? De fait, lorsque des B.D. s'inspirent d'œuvres écrites, elles ne procèdent guère autrement puisqu'elles empruntent au texte, quitte à le réécrire ou à le résumer pour l'adapter à leur propos, leurs légendes et leurs « bulles ».

Il n'en est pas moins vrai que les progrès des techniques modernes, tant en ce qui concerne le pouvoir propre de l'image que les formes d'association de l'image et du texte, avec intégration du texte à l'image, ont considérablement favorisé le développement correspondant de ce type d'expression ; à cet égard, il importe de souligner le parallélisme des trois grandes formes d'association texte-image : la presse illustrée, le cinéma et la bande dessinée. En même temps en effet que se manifestent les premiers développements de la presse illustrée – premier support de la B.D. – et du cinéma – où le dessin animé est, comme son nom l'indique, une bande dessinée en mouvement, dont la technique est proche de celle de la B.D. – s'épanouit une seconde « préhistoire » (celle-ci moderne) de la bande dessinée. On pourra même observer que les célèbres séries de Christophe – *Famille Fenouillard, Sapeur Camember, Savant Cosinus* – sont contemporaines des premiers films muets, puisqu'elles ont paru entre 1895 et 1904. Comme le cinéma, la B.D. a évolué du « muet » au « parlant » : les premières bandes sont « muettes » dans la mesure où image et texte sont distincts, la légende étant analogue aux intertextes du film muet ; mais, avec l'intervention de la « bulle » qui, en faisant parler le personnage, réalise la parfaite unité du texte et de l'image, la B.D. passe du muet au parlant, et il lui arrive aussi d'utiliser, en la transposant dans son langage spécifique, la « voix off » du cinéma. Dès lors, l'image cesse d'apparaître comme l'illustration d'un texte ; le texte fait corps avec elle pour produire une présence expressive originale, opération encore renforcée par le recours à la structure narrative de la séquence, au sens cinématographique de ce terme.

Quant à l'évolution de la B.D., elle concerne simultanément la complexité croissante de son contenu, de sa technique, de sa signification, et l'élargissement de son public, ces deux lignes d'évolution n'étant pas sans influer l'une sur l'autre. Dans un premier temps, la B.D. se définit comme illustration continue d'un texte narratif condensé en légendes successives, selon la méthode qui consiste à découper une histoire en images qu'on juxtapose ensuite sur la page sous forme de séquences, le principe même du cinéma. En même temps, la B.D. s'adresse alors essentiellement aux enfants et aux adolescents, selon l'idée commune que c'est là le mode d'expression et de communication le mieux adapté à leur esprit ; mais il n'est pas certain que, dès les débuts de la B.D. – chez Christophe par exemple, ou chez Forton, auteur des *Pieds nickelés* – ses promoteurs aient exclu l'hypothèse que les adultes pouvaient aussi s'y intéresser. En tout cas, il y a déjà dans les chefs-d'œuvre de cette première époque – ajoutons à ceux que nous avons déjà cités *Bécassine* et *Zig et Puce* – une orientation parodique et satirique qui porte bien au-delà de la simple intention d'amuser les jeunes.

Lorsqu'en 1929, à Bruxelles, Georges Rémi, dit Hergé (voir ce nom), le premier maître de la bande dessinée moderne, lance *Tintin*, il le fait dans un journal destiné aux enfants, mais il n'est peut-être pas indifférent que ce journal soit le supplément pour enfants d'un grand quotidien belge, *le Vingtième Siècle*. De fait, il semble bien que, dès ses débuts, et plus encore lorsqu'il fera de son héros un reporter et un observateur, avec *Tintin au pays des Soviets, Tintin au Congo* et *Tintin en Amérique,* Hergé ait visé bien au-delà du public enfantin. Virtuellement au moins, il a déjà mis en place les éléments essentiels de la B.D. moderne : lucidité éventuellement caustique du regard, cohérence significative de la narration, vision parodique, ironique et parfois même sarcastique du monde, intégration totale du texte à l'image, art souvent subtil du montage et de la séquence. Il reste que, dans les premiers *Tintin*, le graphisme est encore sommaire et conventionnel ; le grand tournant est pris en 1935 avec *le Lotus bleu*, à partir duquel la B.D. va enrichir son réalisme originel de divers ingrédients : l'imaginaire, le merveilleux, l'anticipation. Avec l'intervention de nouveaux personnages, le professeur Tournesol, le capitaine Haddock, l'univers de *Tintin* se multiplie, se diversifie de plus en plus, de *l'Oreille cassée* (1937) à *l'Étoile mystérieuse* (1942) et de *Objectif Lune* (1953) à *Tintin au Tibet* (1960) et à ce qui est sans doute le chef-d'œuvre de Hergé et de sa nombreuse équipe de dessinateurs, *les Bijoux de la Castafiore* (1961) : c'est alors que *Tintin* conquiert le public des adultes. Et il est bien vrai, à tous égards, que la série complète de *Tintin* offre une sorte de condensé de l'histoire et de l'évolution de la bande dessinée.

L'expérience de *Tintin,* poursuivie au long de plus d'un quart de siècle, progressivement devenue comme une sorte de modèle, a ainsi révélé la fonction mythologique de la B.D., grande consommatrice en effet et grande pourvoyeuse de mythes accordés à l'âge contemporain. C'est par l'affirmation de cette fonction mythologique qu'elle a conquis un public de plus en plus large : en entreprenant de satisfaire l'appétit mythologique non plus seulement des enfants mais aussi des adultes, elle a, par contrecoup, intégré à son univers le champ entier des obsessions du monde contemporain, de ses peurs et de ses espoirs, de ses héros et de ses anti-héros, de ses aspirations et de ses répulsions.

Telle est sans doute l'origine du développement considérable de la B.D., surtout à partir des années 60 qui verront paraître l'*Astérix* de Goscinny et Uderzo. Elle attire l'attention des spécialistes qui s'interrogent sur sa « littérarité » ou sur sa signification sociologique, sur les secrets de ses techniques, sur les principes et la portée de son esthétique, sur les différents aspects de sa « philosophie » immanente. Dans ces mêmes années, s'accentue l'influence des « strips » américains (l'usage de plus en plus fréquent des abréviations B.D. ou même Bédé correspond au souci de traduire la brièveté du mot anglo-américain). C'est d'ailleurs le moment où la B.D. se « mondialise » et devient un élément d'une culture universelle indépendante des cultures particulières. D'autre part, la technique du dessin ne cesse de se perfectionner, l'intégration réciproque du texte et de l'image s'enrichit de multiples procédés, le cadrage et le montage des images tendent à ne plus se contenter de leur seule fonction narrative et deviennent de plus en plus symboliques. La B.D. enfin fait l'objet d'une production de masse, ce qui entraîne une considérable inégalité qualitative des œuvres produites. Les

magazines spécialisés se multiplient, on réédite les séries anciennes, on traduit en B.D. les œuvres littéraires les plus diverses, de *la Princesse de Clèves* à *Zazie dans le métro*, on emprunte à la littérature ou au cinéma certains genres particulièrement « populaires » comme le feuilleton ou le roman historique. Les problèmes politiques et sociaux eux-mêmes, les diverses idéologies inspirent à leur tour les auteurs de B.D. Enfin, retrouvant, sur un autre terrain, son premier public, celui des jeunes, la B.D. devient un instrument pédagogique : de véritables manuels scolaires paraissent, qui reprennent en bandes dessinées l'Histoire sainte de la Bible, l'Histoire de France et même des épisodes (réels ou imaginaires), avec texte en latin, de l'Histoire romaine.
Aussi la B.D. a-t-elle été l'objet d'âpres polémiques : elle a ses adversaires qui l'accusent de contribuer à maintenir l'homme contemporain dans un état d'infantilisme passif ; elle a ses fanatiques qui vantent sa dynamique expressive, sa contribution efficace aussi bien à la critique sociale qu'à la promotion d'un imaginaire riche de substance, polémiques qui ne sont pas sans rappeler celles qui se développèrent autour du cinéma dans les années 30. Mais on semble oublier que le débat essentiel est finalement celui de la *qualité* ; comme dans toute production de masse, on trouve dans la B.D. tous les niveaux de qualité, du plus médiocre au plus raffiné, tant en ce qui concerne la forme que le contenu. Aussi la recherche d'une définition des critères de qualité propres à la B.D. est-elle sans doute la meilleure justification de ceux qui entreprennent de la soumettre à une étude sérieuse et « scientifique » de ses caractères spécifiques, de ses techniques particulières, de son esthétique distinctive ; car, quoi qu'on en pense par ailleurs, la B.D. est bien, au-delà de la mode qui a contribué à son lancement et continue de contribuer à sa diffusion, un phénomène culturel dont on ne saurait sous-estimer la portée.

Bibliographie. J. MARNY, *le Monde étonnant des bandes dessinées,* 1968 ; G. BLANCHARD, *Histoire de la bande dessinée,* 1969 ; F. LACASSIN, *Pour un neuvième art, la bande dessinée,* 1971 ; J. SADOUL, *Panorama de la bande dessinée,* 1976 ; M. PIERRE, *la Bande dessinée,* 1976 ; J.-B. RENARD, *Clefs pour la bande dessinée,* 1978 ; P. BRONSON, *Guide de la bande dessinée,* 1984 ; A. BARON-CARVAIS, *la Bande dessinée,* 1985.

BANVILLE Claude-Théodore de. Moulins 14.3.1823 – Paris 13.3.1891. Parisien dès sa septième année, B. montrera un profond dégoût pour le régime de Juillet, cette « apothéose de l'épicerie ». Jusqu'en 1856, il mène la vie de bohème ; de graves alertes pulmonaires (1857-1861) précèdent une période heureuse, très productive. Puis il se marie. De 1871 à sa mort, devenu le guide des jeunes poètes, il tiendra chez lui un salon littéraire très fréquenté. L'œuvre de B. est tout entière animée par un amour passionné de l'art du vers. On a surtout retenu en lui le poète espiègle des *Odes funambulesques,* recueil brillant où se reflète l'ambiance bouffonne d'un temps de son existence et dans lequel la critique n'a vu, sans doute à tort, que jonglerie. Mais cette veine, à laquelle se rattachent les *Occidentales,* écho des *Orientales* de Hugo, ne doit faire oublier ni ses premiers essais, *les Cariatides* et *les Stalactites,* œuvres d'un statuaire du langage désireux de s'opposer aux facilités de l'éloquence romantique, ni les recueils de sa maturité, *Améthyste,* où l'art un peu figé des débuts s'éclaire de la douceur du sentiment, et *les Exilés,* le chant le plus personnel et le plus profond du poète. Enfin, si l'on peut aujourd'hui juger que B. écrivain a manqué de force dans l'expression du mystère et de modération dans celle de la fantaisie, du moins doit-on retenir son influence sur un grand nombre de poètes. Le succès de sa *Revue fantaisiste* (1861), où il publia quelques-uns des premiers poèmes en prose de Baudelaire, lui permit d'être à l'origine, avec Catulle Mendès, Leconte de Lisle et Lemerre, du *Parnasse contemporain* (1866) et de faire paraître en 1869 la troisième édition (posthume) des *Fleurs du mal.* Pénétré d'une hostilité résolue à l'égard de la « bêtise bourgeoise », B. fut aussi un animateur et le théoricien qui sut fixer pour toute une génération les ressources poétiques de la langue, comme en témoigne son *Petit Traité de poésie française.* Par son inspiration, B. se rattache encore à un certain romantisme ; par son goût du jeu formel, il s'insère dans une tradition continue de la poésie française. Il s'est essayé aussi au théâtre avec quelques courtes pièces, dont la plus réussie est celle qui met en scène un poète bohème du Moyen Âge, *Gringoire.* Enfin la guerre de 1870 lui inspirera des *Idylles prussiennes,* dont la préface contient d'intéressantes remarques sur Goethe et sur la « poésie de circonstance ».

Œuvres. *Les Cariatides,* 1842 (P). – *Les Stalactites,* 1846 (P). – *Le Feuilleton d'Aristophane,* 1852 (T). – *Les Pauvres Saltimbanques,* 1853 (N). – *La Vie d'une comédienne,* 1855 (N). – *Le Beau Léandre,* 1856 (T). – *Odes funambulesques,*

1857 (P). – *Le Cousin du roi,* 1857 (T). – *Esquisses parisiennes,* 1859 (T). – *Améthyste,* 1861 (P). – *Diane au bois,* 1863 (T). – *Les Fourberies de Nérine,* 1864 (T). – *La Pomme,* 1865 (T). – *Gringoire,* 1866 (T). – *Les Camées parisiens,* 1866-1873 (P). – *Les Exilés,* 1867 (P). – *Nouvelles Odes funambulesques,* 1869 (P). – *Florisse,* 1870 (T). – *Petit Traité de poésie française,* 1872. – *Trente-Six Ballades joyeuses,* 1873 (P). – *Les Princesses,* 1874 (P). – *Occidentales, Rimes dorées, Rondels,* 1875 (P). – *Dejdamia,* 1876 (T). – *Mes souvenirs,* 1882. – *Riquet à la houppe,* 1884 (T). – *Contes héroïques,* 1884 (N). – *Socrate et sa femme,* 1885 (T). – *Contes bourgeois,* 1885 (N). – *Lettres chimériques,* 1885. – *Madame Robert,* 1887 (N). – *Sonnailles et Clochettes,* 1890 (P). – *Marcelle Rabbé,* 1891 (N). – *Critiques,* posth., 1917.

Odes funambulesques

Recueil, certes sans prétention et d'apparence légère, dont les couleurs dominantes sont la fantaisie et l'humour. Le poète s'identifie au clown et, dans la figuration poétique du « Saut du tremplin », révèle la puissance en lui de « l'attrait du gouffre d'en haut ». Mais, comme le clown, il traduit sa fascination en un jeu multiple et chatoyant : jeu de mots, de rimes, de cadences et d'images ; dans cet univers acrobatique, la pâle Ophélie peut côtoyer Molière, et les pierrots lunaires le spleen britannique.

BAOUR-LORMIAN Pierre François Marie. Toulouse 24.3.1770 – Paris 18.12.1854. Protégé de Napoléon 1er, il produisit avec succès des tragédies et des opéras de circonstance aujourd'hui oubliés ; après avoir composé en 1810, pour le mariage de Napoléon avec Marie-Louise, un poème officiel, *Fêtes de l'Hymen,* il fut fait académicien. La Restauration venue, il se brouilla avec les jeunes romantiques et mourut délaissé. Cependant sa traduction des *Poésies gaéliques d'Ossian* (1801) avait eu un grand retentissement, et son influence sur l'éclosion du XIXe s. littéraire a préservé de l'oubli total le nom de ce pseudo-classique. Acad. fr. 1815.

BARANTE, Guillaume Prosper Brugière, baron de. Riom 1782 – Barante 1866. Fils d'un préfet qui sera chargé de surveiller discrètement Mme de Staël à Coppet, il opte également pour la carrière administrative après avoir démissionné de l'École polytechnique, où il était entré en 1799. Il séjourne à Coppet en 1805, a une liaison avec la fille de Necker, pour qui il conservera longtemps une affection dont témoigne sa correspondance. Il fait en 1807 la connaissance de Juliette Récamier et devient son fidèle ami, puis épouse en 1809 la petite-fille de Mme d'Houdetot, belle-sœur de Mme d'Épinay et amie de J.-J. Rousseau et de Saint-Lambert. Conseiller d'État, préfet en Vendée, puis dans la Loire-Inférieure, sous l'Empire, il se met ensuite au service des Bourbons et sera fait pair de France (1819). Après la révolution de 1830, il commence une carrière diplomatique qui le mène successivement à Turin et à Pétersbourg comme ambassadeur. La révolution de 1848 mettra fin à sa vie politique active.

Homme de lettres et surtout historien, il est l'auteur d'un *Tableau de la littérature française au XVIIIe siècle* qui souligne l'influence exercée par la littérature sur les idées, les croyances et les moeurs. Il mena à bien diverses traductions, dont celle des œuvres dramatiques de Schiller (1821). Il doit principalement son titre d'historien à sa monumentale *Histoire des ducs de Bourgogne de la Maison de Valois,* qui fait de lui l'un des maîtres de l'histoire narrative. Se refusant à ajouter aucune réflexion, aucun jugement au récit des événements, il s'en tient à une maxime de Quintilien qui veut que l'histoire soit écrite pour narrer, non pour prouver. Cette fidélité absolue aux sources, l'éloquence et l'agrément du récit, où l'auteur s'efforce de « restituer à l'histoire elle-même l'attrait que le roman historique lui a emprunté », lui valurent d'être élu à l'Académie française (1828).

Œuvres. *Tableau de la littérature française au XVIIIe siècle,* 1809 (E). – *Histoire des ducs de Bourgogne de la Maison de Valois* (13 vol.), 1824-1826 (E). – *De la décentralisation,* 1829-1833 (E). – *Mélanges historiques et littéraires,* 1833 (E). – *Notes sur la Russie,* 1835-1840 (E). – *Questions constitutionnelles,* 1845 (E). – *Études historiques et biographiques,* 1857. – *Études littéraires et historiques,* 1858. – *Souvenirs,* posth., 1890-1901.

BARBEY D'AUREVILLY Jules. Saint-Sauveur-le-Vicomte (Manche) 2.11.1808 – Paris 23.4.1889. Issu d'une vieille famille normande de notables, il passe les années 1818-1825 à Valognes, où se formera sa sensibilité, chez un oncle médecin, libéral et athée, Pontas du Méril. En 1827 – en pleine explosion romantique –, il achève ses études à Paris au collège Stanislas, où il se lie d'une amitié durable et profonde avec Maurice de Guérin. Il fera ensuite des études de droit à Caen de 1829 à 1833.

Dès sa jeunesse, il se passionne pour les lettres, lit énormément et se forme une spiritualité et une esthétique « surnaturalistes » – au sens le plus baudelairien du terme – avant la lettre : en témoignent les nouvelles qu'il écrit à cette époque et qui resteront longtemps méconnues : *le Cachet d'onyx, Léa.* C'est alors qu'il se lie avec le libraire Trébutien, qui sera pour lui un ami dévoué et se chargera d'éditer ses œuvres, malgré la difficulté qu'elles ont à trouver un public : la correspondance de B. avec Trébutien témoigne des obstacles de toutes sortes rencontrés par un écrivain « maudit ». A la même époque, il est profondément marqué par la liaison, d'ailleurs durable, qu'il établit avec sa cousine Louise des Costils. Nanti d'un petit héritage qui se dissipera rapidement, il s'installe à Paris en 1833 et tente de conquérir le monde littéraire ; il retrouve Maurice de Guérin, fréquente les cercles et cénacles, et adopte, mais avec un extrémisme qui restera sa caractéristique, la mode *dandy,* jusqu'à élaborer une morale et une esthétique du dandysme dans un essai magistral : *Du dandysme et de George Brummell.* Faute de pouvoir « percer » sur le terrain qui lui était cher, celui de la création, il se fait critique dans divers journaux et périodiques et commence à apparaître, dans cette fonction, comme un personnage doué du génie de la singularité, singularité évidemment provocante mais aussi étonnamment lucide. B. incarne d'ores et déjà la réaction contre le monde moderne, le monde de l'esprit positif et rationaliste. Il s'attache à ceux qu'il appelle « les prophètes du passé » (Chateaubriand, Bonald, Joseph de Maistre, Lamennais), et il les évoquera dans un recueil d'études portant ce titre. L'œuvre critique de B. sera rassemblée dans *les Hommes et les œuvres,* où il attaque avec virulence ce qu'il considère comme les fausses valeurs contemporaines, et le ton de ces articles lui vaudra le surnom de « connétable des lettres ». Mais cette réaction antimoderne, jointe à une exceptionnelle prémonition littéraire, lui permet de reconnaître et de prôner aussi, avec la même passion, les nouvelles valeurs, celles de l'avenir : Stendhal et Baudelaire, par exemple. Ce n'est pas le moindre paradoxe de B. que ce passéiste apparent soit en fait un annonciateur. Il ne renonce pas, pour autant, à son œuvre romanesque ; en 1851 paraît *Vellini ou Une vieille maîtresse,* texte auquel il ajoutera dans l'édition de 1865 une préface-manifeste où il se déclare « catholique et romancier sans rien abdiquer de son tempérament ». Cette époque est un moment de fécondité créatrice : B. écrit encore *l'Ensorcelée, le Chevalier Des Touches* et *Un prêtre marié,* tous ouvrages que caractérisent, sous des formes diverses – parmi lesquelles le fantastique humain et celui de la nature occupent une place primordiale –, l'épanchement du surnaturel dans la vie réelle, et plus particulièrement un surnaturel satanique se manifestant dans la réalité même de l'homme et du monde. Jamais sans doute l'expression « surnaturalisme littéraire » n'a revêtu une signification plus exacte que dans le cas de B. Mais, en 1865, B. approche de la soixantaine, et, si son personnage a pu conquérir une notoriété que certains qualifient de suspecte, son œuvre reste à peu près totalement méconnue : tout se passe comme s'il était victime d'une véritable conspiration du silence. Néanmoins, il a dans ses tiroirs un certain nombre de nouvelles, dont quelques-unes déjà anciennes, et qui, au mieux, n'avaient pu paraître qu'en revue. C'est peut-être même l'impossiblité où s'il s'était trouvé de publier le recueil de ses nouvelles, forme parfaitement adaptée à son génie de la concision flamboyante, qui avait poussé B. à s'engager dans la voie d'un genre mieux reçu par le public, le roman. Il a près de soixante-dix ans lorsque paraît enfin son chef-d'œuvre, le recueil des *Diaboliques* – auquel l'auteur aurait souhaité donner un pendant, *les Célestes.* L'ouvrage obtint un succès de scandale, et B. ne dut qu'à des interventions d'amis d'échapper à des poursuites. C'est une chronique de la possession, placée sous le signe à la fois de la cruauté et de l'insolite, mais dans une perspective surnaturelle qui, combinée avec le réalisme de l'observation et de la description, révèle un univers en profondeur, situé, pour reprendre une expression de Bernanos, disciple de B., « sous le soleil de Satan ». B. sera dès lors apprécié d'un petit groupe d'écrivains, parmi lesquels les Goncourt et P. Bourget. C'est au cours de cette même période, en 1868, qu'il avait pris pour secrétaire celui qui sera son plus fidèle disciple, Léon Bloy ; B. apparaît ainsi comme l'initiateur de la lignée littéraire qui aboutira aussi bien à Mauriac qu'à Bernanos. Mais, d'autre part, son combat spirituel contre les diverses formes du positivisme contemporain se poursuit sur le terrain de la « réalité », et sa technique fait souvent appel aux procédés du naturalisme. Car, pour B., le surnaturel se manifeste dans la réalité la plus immédiate de l'homme et du monde, et il présente ses *Diaboliques* non pas comme des « diableries » à la mode du roman noir, mais comme des « histoires réelles de ce temps ». Dans les romans, cette présence du réel est le plus souvent la présence, pour ainsi dire charnelle, de la

Normandie, et, à cet égard, le début de *l'Ensorcelée* est un des morceaux les plus brillants de l'œuvre de B., dont les descriptions et évocations possèdent au plus haut degré le pouvoir de faire surgir de la nature un fantastique qui s'impose avec toute l'évidence du sensible : la nature, elle aussi, comme les « diaboliques », est hantée par des forces menaçantes ; elle est, à proprement parler, « possédée ». C'est ce thème de la possession, au sens surnaturel du terme, qui domine magistralement l'œuvre de B.

Œuvres. *Le Cachet d'onyx,* 1830 (N). – *Léa,* 1832 (N). – *Amour et Haine,* 1833 (N). – *L'Amour impossible,* 1841 (N). – *Memoranda,* 1836-1858 (E). – *La Bague d'Annibal,* 1843 (N). – *Du dandysme et de George Brummell,* 1844 (E). – *Vellini ou Une vieille maîtresse,* 1851 (N). – *Les Prophètes du passé,* 1851 (E). – *L'Ensorcelée,* 1854 (N). – *Le Chevalier Des Touches,* 1864 (N). – *Un prêtre marié,* 1865 (N). – *Les Diaboliques,* 1874 (N). – *Histoire sans nom,* 1882 (N). – *Les Ridicules du temps,* 1883 (N). – *Ce qui ne meurt pas,* 1884 (N). – *Une page d'histoire,* 1887 (N). – *Les Hommes et les œuvres,* 1860-1895 (E). – *Lettres à Léon Bloy,* posth., 1903. – *Lettres à Trébutien,* posth., 1899-1908. – *Lettres à une amie,* posth., 1907. – *Lettres intimes,* posth., 1921. – *Correspondance générale,* I *(1824-1844),* 1980 ; II *(1845-1850),* 1982 ; III *(1851-1853),* 1983 ; IV *(1854-1855),* 1984.

Les Diaboliques

Le recueil comprend, outre une préface, *le Rideau cramoisi, le Plus Bel Amour de Don Juan, le Bonheur dans le crime, le Dessous de cartes d'une partie de whist, Un dîner d'athées, la Vengeance d'une femme.*

Le **Rideau cramoisi.** L'héroïne, Alberte, fille parfaitement sage dans son comportement social, séduit un jeune officier en pension chez ses parents et se donne froidement à lui. Une nuit, elle meurt subitement au cœur même de l'étreinte amoureuse ; épouvanté, le jeune homme s'enfuit, confie son aventure à son colonel et reçoit bientôt sa mutation. Mais cette histoire est racontée au narrateur de longues années après par ce même personnage, alors qu'au cours d'un voyage, et à la suite d'un accident de voiture, il voit la fenêtre et le rideau cramoisi derrière lesquels avait eu lieu l'événement. « L'ombre svelte d'une taille de femme venait d'y passer en s'y dessinant. – L'ombre d'Alberte ! fit le capitaine. » Et il faut sans doute citer la dernière phrase de la nouvelle : « Et nous roulâmes, et nous eûmes bientôt dépassé la mystérieuse fenêtre que je vois toujours dans mes rêves avec son rideau cramoisi. »

La Vengeance d'une femme. Des funérailles singulières viennent d'avoir lieu à l'église de la Salpêtrière, dont les pensionnaires n'ont pas coutume d'être honorés de la sorte. En fait il s'agit d'une duchesse espagnole, la duchesse de Sierra-Leone, qui a tenu à ce que son épitaphe portât la mention : « fille repentie ». Rapport en est fait à l'ambassadeur d'Espagne, qui refuse de croire à pareille invraisemblance. Mais il devra apprendre la vérité : pour se venger de son amant, la duchesse avait décidé de se prostituer et de faire durer sa vengeance, au-delà même de la mort, par la révélation contenue dans l'inscription de son catafalque.

BARBIER Henri Auguste. Paris 29.4.1805 – Nice 13.2.1882. Ce jeune juriste se révéla en 1830 dans la *Revue de Paris* par l'âpre éloquence de son vers satirique : *la Curée* fustigeait la compétition des ambitieux après les journées de Juillet et fut suivie d'autres pièces, réunies, peu après, dans le fameux recueil des *Iambes.* Mais l'écrivain avait jeté là toute sa flamme, et ce qu'il produisit par la suite ne fut que le pâle reflet de trop brillants débuts. De 1836 à 1838, en collaboration avec A. de Wailly, il écrivit pour Berlioz le livret de l'opéra-comique *Benvenuto Cellini,* dont la première représentation, le 10 novembre 1838, fut un retentissant échec. Dès lors, B., qui avait encore quarante-quatre ans à vivre, ne fit plus guère parler de lui, sauf lors de son élection à l'Académie française contre Théophile Gautier, en 1869.

Œuvres. *Iambes,* 1831 (P). – *Il Pianto,* 1833 (P). – *Lazare,* 1837 (P).

BARBUSSE Henri. Asnières 17.5.1873 – Moscou 30.8.1935. Il dut ses premiers succès à Catulle Mendès, qui lança son recueil poétique *les Pleureuses* et dont il devint le gendre. Influencé aussi par le courant naturaliste, il s'orientera dans ce sens lorsque l'expérience de la guerre lui apportera une inspiration vivante et personnelle. Il n'est en effet présent dans l'histoire littéraire que par son récit *le Feu,* premier livre à peindre avec franchise, sous forme de journal (sous-titre : *journal d'une escouade*), la vie dans les tranchées. Malgré les protestations suscitées par la crudité du tableau, l'ouvrage obtint le prix Goncourt pour 1917. L'auteur y évoque avec une affection toute fraternelle (mais parfois un peu déclamatoire) les « poilus » de tous âges et venus de tous les milieux, soit à travers l'horreur des bombardements, soit durant ces heures immobiles où, après Ypres et Dixmude, « sur un immense front s'observent deux immenses armées ». Après la guerre, B. se lança, en compagnie de R. Rolland, dans le pacifisme internationaliste et se répandit en écrits humanitaires où s'exprime, dans un langage rhétorique, le souci, qui fut toujours le sien, de réconcilier l'homme avec un univers de plus en plus mécanisé. Il mourut à Moscou, où la fascination exercée sur lui par le personnage, puis le mythe, de Lénine l'avait poussé à faire de fréquents séjours.

Œuvres. *Le Mystère d'Adam,* 1895 (P). – *Les Pleureuses,* 1895 (P). – *Les Suppliants,* 1903 (N). – *L'Enfer,* 1908 (N). – *Le Feu, journal d'une escouade,* 1916 (N). – *Clarté,* 1918 (N). – *Ce qui fut sera,* 1918 (N). – *Paroles d'un combattant,* 1921 (E). – *La Lueur de l'aube,* 1921 (N). – *Quelques Coins du cœur,* 1922 (N). – *Le Couteau entre les dents,* 1922 (E). – *Les Enchaînements,* 1925 (E). – *Force,* 1926 (N). – *Les Judas de Jésus,* 1927 (N). – *Lénine,* 1934 (E). – *Voici ce qu'on a fait de la Géorgie,* 1934 (E). – *Staline,* 1935 (E).

BARDE. Terme d'origine gauloise. Chez les Celtes, désigne un poète qui est aussi un chanteur. Par extension : tout poète héroïque ou lyrique. Chez les Gaulois, les bardes faisaient partie de la classe sacerdotale : ils avaient pour fonction de célébrer les exploits des chefs, qui leur assuraient aide et protection. Ils disparurent au IIe s. apr. J.-C., au moment où l'extension du monde gallo-romain rendit impossible l'existence d'une culture gauloise autonome. Ils survécurent, semble-t-il, en Écosse, et la résurrection littéraire de cette tradition, à travers l'œuvre fameuse d'Ossian, contribua fortement à développer la mythologie du romantisme.

BARDIN Pierre. Rouen 1590 – 1637. Il appartint à l'Académie française dès 1634. C'est à sa mort que cette assemblée décida que l'éloge des académiciens défunts serait prononcé par leurs successeurs à l'occasion de leur élection au même fauteuil. C'est à ce seul titre qu'il appartient à l'histoire littéraire.

BARJAVEL René. Nyons (Drôme) 24.1.1911. Il est le moraliste grondeur de la science-fiction française. Son ascendance paysanne se révèle dans son premier roman, *Ravage,* sorte d'utopie classique accompagnée, la même année, par *le Voyageur imprudent,* où se trouve posé le problème des conséquences éventuelles de la réversibilité du temps. Mais, quel que soit le thème, l'œuvre entière de B., jusqu'à *la Nuit des temps* et *le Grand Secret,* est dominée par la hantise de voir les machines « arracher l'homme à sa peine pour l'enchaîner à mille besoins nouveaux » et provoquer ainsi la catastrophe où se trouveront abolies toutes les conquêtes du « progrès » : tel est bien le sens de la dédicace du roman *Le Diable l'emporte :* « A notre grand-père, à notre petit-fils : l'homme des cavernes. » La plupart des ouvrages de B. sont devenus des classiques de la science-fiction.

Œuvres. *Ravage,* 1943 (N). – *Le Voyageur imprudent,* 1943 (N). – *Cinéma total, essai sur les formes futures du cinéma,* 1944 (E). – *Tarendol,* 1945 (N). – *Les Enfants de l'ombre,* 1946 (N). – *Le Diable l'emporte,* 1948 (N). – *Journal d'un homme simple,* 1951. – *Jour de feu,* 1957 (N). – *Colomb de la lune,* 1962 (N). – *La Faim du tigre,* 1966 (N). – *La Nuit des temps,* 1968, rééd. 1985 (N). – *Les Chemins de Katmandou,* 1970 (N). – *Le Grand Secret,* 1973, rééd. 1985 (N). – Avec Olenka de Veer, *les Dames à la licorne,* 1974 (E). – *Si j'étais Dieu,* 1976 (E). – *Les Fleurs, l'Amour, la Vie,* 1978 (E). – *La Charrette bleue,* 1980 (N). – *Une rose au Paradis,* 1981 (N). – *La Tempête,* 1982 (N). – *L'Enchanteur,* 1984 (N). – *La Peau de César,* 1985 (N).

Ravage

A la suite de la disparition de l'électricité, la civilisation s'effondre. Le lecteur accompagne, tout au long du livre, un groupe d'hommes et de femmes fuyant Paris en 2052, pour rejoindre le Midi et y fonder une humanité meilleure qui ne se laissera pas prendre au piège du machinisme.

Le Voyageur imprudent

Nous sommes, avec le héros, transportés dans un avenir lointain où l'humanité est devenue si fonctionnelle qu'elle est découpée en spécialistes, buveurs, mangeurs, abreuvant et nourrissant les autres, dont une Grande Mère, énorme comme une montagne, qui copule et enfante par d'innombrables orifices. Puis vient le moment où le personnage central, Saint-Menoux (qui appartient à une humanité devenue maîtresse de la réversibilité du temps), décide d'expérimenter la possibilité du « paradoxe temporel ». Il part dans son scaphandre temporel pour aller tuer Bonaparte au siège de Toulon : mais alors, que devient l'Histoire ? En fait, il tue son aïeul et, donc, n'existe plus : mais alors comment a-t-il pu le tuer ?

La Nuit des temps
Tableau d'une civilisation antédiluvienne dont les survivants sont découverts en notre temps ; évocation d'un parallèle entre les deux civilisations, celle d'autrefois et celle d'aujourd'hui, débouchant sur le récit de la mort de l'une comme préfiguration de la mort de l'autre.

BARO Balthazar. Valence 1600 – Paris 1650. Il acheva la cinquième partie de *l'Astrée,* d'Honoré d'Urfé, d'après les notes de l'auteur (1627). Nommé gentilhomme de Mlle de Montpensier, il fit paraître des poésies dans les recueils de l'époque, entre autres dans *les Délices de la poésie française* (1620). Il est également l'auteur de quelques pièces de théâtre, qu'il fit jouer entre 1631 et 1650. Acad. fr. 1636.

BAROQUE [portugais *barocco* = perle irrégulière]. Cette notion esthétique, difficile à cerner, caractérise historiquement la période de l'effervescence des formes picturales et architecturales qui marqua, en Italie, la suite de la Renaissance classique (XVIIe s., en particulier à Rome). Le baroque est l'expression d'une totale liberté dans l'invention des formes, ou bien encore la manifestation d'une dégénérescence de celles-ci, qui se réfugie dans une absence de critères laissant la porte ouverte à toutes les illusions ou imaginations. Ses procédés – plastiques ou littéraires – se caractérisent par la recherche de l'effet frappant dans la seule intention de scandaliser ou d'étonner par l'exagération du trait, au défi de toute esthétique traditionnelle. Le libre mouvement baroque, destructeur des formes habituellement établies, peut également se révéler puissamment créateur : il propose en tout cas la possibilité d'une richesse et d'une variété infinies. En France, patrie du classicisme, le baroque a surtout été une tentation, en littérature comme en architecture. L'âge d'or de la tentation baroque coïncide avec la crise de l'humanisme de la fin du XVIe et du début du XVIIe s.
Il y a déjà du baroque dans le culte de Montaigne pour l'ondoyant et le divers. Il y eut surtout un grand courant de poésie baroque, d'Agrippa d'Aubigné à Saint-Amant, et de théâtre baroque, de Garnier à Rotrou et au premier Corneille, dont *l'Illusion comique* est une œuvre typiquement baroque. En relation, d'autre part, avec le grand mouvement de renaissance religieuse du début du XVIIe s., l'esthétique baroque sert de langage à la poésie mystique, de Sponde à La Ceppède et à Chassignet. Enfin, le baroque est souvent considéré comme une catégorie esthétique qui s'exprime en littérature à diverses époques : on peut ainsi interpréter comme une résurgence du baroque le courant surnaturaliste des XIXe et XXe s., de Baudelaire (« Le beau est toujours bizarre ») à Julien Gracq, sans oublier le plus baroque sans doute des poètes modernes, Lautréamont.

BAROQUISME. Le mot *baroque* est employé comme adjectif (une église baroque) ou comme substantif (le baroque italien). C'est par analogie avec des mots comme *classicisme* ou *romantisme* qu'on emploie parfois *baroquisme* pour désigner le caractère baroque de l'inspiration d'un artiste, d'un cinéaste, d'un écrivain (le baroquisme d'Agrippa d'Aubigné). Il s'agit là, dans le vocabulaire de la critique, d'un néologisme d'usage, semble-t-il, de plus en plus fréquent, mais qui ne paraît pas encore être sorti du cercle des spécialistes.

BARRÈS Maurice. Charmes (Vosges) 19.8.1862 – Neuilly 4.12.1923. L'œuvre de B. fut une illustration si fidèle de sa vie qu'il est difficile de séparer l'une de l'autre. L'enfant, qui a vu la débâcle de 1870 traverser son village, se montre, dès l'école, solitaire et ombrageux. Au lycée de Nancy, de 1877 à 1880, B. lit Rousseau, Gautier, Baudelaire. En 1883, venu à Paris, « faire son droit », il est présenté à Leconte de Lisle, chez qui il rencontre Hugo. Il fonde une revue (*les Taches d'encre,* 1884), dans laquelle il moque les maîtres de la jeunesse, Taine et Renan. Caractéristique de l'évolution du jeune homme est le titre de sa première trilogie romanesque, *le Culte du moi :* selon B., la seule culture est celle de l'âme, loin des maîtres ; la solitude est source de bonheur, à condition de ne pas s'en griser et d'accepter des « intercesseurs ». Il « sauve » ainsi Sainte-Beuve, Benjamin Constant, Jeanne d'Arc... Bientôt le contact avec la terre maternelle de Lorraine lui rend évidente la relative stérilité de ces dialogues de l'âme et de la sensibilité. Du culte du moi au nationalisme, il n'y a cependant pas rupture mais approfondissement : par la voix des ancêtres, la patrie devient pour B. un « moi » plus large. Cette évolution s'accompagne d'une carrière publique déjà éclatante : B. avait été élu député boulangiste de Nancy à vingt-sept ans. Les audaces de *l'Ennemi des lois* lui font perdre son siège. Il se réfugie dans les souvenirs d'un récent voyage espagnol (*Du sang, de la volupté et de la mort*). Son retour à la politique se fait par l'intermédiaire de l'affaire Dreyfus, dans laquelle il prend le parti de la droite nationaliste. Il prononce en 1889 sa célèbre conférence sur *la Terre et les Morts*, deux ans après avoir fait paraître *les Déracinés*, premier volet d'une nouvelle trilogie, auxquels feront suite *l'Appel au soldat* et *Leurs figures :* romans doctrinaires, ces ouvrages le cèdent en beauté aux livres que le voyageur demande de lui inspirer aux paysages célèbres : Venise (*Amori et dolori sacrum*), la Grèce (*le Voyage de Sparte*), et l'Espagne (*Greco ou le Secret de Tolède*). Réélu député en 1906, académicien, B., de plus en plus nationaliste, défend la religion catholique considérée comme héritage naturel de la patrie : conviction qu'illustrent *Colette Baudoche, la Colline inspirée, la Grande Pitié des églises de France.* Après une guerre où B. a tenté de compenser l'absence de Péguy par ses *Chroniques*, ses dernières années le ramènent aux pôles favoris de ses méditations : *le Génie du Rhin, Un jardin sur l'Oronte.* La mort le surprend alors qu'il met la dernière main à un ouvrage consacré à l'Espagne, le *Mystère en pleine lumière.*

Il est devenu très difficile de juger B. Certains se dérobent en privilégiant l'esthète au style splendide. La perfection de cette part de son œuvre ne peut guère, en effet, être surpassée. Pour d'autres, il n'est que l'auteur de *la Colline inspirée*, où se trouvent réunis le patriotisme, un esprit religieux quelque peu syncrétique, la noblesse du style, qui sont les marques de l'écrivain. Esprit complexe, écrivain divers, tribun discuté, nulle image unique ne peut rendre compte du déchirement d'un homme qui voulut toujours être cohérent avec lui-même. De fait, et malgré les apparences, l'œuvre barrésienne est bien marquée d'une cohérence profonde ; celle-ci réside dans la primauté accordée à la ferveur, qu'elle naisse de la concentration égotiste ou de l'expansion spirituelle : esthétique de l'âme, supposant, comme B. le dit lui-même, « l'alliance de l'intelligence la plus haute à l'émotivité la plus intense », programme qui fonde effectivement l'unité de son œuvre au-delà des ruptures de son évolution. La même ferveur, traduite dans la richesse et la couleur du style, anime également le jeune prêtre du « culte du moi » et l'apôtre mûri du « racinement ». Acad. fr. 1906.

Œuvres. *Huit Jours chez M. Renan*, 1888 (E). – *Le Culte du moi : Sous l'œil des barbares*, 1888 (N) ; *Un homme libre*, 1889 (N) ; *le Jardin de Bérénice*, 1891 (N). – *Trois Stations de psychothérapie*, 1891 (E). – *L'Ennemi des lois*, 1893 (N). – *Une journée parlementaire*, 1894 (N). – *Du sang, de la volupté et de la mort*, 1894 (E). – *Le Roman de l'énergie nationale : les Déracinés*, 1897 (N) ; *l'Appel au soldat*, 1900 (N) ; *Leurs figures*, 1902 (N). – *Scènes et Doctrines du nationalisme*, 1902 (N). – *Amori et dolori sacrum*, 1902 (E). – *Pages lorraines*, 1903 (N). – *Les Amitiés françaises*, 1903 (E). – *Au service de l'Allemagne*, 1905 (E). – *Le Voyage de Sparte*, 1906 (E). – *Colette Baudoche*, 1909 (N), jumelé avec *Au service de l'Allemagne*, sous le titre commun *les Bastions de l'Est.* – *Autour de Jeanne d'Arc*, 1910 (E). – *L'Angoisse de Pascal*, 1910 (E). – *L'Adieu à Moréas*, 1910 (E). – *Greco ou le Secret de Tolède*, 1911 (E). – *La Colline inspirée*, 1913 (N). – *La Grande Pitié des églises de France*, 1914 (E). – *Les Diverses Familles spirituelles de la France*, 1917 (E). – *L'Appel du Rhin*, 1919 (E). – *Le Génie du Rhin*, 1919 (E). – *N'importe où hors du monde*, 1921 (N). – *La Chronique de la Grande Guerre*, 1920-1924. – *Un jardin sur l'Oronte*, 1922 (N). – *Une enquête aux pays du Levant*, 1923 (E). – *Dante, Pascal et Renan*, 1923 (E). – *Le Mystère en pleine lumière*, 1926 (N). – *Les Maîtres*, posth., 1927 (E). – *Mes cahiers, 1896-1923* (publ. 1930-1956). – *Le Cœur des femmes de France*, posth., 1928. – *Le Départ pour la vie*, posth., 1961.

Les Déracinés

Nourris par leur maître, le philosophe Bouteiller, d'une vision trop abstraite de la vie, sept jeunes Nancéens abandonnent la Lorraine pour Paris. Mais c'est pour n'y rencontrer que les déboires et les désillusions qui accompagnent le « déracinement ». Deux d'entre eux, Racadot et Mauchefrin, seront entraînés jusqu'au crime, et si, grâce à la complicité d'un ami, l'un évite la guillotine, l'autre sera effectivement décapité.

La Colline inspirée

Les trois frères Baillard, tous trois prêtres, se sont engagés à « relever la vieille Lorraine mystique » sur le haut lieu de la colline de Sion-Vaudémont, un de ces endroits privilégiés « où souffle l'esprit ». L'œuvre est dominée par la figure du frère aîné, Léopold, dont le zèle réussit à réinsuffler toute son énergie spirituelle à la « sainte montagne ». Mais ce zèle même, dans son extrémisme, le conduit à se lier avec un illuminé, Vintras. Dès lors une coalition « rationaliste », au sein de laquelle se trouvent alliées la hiérarchie ecclésiastique et la libre pensée, se forme contre Léopold, et l'opinion publique elle-même voit en lui et en ses frères des hérétiques relevant de l'excommunication. François mourra sans sacrements. Peu à peu, des pratiques superstitieuses se mêlent aux actes de piété. Léopold se trouve désormais isolé, prisonnier d'une solitude qui est celle du « noir enchanteur ». Un soir d'hiver, on le trouve errant dans la neige. Il sera sauvé de la damnation par le curé de Sion ; celui-ci fait le sacrifice de sa vie pour le salut de cette âme qui entendra, au terme de son destin, ces paroles de paix : « Fleuve troublé par les orages, va t'engloutir dans l'océan divin. »

BARTAS, Guillaume de Salluste, seigneur du. Montfort (près Auch) 1544 – Ivry-la-Bataille 1590. Il fut, comme Agrippa d'Aubigné, un huguenot militant et combattant, compagnon du futur Henri IV, qui le remarqua et lui confia des missions diplomatiques ; il devait mourir à la suite de blessures reçues à la bataille d'Ivry. C'est aussi un humaniste au sens le plus fort du terme, à la tête à la fois bien pleine et bien faite, disciple de Ronsard quant à sa haute conception d'une poésie « sacrée » : ne retrouve-t-on pas, au centre de sa poétique, le thème ronsardien de la « fureur » ? Protestant, il est nourri de culture et d'images bibliques, et il ressent comme une expérience unique les deux formes de l'inspiration, la poétique et la religieuse, ce qui fait de lui un grand poète sacré. Après des tentatives de poésie érudite et didactique, quelque peu pédantes, il connaît une certaine gloire, qui menace d'éclipser celle de Ronsard, avec un poème épique de 6 000 alexandrins inspiré de la Genèse : *la Semaine ou la Création du monde.* L'ouvrage sera trente fois réédité en six ans et traduit dans la plupart des langues européennes. B. apparaît comme un des premiers représentants du baroque poétique, à la fois par la puissance visionnaire de son imagination et par son génie de l'exubérance verbale. Il ne pouvait qu'être méconnu et rejeté par le classicisme français, mais son influence s'exerça hors de France sur les plus grands : Milton, le Tasse, Goethe entre autres.

Œuvres. *Uranie,* 1573 (P). – *Judith,* 1574 (P). – *Triomphe de la foi,* 1574 (P). – *Les Neuf Muses,* 1575 (P). – *Histoire de Jonas,* 1577 (P). – *La Semaine ou la Création du monde,* 1579 (P). – *La Seconde Semaine,* 1584 (P).

BARTHÉLEMY abbé Jean-Jacques. Cassis 20.1.1716 – Paris 3.1.1795. Membre de l'Académie des inscriptions et de l'Académie française, savant orientaliste, passionné de numismatique, il déploya une activité inlassable au cabinet des Médailles, dont il devint directeur en 1753. Puis il découvrit à Rome l'archéologie et publia de savantes études spécialisées. Mais il est surtout connu pour un ouvrage didactique, *Voyage du jeune Anacharsis en Grèce vers le milieu du IVe s. avant l'ère vulgaire,* où un jeune Scythe découvre les personnages célèbres, les idées, la vie quotidienne, la philosophie et le langage de la Grèce classique. Le style a l'élégance artificielle du XVIIIe s., mais le récit est vivant et le détail exact. L'ouvrage eut un retentissement considérable, connut de constantes rééditions et fut une source de documentation unique pour les jeunes générations, jusqu'aux premiers romantiques inclusivement. Acad. fr. 1789.

Œuvres. *Réflexions sur une médaille de Xerxès,* 1747 (E). – *Essai de paléographie numismatique,* 1750 (E). – *Réflexions sur l'alphabet et sur la langue dont on se servait autrefois à Palmyre,* 1754 (E). – *Les Monuments de Rome,* 1758 (E). – *Mémoire sur la mosaïque de Palestine,* 1758 (E). – *Les Amours de Carite et de Polydore,* 1758 (N). – *La Chanteloupée ou la Guerre des puces contre Madame la duchesse de Choiseul,* 1767 (P). – *Voyage du jeune Anacharsis en Grèce,* 1788 (N).

Voyage du jeune Anacharsis en Grèce Sous la fiction et à travers la structure du voyage d'éducation, le livre est fondé sur une documentation approfondie et sur un contact direct avec les sources et les monuments. En se donnant pour objet d'offrir un panorama de toutes les formes de la civilisation grecque, il reste l'un des plus vivants témoignages du goût néoclassique, qu'il contribua largement à approfondir et à diffuser.

BARTHES Roland. Cherbourg 12.11.1915 – Paris 26.3.1980. Tout en poursuivant une carrière universitaire, B. fit paraître en 1957 un ouvrage déterminant pour l'évolution de la littérature contemporaine, qui, depuis, n'a pas cessé de s'y référer, *le Degré zéro de l'écriture :* à la littérature traditionnelle, qui raconte une histoire, B. substitue une théorie de l'écriture qui recherche le silence, le « degré zéro », pour pouvoir se recomposer selon des normes nouvelles et autonomes. L'écriture n'est plus un moyen de communication, mais elle est à elle-même sa propre fin. B. s'efforça, au fil de ses œuvres, d'élaborer une science de l'écriture, et c'est en ce sens qu'il fut un des initiateurs de la « nouvelle critique » (*Sur Racine,* qui donna lieu à une mémorable polémique avec le professeur Raymond Picard). Mais cette œuvre critique reste bien dans la ligne d'une théorie de l'écriture et vise à instaurer une « poétique » globale. Face à la problématique d'une culture de moins en moins fixe, de plus en plus évolutive, la réflexion de B. s'est proposé d'opérer une sorte de retour aux sources, en concentrant l'interrogation de l'esprit sur ce qui est la substance universelle de toute littérature : le pouvoir du langage.

Œuvres. *Le Degré zéro de l'écriture,* 1953 (E). – *Michelet par lui-même,* 1954 (E). – *Mythologies,* 1957 (E). – *Sur Racine,* 1963 (E). – *Éléments de sémiologie,* 1964 (E). – *Essais critiques,* 1964 (E). – *Critique et Vérité,* 1966 (E). – *Système de la mode,* 1967 (E). – *S/Z,* 1970 (E). – *L'Empire des signes,* 1970 (E). – *Sade, Fourier, Loyola,* 1971 (E). – *Le Plaisir du texte,* 1973 (E). – *Roland Barthes par lui-même,* 1975 (E). – *Fragments d'un discours amoureux,* 1977 (E). – *Leçon,* 1978 (E). – *Sollers écrivain,* 1979 (E). – *La Chambre claire,* 1980 (E). – *Le Grain de la voix* (entretiens 1962-1980), posth., 1981 (E). – *L'Obvie et l'obtus,* posth., 1982 (E). – *Le Bruissement de la langue,* posth., 1984 (E). – *L'Aventure sémiologique (I Éléments, II Domaines, III Analyses),* posth. 1985. – *Incidents* (recueil de notations appartenant au « romanesque »), à paraître.

Sur Racine

B. se place à l'intérieur du monde racinien pour en décrire la « population » sans aucune référence externe. Il distingue trois lieux tragiques : la chambre, où se trouve le pouvoir ; l'antichambre, où le langage est tout-puissant ; le monde extérieur, où se situent la mort, la fuite et l'événement. La scène est, en fait, réduite à l'antichambre, lieu privilégié de l'agression verbale, lieu d'expérimentation du « terrible » pouvoir de la Parole. Car chez Racine, c'est bien la Parole qui tue, et, par exemple, dans *Phèdre,* Thésée est « celui qui parle trop tôt ; semi-divin, assez puissant pour dominer la contradiction de la mort, il ne peut cependant défaire le langage : les dieux lui renvoient le mot sorti, sous forme d'un dragon qui le dévore en son fils. »

BASHKIRTSEFF Marie (Marie Constantinova), dite **Moussia.** Gavronzy, près de Poltava 11.11.1860 – Paris 31.10.1884. Femme de lettres russe, d'expression française. Morte de tuberculose à vingt-quatre ans, elle n'eut guère le temps d'écrire qu'un *Journal,* commencé à l'âge de douze ans et prématurément interrompu, mais qui fit sensation lors de sa publication posthume à Paris en 1888. Quoique l'œuvre soit rédigée en français, la sensibilité et la culture spécifiquement russes de son auteur font qu'on la considère généralement comme représentant l'esprit de son pays natal à l'intérieur de la littérature française. M.B. fut par ailleurs un peintre de talent *(la Parisienne ; le Meeting).*

Œuvres. *Journal,* posth., 1888 ; rééd., 1955. – *Lettres,* 1891. – *Cahiers intimes,* 1925.

BASOCHE. Origine douteuse, peut-être du latin *basilica,* lieu où se tenaient les tribunaux. Au Moyen Âge, la basoche était le nom donné à la corporation des clercs du Palais, fondée par Philippe le Bel en 1302. C'est la basoche qui fut à l'origine des représentations théâtrales, où l'on joua plus précisément des moralités, des soties et des farces, dénonçant tous les abus et les ridicules d'une époque. Malgré de nombreuses condamnations, elle subsista jusqu'à la Révolution française. Le plus célèbre de ses membres fut sans doute Villon, dont la liberté d'esprit s'accommoda fort bien de cette communauté où étaient admises toutes les libertés de l'imagination et de l'intellect.

BASTIDE François-Régis. Biarritz 1.7.1926. Après des études secondaires au cours desquelles il n'a cessé de se passionner pour la musique, c'est dans cette voie qu'il s'engage en entrant au conservatoire de Bordeaux. Il sera en 1947 directeur des programmes musicaux de Radio-Sarrebrück, puis, en 1949-1950, pensionnaire à la section musicale de la Maison Descartes à Amsterdam, en attendant de s'intéresser plus particulièrement à la radio et à la télévision ainsi qu'à la diffusion de la culture musicale par le livre (en 1953, il devient membre du comité directeur des éditions du Seuil). Cette imprégnation musicale domine la part la plus personnelle de son œuvre narrative. C'est la recherche de la révélation par le rêve d'une harmonie intérieure qui constitue le sujet profond de son premier livre, *Lettre de Bavière,* où s'exprime aussi ce germanisme spirituel qui apparente B. à Gérard de Nerval plutôt qu'à Romain Rolland, à qui il fait parfois aussi songer. Mais il serait inexact de le considérer comme un « romantique ». Il se veut « moderne » par la lucidité sans illusion avec laquelle il raconte le rêve sans accepter d'en être dupe ; telle est l'origine de ce thème de l'*adieu* qui parcourt son œuvre, concentré dans le roman qui lui valut le prix Femina, *les Adieux.* B. a été nommé ambassadeur au Danemark en 1982.

Œuvres. *Lettre de Bavière,* 1947 (N). – *La Troisième Personne,* 1948 (N). – *La Jeune Fille et la Mort,* 1950-1952 (N). – *La Lumière et le Fouet,* 1951 (N). –

Saint-Simon par lui-même, 1953 (E). – *Les Adieux,* 1956 (N). – *Flora d'Amsterdam,* 1957 (N). – *La Vie rêvée,* 1962 (N). – *La Palmeraie,* 1967 (N). – *La Forêt-Noire* et *le Troisième Concerto,* 1968 (T). – *La Fantaisie du voyageur,* 1976 (N). – *Siegfried 78,* 1978 (T). – *L'Enchanteur et nous,* 1981 (N). – *Petit Breton,* 1985 (E).

BATAILLE Georges. Billom 10.9.1897 – Paris 8.7.1962. Itinéraire toujours à l'extrême de soi, l'œuvre de B. pose l'écriture selon « la crainte de devenir fou ». Ce caractère de l'expérience absolue d'un langage passe par les figurations de l'érotisme, qui devient ici un art détourné de ses signifiants et versé, en une activité seconde, aux modes du dire. Aussi bien l'*Histoire de l'œil* que *l'Anus solaire* tracent l'expérimentation d'un pouvoir de nommer, de transgresser une parole interdite car chargée d'un contenu poétique inavouable qui en fonde les images.
Mort du « sens », que cette affirmation d'une totalité qui relate l'« immense, comique, douloureuse convulsion de tous les hommes ». L'immanence de toutes les formes actives du verbe, passant par une lecture de Nietzsche proche de la fascination, se réalise dans la mesure où l'obscène est l'écrit. Mourant en Nietzsche afin de mener avec lui « une expérience de vingt années, chargée à la longue d'effroi », B. réinvente une imagination redoutable, liée à l'impur comme détermination, à travers *Sur Nietzsche.* Une littérature en tant que vertige devient, chez B., ce « cri horrible » qui livre notre mémoire à un véritable « travail de démolition ».
L'Expérience intérieure (1943, puis 1954), vouant l'écriture à modeler ses seules métamorphoses, laisse paraître le jeu qu'est devenue une lecture de Hegel. Le dispositif des transformations nécessaires à la recherche d'une « matérialité » par l'écriture subversive ne représente plus l'emprisonnement d'une dialectique mais l'absolu dépouillement du symbole, la marque jetée sur l'inconscient. B. déchire le savoir pour parvenir à une totalité du lecteur nu devant sa propre peur du texte qu'il porte en lui : « Ce que je dis est encore un obstacle, qu'il faut lever si l'on veut voir. » Ce mouvement de l'écriture éprouvant les terreurs du corps restitue la poésie à ses différences et exalte l'impensable, une fois franchis le bien et le mal, centre où « la totalité est en moi cette exubérance : [...] se consumer sans autre raison que le désir même. [...] Elle n'a plus de tâche à remplir ».
Ainsi, B. aboutit au thème qui hante toute son œuvre, la « transgression, » forme moderne de l'impulsion prométhéenne, que B. examine dans *la Littérature et le Mal :* il y passe en revue ces héros de la transgression que sont Sade, Blake, Emily Brontë, Michelet, Baudelaire, Proust, Kafka, Genet.

Œuvres. *Histoire de l'œil,* 1928, rééd. 1967 (N). – *L'Anus solaire,* 1931 (N). – *Madame Edwarda,* 1941, rééd. 1956 (N). – *L'Expérience intérieure,* 1943, rééd. 1954 (E). – *Le Coupable,* 1943, rééd. 1961 (N). – *Haine de la poésie,* 1946, rééd. 1962 (sous le titre *l'Impossible : Histoire de rats,* suivi de *Dianus* et de *l'Orestie*) [E]. – *Sur Nietzsche,* 1946 (E). – *L'Alleluiah,* 1947 (N). – *La Part maudite,* 1949 (E). – *L'Abbé C.,* 1951 (N). – *Lascaux ou la naissance de l'art,* 1955 (E). – *Le Bleu du ciel* (écrit en 1935), 1956 (N). – *La Littérature et le Mal,* 1957, rééd. 1967 (E). – *L'Érotisme,* 1957 (E). – *Les Larmes d'Éros,* 1961 (E). – *Le Procès de Gilles de Rais,* posth., 1965 (E). – *Ma Mère,* posth., 1966 (N). – *Le Mort* (écrit en 1943), posth., 1967 (N). – *L'Archangélique et Autres Poèmes,* posth., 1968 (P). – *Écrits de Laure,* posth., 1971 (N).

L'Érotisme

Selon B., élément central d'une éventuelle « somme athéologique ». Historique de l'interdit et de la transgression : le sentiment de l'excès doit prendre pour point de départ l'interdit lui-même, la transgression « lève l'interdit sans le supprimer ». De sorte que, partant de l'interdit, c'est par l'excès de la transgression qu'on pourra le dépasser, en même temps que, par là, l'individu transgressera aussi son isolement pour se dissoudre dans la « continuité », dissolution elle-même proche de celle de la mort. Car, du fait que le ressort essentiel de l'érotisme est la fascination de la mort, la transgression ne concerne pas seulement l'interdit sexuel mais aussi celui qui prétend dissimuler la mort.

BATAILLE Henry. Nîmes 4.4.1872 – Rueil-Malmaison 2.3.1922. Après une enfance inquiète et recluse (il perd ses parents très jeune), pendant laquelle Sully Prudhomme l'encourage à la poésie, il écrit pour la scène, dès ses seize ans, et débute à l'Œuvre en faisant jouer *Ton sang.* Sa production comprend une vingtaine de pièces, et, après le succès de *Maman Colibri,* il est, jusqu'à la guerre, l'auteur préféré de la bourgeoisie ; attaché à proclamer les droits de la passion contre les contraintes sociales, il affirme plus vigoureusement à la fin de sa vie l'importance des valeurs morales. Après 1914, tandis que s'éteint son influence littéraire, il s'engage avec Barbusse dans un commun pacifisme.

Œuvres. *La Belle au bois dormant,* 1894 (T). – *La Chambre blanche,* 1895 (P). – *La Lépreuse,* 1896 (T). – *Ton sang,* 1897 (T). – *L'Enchantement,* 1900 (T). – *Le Beau Voyage,* 1904 (P). – *Maman Colibri,* 1904 (T). – *La Marche nuptiale,* 1905 (T). – *La Femme nue,* 1908 (T). – *Le Scandale,* 1909 (T). – *La Vierge folle,* 1910 (T). – *Les Flambeaux,* 1912 (T). – *Le Phalène,* 1913 (T). – *La Divine Tragédie,* 1917 (P). – *Les Sœurs d'amour,* 1919 (T). – *L'Homme à la rose,* 1920 (T). – *La Chair humaine,* 1922 (T). – *La Possession,* 1922 (T).

BAUDE Henri. Moulins vers 1430 – 1496. Nommé en 1458 receveur royal des tailles (c'est-à-dire responsable de la charge délicate de percevoir les impôts) à Tulle, B. eut de nombreux démêlés avec la justice, et les comptes rendus de ses procès sont les seules sources de renseignements que nous possédions sur sa vie. En 1467, l'un de ces procès lui est intenté pour abus de confiance. Dépossédé de tous ses biens, il sera acquitté un an plus tard. Vingt ans après, chargé d'un décret l'autorisant à exécuter à son profit les biens d'Antoine, fils illégitime de Philippe le Bon, il est enlevé par ce dernier et passe dix ans en prison avant d'être déclaré innocent. Il est encore arrêté à la suite de la présentation d'une *Moralité* qui fut jugée offensante pour les clercs du palais.
B. est l'auteur de rondeaux, de ballades, de jeux dialogués et de poésies très courtes de formes variées, traitant de sujets d'actualité et, plus précisément, des déboires de l'auteur en butte à d'interminables affaires judiciaires.
On lui doit surtout les *Dicts moraulx pour faire tapisserie.* Il était habituel, à cette époque, d'accompagner les tapisseries d'une partie « littéraire », commentant brièvement les scènes reproduites. Sous forme de proverbes moralisants, B. résume la scène de façon lapidaire, parfois cynique, jamais passionnée, non sans amertume. Les déconvenues successives qu'il a éprouvées expliquent sa raillerie et parfois même son mépris de grand seigneur vis-à-vis des mesquineries dont il fut la victime.

BAUDELAIRE Charles-Pierre. Paris 9.4.1821 – 31.8.1867. Il a sept ans lorsque sa mère, devenue veuve, se remarie avec le futur général Jacques Aupick ; ce beau-père aussitôt détesté le met en pension à Lyon (1833-1836), puis à Louis-le-Grand, d'où B. se fait renvoyer en avril 1839. Jusqu'en 1841, le jeune bachelier vit en bohème, se lie avec des poètes (Le Vavasseur, Prarond). Le 9 juin 1841, Aupick, inquiet de son esprit d'indépendance, l'embarque d'autorité à destination de Calcutta. Le jeune homme, qui s'isole farouchement, refuse de dépasser l'île Bourbon : de son bref séjour, il gardera le goût du soleil et de l'exotisme. Majeur, il se met en devoir de dilapider sa part d'héritage : période heureuse de luxe et de dandysme, où s'ébauchent déjà quelques poèmes. En 1842 commence la longue liaison avec la mulâtresse Jeanne Duval, la « Vénus noire » : nul orage ne pourra parvenir à les séparer. En 1844, la famille, alarmée par les dépenses du jeune oisif, lui impose un conseil judiciaire, qui réduit ses revenus : la littérature devient dès lors un métier nécessaire. Il se tourne d'abord vers la critique d'art et publie le *Salon de 1845* et le *Salon de 1846.* En janvier 1847 paraît en revue *la Fanfarlo,* pastiche balzacien plein de virtuosité ; la même année, B. aborde l'œuvre d'Edgar Poe. La politique le distrait un moment de ses projets littéraires : on le voit sur les barricades en février et juin 1848. Un premier volume de ses traductions de Poe paraît sous le titre d'*Histoires extraordinaires ;* depuis plusieurs années, outre les trois importants articles sur *l'Exposition universelle de 1855,* étaient publiés dans des revues *(le Messager de l'Assemblée, la Revue des Deux Mondes...)* des poèmes de B., souvent chapeautés de notes réticentes des éditeurs. B. se prend d'un amour extatique pour Mme Sabatier (1852-1857). En mars 1857, il fait paraître le second volume de ses traductions des œuvres de Poe, *Nouvelles Histoires extraordinaires ;* le 25 juin sortent *les Fleurs du mal.* Condamné le 20 août pour immoralité, B. doit retirer six pièces de son recueil, qui seront plus tard reprises sous le titre *les Épaves.*
A partir de 1861 paraissent çà et là *les Petits Poèmes en prose (le Spleen de Paris) ;* B. tient un journal (*Mon cœur mis à nu, Fusées ;* publ. 1887), où l'on constate la progression de sa maladie et sa terrible lucidité à l'égard de lui-même. Un voyage en Belgique, en vue de conférences espérées lucratives, se solde par une vaine attente à Bruxelles (1864-1866), où, aigri, il n'écrit plus que quelques poèmes en prose. Une chute à Namur (15 mars 1866) prélude à l'hémiplégie aphasique qui frappe bientôt le poète. Ramené à Paris en juillet 1866, il n'y meurt, resté lucide jusqu'à son dernier jour, que treize mois plus tard.
D'abord poète, B. fut aussi l'un des plus grands critiques de son temps (écrits rassemblés sous les titres *Curiosités esthétiques* et *l'Art romantique) :* le *Salon de 1846* ose magnifier Delacroix méconnu, éreinter

Vernet, peintre officiel ; puis, après les études magistrales de *l'Exposition universelle de 1855* sur Ingres, Delacroix, Corot, Théodore Rousseau, les peintres anglais, le *Salon de 1859* fourmille de vues prophétiques ; on ne peut non plus ignorer la notice nécrologique de 1863 sur Delacroix, les études sur l'eau-forte (Meryon, en particulier) et sur le « comique absolu » (Goya), ni enfin l'essai, aux vues si profondes, consacré à Constantin Guys sous le titre *le Peintre de la vie moderne.* Au long de ces diverses œuvres critiques, qui forment un tout cohérent, B. élabore et développe l'esthétique de ce qu'il nomme lui-même « surnaturalisme », fondée sur la conjonction de l'imaginaire et du bizarre, du « spirituel » et de la modernité. Du côté de la littérature, la compréhension de Gautier, de Poe, de Balzac, de Hugo doit beaucoup à l'acuité intellectuelle de B. dans les écrits qu'il leur a consacrés. En musique enfin, il est significatif que B. ait été, dès 1861, le seul, ou presque, à comprendre Wagner.

Mais le critique est solidaire du poète obsédé par la recherche d'un mode d'expression accordé à sa spiritualité esthétique de l'insolite et au primat de l'imagination, « reine des facultés » ; aussi, s'il n'en est pas l'inventeur, est-ce lui qui assure la promotion esthétique du genre du *poème en prose,* dont il donne le modèle, à partir de 1861, dans une suite d'œuvres publiées en revues et qui ne paraîtront en volume qu'après sa mort : œuvres où règne, par la magie d'un style radicalement neuf, la fascination de l'insolite, poèmes en avance d'un demi-siècle sur l'évolution de la poésie française moderne ; il en est qui atteignent, dans leur ordre, une perfection exemplaire, tels « les Veuves », « la Belle Dorothée », « Une mort héroïque », « les Vocations », « Mademoiselle Bistouri ».

B. toutefois reste encore et surtout le poète des *Fleurs du mal,* où les modernes ont vu, de plus en plus, le modèle d'une poésie nouvelle. L'intention de B. y est en effet de fonder la poésie sur un profond renouvellement de l'inspiration et de la forme, en opérant, sous le signe de l'alternance entre la pureté de la « fleur » et la fascination du « mal », la rencontre de son expérience intérieure et de son langage. Le recueil entier est dominé, jusque dans sa compositon, par le rythme dramatique de l'oscillation entre « le gouffre obscur où mon cœur est tombé » (« De profundis clamavi ») et « le feu clair qui remplit les espaces limpides » (« Élévation »). L'importance historique de B. est essentiellement due à cette synthèse exemplaire du personnel et de l'universel, opérée grâce à une conscience aiguë des pouvoirs du langage. Par là, il rend possible tout le mouvement de la poésie moderne qui, de Mallarmé à Valéry, a voulu que la libération de ces pouvoirs du langage soit solidaire d'un ordre autonome mais non moins exigeant : « Tu m'as donné ta boue et j'en ai fait de l'or » (*Épilogue* des *Fleurs du mal*). Ce qui frémit ainsi au plus profond des *Fleurs du mal,* c'est l'angoisse radicale du « D'où venons-nous ? Qui sommes-nous ? Où allons-nous ? » Et si B. attache si profondément son lecteur, c'est que son génie dépasse la littérature pour jeter ce lecteur dans le gouffre essentiel du néant ou de la foi.

Œuvres. *Salon de 1845,* 1845 (E). – *Salon de 1846,* 1846 (E). – *Histoires extraordinaires* (trad. d'E. Poe), 1856. – *Nouvelles Histoires extraordinaires* (trad. d'E. Poe), 1857. – *Les Fleurs du mal,* 1857 (P). – *Les Aventures d'Arthur Gordon Pym* (trad. d'E. Poe), 1858. – *Salon de 1859,* 1859 (E). – *Théophile Gautier* (lettre-préface de V. Hugo), 1859 (E). – *Les Paradis artificiels,* 1860 (E). – *Richard Wagner et « Tannhäuser » à Paris,* 1861 (E). – *Curiosités esthétiques,* posth., 1868 (E). – *L'Art romantique,* posth., 1869 (E). – *Petits Poèmes en prose, le Spleen de Paris,* posth., 1869 (P). – *La Fanfarlo,* posth., 1869 (N). – *Œuvres posthumes et Correspondances,* éd. E. Crépet, 1887 (contient en particulier *Fusées* et *Mon cœur mis à nu, journaux intimes). – Lettres 1841-1866,* 1906. – *Œuvres posthumes,* éd. J. Crépet 1908. – *Lettres à sa mère,* 1918. – *Amœnitates belgicae,* posth., 1921 (P). – *Lettres inédites aux siens,* posth., 1966.

Les Fleurs du mal

« Spleen et Idéal » (pièces I-LXXXV) retrace les tentatives du poète pour guérir son âme de l'ennui, soit par le recours à la poésie (« l'Albatros », « Correspondances », « les Phares », « la Vie antérieure »), soit par les sortilèges bientôt trompeurs de l'amour : amour sensuel et esthétique pour Jeanne Duval (« Parfum exotique », « la Chevelure »), quête ardente et nostalgique d'un au-delà amoureux dans les poèmes dédiés à Mme Sabatier (« l'Aube spirituelle », « Réversibilité ») ou à d'autres femmes lointaines (« Invitation au voyage »). Mais la « double postulation » de l'homme vers Dieu et vers Satan devient chute ou rechute vers la sensualité dès que le spleen, qui n'est pas un sentiment vague mais une angoisse métaphysique, écrase le poète (« la Cloche fêlée », les quatre « Spleen », « Chant d'automne »). En vain le poète se tourne-t-il vers d'autres espoirs de libération, comme le spectacle de la ville (« Tableaux parisiens », pièces LXXXVI-CIII) – toute tentative de communion avec autrui s'y résout en désespoir (« les Aveugles », « A une passante », « le Cygne »), en remords (« la Servante au grand cœur »), en tristesse au moins (« le Crépuscule du soir ») ; après l'impasse des paradis artificiels (« le Vin », pièces CIV-CVIII), la quatrième partie (pièces CIX-CXVII) semble laisser brisés tous les élans vers le bonheur, comme le dit magnifiquement « le Voyage à Cythère », centre dramatique du recueil. Un bref essai de « Révolte » (pièces CXVIII-CXX) se résout en une tentative plus radicale, qui est aussi l'espérance suprême : « la Mort » (pièces CXXI-CXXVI). Ces six poèmes, difficiles et âpres, hésitent entre le désespoir absolu et la faim affolée du « nouveau ». Si « la Mort des amants », « la Mort des pauvres » « la Mort des artistes » rêvent aux récompenses célestes des malheureux, « le Rêve d'un curieux » soulève la question du néant après la mort : il faut la puissante envolée du « Voyage » pour dissiper, si faire se peut, ce doute horrible et laisser le lecteur sur l'impression d'un départ quasi mystique. Mais comment ne pas savoir, au terme de cette promenade fatale, que rien ne peut apaiser en B. la hantise de l'infini ? En effet, qui est-il d'abord, celui que notre siècle a porté avec raison au pinacle des poètes ? Peintre de l'amour ? certes – et plus largement peintre des sens : odeurs, sons reçoivent une place privilégiée – ; évocateur de l'ennui ? ce n'est pas moins vrai, et notre inquiétude moderne ne s'y est pas trompée.

BAYLE Pierre. Le Carla (Ariège) 18.11.1647 – Rotterdam 28.12.1706. Originaire du comté de Foix, il est le fils d'un pasteur protestant. Il poursuit les études commencées sous la direction de son père, d'abord au collège protestant de Puylaurens, puis chez les jésuites de Toulouse. En 1669, il se convertit au catholicisme, mais ses scrupules le font revenir au protestantisme dès 1670. Pour échapper à la peine sévère encourue en France par les relaps, il se réfugie à Genève, y complète ses études et s'initie en particulier à la philosophie cartésienne.

En 1675, il obtient une chaire de philosophie à l'académie protestante de Sedan. Mais la fermeture de ce centre, en 1681, le décide à aller s'installer à Rotterdam, où il devient professeur de philosophie et d'histoire à l'« École illustre » (1681). C'est alors que commence son activité d'écrivain. En 1680, le passage d'une comète est pour lui l'occasion d'écrire ses *Pensées diverses sur la comète* et de démontrer que ces météores n'ont aucun caractère maléfique et sont, non pas des signes de la Providence, mais des phénomènes naturels. Réfutant également le préjugé qui existe contre l'athéisme, il en vient à la conclusion que la foi n'influe pas sur la moralité et que la morale est indépendante de la religion. Dans sa *Critique générale de l'Histoire du calvinisme du P. Maimbourg,* B. se fait, de même, l'apôtre de la liberté de conscience. De 1684 à 1687, il rédige seul, malgré une santé chancelante, les *Nouvelles de la République des lettres,* périodique qui rend compte des ouvrages et des événements de l'époque, en s'efforçant de faire pièce au *Journal des savants.* La mort de son frère, persécuté comme calviniste, et la révocation de l'édit de Nantes (1685) l'engagent encore davantage dans les polémiques religieuses (*Ce que c'est que la France toute catholique sous le règne de Louis le Grand*). En 1686, son *Commentaire philosophique sur les paroles de Jésus-Christ : « Contrains-les d'entrer... »,* vigoureux plaidoyer en faveur de la tolérance, proclame les droits de la conscience, même errante, au nom de la raison. Cette attitude lui vaut l'hostilité de son collègue, le fanatique pasteur Jurieu, qui finit par obtenir, en 1693, la destitution de B., accusé d'impiété et même d'athéisme. Un *Avis aux réfugiés,* qui exhorte les protestants au calme en montrant l'inanité de leurs espoirs d'un prochain retour en France, et à la publication duquel il aurait pris part ou qu'il aurait approuvée, renforce encore méfiance et suspicion à son égard. Bientôt privé de sa chaire et interdit d'enseignement, il se consacrera entièrement à la rédaction d'un *Dictionnaire historique et critique,* dont le succès sera immédiat dans toute l'Europe (entre 1697 et 1740, il ne connaîtra pas moins de huit éditions et sera traduit en anglais et en allemand). À l'origine, B. se propose uniquement de relever les erreurs contenues dans les dictionnaires antérieurs, et avant tout dans le *Grand Dictionnaire historique* de Moreri (1674). Il contrôle, confronte les opinions, discute, pèse le pour et le contre, animé par un esprit critique, érudit et curieux, d'une scrupuleuse honnêteté, et surtout par la passion de la vérité. B. remet ainsi indirectement en cause les questions les plus diverses (histoire, morale, religion, etc.). Il joint à l'exposé succinct de faits bien établis un important commentaire. L'essentiel de sa pensée se trouve disséminé dans des notes abondantes, longues et éparses. Un système de renvois, que reprendront plus tard les Encyclopédistes, oblige le lecteur à se reporter d'un article à l'autre.

Le rapprochement des parties séparées laisse apparaître la fragilité et la contradiction perpétuelles des opinions et des jugements. En faisant ainsi naître le doute et le scepticisme, l'auteur donne l'impression que les doctrines opposées sont également incertaines. Et dans le domaine de la religion et de la morale, l'incertitude devient le fondement de la tolérance, cette première règle de toute morale humaine. Les polémiques que suscite cet ouvrage essentiel amèneront son auteur à rédiger sa *Réponse aux questions d'un provincial* et une *Continuation des Pensées...* Outre qu'il offre une méthode critique qui ne cessera de servir de modèle, le *Dictionnaire* de B. constitue un véritable arsenal de documents. L'érudition du XVIIIe s. et l'*Encyclopédie* en procéderont pour une large part, et Voltaire s'inspirera de son exemple, en particulier dans son *Dictionnaire philosophique.*

Œuvres. *Pensées diverses sur la comète,* 1682 (E). – *Critique générale de l'Histoire du calvinisme du P. Maimbourg,* 1682 (E). – *Nouvelles de la République des lettres,* 1684-1687. – *Recueil des pièces curieuses concernant la philosophie de M. Descartes,* 1684 (E). – *Ce que c'est que la France toute catholique sous le règne de Louis le Grand,* 1686 (E). – *Collaboration au « Mercure historique et politique »,* 1686. – *Commentaire philosophique sur ces paroles de Jésus-Christ : « Contrains-les d'entrer »,* 1686 (E). – *Avis important aux réfugiés sur leur prochain retour en France,* 1690 (E). – *Dictionnaire historique et critique,* 1697. – *Réponse aux questions d'un provincial,* 1704 (E). – *Continuation des pensées sur la comète,* 1704 (E).

BAZIN, Jean-Pierre Hervé-Bazin, dit **Hervé.** Angers 17.4.1911. Petit-neveu de l'écrivain René Bazin, B. rompt avec sa famille à l'âge de vingt ans pour contracter un mariage qui se révélera bien vite malheureux. Il poursuit difficilement ses études, exerce tous les métiers (vendeur dans les foires, démarcheur, marchand de ferraille). Ce n'est qu'en 1948 que paraît *Vipère au poing,* où il rend compte de toute la haine et de tout le dégoût que lui inspire sa famille. Mais son anticonformisme n'a rien d'une révolte fondamentale et subversive : c'est une colère de passage. Ce premier roman lui apportera d'emblée la gloire et l'argent. Dans *Au nom du fils,* il fera la louange de la révolte maîtrisée, de la colère assagie par la raison, l'âge et le bon sens, non sans efforts, mais avec la satisfaction qu'apportent le repos et le confort enfin trouvés. Un nouvel accent, où se mêlent les souvenirs acides du passé et une nostalgie de tendresse, apparaît dans *le Cri de la chouette,* qui clôt la chronique « familiale ». Élu membre de l'Académie Goncourt en 1958, il en est le président depuis 1972.

Œuvres. *Parcelles,* 1933 (P). – *Visages,* 1934 (P). – *Jour,* 1947 (P). – *A la poursuite d'Iris,* 1948 (P). – *Vipère au poing,* 1948 (N). – *La Tête contre les murs,* 1949 (N). – *La Mort du petit cheval,* 1950 (N). – *Le Bureau des mariages,* 1951 (N). – *Lève-toi et marche,* 1952 (N). – *Humeurs,* 1953 (P). – *Bestiaire,* 1953 (P). – *L'Huile sur le feu,* 1954 (N). – *Qui j'ose aimer,* 1956 (N). – *La Fin des asiles,* 1959 (E). – *Au nom du fils,* 1961 (N). – *Chapeau bas,* 1964 (N). – *Plumons l'oiseau,* 1966 (E). – *Le Matrimoine,* 1967 (N). – *Les Bienheureux de la désolation,* 1970. – *Le Cri de la chouette,* 1972 (N). – *Madame Ex,* 1975 (N). – *Traits,* 1976 (P). – *Ce que je crois,* 1977 (E). – *Un feu dévore un autre feu,* 1978 (N). – *L'Église verte,* 1981 (N). – *Abécédaire,* 1984 (E).

BAZIN René. Angers 26.12.1853 – Paris 20.7.1932. Il étudie le droit puis obtient un premier succès d'auteur avec le récit de son enfance angevine *(Ma tante Giron).* Au long d'une vie partagée entre sa province et Paris (où il travaille à la *Revue des Deux-Mondes*), B. écrit de nombreux romans inspirés par son catholicisme ; le plus célèbre, *les Oberlé,* qui évoque la fidélité des Alsaciens annexés à la France, lui valut son élection à l'Académie (1903).

Œuvres. *Stéphanette,* 1884 (N). – *Ma tante Giron,* 1884 (N). – *Les Noellet,* 1890 (N). – *La Terre qui meurt,* 1899 (N). – *Les Oberlé,* 1901 (N). – *Le Blé qui lève,* 1907 (N). – *Davidée Birot,* 1912 (N). – *Donatienne,* 1913 (N). – *Les Nouveaux Oberlé,* 1919 (N). – *Notes d'un amateur de couleurs,* 1920 (E). – *Le Magnificat,* 1931 (E).

Les Oberlé

Histoire d'une famille alsacienne au lendemain de la guerre de 1870 et de l'annexion de l'Alsace-Lorraine par l'Allemagne. Jean Oberlé vient de rentrer en Alsace et y trouve sa famille déchirée. D'un côté, son père et sa sœur ont organisé leur vie dans le cadre de la nouvelle situation de leur province, tandis que, de l'autre, son grand-père et sa mère restent indéfectiblement attachés à la France. Jean doit finalement renoncer à épouser la jeune fille qu'il aime, et il quittera l'Alsace pour la France.

BÉATRICE DE DIE [Beatriz de Dia]. Troisième quart du XIIe s. Poétesse occitane. Personnalité mystérieuse, elle aurait été aimée du troubadour Raimbaut d'Orange. La plus ancienne « trobairitz » connue nous a laissé cinq *canzos,* transpositions de situations courtoises traditionnelles et dont la sincérité lyrique fait tout le charme.

BEAULIEU Victor-Lévy. Saint-Paul-de-la-Croix 2.9.1945. Écrivain québécois. Romancier, dramaturge et essayiste d'une prodigieuse fécondité, B. est l'un des écrivains les plus engagés dans la « cause du Québec », un de ceux qui, depuis une vingtaine d'années, ont fait de l'écriture une arme de libération et de prise de conscience. Après des études secondaires à Montréal-Nord, il a travaillé un an comme commis de banque avant de devenir journaliste à *Perspectives* et au *Devoir.* Dès la publication de son premier roman, *Mémoires d'outre-tonneau,* en 1968, il s'oriente vers le monde éditorial et devient directeur littéraire des éditions du Jour. Tout en enseignant la littérature à l'École nationale de théâtre de 1972 à 1978, il écrit de nombreux textes pour la radio et la télévision et fonde en 1976 les éditions VLB où s'expriment tous les courants de la littérature québécoise contemporaine. Ses premières œuvres, en dépeignant sous forme de vastes fresques la condition québécoise, expriment le sentiment de dépossession et de désenchantement d'un peuple à la recherche de lui-même. *Les Grands-Pères,* pour lequel il obtint en 1972 le Grand prix de la Ville de Montréal, conte l'agonie d'un homme et d'un pays à travers le destin d'un vieux paysan qui ressuscite son passé au dernier jour de sa vie. De même, *la Nuitte de Malcolm Hudd* et *Jos Connaissant* mettent en scène des personnages inconsolables, en quête d'un amour ou d'un passé disparus : excessifs dans leurs désirs et leurs frustrations, ils deviennent des êtres solitaires qui échappent par la création au cauchemar de leur existence. La connivence de B. avec des auteurs fétiches, monstres sacrés de l'écriture, s'affirme dès 1971 lorsqu'il publie un essai apologétique sur Victor Hugo, symbole de la démesure qu'il affectionne et qui parcourt toute son œuvre. Kerouac, Melville, Malcolm Lowry exercent aussi une influence décisive sur son projet d'écrivain : construire une œuvre continue, en forme de chaîne circulaire, dont chaque roman serait un maillon. C'est ainsi que doivent être comprises *les Voyageries,* dont le premier volet, *Blanche forcée,* met en scène le personnage d'Abel Beauchemin, narrateur et écrivain, double de l'auteur. A travers son odyssée, qui mêle le mythe et la recherche de l'identité, B. retrace sa propre aventure d'écrivain et offre une méditation sur la création littéraire. *Monsieur Melville,* salué par la critique française et qui lui valut le prix France-Canada en 1979, est à ce titre exemplaire. L'ouvrage se présente comme une conversation passionnée et nourrie de digressions entre un jeune écrivain et le fantôme de celui qui sut tout investir dans l'acte d'écrire. Prônant un renouveau dans la façon qu'ont les écrivains québécois d'appréhender le réel, B. crée toujours dans ses récits un espace intérieur où la réalité québécoise est comme travestie par une fantaisie onirique qui privilégie volontiers les fantasmes les plus cocasses. C'est par ce glissement du réalisme brut à l'imaginaire pur que B. parvient à ce mélange de poésie naïve, de lyrisme et d'humour qui forme le ton original de son œuvre.

Œuvres. *Mémoires d'outre-tonneau,* 1968 (N). – *Race de monde,* 1969 (N). – *La Nuitte de Malcolm Hudd,* 1969 (N). – *Jos Connaissant,* 1970 (N). – *Quand les écrivains québécois jouent le jeu* (43 réponses au questionnaire Marcel Proust présentées par V.-L. Beaulieu), 1970. – *Pour saluer Victor Hugo,* 1971 (E). – *Les Grands-Pères,* 1971 (N). – *Un rêve québécois,* 1972 (N). – *Jack Kérouac, essai-poulet,* 1972 (E). – *Oh Miami, Miami, Miami,* 1973 (N). – *Don Quichotte de la Démanche,* 1974 (N). – *Le Manuel de la petite littérature du Québec* (anthologie), 1974. – *En attendant Trudot,* 1974 (T). – *Les Voyageries :* 1. *Blanche forcée,* 1976 (N). – 2. *N'évoque plus que le désenchantement de ta ténèbre, mon si pauvre Abel,* 1976 (N). – 3. *Sagamo Job J,* 1977 (N). – 4. *Monsieur Melville* (t. I *Dans les aveilles de Moby Dick,* 1978 ; t. II *Lorsque souffle Moby Dick,* 1978 ; t. III *l'Après Moby Dick ou la Souveraine Poésie,* 1978) [E]. – 5. *Una,* 1980 (N). – *Ma Corriveau,* suivi de *la Sorcellerie en finale sexuée,* 1976 (T). – *Monsieur Zéro,* 1977 (T). – *Cérémonial pour l'assassinat d'un ministre,* 1978 (T). – *La Tête de Monsieur Ferron ou les Chians,* 1979 (T). – *Satan Belhumeur,* 1982 (N). – *Moi Pierre Leroy, prophète, martyr et un peu fêlé du chaudron,* 1982 (N). – *Discours de Samm,* 1983 (N). – *Entre la sainteté et le terrorisme* (choix de textes 1964-1982), 1985 (E).

BEAUMANOIR, Philippe de Rémy, sire de. Beauvaisis ou Gâtinais vers 1250 ? – Manoir de Moncel (Oise) 7.6.1296. Poète et chroniqueur, titulaire de charges importantes au service de Robert de Clermont, frère de Saint Louis, il rédigea, en qualité de bailli de Clermont, les *Coutumes de Beauvoisis* (1279-1282), où se trouvent condensés les principes fondamentaux du droit privé de l'époque. Il est, d'autre part, l'auteur de trois poèmes relevant du genre de la « fatrasie », où l'humour se mêle heureusement au réalisme. On lui doit enfin deux romans, en vers, conformes aux modes du temps : *la Manekine,* sur le thème de l'amour incestueux, et *Jehan et Blonde,* construit sur le thème des fiançailles rompues par suite de promesse secrète.

Œuvres. *Les Coutumes de Beauvoisis,* 1283. – *La Manekine* (N). – *Jehan et Blonde* (N). – *Le Conte de fole larguece* (P).

BEAUMARCHAIS Pierre-Augustin Caron de. Paris 24.1.1732 – 18.5.1799. Fils d'un horloger, il exerce presque tous les métiers, dans une quête incessante et forcenée de l'argent, des honneurs, des plaisirs ; il n'est écrivain que par raccroc. Il s'introduit à la Cour par l'horlogerie, s'y maintient par la musique, l'utilise pour essayer de faire fortune. Parti en Espagne pour affaires, il se fait connaître de l'opinion publique par quatre *Mémoires* dirigés contre les abus judiciaires. Il fait jouer deux drames bourgeois : *Eugénie* et *les Deux Amis,* genre dont il expose la théorie dans l'*Essai sur le genre dramatique sérieux.* Procès ininterrompus, intrigues, trafics en tous genres, négociations secrètes ne l'empêchent pas de réussir avec *le Barbier de Séville,* de mettre sur pied la Société typographique, qui éditera à Kiel la première édition des œuvres complètes de Voltaire, en 70 volumes, de créer la Société des auteurs dramatiques, de triompher avec *le Mariage de Figaro.* La Révolution ne peut se passer de ses services, mais elle se méfie, à juste titre, de son affairisme intéressé. Son étoile pâlit, en dépit du succès qu'obtient *l'Autre Tartuffe ou la Mère coupable* (suite au *Barbier* et au *Mariage*) – drame, au demeurant, bien médiocre –, et il connaîtra, avant de mourir, la prison et l'exil. La verve, l'esprit des œuvres de B. sont indissociables de sa vie d'intrigant. Les *Mémoires* qu'il rédige à l'occasion de ses procès ou de ses missions, par leur élégance, par leur clarté, le rendent populaire même lorsque l'affaire est louche, et le font triompher dans la rue alors qu'il est condamné au tribunal. Un semblable esprit, une semblable méthode sont les ressorts de ses deux chefs-d'œuvre, *le Barbier de Séville* et *le Mariage de Figaro.* Le genre en vogue au théâtre est alors le drame bourgeois, qui utilise une intrigue généralement mince pour peindre des personnages ordinaires de façon conventionnelle, selon leur métier, leur âge, leur situation de famille, et cherche à provoquer successivement l'indignation et l'attendrissement, qui sont censés apporter, avec les larmes, l'amour de la vertu. B. tire la leçon du trop modeste succès de ses deux drames, renonce à s'asservir à des fins extérieures au plaisir théâtral, comme l'instruction morale, et emprunte à tous les genres. Certains personnages et certaines situations appartiennent à la farce ou à la *commedia dell'arte ;* la découverte par Marceline que Figaro est son fils donne lieu à de larmoyantes effusions ; plus d'une scène du *Mariage* est tragique. Le suspens repose sur une intrigue fortement nouée entre tous les personnages, intrigue que chaque scène tente de résoudre, tandis que des rebondissements inattendus retardent le dénouement. Les caractères sont fortement dessinés, mais telle finesse de sentiment, telle sensualité qui sourd à travers un discours en apparence détaché sont dignes de Marivaux. Enfin, au comique des situations s'ajoute l'esprit du dialogue, que les impertinences, les bouffonneries, la satire, la malice font pétiller à tout moment. Mozart reprendra le thème du *Mariage* dans son opéra bouffe *les Noces de Figaro* (1785-1786), sur un livret de Lorenzo Da Ponte, d'après la pièce de Beaumarchais.

Si Figaro fronde l'autorité, il a besoin, comme son créateur, d'une société corrompue pour assurer sa réussite personnelle et son élévation vers les privilèges. B. discrédite autant l'Ancien Régime par ses pratiques qu'il le combat par ses insolences.

Œuvres théâtrales. *Eugénie,* 1767. – *Essai sur le drame sérieux,* 1767. – *Les Deux Amis ou le Négociant de Lyon,* 1770. – *Le Barbier de Séville,* 1775. – *Le Mariage de Figaro,* 1785. – *Tarare,* 1787 (opéra). – *L'Autre Tartuffe ou la Mère coupable,* 1792.

Œuvres diverses. *Mémoires à consulter pour P.-A. Caron de Beaumarchais,* 1773-1774. – *Supplément aux Mémoires à consulter, Addition au supplément du mémoire, Quatrième Mémoire à consulter,* 1773-1774. – *Mémoires de M.C. de Beaumarchais contre M. Gœzman,* 1774 (rééd. des précédents). – *Mémoire à consulter et consultation pour P.A.C. de Beaumarchais,* 1775. – *Réponse ingénue de P.A.C. de B.,* 1778. – *Le Tartare à la Légion,* 1778. – *Le Vœu de toutes les nations et l'Intérêt* *de toutes les puissances dans l'abaissement et l'humiliation de la Grande-Bretagne* (anonyme), 1778. – *Observations sur le mémoire justificatif de la Cour de Londres,* 1779-1780. – *Réponse à tous les libellistes passés, présents et futurs,* 1788. – *Requête à MM. les représentants de la Cour de Paris,* 1789. – *Pétition à la Convention,* 1792. – *Beaumarchais à Lecointre, son dénonciateur, ou Compte Rendu des neuf mois les plus pénibles de ma vie, première (sixième) époque,* 1792 (publié en six époques). – *Correspondance,* éd. établie par B.N. Morton, D.G. Spinelli (en cours de publication depuis 1969).

Le Barbier de Séville ou la Précaution inutile

Le comte Almaviva s'est épris de Rosine, séquestrée (souvenir de *l'École des femmes* de Molière ?) par son tuteur Bartholo, lequel a l'intention de l'épouser. Par hasard, le comte retrouve son ancien valet Figaro, installé à Séville comme barbier, et qui, comme il convient à un valet de comédie, est tout prêt à entrer dans quelque intrigue pour faire montre de sa virtuosité aux yeux de son ancien maître. Virtuosité qui s'en donne dès lors à cœur joie : Figaro se fait le meneur de jeu du comte au cours de deux tentatives successives qui permettent à l'amoureux d'approcher Rosine, la première fois sous l'uniforme du militaire, la seconde sous le costume et dans les fonctions d'un maître de chant. Ce dernier stratagème est particulièrement réussi, car la leçon de chant, on s'en doute, est favorable à une déclaration d'amour. Et le comte, du même coup, apprend qu'il est aimé. La comédie finira par un mariage. Tout se termine donc fort bien, sauf pour Bartholo, dont les « précautions » auront été bien « inutiles ». Quant à Figaro, c'est alors que commence sa gloire, qui lui vaut de passer au service du comte et de la comtesse.

Le Mariage de Figaro ou la Folle Journée

Suite du *Barbier de Séville,* cette comédie se caractérise par son mouvement (*cf.* le sous-titre) et la complexité de son intrigue. Figaro, domestique du comte Almaviva, est sur le point d'épouser Suzanne, caméриste de la comtesse (la Rosine du *Barbier*). Mais deux intrigues font obstacle à ce mariage : d'une part, Figaro s'est engagé auprès de Marceline, ancienne intendante de Bartholo, à lui rembourser une somme d'argent qu'il lui doit ou, à défaut, à l'épouser ; or, Figaro est, pour l'instant, incapable de rembourser... D'autre part, le comte voudrait bien s'approprier Suzanne pour son propre et exclusif usage, ce qui, naturellement, ne fait l'affaire ni de Figaro, ni de la comtesse, ni, non plus, de Suzanne. Et deux personnages interviennent pour compliquer encore la situation : le peu honnête Bazile, qui voudrait manœuvrer tout le monde à son profit, et l'innocent petit page Chérubin, amoureux de l'amour, donc de la comtesse et de Suzanne, et qui survient toujours à contretemps. Le comte va tout faire, non sans maladresse, pour empêcher le mariage de Figaro avec Suzanne. Il entreprend donc de favoriser le mariage de Figaro avec Marceline. Mais un coup de théâtre vient révéler que Marceline est... la mère de Figaro ! Quant à la comtesse, elle voit là l'occasion de mettre à exécution, avec quelque chance de succès, et grâce à la complicité de Suzanne, son projet de ramener à elle son époux. Bien sûr, Figaro, comme le comte, sera tenu à l'écart du stratagème purement féminin que mettent au point Suzanne et la comtesse. Suzanne donnera rendez-vous au comte le soir même (il fera nuit), mais c'est la comtesse qui s'y rendra, sous l'apparence de sa caméриste. Figaro se trouve par hasard au lieu du rendez-vous et, dupe du déguisement de la comtesse, se croit trahi par Suzanne et éclate en imprécations contre l'inconstance féminine. Mais tout cela n'est que le jeu d'une « folle journée » : le comte tombe aux pieds de sa femme, et Figaro épousera Suzanne.

BEAUMONT, Germaine Battendier, dite **Germaine.** Petit-Couronne 31.10.1890 – 21.3.1983. Secrétaire de Colette, elle fit ses débuts dans la littérature en écrivant des contes, souvent empreints de l'atmosphère du pays normand. Ses romans mettent en œuvre une alliance entre le surnaturel, le rêve et les éléments de la nature, qui débouche sur un réalisme poétique.
En 1958, elle traduit le *Journal d'un écrivain* de Virginia Woolf. Puis, en collaboration avec André Parinaud, elle compose un portrait critique de la vie et de l'œuvre de Colette. Elle évoque enfin des souvenirs dans *Histoire de notre temps.*

Œuvres. *Piège,* 1930 (N). – *La Longue Nuit,* 1936 (N). – *Les Clefs,* 1939 (N). – *Agnès de rien,* 1943 (N). – *L'Enfant du lendemain,* 1944 (N). – *La Roue d'infortune,* 1947 (N). – *Silsauve,* 1952 (N). – *Colette par elle-même,* 1960 (E). – *Histoire de notre temps,* 1968. – *Le Temps des lilas,* 1970 (N). – *Le Chien dans l'arbre,* 1975 (N). – *Une odeur de trèfle blanc,* 1981 (N).

BEAUMONT Marie Leprince de. Rouen 26.4.1711 – Chavanod 1780. Contrainte à vivre de sa plume par les difficultés matérielles où l'avaient plongée les désordres de son mari, elle écrivit un roman, *le Triomphe de la vérité,* puis les *Magasins,* mélanges de récits bibliques, de maximes et de contes édifiants ; là, comme dans ses *Contes Moraux,* la vivacité du récit, l'intérêt du conte ou l'appel à la sensibilité parviennent quelquefois à éviter la fadeur. « La Belle et la Bête », extrait du *Magasin des enfants,* a fait la renommée de M. L. de B. ; pourtant l'argument de ce conte, qui fut porté au cinéma par J. Cocteau dans un film du même titre daté de 1946, se trouve déjà dans un conte de Mme de Villeneuve.

Œuvres. *Le Triomphe de la vérité,* 1748 (N). – *Cida, roi de Burgos,* 1754 (N). – *Magasin des enfants,* 1757 (N). – *Magasin des adolescents,* 1760 (N). – *La Nouvelle Clarisse,* 1767 (N). – *Magasin des pauvres,* 1768 (N). – *Contes moraux,* 1774 (N). – *Lettres de Mme du Moutier.* – *Anecdotes du XIVe siècle* (N). – *Lettres curieuses.* – *Principes de l'Histoire sainte* (E). – *Mémoires de Mme de Batteville.* – *Lettres du marquis de Royelle.* – *Les Américaines* (N). – *Le Mentor moderne* (N). – *La Dévotion éclairée* (N).

BEAUVOIR Simone de. Paris 9.1.1908. Sa vie est racontée dans trois de ses livres, qui la situent dans son époque avec un souci marqué de ne rien omettre – ce qui les rend parfois un peu touffus. *Mémoires d'une jeune fille rangée* et *la Force de l'âge* retracent la jeunesse d'une bourgeoise heureuse, les succès d'études classiques menées jusqu'à l'agrégation, les fruits et les difficultés d'une carrière de professeur (1929-1943). *La Force des choses* est consacrée au règne et au déclin, en moins de vingt ans, de l'existentialisme incarné par son maître et compagnon Jean-Paul Sartre. La production de S. de B. touche également à la philosophie avec *Pour une morale de l'ambiguïté* et les deux tomes du *Deuxième Sexe* où s'exprime avec virulence et sur un ton nouveau le refus de l'infériorité « naturelle » de la femme. Comme romancière, elle se fit remarquer dès ses débuts avec *l'Invitée,* modèle de roman métaphysique sur la relation avec autrui, et obtint le prix Goncourt pour *les Mandarins,* où revivent les années glorieuses du groupe existentialiste affronté à des choix politiques et intellectuels délicats. Valeur « installée » de la littérature des années cinquante, S. de B. a conservé une large audience par son style sobre, la force de ses idées, son sens aigu de l'angoisse. Ses ouvrages ultérieurs, *les Belles Images, Une mort très douce* (celle de sa mère), *la Vieillesse* et *Tout compte fait,* par leur dépouillement d'écriture et leur rigueur de pensée, continuent avec logique une œuvre exigeante.

Œuvres. *L'Invitée,* 1943 (N). – *Pyrrhus et Cinéas,* 1944 (E). – *Privilèges,* 1944 (N). – *Les Bouches inutiles,* 1945 (T). – *Le Sang des autres,* 1945 (N). – *Tous les hommes sont mortels,* 1946 (N). – *Pour une morale de l'ambiguïté,* 1947 (E). – *L'Amérique au jour le jour,* 1948 (E). – *L'Existentialisme et la sagesse des nations,* 1948 (E). – *Le Deuxième Sexe,* 1949 (E). – *Les Mandarins,* 1954 (N). – *La Longue Marche,* 1957 (E). – *Mémoires d'une jeune fille rangée,* 1958 (E). – *Brigitte Bardot et le mythe de Lolita,* 1960 (E). – *La Force de l'âge,* 1960 (E). – *Djamila Boupacha,* 1962 (E). – *Les Belles Images,* 1962 (N). – *La Force des choses,* 1963 (E). – *Une mort très douce,* 1964 (N). – *La Femme rompue,* 1968 (N). – *La Vieillesse,* 1970 (E). – *Tout compte fait,* 1972 (E). – *Quand prime le spirituel,* 1979 (E). – *La Cérémonie des adieux,* 1981 (N).

BEBEY Francis. Douala 15.7.1929. Écrivain camerounais d'expression française. Journaliste, il visite de nombreux pays, en Afrique comme en Europe et en Amérique. Producteur à la radio, il se révèle un excellent musicien et un pénétrant musicologue. C'est en 1967 qu'il fit ses premiers pas dans la littérature avec *le Fils d'Agatha Moudio,* qui reçut le grand prix littéraire de l'Afrique noire. En un style simple et précis, il conte la vie dans un village de pêcheurs et l'histoire du mariage de M'Benda, qui a, selon la tradition, épousé la fille que son père avait retenue pour lui, alors qu'il aimait la trop indépendante Agatha Moudio. En 1968, B. fait paraître *Embarras et Cie,* un recueil de huit nouvelles suivies chacune d'un poème. On retiendra, ici comme dans le précédent ouvrage, la richesse des thèmes, la finesse de l'humour et la netteté de l'exécution.

Œuvres. *Le Fils d'Agatha Moudio,* 1967 (N). – *Embarras et Cie,* 1969 (P). – *Musique de l'Afrique,* 1969 (E). – *Trois petits cireurs,* 1972 (N). – *La Poupée ashanti,* 1973 (N). – *Le Roi Albert d'Effidi,* 1976 (N). – *Concert pour un vieux masque,* 1980 (P). – *Nouvelle saison des fruits,* 1980 (P).

BECKETT Samuel. Foxrock (Irlande) 13.4.1906. Romancier et dramaturge franco-irlandais. Après de brillantes études marquées par un vif intérêt pour la langue française, B. obtient, en 1927, le titre de

Bachelor of Arts. Il séjourne en France et, en 1928, devient lecteur d'anglais à l'École normale supérieure. De 1932 à 1936, il voyage encore en France et en Allemagne ; à partir de 1937, il décide de s'installer définitivement en France. À partir de 1947, B., qui s'est déjà manifesté par des œuvres publiées en anglais (dont *Murphy*), écrira directement en français. Un roman, *Molloy,* le fait remarquer dès 1951, mais c'est la création de sa première pièce, *En attendant Godot,* en 1952, qui lui fait rencontrer un succès bientôt mondial.

L'œuvre de B. est une œuvre de solitaire, hors des sentiers battus et presque masochiste ; il ne craint pas de s'aventurer jusque dans l'exploration des zones obscures de la conscience et du langage, en refusant délibérément toute concession. Dans son univers, l'homme se découvre, en quelque sorte méthodiquement, incapable de communiquer avec les autres, qui se posent, jusqu'à l'exaspération, comme son propre miroir. Il se détruit pour se mieux connaître. Il ne se connaît que pour constater qu'il n'est rien. Immobile, il a le désir de bouger : il ne le peut pas ; le désir de parler : il ne peut émettre que les mots disant cette impossibilité d'agir. L'obstacle rencontré est d'abord celui de son propre corps, dont il ne peut se délivrer tant sa réalité devient pesante : la difficulté d'être, chez B., est la difficulté déjà de respirer, d'avancer un geste, fût-il anodin.

Cet état indistinct, à mi-chemin entre la vie impossible et la mort improbable, symbolisé, dans *Murphy,* par le sein maternel que le personnage cherche à retrouver, se traduit par une survie catastrophique, occupée par l'émiettement progressif de l'être qui ne parvient pas à se réduire au néant, et qui, en fait, débouche sur la tragédie, puisque, cette catastrophe négative étant inéluctable et interminable à la fois, elle constitue la condition même de l'homme et appartient ainsi à l'ordre du destin (mais d'un destin sans majuscule). Cette constatation n'entraîne aucun désespoir : elle est parfois enregistrée avec un certain humour noir, solidaire de la durée même de l'enlisement, comme dans *Oh ! les beaux jours,* sans illusion et, souvent également, sans déplaisir sensible. Au bout du compte, l'homme est réduit à un monologue incessant qui instaure le silence intérieur, silence au travers duquel il tente de nommer *l'Innommable,* qui ne cesse en même temps de se dérober : énigme sur laquelle la parole ne peut avoir de prise, et pourtant on continue de parler, et même de rire, pour faire durer la seule possibilité de parler, fût-ce pour ne rien dire ; car tel est, selon B., le tragique de l'homme, pris entre la nécessité et le non-sens fatal de sa parole. Au sein de cette présence verbale, l'homme-larve végète tout en persévérant dans une durée toujours semblable à elle-même, non-être qui essaie pitoyablement de jouer à l'être. Molloy, flanqué de son double, Moran, est à la recherche de sa mère, mais cette recherche n'est pas une démarche, c'est un sur-place, et le personnage tourne en rond dans cette recherche de ce qu'il ne peut trouver. *Malone meurt* retrace la mort de Malone, mais c'est la mort, qui n'en finit pas, d'un simple « survivant », maintenu en vie par le seul fil de sa parole.

Avec *En attendant Godot,* sa première pièce, B. aborde le mode d'expression où va se concentrer le tragique qui est le propre de sa conception du monde. Par l'entremise de la forme théâtrale, il semble que s'animent enfin des personnages en chair et en os, mais le tragique se trouve accentué par le fait que l'animation scénique n'est qu'un leurre ou un masque. Ces personnages ne sont en définitive que des symboles ambulants dans un lieu neutre (comme le sont, plus ou moins explicitement, bien des personnages tragiques). Pour sortir de cette impasse de l'attente et de l'absence, impasse d'ailleurs sans cause (le monde de B. est le monde de l'anti-causalité), ils attendent un certain « Godot », meublent le temps en parlant pour ne rien dire, en riant pour maintenir l'intérêt du spectateur, en faisant des gestes inutiles (enlever et remettre ses chaussures). Qui est Godot ? Dieu, a-t-on pu dire, par référence à l'anglais *God,* mais rien n'est moins sûr, et peut-être la question ne se pose-t-elle même pas. Car Godot, c'est l'Introuvable, le « ce » en quoi il est impossible d'espérer, mais dont la raison d'être est que, précisément, on l'attend, ou on fait semblant, ce qui revient au même : on parle parce qu'on attend, et on attend pour pouvoir durer : peu importe l'objet de l'attente, qui, en tout état de cause, est éternellement absent. Car, finalement, c'est bien un tragique de la durée et de son vide inépuisable qui est le ressort profond de l'œuvre de B. et en particulier de son théâtre.

À partir de *Godot,* B. découvre dans le théâtre son mode d'expression privilégié, et il n'a cessé, depuis, d'affirmer une dramaturgie de l'inconsistance de la durée, incarnation négative de l'inconsistance correspondante d'une existence scénique réduite à la parole : *Fin de partie* reprend le thème du huis clos comme lieu symbolique de l'incapacité de l'homme d'assumer aussi bien la solitude que la communication, tandis que *Comédie* pousse aussi loin que possible, avec ses personnages qui ne

sont plus que des voix enfermées dans des jarres, le symbolisme scénique de cette incapacité.
Dans ce théâtre de l'absence ou, plutôt, de l'incapacité humaine de toute présence, seule la parole permet l'existence scénique des personnages, et le ressort dramatique est dans cette contradiction entre la présence de la parole et l'absence de l'être, sous la forme d'une durée pure constituée de parole pure. Ainsi B. va très au-delà de l'« absurde », lequel suppose une référence, car il met en scène une humanité sans référence, sans cause et sans effets, dont la parole, comme dans *Comédie,* se maintient au-delà même de la mort, dans une sorte d'éternité de l'inexistence que l'expression dramatique a pour fonction d'instaurer sur la scène. Prix Nobel 1969.

Œuvres. « Dante..., Bruno..., Vico..., Joyce » dans : *Our Examination round his Factification of Work in Progress,* 1929 (E). – *Whoroscope,* 1930 (P). – *Proust,* 1931 (E). – *More pricks than kicks,* 1934 (N). – *Echo's Bones and other precipitates,* 1935 (P). – *Murphy,* 1938 (N) [trad. fr. 1947 ; 1953]. – *Molloy,* 1951 (N) [trad. angl. 1955]. – *Malone meurt,* 1951 (N) [trad. angl. 1956]. – *En attendant Godot,* 1952 (T) [trad. angl. 1954]. – *L'Innommable,* 1953 (N) [trad. angl. 1958, dans *Trilogy*]. – *Watt,* 1953 (N) [trad. fr. 1968]. – *Nouvelles et Textes pour rien,* 1955 (N). Contient *l'Expulsé ; le Calmant ; la Fin* (seconde version de *la Suite*). – *Fin de partie,* 1957 (T) [trad. angl. 1958]. – *Acte sans paroles I,* 1957 (T). – *Tous ceux qui tombent,* 1957 (T) [en angl. et en fr.]. – *From an abandonned Work,* 1958 (N) [trad. fr. *D'un ouvrage abandonné,* 1967]. – Avec G. Duthuit et J. Putnam, *Bram van Velde,* 1958 (E). – *Gedichte,* 1959 (P). Contient : *Echo's Bones... Poèmes,* 1937-1939 ; *Poèmes,* 1947-1949. – *La Dernière Bande,* suivi de *Cendres,* 1959 (T) [trad. angl. 1960]. – *Comment c'est,* 1961 (N) [trad. angl. 1964]. – *Poems in English,* 1961 (P). Contient : *Whoroscope, Echo's Bones...* et 6 poèmes de 1936 à 1948. – *Happy Days,* 1961 (T) [trad. fr. *Oh ! les beaux jours,* 1963]. – *Molloy,* rééd. avec *l'Expulsé,* 1963 (N). – *Play,* 1964 (T) (trad. fr. *Comédie,* 1966). – *Film,* scénario, 1965. – *Comédie et Actes divers,* 1966 (T). Contient : *Comédie ; Va et Vient ; Cascando ; Paroles et Musique ; Dis Joë ; Actes sans paroles* II (trad. angl. de *Dis Joë : « Eh Joë »,* et de *Va et Vient : « Come and go »,* dans : *Eh Joë and Other Writings,* 1967). – *Têtes mortes,* 1967 (N). Contient : *D'un ouvrage abandonné ; Assez ; Imagination morte, imaginez ; Bing* (trad. angl. de *Assez, Imagination morte, imaginez* et *Bing* dans *No's Knife,* 1967). – *Watt* (traduction fr.), 1968 (N). – *Poèmes* (1937-1939 ; 1947-1949), 1968. – *Sans,* 1970 (N). – *Mercier et Camier,* 1970 (N). – *Premier Amour,* 1970 (N). – *Le Dépeupleur,* 1970 (N). Contient : *Dans le cylindre* et *l'Issue.* – *Poèmes,* suivi de *Mirlitonnades,* 1978 (P). – *Pas,* suivi de *Quatre esquisses,* 1978 (T). – *Compagnie,* 1980 (N). – *Mal vu, mal dit,* 1981 (N). – *Catastrophe et autres dramaticules,* 1982 (T).

En attendant Godot

Une route – où il ne passe personne ; un arbre ; deux hommes à l'allure de clowns ou de clochards, en chapeau melon, sont là : ils attendent un certain monsieur Godot ; depuis combien de temps ? On ne sait ; le savent-ils eux-mêmes ? En tout cas, leur attente est faite indissolublement d'immobilité, d'espoir et de crainte. Vladimir et Estragon – ce sont leurs noms – ne peuvent donc que parler, sans sujet de conversation ; parfois ils se querellent. Ils pourraient tout aussi bien se pendre à l'arbre au pied duquel ils attendent, au lieu d'attendre et de parler. Mais ils ont le sentiment qu'il *faut* attendre : il pourrait se passer quelque chose, sait-on jamais ? Godot pourrait même arriver, rien ne s'y oppose ; rien ne s'oppose non plus à ce qu'il n'arrive jamais. En tout cas, au bout de deux journées, Godot n'est pas encore venu, mais il y a toujours un demain, et peut-être Godot viendra-t-il demain. Comme en contrepoint ou en surimpression de cette attente remplie de vaines paroles, apparaissent deux autres personnages formant couple eux aussi, Pozzo et Lucky, le maître et l'esclave, qui, eux, se martyrisent mutuellement et, tandis que les autres attendent, se donnent l'air de philosopher en parlant de l'existence, du temps, de Dieu...

Fin de partie

Tandis qu'à l'extérieur le monde se décompose, dans une pièce confinée, aux ouvertures minuscules, vivent retirés deux personnages inséparables, nouveau couple beckettien : Hamm et Clov. Hamm est infirme et aveugle, l'autre est valide et lucide, mais c'est l'aveugle qui commande et le lucide qui obéit. Il y a là aussi les parents culs-de-jatte de Hamm, enfouis dans des poubelles, dont ils soulèvent le couvercle pour proférer des paroles. Quant à Hamm, il raconte ses souvenirs, révélateurs de son égoïsme et de sa méchanceté native. Clov, le seul qui puisse regarder par la fenêtre et voir quelque chose (quoi ?), a peut-être quelque chance d'échapper, grâce à sa lucidité, à cette séquestration, qui est encore plus psychique que physique. Mais... nul n'en sait rien.

BECQUE Henry François. Paris 28.4.1837 – 12.5.1899. La médiocrité de ses études le confine dans des emplois administratifs peu rémunérateurs. Il débute en littérature par un livret d'opéra pour son ami Joncières, puis donne quelques pièces où perce déjà son goût de la sincérité, mais l'échec qu'elles connaissent le fait songer à se retirer de la carrière dramatique. Il prend une semi-retraite pour écrire *les Corbeaux,* sombre histoire d'héritage, pièce terminée en 1877, acceptée cinq ans plus tard par le Théâtre-Français, qui la crée après de nombreuses coupures ; en dépit de celles-ci, la pièce est jugée trop réaliste, et le succès ne viendra qu'à la longue. B. donne ensuite *la Parisienne,* aussi difficilement reçue, aussi mal jugée, en particulier par Fr. Sarcey, qui déteste B. et à qui celui-ci doit en partie de n'être pas entré à l'Académie. Pourtant ces deux pièces sont les meilleures du théâtre français de 1860 à 1900 ; leur justesse psychologique, la dureté sans outrance de leur peinture des travers humains sont servies par un style qui échappe à l'exagération comme à la platitude. Par sa démarche directe, ferme, par la riche densité d'un texte construit avec une grande habileté technique, B. délaisse les coups de théâtre gratuits pour créer sur la scène le sentiment d'une durée véritable. Pourtant, moins que cette qualité de facture, c'est l'objectivité sarcastique de la satire sociale qui parut insupportable à ses contemporains. Outre deux volumes de chroniques et de polémiques, *Querelles littéraires* et *Souvenirs d'un auteur dramatique,* B. a laissé une comédie inachevée, *les Polichinelles,* publiée en 1910.

Œuvres. *Sardanapale* (opéra), 1867 (T). – *L'Enfant prodigue,* 1868 (T). – *Michel Pauper,* 1870 (T). – *L'Enlèvement,* 1871 (T). – *La Navette,* 1878 (T). – *Les Honnêtes Femmes,* 1880 (T). – *Les Corbeaux,* 1882 (T). – *La Parisienne,* 1885 (T). – *Sonnets mélancoliques,* 1887 (P). – *Querelles littéraires,* 1890 (E). – *Souvenirs d'un auteur dramatique,* 1895 (E). – *Études sur l'art dramatique,* 1895 (E). – *Veuve,* 1897 (T). – *Les Polichinelles* (inach.), posth., 1910 (T). – *Correspondance,* posth., 1926.

Les Corbeaux

Alors qu'un honnête fabricant, M. Vigneron, vient de mourir subitement, sa famille voit de toutes parts surgir les « corbeaux », avides des dépouilles du défunt : il y a là, entre autres, M. Teissier, associé de Vigneron, qui se présente comme l'ami secourable, mais qui, avec le notaire Bourdon, manigance l'achat, pour un morceau de pain, des immeubles qu'on persuadera Mme Vigneron de vendre au plus vite. De plus, M. Teissier (soixante ans) convoite Marie, l'une des deux filles de Vigneron, cependant que l'autre, Blanche, est abandonnée par son fiancé, Georges de Saint-Genis. Tandis que Marie tente de résister à Teissier, Mme de Saint-Genis vient, de son côté, retirer à Blanche la parole qu'elle lui avait donnée au nom de son fils. Il y a là, à l'acte III, deux scènes successives où la maîtrise du dramaturge éclate dans la puissance expressive de l'affrontement des personnages. Finalement, et malgré sa volonté de résistance, Marie devra se résoudre à épouser Teissier pour sauver sa famille de la ruine, tandis que Blanche deviendra folle de désespoir.

BEDEL Maurice. Paris 30.12.1883 – Thuré (Vienne) 15.10.1954. À la suite d'un voyage en Norvège, il écrit *Jérôme 60° latitude Nord,* qui obtient le prix Goncourt 1927. Observateur ironique, il continuera à prendre pour cadre de ses romans divers pays étrangers comme l'Italie *(Philippine),* la Turquie *(Zulfu),* ou la Grèce *(le Laurier d'Apollon),* tout en consacrant quelques monographies à son Val-de-Loire familial.

Œuvres. *Jérôme 60° latitude Nord,* 1927 (N). – *Molinoff, Indre-et-Loire,* 1928 (N). – *Philippine,* 1930 (N). – *Zulfu,* 1933 (N). – *Le Laurier d'Apollon,* 1937 (N). – *Géographie de mille hectares,* 1937. – *Le Mariage des couleurs,* 1951 (N). – *Histoire de mille hectares,* 1953.

BÉDIER Joseph. Paris 1864 – Le Grand-Serre (Drôme) 1938. En 1903, il succède à son maître Gaston Paris dans la chaire de littérature française du Moyen Âge au Collège de France. Ses travaux ont transformé les données qui présidaient à l'étude de la littérature médiévale. Dans son ouvrage sur *les Fabliaux* (1893), il détermine l'origine française des contes du Moyen Âge. Ses *Légendes épiques* (1908-1913) renversent les théories précédentes sur les chansons de geste. Il a, en outre, donné une adaptation exemplaire de *Tristan et Iseut* (1900), où il se fait, selon Gaston Paris, « le digne continuateur des vieux trouveurs ». On lui doit également une édition critique de la *Chanson de Roland* (1921). Il a enfin dirigé, avec P. Hazard, la publication d'une *Histoire de la littérature française* (2 vol., 1923-1924). Acad. fr. 1920.

BÉGUIN Albert. La Chaux-de-Fonds 1901 – Rome 1957. Écrivain suisse de langue française. Professeur à l'université de Bâle de 1937 à 1946, puis animateur, pendant la guerre, des *Cahiers du Rhône,* il devint directeur de la revue *Esprit* en 1950, à la mort d'Emmanuel Mounier. Dès 1937, il s'était fait connaître par sa thèse *l'Âme romantique et le Rêve,* où il explore les « aventures intérieures » afin d'approcher cette « substance du rêve » dont « partout la poésie tire sa substance ». Puis il multiplia les travaux critiques, notamment sur Nerval, Péguy, Bernanos, Ramuz, Pascal. Les excès mêmes de son *Balzac visionnaire* ont contribué à relancer vigoureusement la recherche critique à l'égard de cet auteur. En outre, sa traduction de *la Quête du Graal* (1945 ; rééd. 1965), vouée à la vie « intérieure » de ce « beau conte », révèle tout l'intérêt passionné que B. portait à la littérature médiévale. Son œuvre, refusant l'interprétation sociologique des ouvrages qu'il étudie, est représentative d'une critique authentiquement fondée sur l'exploration sympathique des âmes. (Voir ÉCOLE DE GENÈVE.)

Œuvres. *Hesperus* (trad. de Jean-Paul Richter), 1930. – *L'Âme romantique et le rêve,* 1937 (E). – *La Prière de Péguy,* 1942 (E). – *Le Chat Murr* (trad. de Hoffmann), 1943. – *Léon Bloy l'impatient,* 1944 (E). – *Gérard de Nerval,* 1945 (E). – *Balzac visionnaire,* 1946 (E). – *Georges Bernanos, essais et témoignages,* 1949 (E). – *Georges Bernanos par ceux qui l'ont connu,* 1949 (E). – *Pascal,* 1952 (E). – *L'Ève de Bernanos,* 1954 (E). – *Péguy,* 1954 (E). – *Balzac lu et relu,* posth., 1965 (E). – *Création et destinée,* 2 vol., posth., 1973 (E). – *La Réalité du rêve,* posth., 1974 (E).

BÉHAVIORISME ou BÉHAVIOURISME. Méthode de psychologie analytique qui se borne à l'étude du comportement externe de l'homme. Né au début du XXe s., à la suite d'une série d'expériences qui furent théorisées par Watson (1913), le béhaviorisme remplace l'étude de l'âme, de la conscience, de l'esprit – qui formait avant lui la psychologie – par l'analyse objective du comportement, mettant ainsi un terme à toute élaboration religieuse ou métaphysique. Cette méthode d'analyse a eu une influence certaine sur le « nouveau roman » : celui-ci se contente de décrire les personnages, objectivement, refusant de leur prêter les sentiments, les idées, les émotions qu'ils seraient censés avoir.

BELANCE René. Écrivain haïtien. (Voir NÉGRO-AFRICAINE [LITTÉRATURE].)

BELGIOJOSO, Cristina Trivulzio, princesse de. Milan 1808 – 1871. Patricienne milanaise, elle est élevée avec soin par Visconti d'Aragona, le second mari de sa mère, homme libéral et cultivé, qui lui inculque l'amour de l'étude et le désir de se faire apprécier pour son mérite personnel. Arrêté en 1821 par les Autrichiens, qui répriment les soulèvements en Italie, il passera plusieurs années en prison. Cristina épouse, à peine âgée de dix-sept ans, le prince de B. Leurs fortes divergences de caractère provoquent rapidement une séparation. Toute acquise à la cause de l'unité italienne, la jeune femme soutient les carbonari, mais, surveillée par la police autrichienne, elle doit se réfugier à l'étranger, d'abord à Lugano, puis à Marseille. Elle s'installe ensuite à Paris, où sa beauté quelque peu théâtrale et sa pâleur romantique font grande impression et lui ouvrent, autant que son nom et ses malheurs, les salons les plus réputés de la capitale. Elle continue par tous les moyens d'aider ses compatriotes et reçoit chez elle toute l'émigration italienne. Son salon est le rendez-vous de l'élite de la société parisienne et des plus brillants esprits du monde des lettres et des arts, français et étrangers : Hugo, Lamartine, Vigny, Musset, Balzac, Dumas père, G. Sand, Thiers, Guizot, Michelet, A. Thierry, Cousin, Delacroix, Chopin, Rossini, Bellini, Liszt, Heine... Amie de l'historien Mignet, en qui elle a trouvé une affection sûre et dévouée, elle aura avec A. de Musset une brève liaison qui s'achèvera par une brouille. Le poète, déçu, se vengera d'elle par des stances (« Sur une morte », 1842). Femme de lettres, elle collabore à la *Revue des Deux-Mondes,* fait paraître, sans nom d'auteur, un *Essai sur la formation du dogme catholique* (4 vol., 1842), puis un *Essai sur Vico* et la traduction en français des œuvres de Vico pour propager la pensée du philosophe italien (1844). Elle a conscience de l'importance de la presse et fonde, en 1845, toujours à Paris, une *Gazzetta italiana,* organe de l'opposition italienne. Au moment de la révolution de 1848, elle est à Naples, prend part au soulèvement de l'Italie, rejoint Milan, se prodigue comme infirmière dans les hôpitaux à Rome, mais l'échec de la révolution la contraint à reprendre le chemin de l'exil. Elle se rend en Syrie et tente d'exploiter un domaine agricole. Un serviteur congédié la blessera de sept coups de stylet. Divers écrits d'elle ont déjà paru en français : *Souvenirs dans l'exil,* 1850 ; *Scènes de la vie turque,* 1850 ; *Emina, récits turco-asiatiques,* 2 vol., 1856. La *Revue des Deux-Mondes* donne ses « Impressions d'Orient », bientôt réunies en volume sous le titre *Asie Mineure et Syrie* (1858). Rentrée définitivement en Italie en 1856, elle compose encore une *Histoire de la Maison de Savoie* (1860), s'intéresse aux réformes sociales et fonde une feuille politique, *l'Italie,* rédigée en français sur le modèle des journaux français. Patriote exaltée et passionnée, elle a suscité pendant son séjour en France un mouvement de curiosité et d'intérêt très vif pour les lettres et les arts de son pays.

BELLAY Joachim du. Château de la Turmelière (Anjou) 1522 – Paris 1.1.1560. Orphelin, du B. reçut une éducation quelque peu négligée au cours d'une enfance rêveuse, mélancolique, en étroite communion avec la nature. Il se décide enfin, après avoir suivi des études de droit à la faculté de Poitiers, à faire carrière auprès de son cousin Jean du Bellay, archevêque de Paris. C'est dans une hôtellerie, près de Poitiers, qu'il aurait fait la rencontre de Ronsard. Celui-ci aide son nouvel ami à sortir de sa solitude intellectuelle et l'entraîne au collège de Coqueret. De 1547 à 1549, du B. y reçoit l'enseignement de Dorat. Moins « savant » que ses camarades, il s'attache surtout à l'étude du grec. Dans ce collège règne une émulation intellectuelle intense ; les esprits les plus éclairés du temps s'y trouvent rassemblés : Ronsard, Baïf et surtout Dorat, dont la personnalité puissante attire tous les étudiants du Quartier latin. On y travaille beaucoup, même la nuit ; on s'intéresse aux sciences, aux lettres gréco-latines, à la poésie. On ne dédaigne pas, non plus, la promenade et le divertissement. C'est dans ce climat d'activités ininterrompues qu'intervient, comme un détonateur, *l'Art poétique* de Sebillet (1548). Et le groupe, qui a pris pour nom « la Brigade » (devenue plus tard « la Pléiade »), se trouve, pour répondre à Sebillet, dans l'obligation de dégager une théorie de toute cette effervescence intellectuelle. Sebillet met sur le même plan les poètes français et ceux de l'Antiquité ; il fait encore l'apologie des genres anciens du Moyen Âge (lais, virelais, rondeaux, ballades). Face aux tentatives de la Brigade pour imposer les idées nouvelles, c'est de la quasi-provocation, même si, par ailleurs, Sebillet est parfois de l'avis du groupe ; du B. est chargé de répondre : il est une des figures les plus marquantes de la Brigade, plus téméraire que Ronsard, et la notoriété de son nom lui assure, par avance, la protection de son cousin et peut-être aussi une autorité plus grande auprès du public. Et c'est alors un véritable manifeste littéraire, *Défense et Illustration de la langue française,* dédié à Jean du Bellay. La même année, du B. fait paraître son premier recueil de poèmes, *l'Olive,* et des *Vers lyriques,* inspirés d'Horace. De 1550 à 1552, il subit le contrecoup de ces années d'efforts et de luttes ; il tombe malade et met à profit cette oisiveté forcée pour faire une traduction libre du *Quatrième Livre de « l'Énéide »* (1552). Il laisse libre cours à sa peine dans la « Complainte du désespéré », poème qui fait partie d'un recueil intitulé *Inventions* où il évoque, avec une sensibilité bouleversée et bouleversante, les souffrances physiques qu'il éprouve. Au terme de cette maladie, son oncle, Jean du Bellay, fait appel à lui pour l'accompagner à Rome en tant que secrétaire, et du B. se réjouit de rejoindre ce berceau de l'Antiquité, où il arrive en mai 1553. La contemplation des ruines lui inspire *les Antiquités de Rome,* qu'il publiera, comme *les Regrets,* après son retour en France ; mais à l'enthousiasme suscité par ce retour aux sources succède rapidement la désillusion : le spectacle que lui offrent les mœurs dissolues de la vie romaine le navre. En outre, il se sent humilié par la tâche subalterne qui lui est confiée (« Je suis né pour la Muse, on me fait mesnager »). Il confie cette profonde amertume dans *les Regrets* et saisit la première occasion pour revenir en France, dans son « petit Liré ». Ses dernières années seront misérables. Le poète devient de plus en plus sourd et se réfugie dans la création poétique ; il fait paraître encore, en 1559, sous un nom d'emprunt, *le Poète courtisan :* il y méprise avec une ironie cinglante les poètes-courtisans qui s'éloignent de la nouveauté comme de la véritable connaissance poétique et flattent inconsidérément leurs protecteurs. Malade, épuisé, il meurt à trente-sept ans. L'œuvre de du B. est tout à la fois pratique et théorique. Longtemps, elle est restée dans l'ombre du grand Ronsard, du B. apparaissant surtout comme le théoricien de la langue française, auteur de la *Défense et Illustration,* où se trouvent tracées les grandes lignes de la nouvelle école poétique et littéraire. Du B. veut « défendre » le français contre la vogue de l'Antiquité lancée et entretenue par les humanistes et contre la mode néo-latine qui s'ensuivait (il y a d'ailleurs lui-même sacrifié avec ses *Poemata* en latin !). La langue française, selon lui, n'est pas une langue « barbare », et il peut suffire de la travailler et de l'affiner pour lui donner ses lettres de noblesse. Si elle est encore « pauvre et nue », c'est qu'elle fut trop négligée par les ancêtres. Il faut désormais s'appliquer à la perfectionner et à l'enrichir par des mots nouveaux – et même en composer à partir de dérivations. La création d'un nouveau langage va de pair avec celle

d'une nouvelle poétique : les formes du Moyen Âge (lais, virelais, rondeaux, ballades) doivent être abandonnées au profit de l'ode, du sonnet, de l'élégie, de la comédie, de la tragédie, voire de l'épopée. Ce renouvellement de la langue et des formes littéraires n'exclut pas (du B. la recommande, au contraire) l'imitation – mais intelligente et non pas servile – des Anciens, lorsque celle-ci peut contribuer à enrichir le patrimoine national. Œuvre touffue, polémique, la *Défense et Illustration,* pour la première fois, essaie de conjuguer l'art de dire, le savoir-faire et l'inspiration, à laquelle est accordée une place de choix : du B. juge nécessaire cette « fureur divine » qui, quelquefois, agite et échauffe les esprits poétiques et sans laquelle il ne faut point que nul espère « faire chose qui dure ». Du B. mettra en pratique ses idées dans une œuvre qui, tout à la fois, utilise les Anciens et exprime une inspiration tout à fait originale. Après avoir, dans *l'Olive* (50 sonnets ; 150 dans la seconde édition, en 1550), chanté, selon la tradition pétrarquiste, son amour idéal, chaste et pur pour Mlle de Viole (dont le mot « Olive » serait l'anagramme), du B., dans *les Antiquités de Rome* (32 sonnets), imite les Anciens qui avaient déjà chanté la Ville éternelle. Mais interviennent ici une émotion sincère et profonde et un ton tout à fait personnel dans l'évocation de ce qui n'est plus. Avec *les Regrets* (191 sonnets), du B. donne la pleine mesure d'une sensibilité en demi-teinte, mélancolique, qu'il avait déjà manifestée dans ses premières œuvres. Mais, débarrassé des formules savantes de sa formation humaniste (les stéréotypes, les imitations non contrôlées), il laisse libre cours à la nostalgie du pays natal qui grandit face à l'image d'une Rome qui ne conserve plus aucune trace de sa grandeur passée. Cette désillusion le pénètre au point de lui laisser supposer que les Muses, elles aussi, l'ont délaissé ; sa déception, cependant, fait naître les plus beaux vers de son œuvre : « Et les Muses, de moi, comme étranges, s'enfuient. »
Du B., poète de la mélancolie, du regret, de la nostalgie, et qui se délivre de la désillusion par l'ironie satirique, est peut-être le premier poète à avoir utilisé la dérision, non seulement pour tourner en ridicule la cour et – quels qu'ils soient – les courtisans, mais encore pour échapper au regret fondamental de ne pas trouver la réalité à la hauteur du rêve.

Œuvres. *Défense et Illustration de la langue française,* 1549 (E). – *L'Olive,* 1549 (P). – *Vers lyriques,* 1549 (P). – *Prosphonématique,* 1549 (E). – *Recueil de poésie,* 1549 (P). – *L'Olive augmentée,* 1550 (P). – *Musagnœomachie,* 1550 (P). – *Recueil de poésie* (seconde édition), 1553 (P). – *Discours au Roy sur la trêve de l'an 1556,* 1558 (P). – *Les Antiquités de Rome,* 1558 (P). – *Jeux rustiques,* 1558 (P). – *Les Regrets,* 1558 (P). – *Poemata* (en latin), 1558 (P). – *Le Poète courtisan,* 1559 (P). – *Discours au Roy sur la poésie,* posth., 1560. – *Discours sur le sacre du très chrétien roy François II,* posth., 1560. – *Ample Discours au Roy sur le fait des quatre états du Royaume de France,* posth., 1567. – *Les Amours,* posth., 1568 (P). – *Xénia,* posth., 1569 (P).

BELLEAU Rémy. Nogent-le-Rotrou 1528 – Paris 6.3.1577. Protégé par Christophe de Choiseul, abbé de Mureaux, B. fit de bonnes études, qu'il termina au collège Boncourt. Une traduction des *Odes* d'Anacréon lui attira l'estime de Ronsard, qui le reconnut alors comme « le septième poète de la Pléiade ». Cette traduction fut suivie de *Petites Inventions,* à la manière des poètes grecs. D'emblée, B. manifeste un esprit délicat et alerte pour décrire des fleurs, des fruits, des insectes, dans le style des « hymnes à blasons » de Ronsard. Bénéficiant de la protection de la maison de Lorraine, il put, en toute quiétude, se livrer à l'exercice de son art. Il se distingua plus particulièrement quand il fit paraître *la Bergerie de R.B.,* où il témoigne, non sans préciosité, mais avec sincérité, d'un goût vif pour la nature. Cette version s'augmenta en 1572 et parut sous le titre : *Deuxième Journée de la Bergerie.* Des poètes de la Pléiade, B. est le moins lyrique, peut-être à cause d'une pudeur qui lui interdit les effusions. D'une érudition exemplaire, il ne pouvait s'empêcher de s'inspirer de modèles, mais il avait l'habileté et le talent de savoir les adapter de façon que le poème semblât tout à fait personnel.

Œuvres. *Traduction des Odes d'Anacréon,* 1556. – *Petites Inventions,* 1556 (P). – *La Bergerie,* 1565 (P). – *Deuxième Journée de la Bergerie,* 1572 (P). – *Les Amours et Nouveaux Eschanges des pierres précieuses, vertus et propriétés d'icelles,* 1576 (P). – *Églogues sacrées prises du « Cantique des Cantiques »* (adapt.), 1576 (P). – *La Reconnue,* 1578 (P).

BELLEMIN-NOËL Jean. (Voir PSYCHANALYSE ET CRITIQUE LITTÉRAIRE.)

BELLESSORT André. Laval 1866 – Paris 1942. Ses voyages, destinés à faire connaître la culture française à l'étranger, lui ont permis de rapporter d'intéressants témoignages sur le Chili, la Roumanie ou le Japon. En 1926, il devint critique littéraire du *Journal des débats,* puis secrétaire de la *Revue des Deux-Mondes.* L'humanisme classique, en ses valeurs traditionnelles, s'est trouvé exalté dans ses œuvres, parmi lesquelles on retiendra surtout un essai sur Virgile qui demeure exemplaire, à la fois par son style et par son interprétation du poète latin. Acad. fr. 1936 ; secrétaire perpétuel 1940.

Œuvres. *Chili et Bolivie,* 1897. – *La Roumanie contemporaine,* 1905. – *Sur les grands chemins de la poésie classique,* 1914 (E). – *Le Nouveau Japon,* 1918. – *Virgile, son œuvre et son temps,* 1920 (E). – *Études et Figures,* 1921 (E). – *Reflets de la vieille Amérique,* 1923. – *Balzac,* 1924 (E). – *Essai sur Voltaire,* 1925 (E). – *Sainte-Beuve,* 1927 (E). – *Victor Hugo, essai sur son œuvre,* 1930 (E). – *Dix-Huitième Siècle et Romantisme,* 1941 (E).

BELLOY, Pierre Laurent Buyrette, dit **Dormont de.** Saint-Flour 17.11.1727 – Paris 5.2.1775. Destiné à la carrière d'avocat, il lui préféra la vie d'acteur et d'auteur dramatique, et fut apprécié à la cour de Russie. Il créa, avec *le Siège de Calais* et *Gaston et Bayard,* la tragédie historique à sujet national, où le romanesque et l'ostentation morale l'emportent sur la vraisemblance de l'intrigue et l'étude psychologique. Ce genre fut fort en vogue sous la Révolution. Acad. fr. 1771. (Voir CHÉNIER Marie-Joseph.)

Œuvres. *Titus,* 1759 (T). – *Zelmire,* 1762 (T). – *Le Siège de Calais,* 1765 (T). – *Gabrielle de Vergy,* 1770 (T). – *Gaston et Bayard,* 1771 (T). – *Pierre le Cruel,* 1772 (T).

BENDA Julien. Paris 26.12.1867 – Fontenay-aux-Roses 7.6.1956. Philosophe qui a délibérément choisi de s'exprimer par le genre littéraire de l'essai, B. est, par là, un précurseur de cette littérature du témoignage, et du témoignage intransigeant, qui est un des caractères du XXe s. C'est de ce point de vue que son ouvrage majeur, *la Trahison des clercs,* marque une date dans l'évolution de la littérature contemporaine. B. y dénonce l'engagement dans le jeu des passions humaines, en particulier politiques, de ceux (les « clercs » – intellectuels, artistes, professeurs –) « dont l'activité, par essence, ne poursuit pas des fins pratiques » ; il affirme la prééminence des « principes », valeurs spirituelles, d'origine rationnelle et non surnaturelle, qui ne peuvent fonder une civilisation que si elles sont maintenues – précisément par les clercs, dont c'est la tâche et la responsabilité – dans leur intégrale pureté. Une vie et une carrière, longues toutes deux, furent de la sorte indéfectiblement consacrées à cet apostolat laïque pour la maintenance des principes de la raison : ainsi s'expliquent les attaques de B. contre Bergson, sa condamnation de la plus grande partie de la littérature contemporaine, parce qu'elle est une littérature du moi, une élaboration esthétique du narcissisme, de Proust à Gide et Valéry, et son attachement à un rationalisme intégral qui refuse de considérer l'hypothèse même de l'irrationnel.

Œuvres. *Dialogues à Byzance,* 1900 (E). – *Le Bergsonisme ou Une philosophie de la mobilité,* 1912 (E). – *L'Ordination,* 1912 (N). – *Belphégor, essai sur l'esthétique de la présente société française,* 1919 (E). – *Les Amorandes,* 1922 (N). – *La Croix des roses,* 1923 (N). – *La Trahison des clercs,* 1927 (E). – *La Fin de l'Éternel,* 1929 (E). – *La Jeunesse d'un clerc,* 1936 (E). – *Un régulier dans le siècle,* 1938, rééd. 1968 (E). – *La Grande Épreuve des démocraties,* 1942 (E). – *La France byzantine,* 1945 (E). – *La Crise du rationalisme,* 1949 (E). – *Mémoires d'infratombe,* 1952.

BENJAMIN René. Paris 20.3.1885 – Tours 4.10.1948. Après un roman qui passe inaperçu *(Madame Bonheur)* et une satire qui le révèle *(La France de la Sorbonne),* il écrit en 1914 le premier roman de guerre, qui lui vaut le prix Goncourt et lui apporte la gloire, *Gaspard.* Fervent chrétien, brillant et partial biographe de Barrès, Balzac, Maurras, il entra à l'Académie Goncourt en 1938, mais ses collègues l'en exclurent en 1946, en raison de son soutien au maréchal Pétain pendant la Seconde Guerre mondiale. L'année de sa mort parut un beau recueil de nouvelles de B., *les Innocents dans la tempête.*

Œuvres. *Madame Bonheur,* 1909 (N). – *La France de la Sorbonne,* 1911 (E). – *Gaspard,* 1915 (N). – *La Prodigieuse Vie de Balzac,* 1925 (E). – *Le Soliloque de Maurice Barrès* (E). – *Antoine déchaîné* (E). – *Sous l'œil en fleur de Mme de Noailles,* 1928 (E). – *Sacha Guitry, roi du théâtre* (E). – *Charles Maurras, ce fils de la mer* (E). – *Les Sept Étoiles de France* (E). – *Aliborons et démagogues* (E). – *Les Augures de Genève* (E). – *Valentine ou la Folie démocratique* (E). – *Molière,* 1936 (E). – *Mussolini et son peuple,* 1937 (E). – *Le Printemps tragique,* 1940 (E). – *L'Homme à la recherche de son âme,* 1943 (E). – *L'Enfant tué,* 1945 (N). – *Les Innocents dans la tempête,* 1948 (N).

BEN JELLOUN Tahar. Fez (Maroc) 1944. Écrivain marocain d'expression française. C'est en 1971 que B.J. s'installe en France après des études de philosophie à Tanger. Tout en poursuivant une thèse à Paris, il publie des poèmes et devient collaborateur du *Monde*. Un premier roman poétique, *Harrouda*, publié en 1973, le fait mieux connaître. Il y exprime son attachement pour le Maroc à travers l'évocation de deux villes qu'il oppose : Fez et Tanger. Avant tout poète amoureux du sol marocain, des traditions et des chants de son pays, B.J. est de ce fait un porte-parole privilégié. Il dénonce ainsi violemment l'exclusion générale qui frappe les travailleurs immigrés, la solitude et la détresse dont ils souffrent. Pendant trois ans, il les a écoutés en travaillant à une thèse de psychiatrie sociale : *la Plus Haute des solitudes* est le résultat de ce cheminement. Par-delà l'observation clinique rigoureuse et l'analyse sociologique, l'ouvrage est un témoignage bouleversant et un cri de colère. B.J. dresse le procès d'une société qui en rentabilisant l'immigration dépossède le travailleur immigré de son statut d'être humain. Il devient, dit l'auteur, « une absence au monde et aux êtres ». Sensible aux déchirements des êtres, le poète déplore aussi les fractures et les blessures du monde arabe. *Moha le fou, Moha le sage* incarne, dans un récit qui renouvelle la tradition orale, toute la mémoire d'un peuple renié dans ses origines comme dans ses aspirations. *La Prière de l'absent* est alors la quête d'une identité perdue, non seulement celle des personnages du roman mais celle de tout un pays. Monde peuplé de signes, les romans de B.J. n'obéissent pas aux règles de la vraisemblance qui régissent le récit occidental mais à une exigence poétique qui impose ses propres lois. La violence des images, la mise en scène fantastique des récits, la rigueur et la force de la langue sont au service du poète pour écrire une histoire débarrassée des artifices trompeurs du mythe. L'œuvre pose une question unique et douloureuse : « Que peut l'écriture contre la mémoire quand le souvenir est fait de blessures ? »

Œuvres. *Hommes sous linceul de soleil,* 1971 (P). – *Harrouda,* 1973 (N). – *La Réclusion solitaire,* 1976 (N). – *Chronique d'une solitude,* 1976 (T). – *Les amandiers sont morts de leurs blessures,* 1976 (P). – *Cicatrices du soleil,* 1976 (P). – *Le Discours du chameau,* 1976 (P). – *La Mémoire future,* 1976 (P). – *La Plus Haute des solitudes,* 1977 (E). – *Moha le fou, Moha le sage,* 1978 (N). – *A l'insu du souvenir,* 1980 (P). – *La Prière de l'absent,* 1981 (N). – *L'Écrivain public,* 1983 (N). – *Hospitalité française,* 1984 (E). – *La Fiancée de l'eau,* suivi d'*Entretien avec M. Saïd Hammadi, ouvrier algérien,* 1984 (T).

BENOIT Pierre. Albi 16.7.1886 – Ciboure (Pyrénées-Atlantiques) 3.3.1962. Il ne faut sans doute ni porter aux nues cette œuvre trop abondante pour être égale ni moquer l'habitude de son auteur de donner à tous ses livres le même nombre de pages et à toutes ses héroïnes un prénom commençant par A. Mieux vaut, tout en jugeant à leur valeur une psychologie extrêmement conventionnelle, un exotisme appuyé sur de solides connaissances géographiques plus que sur les prestiges du style, un goût du mystère et du tragique parfois poussé jusqu'à la gratuité, reconnaître à B. le mérite d'avoir redonné, en une période où la prose se plaisait aux seules finesses psychologiques, ses lettres de noblesse au simple roman d'aventures. Acad. fr. 1931.

Œuvres. *Diadumène,* 1914 (P). – *Kœnigsmark,* 1918 (N). – *L'Atlantide,* 1919 (N). – *Le Lac salé,* 1921 (N). – *Les Suppliantes,* 1921 (N). – *Mademoiselle de la Ferté,* 1923 (N). – *La Châtelaine du Liban,* 1924 (N). – *Le Puits de Jacob,* 1925 (N). – *Le Soleil de minuit,* 1930 (N). – *Le Déjeuner de Sousceyrac,* 1931 (N). – *Les Environs d'Aden,* 1940 (N). – *Lunegarde,* 1942 (N). – *Aïno,* 1948 (N). – *Les Plaisirs du voyage,* 1950 (N). – *Ville perdue,* 1954 (N). – *Fabrice,* 1956 (N). – *Montsalvat,* 1957 (N). – *La Sainte Vehme,* 1958 (N). – *Le Commandeur,* 1960 (N).

BENOÎT DE SAINTE-MAURE. Touraine, seconde moitié du XIIe s. Trouvère anglo-normand. Auteur possible du *Roman de Troie,* dédié à Aliénor d'Aquitaine (voir cet article). En 1174, Henri II Plantagenêt lui confie la succession de Wace comme continuateur du *Roman de Rou* ou *Chronique des ducs de Normandie ;* malgré ses 43 000 vers, cette chronique restera inachevée.

BENSERADE Isaac de. Paris ou Lyons-la-Forêt (Eure) ? 5.11.1612 – Gentilly 20.10.1691. Issu d'une famille originaire de Normandie, ce poète-courtisan et bel esprit fut protégé par Richelieu, Mazarin et Louis XIV ; adulé par les milieux mondains, il est, avec son rival Voiture, l'une des incarnations les plus typiques de la préciosité. C'est pour une actrice, la Bellerose, qu'à vingt-trois ans il compose sa première tragédie, *Cléopâtre,* représentée à l'hôtel de Bourgogne en 1636. Malgré d'autres œuvres dramatiques, d'ailleurs faibles, ce n'est pas ce genre qui le fera accéder à la gloire littéraire. Ce sera plutôt celui des divertissements de cour, dont, en collaboration avec son ami, le musicien Lambert, il sera l'ordonnateur pendant vingt-cinq ans. Il composera une vingtaine de ballets entre 1651 et 1681 et en fera un véritable genre littéraire, dont certains aspects préfigurent le poème d'opéra ; il collabore avec Lulli et sera, dans ce domaine, le rival de Molière pour *les Plaisirs de l'île enchantée :* le premier, il donne à ses personnages les traits de caractère et les attitudes de ceux – dames ou courtisans – qui les interpréteront, et se rend ainsi agréable au roi. C'est aussi un poète fécond et doué, dans le genre précieux : de nombreuses petites pièces légères (stances, madrigaux, épigrammes, sonnets) en témoignent. C'est cette production poétique qui lui attire la faveur des salons. Il est l'auteur, entre autres, de ce sonnet de *Job* qui fut l'occasion d'une querelle mémorable, et à propos duquel il fut opposé à Voiture, auteur du sonnet d'*Uranie :* deux camps mondains entretinrent cette dispute littéraire pendant plusieurs années, celui des jobelins, dirigé par le prince de Conti, et celui des uranistes, sous la direction de la duchesse de Longueville. Toujours fidèle à ce genre mondain, B. entreprend d'adapter au goût moderne certaines œuvres antiques : *Métamorphoses d'Ovide en rondeaux, Fables d'Ésope en quatrains.* Vers la fin de sa vie, il se retire dans son domaine de Gentilly et y compose encore des *Stances,* toujours précieuses dans leur forme, mais d'un sentiment mélancolique dont la sincérité ne paraît pas contestable. Acad. fr. 1674.

Œuvres. *La Cléopâtre,* 1636 (T). – *La Mort d'Achille et la Dispute de ses armes,* 1637 (T). – *Gustaphe ou l'Heureuse Ambition,* 1637 (T). – *Iphis et Ianthe,* 1637 (T). – *Méléagre,* 1640 (T). – *Cassandre,* 1647 (T). – *Le Sonnet de Job,* 1648 (P). – *Ballet de la nuit,* 1653 (T). – *Alcidiane,* 1658 (T). – *La Raillerie,* 1659 (T). – *Les Plaisirs de l'île enchantée,* 1664 (T). – *La Naissance de Vénus,* 1665 (T). – *Le Triomphe de l'amour,* s.d. (T). – *Le Ballet des Muses,* 1667 (T). – *Métamorphoses d'Ovide en rondeaux,* 1676 (P). – *Fables d'Ésope en quatrains,* 1678 (P). – *Stances* (P).

BÉRANGER Pierre Jean de. Paris 19.8.1780 – 16.7.1857. Élevé à Péronne, il y vit misérablement, dans une fervente admiration de Napoléon. À la fin de l'Empire, *le Roi d'Yvetot* lui permet d'acquérir une certaine notoriété. Mais ce n'est qu'après 1815 qu'attiré par la chanson patriotique il s'y consacre et devient le porte-drapeau du libéralisme. Ses chansons paraissent en cinq recueils de 1815 à 1833 ; le deuxième et le quatrième lui valent des procès dont il sort glorieux. Après avoir été l'un des instigateurs des journées de Juillet, en 1830, il repousse cependant tout honneur de Louis-Philippe et se complaît dans une retraite triomphante. Sa mort provoqua une émotion populaire telle que le gouvernement, apeuré, écarta la foule de ses obsèques. Chantre des humbles, ennemi déclaré du cléricalisme, créateur admiré du type de Lisette, B., de son vivant et bien après sa disparition, fut souvent jugé supérieur à Hugo ou Lamartine. Ses thèmes répondaient en effet aux aspirations des masses. Quoi qu'on pense aujourd'hui de lui, il faut admettre que B. fut le type même du « poète national ».

Œuvres. *Chansons morales et autres,* 1815 : *le Roi d'Yvetot ; le Sénateur ; les Gueux ; les Infidélités de Lisette,* etc. – *Chansons,* 1821 : *la Sainte Alliance des peuples ; le Vieux Drapeau ; le Dieu des bonnes gens,* etc. – *Chansons nouvelles,* 1822. – *Chansons inédites,* 1828. – *Chansons nouvelles et dernières,* 1833. – *Ma biographie,* 1857. – *Correspondance,* posth., 1860.

BÉRAUD Henri. Lyon 1885 – Saint-Clément-des-Baleines (île de Ré) 1958. Il ne devient vraiment célèbre qu'en 1922, quand son *Martyre de l'obèse* lui vaut le prix Goncourt. Ennemi de l'esthétisme gidien, évocateur vivant de la province dans *la Gerbe d'or,* B. a laissé une œuvre journalistique surabondante (en particulier dans l'hebdomadaire *Gringoire*), où la truculence et le parti pris, soutenus par un style en lui-même très riche, se donnent libre cours. Il fut condamné en 1944 pour activité proallemande.

Œuvres. *Le Vitriol de lune,* 1921 (N). – *Le Martyre de l'obèse,* 1922 (N). – *Le Bois du Templier pendu,* 1926 (N). – *La Gerbe d'or,* 1928 (N). – *Les Lurons de Sabolas,* 1932 (N). – *Ciel de suie,* 1933 (N). – *Faut-il réduire l'Angleterre en esclavage ?* 1935 (E). – *Popu-Roi,* 1937 (E). – *Qu'as-tu fait de ta jeunesse ?* 1941 (E).

BERGSON Henri. Paris 18.10.1859 – 4.1.1941. Entré à l'École normale supérieure dans la promotion de Jaurès, il révéla son originalité dès sa thèse, *Essai sur les données immédiates de la conscience.* L'œuvre et la pensée de B. ont eu une influence profonde sur la littérature du début de ce siècle. Cette influence, dont le symbole célèbre est le succès mondain que remportèrent les conférences du philosophe au Collège de France, s'explique d'une façon générale par le fait que B. a exprimé, avec plus de bonheur que d'autres, une réaction alors vive contre le scientisme et le positivisme, et, sur le plan littéraire, par l'invention dans son œuvre d'une philosophie expérimentale de la durée. Coïncidence ou cause réelle ? Au moment où la conscience du temps concrètement éprouvé devient l'un des stimulants du renouvellement poétique et romanesque, la philosophie bergsonienne apparut à plus d'un esprit comme la pensée des temps nouveaux. Aujourd'hui, sans nier la réelle opportunité de l'apparition de B. à son époque, il convient d'expliquer également son succès par ses talents exceptionnels d'écrivain, faisant de certaines pages un modèle de prose poétique. La part la plus originale de l'invention bergsonienne concerne le temps : dans *l'Évolution créatrice* sont distingués le temps abstrait des horloges, non créatif et déterminé, et la durée concrète et vécue, qui relève d'une expérience irréductible, que l'art a pour mission spécifique d'exprimer et de communiquer. B. a multiplié, dès *le Rire,* les notations les plus novatrices sur l'esthétique, sur la nature et la fonction de l'art ; à partir de *l'Énergie spirituelle,* sa pensée s'infléchit davantage du côté de la morale. Sa philosophie de la durée devient peu à peu une affirmation de la liberté créatrice, non seulement en art mais par exemple dans l'expérience mystique *(les Deux Sources de la morale et de la religion).* A la fin de son œuvre comme vers la fin de sa vie, B. cherche à convaincre de la réalité d'une libération spirituelle, d'un passage épanouissant du clos à l'ouvert. Seule, d'ailleurs, sa solidarité avec le peuple juif martyrisé empêcha l'israélite B. de mourir formellement chrétien. Peut-être cette réserve finale conserve-t-elle davantage d'universalité à une pensée dont la souplesse mouvante a dérouté beaucoup d'adversaires de B., mais dont l'influence diffuse ne peut être niée. Cette influence sur le plan des idées fut considérable, en particulier dans la mesure où le bergsonisme valorise l'expérience intérieure de la durée concrète et a pu ainsi déterminer l'orientation de toute une époque dans la voie d'une littérature de la conscience. On peut sans doute valablement parler d'un véritable « bergsonisme littéraire », dont les expressions se rencontrent aussi bien chez Péguy que chez Proust ou chez les critiques Thibaudet et Charles Du Bos. Acad. fr. 1914.

Œuvres. *Essai sur les données immédiates de la conscience,* 1888 (E.). – *Matière et Mémoire. Essai sur la relation du corps et de l'esprit,* 1896 (E). – *Le Rire. Essai sur la signification du comique,* 1900 (E). – *L'Évolution créatrice,* 1907 (E). – *L'Énergie spirituelle,* 1919 (E). Contient : *le Rêve,* 1901 ; *l'Effort intellectuel,* 1902 ; *le Cerveau et la Pensée,* 1904 ; *la Fausse Reconnaissance,* 1908 ; *la Conscience et la Vie,* 1911 ; *l'Ame et le Corps,* 1912 ; *Fantômes de vivants,* 1913. – *Durée et Simultanéité,* 1922 (E). – *Les Deux Sources de la morale et de la religion,* 1932 (E). – *La Pensée et le Mouvant,* 1934 (E). Contient : *Introduction à la métaphysique,* 1903 ; *la Vie et l'Œuvre de Ravaisson,* 1904 ; *Sur le pragmatisme de William James,* 1911 ; *la Perception du changement,* 1911 ; *la Philosophie de Claude Bernard,* 1913 ; *le Possible et le Réel,* 1930. – *Lettre au père Sertillanges,* 1937. – *Lettre à Daniel Halévy : « A la mémoire de Charles Péguy »,* 1939. – *Œuvres complètes,* posth., 1959.

BERL Emmanuel. Le Vésinet 1892 – Paris 1976. Lié d'amitié dans sa jeunesse avec Marcel Proust, il s'engage d'abord dans une vaste entreprise d'exploration psychologique qui aboutit à son essai de 1917, *Recherches sur la nature de l'amour,* dont l'orientation provoque la rupture de ses liens avec l'auteur de *la Recherche du temps perdu.* Mais l'expérience de la guerre, qu'il fait au front pendant deux ans, vient bouleverser l'équilibre intérieur de B. : s'il continue son exploration psychologique avec *Méditations pour un amour défunt,* il sera désormais hanté par le désarroi de l'ancien combattant devant la situation de l'Europe, ce qui le conduit à se rapprocher d'un autre écrivain ancien combattant, lui aussi en plein désarroi, Drieu la Rochelle. En 1932, B. prend la direction de l'hebdomadaire politico-littéraire *Marianne,* publié par Gallimard, et multiplie alors les essais de caractère idéologique et politique, dont les plus significatifs sont *Mort de la morale bourgeoise, Discours aux Français* et *le Fameux rouleau compresseur.*

La montée des périls des années 30 voit B. réagir dans le sens du pacifisme, ce dont témoigne son approbation publique, en 1938, des accords de Munich, ainsi que son soutien initial du gouvernement de Vichy (c'est lui qui rédige les premiers discours de Pétain), avec qui, toutefois, il rompra dès l'automne 1940. Ayant épousé la chansonnière-compositeur Mireille, il choisit alors de se retirer en Corrèze où il se consacre à des travaux historiques

(*Histoire de l'Europe*) et surtout à une attachante méditation solitaire sur son propre destin et celui de sa génération.

Œuvres. *Recherches sur la nature de l'amour,* 1917 (E). – *Méditations pour un amour défunt,* 1925 (E). – *La Route nº 10,* 1927 (N). – *Mort de la pensée bourgeoise,* 1929 (E). – *Mort de la morale bourgeoise,* 1930 (E). – *Le Bourgeois et l'amour,* 1935 (E). – *Lignes de chance,* 1935 (E). – *Discours aux Français,* 1935 (E). – *Le Fameux Rouleau compresseur,* 1937 (E). – *Histoire de l'Europe,* 1945 (E). – *Sylvia,* 1951 (N). – *Présence des morts,* 1955 (N). – *Rachel et autres grâces,* 1965 (N). – *La Chute de la IIIe République,* 1968 (E). – *A notre temps,* 1969 (E). – *Le Virage,* 1972 (N). – Interrogatoire par Patrick Modiano, suivi de : *Il fait beau, allons au cimetière,* 1976.

BERNANOS Georges. Paris 20.2.1888 – Neuilly 6.7.1948. D'ascendance espagnole et lorraine du côté paternel, berrichonne du côté maternel, B. reçoit à sa naissance un héritage fait de fierté, de foi catholique, de goût des voyages. Son enfance se partage entre la vie à Paris et les vacances à Fressin (Pas-de-Calais), où il mène une vie très libre entre les promenades et les jeux dans la campagne d'Artois et des lectures effrénées : à treize ans, il a lu toute *la Comédie humaine.* Sa scolarité le mène d'un collège religieux à l'autre, jusqu'au baccalauréat, qu'il obtient en 1906. Durant l'année précédente, il a entretenu avec l'abbé Lagrange une correspondance qui nous est précieuse pour la compréhension de son évolution : les thèmes de l'enfance et de la mort y sont déjà dominants, et B. s'y déclare conscient d'une vocation de témoin laïque de la foi. C'est également à dix-sept ans qu'il prend parti pour l'Action française et devient monarchiste. Étudiant à Paris, il se montre un violent « camelot du roi » ; il commence à écrire des articles et des nouvelles. Son activité de plume s'accroît de septembre 1913 à la guerre : il dirige le journal nationaliste de Rouen, *l'Avant-garde de Normandie,* et y polémique violemment contre le radical Alain. La guerre le trouve dans les tranchées. Dures années au cours desquelles il se marie, découvre Léon Bloy, correspond avec le bénédictin dom Besse, nouvel abbé Lagrange. Après la guerre, pour faire vivre sa famille de plus en plus nombreuse, B. entre comme inspecteur dans une compagnie d'assurances de Bar-le-Duc ; mais, en 1926, le succès de son premier roman, *Sous le soleil de Satan,* l'incite à quitter cet emploi. Ne vivre que de sa plume lui sera difficile : il écrit avec peine, se rature sans cesse, doute de ses dons. En novembre 1927 paraît *l'Imposture,* suivie, deux ans plus tard, de *la Joie,* qui obtient le prix Femina-Vie heureuse. De 1930 à 1934, B. réside sur la Côte d'Azur, où il travaille notamment à *Monsieur Ouine.* Aux Baléares, de 1934 à 1937, il connaît une période de fécondité : *Un crime* paraît en 1935 (la seconde version de cet ouvrage, *Un mauvais rêve,* écrite alors, ne sera publiée qu'en 1950). Il achève *le Journal d'un curé de campagne* (grand prix du roman de l'Académie française) et *Nouvelle Histoire de Mouchette.* La guerre d'Espagne amène le romancier à se faire polémiste : excepté *Monsieur Ouine,* déjà presque terminé, et *Dialogues des carmélites,* il ne rédigera plus que des essais ou des écrits de combat, où s'expriment violemment ses convictions chrétiennes. Le plus célèbre, *les Grands Cimetières sous la lune,* connut deux rédactions successives ; paru en librairie en mai 1938, il fut accueilli avec enthousiasme ou révolte, selon la position des lecteurs face à la guerre d'Espagne, et posa par son retentissement un grave problème aux chrétiens d'Europe. Il consacra également la rupture de son auteur avec l'Action française. En 1938, écœuré par l'abaissement de l'Europe, B. s'embarque avec sa famille. Il vivra sept ans au Brésil, multipliant les écrits, terminant *Monsieur Ouine,* soutenant la France libre. Revenu en France à la demande personnelle du général de Gaulle, il y déborde d'activités journalistiques, mais laisse publier *Monsieur Ouine* dans une édition très fautive. Il doit s'aliter le jour même où il termine *Dialogues des carmélites,* qui fait écho, à quarante ans de distance, à ses préoccupations d'adolescent, et meurt à l'hôpital américain de Neuilly.

« Par l'écriture, B. veut témoigner de l'existence authentique de l'univers surnaturel » (M. Estève) : cette phrase permet de rappeler que le romancier et le polémiste ne sont qu'un même homme, d'abord soucieux de s'opposer avec éclat à tout ce qui avilit l'être humain, sans toutefois jamais devenir sectaire. On préfère parfois, chez le romancier, les deux chefs-d'œuvre que sont *le Journal d'un curé de campagne* et *Nouvelle Histoire de Mouchette* (adaptés pour le cinéma par Robert Bresson, respectivement en 1951 et 1967) ; de fait, le récit du combat mené contre les âmes rebelles par le jeune desservant d'Ambricourt, comme celui de la lutte de la fillette devenue trop vite adulte et que la misère a vaincue, s'imposent et par leur élévation de pensée et par une maîtrise formelle rare dans l'œuvre tourmentée de B. Cependant, deux autres romans, le premier et le dernier, rendent peut-être plus richement compte de l'originalité de B. On n'a pas fini de sonder les mystères de *Sous le soleil de Satan,* dont la violence spirituelle fit l'effet d'une bombe et étonne encore. Ce livre chaotique, au style halluciné, plongé dans les ténèbres au propre et au figuré, reste dans notre littérature comme un défi inégalé. B. a surtout voulu rappeler la réalité du Malin, qu'il jugeait trop oubliée : la présence satanique dans son œuvre se fera par la suite plus symbolique. Quant à *Monsieur Ouine,* dont l'édition correcte est de 1955, c'est par la nouveauté de ses procédés de composition qu'il choqua critiques et lecteurs. Le public catholique et traditionaliste de B. était déconcerté devant cette « suite onirique », aux apparences de roman bernanosien (on y trouve un crime, un prêtre, des paysages de pluie), mais dont les lacunes, les ellipses, les ambiguïtés exigent un grand effort du lecteur : c'était déjà un anti-roman. Quant à l'œuvre polémique de B., il serait vain d'y chercher une théorie politique cohérente : ce « visionnaire du réel » partait en guerre contre toute injustice. Honneur chrétien, esprit d'enfance, prêtres confrontés aux angoisses de leur ministère, tout se ramène au même combat pour la vérité, que ce soit dans les romans, quelquefois entravés dans leur élan par de trop évidentes difficultés de fabrication, ou dans les œuvres hâtives du polémiste, que l'urgence contraignait à moins se contrôler, et qui n'en est peut-être que plus salutairement provocateur.

Œuvres. *Madame Dargent,* 1922 (N). – *Sous le soleil de Satan,* 1926, éd. revue 1982 (N). – *Saint Dominique,* 1926 (E). – *L'Imposture,* 1927 (N). – *La Joie,* 1929 (N). – *Jeanne relapse et sainte,* 1929 (E). – *La Grande Peur des bien-pensants,* 1931 (E). – *Un crime,* 1935 (N). – *Journal d'un curé de campagne,* 1936 (N). – *Nouvelle Histoire de Mouchette,* 1937 (N). – *Les Grands Cimetières sous la lune,* 1938 (E). – *Nous autres Français,* 1939 (E). – *Scandale de la vérité,* 1939 (E). – *Voici la France libre,* 1941 (E). – *Lettre aux Anglais,* 1942 (E). – *Écrits de combat,* 1942, 1943, 1944 (E). – *Le Chemin de la croix des âmes,* 1944 (E). – *Monsieur Ouine,* 1946, éd. revue 1955 (N). – *La France contre les robots,* 1947 (E). – *Dans l'amitié de Léon Bloy,* 1947 (E). – *Les Enfants humiliés,* posth., 1948. – *Dialogues des carmélites,* posth., 1949 (T). – *Un mauvais rêve,* posth., 1950 (N). – *La Liberté, pour quoi faire ?* posth., 1953 (E). – *Journal des années 1939-1940,* posth., 1953. – *Dialogues d'ombres,* posth., 1955 (E). – *Le Crépuscule des vieux,* posth., 1956 (E). – *Français, si vous saviez,* posth., 1961 (E). – *Œuvres complètes* (3 vol.), 1972.

Sous le soleil de Satan

B. campe ici un sosie du curé d'Ars, l'abbé Donissan, animé d'une telle passion du salut qu'il en vient à offrir sa damnation pour l'épargner à la jeune Mouchette : le romancier laisse entendre, dans une scène unique où Donissan rencontre Satan sous l'apparence d'un maquignon roublard, l'origine impure de ce zèle, d'ailleurs jugé excessif en haut lieu. Donissan, devenu « le saint de Lumbres », meurt « au combat », dans son confessionnal ; Mouchette, qui a refusé son assistance, s'est livrée à Satan par son suicide ; mais Donissan qui a poussé l'orgueil jusqu'à tenter de ressusciter un enfant mort, n'est-il pas lui aussi exposé à la damnation ?

BERNARD Claude. Saint-Julien (Rhône) 13.7.1813 – Paris 10.11.1878. Issu d'une famille de condition modeste, il commence par être, à l'âge de seize ans, aide-pharmacien. Puis il vient à Paris avec l'intention de faire de la littérature, cédant ainsi à une impulsion qu'il partage avec toute la jeune génération romantique. Mais, en fait, il va suivre les cours du célèbre Magendie, un des grands maîtres de la médecine ; il deviendra son suppléant au Collège de France en 1847. En 1854, il entrera à l'Académie des sciences à la suite de sa découverte de la glycogénie hépatique et occupera à la Sorbonne une chaire de physiologie générale spécialement créée pour lui. En 1855, il remplacera Magendie au Collège de France. Auprès de divers travaux scientifiques, son principal titre de gloire reste son *Introduction à l'étude de la médecine expérimentale,* véritable bréviaire de la méthode scientifique moderne (1865). La pensée du savant et du philosophe y est servie par un style exemplaire qui montre que B. ne s'était pas trompé lorsque, dans sa jeunesse, il avait cru découvrir en lui une vocation littéraire : son talent d'écrivain a largement contribué à faire de son *Introduction* un véritable « classique » et l'un des grands textes où s'est exprimée la pensée du XIXe siècle. D'autre part, inaugurant en quelque sorte le moment d'apogée du positivisme, l'*Introduction* devait aussi exercer une influence décisive sur l'évolution de la littérature dans les années 1860-1880, puisque, de l'aveu même de Zola, elle est, pour une bonne part, à l'origine des doctrines et méthodes du naturalisme. Acad. fr. 1868.

BERNARD Jean-Jacques. Enghien-les-Bains 30.7.1888 – Paris 1972. Fils de Tristan Bernard, il est, en quelque sorte, l'inventeur du « théâtre du silence ». Il connut une réussite avec *Martine,* dont le dépouillement intimiste constitue un tournant dans le théâtre de l'époque. B. écrivit de nombreuses autres pièces, dans le même esprit de réaction contre la verbosité. Auteur de romans, de nouvelles et de souvenirs de déportation *(le Camp de la mort lente),* il a également consacré un ouvrage à son père. A la fin de sa vie, il poursuivit son œuvre théâtrale avec *De Tarse, en Cilicie* et publia des recueils de souvenirs.

Œuvres. *Le Voyage à deux,* 1909 (T). – *La Maison épargnée,* 1919 (T). – *L'Age en peine,* 1920 (T). – *Le Feu qui reprend mal,* 1921 (T). – *Martine,* 1922 (T). – *Le Secret d'Arvers,* 1926 (T). – *A la recherche des cœurs,* 1931 (T). – *L'Épicier,* 1931 (N). – *Le Roman de Martine,* 1931 (N). – *Les Tendresses menacées,* 1931 (N). – *Le Jardinier d'Ispahan,* 1932 (T). – *Madeleine Landier,* 1933 (N). – *Marie Stuart,* 1942 (T). – *Le Pain rouge,* 1947 (N). – *Le Camp de la mort lente,* 1948 (E). – *Marie et le Vagabond,* 1949 (N). – *Notre-Dame d'En-Haut,* 1952 (T). – *Mon père Tristan Bernard,* 1955 (E). – *Mon ami le théâtre,* 1958 (E). – *Saint Paul ou la Fidélité,* 1963 (E). – *De Tarse, en Cilicie,* 1961 (T).

Martine

L'héroïne, qui donne son nom à la pièce, est une jeune paysanne avec qui flirte un jeune journaliste, Julien, venu vivre au village chez sa grand-mère. Tandis que celui-ci ne voit là qu'un agréable passe-temps, Martine, elle, se trouve prise à ce jeu comme à un piège, le piège de l'amour vrai, sentiment qu'elle renferme en elle et qui la fait souffrir, car elle reste lucide. Julien bientôt se fiance à une jeune fille de son milieu, Jeanne, qui, en toute innocence et naïveté, fait de Martine la confidente de son cœur. Jeanne et Julien se marieront, Martine épousera un paysan, de façon que tout rentre dans l'ordre ; auparavant, toutefois, Julien aura pris un plaisir cruel à faire avouer à Martine son secret.

BERNARD Michel. Ensigné (Deux-Sèvres) 19.5.1934. Les années 1960 représentent le paroxysme de la « crise du roman ». B., avec *la Plage,* se situe délibérément à la fois hors de la « tradition » et en marge du « nouveau roman ». Si l'on veut établir sa filiation, il faut chercher plutôt du côté des romanciers américains (Faulkner et Dos Passos), du côté de Joyce aussi ; mais ce sont là pour lui moins des modèles que des points de départ pour des expériences qui, souvent sous le signe de l'analogie musicale et lyrique – l'opéra, en particulier, ou la musique de chambre –, prétendent constituer, au fur et à mesure que les livres se suivent, un renouvellement continu. Il y a là cependant des constantes significatives : l'accent mis sur le symbolisme du milieu spatial (« espace verbal »), la dynamique de la mémoire comme facteur d'incertitude, le problème de l'identité, dissoute ou démultipliée dans la succession des instants ou la simultanéité des événements, le flou des visages ou des personnages dans l'ambiguïté réciproque du rêve et du réel, tout ce qui conduit le romancier à rendre compte de l'homme non point comme personne mais comme signe, signe toutefois d'une réalité elle-même indéchiffrable. Ce qui rapproche B. de la littérature de « la mort de l'homme ».

Œuvres. *La Plage,* 1960 (N). – *La Mise à nu,* 1961 (N). – *L'Astrologue renversé,* 1962 (N). – *L'Animal écarlate,* 1963 (N). – *Aube ou la Vertu,* 1964, rééd. 1970 (N). – *666,* 1966 (N). – *Les Courtisanes,* 1968 (N). – *La Négresse muette,* 1968 (N). – *La Nue,* 1969 (N). – *Le Chevalier blanc,* 1969 (N). – *La Jeune sorcière,* 1973 (N). – *La Belle Lyonnaise,* 1975 (N). – *Le Cœur du paysage,* 1976 (N). – *La Cour des Voraces,* 1978 (N). – *Un jour, la vengeance,* 1979 (N). – *Les Bouches de Kotor,* 1984 (N).

BERNARD Paul, dit **Tristan.** Besançon 7.9.1866 – Paris 7.12.1947. En 1891, il fait ses débuts littéraires à la *Revue blanche.* Il écrit surtout pour le théâtre, où il remporte de nombreux succès. Ses pièces, souvent brèves, savoureuses dans le détail, ont mal vieilli. Ses récits, que caractérise un humour mêlé de tendresse, ont mieux résisté à l'usure du temps.

Œuvres. *Vous m'en direz tant,* 1894 (N). – *Les Pieds nickelés,* 1895 (T). – *Le Fardeau de la liberté,* 1897 (T). – *L'anglais tel qu'on le parle,* 1899 (T). – *Les Mémoires d'un jeune homme rangé,* 1899 (N). – *L'Affaire Mathieu,* 1900 (T). – *Daisy,* 1901 (T). – *Amants et Voleurs,* 1905 (N). – *Triplepatte,* 1905 (T). – *Les Jumeaux de Brighton,* 1908 (T). – *Secrets d'État,* 1908 (N). – *Les Veillées du chauffeur,* 1909 (N). – *M. Codomat,* 1909 (T). – *Le Danseur inconnu,* 1910 (T). – *Le Costaud des Épinettes,* 1910 (T). – *Le Petit Café,* 1911 (T). – *L'Accord parfait,* 1911 (T). – *On naît esclave,* 1912 (T). – *Jeanne Doré,* 1913 (T). – *L'École du piston,* 1916 (T).

– *La Volonté de l'homme,* 1917 (T). – *Le Sexe fort,* 1917 (T). – *Mathilde et ses mitaines,* 1920 (N). – *Les Petites Curieuses,* 1920 (T). – *L'Enfant prodigue du Vésinet,* 1921 (N). – *Embrassez-moi,* 1923 (T). – *Féerie bourgeoise,* 1924 (N). – *Autour du ring,* 1926 (N). – *Jules, Juliette et Julien,* 1929 (T).

BERNARD DE CHARTRES. Première moitié du XIIe s. Mort entre 1124 et 1130. Chancelier de l'école de Chartres, où il enseigne de 1114 à 1121, B. n'est connu que grâce au *Metalogicon* de Jean de Salisbury. Professeur remarquable, il considère la connaissance des grands écrivains de l'Antiquité comme fondement indispensable de toute pensée. Il choisit alors de se faire platonicien, d'abord en logique, puis dans l'élaboration d'une grammaire spéculative. Cette christianisation de Platon, sur le modèle de saint Augustin, aura pour conséquence directe l'élaboration de tout un ensemble d'idées, typique des œuvres issues des écoles de Chartres au XIIe s., et dont l'influence s'exercera jusque dans le premier tiers du XIIIe s.

BERNARD DE CLAIRVAUX (saint Bernard). Château de la Fontaine, près Dijon, 1090 – Clairvaux 20.8.1153. Dès son enfance, ce fils de petite noblesse montre des aptitudes remarquables pour la vie intellectuelle, très certainement encouragées par sa mère, qu'il perd à l'âge de seize ans. Profondément affecté par cette mort prématurée, B. mène, durant quelque temps, une vie mondaine, celle d'un jeune noble de l'époque. Mais il semble avoir pris très tôt la décision de se faire moine. À l'âge de vingt-deux ans, il entre au cloître de Cîteaux, réputé pour sa rigueur. Tout de suite, il se fait remarquer par son esprit d'initiative, qui permet à l'ordre, quelque peu périclitant, de se renouveler. Sa tâche accomplie, B. fonde, à l'âge de vingt-cinq ans, l'abbaye de Clairvaux, dont il sera l'abbé jusqu'à sa mort. Mais B. ne se contente pas du bon fonctionnement de sa paroisse. Durant toute sa vie, il fera preuve d'une activité inlassable. Paradoxalement, il est aussi un contemplatif mystique – il se livre à des ascèses répétées qui nuisent à sa santé fragile. Condamnant les divertissements, il recherche l'austérité et la pauvreté.
Dans le monde, B. joue un rôle de premier plan. Il ne ménage pas ses efforts pour défendre sa foi, telle qu'il l'entend, lors d'élections épiscopales, intervenant sans relâche pour rappeler les règles canoniques. Il critique les évêques, leur mode de vie, leur participation profane à la vie politique et temporelle. Il s'attaque violemment à Abélard (1140), qu'il accuse de s'écarter des voies royales de l'Église, et celui-ci se voit condamner. De la même manière, il s'inquiète du progrès de l'hérésie cathare et accepte de partir en mission dans le sud de la France. Sa renommée, son efficacité le désignent d'emblée pour prêcher la croisade de 1146. Vers la fin de sa vie, il revient à Clairvaux, entouré de ses disciples, admiré, reconnu comme un des maîtres à penser de son temps.
Ses écrits sont innombrables : sermons, entre autres sur le *Cantique des cantiques,* où, selon É. Gilson, « il a clairement affirmé que l'union extatique de l'âme à Dieu était pour lui une expérience familière », et sur la Vierge Mère, où pour la première fois est mise en valeur l'idée de la pureté ; traités divers ; enfin une *Apologie,* écrite après la croisade ; un nombre considérable de lettres (480) qu'il adressait au clergé et au pape. Il s'intéresse avec tout autant d'ardeur et de conviction aux problèmes spirituels (controverses sur des questions de dogme) qu'aux questions posées par l'organisation matérielle de l'Église (administration des diocèses, règles de la vie religieuse). Pour signaler sa vie exemplaire (tant par son comportement que par ses œuvres), l'Église le canonisa dès 1174.

Œuvres. *Apologia de vita et moribus religiosorum,* 1125. – *De diligendo Deo,* 1126-1127. – *De gradibus humilitatis et superbiae,* 1127. – *De gratiae et libero arbitrio ; De moribus et officio episcoporum,* 1127-1128. – *De laude novae militiae, ad milites Templi,* 1128. – *De cantu,* 1134. – *De baptismo,* 1138. – *De erroribus Abaelardi ; De conversione ad clericos,* 1140. – *De praecepto et dispensatione,* 1142. – *De consideratione,* 1149-1152. – *Vie de saint Malachie,* 1150-1152. – *Epistulae* (480). – *Sermons* (340, dont 85 sur le *Cantique des cantiques*), posth., 1667-1690, éd. établie par Mabillon.

BERNARD DE VENTADOUR. Seconde moitié du XIIe s. Troubadour occitan. Il était, dit-on, le fils de la cuisinière du château de Ventadour en Limousin, important centre de culture courtoise. C'est là que, sous la conduite du vicomte Éblon II, le jeune plébéien forma son talent et apprit l'art des vers. Il devait bientôt y passer maître et devenir un classique du lyrisme courtois, dans la mesure même où il maintient un parfait équilibre entre l'hermétisme du « trobar clus » et la limpidité du « trobar plan ». B. s'engage aussi dans la voie de la poésie psychologique en faisant évoluer jusqu'aux finesses de l'introspection le goût courtois de la casuistique amoureuse. Grâce à quoi le thème du « fin amor », cher aux troubadours occitans, trouve chez B. quelques-uns de ses accents les plus profonds et même les plus modernes ; il y a parfois dans les poèmes que lui inspire sa mélancolie rêveuse la présence authentique d'une sensibilité déjà romantique.

BERNARD Charles de, Bernard du Grail de La Villette, dit. Besançon 1804 – Sablonville 1850. Balzac, reconnaissant du compte rendu qu'il avait fait de *la Peau de chagrin,* l'attacha à la rédaction de sa *Chronique de Paris.* C. de B. y fit paraître *la Femme de quarante ans,* histoire plaisante et pastiche balzacien assez réussi.

Œuvres. *La Femme de quarante ans,* 1832 (N). – *Gerfaut,* 1838 (N). – *Les Ailes d'Icare,* 1840 (N). – *Le Gentilhomme campagnard,* 1847 (N).

BERNARDIN DE SAINT-PIERRE, Jacques Bernardin Henri, dit. Le Havre 19.1.1737 – Éragny-sur-Oise 21.1.1814. Enfant imaginatif, il rêve d'aventure et d'inconnu en lisant *Robinson Crusoé* et, à douze ans, s'embarque sur le navire de l'un de ses oncles qui se rend à la Martinique. A son retour, il reprend ses études chez les jésuites à Caen et à Rouen, pense un moment à se faire missionnaire, puis finalement devient ingénieur militaire. Il est envoyé successivement dans le pays de Hesse et à l'île de Malte, quitte l'armée en 1762 et va se chercher des protecteurs à l'étranger. Il parcourt ainsi la Hollande, la Russie, la Pologne, l'Autriche et l'Allemagne, et aura plusieurs aventures sentimentales, entre autres avec la princesse Marie Miesnik, qu'il aime passionnément, et avec la Berlinoise Virginie Taubenheim. Tempérament nerveux, instable, d'une sensibilité maladive, caractère difficile et esprit chimérique (il rêve de fonder une république idéale sur les bords du lac Aral), il devra aussi se débattre longtemps avec des soucis matériels ; il pense déjà à vivre de sa plume, mais, en 1768, ayant obtenu un brevet de capitaine ingénieur du roi, il est envoyé en mission à l'île de France (île Maurice). Les habitants de l'île le déçoivent, et il est scandalisé par les abus de l'esclavagisme mais se sent peu à peu attiré par la beauté des paysages qu'il découvre au hasard de ses promenades. Il devra à l'intendant de l'île, M. Poivre, dont il essaie en vain de séduire la sage épouse, ses connaissances sur la flore mauricienne. Il en tire les éléments de son *Voyage à l'isle de France...,* récit sous forme épistolaire où se fait jour son talent descriptif, et qu'il publiera en 1773 avec un demi-succès. De retour à Paris en novembre 1770, toujours impécunieux, il fréquente les philosophes mais ne tarde pas à se brouiller avec tous, excepté J.-J. Rousseau, dont il devient l'ami et le disciple. Leurs affinités les rapprochent : goût de la rêverie, amour de la nature, religion du cœur et de la conscience. Ensemble, ils font de longues promenades à travers la campagne et se livrent à la méditation. En 1784, B. de S.-P. publie le début de ses *Études de la nature,* entreprises depuis de longues années, œuvre dont la philosophie assez simpliste tend à prouver l'existence de Dieu par la perfection d'une nature qui est un don de la Providence en vue du bien-être de l'homme. Le réel mérite des *Études* ne se trouve ni dans leurs prétentions philosophiques ni dans les effusions humanitaires sur lesquelles s'achève l'ouvrage, mais dans l'expression de sensations neuves, le charme des descriptions de la nature qui suggèrent des détails concrets ou inattendus à travers le prisme d'une sensibilité déjà proche du romantisme. L'auteur apparaît même parfois comme un génial précurseur scientifique par ses observations regardant la botanique ou la biologie. C'est au quatrième volume des *Études...* que se trouve le court roman de *Paul et Virginie,* qui rend B. de S.-P. célèbre. Il est publié séparément ensuite, avec des illustrations de Moreau le Jeune et de Joseph Vernet, et recueille immédiatement un éclatant succès. Défini par son auteur comme une « espèce de pastorale », ce roman de l'aventure rustique et de l'exotisme (B. de S.-P. crée le genre en cherchant, par l'insolite du cadre, à dépayser le lecteur et à favoriser chez lui le goût de l'évasion et des pays lointains) est à la fois un roman d'amour et un roman à thèse (« parler du bonheur que donnent la nature et la vertu »). Il organise les souvenirs de l'île de France et les rêveries sociales de l'écrivain autour d'une mince intrigue et de l'histoire d'un naufrage. Il illustre aussi la conception de Rousseau selon laquelle l'homme ne saurait être bon et heureux qu'en dehors de la civilisation. Écrit dans le goût de l'époque et dans un style simple ou noble, parfois négligé, parfois boursouflé, il marque un moment dans l'histoire des mœurs et de la sensibilité françaises. Traduit dans plusieurs langues, il aura de nombreuses contrefaçons. En 1790, B. de S.-P. reprend encore l'idée de régénération de l'homme par la nature dans *la Chaumière indienne,* qui a le mordant d'un conte philosophique. L'intention satirique est bien marquée (satire des religions, des sociétés savantes), et l'auteur se pose en défenseur des opprimés. *L'Arcadie* expose ses vues philosophiques et politiques utopiques, son rêve d'une république idéale ; *les Vœux d'un solitaire* s'efforcent de concilier les principes nouveaux et la tradition, et *le Café de Sarate* est un autre petit conte philosophique et satirique. *Les Harmonies de la nature,* qui poussent le finalisme à l'absurde, font dire à Joubert : « Il y a dans le style de B. de S.-P. un prisme qui lasse les yeux. Quand on l'a lu longtemps, on est charmé de voir la verdure et les arbres moins colorés dans la campagne qu'ils ne le sont dans ses écrits. Ses *Harmonies* nous font aimer les dissonances qu'il bannissait du monde et qu'on y trouve à chaque pas. » La dernière partie de la vie de l'écrivain devient enfin plus facile : intendant du Jardin des Plantes (1792), professeur de morale à l'École normale supérieure (1794), il est reçu l'année suivante à l'Institut. Marié une première fois en 1792, à la fille de l'imprimeur P. F. Didot, de laquelle il aura une fille et un garçon (Virginie et Paul), il épousera, après la mort de sa femme (1799), une jeune fille de vingt ans, Désirée de Pelleporc, avec qui il achèvera ses jours dans le bonheur. L'Empire lui accordera une pension et le comblera de faveurs (Légion d'honneur, 1806). Ses dernières années s'écouleront à Éragny-sur-Oise, où il s'est retiré. Acad. fr. 1803.

Œuvres. *Voyage à l'isle de France et à l'isle de Bourbon, au cap de Bonne-Espérance, avec des observations sur la nature et les hommes,* 1773. – *L'Arcadie,* 1784 (E). – *Études de la nature,* 1784-1788 (E). – *Paul et Virginie,* 1788 (N). – *La Chaumière indienne,* 1790 (N). – *Le Café de Sarate,* 1791 (N). – *Les Harmonies de la nature,* 1796 (E). – *Voyage en Silésie,* 1807. – *La Mort de Socrate,* 1808 (T). – *Les Vœux d'un solitaire,* posth., 1818 (E). – *Œuvres complètes,* avec *Essai sur sa vie et ses œuvres* par A. Martin, 1818-1820. – *Correspondance* (4 vol.), 1826. – *Œuvres posthumes* (2 vol.), 1833-1836.

Paul et Virginie

Le roman, inséré dans les *Études de la nature,* a pour source un récit recueilli sur place par le narrateur. Mme de La Tour, veuve et enceinte, s'installe dans un endroit retiré de l'île de France et y met au monde une fille ; elle y rencontre une autre dame, abandonnée avec un petit garçon. L'affection des deux enfants, le garçon et la fille, est à l'image de celle de leurs mères, qui les élèvent ensemble comme frère et sœur ; au fur et à mesure qu'ils entrent dans l'adolescence, leur amitié se transforme insensiblement en un sentiment destiné à devenir de l'amour. Virginie quitte l'île pour un séjour en France, et Paul l'attend tout en sentant grandir en lui son amour pour elle. A son retour, le bateau de Virginie fait naufrage en vue des côtes de l'île : lorsque le narrateur retrouve sur la grève le corps de Virginie, c'est pour découvrir qu'une de ses mains serrait sur son cœur une petite boîte contenant le portrait de Paul, dont, avant son départ, elle avait promis de ne jamais se séparer.

BERNIER François. Joué-Étiau 1620 – Paris 1688. Orphelin à quatre ans, il est élevé par son oncle curé, qui le destine à l'Église. Élève au collège de Clermont, il a pour camarades Molière et Chapelle, puis il suit avec ce dernier les cours du philosophe Gassendi, dont il demeurera le fidèle disciple et ami. Après la mort de son maître, B., qui a été reçu docteur en médecine de la faculté de Montpellier, se met à voyager et parcourt la Palestine, la Syrie, l'Égypte. Il séjournera douze ans aux Indes, attaché comme médecin à la personne d'Aureng-Zeb, et visitera ainsi Delhi, Lahore, le Cachemire, le Bengale, s'intéressant aux mœurs, aux coutumes, aux arts et lettres, aux religions et philosophies. Après son retour en Europe, il relate ce voyage de façon vivante et plaisante dans des récits fourmillant d'informations neuves et intéressantes. Ami de Boileau, il prend part à la rédaction de son *Arrêt burlesque,* fréquente Molière, Racine, et devient l'hôte de Mme de La Sablière en même temps que La Fontaine, qu'il influence. Surnommé « le Mogol » et aussi, à cause de son esprit et de ses manières aimables en société, « le Joli Philosophe », B. rédigera encore quelques écrits pour Mme de La Sablière avant de mourir d'une apoplexie.

Œuvres. *Lettres du médecin B. sur le Grand Mogol,* 1661. – *Lettre sur l'étendue de l'Hindoustani ; Histoire de la dernière révolution des États du Grand Mogol,* 1670. – *Suite des « Mémoires » du sieur B. sur l'empire du Grand Mogol,* 1671. – *Abrégé de la philosophie de Gassendi,* 1678 (E). – *Doutes sur quelques chapitres de l'« Abrégé »,* 1682 (E).

BERNIS, François Joachim de Pierre, cardinal de. Saint-Marcel-en-Vivarais 1715 – Rome 1794. Fils d'un ancien officier, il fait ses études au collège Louis-le-Grand à Paris, puis entre, sans vocation, au séminaire de Saint-Sulpice, qu'il délaisse bientôt pour les salons mondains, où son esprit et la grâce aisée de ses vers le font apprécier. Le charmant badinage de ses « bouquets poétiques » le fait surnommer *Babet la Bouquetière* par Voltaire, qui échangera d'ailleurs avec lui, entre 1761 et 1774, une soixantaine de lettres concernant surtout la littérature et la philosophie. Ses œuvres lui ouvrent bientôt les portes de l'Académie française et lui assurent la protection de la future marquise de Pompadour, à qui il devra sa fortune politique. Pensionné sur la cassette royale, pourvu de bénéfices ecclésiastiques, il commence, vers 1750, une carrière politique et diplomatique longue et fructueuse. Ambassadeur à Venise, négociateur habile lors du renversement des alliances en 1756, secrétaire d'État aux Affaires étrangères, il tombe en disgrâce auprès de la marquise en 1758 et retourne à la vie ecclésiastique jusqu'à ce que la mort de l'amie du roi lui permette de se présenter à nouveau à la cour, en 1764. Déjà élevé à la dignité de cardinal, il est nommé archevêque d'Albi puis, grâce à la protection de Choiseul, ambassadeur à Rome et mènera jusqu'à la Révolution, qui le ruine, une vie de grand seigneur. Demeuré à Rome où il reçoit chez lui les émigrés, il y mourra et sera inhumé à Saint-Louis-des-Français ; sa dépouille sera transférée à Nimes en 1800. Poète-cardinal « né de ses chansons et fils de ses vers si profondément oubliés », dira plus tard Chateaubriand, B. a fait paraître des œuvres bien caractéristiques de l'art de divertissement mondain, agréable, spirituel et élégant qu'est la poésie au XVIIIe siècle en France : plusieurs d'entre elles, consacrées à la poésie descriptive, sont d'un sentiment délicat. Acad. fr. 1744.

Œuvres. *Épître sur la paresse,* s.d. – *Épître à mes dieux pénates,* 1736. – *Réflexions sur les passions et les goûts,* 1741 (E). – *Les Rois,* ode, 1744 (P). – *Poésies diverses,* 1744 (P). – *Chansons,* 1745 (P). – *Épithalame de Monseigneur le Dauphin,* 1745 (P). – *Discours prononcé dans l'Académie française à la réception de M. Duclos,* 1747. – *Le Palais des heures ou les Quatre Points du jour,* 1760 (P). – *Les Quatre Parties du jour,* 1760 (P). – *Les Quatre Saisons,* 1763 (P). – *Les Saisons et les Jours,* 1764 (P). – *Correspondance du cardinal de Bernis, ministre d'État, avec M. Pâris du Verney, conseiller d'État, depuis 1752 jusqu'en 1769,* 1790. – *La Religion vengée,* posth., 1795 (P). – *Correspondance de Voltaire et du cardinal de Bernis depuis 1761 jusqu'en 1774,* posth., 1799. – *Mémoires et Lettres,* posth., 1878.

BERNSTEIN Henry Léon Gustave. Paris 20.6.1876 – 27.11.1953. D'un orgueil qui le conduisit une douzaine de fois à se battre en duel, B. fut toujours habile à deviner le goût du public et se facilita grandement la réussite en écrivant pour des interprètes déterminés des rôles sur mesure. Jusqu'en 1914, il donna avec succès dans le drame frénétique puis, après la Grande Guerre, rechercha plus de complexité psychologique et technique.

Œuvres. *Le Marché,* 1900 (T). – *Le Détour,* 1902 (T). – *Le Bercail,* 1904 (T). – *La Rafale,* 1905 (T). – *La Griffe,* 1906 (T). – *Le Voleur,* 1906 (T). – *Samson,* 1907 (T). – *Après moi,* 1911 (T). – *L'Assaut,* 1912 (T). – *Le Secret,* 1913 (T). – *Judith,* 1922 (T). – *La Galerie des glaces,* 1924 (T). – *Félix,* 1926 (T). – *Le Venin,* 1928 (T). – *Mélo,* 1929 (T). – *Le Jour,* 1931 (T). –*Le Bonheur,* 1932 (T). – *Le Messager,* 1933 (T). – *Espoir,* 1934 (T). – *Le Cœur,* 1935 (T). – *Le Cap des tempêtes,* 1937 (T). – *Le Voyage,* 1937 (T). – *Elvire,* 1940 (T). – *La Soif,* 1949 (T). – *Victor,* 1950 (T). – *Evangéline,* 1952 (T).

BÉROALDE DE VERVILLE François. Paris 28.4.1558 – Tours après 1623. On lui attribue généralement – sans grande certitude toutefois – un ouvrage curieux, paru anonymement en 1610, *le Moyen de parvenir,* conversation à multiples voix entre une foule de personnages sur les sujets les plus divers et les plus hétéroclites, où l'on peut voir un exemple de la tentation baroque caractéristique de la littérature de ce temps, l'inspiration libertaire de ce livre étant encore renforcée par la crudité et la verve de son style. Au demeurant, B. était un humaniste polygraphe, féru aussi bien de science que de poésie baroque et de romanesque.

Œuvres. *Théâtre des instruments mathématiques et mécaniques de Jacques Besson, Dauphinois,* 1578 (E). – *Les Soupirs amoureux,* 1583 (P). – *Les Connaissances nécessaires,* 1583 (P). – *L'Idée de la république,* 1583 (P). – *Les Appréhensions spirituelles,* 1583 (P). – *Dialogue de la vertu,* 1584 (P). – *De l'Âme et de ses excellences,* 1593 (P). – *De la sagesse,* 1593 (P). – *Amours de Minerve en faveur de la belle Doristée,* 1593 (P). – *Les Aventures de Floride,* 1593 (N). – *L'Infante déterminée,* 1596 (N). – *Le Cabinet de Minerve,* 1596 (N). – *Les Amours d'Aesionne,* 1598 (N). – *La Pucelle d'Orléans,* 1599 (N). – *Les Ténèbres* (trad. des *Lamentations de Jérémie*), 1599. – *Histoire des vers qui filent la soie, la Sérédokimasie,* 1600 (P). – *Histoire d'Hérodias,* 1600 (N). – *Histoire* *véritable ou le Voyage des princes fortunés,* 1610 (N). – *Le Moyen de parvenir, œuvre contenant la raison de tout ce qui a été, est et sera,* 1610. – *Le Palais des curieux,* 1612.

BÉROUL ou BÉROL. (Voir TRISTAN ET ISEULT.)

BERQUIN Arnaud. Près Bordeaux 1747 – Paris 1791. Fils de négociant, il débute dans les lettres avec la publication de deux recueils poétiques qui lui assurent la renommée : *les Idylles,* dans le goût de celles de Gessner qui viennent d'être traduites en français et répondent à l'engouement du public pour le genre bucolique, et les *Romances,* dont la mélancolique et fade douceur séduit les lecteurs sensibles d'alors. Ces œuvres seront l'objet de belles éditions illustrées par Oudry, Moreau le Jeune et Cochin. Influencé par les idées rousseauistes et séduit par la nouveauté des méthodes étrangères d'éducation, B., ami sincère de la jeunesse, va se mettre à écrire des livres pour enfants en s'inspirant d'œuvres allemandes et anglaises. Il imite le journal éducatif de l'Allemand C.-F. Weisse intitulé *l'Ami des enfants* et publie sous ce même titre vingt-quatre cahiers (1782-83), que couronne l'Académie française. Il compose des récits, des romans, de petits contes moralisateurs et adapte de l'anglais une *Introduction familière à la connaissance de la nature.* Il crée ainsi une véritable littérature enfantine, et son influence pédagogique et moralisatrice s'exercera encore pendant une grande partie du XIXe s. Au début de la Révolution, il collabore à *la Feuille villageoise* et au *Moniteur,* mais ses attaches avec les Girondins, ses compatriotes, le font bientôt suspecter. Si B. est aujourd'hui oublié, le terme « berquinade » est entré dans la langue pour qualifier des ouvrages moralisateurs destinés à la jeunesse.

Œuvres. *Les Idylles,* 1774-1775 (P). – *Romances,* 1776 (P). – *Pygmalion,* 1776 (P). – *L'Ami des enfants* (6 vol.), 1784 (N). – *Introduction familière à la connaissance de la nature* (adapté de l'angl.), 1787 (N). – *Contes et historiettes* (2 vol.), 1787 (N). – *Lectures pour les enfants,* posth., 1803 (N). – *Bibliothèque des villages,* posth., 1803 (N). – *Le Livre des familles,* posth., 1803 (N).

BERRY André. Bordeaux 1.8.1902. Continuant la tradition du Moyen Âge et de Villon, il a publié une œuvre abondante comprenant des poèmes ainsi que des récits en prose, des romans et des études. Il est aussi l'éditeur d'un *Florilège des troubadours.* B. a en outre donné d'excellentes traductions de Théocrite, de Virgile et de Catulle.

Œuvres. *Les Aïeux empaillés,* 1938 (N). – *Les Esprits de Garonne,* 1941-1943 (P). – *La Fiancée de Saint-Omer,* 1942 (N). – *Le Trésor des lais,* 1946 (P). – *Les Expériences amoureuses,* 1946-1950 (N). – *La Course d'entre-deux-ports,* 1947 (P). – *Le Puceau vagabond,* 1947 (N). – *Poèmes involontaires,* 1949 (P). – *Songe d'un païen moderne,* 1951 (P). – *L'Ancien d'Europe,* 1954 (P). – *Sonnets surréels,* 1957 (P). – *Bernard de Ventadour,* 1958 (E). – *Ronsard,* 1961 (E). – *L'Amour en France,* 1962 (E). – *L'Amant de la Terre,* 1965 (P). – *Le Légendier bordelais,* 1965 (P). – *Anthologie de la poésie occitane,* 1979.

BERTAUT Jean. Donnay près Caen 1552 – Sées 8.6.1611. Né dans une famille de lettrés, B. fut, dès son plus jeune âge, initié à la poésie : il eut pour maître Ronsard. Précepteur dans la famille de Matignon, il fréquenta la cour. Mais une timidité naturelle lui interdit de gravir les échelons traditionnels qui mènent à de hautes fonctions politiques, littéraires ou religieuses. Pourtant, il se fit remarquer en signant des livrets de ballets et des allégories. Il traduisit aussi cinq cents vers du livre II de *l'Énéide.* Mais ce sont ses poèmes qui lui valurent sa réputation. Dans des strophes courtes, il célèbre les événements de la cour et ceux qui marquent l'histoire de la France, les exaltant ou les déplorant. Pourtant, à l'encontre d'un Desportes, il n'est pas complètement inféodé au pouvoir et se permet, de temps à autre, de dire son véritable sentiment sous le couvert de l'ironie : ainsi proteste-t-il contre l'incitation à la guerre. Cette attitude courageuse lui valut la faveur de Henri IV, qui le récompensa en lui attribuant la grande-aumônerie de la reine et l'évêché de Sées. Devenu évêque, il ne compose plus que des vers édifiants, combattant la Réforme avec une politesse de bon aloi. La mort du roi Henri IV consterna B. ; il mourut quelques mois plus tard.

Disciple de Pétrarque, B., par le raffinement de ses vers, annonce les précieux du XVIIe s. Il ne s'est risqué qu'une seule fois dans un long poème, *Timandre,* où il pressent déjà la mélancolie romantique. Nourri de littérature antique, de Ronsard et de Desportes, qui le présenta à la cour, il marque toutefois ses poésies pétrarquistes d'un lyrisme et d'un accent sincères et personnels. D'autre part, il réforme dans ses sermons l'éloquence sacrée en joignant l'élégance du ton à une sérieuse documentation. L'oubli dans lequel tomba la

Pléiade lui valut d'être apprécié du XVIIe siècle, et l'on trouve dans ses *Élégies* une fraîcheur que le temps n'a pas flétrie. Auprès de poèmes officiels célébrant les faits importants de la cour de Henri III puis de Henri IV, et que caractérise leur qualité de facture, il faut retenir surtout, comme témoignages remarquables d'une inspiration authentique, une complainte et un sonnet sur la mort de chacun de ces deux rois, ainsi qu'une élégie consacrée à Desportes, le protecteur du poète.

Œuvres. *Discours au roy sur la conférence tenue à Fontainebleau,* 1600. – *Recueil des œuvres poétiques de Jean Bertaut, abbé d'Aulnay, premier aumônier de la reine,* 1601 (P). – *Les Trois Discours de saint Ambroise intitulés des Vierges, à sa sœur Marceline* (trad.), 1604. – *Recueil des œuvres poétiques de Jean Bertaut, seconde édition augmentée,* 1605 (P). – *Sermons sur les principales fêtes de l'année, composés par le Très Révérend Père en Dieu, Messire Jean Bertaud, évêque de Séez,* posth., 1613.

BERTE AUS GRANS PIÉS (BERTHE AU GRAND PIED). Chanson de geste de la seconde moitié du XIIIe s., composée de 3 486 alexandrins. Elle a été portée à notre connaissance par le remaniement qu'en a fait probablement Adenet le Roi. Le thème principal est celui de la fiancée substituée : Berte doit épouser Pépin le Bref, roi des Francs ; mais, durant la nuit de ses noces, la fille de sa servante prend sa place : elle lui ressemble en tous points, à l'exception des pieds. Et elle devient reine à la place de Berte, qui réussit à échapper à la mort que lui avait promise la servante traîtresse. Mais Blanchefleur, la mère de Berte, découvre la mystification, et Berte reprend la place qui lui est due. Elle aura un fils, Charlemagne. Inventée de toutes pièces, cette chanson rappelle cependant un fait réel : la mère de Charlemagne s'appelait effectivement Berte. – Éd. établie par R. Colliot, 1970.

BERTIN Antoine, chevalier de. La Réunion 1752 – Saint-Domingue 1790. Il naît à l'île Bourbon (aujourd'hui la Réunion), mais est envoyé en France dès l'âge de neuf ans. Après des études dans un collège parisien, il servit sans doute comme officier. Reparti pour l'île Bourbon en 1789, il s'y marie l'année suivante et meurt peu après.
Compatriote et ami intime du poète Parny, qu'il prend pour modèle, il appartient au cercle d'officiers-poètes créé par celui-ci, « la Caserne », qui groupe de jeunes « épicuriens aimables » mêlant plaisirs et poésie. Nature sensible et sensuelle, B. écrits des vers légers, faciles et gracieux, riches en images suggestives, délicatement voluptueuses, qui font de lui l'un des plus agréables petits-maîtres de la poésie galante au XVIIIe s. et lui ont valu le surnom de « Tibulle français ». Il doit son renom à un recueil d'élégies, *les Amours,* qui chante, sous le nom d'Eucharis, la nièce d'une inspiratrice de Bernardin de Saint-Pierre, Mme Thilorier. Il avait publié en 1777 un *Voyage en Bourgogne,* en prose et en vers, dans un genre mis à la mode au siècle précédent par Chapelle et Bachaumont, puis, en 1778, et toujours dans le même goût, un *Voyage aux Pyrénées.* Ses *Œuvres complètes* ont été maintes fois rééditées au XIXe s.

Œuvres. *Voyage de Bourgogne,* 1777. – *Épître sur les productions de l'Amérique,* 1778 (P). – *Voyage aux Pyrénées,* 1778. – *Les Amours,* élégies en trois livres, 1780 (P).

BERTRAND Louis, dit **Aloysius.** Ceva (Piémont) 20.4.1807 – Paris 29.4.1841. Fils d'un officier de Napoléon, B. vit à Dijon de 1814 à 1828 ; jeune romantique enthousiaste, disciple de Hugo, il publie dans *le Provincial,* en 1826, le poème *Jacques des Andelys,* qui lui vaut une notoriété locale. Il monte à Paris sans un sou, se fait connaître du cénacle de Hugo par *l'Agonie et la Mort du sire de Maupin,* tente en vain de faire jouer son drame *Peter Waldech ou la Chute d'un homme,* tombe malade et meurt. Son ami David d'Angers publia en 1842 son chef-d'œuvre *Gaspard de la nuit,* « fantaisie à la manière de Rembrandt et de Callot ». Ce poème en prose inachevé, composé vers 1835, est une évocation fantastique du Moyen Age, inspirée en partie de Walter Scott, mais riche en innovations dans l'image et le style ; la réussite formelle n'est pas toujours évidente, mais son sens profond du mystère fait de B. un précurseur du surréalisme. Comme poète en prose, il inspira Baudelaire ; comme manieur du langage, Mallarmé. Trois des visions de son *Gaspard* ont inspiré au compositeur Maurice Ravel une illustration fantasque et splendide (*Ondine, le Gibet, Scarbo,* triptyque pour piano, 1908).

Œuvres. *Jacques des Andelys,* 1826 (P). – *L'Agonie et la Mort du sire de Maupin,* 1828 (P). – *Peter Waldech ou la chute d'un homme,* 1833 (T). – *Gaspard de la nuit,* posth., 1842 (P).

Gaspard de la nuit
L'inspiration « fantaisiste » (= fantastique), selon l'indication du sous-titre, se traduit, dans la forme, par la liberté thématique et technique du poème en prose ainsi que par la pratique d'un style visuel et pittoresque, et, dans le fond, par la primauté accordée à la recherche de l'extraordinaire. Le recueil entrelace ainsi les impressions, les rêves et les visions, dont la succession est présentée en six livres suivis d'une postface dédiée à Sainte-Beuve, ensemble complété par des « pièces détachées extraites du portefeuille de l'auteur ». L'ouvrage se présente finalement comme un montage de tableaux divers mais de même ton, où au pittoresque médiéval se mêlent des aventures, des accidents, des présences mythiques, sources d'une atmosphère qui est sans doute, avec la rareté et la subtilité du langage, ce que la poésie d'A.B. propose à son lecteur de plus original, au-delà des thèmes ordinaires et des lieux communs du romantisme.

BERTRAND DE BAR-SUR-AUBE. (Voir AIMERI DE NARBONNE et GIRART DE VIENNE.)

BERTRAN DE BORN. V. 1140 – Abbaye de Dalon 1205. Troubadour périgourdin. Seigneur de Hautefort, près Salagnac, il mène une existence guerrière et participe activement à la vie politique de son temps. On doit à l'amitié qui le lie au prince Henri Court-Mantel, fils aîné de Henri II Plantagenêt, les meilleurs de ses *sirventès* (chansons se rapportant à des événements guerriers ou à la politique) et un *planh* (déploration) émouvant, composé à la mort de ce « jeune roi » (1183).
A partir de 1194, il se retire à l'abbaye cistercienne de Dalon, en Limousin, où il finira ses jours. Véritable « condottiere de la plume » (A. Thomas), il est un maître du sirventès, manie la langue avec habileté et connaît toutes les ressources de la rhétorique, de la métrique et des combinaisons rythmiques. On possède de lui vingt-sept sirventès politiques au ton âpre, passionné, aux images violentes. Dante fera d'ailleurs de B. l'incarnation de la révolte dans sa *Divine Comédie* (*Enfer,* XXVIII). Mais il sait aussi trouver des accents d'un lyrisme sincère dans le planh à la mémoire de Henri Court-Mantel. Ses appels à la croisade sont d'une éloquence épique et vantent les beaux coups d'épée, le courage et les prouesses chevaleresques. Ses chansons d'amour – sept *canzos* –, dédiées à Mahaut de Montignac, Mathilde de Saxe, Guicharde de Beaujeu, Élise de Montfort, Agnès de Rochechouart, que désignent des *senhals* ou surnoms poétiques, célèbrent les perfections de la dame inaccessible à l'amant. On dénombre en tout quarante-cinq pièces de B., auxquelles on peut joindre deux sirventès composés par son fils, prénommé Bertran, et dont l'un est adressé à Jean sans Terre.

BÉRULLE Pierre de, cardinal. Sérilly (Aube) 1575 – Paris 1628. D'une famille de robe qui compte parmi les siens le chancelier Séguier, il passe successivement par les collèges de Boncourt et de Bourgogne, puis par celui de Clermont (que dirigent les jésuites), où il étudie la philosophie et la théologie. Nature sérieuse et réfléchie, profondément religieux, il compose à dix-sept ans un *Bref Discours de l'abnégation intérieure,* qui traite de la vie mystique. Sa vocation le conduira à la prêtrise en 1599, après des études de droit. Il se préoccupe, alors, de la conversion des hérétiques et rencontre, dans le salon d'une pieuse Parisienne, les artisans les plus éminents de la renaissance catholique qui se dessine après les décisions du concile de Trente et à laquelle il contribue avec éclat. Il va aussi s'entretenir avec saint François de Sales à Annecy, travaille à l'introduction et à l'établissement en France de religieuses carmélites qu'il ramène d'Espagne, non sans se heurter à de sérieuses difficultés. Il donnera ensuite au Carmel français, dont il assumera la direction, un essor et un rayonnement éclatants. Il s'intéresse à la réforme de divers ordres (Cîteaux, Cluny, Augustins, etc.) et établit les Ursulines à Paris. Surtout, il fonde en 1611, sur le modèle de l'ordre créé en Italie par Philippe Néri, la congrégation de l'Oratoire (confirmée par bulle pontificale en 1613), pour laquelle il s'assure la protection de Marie de Médicis et de Louis XIII. Aussi se trouvera-t-il, à sa mort, à la tête de vingt et un collèges, ayant des ramifications à l'étranger, cependant que les jésuites s'efforceront de combattre l'Oratoire, où ils voient une société rivale.
A cette activité purement religieuse, et malgré sa réserve, B. doit ajouter un rôle politique important qui lui attire la jalousie, puis l'inimitié du cardinal de Richelieu. Hostilité si marquée que, lorsque B. disparaîtra, la rumeur publique accusera – à tort – Richelieu de l'avoir fait empoisonner. Entre autres missions diplomatiques délicates dont il s'acquitte, B. négocie le mariage de Henriette de France avec le prince de Galles : pour cette princesse, dont l'union est malheureuse, B.

écrit son *Élévation à Jésus-Christ...* Très écouté de Louis XIII, il souhaite aussi voir se réaliser l'union des peuples catholiques et une alliance avec l'Espagne pour combattre l'hérésie protestante. Devenu ministre d'État, B. reste désintéressé. Il sera pourtant nommé cardinal en 1627, après avoir refusé plusieurs évêchés. Bossuet fera son éloge dans l'oraison funèbre du P. Bourgoing – un des successeurs de B. comme supérieur général de l'Oratoire et le propagateur de sa pensée – et dira qu'« à sa dignité la pourpre romaine elle-même n'ajoute rien ».

Œuvres. *Bref Discours sur l'abnégation intérieure,* 1597. – *Élévation sur les mystères du Christ. Discours de l'état et des grandeurs de Jésus,* 1623. – *L'Élévation à Jésus-Christ N.-S. sur la conduite de son esprit et de sa grâce vers sainte Madeleine* (pour Henriette d'Angleterre), 1625. – *Mémorial pour la conduite des supérieurs de l'Oratoire,* 1625. – *Vie de Jésus,* fragments, posth., 1629. – *Œuvres complètes,* posth., 1644. – *Correspondance,* posth., 1937-1939. – *Textes inédits,* posth., 1969.

BESSETTE Gérard. Sainte-Anne-de-Sabrevois 25.2.1920. Écrivain canadien-français. Il poursuit des études classiques à l'externat Sainte-Croix de Montréal puis, de 1942 à 1944, à l'École normale Jacques-Cartier, à Montréal. Après avoir obtenu son doctorat ès lettres, il fait plusieurs voyages en Europe et au Mexique. Professeur à l'université de Saskatchewan de 1947 à 1951, à l'université Duquesne de Pittsburgh (U.S.A.) de 1953 à 1958, au collège militaire royal de Kingston de 1958 à 1960, et, depuis 1960, à l'université de Kingston, Ontario, il a mené de front une carrière d'universitaire et d'écrivain.
Ses activités littéraires commencent par la poésie. Dès 1947, le deuxième prix au Concours littéraire de la province de Québec lui est attribué pour ses *Contes et Poèmes.* Il collabore à de nombreuses revues et écrit plusieurs sketches dramatiques pour Radio-Canada. Il publie à Monte-Carlo un recueil de poésies, *Poèmes temporels,* puis *les Images en poésie canadienne-française* et une *Anthologie d'Albert Laberge,* ainsi que de nombreux articles de psychocritique – entreprise rare en littérature québécoise –, dont il a réuni les meilleurs spécimens dans *Une littérature en ébullition.* B. est également un romancier résolument réaliste, par les thèmes et l'expression : ses trois premiers romans mettent en scène le conflit entre la lucidité personnelle et la société ; le dernier, *l'Incubation,* retrace les cheminements d'une conscience aux prises avec la condition humaine. Deux de ses romans, *la Bagarre* et *les Pédagogues,* sont rédigés à la troisième personne, et le langage, avec ses particularités qui départagent des classes sociales, y joue un rôle très important. Les deux romans composés à la première personne vont beaucoup plus loin dans la représentation d'un univers intensément vécu.
En poésie, B. est un passionné de l'élégance formelle, un auteur en quête d'expériences de style ; c'est un virtuose de la technique, qui se spécialise dans l'étude minutieuse de la facture poétique.

Œuvres. *Contes et Poèmes,* 1947. – *Poèmes temporels,* 1954 (P). – *La Bagarre,* 1958, rééd. 1976 (N). – *Les Images en poésie canadienne-française,* 1960 (E). – *Le Libraire,* 1960 (N). – *Les Pédagogues,* 1961 (N). – *Anthologie d'Albert Laberge,* 1963. – *L'Incubation,* 1965 (N). – *De Québec à Saint-Boniface ; récits et nouvelles du Canada français* (textes choisis et annotés), 1968. – *Une littérature en ébullition,* 1968 (E). – Avec L. Gaslin et Ch. Parent, *Histoire de la littérature canadienne-française par les textes ; des origines à nos jours* (anthologie historique), 1968. – *Le Cycle,* 1971 (N). – *Trois romanciers québécois,* 1973 (E). – *La Commensale,* 1975 (N). – *Les Anthropoïdes,* 1977 (N). – *Le Semestre,* 1979 (N). – *Mes romans et moi,* 1979 (E). – *La Garden-Party de Christophine* (nouvelles), 1980 (N). – *Lectures de Gérard Bessette* (textes réunis par J.-J. Hamm), 1982. – *Les Dires d'Omar Marin,* 1984 (N). – *L'Orphelinisme et l'émergence du « je » dans le roman québécois,* en préparation.

BESTIAIRE. Poème didactique du Moyen Âge, généralement fort long, en vers de huit syllabes, comportant des descriptions d'animaux. Très nombreux aux XIIe et XIIIe s., les bestiaires s'accompagnaient d'allégories morales (*Bestiaires* de Philippe de Thaon, v. 1125) et de subtilités courtoises (*Bestiaires d'amour* de Richard de Fournival, v. 1250). Disparu avec le Moyen Âge, ce genre a été curieusement repris par Apollinaire, sous forme de courts poèmes, dans son *Bestiaire* (1911), illustré par Raoul Dufy.

BETI, Alexandre Biyidi-Awala, dit **Mongo.** M'Balmayo 30.6.1932. Romancier camerounais d'expression française. Il commença par travailler à la plantation familiale, puis parvint à entrer au lycée de Yaoundé. En 1951, il s'inscrit à la faculté des lettres d'Aix-en-Provence, puis à Paris.

De cette époque date son essai sur la situation coloniale, « Sans haine et sans amour », paru dans *Présence africaine.* Il termine sa licence en Sorbonne et, sous le pseudonyme d'Eza Boto, publie son premier roman, *Ville cruelle.* Son deuxième roman, *le Pauvre Christ de Bomba,* suscita de durables polémiques en France comme au Cameroun – il reste interdit dans ce dernier pays. B. mène de front ses études littéraires et la création romanesque. Il est agrégé de lettres classiques. *Mission terminée,* roman plus détendu, décrit avec une grande précision la vie africaine et les problèmes nés de la pénétration du modernisme ; il a été couronné par le prix Sainte-Beuve (1958). *Le Roi miraculé* revient plus nettement aux thèmes anticolonialistes.
B. a très vite retenu l'attention du public par la clarté de ses options et sa fermeté. Toute son œuvre peut être placée sous le signe de la défense de l'africanité, on pourrait dire de la négritude. Elle illustre très bien le thème du péril que la colonisation a fait courir à la spécificité, à l'harmonie et à l'efficacité des cultures africaines.
B. occupe une des premières places dans la littérature africaine engagée, tant par la lucidité de ses options que par le courage avec lequel il a toujours clairement désigné ses adversaires, mais surtout par la qualité de son style, son sens de l'équilibre et son souci de toujours renouveler son art.

Œuvres. *Sans haine et sans amour,* 1953 (E). – *Ville cruelle,* 1954 (N). – *Le Pauvre Christ de Bomba,* 1956, rééd. 1976 (N). – *Mission terminée,* 1957 (N). – *Le Roi miraculé,* 1958 (N). – *Main basse sur le Cameroun. Autopsie d'une décolonisation,* 1972, rééd. 1977 (E). – *Perpétue et l'Habitude du malheur,* 1974 (N). – *Remember Ruben,* 1974, rééd. 1982 (N). – *La Ruine presque cocasse d'un polichinelle,* 1979 (N). – *Les Deux Mères de Guillaume Ismaël Dzewatama, futur camionneur,* 1982 (N). – *La Revanche de Guillaume Ismaël Dzewatama,* 1984 (N).

Le Pauvre Christ de Bomba

Le roman met en scène un missionnaire, le R.P. Drumont, travailleur infatigable, violent dans ses convictions, mais qui aime l'Afrique et entend y accomplir une œuvre de foi profitable à tous. Au terme de vingt années d'efforts, il se rend compte que cette œuvre est menacée de toutes parts, car il a construit sur du sable mouvant. Il ne s'est en effet jamais préoccupé de reconnaître les caractères spécifiques des Africains, de leur culture, de leurs aspirations, pas plus qu'il ne s'était interrogé sur les raisons de leur conversion au christianisme. Et voici qu'au cours d'une ultime tournée le voile tombe : le bon père découvre, douloureusement mais courageusement, que tout est à recommencer.

BEYLE Henri. (Voir STENDHAL.)

BEYLISME. (Voir ÉGOTISME.)

BÈZE Théodore de. Vézelay 4.6.1519 – Genève 13.10.1605. Issu d'une famille noble, B. reçut une éducation religieuse et humaniste, menant une « vie chaste et irrépréhensible ». C'est peut-être ce sérieux et cette intransigeance qui le poussèrent, à l'âge de vingt ans, à rompre avec « sa patrie, ses parents, sa religion » pour se prononcer en faveur de la réforme de Calvin. Il s'installa à Lausanne et devint professeur de littérature grecque. Très vite, Calvin le remarqua et, en 1558, l'appela à Genève, où il occupa la fonction de professeur de théologie. A la mort de Calvin (1564), B. fut nommé recteur de l'université protestante de Lausanne, fonction qu'il n'abandonnera que quelques années avant sa mort. Il a laissé, en latin et en français, une œuvre considérable (quatre-vingt-dix ouvrages), abordant surtout des sujets religieux. Sa traduction latine de l'Ancien Testament complète les travaux de Lefèvre d'Étaples en vue de l'établissement de la fameuse *Bible de Genève* des Églises calvinistes. Il a également traduit quatre psaumes et écrit des poèmes qu'il rassembla sous le titre de *Juvenilia.* Dans sa tragédie biblique, *Abraham sacrifiant,* mystère avec prologue et chœurs, B. s'efforce de créer un drame qui ne soit pas uniquement inspiré par des sujets antiques. Il compose, en 1553, *l'Épître de Benoît Passavant,* satire alerte qui se termine par *la Complainte de Pierre Lizet sur le trespas de son feu nez,* digne d'un disciple de Rabelais.

Œuvres. *Juvenilia,* 1548 (P). – *Abraham sacrifiant, tragédie française,* 1550 (T). – *Psaumes* (trad.), 1553, 1556 et nbr. rééd. – *Epistola magistri Benedicti Passavanti,* satire, 1553 (trad. fr. : *Complainte de Pierre Lizet sur le trespas de son feu nez,* posth., 1875). – *Le Cyclope,* s.d. – *L'Ane logicien* (pamphlets), s.d. – *De haereticis a civili magistratu puniendis,* 1554. – *Confession de la foi chrétienne,* 1559. – *Brève Exposition de la table ou figure contenant les principaux points de la religion chrétienne,* 1560. – *La Harangue,* 1561. – *Comédie du pape malade et tirant à la fin,* 1561. – *Traduction latine de l'Ancien Testament en grec,* 1565. – *Vie de Calvin (Discours contenant en bref l'histoire de la vie et de* *la mort de maître Jean Calvin),* s.d. – *Histoire de la mappemonde papistique,* 1567. – *Tractationes theologicae omnes* (3 vol.), 1570. – *Du droit des magistrats sur leurs sujets,* 1574. – *Histoire ecclésiastique des Églises réformées au royaume de France* (3 vol.), 1580. – *Icones Vivorum Insignium,* 1580. – *Chrétiennes Méditations,* 1583. – *De francicae linguae vera pronuntiatione,* 1584. – *Réponse de Bèze à trente-sept demandes du jésuite Hay,* 1586. – *Sermons sur les trois premiers chapitres du* Cantique des cantiques, 1586. – *Réponse pour la justification par la foi contre Antoine l'Escaille,* 1592. – *Les Saints Cantiques recueillis tant du Vieux que du Nouveau Testament, traduits en français et mis en rimes françaises,* 1595. – *Correspondance,* posth., 1978.

BHELY QUENUM Olympe. Ouidah 26.9.1928. Romancier béninois d'expression française. Il abandonne ses études pour parcourir le Dahomey (actuellement, Bénin), le Nigéria, le Togo, le Ghana. De retour à Cotonou, il entre au service d'une société commerciale anglaise : il y reste trois ans. Repris par la fringale du voyage, il se rend en France, et c'est à l'université de Caen qu'il prépare une licence de lettres classiques. N'étant pas boursier, il mène parallèlement une carrière de professeur. En 1962, il est diplômé de l'Institut des hautes études d'outre-mer et abandonne l'enseignement pour le journalisme. Il n'a cessé de collaborer à de nombreux journaux, tenant ici la chronique littéraire, là la rubrique grammaticale.
En 1960, il publie son premier roman, *Un piège sans fin,* mis en chantier pendant son séjour en Normandie. Cette œuvre devait être suivie par un recueil de nouvelles, *Liaison d'un été.* Son œuvre principale, *le Chant du lac,* roman dont on a loué la composition, la simplicité de style et la richesse de thèmes, met en scène des personnages qui prennent leur destin en main. Ils surmontent leurs terreurs ancestrales et tuent les dieux du lac qui, impitoyablement, réclamaient un tribut de vies humaines. Ce récit est bâti sur un symbole heureux : pour progresser, l'homme doit savoir renoncer à certaines traditions. Aux qualités dont témoignent ses romans B.Q. allie un sens aigu de la perfection formelle. Son œuvre rejoint la tendance des écrivains africains soucieux de réalisme dans la description des mœurs et des mentalités, mais aussi conscients des problèmes inhérents à la création romanesque.

Œuvres. *Un piège sans fin,* 1960, rééd. 1978 (N). – *Liaison d'un été,* 1961 (N). – *Le Chant du lac,* 1965 (N). – *Un enfant d'Afrique* (recueil de textes), 1970. – *L'Initié,* 1979 (N).

BIBAUD Michel. La Côte-des-Neiges, près de Montréal, 1782 – Montréal 1857. Écrivain canadien-français. Au cours de sa carrière de journaliste, B. fonde plusieurs périodiques politiques ou littéraires, dont *la Bibliothèque canadienne* (1825-1830). En 1830, il publie un recueil de poèmes, composé *d'Épîtres, satires, chansons, épigrammes et autres pièces de vers,* inspiré des classiques français. Il a aussi donné une *Histoire du Canada* en trois volumes, parus en 1837, 1844 et 1878.

BILLAUT Adam, dit **Maître Adam.** Nevers 31.1.1602 – 18.5.1662. Menuisier de profession, poète le plus souvent, il fut loué, non sans quelque raillerie, par Saint-Amant, Colletet, Scarron, Scudéry, qui, par leur influence néfaste, tentaient de limiter son talent à la confection de vers érotiques et de chansons à boire. Loin d'eux, il put s'adonner à une plus noble poésie, joignit la correction de Malherbe à l'inspiration de la Pléiade, et fit preuve d'une facilité naturelle pour l'expression élégiaque des sentiments dans *les Chevilles* (1644) et *le Vilebrequin* (1663).

BILLETDOUX François. Paris 7.9.1927. Élève de l'Institut des hautes études cinématographiques, B. fut producteur et réalisateur de la Radio-diffusion française et directeur des programmes de la R.T.F. à la Martinique, de 1946 à 1949. Sa première œuvre, *Treize Pièces à louer,* fut jouée en 1951. Il lui faudra attendre *Tchin-Tchin* (1959) pour être véritablement remarqué : il obtiendra, à cette occasion, le prix U et le prix Lugné-Poe. *Comment va le monde, Môssieu ? Il tourne, Môssieu* et *Il faut passer par les nuages* (présentée par Jean-Louis Barrault) lui apporteront la consécration. Résolument, B. s'est écarté de la tendance dite « absurde » du théâtre contemporain. Mais son optimisme ne lui fait pas, pour autant, résoudre tous les problèmes. B. occupe ainsi, dans le théâtre contemporain, une place particulière. Il se situe entre l'intellectualisme du théâtre d'avant-garde des années 1950 (Ionesco, Beckett), volontiers nihiliste et pessimiste, et la trop grande évidence du théâtre de boulevard, pour qui le monde se réduit à des scènes de famille ou de ménage à trois. C'est ainsi que les thèmes traités par B. appartiennent au théâtre bourgeois : dans *Tchin-Tchin,* le mari trompé se console dans l'alcool. Par ce biais, B. pose le problème de l'homme confronté au quotidien, défait par le drame, mais portant en lui tous les possibles qui lui permettront de continuer à vivre. B. croit obstinément en l'homme. Il suffit d'une certaine dose de confiance et d'amour pour faire jaillir en lui et autour de lui ce à quoi il aspire. « Il faut passer par les nuages » pour atteindre la lumière, croire au rêve, le forcer à se réaliser, pour trouver naïvement, tout simplement, le bonheur. B., confiant, continue la tradition humaniste la plus pure, en faisant fi de toutes les idéologies qui annoncent la mort de l'homme.

Œuvres. *Treize Pièces à louer,* 1951 (T). – *A la nuit la nuit,* 1955 (N). – *L'Animal,* 1955 (N). – *Royal Garden Blues,* 1957 (N). – *Tchin-Tchin,* 1959 (T). – *Le Comportement des époux Bredburry,* 1960 (T). – *Brouillon d'un bourgeois,* 1961 (N). – *Va donc chez Törpe,* 1961 (T). – *Comment va le monde, Môssieu ? Il tourne, Môssieu,* 1963 (T). – *Il faut passer par les nuages,* 1964 (T). – *Silence ! l'arbre remue encore...,* 1967 (T). – *Pitchi Poï ou la Parole donnée,* 1967 (T). – *Rintru pa trou tar, hin !,* 1971 (T). – *La Nostalgie, camarade,* 1974 (T).– *Ai-je dit que je suis bossu ?* 1981 (T).

Comment va le monde, Môssieu ? Il tourne, Môssieu

Dans un camp de concentration, en 1944, se sont rencontrés un Français, Hubert Schluz, et un Américain, Woopy the boss, dit Job. Quelques années plus tard, Woopy entraîne Schluz jusqu'au Texas, où l'Américain a fait croire au Français que les attendait la réalisation de grandioses projets. La pièce est faite de leur conversation et construit un univers de la parole qui finalement se révèle être, du moins pour Schluz, le seul univers réel. Impression renforcée par le fait que, si bien d'autres personnages paraissent, ce ne sont que des personnages muets. Mais, au Texas, c'est un autre monde. Job, dont le passé est énigmatique, y rencontre trois cow-boys avec qui il a eu autrefois maille à partir et qui l'abattent. Hubert reste seul. Qu'est-il donc venu faire dans cette galère, loin de sa banlieue parisienne, de sa petite maison et de sa femme ? Il continue à parler, donc à exister, il proteste contre l'intrusion des cow-boys, qu'il traite de voyous et même d'étrangers : il a tout perdu, sauf l'espoir ; il est en pleine absurdité, mais il vit, et sans doute va-t-il continuer à vivre...

BILLY André. Saint-Quentin 13.12.1882 – Fontainebleau 11.4.1971. Son œuvre de romancier fut d'abord consacrée à la description de l'amour désabusé (*la Femme maquillée*) et à la peinture des collèges religieux qui marquèrent fortement son enfance *(Benoni, l'Approbaniste, Madame).* Mais B. est surtout connu et estimé par le rôle important qu'il joua, sa vie durant, dans le monde des lettres. Il fut tout à la fois essayiste (plusieurs de ses ouvrages sont consacrés à des écrivains comme Diderot, Balzac, Sainte-Beuve, Stendhal), mémorialiste (il a apporté des renseignements précieux sur Apollinaire, dont il fut l'ami), critique littéraire. Il anima, jusqu'à la fin de sa vie, la critique d'un journal parisien, attestant d'un goût, d'une intelligence, d'une culture spécifiquement classiques, qui font de lui un homme de lettres, dans la pleine acception de ce terme. Académie Goncourt, 1943. Grand prix national des Lettres, 1954.

Œuvres. *Benoni,* 1907 (N). – *La Littérature française contemporaine,* 1927 (E). – *Vie de Diderot,* 1929 (E). – *La Femme maquillée,* 1932 (N). – *L'Approbaniste,* 1938 (N). – *Introïbo,* 1939 (N). –*Vie de Balzac* (2 vol.), 1944 (E). – *Max Jacob,* 1946 (E). – *Le Narthex,* 1950 (N). – *L'Époque 1900,* 1951 (E). – *Sainte-Beuve, sa vie, son temps,* 1952 (E). – *Les Frères Goncourt,* 1954 (E). – *Madame,* 1954 (N). – *Ce cher Stendhal,* 1958 (E). – *Mérimée,* 1959 (E). – *L'Allegretto de la septième,* 1960 (N). – *Hortense et ses amants,* 1961 (E). – *Le Jardin des délices,* 1962 (N). – *La Nuit de Versailles,* 1963 (N). – *Du noir sur du blanc,* 1963 (E). – *Sur les bords de la Veule,* 1965 (N). – *Avec Apollinaire,* 1966 (E).

BINET Claude. Beauvais 1553 – 1600. Avocat au parlement, il se lie avec Ronsard, qui le charge de publier une édition complète de ses œuvres. Il a laissé un *Discours de la vie de Ronsard.*

BIOGRAPHIE [grec *bios* = vie, et *graphein* = écrire]. Genre narratif, relation de la vie d'un personnage généralement illustre. La biographie appartient au domaine de l'histoire mais peut aussi faire l'objet d'une élaboration littéraire allant parfois jusqu'à la biographie romancée ; cette élaboration consiste en effet à mettre alors en œuvre, dans le cadre du genre biographique proprement dit, des techniques de composition et de narration qui sont celles du roman.

Alors que le genre biographique a connu une fortune particulière dans certaines littératures étrangères, il n'occupe qu'une place mineure dans la littérature française malgré le modèle donné au XVIe s. par

Amyot dans son adaptation française des *Vies des hommes illustres* de Plutarque. Le genre connaît toutefois une certaine faveur à notre époque avec, en particulier, les biographies de Shelley, George Sand, Balzac, Hugo, Proust par André Maurois et celles de Pouchkine, Tolstoï, Dostoïevski, Gogol, Pierre le Grand, Catherine II, Tchekhov par Henri Troyat. Enfin, tout un courant de la critique littéraire, dans la tradition de Sainte-Beuve, fait appel à la biographie d'un écrivain pour comprendre et étudier son œuvre. Lorsque c'est l'auteur qui raconte sa propre vie, il s'agit alors d'un autre genre, l'*autobiographie* (voir ce mot).

BLAIS Marie-Claire. Québec 5.10.1939. Écrivain québécois. Pour pouvoir écrire, elle doit quitter sa famille, travaille et s'installe dans un modeste logement. Découverte par Jeanne Lapointe et par le père Georges-Henri Lévesque, qui l'aidèrent à publier son premier roman, *la Belle Bête,* vigoureusement lancée par les recommandations du critique américain Edmund Wilson, qui lui fait obtenir une bourse Guggenheim en 1963, elle a déjà publié plusieurs romans. Le plus célèbre, *Une saison dans la vie d'Emmanuel,* lui valut le prix Médicis, à Paris, en 1966. Elle reçoit d'ailleurs en France l'accueil le plus chaleureux à la parution de chacune de ses œuvres. La critique canadienne semble plus réservée : le monde hallucinant de misère et d'horreur de M.-C. B. n'est guère flatteur pour la société qu'elle dénonce, et l'on a pu rapprocher son nom de celui de Faulkner.

Tout l'univers romanesque de M.-C. B. est un univers de violence sociale. Elle fait un long procès de la famille québécoise : les enfants sont déjà des adultes, qui rient peu, s'en tiennent au rôle distribué depuis leur naissance et sont soumis aux principes acceptés. La révolte et la rage brûlent leur cœur en silence. M.-C. B. pose tous les grands problèmes sans toutefois suggérer de réponses. Tout au plus donne-t-elle des commentaires sans envergure, adaptés à certains de ses personnages.

M.-C. B. regarde le monde avec un humour terrible qui confine à la dérision : lucidité et solitude sont les thèmes constamment repris. Les êtres se connaissent entre eux par indiscrétion et par viol. Au bout de la solitude, il y a la mort, qui ne résout rien et empêche seulement de se poser des questions. Elle arrête bêtement l'être : les morts violentes et les suicides deviennent des dénouements inévitables, pour ne pas dire logiques. Les plus malheureux sont ceux qui survivent, livrés à leur condition tragique.

Œuvres. *La Belle Bête,* 1959 (N). – *Tête blanche,* 1960 (N). – *Le jour est noir,* 1962 (N). – *Pays voilés,* 1963 (P). – *Existences,* 1964 (P). – *Une saison dans la vie d'Emmanuel,* 1966 (N). – *L'Insoumise,* 1966 (N). – *L'Exécution,* 1966 (T). – *David Sterne,* 1967 (N). – *Manuscrits de Pauline Archange,* 1968 (N). – *Les Voyageurs sacrés,* 1969 (N). – *Vivre ! vivre !* 1969 (N). – *Les Apparences,* 1970 (N). – *Le Loup,* 1972 (N). – *Un joualonais, sa joualonie,* 1973, paru en France sous le titre *A cœur joual,* 1974 (N). – *Fièvre et autres textes dramatiques,* 1974 (T). – *Une liaison parisienne,* 1976 (N). – *La Nef des sorcières* (en collab.), 1976 (T). – *L'Océan,* suivi de *Murmures,* 1977 (T). – *Les Nuits de l'Underground,* 1978 (N). – *Le Sourd dans la ville,* 1980 (N). – *Visions d'Anna,* 1982 (N). – *Sommeil d'hiver,* 1985 (T).

Une saison dans la vie d'Emmanuel
Chronique familiale qui dure une saison (d'où le titre), un hiver de la vie du dernier-né, Emmanuel, seizième enfant de la famille, ou, mieux, de la tribu. Grand-mère Antoinette est la figure omniprésente qui domine tout le roman, reléguant à l'arrière-plan l'existence même des parents de l'enfant. Le lecteur est mis en présence d'une narration objective et réaliste, mais où aussi les événements tournent au mythe par l'intermédiaire d'un personnage poétique et prophétique, Jean-le-Margas, qui est comme la conscience commune de tous ces êtres juxtaposés par le hasard de leur naissance. La misère est là, sans pudeur, une sexualité un peu morbide s'allie à une religion dégradée ; le ton du récit reste délibérément ingénu, le destin le plus sordide semblant aller de soi. Le style innocente le sacrilège, la révolte prend un air allègre et le cynisme une allure inconsciente.

BLANCHOT Maurice. Quain (Saône-et-Loire) 22.12.1907. Il est difficile de déterminer la place privilégiée que tient B. dans la littérature de notre temps. Le romancier et l'essayiste se confondent dans une œuvre qui pose la question fondamentale : « Qu'est-ce que la littérature ? » Plus précisément, B. s'interroge sur l'écriture et ses limites, ses difficultés à transcrire la totalité du monde qui échappe à la conscience, et ses retours incessants sur elle-même alors qu'elle voudrait s'évader de son propre système. En visant le tout, l'écriture finit par ne parler de rien, réduite à vouloir délimiter un *Espace littéraire* propre à provoquer un *Livre à venir,* le livre parfait, exhaustif, celui dont rêvait un Flaubert ou un Mallarmé. Perpétuellement différé dans un avenir qui retourne aux sources mêmes du langage, sans jamais saisir ce qui le constitue, ce livre, ce faisant, ne cesse de s'interroger sur son existence, ses raisons et ses déraisons, sans vouloir jamais exister tel qu'il a toujours été considéré, c'est-à-dire comme un objet fini, achevé, sans pouvoir s'affirmer comme radicalement différent. Dans cet « entretien infini » et discontinu sur la littérature, B. fait parler l'écriture plus qu'il n'analyse les auteurs, sujets de sa réflexion (Kafka, Sade, Lautrémont). En tant que théorie de la littérature, la critique blanchotienne relève vraiment de la création littéraire. B. est un de ceux qui, en notre temps, ont su faire de l'essai un véritable « genre » et, qui plus est, un grand genre. Pierre d'achoppement de la littérature moderne, cette « critique » se considère comme une activité majeure de l'esprit, nécessaire à l'homme qui, sans elle, ne saurait assumer l'interrogation décisive sur sa réalité, dans un monde qui de toutes parts le met en question. Quant aux « romans » de B., entre autres *l'Attente, l'oubli,* ils sont la face expérimentale de ses essais théoriques : au-delà et en deçà de l'histoire apparente ou du dialogue entre les personnages, c'est l'écriture même qui se confronte, au cœur de son exercice technique, avec le destin de vanité qu'elle contient en soi et qui tente ainsi de se porter à la limite anonyme et indicible de toute parole.

Œuvres. *Thomas l'obscur,* 1941 (N). – *Aminadab,* 1942 (N). – *Comment la littérature est-elle possible ?* 1943 (E). – *Faux-Pas,* 1943 (E). – *Le Dernier Mot* (récit), 1947. – *L'Arrêt de mort,* 1948, rééd. 1977 (N). – *Le Très-Haut,* 1948 (N). – *La Part du feu,* 1949 (E). – *Lautréamont et Sade,* 1949 (E). – *Thomas l'obscur,* nouvelle version, 1950 (N). – *Au moment voulu,* 1951 (N). – *Celui qui ne m'accompagnait pas,* 1953 (N). – *L'Espace littéraire,* 1955 (E). – *Le Dernier Homme,* 1957 (N). – *Le Livre à venir,* 1959 (E). – *L'Attente, l'oubli,* 1962 (N). – *L'Entretien infini,* 1969 (E). – *L'Amitié,* 1971 (E). – *La Folie du jour* (récit), 1973. – *Le Pas au-delà,* 1973 (E). – *L'Écriture du désastre,* 1980 (E). – *De Kafka à Kafka,* 1982 (E). – *Après coup,* précédé de *le Ressassement éternel,* 1983 (E). – *La Communauté inavouable,* 1984 (N). – *Le Dernier à parler,* 1984 (E).

L'Attente, l'oubli

Récit d'un dialogue impossible : de quoi parlent cet homme et cette femme ? Le lecteur ne le saura jamais, non plus que l'auteur lui-même ; non qu'il y ait chez les personnages volonté de dissimulation, de mensonge ou d'imposture, mais parce que toute attente d'un sens débouche immédiatement sur l'oubli de ce sens avant qu'il ait pu se manifester. Car ce dialogue est inéluctablement du présent, mais d'un présent qui, pour l'attente, n'est pas encore, et, pour l'oubli – intérieur à l'attente même –, n'est déjà plus.

BLANZAT Jean. Domps (Haute-Vienne) 6.1.1906 – 6.11.1977. D'origine paysanne, il passe son enfance dans une ferme du Limousin, puis fréquente l'école primaire, l'école primaire supérieure (à Bellac), enfin entre à l'École normale de Versailles, où il se prépare à une carrière d'instituteur. Nommé dans la région parisienne, il enseignera jusqu'en 1942. Entre-temps, il avait, dès 1929, fait ses premières armes littéraires sous la direction de Jean Guéhenno à la revue *Europe.* Il choisira de devenir progressivement un critique professionnel : chroniqueur au *Figaro* (1946-1960) ; directeur littéraire chez Bernard Grasset jusqu'en 1953, année où il entre au comité de lecture des éditions Gallimard. En 1942, il s'etait vu décerner le grand prix du roman de l'Académie française pour *l'Orage du matin,* son troisième roman. Narrateur de style classique quant à la forme, circonspect devant les tentations ou les facilités du réalisme, B. est, pour ainsi dire, le romancier du porte-à-faux entre la nostalgie de sa solution et la résignation à sa fatalité. Ses personnages sont pris entre le monde – nature, paysage, société, histoire même – et leur intériorité ou leur angoisse : l'aspiration au bonheur, l'illusion d'un éventuel accord entre l'homme et le monde, l'appel de la connaissance ou de la communication. De sorte que, peu à peu, le romancier s'oriente, en particulier avec *le Faussaire* (prix Femina 1964), vers une vision désormais fantastique de la relation – ni absurde ni cohérente, ou peut-être les deux ensemble – entre l'homme et le monde.

Œuvres. *Enfance,* 1930 (N). – *A moi-même ennemi,* 1933 (N). – *Septembre,* 1936 (N). – *L'Orage du matin,* 1942 (N). – *La Gartempe,* 1957 (N). – *Le Faussaire,* 1964 (N). – *L'Iguane,* 1966 (N).

Le Faussaire

A la campagne, un village. Une nuit apparemment comme les autres. Et pourtant le Démon (le « faussaire ») ressuscite quelques-uns des morts qui reposent au cimetière. Voici que, naïvement, ils croient pouvoir reprendre la vie là où elle les avait laissés. Mais ils ne peuvent revivre, car ils sont *à la fois* morts et vivants, de sorte que leur condition, précisément en porte à faux, exige et en même temps rend impossible leur communion avec les vrais vivants.

BLOCH Jean-Richard. Paris 25.5.1884 – 15.3.1947. Après un premier recueil de nouvelles publié en 1912 *(Lévy),* B. fait paraître *Et Cie,* chronique de l'ascension d'une famille d'industriels juifs alsaciens. Il y affirme une haute prise de conscience de la vie moderne et des problèmes qu'elle pose. Avant la guerre, il avait fondé à Poitiers, où il était enseignant, une revue, *l'Effort libre,* où il rendait compte du rôle du roman dans la société. Pour lui, l'art, d'une manière générale, ne pouvait s'épanouir pleinement qu'en s'annexant les problèmes sociaux et politiques de l'heure. Cette tendance politique devient encore plus manifeste dans *la Nuit kurde.* Non seulement dans son œuvre, mais encore dans sa vie, B. tient à défendre ses idées socialistes. Il collabore à l'hebdomadaire communiste *Clarté.* Son œuvre relève désormais de la littérature engagée. Avec *Naissance d'un ailleurs,* il tente même de fonder un théâtre révolutionnaire. B. fut, avec Romain Rolland, le fondateur de la revue *Europe.*

Œuvres. *L'Inquiète,* 1911 (T). – *Lévy,* 1912 (N). – *Et Cie,* 1917 (N). – *Carnaval est mort,* 1920 (E). – *Sur un cargo,* 1924 (N). – *La Nuit kurde,* 1925 (N). – *Le Dernier Empereur,* 1926 (T). – *Les Chasses de Renaut,* 1927 (N). – *Cacahouettes et Bananes,* 1929 (N). – *Destin du théâtre,* 1930 (E). – *Destin du siècle,* 1931 (E). – *Offrande à la politique,* 1933 (E). – *Naissance d'une culture,* 1936 (E). – *Naissance d'une cité,* 1937 (T). – *Espagne ! Espagne,* 1938 (E). – *Naissance d'un ailleurs,* 1938 (T). – *Toulon,* 1945 (T). – *L'Illustre Magicien* (adapt. de Gobineau) [T]. – *Correspondance avec Romain Rolland,* posth., 1964.

BLONDEL Maurice. Dijon 2.11.1861 – Aix-en-Provence 4.6.1949. Philosophe et universitaire, ancien élève de l'École normale supérieure, titulaire d'une chaire à Aix-en-Provence, B. a consacré sa vie entière à la méditation et à l'enseignement. Il est l'auteur d'une thèse célèbre, *l'Action, essai d'une critique de la vie et d'une science de la pratique,* plus tard profondément remaniée et formant une trilogie avec *la Pensée* et *l'Être et les Êtres.* Soucieux, comme beaucoup de penseurs de sa génération, tel Bergson, de réconcilier esprit moderne et spiritualité, B. se place délibérément dans une perspective chrétienne, et, dans le cadre de la grande crise du modernisme, l'œuvre de ce méditatif pacifique sera l'objet de controverses et de polémiques passionnées. Elle est essentiellement dominée par la recherche d'une sorte de pragmatisme chrétien ; B. trouve dans la foi chrétienne le fondement d'une valorisation de l'action, tant sur le plan métaphysique que sur le plan moral. Moins directe sans doute que celle de Bergson, l'influence littéraire du « blondélisme » n'en fut pas moins considérable, en particulier sur le grand courant de renaissance chrétienne qui a marqué la littérature de la première moitié du XXe s.

Œuvres. *L'Action, essai d'une critique de la vie et d'une science de la pratique,* 1893 (E). – *L'Illusion idéaliste,* 1898 (E). – *Principes élémentaires d'une logique de la vie morale,* 1903 (E). – *Le Problème de la philosophie catholique,* 1932 (E). – *La Pensée,* 1934 (E). – *L'Être et les Êtres,* 1935 (E). – *L'Action,* nouvelle édition, 1936-1937 (E). – *Lutte pour la civilisation et philosophie de la paix,* 1939 (E). – *L'Esprit chrétien et la philosophie* (E).

BLONDEL Roger. (Voir BRUSS B.R.)

BLONDIN Antoine. Paris 11.4.1922. Son père était correcteur d'imprimerie, mais issu d'une lignée de bergers auvergnats ; sa mère appartenait à une famille amie de Colette. B. fit de bonnes études au lycée Louis-le-Grand et, grâce à son oncle maternel, le célèbre collectionneur Van Beuningen, put faire de nombreux voyages. Requis en 1943 au titre du Service du travail obligatoire, il séjourne pendant deux ans en Autriche. Il puisera dans cette expérience les raisons de ce détachement ironique et faussement naïf à l'égard de l'histoire, qui domine son œuvre et fera de lui, dès 1949, avec *l'Europe buissonnière* (prix des Deux-Magots), le brillant représentant de la réaction contre la littérature engagée alors à la mode. Il est ainsi l'auteur de romans légers, incisifs, tendres et hautains à la fois, où évoluent avec désinvolture des personnages solitaires, cultivant la dérision de soi-même et du monde, volontairement indifférents à tout engagement, et soucieux avant tout de mener une vie conforme à des normes exclusivement esthétiques. Grand prix de Littérature de l'Académie française 1979.

Œuvres. *L'Europe buissonnière,* 1949 (N). – *Les Enfants du Bon Dieu,* 1952 (N). – *L'Humeur vagabonde,* 1955 (N). – *Un singe en hiver,* 1959 (N). – Avec Paul Guimard, *Un garçon d'honneur,* 1960 (T). – *Monsieur Jadis,* 1970 (N). – *Quat'Saisons,* 1975 (N). – *Certificats d'études* (recueil de *Préfaces*), 1977 (E). – *Les Joies de la bicyclette,* 1977. – *Sur le Tour de France,* 1979 (N). – *Ma vie entre les lignes,* 1982 (N).

BLOY Léon. Périgueux 11.7.1846 – Bourg-la-Reine 3.11.1917. De milieu très pauvre, il avait pour père un athée positiviste et pour mère une pieuse femme qui le voua à la Vierge à l'âge de un an. À dix-huit ans, il vient à Paris comme employé de la Compagnie des chemins de fer d'Orléans ; il est alors un révolté. Puis, quatre ans plus tard, il devient secrétaire de Barbey d'Aurevilly, auquel il ne cessera de vouer amitié et admiration ; sous son influence, il retrouve la foi catholique, mais il hérite aussi de son maître le goût de la malédiction et de la violence spirituelle, ainsi que l'obsession du Diable. B. devait vivre dans la misère jusqu'à son mariage (1890), et même par la suite, le plus souvent isolé, en proie aux créanciers, loin d'un monde littéraire où la virulence de ses polémiques lui faisait sans cesse de nouveaux ennemis – ce dont il n'était pas sans se glorifier. Un seul adjectif suffit à le cerner : catholique ; nul, même Claudel, même Péguy, ne s'est fait plus ardent prosélyte d'une foi sans hypocrisie, plus impitoyable fustigeur des tièdes et des satisfaits, plus irréductible adversaire du rationalisme athée. Haï de beaucoup, certainement méconnu de la plupart, B. se fit souvent une arme d'un délaissement qu'il cultivait ; incorrigible « tapeur », il intitule un des volumes de son Journal : *le Mendiant ingrat.* Dans une œuvre surabondante, exaspérée, inégale du fait de sa tension même, il faut mettre à part deux cruels « essais » littéraires, *les Funérailles du naturalisme* et *Sur la tombe de Huysmans,* et surtout retenir, outre une *Correspondance* où il se livre tout entier, les deux ouvrages qui sont ses chefs-d'œuvre : *le Désespéré,* son autobiographie, et *la Femme pauvre,* roman en grande partie autobiographique, où se trouvent réunis les principaux traits du génie de B. : une sincérité qui tient à déranger tous les conforts, une véhémence qui veut forcer les sourds à entendre, et, les soutenant admirablement, un style de vrai polémiste et de grand prosateur, nullement sec mais au contraire débordant, frémissant de passion, d'audaces de vocabulaire qui répondent à autant de masques arrachés. Mais il ne faut pas oublier que, du même mouvement, B. est aussi le témoin de l'invisible, celui qui, littéralement, « crie dans le désert » ; personnage anachronique au temps de la Belle Époque et, comme il disait, de la « belle littérature », mais dont la voix possède un pouvoir secret, parfait représentant du type de l'écrivain « maudit », pour qui le christianisme est la forme suprême de la révolte contre le monde. Notre siècle fait peu à peu sa place à cet étrange prophète, dont la devise figure en page de garde de *la Femme pauvre :* « Notre seule tristesse, c'est de n'être pas des saints. » Lorsqu'il meurt, pauvre et méconnu, c'est le moment où bientôt va naître et se développer son influence en profondeur, grâce à des disciples d'une fidélité à toute épreuve comme Jacques Maritain, Albert Béguin ou Stanislas Fumet : mais cette influence, il la doit aussi en grande partie à ce qu'il est, à la fois dans sa pensée, dans sa sensibilité et dans son langage, comme celui qui sera son continuateur, Bernanos, le grand messager de l'intransigeance spirituelle, l'adversaire intégral du compromis, le porte-parole brutal et virulent de la foi.

Œuvres. *Le Prince noir,* 1877 (E). – *Propos d'un entrepreneur de démolitions,* 1884 (E). – *Le Révélateur du globe, Christophe Colomb et sa béatification future,* 1884 (E). – *Le Désespéré,* 1886 (N). – *Brelan d'excommuniés,* 1889 (E). – *Christophe Colomb devant les taureaux,* 1890 (E). – *La Chevalière de la mort,* 1891 (E). – *Les Funérailles du naturalisme,* 1891 (E). – *Le Salut par les Juifs,* 1892 (E). – *Sueur de sang* (contes), 1893 (N). – *Histoires désobligeantes* (contes), 1894, rééd. 1978 (N). – *Léon Bloy devant les cochons,* 1894 (E). – *Ici on assassine les grands hommes,* 1895 (E). – *La Femme pauvre,* 1897 (N). – *Le Mendiant ingrat, journal de l'auteur,* 1898. – *Je m'accuse,* 1900 (E). – *Le Fils de Louis XVI,* 1900 (E). – *Jeanne d'Arc et l'Allemagne,* 1900 (E). – *L'Exégèse des lieux communs,* 1902-1913, rééd. 1983 (E). – *Les Dernières Colonnes de l'Église – Coppée, le R.P. Judas, Brunetière, Huysmans, Bourget...,* 1903 (E). – *Mon journal* (de 1896 à 1900), contient : *Dix-Sept mois au Danemark* (2e vol. du Journal), 1904 ; *Quatre Ans de captivité à Cochons-sur-Marne* (3e vol. du Journal), 1905. – *Belluaires et Porchers,* 1905 (N). – *L'Épopée byzantine,* 1906 (E). – *Celle qui pleure,* 1908 (E). – *L'Invendable* (4e vol. du Journal), 1909. – *Le Sang du pauvre,* 1909 (E). – *Le Vieux de la Montagne* (5e vol. du Journal), 1911. – *L'Ame de Napoléon,* 1912 (E). – *Le Pèlerin de l'absolu* (6e vol. du Journal, de 1910 à 1912), 1914. – *Au seuil de l'Apocalypse* (7e vol. du Journal, de 1913 à 1915), 1916. – *La Porte des humbles* (8e vol. du Journal), posth., 1920. – *Le Symbolisme de l'Apparition,* posth., 1925 (E). – *Le Pal,* suivi des *Nouveaux Propos d'un entrepreneur de démolitions,* posth., 1925, rééd. 1979 (E).

Le Désespéré

Autobiographie transposée du « désespéré philosophique » qu'était Bloy. Marchenoir, catholique, historien et journaliste de talent, vient de perdre son père. Il fait alors une retraite à la Grande-Chartreuse, où il est profondément ému par l'hospitalité des moines. Mais au cœur même de cette retraite, il reste tout rempli de l'amour de Véronique, cette fille que, par sa foi, il a sauvée du vice et à qui il a ouvert les portes de la sainteté. Il retourne donc vers elle, mais c'est pour la retrouver privée de sa beauté : elle s'est elle-même défigurée afin de ne pas risquer d'être pour Marchenoir une cause de tentation ; elle a commis cet acte pour obéir à la vocation qu'il lui a ouverte et pour lui exprimer sa reconnaissance ; c'est elle qui désormais l'entraînera vers les plus hauts sommets de la spiritualité. Marchenoir en est bouleversé, mais, quoique tenté par le renoncement définitif, il croit devoir continuer sa tâche prophétique d'écrivain en collaborant au journal *le Pilate*. Il continue donc de fréquenter les milieux littéraires, mais, au cours d'un dîner, il ne peut se retenir de clamer publiquement son horreur des idées qui ont cours dans ces milieux et de dénoncer les penseurs coupables à ses yeux d'en favoriser la diffusion. Comme s'il avait par là provoqué une succession de malheurs, Marchenoir, après avoir vu Véronique sombrer dans la folie, mourra lui-même dans la détresse que lui inspire la douleur de n'avoir pas su être un saint.

BODEL D'ARRAS Jean. Arras v. 1165 – 1210. Il appartenait à la confrérie des jongleurs et bourgeois d'Arras. Trouvère de profession, il lia étroitement sa vie à celle de sa ville, où il joua certainement un rôle administratif important. Comme il se disposait à partir pour la quatrième croisade, il fut atteint de la lèpre. Obligé de s'éloigner des siens pour ne pas les contaminer, il finit ses jours dans une léproserie.

Narrative, épique, dramatique, son œuvre témoigne d'une activité poétique intense, s'attachant aux genres les plus variés. Les *Neuf Fabliaux* montrent une connaissance précise de la vie quotidienne de ses concitoyens, marchands d'Arras et paysans des alentours. Satiriques et parfois égrillards, les fabliaux offrent cependant un aspect bourgeois. *La Chanson des Saisnes* (ou *Chanson des Saxons*) est un poème épique composé de 8 179 vers alexandrins. B. raconte la guerre de Charlemagne menée contre Guiteclin, roi des Saxons : le roman courtois et le réalisme bourgeois se mêlent ici à l'épopée chevaleresque. *Le Jeu de saint Nicolas* (composé entre 1198 et 1202) est l'œuvre la plus marquante de B. Il ne retrace pas la vie du saint à proprement parler mais ses interventions miraculeuses au cours d'une guerre menée contre les Sarrasins. Dans un savoureux mélange de comique et de tragique, B. interrompt des tableaux épiques religieux pour mettre en scène des tavernes où voleurs et mauvais garçons s'en donnent à cœur joie. Dans ce mélange incongru, il est aisé de reconnaître les traits qui caractérisent la florissante « école d'Arras ». Ce jeu théâtral est le premier de la langue française consacré à un saint. Les *Cinq Pastourelles* répondent aux lois du genre, à cette différence près que c'est un bourgeois (et non un berger, comme dans la tradition) qui l'emporte sur l'aristocrate dans la lutte qu'ils se livrent pour conquérir la belle.

Mais l'œuvre la plus originale de Bodel est sans doute les *Congés*. Ils se composent de quarante-cinq strophes en octosyllabes. Sur un ton tout à fait personnel, remarquable à cette époque, B., atteint de la lèpre, prend congé de sa ville natale et de ses amis. « Moitié sain, moitié pourri », il rappelle sa vie joyeuse, demande à ses amis de l'aider dans cette dure épreuve mais adresse aussi des prières pour ceux qui restent dans le monde vivant. Baude et Adam de la Halle l'imiteront dans ce genre nouveau. B. annonce le trouvère bourgeois, qui, à la différence du trouvère traditionnel, errant et s'adaptant aux lieux de ses séjours, se fixe dans un endroit (la ville, en l'occurrence), et assume une fonction sans, pour autant, perdre son esprit critique et poétique.

Œuvres. *Neuf Fabliaux : le Morteruel ; le Vilain de Bailleul ; Gombert et les Deux Clercs ; Brumau, la vache au prêtre ; les Deux Chevaux ; le Convoiteux et l'Envieux ; le Songe desvez ; le Loup et l'Oie ; Barat Travers et Haimet ou les Trois Larrons* (N). – *La Chanson des Saisnes* (P). – *Le Jeu de saint Nicolas,* vers 1200 (T). – *Cinq Pastourelles* (T). – *Congés* (P). – *Le Jeu de saint Nicolas,* éd. établie par A. Henry, 1962. – *Congés,* éd. établie par P. Ruelle, 1965.

BODIN Jean. Angers 1530 – Laon 1596. Il fait à Angers ses premières études, puis se consacre au droit, qu'il étudie à Toulouse et qu'il enseignera dans la même ville dès 1548. Il publie en 1555 une traduction des *Cynégétiques* d'Oppien, qu'il dédie à son protecteur, l'évêque d'Angers. Procureur du roi en 1570 et chargé du domaine et des bois royaux de Normandie, il devient l'année suivante secrétaire des commandements, maître des requêtes et conseiller du duc d'Alençon, frère des rois François II, Charles IX et

Henri III. B., dont le catholicisme est suspecté, n'échappe que de justesse au massacre de la Saint-Barthélemy. Accusé d'hérésie (1587) malgré sa soumission à la Ligue, il se ralliera à Henri IV dès l'avènement de celui-ci. Juriste, B. est aussi un écrivain humaniste, philosophe de l'histoire, du droit et des religions, auteur d'écrits politiques importants. Il fait paraître une *Méthode de l'histoire* où sa conception de l'histoire et du temps fait appel aussi bien aux sources antiques qu'à des sources juives plus ou moins dérivées de la Kabbale. La même année, dans sa *Réponse aux paradoxes de M. de Malestroit touchant l'enchérissement de toutes choses...,* il se pose en défenseur du libre-échange. Optimiste et enthousiaste, il fait, dans son *Discours au sénat et au peuple de Toulouse sur l'éducation à donner aux jeunes gens dans la république,* un magnifique éloge de la Renaissance. Son œuvre la plus célèbre, les *Six Livres de la République,* est d'abord une riposte à un ouvrage de F. Hortman, *Franco-Gallia,* sur la nature de la monarchie française, laquelle, selon cet auteur, reposerait sur la souveraineté populaire, et également une attaque contre Machiavel qui cite en exemple « le plus déloyal fils de prêtre qui fût jamais ». B. y apparaît comme le grand représentant de la science politique française au XVIe s. Humaniste, il connaît les traités politiques de Platon et d'Aristote ; juriste, il n'ignore rien de l'histoire des institutions françaises. Sa *République* évoque l'image d'un État dont il définit précisément les marques de souveraineté, et qui est le reflet sensible du monde intelligible où les hommes, dans leurs différences irréductibles, se trouvent ordonnés dans une « douce et plaisante harmonie ». B. s'appuie sur l'histoire pour montrer que les grands États ont presque toujours été monarchiques et que seul un gouvernement de ce type « peut dégager les hommes compétents, les avis sensés et les imposer au pays ». Une telle forme d'État ne doit cependant rien avoir de tyrannique et ne peut s'élever au-dessus de la justice naturelle et des lois divines, car le monarque doit compte à Dieu de l'usage de son pouvoir. Enfin, l'*Heptaplomeres...* exprime l'attitude religieuse de B. et se présente comme un colloque entre un catholique, un luthérien, un calviniste, un renégat passé à l'islam, un syncrétiste, un partisan de la religion naturelle : après de longues discussions, ceux-ci reconnaissent la vanité des colloques prônés jadis par les humanistes chrétiens, condamnent l'athéisme, ennemi des lois, et concluent à la nécessité de la tolérance et d'un respect mutuel des religions. Dans le domaine religieux comme dans le domaine politique, les idées de B., à travers l'influence qu'elles exerceront sur le courant libertin du XVIIe s., feront surtout école au XVIIIe s.

Œuvres. *Methodus ad facilem historiarum cognitionem,* 1566 (E) [trad. fr. P. Mesnard, 1941]. – *Réponse aux paradoxes de M. de Malestroit touchant le fait des monnaies et l'enrichissement de toutes choses et les moyens d'y remédier,* 1566 (E). – *Les Six Livres de la République,* 1576 (E). – *Nova distributio juris universi,* 1578 (E). – *De magorum daemonomania, seu detestando lamiarum ac magorum cum Satana commercio,* libri IV, 1580 (E). – *Colloquium heptaplomeres de rerum sublimium arcanis abditis,* écrit en 1581 (trad. fr., posth., 1914) (E). – *Lettre de M. Bodin,* 1590. – *Apologie de René Herpin,* 1593. – *Universae naturae theatrum,* 1596. – *Paradoxe qu'il n'y a pas une seule vertu en médiocrité ni au milieu de deux vices,* 1598 (E). – *Concilium de principe recte instituendo,* posth., 1603 (E).

BOILEAU Pierre. Paris 28.4.1906 (Voir NARCEJAC.)

BOILEAU-DESPRÉAUX Nicolas. Paris 1.11.1636 – 13.3.1711. Avant-dernier d'une famille de seize enfants, il a pour père un greffier de la grand-chambre du Parlement, issu d'une lignée d'avocats et d'officiers de finances. On lui donne, pour le distinguer de ses frères, le surnom de Despréaux, du nom d'une petite terre familiale située près de Villeneuve-Saint-Georges. Il a deux ans quand sa mère disparaît, ce qui accroît encore l'austérité de l'atmosphère familiale, sous l'autorité d'un père tout imprégné de jansénisme. Opéré de la pierre à douze ans par un chirurgien maladroit, il en résulte pour lui une mutilation qui le condamne au célibat. Il fait d'excellentes études au collège d'Harcourt et se révèle en particulier un remarquable lecteur (plus tard, une partie de son succès viendra de la lecture qu'il fera de ses propres œuvres au cabaret, dans les salons ou à la cour). S'initiant à la théologie, puis au droit, il est reçu avocat, mais n'exercera sans doute jamais cette profession. Dès 1657, l'héritage de son père, quoique relativement modeste, lui procure une certaine aisance, et il en profite pour se consacrer exclusivement à la littérature ; il devra attendre près de vingt ans (1676) pour bénéficier d'une pension royale. Il est introduit dans les milieux littéraires par son frère Gilles, qui fréquente les cercles antiprécieux formés autour de l'abbé d'Aubignac et de Furetière. Gilles, d'ailleurs, fera partie de l'Académie dès 1659. A partir de 1663, B. entre en contact avec les cercles de libertins bons vivants qui se réunissent dans des cabarets, *A la croix blanche, A la croix de Lorraine, A la croix de fer ;* c'est là qu'on applaudit la lecture des premières *Satires.* C'est aussi *A la croix blanche* que B. fait la connaissance de Molière, à qui il va consacrer sa deuxième *Satire.* Vers la même époque, il se lie avec Racine d'une vive et fructueuse amitié.

En 1666, B. commence à devenir célèbre : il a lu en public ses *Satires,* on en a fait des copies, il y a eu des indiscrétions ; une édition subreptice paraît, que B. désavoue, mais son personnage littéraire n'en est pas moins fixé : il est bien le grand satirique de sa génération ; d'ailleurs, c'est son tempérament, et, quoi qu'il fasse, il ne pourra pas retenir sa verve : il dénoncera l'immoralité sous toutes ses formes et, par là, restera fidèle à la tradition de l'esprit bourgeois et parlementaire de Paris. Mais, auprès de la satire morale et sociale (particulièrement dirigée contre les financiers), B. fait aussi sa part au réalisme et au pittoresque, par exemple dans les célèbres morceaux du *Repas ridicule* ou des *Embarras de Paris.* Le premier recueil de *Satires* paraît en 1666 avec en tête un *Discours au roi* (écrit sans doute dès 1662) qui raille les poètes-courtisans et place la satire sous la protection royale. C'est l'occasion, pour ceux que B. visait, de déchaîner leur colère dans des pamphlets auxquels il répondra par un *Discours en prose sur la satire.* C'est ainsi que, progressivement, B. est amené à s'interroger sur son art et sur la littérature en général : une évolution rapide va transformer l'auteur des *Satires* en un moraliste et un théoricien de la littérature, et, sans tout à fait renier ses amitiés antérieures, il entre en contact, dès 1667, grâce à l'amitié de Lamoignon, avec un milieu d'un tout autre esprit : c'est sans doute là le grand tournant de sa vie et de son œuvre. Car Lamoignon est un homme austère, à la dévotion rigoriste (c'est lui qui fit interdire *Tartuffe*), et son influence favorise la réapparition du vieux fonds janséniste que B. avait hérité de sa famille. Il va se mettre désormais à fustiger les vices en termes plus généraux et substitue la satire proprement morale à la polémique d'actualité. Mais surtout il va modifier la forme de son expression lorsqu'il se met à pratiquer le genre de l'épître : la première est écrite en 1668, et il en figure plusieurs dans l'édition de ses œuvres de 1674 : dans les meilleures d'entre elles (car elles sont quelque peu inégales), B. trouve un équilibre harmonieux entre le ton de la conversation élevée qui convient au genre, les traits satiriques qui y sont insérés et la fusion de la confidence personnelle avec la leçon morale. Ainsi en est-il dans celles qui évoquent, en s'adressant au roi, et avec une franchise que Louis XIV sut apprécier, la condition du poète dans la société (V). Il en est d'autres qui traitent de problèmes littéraires (VII, à Racine, au moment de *Phèdre,* 1677 ; IX, sur les rapports entre l'art et la vérité).

Ainsi se précise, tandis que la verve « gauloise » se donne libre cours dans le poème burlesque du *Lutrin* (1674), l'orientation de B. dans la voie d'une réflexion plus sérieuse, et surtout synthétique, sur la nature et les formes de la littérature : ce sera, en 1674, le célèbre *Art poétique ;* le but de B. n'est pas d'élaborer ici une esthétique mais plutôt de dresser un bilan cohérent de l'activité littéraire de son temps. En fait, *l'Art poétique* est une œuvre de vulgarisation, dont la clarté, la cohérence et le sérieux expliquent le succès auprès d'un public qui trouve là le moyen de comprendre en profondeur le mouvement littéraire contemporain. Ce qui domine l'œuvre, c'est la conviction de la grandeur et de la légitimité de l'art littéraire tel que les classiques l'ont élaboré ; thème qui se retrouve dans le *Traité du sublime,* traduit de Longin, et qui sera au centre de l'action de B. comme défenseur des Anciens dans la querelle des Anciens et des Modernes, lorsqu'il reprendra ce même thème dans ses *Réflexions sur Longin* (1694).

Voici donc B., à quarante ans, en possession d'une situation sociale et littéraire brillante, symbolisée par sa nomination (avec Racine) au poste d'historiographe du roi en 1677. Il lui reste à entrer à l'Académie : il y a là quelque difficulté, car les ennemis de B. y sont nombreux, et il faut que Louis XIV impose son élection en 1684. La fin de sa vie et de son œuvre (les dernières *Satires* et les dernières *Épîtres*) sera marquée par une montée du pessimisme et de l'amertume : la *Satire XII,* qui ne sera connue du public qu'en 1716, est une protestation contre toutes les formes du modernisme ; il est clair que B. a le sentiment que celui-ci est alors en train de triompher et que le combat qu'il a mené toute sa vie s'achève sur une défaite. Il meurt désespéré, le roi lui ayant refusé l'autorisation de publier un long poème contre les jésuites, *l'Équivoque.*

Pour condenser l'essentiel du génie de B., il faut mettre l'accent sur l'alliance de la liberté de l'esprit avec la vigueur de l'expression. L'amour de l'art et de la beauté est son unique passion, et même, plus précisément encore, l'amour du style et l'on comprend l'admiration que devait ·lus tard lui vouer un Flaubert. Une ·ertaine postérité (néo- ou pseudo-classi-ue) faussera, comme à plaisir, le sens ·rofond de l'œuvre de B., qui mérite d'être ·edécouverte et pour elle-même et pour les ·aleurs littéraires qu'elle prône et qu'elle ·lustre à la fois. Acad. fr. 1684.

Œuvres. *Soixante-Treize Pièces diverses n vers,* 1653-1711 (P). – *Dissertation sur a Joconde,* 1665 (E). – *Satires du Sieur). (Satires* I à VI et *Discours au Roi),* 1666 P). – *Satires du Sieur D. (Satires* I à VIII), 668 (P). – *Arrêt burlesque donné en la rand-chambre du Parnasse,* 1671. – *Dialo-ue des héros de roman,* 1665-1671. – *)ialogue des poètes,* 1674. – *Œuvres 'iverses de Boileau (Satires* I à IX, *Épîtres* à IV, *Art poétique, Lutrin* I à IV, trad. .e Longin), 1674. – *Prologue d'opéra,* 678. – *Œuvres diverses de Boileau* (*Satires* à IX, *Épîtres* I à IX, *Art poétique, Lutrin n entier,* trad. de Longin), 1683. – *Lettres Racine,* 1687-1697. – *Œuvres diverses de ›oileau* (édition précédente, plus : *Satire ., Réflexions sur Longin, Ode pindarique ur la prise de Namur,* précédée du *)iscours sur l'Ode,* 1694. – *Réflexions ritiques,* 1694-1716 (E). – *Lettres à ›rossette,* 1699-1710. – *Œuvres diverses du ieur Boileau-Despréaux* (édition augmen-ée de la *Préface* et de la *Lettre à Per-ault*), 1701. – *Œuvres diverses du sieur ›oileau-Despréaux* (avec la *Satire* XII et *)iscours de l'Auteur pour servir d'Apologie ladite satire*), posth., 1713. – *Épitaphe 'e Racine,* posth., 1723. – *Satires, Épîtres, Art poétique,* éd. établie par J.-P. Collinet, 985.

Les Satires

. « Contre les mœurs de la ville de ·aris », diatribe placée dans la bouche 'un poète famélique, Damon, génie plein ·e fierté, qui n'épargne rien ni personne, t surtout pas les financiers. – II. A Molière, « rare et fameux esprit... ».)éfense de la comédie et, en particulier, ·e *l'École des femmes.* – III. « Le Repas ·idicule », sous le signe du pittoresque astronomique, des souvenirs de cabaret, ·nais aussi de l'actualité politique et ·ttéraire. – IV. Galerie de croquis moraux, ·e caractères et de types : l'avare, le ·rodigue, le bigot, le libertin, etc. – V. Sé-'ère critique de la noblesse actuelle par ·ontraste avec un âge d'or où le mérite seul ·ondait la hiérarchie sociale. – VI. A ·ouveau Paris et ses embarras de rue, son ·ruit, son insécurité : le journal anecdoti-·ue d'un Parisien excédé. – VII. Évocation ·u poète lui-même et de ses idées sur la ·ttérature. – VIII. Dédiée ironiquement à un docteur en Sorbonne. Inspiration surtout morale et philosophique : critique de l'inconstance humaine, manifeste d'un esprit libre de tout dogmatisme, un peu dans la ligne de Montaigne. – IX. Testament littéraire, en quelque sorte, qui reprend avec une vigueur nouvelle les grands thèmes de la réflexion littéraire de l'auteur, et en ramasse l'exposé dans un *Discours sur la satire.* – X. « Sur les femmes ». Explosion de la misogynie latente de B., en écho à la querelle des Anciens et des Modernes, où les salons mondains avaient pris parti contre les classiques. A un ami qui va se marier B. détaille les infortunes qui le guettent. Série de portraits pittoresques et féroces composés avec un réalisme tantôt badin, tantôt puissant et véhément. – XI. « Sur l'honneur ». – XII. « Sur l'équivoque ». A partir de considérations littéraires et grammaticales, B. aboutit à des réflexions théologiques sévères et rigoristes qui le situent dans la continuité des *Provinciales.* Testament spirituel de caractère anti-jésuite, réaction du gallican à la fois contre l'ultramontanisme et le modernisme moral et religieux.

Le Lutrin.

Une rivalité oppose, en pleine Sainte-Chapelle, le trésorier, premier diginitaire du chapitre, et le chantre, second dignitaire : celui-ci n'avait-il pas fait déplacer un énorme lutrin qui, posé devant sa stalle, le cachait aux yeux de l'assistance ? Le trésorier fait replacer le lutrin. Il faudra recourir à un arbitrage supérieur. En attendant, la guerre fait rage, et cette guerre grotesque motive l'intervention des grandes allégories épiques – la Discorde, par exemple. Le burlesque traditionnel faisait parler vulgairement des personnages d'épopée ; ici, B. inverse le rapport : c'est une querelle sordide – entre personnages grotesques pour un enjeu dérisoire – qui est narrée en alexandrins sur le mode héroïque.

L'Art poétique.

Onze cents vers répartis en quatre chants : I. Recommandations de portée générale : nécessité de l'inspiration, mais nécessité aussi du travail et de la critique ; condamnation des excès de la préciosité et du burlesque. – II et III. Les genres poétiques, genres secondaires d'abord ou légers (idylle, élégie, ode, sonnet, etc.), puis (chant III) les grands genres : tragédie, épopée, comédie. – IV. Retour aux préceptes généraux sous la forme, en fait, d'un bilan positif de la littérature du siècle, que couronne un éloge de Louis XIV.

BOISROBERT François Le Métel de. Caen 1.8.1592 – Paris 30.3.1662. Membre fondateur de l'Académie française. Abbé mondain, il écrivit des livrets de ballets, quelques médiocres pièces de théâtre et des romans. Mais, surtout, il joua auprès de Richelieu, que son effronterie amusait, le rôle d'un protecteur des lettres, prêta son nom à des essais littéraires du Cardinal, participa au groupe des Cinq-Auteurs et plaida sans exclusive la cause des gens de lettres. Son rôle fut prépondérant dans la création de l'Académie en 1634.

Œuvres. *Les Bacchanales,* ballet (livret), 1623 (P). – *Grand Ballet de la Reine* (livret), 1623 (P). – *Histoire indienne d'Anaxandre et d'Orazie,* 1629 (N). – *Pyrandre et Lysimène ou l'Heureuse Tromperie,* 1633 (T). – *Didon la chaste ou les Amours de Hiarbas,* 1642 (T). – *Épîtres en vers et Autres Œuvres poétiques,* 1647 et 1659 (P). – *Les Nouvelles héroïques et amoureuses,* posth., 1667 (N).

BONALD Louis, vicomte de. Millau 1754 – 1840. Après des études chez les oratoriens de Juilly, il s'engage dans le corps des mousquetaires, où il reste jusqu'en 1776. En 1792, il se trouve contraint à l'exil et vient résider à Heidelberg, puis à Constance. Il publie, en 1796, une *Théorie du pouvoir politique et religieux dans la société civile,* ardente défense de la monarchie et de l'Église. Revenu en France clandestinement, il s'attache désormais à consolider et à développer sa pensée avec logique et rigueur, et les ouvrages qu'il compose alors le font apparaître comme le maître du courant politique « traditionaliste » qui prend également forme à la même époque dans l'œuvre de Joseph de Maistre. La première démarche de B. est de caractère critique et consiste en une réfutation méthodique de la « philosophie » du XVIIIᵉ s. Mais cette démarche se compose avec une conception pessimiste de la nature humaine : l'homme, foncièrement corrompu, ne peut accéder au bien par lui-même et n'existe en tant qu'homme (avec tout ce que ce mot comporte de grandeur) que dans la société, elle-même constituée par les deux structures fondamentales de la famille et de la monarchie. Après la révolution de juillet 1830, B. refuse de prêter serment à Louis-Philippe et se retire sur ses terres jusqu'à sa mort. Il avait été sous l'Empire conseiller de l'Université (1810) et, sous la Restauration, pair de France (1823). Esprit déductif et rigoureux, logicien exemplaire, B. exercera une influence profonde non seulement sur le mouvement ultra de la Restauration, mais aussi sur une certaine conception politique de l'homme et du monde, qui s'est maintenue dans notre littérature, de Balzac à Paul Bourget et à Charles Maurras. Acad. fr. 1816.

Œuvres. *Théorie du pouvoir politique et religieux dans la société civile, démontrée par le raisonnement et par l'histoire,* 1796 (E). – *Essai analytique sur les lois naturelles de l'ordre social,* 1800 (E). – *Du divorce considéré au XIXᵉ siècle relativement à l'état domestique et à l'état public de la société,* 1801 (E). – *La Législation primitive considérée dans les derniers temps par les seules lumières de la raison,* 1802 (E). – *Recherches philosophiques sur les premiers objets des connaissances morales,* 1818 (E). – *De l'opposition dans le gouvernement et de la liberté de la presse,* 1827 (E). – *Démonstration philosophique du principe constitutif des sociétés,* 1827 (E). – *Œuvres complètes,* 1840.

BONAPARTE Marie. (Voir PSYCHANALYSE ET CRITIQUE LITTÉRAIRE.)

BONNEFOY Yves. Tours 24.6.1923. Son premier recueil poétique, *Du mouvement et de l'immobilité de Douve* (1953) frappa immédiatement la critique par son intensité métaphysique et sa rigueur formelle : il annonce le ton général de cette œuvre, un climat de non-être et d'irrationalité, influencé par la philosophie de Hegel et de Heidegger, par l'expérience poétique de Valéry et de Jouve. Aridité d'un monde pétrifié et désertique cherchant en lui-même de quoi réinventer un espoir, et qui est le prétexte d'une poésie « à l'agonie interminable » mais saisie par la tentation de vivre. Aussi cette poésie est-elle toujours « dialogue d'angoisse et de désir » (« Pierre écrite », V) dialogue-dilemme qui se résout dans une sacralisation du verbe. Pensée qui s'organise en une architecture verbale, réponse à une « exigence absolue » qui ne peut trouver hors du poème aucune satisfaction. Aussi la poétique de B. et son attachement à « l'honneur » du langage évoquent-ils souvent le souvenir de Valéry. B. s'est aussi interrogé, dans *l'Improbable,* sur le processus de la création poétique ; il a publié un essai sur *Rimbaud,* divers ouvrages de critique d'art, ainsi que des traductions de Shakespeare. Depuis 1981, B. est professeur au Collège de France. Grand prix de Poésie de l'Académie française pour l'ensemble de son œuvre 1981.

Œuvres. *Du mouvement et de l'immobilité de Douve,* 1953 (P). – *Les Tombeaux de Ravenne,* 1953 (E). – *Les Peintures* *murales de la France gothique,* 1954 (E). – *Hier régnant désert,* 1958 (P). – *L'Improbable et autres écrits,* 1959, rééd. 1980 (E). – *La Seconde Simplicité,* 1961 (E). – *Rimbaud par lui-même,* 1961 (E). – *Anti-Platon,* 1962 (E). – *Pierre écrite,* 1965 (P). – *Un rêve fait à Mantoue,* 1967 (E). – *Rome, 1630 : l'horizon du premier baroque,* 1970 (E). – *L'Arrière-Pays,* 1972, rééd. 1982 (N). – *L'Ordalie,* 1975 (E). – *Dans le leurre du seuil,* 1975 (P). – *Le Nuage rouge,* 1977 (E). – *Rue traversière,* poèmes en prose, 1977. – *Trois remarques sur la couleur,* 1977 (E). – *Poèmes 1946-1974,* 1978 (P). – *Entretiens sur la poésie,* 1981 (E). – *La Présence et l'image,* 1983 (E).

BORDEAUX Henry. Thonon-les-Bains 19.1.1870 – Paris 29.3.1963. Auteur fécond, dans la tradition bourgeoise, il produisit un nombre considérable de romans racontant des histoires passionnelles non sans quelque édulcoration ; beaucoup ont pour cadre sa Savoie natale. Acad. fr. 1919.

Œuvres. *Âmes modernes,* 1894 (E). – *Le Pays natal,* 1900 (N). – *La Peur de vivre,* 1902 (N). – *Les Roquevillard,* 1906 (N). – *Les Yeux qui s'ouvrent,* 1908 (N). – *La Robe de laine,* 1910 (N). – *La Neige sur les pas,* 1911 (N). – *La Maison,* 1913 (N). – *La Chartreuse du Reposoir,* 1924 (N). – *Tuilette,* 1930 (N). – *La Revenante,* 1932 (N). – *La Fille du prisonnier,* 1954 (N). – *Le Flambeau renversé,* 1961 (N). – *Un médecin de campagne,* s.d. (T). – *Les murs sont bons,* s.d. (E). – *Histoire d'une vie* (13 vol.), 1946-1971.

BORDES François. (Voir CARSAC.)

BORDIER Roger. Blois 5.3.1923. Issu du milieu ouvrier, il doit interrompre ses études secondaires ; il parvint à les reprendre et, en 1946, entra dans le journalisme à Orléans. Après avoir fait du reportage à Paris et publié un certain nombre de textes, poèmes, nouvelles, essais (en particulier sur l'art contemporain), il obtiendra le prix Théophraste-Renaudot en 1961 pour *les Blés.* L'œuvre de B. prend pour thème central le temps : la lutte de l'homme et de l'histoire – son histoire – dans *la Cinquième Saison* ; la « merveille » de la rencontre du temps personnel d'un homme avec le temps collectif des hommes, avec le temps immémorial de la nature, dans *les Blés.* A contre-courant de certaines tendances contemporaines, B. refuse de réduire le roman à un exercice d'écriture et, au contraire, recherche dans la conscience lucide de la condition temporelle, dans la tension des situations extrêmes, dans la modernité classique d'un style accordé à cette entreprise, la manifestation d'un humanisme capable de justifier la littérature.

Œuvres. *Les Exigences,* 1952 (P). – *Les Épicentres,* 1956 (P). – *La Cinquième Saison,* 1959 (N). – *Les Blés,* 1961 (N). – *Le Mime,* 1963 (N). – *L'Entracte,* 1965 (N). – *Un âge d'or,* 1967 (N). – *Le Tour de ville,* 1969 (N). – *L'Océan,* 1974 (N). – *Meeting,* 1976 (N). – *Demain l'été,* 1977 (N). – *L'Art moderne et l'objet,* 1978 (E). – *La Grande Vie,* 1981 (N). – *Les Temps heureux,* 1984 (N).

BOREL D'HAUTERIVE Pierre Joseph, dit **Pétrus Borel le Lycanthrope.** Lyon 26.6.1809 – Mostaganem 14.7.1859. D'abord architecte, puis peintre et poète, il s'affirme comme l'un des plus fougueux partisans du romantisme. En 1846, il part pour l'Algérie, à Blad-Touaria, près d'Aboukir, où il est chargé de fonctions administratives qu'il assumera jusqu'à sa mort. Esprit sombre et féroce, hanté par la mort et le suicide, grand adepte de l'humour noir, il produisit peu, et seulement des livres à scandale, en particulier *Champavert, contes immoraux,* nouvelles fantastiques et horribles dans la longue préface desquelles B. se présente comme mort et révèle qu'il était, en fait, ce Champavert dont il raconte l'histoire plus étrange qu'« immorale », et *Madame Putiphar,* qui continue la même veine antisociale. On doit à ce fantasque méconnu une admirable traduction de *Robinson Crusoé* (1836).

Œuvres. *Les Rhapsodies,* 1832 (P). – *Champavert, contes immoraux,* 1832, rééd. 1985 (N). – *Madame Putiphar,* 1839 (N).

BORNE Alain. Saint-Pont (Allier) 1915 – Montélimar 1962. Conscience sereine ou angoissée, mais toujours obsédante, de l'absence universelle, la poésie de B. prend d'abord sa place dans la lignée de Supervielle, mais affirme aussi très tôt son originalité. Les premiers recueils – *Neige* et *Contre-feu*, qu'Albert Béguin publie dans ses *Cahiers du Rhône* – cherchent encore à exorciser l'absence par le recours à la mémoire et à une poésie que, dans *Contre-feu* (*Je froisse mes chansons*), B. définit ainsi : « J'effaçai le silence avec des mots complices. » Mais voici que cette « complicité » des mots elle-même risque de faire défaut et, dès *Brefs,* en 1944, ces « feux étranges au ciel de l'âme » n'apparaissent plus que comme un « arti-

fice ». Le tournant décisif est pris en 1946 avec *Poèmes à Lislei,* où le poète s'avoue à lui-même : « Je suis fait de silence ». Dès lors, la poésie ne peut plus être qu'exploration du silence, les mots n'ont plus à se faire les complices d'une illusion ou d'un artifice ; les « feux étranges » de la poésie, images, rythmes, agencements verbaux et sonores, n'ont plus pour raison d'être que de traduire, dans un univers onirique et fantomatique, le néant même du monde, et l'art poétique de B. se résume dans ce titre d'un des *Poèmes à Lislei* : « Je cherche une image... » Aussi la forme tend-elle à se raréfier, mais aussi à se condenser, dans de brèves et fugitives associations d'images qui tantôt se télescopent, tantôt se superposent, tantôt s'engendrent insensiblement l'une l'autre.
Poète délicat et modeste, étranger à toute dogmatique doctrinale, B. est resté délibérément en marge, retiré à Montélimar où il était avocat. Ce qui sans doute explique l'injuste oubli dont il a été victime et dont il semble commencer de sortir. Son œuvre et son évolution se sont trouvées brutalement interrompues par sa mort prématurée, à l'âge de 47 ans, dans un accident de la route près de Montélimar.

Œuvres. *Cicatrices de songe,* 1939-1940 (P). – *Neige et vingt poèmes,* 1941 (P). – *Contre-feu,* 1942 (P). – *Seuils,* 1943 (P). – *Brefs,* 1944 (P). – *Regardez mes mains vides,* 1945 (P). – *Terre de l'été,* 1945 (P). – *Poèmes à Lislei,* 1946 (P). – *L'Eau fine,* 1947 (P). – *En une seule injure,* 1953 (P). – *Orties,* 1953 (P). – *Demain la nuit sera parfaite,* 1954 (P). – *Treize,* 1955 (P). – *Adresses au vent,* 1957 (P). – *Encore,* 1959 (P). – *L'Amour brûle le circuit,* posth., 1962 (P). – *La Dernière Ligne,* posth., 1963 (P). – *Les Fêtes fanées,* posth., 1964 (P). – *Le Plus Doux Poignard,* posth., 1964 (P). – *Œuvres poétiques complètes,* 2 vol., 1980-1981.

BORNIER Henri de. Lunel (Hérault) 24.12.1825 – Paris 29.1.1901. Il débute avec *Dante et Béatrix,* un drame, puis obtient plusieurs fois le prix de poésie de l'Académie française. Plus tard, il donne avec grand succès *la Fille de Roland,* autre drame en vers. Sa versification, utilisant avec science et prudence les procédés traditionnels, fait de lui un précurseur d'Edmond Rostand. Acad. fr. 1893.

Œuvres. *Les Premières Feuilles,* 1845 (P). – *Le Mariage de Luther,* 1845 (P). – *Dante et Béatrix,* 1853 (T). – *Agamemnon,* 1868 (T). – *La Fille de Roland,* 1875 (T). – *Les Noces d'Attila,* 1880 (T). – *L'Apôtre,* 1881 (T). – *Mahomet,* 1891 (T). – *Le Fils de l'Arétin,* 1895 (T). – *France... d'abord,* 1899 (E).

BORY Jean-Louis. Méréville (Essonne) 25.6.1919 – 12.6.1979. Universitaire, professeur de lettres à Haguenau puis à Paris, B. connaît la consécration du prix Goncourt dès 1945 avec *Mon village à l'heure allemande.* A partir de 1960, il déploie une intense activité de critique (littérature et cinéma) et s'intéresse au roman populaire (projet de thèse sur l'esthétique du roman populaire ; adaptation de *Roger la Honte,* de Jules Mary, pour le cinéma et la télévision, 1966). Il n'interrompt pas pour autant son œuvre de romancier et s'essaie même, avec *l'Odeur de l'herbe,* au roman de sujet et d'atmosphère historiques. Son œuvre laisse apparaître des constantes : cruauté et humour, par exemple, ou encore pessimisme et tendresse, un certain goût pour les combinaisons inattendues du singulier et du quotidien, comme si entre les deux devait s'établir un double rapport paradoxal de vraisemblance et d'irréalité. Ainsi, au-delà du caprice du romancier dans le choix de ses sujets, de ses intrigues et de ses personnages, voit-on se construire un univers cohérent, reflet d'une profonde mythologie personnelle.

Œuvres. *Mon village à l'heure allemande,* 1945 (N). – *Chère Aglaé,* 1947 (N). – *Fragile ou le Panier d'œufs,* 1950 (N). – *Une vie de château,* 1954 (N). – *Clio dans les blés,* 1955 (N). – *La Sourde Oreille,* 1958 (N). – *Usé par la mer,* 1958 (E). – *Pour Balzac,* 1959 (E). – *Eugène Sue, le roi du roman populaire,* 1962, rééd. sous le titre *Eugène Sue, dandy et socialiste,* 1973 (E). – *L'Odeur de l'herbe,* 1962 (N). – *Tout Feu, Tout Flamme* (recueil d'articles), 1966. – *La Peau des Zèbres, I,* 1969 (N). – *Va dire au lac de patienter,* 1969 (N). – *La Peau des Zèbres, II,* 1974 (N). – *La Peau des Zèbres, III,* 1974 (N). – *Tous nés d'une femme,* 1976 (N). – *Le Pied,* 1976 (E). – *Ma moitié d'orange,* 1977 (E). – *Les Cinq Girouettes,* 1978 (N).

Mon village à l'heure allemande

Un petit village de Beauce, Jumainville, en 1944, dont les habitants pour ainsi dire défilent sous l'œil observateur du narrateur, qui rapporte leurs opinions et expose leurs problèmes, mais aussi campe des caractères et des types, et rassemble comme une « collection d'humanité » sur un espace exigu en un moment crucial : cette conjonction du lieu et du moment fonctionne alors comme un révélateur.

L'Odeur de l'herbe

Le même village, et aussi un moment crucial, mais c'est à la fin du Directoire et aux premiers temps du Consulat : nous sommes donc dans l'historique. Nous sommes aussi dans le « populaire », au sens mythologique de ce terme : le héros central est un hors-la-loi au nom pittoresque, Gentil-Faraud ; mais auprès de lui, il y a aussi les nouveaux riches, acquéreurs de biens nationaux, par exemple. On peut relever ici une certaine imprégnation balzacienne (B. a d'ailleurs écrit un essai sur Balzac) qui, à travers le sujet historique, élargit le propos : la naissance d'une nouvelle société vue à travers la microsociété d'un village.

BOSCO Henri. Avignon 16.11.1888 – Nice 5.5.1976. Il célèbre la haute Provence dans de longs romans à la fois réalistes et surnaturalistes, animés d'une recherche fervente et quasi religieuse des secrets de la connaissance dans les mystères de la nature. Il doit attendre 1945 et l'attribution du prix Théophraste-Renaudot au *Mas Théotime* pour connaître une notoriété restée d'ailleurs modeste. Mais, dès *l'Âne Culotte,* sous les apparences d'une histoire pour enfants, B., sans négliger la substance d'un naturalisme provençal qui semble le rapprocher de Giono alors qu'en profondeur il est fort différent de celui-ci, annonce la révélation d'une spiritualité fantastique et mystique qui féconde l'originalité de ses œuvres ultérieures. Il y a, dans la nature et dans le contact que l'homme établit avec elle, comme une magie primitive qui évolue peu à peu vers la découverte de l'invisible au-delà du visible. La nature est pour l'homme avant tout un lieu d'épreuve, et il n'est de spiritualité possible qu'au-delà de cette épreuve. Tout ce qui est humain collabore au déroulement de l'épreuve, sur un rythme dont la lenteur souligne le symbolisme, et à l'accomplissement de la spiritualisation de l'homme et de la nature finalement accordés. Peut-être s'agit-il même d'une véritable initiation, et, en tout cas, ce thème de la nature révélatrice d'une connaissance, qui évoque aussi bien Virgile que Maurice de Guérin, avec toute la variété de ses incarnations dans des histoires, des décors et des personnages divers, est bien le principal fil conducteur de l'œuvre de B. Ainsi en est-il par exemple dans *Malicroix* lorsque le héros, Martial Mégremut, doit, pour mériter le domaine qu'il a reçu en héritage, recevoir de la nature elle-même une véritable consécration à travers l'épreuve d'une violente tempête. Ainsi, pour B., la Terre est beaucoup plus que la terre, plus même qu'une simple force magique : elle est le signe sensible d'une Volonté surnaturelle qui gouverne la vie de l'intérieur.

Œuvres. *Pierre Lampedouze,* 1924 (N). – *Irénée,* 1928 (N). – *Églogues de la mer,* 1928 (P). – *Noëls et Chansons de Lourmarin,* 1929 (P). – *Le Sanglier,* 1932 (N). – *L'Âne Culotte,* 1938 (N). – *Hyacinthe,* 1940 (N). – *Bucoliques de Provence,* 1944 (P). – *Le Mas Théotime,* 1945 (N). – *L'Enfant et la rivière,* 1945 (N). – *Le Jardin d'Hyacinthe,* 1946 (N). – *Monsieur Carre-Benoît à la campagne,* 1947 (N). – *Malicroix,* 1948 (N). – *Le Roseau et la Source,* 1949 (P). – *Un rameau de la nuit,* 1950 (N). – *Antonin,* 1952 (N). – *L'Antiquaire,* 1954 (N). – *Le Renard dans l'île,* 1954, rééd. 1974 (N). – *Les Balesta,* 1955 (N). – *Sabinus,* 1957 (N). – *Barboche et Bargabot,* 1958 (N). – *Saint Jean Bosco,* 1959 (E). – *Un oubli moins profond,* 1961 (N). – *Le Chemin de Monclar,* 1962 (N). – *Des Sables à la mer* (N). – *L'Épervier,* 1963 (N). – *Le Jardin des Trinitaires,* 1966 (N). – *Mon compagnon de songes,* 1967 (N). – *Sylvius,* 1970 (N). – *Tante Martine,* 1971 (N). – *Une ombre,* posth., 1978.

Le Mas Théotime

Lorsqu'elle arrive au Mas, Geneviève, l'héroïne du roman, voit se révéler en elle le pouvoir secret de communiquer, en quelque sorte mystiquement, avec la nature. Quant à Pascal, cousin de Geneviève, il entreprend de tenir un journal, où l'on peut lire une réflexion qui contient peut-être la clé de ce roman comme de l'œuvre entière de B. : « Plus je me vois solitaire, plus j'atteins aux dons invisibles. »

BOSQUET Alain, Anatole Bisk, dit. Odessa 28.3.1919. Il a un an lorsque ses parents quittent la Russie, pour Varna d'abord, puis pour Bruxelles, où il passe sa jeunesse et fait ses études. Mobilisé en 1940, il passe le reste de la guerre aux États-Unis, où, secrétaire de rédaction de *la Voix de la France,* il noue des contacts avec André Breton et Saint-John Perse. Il s'installe à Paris en 1951. En 1968, il se voit attribuer le grand prix de poésie de l'Académie française. En marge de son œuvre de créateur, il exerce une influence notable sur la jeune poésie, en particulier à travers ses essais critiques, qui datent de cette période. Poète ou romancier, B. est à la recherche de l'homme, et oscille ainsi entre une certaine cruauté et la nostalgie d'une sorte de rédemption ; sans doute le titre d'un recueil de 1955 est-il à cet égard significatif : *Quel royaume oublié ?,* tandis qu'un roman comme *la Confession mexicaine* traduit dans une affabulation symbolique ce que l'auteur lui-même appelle son « antihumanisme cosmique ». De fait, entre l'homme et le monde – un monde véritablement *entier,* car B. se déclare

« homme de partout et de nulle part » –, la relation est à la fois oscillante et agressive : aussi les *Testaments,* où se concentre l'essentiel du message poétique de B., se construisent-ils sur le double thème de la solitude et de l'agression, mais avec une ouverture sur l'imaginaire, lequel, s'il n'est pas vraiment un salut, est au moins le lieu de la suprême liberté, ce qui permet alors au poème d'« inventer son poète ». Quant au romancier, il se veut, à travers la diversité des expériences qu'il relate, le chroniqueur ou le mémorialiste de la déchirure intérieure, cette déchirure qui trouve sans doute, à la manière d'une fatalité tragique, son expression la plus totale et la plus intense dans le personnage qui est au centre des *Bonnes Intentions,* titre ironique qui suggère qu'en même temps B. est aussi, comme il le dit lui-même, un romancier « de l'ironie et de la dérision ».

Œuvres. *La vie est clandestine,* 1945 (P). – *À la mémoire de ma planète,* 1948 (P). – *Syncopes,* 1951 (P). – *Langue morte,* 1951 (P). – *La Grande Éclipse,* 1952 (N). – *Ni singe ni dieu,* 1953 (N). – *Saint-John Perse,* 1953 (E). – *Quel royaume oublié ?,* 1955 (P). – *Emily Dickinson,* 1957 (E). – *Premier Testament,* 1957 (P). – *Second Testament,* 1959 (P). – *Walt Whitman,* 1959 (E). – *Pierre Emmanuel,* 1959 (E). – *Le Mécréant,* 1960 (N). – *Verbe et Vertige,* 1961 (E). – *Maître objet,* 1962 (P). – *La Poésie canadienne,* 1962 (E). – *Un besoin de malheur,* 1963 (N). – *Les Petites Éternités,* 1964 (N). – *La Confession mexicaine,* 1964 (N). – *Robert Goffin,* 1966 (E). – *Quatre Testaments et Autres Poèmes,* 1967 (P). – *Cent notes pour une solitude,* 1970 (P). – *L'Amour bourgeois,* 1974 (N). – *Notes pour un pluriel,* 1974 (P). – *Les Bonnes Intentions,* 1975 (N). – *Le Livre du doute et de la Grâce,* 1977 (P). – *Vingt et une natures mortes ou mourantes,* 1978 (P). – *Une mère russe,* 1978 (N). – *Poèmes, un,* 1979 (P). – *Jean-Louis Trabart, médecin,* 1980 (N). – *Sonnets pour une fin de siècle,* 1981 (P). – *Poèmes, deux,* 1981 (P). – *Lettre au Président de la République sur les insuffisances de notre culture,* 1981 (E). – *L'Enfant que tu étais,* 1982 (N). – *Ni guerre ni paix,* 1983 (N). – *Entretiens avec Salvador Dali,* 1983 (E). – *Un jour après la vie,* 1984 (P). – *Les Fêtes cruelles,* 1984 (N). – *Un homme pour un autre,* nouvelles, 1985. – *Poèmes, I (1945-1967), les Testaments,* 1985.

BOSSUET Jacques Bénigne, Dijon 27.9.1627 – Paris 12.4.1704. Élève au collège des jésuites de sa ville natale, il reçoit une éducation classique et se signale par son ardeur au travail. Tonsuré à huit ans, il est pourvu à treize d'un canonicat à Metz. À quinze ans, il entre au collège de Navarre, à Paris, où, jusqu'en 1652, il étudiera la philosophie et la théologie. Il a notamment pour maître le théologien Nicolas Cornet, dont il prononcera plus tard l'oraison funèbre (1663) et qui exerce sur lui une influence marquante. Très jeune, B. s'est préparé à la prédication ; les dons oratoires et la curiosité intellectuelle sont chez lui prodigieux. Il se pénètre de la Bible et des œuvres des Pères de l'Église, de Tertullien, de saint Thomas d'Aquin et de saint Augustin. À l'époque, il fréquente encore le théâtre, les salons. À l'hôtel de Rambouillet, il prononce, âgé de seize ans et à 11 heures du soir, un sermon improvisé qui fera dire à Voiture qu'il n'a jamais « ouï prêcher ni si tôt ni si tard ». Sous-diacre à Langres en 1648, B. écrit une *Méditation sur la brièveté de la vie* dont les accents font songer à Pascal. La même année, il exprime l'essentiel de ses idées sur le rôle de la Providence dans une *Méditation sur la félicité des saints.* Reçu docteur en théologie en 1652, il est ordonné prêtre après avoir suivi une retraite sous la direction de saint Vincent de Paul à Saint-Lazare, et il opte pour le ministère direct. Nommé archidiacre de Sarrebourg (1652), il rentre à Metz en 1654 et exercera son ministère jusqu'en 1659 dans cette province qui, ravagée par la guerre, connaît la misère et les désordres. Il s'initie aux réalités sociales en participant au vaste mouvement de charité qui se développe sous l'impulsion de saint Vincent de Paul. B. reconnaît ainsi dans « les prédicateurs de l'Évangile... les véritables avocats des pauvres ». Il fera, entre 1657 et 1663, une quinzaine d'exhortations d'une surprenante hardiesse en faveur des pauvres : égalité fondamentale entre les hommes (*Panégyrique de saint François d'Assise*), appel à la charité auprès des privilégiés ; évocation d'un devoir de justice (*Sermon sur le mauvais riche*), dignité de la pauvreté (*Sermon sur l'éminente dignité des pauvres dans l'Église*). Avec le ministre protestant Ferri, il commence une controverse animée d'un esprit de bienveillance et de sincérité (*Réfutation du catéchisme de Paul Ferri*). En 1659, saint Vincent de Paul l'appelle à Paris pour l'aider dans sa tâche, et B. va surtout se consacrer à la prédication. Son commerce avec le saint homme lui donne le goût d'une éloquence simple, directe, jaillie du cœur, qui frappe l'auditoire, comme dans son *Panégyrique de saint Paul* ou son *Sermon sur la parole de Dieu.* Sermons, panégyriques, et bientôt carêmes et avents, établissent sa réputation et attirent sur lui l'attention du roi et de la cour. Il prêche des carêmes – aux Minimes, avec son *Sermon sur la passion* ; chez les carmélites ; au Louvre, devant la cour, avec ses *Sermons sur l'ambition, sur la Providence, sur les devoirs des rois, sur le mauvais riche, sur la mort* ; à Saint-Germain-en-Laye, devant la cour encore, avec son *Sermon sur la justice.* Il prononce quatre avents, dont deux devant la cour – au Louvre, à Saint-Germain. Dès 1662, il a atteint l'apogée de son art de sermonnaire, et sa réputation est telle qu'il se voit confier l'*Oraison funèbre d'Anne d'Autriche,* celle d'*Henriette de France, reine d'Angleterre* et, peu après, celle d'*Henriette d'Angleterre, duchesse d'Orléans.* Évêque de Condom en 1669, il est choisi l'année suivante par le roi pour être le précepteur du Dauphin. Il renonce dès lors à prêcher, pour se consacrer entièrement, de 1670 à 1680, à sa mission d'éducateur. De son élève, nature médiocre, indolente et inattentive, il veut faire un homme éclairé et un roi chrétien, conscient de ses devoirs envers Dieu et envers ses sujets. Pour bien l'instruire, B. reprend ses études, ses lectures et étend sa culture. Il lui enseigne personnellement, outre la morale et la religion, la langue et la littérature latines, le français, l'histoire et la géographie, la philosophie. D'importants ouvrages, conçus pour le jeune prince, seront publiés plus tard : *la Politique tirée des propres paroles de l'Écriture sainte* ; une introduction à la philosophie dont le titre deviendra *Traité de la connaissance de Dieu et de soi-même ;* et surtout, le *Discours sur l'histoire universelle,* vaste fresque et synthèse historique à tendance philosophique et apologétique, qui rapporte à une Providence tout l'ordre du monde et l'histoire des sociétés et offre, avec l'articulation par « époques » de la chronologie universelle, une méditation sur « la suite de la religion » et un essai sur le dynamisme des forces politiques dans les révolutions des « empires ».

L'activité religieuse de B., apparemment réduite pendant son préceptorat, n'en est pas moins jalonnée de faits significatifs : étude approfondie de la Bible dans le cercle érudit du « Petit Concile », préparation à la retraite et à l'entrée au Carmel de Louise de La Vallière, dont il prononce la profession de foi (1675), conversion de Turenne et de sa nièce, Mlle de Duras, qui donne lieu à une controverse avec le ministre protestant Claude, conversion des frères Dangeau... Il songe à la réalisation de l'unité du monde chrétien et a, déjà, exposé la doctrine officielle de l'Église catholique pour dissiper les préventions des protestants à propos des points contestés, mais en évitant de se laisser aller à des querelles de personnes ou de croyances et pratiques particulières (*Exposition de la doctrine catholique*). En 1681, lorsque Louis XIV convoque l'assemblée générale du clergé à propos de l'affaire de la Régale qui l'oppose au pape Innocent XI au sujet des bénéfices ecclésiastiques, B. prononce le discours d'ouverture *Sur l'unité de l'Église* et apparaît comme le véritable chef de l'épiscopat français. Bien que gallican de tradition et de pensée, il se montre aussi partisan d'un juste milieu, s'efforce de concilier l'autorité de Rome avec les revendications dites des « libertés gallicanes » et prend une part prépondérante à la rédaction des *Quatre Articles* de 1682, qui évitent habilement de rompre avec l'autorité papale. À partir de 1681, il réside le plus souvent à Meaux, siège de son évêché, ou à Germigny, dans la maison de campagne des évêques, reçoit des amis, instruit des protestants et s'occupe activement de son diocèse. À son inspiration pastorale on doit des *Méditations sur l'Évangile,* destinées aux religieuses de Meaux, et qui ouvrent la voie aux *Élévations sur les mystères,* composées à peu près à la même époque, mais d'une inspiration plus philosophique et où la puissance du verbe et de l'imagination le dispute à l'ardeur de la foi. Il prend part aux grandes disputes religieuses de son temps, approuve la révocation de l'édit de Nantes (1685), sans pourtant souhaiter l'emploi de la force en matière de foi, compose une érudite *Histoire des variations des Églises protestantes,* qui met en lumière les divergences doctrinales des réformés, tout en évoquant, dans un style vivant et coloré, les grandes figures de Luther, Calvin, Melanchthon, Zwingli, Cromwell. Aux répliques protestantes B. répondra par sa *Défense de l'Histoire des variations.* Il rédigera *Six Avertissements aux protestants,* à l'intention de l'apologiste protestant Jurieu. En vue de parvenir à l'union des Églises, il engage une correspondance avec Leibniz, mais son intransigeance, d'une part, et l'immixtion de princes protestants dans le débat, d'autre part, empêcheront tout progrès. Fénelon s'étant imprudemment fait le défenseur de la doctrine du quiétisme, répandue en France par Mme Guyon, B. en décèle le danger et soutient une longue et pénible controverse avec le savant archevêque de Cambrai. Sa *Relation sur le quiétisme,* pamphlet d'une implacable éloquence, aboutira à la condamnation de cette doctrine par Rome (1699). À une *Apologie du théâtre,* attribuée à un religieux théatin, le P. Caffaro, et venant en préface à la publica-

tion des *Comédies* de Boursault, B. répond par ses *Maximes et Réflexions sur la comédie :* dans cet impitoyable réquisitoire contre le théâtre, condamné dans son principe même au nom de la morale chrétienne, B. s'en prend à Molière aussi bien qu'à l'artificieuse tragédie qui déguise les faiblesses en vertus ; il voit, dans le plaisir collectif pris au spectacle et intensifié par la représentation active et communicative des mouvements de l'âme des personnages, un grave danger. Son *Traité de la concupiscence* est aussi une condamnation de ce que B. appelait déjà, au titre d'un de ses sermons les plus vigoureux, « l'honneur du monde ».
L'unité profonde de l'œuvre et du génie de B. réside ainsi dans l'alliance entre une conscience aiguë de la corruption morale et sociale, que symbolise l'honneur du monde, et le rêve d'une régénération sociale sous le double signe du providentialisme historique et de l'authenticité chrétienne. C'est, pour reprendre un de ses termes, la grande « contrariété » de l'homme. Cette contrariété du drame et du rêve s'exprime et se résout dans l'unité littéraire de leur commune expression selon un propos d'ordre dynamique qui identifie la parole et l'action. Ainsi s'explique le fait que B. retrouve et réinvente la grande fonction de l'orateur : c'est par la parole, dans son organisation, sa structure et son élan, que les deux bouts de la chaîne, comme il aimait à le dire, peuvent être rejoints. C'est dans les *Oraisons funèbres,* et mieux encore peut-être dans les *Sermons* et dans le *Discours sur l'histoire universelle,* que ce génie oratoire donne toute sa mesure, en fondant ensemble l'expression dramatique des contrariétés humaines et la promesse de solution du drame que propose une perspective surnaturelle. B. a quelque peu souffert de la réduction de son génie par la postérité à la seule éloquence : c'est le trahir que de voir seulement en lui l'auteur des *Oraisons funèbres* et d'ignorer le politique, le moraliste et le philosophe de l'histoire qui s'expriment ailleurs. Il reste, dans presque tout ce qu'il a écrit, le représentant d'un moment d'apogée de l'humanisme chrétien, un modèle de logique passionnée, une des plus belles figures morales et littéraires du XVIIe s. français. Et cette personnalité d'exception manie le langage avec une maîtrise technique exemplaire, mais en même temps possède les dons du poète et ceux du visionnaire : sa parole frappe les imaginations et émeut les sensibilités par la puissance des images, qui, souvent, s'épanouissent en spectacles grandioses ou terribles, par l'incarnation des idées dans un symbolisme inépuisable dont, par ailleurs, une grande part est prise aux sources bibliques. Aussi la rhétorique débouche-t-elle alors sur un lyrisme de prophète qui embrasse la totalité de l'histoire, la plénitude de la condition humaine, et qui se traduit dans les structures rythmiques, et souvent même strophiques, d'une prose que son ardeur métamorphose en poésie. Acad. fr. 1671.

Œuvres. *Méditation sur la brièveté de la vie,* 1648. – *Méditation sur la félicité des saints,* 1648. – *Sermons,* prononcés de 1648 à 1701, parmi lesquels : *sur le Jugement dernier,* 1648 ; *sur l'éminente dignité des pauvres dans l'Église,* 1659 ; *sur l'honneur du monde,* 1660 ; *sur la passion de Jésus-Christ,* 1660 ; *sur la parole de Dieu,* 1661 ; *sur le mauvais riche ou sur l'impénitence finale,* 1662 ; *sur la Providence,* 1662 ; *sur les devoirs des rois,* 1662 ; *sur l'ambition,* 1662 ; *sur la mort,* 1662 ; *sur la justice,* 1666 ; *sur l'honneur,* 1666 ; *sur la conception de la Vierge,* 1669 ; *sur la profession de foi de Mlle de La Vallière,* 1675 ; *sur l'unité de l'Église,* 1681 (seul imprimé du vivant de Bossuet). – *Panégyriques : de saint François d'Assise,* 1652 ; *de saint Bernard,* 1653 ; *de saint Paul,* 1659 ; *de saint Joseph et de sainte Thérèse,* 1659. – *Réfutation du catéchisme du sieur Paul Ferry,* 1655. – *Oraisons funèbres : de Nicolas de Cornet, grand maître de Navarre,* 1653 ; *de Yolande de Monterby,* 1656 ; *de Messire Henri de Gournay, maire échevin de Metz,* 1662 ; *du père Bourgoing,* 1662 ; *d'Anne d'Autriche,* 1667 ; *d'Henriette Marie de France, reine de Grande-Bretagne,* 16 novembre 1669 ; *d'Henriette Anne d'Angleterre, duchesse d'Orléans,* 21 août 1670 ; *de Marie-Thérèse d'Autriche, infante d'Espagne, reine de France et de Navarre,* 1er sept. 1683 ; *de l'abbesse de Faremoutier,* 1685 ; *d'Anne de Gonzague de Clèves, princesse palatine,* 9 août 1685 ; *de Michel Le Tellier, chancelier de France,* 25 janvier 1686 ; *de Louis de Bourbon, prince de Condé,* 10 mars 1687 (les six dernières oraisons funèbres réunies en volume en 1689). – *Sur le style et la lecture des écrivains et des Pères de l'Église pour former un orateur* (écrit en 1669), publ. posth., 1855. – *Traité de la connaissance de Dieu et de soi-même, avec plusieurs autres traités de logique et de morale* (écrit en 1670), publ. posth., 1722. – *Exposition de la doctrine de l'Église catholique,* 1671. – *Traité du libre arbitre,* 1677. – *La Politique tirée des propres paroles de l'Écriture sainte,* commencé en 1678-1679, repris en 1693, puis en 1700-1703 ; publ. posth., 1709. – *Discours sur l'histoire universelle,* 1681. – *Sur l'unité de l'Église,* 1681. – *Déclaration des Quatre Articles,* 1682. – *Traité de la communion sous les* *deux espèces,* 1682. – *Traité de l'usure,* 1682. – *Conférence avec M. Claude, ministre de Charenton, sur la matière de l'Église,* 1682. – *Catéchisme de Meaux,* 1686 (rev. 1701). – *Histoire des variations des Églises protestantes* (2 vol.), 1688. – *Six Avertissements aux protestants,* 1689-1691. – *Défense de l'Histoire des variations,* 1691. – *Discours sur la vie cachée en Dieu,* 1692. – *Histoire critique des principaux commentateurs du Nouveau Testament,* 1692. – *Cantique des cantiques,* 1694. – *Tradition des nouveaux mystiques,* 1694. – *Réflexion sur Jésus-Christ,* 1694. – *Traité de la concupiscence,* 1694. – *Maximes et Réflexions sur la comédie,* 1694. – *Méditations sur l'Évangile,* 1695. – *Élévations sur tous les mystères de la religion chrétienne* (écrit en 1695), publ. posth., 1727. – *Relation sur le quiétisme,* 1698. – *Mémoire sur le livre des maximes des saints,* 1698. – *Défense de la tradition et des Saints Pères* (écrit en 1702), publ. posth., 1763. – *Œuvres oratoires de Bossuet* (7 vol.), publ. posth., 1890-1897.

BOUCHET André du. Paris 7.5.1924. Après des études aux États-Unis, à Harvard, il publie en 1951 son premier recueil, *Air,* reçoit le prix des Critiques pour *Dans la chaleur vacante.* Ce poète représente de façon exemplaire le mouvement contemporain de retour à l'« élémental » : poésie des éléments, l'air, le feu, l'eau, la terre, mais non point poésie *cosmique,* car il s'agit de rendre compte de la distance qui sépare le langage et le monde ; de là viennent le goût et la culture de la nudité et du dépouillement qui caractérisent cette œuvre, où tantôt s'affrontent et tantôt s'accordent l'évidence immédiate et l'hermétisme symbolique.

Œuvres. *Air,* 1950-1953 (P). – *Sans couvercle,* 1953 (P). – *Au deuxième étage,* 1956 (P). – *Baudelaire irrémédiable,* 1956 (E). – *Le Moteur blanc,* 1956 (P). – *Dans la chaleur vacante,* 1959 (P). – *Sur un tableau de Poussin,* 1959 (E). – *Où le soleil,* 1968 (P). – *Qui n'est pas tourné vers nous,* 1972 (E). – *L'Incohérence,* 1979 (E). – *Laisses,* 1979 (P). – *Rapides,* 1980 (P). – *Peinture,* 1984 (E). – *L'Avril,* précédé de *Fraîchir,* 1984 (P).

BOUCHET Jean. Poitiers 1476 – 1559. Rabelais le pare du surnom de « Traverseur des voies périlleuses ». Il a fait œuvre de novateur en ce qui concerne la technique du vers et fut un des introducteurs du sonnet en France.

Œuvres. *Les Renards traversant les périlleuses voies,* 1500 (P). – *L'Amoureux transi sans espoir,* 1502 (P). – *Les Annales d'Aquitaine,* 1524. – *Les Épistres morales et familières du Traverseur,* 1547 (P).

BOUDJEDRA Rachid. Aïn-Beïda (Algérie) 5.9.1941. Écrivain algérien d'expression française. B. passe son enfance en Algérie et rejoint la lutte pour la libération nationale en 1959. En 1962, il retourne à Alger pour y poursuivre ses études de philosophie à l'université. Il publie en 1965 *Pour ne plus rêver,* un premier recueil de poèmes, et décide de venir en France en 1967 pour écrire des romans. Il publie successivement à Paris *la Répudiation* et *l'Insolation,* puis s'en va résider au Maroc pendant cinq ans. C'est en 1976 qu'il s'installe en Algérie, poursuit son œuvre et enseigne à l'Institut des Sciences politiques d'Alger. Auteur d'une dizaine de scénarios, dont *Chronique des années de braise,* film qui a reçu la Palme d'or du Festival de Cannes 1975, B. est l'un des meilleurs représentants de la littérature maghrébine d'expression française : chez lui s'exprime, avec une violence particulière, la réalité historique et l'imaginaire des pays arabes. Avec un nom aussi prédestiné (il signifie en arabe « l'homme aux racines »), B. se définit lui-même comme un écrivain politique, l'historiographe lyrique d'une société en mutation. Car si c'est bien en Algérie que s'élabore et que mûrit son projet d'écrivain, c'est la vie même de ce pays qui à son tour engendre l'œuvre romanesque. Ses deux premiers romans témoignent de son combat en faveur de la femme musulmane qui subit une loi injuste. *Topographie* est ensuite une dénonciation vigoureuse du racisme à travers l'évocation du destin malheureux d'un jeune émigré. C'est souvent par le biais du fantastique et du merveilleux, de la fable et de la parabole que B. interroge la réalité islamique. Au lyrisme simple des premiers récits succède l'écriture haletante et nerveuse de *l'Escargot entêté,* fable politique aux résonances kafkaïennes qui dénonce la bureaucratie proliférante et l'état policier de certains pays du tiers monde. Replaçant les destins individuels dans une perspective cosmique, ses romans ont une valeur universelle indéniable. Mais le refus délibéré de toute narration linéaire, l'emploi excessif de monologues intérieurs, d'images chaotiques et de métaphores enchevêtrées, s'ils traduisent bien le foisonnement de l'islam et un certain sens épique, nuisent aussi à l'économie romanesque.

Œuvres. *Pour ne plus rêver,* 1965 (P). – *La Répudiation,* 1969 (N). – *L'Insolation,* 1972 (N). – *Topographie idéale pour une* *agression caractérisée,* 1975 (N). – *L'Escargot entêté,* 1977 (N). – *Les 1001 Années de la nostalgie,* 1979 (N). – *Le Vainqueur de coupe,* 1981 (N). – *Le Démantèlement,* 1982 (N). – *Greffe,* 1984 (P). – *La Macération,* 1985 (N).

BOUFFLERS Stanislas, marquis de. Nancy 1738 – Paris 1815. « Abbé libertin, militaire philosophe, diplomate chansonnier », selon les mots mêmes de Rivarol, il est le représentant typique de l'homme de lettres du XVIIIe siècle, bel esprit et poète de salon, qui fut apprécié de Voltaire et à qui J.-J. Rousseau reconnaissait « beaucoup de demi-talents en tout genre ». Acad. fr. 1788.

Œuvres. *Aline, reine de Golconde* (conte en vers), 1761. – *Poèmes érotiques,* 1763. – *Poésies et Pièces fugitives,* 1782. – *Le Libre Arbitre,* 1808 (E). – *Le Derviche* (conte oriental), 1810. – *Œuvres posthumes,* 1815.

BOUGAINVILLE Louis-Antoine, baron de. Paris 11.4.1729 – 31.8.1811. Après avoir participé aux opérations du Canada, sous les ordres de Montcalm, cet officier, qui avait été aussi avocat et diplomate (secrétaire d'ambassade à Londres en 1756), se fit marin après le traité de 1763, et même colonisateur, du moins en intention, car les îles Malouines, où il avait été autorisé à fonder une colonie, furent bientôt cédées à l'Espagne. C'est alors que B. se lança dans l'aventure qui devait le rendre célèbre, ce tour du monde qui le conduisit de Brest (5.12.1766) jusqu'à l'Océanie par le détroit de Magellan à l'aller, avec retour par le cap de Bonne-Espérance et arrivée à Saint-Malo (17.3.1769). B. appartient à la littérature par la relation, remarquable de réalisme et de vivacité, qu'il publia de son périple. Ce *Voyage autour du monde...* connut un considérable succès. Diderot en fit un compte rendu élogieux et s'en servit comme prétexte au développement de certains aspects audacieux de sa pensée dans son fameux *Supplément au voyage de B.* (1773). B. lui-même participa peu après à la guerre de l'Indépendance américaine. Emprisonné durant la Terreur, délivré après Thermidor, il deviendra sénateur et comte sous l'Empire.

Œuvres. *Traité du calcul intégral,* 1754-1756. – *Voyage autour du monde par la frégate du roi « la Boudeuse » et la flûte « l'Étoile », en 1766, 1767, 1768, 1769,* publ. en 1771-1772.

BOUHÉLIER, Georges de Bouhélier-Lepelletier, dit Saint-Georges de. Rueil 1876 – Montreux 1947. Poète naturiste, romancier postromantique, il s'est surtout imposé comme un dramaturge au subtil symbolisme dans *le Carnaval des enfants,* tragique avec outrance dans *le Sang de Danton.*

Œuvres. *Églé ou les Concerts champêtres,* 1897 (P). – *La Route noire,* 1900 (P). – *Histoire de Lucie, fille perdue,* 1902 (P). – *Les Chants de la vie ardente,* 1902 (P). – *Le Roi sans couronne,* 1906 (T). – *Le Carnaval des enfants,* 1910 (T). – *Œdipe, roi de Thèbes,* 1919 (T). – *La Vie d'une femme,* 1919 (T). – *Le Sang de Danton,* 1931 (T). – *Napoléon,* 1933 (T). – *Jeanne d'Arc, la pucelle de France,* 1934 (T). – *Le Roi-Soleil,* 1938 (T). – *Le Chant de la liberté,* 1939-1945.

BOUHOURS Dominique. Paris 1628 – 1702. Après avoir été élève au collège de Clermont, il entre dans la Compagnie de Jésus et enseigne d'abord la grammaire et la rhétorique dans plusieurs établissements de son ordre. Introduit dans les salons, il est en relations amicales avec Boileau, Racine, La Fontaine, La Bruyère et Bussy-Rabutin, et jouit d'une grande autorité dans les milieux littéraires. Puriste avec mesure, il recommande un bon usage de la langue qui évite aussi bien les expressions vieillies que les néologismes. Partisan de la raison et du bon sens, il est aussi celui de l'imitation des Anciens dans la recherche de la perfection, mais sans aucun sectarisme. Enfin, il est également l'un des collaborateurs des *Mémoires* et du *Dictionnaire de Trévoux.*

Œuvres. *Lettre à Messieurs de Port-Royal,* 1668. – *Entretiens d'Ariste et d'Eugène,* 1671 (E). – *Doutes sur la langue française,* 1674 (E). – *Nouvelles Remarques sur la langue française,* 1675 (E). – *Manière de bien penser dans les ouvrages d'esprit,* 1687 (E). – *Lettre à un seigneur de la cour,* 1690 (E). – *Pensées ingénieuses des Anciens et des Modernes,* 1691 (E).

BOUILHET Louis Hyacinthe. Cany (Seine-Maritime) 27.5.1821 – Rouen 19.6.1869. Conteur et dramaturge qui connut un certain succès, il serait sans doute oublié s'il n'avait pour principal titre de gloire d'avoir été l'ami de Flaubert, dont il reçut toute sa vie les confidences *(Correspondance)* et dont il condamna, avec Maxime du Camp, la première *Tentation de saint Antoine,* déterminant ainsi son ami à composer *Madame Bovary,* dont il lui proposa le sujet.

Œuvres. *Melaenis* (conte romain en vers), 1851. – *Les Fossiles,* 1854 (P). – *Madame de Montarcy* (en vers), 1856 (T). – *Hélène Peyron* (en vers), 1858 (T). – *Festons et Astragales,* 1859 (P). – *A une femme,* 1859 (P). – *L'Oncle Million* (en vers), 1860 (T). – *Dolorès* (en vers), 1862 (T). – *Faustine* (en prose), 1864 (T). – *La Conjuration d'Amboise* (en vers), 1866 (T). – *Dernières Chansons,* 1872 (P). – Avec Flaubert et le comte d'Osmoy, *le Château des cœurs,* inédit.

BOULANGER Daniel. Compiègne 24.1.1922. Son œuvre oscille entre plusieurs tentations et ne saurait de ce fait être classée dans aucune catégorie. Des « récits » comme *l'Ombre* et *le Gouverneur polygame* relèvent peut-être du « nouveau roman » ; mais B. est aussi un réaliste et un narrateur, représentant, à l'aide des procédés et des styles les plus divers, d'une littérature « à l'affût » : à l'affût de la fantaisie comme de la rigueur, à l'affût de tous les « feux follets » du « jeu de la vie ». Aussi est-il un des maîtres contemporains du genre de la nouvelle, son mode privilégié d'expression ; il sait en particulier, un peu à la manière de Mérimée (dont on ne peut s'empêcher de penser qu'il a peut-être subi l'influence), mettre une technique rigoureusement réaliste au service de l'insolite et du fantastique ; et, dans cette combinaison, il fait preuve d'une étourdissante virtuosité : il va même jusqu'à associer délibérément deux modes d'écriture étroitement imbriqués l'un dans l'autre de manière à déconcerter et fasciner à la fois le lecteur. Si enfin il lui arrive d'écrire des « romans », ce ne sont encore que des nouvelles développées, comme dans cette manière de chef-d'œuvre qu'est *le Téméraire,* histoire d'un ancien portier allemand d'un hôtel de New York qui, saisi de panique lors de la débâcle de la fin de la guerre, troque sa vériable identité contre celle d'un Alsacien qui vient d'être tué, comme pour modifier le cours de son destin ; mais cette tentative de troc ne sera finalement qu'un détour vainement imposé par le héros à une fatalité assurée, en tout état de cause, de son ultime succès.
Membre de l'Académie Goncourt depuis 1983, B. a d'autre part consacré une part de plus en plus importante de son activité créatrice au cinéma sous la forme d'une œuvre abondante de scénariste ; il est aisé d'ailleurs de retrouver dans ses nouvelles ou ses romans la mise en œuvre de procédés littéraires proches de la technique cinématographique, en particulier tous ceux à l'aide desquels l'écriture peut transposer, dans son ordre propre, le « réalisme magique » du cinéma.

Œuvres. *L'Ombre,* 1959 (N). – *Le Gouverneur polygame,* 1960 (N). – *La Rue froide,* 1960 (N). – *La Porte noire,* 1961 (N). – *Le Téméraire,* 1962 (N). – *Les Noces du merle* (nouvelles), 1963, rééd. 1985 (N). – *L'Été des femmes* (nouvelles), 1964 (N). – *La Mer à cheval,* 1965 (N). – *Le Chemin des Caracoles* (nouvelles), 1966 (N). – *Les Portes,* 1966 (N). – *Le Jardin d'Armide* (nouvelles), 1967 (N). – *La Nacelle,* 1967 (N). – *La Rose et le Reflet,* 1968 (N). – *Tchadiennes,* 1969 (P). – *Retouches,* 1969 (P). – *Mémoires de la ville* (nouvelles), 1970 (N). – *Vessies et Lanternes* (nouvelles), 1971 (N). – *La Barque amirale,* 1972 (N). – *Fouette, cocher,* 1973 (N). – *Les Dessous du ciel,* 1973 (P). – *Le Prince du quartier bas* (nouvelles), 1974 (N). – *Tirelire,* 1975 (N). – *L'Autre Rive,* 1976 (N). – *Miroir d'ici,* 1977 (N). – *L'Enfant de Bohème* (nouvelles), 1978 (N). – *Un arbre dans Babylone,* 1979 (N). – *Œillades,* 1979 (P). – *Le Chant du coq,* 1980 (N). – *La Dame de cœur,* 1980 (N). – *Volières,* 1980 (P). – *Le Vent du large,* 1980 (N). – *Connaissez-vous Maronne ?* 1981 (N). – *Table d'hôte,* 1982 (N). – *Hôtel de l'image,* 1982 (P). – *Les Jeux du tour de ville,* 1984 (N). – *Drageoir,* 1984 (P). – *Lucarnes,* 1984 (P). – *C'est à quel sujet ?,* suivi de *le Roi Fanny,* 1984 (N).

BOURBON-BUSSET Jacques de. Paris 27.4.1912. Issu d'une famille illustre, B.-B. fit de brillantes études qui le conduisirent à l'École normale supérieure, puis à une non moins brillante carrière de grand commis de l'État comme directeur des Affaires culturelles au Quai d'Orsay, carrière qu'il interrompit volontairement en 1956 pour « entrer en littérature ». Elle lui inspira des œuvres de méditation politique d'une exceptionnelle originalité : *Moi, César ; l'Olympien ; la Grande Conférence.* Mais c'est par un texte d'apparence romanesque et de structure musicale, *Fugue à deux voix,* que B.-B. annonce le thème qui dominera désormais toute son œuvre, le thème du couple et de sa vie intérieure, selon la double relation de l'amour fou et de *l'Amour durable,* expression-clé qui sert de titre à l'un des ouvrages les plus caractéristiques de l'auteur. D'abord fidèle à la forme du récit *(les Aveux infidèles ; la Nuit de Salernes),* mais d'un récit qui relève de la transposition autobiographique, B.-B. se convertit ensuite à la forme du *Journal* (sans renoncer pourtant à revenir de temps à autre, et comme pour se divertir, à la forme du récit fantaisiste ou fantastique), *Journal* dont les dix volumes parus à la date de 1985 constituent désormais un ensemble organique achevé, produit par le développement progressif d'une véritable *autobiographie du couple.* Le *Journal* est aussi la réorganisation, en une narration libérée de toute référence à une quelconque « intrigue », de « ces instants où l'être affleure », instants définis par B.-B. comme des « diamants qui rayent la vitre du quotidien ». Ainsi se réconcilient, dans l'organisme narratif du *Journal,* le compte rendu de ces « instants » immédiatement prélevés dans le quotidien, et la permanence transcendante du double thème obsédant de *l'amour fou* et de *l'amour durable,* fondus ensemble dans l'amour conjugal : comme pour mieux manifester l'unité profonde du thème et de ses innombrables variations, la spontanéité d'une écriture, elle aussi immédiate, s'élabore, sans s'abolir, en un style d'une pureté toute classique. Acad. fr. 1981.

Œuvres. *Antoine, mon frère,* 1957 (N). – *Le Silence et la Joie,* 1957 (N). – *Moi, César,* 1958 (E). – *Fugue à deux voix,* 1958 (N). – *L'Olympien,* 1960 (E). – *Mémoires d'un lion,* 1960 (N). – *Les Aveux infidèles,* 1962 (N). – *La Grande Conférence,* 1963 (E). – *Paul Valéry ou le Mystique sans Dieu,* 1964 (E). – *La Nuit de Salernes,* 1965 (N). – *La nature est un talisman, Journal I,* 1966 (N). – *Les Arbres et les Jours, Journal II,* 1967 (N). – *L'Amour durable, Journal III,* 1969 (N). – *Comme le diamant, Journal IV,* 1971 (N). – *Le Jeu de la constance,* 1972 (E). – *Le lion bat la campagne,* 1973 (N). – *Complices, Journal V,* 1974 (N). – *Laurence de Saintonge,* 1975 (N). – *Au vent de la mémoire, Journal VI,* 1976 (N). – *Tu ne mourras pas, Journal VII,* 1978 (N). – *Je n'ai peur de rien quand je suis sûr de toi,* 1978 (N). – *Les Choses simples, Journal VIII,* 1980 (N). – *La Force des jours, Journal IX,* 1982 (N). – *Le Berger des nuages,* 1983 (N). – *L'Empire de la passion,* 1984 (E). – *Bien plus qu'au premier jour, Journal X,* 1984 (N).

BOURDALOUE Louis. Bourges 20.8.1632 – Paris 13.5.1704. Nanti d'une solide culture théologique et littéraire, surtout latine, il opta pour la Compagnie de Jésus, fut ordonné en 1660 et cumula, dans plusieurs villes de province, des fonctions d'enseignement et de prédication. Après 1669, il se consacra uniquement à la chaire et ne quitta plus guère Paris, prêchant régulièrement devant le roi de 1672 à 1697. Le succès obtenu par son éloquence lui valut une renommée considérable qui ne l'empêchait pas de mener une vie humble et austère, proche des pauvres et des malades. Son argumentation se borne à des limites humaines : il évite les développements philosophiques abstraits et les exposés dogmatiques, pour se préoccuper d'instruction morale. Il fuit les excès du rigorisme, mais évite le laxisme en s'appuyant sur une connaissance approfondie des textes sacrés, et préfère aux généralités une fine analyse psychologique des cas de conscience. Il mérita l'admiration de Mme de Sévigné.

Œuvres. *Sermons,* posth., 1707-1734.

BOURDET Édouard. Saint-Germain-en-Laye 26.10.1887 – Paris 17.1.1945. Le triomphe prolongé de *la Prisonnière,* histoire d'une jeune lesbienne de la bourgeoisie corrompue, a imposé de B. l'image d'un homme habile à traiter avec tact des sujets réputés difficiles. C'est un technicien consommé, styliste sûr et efficace, observateur éclairé du détail, qui a donné le meilleur de son talent dans *les Temps difficiles,* sombre drame bourgeois sur fond de crise économique, où un humour féroce le dispute au tragique, et dans *Fric-frac,* où la mise en scène des mœurs du « milieu » se mêle à une éblouissante fantaisie dramatique, encore accentuée par un habile emploi de la « langue verte ». B. fut aussi un vigoureux administrateur de la Comédie-Française (1936-1940), où il appela, pour y faire des mises en scène restées célèbres, Jouvet, Copeau, Baty, Dullin.

Œuvres. *Le Rubicon,* 1910 (T). – *La Cage ouverte,* 1912 (T). – *L'Heure du berger,* 1922 (T). – *L'Homme enchaîné,* 1923 (T). – *La Prisonnière,* 1926 (T). – *Vient de paraître,* 1927 (T). – *Le Sexe faible,* 1929 (T). – *La Fleur des pois,* 1933 (T). – *Les Temps difficiles,* 1934 (T). – *Margot,* 1935 (T). – *Fric-frac,* 1937 (T). – *Hyménée,* 1941 (T). – *Père,* 1944 (T).

Le Sexe faible

Il s'agit du sexe masculin, car les rôles traditionnels sont renversés : la scène se situe dans un grand hôtel de luxe, où les hommes, représentants d'une sorte de demi-monde masculin, à la recherche de la femme qui les entretiendra dans le mariage ou hors du mariage, se font acheter par de riches Américaines ou de vieilles héritières. C'est la satire mordante des « hommes entretenus » dans le cadre des « années folles » d'après la guerre de 1914-1918.

Fric-frac

Un naïf garçon, Marcel, commis de bijouterie, et que la fille de son patron, Renée, regarde d'un œil attendri, a fait la connaissance, au cours d'une manifestation sportive, d'un couple (Loulou et

Jo-les-Bras-coupés). S'étant fié aux apparences, Marcel se lie avec eux d'une amitié naturelle et spontanée. Mais il se trouve que ceux-ci sont des membres, et non des moindres, de la pègre parisienne, dont la fréquentation jette Marcel dans les aventures les moins honorables et les plus mouvementées ; il est pris dans une rafle, arrêté, passé à tabac, et il devient, sans le vouloir, l'indicateur d'un « fric-frac », c'est-à-dire d'un cambriolage... de la boutique de son propre patron. Un dénouement aussi fantaisiste qu'ironique rétablit la situation, les truands deviennent de doux amis et les témoins d'une très honnête promesse de mariage entre le jeune commis et la fille de son patron, scène finale au cours de laquelle Renée se révèle une maîtresse femme, capable de « posséder » aussi bien les truands, pourtant armés, que son fiancé en plein désarroi.

BOURGES Élémir. Manosque 26.3.1852 – Auteuil 13.11.1925. Grand solitaire, ami de Mallarmé et admirateur passionné de Wagner, B. n'écrivit que quatre œuvres en quarante ans. *Sous la hache* (1883) évoque la chouannerie ; *le Crépuscule des dieux* (1884) et *Les oiseaux s'envolent et les fleurs tombent* (1893, inspiré d'un poème chinois) sont deux romans métaphysiques, au déroulement lent ; *la Nef,* enfin (1904-1922), retrace le mythe de Prométhée. Classicisme littéraire et symbolisme philosophique s'unissent dans ces œuvres massives, solides, brillantes, très travaillées par un auteur peu soucieux de succès : celui-ci vint, faible mais durable. Acad. Goncourt 1900.

BOURGET Charles-Joseph-*Paul.* Amiens 2.9.1852 – Paris 25.12.1935. Jeune professeur, disciple de Taine, il s'impose d'abord comme critique avec ses *Essais de psychologie contemporaine.* Après quelques romans psychologiques, il devient un maître du roman moral avec *le Disciple,* puis, après son retour à la religion, du roman catholique. Lorsqu'il meurt, on le met aux mêmes sommets qu'un René Bazin, qu'un Henry Bordeaux. Son roman le plus célèbre reste *le Disciple* : l'auteur y utilise ses souvenirs de jeunesse pour faire du personnage du professeur Sixte un sosie de Taine, et de celui du disciple Greslou un autoportrait. En prêtant à Sixte une vie de saint laïque, mais à ses doctrines des conséquences morales et sociales désastreuses, B. entend poser le problème de la responsabilité de l'écrivain. Grâce à sa force de conception, au savoir-faire d'un auteur qui n'ignorait pas l'art des scènes dramatiques et savait peindre les troubles de l'âme, ce livre n'est pas trop grevé par sa thèse. Si, dans l'ensemble, l'œuvre romanesque de B. – dont la production fut sans doute trop abondante – a assez mal vieilli, on peut néanmoins retenir, outre *le Disciple,* le roman peut-être le plus caractéristique de sa seconde manière : *le Démon de midi,* dont l'action se situe au moment de la crise moderniste dans les milieux catholiques et dont le thème est celui de la tentation : un écrivain catholique, Louis Savignan, trouve le bonheur dans une liaison adultère – ou du moins croit le trouver. Liaison d'ailleurs de courte durée, car elle est bientôt découverte : dans la situation ainsi créée, un prêtre moderniste et défroqué, l'abbé Fauchon, a les moyens de provoquer le scandale public que le fils de l'écrivain, Jacques, veut à tout prix éviter ; situation qui débouche sur un drame : Jacques sera tué par l'ancien prêtre, qui, ultérieurement, se retirera dans un couvent, tandis que Louis Savignan retrouvera la voie de la vraie foi. Comme *le Disciple,* ce roman souffre du parti pris démonstratif du romancier ; celui-ci, cependant, fait preuve d'un art incontestable de l'analyse et de la dramatisation psychologique.

On ne saurait enfin négliger le B. critique, dont l'œuvre, fine et pénétrante, semble aujourd'hui bénéficier d'un regain d'intérêt, et il faut sans doute lui reconnaître le mérite d'avoir été l'un des premiers à déclencher le grand mouvement de promotion posthume de Stendhal. Acad. fr. 1894.

Œuvres. *Essais de psychologie contemporaine,* 1883 (E). – *L'Irréparable* (nouvelles), 1884 (N). – *Cruelle Énigme,* 1885 (N). – *Un crime d'amour,* 1886 (N). – *Nouveaux Essais de psychologie contemporaine,* 1886 (E). – *André Cornélis,* 1887 (N). – *Mensonges,* 1887 (N). – *Le Disciple,* 1889 (N). – *Pastels* (nouvelles), 1889 (N). – *Un cœur de femme,* 1890 (N). – *Nouveaux Pastels* (nouvelles), 1891 (N). – *Cosmopolis,* 1893 (N). – *Un scrupule* (nouvelles), 1893 (N). – *Une idylle tragique,* 1896 (N). – *Recommencements* (nouvelles), 1897 (N). – *Complications sentimentales* (nouvelles), 1898 (N). – *Drames de famille* (nouvelles), 1900 (N). – *Un homme d'affaires* (nouvelles), 1900 (N). – *Monique* (nouvelles), 1902 (N). – *L'Étape,* 1902 (N). – *L'Eau profonde* (nouvelles), 1903 (N). – *Un divorce,* 1904 (N). – *Les Deux Sœurs* (nouvelles), 1905 (N). – *L'Émigré,* 1907 (N). – *L'Envers du décor* (nouvelles), 1911 (N). – *Le Démon de midi,* 1914 (N). – *Le Sens de la mort,* 1915 (N). – *Lazarine,* 1917 (N). – *Némésis,* 1918 (N). – *Anomalies* (nouvelles), 1920 (N). – *Un drame dans le monde,* 1921 (N). – *Le Danseur mondain,* 1926 (N). – *Nos actes nous suivent,* 1927 (N).

BOURNIQUEL Camille. Paris 7.3.1918. Il fait la Seconde Guerre mondiale dans l'aviation et, après des études juridiques, tente de s'exprimer par la poésie, puis se tourne vers la critique d'art. Il entre ensuite à la revue *Esprit*, dont il devient, en 1957, après la mort d'A. Béguin, le directeur littéraire. C'est au cours de cette période qu'il découvre sa vocation de romancier. Il ne cesse pourtant pas de s'intéresser à l'art contemporain (films d'art sur *Manessier, Pignon, Hartung,* 1965). C'est *le Lac,* récompensé par la « Plume d'or » du *Figaro littéraire,* qui révèle alors l'originalité de B. romancier, soucieux de composer en un contrepoint symbolique le monde intérieur et le monde extérieur en faisant de la solitude d'un personnage qui se raconte l'écran où vont défiler les images fragmentées d'un passé revécu à la fois comme tel et comme présent. A cet égard, B. apparaît, dans une époque qui a tendance à « atomiser » le temps, comme un restaurateur de sa continuité et de son ambiguïté. Grand prix du Roman de l'Académie française 1977.

Œuvres. *Trois Peintres : Manessier, Singier, Le Moal,* 1946 (E). – *Retour à Cirgues,* 1953 (N). – *Le Blé sauvage,* 1955 (N). – *Irlande,* 1955 (E). – *Les Abois,* 1957 (N). – *L'Été des solitudes,* 1960 (N). – *Le Lac,* 1964 (N). – *La Maison verte* (nouvelles), 1966 (N). – *Sélinonte ou la Chambre impériale,* 1970 (N). – *L'Enfant de la cité des ombres,* 1974 (N). – *La Constellation des lévriers,* 1975 (N). – *Tempo,* 1977 (N). – *Le Soleil sur la rade,* 1979 (N). – *L'Empire Sarkis,* 1981 (E). – *Le Dieu crétois,* 1982 (N). – *Le Jugement dernier,* 1983 (N).

BOURSAULT Edme. Mussy-l'Évêque 9.1636 – Montluçon 15.9.1701. Dépourvu d'éducation, il se fit connaître moins par quelques mauvaises comédies que par ses talents d'homme du monde. Il tint une gazette hebdomadaire qui amusa la cour, monta des cabales contre Molière *(le Portrait du peintre),* Boileau *(la Satire des « Satires »)* et Racine *(Prologue d'Artémise et Poliante).* Toujours proches de l'événement, les œuvres de ce polygraphe fécond ont un intérêt plus historique que littéraire. Dans plusieurs de ses comédies *(Ésope à la ville, les Mots à la mode, Ésope à la cour),* la satire prend une dimension politique.

Œuvres. *Le Portrait du peintre ou la Contre-Critique de « l'École des femmes »,* 1663 (E). – *Lettres à Babet,* 1666. – *La Satire des « Satires »,* 1669 (E). – *Lettres de respect, d'obligation et d'amour,* 1669. – *Le Marquis de Chavigny,* 1670 (N). – *Prologue d'Artémise et Poliante,* 1670 (E). – *Ne pas croire ce qu'on voit,* 1670 (N). – *La Véritable Étude des souverains,* 1670 (E). – *Le Prince de Condé,* 1675 (N). – *Le Mercure galant ou la Comédie sans titre,* 1683 (T). – *Marie Stuart,* 1690 (T). – *Germanicus,* 1690 (T). – *Ésope à la ville,* 1690 (T). – *Les Mots à la mode,* 1694 (T). – *Lettres nouvelles accompagnées de fables, de contes, d'épigrammes,* 1697. – *Ésope à la cour,* 1701 (T).

BOUSQUET Joë. Narbonne 19.3.1897 – Carcassonne 28.9.1950. Issu d'une famille de la bourgeoisie, doué d'un esprit non conformiste mais généreux et avide d'aventures, le jeune B. se destine à une carrière militaire. Il est lieutenant d'infanterie lorsque, vers la fin de la Grande Guerre, en mai 1918, à Vailly, il est grièvement blessé à la moelle épinière (dans l'autre camp, au même lieu et au même moment, se trouvait le futur maître du surréalisme pictural, Max Ernst). Cette blessure l'immobilise, à vingt ans, sur un lit qu'il ne quittera plus, dans une chambre de Carcassonne, où désormais vont affluer les livres. Car c'est maintenant l'aventure imaginaire et spirituelle qui s'ouvre devant le « mort-vivant » de Carcassonne. Tout d'abord les livres sont ceux qui ont la faveur de son milieu ; néanmoins, ils sont déjà, le plus souvent, des livres de poètes, les symbolistes en particulier ; et c'est du symbolisme que naîtront les premiers écrits poétiques de B. Mais bientôt les bouleversements littéraires trouveront vite leur écho dans la chambre de Carcassonne, en particulier le bouleversement surréaliste, qui servira à B. de tremplin pour se libérer des influences antérieures sans pour autant s'asservir aux plus récentes. Tandis que de nombreux écrivains commencent à lui rendre visite, il entre lui-même dans une ascèse intérieure, où l'on peut retrouver le souvenir de la tradition cathare, mais qui est surtout le moyen de révélation d'un des génies poétiques les plus obsédés de perfection du XXe s. Œuvre rare par sa nature même, contemplative, « *sur-naturelle* », à la recherche des images d'un monde qui serait innocenté de ses impuretés et de ses opacités, œuvre d'un poète qui cherche, et souvent trouve, dans ses propres rêves ou visions, de quoi compenser l'absence d'une transcendance à laquelle il ne croit sans doute pas. Au cours de la période de l'occupation allemande, sa chambre de Carcassonne deviendra un haut lieu intellectuel, un point de rencontre et de convergence de tout ce qui, dans le monde littéraire d'alors, se préoccupe de sauver, par la poésie, les valeurs de l'esprit. Ayant relativement peu publié de son vivant, B. laisse à sa mort une œuvre inédite considérable, dont la publication se poursuivra régulièrement au long des années, confirmant la haute spiritualité de son inspiration. Pour lui, la poésie n'est pas une forme, encore moins une technique, elle est à la fois une manière d'être soi et un mode de communication exclusif avec le monde tel que révélé par le rêve. Aussi B. oriente-t-il sa réflexion sur la poésie, qui ne fait qu'un avec la création poétique elle-même, dans le sens d'une transparence du langage, capable de traverser les choses et les mots pour accéder à la dimension d'un mythe aux multiples paysages. À cet égard, son œuvre majeure reste ce journal poétique, en forme de fragments, publié en 1941 sous le titre symbolique *Traduit du silence :* les thèmes dominants du destin, de l'amour, du dédoublement, du dépassement, s'y épanouissent en images riches de suggestions spirituelles – celle du *semeur de chemins,* par exemple – pour construire l'univers poétique avec toutes les analogies verbales du monde intérieur.

Œuvres. *La Fiancée du vent,* 1928 (N). – *Il ne fait pas assez noir,* 1932 (N). – *Le Rendez-vous d'un soir d'hiver,* 1933 (N). – *Une passante bleue et blonde,* 1934 (N). – *Les Petits Papiers de Monsieur Sureau,* 1935 (N). – *Lumière, infranchissable pourriture,* 1935 (N) et posth., 1964. – *La Tisane de sarments,* 1936 (N). – *Le Mal d'enfance,* 1936 (N). – *Iris et Petite Fumée,* 1939 (N). – *Le Passeur s'est endormi,* 1939 (N). – *Traduit du silence,* 1941 (N). – *Le Médisant par bonté,* 1945 (N). – *La Connaissance du soir,* 1945 (P). – *Le Meneur de lune,* 1946 (N). – *Le fruit dont l'ombre est la saveur* (contes), 1947 – *La Neige d'un autre âge,* posth., 1953 (N). – *Les Capitales,* posth., 1955 (N). – *Langage entier,* posth., 1956 (N). – *Lettres à Poisson d'or,* posth., 1967. – *Notes d'inconnaissance,* posth., 1967. – *Correspondance,* posth., 1968-1975. – *Mystique,* posth., 1973. – *Lettres à Marthe 1919-1937,* posth., 1978. – *Correspondance Jean Paulhan-Joë Bousquet,* posth., 1980. – *Note-Book,* suivi de *D'une autre vie,* posth., 1982. – *D'un regard l'autre,* posth., 1982. – *Correspondance Simone Weil-Joë Bousquet,* posth., 1982.

BOUTS-RIMÉS. Rimes données par avance pour composer une pièce de vers appelée « bout-rimé ». La confection d'un bout-rimé, sorte de puzzle poétique, est plutôt un jeu, qui amusa fort les salons littéraires des XVIIe et XVIIIe s. De nos jours, certains chansonniers maintiennent la tradition.

BOVARYSME. Le mot *bovarysme* est dû à Jules de Gaultier, qui l'employa dans un bref essai (1892) et le donna comme titre à un ouvrage (1902) qui exposait une philosophie universelle dont l'œuvre de Flaubert n'était que le prétexte. Sa définition revient à considérer « le pouvoir départi à l'homme de se concevoir autre qu'il est ». Par extension, ce terme est appliqué en psychiatrie à certains types de névroses chez la femme.

BOYER Claude, abbé. Albi 1618 – Paris 1698. Chapelain, en 1662, ne voyait qu'en Corneille un talent capable de dépasser celui de B. Pourtant, malgré la protection de Mme Tallemant, B. ne rencontra jamais de grand succès auprès du public. Racine, tout comme Boileau, ne lui ménagea guère ses critiques, et il écrivit contre sa *Judith* une épigramme demeurée célèbre. Acad. fr. 1666.

Œuvres. *La Porcie romaine,* 1646 (T). – *Porus,* 1647 (T). – *La Mort de Démétrius,* 1660 (T). – *Le Comte d'Essex,* 1678 (T). – *Agamemnon,* 1680 (T). – *Jephté,* 1690 (T). – *Judith,* 1695 (T).

BOYLESVE, René Tardiveau, dit **René.** La Haye-Descartes (Indre-et-Loire) 14.4.1867 – Paris 14.1.1926. Homme modeste, qui mena, même à Paris, une vie sans histoires de bourgeois provincial, dont l'événement majeur fut son élection à l'Académie française en 1918, tandis qu'il cultivait avec une exemplaire fidélité quelques amitiés littéraires, B. se voulut un romancier « traditionnel » au meilleur sens du terme. Indifférent aux débats des théoriciens, étranger aux préoccupations esthétiques qui agitaient les milieux littéraires de son temps (il appartient à la même génération que Gide, Proust ou Valéry), il perpétue avec élégance le roman d'analyse, non sans y insérer parfois une pointe discrète d'observation sociale. Il décrit, tantôt avec tendresse, tantôt avec humour, parfois avec causticité, toujours dans la clarté d'un style impeccable, des parcours sentimentaux où le drame est sous-jacent, où parfois il éclate, mais l'expression en est alors comme retenue par la discrétion du langage : l'art de B. est en effet classique, car c'est bien un « art de la litote ». Il est fasciné par des personnages quelque peu en rupture de ban comme, dans *Élise,* cette jeune femme de bonne famille qui décide de quitter son mari, coutumier de l'adultère avec bonne conscience, pour suivre un amant qui, finalement, n'est guère digne d'elle ; personnages soumis à une observation

psychologique qui les suit à la trace à travers des intrigues simples et faites de peu de matière.
Une part de l'œuvre de B. est sans doute discrètement autobiographique, comme lorsqu'il évoque sa jeunesse dans *l'Enfant à la balustrade*, qui lui assura la notoriété. Après le divertissement de *la Leçon d'amour dans un parc* et la tentative exotique du *Parfum des îles Borromées*, il s'affirme comme psychologue et comme styliste avec *Mademoiselle Cloque* et *la Becquée*. Mais ses incontestables réussites restent *le Meilleur Ami* et surtout *Élise*, qui peut être considéré comme son chef-d'œuvre. Écrivain injustement méconnu, après avoir été à la mode, B. mériterait de retrouver la place qui lui revient parmi les romanciers dont la principale qualité est dans la finesse de l'analyse et l'aisance de la narration. Acad. fr. 1918.

Œuvres. *Le Médecin des dames de Néans*, 1896 (N). – *Sainte Marie des fleurs*, 1897 (N). – *Le Parfum des îles Borromées*, 1898 (N). – *Mademoiselle Cloque*, 1899 (N). – *La Becquée*, 1901 (N). – *La Leçon d'amour dans un parc*, 1902 (N). – *L'Enfant à la balustrade*, 1903 (N). – *Mon amour*, 1908 (N). – *Le Meilleur Ami*, 1909 (N). – *La Jeune Fille bien élevée*, 1912 (N). – *Élise*, 1921 (N). – *Nouvelles Leçons d'amour dans un parc*, 1925.

BRANTÔME, Pierre de Bourdeille, seigneur de. Brantôme 5.1537 – Paris 15.7.1614. Élevé à la cour de la reine de Navarre, étudiant à Poitiers, B. échappe très vite à la filière traditionnelle : à la contrainte de l'étude il préfère la liberté de l'aventure que lui offrent la guerre et l'amour. C'est ainsi qu'il parcourt toute l'Europe. Puis il prend part aux guerres de Religion, adoptant le parti des catholiques malgré une certaine sympathie pour les protestants. Courtisan sans grandes responsabilités, et ne les cherchant pas, il fréquente les cours de Charles IX et Henri III, trouvant là un terrain idéal pour se livrer à ses conquêtes amoureuses. Immobilisé à la suite d'un accident de cheval (1584), il termine sa vie jusque-là mouvementée en rapportant ses souvenirs, qu'il dicte à des secrétaires et qu'il corrige ensuite avec beaucoup de soin : *Mémoires de messire Pierre de Bourdeille, seigneur de Brantôme, contenant la vie des dames illustres de son temps.* Ces huit volumes ne paraîtront que plus tard à Leyde, en 1665-1666. Riches en gaudrioles, hauts en couleur, foisonnant d'anecdotes et de portraits des grandes figures de ce temps, ces *Mémoires* relatent les faits dont B. a été le témoin ou l'acteur. Libertin déclaré, il a contribué, en grande partie, à établir le mythe d'un XVIe s. graveleux, fourmillant d'hommes aimant bonne chère et belles femmes. Cette gaieté du corps et du cœur n'est pourtant pas le seul élément à mettre à l'actif de B. Une langue extrêmement vivante et pittoresque, pleine de trouvailles incisives, fait de B. l'un des écrivains les plus spontanés de son temps.

Œuvres. *Discours sur les couronels*, 1575. – *Discours sur les duels*, v. 1578. – *Vie des hommes illustres et des grands capitaines étrangers.* – *Vie des hommes illustres et des grands capitaines français*, 1583-1590. – *Vie des dames illustres.* – *Vie des dames galantes*, v. 1584. – *Vie de François de Bourdeille* (son père), 1600. – *Mémoires de messire Pierre de Bourdeille, seigneur de Brantôme, contenant la vie des dames illustres de son temps*, posth., 1665-1666.

BRASILLACH Robert. Perpignan 31.3.1909 – Fort de Montrouge 6.2.1945. Entré à l'École normale supérieure en 1928, il mène plus tard une triple carrière de journaliste (notamment à *l'Action française*, où il publie des articles de critique), d'historien de la littérature et de romancier. Il sait donner à ce qu'il écrit fantaisie, jeunesse, verve poétique ; refusant de se spécialiser dans un seul secteur littéraire, il laisse aujourd'hui l'impression d'avoir manifesté son génie en de multiples domaines. Il est, entre autres, l'auteur de chroniques qui constituent de bons témoignages sur l'avant-guerre : *Comme le temps passe, Notre avant-guerre ;* la finesse du critique se révèle dans *Présence de Virgile*, et B. a écrit un *Corneille* qui restitue au vieux tragique toute sa vigueur. Avec son beau-frère, le critique Maurice Bardèche, il avait donné en 1935 une *Histoire du cinéma* qui rencontra un vif succès. Fait prisonnier en 1940, il se déclare partisan de la collaboration ; libéré en 1941, il revient en France et, de 1941 à 1944, tient la librairie germanophile « Rive gauche ». L'ensemble de ses articles publiés dans *Je suis partout* amène son arrestation en 1944 ; condamné à mort, il persiste dans ses choix et est exécuté.

Œuvres. *Présence de Virgile*, 1931 (E). – *Le Voleur d'étincelles*, 1932 (N). – *Le Procès de Jeanne d'Arc*, 1932 (E). – *Corneille*, 1933 (E). – *L'Enfant de la nuit*, 1934 (N). – Avec M. Bardèche, *Histoire du cinéma*, 1935. – *Les Cadets de l'Alcazar*, 1936 (N). – *Le Marchand d'oiseaux*, 1936 (N). – *Comme le temps passe*, 1937 (N). – *Les Sept Couleurs*, 1939 (N). – *Le Siège de l'Alcazar*, 1939 (N). – *Histoire de la guerre d'Espagne*, 1940. – *Notre avant-guerre*, 1941. – *Lettre à un soldat de la* *classe soixante,* 1943. – *La Conquérante,* 1943, rééd. 1985 (N). – *Poèmes de Fresnes,* posth., 1949 (P). – *Anthologie de la poésie grecque,* posth., 1954. – *La Reine de Césarée,* posth., 1957 (T). – *Œuvres complètes,* posth., 1963-1968. – *Les Captifs,* posth., 1974. – *Le Paris de Balzac,* posth., 1985 (E).

BRAULT Jacques. Montréal 29.3.1933. Poète canadien-français. Après avoir peiné durement comme docker et manœuvre pour arriver à payer ses études, B. enseigne la philosophie, l'esthétique et la littérature canadienne-française à l'université de Montréal depuis 1960. A vingt-quatre ans, il intitule une de ses premières œuvres « D'amour et de mort » *(Trinôme).* Il y chante l'impossible durée de l'amour, soit que l'imagination fasse défaut à la réalité, soit que la réalité fasse défaut à l'imagination ; c'est pourquoi le poète fait le saut : du royaume d'Amour, il bascule dans le royaume de Mort. Il prend tous les moyens qui l'aideront à éviter l'illusion et les rêves insensés. La mort devient omniprésente. Ses belles et douloureuses images abondent et veulent tenter d'exorciser l'amour. *Mémoire* est également un rite d'exorcisme. Cette fois, le poète veut empêcher les formes quotidiennes de la mort de le broyer par un certain fatalisme. Il s'y montre violemment épris de vie et d'amour et il y exprime toute l'intensité de sa colère contre ce qui le limite. Une sorte de tendresse et d'intimité avec les morts parcourt tous ces poèmes. Ce commerce avec les disparus correspond à un nouvel équilibre personnel. Il le rapproche en même temps de tous ses frères humains voués au même destin. Mort à lui-même, débarrassé de son égoïsme social et restitué à la solitude et à la nudité originelles de celui qui vit et meurt, il est ramené à ce qu'il partage avec tous les hommes. Cette médiation des morts pour retrouver les vivants, pour entrer en communion profonde avec eux, pour défendre des valeurs communes, prend souvent l'aspect de la mémoire, d'où le titre du recueil et d'une fraction des poèmes. C'est dans cette perspective qu'intervient la médiation de Gilles, le frère décédé. Cette *Suite fraternelle* est la longue plainte d'un homme qui se souvient de la mort de son frère avec d'autant plus d'amertume qu'en s'adressant à ce mort, il pleure sur la condition humaine tout entière. La dernière partie du recueil est en quelque sorte une confession : le poète retourne au monde primordial, à l'origine de la vie, la famille. Des visages disparus, d'autres toujours vivants, y apparaissent comme dans un album. Figure de son père, à l'ombre duquel il a vécu, avec lequel il règle de vieux comptes et tente de clarifier ce qui est resté trouble entre eux. Figures de sa mère tout juste entrevue, de ses premières amours et surtout de sa femme. De cette patiente recherche se dégage une vérité toute simple : le poète décide de vivre sa condition quotidienne, dans la fraternité à explorer.

Œuvres. *D'amour et de mort,* dans *Trinôme* (en collab.), 1957 (P). – *Mémoire,* 1965 (P). – *Miron le magnifique,* 1969 (E). – *La Poésie ce matin,* 1971 (P). – *Trois Partitions,* 1972 (T). – *Suite fraternelle,* 1972 (P). – *L'En dessous l'admirable,* 1975 (P). – *Poèmes des quatre côtés,* 1975 (P). – *Chemin faisant,* 1975 (E). – *Migration,* 1979 (P). – *Trois fois passera,* précédé de *Jour et Nuit,* 1981 (P). – *Agonie,* 1984 (P).

BREMOND Henri, abbé. Aix-en-Provence 31.7.1865 – Orthez 1933. Entré dans la Compagnie de Jésus, il publia ses premiers essais dans la célèbre revue jésuite *Études.* De tempérament non conformiste, il dut quitter l'ordre en 1904, devint prêtre séculier et dès lors se consacra à une intense activité intellectuelle, qui correspondait à sa vocation profonde. Avec son livre sur *l'Inquiétude religieuse,* il se fit le pionnier de la renaissance intellectuelle du catholicisme français. Il s'attacha ensuite à des recherches historiques et littéraires en vue d'une vaste synthèse, restée inachevée, des rapports entre littérature et sentiment religieux. Il en résultera sa magistrale *Histoire littéraire du sentiment religieux en France depuis la fin des guerres de Religion jusqu'à nos jours,* qui l'imposa comme un des esprits les plus fins et les plus érudits de son temps. En 1926, il publie *la Poésie pure,* où il expose avec brillant et conviction la thèse de l'irrationalité de la poésie et de son affinité avec l'état mystique : ce fut l'occasion d'une mémorable querelle littéraire où se trouva aussi engagé Valéry ; mais surtout ce livre annonce l'une des grandes orientations fondamentales de la poésie contemporaine. Par la sûreté de son érudition, la sensibilité de ses analyses, la finesse et la profondeur de ses intuitions, B. demeure, avec ses contemporains Thibaudet et Du Bos, le représentant d'un véritable âge d'or de la critique, élevée à la dignité d'une authentique création littéraire. Acad. fr. 1923.

Œuvres. *L'Inquiétude religieuse* (1er vol.), 1901 (E). – *Newman,* 1906 (E). – *L'Inquiétude religieuse* (2e vol.), 1909 (E). – *Apologie pour Fénelon,* 1910 (E). – *Sainte*

Chantal, 1913 (E). – *Histoire littéraire du sentiment religieux en France depuis la fin des guerres de Religion jusqu'à nos jours* (11 vol.), 1916-1936, rééd. 1972. – *Pour le romantisme,* 1923 (E). – *La Poésie pure,* 1926 (E). – *Prière et Poésie,* 1927 (E). – *Racine et Valéry,* 1930 (E).

BRETON André. Tinchebray (Orne) 18.2.1896 – Paris 28.9.1966. Jeune admirateur de Mallarmé et de Valéry (dont il se détachera), B. subit la guerre avec dégoût. Il lit *Alcools,* rencontre Apollinaire en 1916, subit l'influence de J. Vaché, de Rimbaud, qui le fascine. Affecté en 1917 à divers centres neuropsychiatriques, il découvre les enseignements de Freud par la pratique thérapeutique, se lie d'amitié avec Aragon et avec Soupault. Ensemble, au sortir de la guerre, les trois poètes fondent la revue *Littérature* (mars 1919). B. vient de découvrir Lautréamont, qu'il fait connaître ; il publie le premier texte proprement surréaliste, *les Champs magnétiques,* en collaboration avec Soupault, après qu'ont paru – sous son seul nom – les poèmes de *Mont de piété* (octobre 1919). Il entretient un flirt prolongé avec le mouvement dada, puis, lorsque celui-ci s'éteint, en 1922, lance une seconde série de *Littérature* (1922-1924), marquée par une suite d'expériences à partir de récits de rêves et de jeux sur le langage. De cette époque datent les poèmes de *Clair de Terre* ainsi que de nombreux articles. En 1924, *Littérature* laisse la place à *la Révolution surréaliste,* tandis que B., qui ressent le besoin de donner une théorie à la pratique surréaliste, publie le *Manifeste du surréalisme.* (V. SURRÉALISME.) A partir de 1925, seul à la tête de sa revue, il entreprend une « reprise en main » de ses collaborateurs, notamment en congédiant Artaud, jugé par lui incendiaire, et en prenant des contacts avec le communisme ; B. adhère au parti communiste en janvier 1927, en même temps qu'Aragon et Éluard. La même année, il rédige *Nadja,* qui paraît en 1928. S'il s'affirme de plus en plus comme écrivain, ses difficultés comme chef du groupe surréaliste ne s'apaisent pas : le *Second Manifeste du surréalisme* apparaît comme un règlement de comptes. B. y souligne son espoir de parvenir à un accord avec le marxisme en changeant le titre de sa revue, qui devient *le Surréalisme au service de la révolution* (1930-1933). Cependant la rupture avec Aragon ne peut être évitée (janvier 1932) : c'est la première faille importante. La parution des *Vases communicants* l'élargit : B. est exclu du parti communiste (fin 1933). Les surréalistes qui lui restent fidèles s'exprimeront jusqu'en 1945 dans la revue *le Minotaure.* Face à la montée du péril fasciste, B. tient à se définir sans ambiguïté *(Position politique du surréalisme)* ; les textes non politiques de cette période sont réunis dans *l'Amour fou.* Pendant la Seconde Guerre mondiale, B. vit aux États-Unis (1941-1946), où il soutient comme speaker l'effort de guerre allié, et continue de dire son espérance en un surréalisme unificateur de l'humanité *(la Clé des champs).* Ses trois œuvres principales sont alors *Prolégomènes à un troisième manifeste du surréalisme ou non, Ode à Charles Fourier, Arcane 17.* Revenu en France, il tente de relancer l'activité du groupe surréaliste par de nombreuses expositions et par la création de la revue *le Surréalisme même* (1956). Mais sa mort rend évidente une situation de décadence déjà ancienne.

Soulignons combien il est arbitraire d'isoler B. du mouvement dont les circonstances l'ont fait le chef. Il est de la race de ceux qui réclament une adhésion entière, non une approbation intellectuelle. Loin de constituer une somme de théories, la pensée de B. doit être vue comme un milieu d'immersion, comme un cercle privilégié dans lequel les invités sont par définition peu nombreux. Les « disciples » de B. ne restant pas passifs l'utilisent souvent comme catalyseur de leur propre génie, ayant découvert, au contact magnétique de sa soif de rencontre et de connaissance, la vérité de leur vocation personnelle. On ne peut pas plus isoler B. du surréalisme qu'isoler en son œuvre des « genres » différents. En toute page, il se révèle à la fois poète et théoricien : on trouve dans le *Manifeste* le même chaos créateur que dans les romans ou les articles, même brefs ; chose étrange, le moins réussi de l'œuvre de B., ce sont précisément ses « poèmes ». Très peu d'entre eux ont la richesse électrique de sa prose.

L'œuvre de B. se résume, en apparence, à une longue autobiographie. Nul événement fictif dans aucun de ses livres. Ainsi *Nadja* évoque sa liaison avec une jeune femme qui fut pour lui « le surréalisme vivant », en qui toute frontière entre mensonge et vérité, veille et rêve, était abolie. Mais ce qui frappe dans ce livre, c'est son peu de ressemblance réelle avec un journal intime (dont il revêt la forme). Le génie de B. consiste à prendre ses distances avec les faits quotidiens, à nous montrer notre vie « en tant qu'elle échappe à notre influence » : Nadja, au fil des pages, ne se construit pas comme personnage de roman psychologique, mais comme nécessité d'un destin. *Les Vases communicants* contiennent le bilan, en

1932, des contacts de B. avec l'œuvre et les idées de Freud, telles qu'il les a expérimentées dans ses propres rêves. *L'Amour fou,* dont certaines pages sont de véritables poèmes en prose, reste un livre clé pour comprendre la conception surréaliste du couple. *Arcane 17* enfin, dont le titre est emprunté au tarot, est un hymne à la femme-enfant symbolisée par Mélusine. Mais le génie de B. est tout aussi présent, et plus aigu parce qu'inégal, dans ses articles, réunis en volumes. Une partie du pouvoir fascinateur de B. vient de son style ; pour lui, la communication prime l'expression. Beaucoup plus que la correction logique dans l'articulation des arguments, il cherche « la *prise directe,* aussi saisissante qu'une main posée sur l'épaule » (J. Gracq). C'est le rôle du mot-trouvaille, de l'emploi abondant de l'italique, de la syntaxe surtout, qui fait de la phrase une vague déferlante, complexe et chaotique en son début, périlleuse en sa crête, brillante en sa conclusion, laquelle paraît souvent improvisée. Il y a peu d'écrivains qui demandent plus d'attention à leur lecteur, mais dont le pouvoir de transmission soit plus efficace : le style de B., c'est un ton de voix, une présence. A la limite, son œuvre n'est que le pis-aller d'une quête inexprimable. Ce qui nous en est parvenu suffit cependant, tant l'accent en est personnel, à faire de B. l'un des « phares » de l'aventure littéraire et humaine du XXe s.

Œuvres. *Mont de piété,* 1919 (P). – Avec Ph. Soupault, *les Champs magnétiques,* 1920, rééd. 1984, version originale (P). – *Clair de Terre,* 1923 (P). – *Le Manifeste du surréalisme,* 1924. – *Poisson soluble,* 1924 (E). – *Pas perdus* (recueil d'articles et conférences de 1917 à 1923), 1924. – *Lettre aux voyantes,* 1925 (E). – *Légitime défense,* 1926 (E). – *Introduction au discours sur le peu de réalité,* 1927 (E). – *Le Surréalisme et la peinture,* 1928 (E). – *Nadja,* 1928 (N). – *Le Second Manifeste du surréalisme,* 1930. – Avec P. Éluard, *l'Immaculée Conception,* 1930 (E). – *L'Union libre,* 1931 (P). – *Les Vases communicants,* 1932 (P). – *Le Revolver à cheveux blancs,* 1932 (P). – *Point du jour* (recueil d'articles et d'études de 1924 à 1933, dont *Introduction au discours sur le peu de réalité*), 1934. – *L'Air de l'eau,* 1934 (P). – *Position politique du surréalisme,* 1935 (E). – Avec P. Éluard, *Notes sur la poésie,* 1936 (E). – *Le Château étoilé,* 1936. – *L'Amour fou* (poèmes en prose), 1937 (P). – *Trajectoire du rêve,* 1938. – *Anthologie de l'humour noir,* 1940 (E). – *Pleine marge,* 1940 (P). – *Fata Morgana,* 1941-1942. – *Prolégomènes à un troisième manifeste du surréalisme ou non,* 1942 (E). – *Arcane 17,* 1945 (E). – *Le Surréalisme et la peinture* (augmenté de *Genèse et perspectives artistiques du surréalisme*), seconde édition, 1945 (E). – *La Lampe dans l'horloge,* 1948 (E). – *Poèmes,* 1948. – *Flagrant délit* (pamphlet), 1949. – *Entretiens* (interviews accordées par Breton à A. Parinaud), 1952, rééd. 1969. – *La Clé des champs* (recueil d'articles et de conférences de 1936 à 1952), 1953. – *Du surréalisme en ses œuvres vives,* 1953. – *Adieu ne plaise,* 1954. – *L'Art magique,* 1957 (E). – *Constellations* (poèmes en prose), 1959. – *Poésie et autre* (anthologie contenant *Constellations*), 1960. – *Le Surréalisme et la Peinture,* 3e édition, 1965 (E). – *Manifestes du surréalisme* (recueil de textes publiés de 1924 à 1953), 1965 (E). – *Clair de Terre* (recueil de l'œuvre poétique de 1919 à 1936), 1966 (P). *Perspective cavalière,* posth., 1970.

Nadja

Il s'agit bien, sinon d'un « roman », du moins d'une narration, mais structurée selon un découpage qui la transforme en un double dossier sur les deux dimensions d'une expérience : la dimension « réelle » et la dimension « mentale », ce contrepoint du réel et du mental structurant à son tour la transposition autobiographique, de sorte que cette narration, apparemment romanesque et autobiographique, n'appartient en profondeur ni à l'ordre du roman ni à celui de l'autobiographie, mais plutôt traduit une sorte d'enregistrement de la relation, non rationnelle, « psychique », entre l'imaginaire et le vécu. Aussi un long prologue expose-t-il, à partir de l'interrogation : « Qui suis-je ? » (derrière laquelle se profile déjà l'autre interrogation : « Qui est Nadja ? »), les motifs profonds, psychologiques et littéraires, de l'aventure vécue avec Nadja, aventure déjà présentée comme normale et exemplaire ; aussi ce prologue donne-t-il la place la plus importante à l'inventaire des *faits,* qui apparaissent alors comme les *signes* incontestables du *sens* que revêt, pour B., acteur et spectateur à la fois, l'*Histoire de Nadja.* Elle peut maintenant être racontée : elle consiste tout d'abord en un journal des rencontres de B. et de Nadja, jeune femme malheureuse et marginale, mais porteuse de mystères, solidaire d'un univers étrange, entre le 4 et le 12 octobre 1926. Après ce récit chronologique des rencontres intervient une tentative d'interprétation de Nadja comme nœud vivant de signes ; interprétation multiple qui superpose des propos, des dessins, des objets, et qui aboutit, non à une réponse, qui rationaliserait le mystère, mais à une incertitude liée à l'évidence même de ce mystère. Tout se passe alors comme si la rencontre de Nadja ainsi que ses prolongements mentaux avaient eu pour unique fonction cette évidence de l'incertitude qui accompagne la révélation d'une « personnalité mythique », cette évidence mythique de l'incertitude étant le signe majeur de la surréalité. Ainsi s'explique que, dans un troisième mouvement, Nadja, pour ainsi dire, disparaisse à la suite d'une rupture marquée de violence : elle a sombré dans la folie, et c'est à peine si B. prend soin de savoir ce qu'elle a pu devenir. Il médite sur cet échec final de la rencontre au-delà de la révélation de la surréalité. Le récit se transforme alors en monologue intérieur sur les thèmes de l'amour, de la folie et de la liberté. Un temps d'arrêt dans la composition du livre (août-décembre 1927) sépare enfin le récit proprement dit de l'épilogue : au-delà de l'échec précédent, grâce à la distance prise par la méditation poétique sur l'expérience vécue, explose alors un véritable hymne à l'amour, né de l'élan libérateur produit par Nadja et porté, par sa force propre, au-delà de la particularité de Nadja, hymne qui, d'autre part, débouche sur une proposition esthétique, sous le signe de la relation fondamentale entre amour et beauté, la beauté « ni dynamique ni statique, mais convulsive. »

BRIERRE Jean-Fernand. Jérémie 28.9.1909. Écrivain haïtien. (Voir NÉGRO-AFRICAINE [LITTÉRATURE].)

BRIEUX Eugène. Paris 19.1.1858 – Nice 6.12.1932. Journaliste assez obscur, auteur d'une première comédie sans grand retentissement, *Ménage d'artistes,* il connut le succès en 1892 avec *Blanchette.* B. est l'héritier de Dumas fils et produit des œuvres techniquement solides, dont le propos essentiel est de corriger la société par la mise en scène de situations et de personnages directement empruntés à la réalité. Le souci esthétique est pratiquement absent de cette œuvre qui cependant toucha le public par sa sincérité. Acad. fr. 1909.

Œuvres. *Ménage d'artistes,* 1890 (T). – *Blanchette,* 1892 (T). – *M. de Reboval,* 1892 (T). – *L'Engrenage,* 1894 (T). – *L'Évasion,* 1896 (T). – *Les Trois Filles de M. Dupont,* 1897 (T). – *Le Berceau,* 1898 (T). – *La Robe rouge,* 1900 (T). – *Les Avariés,* 1901 (T). – *Maternité,* 1903 (T). – *Les Hannetons,* 1906 (T). – *Simone,* 1908 (T). – *La Foi,* 1912 (T). – *La Femme seule,* 1912 (T). – *Le Bourgeois aux champs,* 1914 (T). – *L'Enfant,* 1923 (T). – *La Famille Lavolette,* 1926 (T).

BRIFAUT Charles. Dijon 1781 – Paris 1857. D'origine modeste, très tôt orphelin, il est élevé par deux ecclésiastiques. Attiré par les lettres, il se fixe à Paris, collabore à différents journaux et écrit une première tragédie, *Jeanne Gray,* que Talma lit devant Napoléon. Interdite par la censure, la pièce ne peut être représentée qu'en 1814 et se solde par un retentissant et tumultueux échec. Une autre tragédie, *Ninus II,* obtient un succès triomphal en 1813 : à l'origine tragédie historique espagnole dont le titre était *Don Sanche,* elle dut être transformée en drame babylonien en raison de la guerre d'Espagne et des revers subis par les Français. Représentant tardif du classicisme, B. s'est également fait connaître comme poète en composant des vers de circonstance. Lié avec Lamartine, Dumas, l'abbé Morellet, il fréquente les salons aristocratiques, où l'on apprécie ses traits d'esprit, ses bons mots et anecdotes, son talent de causeur spirituel. Le docteur Cabanès a donné, en 1920, une réédition des meilleures pages de ses souvenirs et de sa correspondance. Acad. fr. 1826.

Œuvres. *Jeanne Gray,* 1807 (T). – *Ninus II,* 1813 (T). – *Charles de Navarre,* 1820 (T). – *Œuvres complètes,* posth., 1858-1859. – *Souvenirs d'un académicien sur la Révolution, le Premier Empire et la Restauration,* posth., 1920.

BRIGADE (LA). (Voir PLÉIADE.)

BRILLAT-SAVARIN Anthelme. Belley 1755 – Paris 1826. Issu d'une ancienne famille de magistrats, député à l'Assemblée constituante, maire de Belley en 1793 et président du tribunal civil de l'Ain, il se montre hostile aux excès révolutionnaires et, contraint de fuir, se réfugie d'abord en Suisse, puis en Amérique (1794). Il rentrera en France en 1797. Jusqu'à la veille de sa mort, il avait publié, sans grand succès, divers écrits. Mais c'est seulement en 1825 que paraît l'ouvrage qui le rendra définitivement célèbre : *Physiologie du goût ou Méditations de gastronomie transcendante...* B.-S. lance ainsi la mode des « physiologies » littéraires, où la réflexion morale et philosophique se compose avec des observations de caractère technique. Balzac, auteur d'une *Physiologie du mariage* (1826-1829), écrira en 1838, pour une réédition de la *Physiologie du goût,* un *Traité des excitants modernes* destiné à compléter, mais dans la même perspective, l'œuvre de B.-S.

Œuvres. *Lettres à ses commettants,* 1799. – *Vues et Projets d'économie politique,* 1802 (E). – *Fragments d'une théorie judiciaire,*

1808 (E). – *Essai historique et critique sur le duel,* 1819 (E). – *Physiologie du goût ou Méditations de gastronomie transcendante, ouvrage théorique, historique et à l'ordre du jour, dédié aux gastronomes parisiens,* 1825 (E).

Physiologie du goût ou Méditations de gastronomie transcendante

Sous les apparences d'un « traité » à la fois technique et philosophique (d'où le double titre), B.-S. aborde, sous tous leurs aspects, les questions culinaires, en organisant ensemble les théories gastronomiques et un manuel de savoir-vivre. L'ouvrage est caractérisé par le goût de la maxime et de l'aphorisme, mode d'expression commun, dans beaucoup de cas, à la formulation des recettes comme à celle des « méditations ». L'habileté de l'auteur dans le maniement de l'expression aphoristique est l'un des principaux charmes proprement littéraires de l'œuvre. Parmi ces aphorismes, l'un des plus célèbres : « Dis-moi ce que tu manges, je te dirai qui tu es. »

BRION Marcel. Marseille 21.11.1895 – Paris 23.10.1984. Fils d'avocat, il suit la voie juridique et, en 1920, s'installe à Marseille. Puis il abandonne le barreau pour voyager dans une intention bien précise : parfaire, sur le terrain, c'est-à-dire dans les musées, sa culture artistique : il deviendra ainsi historien d'art et aussi historien tout court. Il découvre alors qu'il possède le don du narrateur et, assez tardivement – vers la cinquantaine –, il se fait romancier. En vingt années, il produit une œuvre littéraire abondante et attachante. Sa culture avait particulièrement orienté B. vers l'étude de la spiritualité germanique dans ses expressions esthétiques. Son tempérament le portait à sympathiser avec la tradition qui, en France, est incarnée par Gérard de Nerval. B. reprend, en effet, le thème des deux mondes, le diurne et le nocturne, il explore leurs symétries, leurs ajustements, mais aussi leurs contradictions et leurs ruptures. Il évoque le mystère des objets et de l'appel silencieux qu'ils adressent à qui veut bien les écouter *(la Rose de cire)* ; il ressuscite les fées sous des apparences qui à la fois les masquent et les révèlent *(l'Enchanteur).* Tous les éléments de cet univers poétique sont liés par des communications qui ne relèvent point de la logique ou de la rationalité, mais de ce que Coleridge appelait l'imagination au second degré, et, aussi, d'une relation « sympathique » aussi évidente que mystérieuse. Acad. fr. 1964.

Œuvres. *Bartholomée de la Casas,* 1927 (E). – *Giotto,* 1929 (E). – *La Vie d'Alaric,* 1931 (E). – *Botticelli,* 1932 (E). – *La Folie Céladon,* 1935, rééd. 1963 (N). – *Laurent le Magnifique,* 1937, rééd. 1978 (E). – *Bosch,* 1933 (E). – *Grünewald,* 1938 (E). – *Michel-Ange,* 1939 (E). – *Léonard de Vinci,* 1939, rééd. 1979 (E). – *Blanche de Castille,* 1939 (E). – *Les Amantes,* 1940 (E). – *Un enfant de la terre et du ciel,* 1943 (N). – *Château d'ombres,* 1943, rééd. 1974 (N). – *Rembrandt,* 1946, rééd. 1960 (E). – *L'Enchanteur,* 1947, rééd. 1965 (N). – *Charles le Téméraire,* 1947, rééd. 1977 (E). – *Machiavel,* 1948, rééd. 1983 (E). – *Goethe,* 1948, rééd. 1982 (E). – *De César à Charlemagne,* 1949-1950 (E). – *Lumière de la Renaissance,* 1950 (E). – *Bayard,* 1953 (E). – *Histoire de l'Égypte,* 1954 (E). – *Robert Schumann et l'âme romantique,* 1954 (E). – *Mozart,* 1955, rééd. 1982 (E). – *L'Art abstrait,* 1956 (E). – *La Chanson de l'oiseau étranger,* 1958 (N). – *La Peinture allemande,* 1959 (E). – *La Ville de sable,* 1959 (N). – *Schubert,* 1960 (E). – *Dürer,* 1960 (E). – *Pompéi et Herculanum,* 1960 (E). – *Kandinsky,* 1961 (E). – *L'Art fantastique,* 1962 (E). – *Novalis, Jean-Paul, l'Allemagne romantique,* 1962-1963 (E). – *L'Art romantique,* 1963 (E). – *Tamerlan,* 1963 (E). – *La Rose de cire,* 1964 (N). – *Discours de réception à l'Académie française et réponse de M. René Huyghe,* 1964. – *L'Âge d'or de la peinture hollandaise,* 1964 (E). – *Les Escales de la haute nuit,* 1965 (N). – *De l'autre côté de la forêt,* 1966 (N). – *Sigismond Kolos-Vary,* 1967 (E). – *La Vie quotidienne à Vienne à l'époque de Mozart et Schubert,* 1967 (E). – *La Musique et l'amour,* 1968 (E). – *La Grande Aventure de la peinture religieuse. Le sacré et sa représentation,* 1968 (E). – *Les Miroirs et les gouffres,* 1968 (N). – *L'Ombre d'un arbre mort,* 1970 (N). – *Titien,* 1971 (E). – *Nous avons traversé la montagne,* 1972 (N). – *La Fête de la tour des âmes,* 1974 (N). – *Guarde,* 1976 (N). – *Algues,* 1976. – *L'Allemagne romantique (le Voyage initiatique 1,* 1977 ; *le Voyage initiatique 2),* 1978 (E). – *Frédéric II de Hohenstaufen,* 1978 (E). – *Les Borgia,* 1979 (E). – *Théodoric, roi des Ostrogoths,* 1979 (E). – *Paul Cézanne,* 1979 (E). – *Le Journal d'un visiteur,* 1980 (N). – *Le Château de la Princesse Ilse,* 1981 (E). – *L'Ermite au masque de miroir, Capriccio,* 1982 (N). – *Villa des hasards,* 1984 (N).

BRIZEUX Auguste. Lorient 1803 – Montpellier 1858. Il était le fils d'un chirurgien de la marine : la Bretagne, où s'écoule son enfance, le marquera profondément. D'abord élève aux collèges de

Vannes et d'Arras, il étudie ensuite le droit à Paris et se lie avec Vigny et Barbier. Il collabore aux *Annales romantiques,* au *Mercure du XIXe siècle* et à la *Revue des Deux Mondes.* Souvenir d'un amour d'adolescence, son poème *Marie* évoque avec tendresse et mélancolie une touchante et fraîche idylle, et le révèle à la fois comme poète lyrique au talent empreint d'un romantisme sobre et sincère et comme authentique poète du terroir breton : il vivra le plus souvent sur cette terre bretonne, source de son inspiration. Il traduit en prose *la Divine Comédie* de Dante et fait paraître un nouveau recueil poétique, *les Ternaires,* dont le titre deviendra par la suite *la Fleur d'or.* Il compose enfin une sorte d'épopée rustique, *les Bretons,* évoquant sous une forme romanesque les mœurs et coutumes du pays d'Armor. Malgré une inspiration assez limitée, sa poésie a conservé un charme réel grâce à la justesse de ton et à la discrétion de vers simples et limpides.

Œuvres. *Marie,* 1831 (P). – *Les Ternaires* (intitulé plus tard *la Fleur d'or*), 1841 (P). – *La Divine Comédie* de Dante (trad.), 1841. – *Primel et Nola,* 1842 (P). – *Les Bretons,* 1845 (P). – *Histoires poétiques,* 1855 (P). – En breton : *Télen Armor (la Harpe d'Armorique),* 1844 (P).

BROGLIE Louis Victor, prince de. Dieppe 15.8.1892. En supposant qu'à toute particule électrique est associée une onde d'une fréquence déterminée, le physicien L. de B. a fondé la « mécanique ondulatoire », ce qui lui a valu de recevoir en 1929 le prix Nobel de physique. Mais ce savant, fidèle à la grande tradition humaniste, veut associer à la recherche scientifique une réflexion philosophique sur la valeur et les conséquences des découvertes de la science moderne. Remarquable vulgarisateur, au meilleur sens du terme, par exemple dans son *Introduction à l'étude de la mécanique ondulatoire,* il a aussi entrepris, selon ses propres termes, l'analyse des « aspects généraux et philosophiques » de la physique contemporaine. Il en est résulté en particulier un livre de synthèse au style clair et précis, *Matière et lumière,* où l'aventure scientifique apparaît comme l'une des formes les plus hautes de l'aventure spirituelle de l'humanité, thème cher à l'auteur et dont l'expression sans doute la plus convaincante se trouve dans la conclusion de *Physique et microphysique.* Acad. fr. 1944.

Œuvres. *Recherches sur la théorie des quanta,* 1924. – *Introduction à l'étude de la mécanique ondulatoire,* 1930. – *Ondes et corpuscules,* 1930. – *Une nouvelle conception de la lumière,* 1934. – *La Physique nouvelle et les quanta,* 1947. – *Matière et lumière,* 1937. – *Continu et discontinu,* 1941. – *De la mécanique ondulatoire à la théorie du noyau,* 1943-1946. – *Physique et microphysique,* 1947. – *Optique ondulatoire et corpusculaire,* 1950. – *Savants et découvertes,* 1951. – *Nouvelles perspectives en microphysique,* 1957 (E). – *Sur les sentiers de la science,* 1960 (E). – *Certitudes et incertitudes de la science,* 1966 (E). – *La Réinterprétation de la mécanique ondulatoire,* 1972 (E). – *Recherches d'un demi-siècle* (souvenirs), 1976. – *Jalons pour une nouvelle microphysique,* 1978 (E). – *Les Incertitudes d'Heisenberg et l'interprétation probabiliste de la mécanique ondulatoire,* 1982 (E).

BROSSES Charles de, président. (Voir De Brosses Charles, président.)

BRUANT Armand, dit **Aristide.** Courtenay (Loiret) 6.5.1851 – Paris 11.2.1925. Il débute vers 1875, se produit au *Chat-Noir,* puis fonde son propre cabaret, *le Mirliton,* où il crée *À Ménilmontant, À Saint-Lazare, À la Roquette, les Canuts, Nini-peau d'chien,* entre autres succès. Argot, anarchisme fin de siècle, populisme se retrouvent dans ses recueils publiés entre 1889 et 1897.

Œuvres. Recueils de chansons : *Dans la rue,* 1889-1909 ; *Chansons et Monologues,* 1896-1897 ; *Sur la route,* 1897. – *Dictionnaire de l'argot,* 1901.

BRUNETIÈRE Ferdinand. Toulon 19.7.1849 – Paris 9.12.1906. Fils d'un contrôleur de la marine, il fait ses études à Lorient, Marseille et Paris (lycée Louis-le-Grand), mais il échouera deux années de suite au concours de l'École normale supérieure. Dès après la guerre de 1870, alors qu'il gagne sa vie comme répétiteur dans des institutions privées, il commence de collaborer à la *Revue bleue,* puis, en 1875, P. Bourget, son ami, le fait entrer à la *Revue des Deux Mondes.* D'abord secrétaire de rédaction, il en deviendra directeur en 1894 et exercera cette fonction jusqu'à sa mort. C'est là qu'il publie de nombreuses études littéraires qui lui vaudront une notoriété et une autorité croissantes. Nommé en 1886 maître de conférences, puis professeur de littérature française à l'École normale supérieure, il exercera une influence notable sur l'élite de la jeune génération universitaire. Esprit dont la rigueur intellectuelle et la maîtrise dialectique sont les caractères essentiels, il s'efforcera de formuler une véritable

« théorie de la littérature » : influencé par Taine et surtout par Darwin, il s'attachera cependant à fonder cette théorie non point sur un déterminisme externe, mais sur les lois spécifiques de genèse des œuvres littéraires. Il concevra alors le principe de sa théorie consistant à associer la notion d'évolution et la notion de genre, et c'est en 1890 que paraît son ouvrage majeur : *l'Évolution des genres dans l'histoire de la littérature.* Il appliquera ensuite le même principe, en opérant les corrections nécessaires, à certains aspects particuliers de la littérature. Selon lui, les genres et les formes littéraires s'organisent et se transforment à travers le temps à la manière des êtres vivants, mais selon une sorte de finalité interne dont il s'agit de découvrir les lois. Progressivement, B. en viendra à concevoir cette finalité comme étant d'essence morale et sociale, puis religieuse, ce qui explique son opposition aux formes purement esthétisantes (l'art pour l'art) ou amorales (le naturalisme ; v. *le Roman naturaliste)* de l'expression littéraire. Il est de la sorte conduit à privilégier certaines époques, le XVIIe s. en particulier. De la même manière, il s'oppose à la conception positiviste de l'art et de la littérature et, pour cette raison, condamnera dans son ensemble le scientisme de Renan *(Cinq Lettres sur Ernest Renan).* C'est que, peut-être sous l'influence de la pensée du XVIIe s., B. s'est de plus en plus intéressé aux problèmes moraux et religieux que pose la littérature. En 1894, il a, à Rome, avec le pape Léon XIII, une entrevue qui agira très profondément sur son évolution personnelle ; il se rapproche du catholicisme social, s'intéresse à l'œuvre du cardinal Newman et, en 1900, rejoint officiellement l'Église. Son œuvre devient alors apologétique, et il se rendra aux États-Unis en 1897 pour y faire des conférences sur des thèmes moraux et religieux. Cette évolution sera par lui-même décrite et expliquée dans *Sur les chemins de la croyance.* En 1905, au moment de la crise provoquée par la séparation de l'Église et de l'État, il interviendra à Rome dans le sens de la conciliation, mais ne trouvera pas auprès de Pie X l'audience qu'il avait trouvée auprès de son prédécesseur, tandis que, d'autre part, il est suspendu de ses fonctions à l'École normale supérieure. La critique de B., dans la mesure où elle dépasse la « critique littéraire » proprement dite pour s'élever jusqu'à une « théorie de la littérature », grâce aussi à la rigueur et à la pénétration dont elle témoigne, apparaît, à certains égards, comme celle d'un précurseur : car, rejetant la réduction des œuvres à la seule influence de leurs conditions externes, elle met au contraire l'accent sur l'étude précise de leurs structures internes. Acad. fr. 1893.

Œuvres. *Études critiques sur l'histoire de la littérature française* (9 vol.), 1880-1907 (E). – *Le Roman naturaliste,* 1882 (E). – *Histoire et littérature,* 1884-1886 (E). – *Questions de critique,* 1889 (E). – *Nouvelles Questions de critique,* 1890 (E). – *L'Évolution des genres dans l'histoire de la littérature,* 1890 (E). – *L'Évolution de la critique depuis la Renaissance jusqu'à nos jours,* 1890 (E). – *Les Époques du théâtre français,* 1892 (E). – *L'Évolution de la poésie lyrique en France au XIXe siècle,* 1894 (E). – *Manuel de l'histoire de la littérature française,* 1897 (E). – *Cinq Lettres sur Ernest Renan,* 1904. – *Sur les chemins de la croyance,* 1904 (E). – *Honoré de Balzac,* 1905 (E). – *Histoire de la littérature française classique,* 1905-1918 (E). – *Discours de combat,* 1899-1903 et 1907. – *Bossuet,* posth., 1913 (E). – *Études critiques,* posth., 1925 (E).

BRUSS B.R., René Bonnefay, dit **Roger Blondel** ou. 1895 – 1980. Écrivain de science-fiction. Il n'a commencé sa carrière qu'en 1946 avec *Et la planète sauta...*, une des premières mises en garde contre le péril atomique. Sous le pseudonyme de Bruss, il a publié un grand nombre de romans populaires, qui traitent de la mainmise de grands ordinateurs sur le monde. Par ailleurs, sous son nom de Blondel, on lui doit *l'Archange,* belle méditation d'un homme qui attend de partir pour la Lune alors que tous ceux qui l'y ont précédé sont morts, et *Bradfer et l'Éternel,* roman picaresque d'un humour explosif, même au niveau du langage.

Œuvres. Sous le nom de BLONDEL : *Le Mouton enragé,* 1956 (N). – *L'Archange,* 1963 (N). – *Bradfer et l'Éternel,* 1964 (N). – *Un endroit nommé la vie,* 1973 (N). – *La Grande Parlerie,* 1973 (N). – *Oh ! Oh !* (récits), 1974 (N). – *Les Graffiti,* 1975 (N). – *Les Fontaines pétrifiantes,* 1978 (N).
Sous le nom de BRUSS : *Et la planète sauta,* 1946 (N). – *Maléfices,* 1956 (N). – *Nous avons tous peur,* 1956 (N). – *Rideau magnétique,* 1956 (N). – *Substance « Arka »,* 1956 (N). – *Le Grand Kirn,* 1958 (N). – *Terreur en plein soleil,* 1958 (N). – *Terre... siècle 24,* 1959 (N). – *L'Anneau des Djarfs,* 1961 (N). – *Bihil,* 1961 (N). – *Le Cri des Durups,* 1962 (N). – *Les Horls en péril,* 1962 (N). – *Le Mur de la lumière,* 1962. – *Le Tambour d'angoisse,* 1962 (N). – *Complot Vénus-Terre,* 1963 (N). – *L'Otarie bleue,* 1963 (N). – *L'Astéroïde noir,* 1964 (N). – *Le Bourg envoûté,* 1964 (N). – *Le Grand Feu,* 1964 (N). – *Les Translucides,* 1964 (N). – *Une mouche*

nommée Dresa, 1964 (N). – *L'Énigme des Phtas,* 1965 (N). – *La Figurine de plomb,* 1965 (N). – *La Planète glacée,* 1965 (N). – *Planètes oubliées,* 1965 (N). – *Le soleil s'éteint,* 1965 (N). – *L'Étrange Planète Orga,* 1967 (N). – *Le Mystère des Sups,* 1967 (N). – *Le Trappeur galactique,* 1967 (N). – *Les Enfants d'Alga,* 1968 (N). – *L'Espionne galactique,* 1968 (N). – *La Planète introuvable,* 1968 (N). – *Quand l'uranium vint à manquer,* 1968 (N). – *Les Centauriens sont fous,* 1969 (N). – *Parle, Robot,* 1969 (N). – *L'Apparition des surhommes,* 1970 (N). – *La Planète aux oasis,* 1970 (N). – *Une si belle planète,* 1970 (N). – *An... 2391,* 1974. – *La Maison éternelle* (trad. de Van Vogt), 1977. – *L'Objet maléfique,* 1977. – *L'Apparition des surhommes,* 1977. – *Les Espaces enchevêtrés,* 1979 (N).

BUCHANAN George. Killearn (Écosse) 1506 – Edimbourg 28.9.1582. Humaniste franco-écossais d'expression latine. Homme libre et cosmopolite, B. fut perpétuellement en fuite pour échapper à ses censeurs. Il professa quelque temps en France mais dut rentrer en Écosse puis gagner l'Angleterre à la suite d'une violente diatribe contre les franciscains (1539). Réfugié par la suite à Bordeaux, il eut Montaigne pour élève (1543). A Paris, il fut successivement professeur au collège Boncourt et précepteur dans la famille de Cossé-Brissac. De retour en Écosse, il y dirigea les études du fils de Marie Stuart. Après un pamphlet virulent contre la reine elle-même, il perdit sa place mais gagna la faveur d'Élisabeth. Nommé Lord du Sceau privé, grâce à l'appui de son ancien élève devenu Jacques VI, il ne connut pas longtemps la tranquillité. Un procès lui fut intenté pour son *Rerum Scoticarum Historia.* Il mourut avant d'en connaître l'issue.
Représentant éminent d'une littérature néo-latine d'inspiration humaniste, B. n'a jamais écrit qu'en latin. Il traduisit dans cette langue l'*Alceste* et la *Médée* d'Euripide, et écrivit deux tragédies : *Jephtes* (tirée de la Bible) et *Baptistes sive calomnia,* qui est une imitation de l'*Iphigénie en Aulis* et de l'*Hécube* d'Euripide. Traduites en français (1566), ces tragédies eurent un grand succès en France et influencèrent profondément le théâtre tragique, qui en était encore à ses débuts. Théodore de Bèze, en particulier, s'en inspira pour écrire son *Abraham sacrifiant.* B. est aussi l'auteur de poèmes latins qui trouvèrent une résonance chez du Bellay.

Œuvres. *Medea* (trad. d'Euripide), 1544 (T). – *Jephtes sive votum,* 1554 (T). – *Alcestes* (trad. d'Euripide), 1556 (T). – *Epigrammata,* 1569 (P). – *Detectio Mariae reginae,* 1571. – *Baptista sive calomnia,* 1577 (T). – *De jure regni apud Scotos,* 1579 (E). – *Rerum Scoticarum Historia,* 1582 (E). – *Sphœra in quinque libros distributa,* posth., 1585. – *De prosodia libellus,* posth., 1600. – *Pœmata,* posth., 1628.

BUDÉ Guillaume. Paris 26.1.1467 – 20.8.1540. Issu d'une famille de lettrés, B. ne sera jamais qu'un amateur, cultivant les lettres pour le plaisir. Ce n'est que très tard qu'il acceptera une fonction officielle, digne de son érudition : François Ier, son protecteur, le chargera de la création du Collège des lecteurs royaux, futur Collège de France, et le fera nommer en 1522 maître des requêtes. B., successivement, a fait paraître en latin (son œuvre est tout entière écrite dans cette langue) *Annotations sur les vingt-quatre premiers livres des Pandectes,* ouvrage juridique où il élague les gloses qui obscurcissent les décisions des anciens juristes romains ; *De asse,* où il fait des recherches sur les monnaies romaines, recherches qui le conduisent à s'interroger sur le cadre économique et social de l'Antiquité. Par comparaison, il établit une réflexion sur la France de son temps. Sa dernière œuvre, *Passage de l'hellénisme au christianisme,* tente de trouver un lien entre la foi chrétienne du Moyen Âge et la culture antique, qui, à ses yeux, sont complémentaires : B. a, d'autre part, rédigé des ouvrages de philosophie chrétienne *(Du mépris des choses fortuites).* Esprit ouvert à toutes les innovations, il eut à subir, malgré sa foi profonde, les attaques des gens d'Église. Humaniste éminent autant par son rayonnement que par son érudition et ses ouvrages, B. a surtout contribué à réhabiliter l'étude de la langue grecque en France. Ses *Commentaires sur la langue grecque* rassemblent des remarques précieuses, destinées à l'établissement d'un dictionnaire. Une grande partie de sa correspondance a été écrite en grec.

Œuvres. *Annotationes in XXIV Libros Pandectarum,* 1508. – *De asse et partibus ejus libri V,* 1514. – *De contemptu rerum fortuitarum,* 1520. – *Correspondance,* 1520-1522. – *Sommaire ou Épitome du livre De asse* (abrégé en français), 1522. – *De transitu hellenismi ad christianismum,* 1529. – *Commentarii linguae graecae,* 1529. – *De philologia,* 1530. – *De studio litterarum recte et commode instituendo,* 1532. – *Forensium verborum gallica interpretatio,* posth., 1543. – *Institutio principis,* posth., 1547.

BUFFON, Georges Louis Leclerc, comte de. Château de Montbard (Côte-d'Or) 7.9.1707 – Paris 15.4.1788. Fils d'un conseiller au parlement de Dijon, il étudie le droit et la médecine tout en s'intéressant à l'histoire naturelle. Nommé intendant du Jardin du Roi (Jardin des Plantes) en 1739, B. l'agrandit et l'enrichit, souvent à ses frais, de collections diverses : il développe aussi un enseignement de vulgarisation à l'usage du grand public. Avec une équipe de collaborateurs, il entreprend la rédaction d'une *Histoire naturelle,* ouvrage qui ne comprendra pas moins de trente-six volumes, et dont le succès de librairie dépassera celui de l'*Encyclopédie.* Se consacrant entièrement à ce travail, B. ne passe guère à Paris plus de quatre mois sur douze, fréquentant peu le monde, à l'exception de quelques salons, dont celui de Mme Necker, à qui le lie une affectueuse amitié. A plusieurs reprises, son œuvre est attaquée par la Sorbonne, qui condamne l'audace de certaines théories, mais B. donne des apaisements – de pure forme – et obtiendra même l'appui du roi lors de la publication de ses *Époques de la nature,* grande synthèse extraite de l'*Histoire naturelle.*

Les encyclopédistes espèrent sa collaboration. Ils n'obtiennent que sa bienveillance. Se tenant à l'écart de leurs polémiques, il refuse toute controverse avec eux. Sa pensée est néanmoins souvent présente dans les articles de l'*Encyclopédie,* où Diderot reproduit des passages de l'*Histoire naturelle,* cependant que Daubenton l'aîné s'occupe des planches consacrées à cette science. Élu à l'Académie française en 1753, B. prononce lors de sa réception son célèbre *Discours sur le style,* prônant l'ordre dans la composition, l'enchaînement des idées, la stricte adaptation de l'expression à la pensée, l'emploi de termes assez généraux pour que chacun puisse comprendre, le refus de l'ornement, la pureté et la noblesse du style. Philosophe, B. souhaite ardemment le progrès de la civilisation et voit dans la recherche du mieux-être social, dans la lutte contre les inégalités, dans la promotion de la science et dans la disparition des guerres le but moral de toute société. Savant, enfin, il a le goût de l'observation minutieuse des faits, conduisant jusqu'aux grandes lois de l'univers, et il formule l'idée audacieuse que « l'esprit humain n'a point de bornes, il s'étend à mesure que l'univers se déploie ; l'homme peut donc et doit tout tenter, il ne lui faut que du temps pour savoir ». Rassemblant patiemment de nombreux documents, s'adjoignant collaborateurs et correspondants de valeur (Daubenton pour l'anatomie, Guéneau de Montbeillard et l'abbé Bexon pour l'étude des oiseaux, Guyton de Morveau et Faujas de Saint-Fond pour celle des minéraux), recrutant peintres et graveurs, B. anime et contrôle le travail. Si la valeur scientifique de l'*Histoire naturelle* semble aujourd'hui périmée, B. n'en est pas moins un précurseur, un éveilleur d'idées en même temps qu'un écrivain à l'imagination puissante et au style évocateur. Acad. fr. 1753.

Œuvres. *Histoire naturelle ; Discours sur la manière d'étudier l'histoire naturelle ; Théorie de la terre ; Discours sur la nature des animaux ; l'Homme* (3 vol.), 1749. – *Histoire naturelle des animaux quadrupèdes* (11 vol.), 1753-1767. – *Histoire naturelle des oiseaux* (9 vol.), 1770-1783. – Sept volumes de *Suppléments,* dont *les Époques de la nature* (suppl. VI, 1778), 1774-1789. – *Histoire naturelle des minéraux* (5 vol.), 1783-1788. – *Discours sur le style, prononcé par M. de Buffon à l'Académie française le jour de sa réception,* 25 août 1753.

BURGUET Frantz-André. La Souterraine 4.10.1938. Après avoir enseigné dans un lycée de Marseille, il se tourne vers la littérature et, en 1962, publie *le Roman de Blaise,* aussitôt remarqué par la critique. Influencé par Proust, il entreprend de soumettre le roman aux lois de l'expression poétique, en conférant à l'image et à la métaphore les fonctions qui incombaient ordinairement au « discours » narratif. Mais l'esthétique de B. n'en est pas moins opposée à celle du « nouveau roman », comme en témoigne par exemple *le Reliquaire,* où le thème de l'adolescence revécue dans la mémoire débouche sur une recréation du passé qui le rend capable, dans la mesure même où il est aboli, de rejoindre les aspirations du cœur. Il apparaît donc que la revalorisation du temps vital s'oppose ici à l'atomisation temporelle caractéristique du « nouveau roman », et il se pourrait que l'œuvre de B. exprime ainsi la réaction d'une nouvelle génération littéraire à l'égard de celle du « nouveau roman ».

Œuvres. *Le Roman de Blaise,* 1962 (N). – *La Narratrice,* 1963 (N). – *Le Reliquaire,* 1964 (N). – *Le Protégé,* 1966 (N). – Avec R. Bacri, *Anastasiana,* 1968. – *L'Enfant nue,* 1971 (N). – *Grand Canal,* 1973 (N). – *Les Meurtrières,* 1974 (N). – *Grand-mère,* 1975 (N). – *Vanessa,* 1977 (N). – *Attention : Campagne !* 1978 (E). – *Le Grand Amour de Jérôme Dieu,* 1980 (N). – *Les Mouettes noires,* 1982 (N).

BURLESQUE [italien *burlesco,* dérivé de *burla :* farce]. Forme de comique qui déclenche le rire – explicite ou implicite – par un parti pris systématique d'inversion parodique de son sujet, procédé qui tend à discréditer soit une manière littéraire, soit une réalité sociale, souvent les deux ensemble. Le burlesque, qui connut un développement particulier au XVIIe s., utilise l'opposition entre deux termes contradictoires souvent confondus. Tantôt – c'est le cas le plus fréquent –, la bassesse du ton est associée à la dignité du personnage ou de l'histoire racontée. On met en scène de grands personnages ou des héros d'épopée auxquels l'on prête le langage de la vie quotidienne, allant même volontiers jusqu'à la vulgarité ; tel est le burlesque, que mirent à la mode les œuvres de Ch. Sorel en attendant Scarron et d'Assoucy, ce dernier surnommé en son temps « l'Empereur du burlesque ». Tantôt, à l'inverse, on prêtera à des personnages de peu le langage des héros ; ainsi naît le genre « héroï-comique », dont l'exemple le plus célèbre est *le Lutrin* de Boileau. Historiquement, par son association parodique du réalisme et du romanesque ou de l'héroïsme, le burlesque apparaît au XVIIe s. comme une réaction antimondaine et antiprécieuse.

BUSSY-RABUTIN, Roger de Rabutin, comte de Bussy, dit. Épiry 13.4.1618 – Autun 9.4.1693. Destiné, par sa bravoure et son intelligence, aux plus hautes responsabilités, il dut à quelques scandales et à son *Histoire amoureuse des Gaules,* œuvre satirique publiée à son insu, un séjour d'un an à la Bastille et vingt-sept années d'exil. Il n'en fut ni révolté ni incité à redoubler d'impertinence, mais, heureusement, tenta par la littérature de se justifier et de se désennuyer. Ses *Mémoires* et sa *Correspondance* révèlent, comme l'*Histoire amoureuse,* un esprit brillant et pénétrant, habile à tracer des portraits pleins de mordant ou à prononcer des jugements littéraires fins et personnels. Comme Mme de Sévigné, sa cousine, il y emploie un style nerveux et alerte, où se reconnaît l'artiste. Acad. fr. 1665.

Œuvres. *Histoire amoureuse des Gaules,* 1665 (N). – *Mémoires,* posth., 1696. – *Correspondance,* posth., 1697.

Histoire amoureuse des Gaules

Inspiré, au moins en partie, du *Satiricon* de Pétrone, ce « roman satirique » retrace quelques-uns des aspects scandaleux de la vie sociale et privée de l'époque. Les grandes familles ne sont pas épargnées, au contraire, et l'auteur n'hésite pas à égratigner au passage même sa cousine Sévigné. Le plus piquant sans doute (ou le plus choquant) est que l'auteur ne se ménage pas, dans la mesure où il est lui-même acteur dans cette société dont il observe les vices avec quelque malignité, mais souvent aussi avec esprit, quoiqu'il arrive que le ton qu'il emploie puisse paraître déplacé.

BUTOR Michel. Mons-en-Barœul 14.9.1926. Issu d'une famille bourgeoise éclairée, où l'on cultivait les arts d'agrément, la peinture et la musique, B. fit ses études secondaires au lycée Louis-le-Grand. La guerre intervenant, il lit beaucoup, Kafka, Proust, Joyce, pour compenser l'enseignement de professeurs qu'il ne juge pas à la hauteur de leur tâche. A la fin de la guerre, il prépare une licence de lettres classiques mais obtient finalement une licence de philosophie. Il écrit déjà beaucoup – des poèmes, en particulier, qui ont été perdus. En janvier 1950, il est nommé professeur au lycée de Sens, échoue à l'agrégation qu'il préparait. En désespoir de cause, il accepte un poste de professeur de français en Égypte. Ce dépaysement est salutaire : il commence *Passage de Milan,* qui n'aura qu'un succès d'estime. *L'Emploi du temps* est davantage remarqué par la critique et lui vaut le prix Fénéon. En 1957, il obtient le prix Théophraste-Renaudot pour *la Modification.* C'est la célébrité : il est catalogué comme un des chefs de file de ce que l'on appelle le « nouveau roman ». Dans la mesure où les romans de B., comme ceux de N. Sarraute et d'A. Robbe-Grillet, veulent faire éclater les structures inhérentes au roman traditionnel, B. est bien un romancier de cette nouvelle école. Mais sa démarche n'en reste pas moins tout à fait personnelle et originale. Il se propose non pas d'enregistrer la réalité objective, comme le fait Robbe-Grillet, par exemple ; ou bien encore de rechercher les « sous-conversations », à la manière de N. Sarraute. Il tente de déchiffrer la réalité en proposant un sens caché, disposé mathématiquement, que le lecteur est chargé de reconstituer.

C'est ainsi que *Passage de Milan* rapporte la vie d'un immeuble de 6 heures du soir au petit matin. Le récit est apparemment simple et suit même la chronologie. Il n'y a aucun procédé compliqué de langage. Mais, contrairement au roman traditionnel, il n'y a point d'intrigue qui se noue et dans une conclusion se dénoue : les différentes parties du livre se présentent sur un même plan. Au travers de ces descriptions minutieuses s'inscrit une énigme qu'il s'agit de décrypter, énigme dont l'image donnée par l'auteur est un microcosme significatif. L'effet produit n'est pas celui du hasard, une impression hâtive donnée par intuition, par « inspiration », mais le résultat d'une construction savamment élaborée, voulue par l'auteur. Chaque étage de l'immeuble, par exemple, chaque pièce des appartements, est une partie d'un échiquier sur lequel B. déplace ses personnages porteurs de signes. *L'Emploi du temps* relève de la même perspective. La narration est apparemment réaliste : un employé de banque va faire un stage dans la ville anglaise de Bleston. En fait, la description des itinéraires effectués à l'intérieur de la ville, les relations interindividuelles qui se créent dans ce réseau inextricable importent plus que les péripéties vécues par le « héros ». B., à propos des romans de Jules Verne, a donné lui-même une définition du roman : « Un roman est (...) comme certains tableaux du XVe s., une composition complexe dont on n'a jamais fini de déchiffrer l'architecture cachée que le peintre a parfois résolue, parfois simplement posée. » *Degrés* marque une étape importante dans l'œuvre de B. De plus en plus, une place primordiale est accordée au « génie des lieux ». Le roman est construit « dans la passion de l'angle droit ». La situation se déroule dans une classe de seconde d'un lycée parisien. L'inventaire de l'espace est minutieusement effectué, les personnages n'existent que par lui, mais ils existent. Depuis *Degrés,* l'univers spatial de B. se complique, comme dans *Mobile,* qui inaugure une disposition typographique remarquable, établie de manière que le texte puisse être lu à des niveaux différents. *6 810 000 litres d'eau par seconde* décrit les chutes du Niagara du mois d'avril au mois de mars de l'année suivante, aux diverses heures de la journée. La lecture des textes de B. est certes difficile et exige un effort constant, mais c'est qu'ils relèvent d'une esthétique qui implique une véritable collaboration créatrice du lecteur ; B. invite ce dernier à participer avec lui à la mise en équation du monde, équation à résoudre selon une mathématique rigoureuse dont il faut découvrir les clés. *La Modification,* forme réorganisée du monologue intérieur, était le point de départ de cette évolution, complexe mais cohérente, d'un art parfaitement concerté ; cohérence centrée sur la recherche d'une *validité* de l'écriture : alors que, pour la théorie du « nouveau roman », celle-ci ne peut se référer qu'à elle-même, l'œuvre de B. apparaît, au contraire, comme un instrument d'investigation et comme un moyen de fonder des relations nouvelles, mais efficaces, entre des éléments que le « nouveau roman » maintient en état de dissociation. Dès lors, le roman peut donner naissance à un organisme dont l'auteur entreprend simultanément la construction et la description. Ainsi, avec B., le « nouveau roman » se dépasse lui-même et débouche sur une recherche de type à la fois proustien et joycien, dont l'aspect technique – algébrique et architectural – souligne la portée. Quant à la partie critique, fort importante, de l'œuvre de B., où il soumet à cette même technique d'exploration des auteurs comme Montaigne, Rousseau, Joyce, R. Roussel, elle confirme que c'est peut-être là la recherche d'un nouvel humanisme situé au-delà d'une expérience de la vanité et capable alors de fonder une littérature exorcisant le risque de « la mort de l'homme », lequel est, pour B., essentiellement, « un animal qui écrit ». L'écriture devient alors une technique expérimentale ayant pour objet de découvrir, dans le fonctionnement même de la création d'une œuvre, une *preuve* de l'existence de l'humain dans l'*épreuve* inlassablement poursuivie des capacités de « l'homme-écrivant » ; ainsi s'explique aussi la conjonction, dans l'œuvre de B., de l'activité « créatrice » et de l'artiste « critique ». Ce souci proprement *probatoire* de preuve par l'épreuve, caractère, à beaucoup d'égards, le plus original et le plus fécond de cette œuvre, est la source d'une esthétique et d'une technique littéraires comparables, selon B. lui-même (*Répertoire*), à celles de « certains tableaux du XVe siècle » qui contiennent « une composition complexe dont on n'a jamais fini de déchiffrer l'architecture cachée que le peintre a parfois résolue, parfois simplement posée ».

Ce « on n'a jamais fini... » est bien la maxime fondamentale de l'écrivain – celle qui va l'entraîner très au-delà du « roman » – ; c'est aussi, ce doit être, la maxime fondamentale de la réception et de la lecture de cette œuvre : si, pour l'écrivain, l'énigme humaine est à repérer et à traduire à travers un jeu de plus en plus complexe de rapports et de relations, pour le lecteur, l'énigme de l'œuvre est à décrypter selon le même jeu algébrique, en suivant les pistes ouvertes par l'écrivain sur un infini de possibles qui ne pourra jamais être totalement épuisé.

À partir de 1970 environ – *Travaux d'approche,* exercice exemplaire de « poétique » appliquée, est de 1972 –, B. s'engage dans la voie d'une esthétique du *foisonnement,* mais d'un foisonnement qui est tout le contraire de la dispersion, un foisonnement de *convergences,* dont la meilleure analogie est le foisonnement musical : ce n'est pas un hasard si, dans ces mêmes années 70, B. entreprend de

« dialoguer » avec Beethoven, plus précisément « avec trente-trois variations de Ludwig van Beethoven... » Aussi renonce-t-il désormais au « roman » qui, même métamorphosé et éclaté, reste encore trop limité dans sa capacité de multiplication des registres, des contrepoints, des polyphonies. Avec *Illustrations, Matière de rêves, Boomerang,* se poursuit, pour ne plus consentir à s'arrêter dans son expansion, cette construction d'un espace littéraire où puisse se déployer une polyphonie foisonnante qui fait désormais du langage humain un inépuisable producteur d'imaginaire concret. On se tromperait sans doute si, dupe de certaines apparences, on voyait en B. un simple fabricateur de combinatoires opérées, dans une perspective formaliste, à partir de la matière abondamment démultipliée du langage : à travers le foisonnement formel et les entrecroisements de ses structures opératoires, B. reste fidèle – telle est l'unité profonde d'une œuvre perpétuellement évolutive – à un propos dont la constance ne peut manquer de frapper le lecteur qui consent à le suivre sur les pistes qu'il ne se lasse jamais d'ouvrir et de multiplier : explorer, par la pénétration, systématiquement organisée, de la totalité, elle-même foisonnante, du monde moderne, toutes les possibilités d'apparition d'une humanité non seulement restaurée mais, comme dit le poète René Char, « re-qualifiée » dans une perpétuelle rénovation et réinvention de son langage.

Œuvres. *Passage de Milan,* 1954 (N). – *L'Emploi du temps,* 1956 (N). – *La Modification,* 1957 (N). – *Le Génie du lieu,* 1958 (N). – *Degrés,* 1960 (N). – *Répertoire I,* 1960 (E). – *Histoire extraordinaire,* 1961 (E). – *Votre Faust* (opéra, en coll. avec H. Pousseur), 1962. – *Mobile,* 1962 (N). – *Cycle,* 1962 (N). – *Réseau aérien,* 1963 (N). – *Description de San Marco,* 1964 (N). – *Répertoire II,* 1964 (E). – *Illustrations,* 1964 (E). – *Essais sur les modernes,* 1964 (E). – *6 810 000 litres d'eau par seconde,* 1965 (N). – *Portrait de l'artiste en jeune singe,* 1967 (N). – *Entretiens avec Georges Charbonnier,* 1967. – *Essai sur « les Essais »,* 1968 (E). – *Répertoire III,* 1968 (E). – *Illustrations II,* 1969 (E). – *Essais sur le roman,* 1970 (E). – *Les Mots sur la peinture,* 1970 (E). – *La Rose des Vents, 32 rhumbs pour Charles Fourier,* 1970. – *Où (Le Génie du lieu II),* 1971 (N). – *Dialogue avec trente-trois variations de Ludwig van Beethoven sur une valse de Diabelli,* 1971 (E). – Avec D. Hollier, *Rabelais ou C'était pour rire,* 1972 (E). – *Travaux d'approche,* 1972 (P). – *Intervalle,* 1973 (E). – *Illustrations III,* 1973 (E). – *Carte commentée,* 1974 (E). – *Répertoire IV,* 1974 (E). – *Matière de rêves,* 1975 (E). – *Illustrations IV,* 1976 (E). – *Matière de rêves II (Second sous-sol),* 1976 (N). – *Matières de rêves III (Troisième dessous),* 1977 (N). – *Boomerang (Le Génie du lieu III),* 1978 (N). – *Vanité,* 1980 (E). – *Envois,* 1980 (P). – *Matière de rêves IV (Quadruple fond),* 1981 (N). – *Brassée d'avril,* 1982 (P). – *Répertoire V,* 1982 (E). – *Naufragés de l'arche,* 1982 (E). – *Exprès,* 1983 (P). – *Vieira da Silva, peintures,* 1983 (E). – *Herbier lunaire,* 1984 (P). – *Avant goût,* 1984 (P). – *Improvisations sur Flaubert,* 1984 (E). – Avec M. Sicard, *Alechinsky dans le texte,* 1984 (E). – *Résistances* (conversations de Michel Butor et Michel Laumay). – Avec Jiri Kolar, *Fenêtres sur le passage intérieur* (N). – Avec A. Cassel, *le Scribe,* 1985 (P). – *Traitement de textes,* 1985 (E). – *Chantier,* 1985 (P). – *La Famille Grabouillage* (pour enfants), 1985 (N). – *Quatre versions de Saga,* 1985 (N).

La Modification

Écrit, pour l'essentiel, à la deuxième personne du pluriel (pluriel « de politesse »), le récit a pour fonction d'impliquer le lecteur dans la « modification » intérieure du personnage au cours de son trajet ferroviaire entre Paris et Rome, la durée de cette modification coïncidant exactement avec la durée du trajet, les deux villes étant les deux termes de cette « modification » et les symboles des deux êtres entre lesquels le personnage-lecteur est partagé, puisqu'à la première est liée l'épouse, Henriette, et à la seconde la maîtresse, Cécile. La durée du trajet entraîne une extension de l'espace intérieur et de la distance entre les deux villes et les deux femmes ; le personnage rêve, évoque ses souvenirs, envisage les situations possibles : la maîtresse transférée à Paris ne perdra-t-elle pas son charme et son pouvoir, ne cessera-t-elle pas même d'exister en tant que telle ? La décision initiale de faire venir Cécile à Paris devient de plus en plus incertaine, et tend à s'annuler avec l'arrêt du train à Rome, dont la gare se nomme *Stazione Termini.*

C

CABANIS. 1757 – 1808. (Voir IDÉOLOGUES.)

CABANIS José. Toulouse 24.3.1922. Son père est notaire et appartient à une lignée de notables toulousains. C. poursuit simultanément des études de philosophie et de droit et, en 1945, s'inscrit au barreau. Il le quittera dix ans plus tard pour exercer les fonctions d'expert près les tribunaux. Il avait, dès son adolescence, projeté de se faire écrivain, et même, sous l'influence de Proust, de composer une grande somme romanesque, où le thème du Temps occuperait une place centrale. Au cours de ses années de maturation, C. devait voir surgir en lui un autre thème, celui de l'ambiguïté de la condition humaine, prise entre les désirs et passions de ce monde (en particulier ceux et celles du corps) et l'aspiration à un autre monde, qui, pour C., héritier d'une tradition mystique teintée à la fois de catharisme et de jansénisme, ne peut qu'être centrée sur un Dieu incompatible avec ce monde. Le tragique est donc dans cet affrontement de tous les instants entre une liberté humaine qui se donne pour objectif le plaisir (celui de la nature, celui des corps) et une tyrannie divine qui exige l'arrachement au monde ; affrontement qui se traduit par le doute, le remords, l'inquiétude au cœur même du plaisir. Quant au Temps, il apparaît alors comme le milieu d'accomplissement du plaisir et de sa mise en question par l'inquiétude et la perspective de la mort. Un premier cycle romanesque, *l'Âge ingrat* (écrit entre 1952 et 1956 ; éd. définitive, 1968), qui comprend : *l'Âge ingrat, l'Auberge fameuse, Juliette Bonviolle, le Fils* et *les Mariages de raison,* met en scène un personnage, Gilbert Samalagnou, successivement accompagné d'un certain nombre de femmes (dont il épousera la cinquième), à la poursuite, de l'adolescence à la maturité, d'une éducation sentimentale encore incertaine. Mieux organisé et plus vigoureux est le second cycle, qui commence avec *le Bonheur du jour* (prix des Critiques), continue avec *les Cartes du temps* et *les Jeux de la nuit,* culmine dans *la Bataille de Toulouse* (prix Théophraste-Renaudot) et s'achève avec *Des jardins en Espagne.* L'expérience autobiographique y est transposée en une chronique du temps perdu, où les êtres – les femmes, en particulier – et les événements, devenus souvenirs, ressuscités en tant que tels dans un présent tout intérieur, sont comme les matériaux du « jeu de la vie » ; double jeu, d'ailleurs, puisque ce Temps, qui en est le « meneur », ne cesse à la fois de construire et de détruire l'homme aussi bien dans son présent que dans son passé. Œuvre où, sur la structure linéaire d'une narration parfaitement classique, se greffe en contrepoint une méditation oscillant entre espoir et désespoir, et débouchant sur le thème progressivement dominant de la solitude. Grand prix de Littérature de l'Acad. fr. 1976.

Œuvres. *L'Âge ingrat,* 1952 (N). – *L'Auberge fameuse,* 1953 (N). – *Juliette Bonviolle,* 1954 (N). – *Le Fils,* 1955 (N). – *Les Mariages de raison,* 1956 (N). – *Le Bonheur du jour,* 1960 (N). – *Les Cartes du temps,* 1962 (N). – *Les Jeux de la nuit,* 1964 (N). – *Plaisir et Lectures I,* 1964 (E). – *Jouhandeau,* 1964 (E). – *La Bataille de Toulouse,* 1966 (N). – *Plaisir et Lectures II,* 1968 (E). – *Des jardins en Espagne,* 1969 (N). – *Le Sacre de Napoléon, 2 décembre 1804,* 1970 (E). – *Charles X, roi ultra,* 1972 (E). – *Préface aux œuvres complètes de Julien Green,* 1972. – *Saint-Simon l'Admirable,* 1975 (E). – *Les Profondes Années : journal 1939-1945,* 1976. – *Saint-Simon : Un espion chez le Roi-Soleil* (extraits des *Mémoires* de Saint-Simon présentés par J. Cabanis), 1976. – *Introduction à l'histoire économique et sociale de la France au XIXe siècle et au XXe siècle,* 1977. – *Michelet, le Prêtre et la Femme,* 1978 (E). – *Petit entracte à la guerre,* 1981 (E). – *Lacordaire et quelques autres,* 1982 (E). – *Le Musée espagnol de Louis-Philippe. Goya,* 1985 (E).

CABARET [néerlandais ancien, *cabret* = chambre]. Petit établissement où ont lieu des spectacles dont les programmes sont surtout composés de chansons, de sketches, et pendant lesquels il est possible de consommer des boissons. À l'origine, le cabaret était la boutique où le vin se vendait au détail. Au Moyen Âge, on s'y réunissait pour y vider quelques demi-setiers. Le vin entraînant le spectacle, il n'est pas étonnant que dans ces lieux, plus ou moins bien fréquentés, se soient développés des cabarets « artistiques » où, tout en buvant, il fût possible d'assister à un spectacle agréable, divertissant, joyeux, ne demandant pas une attention trop soutenue. Le premier en date de ces établissements fut *le Chat-Noir* (1881), qui eut pour principal animateur Aristide Bruant. Les cabarets se développèrent plus particulièrement entre les deux guerres à Paris, à Montmartre. De nos jours, le spectacle, spontané au départ, donc susceptible de créer quelque chose de « nouveau », s'est de plus en plus organisé et a pris le pas sur l'action de boire. On peut en rapprocher le café-théâtre (apparu vers 1965), où, dans les mêmes conditions – consommation de boissons et parfois repas complets –, sont exclusivement représentées des pièces de théâtre (généralement en un acte), des saynètes, avec un nombre limité de personnages et une action réduite.

CABINET DE LECTURE. Établissement de caractère privé, où l'on pouvait lire journaux, revues, livres, moyennant une modique contribution ; les cabinets de lecture avaient leurs habitués et fonctionnaient aussi selon le système de l'abonnement. Ils se sont rapidement développés dans la première moitié du XIXe s., à Paris et dans les grandes villes, développement qui traduit le progrès culturel global de la société française du temps. Certains d'entre eux pratiquèrent bientôt le système du prêt à domicile, qui se développa surtout dans la seconde moitié du siècle ; ce furent souvent les libraires qui utilisèrent cette forme plus souple de fonctionnement, où ils voyaient une incitation à l'achat des livres. C'est d'ailleurs sous cette dernière forme que le cabinet de lecture, ainsi modifié, a survécu jusqu'à la veille de la Seconde Guerre mondiale, particulièrement en province. Toutefois, il a progressivement disparu au fur et à mesure que se développaient les bibliothèques publiques, surtout municipales, et les éditions dites « au format de poche ».

CADOU René-Guy. Sainte-Reine-de-Bretagne (Loire-Atlantique) 15.2.1920 – Louisfert (Loire-Atlantique) 21.3.1951. Il appartient au groupe de poètes dit « les Amis de Rochefort ». A dix-sept ans, il fit paraître son premier recueil, *Brancardiers de l'aube,* à propos duquel Max Jacob lui écrivit : « Soyez humain si vous voulez être original, car personne ne l'est plus. » C. laisse libre cours à sa veine lyrique, tout aussi attaché à la terre de sa Brière natale qu'à la réalité des thèmes éternels : l'amour, l'amitié. Une mort prématurée ne lui permit pas d'affermir une sensibilité poétique de premier ordre. Depuis sa disparition, ses amis se chargent de publier son œuvre.

Œuvres. *Brancardiers de l'aube,* 1937 (P). – *Forges du vent,* 1938 (P). – *Retour de flamme,* 1940 (P). – *Morte-saison,* 1941 (P). – *Bruits du cœur,* 1942 (P). – *Lilas du soir,* 1942 (P). – *La Vie rêvée,* 1944 (P). – *Pleine Poitrine,* 1946 (P). – *Les Biens de ce monde,* 1951 (P). – *Hélène ou le Règne végétal,* posth., 1952 (P). – *Le Cœur définitif,* posth. (P). – *Florilège René-Guy Cadou,* posth., 1957 (P). – *Les Amis d'enfance,* posth., 1965 (P). – *Œuvres poétiques complètes,* posth., 1973 (P). – *Le Miroir d'Orphée,* posth., 1976 (P). – Rééd. : *Poésies de la vie entière. Œuvres poétiques complètes,* préface de M. Manoll, 1978 (P). – *Le Testament d'Apollinaire,* posth., 1980 (E).

CAFÉS LITTÉRAIRES. Le café, lieu public destiné, à l'origine (1701), à la consommation du café, en vint rapidement à remplir la même fonction que certains cabarets du XVIIe s. : lieu de rencontre où des gens de lettres se réunissaient autour d'une table pour converser et où ils pouvaient aussi entrer en contact avec des types humains aussi divers qu'originaux : tel fut le cas, au XVIIIe s., du *Procope* ou de *la Régence* ; ce dernier café est resté célèbre pour être le cadre du *Neveu de Rameau* de Diderot. Après qu'à l'époque romantique les cafés eurent été supplantés par les cénacles (réunions qui se tenaient dans le salon de telle ou telle personnalité littéraire – Nodier ou Hugo, par exemple), ils connurent un renouveau à l'époque symboliste, le plus célèbre d'entre eux étant alors *la Closerie des lilas,* où régnait le « Prince des poètes », Paul Fort. Au XXe s., les cafés de Montparnasse (*le Dôme,* *la Coupole, la Rotonde*) furent plus des cafés d'artistes que des cafés littéraires, bien qu'ils aient été aussi fréquentés par les surréalistes. Le dernier âge d'or du café littéraire coïncida, dans les années 50, avec l'apparition de l'existentialisme de Saint-Germain-des-Prés, dont les centres furent, autour de Jean-Paul Sartre et Simone de Beauvoir, le café *Aux Deux Magots,* et, à un moindre degré, le *Café de Flore.*

CAFÉ-THÉÂTRE. (Voir CABARET.)

CAILLAVET Gaston Arman de. Paris 13.3.1869 – Essendiéras (Dordogne) 14.1.1915. Il écrivit, en étroite collaboration avec R. de Flers, un grand nombre de comédies spirituelles, sans profondeur – et n'y prétendant d'ailleurs point –, satiriques et légères. Après la mort de C., de Flers travailla avec F. de Croisset. (Voir ce nom.)

Œuvres. *Noblesse oblige,* 1891 (T). – *Les Travaux d'Hercule,* 1901 (T). – *Le Sire de Vergy,* 1903 (T). – *Les Sentiers de la vertu,* 1904 (T). – *Miquette et sa mère,* 1906 (T). – *Pâris ou le Bon Juge,* 1906 (T). – *Le Roi,* 1909 (T). – *Le Bois sacré,* 1911 (T). – *Primerose,* 1911 (T). – *L'Habit vert,* 1913 (T). – *La Belle Aventure,* 1913 (T). – *Monsieur Bretonneau,* 1914 (T).

CAILLOIS Roger. Reims 3.3.1913 – Paris 21.12.1978. Ancien élève de l'École normale supérieure, agrégé de grammaire, C. a d'abord enseigné au lycée de Beauvais. Entre 1932 et 1935, il fait partie du groupe surréaliste ; en 1938, il fonde, avec G. Bataille, le « collège de Sociologie ». En 1941, il décide de rejoindre à Londres le général de Gaulle. A partir de la Libération, il sera fonctionnaire à l'Unesco, et fondera l'Institut français d'études supérieures de Buenos Aires. En 1953, il crée la revue *Diogène.*

Dans le cadre de son œuvre d'anthropologue, C. a d'abord publié *le Mythe et l'homme,* essai qui propose une définition de la nature et de la fonction du mythe permettant de déterminer les constantes de la vie imaginative et leur utilisation dans la vie sociale. Prolongeant les recherches de l'école française de sociologie, notamment de M. Mauss et de G. Dumézil, C. fait paraître en 1939 *l'Homme et le sacré,* étude consacrée à « la théorie de la fête et du sacré de transgression ».

L'intérêt qu'il porte au monde onirique a inspiré à C. de nombreux essais, parmi lesquels *l'Incertitude qui vient des rêves, Puissances du rêve.* Dans ces ouvrages, il tente d'élucider les problèmes de la signification des rêves, « leurs rapports avec le monde de la veille ou, si l'on veut, quel degré de réalité il convenait de leur attribuer ». Évoquant les images mystérieuses, C. détermine leur influence sur la création littéraire et le comportement social des individus et des groupes.

Les domaines de l'imaginaire et du fantastique ont également suscité une attention passionnée de la part de C. Avec *Au cœur du fantastique,* il explore le monde de la métamorphose dans les arts plastiques, établissant ainsi une recherche méthodique du « détail mystérieux ou terrifiant dans un domaine où sa présence inacceptable est menaçante de ce fait ». Dans *Images, images...,* le fantastique étudié est celui du « contes de fées jusqu'à la récente science-fiction ». Enfin, dans *Obliques,* C. présente les variétés du fantastique naturel et du merveilleux.

Quant à l'œuvre poétique de C., elle s'établit selon la logique du « fantastique » dans les rêveries minéralogiques de *Pierres,* où il « parle de pierres qui ont toujours couché dehors ou qui dorment dans leur gîte et la nuit des filons ». Cette description des métamorphoses de paysages au cœur du minéral prend la forme d'une rêverie d'immortalité qui se retrouve dans *Pierres réfléchies,* où il s'agit de « considérer chaque pierre comme un monde », jusqu'à ressentir « une sorte d'ébriété mentale ». L'expression de C. atteint ici au royaume privilégié où tous les éléments se conjoignent, dans l'entendement cristallin de leur origine, à l'imagination créatrice du poète. Seule forme de contemplation mesurable que celle de l'écrit, où « les pierres à figures sont fourrières de rêve ». Acad. fr. 1971.

Œuvres. *Procès intellectuel de l'art,* 1935 (E). – *Le Mythe et l'homme,* 1938 (E). – *L'Homme et le sacré,* 1939 (E). – *Le Rocher de Sisyphe,* 1942 (E). – *Puissance du roman,* 1941 (E). – *Les Impostures de la poésie,* 1945, repris dans *Approches de la poésie,* 1978 (E). – *Vocabulaire esthétique,* 1946, rééd. 1978 (E). – *Babel,* 1948, rééd. 1978 (E). – *Description du marxisme,* 1951 (E). – *Quatre Essais de sociologie contemporaine,* 1952 (E). – *Poétique de Saint-John Perse,* 1954, rééd. 1972 (E). – *L'Incertitude qui vient des rêves,* 1956 (E). – *Art poétique,* 1958, repris dans *Approches de la poésie,* 1978 (E). – *Images, images...,* 1958, rééd. 1975 (avec *Obliques*) [E]. – *Les Jeux et les hommes,* 1958 (E). – *Trésor de la poésie universelle,* anthol., 1958. – *Méduse et Cie*, 1960 (E). – *Ponce-Pilate,* 1961 (N). – *Esthétique généralisée,* 1962, rééd. 1977 (E). – *Puissances du rêve,* 1962 (E). – *Au cœur du fantastique,* 1965, rééd. 1977 (E). – *Pierres,* 1966 (P). – *L'Écriture* *des pierres,* 1970 (P). – *Cases d'un échiquier,* 1970 (P). – *La Dissymétrie,* 1973 (E). – *La Pieuvre, essai sur la logique de l'imaginaire,* 1973 (E). – *Approches de l'imaginaire,* 1974 (E). – *Obliques,* 1975 (E). – *Pierres réfléchies,* 1975 (P). – *Petit guide du XVe arrondissement à l'usage des fantômes,* 1977. – *Approches de la poésie,* 1978 (E). – *Rencontres,* 1978 (E). – *Le Fleuve Alphée,* 1978 (E). – *Le Champ des signes,* 1978 (E).

CALVIN, Jean Cauvin, dit. Noyon 10.7.1509 – Genève 27.5.1564. Dès son enfance, C. est destiné par son père, homme d'affaires du clergé, à la carrière ecclésiastique. Il obtient des bénéfices qui lui permettent de mener à bien des études très complètes. Il se rend à Paris, successivement aux collèges de la Marche et de Montaigu (1523), où il acquiert une solide connaissance de l'Antiquité. Après quatre années passées dans le sévère collège de Montaigu, C. se tourne, à l'instigation de son père, vers le droit, qu'il étudie à Orléans et à Bourges. C'est là qu'il fait la connaissance, déterminante, de Melchior Wolmar, luthérien allemand. À la mort de son père (1531), C. abandonne définitivement le droit et se tourne vers la théologie ; il cherche à résoudre le problème que lui pose sa double appartenance à l'humanisme et à la foi traditionnelle, tout en commençant à douter de la validité de son expression dans le cadre de l'Église catholique. Et, en 1533, C. manifeste, une fois pour toutes, son adhésion à la Réforme ; le recteur de l'université de Paris, Nicholas Cop, fils d'un disciple d'Érasme, prononce un discours qui fait scandale : il contient une proclamation en faveur de l'évangélisme. Or ce discours a été rédigé par C. lui-même. Le parlement ordonne l'arrestation de Cop et de C. : ce dernier se réfugie à Angoulême, puis à Nérac, auprès de Marguerite de Navarre, enfin à Bâle. Il met alors au clair ses idées, pour pouvoir répondre aux accusations portées contre les évangélistes, dont il fait désormais partie. A la suite de l'affaire des Placards (nuit du 17 octobre 1534), qui rend de plus en plus précaire la situation des réformés, il se trouve dans l'obligation de quitter la France, non sans avoir publié le fruit de ses réflexions dans l'*Institution de la religion chrétienne.* Il se réfugie à Genève et, à l'instigation de Guillaume Farel, chef des réformés de Genève, il se fixe dans cette ville, où il se met à l'œuvre pour organiser administrativement ce qui allait être la Nouvelle Église. Mais, pour résoudre des divergences doctrinales, il rédige une confession de foi, exigeant que celle-ci soit signée par tous les habitants de Genève. Deux clans s'opposent. C. est vaincu et, à la suite de cette controverse, il trouve refuge à Strasbourg. Martin Bucer lui demande alors de prendre la direction des réformés de Strasbourg, charge qu'il accepte. De 1537 à 1541, il accomplit un travail théorique important : *Commentaire sur l'Épître aux Romains, Réponse au cardinal Sadolet, Loci communes.* Il établit des *Ordonnances* et rédige un *Catéchisme* et un *Petit Traité de la Sainte-Cène.* Pendant ce temps, à Genève, l'opinion tourne en sa faveur, et il revient dans sa ville de prédilection. Dès lors, C. se consacre à la consolidation de son autorité (condamnation et exécution du chef des opposants, Michel Servet, 1553) ; en 1559, il fonde l'Académie protestante de Genève pour assurer la permanence de son œuvre par la formation supérieure des pasteurs.

Écrit en latin, son ouvrage fondamental est l'*Institution de la religion chrétienne,* qui parut à Bâle en 1536. Chaque nouvelle édition (1539, 1559) sera l'objet d'une révision qui permettra à C. de préciser sa pensée : ces éditions successives témoignent de son souci de donner au public une œuvre parfaite, tant sur le plan des idées que sur celui de la forme. En 1541, C. écrit lui-même une traduction en français de son texte latin : pour la première fois, un ouvrage théologique est publié en langue vulgaire ; pour la première fois aussi, un théologien prétend convaincre son lecteur moins en faisant appel aux sentiments qu'en s'adressant à la raison. Pour parvenir à ce but, C. s'est appliqué à s'exprimer dans un langage clair, tout en essayant d'organiser sa pensée de la façon la plus logique possible. Sur un plan strictement littéraire et philosophique, il annonce à la fois le mouvement pour la promotion de la langue française et la révolution cartésienne.

Œuvres. *Commentaire du « De clementia » de Sénèque,* 1532. – *Confessio de Trinitate et Eucharistica,* 1536. – *Institutio religionis christianae,* 1536, 1539. – *Instruction et Confession de foy dont on use en l'Église de Genève,* 1537. – *Commentaire de l'Épître de Paul aux Romains,* 1539. – *Épître au cardinal Sadolet,* 1540. – *Petit Traité de la Sainte-Cène,* 1541. – *Institution de la religion chrétienne* (en fr.), 1541. – *Catéchisme de l'Église de Genève* (en fr. et en lat.), 1542. – *Defensio doctrinae de servitute arbitrii,* 1542. – *De psychopannychia,* 1542. – *Forme des prières et chants ecclésiastiques,* 1542. – *Traité des reliques,* 1543. – *Petit Traité montrant que doit faire un homme fidèle entre les papistes,* 1543. – *Institution de la religion chrétienne* (nouv. éd. en lat.), 1543-1550 ;

(nouv. éd. en fr.), 1545-1551. – *Excuse à Messieurs les Nicodémites,* 1544. – *Contre la secte phantastique des libertins,* 1545. – *Préface de la « Somme » de Melanchthon,* 1546. – *Préface à la « Bible de Genève »,* 1546. – *Traité des scandales,* 1550. – *De la prédestination éternelle,* 1552. – *Défense de la foi orthodoxe contre les erreurs de Michel Servet,* 1553. – *Déclaration pour maintenir la vraie foy de la Trinité,* 1554. – *Defensio sanae et orthodoxae doctrinae de sacramentis,* 1555. – *Secunda defensio piae et orthodoxae doctrinae de sacramentis fidei contra Westphali calumnias,* 1556. – *Ultima Admonitio ad Westphalum,* 1557. – *Confessions de la Rochelle,* 1559. – *Institution de la religion chrétienne* (texte définitif en fr.), 1559 ; (texte définitif en lat.), 1560. – *Congrégation sur la divinité de Jésus-Christ,* 1560. – *Réponse aux frères de Pologne,* 1560. – *L'Impiété de Valentin Gentil apertement découverte et décriée,* 1561. – *Leçons sur les Prophètes,* sermons publiés entre 1561 et 1564. – *Correspondance,* posth., 1863 ; 1900, dans *Joannis Calvini opera quae supersunt omnia.*

Institution de la religion chrétienne Au terme de sa mise au point, à travers ses différentes versions, le texte définitif est organisé selon une structure ternaire d'une rigueur qui n'a d'égale que sa clarté, rigueur et clarté qui se communiquent du plan au style. Cette organisation est de forme thématique, car le livre est construit sur l'enchaînement logique de trois thèmes dominants : I. *La foi,* définie par la seule connaissance personnelle du texte de l'Écriture ; II. La définition de l'*homme* par sa corruption « en toutes les parties de sa nature », consécutive au péché originel ; III. Le salut par la seule *prédestination,* la corruption naturelle de l'homme interdisant de penser qu'il puisse se sauver par ses actes (ses « œuvres ») et imposant de penser au contraire que seule la volonté divine peut procurer le salut par le don gratuit de la foi et de la grâce.

CAMPISTRON Jean Galbert de. Toulouse 1656 – 11.5.1723. Présenté par Racine au duc de Vendôme, il écrivit un livret d'opéra, *Acis et Galatée* (1686), qui lui valut le succès et une position sociale. On a aussi de lui des comédies, des opéras, des tragédies surtout, dont les moins oubliées sont *Andronic* et *Tiridate.* Partout, chez lui, domine l'esprit pastoral : l'amour galant, les sentiments conventionnels et le pathétique facile réduisent la tension dramatique, au profit d'un lyrisme inspiré de l'*Astrée.* Acad. fr. 1701.

Œuvres. *Virginie,* 1683 (T). – *Arminius,* 1684 (T). – *L'Amante amant,* 1684 (T). – *Andronic,* 1685 (T). – *Phaarte,* 1686 (T). – *Acis et Galatée,* 1686 (T). – *Alcibiade,* 1686 (T). – *Achille et Polyxène,* 1687 (T). – *Phocion,* 1688 (T). – *Adrien,* 1690 (T). – *Tiridate,* 1691 (T). – *Alcide ou Hercule,* 1693 (T). – *Aélion,* 1693 (T). – *La Mort d'Hercule,* 1693 (T). – *Le Jaloux désabusé,* 1704 (T).

CAMUS Albert. Mondovi (Algérie) 7.11.1913 – Villeblevin (Yonne) 4.1.1960. Ayant perdu son père, ouvrier agricole, à la guerre de 1914, il est élevé pauvrement par sa mère dans un quartier populaire d'Alger. Il poursuit ses études en travaillant dans l'administration, mais la tuberculose l'empêche de passer l'agrégation de philosophie (1937). Devenu journaliste, sa passion précoce pour le théâtre l'amène à fonder la troupe de « l'Équipe », qui joue ses adaptations de Malraux, Eschyle, Dostoïevski. En 1938, *Noces* révèle un C. amoureux de sa terre et la célébrant dans une langue riche, ensoleillée, sensuelle. La guerre accélère en lui l'évolution qui le fera passer d'une morale de l'absurde à ce que l'on a appelé un « humanisme de la révolte » : ajourné pour raison de santé, il s'engage dans la Résistance et, à partir d'août 1944, dirige le journal *Combat* (articles recueillis dans *Actuelles*). En 1942 ont été publiés *le Mythe de Sisyphe,* « essai sur l'absurde », et *l'Étranger* (écrit en 1940) ; en 1944 paraissent les deux pièces *Caligula* (terminé en 1938) et *le Malentendu.* L'évolution de C. se dessine à partir de *la Peste,* avec de nouvelles illustrations théâtrales *(l'État de siège, les Justes)* et prend forme théorique dans *l'Homme révolté.* C. adapte pour la scène Calderón *(la Dévotion à la Croix),* Faulkner (*Requiem pour une nonne*), Dostoïevski (*les Possédés*) ; il tente d'intervenir en faveur d'une trêve en Algérie (1956) et, avec Koestler, publie *Réflexions sur la peine capitale.* Un nouveau C. se dessinait peut-être derrière la verve amère de *la Chute,* mais sa mort prématurée dans un accident d'automobile a fait de ce récit sa dernière œuvre importante, avec les nouvelles de *l'Exil et le Royaume.* La rupture de C. avec Sartre (1952) consacra une différence que tendait à nier l'engouement qui les associa un temps dans la faveur du public intellectuel : C. n'est pas un « existentialiste » et a autant d'amour pour la vie que Sartre d'horreur. Cependant, la courbe de son œuvre passe, comme celle de Sartre, des thèmes de l'amertume et de la solitude à ceux de l'espoir et de la solidarité, pour retomber, avec les premières désillusions de l'après-guerre, dans le désarroi. *Sisyphe,* essai centré sur le suicide, son illustration romanesque *l'Étranger,* qui fait naître le sentiment de l'absurde de l'abêtissement quotidien, *Caligula,* où la démence apparaît comme un détournement de la liberté, montrent un C. hanté par la mort, scandalisé par l'impossibilité du bonheur. *La Peste,* qui ouvre sa période « humaniste », symbolise l'ensemble des fléaux (nazisme compris) contre lesquels il est de la nature de l'homme, s'il s'assume lui-même, de lutter : roman allégorique, un peu fabriqué, mais puissant. *L'État de siège* et *les Justes,* peu à peu appréciés, montrent que le théâtre de C., froidement accueilli de son vivant, peut toucher notre sensibilité moderne. *L'Homme révolté* systématise et clôt à la fois cette période positive ; les thèmes de ce livre, trop touffu pour être parfait, se teinteront d'angoisse, et C., qui, contre la « mauvaise foi » sartrienne, préconisait une sagesse hellénique, se borne bientôt à forger « un art de vivre en temps de catastrophe ». La mort absurde qui fut la sienne est comme une signature dérisoire au bas d'une œuvre qui eut peine à se trouver. Adulé au moment de *la Peste,* critiqué après *l'Homme révolté,* sévèrement jugé lorsqu'il accepta le prix Nobel, C. ne peut manquer d'être reconnu comme l'homme qui a mené à bien une « littérature de l'existence » peut-être plus solide que les philosophies du même nom. En effet, par sa tentative de dépassement du dilemme contenu dans l'absurde, C. entreprend d'opposer un refus décisif au « sens de l'histoire », qui constitue, selon ses propres termes, un « univers du procès ». C'est au nom des valeurs humaines redécouvertes à partir d'une liberté héroïque – celle de Rieux, dans *la Peste* – que se manifeste cette attitude. Par conséquent, la référence, implicite ou explicite, à un stoïcisme moderne entraîne C. à vouloir restaurer en littérature la conscience du tragique. Dès l'époque de *Caligula* et du *Malentendu,* la prescience de cette orientation devait s'affirmer par le choix de formes dramatiques proches de la tragédie : ainsi reconnaît-on, dans une pièce comme *les Justes,* l'élaboration d'une problématique du théâtre ; la question d'une synthèse entre la forme dramatique et le débat moral et métaphysique se trouve traduite d'une façon particulièrement sensible dans cette pièce, sans doute la plus caractéristique et la plus discutée. Toutefois, des récits comme *l'Exil et le Royaume* et, surtout, *la Chute* mettent en scène, au-delà de l'apparence du drame, une conscience ironique de la condition tragique ; cette conscience et une constante volonté d'espérance s'ajustent, dans l'œuvre de C., selon la rigueur avec laquelle il entend les élaborer en une véritable morale, celle de l'homme révolté. Aussi le classicisme de son style fixe-t-il peut-être le reflet esthétique de cette entreprise de rigueur morale et métaphysique. Prix Nobel 1957.

Œuvres. *Révolte dans les Asturies,* 1936 – *L'Envers et l'endroit,* 1937 (E). – *Noces* (quatre essais) : « Noces à Tipasa » ; « le Vent à Djemila » ; « l'Été à Alger » ; « le Désert », 1938 (E). – *Le Mythe de Sisyphe,* 1942 (E). – *L'Étranger,* 1942 (N). – *Lettres à un ami allemand,* 1943-1945 (E). – *Caligula,* 1944 (T). – *Le Malentendu,* 1944 (T). – *La Peste,* 1947 (N). – *Prométhée aux enfers,* 1947. – *L'État de siège,* 1948 (T). – *L'Exil d'Hélène,* 1948 (N). – *Les Justes,* 1949 (T). – *Minotaure ou la Halte d'Oran,* 1950 (N). – *Actuelles I* (chroniques 1944-1948), 1950. – *L'Homme révolté,* 1951 (E). – *Actuelles II* (chroniques 1948-1953), 1953. – *Les Esprits* (adapt. d'après Larivey), 1953 (T). – *La Dévotion à la Croix* (trad. de Calderón), 1953 (T). – *Le Chevalier d'Olmedo* (trad. de Lope de Vega), 1954 (T). – *La Mer au plus près,* 1954. – *L'Été* (essais, 1939-1953), 1954 (E). – *La Femme adultère,* 1954 (N). – *L'Esprit confus,* 1956 (N). – *La Chute,* 1956 (N). – Avec A. Koestler, *Réflexions sur la peine capitale,* 1957 (E). – *Requiem pour une nonne* (adapt. d'après W. Faulkner), 1957 (T). – *L'Exil et le Royaume* (nouv.), 1957 (N). – *Actuelles III* (chroniques algériennes, 1939-1958), 1958. – *Discours de Suède,* 1958. – *Les Possédés* (adapt. d'après Dostoïevski), 1959 (T). Œuvres interrompues par la mort de l'auteur : *Don Juan* (T). – *Le Mythe de Némésis* (E). – *Le Premier Homme* (N). Œuvres posthumes : *Carnets,* 1962-1964. – *La Postérité du soleil* (écrit en 1952) ; postface : *Itinéraire,* par René Char, 1967. – *Pages méditerranéennes,* 1968. – *La Mort heureuse* (écrit en 1937), 1971. – *L'Artiste en prison* (dans : *la Ballade de la geôle de Reading,* O. Wilde), 1973. – *Actuelles* (écrits politiques), 1977. – *Fragments d'un combat, 1938-1940 : Alger républicain ; le Soir républicain* (2 vol.), 1978. – *Journaux de voyage,* 1978. – *Correspondance (1932-1960) Albert Camus-Jean Grenier,* 1982.

L'Étranger

A Alger, Meursault mène une existence vide et monotone : il a un travail, il va à la plage, il vit avec sa mère. Mais voici que sa mère meurt, et cette mort le laisse indifférent ; il suit l'enterrement : tout le monde remarque – et c'est déjà une sorte de scandale – qu'il paraît ne rien éprouver, comme s'il était étranger à l'événement. Le hasard lui fait rencontrer Marie – et peut-être l'amour. Il lui fait rencontrer aussi Raymond, qui devient non pas un ami mais un « copain ». On va ensemble pique-niquer sur la plage, un jour de grande chaleur. Une altercation avec des Arabes tourne en bagarre. L'un d'eux a sorti un couteau. Meursault porte un revolver. Écrasé par la chaleur du soleil, dans une sorte d'étrange éblouissement, il tire sur l'Arabe et le tue. Il est arrêté et jugé : la justice accomplit sa tâche et condamne à mort le meurtrier, mais peut-être est-ce plus à cause de son attitude au moment de la mort de sa mère que pour le meurtre lui-même. Meursault est en prison et attend l'exécution, plus étranger que jamais au monde et à son propre sort. Lorsque l'aumônier lui rend visite, pour lui proposer le « secours de la religion », Meursault a comme un sursaut de révolte et refuse Dieu, sursaut de révolte aussi contre sa propre mort et l'absurdité qui marque celle-ci. Puis le calme revient, le condamné s'endort. Il se réveillera lucide et apaisé, capable peut-être, au moment de mourir, d'assumer son étrangeté.

La Peste

Une épidémie de peste a éclaté à Oran, et l'évolution en est retracée à travers le journal d'un médecin, le docteur Rieux, qui s'engage délibérément au cœur de la lutte et des angoisses et tragédies qu'elle provoque : lucide et conscient de l'absurdité du malheur, il n'en choisit pas moins de se dresser contre le fléau. Il n'est d'ailleurs pas le seul à affirmer ce refus, à protester intérieurement contre le malheur injuste – la mort d'un enfant innocent, par exemple. C'est également le cas de Tarrou, qui, dans un grand élan de fraternité, entreprend de devenir « un saint sans Dieu ». En face, le père Paneloux prétend, lui, tirer du drame une signification religieuse et, tout en combattant le fléau, l'accepte comme un châtiment surnaturel. À leurs côtés, mais de façon moins consciente, luttent aussi sans relâche, au nom d'une simple solidarité humaine, Grand, modeste employé, et le journaliste Rambert qui, s'il le voulait, pourrait aisément quitter cet enfer pour rejoindre ailleurs le bonheur. Mais tous ont décidé, chacun à sa manière, de dire non au fléau et d'affirmer par ce « non » leur dignité d'hommes.

Caligula

L'empereur Caligula vient de perdre sa maîtresse Drusilla. Cette mort est pour lui une révélation, celle de l'absurdité de la condition humaine. Face à cette révélation, il décide de vivre cette absurdité jusqu'à ses extrêmes conséquences, ce que lui permet son pouvoir absolu. Il se transforme donc en tyran fou et multiplie les actes délirants de cruauté. Son espoir est que, devant ce déchaînement, les hommes sauront dire non et s'affranchir ainsi de la fatalité tragique qu'il a délibérément décidé d'incarner. De fait, une conjuration se dresse contre l'empereur, qui est assassiné, non sans avoir dû reconnaître que la voie qu'il avait choisie pour contraindre les hommes à s'opposer à leur destin, la voie de la violence et de la cruauté, n'était pas la bonne.

CANTILÈNE DE SAINTE EULALIE, dite encore **SÉQUENCE DE SAINTE EULALIE.** Anonyme, composée vers 881 dans le nord de la France. Il s'agit d'un court chant d'église (vingt-neuf vers), en décasyllabes assonancés, adapté par un moine d'une « séquence » latine. Elle fut composée en l'honneur d'Eulalie, qui préféra subir le martyre plutôt que d'adorer les idoles. Grâce à une succession de miracles, elle parvint pourtant à échapper au supplice : condamnée à être brûlée vive, les flammes s'écartent de son corps ; condamnée à être décapitée, Eulalie s'élève dans le ciel « sous forme de colombe ». Malgré sa brièveté, ce texte témoigne, en particulier dans son rythme, d'une poésie authentique. Il est, de ce fait, le document le plus ancien de la littérature française.

CANZO (canso ou canson). Poème lyrique du Moyen Âge occitan. Il comprend de cinq à sept strophes. La canzo traite exclusivement du thème de l'amour, à tel point que souvent le mot « amor » signifie tout à la fois le sentiment et l'art de le chanter. C'est dans la forme de la canzo que s'est exprimé le grand thème poétique occitan du « fin amor », source de toute la « courtoisie » européenne et inspiration dominante de la poésie des troubadours.

CAPITULAIRES. Ordonnances des rois carolingiens, de Pépin le Bref à Charles le Simple. Les plus célèbres sont les *Capitulaires* publiés par Charlemagne, de 789 à 813, en vue d'administrer la vie religieuse de son royaume. « Praedicare et docere », prêcher et enseigner, tels furent les mots d'ordre des moines qui rédigèrent les *capitulaires*. C'est ainsi qu'ils encouragèrent l'étude de la religion catholique et sa propagation. Ces textes sont d'une importance essentielle en ce qui concerne la vie culturelle à l'époque carolingienne.

CAPUS Vincent Marie Alfred. Aix-en-Provence 25.11.1858 – Neuilly 1.11.1922. Il s'est donné plus de peine pour écrire six romans restés inconnus que pour crayonner les arabesques légères et superficielles de nombreuses comédies qui, elles, connurent le succès. C. se refuse à y voir la « fin de siècle » autrement que sous l'angle de la bonne humeur. Acad. fr. 1914.

Œuvres. *Brignol et sa fille,* 1895 (T). – *La Veine,* 1900 (T). – *La Petite Fonctionnaire,* 1901 (T). – *La Châtelaine,* 1902 (T). – *Les Deux Écoles,* 1902 (T). – Avec E. Arène, *L'Adversaire,* 1903 (T). – *Notre Jeunesse,* 1904 (T). – *Monsieur Piégeois,* 1905 (T). – *L'Attentat,* 1906 (T). – *Les Passagères,* 1906 (T). – *Les Deux Hommes,* 1908 (T). – *L'Oiseau blessé,* 1908 (T). – *L'Aventurier,* 1910 (T). – *Hélène Ardouin,* 1913 (T).

CARCO Francis, François Carcopino-Tusoli, dit. Nouméa 3.7.1886 – Paris 26.5.1958. Il débuta comme poète, dans un style à la fois léger et intimiste, montrant très jeune beaucoup d'aisance. Il forma avec quelques amis le groupe des « fantaisistes », dont le membre le plus éminent fut P.-J. Toulet, et publia seul *la Bohème et mon cœur* (1912), régulièrement augmenté de nouveaux poèmes jusqu'en 1939. Outre la poésie, C. fut un grand cueilleur d'anecdotes et de souvenirs, particulièrement dans Montmartre, où il eut longtemps son domicile. Enfin, et c'est son principal titre de notoriété, C. fut romancier ; la plupart de ses livres mettent en scène souteneurs et femmes des milieux marginaux, mais cette prédilection ne s'accompagne d'aucune vulgarité, C. refusant l'outrance ou la « couleur locale » recherchée pour elle-même, et préférant peindre ce qu'il connaît, les gens qu'il aime et ne juge pas, et dont il sait faire partager la vie hasardeuse et les naïvetés. Acad. Goncourt 1937.

Œuvres. *Instincts,* 1910 (P). – *La Bohème et mon cœur,* 1912 (P.). – *Chansons aigres-douces,* 1912 (P). – *Jésus-la-Caille,* 1914 (N). – *Les Innocents,* 1917 (N). – *Bob et Bobette s'amusent,* 1919 (N). – *Scènes de la vie de Montmartre,* 1919. – *L'Équipe,* 1919 (N). – *Maman Petit-Doigt,* 1920 (N). – *Paname,* 1922 (N). – *L'Homme traqué,* 1922 (N). – *Rien qu'une femme,* 1924 (N). – *Perversité,* 1925 (N). – *Le Roman de François Villon,* 1926. – *Poèmes retrouvés,* 1927 (P). – *De Montmartre au Quartier latin,* 1927 (N). – *La Légende et la Vie d'Utrillo,* 1927. – *Rue Pigalle,* 1928 (N). – *Huit Jours à Séville,* 1929. – *La Rue,* 1930 (N). – *Suite espagnole,* 1931 (N). – *L'Ombre,* 1933 (N). – *Palace Égypte,* 1933 (N). – *Mémoires d'une autre vie,* 1934. – *Souvenirs sur Katherine Mansfield,* 1934. – *La Dernière Chance,* 1935 (N). – *Brumes,* 1936 (N). – *Petite Suite sentimentale,* 1936 (P). – *À l'amitié,* 1937 (P). – *À voix basse,* 1938. – *Montmartre à vingt ans,* 1938. – *Bohème d'artiste,* 1940. – *Nostalgie de Paris,* 1941. – *L'Ami des peintres,* 1944. – *Mortefontaine,* 1946 (P). – *Poèmes en prose,* 1948. – *Verlaine,* 1948. – *Gérard de Nerval,* 1953. – *Goyescas,* 1953. – *Romance de Paris,* 1953 (P).

CARDINAL Marie. Alger 1929. Très marquée par son enfance en Algérie auprès d'une mère rigide et d'un père trop absent, M.C. quitte rapidement sa famille pour enseigner et se marier à l'âge de vingt-trois ans. À son arrivée en France en 1957, elle commence une carrière de journaliste puis d'écrivain. *Écoutez la mer,* titre emprunté à Apollinaire, lui vaut en 1962 le prix international du premier roman. Très vite, elle opte pour une littérature militante qui s'adresse en priorité aux femmes. Toute son œuvre romanesque en effet apparaît comme ajustée aux différentes étapes de sa vie et rend compte de son engagement dans la « cause des femmes ». L'écriture devient alors l'expression privilégiée du témoignage et acquiert valeur universelle. Alors que dans *la Clef sur la porte* elle réfléchit sur la difficulté pour la femme de s'épanouir au sein de la famille, *Une vie pour deux* est le roman du couple et l'analyse d'une relation ambiguë. C'est en 1975, avec *les Mots pour le dire* (320 000 exemplaires vendus), que M.C. devient l'une des romancières les plus lues de France. L'authenticité, la charge émotionnelle qui se dégagent de ces pages où elle retrace étape par étape les sept années d'analyse qui l'ont sauvée de la folie et où à l'introspection réflexive se superpose constamment la quête du passé et des origines ont bouleversé tous ses lecteurs. *Au pays de mes racines,* livre-pèlerinage et journal de voyage, est un hymne à l'Algérie d'avant l'indépendance et témoigne d'une sérénité enfin retrouvée. Enfin, *le Passé empiété* est un curieux dialogue entre un père disparu et sa fille au cours duquel cette dernière s'efface, laissant la parole à ce père extraordinaire, mort alors qu'elle n'avait que dix-sept ans. Pour communiquer son expérience de femme, M.C. choisit toujours les mots les plus simples, des phrases courtes, limpides, volontairement naïves, qui constituent autant de « pages parlées » redoutablement efficaces.

Œuvres. *Écoutez la mer,* 1962 (N). – *La Mule du corbillard,* 1964 (N). – *La Souricière,* 1966 (N). – *Cet été-là,* 1967 (N). – *La Clef sur la porte,* 1972 (N). – *La Cause des femmes,* 1973 (E). – *Les Mots pour le dire,* 1975 (N). – *Autrement dit,*

1977 (N). – *Une vie pour deux,* 1979 (N). – *Au pays de mes racines,* 1980 (N). – *Le Passé empiété,* 1983 (N).

CARÊME. Série de sermons prononcés sur un même thème au cours de la période du carême, et qui en vint à constituer, au XVIIᵉ s., un véritable genre littéraire à l'intérieur de ce qu'on appelait alors l'éloquence de la chaire : c'est Bossuet qui porta ce genre à son plus haut degré de perfection, à la fois dans l'ordre spirituel et dans l'ordre littéraire. Au XIXᵉ s., Lacordaire entreprit avec éclat de restaurer l'art de la prédication en utilisant cette formule du carême et en instituant à cet effet les premières *Conférences de carême* de Notre-Dame de Paris, dont l'audience n'a cessé jusqu'à nos jours d'être considérable.

CARMONTELLE, Louis Carrogis, dit. Paris 15.8.1717 – 26.12.1806. C. est le créateur du genre appelé « proverbe dramatique » (illustration scénique, en général brève, d'un proverbe connu). Ses dialogues, qui donnent l'impression d'une sorte d'enregistrement, sont d'un naturel qui annonce déjà Henri Monnier – mais C. ne possède pas son réalisme. Il reste, dans l'histoire, un exemple rare de talent strictement limité à un genre restreint, où il réussit ; les autres ouvrages de C. sont tout à fait oubliés.

Œuvres. *Proverbes dramatiques* (8 vol.), 1768-1781. – *Théâtre du prince Chenerzow, traduit en français par le baron de Belssing* (2 vol.), 1771. – *Théâtre de campagne* (4 vol.), 1775. – *Nouveaux Proverbes dramatiques* (2 vol.), posth., 1811. – *Proverbes et Comédies posthumes* (3 vol.), 1825.

CARSAC Francis, pseudonyme du géologue et écrivain de science-fiction **François Bordes.** 1919 – 1981. Ses récits ont été les premiers à pouvoir lutter en France contre l'envahissement de la science-fiction anglo-saxonne. Ses romans, simplement écrits et univoques, ont une solidité scientifique rare, et leurs thèmes, ouverts, offrent beaucoup de résonances humaines ; son but principal est en effet la reconnaissance des humanités éparses dans l'univers et leur association pour dépasser les luttes d'influence. Il a publié aussi quelques nouvelles, dont *Genèse,* d'après laquelle nous sommes issus du crachat dégoûté d'un extra-terrestre venu explorer la Terre alors qu'elle n'était qu'un globe nu et stérile !

Œuvres. *Ceux de nulle part,* 1954. – *Les Robinsons du cosmos,* 1955. – *Genèse,* 1958. – *Terre en fuite,* 1960. – *Ce monde est nôtre,* 1962. – *Pour patrie, l'espace,* 1962. – *La Vermine du lion,* 1967.

CARTÉSIANISME. Doctrine philosophique de Descartes, de ses disciples et de ses successeurs. Le cartésianisme bouleversa les idées en faisant table rase de toutes les connaissances acquises, organisant le monde d'après les critères d'une méthode fondée tout à la fois sur la sensibilité de l'intuition et la rigueur de la raison. Combattu parce que trop idéaliste et spiritualiste, ou bien encore loué comme un rationalisme matérialiste et mécaniste, le cartésianisme eut une influence telle qu'il est considéré comme le fondement essentiel de la pensée dite « moderne ». Le mot peut aussi exprimer la tendance rationalisante de la littérature française du XVIIᵉ s. sans pour autant impliquer une influence directe de Descartes sur les écrivains de cette époque.

CASANOVA DE SEINGALT Jacques Jérôme. Venise 2.2.1725 – Dux (Bohême) 4.4.1798. Aventurier vénitien d'expression française. Les livres qui ont fait sa gloire – une gloire quelque peu suspecte – ont été écrits en français. Car sa grande aventure commence en 1750 avec sa venue en France : scandales galants, tractations financières et diplomatiques (c'est une loterie organisée par C. qui permit d'achever l'École militaire de Paris). Familier des grands d'Europe (Frédéric II, Catherine II), lié avec le magicien Cagliostro, il fut en 1767 expulsé de Paris pour se retrouver bientôt en prison à Barcelone, où il rédigea un roman historique, *Anecdotes vénitiennes d'amour et de guerre,* suivi d'une *Histoire des troubles de Pologne.* C'est au cours de sa retraite à Dux chez le comte de Waldstein-Wartenberg, à partir de 1785, qu'il écrivit son roman fantastique *Isocaméron* et surtout son *Histoire de ma vie,* plus connue sous le titre de *Mémoires* (publ. 1822, en trad. allemande ; 1826 en français ; publ. intégrale à partir de 1960), où, à travers son autobiographie et au-delà d'un succès de scandale, C. se révèle un témoin capital sur la vie de l'Europe au XVIIIᵉ s. L'un des épisodes les plus célèbres de sa légende, son emprisonnement aux « plombs » de Venise et son évasion rocambolesque, est raconté avec une verve extraordinaire dans son *Histoire de ma fuite des prisons de la République de Venise...*

Œuvres. *Réfutation de l'« Histoire du gouvernement de Venise », d'Amelot de La*

Houssaye, 1769 (E). – *Anecdotes vénitiennes d'amour et de guerre du* XIV*e siècle sous le gouvernement des doges Giovanni Gradenigo et Giovanni Dolfin,* 1774 (N). – *Histoire des troubles de Pologne,* 1775. – *Histoire de ma fuite des prisons de la République de Venise qu'on appelle les Plombs,* 1788. – *Icosaméron ou Histoire d'Edouard et d'Élisabeth, qui passèrent quatre-vingt-un ans chez les Mégamicres, habitants aborigènes du Protocosme dans l'intérieur de notre globe,* 1788 (N). – *Histoire de ma vie,* posth., 1822-1960.

CASSOU Jean. Deusto, près de Bilbao (Espagne), 9.7.1897. Ancien conservateur du musée national d'Art moderne, C. est un excellent connaisseur de la littérature espagnole, influencé également par le fantastique et le merveilleux des romantiques allemands. Essayiste et romancier, il s'est plus récemment révélé poète soucieux de « décrypter le monde » : « Nous tenons entre nos mains un objet innommé et doué de quelque vie monstrueuse et diabolique. »

Œuvres. *Éloge de la folie,* 1925 (E). – *Marcel Gromaire,* 1925 (E). – *Les Harmonies viennoises,* 1926 (N). – *Vie de Philippe II,* 1929 (E). – *Panorama de la littérature espagnole contemporaine,* 1929 (E). – *La Clef des songes,* 1929 (N). – *El Greco,* 1931 (E). – *Comme une grande image,* 1931 (E). – *Grandeur et Infamie de Tolstoï,* 1932 (E). – *Les Massacres de Paris,* 1935 (N). – *Pour la poésie,* 1935 (E). – *De l'Étoile au Jardin des Plantes,* 1935 (N). – *Cervantès,* 1936 (E). – *Daumier, Picasso, Matisse,* 1939 (E). – *Quarante-huit,* 1939 (N). – *Légion,* 1939. – *Trente-trois Sonnets composés au secret,* 1944 (rééd., 1962) [P]. – *Le Centre du monde,* 1945 (N). – *Ingres,* 1947 (E). – *La Folie d'Amadis et autres poèmes,* 1950 (P). – *Le Bel Automne,* 1950 (N). – *La Rose et le Vin,* 1952 (P). – *Recueil,* 1953 (P). – *Trois Poètes : Rilke, Milosz, Machado,* 1954 (E). – *La Mémoire courte,* 1954 (N). – *Le Livre de Lazare,* 1955. – *Ballades,* 1956 (P). – *Le Temps d'aimer,* 1959 (N). – *Panorama des arts plastiques contemporains,* 1960. – *Dernières Pensées d'un amoureux,* 1962 (E). – *Parti pris,* 1962 (E). – *Dialogue sur Pierre Bonnard,* 1965 (E). – Avec L. Bazergue, *Picasso et le Théâtre,* 1965 (E). – *Entretiens avec Jean Rousselot,* 1965 (E). – *La Découverte du Nouveau Monde,* 1966 (E). – *Le Voisinage des cavernes,* 1971 (N). – Avec Agnès Nemes Nagy, *Présence de Paul Chaulot,* 1971 (E). – *Le Vent de la nuit,* 1973 (N). – Avec Herbert Read et John Smith, *Jan le Witt,* 1973 (E). – *Odilon Redon,* 1975 (E). – *Le Silence des pierres,* 1975 (N). – *Musique mise en paroles* (poèmes), 1976 (P). – *Pablo Picasso,* 1976 (E). – *Si j'étais un caïd,* 1977 (N). – *Sculptures de Ianchelevici,* 1977 (E). – *Encyclopédie du symbolisme,* 1979. – *Une vie pour la liberté,* 1981 (E).

CASTILLO Michel del. Madrid 2.8.1933. D'origine espagnole, mais dès l'enfance formé à la culture et à l'expression françaises, fils d'une mère aux convictions républicaines, il devra avec elle quitter l'Espagne pour la France à la fin de la guerre civile. Au cours de la Seconde Guerre mondiale, il errera comme apatride, de France en Afrique du Nord, puis en Espagne, pour se retrouver à Paris en 1953 et y entreprendre des études de philosophie. Il commence à écrire dès ce temps et, peu à peu, se fait connaître, jusqu'à la consécration que fut pour lui l'attribution du prix des Libraires, en 1973, à *Vent de la nuit.* Par son style, que domine la suggestion de l'impondérable, C. apparaît comme l'un des écrivains les plus originaux de sa génération : atmosphère et action naissent conjointement du conflit entre l'héroïsme spirituel et les tentations ou illusions du délire ou du songe. Son œuvre, à beaucoup d'égards en marge de l'époque, demeure engagée dans la quête d'une profondeur de l'âme. C'est là un humanisme aussi exigeant qu'universel, dont la manifestation la plus intense prend forme dans *le Silence des pierres.* Il obtient le prix Renaudot en 1981 pour *la Nuit du décret.*

Œuvres. *Tanguy,* 1957 (N). – *La Guitare,* 1957 (N). – *Le Colleur d'affiches,* 1958 (N). – *La Mort de Tristan,* 1959 (N). – *Le Manège espagnol,* 1960 (N). – *Tara,* 1962 (N). – *Les Aveux interdits,* I, 1965 ; II, 1966 (N). – *Gerardo Lain,* 1957 (N). – *Les Écrous de la haine,* 1970 (E). – *Le Vent de la nuit,* 1972 (N). – *Le Silence des pierres,* 1975 (N). – *Le Sortilège espagnol,* 1977 (N). – *Les cyprès meurent en Italie,* 1979 (N). – *Les Louves de l'Escurial,* 1980 (N). – *Messe du contraste,* 1980 (N). – *La Nuit du décret,* 1981 (N). – *La Gloire de Dina,* 1984 (N).

CAYROL Jean. Bordeaux 6.6.1911. Né dans une famille de la bourgeoisie bordelaise, C. entreprit des études de droit. Mais, dès l'âge de seize ans, il fondait une revue, *Abeille et Pensées,* et rencontrait Mauriac. C. renonce rapidement à la carrière d'avocat et, en 1937, choisit d'être nommé bibliothécaire à la Chambre de commerce, pour pouvoir trouver le calme nécessaire à son activité poétique. En 1943, C., qui fait partie d'un réseau de résistance, est arrêté et déporté à Mauthausen. À son retour, il fait paraître un témoignage sur cette expérience, *On vous parle,* qui obtiendra, avec *Les Premiers Jours,* le prix Théophraste-Renaudot en 1947. L'épreuve de la déportation a été déterminante. Désormais, il lui faut reconquérir le monde dont il a été dépossédé. Les personnages de ses romans errent sans fin dans des lieux inhospitaliers, cherchant une raison de vivre, espérant en la rencontre, en l'amour, en l'amitié. Ils tentent de retrouver l'identité perdue, ils se heurtent à la vacuité des objets ou à leur accumulation mensongère. Il ne reste plus qu'à écrire pour tenter de se créer par la force de l'écriture : « Ce qui me passionne, c'est qu'avec les mots, une langue tendue, je puisse intervenir dans toutes les modalités d'une existence que je crée. » C. est également l'auteur de nombreux films, en particulier *Nuit et Brouillard,* en collaboration avec Resnais, représentation sobre et d'autant plus atroce de l'univers concentrationnaire. Grand prix national des Lettres, 1985.

Œuvres. *Ce n'est pas la mer,* 1935 (P). – *Les Poèmes du pasteur Grimm,* 1936 (P). – *Le Hollandais volant,* 1936 (P). – *Les Phénomènes célestes,* 1939 (P). – *L'Âge d'or,* 1939 (P). – *Le Dernier Homme,* 1940 (P). – *Miroir de la rédemption,* 1943 (P). – *Poèmes de la nuit et du brouillard,* 1945 (P). – *Je vivrai l'amour des autres (On vous parle ; les Premiers Jours ; le Feu qui prend),* 1947-1950, rééd. 1980 (N). – *La Couronne du chrétien,* 1949 (P). – *La Noire,* 1949, rééd. 1983 (N). – *Le Charnier natal,* 1950 (P). – *Lazare parmi nous,* 1950 (E). – *Les Mille et Une Nuits du chrétien,* 1952 (E). – *Le Vent de la mémoire,* 1952 (N). – *Les mots sont aussi des demeures,* 1953 (P). – *L'Espace d'une nuit,* 1954 (N). – *Par tous les temps,* 1955 (P). – *Le Déménagement,* 1956 (N). – *La Gaffe,* 1957 (N). – *Les Corps étrangers,* 1959 (N). – *Les Pleins et les Déliés,* 1960 (E). – *Le Froid du soleil,* 1963 (N). – Avec Claude Durand, *le Droit de regard,* 1963 (E). – *Muriel* (dialogues et scénario du film réalisé avec Alain Resnais), 1963. – *Le Coup de grâce* (écrit et réalisé avec Claude Durand), 1965. – *Midi-minuit,* 1966 (N). – *De l'Espace humain,* 1968 (E). – *Je l'entends encore,* 1968 (N). – *Poésie-Journal,* 1, 1969. – *Histoire d'une prairie,* 1970 (N). – *N'oubliez pas que nous nous aimons,* 1971 (N). – *Histoire d'un désert,* 1972 (N). – *Histoire de la mer,* 1973, rééd. 1985 (N). – *Lectures,* 1973 (E). – *Kakemono Hôtel,* 1974 (N). – *Histoire de la forêt,* 1975 (N). – *Histoire d'une maison,* 1976 (N). – *Poésie-Journal,* 2 *(1975-1976),* 1977. – *Les Enfants pillards* (récit), 1978 (N). – *Histoire du ciel,* 1979 (N).– *Exposés au soleil,* 1980 (N). – *Poésie-Journal,* 3, 1980. – *L'Homme dans le rétroviseur,* 1981 (N). – *Il était une fois Jean Cayrol,* 1982 (E). – *Un mot d'auteur,* 1982 (N). – *Qui suis-je ?,* suivi de *Une mémoire toute fraîche,* 1984. – *Poèmes Clefs,* 1985 (P).

CAZALIS Henri. Cormeilles-en-Parisis 1840 – Genève 1909. Ami et disciple de Mallarmé, il publie, jusqu'en 1875, quelques recueils poétiques, sous le pseudonyme de Jean CASELLI. C'est sous le pseudonyme de Jean LAHOR qu'il fait paraître *l'Illusion,* le plus original de ses recueils, par son lyrisme contenu.

Œuvres. *L'Illusion,* 1875-1893 (P). – *Le Cantique des cantiques,* 1885 (P). – *Les Quatrains d'Al-Ghazali* (trad.), 1896 (P). – *Histoire de la littérature hindoue,* 1898.

CAZOTTE Jacques. Dijon 7.10.1719 – Paris 25.9.1792. Après avoir passé une partie de sa vie aux Antilles dans divers emplois administratifs, il devint adepte des sciences occultes et se convertit à l'illuminisme ; il fut guillotiné à cause de ses idées contre-révolutionnaires. Il a publié un certain nombre de contes empreints d'une fantaisie légère, mais est surtout connu par son roman allégorique *le Diable amoureux.* Il s'agit de la transcription d'un rêve, baignée d'étrangeté et de mysticisme. Surnaturel vaporeux et subtil réalisme s'y mêlent au point de permettre des interprétations multiples. Mais c'est aussi un « conte philosophique » qui dénonce explicitement l'idéologie « éclairée » des philosophes du XVIIIe siècle. Précurseur du romantisme, C. a influencé le roman noir anglais (Lewis) et annonce les romans mystiques de Balzac.

Œuvres. *La Patte du chat,* 1741 (N). – *Les Mille et Une Fadaises,* 1742 (N). – *Ollivier* (poème en prose), 1763. – *Lord Impromptu,* 1767 (N). – *Les Sabots* (livret d'opéra-comique), 1768. – *Le Diable amoureux,* 1772, rééd. 1981 (N). – *Contes arabes,* 1776 (N). – *La Brunette anglaise,* 1778 (N). – *Œuvres badines et morales,* 3 vol., 1776-1788, rééd. 1976. – *Continuation des « Mille et Une Nuits »,* 1788-1789. – *Œuvres badines et morales, historiques et philosophiques,* 4 vol., 1re éd. complète, posth., 1816-1817.

CÉARD Henry. Bercy 1851 – 1924. Fonctionnaire, il deviendra conservateur adjoint de la bibliothèque de la Ville de Paris. Journaliste, il collabore à diverses feuilles comme critique littéraire et dramatique. Homme de lettres, il est le disciple de Zola et un naturaliste de stricte obédience. Il participe au recueil collectif des *Soirées de Médan* avec sa nouvelle, « la Saignée », relatant un épisode du siège de Paris. Il est enfin attiré par le théâtre, considéré dans la perspective naturaliste alors triomphante grâce aux efforts du Théâtre-Libre d'Antoine. Membre de l'académie Goncourt (1919).

Œuvres. *Une belle journée,* 1881, rééd. 1970 (N). – *Renée Mauperin* (d'après les Goncourt), 1886 (T). – *Tout pour l'honneur* (d'après Zola), 1887-1890 (T). – *Les Résignés,* 1889 (T). – *La Pêche,* 1890 (T). – *Terrains à vendre au bord de la mer,* 1906 (N). – *Laurent,* 1909 (T). – *Coups d'œil et clins d'yeux, journal 1874-1875,* posth., 1965. – *Correspondance avec E. de Goncourt 1876-1896,* posth., 1965.

CÉLINE, Louis-Ferdinand Destouches, dit. Courbevoie 27.5.1894 – Meudon 1.7.1961. Devenu médecin au lendemain de la Première Guerre mondiale, il refusa de s'enfermer dans une carrière toute tracée et partit explorer l'Afrique sous les auspices de la S.D.N. Après d'autres voyages (aux États-Unis notamment), il revint s'installer dans la banlieue parisienne. C. tenta de donner un sens à sa fuite dans *Voyage au bout de la nuit,* avant de revenir sur les années antérieures dans *Mort à crédit.* À partir de 1937, il se déclare violemment antisémite et fait scandale par ses pamphlets successifs. Réfugié chez les nazis en 1944, il séjourne ensuite jusqu'en 1951 au Danemark, en prison puis en résidence surveillée. Il rentre en France amnistié, mais la suite de son œuvre baigne dans un climat de culpabilité. Même depuis la mort de C., qui a dépassionné les débats, on continue de considérer ses deux premières œuvres comme les meilleures, et surtout *Voyage au bout de la nuit*, dont le héros Bardamu (sosie de C.) annonce Roquentin (*la Nausée*) et Meursault (*l'Étranger*). Sa franchise, sa verdeur, sa violence, la nouveauté d'expression d'un auteur qui ne se reconnaît pour ancêtre que Rabelais font de ce livre, à la fois récit réel et voyage symbolique, un point de départ. Quant à *Mort à crédit,* C. y inaugure un style devenu célèbre, multipliant les points de suspension et les apostrophes. Mis en quarantaine pour ses idées exprimées sans nuances, C. a fini sa vie, de gré et de force, dans une solitude autant physique qu'intérieure ; on met aujourd'hui plutôt l'accent sur ses qualités de styliste et de novateur littéraire.

Œuvres. *Voyage au bout de la nuit,* 1932 (N). – *Mort à crédit,* 1936 (N). – *L'Église,* 1936. – *Mea culpa,* 1936. – *Bagatelles pour un massacre,* 1937 (E). – *L'École des cadavres,* 1937 (E). – *Les Beaux Draps,* 1941 (E). – *Guignol's Band,* 1943 (N). – *À l'Agité du bocal,* 1948 (E). – *Foudres et Flèches,* 1948. – *Casse-pipe,* 1949 (N). – *Scandale aux abysses,* 1950 (N). – *Féerie pour une autre fois,* 1952 (N). – *Normance* (suite de *Féerie pour une autre fois*), 1954 (N). – *Entretiens avec le professeur Y.,* 1955. – *D'un château l'autre,* 1957. – *Entretiens familiers,* 1958. – *Nord,* 1960. – *Vive l'amnistie, Monsieur !* posth., 1963. – *Le Pont de Londres* (suite de *Guignol's Band*), posth., 1964 (N). – *Rigodon* (écrit en 1961), posth., 1969. – *Progrès* (écrit en 1927), posth., 1978 (T).

Voyage au bout de la nuit

Le héros, Bardamu, est bien le double de l'auteur ; du moins tel qu'il était, avant ses expériences, c'est-à-dire assez inoffensif. À la manière d'un héros de roman picaresque, voici Bardamu lancé dans le vaste monde à travers des aventures aussi bouffonnes que mesquines, aussi tragiques que dérisoires, dont le récit exige un style approprié. Car, de la guerre de 1914-1918 aux États-Unis en passant par l'Afrique du Nord, la « nuit » n'en finit pas, et les aventures de Bardamu sont déjà un cauchemar continu, que traduit la violence protestataire du langage. Mais le bout de la nuit ne sera atteint que lorsque Bardamu, à son retour des États-Unis, connaîtra les extrêmes de la honte, du crime, de la mort, de la violence, dans un monde sans le moindre point de lumière, en un langage sans la moindre trace de modération, d'équilibre ou de sérénité. C'est la correspondance profonde entre le voyage et son expression qui confère au livre sa dimension véritablement épique, épopée dantesque des ténèbres modernes qui atteint son point culminant lorsque Bardamu, devenu médecin – comme son créateur –, s'installe dans une des zones les plus déshéritées de la banlieue parisienne.

CENDRARS Blaise, Frédéric Sauser, dit. La Chaux-de-Fonds 1.9.1887 – Paris 21.1.1961. Écrivain suisse d'expression française. De milieu bourgeois aisé, il suit ses parents au cours de déplacements d'affaires en différents pays et s'initiera ainsi de bonne heure au voyage, qui sera plus tard sa source principale d'inspiration. Au voyage réel il joint la passion de ce voyage imaginaire qu'est la lecture : à dix ans, il connaît déjà Nerval, qui l'influencera profondément. À quinze ans, il refuse d'entrer à l'école de commerce de Neuchâtel. Son père le confie alors à un certain Leuba, courtier en horlogerie, qui l'envoie en Russie. De 1903 à 1907, il parcourt ainsi la Russie et l'Extrême-Orient et, tandis qu'à Saint-Pétersbourg en 1905 il voit se lever « le grand Christ rouge de la Révolution », il se met à fréquenter anarchistes et terroristes. Sa vie durant, il ne cessera de « bourlinguer », constamment tourmenté par une soif inextinguible de « vivre partout à la fois », que traduira le « simultanéisme » poétique caractéristique de nombre de ses œuvres. Car ce n'est pas seulement le goût du cosmopolitisme (à la manière par exemple, de Valery Larbaud), c'est plutôt, en quelque sorte, la transposition vitale d'une angoisse métaphysique, d'un appel irrévocable de l'« ailleurs », à la manière nervalienne ou rimbaldienne. En 1907, le voici de retour à Paris, d'où, après avoir fraternisé avec le romancier populaire G. Le Rouge, il repart bientôt pour Londres, où il est jongleur dans un music-hall qui emploie un jeune clown, Charlie Chaplin ; il voyage en Russie, au Canada, séjourne à New York, à Paris – pour très peu de temps –, à New York encore... Il y exerce les métiers les plus divers, expérimentant, jusque dans les détails de la vie quotidienne, ce nomadisme ambulatoire qu'il compose déjà avec un sens très aigu de la charge d'insolite contenue dans la vie moderne. Le jour de Pâques lui inspire *Les Pâques à New York*, poème en couples rimés, qui traduit une nostalgie de Dieu dans une confusion d'images présentes et de souvenirs, entre l'immédiat réel et les aspirations du cœur et de l'imagination. L'œuvre paraît à Paris, où l'écrivain revient en 1912 : ce langage si neuf va marquer profondément la poésie moderne. La Russie et l'Extrême-Orient, qui ont déjà inspiré à C. *la Légende de Novgorod* en 1909, vont encore être la toile de fond d'un autre poème, *la Prose du transsibérien et de la Petite Jehanne de France* (1913), quatre cents « formules » inégalement rimées et rythmées, qui font revivre son voyage en chemin de fer à travers la Mandchourie, en compagnie d'une petite prostituée de Montmartre au cœur pur. Ce chemin de fer, telle la caméra d'un cinéaste, fait surgir, au gré de son rythme haletant, des flots d'images, de souvenirs et de sentiments. La poésie naît de ce mouvement dans une simultanéité de sensations, de rythmes, de visions et de rêves, et, pour mieux se libérer du statisme de l'écriture, C. rejette toute ponctuation. Le poème est présenté sous forme d'un dépliant long de deux mètres, avec une bande de « couleurs simultanées » (dues à Sonia Delaunay) qui débordent sur le texte, formé de groupements typographiques divers. Ainsi, C. apparaît comme un véritable initiateur, dès ses premières œuvres, avec son cosmopolitisme qui renouvelle l'exotisme traditionnel, l'aventure promue acte poétique et un parti pris de modernisme qui lui fait adapter à la littérature les procédés du cubisme pictural et choisir un vocabulaire délibérément moderne. Des poèmes d'amour datant de cette même époque reflètent l'influence de ses premières lectures. Il est alors lié avec Max Jacob, Apollinaire (qui, sur les épreuves d'*Alcools*, supprimera comme lui la ponctuation), P. Morand, V. Larbaud, Picasso, Braque, Chagall, Modigliani, Gris, Delaunay, Léger, Picabia. Il est probable que son expression poétique a stimulé les recherches picturales qui conduisent au cubisme. Mais, hostile aux écoles comme aux systèmes esthétiques, C., qui éprouve dans son art la même exigence ambulatoire que dans sa vie, récuse toute adhésion à une quelconque « doctrine » : il restera ainsi en marge des mouvements littéraires, et par exemple du surréalisme, dont, cependant, il est un des précurseurs et des pionniers ; il met en œuvre, dans *les Pâques à New York*, une écriture proche de l'automatisme, et surtout des images insolites et mouvantes nées de rencontres étrangères à toute rationalité, ce qui est déjà la définition surréaliste de l'image. En 1914, il s'engage dans la Légion étrangère ; en septembre 1915, un obus lui arrache le bras droit. C., démobilisé, s'installe alors définitivement à Paris et, avec un curieux mélange de caprice et de constance, poursuit la recherche poétique commencée avant la guerre : en 1918, *le Panama ou les Aventures de mes sept oncles* multiplie les correspondances entre images et se veut le manifeste d'une « modernité » centrée sur une poétique de l'insolite, parallèlement illustrée par les *Dix-neuf Poèmes élastiques*, écrits entre 1913 et 1919. À cette dernière date, C. réunit ses poèmes en un recueil intitulé *Du monde entier* (1919). Attiré aussi par les peuplades primitives et la race noire, il compose une *Anthologie nègre*, que suivront, en 1928, ses *Petits Contes nègres pour les enfants des Blancs*. En matière d'édition, il tente d'appliquer à la présentation et à la typographie des idées novatrices dont la publicité fera usage plus tard ; il ne réussit pas à les imposer et se tourne alors vers le cinéma, moyen d'expression neuf aux audacieuses possibilités, où il décèle une source de poésie et une écriture nouvelles. Il compose en 1919 un poétique scénario de film, *la Fin du monde filmée par l'ange Notre-Dame*, réalise avec Abel Gance, *la Roue* (1921-1923), tourne *la Vénus noire* et divers documentaires, tandis que son interprétation pénétrante du septième art s'exprime dans un certain nombre d'essais (*l'A.B.C. du cinéma ; Hollywood*). Le démon de l'aventure s'empare alors à nouveau de lui et l'entraîne du côté du Brésil ; mais ses nouvelles explorations lui inspirent une poésie plus proche soit du journal de l'aventure intérieure et des images-symboles où elle se figure (*Feuilles de route*), soit de ce qu'il appelle lui-même la « poésie des faits » (*Kodak*, devenu *Documentaires* en 1924 ; collection de « photographies mentales »). Ce souci de révéler une poésie contenue dans les « faits » eux-mêmes, en deçà de toute élaboration, explique l'orientation de C. vers le reportage, réel ou imaginaire, qu'il écrit délibérément dans une prose exubérante et dynamique, évocatrice des rythmes du jazz. Ainsi naissent ses « romans » : *l'Or*, qui relate la vie proprement *fabuleuse* de l'aventurier suisse Suter lors de la ruée vers l'or en Californie ; *Rhum*, qui prend pour sujet la vie de J. Galmot en Guyane et la transforme en un véritable mythe ; puis, après *Panorama de la pègre*, reportage sur les bas-fonds parisiens, ce sera *Moravagine*, l'expression sans doute la plus achevée de cette inspiration, hymne lucide et délirant au rêve et à la révolte. Un nouveau tournant se situe dans les années trente ; certes, jusque-là, C. n'avait jamais été absent de son œuvre, mais voici que la présence autobiographique tend à occuper le devant de la scène, et c'est sans doute une étape intermédiaire sur la voie qui le conduira plus tard jusqu'à une totale intériorisation de son expérience. *Dan Yack* (en deux parties : *le Plan de l'aiguille* et *les Confessions de Dan Yack*) est vraiment une autobiographie, où C. entreprend de construire son mythe personnel à travers les cheminements mystérieux de sa vie et de ses actes. On y assiste à une sorte de spiritualisation de l'ubiquité qui situe l'œuvre sur la frontière entre l'enregistrement des images extérieures et l'exploration des images intérieures. Cette orientation vers une intériorité qui ne dément qu'en apparence l'extériorité des poèmes de voyage et de « bourlingage » s'accentuera après 1940, avec la suite d'écrits que, de 1945 à 1948, C., retiré à Aix-en-Provence puis à Villefranche, consacrera à son autobiographie spirituelle. Les épisodes anecdotiques ou personnels, la résurrection capricieuse et – en apparence – fortuite des souvenirs s'y composent avec une méditation mystique en elle-même ambiguë, et dont l'ambiguïté est encore renforcée par cette combinaison où se maintient le goût de C. pour l'insolite ; mais c'est ici un insolite profondément intériorisé. À partir de 1950, tout en restant en marge du monde littéraire, C. devient une sorte de personnage : des entretiens radiophoniques le présentent au grand public (*B.C. vous parle*, entretiens recueillis par M. Manoll, 1952) ; l'une de ses dernières œuvres sera un roman objectif et réaliste qui reprend cependant, dans son titre et à travers le récit des aventures d'une actrice vieillissante, l'obsession la plus constante du poète, celle de l'ubiquité (*Emmène-moi au bout du monde*). Frappé d'hémiplégie en 1958, il survivra encore près de trois ans, et, après s'être converti au catholicisme, il recevra peu avant sa mort la consécration officielle du grand prix littéraire de la Ville de Paris. Finalement, outre l'apport considérable de C. au renouvellement de l'imagination et du langage modernes, apport sans doute plus important même que celui d'Apollinaire, l'unité de cette œuvre est dans cette perpétuelle combinaison de l'inquiétude intérieure avec la plongée « au cœur du monde » qui peut revêtir, à travers le temps et à travers l'espace, les formes et les itinéraires les plus divers et les plus inattendus. Mais telle est la logique propre – irrationnelle – de l'ubiquité. Et sans doute le génie de C. fut-il de trouver le langage le mieux approprié à l'expression de cette logique de l'irrationnel, dont son inlassable exploration du monde et de lui-même lui avait fourni une expérience aussi authentique qu'irremplaçable.

Œuvres. *La Légende de Novgorod*, 1909 (P). – *Séquences*, 1912 (P). – *Les Pâques à New York*, 1912 (P). – *Prose du transsibérien et de la Petite Jehanne de France*, 1913 (P). – *Rimsky-Korsakov et la Nouvelle Musique russe*, 1913 (E). – *Sonnets dénaturés*, 1916 (P). – *La Guerre au Luxembourg*, 1916 (P). – *Profond Aujourd'hui*, 1917 (P). – *Le Panama ou les Aventures de mes sept oncles*, 1918 (P). – *Du monde entier*, 1919 (P). – *Dix-neuf Poèmes élastiques*, 1919 (P). – *Au cœur du monde*, 1919-1922 (P). – *Anthologie nègre*, 1921, rééd. 1985 (P). – *Kodak (Documentaires)*, 1924 (P). – *Feuilles de route*, 1924 (P). – *L'Or*, 1925 (N). – *L'A.B.C. du cinéma*, 1926 (E). – *Moravagine*, 1926 (N). – *L'Eubage*, 1926 (N). – *Éloge de la vie dangereuse*, 1926 (N). – *Petits Contes nègres pour les petits enfants des Blancs*, 1928 (N). – *Dan Yack (le Plan de l'Aiguille ; les Confessions de Dan Yack)*, 1929 (N). – *Rhum*, 1930 (N). – *Aujourd'hui*, 1931 (E). – *Panorama de la pègre*, 1935. – *Hollywood*, 1936 (E). – *Histoires vraies*, 1937 (N). – *La Vie dangereuse*, 1938 (N). – *D'oultremer à indigo*, 1940 (N). – *Poésies complètes (Du monde entier ; Dix-neuf Poèmes élastiques ; la Guerre au Luxembourg ; Sonnets dénaturés ; Poèmes nègres ; Documentaires ;*

Feuilles de route; Sud-Américaines; Poèmes divers [1919-1923]*; Au cœur du monde),* 1944. – *L'Homme foudroyé,* 1945 (N). – *La Main coupée,* 1946 (N). – *Bourlinguer,* 1948 (N). – *Le Lotissement du ciel,* 1949 (N). – *Blaise Cendrars vous parle* (entretiens radiophoniques recueillis par M. Manoll), 1952. – *Emmène-moi au bout du monde,* 1956 (N). – *Trop, c'est trop,* 1957 (N). – *Films sans images,* 1959 (N).

CENSURE. C'est à partir du XVIIe siècle que le contrôle gouvernemental des publications imprimées s'organise en une véritable activité administrative avec l'institution de ces fonctionnaires que sont les censeurs. Plus généralement, il y a censure toutes les fois qu'un pouvoir, sous une forme ou sous une autre, soumet à son autorisation ou à son contrôle les ouvrages destinés à l'impression. Il y a censure aussi, mais *a posteriori,* lorsqu'un pouvoir condamne publiquement tel ou tel ouvrage : ce fut, par exemple, pendant des siècles, la fonction de *l'Index* de l'Église catholique. À partir du XIXe siècle, la censure gouvernementale s'appliqua surtout à la presse, sous diverses formes : contrôle direct, autorisation préalable, droit de timbre, poursuites devant les tribunaux. La censure devait être abolie par la loi sur la presse du 29 juillet 1881, qui définit aussi les cas où elle peut être exceptionnellement rétablie – état de guerre, en particulier.

Quant aux œuvres littéraires, elles ont généralement, depuis la Révolution, échappé à la censure proprement dite, mais ont pu faire l'objet de poursuites judiciaires (en particulier pour « immoralité »), les deux cas les plus célèbres étant ceux de Flaubert, pour *Madame Bovary,* et de Baudelaire, pour *les Fleurs du mal.* En revanche, le cinéma est resté soumis à une censure officielle, de caractère essentiellement moral.

CENT NOUVELLES NOUVELLES (Les). Recueil anonyme de récits, présenté au duc de Bourgogne entre 1456 et 1462. Cette date, contemporaine de celle du *Petit Jehan de Saintré,* a parfois fait attribuer ce recueil à Antoine de La Sale, sans que l'on ait pu avancer de preuves décisives. L'auteur, en tout cas, ne nous renseigne guère : il se présente comme un simple compilateur ou rédacteur, qui s'est contenté d'enregistrer les récits d'un grand nombre de seigneurs appartenant à la cour de Bourgogne, dont c'était alors l'époque la plus brillante. Mais ce n'est sans doute là qu'un stratagème littéraire, car le recueil frappe par son unité de style et de ton. Il appartient de fait à la nombreuse descendance du *Décaméron* de Boccace ; on y retrouve bien d'autres sources, les fabliaux par exemple, que, parfois, l'auteur ne se gêne pas pour plagier, tout simplement. Au nombre de cent (avec trente-cinq narrateurs), ces nouvelles reprennent les thèmes traditionnels, n'ayant pour but que de faire rire, sans le moins du monde prétendre moraliser ou dramatiser. Il y a bien là quelque monotonie, mais la narration est bien construite, le ton est allègre, l'atmosphère d'ensemble dégage une joie de vivre insoucieuse aussi bien de la décence que de la vraisemblance. Et dans ce « chant du cygne » du réalisme médiéval, il y a, à la fois, les symptômes d'une décadence qui se manifeste par le caractère conventionnel des intrigues et des personnages, et, dans la percée d'une certaine verve, l'annonce timide du comique qui s'épanouira dans l'œuvre de Rabelais.

Les meilleures nouvelles sont celles qui mettent en scène la femme dans son rôle traditionnel. Il arrive parfois que l'histoire utilise le thème de l'honneur féminin ; plus souvent l'héroïne est caractérisée par la ruse et l'astuce, conduisant à des fins qui ne sont pas toujours conformes à l'honnêteté.

Le premier thème est celui que développe la *Soixante-Neuvième nouvelle.* Elle conte alertement comment une jeune fille, séduite et abandonnée, sur le point d'être mère, est chassée par sa famille. À la recherche de son séducteur, elle le trouve alors qu'il est à la veille de ses noces, et elle doit subir l'humiliation que lui inflige la fiancée : le séducteur, ulcéré et indigné, chasse celle qui, désormais, à ses yeux, n'est plus une fiancée mais une intruse.

Une des expressions majeures du second thème se trouve dans la *Soixante-Dix-Huitième nouvelle* : un gentilhomme brabançon part pour l'Orient. Pendant son absence, sa femme le trompe successivement avec un écuyer, un chevalier et enfin un prêtre. Il ne peut pourtant manquer de s'étonner de l'enrichissement spectaculaire de son hôtel pendant son absence, et il conçoit des soupçons, dont il fait part à sa femme. Celle-ci se défend de son mieux, mais le mari veut tirer cette affaire au clair. Il met au point, à cette fin, un fort habile stratagème. Il se substituera lui-même au curé du lieu, son obligé, pour entendre la confession de sa femme. Et voici qu'elle confesse ses amours avec l'écuyer, le chevalier et le prêtre. Le mari se fait alors reconnaître, croyant la prendre, pour ainsi dire, en flagrant délit. Hélas ! c'est mal connaître les ressources de l'astuce féminine. La femme, en effet, affirme ne pas avoir été dupe du stratagème, avoir, au contraire, parfaitement reconnu son mari sous son déguisement ecclésiastique (alors qu'en fait, le lecteur le sait, il n'en est rien) et avoir délibérément fait une confession sincère d'ailleurs mais en un tout autre sens. Le mari avait bien été écuyer au moment de son mariage, il était ensuite devenu chevalier et enfin s'était déguisé en prêtre. Il ne lui reste plus qu'à s'avouer vaincu et à accepter le pardon que sa femme veut bien lui octroyer.

CERCAMON. Fin du XIe siècle – vers 1160. Troubadour occitan. Son nom résume le rôle que le troubadour s'était attribué en ce début du Moyen Âge. Cercamon signifie « cherche le monde ». Il aurait écrit vers les années 1120 à 1135. La *Vida* de Marcabru nous affirme que C. fut son maître. Avec Elbe de Ventadour et Guillaume IX d'Aquitaine, il est un des premiers troubadours. Seules sept pièces de C., des chansons et des sirventès, ont été conservées. Elles offrent cependant une image caractéristique de ce que fut la poésie courtoise à ses débuts, avant que les règles en aient été fixées.

CÉSAIRE Aimé. Basse-Pointe 25.6.1913. Poète martiniquais. L'un des nombreux enfants d'un petit fonctionnaire, après avoir fréquenté le lycée de Fort-de-France, il poursuit ses études de lettres à Paris au lycée Louis-le-Grand et, en 1935, entre à l'École normale supérieure. Avec Senghor et Damas, il fonde en 1934 le journal *l'Étudiant noir*, qui continue le mouvement inauguré deux ans plus tôt par la revue *Légitime défense*. Il sera ensuite professeur à Fort-de-France et rédigera son *Cahier d'un retour au pays natal* (1939), méditation à la fois lyrique et « engagée », où, à partir de l'expérience personnelle du déchirement entre culture et fidélité, s'élabore une poétique de la négritude. Le mode d'expression, encore adolescent, est fortement marqué de surréalisme ; mais, peu à peu, ce surréalisme acquerra une tonalité profondément personnelle et s'intégrera à une poétique de la révolte qui assimile réciproquement une révolte poétique à la Rimbaud et la révolte politique de l'anticolonialiste. C., élu maire de Fort-de-France et député de la Martinique, se fait en effet le porte-parole de la revendication d'indépendance avec un extrémisme qui trouve son expression la plus complète dans son *Discours sur le colonialisme* de 1955. Après avoir adhéré au parti communiste, il s'en sépare en 1956 et justifie sa décision dans sa *Lettre ouverte à Maurice Thorez*. Dans le même temps, son œuvre poétique continue de fondre ensemble, de plus en plus profondément, le cri et la révolte de la négritude et l'élargissement lyrique d'un surréalisme plus personnel que doctrinal ; il emprunte ainsi le titre *Soleil cou coupé* au dernier vers de *Zone*, d'Apollinaire. Après avoir composé une étude historique sur le héros noir de l'époque révolutionnaire, *Toussaint Louverture* (1962), C., comme si la poésie lyrique l'enfermait dans des horizons trop limités, se tourne vers le théâtre pour y mettre en action les thèmes poétiques de la révolte et du cri, mais aussi le tragique d'une négritude affrontée aux problèmes du pouvoir : *la Tragédie du roi Christophe* est inspirée par l'aventure historique d'un roi noir de Haïti et *Une saison au Congo* par les événements de 1960, en particulier la mort de Patrice Lumumba. Par son œuvre poétique et son élargissement dramatique, C. apparaît non seulement comme un des grands porte-parole de la négritude, mais aussi, et peut-être surtout, comme l'un de ceux qui ont su situer l'expression moderne de l'âme noire dans des perspectives non point particularistes mais largement humaines.

Œuvres. *Armes miraculeuses*, 1946 (P). – *Cahier d'un retour au pays natal* (paru en revue en 1939), 1947 (P). – *Soleil cou coupé*, 1948 (P). – *Corps perdu*, 1950 (P). – *Discours sur le colonialisme*, 1951 (E). – *Et les chiens se taisaient*, 1956 (T). – *Lettre ouverte à Maurice Thorez*, 1956. – *Ferrements*, 1960 (P). – *Cadastre* (recueil), 1961 (P). – *La Tragédie du roi Christophe*, 1961 (T). – *Toussaint Louverture*, 1962 (E). – *Une saison au Congo*, 1966 (T). – *Une tempête*, 1969 (T). – *Toussaint Louverture, la Révolution française et le problème colonial*, 1976 (E). – *Moi, Laminaire*, 1982 (P).

CESBRON Gilbert. Paris 13.1.1913 – 12.8.1979. Dans une œuvre fort diverse d'inspiration et de style, à laquelle il a su donner une profonde unité spirituelle, C. se voulut témoin de l'angoisse humaine telle qu'elle se manifeste dans les réalités concrètes de la société contemporaine. Une générosité toujours en éveil, nourrie par un christianisme intensément vécu, l'incita à aborder certains problèmes d'actualité, celui des prêtres-ouvriers dans *Les saints vont en enfer*, celui de l'enfance délinquante dans *Chiens perdus sans collier*. Mais C. dépassa aussi cette actualité pour en dégager, grâce à son art de la dramatisation, la permanence des lois de la condition humaine. Il fut, pour l'essentiel, narrateur et essayiste, mais il a aussi, avec *Il est minuit, docteur Schweitzer*, tenté avec succès d'exprimer au théâtre son idéal humain.

Œuvres. *Les Innocents de Paris,* 1944 (N). – *On croit rêver,* 1946 (N). – *Notre prison est un royaume,* 1948 (N). – *La Souveraine,* 1949 (N). – *Traduit du vent,* 1951 (N). – *Les saints vont en enfer,* 1952 (N). – *Théâtre I : Il est minuit, docteur Schweitzer, Briser la statue,* 1952 (T). – *Chasseur maudit,* 1953 (E). – *Chiens perdus sans collier,* 1954 (N). – *Ce siècle appelle au secours,* 1955 (E). – *Vous verrez le ciel ouvert,* 1956 (N). – *Libérez Barabbas,* 1957 (E). – *Il est plus tard que tu ne penses,* 1958 (N). – *Tout dort et je veille,* 1959 (N). – *Avoir été,* 1960 (N). – *Il suffit d'aimer,* 1960 (N). – *Théâtre II : l'Homme seul, Phèdre à Colombes, Dernier acte,* 1961 (T). – *Entre chiens et loups,* 1962 (N). – *Journal sans date I,* 1963 (E). – *Une abeille contre la vitre,* 1964 (N). – *Une sentinelle attend l'aurore,* 1965 (E). – *C'est Mozart qu'on assassine,* 1966 (N). – *Tant qu'il fait jour (Journal sans date II),* 1967 (E). – *Des enfants aux cheveux gris,* 1968 (N). – *Lettre ouverte à une jeune fille morte,* 1968 (E). – *Je suis mal dans ta peau,* 1969 (N). – *Théâtre III : Mort le premier, Pauvre Philippe,* 1970 (T). – *Ce que je crois,* 1970 (E). – *Des leçons d'abîme,* 1971 (E). – *Voici le temps des imposteurs,* 1972 (N). – *Un miroir en miettes (Journal sans date III),* 1973 (E). – *La Ville couronnée d'épines,* 1974 (N). – *Don Juan en automne,* 1975 (N). – *Mourir étonné,* 1976 (E). – *Merci l'oiseau,* 1976 (P). – *Mais moi je vous aimais,* 1977 (N). – *Ce qu'on appelle vivre,* 1977 (E). – *Huit paroles sur l'éternité,* 1978 (E). – *Un vivier sans eau,* 1979 (N). – *Bonheur de rien (Journal sans date IV),* 1979 (E). – *Leur pesant d'écume,* posth., 1980 (N). – *Passé un certain âge,* posth., 1980 (E). – *Tant d'amour perdu,* posth., 1981 (N). – *La regarder en face,* posth., 1982 (E). – *Un désespoir allègre (Journal sans date V),* posth., 1983 (E).

CHABANEIX Philippe. Albany (États-Unis) 1898 – Paris 20.4.1982. Écrivain discret, il a publié un grand nombre de plaquettes au fil desquelles il se montre avant tout élégiaque et, pour le style, amoureux de la concision. Grand prix de Poésie de l'Académie française, 1960. Grand prix international de Poésie, 1966.

Œuvres. *Les Tendres Amies,* 1922 (P). – *Couleur du temps perdu,* 1925 (P). – *Baisers nouveaux,* 1928 (P). – *Vieilles guitares,* 1928 (P). – *À l'amour et à l'amitié,* 1929 (P). – *Le Bouquet d'Ophélie,* 1929 (P). – *Méditerranée,* 1931 (P). – *Comme le feu,* 1935 (P). – *Le Désir et les Ombres,* 1937 (P). – *Musique des jours et des nuits,* 1945 (P). – *Les Nocturnes,* 1950 (P). – *Pour une morte,* 1951 (P). – *Mémoires du cœur,* 1952 (P). – *Aux sources de la nuit,* 1955 (P). – *Musiques nouvelles,* 1958 (P). – *D'un étrange domaine,* 1959 (P). – *Musiques du temps perdu,* 1960 (P). – *Sérénade,* 1962 (P). – *La Rose et l'Asphodèle,* 1964 (P). – *Les Matins et les Soirs,* 1968 (P). – *Les Poètes d'aujourd'hui,* 1968. – *Musiques d'avant la nuit,* 1972 (P). – *Musiques secrètes,* 1978 (P). – *Musiques d'ombre et de féerie,* 1978 (P). – *Romances du temps qui fut,* 1981 (P).

CHADOURNE Marc. Brive-la-Gaillarde 1895 – Cagnes-sur-Mer 1975. Longtemps administrateur colonial, il connaît bien l'Océanie, l'Afrique, l'Asie, continents auxquels il a emprunté le cadre de ses œuvres. À l'exception de son premier livre, *Vasco,* qui est un vrai roman, les autres sont plutôt des reportages, alliant finesse d'observation et imagination fertile dans la description de milieux très divers.

Œuvres. *Vasco,* 1927 (N). – *Cécile de la Folie,* 1930 (N). – *Le Maître du navire,* 1931 (N). – *Chine,* 1931 (E). – *L'U.R.S.S. sans passion,* 1932 (E). – *Absence,* 1933 (N). – *Anahuac,* 1934 (N). – *Extrême-Occident,* I, *Tour de la Terre, États-Unis et Japon ;* II, *Tour de la Terre,* 1935. – *Dieu créa d'abord Lilith,* 1937 (N). – *La Clé perdue,* 1947 (N). – *Gladys ou les Artifices,* 1949 (N). – *Quand Dieu se fit américain,* 1950 (N). – *Le Mal de Colleen,* 1955 (N).

CHALLE ou **CHASLES Robert.** Paris 17.8.1659 – Chartres vers 1720. Personnage mystérieux, de petite condition, écrivain et navigateur, il mène une vie aventureuse dont il tire un *Journal d'un voyage fait aux Indes orientales* (posth., 1721 ; éd. établie par Deloffre-Menemencioglu, 1979) et des *Mémoires* (posth., 1731) qui ne sont pas sans intérêt. Il avait publié en 1713 une suite romanesque, *les Illustres Françaises, histoires véritables,* qui comportait sept nouvelles.

C. apparaît bien, d'une part, comme le continuateur du réalisme du XVIIe siècle, en particulier de Furetière, mais il est, d'autre part, plus qu'un simple continuateur, plus aussi qu'une simple transition entre le réalisme du XVIIe siècle et celui du XVIIIe siècle, Lesage ou Marivaux. Car s'il récuse le romanesque, il récuse aussi la prétention « historique » de Furetière, et surtout il est complètement étranger à l'orientation comique ou ironique du réalisme antérieur. Ce réalisme-ci est un *réalisme sérieux* : c'est peut-être l'alliance de ces deux termes qui constitue son originalité profonde, et les personnages sont essentiellement conditionnés par leur regard égocentrique comme si le monde extérieur n'existait pas. Les histoires que raconte C. sont avant tout des histoires privées, ce qui confère à son œuvre à la fois le charme du secret et le piment de l'indiscrétion. Quant à la forme, elle se rattache apparemment à la tradition de Boccace et de Marguerite de Navarre, mais les sept « histoires » que comporte cette suite sont reliées entre elles par une sorte de complémentarité, qui fait que, souvent, elles s'éclairent pour ainsi dire l'une l'autre. Ajoutons que si, dans la forme, qui se veut exclusivement narrative, l'œuvre de C. se présente comme fort éloignée du roman d'analyse, l'auteur a su intégrer à la structure même du récit, en y instaurant une totale liberté des personnages, une pénétration psychologique elle aussi fort originale. En 1767, fut aussi publié *le Militaire philosophe ou Difficultés sur la religion proposées au Père Malebranche.* Ce pamphlet posthume contre la religion révélée et le pape a été réédité en 1983 par Deloffre-Menemencioglu.

CHAMFORT, Nicolas-Sébastien Roch, dit **de.** Clermont-Ferrand 1741 – Paris 13.4.1794. Enfant naturel, élève brillant et trop spirituel, il se fait connaître par des victoires dans des joutes académiques, des ouvrages philosophiques et des pièces de théâtre qui lui valent gloire et fortune malgré son esprit cinglant. Partisan déclaré et actif de la Révolution, il refuse cependant de tempérer les critiques qu'il lance contre les abus de la Terreur ; arrêté, il tente de se suicider et, six mois plus tard, meurt des suites de ses blessures. Les *Maximes, Pensées et Anecdotes* éclairent la personnalité de cet « étranger ». Plongé successivement dans une société qu'il méprise et qui l'adule, et dans une société qui accepte de sacrifier la Liberté à la Vertu, il traverse son époque raidi dans une amère solitude. Son pessimisme se fonde sur une observation sans complaisance du monde ; la déception, la dénonciation des ridicules, des vices et des faux dieux pourraient cacher une espérance de progrès, un idéalisme ; mais C., à la différence des philosophes du Siècle des lumières, croit que l'homme, irrémédiablement perverti par la société, court à une prochaine décadence. Acad. fr. 1781.

Œuvres. *La Jeune Indienne*, 1764 (T). – *Épître d'un père à son fils sur la naissance d'un petit-fils*, 1764. – *Éloge de Molière*, 1769. – *Le Marchand de Smyrne*, 1770 (T). – *Éloge de La Fontaine*, 1774. – *Dictionnaire dramatique*, 1776. – *Mustapha et Zéangir*, 1777 (T). – *Contes et Nouvelles en vers*, 1778. – *Tableaux de la Révolution*, 1790. – *Discours sur les académies*, 1791, 1804. – *Sébastien Chamfort à ses concitoyens en réponse aux calomnies de Tobiesen-Duby, 18 vendémiaire an I.* – *Maximes, Pensées et Anecdotes*, posth., 1795.

CHAMPFLEURY, Jules-François-Félix Husson, dit **Fleury** ou. Laon 10.9.1821 – Sèvres 6.12.1889. Il est l'initiateur du réalisme français avec la nouvelle *Chien-Caillou,* qui conte l'histoire d'un graveur misérable. Connaisseur de la bohème parisienne, il écrit *les Aventures de mademoiselle Mariette* (1853), qui sont à mettre en parallèle, dans un autre style, avec les *Scènes* de Murger. Peu à peu, il devint meilleur critique que romancier (il donna en particulier de remarquables articles à la revue *l'Artiste) ;* il fut un des premiers à mettre à leur vraie place Balzac, Wagner et le peintre Courbet.

Œuvres. *Pierrot valet de la mer,* 1846 (T). – *Pierrot pendu,* 1847 (T). – *Chien-Caillou, fantaisie d'hiver,* 1847 (N). – *Les Excentriques,* 1852 (E). – *Les Aventures de mademoiselle Mariette,* 1853 (N). – *L'Usurier Blaizot* (d'abord paru sous le titre *les Oies de Noël),* 1853 (N). – *Les Bourgeois de Molinchart,* 1855 (N). – *Monsieur de Boisdhyver,* 1856 (N). – *Le Réalisme* (recueil d'articles), 1857. – *La Succession Le Camus,* 1857 (N). – *Les Amoureux de Sainte-Périne,* 1859 (N). – *Le Violon de faïence,* 1862 (N). – *Les Frères Le Nain,* 1862 (E). – *Histoire de la caricature antique ; Histoire de la caricature moderne* (6 vol.), 1865-1880. – *Histoire des faïences patriotiques sous la Révolution,* 1866 (E). – *Monsieur Tringle,* 1866 (N). – *Souvenirs et Portraits de jeunesse,* 1872. – *Bibliographie céramique,* 1881. – *Fanny Minoret,* 1882 (N). – *Henri Monnier, sa vie et son œuvre,* 1889 (E).

CHAMSON André. Nîmes 6.6.1900 – Paris 8.11.1983. Son œuvre est dominée, pour l'essentiel, par la volonté de faire revivre, sous forme romanesque, l'âme et l'histoire de son terroir cévenol. C. n'en dépasse pas moins largement le simple « régionalisme » pour intégrer à cette évocation une vision personnelle, à la fois dure et généreuse, de l'homme et de la société, vision qui s'exprime aussi bien dans des œuvres étrangères au terroir cévenol, comme *la Galère.* C'est que cette œuvre est profondément, sans toujours l'avouer, d'inspiration autobiographique : on y perçoit la présence constante de l'auteur. Sans doute est-ce la raison pour laquelle le meilleur de C. est dans les récits, tel *le Chiffre de nos jours,* où il s'abandonne plus franchement à ses penchants personnels, se livre à la poésie de ses souvenirs et trouve alors ce ton original qui fait de son style un modèle à la fois de classicisme et de sensibilité. Acad. fr. 1956.

Œuvres. *Attitudes,* 1924 (N). – *Roux le bandit,* 1925 (N). – *Les Hommes de la route,* 1927 (N). – *L'Homme contre l'histoire,* 1927 (E). – *Le Crime des justes,* 1928 (N). – *L'Auberge de l'abîme,* 1928 (N). – *Histoires de Tabusse,* 1928 (N). – *Les Cévennes,* 1930. – *Le Tyrol,* 1930. – *Héritages,* 1932 (N). – *L'Année des vaincus,* 1934 (N). – *Rien qu'un témoignage,* 1937 (E). – *La Galère,* 1939 (N). – *Quatre Mois,* 1940 (N). – *Le Puits des miracles,* 1945 (N). – *Fragments d'un « Liber veritatis »,* 1946 (E). – *L'Homme qui marchait devant moi,* 1948 (N). – *La Neige et la Fleur,* 1951 (N). – *Le Chiffre de nos jours,* 1954 (N). – *Nos ancêtres les Gaulois,* 1958 (N). – *Le Rendez-vous des espérances,* 1961 (N). – *Comme une pierre qui tombe,* 1964. – *La Petite Odyssée,* 1965. – *La Superbe,* 1967 (N). – *La Tour de Constance,* 1970 (N). – *Les Taillons ou la Terreur blanche,* 1974 (N). – *Réception imaginaire de Joseph d'Arbaud, poète et gentilhomme de Camargue,* 1974. – *Suite guerrière : Écrit en 1940 ; le Dernier Village ; le Puits des miracles,* 1975 (N). – *La Reconquête 1944-1945,* 1975. – *Sans-peur et les Brigades aux visages noirs,* 1977 (N). – *Castanet, le camisard de l'Aigoual,* 1979 (N). – *Catinat, gardian de Camargue, chef de la cavalerie camisarde,* 1982 (N). – *Il faut vivre vieux,* posth., 1984 (E).

CHANSON. Pièce de vers divisée en strophes généralement égales, appelées « couplets », se terminant le plus souvent par un « refrain » (répétition du ou des mêmes vers), et accompagnée de musique. La chanson est la forme originelle commune à la poésie populaire et à la poésie lyrique. Tout au long du Moyen Âge, la chanson se confond ainsi avec le poème, particulièrement dans le cas du lyrisme amoureux : c'est alors le terme même de *chanson (canzo,* dans la langue d'oc des troubadours) qui désigne le poème lyrique. Accompagné d'un adjectif qui en précise le sens, le terme désigne aussi, par extension, d'autres formes de poésie : poésie épique dans le cas de la chanson de geste, par exemple. Et ce sont les chansons à danser qui donnent leur nom aux « formes fixes » de la poésie médiévale, ballades et rondeaux.

Lorsque s'opère, à partir du XVIe s., la séparation de la poésie d'avec la musique, lorsque, à la même époque, s'affirme le caractère aristocratique et savant de la poésie, le poème cesse de se confondre avec la chanson, qui revêt un caractère plus populaire et familier. Il arrive à la chanson, en particulier au XIXe s., de devenir surtout satirique, et ainsi naît le personnage du « chansonnier ». Parallèlement se développe la chanson sentimentale relevant du genre de la romance. On connaît enfin le considérable développement de la chanson à l'époque contemporaine, largement favorisé par l'influence du disque et des *media.* À cet égard, la chanson contemporaine, quelle que soit l'inégalité de sa valeur poétique ou musicale, revêt le caractère d'un véritable phénomène de civilisation.

Quant à la poésie lyrique, elle a souvent conservé la structure strophique de la chanson, ainsi que le refrain ; elle reste fidèle à ses origines musicales par sa recherche du rythme et de l'harmonie, et le poème lyrique sert souvent de texte aux musiciens pour leurs mélodies. On ne saurait enfin négliger le fait que quelques-uns des plus grands lyriques modernes, tels Verlaine ou Apollinaire, ont su, dans leurs œuvres, restaurer l'unité originelle de la chanson et de la poésie.

CHANSON DE GESTE. Récit poétique de hauts faits (sens du latin *res gestae* ou *gesta),* qui met en scène les exploits de personnages historiques transformés en symboles par l'imagination légendaire. La chanson de geste appartient ainsi au genre de l'épopée, telle que la définit Hugo dans la préface à *la Légende des siècles :* « de l'histoire écoutée aux portes de la légende ». L'épopée française, dont l'âge d'or se situe aux XIe et XIIe s., obéit aux lois fondamentales du genre, en particulier l'organisation en cycles autour d'un personnage central qui fait l'unité des différents épisodes relatés dans les chansons du même cycle.

La chanson de geste est destinée à la récitation publique, de sorte que son texte peut être remanié ou augmenté par chaque récitant ; elle est aussi, généralement, anonyme, et, s'il arrive qu'un nom figure dans le texte (par exemple Turold, dans *la Chanson de Roland*), il est impossible de savoir si c'est le nom de l'auteur ou celui d'un récitant.

Quant à la formation des légendes qui constituent la matière des chansons de geste, elle reste obscure et a donné lieu aux théories les plus diverses. L'époque romantique, qui découvrait la richesse du folklore, avait affirmé que les légendes épiques étaient le produit spontané de l'imagination « primitive » des peuples et que les textes que nous possédons constituaient la mise en forme « littéraire » de ces légendes d'origine populaire. La critique moderne, en s'attachant à l'analyse interne des textes et de leurs techniques, a montré de façon décisive que la théorie romantique n'était pas soutenable. Les textes témoignent en effet, dans leur style et dans leur composition, de capacités techniques proprement littéraires, qui ne peuvent être le fait que d'écrivains professionnels, eux-mêmes influencés par l'idéal esthétique et moral d'une société de haute culture. Mais il ne s'ensuit pas nécessairement que chaque chanson ait un seul auteur : la pratique de la récitation orale suggère l'hypothèse que les textes qui nous sont parvenus ont été progressivement élaborés par une succession d'auteurs-récitants, dont le génie a su faire de certaines de ces chansons quelques-uns des plus hauts chefs-d'œuvre de la littérature française.

CHANSON DE TOILE. Court morceau poétique, en strophes simples, assonancées ou rimées, à refrain. Ces chansons ont pour thème unique un bref drame amoureux. Elles ne survécurent pas au-delà du XIIe s. et ne sont attestées qu'en français. Ainsi nommées parce qu'elles étaient chantées par les femmes travaillant au métier à tisser, dans le Nord, elles n'ont pas d'équivalent en langue d'oc.

CHANSON DE GUILLAUME (La). Chanson de geste du XIe s., en laisses de décasyllabes assonancés. La plus ancienne chanson de geste du cycle de Guillaume d'Orange (dit aussi : de Garin de Monglane). Le païen Deramed menace le roi Louis et dévaste la plaine des Aliscans. Malgré la vaillance de Vivien, neveu de Guillaume, pour ne citer que lui, les chrétiens sont vaincus. Vivien meurt, lui qui avait promis de ne jamais céder devant l'ennemi. De retour chez sa femme Guibourc, Guillaume trouve porte close. Guibourc refuse de recevoir un vaincu. Elle finit par lui ouvrir la porte mais l'exhorte à poursuivre le combat, non sans avoir, auparavant, demandé secours au roi de France. Celui-ci accorde une armée grâce à laquelle, avec l'aide du géant Rainouart, Guillaume vient à bout des Sarrasins. Très primitive, cette chanson de geste n'atteint pas au raffinement de *la Chanson de Roland.* Les situations sont toujours extrêmes – grandes victoires ou désastres inouïs –, les caractères ne sont guère nuancés – enthousiasmes délirants qui succèdent, sans raison apparente, à des désespoirs sans issue. Mais cette succession de forces déchaînées ou enchaînées, cette absence de transition qui rend parfois incohérentes les motivations des personnages, cette brutalité spontanée ne sont pas sans provoquer de beaux passages. Qui plus est, la chrétienté n'a pas encore enseigné les effets bénéfiques de la résignation dans la transcendance, qui donne à *la Chanson de Roland* cet aspect sublime que *la Chanson de Guillaume* ignore. (Voir ALISCANS [LES].)

CHANSON DE ROLAND (La). XIe s. Reconnue à juste titre comme la plus célèbre des chansons de geste, elle est, de toute évidence, la création d'un artiste en pleine possession de son métier littéraire, qui organise et domine de toute la puissance de son génie dramatique l'ampleur et la signification de son sujet. C'est, comme les poèmes homériques, une œuvre à propos de laquelle il est impossible d'accepter la thèse romantique de l'origine « primitive » et « populaire » de l'épopée. Mais son auteur nous est resté inconnu. On a pu croire que le nom qui apparaît à la fin de la chanson, Turold, était celui du clerc – français ou normand – qui l'avait écrite. Il est plus probable que c'est celui d'un récitant ou, au mieux, celui d'un jongleur qui a eu le mérite de fixer le texte dans une version remontant sans doute au début du XIe s. (nous savons que *Roland* fut chanté à Hastings en 1066 par un jongleur nommé Taillefer, sur le front des chevaliers normands de Guillaume le Conquérant), texte qui nous a été conservé par le « manuscrit d'Oxford » datant des environs de 1160 et découvert en 1832. Depuis cette date, de nombreuses adaptations en français moderne ont été composées, dont la plus fidèle est sans doute celle de Joseph Bédier (1922). Elles ont largement contribué à rendre célèbres les épisodes les plus fameux de la chanson, depuis l'obstination de Roland à Roncevaux jusqu'à la mort de la belle Aude, la fiancée du héros et l'une des rares apparitions féminines de l'épopée médiévale. Mais la grandeur du poème tient principalement à la force et à la rigueur de son organisation dramatique ainsi qu'à la puissance suggestive et visuelle des images et des tableaux. On ne saurait, non plus, minimiser l'importance que revêt un art du mouvement dans l'espace qui fait de *la Chanson de Roland* une des œuvres les plus « précinématographiques » qui soient. Tous éléments qui expliquent que, depuis la découverte de son texte, *la Chanson de Roland* n'a pas cessé d'être considérée comme le chef-d'œuvre où l'épopée française a atteint sa pleine perfection.

La Chanson de Roland

Elle est composée de 4 002 vers décasyllabes distribués en 201 laisses assonancées d'inégale longueur. Elle est construite comme un vaste drame en trois actes principaux, constituant la préparation, la crise et la catastrophe, et un épilogue.
I. *La Trahison.* Il ne reste plus à Charlemagne, à la suite de son invasion de l'Espagne, qu'à prendre Saragosse en tentant d'obtenir la capitulation du chef sarrasin Marsile. Roland et Ganelon sont opposés sur le choix de la meilleure tactique à adopter. Roland se méfie de Marsile et propose de prendre Saragosse de vive force ; Ganelon, au contraire, est favorable à une négociation. Il sera donc finalement désigné, mais, au cours de son affrontement avec Roland en présence de l'Empereur, il a subi une humiliation, et il voit dans sa mission auprès de Marsile une occasion de se venger. Il se laissera convaincre de trahir Charlemagne en persuadant l'Empereur de rentrer en France tandis que Marsile attaquera l'arrière-garde commandée par Roland, et le plan réussira comme un mécanisme tragique infaillible.
II. *La Crise.* La scène a pour cadre le champ de bataille de Roncevaux, où Roland et ses pairs sont vaincus par Marsile, malgré leur valeur et leur bravoure. Roland refuse, par souci de son honneur, d'appeler Charlemagne au secours en sonnant le cor ; et, lorsqu'il se décidera, il sera trop tard. Cette partie centrale est remplie par le récit et la mise en scène des batailles successives au cours desquelles les principaux personnages disparaissent jusqu'à ce que Roland reste seul avec son compagnon Olivier.
III. *La Catastrophe.* Centrée sur la solitude et la mort du héros, c'est la partie la plus intensément dramatique : au fur et à mesure que Roland s'achemine vers l'achèvement de son destin, la mort, sa stature spirituelle se construit, et le parallélisme entre ces deux mouvements structure et concentre avec une étonnante efficacité le dénouement du drame.
IV. *Épilogue.* Seul reste le traître. Le passage à l'épilogue est marqué par un changement caractéristique du cadre. Nous voici au lieu impérial par excellence, Aix-la-Chapelle, la résidence de Charlemagne : c'est là que se déroulera, commenté au long de vingt laisses, le jugement de Ganelon, qui sera écartelé, tandis que tous ses parents seront pendus : « Quiconque trahit se perd, et les autres avec lui. » De sorte que la *Chanson* se termine sur l'affirmation définitive du primat de l'honneur féodal, qui correspond, en effet, à la signification profonde du poème.

CHAPELAIN Jean. Paris 4.12.1595 – 22.12.1674. Membre fondateur de l'Académie française, dont il inspira l'idée à Richelieu. Sa traduction de *Don Guzmán de Alfarache* (1619) et quelques vers lui valurent la réputation d'un grand poète jusqu'à l'échec de *la Pucelle* (1656). Mais il jouait pendant ce temps un rôle de critique de premier rang parmi les « doctes ». Il rédigea à regret *les Sentiments de l'Académie française sur « le Cid »,* en homme qui avait su reconnaître le génie de Corneille. Il fut plus confus, mais historiquement plus utile, en 1630, que Boileau en 1674. Il conseilla intelligemment Richelieu dans son mécénat.

Œuvres. *Guzmán de Alfarache, de Mateo Aleman* (trad.), 1619. – *Lettre ou Discours... en tête d'une édition de l'Adone, de Marino,* 1623. – *Lettre à Godeau sur les Unités,* 1630. – *Ode à Richelieu,* 1633. – *Les Sentiments de l'Académie sur « le Cid »,* 1637. – *La Guirlande de Julie* (recueil de madrigaux de plusieurs auteurs), contient : *la Couronne impériale,* 1641. – *La Pucelle ou la France délivrée* (poème héroïque), 1656.

CHAPELLE, Claude-Emmanuel Lhuillier, dit. La Chapelle-Saint-Denis 1626 – Paris 1686. Élève de Gassendi, il fut un esprit libre, non un philosophe ; ami de Molière, Racine, Boileau, Cyrano, La Fontaine, il négligea pourtant la grande poésie. Il connut le succès avec son *Voyage en Provence* – écrit avec Bachaumont – (1663), œuvre en prose et en vers d'un genre alors en vogue, et qu'il rendit populaire pour plus d'un siècle. L'influence des cabarets et des salons se mêle chez lui à l'inspiration libertine : sa poésie est légère, mais sans vulgarité ; précieuse, mais sans recherche excessive de la virtuosité. On y sent affleurer ce qui sera l'« esprit » du XVIIIe siècle.

CHAR René. L'Isle-sur-la-Sorgue 14.6.1907. « René Char admet volontiers que s'il avait été poète au temps du romantisme, il aurait été poète romantique » (P. Guerre). C. a appartenu au mouvement surréaliste ; il s'en détache bientôt pour entrer dans son propre royaume, celui de l'« homme terrestre, l'homme qui va, le garant qui élargit », qui traverse tous les espaces à la recherche de la vérité, poésie et nudité de l'« éclatement de l'univers ». Dans la Résistance, il fut, sous le nom de capitaine Alexandre, chef d'un maquis de Provence. Cette expérience, par le profond retentissement qu'elle aura sur son œuvre, enseigne à C. ce combat qu'il faut mener contre « la fatalité à l'aide de sa magie ». En communion avec sa terre de Provence, C. devient transparent à ses fécondités et reconnaît aux saisons, aux éléments le pouvoir essentiel de « vivre » par « la conquête des pouvoirs extraordinaires dont nous nous sentons profusément traversés ». Le fondement de notre impossibilité toute sociale à exprimer ce miracle se situe au niveau de la « bêtise qui aime à gouverner ». C. lutte pour l'être pur d'un paysage chargé de voix. À l'instar de Rimbaud, il veut « changer la vie », jeter au-delà de soi l'existence accumulée dans ses seules pesanteurs et retrouver un regard qui aime assez la « vraie vie » pour en établir le rayonnement d'innocence. Le poète détient la grâce du verbe qui le traverse et lui permet de manifester l'accomplissement d'une révolution de l'humain selon ses qualités d'intériorité. La poésie latente dans chaque image des eaux ou de notre terre d'enfance doit seule nous requérir, arrachant le langage à ses fascinations et enfermements. L'aphorisme, fine pointe de l'écriture de flamme, se teinte alors d'un prophétisme qui instaure les noces de l'amour et de la chair, nos deux formes dissociées. La poésie s'incarne ainsi dans une écriture qui vient modeler les mots pour « les livrer à leur propre aurore » (*le Poème pulvérisé*) et formule une véritable éthique poétique. Au rythme de sa progression en son propre dépouillement, C. brûle la générosité du poème jusqu'à la maxime qui éclaire une sagesse. En 1964, C. fait un choix de ses poèmes, qu'il réunit sous le titre *Commune présence :* cette anthologie, qui se veut significative, lie les œuvres sans leur donner le sens d'une évolution, sans les soumettre au temps, selon un ordre « a-chronologique », mais les projette dans la poursuite commune de l'immédiat et de la souveraineté : poésie qui, au moyen d'un condensé de parole, se veut figuration de l'amour.

Œuvres. *Artine,* 1930 (P). – Avec A. Breton et P. Éluard, *Ralentir travaux,* 1930 (P). – *Le Marteau sans maître,* 1934 (P). – *Moulin premier,* 1936 (P). – *Placard pour un chemin des écoliers,* 1937 (P). – *Dehors la nuit est gouvernée,* 1938 (P). – *Seuls demeurent,* 1946 (P). – *Premières Alluvions,* 1946 (P). – *Feuillets d'Hypnos,* 1946 (P). – *Le Poème pulvérisé,* 1947 (P). – *Fureur et Mystère* (recueil), 1948 (P). – *Le Soleil des eaux,* 1949 (P). – *Claire,* 1949 (P). – *Les Matinaux,* 1950 (P). – *Partage formel,* 1950 (P). – *À une sérénité crispée,* 1951 (P). – *Lettera amorosa,* 1953 (P). – *Poèmes des deux années,* 1955 (P). – *Recherche de la base et du sommet,* 1955 (P). – *La bibliothèque est en feu,* 1956 (P). – *Poèmes et Prose choisis,* 1957. – *La Parole en archipel,* 1962 (P). – *Fureur et Mystère* (recueil, seconde édition), 1962 : *Seuls demeurent ; Feuillets d'Hypnos ; les Loyaux adversaires ; le Poème pulvérisé ; la Fontaine narrative.* – *Commune présence,* 1964 (P). – *L'Âge cassant,* 1965 (P). – *Retour amont,* 1965 (P). – *Trois Coups sous les arbres* (ensemble des textes dramatiques), 1967. – *Dans la pluie giboyeuse,* 1968 (P). – *Le Chien de cœur,* 1969 (P). – *L'Effroi la joie,* 1969 (P). – *La Nuit talismanique,* 1972 (P). – *Se rencontrer paysage avec Joseph Sima,* 1974 (P). – *Sur la poésie, 1936-1974,* 1974 (E). – *Le monde de l'art n'est pas le monde du pardon,* 1974 (E). – *Aromates chasseurs,* 1975 (P). – *Chants de la Balandrane,* 1977 (P). – *Commune présence* (nouvelle édition revue et augmentée), 1978 (P). – *Le Nu perdu et Autres Poèmes (1964-1975),* 1978, rééd. 1982 (P). – *Fenêtres dormantes et porte sur le toit,* 1979 (E). – *Œuvres complètes,* 1983. – *Les Voisinages de Van Gogh,* 1985.

CHARBONNEAU Robert. Montréal 1911 – 1967. Écrivain canadien d'expression française. Fondateur, avec Paul Beaulieu, de la revue *la Relève* (1934), il est l'un des créateurs du roman d'analyse au Canada. Dans ses poèmes, tout comme dans ses ouvrages de critique, il rappelle que l'écrivain canadien doit s'ouvrir à toutes les techniques modernes d'expression.

Œuvres. *Ils posséderont la terre,* 1941 (N). – *Connaissance du personnage,* 1944 (E). – *Fontile,* 1945 (N). – *Petits Poèmes retrouvés,* 1945 (P). – *La France et nous,* 1947 (E). – *Les Désirs et les Jours,* 1948 (N). – *Aucune créature,* 1961 (N). – *Chronique de l'âge amer,* 1967. – *Romanciers canadiens,* posth., 1972 (E).

CHARDONNE, Jacques Boutelleau, dit **Jacques.** Barbezieux-Saint-Hilaire (Charente) 2.1.1884 – La Frette-sur-Seine 30.5.1968. Ch. a hérité des marchands de Cognac, dont il descend, un art de vivre aristocratiquement bourgeois, fait d'amour de la perfection, de sagesse provinciale et de traditions séculaires. Éditeur, C., qui avait écrit en 1905 un court et original roman, *Catherine* (publ. 1964), se consacra, dès sa première œuvre, *l'Épithalame,* à l'étude psychologique et morale du couple ; sa production romanesque, qui ne s'écarta pas de cette orientation, fut plus heureuse dans des romans courts et aigus, comme *Romanesques,* que dans la trilogie cyclique des *Destinées sentimentales,* où il ne parvient pas à donner vraiment vie à l'univers moral et professionnel de son enfance. La modestie de C. l'a empêché d'atteindre un très vaste public, mais ses fidèles y gagnent le régal d'un style uniquement constitué par le dépouillement et l'harmonie. Le lyrisme de C., parce qu'il est d'abord intérieur, semble permettre à son œuvre de subsister plus sûrement que bien des chroniques romanesques en leur temps plus célèbres.

Œuvres. *L'Épithalame,* 1921 (N). – *Le Chant du bienheureux,* 1927 (N). – *Les Varais,* 1929 (N). – *Éva ou le Journal interrompu,* 1930, rééd. 1984 (N). – *Claire,* 1931, rééd. 1984 (N). – *L'Amour du prochain,* 1932 (E). – *Les Destinées sentimentales* (3 vol.), 1934-1936, rééd. 1984 (N). – *L'amour, c'est beaucoup plus que l'amour* (recueil de pensées), 1re éd., 1937, rééd. 1984 (E). – *Le Bonheur de Barbezieux,* 1938, rééd. 1980 (E). – *Romanesques,* 1938, rééd. 1984 (N). – *L'amour, c'est beaucoup plus que l'amour,* 2e éd., 1941 (E). – *Attachements,* 1943 (E). – *Chimériques,* 1948 (N). – *Vivre à Madère,* 1953. – *Lettres à Roger Nimier,* 1954. – *Matinales,* 1956. – *Le Ciel dans la fenêtre,* 1959. – *Femmes* (contes), 1961 (N). – *Demi-jour,* 1964. – *Catherine* (écrit en 1904), 1964 (N). – *Propos comme ça,* 1966-1967. – *Détachements* (écrit en 1945), posth., 1969. – *Lettres à Roger Nimier et quelques réponses de Roger Nimier,* posth., 1985.

Romanesques

C'est une chronique de la tragédie du couple, aggravée par la conscience qui en est prise, conscience dont l'effet est d'ailleurs analogue à celui de l'analyse romanesque : Octave et Armande, Octave surtout, exposent leur situation (il y a en Octave quelque chose de proustien), et c'est en cela qu'ils sont, chacun à sa manière, l'un par l'introspection, l'autre par l'imagination, des « romanesques ». Octave est habité par l'angoisse, dans la mesure même où il ne cesse d'observer Armande (et lui-même) pour savoir si elle l'aime ou ne l'aime pas. Il ne s'agit pas de jalousie, ou bien alors c'est une jalousie qui a pour objet l'image d'Octave qui, chez Armande, se substitue, selon lui, à Octave : car il y a dédoublement d'Octave à la fois en lui-même et dans le cœur ou l'imagination d'Armande ; tel est le résultat de l'analyse et de l'introspection : recherche inlassable de lucidité qui conduit aussi Octave à ne pouvoir se passer d'Armande dans le moment même où il souffre par elle. Quant à Armande, elle aime Octave, ou tout au moins une image d'Octave ; mais l'effort désespéré de celui-ci pour savoir si cette image coïncide ou non avec lui-même, et si, par là, il coïncide en tant qu'Octave avec l'amour d'Armande, ne débouche que sur la conviction que le « bonheur est impossible » (tout au moins pour des « romanesques »), car le bonheur est incompatible avec l'analyse d'autrui et l'introspection de soi. Seule la nature peut créer autour des affres de la lucidité une atmosphère de mélancolie, traduite dans les paysages qui enveloppent cet exercice de cruauté, et dont l'accord avec l'état de l'âme prend valeur d'apaisement.

CHARLES D'ORLÉANS. Paris 24.7.1391 – Amboise 4.1.1465. Fils de Louis d'Orléans et de Valentine Visconti, il est élevé à la cour, dans une ambiance raffinée. Dès son plus jeune âge, il compose des vers. Par sa naissance, il est aussi mêlé de bonne heure à la guerre civile qui divise la France en deux camps : celui des Armagnacs et celui des Bourguignons. Sa jeune sensibilité sera marquée par la violence et par les deuils : l'assassinat de son père (1407), la mort de sa mère (1408) et, plus tard, celle de sa femme, Isabelle de France (1409). Il devient, bien malgré lui, le chef des Armagnacs et cherche en vain à prendre une revanche. Fait prisonnier à Azincourt (1415), il est déporté en Angleterre, où il séjournera durant vingt-cinq années. La captivité, les loisirs forcés favorisent l'épanouissement de ses dons poétiques. Il partage son temps entre la prière, les lectures morales et la nostalgie du pays perdu. Grâce à l'intervention de Philippe le Bel, il revient en France en 1440. Il renonce du même coup au « service d'amour » qu'il vouait à une dame anglaise, service qui contribuait à le confiner dans son « nonchaloir ». Libéré, Charles retrouve le goût de l'action. Mais en 1448, l'échec de la campagne d'Italie, qu'il avait entreprise en partie pour tenter de récupérer l'héritage de sa mère, marque la fin de sa carrière politique.
Depuis 1437, le poète n'a rien écrit mais il s'est occupé de rassembler les diverses ballades, complaintes et chansons qu'il avait composées durant sa longue captivité. A partir de 1444, le recueil ainsi constitué s'enrichit de nouveaux poèmes. Charles s'installe à Blois et réunit autour de lui les esprits les plus sensibles de son temps. Villon viendra aussi y séjourner, attiré par le prestige du « salon » du poète, car on apprécie le mécène qui apporte aide et protection aux artistes les moins favorisés. Peu à peu, Charles oublie ses déboires politiques en se consacrant exclusivement à la poésie. Ses œuvres se composent de 102 ballades, 181 chansons, 7 complaintes et 400 rondeaux. Les pièces ne sont pas toutes écrites en français.

Charles utilise également les langues latine et anglaise. Poète de l'exil, il est aussi celui de la nature et de l'amour (courtois). Quelque peu influencé par Guillaume de Lorris, il n'en garde pas moins un tour tout à fait personnel, se laissant entraîner par une sensibilité poétique très vive. Charles a le mérite d'avoir renoué avec l'idéal courtois du XIIe s. Les années passées en avaient quelque peu stéréotypé le genre dans la préciosité et la fantaisie artificielle. Charles retrouve la spontanéité du sentiment, sa sincérité et surtout la profondeur. Son œuvre, en effet, garde l'empreinte d'une vie dont la majeure partie fut occupée par le souci de la terre natale à retrouver et celui de ses droits à reconquérir, tout en laissant une place de premier plan à la pensée de la Dame. Les épreuves qu'il endura lui firent prendre conscience et de la vanité du pouvoir et de la vérité, à découvrir, de la poésie.

À une époque où les clercs et les bourgeois avaient accaparé le monopole de la vie intellectuelle et poétique, Charles a prouvé que l'aristocratie, sérieusement mise en question par une situation politique défavorable, était encore en mesure de produire des œuvres personnelles et originales, même si, pour ce faire, elle devait renouer avec le passé.

Œuvres. Éd. établie par P. Champion, 1923.

CHARPENTIER François. Paris 1620 – 1702. Après avoir rédigé en français – et non en latin, comme le voulait la tradition – les inscriptions pour les tableaux de Versailles, il défendit et loua notre langue dans *la Défense de la langue française* (1695) et *l'Excellence de la langue française* (1683). Il fut, avec Perrault, le partisan le plus déclaré des Modernes. Enfin, C. a publié quelques poésies de circonstance. Acad. fr. 1651.

CHARROI DE NÎMES (Le). Chanson de geste du cycle de Guillaume d'Orange, de la première moitié du XIIe s., composée de 1 485 décasyllabes assonancés. Elle rend compte des exploits de Guillaume dans sa lutte contre les Sarrasins : Louis le Pieux (surnommé aussi le Débonnaire), au moment de distribuer les faveurs, oublie son plus fidèle vassal, Guillaume. Celui-ci, hautain, lui rappelle ses exploits passés et refuse le fief qu'en dernière instance le roi, gêné, veut alors lui accorder. Les seules terres que Guillaume veut bien accepter sont aux mains des Sarrasins : il lui faudra les reconquérir. Guillaume part pour Nîmes, occupé par les ennemis ; il s'introduit dans la ville, déguisé en marchand, pendant que ses compagnons d'armes se sont dissimulés dans des tonneaux transportés vers la ville (d'où le titre de la chanson). Grâce à ce stratagème, les chrétiens sont vainqueurs. *Le Charroi de Nîmes* est une des chansons les plus brèves et les plus originales : malgré la grandeur du genre épique, elle se distingue des autres par l'intervention de personnages ordinaires et le déroulement de scènes gaillardes et malicieuses qui sont également un trait caractéristique de la littérature du Moyen Âge.

CHARRON Pierre. Paris 1541 – 16.11.1603. Après avoir fait une « bonne provision de sciences libérales et humaines », dans les facultés de Paris et de Montpellier (1546), C. fut reçu docteur en droit et s'inscrivit au barreau. Ce qui ne l'empêcha pas d'entrer dans les ordres en 1576. Devenu un prédicateur à succès, tout en exerçant les fonctions de professeur et celles de chantre, il voyagea à travers la France, résidant le plus souvent à Bordeaux, où il devint l'ami de Montaigne. Personnalité éminente (secrétaire de l'Assemblée du clergé à Paris, 1596 ; théologal [grand vicaire] de Condom, 1600), il revint à Paris, où il mourut dans des circonstances suffisamment suspectes pour que l'on attendît deux jours avant de lui accorder une sépulture définitive. Personnalité double, tout à la fois prêtre et bon vivant, « riant et gai », il a empreint son œuvre d'un esprit parfois frondeur, qui se manifeste déjà dans le titre de son premier ouvrage : *Discours chrestien qu'il n'est permis... de se rebeller contre son roi.* Il lui arrive même, « dans un grand bouillon de colère et d'indignation », de prêcher en faveur de la Ligue. Prédicateur important, « le plus grand de France », C. s'est également fait apologiste afin d'atteindre ceux qui ne pouvaient pas se déplacer pour l'entendre : *les Trois Vérités contre tous athées : idolâtres, juifs, mahométans, hérétiques et schismatiques.* Mais c'est surtout *la Sagesse*, ouvrage philosophique et moral, qui marqua sa carrière. Ce livre fit scandale : appartenant à la même famille d'esprit que Montaigne, sceptique, C. prend pour devise : « Je ne sais » et affirme son « doute expérimental ». En outre, les maîtres auxquels il se réfère ne sont pas des théologiens, et les libertés qu'il prend pour exprimer ses opinions ne sont pas sans donner quelques inquiétudes à ses supérieurs hiérarchiques. *La Sagesse* reprend nombre des idées de Montaigne mais « structure », en quelque sorte, les *Essais* et annonce les méthodes modernes de la réflexion philosophique : le raisonnement logique et cohérent, la pensée ordonnée et subtilement articulée – principes auxquels Montaigne est loin de se soumettre. Sans jamais mettre en cause l'autorité de la foi, C. laissa passer dans son œuvre assez de liberté pour que cette œuvre trouve de fervents lecteurs parmi les libertins du XVIIe s.

Œuvres. *Discours chrestien qu'il n'est permis... de se rebeller contre son roi*, 1589. – *Les Trois Véritéz contre tous athées : idolâtres, juifs, mahométans, hérétiques et schismatiques*, 1594. – *Discours chrétiens « de la cognoissance et providence de Dieu, de la rédemption du monde et de la communion des Saincts »* (seize discours), 1600. – *Les Trois Livres de la Sagesse*, 1601 (quarante-neuf éditions de 1601 à 1672).

CHARTIER Alain. Bayeux 1385 – Avignon 1433 ou 1449 ? Il fit ses études à l'université de Paris et s'intéressa tout particulièrement aux classiques latins. Secrétaire de Charles VI, puis de Charles VII (1422), il fut nommé chanoine de Paris en 1420, puis chancelier de Bayeux. Il fut chargé par Charles VII de plusieurs missions diplomatiques, en Allemagne et à Venise (1425), puis en Écosse (1428). Menant de front son activité politique et sa création poétique, il a laissé une œuvre considérable. Il est, tout d'abord, l'auteur de plusieurs traités, dont le plus important est le *Quadrilogue invectif*, où il fait preuve d'une grande éloquence en déplorant la décadence de son temps : les chevaliers sont plus soucieux d'argent que de hauts faits d'armes ; le clergé préfère la compagnie des hommes à celle de Dieu ; le peuple, qui se voudrait libre, est, en fait, ravi de sa sujétion. Quant à ses poésies, elles comprennent des rondeaux, des ballades, des chansons sur des thèmes galants. Deux œuvres surtout font date : *le Livre des Quatre Dames*, en vers octosyllabiques, et *la Belle Dame sans merci*. La première est une émouvante complainte sur les morts d'Azincourt : une Dame a perdu son mari, laissé pour mort sur le champ de bataille ; une autre a vu son mari fait prisonnier ; celui d'une troisième est porté disparu ; quant à celui d'une quatrième, il a fui : laquelle est la plus malheureuse ? La dernière, évidemment, tel est le jugement de la Cour d'amour réunie pour conclure. *La Belle Dame sans merci* est un dialogue entre une belle et son amant qui se désespère à cause de sa cruauté, et qui se plaint : « Ah ! cœur plus dur que le noir marbre. En qui merci ne peut entrer. » Cette œuvre, considérée comme empreinte de misogynie, fit scandale. La Cour d'amour bannit C. de ses rangs, et il fut obligé de faire amende honorable. Injustement négligé de nos jours, C. avait acquis, de son vivant, une grande renommée littéraire. Imité, adapté, il fut considéré comme un chef d'école.

Œuvres. *Le Livre des Quatre Dames*, 1416 (P). – *Le Lai de Plaisance*, s. d. (P). – *Le Lai de Paix*, s. d. (P). – *Épître à l'université de Paris*, 1420. – *De vita curiali*, s. d. – *Le Quadriloque invectif*, 1422. – *La Belle Dame sans merci*, 1424 (P). – *Le Bréviaire des Nobles*, s. d. (P). – *Traité de l'Espérance*, 1428. – *Débat patriotique*, posth., 1914.

CHARTIER Émile. (Voir ALAIN.)

CHASLES Philarète-Euphémon. Mainvilliers (Eure-et-Loir) 6.10.1798 – Venise 18.7.1873. Éduqué selon les principes rousseauistes, il fait de brillantes études et, vers 1825, débute comme critique. En 1832, il collabore avec Balzac à la rédaction des *Contes bruns*. Professeur au Collège de France à partir de 1838, il fait connaître la littérature anglaise et allemande (*Études sur le XVIIIe siècle en Angleterre*) et contribue à fonder les études de littérature comparée. Comme romancier, il a laissé des œuvres pleines de drames et de crimes horribles, dans la ligne du roman noir romantique. Il mourut du choléra au cours d'un voyage d'études à Venise.

Œuvres. *Le Père et la fille*, 1824 (N). – *Éloge de De Thou*, 1825 (E). – *La Fiancée de Bénarès*, 1825 (N). – *Tableau de la marche et des progrès de la langue et de la littérature françaises du XVIe siècle*, 1828 (E). – *Esquisses* (recueils), 1846-1864 (E). – *Olivier Cromwell*, 1847 (E). – *Études de littérature comparée*, 1847-1864 (E). – *Études sur le XVIe siècle en France*, 1848 (E). – *Virginie de Leyva*, 1861 (N). – *Galileo Galilei*, 1862 (E). – *L'Arétin, sa vie et ses écrits*, 1872 (E). – Traduction de *Titan*, de Jean-Paul Richter, s. d. – *Mémoires*, posth., 1876-1878.

CHASLES Robert. (Voir CHALLE.)

CHASSIGNET Jean-Baptiste. Besançon vers 1570 – vers 1635. Docteur en droit de l'université de Dole, avocat fiscal à Gray, C. a mené, entouré d'une famille composée de sept enfants, une vie calme et aisée. En 1594, il publie le *Mépris de la vie et Consolation de la mort* (444 sonnets), où il expose ses vues sur la vie et la mort, sur l'homme et Dieu. Pour lui, la mort, loin d'être terrifiante, est, au contraire, une ouverture vers une autre vie qui serait peut-être la vraie vie. Il a subi en cela l'influence des stoïciens et plus particulièrement celle de Montaigne, qui affronte la mort et cherche à l'apprivoiser au lieu de la fuir. Le monde, selon C., est « immonde et sot, desloyal et lubrique » ; il ne « dit jamais la vérité », car celle-ci subit les fluctuations du changement et reste inaccessible à l'homme. Au regard du grand mystère de la vie, l'homme « ne sait rien », « ne peut rien » contre les malheurs. Une seule issue possible : Dieu. « Je cri'ray tant, mon Dieu, mon Dieu je cri'ray tant/ Qu'au moins tu te plairas de m'aller escoutant. » Contrairement aux stoïciens, optimistes, qui pensent que le sage possède en lui assez de vertu pour affronter la mort en s'y accoutumant durant la vie, C. est persuadé de la corruption intrinsèque de l'homme. Selon lui, Dieu seul peut apporter la délivrance. Cette fatalité qui pèse sur l'homme, qui le rend incapable de se libérer lui-même, est celle du péché originel, que Dieu seul, par sa grâce, peut effacer. Quant à l'expression poétique, C., sans ignorer les préceptes de la Pléiade, ne les suit pas, et s'excuse même en pensant que le lecteur trouvera « beaucoup à redire, voyant les tissures de sa parole si mal jointes et unies que les liaisons et les coutures y paroissent comme les veines, les nerfs et les os dans un corps maigre, hâve et déffait ». Mais c'est là ce qui fait l'expressivité, toute « baroque », d'une œuvre originale. Successeur de Montaigne, précurseur de Pascal, C. est l'un des rares poètes du XVIe s. à avoir œuvré en silence, à l'écart de la vie brillante et érudite des salons et des cours, confronté avec lui-même et avec les problèmes essentiels de la vie. Il fait partie de ces poètes dits « métaphysiques », comme La Ceppède, Sponde, qui échappent au système socio-poétique de ce temps, poètes « marginaux » dont le XXe siècle a assuré la promotion posthume.

Œuvres. *Le Mépris de la vie et Consolation de la mort*, 1594 (P). – *Paraphrases en vers français sur les douze petits prophètes*, 1601. – *Paraphrases sur les cent cinquante psaumes de David*, 1613.

CHASTELLAIN Georges. Comté d'Aalst (Flandre) 1404 – Valenciennes 1475. Chroniqueur et poète bourguignon. Il fait de sérieuses études et s'attache à la personne de Philippe le Bon. Il participe à la guerre franco-bourguignonne aux côtés de son maître et, après le traité d'Arras (1435), il apprécie les plaisirs de la brillante cour de Bourgogne, où il exerce successivement les fonctions de panetier et d'écuyer, pour devenir, enfin, membre du conseil privé de Philippe le Bon, auquel il est tout dévoué. Il jouit auprès de lui d'une réputation digne des fonctions qu'il occupe et de la qualité de son talent d'écrivain.

Poète à ses heures, C. a laissé des pièces de circonstance, épîtres, épitaphes et panégyriques. Il se montre tour à tour courtois : *l'Oultré d'amour ;* moraliste : *le Miroir de mort* ; religieux : *Louange à la Très Glorieuse Vierge Marie* ; politique : *le Dit de Vérité, le Lyon rampant* (qui n'est autre que Louis XI, comparé aussi à une araignée). Préoccupé par la réconciliation entre la France et la maison de Bourgogne, il a exposé ses idées, par le biais de l'allégorie, dans les traités suivants : *l'Exposition sur Vérité mal-prise* et *l'Advertissement au duc Charles.* Mais C. est surtout l'auteur d'une *Chronique des choses de ce temps* qui commence à l'assassinat de Jean sans Peur (1419) et se termine au siège de Neuss, en 1475. Il ne reste que des fragments de cette œuvre comptant cinq volumes. Bien qu'étroitement lié à la maison de Bourgogne, C. se signale par son objectivité, même s'il se montre peu favorable aussi bien aux Anglais qu'à Jeanne d'Arc. « Georges l'Aventureux », comme on le surnomma, a, d'autre part, participé aux événements qu'il rapporte, ce qui explique la richesse de sa documentation. Incidemment, il nous éclaire sur l'idéal chevaleresque de son temps : le prince est à l'image de Dieu, même si, par ailleurs, certains se livrent à des cruautés que C. dénonce. Ce reportage, dans lequel l'auteur utilise toutes les ressources de la langue et du vers, n'est pas toujours exempt d'emphase et de redondance, mais il nous laisse une image riche et variée de la société et des problèmes de ce temps.

Œuvres. *L'Oultré d'amour*, s. d. (P). – *Le Miroir de mort*, s. d. (P). – *Louange à la Très Glorieuse Vierge Marie*, s. d. (P). – *Le Dit de Vérité*, s. d. (P). – *Le Lyon rampant*, s. d. (P). – *Les Princes*, s. d. (P). – *La Recollection des Merveilles advenues en nostre temps*, s. d. (P). – *L'Exposition sur Vérité mal-prise*, s. d. – *L'Advertissement au duc Charles* (2 traités allégoriques), s. d. (P). – *Le Temple de Boccace*, s. d. (P). – *La Complainte d'Hector*, s. d. – *La Paix de Péronne* (2 mystères profanes), s. d. (P). – *Chronique des choses de ce temps* (5 vol.). – *Œuvres* (8 vol.), posth., 1863-1866.

CHATEAUBRIAND François-René, vicomte de. Saint-Malo 4.9.1768 – Paris 4.7.1848. Ses premières années se passent à vagabonder en bord de mer avec les gamins de son âge. En 1777, sa famille s'installe au château de Combourg ; solitaire exalté errant sur la lande, transporté d'une ardente tendresse pour sa sœur Lucile, il y connaît « deux années de délire » dont l'impression sur lui sera durable (1784-1786). Devenu sous-lieutenant et présenté au roi, C. mène à Paris l'existence dissipée d'un désabusé ; il rencontre Fontanes, qui sera son meilleur ami. Plus par désir de gloire et de dépaysement que par antipathie pour la Révolution naissante, il fait un séjour aux États-Unis (avril-décembre 1791). À la nouvelle de l'arrestation de Louis XVI, il rentre en France : *les Natchez* sont déjà ébauchés. Blessé à l'armée des princes, il gagne Londres et y vit misérablement (1793-1800), travaillant à son *Essai sur les révolutions.* Revenu à la foi religieuse après la mort de sa mère et d'une de ses sœurs, il entreprend le *Génie du Christianisme* en 1798. Rentré en France, il se mêle à la vie littéraire par le salon de son amie Pauline de Beaumont, détache des futurs *Natchez* l'épisode d'*Atala* (1801), dont le succès le décide à publier le *Génie* (1802), qui contient *René.* Nommé secrétaire de légation à Rome, C. y perd Mme de Beaumont, écrit à Fontanes la belle *Lettre sur la campagne romaine* (janvier 1804) ; l'exécution du duc d'Enghien provoque sa démission : déçu par Bonaparte, frappé par la mort de Lucile, il erre à travers la France, puis part pour l'Orient, visitant la Grèce, les Lieux saints, l'Égypte, la Tunisie et l'Espagne. Rentré en France, il se retire dans sa maison de la Vallée-aux-Loups, où il commence les *Mémoires d'outre-tombe,* et poursuit ses attaques contre le régime napoléonien : on l'empêche de prononcer son discours de réception à l'Académie, violemment hostile à l'Empereur (1811). Sa brochure antinapoléonienne de 1814, *De Buonaparte et des Bourbons,* fit beaucoup pour le succès de la Restauration. Mais C., vite déçu par Louis XVIII, cède bientôt à sa nature d'opposant et fonde *le Conservateur,* journal ultra grâce auquel, avec l'aide de Bonald, Villèle, Polignac, Nodier, Lamennais, C. réussit à renverser Decazes (1820). Le roi l'éloigne. Ambassadeur à Berlin (1821), à Londres (1822), il revient au pouvoir en 1823, mais ses succès comme ministre des Affaires étrangères suscitent des jalousies qui amènent son départ (1824). Il retourne à l'opposition, contre un pouvoir jugé cette fois excessif, et attaque Villèle dans le *Journal des débats.* À court d'argent, il fait paraître *le Dernier Abencérage, les Natchez,* le *Voyage en Amérique,* et entreprend la publication de ses œuvres complètes. En 1830, bien qu'ayant condamné les ordonnances, il repousse les avances de Louis-Philippe et reste à la disposition du roi légitime : attaqué en justice pour son *Mémoire sur la captivité de la duchesse de Berry,* il obtient un acquittement triomphal (1833). Ses dernières années, consacrées aux travaux littéraires, ne sont égayées que par la vieille amitié qui l'unit depuis 1818 à Mme Récamier. Il se hâte alors d'achever les *Mémoires d'outre-tombe,* son message à la postérité. Deux grandes œuvres, en effet, ouvrent et ferment cette longue vie : le *Génie du christianisme* et les *Mémoires d'outre-tombe.* Du *Génie* on ne connaît plus guère que les deux épisodes qui lui valurent la célébrité. *Atala,* fragment des *Natchez,* illustre par une histoire édifiante « les harmonies de la religion chrétienne avec les scènes de la nature et les passions du cœur humain ». Mais le « triomphe du christianisme », peu évident, nous retient moins qu'une peinture amoureuse héritée de *Paul et Virginie* et l'entrée en littérature de l'exotisme américain, qui parut très nouveau : d'un paysage plus imaginé que vu (les rives du Mississippi), C. fait un tableau riche de suggestions. *René* se rapproche fort d'une autobiographie des années de Combourg, mais s'enrichit d'une part de fiction romanesque : portrait tourmenté d'un jeune homme du siècle, cette brève nouvelle illustre la théorie du « vague des passions », définie dans le *Génie du christianisme.* Œuvre d'art plus qu'apologie d'une religion considérée sous l'angle poétique, le *Génie* consacre la rupture avec les conventions classiques, la recherche de nouvelles sources d'inspiration (l'art gothique, l'histoire...), la rénovation de la critique littéraire (qui devient, sous l'influence, notamment, de Mme de Staël, recherche des beautés plutôt que dénigrement des défauts), enfin la maîtrise d'un style à la fois symphonique et pictural auquel plus d'une page doit son immortalité. *Les Martyrs,* épopée à thèse, dont l'action se situe lors des persécutions de Dioclétien (fin du IIIe siècle), introduisent l'histoire dans la littérature, mais, malgré la splendeur du style, échouent, de l'aveu même de C., à mettre en scène un merveilleux spécifiquement chrétien. Les souvenirs d'Orient sont mieux utilisés, parce que moins pompeusement, dans les pages souvent charmantes de l'*Itinéraire de Paris à Jérusalem.*

Toutes ces œuvres, malgré leurs beautés, ne sont, pour nous, que le prélude à la parfaite et grandiose symphonie des *Mémoires d'outre-tombe.* Conçus dès 1803, écrits de 1809 à 1841, revus jusqu'au dernier jour, publiés en feuilleton de 1848 à 1850, ils sont l'orchestration d'une vie, des années de Saint-Malo à celles, hautainement assumées, de la solitude légitimiste. Insupportable égocentrique pour quelques-uns, C. s'y montre, pour la plupart, le magistral metteur en scène de son époque : peu d'hommes ont jugé Napoléon avec plus de lucidité, avec moins de passion, tout en évoquant son règne avec la grandeur d'un poète épique. Il faut seulement ajouter que C. préfère toujours la force lyrique à l'exactitude, la poésie à l'histoire, et se laisse parfois entraîner lorsqu'il cherche à justifier chaque instant de sa politique ; choix que l'on peut juger secondaires au regard de l'admirable œuvre d'art léguée à la postérité. Sans commettre l'erreur de négliger sa production antérieure, la seule connue des contemporains, il faut reconnaître que la gloire de C. est en premier lieu, pour nous, d'avoir réussi cet immense poème. C'est que les *Mémoires* restituent l'ensemble de l'œuvre – du moins ses points culminants – dans sa perspective la plus authentique. Certes, l'image d'un C. « précurseur » du romantisme français n'est pas inexacte, mais elle est fort insuffisante pour rendre compte de son génie, tel qu'il s'épanouit précisément dans les *Mémoires*, après s'être, pour ainsi dire, détaillé dans les œuvres antérieures, après la première synthèse du *Génie du christianisme*. Car C. est le premier porte-parole d'un romantisme profond, celui que caractérise une perspective spirituelle radicalement nouvelle. Et si les *Mémoires* ont, pour les modernes, cette valeur poétique éminente, c'est que leur perspective dominante, celle qui, à la lumière de ces *Mémoires*, se révèle présente aussi dans les plus belles pages du *Génie*, des *Martyrs* ou de *René*, est la perspective temporelle : il y a chez C. un sens pathétique de l'intervalle, qui est à la fois lacune personnelle et lacune historique, d'où naît le perpétuel et fascinant balancement de son inquiétude entre les oscillations de l'âme et les révolutions de l'histoire. Dans cet intervalle se perd non seulement le temps mais aussi le monde, et il n'y a d'autre alternative que la mort ou le salut. La dialectique moderne de la mort ou du salut de l'homme, qui, de Baudelaire à Proust, donnera naissance à un tragique nouveau, est beaucoup plus qu'en germe dans les pages les plus prophétiques du *Génie* ou des *Mémoires*, où la conscience de ce tragique du temps perdu, dans sa double dimension, spirituelle et historique, atteint une rare acuité. Telle est, d'ailleurs, la raison profonde de l'adhésion de C. au christianisme. Elle se définit, pour lui, comme maîtrise de l'histoire et du temps, au niveau de la conscience personnelle comme à celui de l'humanité. Mais ce recours à une transcendance décisive n'exclut pas la recherche d'un salut immanent à la temporalité même : déjà *René* était motivé par l'aspiration nostalgique à une rédemption du temps humain, et les *Mémoires* ne sont pas seulement le journal d'une vie de l'ordre commun, mais, déjà, une véritable « recherche du temps perdu », une entreprise de victoire décisive sur le Temps. Avec C. le romantisme du « mal du siècle » et de la difficulté d'être, tout en maintenant, à l'intérieur même de la résurrection du passé, l'indélébile mélancolie, l'inscrit dans une sorte de contemplation transcendante qui rejoint, pour en éclairer le sens, les méditations du *Génie* sur la nature et le surnaturel. Il y a là comme une double perspective, une surimpression proprement poétique de désespoir et de dépassement. De sorte que la trace de C. dans l'histoire de l'âme moderne est définitive : Hugo ne s'y trompait pas, qui voulait être « C. ou rien », ni non plus Baudelaire, qui plaçait au premier rang de ses héros spirituels « le grand René ». Acad. fr. 1811.

Œuvres. *Essai historique, politique et moral sur les révolutions anciennes considérées dans leurs rapports avec la Révolution française*, 1797 (E). – *Atala, ou les Amours de deux sauvages dans le désert*, 1801 (N). – *Génie du christianisme, ou Beautés de la religion chrétienne* (5 vol.), 1re éd., 14 avril 1802 ; 2e éd., 1803. Contient : *Atala ; René ;* 2 récits extraits des *Natchez*, inédits. – *René*, précédé de *Atala*, 1805 (N). – *Voyage au Mont-Blanc*, 1806. – *Défense du « Génie du christianisme »*, 1809 (E). – *Les Martyrs ou le Triomphe de la religion chrétienne*, 1re éd. (2 vol.), 1809 ; 2e éd. (3 vol.), 1809 ; 3e éd., précédée d'un *Examen, avec des remarques sur chaque livre et des Fragments d'un voyage de l'auteur en Grèce et à Jérusalem*, 1810. – *Itinéraire de Paris à Jérusalem*, 1811. – *De Buonaparte et des Bourbons et de la nécessité de se rallier à nos princes légitimes pour le bonheur de la France et de l'Europe*, 1814. – *Réflexions politiques*, 1814 (E). – *La Monarchie selon la Charte*, 1816. – *Mémoire touchant la vie et la mort du duc de Berry*, 1820. – *Œuvres complètes de M. le vicomte de Chateaubriand, pair de France* (31 vol.), 1826-1834 : *les Natchez* (achevé en 1800), 1826 (N) ; *les Aventures du dernier Abencérage* (écrit en 1811), 1826 (N) ; *Voyage en Amérique* (écrit en 1791), 1827 (N). – *Moïse* (tragédie), 1829. – *De la restauration et De la monarchie élective*, 1831. – *Études historiques*, 1831. – *Mémoire sur la captivité de la duchesse de Berry*, 1833. – *Essai sur la* *littérature anglaise*, 1836. – *Le Congrès de Vérone*, 1838. – *La Guerre d'Espagne de 1823*, 1838. – *Les Colonies espagnoles*, 1838. – *Mémoires d'outre-tombe*, écrits de 1809 à 1841, publication complète en 7 vol., posth., à partir de 1899. – *Correspondance* (en cours de publication, Société Chateaubriand, tome II, 1979).

Atala

La tragédie de l'amour et de la foi, dans le décor pittoresque de la Louisiane, sur les rives du Meschacebé (le Mississippi) et dans le cadre ethnique des tribus indiennes. Selon un procédé littéraire hérité du XVIIIe s., c'est le récit à la première personne que fait au jeune Français René, avec qui il s'est lié d'amitié, le vieil Indien Natchez Chactas. Au cours d'une guerre entre tribus – il avait alors vingt ans –, Chactas a été fait prisonnier, mais il est sauvé par une jeune Indienne d'éducation chrétienne, Atala, à qui sa foi inspire cette conduite généreuse. Ils s'enfuient tous deux à travers la forêt, y errent longtemps, y rencontrent, au cours d'un orage, un missionnaire, le père Aubry, qui entreprend de convertir Chactas et de l'unir à Atala. Mais celle-ci considère comme un engagement définitif la consécration que sa mère a faite de sa personne à la Vierge : elle refuse de céder à son amour pour Chactas, et la même foi qui lui a inspiré de sauver le jeune Indien lui inspire de préférer la mort à la rupture de son engagement.

René

Suite d'*Atala*. Mais cette fois, c'est, après Chactas, René qui raconte sa propre histoire, l'histoire de son enfance et de sa jeunesse, où se trouve l'origine de son état d'âme actuel, l'incurable mélancolie du célèbre « mal du siècle ». L'enfance fut l'âge de la rêverie incontrôlée qui ouvre la porte au « vague des passions » de l'adolescence. Les voyages ne font qu'accentuer le sentiment angoissé de la solitude parmi les hommes. La concentration de l'exaltation intérieure en compagnie de sa sœur Amélie conduit René à éprouver ensemble le déchaînement de l'imagination et le vide de l'existence. Tandis qu'Amélie se décide à se retirer dans un couvent, René fuit le monde de son enfance et de sa jeunesse pour tenter de se régénérer au contact de l'Amérique primitive : récit autobiographique, mais, en même temps, prise de conscience des risques du rêve et de l'imaginaire. Le missionnaire, qui est, avec Chactas, témoin de la confession de René, tire ainsi la leçon de ce récit : « Étendez un peu votre regard, et vous serez bientôt convaincu que tous les maux dont vous vous plaignez sont de purs néants. »

Génie du christianisme

Atala et *René* sont comme des illustrations des thèses exposées dans le *Génie*, où, d'ailleurs, ils prennent place, car le *Génie* résulte de cette extension du regard dont parlait le missionnaire à la fin de *René*. C'est, certes, une apologie, mais accordée aux états d'âme spécifiques d'une génération, celle précisément de René. Après une première partie consacrée au rappel des dogmes et doctrines du christianisme et surtout à la démonstration du lien nécessaire entre la foi et le sentiment de la nature, les deux parties décisives de l'ouvrage sont la deuxième et la troisième, *Poétique du christianisme* et *Beaux-arts et Littérature*. La justification spirituelle du christianisme est d'ordre esthétique : c'est lui qui, mieux que toute autre spiritualité, mieux aussi que les philosophies ou les mythologies païennes, nourrit l'inspiration poétique, car seul le christianisme a pénétré les secrets mêmes de l'âme et de la nature. Aussi le christianisme a-t-il engendré et surtout exalté, porté à son plus haut degré d'intensité, le génie créateur de l'homme, de la cathédrale gothique à Pascal et Bossuet. La quatrième partie, sorte d'épilogue, décrit les conséquences de cette vocation créatrice du génie chrétien : les cérémonies de la liturgie, les dévouements de la charité, et, plus largement – c'est la conclusion de l'ouvrage –, le christianisme, successeur de Rome, apparaît dans l'histoire comme la source irremplaçable du progrès de la civilisation.

Les Martyrs

Deux parties : 1. Les antécédents du héros retracés par lui-même. 2. L'affrontement du héros chrétien et de l'histoire, le sacrifice au nom de l'amour, le triomphe dans le martyre.

Nous sommes tout d'abord en Messénie au IIIe s. après J.-C., sous le règne de Dioclétien. Un prêtre d'Homère, Démodocus, et sa fille, Cymodocée, écoutent, en compagnie de l'évêque Cyrille, la confession du jeune Grec chrétien Eudore : envoyé comme otage à Rome, il y a oublié sa foi, s'est adonné à une vie de plaisirs en compagnie de jeunes intellectuels nommés Constantin, Jérôme, Augustin. Engagé en Batavie dans la guerre contre les Francs, Eudore s'y est brillamment distingué et a été blessé ; il est alors désigné pour gouverner l'Armorique, où la druidesse Velléda s'éprend de lui. Mais, lorsque cet amour, d'abord secret, est dévoilé, Velléda, qui a trahi son engagement de druidesse, se tranche la gorge avec sa faucille d'or. C'est pour Eudore le choc décisif qui l'incite à la pénitence : il se retire de l'armée et obtient le droit de revenir en Grèce. Alors commence la seconde partie, avec un pastiche des « Assemblées des dieux » de l'épopée homérique. Au ciel, en effet, Dieu, les saints et les anges, en une sorte de conseil, décident qu'Eudore et Cymodocée ont à remplir ensemble une mission historique. La narration de la seconde partie est l'histoire de cette vocation, de l'amour au martyre. Cymodocée s'éprend d'Eudore et obtient de son père l'autorisation de se convertir pour pouvoir épouser le jeune homme. Au même moment éclate la persécution de Dioclétien contre les chrétiens. Aussi Eudore se précipite-t-il à Rome, où il pense avoir encore quelque crédit, pour présenter la défense de ses coreligionnaires. Hiéroclès, Premier ministre du nouvel empereur Galerius, le fait arrêter. Cymodocée, qui a suivi Eudore, est sollicitée par Hiéroclès en vue de la grâce d'Eudore. Mais, fidèle à sa foi et à son amour, Cymodocée se proclame chrétienne et est arrêtée à son tour. Condamné à mort, Eudore entre dans l'arène, où l'attendent les fauves. Cymodocée le rejoint volontairement pour partager son sort, son martyre et sa gloire.

Mémoires d'outre-tombe.

Quarante-quatre livres en quatre parties, plus un « supplément » documentaire. La première partie – douze livres – va de l'enfance bretonne, à travers la période révolutionnaire et le voyage américain, jusqu'à l'exil anglais et au retour en France : « Je débarque à Calais. » On retiendra particulièrement le livre troisième, le livre de Combourg, et les livres septième et huitième, consacrés à l'Amérique. On ne saurait non plus négliger le livre douzième, où, sous le titre « incidences », l'auteur évoque la part qui revient à l'Angleterre dans sa formation intellectuelle et littéraire. La deuxième partie – six livres – est le récit chronologique de la vie de l'auteur pendant la période consulaire et impériale, avec, aussi, les principaux épisodes de sa vie littéraire, de la publication d'*Atala* et du *Génie* à celle des *Martyrs*. La troisième partie – seize livres – est d'abord un témoignage personnel sur l'histoire de cette même période, tout entière centrée sur le personnage de Bonaparte : le vingt-quatrième livre est un bilan de l'aventure impériale et aboutit à des réflexions sur « la destruction du monde napoléonien ». Avec le vingt-cinquième livre commence la seconde phase de cette troisième partie : le personnage privé et le personnage public de l'auteur s'y trouvent constamment mêlés, et, par exemple, le récit et l'analyse de son action politique sous la Restauration font une place à l'évocation de ses amitiés et de ses relations littéraires (un livre entier, le vingt-neuvième, est centré sur Mme Récamier). Les deux derniers livres (XXXIII et XXXIV) sont consacrés à la révolution de Juillet, son récit, sa signification, ses répercussions. Le dernier livre et cette troisième partie s'achèvent sur un chapitre intitulé « Fin de ma carrière politique ». La quatrième partie – dix livres – est d'abord axée sur le voyage de l'auteur à Prague et son séjour auprès de Charles X exilé : c'est l'occasion d'une analyse politique du milieu dans lequel grandit l'héritier légitime, Henri V, le futur comte de Chambord, analyse où l'auteur fait preuve d'une lucidité qui n'entame point sa foi légitimiste. Quant au voyage, aller et retour, il est l'occasion de pages descriptives parmi les plus belles qui soient sorties de la plume de C. Cette partie est ensuite dominée par les réflexions qu'inspirent à l'auteur la politique contemporaine, l'esprit de la monarchie de Juillet et l'évolution de la société française. Dans les « conclusions » qui remplissent le livre quarante-quatrième, les réflexions prophétiques sur l'avenir du monde à partir de la destruction du « vieil ordre européen », du « dépérissement de la société » et des « progrès de l'individu », accompagnent une sorte d'esquisse utopique de ce que pourrait être une synthèse de la monarchie, du christianisme et de la démocratie. Les *Mémoires* s'achèvent sur une « récapitulation de ma vie ». On ne peut manquer de citer la dernière phrase : « Il est six heures du matin ; j'aperçois la lune pâle et élargie ; elle s'abaisse sur la flèche des Invalides à peine révélée par le premier rayon doré de l'Orient ; on dirait que l'ancien monde finit et que le nouveau commence. Je vois les reflets d'une aurore dont je ne verrai pas se lever le soleil. Il ne me reste qu'à m'asseoir au bord de ma fosse ; après quoi, je descendrai hardiment, le crucifix à la main, dans l'éternité. » Tel est le dernier mot des *Mémoires*.

CHÂTEAUBRIANT Alphonse de Brédenbec de. La Prévalaye (Ille-et-Vilaine) 22.3.1877 – Kitzbühel (Autriche) 2.5.1951. Jusqu'à la Seconde Guerre mondiale, il vécut en Vendée ; son premier livre, *Monsieur des Lourdines*, qui lui valut le prix Goncourt, ne fut connu du grand public qu'après la parution de *la Brière* (grand prix du Roman de l'Académie francaise) : ce vaste et puissant roman aux allures d'épopée a fixé l'image vivace d'un coin de province nantaise aujourd'hui presque mort. C., admirateur déclaré du national-socialisme, fonda et dirigea à Paris, sous l'occupation allemande, l'hebdomadaire *la Gerbe*. Condamné à mort par contumace (1945), il termina ses jours dans un monastère, en Autriche, où il s'était réfugié.

Œuvres. *Monsieur des Lourdines,* 1911 (N). – *La Brière,* 1923 (N). – *La Réponse du Seigneur,* 1933 (N). – *La Meute,* 1935 (N). – *La Gerbe des forces,* 1937 (E). – *Lettre à la chrétienté mourante,* 1950. – *Fragments d'une confession,* posth., 1953.

CHÂTELAINE DE VERGY (La). Conte du XIIIe s., composé de 958 vers octosyllabiques. La châtelaine de Vergy accorde son amour à un chevalier. Une seule condition est exigée : il devra tenir cet amour secret. De son côté, la duchesse de Bourgogne, jalouse de voir son inclination pour le même chevalier demeurer sans réponse, accuse ce dernier de lui avoir fait la cour. Le chevalier ne peut convaincre le duc de son innocence qu'en révélant ses relations avec la châtelaine de Vergy, écartant ainsi tout soupçon sur une liaison possible avec la duchesse. Le duc l'assure de sa discrétion, mais la duchesse, dépitée de se voir préférer une personne de rang inférieur, laisse entendre publiquement qu'elle connaît l'amour du chevalier pour la châtelaine. Celle-ci, apprenant que son secret a été révélé, meurt de douleur. Le chevalier, désespéré, se suicide. Le duc, furieux, tue alors la duchesse. Ce conte a des intentions didactiques : il enseigne que le silence est une des qualités essentielles de l'amant. Sur le plan narratif, *la Châtelaine de Vergy* est une réussite du genre, et elle fut abondamment imitée. La concision et la rigueur dans le développement ainsi que l'agencement des faits sont remarquables pour cette époque.

CHAULIEU, Guillaume Amfrye, abbé de. Fontenay (Eure) 1639 – Paris 27.6.1720. Il fut l'ami de La Fare, et leurs œuvres ont été publiées ensemble. Attaché à la maison de Vendôme, C. en gérait les affaires et en partageait les plaisirs ; son esprit et sa gaieté firent de lui « l'Anacréon du Temple », et Voltaire le considérait comme « le premier des poètes négligés ». Ses vers *(Odes sur l'Inconstance, sur la Retraite, sur la Solitude*), publiés en 1724, réédités jusqu'au siècle suivant, rachètent leurs faiblesses formelles par l'aisance, la grâce et l'enjouement de leurs variations bachiques ou érotiques.

CHAZAL Malcolm de. Vacoas (île Maurice) 12.9.1902 – Port-Louis 10.1981. Poète franco-mauricien. Il est l'auteur de *Sens plastique* et de *Pétrusmok,* où il donne, sur un ton exalté, quasi prophétique, une étrange vision de la création, avec le support d'images dont l'originalité surréaliste n'a pas échappé à A. Breton. Mais ce surréalisme, plus spontané que doctrinaire, est pour C. le langage accordé à la fois à son psychisme personnel et à la mythologie à certains égards « primitive » (au sens étymologique) dont il nourrit son imaginaire et dont une part est due à son environnement mauricien. Il doit sans doute aussi quelque chose de son onirisme poétique à la présence dans sa lignée d'ancêtres d'un disciple de Swedenborg, celui même qui avait émigré à l'île Bourbon au XVIIIe s. Son œuvre, analogue en ceci à celle de son compatriote et cadet Maunick, fait ainsi le lien entre le surréalisme spontané d'une mythologie exotique et les élaborations poétiques des surréalistes français.

Œuvres. *Pétrusmok,* 1947. – *Sens plastique,* 1948, rééd. 1985. – *La Clef du cosmos,* 1948. – *La Vie filtrée,* 1949. – *La Bible du mal,* 1952. – *Poèmes,* 1968. – *L'Homme et la connaissance,* 1974 (E). – *La bouche ne s'endort jamais,* 1980 (P). – *Ma révolution. Lettre à Alexandrian. Le Temps qu'il fait,* posth., 1983. – *La Vie derrière les choses* (recueil de textes inédits), 1985.

CHEDID Andrée. Le Caire 20.3.1920. Poétesse égypto-libanaise d'expression française. Romancière, elle est aussi, et surtout, poète, même dans ses œuvres en prose. Elle sait en particulier joindre à un lyrisme à résonances néo-romantiques des évocations pittoresques ou oniriques nourries de souvenirs réimaginés et d'images foisonnantes.

Œuvres. *Le Sommeil délivré,* 1955, rééd. 1975 (N). – *Textes pour le vivant,* 1953 (P). – *Textes pour la terre aimée,* 1955 (P). – *Jonathan,* 1955 (N). – *Terre regardée,* 1957 (P). – *Le Sixième Jour,* 1960, rééd. 1972 et 1985 (N). – *Seul le visage,* 1962 (P). – *Lubies,* 1962 (P). – *Double Pays,* 1965 (P). – *Bérénice d'Égypte,* 1968 (T). – *Les Nombres,* 1968 (T). – *Le Montreur,* 1969 (T). – *Contre-chant,* 1969 (P). – *L'Autre,* 1969 (N). – *Le Survivant,* 1969, rééd. 1982 (N). – *Visage premier,* 1972 (P). – *La Cité fertile,* 1972 (N). – *Fêtes et Lubies. Petits Poèmes pour les sans-âge,* 1973 (P). – *Voix multiples,* 1974 (P). – *Néfertiti et le Rêve d'Akhnaton,* 1974. – Avec Pierre Torreilles, *Guy Levis-Mano,* 1974 (E). – *Fraternité de la parole,* 1975 (P). – *Cérémonial de la violence,* 1976 (P). – *Grandes oreilles, tout oreille,* 1977 (P). – *Le Cœur et le Temps, poèmes pour les enfants,* 1977 (P). – *Les Corps et le Temps* (avec *l'Étroite Peau,* déjà paru en 1965), récits, 1978. – *Cavernes et soleil,* 1979 (P). – *La Fête à Zouzou,* 1980 (P). – *Les Marches de* *sable,* 1981 (N). – Avec José David, *le Cœur suspendu,* 1981 (N). – *Théâtre I : Bérénice d'Égypte, les Nombres, le Montreur,* 1981 (T). – *Mon ennemi, mon frère,* 1982 (N). – *Épreuves du vivant,* 1983 (P). – *L'Étrange Mariée,* 1983 (N). – *Échec à la reine,* 1983 (T). – *Derrière les visages,* 1984 (N).

CHÊNEDOLLÉ Charles Julien Lioult de. Vire 4.11.1769 – Le Coisel 2.12.1833. Émigré pendant la Révolution, il connut Rivarol, puis fréquenta Constant, Mme de Staël, Joubert, Chateaubriand et Fontanes. Sa poésie didactique revêt la forme traditionnelle du genre. Il ressentit douloureusement la mort de Lucile de Chateaubriand, mais les émotions sont absentes de son œuvre, et seules des pièces mineures comme l'ode « Regrets » ou « le Val de Vire » (1802) témoignent de son réel sentiment de la nature.

Œuvres. *Essai sur les traductions,* 1795. – *L'Invention,* 1795 (P). – *Le Génie de Buffon,* s.d. (P). – *Michel-Ange ou la Renaissance des arts,* 1801 (P). – *Odes,* 1802 (P). – *Le Génie de l'homme,* 1807 (P). – *L'Esprit de Rivarol,* 1810 (E). – *Études poétiques,* 1820 (P).

CHÉNIER André. Constantinople 29.10.1762 – Paris 25.7.1794. Après d'excellentes études qui lui permettent de fréquenter de jeunes nobles et de se faire quelques relations mondaines, C. aborde la carrière militaire, que la maladie l'oblige bientôt à abandonner. Il mène alors à Paris une vie dissipée, fertile en aventures amoureuses, comme en témoignent les *Élégies.* Il voyage beaucoup (en Suisse, en Italie), met en chantier un grand nombre d'œuvres, tout en continuant à enrichir sa culture, en particulier en ce qui concerne les littératures grecque, latine et étrangères. Secrétaire d'ambassade à Londres, il est par hasard à Paris au début de la Révolution, qu'il accueille avec enthousiasme *(Ode au Jeu de Paume).* Mais il proteste contre les excès de la Terreur, et se cache à Versailles, où il s'éprend de « Fanny » (Mme Le Coulteux). Il est arrêté, emprisonné à Saint-Lazare, où il rencontre la « jeune captive » (Mme de Coigny). Lorsqu'il meurt sur l'échafaud, le 7 thermidor an II, ses œuvres sont inédites et presque toutes inachevées. La première édition, d'ailleurs fragmentaire, date de 1819.
Dès son enfance, dans le salon de sa mère, peut-être grecque elle-même, il rencontre les initiateurs d'un retour à l'hellénisme : le peintre David, le poète Lebrun-Pindare, l'abbé Barthélemy ; c'est la lumière grecque qui éclaire son œuvre et lui donne son accent particulier. Dans les *Élégies,* il imite les poètes élégiaques latins, à qui il emprunte les stéréotypes du genre et une peinture conventionnelle de l'amour, communs, il est vrai, à tous les poètes du XVIIIe s. *Les Bucoliques* donnent l'exemple d'une utilisation beaucoup plus originale de la poésie antique, qu'il préconise dans *l'Épître sur ses ouvrages* (1785). Il s'agit, en quelque sorte, de réinventer une méthodologie semblable à celle de la Pléiade, qui consiste à prendre ici une image, là une idée, là encore une description. Mais ce matériau poétique est assimilé par un poète du XVIIIe s., nourri de la philosophie des lumières et de science moderne. Parfois, cette double influence rend la poésie de C. un peu fade, et les genres restent, dans l'ensemble, conventionnels, car la vérité n'est pas, au fond, son propos. Et pourtant l'apparition de la lumière, de la réalité grecques dotent cette poésie d'une sensibilité inconnue jusqu'alors. Ainsi entre l'hellénisme et la sensibilité s'instaure le dialogue poétique qui réconcilie la culture classique et le cœur moderne, lorsque, par exemple, dans *Néère,* obsédé par l'image de la jeune morte, C. régénère la mythologie grecque en la réincarnant dans une nature vivante. S'il y eut, certes, chez lui une évolution, des *Élégies* ou des *Pièces à Fanny* aux *Idylles* et aux *Iambes* (qui clament la révolte du prisonnier de Saint-Lazare), nous sommes frappés surtout, aujourd'hui, par l'unité de son inspiration. Le rapprochement de ses deux poèmes les plus célèbres, *la Jeune Tarentine* et l'ode *À une jeune captive,* est significatif : l'émotion que suscite dans un cœur sensible l'affrontement de la jeunesse et de la mort rend le même son poétique et s'inscrit dans la même plastique formelle, qu'il s'agisse d'un être littéraire, comme l'hellénique Myrto du premier poème, ou d'une personne réelle sur qui pèse la menace de l'échafaud, comme la belle Aimée de Coigny, héroïne du second poème. Œuvre interrompue par le couperet de la guillotine, nous ne pouvons savoir ce qu'elle eût été. Mais C. s'était, aussi, engagé dans une voie dont l'orientation doit être soulignée. Esprit enthousiaste du XVIIIe s., il se voulait également le prophète inspiré des « lumières » et, à partir de là, avait conçu le projet d'une vaste épopée moderne placée sous le signe de Christophe Colomb : *l'Amérique.* À ce projet épique se rattachent aussi *l'Hermès* et *l'Invention.* Dans les fragments qui nous en restent, il est possible de percevoir, surtout dans *l'Amérique* (*cf.* la fascinante invocation à la *Muse nocturne, Uranie*), la manifesta-

tion d'un génie visionnaire, au service de l'impatience humaine des limites et de la mythologie du Progrès, qui, de toute évidence, confère à C. sa place entre le Ronsard des *Hymnes* et le Hugo des grandes œuvres prophétiques. C'est un aspect du génie de C. que son destin ne lui a pas permis d'épanouir, que le romantisme de 1820 a laissé dans l'ombre, mais qu'une approche désormais plus juste se doit de rattacher à l'une des grandes lignées de notre histoire littéraire.

Œuvres. *Le Jeu de Paume,* 1791 (P). – *Hymne contre l'amnistie des Suisses de Châteauvieux,* 1792 (P). – *La Jeune Captive* (ode), posth., an III. – *Œuvres complètes,* posth., 1819 (P) : *Bucoliques ; Élégies* (à Camille, à Fanny) ; *Idylles ; l'Hermès* (poème épique) ; *l'Invention ; l'Amérique ; Hymnes ; Épîtres ; Odes ; Iambes.*

CHÉNIER Marie-Joseph Blaise. Constantinople 28.8.1764 – Paris 10.1.1811. Frère du précédent. Le succès de *Charles IX* l'incita à emprunter la voie du drame historique. Ni l'engagement indiscret et grandiloquent des œuvres de ce genre ni la froideur néo-classique de ses poésies ne peuvent faire oublier la vigueur de ses *Hymnes,* du *Chant du départ* et de l'*Épître sur la calomnie,* écrite en réponse à ceux qui l'accusaient – sans doute à tort – de n'avoir rien fait pour sauver son frère. Acad. fr. 1803.

Œuvres. *Charles IX ou l'École des rois,* 1788 (T). – *Henri VIII,* 1791 (T). – *Jean Calas ou l'École des juges,* 1791 (T). – *Caïus Gracchus,* 1792 (T). – *Fénelon ou les Religieuses de Cambrai,* 1793 (T). – *Timoléon,* 1794 (T). – *Hymnes, Odes (À la Raison ; À l'Être suprême ; Au 9 thermidor ; Au 10 août ; le Chant du Départ),* 1794 et suivantes. – *Épître sur la calomnie,* 1797. – *Cyrus,* 1804 (T). – *Discours prononcé à l'Académie de Paris le 15 décembre 1806.* – *Fragments du cours de littérature fait à l'Athénée de Paris en 1806 et 1807,* posth., 1818. – *Tableau historique de la littérature française de 1789 à 1808,* posth., 1818. – *Tibère,* posth., 1844 (T).

CHÉRAU Gaston. Niort 1872 – Boston 1937. Ses romans sont presque tous consacrés à une mise en scène de la vie provinciale et terrienne de la Vendée ou du Berry : par la qualité de son style et la vigueur de ses évocations, il s'élève très au-dessus du « régionalisme » ordinaire, et son œuvre reste un témoignage notable d'un courant littéraire illustré d'autre part par Pourrat, Genevoix ou La Varende. Acad. Goncourt 1926.

Œuvres. *Les Grandes Époques de M. Thébault,* 1900 (N). – *La Saison balnéaire de M. Thébault,* 1902 (N). – *Monseigneur voyage, mœurs ecclésiastiques,* 1904 (N). – *Champi-Tortu,* 1906 (N). – *La Part du feu,* 1909 (N). – *La Prison de verre,* 1911 (N). – *L'Oiseau de proie,* 1914 (N). – *Le Monstre,* 1914 (N). – *Valentine Pacquault,* 1921 (N). – *Le Despelouquero* (contes), 1923 (N). – *La Maison de Patrice Perrier,* 1924 (N). – *Le Flambeau des Riffault,* 1925 (N). – *L'Enfant du pays,* 1932 (N).

CHERBULIEZ Victor. Genève 18.7.1829 – Combs-la-Ville (Seine-et-Marne) 2.7.1899. Après avoir subi divers échecs, il se fait connaître par un roman de mœurs cosmopolites, *le Comte Kostia ;* il persistera avec succès dans cette voie. Dire que ses livres furent en général prépubliés dans la *Revue des Deux Mondes* revient à avouer qu'ils ne révolutionnaient rien. Il fut aussi, sous le pseudonyme de G. VALBERT, un critique estimé mais aujourd'hui oublié. Acad. fr. 1881.

Œuvres. *À propos d'un cheval,* 1860 (N). – *Le Comte Kostia,* 1863 (N). – *Paul Méré,* 1864 (N). – *Le Prince Vitale,* 1864 (N). – *Le Roman d'une honnête femme,* 1864 (N). – *Le Grand Œuvre,* 1867 (N). – *Prosper Randoce,* 1868 (N). – *L'Aventure de Ladislas Bolski,* 1869 (N). – *L'Allemagne politique,* 1870 (E). – *La Revanche de J. Noirel,* 1872 (N). – *L'Espagne politique,* 1874 (E). – *Miss Rovel,* 1875 (N). – *Samuel Brohl et Cie,* 1877 (N). – *Études de littérature et d'art,* 1877 (E). – *L'Idée de Jean Téterol,* 1878 (N). – *Hommes et Choses du temps présent,* 1879 (E). – *Amours fragiles,* 1880 (N). – *Noires et Rouges,* 1881 (N). – *La Vocation du comte Ghislain,* 1888 (N). – *Profils étrangers,* 1889 (E). – *Une gageure,* 1890 (N). – *L'Art et la Nature,* 1892 (E). – *Jacquine Vanesse,* 1898 (N). – *L'Idéal romanesque en France de 1610 à 1816,* posth., 1911.

CHEVALIER AU BARISEL (Le). Conte pieux du commencement du XIIIe s. Un chevalier se confesse à un ermite dans le seul propos de le scandaliser par le récit détaillé de ses péchés. Pour le punir, l'ermite lui demande d'emplir d'eau un petit baril (« barisel »). Après une série d'efforts, le chevalier n'est toujours pas parvenu à ses fins. Il avoue son échec et, du même coup, reconnaît ses fautes. L'ermite, touché par une obstination inattendue, laisse paraître son émotion. Le chevalier, ému à son tour, laisse tomber une larme. À elle seule, elle suffit à emplir le baril.

CHEVALIER AU CYGNE (Le). Poème en alexandrins de la fin du XIIe s. Il met en œuvre la légende lorraine des enfants-cygnes, qui est rattachée à celle de Godefroi de Bouillon. La même légende sera reprise par Wagner dans *Lohengrin.*

CHEVALIER OGIER (Le). Chanson de geste du XIIe s., qui fait partie du cycle de Doon de Mayence. Charlemagne a refusé de châtier le meurtrier du fils d'Ogier. Ce dernier, fou de rage, prend radicalement parti contre son suzerain en s'engageant dans le camp ennemi, celui des Lombards, que l'Empereur attaque et vainc. Charlemagne se lance à la poursuite d'Ogier en fuite. Monté sur son cheval Broiefort, Ogier échappe continuellement à ses poursuivants, toujours aussi résolu dans sa haine et sa rancœur. Finalement, il rejoindra les rangs de son empereur, combattra et vaincra les Sarrasins pour se racheter de sa « trahison ». Une intervention miraculeuse a contribué à obliger Ogier à reconnaître la grandeur de son empereur et la mesquinerie de son entêtement, sans que son amour-propre en soit atteint. L'œuvre est inégale : de très beaux passages, comme celui qui relate la force épique d'Ogier, alternent avec des longueurs.

CHEVALLIER Gabriel. Lyon 1895 – Cannes 1969. Il est presque uniquement connu par son très célèbre roman, *Clochemerle ;* il y évoque, avec truculence, un village mythique de Bourgogne où s'affrontent haines individuelles et hypocrisies. C. a un sens réel du portrait, des dons de caricaturiste que la référence constante à des personnages connus à son époque rendait plus savoureuses encore (ainsi dans *les Héritiers Euffe,* portrait de la bourgeoisie grenobloise sous l'Occupation) ; toutefois, son anticléricalisme sommaire et de gros défauts de composition affaiblissent la valeur de son œuvre.

Œuvres. *Durand, voyageur de commerce,* 1929 (N). – *La Peur,* 1930 (N). – *Clarisse Vernon,* 1933 (N). – *Clochemerle,* 1934 (N). – *Propre à rien,* 1937, rééd. 1960 (N). – *Sainte-Colline,* 1940 (N). – *Ma petite amie Pomme,* 1940 (N). – *Chemins de solitude* (souvenirs), 1945 (N). – *Les Héritiers Euffe,* 1945 (N). – *Le Guerrier désœuvré,* 1946 (N). – *Le Petit Général,* 1951 (N). – *Le Ravageur* (comédie), 1953 (T). – *Clochemerle-Babylone,* 1954 (N). – *Lyon 2000,* 1958 (E). – *Carrefours des hasards* (souvenirs), 1958 (N). – *L'Envers de Clochemerle, propos d'un homme libre,* 1966 (E).

CHODERLOS DE LACLOS. (Voir LACLOS.)

CHRAÏBI Driss. Al-Djadida (ex-Mazagan) 1926. Écrivain marocain d'expression française. Il a commencé à écrire en 1952 après avoir fait des études de médecine et de chimie. Homme de radio, il a notamment travaillé à France Culture. Il s'attache à traduire la révolte de sa génération devant les traditions patriarcales et islamiques et les difficultés de son adaptation au monde occidental.

Œuvres. *Le Passé simple,* 1954 (N). – *Les Boucs,* 1955 (N). – *L'Âne,* 1957 (N). – *La Foule,* 1961 (N). – *Succession ouverte,* 1962 (N). – *Le Roi du monde,* 1966 (T). – *Un ami viendra vous voir,* 1967 (N). – *De tous les horizons,* récits, 1968. – *La Civilisation, ma mère,* 1972 (N). – *Mort au Canada,* 1975 (N). – *Une enquête au pays,* 1981 (N). – *La Mère du printemps,* 1982 (N).

CHRÉTIEN DE TROYES. Champagne, vers 1130 – vers 1185. Il domine la littérature narrative du Moyen Âge, tant par la variété et l'abondance de sa production littéraire que par l'unité progressive que l'on peut constater d'une œuvre à l'autre. La critique a voulu lui faire endosser la paternité du roman européen ; s'il ne l'a pas inventé, à proprement parler, du moins a-t-il mis au jour la richesse de ses possibilités, qui n'avaient pas encore été exploitées, en construisant avec cohérence une histoire tout à la fois morale, psychologique et sociale. Il propose en effet dans son œuvre une vaste fresque de la société médiévale et de ses idéaux, avec la même puissance qui animera, sept siècles plus tard, un Balzac, un Hugo, un Zola peintres de leur temps. C. a probablement vécu à Troyes et fut en relation avec les cours de Champagne et de Flandre, comme en témoignent les destinataires de certaines de ses dédicaces, Marie de Champagne et Philippe d'Alsace, comte de Flandre. Il débuta en littérature par des traductions d'Ovide (les *Métamorphoses* et *l'Art d'aimer*) et un *Tristan et Iseult,* œuvres qui ne nous sont pas parvenues. *Guillaume d'Angleterre* lui est attribué sans certitude. C'est sans doute aux environs de 1160 qu'après son apprentissage C. inaugure sa carrière d'écrivain Dans toutes ses œuvres, C. reste fidèle aux conventions du romanesque courtois : ce sont des histoires d'amour et d'aventures dont le fantastique et le merveilleux sont empruntés à la légende bretonne du roi Arthur. Mais, au-delà de ces conventions le génie imaginatif et visionnaire de C. e la poésie de son style savent transformer ce merveilleux traditionnel en une puissante présence poétique. C. sait aussi, et par là il est déjà un réaliste, peindre les décors et les milieux, rendre compte des formes de vie concrète contemporaine. Il va même jusqu'à se faire romancier « social », au sens moderne du terme, lorsque, par exemple, il chante la condition malheureuse des tisseuses de soie des ateliers de Champagne dans la célèbre complainte insérée dans *Yvain.* Mais C. sait surtout entrer dans les âmes en dépassant constamment le niveau linéaire de la narration, même assortie de monologues et de dialogues, pour déjà s'engager dans la voie de l'analyse. Là est sans doute la véritable originalité de C. C'est lui qui, le premier, réalise pleinement, dans une unité à la fois technique et organique, les trois grandes postulations du roman : le fantastique, l'incarnation et l'analyse. C'est en exploitant le thème des rapports entre l'amour et l'aventure, que lui fournissait la tradition courtoise, que C. a su le traduire en structure, et c'est là peut-être le trait le plus saisissant de son génie, et ce qui confère leur unité d'ensemble à la suite de ses romans. Ceux-ci, dès lors, constituent véritablement un vaste organisme romanesque : tantôt c'est l'aventure qui l'emporte finalement sur l'amour (*Érec et Énide*) ; tantôt, inversement, c'est l'amour qui l'emporte sur l'aventure *(Yvain) ;* tantôt encore, les deux forces s'équilibrent dans une tension à la fois diverse et régulière jusqu'à ce qu'elles finissent par s'identifier *(Lancelot) ;* tantôt, enfin, le dilemme est résolu par dépassement grâce à l'intervention d'une puissance surnaturelle *(Perceval).* Tout se passe comme si l'œuvre de C. obéissait à un plan et à une préméditation, mais, à l'intérieur de cette structure architecturale et intellectuelle, se déploient librement la puissance de l'imagination, le pathétique du sentiment, la lucidité de l'observation et de l'analyse, le tout enrobé dans une poésie de langage et de rythme, qui ne connaît guère de défaillances. Pour la première fois dans la littérature française, l'œuvre n'est plus seulement le fruit d'une commande (bien qu'elle le soit encore en partie) mais celui d'une recherche à la fois technique et esthétique, et d'une ascèse créatrice comparable à celle qui fera plus tard la gloire d'un Balzac ou d'un Proust. Deux œuvres de C. ont été portées à l'écran : *Lancelot du Lac,* en 1974, par R. Bresson, et *Perceval le Gallois,* en 1979, par É. Rohmer.

Œuvres. *Érec et Énide,* v. 1160. – *Cligès ou la Fausse Morte,* v. 1165. – *Lancelot ou le Chevalier à la charrette,* v. 1168. – *Yvain ou le Chevalier au lion,* v. 1172. – *Perceval ou le Conte du Graal,* v. 1180.

Érec et Énide

Érec, fils du roi Lac, épouse Énide. Mais le bonheur de l'amour lui fait oublier le devoir de la prouesse, et il devient un « récréant », ce que lui reproche sa jeune épouse. Érec va donc se ressaisir, mais il emmènera son épouse avec lui. Alors se succèdent les aventures, qui sont autant d'épreuves pour le couple, et ce n'est qu'au terme de cette sorte d'initiation que le roman s'achèvera sur le magnifique tableau du couronnement par le nouveau roi de sa reine, Énide.

Cligès ou la Fausse Morte

Roman qui se développe en deux parties sur deux générations. Un héros byzantin, Alexandre, paraît à la cour du roi Arthur, devient amoureux de la belle Soredamor, conquiert son cœur à la suite d'un véritable marivaudage et l'épouse. Pendant ce temps, à Byzance, le frère d'Alexandre, Alis, a usurpé le trône : Alexandre consent à s'effacer, à condition qu'Alis ne se marie pas et désigne pour son successeur Cligès, fils d'Alexandre et de Soredamor. Mais, après la mort de ceux-ci, Alis ne tiendra pas sa promesse, et il prétend même épouser la belle Fénice, amoureuse de Cligès et aimée de lui ; de fait, Alis l'épouse. Seule la magie pourra résoudre cette situation : la magicienne Thessala métamorphose Fénice en « fausse morte » (d'où le sous-titre) ; on lui construit même un magnifique tombeau. Après la mort d'Alis, elle reviendra à la vie et pourra épouser Cligès.

Lancelot ou le Chevalier à la charrette

Dédié à la comtesse Marie de Champagne, fille d'Aliénor d'Aquitaine. Un chevalier mystérieux vient à la cour du roi Arthur enlever la reine Guenièvre (dont Lancelot est amoureux) pour l'emmener au « royaume d'où nul étranger ne revient », là où se trouvent retenus déjà d'autres chevaliers bretons, en particulier le sénéchal Ké. C'est finalement Lancelot qui partira à la quête de la Dame ; il devra, pour ce faire, traverser la suite des épreuves qui accompagnent nécessairement toute quête. La première est celle de la charrette (et ainsi s'explique le sous-titre), cette charrette d'infamie, sorte de pilori mobile, où il est invité à monter pour pouvoir rejoindre Guenièvre, initiation inversée, initiation par le déshonneur, ce qui explique qu'il hésite avant de monter ; cette hésitation lui vaudra le ressentiment de Guenièvre. Celle-ci, en effet, lorsque Lancelot parvient jusqu'à elle après avoir traversé la suprême épreuve du « Pont de l'Épée », refusera de le recevoir. Elle récidivera lorsqu'au cours d'un combat qui l'oppose à Méléagant, le sinistre chevalier auteur du rapt, elle exigera de lui qu'il combatte comme s'il était faible et lâche, cela après lui avoir cependant cédé. La constance de Lancelot lui permettra enfin de triompher de Méléagant et de mettre ainsi un terme – et là se termine le roman – au maléfice qui avait déclenché toute l'action.

Yvain ou le Chevalier au lion
Sans doute, le chef-d'œuvre de C. Dans la forêt de Brocéliande se passent des choses singulières. Une fontaine glacée bouillonne, sous l'ombre perpétuelle d'un arbre auquel pend un bassin d'or fin. Si l'on y puise de l'eau et qu'on la répande sur la margelle, il se déclenche une tempête surnaturelle, cela pour protéger quelque château et la Dame qui l'habite. Yvain décide d'y aller voir. Il réussit à blesser à mort le chevalier sorti du château sous le couvert de la tempête et qui doit se servir de cette recette magique pour garder jalousement son épouse. Yvain emporte le corps jusqu'au château, dont la porte se referme mystérieusement derrière lui. Par l'intermédiaire d'une demoiselle de compagnie, nommée Lunette, il parviendra finalement jusqu'à la Dame, qui porte le nom de Laudine. Celle-ci, après l'avoir menacé de se venger, finit par avouer qu'elle est au contraire séduite et qu'elle est sûre de pouvoir trouver en Yvain quelqu'un capable de la défendre, ainsi que son château. À travers ces considérations perce l'amour qu'elle éprouve pour lui et qui, après les méandres d'un délicieux marivaudage, aboutira à la célébration des noces. Mais voici qu'Yvain, sous l'influence de son compagnon Gauvain, est repris par le démon de l'aventure. Laudine l'autorise à partir, à condition qu'il revienne au bout d'un an, et, pour assurer sa protection, elle lui remet un anneau magique. Mais Yvain laisse passer le délai et voici qu'un jour une demoiselle l'accuse publiquement de déloyauté et lui retire son anneau. Le voici condamné à errer dans la forêt, où cependant, par une prouesse digne de lui, il sauve un lion de l'attaque d'un dragon, et ce lion sera désormais son plus fidèle compagnon (d'où le sous-titre). Tous deux arrivent un jour en présence de la fontaine magique de Laudine, mais Yvain devra faire demi-tour pour traverser la série d'épreuves purificatrices qu'il doit subir. C'est dans le cadre de cette sorte de Descente aux Enfers que se place la célèbre complainte des tisseuses de soie. Pendant ce temps, dans son château, Laudine est sans cesse exposée à des entreprises mystérieuses : chaque jour son domaine est attaqué par un chevalier inconnu. Le lecteur seul et Lunette savent qu'il n'est autre qu'Yvain lui-même, engagé de la sorte dans la reconquête de son épouse perdue. Par l'entremise de Lunette, le chevalier au lion sera introduit auprès de Laudine, et le roman s'achève sur le tableau de la reconnaissance entre les époux et de la paix entre « Monseigneur Yvain, le fin, et son amie chère et fine ».

Perceval ou le Conte du Graal
Perceval est un jeune homme fasciné par la chevalerie, d'où sa mère a voulu le tenir éloigné parce qu'elle se méfie. Il la quittera néanmoins pour suivre un groupe de chevaliers rencontrés dans la forêt. Après une suite d'aventures de type « courtois », il va rencontrer au bord d'une rivière le « Roi pêcheur », qui l'introduit en son château ; mais c'est un tout autre monde que celui de la chevalerie et de la courtoisie, car Perceval y assiste à une procession sacrée en l'honneur du Graal, cette coupe où avait été recueilli le sang du Christ. Perceval n'ose demander le sens de cette cérémonie. Il en sera puni par l'exil, qui va l'éloigner du château et le soumettre à toutes les épreuves d'une longue initiation, jusqu'à ce que l'intervention d'un groupe de chevaliers et d'un saint ermite l'oriente vers sa réintroduction dans le monde du Graal. Entre-temps, Perceval avait été associé aux aventures de Gauvain, que le roman retrace en oubliant son héros principal pendant tout le temps où Perceval est en quelque sorte exilé dans l'univers de l'absence et du silence. Le roman, resté inachevé, ne nous dit pas comment Perceval accédera finalement à la plénitude de l'initiation, à moins que C. n'ait délibérément arrêté là l'histoire de son personnage, par respect pour le caractère secret de cette initiation.

CHRISTINE DE PISAN. Venise 1365 – Poissy vers 1430. C. de P. est arrivée en France à l'âge de cinq ans. Son père, Thomas de P., astrologue, alchimiste, médecin réputé, y avait été appelé à la cour de Charles V. Sous sa conduite, Christine évolue, dès son plus jeune âge, dans les milieux lettrés qui favorisent l'épanouissement de ses qualités intellectuelles. À quinze ans, elle épouse Étienne Castel, qui deviendra secrétaire de Charles V. Jusque-là, rien ne semble troubler une vie paisible, partagée entre l'érudition et la famille (trois enfants naîtront de cette union). Mais Thomas de P. meurt en 1385, et Étienne Castel ne tarde pas à le suivre (1390), victime d'une épidémie. Dès lors,

Christine, qui n'a pas vingt-cinq ans, doit subvenir aux besoins des siens. Pour pallier ses difficultés matérielles, et aussi trouver l'oubli de ses malheurs, elle commence à écrire, systématiquement, et le succès qu'elle obtient l'encourage à persévérer. Elle s'attire de prestigieuses protections : celles de Philippe le Hardi, duc de Bourgogne, pour lequel elle écrit le *Livre des faits et bonnes mœurs*, de Charles VI, d'Isabeau de Bavière. Sa réputation dépasse les limites de la France : Jean de Salisbury la réclame à sa cour, Jean Galéas Visconti à Milan. Pour garder son indépendance si laborieusement acquise, elle refuse. En 1418, après une vie de travail intense (elle s'occupait elle-même de la reproduction de ses manuscrits), et après la mort de ses protecteurs, elle se retire dans un couvent. Christine a élaboré une œuvre non seulement considérable mais variée. Dans l'*Advision* (1405), sorte de récit autobiographique, elle déclare avoir composé, entre 1390 et 1405, « quinze ouvrages principaux sans compter les autres particuliers, petits dittiez, lesquels tous ensemble contiennent soixante-dix cahiers de grands volumes ». Elle fut tout à la fois historienne, moraliste et poète. Elle s'est surtout attaquée, dans ses différents ouvrages, à la condition faite aux femmes, et plus particulièrement dans le *Livre des trois vertus ou Trésor de la cité des dames*, dédié à Marguerite de Bourgogne. Elle prit une part active à la « Querelle du *Roman de la Rose* », fustigeant Jean de Meung lorsque celui-ci déclare que les femmes sont « décevantes, cauteleuses et peu valables », ou encore « mensongières ». Sans faire figure de bas-bleu, Christine dénonce la « très horrible et honteuse conclusion, que dis-je honteuse mais toute déshonnête », se justifiant par ces mots : « Ne croyez pas que c'est parce que je suis femme que je parle ainsi » [...] « car mon motif est simplement soustenir pure vérité. » Christine avance à bon droit qu'elle est certainement mieux placée que Jean de Meung pour connaître le problème.

Christine s'est également intéressée à l'art militaire, dans le *Livre des faits d'armes et de chevalerie* (1404). Elle fut profondément ébranlée par le combat sans merci que se livraient les Armagnacs et les Bourguignons. Elle écrivit à ce sujet les *Lamentations sur les maux de la guerre civile* (1410) et le *Livre de la paix* (1412-1414). Le thème de la paix est également traité dans *le Chemin de long estude* (1402) et *la Mutation de fortune* (1403).

Femme de lettres et femme d'affaires efficace, Christine s'en tient trop souvent aux formes toutes faites ; pour subvenir à ses besoins, elle écrit abondamment – et c'est au détriment d'une création originale. Elle trouve cependant des accents convaincants quand elle chante le bonheur enfui, la douleur du veuvage ou le miracle de Jeanne d'Arc. Surtout poète, elle manifeste une sensibilité sans sensiblerie, exacerbée par les épreuves, exaltée par la vivacité de l'esprit, inscrite le plus souvent dans une technique aisée et une facture irréprochable.

Œuvres. *Œuvres poétiques* (1390-1400) : cent ballades, seize virelais, quatre ballades « d'estrange façon », deux lais, soixante-neuf rondeaux, soixante-dix jeux à vendre, soixante-deux autres ballades. – *L'Épître au dieu d'amours*, 1399 (P). – *Le Dit de la Rose*, 1402 (P). – *Le Débat de deux amants*, 1400-1402 (P). – *Le Livre des trois jugements* (P). – *Le Livre du dit de Poissy*, 1400 (P). – *Le Dit de la pastoure*, 1403 (P). – *Épître à Eustace Maurel*, 1404 (P). – *L'Oraison Notre-Dame*, 1402-1403 (P). – *Les Quinze Joyes Notre-Dame* (P). – *L'Oraison Notre-Seigneur* (P). – *Les Enseignements moraux* (P). – *Les Proverbes moraux* (P). – *Le Livre du duc des vrais amans* (P). –*Cent ballades d'amans et de dames* (P). – *Le Livre du chemin de long estude*, 1402-1403. – *Le Livre de la mutation de Fortune*, 1400-1403. – *L'Épître d'Othea*, 1400. – *Livre des faits et bonnes mœurs du sage roi Charles V*, 1404. – *Livre de la cité des dames*, 1404-1405. – *Livre des trois vertus ou Trésor de la cité des dames*, 1405. – *L'Advision*, 1405. – *Lettre à la reine Isabeau de Bavière*, 1405. – *Livre de Prudence* ; *livre de la Prod'homme de l'homme*, 1404-1407. – *Livre du corps de policie*, 1404-1407. – *Sept Psaumes allégorisés*, 1409-1410. – *Livre des faits d'armes et de chevalerie*, 1410. – *Lamentation sur les maux de la guerre civile*, 1410. – *L'Advision du coq*, 1413. – *Le Livre de la paix*, 1412-1414. – *L'Épître de la prison de vie humaine*, 1416-1418. – *Heures de contemplation sur la passion de Notre-Seigneur*, v. 1420. – *Dittié sur Jeanne d'Arc*, 1429 (P).

CHRISTOPHE, Georges Colomb, dit. Lure (Haute-Saône) 25.5.1856 – Nyons (Drôme) 3.1.1945. Ancien élève de l'École normale supérieure, chef de laboratoire à la Sorbonne et auteur de nombreux manuels scolaires scientifiques, il utilisa ses talents de dessinateur à composer les fameux albums qu'une récente réédition sous leur présentation originale promet encore à de beaux succès, auprès des enfants comme des adultes. Ces albums font de C. le grand ancêtre de la bande dessinée.

Œuvres. *La Famille Fenouillard*, 1895. – *Les Aventures du sapeur Camember*, 1896. – *L'Idée fixe du savant Cosinus*, 1900. – *Les Malices de Plick et Plock*, 1904.

CHRONIQUE. Récit qui rend compte chronologiquement de faits historiques. L'auteur est généralement contemporain de ces faits. À la différence de l'annaliste, il ne s'astreint pas à la compilation des événements, année par année : il opère un choix, ce qui explique la partialité de certaines chroniques. La chronique constitua l'unique forme de l'histoire au Moyen Âge. L'abbaye de Saint-Denis, où furent rédigées les *Grandes Chroniques de France*, fut considérée comme la « gardienne de l'histoire » ; de Villehardouin à Froissart, la première forme de l'histoire comme genre littéraire est celle de la chronique.

CINÉMA ET LITTÉRATURE. En dépit du mépris de certains pour ce cinématographe que Louis Lumière traitait de « curiosité scientifique sans avenir », d'autres, et notamment Élie Faure, voyaient en son apparition l'événement le plus important survenu pour la pensée humaine depuis l'invention de l'imprimerie. Dès lors, baptisé « septième art » par le premier écrivain spécialisé de cinéma, Canudo, le nouveau venu entretient avec la littérature des rapports constants et ambigus, tout en demeurant en dehors des courants littéraires. Un film peut être considéré comme une œuvre d'art, mais jamais comme une création littéraire, en dépit des diverses tentatives d'écrivains comme J. Romains (*l'Image*, réalisé par Feyder), A. Arnoux *(Maldonne)*, Pirandello (la transposition de presque toute son œuvre), J.-P. Sartre (*les Orgueilleux* et *Les jeux sont faits*) et surtout, bien avant Robbe-Grillet, J. Cocteau. Il n'en reste pas moins que les œuvres cinématographiques originales de Cocteau, du *Sang d'un poète* au *Testament d'Orphée*, en passant par *le Baron Fantôme, la Belle et la Bête, Orphée* et *les Parents terribles*, réunies à la suite des autres textes littéraires du poète, ne peuvent être lues autrement qu'à titre de curiosités. Le texte seul est infirme, et, même chez Cocteau, la translucide mais infrangible séparation entre le cinéma et la littérature, c'est le texte. Il n'est pas de littérature sans texte-base, seul élément de transmission de la pensée. Ce texte peut se lire, se relire, même se traduire. Cela reste vrai, en principe, pour le théâtre traditionnel. Au cinéma, le texte n'est plus qu'un des éléments mis à la disposition de l'« écraniste », comme disait Canudo. Les mots sont souvent moins importants que l'image, les sons, la musique, la lumière, l'opposition de deux thèmes visuels, l'ellipse, ou le silence, qui apportent au spectateur la distance de sa propre imagination. On peut concevoir un film sans paroles, mais un film construit sur la seule parole deviendrait lecture, soliloque où la caméra n'interviendrait qu'à la manière d'une machine enregistreuse. Le ou les auteurs d'un film rédigent deux textes : l'un, le dialogue, sera dit par les acteurs, comme au théâtre ; l'autre, le scénario, sans lequel le premier est incomplet et souvent incompréhensible, apporte les précisions techniques, les effets, les mouvements qui, avec le travail ultérieur du montage, donneront à l'œuvre sa personnalité. Ce second texte est une sorte de mode d'emploi qui ne peut avoir aucun caractère littéraire. Et pourtant, en dépit de quelques « auteurs complets » qui prétendent échapper à la sujétion de la technique, le cinéma ne peut guère se passer de littérature, mais, plus que des relations de famille, il entretient avec elle des rapports d'affaires. Le cinéma et la télévision – qui, en quelque sorte, le continue – sont des consommateurs effrénés d'histoires. Le patrimoine littéraire les leur apporte : tout est consommé pêle-mêle, et on emprunte à tous vents. La valeur littéraire n'est jamais en cause ; seule l'anecdote est retenue. Le moyen d'expression cinématographique est précurseur de la vraie culture populaire ; il a déjà créé une véritable « culture parallèle » souvent plus importante que l'autre, surtout dans les milieux sous-cultivés. Son rôle n'est pas méprisable, mais il doit tenir compte qu'il s'adresse à un public variant entre cent mille spectateurs (en cas d'échec) à vingt, trente, quarante millions (en cas de réussite et avec la transmission télévisée). L'homme de cinéma a donc le devoir de toucher ce public et ensuite seulement d'essayer de l'entraîner plus loin et plus haut.

C'est dans le passage de l'œuvre-texte à l'œuvre-image qu'éclate la littérature du cinéma. Ces deux langages ne peuvent ni ne doivent être identiques. Même lorsqu'il s'agit de théâtre, où, pourtant, a déjà été franchi le pas qui va de la phrase lue au spectacle, l'adaptateur a pour premier souci de casser les disciplines des actes et des lieux. S'il ne le fait pas, il ne réalise qu'un document d'archives semblable à ceux qui furent tournés à la Comédie-Française et surtout au Berliner Ensemble. Non seulement l'adaptation trahit le texte, mais elle *doit* trahir. Le mot-à-mot ne transmet pas l'émotion de la lecture.

'adaptateur est un condensé de lecteur-uteur essayant, par des moyens audio-isuels, de faire passer dans l'esprit et resque dans le corps du spectateur des notions et vibrations intérieures sembla-les à celles que ressent le lecteur. Non eulement son action est subjective, mais lui faut, de surcroît, plier le texte au langage plastique » (Canudo), suppri-ner des descriptions, trouver des équiva-ences aux raisonnements et pensées inté-eurs, rendre compréhensibles les évolu-ons dans le temps et dans l'espace. névitablement, il arrache, comme des nauvaises herbes, les éléments unique-nent littéraires.

existe des exemples célèbres du résultat, omme la double transposition de *Guerre t Paix* par un Russe et par un Américain ; omme le *Journal d'un curé de campagne,* pposant le rythme lent de Bresson aux npulsions violentes de Bernanos. Ainsi assa du livre à l'écran *le Diable au corps* e Radiguet dans une adaptation telle que 'octeau, à la lecture du scénario, écrivit ne lettre de protestation à Aurenche et ost. Quand Cocteau lui-même se risque ce jeu, il en résulte *la Princesse de Clèves* u la modernisation de *Tristan et Iseult* evenu *l'Éternel retour* (deux films réalisés ar Jean Delannoy, qui mit également en nages *la Symphonie pastorale* de Gide ou *Dieu a besoin des hommes* d'après *Un ecteur de l'île de Sein,* de Queffélec). Murnau, avec l'interprétation d'Emil Jan-ings, a fait un magnifique *Faust,* qui urait fait frémir Goethe d'indignation. On ourrait donner ainsi une longue liste 'œuvres cinématographique de valeur yant plus ou moins trahi l'original litté-aire : *Liliom, l'Opéra de quat'sous, À l'est l'Eden, Quai des brumes, Pour qui sonne glas, Thérèse Desqueyroux, Thomas l'imposteur,* etc. Le chapitre de la trahison ompte même des films supérieurs à ouvrage dont ils se sont inspirés : *la Chienne, Jules et Jim, la Tête d'un homme, a Grande Illusion,* etc.

En fait, le cinéma n'a pas à être « ratta-hé ». Il est lui-même la somme de lusieurs autres formes de transmission de a pensée. Ainsi que l'écrit Brice Parain : « Il envoie un code de signaux. » Il ntervient au-delà des idiomes dans les apports entre les classes de la société et es races du monde. Il apprend aux uns, nême à leur insu, à mieux connaître les utres. Son langage, non seulement in-onnu mais inimaginable jusqu'à lui, trou-le les littéraires, qui constatent avec nalaise la lourdeur et même la maladresse t l'imprécision d'une forme d'expression assant par le filtre de la phrase qui en ltère parfois la pureté. Un style littéraire nouveau apparaît, qui recherche l'équiva-lence d'un « flash » cinématographique pour fixer brièvement un souvenir, une impression. Paradoxalement, alors que le cinéma ne saisit dans l'œuvre littéraire que l'anecdote, l'écrivain, influencé jusqu'à sa forme de pensée par l'image-sensation, cherche à retrouver avec les mots, en cassant la phrase et même la ligne du récit, une forme d'expression rompant avec les traditions. Il est certain que l'influence du cinéma est sensible chez un Camus (*cf.* les notations d'émotions et d'inconscient-conscient dans *l'Étranger*), indéniable chez Duras ou chez Robbe-Grillet qui, parallè-lement, se sont lancés dans la création cinématographique directe (avec des for-tunes diverses), chez Audiberti et chez Boris Vian. On peut supposer, à défaut d'affirmer, que tout ce que l'on classe sous le titre de « nouveau roman » ne serait pas ce qu'il est sans la culture parallèle des auteurs par le cinéma et la télévision. Même des hommes comme Ionesco et surtout Beckett, qui entreprennent de libérer le théâtre de ses règles et de ses entraves, empruntent aux moyens du cinéma les matériaux de leur contestation. Le regret des « gens de lettres » de ne pouvoir s'adjoindre le cinéma, comme un royaume le ferait d'une province, s'est traduit par un acte officiel : sa réception à l'Académie française en la personne de René Clair (1960), réalisateur cinémato-graphique de bon aloi. L'œuvre écrite de René Clair se limite à deux contes (*Adams* et *la Princesse de Chine*) et à un essai (repris sous deux titres : *De fil en aiguille* et *Réflexion faite*) ; on ne peut croire que c'est l'écrivain que l'on voulut honorer. Le goût de René Clair pour le film muet atteste de sa méfiance pour le verbe, même s'il est l'auteur, par la force des choses, de six scénarios et dialogues parlants. Peut-être est-il de ceux qui ont le plus rapproché littérature et cinéma, avec le court métrage surréaliste tourné en 1924 sur une idée de Picabia et intitulé *Entr'acte.* Il existe, d'autre part, dans les fourgons du cinéma, quelque deux cents écrivains, nés de l'art nouveau et se consacrant occasionnellement ou totale-ment à lui. Si l'on excepte des littéraires qui se sont amusés à quelques incursions dans ce domaine (Barjavel : *Cinéma total*) et d'autres qui dressent un mur opaque entre leurs deux activités, il faut bien avouer que le terrain n'est pas propice à la création littéraire. On relève des notules sentimentales comme celles de Paul Gilson (*Ciné-magic*) ou de Nino Frank (*Petit Cinéma sentimental*) ; des montagnes d'es-sais au-dessus desquels surnage André Bazin, qui a su passer de la critique à la synthèse : *Qu'est-ce que le cinéma* ? (2 vol., 1958-1959), *Jean Renoir* (posth., 1971). Les souvenirs foisonnent, de ceux de Mesguisch, premier opérateur (*Tours de manivelle*), jusqu'à ceux de Françoise Rosay (*le Cinéma, notre métier*). Abondance également d'ouvrages anecdotiques et enfin une brochette historique : Coissac ; Moussinac ; Bardèche, continuant l'œuvre commencée avec Brasillach ; Charles Ford et René Jeanne ; Sadoul ; et, dans des domaines plus fragmentaires, des hommes comme Lo Duca ou Agel. Cette production reste donc en marge de la littérature, œuvre de spécialistes ou d'enseignants. Un seul homme en France s'est évadé de la critique pour chercher à ce nouveau langage de véritables fondations : Jean Epstein. À diverses reprises, et notamment dans *Intelligence d'une machine, le Cinéma du diable* et *Esprit du cinéma*, Epstein a tenté d'extraire l'ébauche d'une philosophie de ce mode d'expression qui, en supprimant les mots et les phrases, a brisé aussi le moule de la pensée cartésienne. À lui seul, Jean Epstein, cinéaste, chercheur et véritable écrivain, a jeté un pont entre la littérature et le cinéma, ces deux mondes condamnés à l'enfer des parallèles : vivre proches l'un de l'autre et ne se rejoindre jamais.

CINGRIA Alexandre. Genève 1879 – Lausanne 1945. Écrivain et peintre suisse d'expression française. Il a collaboré aux *Cahiers vaudois* et fait paraître *la République de Genève* (1914), puis *Romandie* (1942). Son ouvrage sur *la Décadence de l'art sacré* a été préfacé par Paul Claudel. Il est l'auteur de nombreux vitraux et a travaillé, en 1919, avec Maurice Denis.

CINGRIA Charles-Albert. Genève 1883 – 1954. Écrivain suisse d'expression française. Frère du précédent. Après des études peu brillantes et quelques voyages de jeunesse, il se lia, par l'intermédiaire de son frère aîné, avec le groupe d'écrivains vaudois qui gravitaient autour de Ramuz. Son œuvre consiste principalement en brèves chroniques, où il mêle en poète le réel et l'imaginaire, le quotidien et le fantastique. Écrivain méconnu du grand public français, il bénéficia de la sympathie de juges aussi divers que, par exemple, Claudel et Paulhan.

Œuvres. *Les Autobiographies de Bruno Pomposo,* 1928 (N). – *La Civilisation de Saint-Gall,* 1929 (E). – *Le Canal exutoire,* 1931 (N). – *L'Eau de la dixième milliaire,* 1932 (P). – *Pétrarque,* 1932 (E). – *Impressions d'un passant à Lausanne,* 1932 (N). – *Stalactites,* 1941 (N). – *Enveloppes,* 1943 (P). – *Florides helvètes,* 1944 (E). – *Le Bey de Pergame,* 1947 (N). – *La Reine Berthe et sa famille,* 1947 (E). – *Le Parcours du haut Rhône,* 1944 (N). – *Bois sec, bois vert,* 1948 (N). – *Xénia et le diamant,* posth., 1955 (N).

CIORAN Emil Michel. Rasinari (Roumanie) 8.4.1911. Essayiste et moraliste roumain d'expression française. Influencé par Kierkegaard, il a publié en 1933, à Bucarest, *Sur les cimes du désespoir,* où s'affirme déjà le pessimisme fondamental qui caractérisera toute son œuvre. À son arrivée en France, C. va toujours plus avant dans son nihilisme têtu. Sa condition d'étranger le rend encore plus étranger à lui-même, aux autres, au monde et même à l'écriture, qu'il considère pourtant comme l'unique planche de salut. Le *Précis de décomposition* (1949) expose toutes les détériorations dont il est le spectateur lucide, impitoyable : celles de la religion, de l'histoire, du temps, de la mort qui le hante. Dieu lui-même n'échappe pas à ses coups de sape. Pour rendre plus incisive sa destruction systématique, C. utilise souvent l'aphorisme, comme dans *Syllogismes de l'amertume* (1952). Dans ses dernières réflexions, il continue de résister à *la Tentation d'exister* (titre d'un ouvrage paru en 1956) et il affirme : « Ne pas naître est sans contredit la meilleure formule qui soit. » Avec l'humour grimaçant dont il est coutumier, il ajoutera dans *De l'inconvénient d'être né* (1973) que sa naissance lui apparaît pourtant « comme une calamité » qu'il serait « inconsolable de n'avoir pas connue ».

Œuvres. *Sur les cimes du désespoir,* 1933. – *La Métamorphose de la Roumanie,* 1936. – *Larmes et Saints,* 1937. – *Le Crépuscule des pensées,* 1940. – *Précis de décomposition,* 1949. – *Syllogismes de l'amertume,* 1952. – *La Tentation d'exister,* 1956. – *Histoire et Utopie,* 1960. – *La Chute dans le temps,* 1964. – *Le Mauvais Démiurge,* 1969. – *Valéry face à ses idoles,* 1970. – *De l'inconvénient d'être né,* 1973. – *Essai sur la pensée réactionnaire,* 1977. – *Écartèlements,* 1979. – *Aveux et anathèmes,* 1981. – *Ein Gespräch* (interview), 1985.

CIXOUS Hélène. Oran (Algérie) 5.6.1937. Après une enfance en Algérie marquée par la guerre et la mort prématurée de son père en 1948, H. C. arrive en France en 1955 où elle poursuit des études d'anglais et obtient l'agrégation. Elle enseigne alors à l'université, participe en 1968 à la création du centre universitaire de Vincennes et soutient une thèse de doctorat sur Joyce éditée aussitôt. 1969 lui apporte une triple réussite puisqu'elle fonde avec Gérard Genette et Tzvetan Todorov la revue *Poétique*, obtient le prix Médicis pour *Dedans* et une chaire de littérature anglaise à Vincennes. De nombreux voyages d'études la conduisent des États-Unis au Canada où elle enseigne quelque temps. Aujourd'hui essayiste, auteur de pièces de théâtre et d'une vingtaine de romans, H. C. est un écrivain particulièrement fécond. Ses romans sont de vastes incantations exaltées à la gloire de la femme et plus précisément de son corps. Une fois sortie de l'« impasse » masculine, la femme doit s'aimer à travers l'image d'elle-même que les autres femmes lui renvoient démultipliée à l'infini. Retrouvant dans cette quête les grands élans mythologiques, H. C. transforme de simples figures féminines en héroïnes mythiques. Ainsi apparaissent Ananké, déesse de la mort, Prométhéa, Perséphone enchaînée aux enfers, et Jocaste. Toutes décrivent inlassablement la naissance et la re-naissance de la femme, ses désirs mais aussi ses appels et ses cris. *La* pose les prémices d'une psychanalyse qui se conjuguerait au féminin. *Angst* est le refus de la mort et de la souffrance, *Illa*, au-delà d'un flot de pensées et d'images, interroge la relation mère/fille. Sous la forme de pièces d'un puzzle que l'écriture et la lecture doivent permettre de rassembler, tous les récits traduisent les difficultés de celles qui vivent « l'énigme invivable de la relation homme/femme ». Ce travail d'interrogation et d'appropriation de la femme par elle-même doit passer par le surgissement d'une langue neuve, un langage du corps, du cœur et de la mémoire le plus près possible de l'inconscient. D'où le choix d'une écriture totalement originale, truffée de jeux de mots, de calembours à la manière lacanienne, d'images-chocs percutantes qui sont comme un hymne à la liberté de la langue. Très critiquée pour ce style nourri de psychanalyse, accusée aussi de subordonner trop systématiquement l'écriture à une expérience autobiographique conduisant à une hypertrophie du « je », H. C. a incontestablement inauguré une nouvelle forme de littérature qui instaure un courant vital entre le mythe et le roman.

Œuvres. *Le Prénom de Dieu,* 1967 (N). – *L'Exil de Joyce ou l'Art du remplacement,* 1968 (E). – *Dedans,* 1969 (N). – *Le Troisième Corps,* 1970 (N). – *Les Commencements,* 1970 (N). – *Un vrai jardin,* 1971 (N). – *Portrait du soleil,* 1971 (N). – *La Pupille,* 1971 (T). – *Neutre,* 1972 (N). – *Partie,* 1972 (N). – *Tombe,* 1973 (N). – *Révolutions pour plus d'un Faust,* 1975 (N). – *Souffles,* 1975 (N). – *Poétique extrême,* 1975 (E). – *Le Portrait de Dora,* 1976 (T). – *La Jeune née,* 1976 (E). – *La,* 1976 (N). – *K incompréhensible,* 1976 (E). – *Angst,* 1977 (N). – *La Venue à l'écriture* (collectif), 1977 (E). – *Le Nom d'Œdipe* (opéra), 1978. – *Préparatifs de noces au-delà de l'abîme,* 1978 (N). – *Ananké,* 1979 (N). – *Vivre l'orange,* 1979 (N). – *Illa,* 1980 (N). – *With ou l'Art de l'innocence,* 1981 (N). – *Limonade tout était si infini,* 1982 (N). – *La Prise de l'école Madhubaï,* 1983 (T). – *Le Livre de Prométhéa,* 1983 (N).

CLADEL Léon Alpinien. Montauban 22.3.1835 – Sèvres 21.7.1892. Il eut la chance de voir son premier roman, *les Martyrs ridicules,* préfacé par Baudelaire (1862). Ses autres livres révèlent un réaliste amer et un peintre coloré.

Œuvres. *Les Martyrs ridicules,* 1862 (N). – *Mes Paysans : le Bouscassié,* 1869 (N) ; *la Fête votive de Saint-Bartholomé-Porte-Glaive,* 1865-1870 (N). – *Les Va-nu-pieds,* 1873 (N). – *L'Homme de la Croix-aux-Bœufs,* 1878 (N). – *Ompdrailles, le tombeau des lutteurs,* 1879 (N). – *Crête rouge,* 1880 (N). – *N'a-qu'un-œil,* 1882 (N). – *Kerkadec, garde-barrière,* 1883 (N). – *Pierre Patient,* 1883 (N). – *Urbains et ruraux,* 1884 (N). – *Héros et Pantins,* 1885 (N). – *Mi-diable,* 1886 (N). – *Gueux de marque,* 1887 (N). – *Raca,* 1888 (N). – *Juive errante,* posth., 1897.

CLAIR, René Lucien Chomette, dit **René.** Paris 11.11.1898 – 15.3.1981. Avant de devenir l'un des plus prestigieux cinéastes de l'entre-deux-guerres, C. avait appartenu à l'avant-garde littéraire et musicale des « années folles ». L'un de ses premiers films, *Entr'acte,* sur une musique d'Erik Satie (1924), est un vivant témoignage de cette époque. Mais, tout au long de sa carrière de cinéaste, C. reste un « littéraire » au meilleur sens du terme : il pratique délibérément un « cinéma d'auteur », n'a que rarement recours à l'adaptation, est à la fois scénariste, dialoguiste et réalisateur. Grâce à quoi il est un de ceux qui ont le plus fait pour affirmer la dignité esthétique du cinéma, où son originalité personnelle a consisté à transposer, dans les structures propres au langage cinématographique, la grande tradition littéraire de l'humour et de l'esprit (*le Million ; À nous la liberté ; Le silence est d'or*). Critique et essayiste enfin, C. a publié quelques livres toujours brillants, souvent profonds. C. est revenu récemment à la littérature avec un recueil de contes et nouvelles qui n'est pas sans parenté avec les films qui l'ont rendu célèbre : *Jeux de hasard.* Acad. fr. 1960.

Œuvres. *Adams,* 1926 (N). – *Le Cinématographe contre l'esprit,* 1927 (E). – *La Princesse de Chine,* 1951 (N) – *Réflexion faite,* 1951 (E). – *Comédies et Commentaires,* 1959 (E). – *Jeux de hasard,* 1976 (N).

Films. Films muets : *Entr'acte* (court métrage), 1924. – *Le Voyage imaginaire,* 1925. – *Un Chapeau de paille d'Italie* (d'après Labiche), 1927. – *Les Deux Timides* (d'après Labiche), 1928. – *La Tour* (court métrage), 1928. – Films « parlants » : *Sous les toits de Paris,* 1930. – *Le Million,* 1931. – *À nous la liberté,* 1931. – *14-Juillet,* 1932. – *Le Dernier Milliardaire,* 1934. – *Fantôme à vendre,* 1935. – *Fausses Nouvelles,* 1937. – *La Belle Ensorceleuse,* 1940. – *Ma femme est une sorcière,* 1942. – *C'est arrivé demain,* 1943. – *Dix Petits Indiens,* 1945. – *Le silence est d'or,* 1947. – *La Beauté du diable,* 1949. – *Belles de nuit,* 1952. – *Les Grandes Manœuvres,* 1955. – *Porte des Lilas,* 1957. – *Tout l'or du monde,* 1961.

CLANCIER Georges-Emmanuel. Limoges 3.5.1914. C'est pendant la guerre (1941-1943) qu'il eut l'occasion de se découvrir une vocation littéraire, grâce à ses contacts avec Joë Bousquet et l'équipe de la revue *Fontaine* (publiée à Alger par Max-Pol Fouchet). Il sera bientôt journaliste, puis responsable d'émissions radiophoniques à Limoges (1949-1955), en attendant d'accéder à la notoriété littéraire avec son roman *le Pain noir* (grand prix du Roman de la Société des gens de lettres), consécration confirmée en 1970 par le prix des Libraires pour *l'Éternité plus un jour.* Poète de vocation, C. le demeure lorsqu'il a recours à la forme du roman, car son œuvre perpétue la lignée de ceux qui croient au pouvoir rédempteur de la création littéraire, aventure qui reste toujours à recommencer. Et cette inlassable tentative de victoire sur la mort et le temps s'inscrit dans un style qui allie la poésie d'atmosphère à la rigueur narrative et à la perspicacité de l'observation.

Œuvres. *La Couleuvre du dimanche,* 1937 (N). – *Quadrille sur la tour,* 1942 (N). – *Temps des héros,* 1942 (P). – *Le Paysan céleste,* 1943, rééd. 1984 (P). – *Secours au spectateur,* 1946 (N). – *La Couronne de vie,* 1946 (N). – *Journal parlé,* 1949 (P). – *Dernière heure,* 1951 (N). – *Terre secrète,* 1951 (P). – *L'Autre Rive,* 1952 (P). – *Vrai Visage,* 1953 (P). – *André Frénaud,* 1953 (E). – *Panorama critique, de Rimbaud au surréalisme,* 1955, rééd. 1983 (E). – *Une voix,* 1956 (P). – *Le Pain noir,* 4 vol. (I, *le Pain noir,* 1956 ; II, *la Fabrique du roi,* 1957 ; III, *les Drapeaux de la ville,* 1959 ; IV, *la Dernière Saison,* 1961). – *Évidences,* 1960 (P). – *Panorama critique, de Chénier à Baudelaire,* 1963 (E). – *Les Arènes de Vérone,* 1964 (N). – *Terres de mémoire,* 1965 (P). – *Les Incertains,* 1965 (N). – *Évrivains contemporains,* 1965 (E). – *L'Éternité plus un jour,* 1970 (N). – *Peut-être une demeure,* 1972 (P). – *La Poésie et ses environs,* 1973 (E). – *Une halte dans l'été,* 1976 (N). – *Oscillante Parole,* 1978 (P). – *L'Herbier de l'Auvergne et du Limousin,* 1980 (E). – *Le Poème hanté,* 1983 (P). – *L'Enfant double,* 1984 (N).

CLARI Robert de. Vers 1170 – après 1216. Chevalier picard, à la tête d'un fief qui ne comprenait que quelques arpents, C. participa à la croisade de 1201 dans la suite de Pierre d'Amiens, « li biaus, li preux », pour lequel il avait une profonde admiration. Il ne fut qu'un soldat ordinaire et rentra en France en 1205, semble-t-il, à la mort de son seigneur. Il vivait encore en 1216. *L'Histoire de ceux qui conquirent Constantinople* est le récit qu'il rapporta de cette expédition. « Chevalier pauvre », il n'a rien su de toutes les intrigues politiques et stratégiques ; il considère les événements, dont il fut le témoin obscur, avec naïveté. Cette manière d'appréhender les faits rend son témoignage tout à fait original. C'est ainsi qu'il s'émerveille devant les splendeurs de l'Orient avec une spontanéité touchante, de la même manière, toutes proportions gardées, que Fabrice del Dongo rend compte des menus faits de la bataille de Waterloo. Cependant, une curiosité inlassable et la volonté de comprendre réellement ce qui se passe lui font dépasser le simple rapport journalistique. Tout d'abord, et à l'encontre des autres chroniqueurs de son temps, C. ne parle jamais de sa personne et ne se vante pas des actions d'éclat qu'il aurait accomplies. Il ne cherche pas, non plus, à se justifier des erreurs qu'il aurait pu commettre (il s'est contenté d'obéir aux ordres), contrairement à Villehardouin, qui traite du même sujet. Par ailleurs, dans la limite de ses moyens, il essaie de déceler les causes des événements dont il fut le témoin impartial. Malgré ses naïvetés, ses ignorances, il montre une véritable volonté de se comporter en historien qui s'efforce d'être le plus exact possible. Quoi qu'il en soit, son *Histoire* est un des rares documents que nous possédions sur les événements de ce temps vus par un homme qui, pour une fois, n'appartient pas à la classe privilégiée de la noblesse possédante.

CLASSICISME. Historiquement, le classicisme s'est défini comme caractéristique de la tradition littéraire issue du XVIIe s., exprimée dans leurs préfaces ou écrits théoriques par les grands créateurs de ce temps et, finalement, dans *l'Art poétique,* par Boileau. Cette définition fut élaborée au cours du XVIIIe s., et c'est contre elle qu'a voulu s'affirmer le romantisme des années 1820-1830 (1827 : préface de *Cromwell,* de Hugo). Dans sa genèse, le classicisme est issu de la Renaissance, dans la mesure où il se réfère aux modèles littéraires de l'Antiquité gréco-romaine et à la théorie contenue dans la *Poétique* d'Aristote. Mais cette genèse résulte aussi d'un choix clair et cohérent parmi les diverses potentialités de la Renaissance. C'est ainsi que le classicisme se définit aussi polémiquement par opposition aux autres courants de même source : la préciosité, par exemple, et plus encore le baroque, dont la littérature française avait connu la tentation à la fin du XVIe s. et au début du XVIIe s., en poésie et au théâtre. Il se définit enfin esthétiquement par la recherche de l'ordonnance et de la régularité dans la structure des œuvres et le style de leur expression ; de là sont issus les grands principes de l'art classique : la distinction des genres, la formulation des règles propres à chaque genre et à chaque mode d'expression, la technique de l'imitation originale des modèles anciens, la référence à la nature, à la raison et à la vraisemblance. Mais le classicisme est plus qu'un moment d'histoire littéraire, plus aussi qu'un art et un ensemble de techniques. Il est un humanisme, centré sur le modèle idéal de l'« honnête homme », qui n'exclut pas, dans un siècle chrétien, la conscience de la condition tragique de l'homme ; et nombre d'œuvres classiques, de Pascal à Bossuet, de Racine à Mme de La Fayette, de La Rochefoucauld à La Bruyère, s'inscrivent dans cet espace spirituel où se concentre la tension entre l'honnêteté et le tragique. C'est que le classicisme est à la fois social et moral (pour ne pas dire même métaphysique), et il éprouve au plus haut point cette autre tension, qu'il observe et analyse avec lucidité, dans le style le plus clair qui ait jamais été écrit, entre les exigences de la vie et de l'ordre social et les lois inéluctables de la nature humaine. Les débats moraux et psychologiques intérieurs au classicisme (qu'on songe au rapprochement de Pascal et de Molière) sont liés aux diverses solutions que peut suggérer une constante réflexion sur les données constitutives de cette double tension. Après le XVIIe s., le classicisme a servi d'abord de modèle et a ainsi progressivement donné naissance à un académisme en fait *pseudo*-classique, que l'âge romantique et l'âge moderne devaient liquider. Ce qui a permis au XIXe s., puis, surtout, au XXe s. de retrouver le classicisme sur un autre plan que ceux de l'imitation ou de la tradition : de Valéry à Camus en passant par Gide, la littérature du XXe s. a retrouvé une esthétique proprement classique non plus seulement dans un sens historique, mais caractérisée, auprès de la pureté et de la concision du style (« Le classicisme est l'art de la litote » [Gide]), par le privilège accordé aux valeurs d'harmonie et de rigueur, la pratique consciente de la contrainte consentie permettant l'accès à un art à la fois libre et discipliné. Le classicisme a pu apparaître – et est peut-être bien, en effet –, historiquement, un phénomène unique qui exprime parfaitement ce qu'il est convenu d'appeler l'esprit français : mais, en fait, il en déborde largement les limites, comme en témoigne sa manifestation à diverses époques dans les littératures européennes, même après qu'elles eurent rejeté le classicisme culturel de l'« Europe française » du XVIIIe s. Qu'on songe, par exemple, à l'évolution d'un écrivain comme Goethe, pour qui il est bien vrai que le classicisme est l'achèvement d'un romantisme dominé. De ce point de vue, qui est celui de nombre d'esthéticiens modernes, le classicisme, en art et en littérature, apparaît comme un moment d'équilibre entre des forces antagonistes dont il tente d'opérer la synthèse en récusant tous les risques de rupture qu'elles peuvent comporter. Ainsi s'explique l'importance décisive accordée par le classicisme aux problèmes de langage et de style, car c'est dans l'ordre du langage et du style que peut seul s'opérer l'équilibre esthétique qu'il recherche : en ce qui concerne le classicisme français, comme le pensait Boileau, le rôle joué par Malherbe dans ce domaine de la langue et du style, comme facteur de formation et d'affirmation du classicisme, ne saurait être minimisé ; de son côté, Descartes, dont l'influence proprement littéraire ne fut sans doute pas très considérable, apparait comme le théoricien d'une conception de l'homme et du monde construite sur les mêmes principes que l'esthétique classique.

CLAUDEL Paul. Villeneuve-sur-Fère-en-Tardenois (Aisne) 6.8.1868 – Paris 23.2.1955. Son enfance champenoise prend fin avec le départ des Claudel pour Paris (1882). À Louis-le-Grand, il commence d'écrire, mais ne peut rassasier une vive faim spirituelle. En 1886, la double rencontre de Rimbaud, qui lui montre le lien entre libération de l'esprit et libération du langage, et de la foi religieuse, sous la forme d'une conversion subite à Notre-Dame la nuit de Noël, oriente sa vie de façon définitive. Déjà auteur de *Tête d'or* et de *la Ville*, disciple de Mallarmé, il est reçu premier au concours des Affaires étrangères ; sa carrière d'écrivain se doublera pendant quarante ans d'une pérégrination de diplomate : États-Unis (1893-1894), Chine (1895-1909), Prague, Francfort, Hambourg, où il se trouve en 1914, Rio de Janeiro pendant la guerre, Copenhague (1920). Il est ensuite ambassadeur à Tokyo (1922-1928), Washington (1928-1933), Bruxelles enfin (1933-1936). Ces longs et divers séjours expliquent que son œuvre prenne l'aspect d'un inventaire mondial. Après les tentatives dramatiques de *la Jeune Fille Violaine* (1892 et 1898) et de *l'Échange* (1894), C. mêle les traités poético-philosophiques (*Connaissance de l'Est* ; *Art poétique*), le théâtre (*Partage de midi*), les premiers chefs-d'œuvre poétiques (*Cinq Grandes Odes*). C'est à cette époque que, sous l'influence de la Bible, de Pindare et d'Eschyle (que C. a traduit), il met au point le « verset », qui sera jusqu'au bout sa manière préférée d'écrire, dans quelque genre que ce soit. La maturité lui inspire l'œuvre dramatique qui fera sa renommée : la trilogie *l'Otage – le Pain dur – le Père humilié* ; *l'Annonce faite à Marie* ; *le Soulier de satin*. L'Académie française élit contre lui Claude Farrère (1935) avant de le recevoir enfin en 1946. La fin de sa vie voit la création, par J.-L. Barrault, à la Comédie-Française, du *Soulier de satin* (1943), puis du *Père humilié* (1947), de *Partage de midi* (1948), ainsi que celle de l'oratorio d'Honegger *Jeanne au bûcher* (1952), dont C. avait écrit le livret en 1935. Ayant acquis une grande notoriété, en particulier par ses entretiens radiophoniques avec Jean Amrouche, il continue d'écrire, se tournant de plus en plus vers une littérature spécifiquement religieuse ; inaugurée avec, entre autres, *l'Épée et le Miroir* et *Présence et prophétie*, elle se poursuit avec la série des « Paul Claudel interroge... » Mort en pleine gloire à quatre-vingt-six ans, il est inhumé, après des funérailles officielles à Notre-Dame, dans sa propriété dauphinoise de Brangues.

Malgré l'apparente diversité de son expression formelle, l'œuvre de C. se caractérise par sa profonde unité de structure, de rythme et de ton. Elle est fondée sur l'alternance du monologue (la parole « proférée ») et du dialogue (la parole « échangée »), qui suppose un oubli de la séparation formelle des genres : C. réconcilie d'une façon décisive théâtre et poésie. La dominante lyrique de son œuvre n'est que la traduction de son enthousiasme mystique : tout écrit est chez lui traduction de l'écoute de l'Esprit. Le credo de l'Église catholique et la personnalité psychologique débordante du poète se fondent dans l'unité de sa manière d'être et de parler. Le verset, qui n'est ni versification ni prose rythmée, cherche à transcrire ce que C. appelle « la dilatation de la houle », à enregistrer les rythmes accordés ou contraires du monde, de l'homme et de Dieu : C., loin de nier la métrique, l'élargit au souffle du cosmos. Par là, il atteint à la poésie totale qu'avaient entrevue Baudelaire et réclamée Rimbaud, mais que leur échec spirituel les avait empêchés de réaliser. La foi de C. lui permet de résoudre dialectiquement les oppositions de l'ordre du monde et du désordre du cœur humain : il surmonte en l'accomplissant la « double postulation » baudelairienne. L'œuvre de C. est une interrogation, mais passionnément victorieuse : à la lucidité des inspirateurs du XIXe siècle il a ajouté la volonté de découvrir la communion du visible et de l'invisible. C'est dans les révélations nées de leurs correspondances réciproques que C. situe sa force d'homme poétique total, selon la devise par laquelle il se résumait lui-même : « Recevoir l'être et restituer l'éternel. » Cette largeur exceptionnelle d'inspiration s'est traduite dans l'œuvre entière. Si l'on isole, pour la commodité, le « genre » poétique, on remarquera avant tout les *Grandes Odes*, l'œuvre majeure de sa jeunesse. *Les Muses, l'Esprit et l'Eau, Magnificat, la Muse qui est la Grâce, la Maison fermée*, odes écrites selon la technique, pour la première fois accomplie, du verset, transposent en rythmes l'itinéraire spirituel du poète. La découverte de Dieu et celle des pouvoirs de l'écrivain se font simultanément dans l'« art poétique » qu'est la première ode : le poète est appelé à continuer la création divine en nommant le monde. Mais la plus importante part de l'œuvre de C. est son théâtre, souvent si immense dans sa conception et sa réalisation qu'il en donna, en général, dans sa vieillesse, des versions écourtées, les seules compatibles avec la durée traditionnelle d'un spectacle. C'est le cas de ses grands chefs-d'œuvre : *Partage de midi*, traduction lyrique d'une aventure vécue, crée en Ysé la femme fatale, interdite mais finalement régénérée ; *l'Annonce*, née des deux versions successives de *la Jeune Fille Violaine*, déroule dans un « Moyen Âge de convention » la rivalité amoureuse de Mara et Violaine et se termine, après la mort tragique de cette dernière, lépreuse et reniée par les siens, sur un épisode lyrique qui affirme les thèmes du pardon et de la paix. *Le Soulier de satin*, enfin, tente d'intégrer tous les aspects du théâtre, y compris le comique, auquel C. s'était déjà exercé (*Protée*, 1913) ; les amours contrariées de doña Prouhèze et de don Rodrigue ne sont que le fil conducteur de cette épopée lyrique du sacrifice, qui couronne de son immensité toutes les dimensions de cette dramaturgie. Parmi les autres œuvres de C., il faut noter l'importance de ses essais critiques, en littérature (*Positions et Propositions*) ou en peinture (*l'Œil écoute*) : son regard universel sur l'art, à la mesure de l'ensemble de son œuvre, donne l'envergure d'un des auteurs les plus généreusement inspirés et les plus féconds de notre temps.

Œuvres. *Tête d'or* (1re version), 1890 (T). – *La Ville* (1re version), 1893 (T). – *L'Agamemnon d'Eschyle* (trad.), 1896 (T). – *Connaissance de l'Est* (1re partie), 1900 (P). – *L'Arbre*, 1901 (T), recueil comportant l'*Échange* ; *le Repos du septième jour* ; *Tête d'or* (2e version) ; *la Ville* (2e version) ; *la Jeune Fille Violaine* (2e version). – *Développement de l'Église*, 1903 (E). – *Partage de midi*, 1906 (T). – *Connaissance de l'Est* (2e éd. augm.), 1906 (P). – *Art poétique*, 1907 (E). Comprend trois traités : *Connaissance du temps* ; *Traité de la co-naissance au monde et de soi-même ; Développement de l'Église* (déjà paru). – *Cinq Grandes Odes*, 1910 (P), recueil comportant *les Muses* ; *l'Esprit et l'Eau ; Magnificat ; la Muse qui est la grâce ; la Maison fermée*. – *Premiers Vers*, 1910 (P). – *Processionnal pour saluer le siècle nouveau*, 1911 (P). – *L'Otage*, 1911 (T). – *Le Chemin de la Croix*, 1911 (P). – *Vers d'exil*, 1912 (P). – *Arthur Rimbaud*, 1912 (E). – *L'Annonce faite à Marie*, 1912 (T). – *Coventry Patmore*, poèmes (trad.), 1912. – *La Cantate à trois voix* (« Cette heure qui est entre le printemps et l'été »), 1913 (P). – *La Physique de l'Eucharistie*, 1913. – *La Nuit de Noël 1914*, 1915 (T). – *Corona benignitatis anni Dei*, 1915 (P). – *Trois Poèmes de guerre*, 1915 (P). – *Sainte Thérèse*, 1916 (P). – *Autres Poèmes durant la guerre*, 1916 (P). – *L'Homme et son désir* (ballet), 1917 (T). – *Le Pain dur*, 1918 (T). – *Sainte Cécile*, 1918 (P). – *La Messe là-bas*, suivie de *l'Offrande du temps*, 1919 (P). – *L'Ours et la Lune*, 1919 (T). – *Les Choéphores d'Eschyle* (trad.), 1920 (T). – *Les Euménides d'Eschyle* (trad.), 1920 (T). – *Le Père humilié*, 1920 (T). – *Sainte Colette*, 1920 (P). – *Ode jubilaire pour le six-centième anniversaire de la mort de Dante*, 1921 (P). – *Poèmes de guerre* (recueil), 1922 (P). – *Verlaine*, 1922 (E). – *Sainte Geneviève*, 1923 (P). – *À travers les villes en flammes*, 1924. – *Feuilles de saints*, 1925 (P). – *L'Endormie*, 1925 (T). – *La Jeune Fille Violaine* (1re version), 1926 (T). – *La Parabole du festin* (oratorio, 1926 (T). – *Correspondance avec Jacques Rivière*, 1926. – *Poèmes du Pont des Faisans*, 1926 (P). – *Le Peuple des hommes cassés* (mimodrame), 1927 (T). – *La Femme et son ombre* (ballet), 1927 (T). – *Protée* (2e version), 1927 (T). – *Cent Phrases pour éventails*, 1927 (P). – *Le Vieillard sur le mont Omi*, 1927 (P). – *Sous le rempart d'Athènes*, 1928 (T). – *Positions et Propositions*, 1938 (E). Contient : *les Idéogrammes occidentaux* ; *Réflexions sur le vers français*. – *Le Livre de Christophe Colomb* (oratorio), 1929 (T). – *Le Soulier de satin*, 1929 (T). – *Le Voleur volé*, 1930. – *Fragment d'un drame*, 1931. – *Religion et Poésie*, 1932 (E). – *La Légende de Prâkhiri*, 1933 (E). – *Positions et Propositions II*, 1934 (E). – *Un poète regarde la Croix*, 1935 (E). – *Judith*, 1935 (P). – *Introduction à la peinture hollandaise*, 1935 (E). – *Conversations dans le Loir-et-Cher*, 1935 (E). – *Toi, qui es-tu ?*, 1936. – *Figures et Paraboles*, 1936 (E). – *Ossements*, 1936 (E). – *Les Aventures de Sophie*, 1937 (E). – *Introduction au livre de Ruth*, 1938 (E). – *Jeanne d'Arc au bûcher* (oratorio), 1938 (T). – *La Mystique des pierres précieuses*, 1938. – *La Sagesse ou la Parabole du festin* (oratorio), 1939 (T). – *L'Épée et le Miroir*, 1939 (E). – *Contacts et Circonstances*, 1940 (E). – *L'Annonce faite à Marie* (4e acte retouché), 1940 (T). – *Lettre au grand rabbin Schwartz*, 1941. – *Présence et prophétie*, 1942 (E). – *Seigneur, apprenez-nous à prier*, 1942 (E). – *L'Histoire de Tobie et de Sara* (oratorio), 1942 (T). – *Prière pour les paralysés*, suivie de *Quinze Psaumes graduels*, 1944 (P). – *Les Sept Psaumes de la pénitence*, 1945 (P). – *Poèmes et paroles durant la guerre de Trente Ans*, 1945 (P). – *Dodoïtzu*, 1945 (P). – *Le Père humilié* (version revue et modifiée), 1945 (T). – *L'Œil écoute*, 1946 (E). – *Introduction à l'Apocalypse*, 1946 (E). – *Le Livre de Job*, 1946 (E). – *La Rose et le Rosaire*, 1946 (E). – *Du côté de chez Ramuz*, 1947 (E). – *Laudes*, 1947 (E). – *Visages radieux*, 1947 (P). – *Discours et remerciements*, 1947 (E). – *La Lune à la recherche d'elle-même*, 1948 (T). – *Le Partage de midi* (version scénique), 1948. – *L'Annonce faite à Marie* (version scénique), 1948. – *Paul Claudel interroge « le Cantique des cantiques »*, 1948 (E). – *Sous le signe du dragon*, 1948 (E). – *Le Jet de pierre*, 1949 (T). – *Le Partage de midi* (version pour la scène), 1949 (T). – *Correspondance avec André Gide*, 1949. – *Emmaüs*, 1949 (E). – *Accompagnements* (recueil d'articles et conférences), 1949 (E). – *Le Bestiaire spirituel*, 1949 (E). – *Une voix sur Israël*, 1950. – *L'Évangile d'Isaïe*, 1951 (E). – *Correspondance avec André Suarès*, 1951. – *Le Ravissement de Scapin*, 1952 (T). – *Paul Claudel interroge « l'Apocalypse »*, 1952 (E). – *Le Symbolisme de la Salette*, 1952. – *Correspondance avec Jammes et Frizeau*, 1952. – *Fulgens corona*, 1954 (E). – *L'Échange* (nouv. version), 1954 (T). – *Mémoires improvisés*, 1954. – *J'aime la Bible*, posth., 1955. – *Conversations sur Jean Racine*, posth., 1956 (E). – *Qui ne souffre pas*, posth., 1958. – *La Danse des morts* (oratorio), posth., 1965 (T). – *Psaumes* (trad.) [1918-1953], posth., 1967. – *Poésies diverses. Petits Poèmes d'après le chinois. Autre Poèmes d'après le chinois* et *Poèmes retrouvés*, posth., 1967. – *Journal I (1904-1932)*, posth., 1968. – *Journal II (1933-1955)*, posth., 1969. – *Le Chemin de la Croix n° II*, posth., 1971.

L'Annonce faite à Marie

Le drame se passe « dans un Moyen Âge de convention ». À Combernon, la ferme d'Anne Vercors, arrive un architecte, Pierre de Craon. Il vient déclarer son amour à Violaine, la fille d'Anne, et lui révéler qu'il est atteint de la lèpre. Pénétrée de compassion, Violaine baise le visage de Pierre. Sa sœur Mara, qui aime Jacques Hury, fiancé de Violaine, a assisté à la scène : elle la raconte à Jacques, qui ne peut manquer d'en être troublé, cela au moment où le père quitte sa ferme pour un pèlerinage en Terre sainte. Violaine, atteinte à son tour de la lèpre, révèle son mal à Jacques, qui l'abandonne pour Mara. Tandis que Violaine se retire dans la solitude de la forêt de Géyn pour s'y consacrer à Dieu, un enfant naît de l'union de Jacques et de Mara, et meurt peu après. Mara obtient de Violaine la résurrection du bébé, signe de sainteté, mais voici que celui-ci, qui avait les yeux noirs, a maintenant les yeux bleus de Violaine. Au moment où le père revient de son pèlerinage, Pierre de Craon ramène à la ferme Violaine mourante. Il l'a trouvée dans une sablonnière de la forêt, où Mara avait eu le dessein de la faire disparaître en l'enterrant vive. Après la mort de Violaine, Mara avoue son crime en présence de son père, et obtient de lui et de Jacques, témoins des souffrances de Violaine, le pardon de sa faute.

Partage de midi

Au commencement du drame, la scène se déroule sur un paquebot qui emmène vers la Chine quatre personnages : une jeune et belle femme, Ysé, et son mari, de Ciz, un aventurier, Amalric, un solitaire méditatif, Mesa. Entre Ysé et Mesa naît une irrésistible et réciproque fascination (on songe à la donnée initiale de *Tristan et Iseut*). La scène se transporte ensuite à Hong Kong, où de Ciz décide de laisser sa femme et ses deux enfants tandis qu'il ira seul à l'intérieur de la Chine pour y traiter ses affaires. Ysé est ainsi libre de se donner à Mesa. Alors que celui-ci croit accueillir dans sa pureté l'amour total dont il rêve, Ysé se détache de lui pour se tourner vers Amalric, avec qui elle s'enfuit vers le sud de la Chine, emmenant avec elle l'enfant qu'elle a eu de Mesa. Mais voici qu'éclate une révolte : la maison d'Amalric et d'Ysé est encerclée ; Amalric, qui ne veut pas être pris vivant, y dépose une bombe, dont il met en marche le mouvement d'horlogerie. À ce moment survient Mesa, muni d'un laissez-passer qui doit permettre le départ d'Ysé et de son enfant. Amalric, opposé à un tel projet, tire sur Mesa, le blesse, lui dérobe son laissez-passer et enlève Ysé ; celle-ci tue son enfant, qu'elle ne peut se résoudre à abandonner. Tandis que continue à fonctionner impitoyablement le mouvement d'horlogerie de la bombe, Mesa reprend connaissance pour voir réapparaître Ysé à la lumière de la lune : le drame s'achève sur la promesse d'une transfiguration du couple au-delà de la mort.

Le Soulier de satin

« La scène de ce drame est le monde », à l'époque des conquistadores. Il est précédé d'une *Ouverture* destinée à créer dans la salle une « savoureuse et bruyante joie ». Lorsque le silence règne, l'annoncier donne le titre et le sous-titre : *le Soulier de satin ou Le pire n'est pas toujours sûr, action espagnole en... quelques journées.*

Première journée. Partant pour le Maroc, don Pélage confie son épouse, doña Prouhèze, à son ami don Balthazar, qui la conduira dans une auberge de la côte où son mari viendra la chercher à son retour. Or, quelque temps auparavant, le jeune don Rodrigue, à la suite d'un naufrage, avait été recueilli chez don Pélage, à Mogador. Un amour interdit et d'autant plus puissant était né entre Rodrigue et Prouhèze. Rodrigue vient de recevoir un message secret de Prouhèze et se dispose alors à enlever celle qu'il aime. De son côté, Prouhèze révèle à don Balthazar son intention de lui fausser compagnie pour rejoindre Rodrigue. Elle adresse à la Vierge une prière au terme de laquelle elle lui donne en gage son soulier de satin (d'où le titre de la pièce). Par la suite paraît un autre personnage, doña Musique, partie, en compagnie d'un insolite sergent napolitain, à la recherche d'un vice-roi de Naples qu'elle aime en imagination. Elle rencontre Prouhèze dans cette même auberge. Rodrigue, quant à lui, est blessé au cours de son voyage en plein désert de Castille ; il est transporté dans le château de sa mère. Prouhèze, pour le rejoindre, s'évade à travers les ronces et les épines, non sans provoquer les réflexions ironiques de son ange gardien.

Deuxième journée. La scène se déroule d'abord au château de la mère de Rodrigue. Prouhèze est installée dans une chambre d'où elle peut voir celle de Rodrigue. Don Pélage arrive pour réclamer son épouse et lui offrir de prendre le commandement de la place de Mogador, avec, sous ses ordres, don Camille, qui, autrefois, avait tenté de la séduire. L'action se transporte donc à Mogador, où Prouhèze et don Camille se heurtent avec violence. Rodrigue, à son tour, aborde à Mogador. Il tente de rejoindre la chambre de Prouhèze. Leur rencontre ne dure qu'un instant, le temps d'un baiser. Ils se séparent pour toujours.

Troisième journée. Dix ans plus tard. Pélage est mort. Prouhèze a été contrainte d'épouser don Camille. De leur côté, Musique et le vice-roi de Naples, qui existait bel et bien, sont à Prague, où Musique attend un enfant qui sera don Juan d'Autriche, le vainqueur de Lépante. Il y a dix ans, Prouhèze s'était laissée aller à adresser une lettre à Rodrigue, et cette lettre, qui n'est jamais parvenue à son destinataire, n'a cessé de porter malheur à tous ceux qui l'ont eue entre les mains. Elle est d'ailleurs en train d'approcher de Rodrigue, lequel est occupé à conquérir l'Amérique pour son roi. Lorsque la lettre lui parvient enfin, il décide de se rendre à Mogador. Deux mois plus tard, à son arrivée, Rodrigue trouve Prouhèze et Camille assiégés par les Maures révoltés. Camille demande à Prouhèze d'aller rejoindre Rodrigue sur son vaisseau. Mais Prouhèze impose à son amant de partir seul tandis qu'elle retournera dans la forteresse de Mogador, minée par son mari, pour y mourir dans l'inévitable explosion. Elle confie à Rodrigue l'enfant qu'elle a eue de Camille, la petite doña Sept-Épées.

Quatrième journée. Dix ans se sont encore écoulés. Rodrigue a été disgracié. Il s'est lancé à la conquête du Japon, mais, ayant échoué, il a été fait prisonnier par les Japonais. Le voici sur un bateau « sous le vent des îles Baléares », abandonné et estropié (il a perdu une jambe dans un combat). Il gagne sa vie en vendant aux pêcheurs des images pieuses. Dans la même zone maritime se trouve un autre bateau, où navigue doña Sept-Épées, partie pour aller en Afrique délivrer « les âmes captives ». Elle finit par rejoindre Rodrigue, qu'elle appelle son père. Au lendemain de la défaite de l'Armada, le roi d'Espagne offre, par dérision, l'Angleterre à Rodrigue. Celui-ci accepte, tandis que Sept-Épées rejoint à la nage le vaisseau du fils de Musique, don Juan d'Autriche, pour participer avec lui à la grande bataille qu'il va livrer aux Turcs. Quant à Rodrigue, bientôt accusé de trahison, il est vendu comme esclave et se trouve entre les mains de deux soldats, qui cherchent à se débarrasser de lui. À l'instant où un coup de canon fait savoir à Rodrigue que Sept-Épées et Juan ont remporté la victoire, une « sœur glaneuse » achète, pour deux pièces d'or, un lot de vieilleries accumulées sur le bateau. Elle emmène Rodrigue, qui deviendra son « pauvre domestique ».

CLAVEL Bernard. Lons-le-Saunier (Jura) 29.5.1923. S'il est vrai que le succès populaire et la crédibilité littéraire vont rarement de pair, C. en a fait largement l'expérience. Il lui aura fallu publier une bonne douzaine d'ouvrages avant de se voir admis et reconnu par la critique. Très peu attiré par les cercles littéraires, C. a produit une œuvre romanesque étroitement liée à son expérience des hommes et de la nature. Apprenti pâtissier dès l'âge de quatorze ans, il grandit dans un univers d'artisans et exerce plusieurs métiers dans les usines, les vignobles et la forêt. Après la guerre il tente de vivre de sa peinture, puis travaille dans un atelier de reliure avant de passer cinq ans au *Progrès de Lyon.* C'est en 1968 qu'il obtient le prix Goncourt pour *les Fruits de l'hiver,* non sans provoquer quelques remous au sein de l'académie. Bon nombre de ses romans font l'objet d'adaptations cinématographiques et télévisées, contribuant ainsi à son succès d'auteur. En 1971 il est élu à l'académie Goncourt où il succède à son ami Jean Giono. Il donnera sa démission en 1977 pour se consacrer à son œuvre et à la défense de causes pour lesquelles il milite depuis longtemps : lutte contre la guerre, l'esclavage sous toutes ses formes, l'injustice et la faim dans le monde. Son œuvre romanesque reflète bien ses préoccupations d'humaniste, qu'il s'agisse de réquisitoires passionnés contre les souffrances de la guerre comme dans *l'Espagnol* et *le Silence des armes,* ou de la glorification du dévouement humain dans *le Tambour du bief.* Sa « géographie sentimentale » traduit son attachement à la terre des pays qu'il a parcourus. Son Jura natal d'abord dont l'histoire inspire la grande fresque des *Colonnes du ciel,* puis la région lyonnaise et le Rhône dont il suit les méandres avec *Pirates du Rhône* et *le Seigneur du fleuve,* enfin le Québec où il a vécu quelques années et qui inaugure la nouvelle saga, *le Royaume du Nord.* Depuis ses premières œuvres, il est resté fidèle à une seule ligne : décrire une humanité simple et vraie à travers l'aventure du quotidien, la trame générale de l'existence. Qu'il choisisse les grands espaces et l'aventure ou l'évocation impressionniste de petites villes de province, c'est toujours la même tendresse et la même sensibilité d'un homme lucide qui témoigne pour l'homme avec rigueur et simplicité.

Œuvres. *L'Ouvrier de la nuit,* 1956 (N). – *Vorgine* (titre actuel *Pirates du Rhône*), 1957 (N). – *Vie de Paul Gauguin,* 1958 (N). – *Qui m'emporte* (titre actuel *le Tonnerre de Dieu*), 1958 (N). – *L'Espagnol,* 1959 (N). – *Malataverne,* 1961 (N). – *La Maison des autres,* 1962 (N). – *Celui qui voulait voir la mer,* 1963 (N). – *Le Cœur des vivants,* 1964 (N). – *Le Voyage du père,* 1965 (N). – *L'Hercule sur la place,* 1966 (N). – *L'Arbre qui chante* (pour enfants), 1967 (N). – *Vie de Léonard de Vinci,* 1967 (N). – *Les Fruits de l'hiver,* 1968 (N). – *Victoire au Mans,* 1968 (N). – *L'Espion aux yeux verts,* 1969 (N). – *Le Tambour du bief,* 1970 (N). – *Le Massacre des Innocents,* 1970 (E). – *Le Seigneur du fleuve,* 1972 (N). – *La Maison du canard bleu* (pour enfants), 1972 (N). – *Le Silence des armes,* 1974 (N). – *Légendes des lacs et des rivières,* 1974 (N). – *Lettre à un képi blanc,* 1975 (N). – *Légendes de la mer,* 1975 (N). – *Légendes des montagnes et forêts,* 1975 (N). – *Le Voyage de la boule de neige* (pour enfants), 1975 (N). – *Les Colonnes du ciel* (I *la Saison des loups ;* II *la Lumière du lac ;* III *la Femme de guerre ;* IV *Marie Bon-pain ;* V *Compagnons du Nouveau Monde),* 1976-1981 (N). – *Bonlieu ou le Silence des nymphes,* 1976 (P). – *Écrit sur la neige,* 1977 (N). – *L'Iroquoise,* 1980 (N). – *La Bourrelle,* 1980 (N). – *Félicien le Fantôme* (pour enfants), 1980 (N). – *Le Rhône ou les Métamorphoses d'un dieu,* 1981 (N). – *Arbres,* 1981 (N). – *Terres de mémoires,* 1981 (N). – *Le Chien des Laurentides* (pour enfants), 1981 (N). – *L'Homme du Labrador,* 1982 (N). – *Le Royaume du Nord* (I *Harricana ;* II *l'Or de la terre),* 1983-1984 (N).

CLAVEL Maurice. Montpellier 1920 – Vézelay 23.4.1979. Sa première pièce, *les Incendiaires,* est inspirée de la Résistance, à laquelle il prit une part active. Esprit curieux et passionné, il a traité au théâtre et dans ses romans les sujets les plus divers : philosophiques, historiques ou d'actualité. Critique de télévision dans un hebdomadaire, chacune de ses chroniques fut pour lui l'occasion de défendre des idées qui lui étaient chères, avec virulence et enthousiasme. Au-delà de ses divers engagements, il a fait aussi toute sa part à une inspiration mystique dont il a révélé la puissance dans une confession vibrante *(Ce que je crois)* et une affirmation sans équivoque de la transcendance de sa foi *(Dieu est Dieu, nom de Dieu).*

Œuvres. *Dernière Saison,* 1946 (N). – *Combat de franc-tireur pour une libération,* 1947. – *Les Incendiaires,* 1947 (T). – *La Terrasse de Midi,* 1949 (T). – *Jules César* (adapt. de Shakespeare), 1951 (T). – *Le Songe* (adapt. de Strindberg), 1953 (T). – *Une fille pour l'été,* 1957 (N). – *Saint Euloge de Cordoue,* 1965 (T). – *La Pourpre de Judée,* 1967 (T). – *Qui est aliéné ?* 1970 (E). – *Combat de la Résistance à la Révolution* (textes politiques), juillet 1968-juin 1970. – *La Perte et le Fracas,* 1971. – *Le Tiers des étoiles ou On ne sait pas quel ange,* 1972 (E). – *Les Paroissiens de Palente ou les Murs et les Hommes,* 1974 (E). – *Ce que je crois,* 1975 (E). – *Le Soulèvement de la vie,* 1975 (E). – *Dieu est Dieu, nom de Dieu,* 1976. – Préface au livre de Gonzague Motte : *Paroles de prophète. Choix d'homélies,* 1976. – *Délivrance,* 1977. – *Nous l'avons tous tué ou Ce juif de Socrate,* 1977. – *Deux Siècles chez Lucifer,* 1978 (E). – *Critique de Kant,* posth., 1980 (E).

CLOUTIER Eugène. Sherbrooke 13.10.1921 – 1975. Écrivain canadien-français. Il étudie au collège Saint-Charles et à l'université Laval, à Québec, puis à la Sorbonne, à Paris. Il a été successivement journaliste, réalisateur à Radio-Canada, directeur de la Maison canadienne à Paris, et il écrit pour la radio et la télévision canadiennes : parmi ses meilleures réalisations figurent *Anne-Marie, C'est la loi, C'est la vie.*
Son premier roman, *les Témoins* – grand prix littéraire de la province de Québec –, présente les divers aspects de la personnalité d'un meurtrier qui s'analyse et interprète ses tendances existentielles en fonction de son crime. *Les Inutiles,* sous des allures de récit fantaisiste et semi-policier, fait le procès de la civilisation matérialiste. L'auteur évoque avec ironie des personnages que leur attachement aux valeurs spirituelles ou à l'art gratuit rend inadaptés

et inutiles. Dans *Croisière,* le goût de l'analyse, de l'introspection, de la dissection est poussé à la limite. Les mêmes thèmes sont abordés d'abord dans le rêve, puis dans la réalité d'une croisière propice aux poursuites amoureuses. Les romans de C. défient systématiquement les règles traditionnelles du genre et multiplient, au-delà des aventures qui nourrissent la narration, les mystères en suspens et les énigmes sans réponse, comme si l'objectif du romancier était, avant tout, d'intriguer son lecteur. C. fait enfin le récit, dans *le Canada sans passeport,* des nombreux voyages qu'il a entrepris dans le monde à la fin des années soixante.

Œuvres. *Les Témoins,* 1953 (N). – *Les Inutiles,* 1956, rééd. 1982 (N). – *Croisière,* 1964 (N). – *Le Dernier Beatnik,* 1966 (T). – *Le Canada sans passeport,* 1970 (E).

CLUNY Claude Michel. Charleville 2.7.1930. C., qui a préfacé des poèmes posthumes de Cocteau, semble concevoir son œuvre sous le signe de la célèbre formule de celui qui fut sans doute un de ses maîtres : « Je suis un mensonge qui dit toujours la vérité. » Dès son premier roman, *la Balle au bond,* il met en scène des personnages qui sont avant tout des énigmes vivantes, situés entre ce qui est et ce qui pourrait être ; dans l'impossibilité de vivre vraiment au présent, ils ont recours aux mensonges de la mémoire pour retrouver, à travers le masque de leurs apparences, la vérité de leur être, sous un éclairage, ou, comme dit le romancier, une « illumination », qui n'est autre que celle de la mort. Ainsi en est-il dans cette Venise de ses derniers beaux jours où se vivent les instants uniques de l'ultime éclat à la veille de l'anéantissement, et où la condamnation solitaire d'une ville est comme le signe de l'agonie solitaire d'un homme *(Un jeune homme à Venise).* Intention poétique qui se traduit, à travers l'évidence trompeuse de la narration, par la perspective symbolique du langage, réunissant, dans son unité verbale, l'illusion romanesque de la fiction et la vérité poétique de l'imaginaire.

Œuvres. *La Balle au bond,* 1961 (N). – *Désordres,* 1965 (P). – *Un jeune homme à Venise,* 1966-1968 (N). – *Préface à « Faire-part » de Cocteau,* 1970. – *La Mort sur l'épaule,* 1972 (P). – *Inconnu Passager,* 1978 (P). – *La Rage de lire,* 1978 (N). – *Vide ta bière dans ta tombe,* 1980 (N). – *L'Été jaune,* 1981 (N).

COCTEAU Jean. Maisons-Laffitte 5.7.1889 – Milly 11.10.1963. Un certain nombre de rencontres décisives préludèrent à son œuvre : Diaghilev (1913), dont la création du *Sacre du printemps* de Stravinski l'impressionne durablement (*le Potomak*) ; Roland Garros, avec qui il fait, pendant la guerre, de l'acrobatie aérienne (*le Cap de Bonne-Espérance*) ; Picasso enfin, à qui, la même année, le jeune poète dédie une *Ode.* Curieux de nature et par goût, « touche-à-tout » de génie, C. exploite tous les registres du réel et du surréel et tous les modes d'expression : il redécouvre les mythes orphiques de la Grèce, se jette dans un mysticisme velléitaire (relations avec Claudel, Maritain, Mauriac) et compose une œuvre dont la diversité extrême ne manque jamais de faire place au sortilège ; on y trouve des romans, des pièces, des ballets, des films, des poèmes enfin.

De sa rencontre avec Diaghilev – qui, dit-il, lui « déniaisa l'esprit » – jusqu'à sa mort, une sorte de légende a continuellement entouré C. Lui-même l'a entretenue avec un sens du jeu qui donne la clé de nombre de ses œuvres, sans qu'il faille confondre jeu et frivolité. C. a toujours voulu accorder écriture poétique et vie intérieure, mais sa fascination pour les pouvoirs magiques de la parole l'a parfois entraîné à ce que certains jugent comme une jouissance stérile de leurs conséquences. Il a mis à la mode toute une esthétique de l'étonnement, qui n'est pas morte : écrivain du paradoxe, C. joue sur le couple éternel du mensonge et de la vérité. Si le paradoxe est un masque (l'œuvre graphique de C. montre combien il aimait masques et miroirs), il provoque aussi une révélation ; ainsi nulle œuvre, malgré les apparences, n'est gratuite. C. n'a guère évolué que par des nuances. Plus exalté dans la période de formation de son art et de son langage, plus serein à l'approche de la vieillesse, il n'a jamais cessé de vouloir envoûter son lecteur. Acad. fr. 1955.

Œuvres. *La Lampe d'Aladin,* 1909 (P). – *Le Prince frivole,* 1910 (P). – *La Danse de Sophocle,* 1912 (P). – *Parade* (ballet), 1917 (T). – *Le Coq et l'Arlequin,* 1918 (E). – *Le Cap de Bonne-Espérance,* 1919 (P). – *Le Potomak,* précédé d'un « Prospectus 1916 » et suivi des « Eugènes de la guerre 1915 », 1919 (N). – *Ode à Picasso,* 1919 (P). – *Discours du grand sommeil,* 1920 (P). – *Le Bœuf sur le toit* (mimodrame), 1920 (T). – *Visites à Maurice Barrès,* 1921 (E). – *Vocabulaire,* 1922 (P). – *Le Secret professionnel,* 1922 (E). – *Plain-Chant,* 1923 (P). – *Picasso,* 1923 (E). – *Le Grand Écart,* 1923 (N). – *Thomas l'Imposteur,* 1923 (N). – *D'un ordre considéré comme une anarchie* (discours),

1923. – *Les Mariés de la tour Eiffel* (pantomime), 1924 (T). – *Le Potomak* (éd. définitive), 1924 (N). – *Poésies* (recueil), 1924. – *L'Ange Heurtebise,* 1925 (P). – *Lettre à Jacques Maritain,* 1925. – *Roméo et Juliette,* 1926 (T). – *Le Rappel à l'ordre* (recueil), 1926 (E). Contient des essais déjà publiés, et *Carte blanche* (série d'articles). – *Opéra,* 1927 (P). – *Orphée,* 1927 (T). – Avec Stravinski, *Œdipus Rex,* 1928 (T). – *Antigone,* 1928 (T). – *Le Livre blanc,* 1928 (N). – *Le Mystère laïc,* 1928 (E). – *Les Enfants terribles,* 1929 (N). – *Opium,* 1930 (N). – *La Voix humaine,* 1930 (T). – *Le Sang d'un poète,* film réalisé en 1930 (publié en 1948 et 1957). – *Essai de critique indirecte,* 1932 (E). – *Mythologie,* 1934 (P). – *La Machine infernale,* 1934 (T). – *Portraits-souvenirs,* 1935 (E). – *Les Chevaliers de la Table ronde,* 1937 (T). – *Les Parents terribles,* 1938 (T). – *La Fin du Potomak,* 1939 (N). – *Les Monstres sacrés,* 1940 (T). – *Allégorie,* 1941 (P). – *La Machine à écrire,* 1941 (T). – *Le Baron fantôme,* film réalisé en 1942. – *L'Éternel retour,* film réalisé en 1943. – *Renaud et Armide,* 1943 (T). – *Le Mythe du Greco,* 1943 (E). – *La Belle et la Bête,* film réalisé en 1945. – *Léone,* 1945 (P). – *L'Aigle à deux têtes,* 1946 (P). – *La Crucifixion,* 1946 (P). – *La Belle et la Bête, journal d'un film,* 1946. – *Ruy Blas,* film réalisé en 1947. – *La Difficulté d'être,* 1947 (E). – *Le Foyer des artistes,* 1947 (N). – *Drôle de ménage,* 1948. – *Les Parents terribles,* film réalisé en 1948. – *Dufy,* 1949 (E). – *Lettre aux Américains,* 1949. – *Orphée,* film réalisé en 1949. – Avec Menotti, *le Poète et sa muse,* 1949 (T). – *Théâtre de poche* (recueil), 1949. – *Phèdre* (ballet), 1950 (T). – *Modigliani,* 1950 (E). – *Portraits de famille,* 1950 (N). – *Entretiens autour du cinématographe,* 1951. – *Jean Marais,* 1951 (E). – *Bacchus,* 1952 (T). – *Chiffre sept,* 1952 (P). – *Gide vivant,* 1952 (E). – *Appoggiatures,* 1953 (P). – *La Dame à la licorne* (ballet), 1953. – *Journal d'un inconnu* (recueil), 1953 (E). – *Clair-Obscur,* 1954 (P). – *Théâtre de poche* (rééd.), 1955 (T). – *Poésies 1916-1955,* (recueil), 1956 (P). – *Le Testament d'Orphée,* film réalisé en 1959. – *Poésie critique* (1er vol.), 1959 (E). Contient, revus et augmentés : *le Secret professionnel* (1922) ; *D'un ordre considéré comme une anarchie* (1923) ; *Picasso* (1923) ; *Essai de critique indirecte* (1932) ; *le Mystère laïc* (1928) et *Article sur Guillaume Apollinaire* (1954) ; *Préface aux « Lettres imaginaires » de Max Jacob* (1952) ; *Extraits d'« Opium »* (1930) ; *Préface à « J'adore » de Jean Desbordes* (1930) ; *le Mythe du Greco* (1943) ; Traduction d'un sonnet de Gongora (dans *« Clair-Obscur »,* 1954) ; *Gide vivant* (1952) ; *Jean Marais* (1951) ; *Étude sur J.-J. Rousseau,* publiée en 1939 dans *« Tableau de la littérature française* XVe-XVIIIe *siècle »,* ouvrage collectif. – *Poésie critique* (2e vol.), 1960 (E). Contient : *Démarche du poète ; Lettre à Jacques Maritain* (1925, augmentée) ; *Lettre aux Américains* (1949) ; *Discours de réception à l'Académie royale de Belgique* (1955) ; *Discours de réception à l'Académie française* (1955) ; *Discours d'Oxford* (1956) ; *Discours sur la poésie* (1958) ; *Les Armes secrètes de la France* (discours), 1958. – *Le Testament d'Orphée ou Ne me demandez pas pourquoi,* 1961 (E). – *Requiem,* 1962 (P). – *Le Cordon ombilical,* 1962 (N). – *L'Impromptu du Palais-Royal, « divertissement »,* 1963 (T). – *La Comtesse de Noailles,* 1963 (E). – *Entretiens avec R. Stéphane,* posth., 1964. – *Entretiens avec A. Fraigneau,* posth., 1965. – *Faire-part,* posth., 1968-1969. – *Passé défini* (Journal), posth., t. I, 1983, t. II, 1985.

Le Grand Écart

Le héros, Jacques Forestier, est placé comme le pion d'un jeu – mais, pour cet adolescent, c'est un jeu dangereux – à l'intérieur de l'« écart » (le titre est aussi emprunté à l'enseigne d'un cabaret) entre le monde bourgeois de sa mère et le monde bizarre des danseuses, Germaine ou Louise, chez qui il rencontre de singuliers « protecteurs ». En outre, Jacques est pensionnaire, pour des études approximatives, dans une institution où il est en contact avec des camarades exotiques. Il tombe amoureux de Germaine, dont l'univers, en fait très réel, lui apparaît comme un rêve. Germaine, préférant le camarade anglais de Jacques, Stopwell, en informe tout uniment le jeune homme. Le rêve devient drame : Jacque décide de se suicider, et c'est alors que le jeu tragique s'exorcise en se surnaturalisant. L'Ange intervient sous la forme d'un barman, qui, au lieu de drogue, a vendu à Jacques, en l'escroquant, un mélange inoffensif : bien sûr, ce barman n'a pas voulu faire l'Ange, mais, à partir du moment où Jacques le faisait intervenir involontairement dans sa vie, l'Ange s'est servi de lui. Jacques est donc sauvé par hasard, mais ce hasard n'en est pas moins, comme tout hasard selon C., le signe d'un autre monde.

Thomas l'imposteur

Récit d'origine autobiographique de ce jeune homme, Thomas, qui, désireux de s'accomplir par un exploit spectaculaire et gratuit, dans le contexte de la Grande Guerre, se fait passer pour le neveu d'un général, afin de pouvoir parvenir jusqu'au front. Il y jouera dangereusement au héros. C'est son « imposture » qui fait ainsi accéder à l'existence le personnage « fabuleux » qu'il s'était fabriqué, car Thomas a vécu jusqu'au bout le jeu du rêve et de la vie, quitte à risquer d'en mourir : la logique irrationnelle du jeu construit un mythe qui révèle le sens caché de la vie ; le poète n'est-il pas, selon C., « un mensonge qui dit toujours la vérité » ?

COGNIARD Charles Théodore. Paris 30.4.1806 – 1872. – **Jean-Hippolyte.** Paris 29.11.1807 – 6.2.1882. Ils durent à la révolution de Juillet l'énorme succès de *la Cocarde tricolore* (1831), qui les lança ; directeurs de théâtres (Porte-Saint-Martin, Vaudeville, Variétés), auteurs de multiples revues à succès, ils écrivirent des mélos et surtout des vaudevilles endiablés. Lola Montès débuta en 1845 dans leur *Biche au bois.*

COHEN Albert. Corfou 16.8.1895 – Genève 17.10.1981. Issu d'une famille juive établie d'abord à Céphalonie, puis dans le midi de la France, C. s'est consacré à imaginer l'épopée de ceux qu'il appellera, au titre d'un de ses romans, *les Valeureux.* Écrivain à certains égards anachronique, il construit, tout au long de son œuvre, un vaste mythe, le mythe du Destin. On reconnaît ici une transposition légendaire de la fatalité qui pèse, tout au long de son histoire, sur le peuple juif. Alors que le premier volume de cette épopée romanesque, *Solal,* avait paru dès 1930, c'est en 1970 seulement que C. obtient le grand prix du Roman de l'Académie française pour *Belle du Seigneur,* œuvre où l'aventure du prince des Solal développe, dans la forme d'une fresque aux multiples perspectives, les fatalités de la passion, cela sur le fond réaliste d'une peinture de la société cosmopolite de Genève pendant l'entre-deux-guerres.

Œuvres. *Solal et les Solal,* 1930 (N). – *Mangeclous,* 1938 (N). – *Le Livre de ma mère,* 1954 (N). – *Ezéchiel,* 1956. – *Belle du Seigneur,* 1968 (N). – *Les Valeureux,* 1969 (N). – *La Déviance* (trad. de l'angl.), 1971 (N). – *O vous, frères humains,* 1972 (N). – *Le Talmud : exposé synthétique du Talmud et de l'enseignement des rabbins sur l'éthique, la religion, les coutumes et la jurisprudence* (trad. de l'angl.), 1976 (E). – *Carnets 78,* 1979. – *Poisons d'oubli,* 1981 (N).

COLARDEAU Charles Pierre. Janville (Eure-et-Loir) 12.10.1732 – Paris 17.4.1776. Orphelin à treize ans, il poursuivit des études juridiques et se consacra, à sa majorité, à la poésie ; à son inspiration personnelle on doit aussi plusieurs pièces de théâtre. Excellent traducteur (*les Nuits,* de Young ; *Caliste,* d'après *la Belle Pénitente* de Rowe), il est aussi le restaurateur quasi unique d'un genre à peu près oublié depuis Ovide, l'héroïde, qui permet d'employer toutes les ressources de l'élégie et du lyrisme pour exalter les passions *(Lettre amoureuse d'Héloïse à Abailard ; Armide à Renaud).* La sensibilité qu'il y manifeste fait de lui un précurseur du romantisme. Acad. fr. 1776.

Œuvres. *Lettre amoureuse d'Héloïse à Abailard* (imité de Pope), 1758 (P). – *Armide à Renaud,* 1758 (P). – *Astarbé,* 1758 (T). – *Le Patriotisme,* 1762 (P). – *Épître à Minette,* 1762. – *Le Temple de Gnide,* 1772 (P). – *Épître à Duhamel,* 1774. – *Les Hommes de Prométhée,* 1775 (P). – *Œuvres complètes,* posth., 1779 et 1811.

COLARDEAU ou **COLLARDEAU Julien.** 1590 – vers 1669. Procureur du roi à Fontenay-le-Comte, il écrivit en latin une satire des mœurs du temps (*Larvina,* 1619) et mit son talent de bon disciple de Malherbe au service de Richelieu, dont il décrit le château dans un poème de huit cents vers de ton épique et loue les victoires dans diverses odes et poèmes de circonstance. Quelquefois, la force de la poésie et l'aisance de la versification révèlent chez lui le don de l'épopée.

COLETTE Sidonie Gabrielle. Saint-Sauveur-en-Puisaye (Yonne) 28.1.1873 – Paris 3.8.1954. Après une enfance campagnarde passée à l'écoute de la nature, elle mène une vie parisienne fatigante et dissipée. Elle se marie trois fois : avec Henry Gauthier-Villars, qui signe de son pseudonyme, WILLY, la série des quatre *Claudine ;* avec Henry de Jouvenel, dont la fille est « Bel-Gazou » ; enfin avec Maurice Goudeket. Tôt célèbre, C. ne quitte Paris que pour passer la guerre de 1939 en Italie.

Sa carrière fut la plus glorieuse qu'une femme de lettres ait connue en France. Son exceptionnelle fécondité n'a pas connu d'échecs. Largement autobiographique, surtout au début, l'œuvre de C. s'enrichit souvent de vraies études de mœurs ; son amour pour les bêtes et pour la campagne s'épanouit dans une sensualité très personnelle, païenne avec bonheur. On n'oubliera pas la beauté du portrait maternel silhouetté dans *Sido,* la féline malice des romans de la jalousie, *la Chatte* ou *Duo ;* l'ensemble de l'œuvre manifeste un refus lucide de l'angoisse, une acceptation sereine du monde, une sagesse naturelle. Car si C. écrit, c'est qu'elle veut, par la création littéraire, devenir plus pleinement ce qu'elle se sait être : « Reine de la terre », comme elle dit *(les Vrilles de la vigne).* Dans ses œuvres les plus autobiographiques, *la Maison de Claudine* ou *Sido,* elle applique tout son talent à évoquer son enfance campagnarde et surtout à en explorer le décor et l'atmosphère, avec ce sens du détail vivant et des multiples signes adressés par la nature à une âme d'enfant, qui resteront des traits distinctifs de son œuvre. Mais elle sait aussi appliquer cette même naïveté du regard – naïveté qui est la pointe extrême de la finesse – à l'observation des êtres, de préférence enfants et adolescents ; elle le fait avec autant de lucidité que de passion pour les troubles de l'adolescence dans *le Blé en herbe,* pour les tourments de la jalousie dans *Duo,* pour le drame du couple dans *la Retraite sentimentale,* sans que sa lucidité psychologique et sa sympathie pour toutes les formes de passion – à condition qu'elles soient naturelles – l'empêchent de décrire, avec autant de poésie et de vérité, les apaisements de l'âme et de l'esprit dans *la Naissance du jour.* Quel que soit l'objet de son regard, elle entretient avec ses personnages des rapports d'amitié profonde que le lecteur ne peut manquer de partager, comme il partage aussi son indulgence, tantôt pathétique et tantôt amusée. Et, alors que C. ne se réfère à aucune valeur morale ou religieuse, seulement à la nature telle qu'elle est et telle qu'elle la voit, il naît de son œuvre comme un sentiment de présence spirituelle, lié sans doute essentiellement à ce qui constitue l'unité profonde de cette œuvre : la recherche multiple, persévérante et passionnée de l'authenticité. Et si le personnage de sa mère, dans *Sido,* est l'une de ses créations les plus vraies et les plus belles, c'est que, justement, Sido incarne, au-delà de toute ambiguïté, cette présence de l'authenticité humaine.

Œuvres. *Claudine à l'école,* 1900 (N). – *Claudine à Paris,* 1901 (N). – *Claudine en ménage,* 1902 (N). – *Claudine s'en va,* 1903 (N). – *Sept Dialogues de bêtes,* 1904 (N). – *La Retraite sentimentale,* 1907 (N). – *Les Vrilles de la vigne,* 1908 (N). – *L'Ingénue libertine,* 1909 (N). – *La Vagabonde,* 1910 (N). – *L'Envers du music-hall,* 1913 (N). – *L'Entrave,* 1913 (N). – *Mitsou ou Comment l'esprit vient aux filles,* 1919 (N). – *Chéri,* 1920 (N). – *La Maison de Claudine,* 1922 (N). – *Le Blé en herbe,* 1923 (N). – *L'Enfant et les Sortilèges* (musique de Ravel), 1925 (T). – *La Fin de Chéri,* 1926 (N). – *La Naissance du jour,* 1928 (N). – *La Seconde,* 1929 (N). – *Sido ou les Points cardinaux,* 1930 (N). – *Prisons et Paradis,* 1932 (N). – *La Chatte,* 1933 (N). – *Duo,* 1934 (N). – *La Jumelle noire* (recueil d'articles à partir de 1934) (E). – *Mes apprentissages,* 1936 (N). – *Bellavista* (nouvelles), 1937 (N). – *Le Toutounier,* 1939 (N). – *Chambre d'hôtel,* 1940 (N). – *Journal à rebours,* 1940 (N). – *Julie de Carneilhan,* 1941 (N). – *Paris de ma fenêtre,* 1942 (N). – *Le Képi,* 1943 (N). – *Gigi,* 1943 (N). – *Trois-six-neuf,* 1944 (N). – *L'Étoile Vesper,* 1947 (N). – *Le Fanal bleu,* 1949 (N). – *Lettres de la vagabonde,* posth., 1961 (N). – *Lettres au petit corsaire,* posth., 1963 (N). – *Sido, lettres à sa fille,* posth., 1984. – *Œuvres complètes* en 4 vol., t. I, 1984 (éd. établie par C. Pichois).

La Vagabonde

Première histoire du personnage autobiographique de Renée, divorcée, donc « libre », et qui fait profession de jouer la pantomime, profession évidemment symbolique. Elle a, bien sûr, des admirateurs, dont l'un est, comme il se doit, riche et séduisant. Il la courtise avec art et passion : il y a chez Renée quelque chose, peut-être une sorte d'esthétisme naturel de l'amour, dans cet art et cette passion, qui la touche assez profondément. Mais sera-t-elle atteinte jusqu'au cœur d'elle-même ? C'est son état que de rester une éternelle « vagabonde » ; elle s'éloigne, mais elle conservera de cette aventure une incurable nostalgie.

L'Entrave

Suite de l'histoire de Renée : elle connaît le succès, elle accède au luxe, elle vit dans les plaisirs. Pourtant le cœur n'y est pas tout à fait. Elle rencontre Jean, qui l'aime et qu'elle prétend décourager ; il s'absente, mais, au lieu d'être pour elle une libération, cette absence est une souffrance, une véritable « épreuve ». Mieux vaut encore l'« entrave » que l'absence : Jean revient, et Renée cède au pouvoir de l'amour.

La Naissance du jour

La campagne bourguignonne de l'enfance, l'agitation parisienne qui lui a succédé laissent ici la place à un Saint-Tropez encore vierge, qui baigne dans une atmosphère de paix et de sérénité. Le roman raconte à la première personne une aventure de l'âge mûr. Si l'héroïne s'est ainsi retirée, ce n'est pas seulement pour échapper au « tourbillon de la capitale », c'est aussi pour se délivrer, la cinquantaine venue, des tourments de l'amour : aussi lui arrive-t-il d'évoquer comme un modèle le personnage de Sido, sa mère, et sa sagesse. Mais cette évocation, qui doit jouer le rôle d'un exorcisme, est troublée par la rencontre d'un jeune décorateur, Vial, dont l'attachement est à la fois évident et réservé ; si évident que la jeune artiste qui l'aime, Hélène Clément, en éprouve une jalousie susceptible d'exploser à la première occasion. Le « je » du roman, devant cette situation, hésite à s'engager dans la voie sans retour du renoncement, car la perspective d'une nouvelle expérience n'est pas sans pouvoir. Le souvenir de la sagesse de Sido fera triompher le renoncement. Du même coup, le drame, dont Sido justement avait horreur, un drame absurde, sera évité. Telle est la naissance du jour : « Petites amours d'été, mourez ici en même temps que l'ombre qui cernait ma lampe. »

Gigi

Mme Alvarez – « Mamita », pour ses proches – règne sur un curieux univers familial et féminin : le petit appartement occupé par sa fille, chanteuse de café-concert, et sa petite-fille, Gilberte, surnommée Gigi, qui en est aux premiers émois et aux premières naïvetés d'une adolescence précoce. Dynastie peu « régulière » socialement, mais d'autant plus exigeante quant aux « manières », que vient compléter le personnage de la grand-tante Alicia, sœur de Mamita, autrefois demi-mondaine qui connut son heure de gloire, et qui se consacre aujourd'hui à la bonne éducation de Gigi. De temps à autre, le petit appartement reçoit la visite d'un personnage un peu impressionnant, mais charmant, homme encore relativement jeune, distingué et plein de qualités. On dit d'abord qu'il vient là par attachement pour son père, que Mme Alvarez a autrefois « bien connu ». Peu à peu on se rend compte, Mamita la première, qu'il vient aussi pour Gigi, qui, après avoir été pour lui une fillette, se transforme suffisamment à ses yeux pour devenir bien vite une jeune fille. Il y aura quelques péripéties, car Gigi commettra bien encore quelques sottises. Mais on s'occupe si bien et avec tant de compétence de cette affaire, avec beaucoup de cœur aussi, ce qui ne gâte rien, que Gigi finira par devenir l'épouse de M. Gaston Lachaille et la première vraie mariée – à la troisième génération ! – de la famille.

COLIN MUSET. Milieu du XIIIe s. Auteur de vingt chansons de genres divers, C. voyageait de château en château, dans les seigneuries de Lorraine. Vivant de cette existence vagabonde, il était très intéressé par les gains dont il bénéficiait et ne craignait pas de montrer sa mauvaise humeur lorsqu'il les jugeait insuffisants : « Si ne m'avez rien donné / Ni mes gages acquitté / C'est vilenie. » Opportuniste, C. donne dans le goût du jour. Il ne se plaît guère à la pratique du « fin amor » mais produit une poésie courtoise pour complaire à son public aristocratique. Ce qui explique la pointe de parodie qui affleure dans certains de ces poèmes. Pour sa part, C. préfère de beaucoup les joies simples et directes, les plaisirs de la table et ceux de l'amour, sans les fioritures qu'il juge inutiles. Il affectionne plus particulièrement les aventures rondement menées dans les bosquets ou derrière les taillis. Personnalité vivante et désinvolte, C. aurait pu être un poète plus sérieux et même profond, s'il ne s'était astreint à séduire un public avec lequel il n'avait que peu d'affinité.

Œuvres. Éd. établie par J. Bédier, 1938.

COLLÉ Charles. Paris 1709 – 1783. Fils d'un procureur du Châtelet, destiné au droit, il devient clerc de notaire, mais son esprit et son caractère enjoués, une vive attirance pour le théâtre et pour la poésie, sa facilité à rimer lui assureront une carrière littéraire à succès. Cofondateur de la société bachique et poétique du « Caveau », il en est bientôt l'un des plus joyeux animateurs. Il excelle dans le pastiche de la poésie du temps et dans le genre à la mode des amphigouris, et créera même une « tragédie amphigourique », *Cocatrix.* Crébillon fils, auquel il est lié, lui fera écrire « sa première chanson raisonnable ». Il comptera rapidement parmi les chansonniers les plus populaires de France, sinon parmi les maîtres de la chanson au XVIIIe s. Mais à partir de 1747, il s'essaie au théâtre en obéissant aux modes du temps, en particulier à celle de la comédie larmoyante. Pourtant cette fraction de son œuvre ne suffirait guère à lui assurer une place dans l'histoire littéraire s'il n'était l'auteur de *la Partie de chasse de Henri IV,* écrite en 1759, arrêtée par la censure, jouée en privé chez le duc d'Orléans en 1762, et enfin à la Comédie-Française après la mort de Louis XV en 1774, car la glorification du « bon roi Henri » apparaissait, non sans raison, comme une attaque indirecte contre le monarque régnant. Mais l'intérêt de la pièce et sa nouveauté résident surtout dans l'heureuse synthèse que C. y réussit du sujet historique et d'un traitement réaliste qui s'étend jusqu'à la mise en scène : à l'acte III, par exemple, dont l'action se passe chez un meunier, l'auteur précise le détail du décor en des termes où l'on peut voir une préfiguration des minutieuses indications d'Antoine : « Une table longue de cinq pieds sur trois et demi... », nappes et serviettes « de grosse toile jaune..., une pinte en plomb, des assiettes de terre commune... », etc. C'est ainsi tout un courant du théâtre français, le courant historico-réaliste, qui trouve sa première expression dans cette *Partie de chasse.* C. écrira aussi des opéras bouffes, et l'on publiera après sa mort un *Journal historique et Mémoires de C.C. sur les hommes de lettres, les ouvrages dramatiques et les événements les plus mémorables du siècle de Louis XV* qui ne manque pas d'intérêt.

Œuvres. *Cocatrix,* 1731 (T.). – *La Vérité dans le vin,* 1747 (T). – *La Veuve,* 1763 (T). – *Dupuis et Desronais,* 1763 (T). – *Théâtre de société,* 1768 (T.). – *La Partie de chasse de Henri IV,* 1774 (T). – *Théâtre de société* (seconde édition), 1777 (T). – *Journal historique et Mémoires de C.C. (de 1748 à 1772),* posth., 1805-1807. – *Chansons* (2 vol.), posth., 1807. – *Correspondance inédite de Collé,* posth., 1864. – *Journal historique inédit pour les années 1761 et 1762,* posth., 1911.

COLLETET Guillaume. Paris 12.3.1598 – 10.2.1659. Après des études de droit, il est reçu avocat, mais ne plaide pas, et se laisse aller à une vie facile. Il ne se perd pourtant pas dans la foule des poètes de cabaret. Participant à de nombreux cercles littéraires, il opère, comme en témoigne son *Art poétique,* une audacieuse synthèse entre la vigoureuse inspiration de la Pléiade et la forme classique imposée par Malherbe et ses successeurs. Il sacrifie beaucoup moins que d'autres à la poésie de circonstance et à la poésie amoureuse conventionnelle. On lui doit aussi des *Épigrammes,* des fables, des romans, une tragi-comédie, et des livrets de ballets. Apprécié de Richelieu, il est au nombre des premiers académiciens (1634) et participe à la « Société des Cinq-Auteurs. » Beaucoup de beaux vers restent à découvrir dans l'œuvre de ce poète que sa réputation de buveur et sa fin peu glorieuse font juger injustement.

Œuvres. *Le Roman des Indes ; le Roman satyrique* (attribués à C.), 1624. – *Les Trébuchements de l'ivrogne,* 1627 (P). – *Le Grand Ballet des Effects de la Nature* (ballet), 1632. – *Les Cinq Sens de la Nature* (ballet), 1633. – *L'Aveugle de Smyrne* (en collaboration), 1638 (T). – *La Comédie des Tuileries* (en collaboration), 1638 (T). – *Cyaminde ou les Deux Victimes,* 1642 (T). – *Autres Poésies,* 1642 (P). – *Épigrammes,* 1653 (P). – *Poésies diverses,* 1656 (P). – *Art poétique,* 1658.

COLPORTAGE. Mode de diffusion des livres né de la spécialisation, dans cette forme de commerce – ancêtre de la librairie –, des distributeurs ambulants de marchandises qu'étaient les colporteurs ; ceux-ci pratiquaient le porte-à-porte ou la vente sur la place publique, en particulier lors des marchés et des foires. La présence de livres, parmi les marchandises ainsi proposées par les colporteurs à leur clientèle des villes ou des campagnes, remonte aux débuts de l'édition imprimée, et cette pratique contribua largement à la diffusion de l'imprimerie ; à tel point qu'à certaines époques les colporteurs, qui ne se gênaient pas pour vendre des livres imprimés clandestinement, firent l'objet d'une étroite surveillance de la part des autorités ; tel fut le cas, par exemple, aux XVIIe et XVIIIe s. Car la littérature de colportage était le plus souvent une littérature populaire à bon marché qui répandait de petits livres, des « libelles » ; et le sens qu'a pris ce mot (étymologiquement : petit livre) montre que cette littérature a souvent revêtu un caractère satirique ou franchement hostile aux pouvoirs établis : ainsi, au XVIIe s., c'est par le colportage que s'exprimait la propagande protestante. De même, au XIXe s., c'est par le colportage que se répandit la propagande républicaine ou socialiste.

Les moyens modernes de diffusion du livre, le développement du commerce de la librairie, ainsi que l'élévation du niveau culturel moyen, ont, à l'époque moderne, provoqué la disparition du colportage proprement dit. On observe toutefois depuis quelques années un développement considérable de la vente des livres à domicile, par courtage ou par correspondance, qui n'est pas sans apparaître comme une forme moderne du colportage.

COMÉDIE. Pièce de théâtre, en vers ou en prose, dont le but est de provoquer le rire par tous moyens appropriés : comique de mots, de situation, satire morale ou sociale, comique de gestes et de mimiques, intervention de personnages pittoresques ou bouffons. Les origines en remontent, en Grèce, à la plus haute antiquité, et la comédie attique s'est développée dans le cadre de la célébration du culte dionysiaque. L'étymologie grecque, *komôidia,* réunit les deux idées de *chant* et de *fête* : si l'aspect lyrique a pratiquement disparu de la comédie moderne, le genre est resté longtemps solidaire de la fête, et la comédie accompagne alors les festivités du carnaval ou celles qui s'organisent en marge des grandes foires. Le Moyen Âge français inaugure des formes originales de la comédie, inspirées de la tradition dite « gauloise », moralités et soties ; mais le théâtre comique s'épanouit surtout dans les farces, telle la célèbre *Farce de maître Pathelin,* que caractérise un effort de synthèse des différents registres du comique. À partir du XVIe s., tandis que naît la comédie savante, imitée des modèles antiques, et que s'introduit en France l'influence de la comédie italienne, la tradition médiévale subsiste dans les théâtres de la Foire, dont une légende rapporte que leur fréquentation détermina la vocation du jeune Molière. Le génie de Molière, véritable fondateur de la comédie française moderne, fut bien, en tout cas, de fondre ensemble les diverses origines de la comédie et d'en explorer toutes les ressources, tout en soumettant la comédie à la rigueur organisatrice de l'esprit classique. Après Molière, la comédie allait encore se diversifier et multiplier ses « spécialités » : comédie sérieuse du XVIIIe s., d'inspiration surtout moralisatrice ; comédie de mœurs ; comédie psychologique (Marivaux). Le XIXe s., privilégiera le genre du vaudeville, construit selon les recettes éprouvées d'un comique mécanique, qui triomphera, au début du XXe s., dans l'œuvre de Georges Feydeau, en attendant que le cinéma prenne le relais et mette en œuvre à la fois les multiples ressources du comique de théâtre et celles d'un comique proprement cinématographique. (Voir aussi : THÉÂTRE.)

COMÉDIE-FRANÇAISE. Société d'acteurs créée en 1680 par un décret de Louis XIV et formée par la fusion des différentes troupes rivales de Paris (Marais, Hôtel de Bourgogne, troupe de Molière). Cette fondation avait aussi pour but de contrecarrer le succès grandissant des comédiens italiens, qui, d'ailleurs, devaient être, peu après, expulsés de France, où ils ne reviendront que sous la Régence. Ainsi s'explique le statut administratif de la Comédie-Françaises, laquelle, tout en jouissant d'une grande autonomie interne, est soumise, d'autre part, au contrôle de l'État, qui la subventionne. Les comédiens-français se répartissent entre pensionnaires et sociétaires, ceux-ci jouissant seuls de la plénitude des droits reconnus aux comédiens possédant une certaine ancienneté.

Contrairement à une idée fort répandue, la mission de la Comédie-Française ne se réduit pas à être une sorte de musée du théâtre et à ne jouer que les pièces dites du « répertoire » : est-il besoin de rappeler que c'est à la Comédie-Française qu'eut lieu, à l'époque romantique, la célèbre bataille d'*Hernani ?* Après avoir effectivement, à partir de la seconde moitié du XIXe s., mis l'accent sur la conservation du répertoire, sans pour autant cesser de créer des pièces modernes, la Comédie-Française, depuis 1945, a entrepris de jouer pleinement son rôle dans l'évolution du théâtre contemporain, aussi bien en renouvelant la mise en scène des œuvres du répertoire qu'en multipliant les créations d'œuvres contemporaines. On ne saurait enfin oublier le rôle considérable joué par la Comédie-Française comme pépinière d'acteurs du premier rang, dont certains ont pu, grâce à l'expérience acquise chez elle, poursuivre ensuite, pour leur compte, une carrière prestigieuse, l'exemple le plus célèbre étant celui de Madeleine Renaud et de Jean-Louis Barrault.

COMÉDIE LARMOYANTE. Se distingue résolument de la comédie telle que Molière l'avait instituée. Nivelle de La Chaussée, au XVIIIe s., en fut l'initiateur (*le Préjugé à la mode,* 1735 ; *Mélanide,* 1741 ; *l'École des mères,* 1744). Les situations dans lesquelles se trouvent les personnages invitent à l'émotion, à l'attendrissement et non plus au rire. C'est là une tentative pour éviter la séparation trop nette du rire et des larmes. La comédie larmoyante annonce les théories de Diderot (1750) sur le « drame bourgeois » et celles de Beaumarchais sur le « genre dramatique sérieux ». Elle est une des sources du mélodrame ainsi que du « théâtre de boulevard ».

COMIQUE. Alors que la comédie ne fait plus toujours rire (voir COMÉDIE LARMOYANTE), le comique – terme qui a une origine étymologique semblable – désigne la réunion des éléments susceptibles de provoquer le rire (comique de situation, de personnages, de mots, de gestes), dans quelque genre littéraire que ce soit. Sur la nature psychologique du comique, les nombreuses théories élaborées au cours de l'histoire font ressortir à la fois la sûreté de certains procédés traditionnels et le caractère énigmatique du phénomène lui-même. On pourra peut-être retenir la formule de Bergson : « Du mécanique plaqué sur du vivant » (*le Rire,* 1900).

COMMYNES Philippe de. Renescure, près Hazebrouck, 1447 – Argenton 18.10.1511. Issu d'une famille de hauts fonctionnaires bourguignons, C. s'initie d'abord au métier des armes. « Amateur doublé d'un autodidacte », c'est un homme intelligent. Il a le sens naturel, lequel « précède toute science qu'on saurait apprendre en ce monde », qui lui permet très vite de se placer dans l'entourage et dans l'estime des grands de son temps. Il entre au service de Charles le Téméraire comme conseiller et chambellan en 1464, mais, lors de la fameuse entrevue de Péronne (1468), il semble que ses affinités le portent plus naturellement vers la personne de Louis XI. En 1472, sa trahison est consommée. Il s'enfuit de Bourgogne et entre au service de Louis XI, qui en fait son « chef de cabinet ». Pour le remercier de ses bons offices, le roi le comble de faveurs (titres, terres, riche mariage) et, en 1476, le nomme sénéchal du Poitou. A la mort de Louis XI, sa situation devient chancelante. Nommé membre du conseil de régence durant la minorité de Charles VIII, il est ensuite chassé et emprisonné à Loches puis à Paris. À sa majorité, Charles VIII le rappelle et le charge de préparer la bataille d'Italie. C. se retire ensuite dans son château d'Argenton.

À la demande de l'archevêque de Vienne, C. composa des *Mémoires*. Les six premiers livres sont consacrés au règne de Louis XI (de 1465 à 1483) ; les livres VII et VIII relatent l'expédition d'Italie. Ces *Mémoires* paraîtront en 1524 et 1528. C. fait tout d'abord œuvre d'historien. Nul n'était mieux placé que lui pour rendre compte des faits et gestes de Louis XI, dont il fut le familier. Mais il ne se contente pas de rapporter des faits. Précurseur de Machiavel, il se livre à une étude approfondie des événements pour en tirer des règles de conduite politique. Il se montre fort réaliste, et, ici encore précurseur de Machiavel, il affirme : « Qui aura le profit aura l'honneur. » C'est ainsi qu'en ce qui concerne le gouvernement, le prince sera entouré de conseillers, mais se gardera de tomber sous l'influence de qui que ce soit : il aura finalement le pouvoir de décision. Pour parvenir à ses fins, il préférera, en diplomate accompli, la ruse à la violence et se livrera à des « pratiques » (tractations secrètes) par personnes interposées. Ce sont les traits mêmes de Louis XI, auquel C. reproche cependant, par ailleurs, de s'abandonner à des mesquineries qui ne profitent à personne et nuisent à sa réputation. Le portrait du roi, tout en nuances, est à l'opposé de celui de Charles le Téméraire, vainement cruel, orgueilleux, entêté et malhabile.

Mais le réalisme de ses jugements, son détachement apparent qui ne vise qu'à l'efficacité pratique ne l'entraînent pas pour autant à des extrémités machiavéliques. C. est encore soumis, en dernière instance, à la présence de la Providence, qui freine les excès possibles du politique. Ses préoccupations religieuses ne modifient toutefois guère son opinion sur le monde profane.

C. s'intéresse également aux diverses formes de gouvernement. Il s'interroge sur la constitution des États et sur les milieux européens qu'il a connus au cours de ses missions diplomatiques. Il a sans doute été partisan d'une monarchie autoritaire, mais les revers de fortune qu'il subit après la mort de Louis XI l'invitèrent à reconsidérer le problème et à orienter son choix vers une monarchie moderne, de caractère aristocratique. Il a également pressenti quelques idées qui feront fortune : l'équilibre européen, la théorie des climats, le libre consentement de l'impôt.

C. n'avait pas reçu la formation d'un clerc. Il dut peut-être à cette circonstance une part de sa liberté d'esprit à l'égard des habitudes de pensée médiévales, en un temps où ces habitudes de pensée connaissaient une crise qui devait leur être fatale. À cette circonstance il dut aussi, ce qui le rend si moderne, son goût et son culte de l'expérience, son aptitude à fonder la réflexion historique et politique sur l'examen des faits, des situations et des hommes plutôt que sur des *a priori* idéologiques. Son providentialisme même est proprement expérimental : c'est son expérience politique qui lui apprend qu'une puissance supra-humaine joue avec les volontés et les passions humaines. Enfin, à la veille de l'âge d'épanouissement et d'apogée d'une civilisation monarchique, C., précurseur en cela de Rabelais, de Ronsard, de Bossuet, de Fénelon, met l'accent sur l'importance de la formation politique du prince. Qu'il s'agisse donc de tirer d'une expérience diplomatique les lois générales de la politique ou de méditer en philosophe sur la mort d'un grand roi, et en toute lucidité, C. pense déjà et parle en humaniste. Car s'il est, d'une part, de la lignée d'un Thucydide, d'un Salluste ou d'un Tacite, il est, d'autre part, l'annonciateur aussi bien de Machiavel que de Bossuet ou de Montesquieu.

Œuvres. Éd. établie par J. Calmette et G. Durville, 1924-1925.

COMTE Auguste Isidore. Montpellier 19.1.1798 – Paris 5.9.1857. Il entre à Polytechnique à seize ans, se fait exclure de l'armée pour républicanisme à dix-huit. Dès lors, il construit peu à peu son système philosophique, qui se développe à partir de 1830 dans le *Cours de philosophie positive,* puis dans *Système de politique* *positive.* Il s'agit à la fois d'une méthode (appliquer les procédés de l'investigation scientifique aux données morales et sociales) et d'une théorie (établissement d'une hiérarchie des connaissances humaines). Pour C., l'essentiel est d'aller du concret à l'abstrait et d'établir chaque science particulière à partir des phénomènes observés. Sa pensée est à l'origine de la sociologie française (Durkheim) et, d'une façon générale, a influencé tout un courant littéraire durant la seconde moitié du XIXe s. (Renan, Taine, etc.).

Œuvres. *Séparation générale entre les opinions et les désirs,* 1819. – *Sommaire appréciation de l'ensemble du passé moderne,* 1820. – *Plan des travaux scientifiques nécessaires pour réorganiser la société,* 1821. – *Système de politique positive,* 1822. – *Cours de philosophie positive* (6 vol.), publié de 1830 à 1842. – *Traité philosophique d'astronomie populaire,* précédé du *Discours sur l'esprit positif* (6 vol.), 1844. – *Système de philosophie positive ou Traité de sociologie instituant la religion de l'humanité,* précédé du *Discours sur l'ensemble du positivisme* (4 vol.), 1851-1854. – *Catéchisme positiviste ou Sommaire exposition de la religion universelle en onze entretiens systématiques entre une femme et un prêtre de l'humanité,* 1852. – *Appel aux conservateurs,* 1855. – *Synthèse subjective ou Système universel des conceptions propres à l'état normal de l'humanité,* 1857.

CONDILLAC, abbé Étienne Bonnot de. Grenoble 30.9.1715 – Flux (Loiret) 3.8.1780. Disciple du philosophe anglais Locke (« Il n'est rien dans l'esprit qui n'ait d'abord été dans les sens »), théoricien du sensualisme, que, dans son œuvre la plus célèbre, *le Traité des sensations,* il a figuré par l'allégorie de la statue animée, encyclopédiste et mondain comme son frère l'abbé Bonnot de Mably (voir ENCYCLOPÉDIE), C. incarne de façon exemplaire le type du « philosophe », au sens du XVIIIe s. Comme il convient à ce type humain, il fut aussi pédagogue : précepteur à Parme de l'infant Ferdinand, petit-fils de Louis XV, de 1758 à 1767, il conçut pour lui et publia un *Cours d'études* qui ne mérite pas l'oubli où il est tombé et qui témoigne d'un intelligent modernisme pédagogique. C. s'est aussi, comme tant de ses contemporains, intéressé à l'économie politique (*le Commerce et le gouvernement considérés relativement l'un à l'autre*). Ancien élève des jésuites et du séminaire de Saint-Sulpice, il avait été, dans sa jeunesse, destiné à l'état ecclésiastique, mais n'en conserva, comme son frère, que le titre d'abbé sans jamais exercer de fonctions sacerdotales, situation qui n'était pas rare en son temps. Il vécut ses dernières années à la campagne, à la manière d'un sage uniquement préoccupé de vie intellectuelle. Sa particularité réside dans sa rigueur, parfois un peu étroite, de logicien systématique : il est d'ailleurs l'auteur d'un *Traité des systèmes,* et sa dernière œuvre, parue l'année même de sa mort, est une *Logique* destinée à contester et à remplacer la célèbre *Logique de Port-Royal* alors encore en usage. Acad. fr. 1768.

Œuvres. *Essai sur l'origine des connaissances humaines,* 1746. – *Traité des systèmes,* 1749. – *Traité des sensations,* 1754. – *Traité des animaux,* 1755. – *Discours sur l'histoire ancienne,* 1766. – *Discours prononcé dans l'Académie française le 22 décembre 1768 à la réception de Monsieur l'abbé de Condillac,* 1768. – *Cours d'études pour l'instruction du prince de Parme* (16 vol.), 1775. – *Le Commerce et le Gouvernement, considérés relativement l'un à l'autre,* 1776. – *La Logique ou les Premiers Développements de l'art de penser,* 1780. – *La Langue des calculs,* posth., 1798.

CONDORCET, Marie Jean Antoine Nicolas de Caritat, marquis de. Ribemont (Aisne) 17.9.1743 – Bourg-la-Reine 7.4.1794. Neveu du philosophe Condillac, il se révèle un mathématicien précoce (*Essai sur le calcul intégral ; Mémoire sur le problème des trois corps*). Membre de l'Académie des sciences à vingt-six ans, il en devient le secrétaire perpétuel après la publication de ses *Éloges des académiciens...* Disciple et ami de D'Alembert et de Turgot, lié avec Voltaire, il adopte les idées nouvelles et, en 1776, collabore à l'*Encyclopédie* pour la partie mathématiques. Auteur des *Lettres d'un théologien à l'auteur d'un dictionnaire des trois siècles,* il compose aussi *Éloge et Pensées de Pascal,* édition nouvelle des *Pensées* qu'accompagnent des notes de Voltaire, et une *Vie de Voltaire,* destinée à être insérée dans l'édition de Kehl des œuvres du philosophe. Il rédige divers écrits contre l'esclavage ou relatifs à l'indépendance américaine et s'intéresse aux questions sociales et politiques. Lors de la Révolution, il est membre de la municipalité de Paris, député à la Législative et à la Convention, et déploie une très grande activité politique. Il présente un *Rapport sur l'organisation générale de l'instruction publique* de conception très moderne et d'une grande largeur de vues, prévoyant un système d'éducation où prédomine l'enseignement des sciences mathématiques, physiques, morales et politiques, susceptibles de développer les facultés intellectuelles par l'analyse et la justesse du raisonnement, et une régression du latin, jusqu'alors considéré comme la base de l'instruction. Il est encore l'auteur d'un « exposé des motifs » qui a conduit à la suspension du roi et d'un projet de Constitution (1793) selon laquelle « ni la volonté des représentants du peuple ni celle des citoyens ne peut se soustraire à l'empire de la volonté générale ». Décrété d'arrestation avec les Girondins, il doit se cacher. Réfugié chez des amis, il écrit en 1793-1794 son *Esquisse d'un tableau historique des progrès de l'esprit humain.* Arrêté, il s'empoisonne pour échapper au Tribunal révolutionnaire. Synthèse de la pensée philosophique du XVIIIe s., sa dernière œuvre retrace le progrès – parfois retardé par des régressions passagères – des sciences et de la civilisation depuis les temps primitifs et exprime sa confiance dans la perfectibilité illimitée de l'esprit humain, grâce aux conquêtes de la science et à l'instruction, dans la perspective des idées de raison, tolérance, liberté et humanité, mises en évidence par la philosophie des lumières. Son idéal de progrès de l'humanité, qui se substitue au sentiment religieux traditionnel, inspirera au XIXe s. les doctrines de Fourier et de Saint-Simon et annonce le positivisme d'A. Comte. Acad. fr. 1781.

Œuvres. *Essai sur le calcul intégral,* 1765. – *Essais d'analyse* (recueil de mémoires), 1768. – *Éloges des académiciens morts entre 1666 et 1699,* 1773? – *Réflexions sur le commerce des blés,* 1773. – *Lettres d'un théologien à l'auteur d'un dictionnaire des trois siècles,* 1774. – *Réflexions sur la jurisprudence, la liberté de la presse, l'abolition des corvées.* – *Lettre d'un laboureur de Picardie à M. Necker,* 1775. – *Éloge et Pensées de Pascal avec des notes de Voltaire,* 1776-1778. – *Réflexions sur l'esclavage des nègres,* 1781. – *Essai sur l'application de l'analyse aux probabilités des décisions rendues à la pluralité des voix,* 1785. – *Vie de Turgot,* 1786. – *Réflexions d'un citoyen non gradué sur un procès très connu,* 1786. – *De l'influence de la révolution d'Amérique en Europe,* 1786. – *Vie de Voltaire,* 1787. – *Lettre d'un bourgeois de New-Haven à un citoyen de Virginie, sur l'inutilité de partager le pouvoir législatif en plusieurs corps,* 1787. – *Essai sur la constitution et les fonctions des assemblées provinciales,* 1788. – *Sur les opérations nécessaires pour rétablir les finances,* 1789. – *Réflexions sur les pouvoirs et instructions à donner par les provinces à leurs députés aux États généraux,* 1789. – *Sur la nécessité de faire appliquer la Constitution par les citoyens,* 1789. – *Mémoire sur l'instruction publique,* dans la « *Bibliothèque de l'homme public* », 1790-1791. – *Rapport sur l'organisation générale de l'instruction publique,* 20-21 avril 1792. – *Adresse aux citoyens français sur la guerre, 4 septembre 1792.* – *Aux citoyens français sur le projet de nouvelle Constitution,* juillet 1793. – *Esquisse d'un tableau historique des progrès de l'esprit humain,* 1793-1794. – *Articles dans l'« Encyclopédie »,* s.d. – *Correspondance avec Turgot,* posth., 1882.

CONFESSION. Employé tantôt au pluriel (*Confessions* de saint Augustin ou de Jean-Jacques Rousseau), tantôt au singulier (*Confession d'un enfant du siècle* de Musset), ce terme désigne une forme particulière du genre de l'autobiographie. Ce qui distingue la confession – sans doute est-ce la raison pour laquelle le mot est passé du vocabulaire religieux dans celui de la littérature –, c'est qu'elle est constituée essentiellement par une autobiographie *intérieure :* l'auteur y dévoile les secrets de son âme et de son cœur, soit pour expliquer un revirement moral, philosophique ou religieux (saint Augustin), soit pour livrer au public et à la postérité une image authentique et sincère de sa propre personnalité (Rousseau), soit pour donner sa version personnelle d'une aventure vécue (Musset). Mais, quel que soit le mobile de la confession, elle met toujours l'accent sur les débats de la conscience, sur les tourments du cœur, et fait intervenir les événements dans la seule mesure où ils éclairent la vie intérieure, par laquelle ils s'expliquent ou se justifient.

La plupart des genres autobiographiques comportent une part de confession ; c'est particulièrement le cas du *journal :* il est parfois difficile – et un peu artificiel – de prétendre établir une distinction nette entre la confession et le journal, dans le cas, par exemple, du journal d'Amiel ou de celui de Gide. Il arrive aussi que tel récit ou roman ne soit en fait qu'une confession transposée : ainsi en est-il de l'*Adolphe* de Benjamin Constant, du *Dominique* de Fromentin ou de certains récits de Gide, tels *l'Immoraliste* ou *la Porte étroite.* Dès lors, la limite reste fort indécise entre les genres de la confession, du journal, de l'autobiographie proprement dite et de l'autobiographie transposée ou romancée. (Voir aussi : AUTOBIOGRAPHIE.)

CONFRÈRES DE LA PASSION. Dès la fin du XIVe s., à partir de 1370 environ à Paris et dans d'autres villes – Rouen, par exemple –, se constituèrent des confréries spécialisées dans la représentation des pièces de théâtre d'inspiration religieuse. Ce mouvement est sans doute en relation avec l'importance de plus en plus grande donnée, à partir de cette époque, aux éléments techniques de la représentation (décor, mise en scène, nombre des acteurs), ce qui entraînait une professionnalisation du théâtre. Sans doute est-ce aussi la raison pour laquelle les représentations tendent à revêtir un caractère officiel, et les confréries d'acteurs reçoivent alors un statut analogue à celui des corporations : une ordonnance du 3 juin 1398 exige, par exemple, pour ces représentations, l'autorisation royale ; en contrepartie, les Confrères de la Passion de Paris recevront, par lettres patentes de Charles VI, en date du 4 février 1402, le privilège perpétuel de « faire et jouer quelque Mystère que ce soit », monopole qu'ils conserveront jusqu'en 1548. C'est à eux sans doute qu'est due la commande de la grande *Passion* d'Arnoul Gréban. En 1548, alors que le parlement de Paris se propose d'interdire la représentation des mystères, ce sont les Confrères de la Passion qui font construire le théâtre de l'hôtel de Bourgogne, où s'installeront, à partir de 1625, les Comédiens du roi. Mais la Confrérie de la Passion ne fut elle-même officiellement dissoute qu'en 1676.

CONGÉ. Genre poétique en faveur aux XIIe-XIIIe s. dans la littérature du nord de la France, en particulier dans la région d'Arras. Comme son nom l'indique, ce genre est lié à la condition vagabonde du trouvère : lorsque le poète prend congé de son protecteur, de sa famille ou de sa ville, il éprouve le besoin de laisser derrière lui un témoignage de son talent et une libre image de sa personnalité. Sans règles fixes, le congé permet aussi à son auteur de s'abandonner à sa verve et à sa fantaisie, de traiter tous les sujets, de mêler les tons et les styles ; aussi le congé est-il à la fois lyrique, satirique et réaliste ; il peut être émouvant ou caustique, jovial ou nostalgique, et ce mélange des tons, dans la liberté d'un lyrisme aux multiples facettes, n'est pas le moindre charme des congés qui nous sont parvenus, dont les plus célèbres sont ceux d'Adam de la Halle et de Jean Bodel.

CONON DE BÉTHUNE. Vers 1150 – vers 1220. Personnage de haut rang, apparenté aux maisons de Hainaut et de Flandre, il est le fils de Robert V, seigneur de Béthune. Son oncle, Huon d'Oisy, châtelain de Cambrai, l'initie à l'art de « trouver ». On pense qu'il a assisté aux fêtes du mariage de Philippe-Auguste et d'Isabelle de Brabant en 1182. Ordonnance du comte Baudouin de Flandre, il prend part aux troisième et quatrième croisades. A la fois chef de guerre et chargé d'importantes missions diplomatiques (il s'occupe du transport et du ravitaillement de l'armée à Venise en 1201, préconise une expédition sur Constantinople, dirige les négociations après la prise de la ville en 1204), il ne reviendra jamais en France. Sénéchal en 1217, il fera fonction de régent de l'Empire latin d'Orient pendant l'interrègne de Yolande de Flandre. Villehardouin le dit « bon chevalier, sage et bien éloquent ». Quatorze chansons, reprenant les thèmes traditionnels, lui ont été attribuées, dont dix avec certitude. Jeux-partis (poésies dialoguées où les interlocuteurs s'opposent sur un sujet donné), chansons de croisade (il introduisit en France le « topos » du départ du croisé quittant celle qu'il aime), chansons courtoises aux combinaisons rythmiques variées révèlent les accents d'un lyrisme très personnel.

Œuvres. *Chansons de Conon de Béthune, trouveur artésien de la fin du XIIe siècle,* posth., 1891. – *Les chansons de croisade,* posth., 1909.

CONRART Valentin. Paris 1603 – 29.9.1675. Conseiller-secrétaire du roi et de ses finances, cet homme riche, adepte de la religion réformée, découvre à la Cour qu'il aime par-dessus tout les lettres françaises. Chez lui se tiennent des réunions d'érudits qui aboutissent à la création de l'Académie, dont il est le premier secrétaire perpétuel (1634). Poète, épistolier, mémorialiste, il est surtout un excellent connaisseur de la langue, l'expert en grammaire dont l'Académie naissante a besoin : avant Vaugelas, il réglemente le bon usage, l'emploi des mots et des tournures. Il est à ce titre un des principaux créateurs de la prose et de la langue modernes.

Œuvres. *Poèmes pour « la Guirlande de Julie »* (ouvrage collectif), 1641. – *Épître dédicatoire,* en tête de la *Vie de Philippe de Mornay,* 1647. – *Épître en vers,* dans *Épîtres à Boisrobert,* s. d. – *Préface des « Traités et Lettres de Gombaud » touchant la religion,* 1669. – *Anecdotes inédites sur Malherbe, supplément à la « Vie de Malherbe » de Racan,* 1672. – *Imitation du psaume XCII,* dans *Poésies chrétiennes et diverses* (tome I), s. d. – *Lettres familières à M. Félibien,* posth., 1681. – *Mémoires sur l'histoire de son temps,* posth., 1826.

CONSTANT DE REBECQUE Benjamin. Lausanne 25.10.1767 – Paris

8.12.1830. Après ses études en Grande-Bretagne et en Allemagne, il séjourne à Paris, puis devient gentilhomme ordinaire du duc de Brunswick. Dès 1794, il revendique et obtient la nationalité française (sa famille, émigrée en Suisse au XVIIe s., était d'origine française). C'est cette même année qu'il rencontre Mme de Staël et s'engage avec elle dans une liaison passionnée et orageuse qui durera près de quinze ans ; il commence auprès d'elle une carrière politique à Paris, puis l'accompagne en exil à Coppet ; il finira par rompre en 1808. Il avait épousé à Brunswick en 1789 Wilhelmine de Cramm, qui ne tarda pas à le tromper de manière scandaleuse ; l'année même qui précéda sa rencontre avec Germaine de Staël, il s'était épris de celle qu'il devait épouser en secret en 1806 – avant même de rompre avec Germaine –, Charlotte de Hardenberg. Ce ne sont pas là seulement anecdotes biographiques : l'œuvre de C. est celle d'un homme obsédé par les femmes, qui se plaît à consigner dans un carnet (le *Cahier rouge*) les épisodes même les plus minces de sa vie sentimentale, qui ne cesse – et c'est là la source principale de son chef-d'œuvre, *Adolphe* – de se tourmenter sur la question de savoir s'il doit rompre telle liaison qui lui pèse et le fascine à la fois, ou encore s'il doit épouser telle ou telle. Mais ce même homme a une seconde vie, celle du personnage qui occupa dans l'histoire politique de son temps une place non négligeable. Membre du Tribunat, il s'oppose à la dictature de Bonaparte, devient le maître à penser du libéralisme, doit s'exiler et, dès lors, anime le groupe intellectuel de Coppet rassemblé autour de Mme de Staël. Mais c'est lui qui, durant les Cent-Jours, comme pour cautionner la naissance d'un régime libéral quoique encore impérial, conçoit et rédige l'*Acte additionnel aux constitutions de l'Empire ;* il est enfin évident que la pensée politique de C. a influencé directement la Charte de la Restauration. Sous le nouveau régime, il sera, face aux ultras, l'un des chefs les plus écoutés du parti libéral, et, après la révolution de Juillet, à laquelle il ne survivra que peu de temps, il sera porté par Louis-Philippe à la présidence du Conseil d'État.

Cette vie publique, active et prestigieuse, explique que C. soit l'auteur d'une œuvre politique et philosophique importante, dont cependant il n'a pu parvenir à construire, comme il en avait fait le projet, la synthèse achevée : symptôme d'impuissance créatrice ? incapacité d'aller jusqu'au bout de soi-même ? Quoi qu'il en soit, il y a là, même dans un domaine où C. a pu apparaître comme un homme de caractère et d'action, un trait de son tempérament qui explique aussi la part « littéraire » de son œuvre, seule d'ailleurs à avoir été retenue par la postérité. L'expérience de soi, que reconstruit le roman d'*Adolphe,* est aussi le thème obsédant des écrits posthumes et de l'autobiographie à peine romancée *Cécile.* Ce complexe d'impuissance, qui semble coïncider chez C. avec une exceptionnelle lucidité de l'introspection, produit, avec *Adolphe,* une œuvre qui est à la fois d'analyse avouée et d'effusion masquée, l'une et l'autre finalement négatives, car le thème dominant du roman est bien celui du conflit entre le désir et l'incapacité d'aimer. Ainsi Adolphe est-il amené à se découvrir dans sa vérité, mais à découvrir aussi que cette vérité est celle d'un malheur incurable, le malheur de la difficulté d'être, inscrit dans la fatalité d'une solitude sans espoir pour qui porte en soi et le besoin de l'amour et l'inaptitude à l'amour.

Adolphe, roman d'analyse à la manière classique, devient ainsi l'une des expressions du « mal du siècle » romantique, non seulement du fait de la signification autobiographique de cette confession à peine dissimulée sous la convention du roman à la première personne, mais surtout parce que C. y retrace, pas à pas, le mécanisme destructeur de sa sensibilité, à travers la cruauté d'une histoire qui fut, à beaucoup d'égards, la sienne, histoire menée jusqu'à son terme mais un terme qui n'est pas une issue, le complexe éminemment romantique de l'étranger. Le dernier mot d'Adolphe n'est-il pas : « *J'étais libre, je n'étais plus aimé : j'étais étranger pour tout le monde* » ? C'est ainsi que C., personnalité double, qui n'a jamais pu réussir à s'unifier, a trouvé dans l'analyse de soi-même la seule vocation qui pouvait lui assurer un accomplissement dont il fut incapable dans sa vie et qu'il doit à la seule littérature.

Œuvres. *De la force du gouvernement actuel de la France et de la nécessité de s'y rallier,* 1796. – *Des réactions politiques,* 1796-1819. – *Discours prononcé au Cercle constitutionnel,* 1797. – *Des effets de la Terreur,* 1797. – *Wallenstein* (adapt. de Schiller), 1809. – *De l'esprit de conquête et de l'usurpation dans leurs rapports avec la civilisation européenne,* 1814. – *Adolphe,* 1816 (N). – *Cours de politique constitutionnelle,* 1818-1820. – *Mémoires sur les Cent-Jours,* 1820-1822. – *Commentaire sur l'ouvrage de Filangieri [la Science de la législation],* 1824. – *De la religion considérée dans sa source, ses formes et ses développements* (5 vol.), de 1824 à 1831. – *Discours à la Chambre des députés* (recueil de discours prononcés de 1819 à

1827), 1827-1828. – *Mélanges de littérature et de politique,* 1829. – *Lettres à Mme Récamier,* posth., 1864 et 1882. – *Lettres à sa famille,* posth., 1888. – *Lettres à Mme de Charrière,* posth., 1894. – *Le Cahier rouge,* posth., 1907. – *Cécile* (écrit vers 1810), posth., 1951. – *Journaux intimes* (éd. compl.), posth., 1952. – *Écrits et Discours politiques,* éd. établie par O. Pozzo di Borgo, 1964.

Adolphe
Anecdote trouvée dans les papiers d'un inconnu

Un homme et une femme, Adolphe et Ellénore. Entre eux une passion et une liaison qui, de son côté à elle, sont un engagement décisif de tout l'être, mais, de son côté à lui, à la fois une fascination et une lassitude. Si Adolphe ne peut résister à la force qui le pousse vers Ellénore, s'il a d'abord cru que cette force était de l'amour, il s'aperçoit bientôt qu'elle n'était peut-être que curiosité : or, la curiosité se détruit en se satisfaisant. Lorsqu'une circonstance extérieure – la volonté du père d'Adolphe de le voir rompre avec sa maîtresse – en aura créé les conditions, la lucidité d'Adolphe sur lui-même exercera ses ravages. Ellénore a tout sacrifié à Adolphe, qui se détache d'elle à mesure que sa passion devient plus exigeante et plus violente. Mais, précisément, l'empire qu'exerce sur lui cette passion le rend incapable d'imposer à sa maîtresse la séparation que, cependant, il souhaite ; il ne peut néanmoins lui cacher ses sentiments réels et lui inflige par là une torture de tous les instants. Finalement, c'est un ami du père d'Adolphe qui va informer Ellénore de la situation réelle, et le coup est alors beaucoup plus dur pour elle que si Adolphe avait eu lui-même le courage d'affronter sa maîtresse. Ellénore en mourra, mais la proximité de la mort lui rendra toute sa lucidité : elle a cessé de pouvoir être dupe. Quant à Adolphe, au-delà même du remords, il ne survit que pour connaître désormais le néant du désert intérieur.

CONSTANTIN-WEYER Maurice. Bourbonne-les-Bains 1881 – Vichy 1964. Dans des livres de souvenirs, des biographies, des romans, il décrit l'histoire, les paysages, la vie des pionniers de l'Ouest canadien. Son livre le plus connu est le roman *Un homme se penche sur son passé,* que couronna le prix Goncourt en 1928.

Œuvres. *Manitoba,* 1924 (N). – *La Bourrasque,* 1925 (N). – *Un homme se penche sur son passé,* 1928 (N). – *Clairière,* 1929 (N). – *Cinq Éclats de silex,* 1930 (N). – *Napoléon,* 1931 (N). – *Mon gai royaume de Provence,* 1933. – *Telle qu'elle était en son vivant,* 1936 (N).

CONTE. Récit, généralement bref, d'une histoire tantôt familière et réaliste, tantôt imaginaire et merveilleuse (conte de fées). Le conte, forme pure de la narration, est l'une des expressions les plus primitives de la création littéraire et, avec la chanson, la manifestation privilégiée du folklore et de la culture orale. Grâce à la simplicité de ses structures narratives, il est aussi le genre favori de la littérature enfantine. Mais il serait injuste de réduire le conte à une forme littéraire simplement « primitive » ou « élémentaire » : la place qu'il occupe dans la littérature la plus raffinée, de Perrault à Voltaire, montre de quelles évolutions il est capable, du conte de fées au conte moral ou philosophique. Il est en effet, pour ainsi dire, le moule où se sont formées et diversifiées les structures narratives qui s'épanouiront dans la nouvelle et le roman ; il a, d'autre part, connu un développement littéraire spécifique en devenant le support du merveilleux ou du comique, en libérant les puissances de l'imaginaire ; il peut enfin servir à incarner efficacement, dans un récit vivant et réaliste, un symbolisme moral ou philosophique. On notera avec intérêt que la psychologie contemporaine s'est particulièrement intéressée au conte comme témoin des structures universelles de l'imaginaire humain.

COOLUS, Max-René Weill, dit **Romain.** Rennes 25.5.1868 – Paris 1952. Il est l'auteur de comédies spirituelles sur le thème de l'amour, dont l'ironie mêlée de sensibilité lui valut de nombreux succès.

Œuvres. *Le Ménage Brésile,* 1893 (T). – *L'Enfant malade,* 1897 (T). – *Les Amants de Sazy,* 1901 (T). – *Petite Peste,* 1905 (T). – *Antoinette Sabrier,* 1906 (T). – *L'Enfant chérie,* 1906 (T). – *Cœur à cœur,* 1907 (T). – *L'Éternel masculin,* 1920 (T). – *Les Vacances de Pâques,* 1927 (T). – *La Guêpe,* 1931 (T).

COPPÉE Francis Joachim Édouard, dit **François.** Paris 12.1.1842 – 23.5.1908. Ami de Verlaine, il mena la vie retirée et régulière d'un petit fonctionnaire attaché à ses habitudes et à son célibat. À ses drames romantiques, surtout riches en poncifs, il est permis de préférer l'art parnassien de recueils plus personnels, comme *les Humbles* et surtout les dizains de *Promenades et Intérieurs.* Populisme sentimental, réalisme ému, description habile du banal ont fait aimer cette œuvre qui influença de nombreux jeunes poètes. Acad. fr. 1884.

Œuvres. *Le Reliquaire,* 1865 (P). – *Intimités,* 1868 (P). – *Poèmes modernes,* 1869 (P). – *Le Passant,* 1869 (T). – *Écrit pendant le siège,* 1870 (P). – *Les Humbles,* 1872 (P). – *Le Cahier rouge,* 1873 (P).– *Promenades et Intérieurs,* 1875 (P). – *Olivier,* 1876 (P). – *Le Luthier de Crémone,* 1876 (T). – *Récits et Élégies,* 1878 (P). – *Contes en vers et Poésies diverses,* 1880. – *Severo Torelli,* 1883 (T). – *Les Jacobites,* 1885 (T). – *L'Arrière-Saison,* 1887 (P). – *Les Paroles sincères,* 1891 (P). – *Pour la couronne,* 1895 (T). – *Le Coupable,* 1896 (N). – *La Bonne Souffrance,* 1898 (N). – *Des vers français,* 1906 (P).

COQUILLART Guillaume. Reims vers 1450 – 1510. Chanoine de Reims, il passe pour un disciple de Villon, dans ses descriptions de la vie galante de cette époque (qui lui valurent le surnom de « Composeur gaillard ») et dans ses parodies des formes pontifiantes et solennelles de la justice.

Œuvres. *Plaidoyer d'entre le simple et la rusée,* 1478. – *L'Enquête d'entre le simple et la rusée.* – *Les Droits amoureux.*

CORBIÈRE Édouard Joachim, dit **Tristan.** Ploujean, près de Morlaix, 18.7.1845 – 1.3.1875. Ce Finistérien, fils d'un capitaine au long cours lui-même écrivain, mena une courte vie de poitrinaire et de déséquilibré, errant de Roscoff à Paris sans parvenir à se fixer. Il publia à compte d'auteur, en 1873, *les Amours jaunes,* recueil de vers qui fut un échec total et qui restera l'œuvre majeure d'un des poètes les plus doués et les plus originaux de sa génération. Ce n'est que dix ans plus tard que Verlaine eut l'attention attirée sur C., qu'aussitôt il décida de ranger parmi ses « poètes maudits » ; et il fallut attendre 1891 pour qu'un éditeur – Vanier – fasse connaître *les Amours jaunes* au grand public. C. y apparaît comme le type de l'anti-parnassien : pour lui, la poésie n'est pas une aventure intellectuelle mais une recherche obstinée de la sincérité du sentiment. D'où la force de choc d'une œuvre dont chaque mot, encore aujourd'hui, interpelle le lecteur, soit par le sarcasme acide, soit par un sombre mais cordial humour. Étonnamment modernes sont cette éloquence se moquant d'elle-même, ce sens de la notation instantanée, cette absence d'hésitation devant la crudité des mots ou des idées comme devant la dissonance.

Œuvres. *Œuvres complètes,* éd. établie par P.-O. Walzer, 1970.

CORNEILLE Pierre. Rouen 6.6.1606 – Paris 1.10.1684. Issu d'une famille de petite bourgeoisie qui avait acquis, en exerçant des fonctions judiciaires ou administratives (son père était maître des eaux et forêts), un rang et une fortune honorables, C. fut destiné assez jeune au barreau. Les jésuites de Rouen lui donnèrent, avec une solide connaissance des auteurs anciens, le goût du théâtre et le sens de la liberté humaine qui devait marquer son œuvre. Reçu avocat, il acheta deux charges à Rouen et, tout en continuant sa carrière, fit jouer à Paris pour Mondory, de *Mélite* à *l'Illusion comique,* huit pièces appréciées du public et de Richelieu, qui l'invita à faire partie de la Société des Cinq-Auteurs. L'immense succès du *Cid* lui valut une popularité qui ne se démentit pas avec *Horace, Cinna, Polyeucte* et qui se maintint, malgré l'échec de *Théodore,* jusqu'à *Nicomède.* En 1650-1651, Mazarin, vainqueur de la révolte de Normandie, le chargea de hautes fonctions qu'il lui retira bientôt ; à cette humiliation, aux ennuis d'argent (C. avait précipitamment vendu ses charges d'avocat) vint s'ajouter la chute de *Pertharite* en 1651. Il abandonna le théâtre et donna une traduction en vers de *l'Imitation de Jésus-Christ* qui eut un grand retentissement. Sollicité par Fouquet, il revint à la scène avec *Œdipe,* mais sans grand succès, et se retira une nouvelle fois après *Attila.* Il donna encore *Tite et Bérénice, Pulchérie* et *Suréna,* comblé d'honneurs officiels qui cachent mal la tristesse et la solitude de ses dernières années. Au total homme bon et pieux, mais sans grâce, fort peu mondain, maladroit en affaires et en politique, âpre au gain, vaniteux et mesquin dans ses relations avec ses collègues : on chercherait en vain dans sa vie privée l'explication de ses œuvres.

Dans les huit pièces qui précèdent *le Cid,* C. se montre à la fois hésitant et novateur. Le romanesque baroque et mélodramatique de *Clitandre,* le jeu illusionniste de *l'Illusion comique,* l'horreur de *Médée,* le réalisme de la *Galerie du Palais* et de *la Place Royale* sont des emprunts à la mode du temps. Mais, déjà dans les comédies, outre un extraordinaire instinct du théâtre, poussé jusqu'à cet enthousiasme que révèle le morceau de bravoure sur lequel s'achève *l'Illusion comique,* C. met en place des ressorts psychologiques inconnus jusqu'à lui : ses personnages ne sont pas les jouets

d'événements fortuits ou arbitraires, ils sont conscients et maîtres de leur destin, et ce sont leurs passions contradictoires qui nouent l'intrigue. On a vu, à juste titre, dans l'Alidor de *la Place Royale* le premier des héros cornéliens, tandis que *Médée* et *l'Illusion comique*, formant comme un couple contrasté, mettent en scène sous le signe de l'horreur ou de la fantaisie, un univers déjà « hors de l'ordre commun ».
Avec *le Cid, Horace, Cinna* et *Polyeucte*, C. inaugure la tragédie moderne : il fait vivre, souffrir et parler des héros qui, face aux coups du malheur ou de l'adversité, refusent la fuite, et deviennent, en assumant le dilemme tragique, à la fois victimes et bourreaux, bourreaux d'eux-mêmes autant que d'autrui, et victimes volontaires, comme l'Eurydice de *Suréna* (« Je veux qu'un noir chagrin à pas lents me consume ») ou la Chimène du *Cid* (« Je cherche le silence et la nuit pour pleurer »). Telle est la source de ce lyrisme héroïque qui reste l'une des plus hautes expressions du tragique cornélien. Si la quête de la gloire est synonyme d'amour-propre et d'égocentrisme, elle implique aussi un douloureux renoncement aux valeurs communes et l'acceptation d'une inéluctable solitude, celle d'Auguste, celle de Polyeucte. Ainsi Rodrigue renonce à posséder Chimène ; Horace fait à la grandeur de Rome le sacrifice absolu ; Auguste, pour devenir lui-même, renonce à une vengeance légitime ; et Polyeucte, pour accéder aux félicités éternelles, récuse la valeur même du bonheur et de la vie. Grandeur et misère du héros constituent l'essence même de sa condition tragique, et C. les incarne dans une intrigue serrée – *implexe*, comme il disait – où chaque scène fait avancer l'action, et où la succession calculée des rebondissements et le crescendo du langage laissent l'issue incertaine jusqu'au dénouement. En somme, il fait de la tragédie une crise pendant laquelle la logique des passions dicte aux personnages une attitude héroïque qui dépasse la vraisemblance ordinaire.
Après ces quatre chefs-d'œuvre, C. cherche dans d'autres directions la faveur du public ; non que son inspiration soit tarie, mais nul n'est plus que lui avide de nouveauté et ennemi de la routine. Il ouvre son théâtre à des types beaucoup plus diversifiés d'humanité. Cornélie, dans *la Mort de Pompée*, Rodélinde, dans *Pertharite*, poussent jusqu'à ses extrêmes limites le sentiment de l'honneur ; Marcelle, dans *Théodore*, Cléopâtre, dans *Rodogune*, mettent au service d'une ambition dévorante les ressources d'une cruauté hors de pair ; Valens, dans *Théodore*, Prusias, dans *Nicomède*, sont féroces par timidité, et tremblent devant leurs femmes. Les héros n'ont plus à faire la preuve de leur courage, ils sont déjà au faîte de la gloire, qu'ils soient leur propre maître, comme César (*la Mort de Pompée*), Attila, Tite, ou des généraux victorieux, comme Carlos (*Don Sanche d'Aragon*), Nicomède ou Suréna : ils doivent rester fidèles à eux-mêmes dans les intrigues de cour et dans l'amour. La tragédie de la gloire cède donc souvent la place à la tragédie politique et à la tragédie amoureuse. Mais, en variant les proportions de la politique, de l'amour galant et de l'amour tendre, C. évite la monotonie. Les trois éléments coexistent dans *Œdipe*, dans *Attila* ; *la Mort de Pompée, Sertorius, Othon* représentent le jeu subtil de l'amour galant et de la politique. *Rodogune, Nicomède, Tite et Bérénice, Suréna*, tragédies de l'amour tendre affronté à la cruauté, à la jalousie, à la sottise, à la raison d'État, sont dignes de figurer parmi les chefs-d'œuvre. Car, s'il varie les sujets, le dramaturge fait preuve, dans toutes ces pièces, qui sont à redécouvrir, du même métier irréprochable, et surtout d'un art inimitable dans l'engagement des intrigues les plus insolites : *Héraclius* est une pièce « pirandellienne » avant la lettre, et la conduite de son intrigue évoque les astuces du roman policier ; *Don Sanche*, par un habile dosage d'ombre et de lumière, renouvelle le romanesque ; *Nicomède* situe la perfection du couple héroïque au cœur du piège évident que lui tend la complicité de la sottise et du machiavélisme ; *Suréna* élève la tendresse, à force d'épuration, jusqu'à l'altitude de l'héroïsme. Tout au long de son œuvre, qu'il faut considérer dans sa totalité et sa continuité, C. invente ainsi la tragédie moderne et en même temps la diversifie. En tournant le dos aux modèles que les doctes prétendaient lui imposer et en soumettant à un examen rigoureux les préceptes d'Aristote, C. apparaît, à cet égard, comme le Descartes de la dramaturgie : les trois *Discours sur le poème dramatique* sont, pour ainsi dire, le *Discours de la méthode* de la tragédie et, de ce fait, le plus précieux des documents éclairant la dramaturgie classique. C. y affirme la nécessité d'entretenir l'intérêt par des rebondissements, de soumettre les héros à un dilemme, de dépasser une conception archaïque de la vraisemblance qui rend impossible le conflit tragique dans ce qu'il a de proprement *fatal*. La querelle du *Cid* révèle, dès 1636, que C. est conscient, en raison même des exigences dramatiques, du bien-fondé des « règles » et en particulier des unités, cependant que les doctes, ses adversaires, comme en témoigne d'ailleurs l'œuvre dramatique d'un Scudéry, défendent une

tragédie romanesque, dont les héros restent en deçà du tragique, au simple niveau du pathétique ou de l'attendrissement. C. définit, tant par ses *Discours* que par ses tragédies, un parfait équilibre entre le pathétique et le dramatique, entre les passions et l'action, d'où procède la structure même de la tragédie, d'où procèdent aussi le ton et le style qui s'identifient avec le tragique. C'est pourquoi il est finalement stérile d'opposer C. à Racine, qui, avec son génie propre, et en peignant d'autres passions, n'est, quant à la technique dramatique, et ne pouvait être, que son disciple tout en étant aussi son égal. Acad. fr. 1647.

Œuvres. *Mélite,* 1629 (T). – *Clitandre ou l'Innocence délivrée,* 1630-1631. – *La Veuve ou le Traître trahi,* 1631-1632 (T). – *Mélanges poétiques,* 1632 (P). – *La Galerie du Palais ou l'Âme rivale,* 1632-1633 (T). – *La Suivante,* 1634 (T). – *La Place Royale ou l'Amoureux extravagant,* 1633-1634 (T). – *La Comédie des Tuileries* (pièce écrite par cinq auteurs, dont Corneille pour le 3e acte), 1635 (T). – *Médée,* 1635 (T). – *L'Illusion comique,* 1636 (T). – *Le Cid,* 1637 (T). – *L'Aveugle de Smyrne,* 1637 (T). – *Lettre apologétique au sieur Scudéry,* 1637. – *Horace,* 1640 (T). – *Cinna ou la Clémence d'Auguste,* 1641 (T). – *Polyeucte,* 1640-1641 (T). – *La Mort de Pompée,* 1642-1643 (T). – *Le Menteur,* 1643 (T). – *La Suite du Menteur,* 1643-1644 (T). – *Rodogune, princesse des Parthes,* 1644-1645 (T). – *Théodore, vierge et martyr* (tragédie chrétienne), 1645-1646 (T). – *Héraclius, empereur d'Orient,* 1647 (T). – *Don Sanche d'Aragon,* 1649 (T). – *Les Triomphes de Louis le Juste,* 1649 (T). – *Andromède,* 1650-1651 (T). – *Nicomède,* 1651 (T). – *Pertharite, roi des Lombards,* 1652 (T). – *Traduction en vers de « l'Imitation de Jésus-Christ »,* 1651-1656 (P). – *Œdipe,* 1659 (T). – *La Toison d'or,* 1660 (T). – *Édition complète (du théâtre jusqu'à 1660) accompagnée d'Examens,* 1660. – Trois discours : *De l'utilité et des parties du poème dramatique ; Sur la tragédie ; Sur les trois unités, d'action, de jour et de lieu,* 1660. – *Sertorius,* 1662 (T). – *Sophonisbe,* 1663 (T). – *Othon,* 1664 (T). – *Agésilas,* 1666 (T). – *Attila,* 1667 (T). – *Tite et Bérénice,* 1670 (T). – *Psyché,* avec Molière et Quinault, 1671 (T). – *Pulchérie,* 1672 (T). – *Suréna, général des Parthes,* 1674 (T). – *Œuvres complètes,* en 3 vol., t. I et II, 1984.

I. COMÉDIES

Mélite

Comédie par l'actualité du sujet, d'inspiration peut-être autobiographique, et par la condition des personnages, c'est aussi une fausse tragédie : jalousie, vengeance, délire. Mais, comme tout cela résulte d'un stratagème qui sera découvert, et dont le spectateur est informé dès le début, on sent bien qu'il ne s'agit que d'un jeu. Le procédé sera repris dans *l'Illusion comique,* et il est de toute évidence de caractère baroque. Éraste aime l'insensible Mélite et charge son ami Tircis de réussir auprès d'elle comme par procuration (situation que reprendra Musset dans *les Caprices de Marianne*) ; mais Tircis se laisse prendre au charme de Mélite et travaille pour son propre compte. Cette trahison appelle logiquement de la part d'Éraste une entreprise de vengeance : il fabrique de fausses lettres que Mélite aurait adressées à un certain Philandre, qui, lui, en veut à Chloris, sœur de Tircis. Celui-ci, désespéré, se prépare à mourir, et, à cette nouvelle, Mélite s'évanouit. Après les fausses lettres, voici une fausse nouvelle : un voisin bien intentionné rapporte à Éraste que Tircis et Mélite viennent de mourir ; Éraste en perd la raison et, comme Oreste dans l'histoire des Atrides, se voit poursuivi par les Furies. C'est le moment où va éclater la vérité : tout le monde apprend bientôt que Tircis et Mélite sont bien vivants ; comme ils s'aiment, ils pardonnent à l'auteur des fausses lettres et s'épousent. Éraste redevient sain d'esprit et, pour sceller le rétablissement de son amitié avec le couple, épouse Chloris. Philandre, resté seul, devra se contenter d'une charmante nourrice.

La Place Royale

C'est un peu, traduite en affabulation romanesque, l'histoire d'un apprenti sorcier en matière d'amour, mais, finalement, l'échec apparent de son stratagème comble son plus cher désir. L'action a pour cadre ce lieu de promenade élégant qu'était alors la place Royale, actuelle place des Vosges. Le personnage central est Angélique, prise entre Alidor, qui l'aime et qu'elle aime, et Doraste, qui l'aime et qu'elle n'aime pas. Mais Alidor, quoique amoureux, craint les chaînes de l'amour et se trouve comme obsédé par le souci de sa liberté, sa « franchise », comme il dit. Ce n'est pas à Doraste qu'il veut céder Angélique, c'est à son ami Cléandre : il va donc manœuvrer pour qu'Angélique soit à Cléandre. On remet à Angélique une fausse lettre d'Alidor à une prétendue rivale. La jeune fille, caractère de haute dignité, accable de reproches Alidor, qui en profite pour lui répondre avec insolence : c'est la rupture entre les deux amants. Sur ces entrefaites, conseillé par sa sœur Phylis, Doraste croit devoir saisir cette occasion de pousser son avantage auprès d'Angélique, qu'il emande en mariage. Ce qui met en pièces : projet d'Alidor. Celui-ci réagit : il obtient : pardon d'Angélique, qui s'engage à fuir vec lui. Il y aura donc un enlèvement. Aais Alidor fera en sorte que cet enlèvenent se passe la nuit, pour que ce soit Cléandre qui enlève Angélique à sa place. 'out est organisé. Hélas ! trompé justement ar la nuit, Cléandre enlève Phylis en la renant pour Angélique. Celle-ci, orsqu'elle constate ce qui s'est passé, omprend qu'Alidor n'a qu'un but en tête, ssurer sa liberté. Aussi Angélique se retiera-t-elle dans un cloître. Quant à Alidor, l est satisfait : sa propre liberté est sauve, t, de son point de vue, ce dénouement est parfaitement heureux ; il le dit lui-même : « Que par cette retraite elle me favorise ! »

L'Illusion comique

Jn brave bourgeois, Pridamant, est, depuis lix ans, sans nouvelles de son fils, Clindor, qu'il a autrefois soumis à « des traitements rop rudes ». Sur le conseil d'un ami, il va trouver le magicien Alcandre dans la grotte où il exerce son art. Grâce à sa baguette, Alcandre fait défiler sous les yeux de Pridamant un certain nombre de tableaux de la vie de son fils. Le voici tout d'abord au service d'un capitan vaniteux et fanfaron, le célèbre Matamore. Clindor et Matamore sont tous deux amoureux d'Isabelle, que poursuit un autre soupirant, Adraste : c'est ce dernier qui a la faveur du père d'Isabelle, Géronte, mais Isabelle se refuse à l'épouser. Jaloux, Adraste se heurte alors à Clindor ; celui-ci le blesse, est mis en prison et va être condamné à mort, quand il est sauvé par une servante. Et Isabelle se prépare à fuir avec lui. Là, Pridamant assiste avec effroi à une scène au cours de laquelle Clindor est poignardé par les gens du prince Florilame, dont il courtisait la femme. Fort heureusement (c'est le célèbre procédé baroque de la pièce dans la pièce), Alcandre se hâte de révéler que ce n'est là qu'une scène de tragédie, une « illusion comique » (c'est-à-dire théâtrale). En effet, après leur fuite, Isabelle et Clindor sont devenus acteurs, et ce que Pridamant a vu, c'est un exemple de leur talent de comédiens. Pridamant, rassuré, ira applaudir Clindor et Isabelle, car Alcandre a pris soin, pour terminer l'aventure, de lui faire comprendre toute la dignité de l'art dramatique, dans un bel éloge du théâtre : « À présent le théâtre / Est en un point si haut que chacun l'idolâtre ; / Et ce que votre temps voyait avec mépris / Est aujourd'hui l'amour de tous les bons esprits. »

Le Menteur

Dorante est une sorte de Matamore, mais un Matamore de l'amour, et son imagination n'est pas sans grandeur. Il se voudrait une sorte de héros et, faute de pouvoir l'être dans la vie, il tâche, préfigurant le Thomas l'imposteur de Cocteau, de se fabriquer une destinée imaginaire digne de son rêve. Au cours d'une promenade aux Tuileries, alors que ce provincial vient tout juste d'arriver de Poitiers, il rencontre deux jeunes filles, Clarice et sa cousine Lucrèce : il leur fait un récit héroïque de ses aventures, et elles en sont fort éblouies. Dorante les confond et, croyant aimer Lucrèce, c'est, en fait, à Clarice qu'il s'adresse ; mais Clarice est aimée d'Alcippe, dont la jalousie se trouve excitée. Géronte, le père de Dorante, veut lui faire épouser Clarice ; Dorante, qui continue de se méprendre, prétend qu'il est déjà marié et fera même croire à son père que sa bru attend un enfant. Géronte finira bien par démêler l'imbroglio fabriqué par les « mensonges » de son fils, et Dorante, laissant Clarice à Alcippe, épousera Lucrèce, que, d'ailleurs, il prétend aimer réellement, puisque c'est sous son nom qu'il a d'abord aimé Clarice.

II. LES TRAGÉDIES DE LA GLOIRE

La Gloire et l'Amour

Le Cid

On ne résume pas *le Cid* ! Quelle que soit la rigueur, et la beauté, de la construction, un courant irrésistible traverse la pièce, qui entraîne les personnages, au premier rang desquels le couple idéal de Rodrigue et de Chimène, à travers la double épreuve de la contradiction et de la passion, jusqu'à l'affrontement qui est le paroxysme et de la gloire et de l'amour, jusqu'au dépassement de l'épreuve et de la contradiction dans la gloire supérieure de l'héroïsme, que scelle, pour l'ultime accomplissement du couple, l'alliance, au dernier vers, du pouvoir, du courage et du temps. L'insulte de l'acte I, qui produit la fausse victoire de Rodrigue sur le Comte à l'acte II, déclenche l'inéluctable mouvement du désespoir où se rejoignent les amants dans l'admirable duo de la scène IV de l'acte III. Pour que l'héroïsme l'emporte sur le destin, pour que le désespoir soit à son tour vaincu par une gloire supérieure, il faut un coup de théâtre. Non point un artifice d'auteur, mais une de ces initiatives par lesquelles le héros authentique, en bouleversant l'histoire, transcende l'ordre du destin : c'est, à l'acte IV, l'initiative de Rodrigue et le combat victorieux contre les Maures. Il est désormais le Cid, et cela change tout ; le roi lui-même n'y peut rien ; Chimène non plus ; et même l'intervention juridique et dérisoire du noble don Sanche ne peut modifier le cours de cet autre destin, celui qui, à l'acte V, conduit Chimène à l'aveu de son amour, impose au roi l'engagement de sa caution et introduit Rodrigue dans le monde de la réconciliation. *Le Cid,* c'est l'affrontement de deux destins : le destin inférieur de l'honneur social, qui ne peut déboucher que sur le désespoir et la mort, et le destin supérieur de l'héroïsme spirituel, qui ouvre sur la promesse de l'accomplissement du couple.

La Gloire et l'Histoire

Horace

Albe et Rome : le conflit historique dont dépend l'avenir même du monde. Les Horaces et les Curiaces, Romains et Albains, liés entre eux par mariage ou fiançailles : Sabine, albaine, est femme d'Horace le Romain ; Camille, romaine, est la fiancée de Curiace l'Albain. Surviennent la guerre, inévitable, et la décision de résoudre le conflit par un combat singulier entre les hommes des deux familles. Ici, le Destin s'identifie à l'Histoire, et les personnages se définissent par rapport à ce destin : Curiace partagé ; Horace d'emblée engagé dans le refus de toute résistance à l'appel de la gloire historique ; sa sœur Camille, au contraire, tout aussi absolument engagée dans la résistance à l'Histoire au nom de son amour. On sait quelle est l'issue du débat tragique : la défaite et la mort de Curiace ; le triomphe d'Horace qui, comme Rodrigue, accède à la stature historique, mais avec une gloire d'autant plus exemplaire qu'on avait pu croire qu'il avait trahi sa vocation ; la violence des imprécations antiromaines de Camille et le meurtre de la sœur par le frère : pouvait-on imaginer plus atroce représentation des exigences inhumaines de la gloire historique ? Le jugement enfin, qui, sans innocenter véritablement Horace de son crime, s'inspire de la hiérarchie qui place l'Histoire très au-dessus des personnes, et la gloire de *faire* l'Histoire très au-dessus des sentiments privés : sa prédestination à la gloire historique impose au héros de se situer délibérément « hors de l'ordre commun ».

La Gloire et l'État

Cinna

Est-ce parce que *Horace* pouvait paraître effectivement « inhumain », parce que la gloire historique y était si « totalitaire », que C. a voulu, avec *Cinna,* montrer l'autre face de cette même gloire historique, montrer que la naissance du héros, sujet commun aux trois premières tragédies, pouvait aussi passer par la clémence ? C'est qu'ici, ce qui est en question, ce n'est plus le fondement initial d'une histoire à faire, mais la sauvegarde d'un pouvoir par l'affirmation de sa légitimité. En d'autres termes, ce qui est en question, ce n'est plus la naissance d'une patrie, mais la consolidation d'un État : la vraie gloire est alors celle qui assure au monarque la conversion des rebelles. De là vient, sans doute l'organisation de la tragédie autour de l'affrontement d'Auguste et d'Émilie, le pouvoir et la rébellion. L'amour n'intervient que pour permettre l'élaboration de la rébellion d'Émilie (affirmée dès la première scène dans un monologue audacieux – *Cinna* est la seule tragédie qui *commence par* un monologue –) en une conjuration réelle animée par Cinna, pour l'amour d'Émilie. Quant à Auguste, dans un premier temps, il n'appartient encore qu'à l'ordre commun des souverains ; le mécanisme de cet ordre commun, c'est que la conjuration, découverte, entraîne inéluctablement la répression. Il faudra, à l'acte V, l'accumulation successive des aveux de Cinna, d'Émilie, de Maxime, pour qu'Auguste perçoive que la véritable gloire et le véritable salut de l'État sont dans le dépassement de l'ordre purement politique où se situe la conjuration. L'État, dont la dimension est au-delà des accidents politiques et des aléas de l'histoire, ne subsistera que par la transcendance de l'acte souverain du pardon : la conversion d'Émilie, à la scène première de l'acte V, en parallèle antithétique avec la scène première de l'acte I, traduit l'efficacité de cette transcendance et vérifie le triomphe de l'État, dans la gloire de sa souveraineté, en la personne d'Auguste, sur les fatalités de la rébellion et de la répression.

La Gloire et Dieu

Polyeucte

Que *Polyeucte* suive *Horace* et *Cinna* et forme avec eux une sorte de trilogie, rien d'étonnant. Car voici que l'ordre de l'État, incarné dans le personnage de Rome, cesse d'être l'ordre absolu. L'Empire du temps de *Polyeucte* n'est plus celui du temps d'Auguste, et l'on oublie trop souvent que C. construit l'univers de ses tragédies romaines sur une certaine idée de Rome. La Rome de l'empereur Décie et de son représentant Félix est une Rome qui, en persécutant le christianisme, refuse par là même d'accéder à l'ordre de la gloire de Dieu. Sévère le sent bien qui, quoique non chrétien, et un peu à la manière d'un stoïcien tel que Sénèque face à Néron, perçoit dans le christianisme la source d'une nouvelle hiérarchie où l'ordre spirituel transcende l'ordre temporel, de même que, parallèlement, pour Polyeucte, le total accomplissement de son amour pour Pau-ne passe par le sacrifice volontaire de sa ie temporelle. C'est autant par exaltation e son amour que par refus mystique de : soumettre à la tyrannie d'un État lolâtre que Polyeucte en vient à braver .ome et son beau-père, et son épouse lle-même. De la décision initiale de acte I – recevoir le baptême, abattre les loles, subir le martyre – à l'ascension de acte IV, quels que soient les obstacles de a politique (Félix) ou de l'amour (Pau-ne), le mouvement est continu. Pour 'olyeucte, il n'est de gloire qu'en Dieu, ar toute gloire temporelle n'est que anité : ce sont les célèbres et admirables tances de la scène II de l'acte IV.)ésormais Polyeucte est entré définitive-nent dans la gloire de Dieu : son martyre st triomphe et réconciliation. On a eaucoup débattu, dès le XVIIe s., sur la uestion de savoir si Polyeucte était bien n saint authentique, s'il n'était pas un peu rop « héros » pour être vraiment « saint ». Entre la gloire, qui est le signe lu héros, et le martyre, qui est le signe lu saint, il y a ici réconciliation : de cette éconciliation témoigne, au dénouement, a double conversion de Félix, « âme ommune », et de Pauline, « âme grande ». Quant à Sévère, qui allie une grandeur de philosophe à une sorte d'inca-pacité de se laisser investir par la grâce, il s'engage à être, dans l'ordre temporel, en obtenant de l'empereur la suspension des persécutions, le réconciliateur de la gloire de Dieu et de la gloire de l'État. Sans que C. l'ait dit – mais on ne doit point oublier que C. est aussi historien –, Sévère annonce Constantin.

La Gloire et la vengeance

Rodogune

Un an après *Polyeucte,* voici la tragédie de l'inversion de la gloire ; après la gloire de Dieu, on serait tenté de dire la gloire du Mal. Cléopâtre, reine de Syrie, a assassiné son époux ; elle garde captive la princesse parthe Rodogune, qu'il avait épousée en secondes noces. Or, Cléopâtre a deux fils jumeaux, Antiochus et Séleucus, tous deux amoureux de Rodogune, sans qu'on sache encore auquel des deux va le cœur de la princesse. Situation dont va se servir Cléopâtre pour assouvir sa ven-geance. Elle hait Rodogune ; elle pense avoir la faculté d'exploiter chez ses fils l'appétit du pouvoir, car elle-même, assoif-fée de puissance, n'imagine pas que l'amour puisse l'emporter sur celui-ci. Elle promet le trône à celui des deux qui lui apportera la tête de Rodogune. Celle-ci, de son côté, s'engage à appartenir à celui des deux qui tuera Cléopâtre. Tel est le nœud de la tragédie, encore compliqué par le fait qu'entre les jumeaux règne une amitié exemplaire. Finalement, c'est à Antiochus que Cléopâtre donne le trône et Rodogune, mais, en même temps, elle s'efforce d'exciter contre le couple la jalousie de Séleucus. En vain. Pour Cléo-pâtre, il y va de sa gloire, elle ne peut tolérer la perspective d'être en quelque sorte jouée par la complicité de l'amour et de l'amitié. Elle décide donc de faire périr à la fois ses deux fils et Rodogune. La fin de la tragédie est atroce : Séleucus a été poignardé ; lorsque Antiochus s'ap-prête à boire la coupe nuptiale, il est retenu par Rodogune, qui soupçonne Cléopâtre d'y avoir versé du poison. Celle-ci, pour ne pas subir l'humiliation d'être décou-verte, boit la première à la coupe : elle meurt, en maudissant son fils et Rodogune.

La Gloire et le mépris

Nicomède

Du *Cid* à *Rodogune,* de la gloire de l'amour à la gloire du crime en passant par la gloire de l'histoire, la gloire de l'État et la gloire de Dieu, la tragédie mettait en scène la suite des épreuves ascendantes à travers lesquelles s'opéraient la naissance et le triomphe du héros (car même Cléopâtre triomphe dans la mort, grâce à son pouvoir prophétique de malédiction). Avec *Nicomède,* le héros n'est plus à naître ; il est, dès le début de la pièce, en pleine possession de sa gloire historique et politique ; et même l'intervention de l'amour fait que cet héroïsme en plénitude s'incarne dans le couple exemplaire de Nicomède et de Laodice. Le tragique, dès lors, est dans l'affrontement de ce couple, et de l'ordre héroïque qu'il incarne, avec le monde des âmes communes, dont trois personnages représentent les divers aspects politiques : Prusias, le roi de Bithynie, asservi à la fois aux volontés de sa seconde femme Arsinoé et à l'influence romaine ; Flaminius, ambassadeur de Rome, qui vient de se débarrasser d'Annibal, le maître de Nicomède, et qui représente l'habileté sans scrupule en matière diplo-matique ; Arsinoé, enfin, elle aussi rusée et amorale, mais dont l'objectif est plus familial et dynastique que vraiment politi-que, puisqu'elle vise à substituer, dans la succession de Prusias, son fils Attale, élève des Romains, à l'héritier légitime, Ni-comède. Dans l'ordre proprement politi-que, comme l'intrigue se déroule à la cour de Prusias, la situation est totalement défavorable à Nicomède et à Laodice, qui, dépourvus de tout pouvoir, ont à affronter la coalition des trois puissances que représentent le roi, Rome et Arsinoé. Mais, dès le début de la pièce, ils affirment leur supériorité. Leur gloire de héros accomplis leur assure l'arme contre laquelle se briseront toutes les ruses, toutes les intrigues : le mépris et l'ironie. Alors que tout semble perdu pour eux – Prusias, à l'acte IV, cède son trône à Attale, livre Nicomède aux Romains, et Laodice reste seule, privée de tout appui et de tout pouvoir –, l'effort de contagion purement spirituelle du mépris héroïque du couple à l'égard d'Arsinoé et de Flaminius agit sur Attale, âme naturellement généreuse. Et c'est le coup de théâtre qui rompt le destin, coup de théâtre qui, comme toujours chez C., ne relève pas d'un hasard arbitraire, mais au contraire d'une sorte de fatalité supérieure : Attale sauve Nicomède, Arsinoé feint de se soumettre (la feinte est sa nature), et Flaminius quitte la Bithynie pour retourner à Rome.

III. LA TRAGÉDIE DE LA TENDRESSE

Suréna

Tragédie de sujet « barbare », comme C. s'est plu à en composer plusieurs. Suréna, général parthe, est, comme Nicomède, un héros accompli : c'est grâce à sa valeur que le roi Orode a pu conserver ses États. Mais la reconnaissance qu'il doit à Suréna risque bien de dégénérer en ressentiment : il est malsain pour un sujet que son souverain lui soit redevable... Or, un traité stipule que le fils d'Orode, Pacorus, doit, pour que la paix soit consolidée, épouser la fille du roi d'Arménie, Eurydice, qui, elle, aime Suréna dans le secret de son cœur et en est aimée, tandis que Pacorus est aimé de la sœur de Suréna, Palmis. A l'acte II, Eurydice révèle à Pacorus qu'il a auprès d'elle un rival, et Pacorus promet son amour à Palmis si elle lui révèle le nom de ce rival. Mais Palmis se refuse à trahir son frère. Quant à Orode, pour s'attacher Suréna et, en fait, pour le neutraliser, il lui offre la main de sa fille Mandane : fidèle à Eurydice, Suréna refuse. Cette intrigue, l'une des constructions « implexes » où C. est passé maître, n'est en fait que le support d'un conflit entre l'ordre commun des intrigues politiques et l'ordre transcendant du cœur. Le couple Suréna-Eurydice est un couple dont l'amour est tout intérieur, et trouve dans cette intériorité même la source de sa grandeur, le fondement d'une gloire que la mort même couronnera au moment de sa défaite apparente : tandis qu'Orode exige que Suréna épouse Mandane et qu'Eurydice épouse Pacorus, Suréna, au nom de son amour, se décide pour l'exil. Eurydice se plonge dans la douleur, et si, sur les instances de Palmis, elle cède aux exigences d'Orode, c'est comme dans une sorte d'état second. On apprend, alors, qu'Orode a fait assassiner Suréna : Eu rydice meurt de douleur. Mais ses der nières paroles disent combien cette mor loin d'être une défaite, est comme un véritable assomption : « Non, je ne pleur point, Madame, mais je meurs... Généreu Suréna, reçois toute mon âme. »

CORNEILLE Thomas. Rouen 20.8.1625 – Les Andelys 8.10.1709. Frèr du précédent. L'influence de son frère, d dix-neuf ans son aîné, et qu'il ne quitt jamais, ne suffit pas à faire de lui un de grands dramaturges classiques. Il se contenta d'imiter, sans recherche person nelle, et de suivre la mode, avec un gran succès d'ailleurs ; ses tragédies furen presque toutes fort applaudies, et *Timo crate* fut la pièce la plus jouée au cour du XVIIe siècle. Pourtant les procédés faciles y abondent, le romanesque y tien lieu d'intrigue, et le sentimentalisme de sentiment ; les caractères sont sans relief et l'action, rehaussée de machines compliquées, parle plus aux yeux qu'au cœur. Bref, l'ingéniosité remplace le génie. Cet habile technicien n'est pourtant pas un épigone : il est bien, par la maîtrise du langage, le contemporain de Racine et du grand Corneille. Acad. fr. 1684.

Œuvres. *Les Engagements du hasard,* 1647 (T). – *Don Bertran de Cigarral,* 1650 (T). – *Timocrate,* 1656 (T). – *Bérénice,* 1657 (T). – *Stilicon,* 1660 (T). – *Camma et Pyrrhus, roi d'Épire,* 1661 (T). – *Le Galant doublé,* 1669 (T). – *La Mort d'Hannibal,* 1669 (T). – *Ariane,* 1672 (T). – *Le Festin de Pierre,* 1673 (T). – *L'Inconnu,* 1675 (T). – *Circé,* 1675 (T). – *Le Triomphe des Dames,* 1677 (T). – *Le Comte d'Essex,* 1678 (T). – *Psyché,* 1678 (T). – Avec Lulli, *Bellérophon* (opéra), 1679 (T). – *La Devineresse,* 1679 (T). – *Remarques sur la langue française de Vaugelas, publiées avec des Notes,* 1687. – *Médée,* 1693 (T). – *Les Dames vengées,* 1695 (T). – *Bradamante,* 1696 (T). – *Dictionnaire des termes d'art et de science* (supplément au *Dictionnaire de l'Académie*), 1694. – *Dictionnaire universel, géographique et historique,* 1708.

COTIN Charles. Paris 1604 – 12.1682. Cet abbé, qui fut très recherché dans les salons et brilla chez Mademoiselle, n'est plus guère connu que par les railleries de Boileau et de Molière, qui le peint sous le nom de Trissotin. Mais le portrait n'est guère resssemblant. C., contemporain de Chapelain, est en vérité l'ennemi du style galant et de la préciosité, de Ménage et de Mlle de Scudéry. Il est en fait le théoricien d'une poésie qui doit être, selon lui, le moyen d'expression d'une pensée profonde, et bien autre chose qu'un passe-temps mondain. À plus d'un titre, C. est un authentique écrivain classique. Acad. fr. 1655.

Œuvres. *Les Regrets d'Aristée sur le trépas de Daphnis,* 1631 (P). – *La Jérusalem désolée,* 1634 (P). – *Poème sur la Magdelaine,* 1635 (P). – *Recueil des énigmes de ce temps,* 1645 (P). – *Théoclée ou la Vraie Philosophie,* 1646 (E). – *Nouveau Recueil de divers rondeaux,* 1650 (P). – *Vie du philosophe chrétien,* 1654 (E). – *Traité de l'âme immortelle,* 1655 (E). – *Poésies chrétiennes,* 1657. – *Poésies mêlées... avec l'Uranie ou la Métamorphose d'une nymphe en oranger,* 1659 (P). – *La Ménagerie* (pamphlet), 1660. – *Les Noces royales,* 1660 (P). – *La Pastorale sacrée,* 1662 (P). – *Œuvres galantes, en prose et en vers, mêlées de quelques pièces composées par des dames de qualité,* 1663. – *Ode sur l'entrée du roi en Flandre,* 1664 (P). – *Odes royales sur les mariages des princesses de Nemours,* 1665 (P). – *La Critique désintéressée sur les affaires de ce temps,* 1666 (E).

COUCY (le châtelain de). Fin du XIIe s. Il participa à la troisième croisade (1190) et à la quatrième (1202), au cours de laquelle il mourut (1203). Une trentaine de poèmes lui sont attribués. Tous sont des chansons d'amour, y compris les deux chansons de croisade qui figurent dans cette œuvre peu fournie. Sans la renouveler particulièrement, le châtelain de C. continue la tradition du lyrisme courtois. Il contribue cependant à l'enrichir en rendant compte de l'expérience d'un cœur obsédé par la conquête de l'amour fou qu'il recherche avec obstination.

COURIER de Méré Paul-Louis. Paris 4.1.1772 – Véretz (Indre-et-Loire) 10.4.1825. Grand helléniste, c'est en cette qualité qu'il se fit d'abord connaître des spécialistes, tandis qu'il poursuivait avec négligence une médiocre carrière militaire. Il finit par renoncer à celle-ci pour se consacrer à sa vocation d'érudit : alors qu'il travaille à Florence sur un manuscrit des *Pastorales* de Longus, il est, à propos d'une vulgaire tache d'encre sur le manuscrit, engagé dans une polémique qui le pousse à écrire une *Lettre à M. Renouard,* où il fait preuve d'une verve et d'un talent qui furent pour lui-même une révélation. Après la Restauration, il se retire en Touraine, sur ses propriétés, et se montre un exploitant âpre ; ses paysans le détestent. Sa femme (il a, quadragénaire, épousé une jeune fille de dix-neuf ans) le trompe, et, finalement, deux de ses amants feront assassiner le mari par un garde-chasse. Mais il avait été aussi le héros de démêlés publics avec les autorités politiques et religieuses. Ce libéral anticlérical, s'il est d'abord satisfait de la Charte, est ensuite amené, par l'évolution même du régime, à écrire, sur les sujets les plus divers, des pamphlets qui lui assureront une certaine popularité. Outre leur intérêt de circonstance, ce qui leur conserve une valeur, pour nous, c'est l'alliance de la pureté classique du langage avec la virulence de la pensée. Un pamphlet comme sa *Pétition... pour des villageois qu'on empêche de danser* est un modèle de polémique littéraire. Les mêmes qualités apparaissent dans sa correspondance.

Œuvres. *Traductions de l'« Hipparque » et de l'« Équitation »* (Xénophon), 1809. – *Amours pastorales de Daphnis et de Chloé* (trad. de Longus), 1810. – *Lettre à M. Renouard, libraire, sur une tache faite à un manuscrit de Florence,* 1812. – *Conversation avec la comtesse d'Albany,* 1814. – *Pétition aux deux Chambres,* 1816. – *Procès de Pierre Clavier-Blondeau,* 1819. – *Lettre à Messieurs de l'Académie des Inscriptions et Belles-Lettres,* 1819. – *Lettres au rédacteur du « Censeur »,* 1819-1820. – *Lettres particulières,* 1820. – *Simple discours de Paul-Louis, vigneron de la Chavonnière, aux membres du conseil de la commune de Véretz à l'occasion d'une souscription pour l'acquisition de Chambord,* 1821. – *Aux âmes dévotes,* 1821. – *Pétition à la Chambre des députés pour des villageois qu'on empêche de danser,* 1822. – *Procès de Paul-Louis Courier,* 1822. – *La Gazette du village,* 1823. – *Le Livret de Paul-Louis,* 1824. – *Le Pamphlet des pamphlets,* 1824. – *Lettres écrites de France et d'Italie,* posth., 1828.

COURONNEMENT DE LOUIS (Le). À la fois une des plus anciennes (début XIIe s.) et une des plus courtes (2 695 vers) des chansons de geste conservées, elle fait partie du *Cycle de Garin de Monglane,* dont elle constitue le prélude, mais elle peut être aussi considérée comme l'épilogue du *Cycle du roi.* Elle met en œuvre le problème posé par la succession de Charlemagne et s'organise autour de la scène pendant laquelle le vieil empereur veut assurer sa succession en couronnant de son vivant son fils Louis, qui sera appelé le Pieux ou le Débonnaire. La scène centrale du couronnement est dominée par le contraste entre la volonté de l'Empereur et la faiblesse et les hésitations de son fils : devant une tentative d'usurpation anticipée d'un des barons intervient alors, pour représenter le loyalisme féodal, le personnage de Guillaume-au-court-nez, celui qui deviendra le héros central de la geste de *Garin de Monglane* sous le nom de Guillaume d'Orange. Cette chanson revêt, d'autre part, un caractère assez exceptionnel en ce sens que les données historiques y sont relativement peu transformées. Il est de fait que Guillaume fut le tuteur et le conseiller de Louis le Pieux ; et la chanson met l'accent sur le rôle proprement politique que joua effectivement Guillaume en se faisant le défenseur de la légitimité contre les tentatives d'usurpation, légitimité qu'il défend aussi contre la faiblesse d'un jeune roi indolent, que le poème représente sans le grandir, tel qu'il fut en réalité. L'auteur de la chanson semble avoir fort intelligemment perçu la valeur dramatique et symbolique de ce contraste entre les deux personnages du poème.

COURS D'AMOUR. Nom par lequel ont été désignées les réunions mondaines du XIIe s. au XVe s. : là se cultivait l'esprit de la courtoisie. Animées par des femmes, les cours d'amour préfigurent les salons des XVIIe et XVIIIe s. On a pu dire qu'elles étaient de véritables tribunaux où les dames prononçaient des jugements en matière de galanterie et de casuistique amoureuse (voir CHARTIER Alain).

COURTELINE, Georges Moinaux, dit Georges. Tours 25.6.1858 – Paris 25.6.1929. Une double expérience de la vie de caserne et de la vie bureaucratique lui fournit la matière de récits qu'il porte lui-même à la scène. Peut-être avait-il hérité du talent humoristique de son père, Jules Moinaux, auteur des savoureux *Tribunaux comiques.* Il écrit également de nombreuses pièces en un acte, directement jouées sur le théâtre. Sa maîtrise de la langue et du style lui permet, en faisant parler ses personnages avec une parfaite adéquation à leur rôle, quelles que soient leurs aventures, de leur donner une grande force comique. D'une façon générale, sa bouffonnerie de surface dissimule une fine tristesse, son art de l'effet verbal une intense capacité d'observation. Il a en ce domaine réussi un chef-d'œuvre de profondeur avec *Boubouroche.*

Œuvres. *Les Chroniques de Georges Courteline,* 1884. – *Les Gaîtés de l'escadron,* 1886 (N). – *Les Femmes d'amis,* 1888 (N). – *Potiron,* 1890 (N). – *Le Train de 8 heures 47,* 1891 (N), 1910 (T). – *Lidoire,* 1891 (T). – *Lidoire et la Biscotte,* 1892 (N). – *Les Joyeuses Commères de Paris,* 1892 (T). – *Boubouroche,* 1892 (N), 1892 (T). – *Les Facéties de Jean de la Butte,* 1893 (N). – *Messieurs les ronds-de-cuir,* 1893 (N), 1910 (T). – *Ah ! Jeunesse,* 1894 (N). – *Ombres parisiennes,* 1894 (N). – *La Peur des coups,* 1895 (T). – *La Cinquantaine,* 1895 (T). – *Le Droit aux étrennes,* 1896 (T). – *Un client sérieux,* 1897 (N), 1898 (T). – *Monsieur Badin,* 1897 (T). – *L'Extra-Lucide,* 1897 (T). – *Hortense, couche-toi là,* 1898 (T). – *Une lettre chargée,* 1898 (T). – *Théodore cherche des allumettes,* 1898 (T). – *Gros Chagrins,* 1898 (T). – *La Voiture versée,* 1898 (T). – *Les Boulingrin,* 1898 (T). – *Le gendarme est sans pitié,* 1899 (T). – *L'Affaire Champignon,* 1899 (T). – *Blancheton père et fils,* 1900 (T). – *Le commissaire est bon enfant,* 1900 (T). – *L'Article 330,* 1901 (T). – *Les Balances,* 1902 (T). – *Victoires et Conquêtes,* 1902 (T). – *La Paix chez soi,* 1903 (T). – *La Conversion d'Alceste,* 1905 (T). – *Les Mentons bleus,* seconde version de *Victoires et Conquêtes,* 1906 (T). – *La Cruche ou J'en ai plein le dos de Margot,* 1909 (T). – *Les Linottes,* 1912 (N), adapté en opérette en 1923. – *La Philosophie de Georges Courteline,* 1917 ; 2e éd., revue et augmentée, 1922.

Boubouroche

Boubouroche croit avoir en son Adèle une maîtresse modèle ! Mais, au café, il apprend d'un voisin qu'Adèle le trompe odieusement. Survenant inopinément, il trouve bien chez Adèle l'amant confortablement installé dans un grand meuble, spécialement aménagé pour lui servir de retraite en cas de besoin. Mais voici qu'Adèle invente pour le pauvre Boubouroche des explications si évidentes et si convaincantes que c'est lui qui, finalement, se retrouve en situation d'accusé et même de mufle. Il ne lui reste plus qu'à se faire pardonner et à se promettre de remettre à sa place le calomniateur qui, par ses bavardages de café, est responsable de cette triste mésaventure !

COURTILZ DE SANDRAS Gatien de. Paris vers 1644 – 8.5.1712. Officier, il quitta l'armée pour vivre de sa plume, exilé en Hollande, mais, à la suite d'imprudences, fit deux très longs séjours à la Bastille. Ses pamphlets révèlent un esprit totalement dénué de scrupules. Ses œuvres romanesques, « histoires » ou testaments apocryphes, sont une somme de calomnies vraisemblables et de révélations scandaleuses. Il obtint un grand succès auprès de ses contemporains, et l'on prend encore plaisir à lire ces récits, de facture réaliste picaresque à la fois, écrits dans un style ein de verve. On retiendra particulière-ent les faux *Mémoires de M. d'Artagnan.*

:uvres. *La Conduite de la France de-is la paix de Nimègue,* 1683. – *Les ›nquêtes amoureuses du grand Alcandre,* ›84. – *Les Intrigues amoureuses de la ur de France,* 1684-1685. – *Les Dames ıns leur naturel ou la Galanterie sans çon sous le règne du grand Alcandre,* ›86. – *Nouveaux Intérêts des princes de Europe... pour empêcher qu'il ne se forme ıe monarchie universelle,* 1685 *sq.* – *La ie du vicomte de Turenne,* 1685 *sq.* – *Les onquêtes du marquis de Grana dans les ıys-Bas,* 1686. – *La Vie de Gaspard de oligny,* 1686. – *Mémoires de M. le comte Rochefort,* 1687 *sq.* – *Remarques sur gouvernement du royaume durant les gnes de Henri IV..., Louis XIII..., ouis XIV,* 1688. – *Testament politique de essire J-B. Colbert,* 1694. – *Vie de B. Colbert,* 1695. – *Le Grand Alcandre ustré,* 1696. – *Histoire du maréchal de abert,* 1697. – *Annales de la Cour et de aris,* 1698. – *Mémoires de J.-B. de La ontaine,* 1698. – *Mémoires de M. d'Arta-nan,* 1700. – *Mémoires de M. le marquis Montbrun,* 1701. – *Mémoires de Mme la ıarquise de Fresne,* 1701. – *La Guerre 'Italie ou Mémoires historiques, politiques galants du marquis de Langalerie,* 1707. *Mémoires de M. de B., secrétaire de M. le omte de Rochefort,* 1711. – *Histoire du ıaréchal duc de La Feuillade,* 1714.

:OURTOISIE. [ancien français *court*= e qui est propre à la cour, du latin lassique *cohors* = entourage royal, suite u prince]. Ensemble complexe des vertus ui forment l'éthique de la vie amoureuse epuis le XIIe s. jusqu'à la fin du Moyen ge. À ses débuts, la courtoisie était éservée à la classe dominante de la société : s gens de cour (royale ou féodale). Très ite, la courtoisie put être exercée par tout n chacun (et plus précisément par les oubadours et les trouvères, qu'ils fussent l'origine féodale ou roturière) à partir du noment où l'amoureux suivait à la lettre code qui définit la courtoisie : respect de a dame, prouesses pour la conquérir, preuves à surmonter..., toute une tactique moureuse qui, de moyen, devient fin, au létriment de la satisfaction du désir. Telle st la source de cette spiritualité amoureuse juasi platonicienne qui caractérise le yrisme médiéval, des troubadours à Charles d'Orléans.

COUSIN Victor. Paris 28.11.1792 – Cannes 14.1.1867. Philosophe et universitaire, professeur à l'École normale supérieure, dont il était ancien élève, maître à penser du libéralisme de 1830, fondateur de l'éclectisme (*Histoire de la philosophie moderne*), C. intéresse la littérature en tant qu'il est aussi l'initiateur d'une pensée esthétique indépendante de toute référence morale ou métaphysique. Parti de l'influence de Royer-Collard et de Maine de Biran, il subit bientôt, plus fortement encore, celle de la pensée germanique : Kant ; Schelling, auprès de qui il passa un mois en 1818 ; Hegel, enfin, qu'il avait rencontré l'année précédente. Cette ouverture sur une pensée différente de la tradition classique lui inspira la distinction essentielle qu'il établit entre l'ordre esthétique et l'ordre métaphysique ou moral. Dans son ouvrage majeur, *Du vrai, du beau et du bien,* il réexamine la trilogie platonicienne, mais pour contester le principe d'identité entre les trois idées. Il est, de la sorte, conduit à faire du beau une catégorie autonome, cela au moment où commence à se constituer l'esthétique qui deviendra celle de l'art pour l'art. Il est malaisé d'apprécier l'influence réelle de C. sur ce mouvement esthétique et littéraire, mais son œuvre apparaît néanmoins comme une entreprise de justification philosophique de la nouvelle esthétique Il est probable que C. a aussi joué un rôle dans le développement de la réflexion esthétique à partir des années 1840, années au cours desquelles le prestige de son enseignement connut son apogée. Acad. fr. 1830.

Œuvres. *Fragments philosophiques,* 1826. – *Histoire de la philosophie moderne,* 1826. – *Cours d'histoire de la philosophie,* 1828. – *Du vrai, du beau et du bien,* 1837. – *Cours d'histoire de la philosophie morale au XVIIIe siècle,* 1841. – *Cours d'histoire de la philosophie moderne,* 1841-1846. – *Études sur Pascal,* 1842. – *Philosophie de Kant,* 1842. – *Mme de Longueville,* 1853. – *Mme de Sablé,* 1854 – *La Duchesse de Chevreuse,* 1856. – *Mme de Hautefort,* 1856. – *La Société française au XVIIe siècle, d'après le Grand Cyrus,* 1858. – *Histoire générale de la philosophie,* 1863.

CRÉBILLON père, Prosper Jolyot, sieur de Crais-Billon, dit. Dijon 13.2.1674 – Paris 17.6.1762. D'une famille de robe de Dijon, il fait son droit à Paris, après ses premières études chez les jésuites de sa ville natale, puis entre chez un procureur passionné de théâtre, qui encourage chez lui une vocation naissante d'auteur dramatique et ses premières tentatives à la scène. Sa première tragédie, *la Mort des enfants* *de Brutus,* est un échec, mais les pièces suivantes vont établir sa réputation. Après *Idoménée,* sujet que reprendra le librettiste Danchet pour un opéra de Campra en 1712, dont s'inspirera ensuite Mozart, C. donne *Atrée et Thyeste,* où s'affirme pleinement sa conception de la tragédie : « Conduire les spectateurs à la pitié par la terreur, mais avec des mouvements et des traits qui ne blessent ni leur délicatesse ni les bienséances. » Il recherche le violent, le terrible, les scènes d'horreur tragique, les situations paroxystiques et atroces, complexes et mélodramatiques, les passions « capables de nous porter aux plus grands crimes ou aux actions les plus vertueuses ». D'Alembert dira de lui qu'il « a montré la perversité humaine dans toute son atrocité ». L'utilisation habile de l'*incognito* entre les personnages lui permet cependant d'atténuer les brutalités par trop choquantes. Grand lecteur des romans de La Calprenède, de Scudéry et de Segrais, C. puisera chez eux le goût des situations romanesques extraordinaires. *Électre* puis *Rhadamiste et Zénobie* (d'après Segrais) lui apportent une consécration définitive. Le déclin s'amorce avec l'insuccès de *Xerxès* et de *Sémiramis.* Vivant en original, dans la solitude, entouré de chats et de chiens perdus qu'il a recueillis, C. jouira jusqu'à la fin de sa vie de la faveur de la Cour, mais son manque de sens pratique et sa générosité l'empêcheront de jamais connaître la richesse. À sa mort, il laissera l'ébauche d'un *Cromwell.* Peut-être injustement méconnu, il est en tout cas sans conteste à la fois le continuateur du théâtre baroque esquissé par Rotrou et le précurseur du théâtre « noir » qu'inaugurera plus d'un demi-siècle plus tard Baculard d'Arnaud, en attendant le mélodrame de Pixérécourt. Acad. fr. 1731.

Œuvres. *La Mort des enfants de Brutus,* s.d. (T). – *Idoménée,* 1705 (T). – *Atrée et Thyeste,* 1707 (T). – *Électre,* 1708 (T). – *Rhadamiste et Zénobie,* 1711 (T). – *Xerxès,* 1714 (T). – *Sémiramis,* 1717 (T). – *Pyrrhus,* 1726 (T). – *Catilina,* 1748 (T). – *Le Triumvirat,* 1754 (T).

Atrée et Thyeste

On connaît le sujet, l'un des plus célèbres et des plus atroces de la mythologie grecque, l'histoire de ce personnage qui fait manger à son frère ses propres enfants, crime qui est à l'origine de la malédiction qui pèsera sur les Atrides. C. choisit le moment de la fausse réconciliation entre les deux frères : Atrée en effet feint de se réconcilier avec Thyeste, mais c'est pour mieux se venger, en lui faisant boire le sang de son fils, scène d'horreur à laquelle C. nous fait assister à la fin de la pièce. Le rite traditionnel – les deux frères vont boire à la même coupe – est sur le point de s'accomplir, lorsque Thyeste, prenant en main la coupe, s'aperçoit qu'elle contient non pas du vin, mais du sang !

CRÉBILLON fils, Claude Prosper Jolyot de Crébillon, dit. Paris 14.2.1707 – 12.4.1777. Fils du précédent. Il naît l'année même de la représentation de la tragédie de son père, *Atrée et Thyeste,* et perd sa mère dès 1711. Élève des jésuites à Louis-le-Grand, il reçoit une excellente formation, mais c'est en vain que ses maîtres essaieront de l'attirer vers les ordres. Caractère aimable, il commence à fréquenter les théâtres et à écrire quelques chansons satiriques. Avec Collé et Piron, il fonde le cabaret littéraire du Caveau, puis se fait une réputation par ses contes, œuvres libertines, piquantes et élégantes, révélant avec finesse et réalisme la psychologie amoureuse et les mœurs galantes de l'époque. Le conte *l'Écumoire ou Tanzaï et Néadarné,* où l'on prétend voir des allusions à la bulle *Unigenitus,* au cardinal de Rohan et à la duchesse du Maine, lui vaut d'être emprisonné. Il n'en continue pas moins dans cette même voie, et, sous une affabulation pseudo-orientale, *le Sopha* est une satire audacieuse où ses contemporains ont pu voir, sous les traits du sultan Schah Baham une caricature de Louis XV. Ce « conte moral » vaudra un exil de plusieurs années à son auteur. Mais, entre-temps, C. avait publié une œuvre fort représentative des tendances romanesques caractéristiques du XVIIIe s. et, à cet égard, proche de *Manon Lescaut, les Égarements du cœur et de l'esprit,* roman à la première personne, dominé par la recherche du plaisir. Plaisir tendre, sensuel, enjoué et rêveur à la fois, incarné dans un personnage livré à une perpétuelle mobilité. Par la délicatesse de son analyse et sa peinture d'un milieu mondain clos sur lui-même, C., s'il ne lui manquait trop souvent le don du style, pourrait presque apparaître comme un précurseur de Marcel Proust. Et le titre de son roman peut, en tout cas, coiffer tout un courant du romanesque de ce temps. C. épouse en 1744 une Anglaise, lady Stafford, auprès de qui il semble avoir mené une vie heureuse et tranquille ; il publie en 1755 *la Nuit et le Moment,* qui décrit lucidement la psychologie de l'amour tel que le conçoit l'époque. Devenu censeur royal en 1759 – ce qui peut paraître paradoxal pour un romancier licencieux –, C., homme de bonnes mœurs, s'acquittera de ses fonctions avec tact et courtoisie. Parmi les contes dont il est l'auteur, *le Hasard du coin du feu* est un

« dialogue moral » dont Musset se souviendra pour *Un caprice.* Après une vie modeste de parfait honnête homme, C. s'éteindra, comme son père, dans une relative pauvreté.

Œuvres. *Le Sylphe,* 1730 (N). – *Les Lettres de la marquise de M. au comte de R.,* 1732 (N). – *L'Écumoire ou Tanzaï et Néadarné,* 1734 (N). –*Les Égarements du cœur et de l'esprit ou Mémoires de M. de Meilcour,* 1736 (N). – *Le Sopha,* 1742 (N). – *Les Amours de Zeokimisul, roi des Kofirans,* 1746 (N). – *Ah ! quel conte !,* 1755 (N). – *La Nuit et le Moment,* 1755 (N). – *Le Hasard du coin du feu,* 1763 (N).

Les Égarements du cœur et de l'esprit ou Mémoires de M. de Meilcour

Le narrateur, dont le nom apparaît dans le sous-titre, est, au moment de cette histoire, un jeune gentilhomme mûr pour son éducation sentimentale. Une amie de sa mère, la douce marquise de Lursay, est séduite par son inexpérience en matière de sentiment. Mais il s'éprend d'une jeune fille, Hortense de Théville, d'un amour qui ne peut cependant le satisfaire ; il reviendra donc vers son initiatrice. Cette sorte d'intrigue, en forme de va-et-vient, est ponctuée par des épisodes semi-dramatiques, billets, jalousies, fâcheries, ménageant pourtant de fréquentes pauses pour les retours du narrateur sur lui-même, qui donnent ainsi lieu à des monologues intérieurs non dépourvus de finesse. Bien que, dans le dernier chapitre, le héros affirme sa résolution de rester définitivement attaché à Mme de Lursay, le lecteur n'a guère l'impression qu'il soit vraiment guéri de ce nomadisme sentimental, qui, motivé par la recherche du plaisir, n'est pas loin de ressembler à une inquiétude.

CRÉMAZIE Octave. Québec 16.4.1827 – Le Havre 16.1.1879. Écrivain canadien d'expression française. Descendant par son père d'une famille du Languedoc, il est né au Canada et mourut en France. Après ses études classiques au petit séminaire de Québec, il rencontra l'abbé Holmes, l'un des meilleurs éducateurs de l'époque, qui eut sur lui une influence décisive. C. se passionne pour la lecture, acquiert une érudition remarquable et une solide culture littéraire. A dix-sept ans, avec ses frères Joseph et Jacques, il ouvre un commerce de librairie, bientôt le rendez-vous de nombreux écrivains tels que François-Xavier Garneau, Antoine Gérin-Lajoie, Louis Fréchette ... Ce cénacle, l'École de Québec, discute de littérature française et s'intéresse aussi aux lettres espagnoles, anglaises, allemandes et italiennes. C. publie ses premiers poèmes à partir de 1854. Il reçoit aussitôt un accueil enthousiaste. L'École de Québec fonde l'Institut canadien, qui publie *les Soirées canadiennes,* auxquelles succède *le Foyer canadien.* Pour C., libraire compétent mais administrateur maladroit, la ruine est imminente ; il ne recule pas devant des procédés douteux qui le forcent bientôt à affronter l'exil. Il part le 10 novembre 1855 et ne reverra plus le Canada.

L'exil volontaire de C. lui est une dure école. La France, où il cherche asile, lui est peu hospitalière. Il connaît la maladie et la misère, dans une pauvre chambre de Paris. Un ancien ami de Québec, Hector Bossange, qui possède le château de Citry, l'y accueille pour sa convalescence. C. se rétablit à demi. Pendant seize ans, il vit médiocrement de modestes travaux et des secours financiers de son frère Jacques. Il ne se console pas d'avoir perdu sa patrie. Il se prive même de son identité et ne signe plus que du nom de Jules Fontaine. Il n'écrit plus de vers. Dans son abondante correspondance avec sa famille et ses amis, on retrouve des vues justes et souvent prophétiques. C'est sa foi solide qui le sauve du désespoir. Il confie à son ami l'abbé Casgrain, venu le réconforter à Paris, qu'il lui suffit d'une pause pour la prière à Notre-Dame-des-Victoires pour se relever fort en lui-même. Il meurt dans la solitude à cinquante-deux ans.

C. possède des dons de poète, une inspiration abondante, des sentiments nobles. C'est le premier poète national du Canada. Il exprime la renaissance du peuple canadien, il se fait le porte-parole de ses regrets, de ses espoirs, de sa vaine nostalgie des grandeurs françaises passées, de ses élans patriotiques. Il s'émeut des mœurs pures et rudes des populations rurales et il célèbre son attachement à la religion. La production poétique de C. s'étale sur quelques années seulement. C'est pourquoi elle est aussi mince : une vingtaine de pièces. *Le Drapeau de Carillon* et le *Chant du vieux soldat canadien* sont ses deux poèmes patriotiques le plus souvent cités. La cantilène des *Mille-Îles* mérite également l'attention. Dans *la Promenade des trois morts,* il se livre tout entier à son lyrisme macabre. Pendant son exil, il rédige son *Journal d'un exilé,* pour occuper ses loisirs pénibles. Il se révèle un observateur vigilant pendant le siège de Paris en 1870, notant au jour le jour les événements dont il est témoin. Ses jugements, ses descriptions, ses portraits sont pleins de finesse. Sa correspondance de la même période dénote sa bonté et sa résignation à son triste destin.

Œuvres. *Chant du vieux soldat canadien,* 1855 (P). – *Le Drapeau de Carillon,* 1858 (P). – *Les Morts. Promenade des trois morts,* après 1862 (P). – *Journal d'un exilé,* après 1862 (N). – *Journal du siège de Paris,* 1870 (N). – *Poésies* (recueil), posth., 1882.

CRÉTIN Guillaume. Vers 1461 – 1525. Chanoine de la Sainte-Chapelle et trésorier de la chapelle de Vincennes, il fut chargé par François Ier d'écrire l'histoire de France. Il rédigea des chroniques en vers mais n'acheva jamais l'œuvre commencée. Sur douze livres prévus, cinq seulement ont paru. Il est un poète médiocre, même si Lemaire de Belges l'a salué comme le « prince et principal maistre des poètes de la langue française ». Comme son ami Molinet, il est obscur, se livre à des jeux de mots souvent fort peu subtils. Il est un représentant typique de l'école des Rhétoriqueurs de la seconde moitié du XVe s., usant et abusant de l'allégorie, se complaisant dans une métrique compliquée. Le prestige dont C. a joui de son vivant s'explique par sa haute conscience artistique et par un rayonnement personnel qui lui attira de nombreux amis.

Œuvres. *Chroniques de France,* s.d. (P). – *Chants royaux,* s.d. (P). – *Plainte sur le trépas du chevalier de Byssipat,* s.d. (P). – *Déploration sur le trépas d'Okeghem,* s.d. (P). – *Débat sur le passe-temps des chiens et des oiseaux.* – *Traictés singuliers contenus au présent opuscule... plusieurs chants royaux, ballades, rondeaux et épîtres composés par feu de bonne mémoire maître Guillaume Crétin, naguère chantre de la Sainte-Chapelle du Palais,* posth., 1525. – *Œuvres poétiques,* posth., 1526. – *Œuvres poétiques,* éd. établie par Chesney, 1933.

CREVEL René. Paris 10.8.1900 – 18.6.1935. Après avoir fait ses études au lycée Jeanson-de-Sailly, puis à la Sorbonne, il fonde la revue *Aventure* avec ses amis Marcel Arland, Georges Limbour, Jacques Baron, Max Morisse et Roger Vitrac, puis fréquente les membres du mouvement dada et les milieux surréalistes et collabore à la revue *Littérature.* S'il prend ses distances pendant quelque temps, *Détours* le montre revenant vers André Breton et abandonnant le dadaïsme ; il publie ensuite un certain nombre d'essais au style classique et naturel. Exclu momentanément du parti communiste en 1933, il fit effort pour réconcilier les surréalistes et les partisans de Moscou, mais, devant l'échec de ses tentatives, il se suicida. Cette fin tragique d'une vie angoissée, sous le dehors de l'humour ou de la dérision, n'est pas sans donner un sens à une œuvre où la fantaisie le dispute à l'amertume et même au désespoir, quels que soient les masques dont le surréalisme permet à C. de se parer. Il dut peut-être à son destin de rester comme l'auteur d'une des œuvres où le surréalisme a donné le meilleur de lui-même : le jeu de l'imagination et de l'ironie, le sens du corps à corps avec le langage (un langage qui ne saurait être innocent), et aussi cette oscillation entre la virulence du pamphlet et l'émotion du poème. Écrivain « paroxystique » (« Il était né révolté comme d'autres naissent avec les yeux bleus », disait Soupault) au meilleur sens du terme, C. demeure l'une des personnalités littéraires les plus attachantes et les plus énigmatiques de sa génération.

Œuvres. *Détours,* 1924 (N). – *Mon corps et Moi,* 1925 (N). – *La Mort difficile,* 1926 (N). – *Babylone,* 1927 (N). – *L'Esprit contre la raison,* 1928, rééd. 1969 (N). – *Êtes-vous fous ?,* 1929, rééd. 1981 (N). – *Paul Klee,* 1930 (E). – *Salvador Dali ou l'Obscurantisme,* 1931 (E). – *Le Clavecin de Diderot,* 1932, rééd. 1966 (N). – *Les Pieds dans le plat,* 1933 (N). – *Révolution, surréalisme, spontanéité,* posth., 1978 (E).

CRITIQUE [grec *kritikè* = art de juger]. Action de porter un jugement sur la production littéraire ou artistique du passé ou du présent. La critique, grâce à d'illustres initiateurs (Sainte-Beuve), est devenue, à partir du XIXe siècle, un genre littéraire à part entière. Elle s'est diversifiée presque à l'infini, selon les principes (ou l'absence de principes) auxquels le critique se réfère. Ainsi se sont opposées la critique dogmatique (Nisard, Faguet) et la critique impressionniste (J. Lemaitre, A. France) tandis que tentait de s'élaborer, sur le modèle de la science, une critique positive (Taine, Renan) qui, généralement, privilégie l'aspect historique de la création littéraire ; en ce sens, le « lansonisme » (du nom de Gustave Lanson) a dominé la critique universitaire de 1900 à 1930 environ. La critique a aussi cherché, avec Brunetière et sa théorie de l'évolution des genres, à fonder son objectivité sur l'étude des structures proprement esthétiques et littéraires. Ses orientations, issues de l'influence de Sainte-Beuve, provoqueront la réaction significative de M. Proust (*Contre Sainte-Beuve*, posth., 1954), et c'est dans la ligne proustienne que se situe la critique de sympathie et d'intériorité de Ch. Du Bos. De plus en plus, à l'époque contemporaine, le critique se veut un écrivain, de la même manière que l'écrivain tend à devenir un critique – non seulement des autres écrivains mais aussi de lui-même et encore du monde intellectuel qui l'entoure. Il n'est pas rare qu'un même écrivain exerce simultanément les deux tâches. Quant à la critique scientifique approfondie, prétexte à de savants ouvrages, elle s'oriente vers l'histoire littéraire, l'analyse stylistique ou sociologique, etc. La critique peut, tout aussi bien, se limiter délibérément à un simple commentaire personnel. Enfin, elle a acquis droit de cité à la radio et à la télévision. (Voir ÉCOLE DE GENÈVE, NOUVELLE CRITIQUE, PSYCHANALYSE ET CRITIQUE LITTÉRAIRE.)

CROISÉ Jacques. (Voir SCHAKOVSKOY.)

CROISSET, Frantz Wiener, dit **Francis de.** Bruxelles 1877 – Neuilly-sur-Seine 1937. En collaboration avec R. de Flers, il écrivit, entre autres, les célèbres *Vignes du Seigneur* et une charmante opérette, *Ciboulette*, dont Reynaldo Hahn composa la musique. D'autre part, il a signé seul de nombreuses comédies de boulevard comme *Chérubin*. Superficiel et très « daté » par la Belle Époque, son théâtre cède aisément la place à quelques romans encore connus, tels *la Féerie cinghalaise* et *Nous avons fait un beau voyage*.

Œuvres. *Qui trop embrasse,* 1899 (T). – *Chérubin,* 1901 (T). – *Le Paon,* 1904 (T). – *La Bonne Intention,* 1905 (T). – *Le Bonheur, mesdames,* 1905 (T). – *Le Feu du voisin,* 1910 (T) – *Le Cœur dispose,* 1912 (T). – *L'Épervier,* 1914 (T). – *La Féerie cinghalaise,* 1926 (N). – *La Livrée de Monsieur le Comte,* 1927 (T). – *La Vie parisienne au théâtre,* 1929 (E). – *Le Souvenir de Robert de Flers,* 1929. – *Nous avons fait un beau voyage,* 1930 (N). – *Le Vol nuptial,* 1931 (T). – *Nos marionnettes,* 1934. – *La Dame de Malacca,* 1935 (N). – *La Côte de Jade,* posth., 1938 (N). – Avec R. de Flers : *les Vignes du Seigneur,* 1923 (T) ; *Ciboulette* (opérette, musique de Reynaldo Hahn), 1923 (T) ; *les Nouveaux Messieurs,* 1925 (T) ; *le Docteur Miracle,* 1926 (T).

CROMMELYNCK Fernand. Paris 19.11.1888 – Saint-Germain-en-Laye, 1970. Dramaturge belge d'expression française. Né dans une famille de comédiens, et belge de mère française, il avait déjà écrit plusieurs pièces avant que soit représenté à Bruxelles au théâtre royal du Parc, en 1906, *Nous n'irons plus au bois,* ce qui était un précoce début. Mais son premier et plus grand succès fut *le Cocu magnifique,* joué à l'Œuvre par Lugné-Poe en 1921, comédie lyrique où le thème traditionnel du mari trompé devient, par retournement, une farce truculente à fond tragique, celui de l'homme en proie à d'étranges obsessions de l'imagination. La même année, *les Amants puérils* mettent en scène la face dérisoire de l'amour illusoire : un jeune homme aime une femme qui reste toujours voilée, et qu'il croit belle ; quand il la verra, quelle désillusion devant les ravages de l'âge ! C. déclarait compter, avant tout, sur la solidité technique de ses œuvres et sur son aptitude à faire servir ce métier à l'expression d'un comique vigoureux que sa logique même entraîne jusqu'à l'outrance. Pour ce faire, C. met en scène des êtres quasi primitifs, exclusivement entraînés jusqu'au bout d'eux-mêmes par la loi organique de leur nature et de leurs instincts. À cet égard, l'œuvre de C. mérite sa place dans l'avant-garde qui, au cours de l'entre-deux-guerres, annonçait quelques-uns des thèmes de la littérature contemporaine.

Œuvres. *Nous n'irons plus au bois,* 1906 (T). – *Le Sculpteur de masques,* 1908 (T). – *Le Marchand de regrets,* 1913 (T). – *Le Cocu magnifique,* 1921 (T). – *Les Amants puérils,* 1921 (T). – *Tripes d'or,* 1925 (T). – *Corinne ou la Jeune Fille folle de son âme,* 1929 (T). – *Une femme qu'a le cœur trop petit,* 1934 (T). – *Chaud et Froid ou l'Idée de M. Dom* (repris sous le titre *Leona*), 1935 (T).

Le Cocu magnifique

Bruno et Stella forment un couple parfait. Mais voici que le mari est si fier des charmes de sa femme qu'il en fait voir quelques-uns à son cousin Pétrus, lequel laisse alors paraître des signes de concupiscence. Bruno en est obsédé, la jalousie commence à faire en lui ses ravages. Il lui faut une certitude : il n'y a qu'une seule solution, qui consiste pour lui à se fabriquer une preuve irréfutable de sa mésaventure. C'est lui qui, non sans peine, fera entrer Pétrus dans le lit de Stella, après quoi les deux « amants » font tout ce qu'il peuvent pour persuader Bruno qu'il est bien cocu, mais Bruno n'en veut rien croire. Donc, si ce n'est Pétrus, qui est-ce ? Et, à partir de là, tous les hommes du village vont passer dans le lit de Stella pour tenter, sans succès, d'apaiser l'inextinguible soif de certitude de ce « cocu magnifique ».

Chaud et Froid ou l'Idée de M. Dom. Léona, l'héroïne, trompe M. Dom avec tous les hommes du village. À la mort de son mari, elle apprend qu'il avait une maîtresse. Saisie de jalousie posthume, elle jette son dernier amant dans les bras de la maîtresse du défunt, qui risquait de le rejoindre dans l'au-delà : la voilà donc sauvée. Quant à Léona, elle fabrique une image de son mari, homme aux idées géniales et méconnues, qui lui permet de se sauver, elle aussi, en jouant le personnage de la veuve éplorée d'un grand homme.

CROS Charles. Fabrazan (Aude) 1.10.1842 – Paris 9.8.1888. Il est le quatrième enfant d'une famille de bonne bourgeoisie, cultivée mais sans fortune, et fait ses études sous la direction de son père, un républicain, directeur d'institution scolaire, à qui le second Empire retirera son poste. À quatorze ans, C. est initié à plusieurs langues anciennes et modernes, latin, grec, sanscrit, hébreu, allemand et italien. Les mathématiques et les sciences lui sont aussi familières que la philosophie, la peinture ou la musique. De 1860 à 1863, il devient répétiteur, puis professeur à l'Institut des sourds-muets, à Paris, entreprend des études médicales qu'il abandonne bientôt et mène une vie assez désordonnée. Avec ses frères, comme lui doués d'une curiosité imaginative et inventive qui n'exclut pas un sens marqué de l'humour, il fréquente la bohème pittoresque de l'époque. Ses premiers vers paraissent dans la revue *l'Artiste*, et il collaborera même au deuxième *Parnasse contemporain* avant de se brouiller avec ceux dont il qualifie les écrits de « poses philologiques déplacées ». Avec Verlaine et Rimbaud, il assiste aux réunions zutiques ou des Vilains Bonshommes, et s'habitue à l'absinthe, mais, lorsque Verlaine abandonne sa femme pour s'enfuir avec le « Satan adolescent », C. prend le parti de la femme du poète en raison de ses liens personnels avec sa famille. En 1873, il publie son premier recueil poétique, *le Coffret de santal*, dont il donnera une seconde édition, augmentée de trente-sept nouveaux poèmes, en 1879. Les thèmes, pris dans les chansons populaires, les légendes, qui célèbrent la femme, les amours, etc., et l'esprit de ce lyrisme font penser aux poètes romantiques allemands. Fraîcheur et sincérité, grâce et ironie cachent parfois l'angoisse et le désarroi. Mais C. est aussi un scientifique passionné par la recherche. Il sera l'auteur méconnu de quelques inventions de grande portée. Les problèmes de réalisation pratique le laissent, malheureusement, trop souvent indifférent, et ses communications à l'Académie des sciences, qui ne rencontrent que scepticisme et indifférence, restent inexploitées. En 1882, la Société de physique lui propose, mais trop tard, de mettre un laboratoire à sa disposition. De ses travaux scientifiques on retiendra : en 1867, un projet de télégraphe électrique automatique et un « procédé d'enregistrement et de reproduction des couleurs, des formes et des mouvements » ; en 1869, un mémoire sur les moyens de communication avec les planètes (il fera même, en 1874, des conférences sur le problème des communications inter-astrales) et une *Solution générale du problème de la photographie en couleurs.* On lui devra encore l'invention d'un chromomètre, appareil à mesurer la coloration des objets, et un procédé de photographie en couleurs. En 1872, il présente une *Théorie mécanique de la perception de la pensée et de la réaction.* Dans le domaine de l'acoustique, il décrit en 1877 un appareil susceptible d'enregistrer et de reproduire les phénomènes perçus par l'ouïe, qu'il appelle le « paléophone », et qu'Edison, présentant sa propre machine quelques mois plus tard, rendra célèbre sous le nom de phonographe. La postérité rendra hommage à l'inventeur malchanceux en donnant son nom à un prix annuel du disque. Toujours partagé entre les sciences et la poésie, C. fonde en 1874 une revue poétique, *le Monde nouveau*, d'une grande rigueur, dont l'existence n'est qu'éphémère ; la même année, il publie un poème, *le Fleuve*, illustré d'eaux-fortes de Manet, avec qui il était lié d'amitié, et écrit quinze *Dixains réalistes*, qu'il insérera dans l'édition de 1879 du *Coffret de santal* sous le titre *Grains de sel.* Sa famille vit dans une gêne matérielle constante, malgré les tentatives désespérées de C. pour parvenir à la réussite scientifique. En 1887, il constate amèrement : « Physicien, chimiste, philosophe et poète, je suis depuis longtemps condamné à n'être que l'humoriste titubant de *Pituite* et du *Hareng saur.* » Il récite avec verve poèmes et proses au cabaret du *Chat-Noir* et publie, dans le journal du même nom, plusieurs poèmes et contes entre 1883 et 1887. Sa santé, compromise par l'habitude de l'absinthe, est aussi minée par une détresse douloureuse pudiquement cachée. Sa mort, après une vie d'échec, ne secouera pas l'indifférence de ses contemporains. Seul Verlaine lui rendra justice et reconnaîtra la valeur du poète en qui les autres ne voient qu'un amuseur. Son œuvre poétique découvre tantôt une fantaisie imaginative mêlant le réel, le fantastique et un humour léger, tantôt une mélancolie discrète, la lassitude que fait peser la perte des illusions et un sentiment d'angoisse et de solitude, ou une part d'érotisme. Mais C. dénonce aussi l'absurdité du monde, contre laquelle il se débat et se révolte, notamment dans ses monologues. C'est pour les jeux de salon de son amie Nina de Villard – et aussi pour se procurer un peu d'argent – qu'il compose de brefs textes en prose dans ce genre oublié depuis des siècles. L'acteur Coquelin en est le plus souvent l'interprète, avec un succès tel que les pièces reçoivent parfois le nom de « coquelineries ». Parmi les plus célèbres monologues de C., avec l'histoire du « Hareng saur », on relève « l'Obsession », « l'Homme qui a voyagé », « le Voyage à trois étoiles », « la Propriété », « l'Ami de la maison », « l'Homme propre », « l'Homme qui a réussi », « le Capitaliste », « le Bilboquet », où l'auteur excelle à fustiger avec logique et humour la bêtise, la platitude, l'hypocrisie bourgeoises. Poète de transition entre le Parnasse, qu'il récuse, et les Décadents, avec qui il présente des traits communs, C., avec toutes ses faiblesses et son mélange de raffinement et de pacotille fin de siècle, a le goût moderne de l'insolite et une vision optimiste de l'avenir. Les surréalistes le célébreront comme un de leurs précurseurs.

Œuvres. *La Science de l'amour,* 1864 (P). – *Poèmes* dans le *Second Parnasse contemporains,* 1871 (P). – *Le Coffret de santal,* 1873 (P). – *Le Fleuve,* 1874 (P). – *La Vision du Grand Canal royal des Deux-Mers,* 1888 (P). – *Le Collier de griffes,* posth., 1908 (P). – *Œuvres complètes,* éd. établie par L. Forestier et P.-O. Walzer, 1970.

CUREL François de. Metz 10.6.1854 – Paris 26.4.1928. Auteur de pièces à thèse sur des problèmes philosophiques ou moraux, sincères, pleines de bon sens, et qui parurent des chefs-d'œuvre. Elles datent sans doute, mais, outre qu'elles comptent au nombre des meilleurs témoignages des goûts dramatiques d'une époque, le sens de la concentration, la fermeté psychologique des caractères et un style fait d'un mélange original de mouvement et d'austérité leur confèrent une sorte de grandeur qui n'est pas sans efficacité. Parmi les dramaturges qui, au début du siècle, ont tenté la synthèse du « théâtre d'idées » et du théâtre naturaliste, C. mérite d'occuper peut-être la première place.

Œuvres. *L'Été des fruits secs,* 1885 (N). – *Le Sauvetage du grand-duc,* 1889 (N). – *Sauvé des eaux,* 1889 (T). – *L'Envers d'une sainte,* 1892 (T). – *Les Fossiles,* 1892 (T) [nouv. version, 1900]. – *L'Invitée,* 1893 (T). – *L'amour brode,* 1893 (T). – *La Figurante,* 1896 (T). – *Le Repas du lion,* 1897 (T). – *La Nouvelle Idole,* 1899 (T). – *La Fille sauvage,* 1902 (T) [nouv. version, 1919]. – *Le Coup d'aile,* 1906 (T). – *La Danse devant le miroir,* 1914 (T) [nouv. version de *Sauvé des eaux* et de *L'Amour brode*]. – *L'Âme en folie,* 1919 (T). – *La Comédie du génie,* 1922 (T). – *L'Ivresse du sage,* 1922 (T). – *Terre inhumaine,* 1922 (T). – *La Viveuse et le Moribond,* 1926 (T). – *Orage mystique,* 1927 (T).

La Nouvelle Idole.

Il s'agit de la science et des risques qu'elle fait courir à l'homme. Sujet éminemment moderne. Le docteur Donnat, qui ne croit qu'en la science, inocule le cancer à une jeune orpheline dont il est sûr que, tuberculeuse, elle est condamnée ; et même, pour mieux poursuivre son expérience, il se l'inocule à lui-même. Mais Antoinette, contrairement aux « prévisions » du savant, guérit de la tuberculose, et Donnat se demande, avec angoisse et remords, si, dès lors, la décision qu'il a prise la concernant ne revêt pas le caractère d'un meurtre inutile, puisque, du fait de la guérison de la jeune fille, la science – sa seule foi – se trouve mise en échec. C'est Antoinette qui, inspirée par sa foi en Dieu, le réconforte en acceptant le sacrifice de sa vie, et Donnat lui-même finira par mourir en chrétien.

CURTIS Jean-Louis. Orthez 22.5.1917. Dans la lignée du roman dit « traditionnel », l'œuvre de C. apparaît surtout comme un témoignage romancé sur son époque, témoignage dont le ton ironique n'exclut pas la sensibilité, tandis que la gentillesse apparente n'est que le masque d'une lucidité parfois impitoyable et, dans ses meilleurs moments, génératrice d'un humour subtil que C. n'abandonne pas, même lorsque, comme dans *La Chine m'inquiète,* il aborde certains problèmes brûlants de notre temps. Prix Goncourt 1947 avec *les Forêts de la nuit,* peinture des Français durant l'Occupation, il sait aussi manier avec finesse l'analyse psychologique la plus classique dans le cadre rigoureux des nouvelles du *Thé sous les cyprès.*

Œuvres. *Les Jeunes Hommes,* 1946 (N). – *Siegfried,* 1946 (N). – *Les Forêts de la nuit,* 1947 (N). – *Haute École,* 1950 (E). – *Chers corbeaux,* 1951 (N). – *Les Justes Causes,* 1954 (N). – *Pédro,* 1956 (N). – *L'Échelle de soie,* 1956 (N). – *À la recherche du temps posthume,* 1957 (E). – *Un saint au néon,* 1957 (N). – *La Parade,* 1960 (N). – *Cygne sauvage,* 1962 (N). – *Adélaïde,* 1964 (N). – *La Quarantaine,* 1966 (N). – *Cinéma,* 1967 (E). – *Un jeune couple,* 1967 (N). – *Le Thé sous les cyprès* (nouvelles), 1969 (N). – *Un miroir le long du chemin,* 1969 (E). – *Le Roseau pensant,* 1971 (N). – *La Chine m'inquiète,* 1972 (E). – *Questions à la littérature,* 1973 (E). – *L'Étage noble,* 1976 (N). – *L'Horizon dérobé,* 1979 (N). – *La Moitié du chemin,* 1980 (N). – *Le Battement de mon cœur,* 1981 (N). – *La France m'épuise,* 1982 (E). – *Le Mauvais Choix,* 1984 (E). – *Une éducation d'écrivain* (autobiographie), 1984 (N).

CUSTINE Astolphe, marquis de. Niederwiller (Meurthe-et-Moselle) 18.3.1790 – Paris 25.9.1857. Une éducation fantasque et une jeunesse errante à travers l'Europe se terminèrent par un sordide scandale de mœurs. C. quitta le faubourg Saint-Germain pour les lettres, mais il n'y demeura qu'un amateur, comme le montrent ses romans ou ses récits de voyage. Cependant, on se souvient encore de son livre *la Russie en 1839.* La vie de ce mécène, qui reçut dans son salon les artistes les plus renommés, se termina dans la maladie et la gêne.

Œuvres. *Aloys,* 1829 (N). – *Beatrix Cenci,* 1833 (T). – *Le Monde comme il est,* 1835 (T). – *Éthel,* 1839 (N). – *L'Espagne sous Ferdinand VII,* 1838. – *La Russie en 1839,* 1843 (E). – *Romuald ou la Vocation,* 1848 (N). – *Lettres à Rachel,* posth., 1870. – *Lettres au marquis de La Grange,* posth., 1925.

CYCLE. Ensemble de poèmes, ou de romans, ayant un même centre d'intérêt. Ce terme sert aussi à désigner des écrits anonymes qui traitent d'un même sujet. *Le Cycle du roi,* par exemple, contient toutes les chansons de geste qui ont trait à la vie – historique ou légendaire – de Charlemagne. La structure cyclique caractérise enfin les romans dont la composition est fondée sur le retour des personnages (Balzac, Duhamel, J. Romains, Martin du Gard, etc.). [Voir aussi GESTE.]

CYRANO DE BERGERAC Savinien de. Paris 6.1.1619 – 28.7.1655. Soldat et duelliste hors de pair, C. n'a cependant pas grand-chose à voir avec le personnage conçu par Rostand : il n'est même pas gascon, le Bergerac dont il prend le nom se trouvant dans la vallée de Chevreuse ! Contraint d'abandonner l'armée à cause d'une malencontreuse blessure, il mène la vie de bohème et se fait « libertin ». Doué de quelque culture, et surtout d'un étonnant pouvoir d'assimilation et d'expression, il se nourrit de la pensée de Gassendi, mais aussi de celle de Giordano Bruno et de Machiavel. Ce penchant philosophique ne l'empêche point de cultiver aussi l'imagination fantastique et la fantaisie burlesque, dont il se servira pour traduire et masquer à la fois l'audace de sa pensée. Lorsque, renonçant exceptionnellement à son talent burlesque, il écrit une tragédie, *la Mort d'Agrippine,* c'est pour que ce genre à succès, qu'il pratique avec un sens remarquable de la vérité des caractères, lui serve d'expression symbolique pour une pensée politique non conformiste ; il s'était de même servi de la comédie – avec *le Pédant joué* – pour ruiner, par la truculence de son comique, quelques préjugés. Il mériterait aussi, par ses *Lettres,* d'être considéré, auprès de Guez de Balzac, comme un des fondateurs de la prose moderne. C'est d'ailleurs un esprit déjà encyclopédique, qui écrit des ouvrages de vulgarisation scientifique tels que sa *Physique.* Mais c'est surtout un « imaginaire », qui sait incarner dans de vivants symboles fantastiques les principes de son idéologie critique et parfois presque nihiliste. Il fonde déjà la tradition littéraire de l'anecdote ou du conte philosophiques, qui sera bientôt accomplie en Angleterre avec Swift, poursuivie en France par Voltaire et se continuera jusqu'à certains aspects de la science-fiction d'aujourd'hui.
C'est en effet dans son *Histoire comique des États et Empires de la Lune* et surtout dans son *Histoire comique des États et Empires du Soleil,* dont la publication intégrale attendra 1921, que triomphe le génie de C. : il y pratique à la fois l'anticipation scientifique, le symbolisme philosophique à tendance matérialiste et la satire burlesque de la société, ces techniques convergeant vers une critique radicale des institutions politiques. Il est des pages qui se situent déjà très au-delà de Montesquieu ou de Voltaire. Dans les deux œuvres, l'apparente fantaisie des éléments traçant l'aventure cosmique a été décryptée par G. Bachelard, aussi bien que par E. Canseliet. L'interprétation qui explique ces textes par la symbolique alchimique, fondée sur l'idée d'une transmutation radicale de la matière, demeure cependant à l'état d'hypothèse, tant C., comme la plupart des philosophes hermétiques, semble se jouer de la dimension initiatique de son propos. Les voyages extraordinaires de *l'Autre Monde* accomplissent toutefois les exigences d'une mystérieuse poétique. C. est, dans presque tous les domaines, un précurseur, mais son influence immédiate fut sans doute négligeable. Il reste, néanmoins, le témoin le plus évident de toutes les virtualités subversives que recelait cette littérature « libertine » qui a si fortement marqué un

certain XVIIe siècle, comme aussi le courant burlesque.

Œuvres. *La Mort d'Agrippine,* 1653 (T). – *Le Pédant joué,* 1654. (T). – *Lettres,* 1654. – *L'Autre Monde,* s. d. (N). – *Publication tirée de « l'Autre Monde » : Histoire comique des États et Empires de la Lune,* posth., 1657. – *Histoire comique des États et Empires du Soleil,* posth., 1662. – *Œuvres complètes,* éd. établie par J. Prévot, 1977.

Les États et Empires du Soleil

C. se souvient d'Aristophane et imagine une nouvelle république des Oiseaux, occasion pour lui de développer les thèmes de son utopie sociale. L'auteur, coupable de s'être introduit dans cet État modèle, où sa forme humaine suffit à le rendre suspect, y est condamné à mort. Mais il trouve pour le défendre une pie et un perroquet, qui l'ont autrefois connu. Lorsque, mis en présence d'un aigle, l'homme le prend pour le roi et s'apprête à s'agenouiller, la pie va lui apprendre qu'ici les rois sont choisis parmi les plus faibles, que, d'ailleurs, ils ne règnent que six mois, et que, au cours des états, qui ont lieu chaque semaine, le roi est soumis à un jugement public, qui, sur la seule plainte de trois oiseaux, peut aboutir à sa destitution ou même à son exécution.

D

DABIT Eugène. Paris 21.9.1898 – Sébastopol 23.8.1936. Fils d'ouvriers, il fait des études primaires à Paris, dans une école du quartier de Montmartre. Ensuite apprenti en ferronnerie d'art, il montre un vif intérêt pour les arts plastiques et étudiera dessin et peinture. Le manque de travail pendant la guerre le fait devancer l'appel. C'est à la même époque qu'il découvre l'œuvre de Ch. Louis-Philippe, qui lui donne le goût d'écrire. En 1927, il soumet à Gide sa première version d'un roman, *Petit-Louis,* largement autobiographique, qui paraîtra en 1931. Gide, Martin du Gard, Guéhenno l'aident de leurs conseils et resteront ses amis. En 1930, *Hôtel du Nord* est publié avec un éclatant succès et vaut à son auteur le prix populiste. D. y évoque les humbles existences qu'il a côtoyées dans le petit hôtel acheté par ses parents en 1923 près du canal Saint-Martin, à Paris, en inaugurant ce qu'on appellera au cinéma le « réalisme poétique ». (Marcel Carné tirera d'ailleurs de ce livre intimiste un film qui deviendra un des grands classiques du cinéma français.) Désormais, D. se consacre exclusivement aux lettres. Prenant généralement pour cadre de ses romans les quartiers pauvres du nord et du nord-est de la capitale, il dépeint le monde des petites gens avec une note pittoresque et attachante. Il a, en restant fidèle au peuple, le souci des préoccupations sociales et souligne l'aspect documentaire de son œuvre, mais sans que jamais la valeur artistique en soit absente. Sa technique d'écrivain s'inspire beaucoup de l'art cinématographique, soit dans les dialogues, soit dans le découpage, soit dans l'éclairage, tout en restant toujours intégralement fidèle au réel. Au cours d'un voyage en U.R.S.S., fait en compagnie de Gide et d'un groupe d'écrivains, il est atteint par la scarlatine et meurt en Crimée. Son *Journal intime (1928-1936),* rempli d'« images de Paris, cafés, lieux de passage ou de rencontres, lieux où toujours on se sent en exil... », est révélateur de l'attachante personnalité de l'écrivain.

Œuvres. *Hôtel du Nord,* 1930 (N). – *Petit-Louis,* 1931 (N). – *Villa Oasis ou les Faux Bourgeois,* 1932 (N). – *Faubourgs de Paris,* 1933 (N). – *L'Ile,* 1934 (N). – *Un mort tout neuf,* 1934 (N). – *La Zone verte,* 1935 (N). – *Trains de vies,* 1936 (N). – *Le Mal de vivre,* posth., 1937 (N). – *Les Maîtres de la peinture espagnole,* posth., 1937 (E). – *Journal intime (1928-1936),* posth., 1939.

DACIER Mme, née **Anne Lefèbvre.** Saumur 3.1654 – Paris 17.8.1720. Épouse d'André D., secrétaire perpétuel de l'Académie française, remarquablement cultivée, Mme D. contribua au renouveau des lettres latines et grecques en établissant des textes (Callimaque, Florus) ou en donnant leur traduction française : Térence (1678), Anacréon et Sapho (1681), Plaute (1683), Aristophane (1684). Son œuvre majeure est la traduction de *l'Iliade* (1699) et de *l'Odyssée* (1708). Elle écrivit en outre *Des causes de la corruption du goût* (1714), en réponse à Houdar de La Motte, qui avait osé critiquer et amender son cher Homère. Ce fut l'origine de la seconde querelle des Anciens et des Modernes. De commerce agréable, et nullement vaniteuse, Mme D. eut le mérite de ne pas être une « femme savante ». Ses traductions ont vieilli mais témoignent d'un effort, nouveau à cette époque, de précision et d'élégance.

DADA, DADAÏSME. Nom choisi, à cause de son absence de signification, par Tristan Tzara pour baptiser le mouvement qui, sous son influence, naît à Zurich, au cabaret Voltaire, en février 1916. D'abord spectacle de cabaret fréquenté par un milieu cosmopolite d'artistes qui tentent d'échapper à la guerre, le dadaïsme cultive bientôt les techniques de la dérision et de la provocation pour dire son dégoût de l'art. Dada ne cherche pas l'originalité mais l'effet ; c'est tout de suite un mouvement international : New York (Picabia), Cologne, Berlin... Tzara veut soumettre non seulement la poésie mais l'existence même du langage à l'irruption irraisonnée de la violence. L'arrivée de Tzara à Paris donne le signal d'une très vive agitation (janvier-août 1920) : Breton et J. Rivière militent pour Dada dans *la N.R.F.* Bientôt, cependant, cette tentative anarchiste pour découvrir l'authentique but des choses entre dans une période plus tâtonnante : Breton, qui a déjà publié les *Champs magnétiques* (voir BRETON, SURRÉALISME), voit le danger d'effritement et de nihilisme qui guette le surréalisme naissant, et détourne peu à peu Dada à son profit. Tzara et Breton rompent en janvier 1922, et, dès lors, Dada s'éteint complètement : ce qu'il y avait de novateur dans sa volonté de ravage s'est trouvé « digéré » dans l'entreprise plus positive du surréalisme.

DADELSEN Jean-Paul de. Strasbourg 20.8.1913 – Zurich 23.6.1957. Après de brillantes études qui le conduisirent à l'agrégation d'allemand, où il fut reçu premier, il exerça, après la guerre, un certain nombre de fonctions officielles avant que ne lui soit confiée, en 1956, la direction de l'Institut international de presse à Zurich. Une mort prématurée, à la suite d'un cancer au cerveau, l'empêcha de mener à bien une œuvre poétique riche de promesses (publ. posth. 1961), elle-même noyau d'un grand roman symbolique et initiatique, resté inachevé, *Jonas.*

DADIÉ Bernard Binlin. Assinie (Côte-d'Ivoire) 1916. Écrivain ivoirien d'expression française. Élevé dans la foi catholique, D. fit de bonnes études qui le conduisirent à l'école William-Ponty, véritable pépinière de cadres africains. Il en sort à la fin de 1935 avec un diplôme de commis d'administration. Il entre à l'I.F.A.N., haut lieu de la recherche africaniste, et y travaille pendant onze ans. Il y approfondit sa connaissance des cultures africaines, s'intéresse au folklore et à l'art africains. De retour en Côte-d'Ivoire, il s'engage dans l'action politique et prend ouvertement parti contre le colonialisme. Dans ses *Légendes africaines,* il retourne à l'esprit de la tradition, qu'il dégage de tout exotisme ; *le Pagne noir* rassemble des contes de son pays, qu'il a rendus avec un remarquable souci de fidélité ; puis, des observations faites lors de son premier voyage à Paris, il tire *Un nègre à Paris.* Une fois l'indépendance de son pays rétablie, il prend la direction des services culturels. En 1960, il visite les U.S.A. et réunit ses observations dans *Patrons de New York.* Des notes d'un voyage en Italie fournissent la matière de *la Ville où nul ne meurt.* Plus récemment, D. s'est fait dramaturge avec des pièces qui, portées sur la scène à Abidjan, Dakar, Alger et Paris, ont connu un vif succès. Il est, depuis 1977, ministre des Affaires culturelles de Côte-d'Ivoire.

L'œuvre de D. frappe par son extrême diversité. Il est, avec Senghor, l'un des écrivains noirs les plus féconds. Rien, apparemment, ne semble pouvoir l'éloigner de la littérature. Il vit, observe, agit, et confie son expérience à ses nombreuses œuvres. Les plus importantes sont inspirées par la tradition africaine, dont il veut faire connaître l'originalité culturelle. Il a poursuivi en Côte-d'Ivoire la même œuvre que Birago Diop au Sénégal : on y retrouve l'âme profonde de l'homme de la forêt, son mode de vie, ses croyances.

Œuvres. *Assemien Déhylé,* 1937 (T). – *Afrique debout,* 1950 (P). – *Légendes africaines,* 1954 (N). – *Le Pagne noir,* 1955, rééd. 1977 (N). – *La Ronde des jours,* 1956 (P). – *Climbié,* 1956 (N). – *Un nègre à Paris,* 1959, rééd. 1976 (N). – *Patrons de New York,* 1964 (N). – *Légendes et Poèmes,* 1966. – *Hommes de tous les continents,* 1967 (P). – *La Ville où nul ne meurt,* 1968 (N). – *Monsieur Thôgô-Gnini,* 1970, rééd. 1978 (T). – *Béatrice du Congo,* 1970, rééd. 1976 (T). – *Des voix dans le vent,* 1970, rééd. 1982 (T). – *Iles de tempête,* pièce en 7 tableaux, 1973 (T). – *Préface* du livre de M. Diarrasssouba, *le Lièvre et l'Araignée :* « les Contes de l'Ouest africain », 1975. – *Papassidi maître-escroc,* 1975 (T). – *Mhoi-Ceul,* 1979 (T). – *Opinions d'un nègre,* 1979 (E). – *Commandant Taureault et ses nègres,* 1980 (N). – *Les Jambes du fils de Dieu,* 1980 (N). – *Carnets de prison,* 1981. – *Les Contes de Koutou-as-Samala* (pour la jeunesse), 1982 (N).

DAMAS Léon Gontran. Cayenne 28.3.1912 – Washington 22.1.1978. Écrivain guyanais. (Voir NÉGRO-AFRICAINE [LITTÉRATURE].)

DANCOURT, Florent Carton, dit. Fontainebleau 1.12.1661 – Courcelles-le-Roi 6.2.1725. Après de médiocres études, il épousa la fille du célèbre acteur La Thorillière et se consacra au théâtre, à la fois comme acteur (à la Comédie-Française) et comme auteur. Il avait en effet rencontré le philosophe Saint-Yon, spécialiste des « caractères » dans le genre de La Bruyère, qui, sans doute, lui inventa des sujets et des personnages que D. insérait dans des comédies grâce à sa connaissance du métier, et c'est son nom qui a seul survécu, du fait que c'est lui qui « signait » ces comédies. Paraissant sur la scène au lendemain de la disparition de Molière, elles connurent un grand succès et furent appréciées de Louis XIV. Elles présentent un univers impitoyable, où mènent leurs intrigues des personnages qui, maîtres ou valets, nobles ou bourgeois, ne sont que des cyniques et des calculateurs ; mais ce qui, dans cet univers, pourrait aisément tourner au drame, l'attitude des auteurs sait le rendre comique : ils ont garde de masquer les charmes de ce monde, ne portent sur lui aucun jugement moral même implicite, mettent en relief le fonctionnement de sa « mécanique » et obtiennent par là des effets comiques sûrs. Car, parmi ces personnages, si corrompus soient-ils, il en est qui ont de l'esprit, et ils l'exercent aux dépens de ceux qui n'en ont pas : les auteurs ne se préoccupent pas de censurer le vice, ils veulent railler la sottise, et ils y parviennent avec beaucoup de talent. Aussi leurs comédies sont-elles composées autour de types comme *la Parisienne, le Chevalier à la mode,* où le cynisme est le brillant meneur de jeu de la comédie, *les Bourgeoises à la mode,* où, autour d'un chevalier d'industrie, gravitent des femmes d'esprit uniquement soucieuses de se gausser de leurs maris, des jeunes filles à la vertu peu exigeante, ainsi qu'une joueuse délirante. Ce théâtre introduit sur la scène des types nouveaux, représentatifs de la rapide évolution de la société française à la fin du XVIIe siècle.

Œuvres. *La Mort d'Hercule,* 1683 (T). – *Les Fonds perdus,* 1685 (T). – *Le Chevalier à la mode,* 1687 (T). – *La Désolation des joueuses,* 1687 (T). – *La Maison de campagne,* 1688 (T). – *Les Bourgeoises à la mode,* 1693 (T). – *La Femme d'intrigue,* 1694 (T). – *La Parisienne,* 1694 (T). – *Les Vendanges de Suresnes,* 1694 (T). – *Le Tuteur,* 1695 (T). – *La Foire de Bezons,* 1695 (T). – *La Foire Saint-Germain,* 1696 (T). – *Le Charivari,* 1697 (T). – *La Loterie,* 1697 (T). – *Le Moulin de Javelle,* 1697 (T). – *Le Mari retrouvé,* 1698 (T). – *Les Fées,* 1699 (T). – *La Fête du village,* 1700 (T). – *Les Vacances,* s.d. (T). – *Le Notaire obligeant,* s.d. (T). – *Le Galant Jardinier,* 1704 (T). – *Le Diable boiteux et le second chapitre du Diable boiteux,* 1707 (T) – *Madame Artus,* 1708 (T). – *Les Agioteurs,* 1710 (T). – *Sancho Pança gouverneur,* 1713 (T). – *Les Fêtes du cours,* 1714 (T). – *La Déroute du pharaon,* 1718 (T). – *Le Bon Soldat,* 1718 (T). – *L'Éclipse,* 1724 (T). – *Les Bourgeoises de qualité* (seconde version de *la Fête du village*), 1724 (T). – *Les Trois Cousines,* 1725 (T).

Le Chevalier à la mode

C'est un jeune noble ruiné qui entreprend de se refaire par des projets de riche mariage avec une femme d'âge mur. Pour plus de sûreté, il s'attaque conjointement à une baronne et à une veuve bourgeoise, Mme Patin. Mais il se propose d'employer l'argent qu'il compte tirer de l'une et l'autre pour enlever une jeune personne qui lui inspire, sinon de l'amour, du moins du goût. Pour arriver à ses fins, il a fait composer par un poète à gages quelques vers dont il prétend qu'il est l'auteur, et qu'il utilise indifféremment auprès de chacune de ses trois cibles. Mais voici que, par hasard, les trois femmes se rencontrent, et le pot aux roses est découvert. Informé de la situation, le chevalier va trouver la plus sotte, Mme Patin, et finira, à force d'esprit, par se tirer d'affaire.

DANCOURT L.-H. ou **L.-R.** Paris 1725 – 1801. Il est l'auteur de quelques livrets d'opéras-comiques et d'une comédie, *les Deux Amis* (1762). En réponse à la *Lettre à d'Alembert sur les spectacles,* D. a donné son meilleur ouvrage, une apologie de la comédie et des comédiens : *L.-H. Dancourt, arlequin de Berlin, à J.-J. Rousseau, citoyen de Genève* (1759).

DANGEAU, Philippe de Courcillon, marquis de. Chartres 21.10.1638 – Paris 9.8.1720. Après avoir servi dans la diplomatie et aux armées, il fut reçu à la Cour, qui appréciait ses récits espagnols et ses talents de conteur ; ses connaissances en algèbre lui permirent de faire fortune au jeu. On doit à ce patient observateur, doué d'une mémoire phénoménale, un *Journal de la Cour de 1684 à 1720* (publ. 1854), qui circula en manuscrit bien avant d'être publié, et qu'utilisèrent Saint-Simon, le président Hénault, La Bruyère et Voltaire. D. sacrifie quelquefois l'objectivité à la flatterie envers le roi, mais son *Journal* reste une source inépuisable de petits faits pittoresques, dont la lecture est fort plaisante. Acad. fr. 1668.

DANIEL-ROPS, Henri Petiot, dit. Épinal 19.1.1901 – Chambéry 27.7.1965. Dès le premier essai de ce jeune professeur d'histoire, *Notre inquiétude,* se manifeste une conscience soucieuse d'accorder la tradition religieuse à l'évolution moderne de l'esprit. *L'Âme obscure* et *Mort, où est ta victoire ?* intériorisent ce problème sous la forme romanesque. Directeur de la revue *Ecclesia* (1948-1965), D.-R. consacre la fin de sa vie à son *Histoire de l'Église* qu'avait inaugurée, avec un grand succès public, *Jésus en son temps* : l'auteur a tenté de présenter de façon accessible à tous, sans les vulgariser, la foi catholique et l'évolution du christianisme. Un recueil posthume, *Contes pour le cristal,* rassemble des récits inédits sur le thème des phénomènes de voyance ou de dédoublement de la personnalité. Acad. fr. 1955.

Œuvres. *Notre inquiétude,* 1927 (E). – *L'Âme obscure,* 1929 (N). – *Le Monde sans âme,* 1930 (E). – *Péguy,* 1933 (E). – *Éléments de notre destin,* 1934 (E). – *Mort, où est ta victoire ?* 1934 (N). – *Rimbaud, le drame spirituel,* 1935 (E). – *L'Épée de feu,* 1939 (N). – *Pascal et notre cœur,* s. d. (E). – *Sur le théâtre de H.-R. Lenormand* (E). – *Estaunié* (E). – *Par-delà notre nuit,* 1942 (E). – *Réflexions sur la volonté* (E). – *Histoire sainte,* 1943. – *Jésus en son temps,* 1945. – *Deux Études sur William Blake,* 1946 (E). – *Ernest Psichari,* 1947 (E). – *L'Histoire de l'Église du Christ* (9 vol.), 1948-1963. – *Mystiques de France* (E). – *Orphiques,* 1950 (P). – *Contes pour le cristal,* posth., 1966 (N).

DANINOS Pierre. Paris 26.5.1913. Il doit sa réputation aux célèbres *Carnets du major Thompson,* où il décrit, avec beaucoup d'humour et de justesse, le Français dit « moyen » vu par un officier anglais. Il a poursuivi son œuvre dans la même veine humoristique sur des thèmes divers. Il est également chroniqueur dans un grand quotidien parisien.

Œuvres. *Le Sang des hommes,* 1941 (N). – *Méridiens,* 1945 (N). – *Passeport pour la nuit ou le Roi-Sommeil,* 1946 (N). – *Eurique et Amérope,* 1946 (N). – *Les Carnets du Bon Dieu,* 1947 (N). – *L'Éternel Second,* 1949 (N). – *Savoir-vivre international* (ouvrage collectif), 1951. – *Sonia, les Autres et Moi,* 1952 (N). – *Comment vivre avec (ou sans) Sonia,* 1953 (N). – *Le Tour du monde du rire* (ouvrage collectif), 1953. – *Les Carnets du major Thompson,* 1954 (N). – *Le Secret du major Thompson,* 1954 (N). – *Vacances à tous prix,* 1958 (N). – *Tout l'humour du monde* (ouvrage collectif), 1958. – *Un certain M. Blot,* 1960 (N). – *Le Jacassin,* 1962 (N). – *Daninoscope,* 1963 (N). – *Snobissimo,* 1964 (N). – *Le 36e Dessous,* 1966 (N). – *Le Major tricolore, ou Comment peut-on être français ?,* 1968 (N). – *Ludovic Morateur ou le Plus-que-Parfait,* 1970 (N). – *Le Pyjama,* 1972 (N). – *Les Nouveaux Carnets du major Thompson,* 1973 (N). – *Les Touristocrates,* 1974 (N). – *La Première Planète à droite en sortant par la Voie lactée,* 1975 (N). – *Made in France,* 1977 (N). – *La Composition d'histoire,* 1979 (N). – *Le Veuf joyeux,* 1981 (N). – *La Galerie des glaces ou les Caractères de notre temps,* 1983 (N). – *La France dans tous ses états,* 1985 (N).

DANTON Georges Jacques. Arcis-sur-Aube 26.10.1759 – Paris 5.4.1794. Venu à Paris en 1780 pour étudier le droit, il plaida assez régulièrement jusqu'en 1791. Sa générosité naturelle l'ayant poussé à fonder le club des Cordeliers (1790), il prit part activement à la Révolution, relançant sans cesse les énergies par ses talents d'orateur puissant, brutal, brillamment improvisateur. Il fit partie du Comité de salut public (avril-juillet 1793) mais s'opposa violemment à Robespierre, qui le fit guillotiner. Ses *Discours,* dont le plus remarquable est celui du 2 septembre 1792 (couramment intitulé *la Patrie en danger*), ont été publiés en 1910.

DARD Frédéric. Jallieu (Isère) 29.6.1921. Créateur du célèbre commissaire San-Antonio, D. a inauguré un style de roman policier typiquement français ; l'action, frôlant parfois le pastiche du roman policier traditionnel, s'y accompagne d'un jeu avec l'argot populaire. Il est également l'auteur de romans plus « sérieux » : *Toi, le venin, les Scélérats, le Dos au mur, le Monte-Charge,* qui ont été portés à l'écran, et a composé le livret de l'opérette *Monsieur Carnaval* (1965).

Œuvres publiées sous le nom de F. Dard. *La Mort des autres,* 1946 (N). – *Le Cirque Grancher,* 1947 (N). – *Le bourreau pleure,* 1956 (N). – *Les Bras de la nuit,* 1956 (N). – *Délivrez-nous du mal,* 1956 (N). – *Les salauds vont en enfer,* 1956 (N). – *Toi, le venin,* 1957 (N). – *Cette mort dont tu parlais,* 1957 (N). – *Des yeux pour pleurer,* 1957 (N). – *On n'en meurt pas,* 1957 (N). – *Le Pain des fossoyeurs,* 1957 (N). – *Le Tueur triste,* 1958 (N). – *Une gueule comme la mienne,* 1958 (N). – *Toi qui vivais,* 1958 (N). – *Ma sale peau blanche,* 1958 (N). – *Les Derniers Mystères de Paris,* 1958 (N). – *Coma,* 1959 (N). – *La dynamite est bonne à boire,* 1959 (N). – *Rendez-vous chez un lâche,* 1959 (N). – *Puisque les oiseaux meurent,* 1960 (N). –

Les Mariolles, 1960 (N). – *L'Accident,* 1961 (N). – *Le Cauchemar de l'aube,* 1961 (N). – *Le Monte-charge,* 1961 (N). – *La Pelouse,* 1962 (N). – *L'Homme de l'avenue,* 1962 (N). – *Le Cahier d'absence,* 1962 (N). – Avec R. Hossein, *les Six Hommes en question,* 1963 (T). – *Quelqu'un marchait sur ma tombe,* 1963 (N). – *Refaire sa vie,* 1965 (N). – *Monsieur Carnaval* (livret de l'opérette), 1965 (T). – *Les Scélérats,* 1966 (N). – *Une seconde de toute beauté,* 1966 (N). – *C'est mourir un peu,* 1967 (N). – *Le Dos au mur,* 1967 (N). – *La Dame de Chicago,* 1968 (N). – *A San Pedro ou ailleurs,* 1968 (N). – *Initiation au meurtre,* 1971 (N). – *Un tueur,* 1971 (N). – *Mausolée pour une garce,* 1972 (N). – *Le Maître de plaisir,* 1973 (N). – *Du plomb pour ces demoiselles. Récit de Russel Moor,* 1974 (N). – *Les Séquestrés,* 1974 (N). – *La Dame qu'on allait voir chez elle,* 1976 (N). – *Mes espionnages* (2 vol.), 1976 (N). – *Histoires déconcertantes,*1977 (N). – *Le Cauchemar de Bella Manningham,* 1978 (T). – *Y a-t-il un Français dans la salle ?* 1979 (N). – *Les Clefs du pouvoir sont dans la boîte à gants,* 1980 (N). – *Faut-il tuer les petits garçons qui ont les mains sur les hanches ?* 1984 (N).

Œuvres publiées sous le pseudonyme de San-Antonio. *Mes hommages à la donzelle,* 1952. – *Du plomb dans les tripes,* 1953. – *Des dragées sans baptêmes,* 1953. – *Descendez à la prochaine,* 1953. – *Passez-moi la Joconde,* 1954. – *Sérénade pour une souris défunte,* 1954. – *Bas les pattes,* 1954. – *Deuil exprès,* 1954. – *Rue des Macchabées,* 1954. – *C'est mort et ça ne sait pas,* 1955. – *J'ai bien l'honneur de vous buter,* 1955. – *Du mouron à se faire,* 1955. – *Le Fil à couper le beurre,* 1955. – *À tue et à toi,* 1956. – *Les anges se font plumer,* 1957. – *Au suivant de ces Messieurs,* 1957. – *Des gueules d'enterrement,* 1957. – *J'ai peur des mouches,* 1957. – *La Tombola des voyous,* 1957. – *Tu vas trinquer, San-Antonio,* 1958. – *Le Secret de Polichinelle,* 1958. – *En long, en large et en travers,* 1958. – *Du poulet au menu,* 1958. – *Entre la vie et la morgue,* 1959. – *On t'enverra du monde,* 1959. – *Prenez-en de la graine,* 1959. – *San-Antonio met le paquet,* 1959. – *Tout le plaisir est pour moi,* 1959. – *J'suis comme ça,* 1960. – *Du sirop pour les guêpes,* 1960. – *San-Antonio renvoie la balle,* 1960. – *Berceuse pour Bérurier,* 1960. – *De A jusqu'à Z,* 1961. – *Du brut pour les brutes,* 1961. – *La Fin des haricots,* 1961. – *Messieurs les hommes,* 1961. – *Ne mangez pas la consigne,* 1961. – *San-Antonio chez les Mac,* 1961. – *Y'a bon, San-Antonio,* 1961. – *San-Antonio chez les gones,* 1962. – *Ménage tes méninges,* 1962. – *Le Loup habillé en grand-mère,* 1962. – *Fleur de nave vinaigrette,* 1962. – *Le Coup du père François,* 1963. – *San-Antonio polka,* 1963. – *En peignant la girafe,* 1963. – *Le Gala des emplumés,* 1963. – *Votez Bérurier,* 1964. – *L'Histoire de France,* 1964. – *Bérurier au sérail,* 1964. – *La Rate au court-bouillon,* 1965. – *Le Standinge selon Bérurier,* 1965. – *Vas-y, Béru,* 1965. – *Salut, mon pote,* 1966. – *Tango chinetoque,* 1966. – *Mange et tais-toi,* 1966. – *Béru et ces dames,* 1967. – *Faut être logique,* 1967. – *Y'a de l'action,* 1967. – *L'Archipel des malotrus,* 1967. – *Béru contre San-Antonio,* 1967. – *Bravo, docteur Béru* 1968. – *Zéro pour la question,* 1968. – *Un éléphant, ça trompe,* 1968. – *Viva Bertaga,* 1968. – *En avant la moujik,* 1969. – *Ma langue au chat,* 1970. – *Béru-Béru,* 1970. – *Ça ne mange pas de pain,* 1970. – *Tout San-Antonio* (recueil), 1970. – *Les Vacances de Bérurier,* 1971. – *N'en jetez plus.* 1971. – *Moi, vous me connaissez ?,* 1971. – *La Sexualité,* 1971. – *Olé ! San-Antonio,* 1971. – *San-Antonio en Écosse,* 1972. – *Emballage cadeau,* 1972. – *Appelez-moi chérie,* 1972. – *San-Antonio fait un tour,* 1973. – *Ça ne s'invente pas,* 1973. – *J'ai essayé : on peut !,* 1973. – *Les Cons,* 1973. – *Les Aventures du Commissaire San-Antonio : l'Histoire de France de Marie-Marie ; Marie-Marie en Tyrannie ; San-Antonio chez les Grecs,* 1973-1974. – *Un os dans la noce,* 1974. – *Les Prédictions de Nostraberus,* 1974. – *Si Signore,* 1974. – *Je le jure* (entretiens avec Sophie Lannes), 1975. – *Si Queue d'Âne m'était conté,* 1976. – *Sucette Boulevard,* 1977. – *Hue, Dada,* 1977. – *Chérie, passe-moi tes microbes,* 1977. – *Ça tourne au vinaigre,* 1977. – *Les Doigts dans le nez,* 1977. – *Viens avec ton cierge,* 1978. – *Œuvres complètes* (16 vol.), 1977. – *Mon culte sur la commode,* 1979. – *Tire m'en deux, c'est pour offrir,* 1979. – *À prendre ou à lécher,* 1980. – *Base Ball à la Baule,* 1980. – *Meurs pas on a du monde,* 1980. – *Tarte à la crème story,* 1980. – *On liquide et on s'en va,* 1981. – *Champagne pour tout le monde,*1981. – *La Pute enchantée,* 1982. – *Bouge ton pied que je vois la mer,* 1982. – *L'Année de la moule,* 1982. – *Du bois dont on fait les pipes,* 1982. – *Va donc m'attendre chez Plumeau,* 1983. – *Morpions circus,* 1983. – *Remouille-moi la compresse,* 1983. – *Si maman me voyait !* 1983. – *Des gonzesses comme s'il en pleuvait,* 1984. – *Les Deux oreilles et la queue,* 1984. – *Pleins feux sur le tutu,* 1984. – *Laissez pousser les asperges,* 1985. – *Poison d'avril ou la vie sexuelle de Lili Pute,* 1985.

DARIEN, Georges Adrien, dit **Georges.** Paris 6.4.1862 – 19.9.1921. Sa vie aventureuse, traversée de procès, est aussi énigmatique que ses origines. Son œuvre évolua d'un antimilitarisme virulent *(les Vrais Sous-Offs, Bas les cœurs, Biribi),* jusqu'à une sorte d'anarchisme d'extrême droite. Esprit cynique et bizarre, fondant des journaux éphémères *(l'Escarmouche,* 1893-1894 ; *Revue de l'impôt unique,* 1911-1912), il tenta de s'imposer au théâtre et publia sans succès l'excellent roman *le Voleur,* probablement autobiographique : cet ouvrage comporte d'intéressants témoignages sur l'anarchisme français de la fin du XIXe siècle. *Le Voleur* a été adapté au cinéma par L. Malle en 1967.

Œuvres. *Biribi,* 1888 (N). – *Les Vrais Sous-Offs,* 1889 (N). – *Bas les cœurs,* 1889 (N). – Avec L. Descaves, *les Chapons,* 1890 (T). – *Le Voleur,* 1897 (N). – *La Belle France,* s.d. (N). – *L'Épaulette, souvenirs d'un officier,* 1905 (N). – *L'Ami de l'ordre,* 1906 (T). – *La Maison du mouchard,* s.d. (N). – *La Malhonnête Femme,* s.d. (N). – *Le Pain du Bon Dieu,* s. d. (T). – *Viande à feu,* s. d. (T).

DAUDET Alphonse. Nîmes 13.5.1840 – Paris 15.12.1897. Issu d'un milieu bourgeois et légitimiste, il est le fils d'un petit négociant en soieries dont l'affaire périclite au point que la famille va s'installer à Lyon pour tenter de redresser ses affaires. Alphonse fait ses études au lycée de Lyon, mais la ruine définitive de ses parents l'oblige à les interrompre pour se faire répétiteur au collège d'Alès en 1857. Quelques mois plus tard, il rejoint à Paris son frère aîné, Ernest, le futur historien, auprès de qui il trouve aide et réconfort. Son roman autobiographique, *le Petit Chose,* rappellera ces dures années de jeunesse. Sentimental, rêveur, séduisant, il pense déjà à la littérature comme à l'unique but de sa vie. Son recueil poétique *les Amoureuses* le fait bientôt connaître. Grâce à des protections et à l'intervention de l'impératrice Eugénie, il devient en 1860 secrétaire particulier du duc de Morny, qui lui laisse beaucoup de loisirs pour écrire. Il a ainsi l'occasion d'observer la société mondaine et politique de l'époque et peut aussi soigner une santé compromise par des imprudences, en faisant plusieurs séjours dans le midi de la France, en Algérie (avec son cousin Reynaud, qui servira de modèle à Tartarin) et en Corse. Après la mort de son protecteur en 1865, D. décidera de vivre de sa plume. En 1867, il épouse Julie Allard (qui se fera connaître en littérature sous le nom de Karl Steen, comme essayiste et poétesse), sensible et intelligente : elle sera pour lui une collaboratrice précieuse et dévouée, et vivra jusqu'en 1940. Il publie en 1869, en collaboration avec P. Arène, un recueil de contes inspirés par sa Provence natale, *les Lettres de mon moulin,* dont le charme, la fraîcheur et l'émotion poétiques, mêlés d'un humour tendre, resteront insurpassés et rendront l'œuvre populaire entre toutes. Par la suite, l'exubérance méridionale reparaîtra, mais sous une forme différente, avec une verve ironique, caricaturale, haute en couleur, dans trois romans burlesques : *Tartarin de Tarascon, Tartarin sur les Alpes* et *Port-Tarascon.* Après avoir participé à la guerre de 1870-1871 comme mobile, D. porte à la scène l'un de ses plus beaux contes des *Lettres de mon moulin, l'Arlésienne,* pour lequel Bizet composera une admirable musique de scène. Il tire de ses impressions de guerre les *Contes du lundi,* d'inspiration surtout patriotique, ainsi qu'un roman, *Robert Helmont.* La guerre, qui a provoqué chez lui une prise de conscience, va transformer l'écrivain fantaisiste et poétique en auteur réaliste. La lecture de Dickens, à qui il s'apparente par son mélange d'humour, d'émotion et de réalisme, a sur lui une influence certaine. Il fréquente le « grenier » des Goncourt (c'est à Champrosay, chez les D., que mourra presque subitement Ed. de Goncourt en 1897), assiste aux dîners des « Cinq » chez Flaubert, est en rapports amicaux avec Zola et le peintre Renoir. *Fromont jeune et Risler aîné,* évoquant les milieux artisanaux de Paris, est son premier roman de mœurs réaliste. Désormais, D. sera le témoin de son temps, et ses œuvres – qui vont constituer un tableau des mœurs de 1860 à 1880 – reposent sur une moisson d'observations notées au jour le jour. Même ses personnages seront tirés de la réalité. L'auteur donnera, d'ailleurs, les clefs de ses romans dans ses *Souvenirs d'un homme de lettres* et dans *Trente Ans de Paris.* Sans être naturaliste – et D. s'en défend en soulignant son indépendance –, il travaille « d'après nature », mais ne procède pas par « enquêtes scientifiques », et accueille, comme une « machine à sentir » impressions et sensations, telles qu'elles se présentent. Le réel est observé par lui avec sympathie, émotion, ironie : D. vibre avec les êtres, s'intéresse aux déshérités, aux malheureux, se montre humain, généreux, tolérant, et fait toujours une large place à la poésie. Il se voudrait un « marchand de bonheur », souriant, apaisant. C'est à partir de 1876 que paraissent ses romans les plus significatifs : *Jack,* qui nous introduit dans les milieux ouvriers ; *le Nabab,* qui évoque la société

bourgeoise ; *les Rois en exil,* dont l'action se déroule dans les milieux aristocratiques internationaux, à Paris ; *Numa Roumestan,* sur le monde des politiciens ; *l'Évangéliste,* qui étudie un cas pathologique de fanatisme religieux ; *Sapho,* sur l'enlisement d'un jeune artiste dans un milieu parisien frelaté, et dont Massenet tirera un drame lyrique ; *l'Immortel* enfin, qui s'attaque à l'Académie et met en scène des intrigues mondaines ourdies au service d'hommes sans talent. Toujours en marge du naturalisme, D. n'hésite pas à soutenir Zola au moment du « Manifeste des Cinq » (1887). Lié au félibrige et avec Mistral, qu'il connaît depuis 1859, il collabore à *l'Armana prouvençau.* Le Théâtre-Libre monte de lui *l'Obstacle* et *la Menteuse.* En 1895, il se rend à Londres ; en 1896, à Venise. Il publie des souvenirs, *Entre les frises et la rampe,* et écrit divers ouvrages qui ne paraîtront qu'après sa mort – en particulier *la Doulou,* qui relate les progrès du tabès dont il est atteint et pour lequel il est soigné par Charcot.
Ses *Lettres familiales* seront publiées en 1944. Ses deux fils, Léon et Lucien, se feront également un nom dans les lettres. **Lucien** (1883-1946), auteur de plusieurs romans, d'une biographie de *l'Impératrice Eugénie* (qu'il connaissait bien), d'un livre sur M. Proust, dont il a été l'intime (*Autour de soixante lettres de Marcel Proust,* 1929), a également écrit une *Vie d'Alphonse Daudet* (1941).

Œuvres. *Les Amoureuses,* 1858 (P). – *La Double Conversion,* 1861 (N). – *Le Roman du Chaperon rouge,* 1862 (N). – *La Dernière Idole,* 1862 (T). – *Les Absents,* 1863 (T). – *L'Œillet blanc,* 1865 (T). – *Les Lettres de mon moulin,* 1866 (N). – *Le Frère aîné,* 1867 (T). – *Le Petit Chose,* 1868 (N). – *Le Sacrifice,* 1869 (T). – *Tartarin de Tarascon,* 1872 (N). – *L'Arlésienne* (paru en conte dans *les Lettres de mon moulin*), 1872 (T). – *Les Contes du Lundi,* 1873 (N). – *Robert Helmont,* 1874 (N). – *Fromont jeune et Risler aîné,* 1874 (N). – *Jack,* 1876 (N). – *Le Nabab,* 1877 (N). – *Les Rois en exil,* 1879 (N). – *Numa Roumestan,* 1881 (N). – *L'Évangéliste,* 1883 (N). – *Sapho,* 1884 (N). – *Tartarin sur les Alpes,* 1885 (N). – *L'Immortel,* 1888 (N). – *Souvenirs d'un homme de lettres,* 1888. – *Trente Ans de Paris,* 1888. – *Port-Tarascon,* 1890 (N). – *Rose et Ninette,* 1892 (N). – *Entre les frises et la rampe,* 1894 (N). – *La Petite Paroisse,* 1895 (N). – *Le Trésor d'Arlatan,* 1895 (N). – *La Fédor,* 1896 (N). – *Soutien de famille,* posth., 1898 (N). – *Notes sur la vie,* posth., 1899. – *La Doulou* (journal), posth., 1931. – *Lettres à sa famille,* posth., 1944.

Le Nabab

Histoire de l'ascension et de la chute d'un riche parvenu que des aigrefins exploitent et qui croit pouvoir réussir dans la politique.

Numa Roumestan

La Provence et Paris s'opposent ici dans les personnages du député légitimiste et de sa femme, l'un superficiel, tout en extérieur, en paroles, enthousiaste, mais léger et frivole, prisonnier de son verbe et de sa popularité ; l'autre intelligente, cultivée, mais prudente et sérieuse, effrayée du tourbillon où la plonge la vie de son mari.

Lettres de mon moulin

Le recueil contient, outre une évocation de Mistral (« le Poète Mistral ») et deux « ballades en prose » (« la Mort du Dauphin » et « le Sous-Préfet aux champs »), vingt et un récits précédés du compte rendu de « l'Installation » de l'auteur en son moulin provençal : « la Diligence de Beaucaire », « le Secret de maître Cornille », « la Chèvre de M. Seguin », « les Étoiles », « l'Arlésienne », « la Mule du pape », « le Phare des Sanguinaires », « l'Agonie de la "Sémillante" », « les Douaniers », « le Curé de Cucugnan, « les Vieux », « le Portefeuille de Bixiou », « la Légende de l'homme à la cervelle d'or », « les Trois Messes basses », « les Oranges », « les Deux Auberges », « A Milianah », « les Sauterelles », « l'Élixir du Révérend Père Gaucher », « En Camargue », « Nostalgies de caserne ».

DAUDET Léon. Paris 16.11.1867 – Saint-Rémy-de-Provence 1.7.1942. Fils du précédent. Après des études médicales qui lui inspirèrent ses premiers essais, en particulier *les Morticoles,* il fonda avec Charles Maurras le quotidien *l'Action française* (1907), où ses articles violents et tendancieux révélèrent un styliste et un polémiste que représentaient moins bien ses romans de mœurs. C'est sur le même ton, frôlant l'injure, et parfois contraint de se battre en duel, que D. multiplia jusqu'au bout essais, livres de souvenirs, pamphlets divers. D'une œuvre immense et plus imaginative que convaincante, on peut retenir l'ingénieux *Voyage de Shakespeare,* qui reconstitue une biographie épique du dramaturge à partir de son œuvre, et *le Stupide* XIX*e siècle,* essai rempli d'affirmations hasardeuses, mais à la force expressive séduisante. Son influence littéraire et politique (il fut député) a été considérable. Acad. Goncourt 1897.

Œuvres. *L'Astre noir,* 1893 (E). – *Les Morticoles,* 1894 (N). – *Le Voyage de Shakespeare,* 1896 (E). – *Les Primaires,* 1906 (N). – *Fantômes et Vivants* (souvenirs), 1914. – *Entre-deux-guerres* (souvenirs), 1915. – *L'Hérédo,* 1917 (E). – *Salons et Journaux* (souvenirs), 1917. – *Le Monde des Images,* 1919 (E). – *Au temps de Judas* (souvenirs), 1920. – *Vers le roi* (souvenirs), 1921. – *Le Stupide XIXe siècle,* 1922 (E). – *L'Hécatombe* (souvenirs), 1923. – *Moloch et Minerve* (souvenirs), 1924. – *L'Agonie du régime* (souvenirs), 1925. – *Le Courrier des Pays-Bas* (4 volumes : *La Ronde de nuit ; les Malheurs de la guerre ; Melancholia ; les Pèlerins d'Emmaüs),* 1928 (E). – *Charles Maurras et son temps,* 1928 (E). – *Écrivains et Artistes,* 1929 (E). – *Paris vécu* (souvenirs), 1929-1930. – *Vingt-Neuf Mois d'exil* (souvenirs), 1930. – *Les Bacchantes,* 1932 (N). – *Devant la douleur* (souvenirs), 1932. – *La Pluie de sang* (souvenirs), 1932. – *Député de Paris* (souvenirs), 1933. – *Les Universaux,* 1935 (E). – *Magistrats et Policiers* (souvenirs), 1935. – *La Tragique Existence de Victor Hugo,* 1937. – *Quand vivait mon père* (souvenirs), 1940. – *Sauveteurs et Incendiaires* (souvenirs), 1941.

DAUMAL René. Boulzicourt (Ardennes) 16.3.1908 – Paris 21.5.1944. Animateur de la revue *le Grand Jeu,* il eut une vie inquiète et n'a publié de son vivant qu'une partie de son œuvre, dont *la Grande Beuverie,* étude d'introspection sur les principes philosophiques de Gurdjieff. Seules sa *Correspondance* ainsi que ses œuvres posthumes, le conte ésotérique *le Mont Analogue* et l'édition complète de ses poèmes, permettent de comprendre quel esprit assoiffé d'absolu il était.
La spiritualité de D. – car il s'agit bien d'une spiritualité – s'organise autour de deux démarches inverses et symétriques : la descente aux enfers de *la Grande Beuverie* et l'élévation transcendante du *Mont Analogue ;* on retrouve ici la structure nervalienne. Quant à la poétique qui traduit cette spiritualité, elle doit beaucoup à l'influence de l'Inde : elle est recherche d'une essence verbale, celle qui constitue la « poésie blanche » et dont l'accomplissement dans le dépouillement, et même le dénuement, doit fonder l'accès de l'homme à la réalité du vrai « soi ». Disparu prématurément, D. n'a pu mener jusqu'au bout son entreprise : ce qu'il a pu en traduire n'en reste pas moins un des plus hauts témoignages d'une recherche dont l'importance commence peu à peu à se révéler.

Œuvres. *Lettre à André Breton,* 1930. – *Contre-ciel* (vingt poèmes joints), 1936 (E). – *La Grande Beuverie,* 1938 (E). – *Traduction de « Mort dans l'après-midi »,* d'après Hemingway, 1938 (N). – *Chaque fois que l'aube paraît,* 1940 (E). – *Le Mont Analogue,* posth., 1952 (E). – *Poésie noire, poésie blanche* (poèmes écrits de 1924 à 1943), posth., 1954 (P). – *Lettres à ses amis,* posth., 1958. – *Correspondance,* posth., 1968.

La Grande Beuverie

À la suite d'une « grande beuverie », le narrateur est entraîné dans la Contre-Jérusalem céleste, où vivent les Évadés, voués à la drogue des paradis artificiels : il y a là des artistes, des savants, des « sages », tous abandonnés à la tyrannie de l'illusion. À son réveil, le narrateur, grâce à l'introspection et à la connaissance de soi déclenchées par le rêve qu'il vient de faire, s'orientera vers la recherche de sa conscience.

Le Mont Analogue

Des alpinistes, dirigés par Pierre Segol, organisent une expédition dont le but est la découverte et l'ascension du mont Analogue, montagne insulaire et mystérieuse que la courbure de l'espace rend invisible à l'humanité ordinaire, mais qui est habitée par une humanité supérieure, auprès de laquelle, après avoir affronté de considérables dangers, les alpinistes apprendront les secrets essentiels de l'esprit.

DAUNOU. 1761-1840. (Voir IDÉOLOGUES.)

DAVERTIGE. Écrivain haïtien. (Voir NÉGRO-AFRICAINE [LITTÉRATURE].)

DAVIGNON Henri, vicomte. Saint-Josse-ten-Noode, Bruxelles, 1879 – Woluwé-Saint-Pierre, Bruxelles, 1964. Écrivain belge d'expression française. Moraliste chrétien, il s'intéresse à la psychologie de l'âme moderne, dans *le Courage d'aimer ;* puis, dans ses autres récits, romans et contes, il met en œuvre une observation, teintée d'ironie, de la société mondaine fin de siècle. Son inspiration romanesque s'attache aussi aux mœurs et aux paysages de Flandre ou de Wallonie. Acad. roy. langue et littér. fr., 1932.

Œuvres. *Le Courage d'aimer,* 1906 (N). – *Une rose d'octobre,* 1907 (N). – *Un Belge,* 1913 (N). – *Jean Swalue,* 1919 (N). – *Le Visage de mon pays,* 1921 (E). – *Aimée Colinet,* 1922 (N). – *La Vie des idées,* 1925 (E). – *Un pénitent de Furnes,* 1925 (N). – *Le Vieux Bon Dieu,* 1927 (N). – *De Rossignol à Coxyde,* 1928 (E). – *Les Neuf Muses* (contes), 1930 (N). – *Vent du Nord,*

1932 (N). – *Petite Béguine, voulez-vous danser ?* 1936 (N). – *Tout le reste est littérature,* 1937 (E). – *Une pauvre mouche,* 1937 (N). – *L'Amitié de Max Elskamp et d'Albert Mockel,* 1955 (E).

DE BOSCHÈRE Jean. Uccle-Bruxelles, 1878 – La Châtre (Indre) 1953. Écrivain et peintre belge d'expression française. Avant de se fixer à Fontainebleau, où il fut le voisin et l'ami du poète O.V. de L. Milosz, De B. vécut en Italie, en Écosse, en Angleterre. Passionné par l'ésotérisme, la mystique et les sciences naturelles, il y puisa les thèmes d'une œuvre qui s'est développée en marge des courants symbolistes et surréalistes.

Œuvres. *Beâle-Gryne,* 1909 (N). – *Dolorine et les Ombres,* 1911 (N). – *Métiers divins,* 1913 (E). – *Job le Pauvre,* 1922 (P). – *Ulysse bâtit son lit,* 1929 (P). – *Satan l'Obscur,* 1933 (P). – *Dressé, captif, j'attends,* 1937 (N). – *Héritiers de l'abîme,* 1950 (E). – *Le Chant des haies,* 1953 (P).

DE BROSSES Charles, président. Dijon 7.2.1709 – Paris 7.5.1777. Homme intègre, De B. remplit avec loyauté sa charge de premier président à la cour de Dijon. Esprit curieux et plein de verve, il laissa quelques études érudites, une savoureuse correspondance avec Voltaire et des *Lettres familières écrites d'Italie en 1739 et 1740,* où il peint choses et gens en esthète ; mais ses préférences, qui vont à un art dénué de naturel tel qu'on le concevait au XVIIIe s., faussent souvent son jugement. Ce qui n'empêche point ces *Lettres* de constituer un document de premier ordre sur la culture d'un homme de goût de ce temps. Utilisant un genre littéraire à la mode, l'auteur y trouve l'instrument adapté à son projet d'amateur éclairé : observer d'un œil pénétrant les êtres, les mœurs et les monuments rencontrés au hasard de sa pérégrination à travers les villes et les campagnes italiennes ; ce regard est surtout à la fois, dans une parfaite harmonie, celui de toute une société et celui d'une personnalité d'élite. Dans cette rencontre heureuse réside tout le charme de ces *Lettres.*

Œuvres. *Lettre sur l'état actuel de la ville d'Herculae et sur les causes de son ensevelissement sous les ruines du Vésuve,* 1750. – *Mémoires sur la matière étymologique,* 1751. – *Mémoire sur quatre manuscrits tibétains provenant d'un monastère,* 1755. – *Histoire des navigations aux terres australes,* 1756. – *Mémoire du culte des dieux fétiches,* 1757. – *Mémoire de la communication du grand Océan des deux Indes avec les mers du Nord,* 1761. – *Traité de la formation mécanique des langues et des principes physiques de l'étymologie,* 1765. – *Mémoire des origines des peuples pélagiques,* 1766. – *Histoire des républiques romaines dans le cours du VIIe siècle, par Salluste* (3 vol.), 1777. – *Lettres familières écrites d'Italie en 1739 et 1740,* posth., 1799.

DÉCADENT – DÉCADENTISME. Le terme « décadent » fut très en vogue à la fin du XIXe s. : il fut mis à la mode par Verlaine vers 1885 (« Je suis l'empire à la fin de la décadence »). Autour des revues *Lutèce* et *le Décadent* (1886-1889) se groupèrent de jeunes poètes (Verlaine, L. Tailhade, Moréas) qui se réclamaient de l'esprit du philosophe allemand Schopenhauer. Huysmans, dans *À rebours,* fait de son héros des Esseintes le type du décadent, que caractérisent le dégoût de l'ordre bourgeois et classique, le refuge dans l'esthétisme, le culte du rare, de l'excentrique, le pessimisme, la morbidité. Lautréamont utilisait déjà ce terme quelque vingt ans auparavant quand, dans une de ses comparaisons, il parlait d'« empire en décadence ». Le représentant le plus typique de la poésie « décadente » de l'époque symboliste est Jules Laforgue. Une parodie révélatrice du « décadentisme » parut dans *Lutèce* sous le titre *les Déliquescences d'Adoré Floupette* (Gabriel Vicaire et Henri Beauclair, 1885).

DÉCASYLLABE. Vers de dix syllabes, avec coupe en 4 + 6 (exceptionnellement, 5 + 5). C'est le vers de *la Chanson de Roland* et, plus généralement, de la poésie épique du Moyen Âge. Il fut progressivement, à partir du XVIe s., supplanté par le vers de douze syllabes, dit alexandrin, comme vers spécifique de la « haute » poésie. Néanmoins, c'est encore en décasyllabes que Maurice Scève compose les dizains de sa *Délie* (1544) : il est vrai que la construction du poème sur le nombre 10 (dix vers de dix syllabes) correspondait ici, sans doute, à une symbolique des nombres d'origine néoplatonicienne. Quant à Ronsard, tandis que, dans ses *Hymnes* de 1555-1556, il donne l'avantage à l'alexandrin (« vers héroïque » selon sa terminologie), tout en conservant le décasyllabe (devenu « vers commun ») pour quelques-uns d'entre eux, c'est ce dernier mètre que, paradoxalement il choisira, en 1572, pour sa grande épopée de *la Franciade.* Après quoi, le décasyllabe tombera en désuétude, jusqu'à ce que Valéry le ressuscite brillamment, au XXe s., dans son *Cimetière marin* (1920).

DECAUNES Luc. Marseille 1913. Tout d'abord influencé par le surréalisme, D. a bientôt trouvé sa propre voie : il s'est « tourné vers le sang » et la réalité concrète des hommes, sans pour autant cesser de chanter l'amour et la liberté, thèmes chers aux surréalistes. Il s'est de plus en plus rapproché de la communauté des hommes, usant du « droit de regard » dont le poète dispose, essayant de concilier l'écrivain fidèle à l'image, aux mots, et le révolutionnaire soucieux du mieux-être des humains.

Œuvres. *L'Indicatif présent ou l'Infirme tel qu'il est,* 1938 (P). – *Le Feu défendu,* 1938 (P). – *À l'œil nu,* 1941 (P). – *Le Camphre et l'Amadou,* 1942 (P). – *Le Cœur en ordre,* 1943 (P). – *L'Air natal,* 1944 (P). – *Le Sens du mystère,* 1946 (P). – *Poèmes militants* (écrits entre 1935 et 1946), 1947 (P). – *Sourde oreille,* 1948 (P). – *Droit de regard,* 1950 (P). – *L'Amour lui-même,* 1952 (P). – *L'Amour sans preuves,* 1960 (P). – *Raisons ardentes* (recueil), 1964 (P). – *Éluard,* 1965 (E). – *Baudelaire,* 1969 (E). – *La Poésie romantique française,* 1973 (E). – *La Poésie parnassienne* (anthol.), 1976. – *La Lecture,* 1976. – *Haute-Provence,* 1978 (P). – Avec J. Roca, *Chansons pour un bichon. Des chansons pour tous les enfants et pour tous les parents,* 1979. – *Paul Éluard, l'amour, la révolte, le rêve,* 1982 (E). – *La Poésie au grand jour,* 1982 (E).

DECOIN Didier. Neuilly-sur-Seine 13.3.1945. Journaliste, romancier, homme de radio et de cinéma, D. est le fils d'Henri Decoin, cinéaste aux innombrables succès. C'est comme journaliste à *France-Soir* et au *Figaro* que D. a commencé sa carrière. Il a vingt ans lorsqu'il publie *le Procès à l'amour,* son premier roman. Tout en poursuivant son œuvre d'écrivain, il réalise par la suite un certain nombre de films (scénarios, dialogues ou mises en scène), anime des émissions radiophoniques et monte deux pièces de théâtre dont l'une, *Laurence,* est tirée de son roman. Lorsqu'il glisse de la caméra à la plume, D. garde la même efficacité cinématographique. Dans son habileté à enchaîner des scènes saisies dans le présent de l'image et de l'événement, dans sa vision volontiers simultanéiste des faits, dans son emploi constant de registres contradictoires, il se rapproche parfois de Dos Passos dont il partage la fascination pour l'Amérique. Qu'il s'agisse de *Laurence,* situé dans une ville du Sud américain, d'*Abraham de Brooklyn* ou de *John l'Enfer* qui lui valut le Goncourt en 1977, l'odyssée de ses personnages se conjugue toujours avec l'observation pointilliste des villes américaines perçues à la fois comme mythes et comme réalités. Des héros déchirés, à la recherche d'une inaccessible pureté, souvent au carrefour de la vie et de la mort, peuplent les romans. Les personnages féminins, au seuil de l'âge adulte, opposent leur fragilité au monde cruel des hommes. Leur mort, loin d'être une tragédie, permet les retrouvailles : avec le père dans *l'Enfant de la mer de Chine,* avec l'homme aimé dans *Laurence,* enfin avec Dieu dans *Elisabeth ou Dieu seul le sait.* D. est en effet un écrivain catholique préoccupé par le rôle du chrétien dans la société actuelle. Fustigeant l'engagement politique, il prône la solidarité humaine et la fidélité à Dieu. C'est dans cet esprit qu'il part en croisade, dans *Béatrice en enfer,* contre l'erreur judiciaire et le sacrifice d'une innocente.

Œuvres. *Le Procès à l'amour,* 1966 (N). – *La Mise au monde,* 1967 (N). – *Elisabeth ou Dieu seul le sait,* 1971 (N). – *Abraham de Brooklyn,* 1972 (N). – *Ceux qui vont s'aimer,* 1973 (N). – *Trois milliards de voyages,* 1975 (E). – *Un policeman,* 1975 (N). – *Il fait Dieu,* 1975 (E). – *John l'Enfer,* 1977 (N). – *La Dernière Nuit,* 1978 (E). – *Laurence,* 1978 (T). – *Une chambre pour enfant sage,* 1979 (T). – *L'Enfant de la mer de Chine,* 1981 (N). – *Il était une joie... Andersen,* 1982 (E). – *Les Trois Vies de Babe Ozouf,* 1983 (N). – *La sainte Vierge a les yeux bleus,* 1984 (N). – *Béatrice en enfer,* 1984 (E).

DE COSTER Charles Théodore Henri. Munich 1827 – Ixelles 1879. Écrivain belge d'expression française. De famille flamande, il fait ses études à Bruxelles puis se consacre à la littérature. Sa tournure d'esprit romantique le porte vers l'histoire et les littératures germaniques, bien qu'il se passionne aussi pour la lecture des auteurs français. Avec une vingtaine d'amis, il fonde en 1847 un cénacle littéraire, la *Société des Joyeux,* où il présente ses premiers essais littéraires, poésie et prose. Une rupture sentimentale met un terme à de longues fiançailles (1851-1858) dont on a l'écho dans ses *Lettres à Élisa.* De C. collabore alors au *Uylenspiegel,* revue dont le rôle est important dans la vie littéraire belge de l'époque, et que dirige son ami, le peintre F. Rops. Il y publie des récits qu'il réunit ensuite sous le titre de *Légendes flamandes* et que suivront *les Contes brabançons.* Les deux recueils sont différents de ton et d'esprit : les *Légendes* constituent un premier essai de renouvellement des thèmes populaires ; elles sont composées en style archaïque ; les *Contes,* écrits dans la langue courante

du XIXe s., laissent percevoir une double influence, romantique et réaliste. De 1860 à 1864, De C. travaille pour la commission royale chargée de la publication des lois anciennes et trouve ainsi l'occasion de se documenter sur les données historiques qui formeront le cadre de son chef-d'œuvre, *la Légende de Uylenspiegel,* « roman » auquel il travaillera pendant dix ans. Emprunté à la tradition médiévale populaire allemande, Uylenspiegel, héros réel ou imaginaire de facéties burlesques, jouit au XIXe s. d'une grande popularité en Belgique, comme en témoignent les diverses adaptations du récit de ses aventures publiées à l'époque. L'œuvre de De C., dont l'action se déroule au XVIe s., pendant les troubles des Pays-Bas, fait de Uylenspiegel, non plus un farceur truculent et grossier, mais « la personnification du peuple, opprimé dans son existence matérielle et dans ses croyances, et qui puise dans son amour pour la terre natale et sa passion pour la liberté, le courage nécessaire pour lutter contre ses puissants maîtres, Charles Quint et Philippe II ». Avec relief et couleur, de la verve et une réelle originalité de ton, l'auteur accumule les épisodes tantôt comiques tantôt émouvants, et les événements tour à tour tragiques et grotesques. Il emprunte, en en faisant un usage très personnel, des matériaux à la langue française du XVIe s. (vocables, procédés de style, tours de phrase...), pour en tirer des effets de rythmes et de mouvement, de couleur locale et de burlesque et parfois une truculence toute rabelaisienne.
Obligé, pour subsister, de remplir des emplois divers, l'auteur n'écrira plus que des articles de politique et de critique et quelques œuvres mineures. Ce n'est qu'après sa mort qu'on reconnaîtra l'apport de De C., dont l'œuvre a notamment influencé le mouvement *Jeune Belgique* et des écrivains tels que Verhaeren, Eekhoud, Demolder, Ghelderode.

Œuvres. *Légendes flamandes,* 1858 (N). – *Contes brabançons,* 1861 (N). – *Légende de Uylenspiegel et de Lamme Goedzack au pays de Flandres et ailleurs,* 1868 (N). – *Le Voyage de noces,* 1872 (N). – *Caprices de femmes,* 1875 (N). – *Voyage en Zélande,* 1878. – *Lettres à Élisa* (écrites entre 1851 et 1858), posth., 1894.

DEGUY Michel. Paris 25.5.1930. Philosophe par sa formation et ses fonctions universitaires, influencé par les poètes du « mystère en pleine lumière », Pindare ou Hölderlin, mais aussi par des chantres de la parole poétique tel Saint-John Perse, D. est avant tout l'explorateur de la *démarche* poétique en tant que son essence est à la fois de voiler et de désigner les êtres et les choses rencontrés sur le chemin de la vie ou du rêve. Aussi le poème devient-il une tentative de figuration des signes dont la découverte traduit l'approfondissement de cette exploration (*les Meurtrières*). Le thème le plus constant de cette poésie est donc celui de la profondeur des signes découverts, profondeur où s'identifient la pratique de la poésie et l'interrogation sur la poésie. De sorte que, dans *Figurations, Poèmes, Propositions, Études,* la continuité entre pratique et interrogation apparaît comme source de cohérence dynamique : l'aboutissement en est cette sorte de sur-poésie par laquelle la conjonction de la pratique et de l'interrogation produit une parfaite fusion de l'art des mots et de la vie profonde. Ainsi s'explique que le poète se soit engagé dans une ascèse rigoureuse de son langage, condition, à ses yeux, de la libération d'un lyrisme authentique qui ne doive plus rien aux compromissions de la rhétorique. Le recueil *Gisants* semble marquer à la fois l'aboutissement de la recherche inaugurée avec *Biefs* et *Actes* et le point de départ d'un épanouissement lyrique jusque-là contenu par les exigences, sans doute provisoires, de l'ascèse verbale.

Œuvres. *Les Meurtrières,* 1959 (P). – *Fragments du cadastre,* 1960 (P). – *Poèmes de la presqu'île,* 1961 (P). – *Thomas Mann,* 1962 (E). – *Approche de Hölderlin,* 1962 (E). – *Le Monde de Thomas Mann,* 1963 (E). – *Biefs,* 1964 (P). – *Actes,* 1966 (E). – *Ouï-dire,* 1966 (P). – *Histoire de rechutes,* 1968 (P). – *Figurations, Poèmes, Propositions, Études,* 1969 (P). – *Tombeau de Du Bellay,* 1973. – *Poèmes 1960-1970,* 1973. – *Reliefs,* 1975. – *Jumelages,* suivi de *Made in U.S.A.,* 1978. – *Donnant, donnant,* 1981 (E). – *La Machine matrimoniale ou Marivaux,* 1982 (E). – Avec J.-P. Dupuis, *René Girard et le problème du mal,* 1982 (E). – *Gisants,* 1985 (P).

DEIMIER Pierre de. Avignon 1570 – 1618. Familier de la cour de Marguerite de Valois, poète fécond mais assez médiocre, il a fait paraître huit volumes de poésies. Mais il n'a échappé à l'oubli que par son œuvre théorique *l'Académie de l'art poétique,* où il pose les premiers jalons du classicisme.

Œuvres. *Premières Œuvres, dédiées à la Gloire,* 1600 (P). – *L'Austriade,* 1601 (P). – *Les Illustres Aventures,* 1603 (P). – *La Néréide ou Victoire navale,* 1605 (P). – *Histoire des amoureuses destinées de Lysimont et de Clitye,* 1608 (P). – *Le Printemps* *des lettres amoureuses,* 1608 (P). – *Académie de l'art poétique,* 1610 (E). – *La Royale Liberté de Marseille,* 1616 (P).

DEKOBRA, Ernest Maurice Tessier, dit **Maurice.** Paris 1888 – 1973. Il entra en littérature avec *Messieurs les Tommies,* portrait satirique de ses compagnons de guerre britanniques, et poursuivit avec des romans qui évoquent des milieux cosmopolites plus ou moins douteux et développent avec brillant des intrigues passionnelles banales mais relevées par un sens aigu de l'efficacité sentimentale. Le succès le plus durable alla peut-être à *Mon cœur au ralenti* et à *la Madone des sleepings.*

Œuvres. *Messieurs les Tommies,* 1917 (N). – *Mon cœur au ralenti,* 1924 (N). – *La Madone des sleepings,* 1925 (N). – *La Gondole aux chimères,* 1926 (N). – *Flammes de velours,* 1927 (N). – *Sérénade au bourreau,* 1928 (N). – *Fusillé à l'aube,* 1931 (N). – *Mon tour du monde,* 1952 (N). – *L'Amazone de Pretoria,* 1963 (N).

DELACROIX Eugène. Saint-Maurice, près de Paris, 26.4.1798 – Paris 13.8.1863. Le grand peintre romantique est aussi un écrivain de premier rang. Nourri d'une culture universelle, il consigne dans son *Journal* des réflexions de caractère esthétique, moral ou philosophique d'une portée considérable. Sa *Correspondance,* outre son intérêt biographique, fait de D. un des grands maîtres de la littérature épistolaire, aux côtés de Voltaire ou de Flaubert.

Œuvres. *Des critiques en matière d'art,* 1829 (E). – *Questions sur le Beau,* 1854 (E). – *Variations sur le Beau,* 1857 (E). – *Journal* (commencé le 3 septembre 1822), posth., 1893-1895 ; nouvelle édition, 1932. – *Correspondance générale (1804-1863),* posth., 1936-1938.

DELARUE-MARDRUS Lucie. Honfleur 3.11.1880 – Château-Gontier 26.4.1945. Elle épousa en 1900 le docteur Mardrus, traducteur des *Mille et Une Nuits.* Surtout versificatrice, elle évoque avec attendrissement dans des recueils poétiques les émotions ou les spectacles de sa campagne normande. De 1908 à sa mort, elle a publié des romans d'inspiration analogue dont le plus lu fut *l'Ex-voto.* On lui doit d'attachants *Mémoires.*

Œuvres. *Occident,* 1900 (P). – *Ferveur,* 1902 (P). – *Horizons,* 1904 (P). – *La Figure de proue,* 1908 (P). – *Marie, fille mère,* 1908 (N). – *Le Roman de six petites filles,* 1909 (N). – *Par vents et marées,* 1910 (P). – *L'Inexpérimentée,* 1912 (N) – *Deux Amants,* 1917 (N). – *Souffles de tempêtes,* 1919 (P). – *Toutoune et son amour,* 1919 (N). – *À Maman,* 1920 (P). – *L'Ex-voto,* 1921 (N). – *Rédalga,* 1928 (N). – *Mort et Printemps,* 1932 (P). – *Une femme libre et l'amour,* 1933 (N). – *Roberte,* 1937 (N). – *Mémoires,* 1938.

DELAVIGNE Jean-François Casimir. Le Havre 4.4.1793 – Lyon 11.12.1843. Il mena une double carrière de poète, avec *Trois Messéniennes* et *Nouvelles Messéniennes* – œuvres lyriques et nationales très alourdies par leur pseudo-classicisme –, et de dramaturge, avec la tragédie *les Vêpres siciliennes,* qui obtint un vif succès. Il se rapprocha du goût romantique dans *Marino Faliero* et *Louis XI.* Malgré l'intérêt historique de son entreprise, accueillie inégalement en son temps, on peut dire aujourd'hui que la tentative de D. pour concilier héritage classique et drame hugolien a été un net échec. Acad. fr. 1825.

Œuvres. *Trois Messéniennes,* 1818 (P). – *Deux Élégies sur la vie et la mort de Jeanne d'Arc,* 1819 (P). – *Les Vêpres siciliennes,* 1819 (T). – *Les Comédiens,* 1820 (T). – *Le Paria,* 1821 (T). – *L'École des Vieillards,* 1823 (T). – *Cromwell,* 1827 (T). – *La Princesse Aurélia,* 1828 (T). – Avec Germain Delavigne et Eugène Scribe, *la Muette de Portici* (opéra, musique d'Auber), 1828 (T). – *Marino Faliero,* 1829 (T). – Avec Eugène Scribe, *Fra Diavolo* (opéra comique, musique d'Auber), 1830 (T). – *La Parisienne* (chant patriotique), 1830. – Avec Germain Delavigne et Eugène Scribe, *Robert le Diable* (opéra, musique de Meyerbeer), 1831 (T). – *Nouvelles Messéniennes,* 1832 (P). – *La Varsovienne* (chant patriotique), 1832. – *Les Enfants d'Édouard,* 1833 (T). – *Don Juan d'Autriche,* 1835 (T). – *Une famille au temps de Luther,* 1836 (T). – *La Popularité,* 1838 (T). – *La Fille du Cid,* 1839 (T). – *Les Burgraves,* 1843 (T). – Avec Germain Delavigne, *Charles VI* (opéra, musique d'Halévy), 1843 (T).

DELILLE Jacques, abbé. Aigueperse 22.6.1738 – Paris 1.5.1813. D'abord professeur, il fut révélé au monde littéraire par sa traduction des *Géorgiques* de Virgile, grâce à laquelle il obtint la chaire de poésie latine du Collège de France. Émigré pendant la Révolution, il voyagea à travers l'Europe, puis rentra en France en 1802, pour devenir, sous l'Empire, le représentant glorieux d'une poésie néo-classique conforme, d'ailleurs, au goût du temps. Effectivement, il représente au mieux cette tentation formaliste qui caractérise alors le néoclassicisme européen, car il est d'abord un remarquable technicien de la rhétorique poétique et de l'expression versifiée. À cet égard, son influence s'exercera sur les premiers romantiques : Lamartine, par exemple, ou Vigny, qui lui doivent le moule formel où s'inscrira leur lyrisme. Au-delà de ce formalisme, D. n'est pas dépourvu de quelques mérites proprement poétiques : il a, en particulier, le sens du pittoresque, et, en cette fin du XVIIIe s., sa poésie reflète un sentiment de la nature proche de celui de l'Anglais Thomson dans ses *Saisons* (1726-1730) ou des peintres Valenciennes (1750-1819) et Joseph Vernet (1714-1789). Ce qu'il y a de meilleur dans son œuvre relève de la catégorie du paysage, qu'il s'agisse des *Jardins* ou des *Trois Règnes de la nature.* Enfin son influence, dont on ne saurait sous-estimer l'importance, fut encore renforcée par la célébrité des remarquables traductions en vers français qu'il donna non seulement de Virgile, mais aussi d'auteurs anglais (Pope : *Essai sur l'homme ;* Milton : *Paradis perdu*). Acad. fr. 1770.

Œuvres. *Géorgiques* (trad. d'après Virgile), 1769 (P). – *Les Jardins,* 1782 (P). – *Dithyrambe sur l'immortalité de l'âme,* 1794 (P). – *L'Homme des champs ou les Géorgiques françaises,* 1800 (P). – *Malheur et Pitié,* 1803 (P). – *L'Énéide* (trad. d'après Virgile), 1804 (P). – *Paradis perdu* (trad. d'après Milton), 1805 (P). – *L'Imagination* (écrit entre 1785 et 1794), 1806 (P). – *Les Trois Règnes de la nature,* 1809 (P). – *La Conversation,* 1812 (P). – *Poésies fugitives,* s.d. – *La Vieillesse* (inach.), 1813 (P). – *Essai sur l'homme* (trad. d'après Pope), posth., 1821.

DELLUC Louis. Cadouin (Dordogne) 14.9.1890 – Paris 22.3.1924. Tout d'abord intéressé par le théâtre et par toutes les formes de spectacle, D., après avoir été critique dramatique et narrateur, fut le premier à comprendre l'importance du nouvel art qu'était le cinéma, dans des essais pénétrants où il donne ses lettres de noblesse littéraire à la critique cinématographique. Il fut lui-même réalisateur de quelques longs métrages, dont il avait écrit les scénarios.

Œuvres. *Monsieur de Berlin,* s.d. (N). – *La guerre est morte,* 1917 (N). – *La Danse du scalp,* s.d. (N). – *Francesca,* s.d. (T). – *Lazare le ressuscité,* s.d. (T). – *Cinéma et Cie* (recueil d'articles), 1919. – *Photogénie,* 1920. – *Fumée noire,* 1920 (film). – *Le Silence,* 1921 (film). – *Fièvre,* 1921 (film). – *Charlie Chaplin,* 1921 (E). – *La Jungle du cinéma* (nouvelles), 1921 (N). – *La Femme de nulle part,* 1922 (film). – *L'Inondation,* 1923 (film). – *Drames de cinéma* (recueil de scénarios), 1923.

DELLY, pseudonyme de **Marie Petitjean de La Rosière,** Avignon 1875 – Versailles 1947, et de son frère **Frédéric,** Vannes 1876 – Versailles 1949. Ils publièrent, en collaboration, de nombreux romans sentimentaux dont le succès fut considérable auprès du public féminin. Leur valeur littéraire et psychologique a été généralement contestée, sans qu'on puisse toutefois nier une certaine efficacité du style. Quelques-uns de ces romans ont été récemment réédités.

Œuvres. *Esclave ou Reine,* 1909 (N). – *Magali,* 1910 (N). – *Cœurs ennemis,* s.d. (N). – *Entre deux âmes,* 1913 (N). – *La Fin d'une Walkyrie,* s.d. (N). – *Le Maître du silence,* s.d. (N). – *La Chatte blanche,* s.d. (N). – *L'Infidèle,* 1923 (N). – *Bérengère, fille du roi* (rééd.), 1978 (N). – *La Colombe de Rudsay-Manor* (rééd.), 1978 (N). – *Les Heures de la vie* (rééd.), 1978 (N). – *Mitsi* (rééd.), 1978 (N). – *Les Ombres* (rééd.), 1978 (N).

DELTEIL Joseph. Villar-en-Val (Aude) 20.4.1894 – La Tuilerie, près de Montpellier, 12.4.1978. Sa famille était originaire de la région de Montségur, et il se peut que D. en ait hérité à la fois son caractère paysan et une certaine tradition teintée de catharisme. Venu à Paris en 1920, il se lie avec les surréalistes sans toutefois s'engager, publie des recueils insolites, mais semble bien alors surtout gaspiller son talent. Évoquant cette époque, il a parlé lui-même d'« orgies » – littéraires, s'entend. Et il effacera de ses *Œuvres complètes* une bonne part de cette production juvénile. Il publiera bientôt une *Jeanne d'Arc* (prix Femina 1925), où il brosse de la Pucelle un portrait à certains égards scandaleux, mais vigoureux et finalement peut-être vraisemblable, du point de vue pittoresque qui est le sien. D. se lie alors avec Mac Orlan, Giraudoux, Valery Larbaud. Mais en 1931, à la suite d'une grave maladie, il traverse une crise spirituelle et décide d'abandonner à la fois Paris et la littérature, pour se retirer dans son domaine viticole des environs de Montpellier. Il s'est alors lancé, dit-il, à la recherche de la « paléolithie », entendons l'imagination d'un univers primitif, d'une sorte d'âge d'or de la nature et de l'instinct, qu'il représentera, en utilisant de nouveau la littérature, dans *François d'Assise* et dans cette sorte d'hymne autobiographique qu'il intitule *la Delteillerie*. En accord avec certaines réactions contemporaines contre la « civilisation », D. a connu une gloire tardive, celle d'un personnage qui incarne quelques-unes des plus antiques nostalgies de l'homme face à sa propre histoire et à son propre développement.

Œuvres. *Le Cœur grec,* 1923 (P). – *Sur le fleuve Amour,* 1923, rééd. 1983 (N). – *Les Cinq Sens,* 1923 (N). – *Le Cygne androgyne,* 1924 (P). – *Choléra,* 1925, rééd. 1983 (N). – *Jeanne d'Arc,* 1925 (P). – *Mes amours spirituelles,* 1926 (P). – *Les Poilus,* 1926 (P). – *La Jonque de porcelaine,* 1927 (N). – *La Fayette,* 1928 (N). – *Le Petit Jésus,* 1928 (N). – *Napoléon,* 1929 (N). – *Le Vert-Galant,* 1929 (N). – *Saint Don-Juan,* 1930 (N). – *En robe des champs,* 1934 (N). – *Jésus II,* 1947 (N). – *François d'Assise,* 1960 (N). – *Œuvres complètes,* 1961. – *Éloge de la cuisine paléolithique,* 1965. – *La Delteillerie,* 1968. – *Alphabet,* 1973. – *Le Sacré Corps,* 1976.

DENNERY ou D'ENNERY Adolphe Philippe. Paris 1811 – 1899. De famille modeste, il sera d'abord clerc de notaire et journaliste avant de se consacrer au théâtre et de devenir un dramaturge populaire et fécond, travaillant pour le Boulevard. Il produira, presque toujours en collaboration (occasionnellement avec Labiche), nombre de pièces à succès, d'un esprit facile, témoignant de son habileté et de son sens du théâtre, ainsi que des livrets d'opéras et d'opéras-comiques pour Adam, Auber, Gounod et Massenet. Amateur d'art – il s'est aussi essayé à la peinture dans sa jeunesse –, il léguera à l'État ses collections d'objets d'Extrême-Orient.

Œuvres. *Gaspard Hauser,* 1838 (T). – *Les Bohémiens de Paris,* 1843 (T). – *Don César de Bazan,* 1844 (T). – *Les Sept Châteaux du diable* (féerie), 1844 (T). – *Marie-Jeanne ou la Femme du peuple,* 1845 (T). – *Les Sept Péchés capitaux,* 1848 (T). – *La Poule aux œufs d'or* (féerie), 1848 (T). – *Si j'étais roi* (opéra, musique d'Adam), 1852 (T). – *La Case de l'oncle Tom,* 1853 (T). – *Prière des naufragés,* 1853 (T). – *L'Aveugle,* 1857 (T). – *Cartouche,* 1858 (T). – *Le Savetier de la rue Quincampoix,* 1859 (T). – *Rothomago* (féerie), 1862 (T). – *Aladin ou la Lampe merveilleuse,* 1863 (T). – *Les Deux Orphelines,* 1874 (T). – *Le Tour du monde en 80 jours* (d'après Jules Verne), 1875 (T). – Avec J. Verne, *les Enfants du capitaine Grant,* 1878 (T) ; *Michel Strogoff,* 1880 (T). – *Le Tribut de Zamora* (opéra, musique de Gounod), 1881 (T). – *Le Cid* (opéra, musique de Massenet), 1885 (T).

DÉON Michel. Paris 4.8.1919. Représentant, avec ceux qu'on appela les « hussards » (en particulier R. Nimier), d'un néo-beylisme, il se lance d'abord dans la « chasse au bonheur », dont témoignent ses premiers livres. Y sont en effet évoqués, avec une discrétion calculée, des pays enchantés et enchanteurs, mais où se perçoit déjà le déclin qui les menace et qui les rend plus précieux. Car cet égotisme aristocratique et raffiné, loin de nourrir une ferveur à la Barrès, se complaît aussi dans un désenchantement qui parfois confine au nihilisme. Si le moi continue d'aspirer à la jouissance de soi, dans des décors accordés, et se hâte de savourer ce bonheur précaire, le monde, lui, est condamné : il est à la veille de sa destruction. À cet égard, D. prend sa place dans la descendance contemporaine de Paul Morand, pour qui il s'agissait déjà de conférer l'existence littéraire à un monde voué à une proche disparition. Le thème de l'insularité, si cher à D., retiré d'abord dans une île grecque, puis en Irlande, est, tout au long de son œuvre, le symbole à la fois de la nostalgie d'un retour aux origines primitives et de la conscience de l'inéluctable précarité de ce refuge fascinant et périlleux : la littérature ne serait-elle pas comme une île spirituelle, ultime recours d'une urgence intérieure elle-même symptôme de la catastrophe imminente ? Dans ce complexe contrepoint d'épicurisme immédiat et de prescience apocalyptique réside sans doute le charme singulier d'une œuvre délibérément écrite, par ailleurs, dans le style le plus coulant qui soit. Les romans de D. sont aussi des romans d'aventure, où le courage dans l'action marginale se traduit par la jouissance intense qu'en retirent les héros sans qu'à aucun moment, ces « poneys sauvages » se fassent la moindre illusion sur la pérennité de leur action et de leur jouissance : de sorte que ces héros ne sont pas loin, en fin de compte, de se transformer en anti-héros ; ils sont conscients, en tout cas, d'être seuls de leur espèce et savent qu'il leur est interdit de devenir exemplaires ; car leur engagement dans la vie ne les aveugle point et le rythme allègre qui les entraîne et anime la prose de leur créateur, dont ils sont les reflets, loin d'abolir leur lucidité, ne fait que la rendre plus acérée. Acad. fr. 1978.

Œuvres. *Je ne veux jamais l'oublier,* 1950 (N). – *La Corrida,* 1952 (N). – *Le Dieu pâle,* 1954 (N). – *Tout l'amour du monde, I,* 1955 (N). – *Les Trompeuses*

Espérances, 1956 (N). – *Fleur de colchique,* 1957 (N). – *Les Gens de la nuit,* 1958 (N). – *L'Armée d'Algérie et la Pacification,* 1959 (E). – *Tout l'amour du monde, II,* 1960 (N). – *La Carotte et le Bâton,* 1960. – *Le Balcon de Spetsaï,* 1961 (N). – *Le Rendez-vous de Patmos,* 1965 (N). – *Un parfum de jasmin,* 1967 (N). – *Mégalonose,* 1967 (N). – *Les Poneys sauvages,* 1970 (N). – *Londres,* 1970 (E). – *Un taxi mauve,* 1973 (N). – *Les Gens de la nuit,* 1974 (N). – *Journal d'un génie,* 1974 (N). – *Le Jeune Homme vert,* 1975 (N). – *Tout l'amour du monde, III,* 1975 (N). – *Thomas et l'Infini,* 1975 (N). – *Les Vingt Ans du jeune homme vert,* 1977 (N). – Avec André Fraigneau, *la Grèce que j'aime,* 1978 (E). – *Mes arches de Noé,* 1978 (N). – *Les Chevaux de Haddelsey,* 1979 (N). – *La Corrida,* 1979 (N). – *Un déjeuner de soleil,* 1981, rééd. 1985 (N). – *Louis XIV par lui-même,* 1983. – *Je vous écris d'Italie,* 1984 (N).

DEPESTRE René. Jacmel 29.8.1926. Écrivain haïtien. (Voir NÉGRO-AFRICAINE [LITTÉRATURE].)

DÉPÔT LÉGAL. La législation française désigne par cette expression l'obligation faite aux éditeurs de déposer à la Bibliothèque nationale, au moment de leur mise en vente ou en distribution, quatre exemplaires des ouvrages imprimés (un seul pour les réimpressions, ainsi que pour les ouvrages de luxe tirés à moins de 300 ex.). Cette disposition législative vise à assurer la réunion et la conservation en un seul lieu des publications de toutes sortes.

DERÈME, Philippe Huc, dit **Tristan.** Marmande 13.2.1889 – Oloron-Sainte-Marie 24.10.1941. Ami et émule de Toulet dans le groupe des poètes fantaisistes, il réunit ses premiers vers dans *la Verdure dorée,* qui cultive le sentiment avec une ironie systématique ; mais, dans la suite de son œuvre, la fantaisie tourne parfois au pur jeu de vocabulaire. On apprécie encore la nonchalance soigneuse de chroniques en prose mêlée de vers comme *l'Enlèvement sans clair de lune* ou *l'Escargot bleu.*

Œuvres. *Le Renard et le Corbeau,* 1905 (P). – *Le Tiroir secret,* 1905 (P). – *Les Ironies sentimentales* (recueil), 1910 (P). – *Petits Poèmes,* 1910 (P). – *Le Poème de la pipe et de l'escargot,* s.d. (P). – *La Verdure dorée* (recueil), 1922 (P). – *L'Enlèvement sans clair de lune,* 1924 (N). – *Le Zodiaque ou les Étoiles sur Paris,* 1927 (P). – *Poèmes des colombes,* 1929 (P). – *Le Poisson rouge,* 1934 (E). – *Le Violon des muses,* 1935 (E). – *L'Escargot bleu,* 1936 (E). – *La Tortue indigo,* 1937 (E). – *Poèmes des griffons,* 1938 (P). – *L'Onagre orangé,* 1939 (E). – *Les Propos de M. Théodore Decalandre,* 1940 (N). – *Tourments, caprices et délices ou les Poètes et les mots,* 1941 (E).

DÉROULÈDE Paul. Paris 2.9.1846 – Montboron, près de Nice (Alpes-Maritimes), 30.1.1914. Il était le neveu d'Émile Augier. La grandiloquence de ses poèmes patriotiques est restée célèbre. La même inspiration se retrouve dans son œuvre dramatique, et sa pièce *l'Hetman* fut en 1877 un triomphe. Président de la ligue des Patriotes, il fit beaucoup pour le développement du boulangisme (1887) ; élu plusieurs fois député, puis banni pour agitation politique (1900-1905), il fut jusqu'à sa mort un des symboles de la « revanche » sur l'Allemagne.

Œuvres. *Juan Strenner* (1 acte en vers), 1869 (T). – *Les Chants du soldat,* 1872 (P). – *Les Nouveaux Chants du soldat,* 1875 (P). – *L'Hetman* (drame en vers), 1877 (T). – *La Moabite,* 1878 (T). – *Pro Patria,* 1879 (P). – *Marches et Sonneries,* 1881 (P). – *Chants patriotiques,* 1882 (P). – *Le Premier Grenadier de France, la Tour d'Auvergne,* 1886 (P). – *Chants du paysan,* 1894 (P). – *Messire du Guesclin,* 1895 (T). – *Poésies militaires,* 1896 (P). – *La Mort de Hoche,* 1897 (T).

DERRIDA Jacques. El-Biar (Alger) 15.7.1930. Ancien élève de l'École normale supérieure, agrégé de philosophie, il publie en 1967 *l'Écriture et la Différence,* où, examinant des poètes aussi divers que Hölderlin ou Artaud, il met en relief ce qui sépare la nature même de l'écriture – et tout ce qu'elle produit – de cette différence qu'elle trahit aussitôt qu'elle entreprend de l'exprimer. Ce livre est l'analyse clinique de l'échec du langage, considéré comme source de la crise de communication qui trouble et obsède l'esprit contemporain et dont les symptômes littéraires sont évidents. Car, ainsi que D. l'écrit à propos d'Artaud, « les différents passant sans cesse et très vite l'un dans l'autre, et l'expérience critique de la différence ressemblant à l'implication naïve dans la différence », l'espace des représentations passe inévitablement par une dramaturgie de soi-même.

Le propos de D. rejoint, à cet égard, celui de M. Blanchot, mais avec un effort de systématisation qui trouve son point d'aboutissement dans la « grammatologie », science de la clôture des signes et proposition d'une nouvelle définition du tragique humain, situé, dès lors, comme l'avait pressenti Artaud, au niveau de ce langage qui est, jusque dans sa structure et sa forme alphabétique ou syllabique, pris dans le dilemme de sa clôture et de sa volonté de représentation.

Œuvres. *L'Écriture et la Différence,* 1967 (E). – *La Voix et le Phénomène,* 1967 (E). – *La Grammatologie,* 1968 (E). – *La Dissémination,* 1969 (E). – *Marges de la philosophie,* 1972 (E). – *Positions,* 1972 (E). – *L'Archéologie du frivole,* 1973 (E). – *Glas,* 1974 (E). – *La Vérité en peinture,* 1978 (E). – *La Carte postale. De Socrate à Freud et au-delà,* 1980 (E). – *D'un ton apocalyptique adopté naguère en philosophie,* 1983 (E). – *Otobiographies (l'enseignement de Nietzsche et la politique du nom propre),* 1984 (E).

DÉSAUGIERS Antoine. Fréjus 17.11.1772 – Paris 9.8.1827. Il passa une partie de sa jeunesse à Saint-Domingue, puis à Philadelphie. Revenu à Paris en 1797, il se mêla aux chansonniers en vogue et ajouta sa production à la leur ; président du Caveau, il y fit débuter Béranger. Directeur du théâtre du Vaudeville en 1815, il se hasarda à écrire pour sa scène, non sans succès. On lui doit l'invention du personnage de Cadet-Buteux, par l'intermédiaire duquel il critiquait les pièces en vogue et les mœurs de son temps.

Œuvres. *Chansons,* 1827 (P).

DES AUTELS Guillaume. Manoir de Vernoble (Bourgogne) 1529 – 1581. Il publia ses premiers poèmes dès l'âge de vingt ans. Mais l'abondance de sa production ne suffit pas à remplacer un talent qui se borne à l'imitation. Il n'a pas craint, par exemple, de faire paraître *la Préhistoire barragouyne de Fanfreluche et de Gaudichon,* imitation servile de Rabelais, qui obtint un certain succès. Il a participé à la querelle sur l'orthographe, alimentant le débat en prenant parti pour « l'ancien orthographe françois » et écrivit un *Traité* sur le même sujet ; il s'opposa farouchement, sur cette question alors d'actualité, aux doctrines de Louis Meigret dans une *Réplique aux furieuses défenses de Louis Meigret.* De la même génération que Ronsard, il fut lié d'amitié avec le maître de la Pléiade.

Œuvres. *Traité touchant l'ancien orthographe françois,* 1548-1549 (E). – *Le Moy de may,* 1549 (P). – *Le Repos du plus grand travail,* 1550 (P). – *Suite au repos du plus grand travail,* 1551 (P). – *Réplique aux furieuses défenses de Louis Meigret,* 1551. – *L'Amoureux Repos,* 1553 (P). – *Le Tombeau de l'Empereur Charles V,* 1559 (P). – *Economium Galliae Belgicae,* 1559 (P). – *La Paix du ciel,* 1559 (P). – *Remontrance au peuple français de son devoir en ce temps envers la majesté du Roy, à laquelle sont ajoutés trois éloges de la Paix, de la Trêve et de la Guerre,* 1559. – *Harangue au peuple français contre la rébellion, sur le tumulte et sédition d'Amboise, où aucuns de chefs et rebelles furent punis,* 1559 et 1560. – *Préhistoire barragouyne de Fanfreluche et de Gaudichon,* 1559-1574.

DESBORDES-VALMORE Marceline Félicité Josèphe. Douai 20.6.1786 – Paris 23.7.1859. Elle eut une jeunesse très pauvre, partit pour la Guadeloupe avec sa mère, qui y mourut aussitôt (1801), et, revenue en France, dut se faire actrice pour vivre ; ni son mariage avec l'acteur Lanchantin, dit Valmore (1817), ni son abondante production poétique ne lui épargnèrent les ennuis d'argent. Venue d'un cœur sincère et douloureux (ses deux filles moururent avant elle), sa poésie mélancolique plut à Verlaine, qu'elle annonce par certaines innovations (le vers de onze syllabes). Son sens de la musicalité lyrique lui mériterait plus d'attention qu'elle n'en reçoit généralement.

Œuvres. *Élégies et Romances,* 1819 (P). – *Album du jeune âge,* 1820 (P). – *Élégies et Poésies nouvelles,* 1825 (P). – *Poésies inédites,* 1830 (P). – *Pleurs,* 1833 (P). – *Pauvres Fleurs,* 1839 (P). – *Bouquets et prières,* 1843 (P).

DESCARTES René. La Haye, auj. Descartes (Indre-et-Loire), 31.3.1596 – Stockholm 11.2.1650. Issu d'une famille poitevine de petite noblesse, il fait ses études au collège des jésuites de La Flèche, établissement récent, éloigné des routines. Il y apprend le latin, la philosophie scolastique, les mathématiques, et lit beaucoup ; en novembre 1616, il passe à Poitiers son baccalauréat et sa licence en droit. Son père ayant songé pour lui à la carrière des armes, il fait divers séjours, peu astreignants, en Hollande (1618) et en Allemagne (1619-1622). À la suite d'un songe qui, à Francfort (novembre 1619), lui découvre « les fondements d'une science admirable », il passe un hiver dans la méditation. Rentré en France et se trouvant à l'abri des soucis d'argent, il voyage en Italie (1623-1625), puis, jusqu'en 1629, séjourne le plus souvent à Paris, où il se partage entre les mathématiques et la mondanité et se lie avec Mersenne. En 1629, D., déjà relativement connu, quitte Paris pour la Hollande, qui sera jusqu'à la fin de sa vie sa résidence favorite : de climat sain, ce pays riche en intelligences l'attire par son calme et sa discrétion. Il y fait des disciples, et les querelles que suscite, avec les universités d'Utrecht et de Leyde, la parution du *Discours de la méthode,* des *Méditations,* des *Principes de la philosophie,* se terminent par des décisions officielles interdisant tout écrit hostile à l'auteur. En 1644, 1647 et 1648, D. se rend à Rome. Durant ces années, il rencontre Gassendi, Pascal, tente de répandre sa philosophie parmi les jésuites, entretient une nombreuse correspondance avec des savants et avant tout avec Mersenne, qui lui sert, jusqu'à sa mort, de secrétaire parisien. Il s'éteint d'une pneumonie au bout de quatre mois d'un décevant séjour en Suède décidé sur les instances de la reine Christine, une de ses correspondantes.

L'homme est de ceux qui accrochent peu le regard, non qu'il soit de ces travailleurs forcenés qui passent leur vie plume à la main : son génie lui permet de mener une existence confortable, voire paresseuse. Mais il a, avant tout, le goût du secret. Prudent, diplomate, on ne sait pas toujours si son silence est modestie ou dédain. Mersenne doit lui arracher ses ouvrages : le *Discours de la méthode* paraît sans nom d'auteur. L'essentiel est pour lui de sauvegarder le temps de la recherche ; il dédaigne l'histoire, les langues, l'érudition en général, les élégances de style (le sien s'en ressent), mais fait preuve d'une curiosité inlassable pour tout ce qui prête à une théorie rationnelle. Esprit encyclopédique, mais dans l'abstraction, il eut, sans forfanterie, l'ambition d'expliquer toute la nature, en faisant table rase de tout ce qui l'avait précédé. Par tempérament, il préfère redécouvrir lui-même une pensée, un autre l'eût-il déjà exprimée. C'est cette volonté, née de l'intuition précoce de la possibilité d'une méthode universelle, qui donne à l'œuvre de D. cette *lumière* nouvelle, orientatrice de la pensée française pour des siècles. On fait fausse route en cherchant chez lui une dominante. Il n'est exclusivement ni l'ancêtre de l'esprit du XVIIIe s. et du matérialisme ni le rénovateur de l'apologétique (seul aspect de D. qu'ait retenu Malebranche, son plus grand disciple). Nous devons, pour comprendre l'ordonnance de son système, partir de sa méthode : inaugurée sous une forme mathématique dans les *Regulae ad directionem ingenii,* sa nécessité est rappelée dans le cadre général du *Discours* de 1637 ; les quatre règles sont celles de l'évidence (n'accepter que le vrai connu pour tel), de la division (sérier les problèmes), de l'ordre des pensées (aller du simple au complexe), des dénombrements complets (ne négliger aucune hypothèse). Ces règles de la méditation sont soutenues par l'évidence d'un innéisme des idées : les intuitions fondamentales de la science ne reposent pas sur l'expérience, mais sur l'existence de Dieu, qui nous les fournit. D'où la métaphysique cartésienne : le doute méthodique ne laisse qu'un résidu, le fameux « *Cogito, ergo sum* » (« Je pense, donc je suis »), qui est l'idée fondamentale. Mais les idées elles-mêmes ne sont-elles pas un mirage de la subjectivité ? D. démontre le contraire par les preuves de l'existence de Dieu, seule capable d'expliquer la présence de l'idée de Dieu en nous. D. est chrétien, et le Dieu en qui il croit est un Dieu de bonté et de vérité. Le malin génie nous fait prendre pour erreur notre précipitation de jugement. Importants sont encore les thèmes de l'union de l'âme et du corps (*Traité des passions de l'âme*) et de la conciliation de la liberté humaine avec la prescience divine.

D. n'a pas déployé son génie dans le seul domaine philosophique. Il est un mathématicien exceptionnel dans sa *Géométrie* et dans sa *Correspondance,* un physicien brillant – mais plus hasardeux, à cause de ses apriorismes – dans ses traités sur la *Dioptrique* et sur les *Météores* et dans les livres II-IV des *Principes.* Il ne faut pas négliger non plus ses idées sur la physiologie (*Traité de l'homme*), auxquelles on peut rattacher sa théorie fameuse des animaux-machines (qui refuse aux bêtes toute conscience, même non réflexive). La destinée du cartésianisme est, au fond, paradoxale. D'une œuvre très vaste la postérité n'a retenu que quelques pages : une philosophie du « bon sens », le commandement dévastateur du doute méthodique. Et pourtant son influence a été incroyablement diverse et féconde. Plutôt que de lui attribuer aventureusement l'« invention » de la géométrie analytique, il convient de le placer en très haut rang dans un processus général de fermentation des esprits, dont il fut un puissant catalyseur. Par son refus, qui ne va pas sans orgueil, de considérer l'héritage scolastique, il a créé la foi en l'immensité et en l'unité d'une science capable d'expliquer la nature. L'ensemble de son œuvre, plus disloquée que continuée par ses disciples, proclame la richesse de la réflexion humaine. Il fonde ainsi la pensée moderne, en héros (et héraut) du rationalisme, dont il est le meilleur champion parce que le plus généreux : sa confiance en la pensée, son espérance en l'avenir de l'homme ont ouvert un champ si large que, à l'heure même où l'esprit humain les met en doute, il n'a pas fini d'en faire le tour.

Œuvres. *L'Art d'écrire,* 1613 (E). – *Compendium Musicae,* 1619 (E). – *Discours de la méthode pour bien conduire sa raison et chercher la vérité dans les sciences. Préface à trois Essais : la Dioptrique ; la Géométrie, les Météores,* juin 1637 (E). – *Meditationes de prima philosophia,* 1641 (E). – *Epistola R. Descartes ad G. Vœtium,* 1643. – *Principia philosophiae,* 1643 (E). – *Méditations métaphysiques* (trad. fr. du duc de Luynes), 1647 (E). – *Principes de la philosophie* (trad. fr. de l'abbé Picot), 1647 (E). – *Notae in programma quoddam sub finem anni,* 1647 (E). – *Explicatio mentis humanae,* 1648 (E). – *Traité des passions de l'âme,* 1649 (E). – *Lettres à la princesse Élisabeth,* 1643-1649. – *Le Monde ou Traité de la lumière* (écrit en 1633), posth., 1664, publié ensuite sous le titre *Traité du monde,* posth., 1677. – *L'Homme de R. Descartes et son traité de la formation du fœtus* (chapitre XVIII du *Traité du monde,* écrit en 1633), posth., 1664. – *Œuvres complètes* (8 vol.), posth., 1670-1683. – *Regulae ad directionem ingenii* (écrit en 1626-1628), dans *Œuvres posthumes,* 1701. – *Correspondance de Descartes,* posth., 1933 et suiv.

Discours de la méthode pour bien conduire sa raison et chercher la vérité dans les sciences

Le point de départ est autobiographique. D. raconte son expérience scolaire et universitaire et la crise de scepticisme qui en est résultée. L'autobiographie s'épanouit alors en confession philosophique et en journal intellectuel, à partir du célèbre épisode de ce « poêle » (chambre) allemand où le jeune militaire prit la décision de faire table rase de toutes ses connaissances et de repartir de zéro, c'est-à-dire de prendre désormais le doute, point d'aboutissement de son expérience antérieure, comme fondement de sa recherche à venir. C'est alors qu'il découvre les quatre règles de sa méthode : 1° « (...) ne recevoir jamais aucune chose pour vraie que je ne la connusse évidemment être telle » (règle de l'évidence) ; 2° « Diviser chacune des difficultés que j'examinerais en autant de parcelles qu'il se pourrait et qu'il serait requis pour les mieux résoudre » (règle de l'analyse) ; 3° « (...) conduire par ordre mes pensées, en commençant par les objets les plus simples et les plus aisés à connaître pour monter peu à peu, comme par degrés, jusqu'à la connaissance des plus composés... » (règle de la déduction synthétique) ; 4° « Faire partout des dénombrements si entiers et des revues si générales que je fusse assuré de ne rien omettre » (règle de l'énumération). Il s'agit ensuite d'appliquer la méthode à l'ensemble de la connaissance et de fonder aussi sur elle la conduite de la vie. Comme une morale définitive ne peut s'élaborer qu'au terme du processus complet de la connaissance, D. se propose, en attendant, une morale provisoire, néanmoins fondée sur les intuitions de la raison. Après quoi, le fondement de la conduite de la vie étant provisoirement assuré, peut commencer le processus de la connaissance. Le point de départ est le doute méthodique, qui apparaît comme acte irréductible de pensée : la seule chose qui échappe au doute, c'est le doute lui-même en tant que pensée. Telle est la première évidence : « Je doute, donc je pense ; je pense, donc je suis. » Elle entraîne une seconde évidence : l'existence de l'âme, substance spirituelle distincte du corps, et l'existence correspondante de Dieu. Elle est, en effet, exigée par l'idée de perfection, dont la présence dans un esprit imparfait (le doute est imperfection et n'est ressenti comme tel que par référence à l'idée de perfection) suppose nécessairement l'existence d'un Esprit parfait, Dieu, existence qui, en retour, garantit la véracité des idées claires et distinctes et fonde ainsi, au-delà du doute, la connaissance vraie. La suite du *Discours* (V[e] et VIe partie) sera consacrée à l'exercice de la méthode et à l'application du principe de la véracité des idées claires et distinctes (c'est-à-dire rationnellement fondées). Descartes résume alors l'essentiel de sa physique (avec la célèbre théorie des animaux-machines, qui suscitera la protestation de La Fontaine), pour conclure sur la fonction de la science (rendre l'homme « maître et possesseur de la nature ») et sur la perspective d'un progrès indéfini de la connaissance.

Traité des passions de l'âme

Exploration psychologique qui prend pour fondement une « physique » scientifique des passions, car elles procèdent d'une impression physiologique et de l'action des « esprits animaux » du corps. Les passions relèvent donc d'une répercussion dans l'âme de phénomènes corporels. Elles n'en posent pas moins un problème moral, mais qui ne peut être correctement résolu que si l'on a d'abord reconnu l'origine physiologique des passions. Elles sont, en effet, en tant que phénomène physiologique, des données de la morale, laquelle est constituée par l'action de la raison et de la volonté, puissances spirituelles. Les passions, donc, seront bonnes ou mauvaises, non point en elles-mêmes et selon leur nature, mais selon qu'elles seront ou non soumises au contrôle de la raison et au gouvernement de la volonté. Il s'agit donc là d'une morale tout imprégnée de stoïcisme, proche de l'héroïsme cornélien, mais garantie par l'étude scientifique de la nature des passions – et c'est là ce qui est spécifiquement cartésien.

DESCAVES Lucien. Paris 19.3.1861 – 6.9.1949. Ami de Zola, il signa cependant, après la publication de *la Terre,* le *Manifeste des Cinq* (1887), qui protestait contre les excès du naturalisme. Ses premiers romans, très antimilitaristes, lui valent un procès ; les suivants évoluent de la violence vers une ironie mêlée de pitié. D. est aussi l'auteur de quelques pièces de théâtre, pour lesquelles il eut pour collaborateurs Donnay et Capus. D., entré à l'académie Goncourt en 1900, s'en retira volontairement en 1927.

Œuvres. *Le Calvaire d'Héloïse Padajou,* 1882 (N). – *Une vieille rate,* 1883 (N). – *La Teigne,* 1885 (N). – *La Caserne,* 1887 (N). – *Les Misères du sabre,* 1887 (N). – *Sous-Offs,* 1889 (N). – *Les Emmurés,* 1894 (N). – *Soupes,* 1898 (N). – Avec M. Donnay, *la Clairière,* 1900 (T). – *La Colonne,* 1901 (N). – Avec M. Donnay, *Oiseaux de passage,* 1904 (T). – Avec A. Capus, *l'Attentat,* 1906 (T). – *La Préférée,* 1906 (T). – *L'Imagier d'Épinal,* 1910 (N). – *Philémon, vieux de la vieille,* 1913 (N). – *L'As de cœur,* 1920 (T). – *L'Hirondelle sous le toit,* 1924 (N). – *Le Cœur ébloui,* 1924 (T). – *Regarde autour de toi,* 1930 (N). – Avec M. Donnay, *la Tuile d'argent,* 1931 (T). – *Souvenirs d'un ours,* 1941.

DESCAVES Pierre. Paris 1896 – 1966. Fils du précédent. Il écrivit, dans la ligne de son père, des romans de caractère réaliste. Outre un certain nombre de pièces destinées à la radio, on lui doit un intéressant volume de souvenirs intitulé *Mes Goncourt.*

Œuvres. *L'Enfant de liaison,* 1929 (N). – *Hans le fossoyeur,* 1931 (N). – *La Cité des voix,* 1938 (T). – *Les Hommes éparpillés,* 1946 (N). – *L'Homme qui n'est pas né,* 1947 (N). – *Les Disciples,* 1947 (T). – *Le Carnet rouge,* 1948 (N). – *Mes Goncourt,* 1944 ; 1949. – *Visites à mes fantômes,* 1949. – *La Femme transparente,* 1953 (N). – *Monsieur Molière,* 1955 (E). – *Balzac dramatiste,* 1960 (E). – *Monsieur Thiers,* 1961 (E). – *Quand la Radio s'appelait Tour Eiffel,* 1963 (E).

DESCHAMPS DE SAINT-AMAND, Antoine François Marie, dit **Antoni** ou **Antony.** Paris 12.3.1800 – 29.10.1869. Membre du cénacle de Hugo, il débuta par une traduction en vers de *la Divine Comédie* (1829), puis, devenu journaliste, se lança dans la satire politique (1831-1834). On lui doit surtout des poésies d'inspiration patriotique et nationale ; il n'ignore cependant pas le lyrisme personnel, et la maladie nerveuse dont il souffrait teint toute son œuvre de mélancolie.

Œuvres. *Étude sur l'Italie,* 1834 (E). – *Dernières Paroles,* 1835 (P). – *Résignation,* 1839 (P). – *Œuvres poétiques,* 1841 (P).

DESCHAMPS DE SAINT-AMAND Anne Louis Frédéric, dit **Émile.** Bourges 20.2.1791 – Versailles 22.4.1871. Frère aîné du précédent. Ami, sous l'Empire, de toutes les célébrités littéraires (dont Chateaubriand et Bernardin de Saint-Pierre), il débuta en 1818 par des comédies en vers. Étroitement lié avec les jeunes romantiques, il fonda *la Muse française* (1824), aux côtés de Hugo, dont il anima le cénacle, et publia ses *Études françaises et étrangères,* qui contiennent une préface capitale pour l'histoire du romantisme, des poésies, et des traductions de Goethe et de Schiller. Retiré dès 1830, il termina sa vie en dilettante polygraphe, fournissant par exemple à Berlioz les octosyllabes de son *Roméo et Juliette* (1839).

Œuvres. *Selmours de Florian,* 1818 (T). – *Le Tour de faveur,* 1818 (T). – *Le Jeune Moraliste du XIXᵉ siècle,* 1826 (E). – *Études françaises et étrangères,* 1828 (E).

DESCHAMPS Eustache. Vertus (Champagne) vers 1346 – 1406. Disciple et peut-être parent de Guillaume de Machaut, champenois comme lui, il est au service des ducs d'Orléans et du roi, et vivra à la cour de Charles V et de Charles VI. Comme Machaut, il s'intéresse à la technique poétique, enrichit la structure de la ballade en y ajoutant un *envoi* et joint à l'expression lyrique l'ampleur et le développement de la période oratoire. Il est l'auteur du plus ancien art poétique français, *Art de dictier et de fere chançons,* et de quelque quatorze cents poèmes, ballades, rondeaux, chants royaux, complaintes, lais et virelais. D. traite les grands thèmes traditionnels du lyrisme – l'amour et la mort –, mais aussi les sujets les plus variés, et évoque aussi bien les événements politiques (déploration des malheurs de la France, mort de Du Guesclin...) que la société du temps et ses mœurs, ou des aventures personnelles.

Influencé par la tradition courtoise et le *Roman de la Rose* lorsqu'il s'adonne à une poésie savante et élégante, il continue le plus souvent la tradition réaliste du lyrisme bourgeois en faisant appel aux sources populaires, en empruntant à la chanson des rythmes et un franc-parler plein de verdeur et de pittoresque.
D. traite la ballade avec virtuosité et selon des modes très divers, l'adapte en particulier au genre de la fable, en poursuivant la tradition des isopets, et introduit souvent dans ses poésies une morale pratique. Réaliste toujours un peu amer, parfois même d'une certaine âpreté, il donne à des pièces plus longues, plus lourdes, un caractère plus franchement didactique que poétique ainsi qu'un aspect satirique qui ne manque pas de verve et de causticité, comme dans son *Miroir de mariage,* dirigé contre les femmes et le mariage. Il manifeste encore son talent dans de petites pièces ou récits dialogués ; *la Farce de maître Trubert et d'Antroingnart* préfigure, à plus d'un demi-siècle de distance, *la Farce de maître Pathelin :* elle met en scène, à côté d'allégories figurant des vérités morales (Tromperie, Ruse, Hasard), un avocat sans scrupules dupé par plus malin que lui. *Le Dit des quatre offices de l'Hôtel du roi* met en présence Panneterie, Échansonnerie, Cuisine et Saucerie, qui se disputent la préséance et débattent de leurs mérites respectifs. Ainsi, par une œuvre très diversifiée, D. apporte de précieuses indications sur la vie et les mœurs de son temps, qu'il n'idéalise guère. Sa poésie, marquée du sens du réel, possède une résonance bien personnelle, parfois déjà très moderne, que développeront, avec plus de sensibilité, de raffinement et de génie, des successeurs tels que Villon, Ronsard ou La Fontaine.

Œuvres. *Poèmes* (10 volumes), posth., 1878-1903, contenant : 1 032 ballades, 142 chants royaux, 170 rondeaux, 84 virelais, 14 lais, 10 pièces en strophes diverses, 34 pièces à rimes plates, 3 ouvrages en prose, 12 pièces latines. Parmi ces poèmes : *la Fiction du lion. – Miroir du mariage. – Lai du désert d'amour. – Chanson balladée. – Regrets de la jeunesse passée. – Regrets d'un vieillard. – Le Lai de franchise. – Le Lai du Roi. – La Fiction de l'aigle. – Ballade sur la mort de Guillaume de Machaut. – Ballade sur la mort de Du Guesclin. – Ballade sur la reprise de Calais aux Anglais. – Art de dictier et de fere chançons,* 1392. – *Sote chançon de cinq vers à deux visages à jouer de personnages,* s.d. (T). – *Farce de maître Trubert et d'Antroingnart,* s.d. (T). – *Le Dit des quatre offices de l'Hôtel du roi,* s.d. (T).

DESFONTAINES Pierre François Guyot. Rouen 1685 – Paris 1745. Après avoir professé la rhétorique à Bourges, il quitte l'ordre des Jésuites en 1715 et se rend à Paris. Alors qu'il risque les galères pour une affaire de mœurs, l'intervention de Voltaire lui vaut d'être libéré. Pourtant en 1735, il attaque son bienfaiteur dans les *Observations sur les écrits modernes.* Voltaire réplique par un libelle, *le Préservatif,* auquel D. répond dans la *Voltairomanie* (1738) et *le Médiateur* (1739). Outre une traduction du *Gulliver* de Swift (1727), D. a laissé un *Dictionnaire néologique* (1726).

DES FORÊTS. (Voir FORÊTS DES.)

DESHOULIÈRES Mme, née Antoinette du Ligier de La Garde. Paris 1.1.1638 – 17.2.1694. Elle reçut une éducation inaccoutumée pour une femme de son temps et, habituée des salons, connut les plus en vue des beaux esprits. Ses *Poésies* (1688-1695) rassemblent des poèmes pastoraux, des idylles, des églogues, qui prennent indifféremment pour sujets les événements de son entourage, de la Cour ou du monde contemporain. Cette œuvre poétique apparut comme le comble du naturel, à une époque où, en littérature du moins, amour et galanterie ne faisaient qu'un. Si elle semble parfois sincère, c'est que sa préciosité n'est pas étudiée : elle est sa nature même.

DESJARDINS Paul. Paris 1859 – Pontigny (Yonne) 1940. Il se révèle à la fois homme d'action et philosophe en fondant l'*Union pour l'action morale* (1892) et l'*Union pour la vérité* (1906). Collaborateur du *Journal des débats,* de la *Revue bleue* et du *Figaro,* il réunit des écrivains au cours de « Décades », à l'abbaye cistercienne de Pontigny, pour des entretiens d'ordre littéraire, philosophique ou moral ; ces confrontations exercèrent une influence notable sur la vie littéraire.

Œuvres. *Esquisses et Impressions,* 1888 (E). – *Le Devoir présent,* 1892 (E). – *Catholicisme et critique : réflexions d'un profane sur l'affaire Loisy,* 1905 (E).

DESMARETS DE SAINT-SORLIN Jean. Paris 1595 – 28.10.1676. Très cultivé, doué pour les arts en général, il fut omniprésent dans la vie littéraire, surtout du vivant de Richelieu, qui fit de lui un des premiers académiciens, et le chancelier de l'Académie (1634). Il fut le collaborateur littéraire du Cardinal, sans que l'on sache avec précision s'il écrivit sous ses ordres ou s'il signa des œuvres de lui. Le plus intéressant de son œuvre est dans sa tentative de renouvellement de la poésie et du merveilleux par le recours à l'inspiration chrétienne, par exemple dans son épopée *Clovis*. La violence des attaques qu'il lança contre les jansénistes lui valut, de leur part, une réputation tenace d'illuminisme. Sa *Défense du poème héroïque* et sa *Défense de la poésie et de la langue françaises* annoncent la doctrine des Modernes et amorcent déjà la future « Querelle ».

Œuvres. *Ariane,* 1632 (N). – *Aspasie,* 1636 (T). – *Les Visionnaires,* 1637 (T). – *Scipion l'Africain,* 1639 (T). – *Roxane,* 1639 (T). – *Mirame,* 1641 (T). – *Érigone,* 1642 (T). – *Traduction de l'« Office de la Vierge »,* 1645 (P). – *Traduction de l'« Imitation de Jésus-Christ »,* 1654 (P). – *Traduction du « Cantique des Cantiques »,* 1656 (P). – *Clovis ou la Chrétienne France,* 1657 (P). – *Les Délices de l'esprit,* 1658 (P). – *Réponse à l'insolente apologie des religieuses de Port-Royal,* 1660. – *Avis du Saint-Esprit au roi,* 1661. – *Marie-Madeleine ou le Triomphe de la grâce,* 1669 (P). – *Esther,* 1669 (P). – *Traité pour juger des poèmes grecs, latins et français,* 1670 (E). – *Défense du poème héroïque,* 1674 (E). – *Défense de la poésie et de la langue françaises,* 1675 (E). – *Le Triomphe de Louis le Juste et de son siècle,* 1674 (P).

DESNOS Robert. Paris 4.7.1900 – Camp de Terezín, en Tchécoslovaquie, 8.6.1945. Après un recueil influencé par Apollinaire, *le Trait d'union,* il est séduit d'abord par le dadaïsme, puis, après sa rencontre avec B. Péret, il rejoint le groupe surréaliste ; son rôle y sera déterminant. Nous savons, par le témoignage de ses amis, qu'il pouvait s'endormir à volonté, sans recourir à aucune drogue, et que, chose plus importante encore, cet endormissement était naturellement générateur de formules, d'images, de signes proprement poétiques. Lors des « séances de sommeil » organisées par Breton et Péret, D. se révèle le plus doué pour l'automatisme verbal (Breton : *Entrée des médiums,* 1922), et il n'est pas contestable que les dons de D. garantissaient l'authenticité des expériences surréalistes sur le rêve et l'écriture automatique. De sorte que l'œuvre de D. est sans doute la plus « pure » en tant qu'elle résulte d'une expérience personnelle de l'« inspiration » telle qu'elle se manifeste à travers le rêve et ce que Breton appelle la « dictée psychique ». Ainsi se développe une période expérimentale inaugurée avec *Deuil pour deuil* et *C'est les bottes de sept lieues,* puis couronnée par *la Liberté ou l'Amour* et *Corps et Biens.* C'est en 1930 qu'a lieu la rupture avec Breton, rupture dont l'écho se retrouve dans certains jugements sévères du *Second Manifeste du surréalisme.* D., au contraire de Breton, n'est pas un doctrinaire, mais un lyrique, qui éprouve ensemble, le plus naturellement du monde, comme une donnée immédiate de sa personnalité, et l'expérience surréaliste et l'inspiration poétique. Il dépassera, sans la renier, cette expérience pour devenir plus pleinement fidèle à son inspiration, celle d'un poète qui retrouve, purifiés et enrichis par sa pratique du rêve et de l'automatisme verbal, les grands thèmes du lyrisme. Mais dans les années trente, rejeté hors du groupe surréaliste, où il s'était épanoui, il connaît, sans doute, un moment de désarroi. Il est néanmoins dans la logique du « modernisme », que le surréalisme avait hérité d'Apollinaire, que D. s'intéresse alors à ces moyens d'expression nouveaux que sont le cinéma et la radio : il fut l'un des premiers à tenter de promouvoir une poésie radiophonique. De même pour le cinéma. Un de ses poèmes les plus caractéristiques de cette période de crise et de renouvellement est certainement *la Complainte de Fantômas,* radiodiffusée le 3 novembre 1933 ; plus révélateurs encore sont les textes qu'il écrivit pour le cinéma et qui furent rassemblés en 1966 dans *Cinéma.* D. est à la recherche du spontané dans le quotidien, à la recherche aussi d'une expression qui, sans altérer cette pureté originelle, restaure également le souci formel ; on le voit alors revenir aux formes fixes, à la rime, à la versification dite « traditionnelle », et l'on s'aperçoit que cet instinctif est aussi un maître de l'alexandrin. Lorsque après l'épreuve de la guerre vient celle de la Résistance, à laquelle il participe activement, l'engagement poétique qui caractérise alors son œuvre, comme celle d'Éluard ou d'Aragon, mais sans aucun engagement idéologique, conduit D. à orienter son lyrisme personnel dans la voie d'une poésie plus large, une poésie capable de chanter l'homme et dans ses angoisses et dans son espoir : avec *État de veille* et *Contrée,* la poésie se reconvertit à l'humanisme, mais sans renoncer ni à l'humour ni à la fantaisie ; et une tendresse qui se manifestait déjà dans les recueils surréalistes, se fait ici dominante, comme si elle avait désormais pour fonction d'exorciser le tragique de l'Histoire. Probablement est-ce la raison pour laquelle D. a recours à un alexandrin renouvelé, dont l'ampleur et la gravité se concilient avec la légèreté rythmique. Poète de la vie spontanée, chantre de l'instant et de sa richesse, D.

devait mourir dans un camp de déportés au lendemain de sa libération par les troupes américaines.

Œuvres. *Le Trait d'union,* 1919 (P). – *Deuil pour deuil,* 1924 (P). – *C'est les bottes de sept lieues,* 1926 (P). – *La Liberté ou l'Amour,* 1927 (P). – Avec Man Ray, *l'Étoile de mer* (film), 1928. – *Corps et Biens,* 1930 (P). – *La Complainte de Fantômas* (poésie radiophonique), 1933 (P.) – *Les Sans-Cou,* 1934 (P). – *Night of Loveless Nights* (poésie radiophonique), s.d. (P). – *Les Portes battantes,* 1936 (P). – *Fortune* (recueil de poèmes 1929-1942), 1942 (P). – *État de veille,* 1943 (P). – *Le vin est tiré,* 1943 (N). – *Contrée,* 1944 (P). – *Le Bain avec Andromède,* 1944 (P). – *Trente Chantefables pour les enfants sages,* 1944 (P). – *Rue de la Gaîté,* posth., 1947 (P). – *Les Trois Solitaires,* posth., 1947 (P). – *Domaine public,* posth., 1953 (P). – *De l'érotisme considéré dans ses manifestations écrites,* posth., 1953 (E). – *Cinéma* (recueil), posth., 1966 (E). – *Nouvelles-Hébrides et Autres Textes 1922-1930,* posth., 1978. – *Écrits sur la peinture,* posth., 1984.

DES PÉRIERS Bonaventure. Arnay-le-Duc 1510 – Alençon, vers 1544. On sait peu de chose de cet humaniste bourguignon, secrétaire et protégé de la reine de Navarre, Marguerite, sœur de François 1er. Il a été lié avec Étienne Dolet et a plusieurs fois séjourné à Lyon, foyer de la libre pensée. Auteur de poèmes de circonstance, il traduit et paraphrase divers auteurs grecs et latins, entre autres Platon, Térence, Sénèque, et collabore à la traduction en français du texte hébreu de la Bible, sous la direction d'Olivétan (1533-1534), ainsi qu'aux *Commentaires de la langue latine,* d'É. Dolet (1536-1538). Il est connu pour avoir publié, en 1538, sous le titre de *Cymbalum mundi,* quatre dialogues facétieux qui sont une satire allégorique, à la manière du Grec Lucien, de la religion chrétienne, de ses dogmes, de sa liturgie, de ses discussions théologiques. Le livre sera condamné et brûlé en raison de ses « grands abus et hérésies », et Marguerite de Navarre devra se séparer, bien qu'il lui en coûte, de ce secrétaire suspect d'athéisme, qui meurt quelques années après, peut-être par suicide. On doit enfin et surtout à D. les *Nouvelles Récréations et Joyeux Devis,* un recueil de contes dans la meilleure tradition des fabliaux, qui ne paraîtra qu'après sa mort. Bon disciple de Rabelais, D. prend pour devise *Bene vivere et laetari* « Bien vivre et se réjouir », et son propos est d'égayer, non de moraliser. Avec des personnages d'une grande vérité d'expression, ses anecdotes, où abondent jeux de mots et saillies cocasses ou piquantes, sont savoureuses, pittoresques et colorées, pleines de vie et de naturel. La Fontaine s'en inspirera maintes fois dans ses *Fables.*

Œuvres. *Traduction de la Bible,* sous la direction d'Olivétan, 1533-1534. – *Commentarii linguae latinae,* sous la direction de Dolet, 1536-1538. – *La Prognostication des prognostications, non seulement de cette présente année MDXXXVII mais aussi des autres à venir...,* 1537. – *L'Andrienne de Térence, traduite en vers français,* 1537 (T). – *Cymbalum mundi, en français, contenant quatre dialogues poétiques, fort antiques, joyeux et facétieux,* 1538. – *Le Voyage de Lyon à Notre-Dame de l'Isle* (épître en vers), 15 mai 1539. – *Recueil des œuvres* (traduction du *Lysis* de Platon, de la *1re satire* d'Horace, œuvres poétiques : épigrammes, rondeaux, cantiques, épîtres), 1544. – *Les Nouvelles Récréations et Joyeux Devis,* posth., 1558 (N).

DESPORTES Philippe. Chartres 1546 – Bonport (Normandie) 5.10.1606. De famille bourgeoise aisée, il reçut une excellente éducation : il apprit le latin, le grec et même, peut-être, l'hébreu. Très vite, il fut attiré par la poésie, pour laquelle il était évidemment doué. L'exemple de Ronsard semble bien l'avoir influencé, et il conçut très jeune l'ambition de devenir son émule. Il se fit connaître dès 1567 par des *Stances* qui séduisirent particulièrement le duc d'Anjou. Cinq ans plus tard, ses *Imitations de l'Arioste* confirmèrent à la fois sa réputation et ses tendances italianisantes. Il devint l'un des animateurs du salon de la maréchale de Retz, centre du néo-pétrarquisme poétique. Le duc d'Anjou, futur Henri III, qu'il avait accompagné en Pologne, le combla de toutes ses faveurs lors de son avènement, ce qui permit à D. de fonder l'académie du Palais et, en 1582, d'obtenir le titre d'abbé commendataire des abbayes de Tiron et de Josaphat. Il s'occupa avec succès de politique et de diplomatie dans les affaires de Normandie de 1587 à 1594, et en fut récompensé par la donation de l'abbaye de Bonport, où il se retira à l'avènement de Henri IV, sans que, toutefois, celui-ci le disgracie vraiment – il songea même un moment à en faire le précepteur de son fils. Au moment de sa retraite, D. est l'auteur d'une œuvre poétique importante (l'édition de 1583 rassemble plus de deux cents pièces), et sa gloire éclipse celle de Ronsard vieillissant. Il est, à beaucoup d'égards, un imitateur, mais si sa virtuosité technique est peut-être supérieure à son inspiration, il reste que D. a su redonner au pétrarquisme une vigueur nouvelle, et certaines audaces de son imagination ne sont pas sans portée. Il opère un raffinement du langage poétique que traduit l'originalité de certaines de ses images, annonçant ce qu'il y aura de meilleur dans la préciosité, tandis que son souci de pureté dans le vocabulaire et la versification est comme un avant-goût du classicisme. Certes, il est avant tout un poète de la recherche et de l'artifice, mais que Malherbe l'ait délibérément choisi pour cible (*Commentaire sur Desportes,* 1609) prouve que sa qualité n'était point médiocre et que son influence n'était pas négligeable. Il rassemblera l'essentiel de ses œuvres dans l'édition de 1590 de ses *Amours : Cléonice, Diane, Hippolyte.* Une fois retiré à Bonport, il se consacra à la poésie religieuse, et sa *Traduction des psaumes de David* est loin d'être sans mérites.

Œuvres. *Stances,* 1567 (P). – *Roland furieux ; la Mort de Rodomont ; Angélique* (dans un recueil collectif d'*Imitations de l'Arioste*), 1572 (P). – *Premières Œuvres,* 1re éd., 1572 (P) : *Amours de Diane, Amours d'Hippolyte, Élégies,* réimpression des *Imitations de l'Arioste,* recueil de *Mélanges ;* 2e éd., 1583 : *les Dernières Amours* (ou *Cléonice* dans les éditions ultérieures), le second livre des *Élégies, les Mélanges* (augmentés) répartis en 5 divisions : *Diverses Amours, Bergeries, Cartels et Mascarades, Épitaphes, Prières.* – Traduction des *Psaumes* de David : 1re éd., 60 psaumes, 1591 ; 2e éd., 98 psaumes, 1598 ; 3e éd., totalité des psaumes, augmentés d'un recueil de *Prières et Méditations chrétiennes* et d'un recueil de *Poésies chrétiennes,* 1603.

DESROCHERS Alfred. Saint-Élie-d'Orford (près de Sherbrooke, Québec) 4.10.1901 – Montréal 12.10.1978. Écrivain québécois. Il évoque ses émotions religieuses et son amour de la terre natale dans de longs poèmes lyriques ou des sonnets au réalisme pittoresque. Il est aussi un critique notable.

Œuvres. *L'Offrande aux vierges folles,* 1928 (P). – *À l'ombre de l'Orford,* 1929 (P). – *Paragraphes,* 1931 (E). – *Le Cycle du village,* 1948 (P). – *Retour de Titus,* 1963 (P). – *Élégies pour l'épouse en-allée,* 1967 (P). – *Paysage d'automne,* 1973 (P). – *Le Livre des grandes fourches* (en collab.), 1976 (P). – *Œuvres poétiques,* I *Recueils colligés ;* II *Choix de poésies éparses,* 1977.

DES ROCHES Madeleine. Vers 1530 – 1587, et sa fille **Catherine.** Elles tinrent toutes deux salon à Poitiers et groupèrent autour d'elles une société des plus brillantes. Elles ont écrit des poèmes, réunis sous le titre *Œuvres de Mmes des Roches, de Poitiers, mère et fille* (1579), témoignage significatif de la culture mondaine de ce temps, celle qui s'épanouira bientôt dans la préciosité, où l'influence féminine, on le sait, fut décisive. Pour la petite histoire, on notera qu'une puce sur le sein de Catherine D.R. suscita de la part d'un érudit aussi sérieux qu'Étienne Pasquier un « divertissement » intitulé « la Puce de mademoiselle des Roches ».

DESTOUCHES, Philippe Néricault, dit. Tours 9.4.1680 – Fortoiseau 4.7.1754. Immortalisé par le célèbre vers « Chassez le naturel, il revient au galop », D. est le représentant du genre dit *comédie sérieuse,* qui fait la transition entre la comédie gaie, selon la tradition de Molière, et le drame bourgeois de Diderot. Théâtre en vers, qui, par là, se propose de conserver à la comédie sa dignité d'art classique, mais la peinture des mœurs et l'analyse des caractères ou des types y sont subordonnées au symbolisme moral. Le mérite de D. est de savoir éviter la rhétorique édifiante, en fondant la leçon morale sur le déroulement d'une intrigue solidement construite autour de personnages qui deviennent des symboles plutôt que des caractères. Mais ces symboles incarnés, D. sait les rendre vivants : ils sont en effet engagés dans une épreuve inscrite dans une action de caractère romanesque. Par exemple, *le Dissipateur* utilise le comique de situation (nous avons affaire à un jeune homme riche et naïf qui se laisse dépouiller par des escrocs) pour illustrer, à travers un tableau de mœurs, un processus de correction morale. De même, au cours de la comédie restée la plus célèbre de D., *le Glorieux,* où figure le vers cité plus haut, l'action romanesque et le tableau de mœurs soutiennent l'édification morale, qui n'a nul besoin, pour s'exprimer, de discours ou de sermon ; c'est l'histoire d'un jeune homme conduit au bord de la ruine par sa vanité, et que son père humilie et corrige avant de lui apprendre qu'il est de nouveau riche. Dénouement qui illustre bien, d'ailleurs, la présence dans la *comédie sérieuse* de cet optimisme moral si caractéristique de l'humanisme du XVIIIe s. À cet égard, l'œuvre de D. a une valeur de témoignage qu'on ne saurait sous-estimer, non plus que la valeur documentaire de sa peinture animée des mœurs du temps.

Œuvres. *L'Ingrat,* 1712 (T). – *L'Irrésolu,* 1713 (T). – *Le Médisant,* 1715 (T). – *Le Philosophe marié,* 1727 (T). – *L'Envieux,* 1727 (T). – *Le Glorieux,* 1732 (T). – *La Fausse Agnès,* 1736 (T). – *Le Dissipateur,* 1736 (T). – *L'Ambitieux,* 1737 (T). – *L'Homme singulier,* posth., 1764 (T).

DEUBEL Léon. Belfort 1879 – Maisons-Alfort 1913. Sous l'influence de Laforgue, de Verlaine, de Baudelaire, de Mallarmé, il est le lyrique du désespoir intérieur. Quoique d'une évidente sincérité, son œuvre trahit aussi la recherche d'une « malédiction » parfois un peu artificielle. Après avoir mené une vie de misère, D. se suicida en se noyant dans la Marne.

Œuvres. *Le Chant des routes et des déroutes,* 1901(P). – *Léliancolies,* 1902 (P). – *Sonnets intérieurs,* 1903 (P). – *Vers la vie,* 1904 (P). – *La lumière natale,* 1905 (P). – *Ailleurs,* 1912 (P). – *Correspondance,* 1897-1912, posth., 1931.

DEVAL, Jacques Boularan, dit **Jacques.** Paris 1890 – 1972. Après avoir débuté par des poèmes, il se révéla homme de théâtre dès 1920 avec *Une faible femme.* Il devait, à partir de là, jouer un rôle déterminant dans le renouvellement du « Boulevard » par sa connaissance du métier dramatique composée avec un badinage et une fantaisie qui, peu à peu, s'orientent vers plus de gravité. *Tovaritch,* l'un des plus grands succès de la scène française de l'entre-deux-guerres, reste marqué par ce qu'on appelait autrefois « l'esprit », mais, dans le même temps, *Étienne* met en scène, sous les apparences de la farce, une sombre peinture des relations familiales, tandis que *Mademoiselle* atteint à une sorte de gravité tragique en représentant l'âpreté passionnée avec laquelle une vieille fille, pour satisfaire un amour maternel refoulé, prend en charge l'enfant qu'une jeune fille de bonne bourgeoisie a eu, hors des liens du mariage, et cela dans le cadre d'une famille irresponsable.

Œuvres. *Le Livre sans amour,* 1919 (P). – *Une faible femme,* 1920 (T). – *Beauté,* 1923 (T). – *Le Bien-Aimé,* 1924 (T). – *La Beauté du diable,* 1924 (T). – *Dans sa candeur naïve,* 1926 (T). – *Une tant belle fille,* 1928 (T). – *Sabre de bois,* 1929 (N). – *Étienne,* 1930 (T). – *Marie galante,* 1931 (N). – *Mademoiselle,* 1932 (T). – *La Route des Indes,* 1932 (T). – *Prière pour les vivants,* 1933 (T). – *Tovaritch,* 1933 (T). – *KMX Labrador,* 1948 (T). – *Ce soir à Samarcande,* 1950 (T). – *Ombre chère,* 1951 (T). – *Il était une gare,* 1953 (T). – *Demeure chaste et pure,* 1953 (T). – *Charmante Soirée,* 1955 (T). – *La Prétentaine,* 1957 (T). – *Romancero,* 1958 (N). – *Tigrane,* 1960 (T). – *La Vénus de Milo,* 1962 (T). – *Et l'enfer, Isabelle ?,* 1963 (T). – *Un homme comblé,* 1964 (T). – *Les Voyageurs,* 1964 (N).

DEVAULX Noël. Brest 9.12.1905. Scientifique et technicien de formation et de profession, D. ne vient à la littérature que relativement tard. Après un premier récit, « le Mont Coeliers », paru en 1938 dans la revue *Mesures,* il entre en relation avec Paulhan et Béguin, et son premier recueil de nouvelles, *l'Auberge Parpillon,* paraîtra en 1945. Dès ce moment, le narrateur apparaît à la fois comme un classique, par la maîtrise et le dépouillement du style, et comme un fantastique, par son goût de l'atmosphère fabuleuse et la perpétuelle présence de suggestions métaphysiques ou oniriques : personnages doués d'une « nature plus qu'humaine » comme *la Dame de Murcie,* dont les yeux possèdent un pouvoir énigmatique et irréfutable. « Théâtre d'ombres », selon l'expression de H. Ronse (*N.R.F.,* 2, 1967), mais où l'évidente existence de ces ombres mêmes est comme la gravure en creux de la nostalgie du spirituel et du sacré.

Œuvres. *L'Auberge Parpillon,* 1945, rééd. 1984 (N). – *Le Pressoir mystique,* 1948 (N). – *Compère, vous mentez,* 1949 (N). – *Sainte Barbegrise,* 1952, rééd. 1984 (N). – *Bal chez Alfeoni,* 1956 (N). – *La Dame de Murcie,* 1961 (N). – *Frontières,* 1966 (N). – *Avec vue sur la zone* (nouvelles), 1974 (N). – Avec Alexis Gruss jr., *le Cirque à l'ancienne,* 1977. – *Le Lézard d'immortalité* (récits), 1977 (N). – *D'une mer à l'autre,* 1977. – *La Plume et la racine,* 1979 (N). – *Le Manuscrit inachevé,* 1981 (N). – *Le Visiteur insolite* (contes), 1985.

DHÔTEL André. Attigny (Ardennes) 1.9.1900. Une longue série de livres continue d'imposer un talent très personnel, habile à faire comprendre l'atmosphère inquiétante de la forêt ardennaise où l'auteur est né. L'intrigue, souvent confuse, l'appel aux légendes locales se fondent dans un climat qui frôle souvent le surréalisme et révèle une influence certaine d'Alain-Fournier. La description s'attarde volontiers sur les solitudes, les ombres peuplées d'invisible. Grand prix national des Lettres 1975.

Œuvres. *Le Petit Livre clair,* 1928 (P). – *Campements,* 1930 (N). – *L'Œuvre logique de Rimbaud,* 1933 (E). – *Le Vil-*

lage pathétique, 1943 (N). – *Nulle part,* 1943 (N). – *Les Rues dans l'aurore,* 1945 (N). – *Le Plateau de Mazagran,* 1947 (N). – *Ce jour-là,* 1947 (N). – *David,* 1948 (N). – *Les Chemins du long voyage,* 1949 (N). – *Ce lieu déshérité,* 1949 (N). – *L'Homme de la scierie,* 1950 (N). – *Bernard le Paresseux,* 1952 (N). – *Rimbaud et la révolte moderne,* 1952 (E). – *Les Premiers Temps,* 1953 (N). – *Le Maître de pension,* 1954 (N). – *Mémoires de Sébastien,* 1955 (N). – *Le Pays où l'on n'arrive jamais,* 1955 (N). – *La Chronique fabuleuse,* 1955 (N). – *Le Ciel du faubourg,* 1956 (N). – *Dans la vallée du chemin de fer,* 1957 (N). – *Les Voyages fantastiques de Julien Grainebis,* 1958 (N). – *Le Neveu de Parencloud,* 1960 (N). – *Ma chère âme,* 1961 (N). – *Idylles* (nouvelles), 1961 (N). – *Les Mystères de Charlieu-sur-Bar,* 1962 (N). – *Le Roman de Jean-Jacques,* 1962 (E). – *La Tribu Bécaille,* 1963 (N). – *Le Mont-Damion,* 1964 (N). – *Les Lumières de la forêt,* 1964 (N). – *Pays natal,* 1966 (N). – *Lumineux rentre chez lui,* 1967 (N). – *L'Azur,* 1969 (N). – *Un jour viendra,* 1970 (N). – *L'Honorable M. Jacques,* 1972 (N). – *Le Soleil du désert,* 1973 (N). – *Le Couvent des pinsons,* 1974 (N). – *Le Train du matin,* 1975 (N). – *Les Disparus,* 1976 (N). – *Un soir* (nouvelles), 1977 (N). – *La Vie passagère,* 1978 (P). – *Bonne nuit, Barbara,* 1978 (N). – *L'Île de la Croix d'or,* 1978 (N). – *Lointaines Ardennes,* 1979 (E). – *Terres de mémoire,* 1979 (E). – *La Route inconnue,* 1980 (N). – *Des trottoirs et des fleurs,* 1981 (N). – *Je ne suis pas d'ici,* 1982 (N). – *Rhétorique fabuleuse,* 1983 (E). – *Les Bois enchantés et autres contes,* 1983 (N). – *Histoire d'un fonctionnaire,* 1984 (N). – *La Nouvelle Chronique fabuleuse,* 1984 (N). – *École buissonnière* (entretiens avec Jérôme Garcin), 1984 (E). – *Le Ciel du faubourg,* 1984 (N).

DIALECTIQUE. Ce terme, qui désigne tout d'abord l'organisation d'une discussion ou d'un débat dans le cadre de la forme littéraire du dialogue (on peut en trouver le modèle chez Platon), en est venu à désigner aussi, au-delà de cette première signification rhétorique, une démarche intellectuelle particulière : la dialectique prend alors pour point de départ la structure dualiste d'une pensée qui, dans un premier temps, fait l'expérience immédiate de la contradiction : c'est le stade de l'opposition entre la *thèse* et l'*antithèse* ; dans un second temps, la démarche dialectique opère le dépassement de la dualité pour retrouver l'unité par la *synthèse.* La théorie de la démarche dialectique, comprise en ce sens, a été élaborée au XIXe s. par le philosophe allemand Hegel, dont l'influence sur la pensée européenne moderne sera considérable. Plus largement enfin, le mot désigne toute structure de conflit déterminant une dynamique d'unité qui peut d'ailleurs déboucher aussi bien sur le triomphe que sur l'échec. À cet égard, par exemple, toute situation dramatique tend à déclencher un processus dialectique, tendance particulièrement sensible dans le cas de la tragédie : l'exemple le plus typique en est le héros cornélien (*cf.* S. Doubrovsky, *Corneille et la dialectique du héros*). Il semble que tout ce qui relève de la catégorie de l'héroïque revête, plus ou moins explicitement, un caractère dialectique, comme on peut le constater, entre autres exemples, chez Malraux ou chez Montherlant. En ce dernier sens, la structure dialectique apparaît comme un principe d'interprétation de la genèse interne de certaines œuvres littéraires.

DIB Mohammed. Tlemcen (Algérie) 21.7.1920. Écrivain algérien d'expression française. Il fut d'abord instituteur, puis exerça les professions les plus diverses avant de devenir journaliste à Alger à partir de 1950. C'est en 1952 qu'il reçoit un prix Fénéon pour *la Grande Maison.* Fixé en France depuis 1959, il a poursuivi une carrière littéraire féconde. L'importance de *la Grande Maison,* confirmée par la suite de l'œuvre, tient à ce que D., le plus souvent, en proposant une image de la réalité algérienne vue de l'intérieur selon les principes d'une sorte de réalisme symbolique, entreprend de traduire, dans un langage littéraire élaboré à cette seule fin, l'évidence immédiate d'un « paysage humain » – cela sans recours à l'« engagement » proprement dit, mais pour obéir à une exigence de solidarité qui, cependant, n'exclut pas la conscience du déchirement entre l'enracinement et le déracinement.

Œuvres. *La Grande Maison,* 1952 (N). – *L'Incendie,* 1954 (N). – *Au café* (nouvelles), 1955 (N). – *Le Métier à tisser,* 1957 (N). – *Un été africain,* 1959 (N). – *Ombre gardienne,* 1961 (P). – *Qui se souvient de la mer ?,* 1962 (N). – *Cours sur la rive sauvage,* 1964 (N). – *Une paix durable,* 1964 (T). – *Le Talisman,* 1966 (N). – *La Danse du roi,* 1968 (N). – *Dieu en barbarie,* 1970 (N). – *Formulaires,* 1970 (P). – *Le Maître de chasse,* 1973 (N). – *Omneros,* 1975 (P). – *Habel,* 1977 (N). – *Feu beau feu,* 1979 (P). – *L'Histoire du chat qui boude,* 1980 (N). – *Mille Hourras pour une gueuse,* 1980 (N).

DIDACTIQUE (genre) [grec : *didaktikos,* de *didaskein* = enseigner]. Genre littéraire où sont comprises les œuvres qui servent à enseigner une vérité morale, politique, esthétique, etc. À vrai dire, nombre d'œuvres littéraires tendent, explicitement ou implicitement, à proposer un enseignement ou un « message ». Appartiennent au genre didactique, à proprement parler, les œuvres – particulièrement poétiques – qui prennent pour thème ou sujet une doctrine ou une connaissance à transmettre au lecteur. Le rythme du vers apparaît, en effet, particulièrement efficace pour inculquer une doctrine ou une thèse. Ce genre, très en vogue chez les Anciens, connut en France son apogée au Moyen Âge. Quelque peu en décadence aux XVIe et XVIIe s., il eut au XVIIIe s. un regain d'actualité. Mais le romantisme, qui considérait avant tout la poésie comme l'expression d'une sensibilité, mit fin au poème didactique, qui toutefois devait renaître sous la forme du poème scientifique, en particulier dans l'œuvre de Sully Prudhomme.

DIDEROT Denis. Langres 10.1713 – Paris 30.7.1784. Aîné de sept enfants d'un coutelier aisé, il est destiné à l'état ecclésiastique, mais, après des études chez les jésuites de Langres, puis à Paris (il est maître ès arts en 1732), il perd la foi. Jusqu'à son mariage (1743), sa vie est très mal connue, proche de la bohème : il rédige des sermons contre argent, enseigne les mathématiques sans les savoir, couche à la belle étoile. Vers 1742, il se lie avec Rousseau et Grimm. Ses débuts littéraires sont fracassants ; le matérialisme franchement affirmé de la *Lettre sur les aveugles à l'usage de ceux qui voient* entraîne sa détention au fort de Vincennes (juillet-novembre 1749). Cette mésaventure le rend plus prudent, ce qui lui permet de mener à bien l'écrasante tâche de l'*Encyclopédie,* qui l'occupera pendant vingt ans. Il n'en néglige pas pour autant ses amis : Grimm, pour le journal duquel il écrit des articles sur la peinture (*Salons,* 1759-1781) ; Sophie Volland, rencontrée en 1756, destinataire d'une correspondance qui est peut-être le chef-d'œuvre de D. ; en revanche il se brouille sans noblesse avec Rousseau (1757) et le poursuivra dès lors d'une haine mal expliquée. La maturité de Diderot voit l'éclosion d'un très grand nombre d'œuvres touchant à tous les genres : il donne une théorie du théâtre avec *Entretiens avec Dorval sur « le Fils naturel », De la poésie dramatique, Paradoxe sur le comédien,* mais sa pratique n'est guère couronnée de succès. Le philosophe, qui a défini une méthode expérimentale dès les *Pensées sur l'interprétation de la nature* (1753), exprime ses soucis sur le destin de l'homme et la morale dans l'*Entretien entre d'Alembert et Diderot, le Rêve de d'Alembert,* la *Suite de l'« Entretien »,* l'*Addition aux « Pensées philosophiques »* (1770) et le *Supplément au Voyage de Bougainville.* Enfin le conteur, qui a consacré à Richardson un *Éloge* enflammé (1761), se montre en fait davantage disciple de Sterne dans *la Religieuse, le Neveu de Rameau, Ceci n'est pas un conte, Regrets sur ma vieille robe de chambre* et *Jacques le Fataliste.* Pour doter sa fille, D. a vendu sa bibliothèque à Catherine II de Russie : courtisan par nécessité, il rend visite à l'impératrice (1773-1774) et revient enthousiasmé. Assagi par la vieillesse, il écrit encore divers ouvrages. Il s'éteint quelques mois après Sophie, l'amie de toujours, morte en février 1784.

D'une vitalité étonnante, D. fut toujours tiraillé entre les séduisantes lumières de la raison (Catherine, « despote éclairée ») et les incontrôlables transports de la sensibilité (qui lui font aimer Greuze) ; exubérant et sensuel, il écrit de verve, et le naturel jaillissant de sa pensée n'est pas son moindre charme, lors même qu'il donne une allure désordonnée à l'ensemble de l'œuvre. Comme penseur, Diderot est, plus que les autres « philosophes » du XVIIIe s., l'homme sans Dieu ; son matérialisme naît de l'impossibilité pour lui d'une connaissance morale de l'homme : seule est viable une approche scientifique fondée sur la physiologie. Le déterminisme qui pèse sur l'homme fait de la liberté un hochet absurde, mais l'humanisme de D. ne peut se résoudre à supprimer toute autonomie et tend vers un individualisme à coloration anarchiste qui, à bien des égards, préfigure celui de notre temps. Il a illustré cette philosophie dans ses ouvrages narratifs. Si les Goncourt ont salué en lui un des premiers « réalistes », il est plutôt conteur que romancier et n'oublie jamais ses préoccupations idéologiques. Deux œuvres ont fait sa gloire par leur vérité satirique et leur refus de la banalité : *le Neveu de Rameau,* écrit à partir du personnage réel du neveu du musicien, bâtit une silhouette inoubliable de bohème et de cynique. *Jacques le Fataliste,* à travers une affabulation fantasque, agite la question du destin. Mais entre Jacques le déterministe et son maître, qui croit à la liberté, comme entre « Lui » et « Moi » dans *le Neveu,* D. ne choisit pas : il préfère le dialogue entre les deux parts inconciliables de lui-même. C'est tout son drame qui s'exprime en ces deux doubles du philosophe. Jamais il n'a pu – ni peut-être même voulu – résoudre pour son compte le conflit, qu'il exorcise en le traduisant en une multiple pantomime de diverses marionnettes, au nombre desquelles il ne répugne pas à figurer lui-même. Ce n'est pas la moindre raison de la puissance de son œuvre, toujours vivante, s'il est vrai que la vie est contradiction, sans cesse inquiète, mais jamais désespérée, et renaissant toujours des cendres de l'autocritique.

Œuvres. *Essai sur le mérite et la vertu,* accompagné de *Réflexions,* adaptation de l'*Essai* de Shaftesbury, 1745 (E). – *Principes de la philosophie,* 1745 (E). – *Pensées philosophiques,* 1746 (E). – *La Promenade du sceptique,* 1747 (E). – *La Suffisance de la religion naturelle,* 1747 (E). – *Les Bijoux indiscrets,* 1748 (N). – *Mémoires sur différents sujets de mathématiques,* 1748 (E). – *Lettre sur les aveugles à l'usage de ceux qui voient,* 1749 (E). – *Prospectus de l'« Encyclopédie »,* 1750. – *Lettre sur les sourds et les muets à l'usage de ceux qui entendent et qui parlent,* 1751 (E). – *Deux lettres au R. P. Berthier,* 1751. – *Encyclopédie ou Dictionnaire raisonné des sciences, des arts et des métiers* (sous la direction de Diderot), tome I, juillet 1751 ; 42 volumes, 1751-1780. – *Observations sur l'instruction pastorale de Mgr l'Évêque d'Auxerre* (3e partie de *l'Apologie de M. l'abbé de Prades*), 1752. – *Réédition avec une seconde partie et une suite de l'« Apologie de M. l'abbé de Prades »,* 1752. – *Pensées sur l'interprétation de la nature,* 1re édition, 1753 (E) ; 2e édition, augmentée, 1754. – *L'Histoire et le Secret de la peinture en cire,* 1755 (E). – *Le Fils naturel ou les Épreuves de la vertu* (joué en 1771), 1757 (T). – *Entretiens avec Dorval sur « le Fils naturel »,* 1757 (E). – *Les Étrennes des esprits forts* (seconde édition des *Pensées philosophiques*), 1757 (E). – *Le Père de famille* (joué en 1761), 1758 (T). – *Discours sur la poésie dramatique,* 1758 (E). – *Lettre à d'Alembert,* octobre 1758. – *Salon* de 1759, dans la *Correspondance littéraire* de Grimm, 1759 (8 *Salons* de 1759 à 1781). – *Réflexions sur la renonciation de Jean-Jacques Rousseau au droit de citoyen de Genève,* 1763 (E). – *Notice sur La Fontaine,* 1764 (E). – *Traité des couleurs,* 1765 (E). – *Henriette* (parade vaudeville), 1768 (T). – *Addition aux « Pensées philosophiques »,* 1770 (E). – *Sur les femmes,* 1772 (E). – *Œuvres de Diderot* (1re éd., collective), 1772. – *Le Gulistan,* 1772. – *Regrets sur ma vieille robe de chambre* (écrits en 1769), 1772 (N). – *Contes moraux et Nouvelles Idylles* (contiennent *les Deux Amis de Bourbonne ;* l'*Entretien d'un père avec ses enfants ou Du danger de se mettre au-dessus des lois,* écrits en 1770), 1773 (N). – *Principe de la politique des souverains,* 1774. – *Entretien d'un philosophe avec la maréchale de...,* dans *la Correspondance secrète de Métra,* 1776 (E). – *Essai sur la vie de Sénèque le philosophe, sur ses écrits et sur les règnes de Claude et de Néron,* posth., 1778 (E) ; 2e édition, remaniée, posth., 1782. – *Salon de 1765,* précédé d'une dédicace de Grimm, posth., 1795. – *Essai sur la peinture pour faire suite au « Salon de 1765 »* (écrit en 1765, publié dans *la Décade philosophique,* puis traduit en allemand), posth., 1796 (E). – *Supplément au Voyage de Bougainville* (écrit en 1772), posth., 1796. – *La Religieuse* (écrit en 1760), posth., 1796 (N). – *Jacques le Fataliste et son maître* (écrit en 1773, traduit en allemand par Schiller en 1785), posth., 1796 et nombreuses rééditions (N). – *L'Oiseau blanc, conte bleu* (écrit en 1748), posth., 1798 (N). – *Sur l'inconséquence du jugement public* (écrit en 1772), posth., 1798. – *Ceci n'est pas un conte,* dans *la Correspondance littéraire* de Grimm (écrit en 1773), posth., 1798 (N). – *Salons de 1765 et 1767,* dans *Œuvres complètes de Diderot* (15 vol.), posth., 1798. – *Essai sur les études en Russie ; Plan d'une Université pour le gouvernement de Russie* (écrits en 1773), posth., 1813-1814. – *Voyage en Hollande* (1773-1774), posth., 1819 (N). – *Salons de 1761 et de 1769,* posth., 1819. – *La Pièce et le Prologue* (composée en 1771), posth., 1821 (T). – *Le Neveu de Rameau* (commencé entre 1762 et 1764, remanié entre 1772 et 1779, trad. en all. par Goethe en 1805), posth., 1821-1823 (N). – *Paradoxe sur le comédien* (dialogue ébauché en 1770 [*Observations sur Garrick ou les Acteurs anglais,* dans la *Correspondance littéraire* de Grimm], écrit en 1773, remanié en 1778), posth., 1830 (E). – *Mémoires, correspondances et ouvrages inédits de Diderot, publiés d'après les manuscrits confiés à Grimm,* contenant : *Entretien entre d'Alembert et Diderot ; le Rêve de d'Alembert,* suite de l'*Entretien* (achevés en 1769) ; *Lettres à Sophie Volland* (écrites à partir de 1755), posth., 1831. – *Est-il bon ? est-il méchant ?* (seconde version de *la Pièce et le Prologue,* écrite en 1781), posth., 1834 (T). – *Salons de 1763, de 1771, de 1775* et *de 1781,* posth., 1857. – *Lettre sur le commerce de la librairie* (écrite en 1767), posth., 1861. – *Réfutation de l'ouvrage d'Helvétius intitulé « l'Homme »* (écrit en 1773-1774), posth., 1875. – *Éléments de physiologie* (commencés vers 1766), posth., 1875. – *Lettres à Grimm, à Mme d'Épinay, à Falconet,* et *Correspondance générale du 1er juin 1747 au 21 mars 1774* (16 vol.), posth., 1877-1882. – *Diderot et l'abbé Barthélemy* (dialogue philosophique), posth., 1921. – *Lettres à Sophie Volland,* éd. établie par Babelon, posth., 1930. – *Œuvres complètes,* publication en cours en 33 vol. sous l'égide du Comité de publication des œuvres complètes de Diderot, créé en 1971.

Le Fils naturel

Prototype du drame à la fois sentimental, moral et social, avec, au dénouement, le coup de théâtre qui résout heureusement une situation qui paraissait insoluble. Le « fils naturel », Dorval, victime du préjugé social, est un cœur tendre, un esprit philosophique, une volonté droite. Il a un ami, Clairville, et cette amitié est exemplaire des deux côtés ; la sœur de Clairville, Constance, éprouve une vive passion pour Dorval, qui, lui, aime Rosalie, la fiancée de son ami (c'est comme une actualisation de la situation d'*Andromaque*). Ainsi se noue le drame de conscience de Dorval, qui, pour dominer ce conflit entre l'amour et l'amitié, entreprend de vaincre sa passion. Mais il découvrira, en scrutant le secret de sa naissance illégitime, que Rosalie est en fait sa sœur. L'amour et l'amitié pourront alors se réconcilier : tandis que Clairville épouse Rosalie, Dorval épousera Constance.

Paradoxe sur le comédien

Dialogue entre deux « interlocuteurs », dont le premier est le porte-parole de l'auteur, sur les problèmes du théâtre examinés à partir de la technique du comédien. La thèse centrale, fondée sur des exemples concrets, est qu'il y a deux catégories d'acteurs : ceux qui jouent « d'âme », et qui sont tantôt sublimes, tantôt médiocres, et ceux qui jouent « de réflexion » (c'est-à-dire sans se laisser prendre par leur personnage), et qui sont, eux, d'une parfaite régularité. Ainsi se trouve posé le problème esthétique de la relation entre émotion et création : l'émotion apparaît comme un obstacle à la création, alors qu'elle en est l'objectif essentiel ; là est finalement le paradoxe illustré par le cas concret du comédien. S'il est vrai que l'œuvre d'art, comme le jeu de l'acteur, doit émouvoir, même violemment, son destinataire, un tel résultat ne peut être obtenu que si le créateur ou l'acteur, prenant du recul par rapport à sa propre émotion, est capable de maîtriser absolument tous les moyens de son art, tous les ressorts de son expression.

Lettre sur les aveugles

Démonstration expérimentale de la validité de l'hypothèse athée, sous la forme quasi mondaine d'une communication adressée par D. à son amie Mme de Puiseux, au moment où Réaumur venait de réussir l'opération de la cataracte et où étaient à la mode les implications philosophiques de la récupération de la vue par les aveugles-nés. D. prend pour porte-parole imaginaire le mathématicien anglais Saunderson, devenu aveugle à l'âge de un an. L'aveugle ne saurait percevoir ce que les philosophes appellent l'« ordre du monde », qui, en raison de son imperfection, ne peut fonder la croyance en l'existence de Dieu, croyance au demeurant sans intérêt pour un aveugle, et même pour quiconque, car « il est très important de ne pas prendre de la ciguë pour du persil, mais nullement de croire ou de ne pas croire en Dieu ».

Le Neveu de Rameau

« Satire » au sens latin, c'est-à-dire « pot-pourri ». D. (ultérieurement désigné par *Moi*) flâne au café de la Régence parmi les joueurs d'échecs et entre en conversation avec le neveu du grand Rameau (ultérieurement désigné par *Lui*) ; ce qui donne le départ à un dialogue entre les deux personnages, entrecoupé des fragments d'une description, par touches successives, de ce personnage hors du commun. De sa part, la conversation revêt le caractère d'une confession cynique, qui fait aussi toute sa place à une satire lucide et impitoyable de la société contemporaine ; le philosophe lui-même (*Moi*) n'échappe pas au regard pénétrant du Neveu. Raté génial, « singulier mélange de hauteur et de bassesse, de bon sens et de déraison », celui-ci est bien aussi un esprit universel, comme le philosophe, mais, pour ainsi dire, à l'envers. Il aborde tous les thèmes, la musique, bien sûr, et, à travers elle, l'esthétique, la société, qu'il connaît de l'intérieur en sa qualité de parasite. La politique aussi, qui est la forme extrême de la comédie humaine et qui lui apparaît comme une « pantomime des gueux », pantomime qui, d'ailleurs, est la fatalité de tout homme en ce monde, le philosophe y compris. Mais le Neveu est aussi capable d'enthousiasme et même de génie. S'il s'agit de musique, le voici transformé en une sorte de pythie livrée à toutes les exaltations du geste. Ce qui prouve que, s'il est un raté, c'est que la société impose à l'homme cette pantomime qui n'est que la caricature de la vie, qui avilit les individus et ravale l'homme de génie au rang de parasite. Peut-être le philosophe peut-il échapper à la dépendance sociale, mais alors il doit consentir à la misère. Pour sa part, le Neveu préfère, pour vivre, continuer à danser, sans y croire, la pantomime du monde.

Jacques le Fataliste

Roman qui, délibérément, nie les principes mêmes du roman, en particulier celui qui veut que le romancier soit maître de mener son récit à sa guise. Jacques, en effet, valet de comédie, à beaucoup d'égards un peu coquin, cynique et bavard, mais d'une fidélité à toute épreuve (et, de surcroît, quelque peu philosophe), voyage en compagnie de son maître. (On retrouve ici la structure du roman picaresque.) Pour occuper le temps, il promet à son maître de lui raconter la suite de ses aventures amoureuses. Mais le récit est sans cesse interrompu, soit par les réflexions du maître, soit par des interventions ou incidents extérieurs, soit par des « histoires » autonomes qui viennent se substituer aux épisodes du récit initial (par exemple, celle du marquis des Acis et de Mme de La Pommeraye, que R. Bresson a transposée au cinéma dans *les Dames du bois de Boulogne*). Chemin faisant, Jacques, qui n'est pas sans quelque parenté avec le neveu de Rameau, introduit lui-même des digressions philosophiques sur l'art et la nature, et l'un de ses thèmes favoris – d'où son sobriquet – concerne le mécanisme indéréglable de l'enchaînement fatal des causes et des effets, principe à lui enseigné par son capitaine (« chaque balle de fusil a son billet ») et dont il ne veut point démordre. Lorsque enfin il peut reprendre le fil de son histoire personnelle, c'est alors que le « roman » s'achève.

DIERX Léon. Saint-Denis (île Bourbon, auj. La Réunion) 20.10.1838 – Paris 11.6.1912. Compatriote de Leconte de Lisle, il fit partie avec lui – et dans son ombre – du Parnasse, dont il fut le poète le plus élégiaque. Son alexandrin nostalgique, qui se plie mal aux règles d'impassibilité du groupe, remonte en fait à celui de Lamartine, dont il a la musicalité ; la publicité qu'eût pu lui donner le titre de « prince des poètes » (1898) ne fut pour lui qu'un motif de se faire plus modeste. Il fut fonctionnaire de l'Instruction publique de 1879 à 1909.

Œuvres. *Les Aspirations,* 1858 (P). – *Poèmes et Poésies,* 1864 (P). – *Les Lèvres closes,* 1867 (P). – *Les Paroles du vaincu,* 1871 (P). – *La Rencontre* (« scène dramatique »), 1875 (P). – *Les Amants,* 1879 (P). – *Poésies,* 1889-1890 (P). – *La Vision d'Ève,* 1896 (P). – *Poésies complètes,* 1896 (P). – *Poésies posthumes,* 1912 (P).

DIOP Birago. Ouakam, près de Dakar, 11.12.1906. Écrivain sénégalais d'expression française. Simultanément, il reçut une formation coranique et fréquenta l'école française, à l'époque où Dakar avait amorcé l'évolution qui devait lui conférer le premier rang parmi les villes de l'Afrique occidentale de langue française. Pendant son passage au lycée Faidherbe, à Saint-Louis, il découvrit les travaux des africanistes qui, au début de ce siècle, entreprirent de réhabiliter les cultures du continent noir. La limitation des moyens financiers mis à sa disposition l'amena à faire des études de médecine vétérinaire à Toulouse.

Il faut voir dans ce choix l'influence de l'un de ses frères, médecin, à qui l'exercice de son métier, au gré des affectations, avait permis d'échapper à la tyrannie de sa famille. D. obtient son diplôme et revient servir en Afrique même. Il va désormais vivre dans des pays de l'Ouest africain : le Soudan, la Côte-d'Ivoire, la Haute-Volta, la Mauritanie, le Sénégal. Il parcourt la campagne, découvre la diversité des gens, des ethnies, la richesse des cultures et s'intéresse vivement à la vie de l'Afrique traditionnelle.

À Paris, à la fin de ses études, il avait pris une part active au lancement du mouvement de la négritude, auprès de Senghor, Césaire, Damas. On comprend son intérêt pour tout ce qui exprime l'authenticité des cultures traditionnelles. Il s'arrête tout particulièrement au conte, le genre qui lui semble le plus caractéristique de l'Afrique de toujours. Il commence à en collecter au cours de ses tournées d'inspection. Il pratique assidûment les travaux des africanistes, dont il prolonge les enseignements par sa connaissance du milieu, et c'est pendant la guerre, qui le retient à Paris, que D. compose les *Contes d'Amadou Coumba.* Ses affectations le conduisent en Côte-d'Ivoire, en Haute-Volta et en Mauritanie ; il poursuit alors la moisson des contes de ces divers pays et publie les *Nouveaux Contes d'Amadou Coumba,* où il élargit, à l'occasion, le propos du conteur populaire et utilise des techniques jusque-là inconnues dans la littérature traditionnelle. Lorsque le Sénégal accède à l'indépendance, D., écrivain célèbre, se trouve tout désigné pour occuper un poste d'ambassadeur à Tunis. En dépit des nombreuses sujétions de la vie diplomatique, il poursuit sa carrière de conteur, avec de nouvelles publications.

D. a donc placé son œuvre sous le signe de la littérature traditionnelle, d'où le patronage de ses contes par Amadou Coumba N'Gom, qui était un conteur populaire. On peut noter, en outre, l'évolution qui se dessine d'un recueil à l'autre. Au début, D. se hasarde bien rarement hors des voies tracées par le conteur opulaire. Il s'emploie à décrire la vie des aysans, leurs mentalités et croyances. Il e veut, d'autre part, scrupuleusement dèle à leur sens de l'esthétique. Il se garde e rompre l'équilibre des parties, s'en tient la structure linéaire caractéristique de oralité et ne fait nulle part éclater le emps. Le deuxième recueil, *les Nouveaux ontes d'Amadou Coumba,* révèle un D. ncore plus maître de son art. On le écouvre soucieux d'originalité mais touours respectueux du style propre au conte ral. L'introduction prend une importance lus grande, il y donne libre cours à son alent, y développe ses points de vue ; il ait ressortir la continuité du conte aux utres genres traditionnels. Dans les *ontes et Lavanes* enfin, qui témoignent e la même intention de décrire les mœurs, es croyances et la sensibilité des Africains,). parvient à un remarquable équilibre ntre sa volonté de fidélité à la tradition t les exigences de la création personnelle. uant à l'œuvre poétique, nombre de ièces de *Leurres et Lueurs* sont antéieures aux contes. D., nourri de poésie ançaise, est, dans un premier temps, tour tour romantique et quelque peu symboste. Puis, influencé par la composition des ontes, il se rapproche d'une inspiration lus purement africaine, dont la source se ouve dans les croyances animistes et eligieuses de son pays. Il atteint dès lors a maturité poétique, et l'unité de son euvre – poèmes et contes – s'organise utour de son effort de résurrection et expression de l'inspiration « traditionelle ».

Euvres. *Contes d'Amadou Coumba,* 947 (N). – *Nouveaux Contes d'Amadou oumba,* 1958 (N). – *Leurres et Lueurs,* 960 (P). – *Contes et Lavanes,* 1963 (N). *Contes d'Awa,* 1977 (N). – *La Plume aboutée,* 1978 (N). – *À rebrousse-temps,* 982.

IOP David. Bordeaux 1927 – Sénégal 960. Poète sénégalais d'expression franaise. Il fit en France des études qui le onduisirent au professorat de lettres, et pparut comme le benjamin des poètes oirs. Son talent plein de promesses fut articulièrement apprécié dans son unique ecueil poétique, *Coups de pilon* (1956). D., ui avait tant milité par son œuvre, ses rises de position en faveur de l'indépenance, revint en Afrique exercer son nétier de professeur. Il mourut dans un ccident d'avion, au large des côtes énégalaises.

on œuvre, qui s'insère dans le courant e la négritude militante, a fortement aarqué toute une génération de poètes.

DIOP Ousmane Socé. Rufisque (Sénégal) 1911. Écrivain sénégalais d'expression française. Entré à l'école William-Ponty, il en sort avec un diplôme d'instituteur, puis entreprend des études secondaires et est reçu au baccalauréat. Sa vocation était littéraire, mais il n'obtint de bourse d'enseignement supérieur que pour l'École vétérinaire d'Alfort. Il s'inscrit toutefois en Sorbonne, puis entreprend d'écrire un roman, mais il devra pourtant se consacrer professionnellement à la médecine vétérinaire. C'est en 1935 qu'il publie son premier roman, *Karim,* au moment même où, à Paris, les intellectuels noirs achèvent de se regrouper autour de Senghor, Césaire et Damas pour proclamer leur négritude. C'est dans ce contexte qu'avec *Karim* D. joue un rôle d'initiateur : il développe dans ce roman un thème qui reste l'un des thèmes majeurs du roman africain, le conflit entre tradition et modernisme. D. se prononce pour une solution de justemilieu et, par le biais d'une intrigue amoureuse superficielle, il analyse, avec profondeur et réalisme, les valeurs et les maux de la société sénégalaise. Son second roman, *Mirages de Paris,* développe le thème du mariage d'un Noir et d'une Blanche. Dans les années suivantes, l'exercice de sa profession amène D. à vivre dans diverses régions du Sénégal et du Mali. Il s'éloigne de la technique romanesque à la française pour s'intéresser au folklore traditionnel et recueille alors, à l'instar de son aîné Birago Diop, toutes sortes de récits oraux, qu'il regroupera dans ses *Contes et Légendes d'Afrique noire,* où, à l'occasion, il prolonge et enracine certains thèmes de *Karim.* Pour mieux dégager le sens du merveilleux de l'âme noire, il privilégie l'histoire africaine, une histoire conservée dans la seule mémoire des générations, transmise oralement, et qui, souvent, confirme la légende. Le meilleur de l'œuvre de D. se rencontre dans ces récits qui mettent en scène les héros des pays de la savane. Engagé dans la politique, D. est élu maire de Rufisque, siège au Sénat et à l'assemblée de l'Union française ; à la veille de l'indépendance, il fera partie du premier gouvernement sénégalais. Il représentera son pays comme ambassadeur aux États-Unis. Il prononcera à la tribune de l'O.N.U. d'importants discours (par la suite réunis en volume).

Œuvres. *Karim,* 1935 (N). – *Mirages de Paris,* 1937 (N). – *Contes et légendes d'Afrique noire,* 1962 (N). – *Rythmes du Khalam,* 1962 (P). – *L'Afrique à l'heure de l'indépendance* (discours), 1965. – *Les Héritiers d'une indépendance,* 1982 (E).

DISTANCIATION. L'une des principales théories du théâtre épique du dramaturge allemand Brecht. Le terme de distanciation désigne le processus par lequel l'acteur s'efforce de respecter la distance qui le sépare de son personnage (processus que Brecht appelait *Verfremdungseffekt,* de *verfremden* = rendre étranger). L'acteur ne « vit » plus son personnage ; il le regarde vivre, le montre et montre qu'il montre, de la même manière qu'un montreur de marionnettes manipule ses poupées, cela dans le propos d'instaurer dans l'esprit du spectateur un point de vue « critique ». La théorie de la distanciation a exercé une influence importante sur le théâtre français contemporain, dans la composition des drames et leur mise en scène. Sur un plan plus général, la dramaturgie brechtienne a fait l'objet d'une critique fondamentale de la part de Ionesco (*Notes et Contre-Notes*).

DISTIQUE [grec *distikhos : di* = deux, *stikhos* = vers]. Couple de vers grecs ou latins, le plus fréquent étant le distique élégiaque. De façon plus générale, le distique désigne deux vers renfermant un sens complet, et formant un tout rythmique. Les poètes modernes ont tenté de le faire revivre : la *Lorelei* d'Apollinaire est composée de distiques.

DIT. Genre littéraire en faveur au Moyen Âge, en particulier au XIIIe s. Il est caractérisé par sa relative brièveté quant à la forme, et, quant au fond, par son intention à la fois comique et moralisante : il se rattache ainsi à l'un des courants dominants de la littérature médiévale. Par sa forme et son propos, le dit, sous son apparence narrative, est, en fait, intermédiaire entre le conte et la comédie, car, plutôt qu'une narration, il est essentiellement constitué par un monologue et, à cet égard, apparaît comme le germe du théâtre comique : il suffira, pour que celui-ci naisse, que le dialogue se substitue au monologue, ce qui se produira quand le genre du dit cédera la place à celui du « jeu ». Un des meilleurs exemples de ce genre est, au XIIIe s., le *Dit de l'herberie,* de Rutebeuf. Au XIVe s., la forme du dit se retrouvera dans certains fabliaux tels que le *Dit de la perdrix.*

DIZAIN. Poème composé de deux groupes de cinq vers. Il ne compte que quatre rimes ainsi disposées : ababbccdcd. Il aurait été inventé par Maurice Scève (*Délie* est composée de quatre cen quarante-neuf dizains) et fut très à l mode dans la poésie amoureuse du XVIe s

DOCTES [latin *docere* = enseigner] L'histoire littéraire désigne par ce term emprunté au vocabulaire du XVIIe s. l groupe d'érudits et de théoriciens qu élaborèrent en France la doctrine classiqu à partir des théories d'Aristote : la fondation de l'Académie française devait conférer à ce groupe un caractère officiel. L risque de conflit entre les doctes, plu théoriciens que créateurs, et les écrivain apparut de façon spectaculaire lors de l « querelle du *Cid* » ; encore en 1660, c'es par opposition à l'apriorisme des docte que Corneille composa, à partir de so expérience concrète de dramaturge, se trois *Discours sur le poème dramatique,* o il proposait, en particulier, une interprétation d'Aristote radicalement différente d celle des doctes. On peut penser que cett querelle n'est pas seulement un aspec anecdotique de l'histoire littéraire d XVIIe s., mais plutôt un épisode révélateu du conflit latent qui risque, en tout temps d'opposer théoriciens et praticiens de l littérature.

DOCUMENT. C'est la méthode historique qui fait du document – texte, inscription, témoignage – l'instrument de base d la recherche et de la découverte de la vérit des faits. Dans la mesure où une œuvr littéraire se propose de s'élaborer à parti de faits véridiques (ce qui est le cas de l littérature réaliste ou naturaliste), elle s fonde sur des documents : on sait avec qu soin Flaubert ou Zola établissaient leu documentation. Il reste qu'une œuvr purement documentaire n'appartient pa à proprement parler, à l'ordre de l littérature, laquelle suppose une élaboration esthétique du matériau documentaire : il est clair que ni les romans d Flaubert ni ceux de Zola, malgré le sou de documentation de leurs auteurs, ne s bornent à être des œuvres documentaire C'est sans doute un des problèmes majeu de toute littérature réaliste que la conciliation entre sa véracité documentaire et so élaboration esthétique.

DOLET Étienne. Orléans 1509 – Pari 1546. Issu de famille modeste, il pu toutefois, faire ses humanités à Paris, Padoue et à Venise. Puis, sous la protection de l'évêque de Limoges, il se rend à Toulouse pour y apprendre la jurisprudence (1532). C'est là qu'il se signala pa ses discours passionnés en faveur de l défense des droits des étudiants, discours qu'il publia et qui lui valurent son premier emprisonnement. Libéré grâce à l'intervention de Jean de Rieux, il entra comme correcteur chez l'imprimeur Sébastien Gryphe, à Lyon, où il restera de 1534 à 1538. Attaqué dans la rue, il tua son adversaire et se trouva, à nouveau, condamné à la prison. Marguerite de Navarre intervint en sa faveur, plaida la légitime défense, et il fut gracié par le roi. Cet incident ne l'empêcha pas d'obtenir, pour dix ans, un privilège d'imprimeur. Il ouvrit un atelier et montra de remarquables qualités d'artisan ; c'est ainsi qu'il imprima les œuvres les plus célèbres de son temps (celles de Marot ; le *Gargantua* de Rabelais). Sa sympathie pour les typographes, dont il prit la défense comme autrefois il avait pris celle des étudiants, et les succès qu'il obtint lui attirèrent l'hostilité de ses confrères, qui le dénoncèrent à l'Inquisition, sous prétexte d'hérésie, à la suite de la publication de son *Caton chrétien.* Incarcéré (juillet 1542), il ne fut libéré que un an plus tard. Mais ses ennemis ne désarmaient pas. À nouveau, un complot dirigé contre lui le conduisit dans une prison : des livres prohibés avaient circulé sous son nom. Après un procès qui dura deux ans, D., accusé de blasphème, de sédition, d'exposition de livres interdits, fut condamné au bûcher et brûlé sur la place Maubert, à Paris. Une statue commémore l'événement.

Poète, D. a écrit en latin et, plus heureusement, en français : sa poésie touche surtout par la sincérité du ton, qui laisse paraître une expérience réellement vécue, comme dans le très émouvant *Cantique d'Étienne Dolet, prisonnier à la Conciergerie de Paris, sur la désolation et la consolation,* poème composé la veille de sa mort. Humaniste, il a débuté par un violent pamphlet contre Érasme, intitulé *Dialogus de imitatione ciceroniana.* Il a composé, en outre, de nombreux commentaires et traductions d'auteurs latins et surtout des *Commentarii linguae latinae* qui passent pour être son œuvre la plus importante. À partir de 1540, il s'est tourné vers la philologie française. Dans *la Manière de bien traduire d'une langue en l'autre,* il réclame des modifications de la langue française telles que l'emploi de l'apostrophe pour éviter l'hiatus (« l'enfance » au lieu de « la enfance »).

Malgré son engagement politique et son activité intense, D. a donc trouvé aussi le temps d'écrire, mais ce n'est pas seulement son œuvre qui a assuré sa survie. Par les idées qu'il défendit jusque dans la rue – liberté d'expression, droits des étudiants comme des typographes –, par son activité d'imprimeur s'acharnant à diffuser les idées au risque de sa vie, il est le représentant le plus significatif de la lutte entreprise par un humanisme militant pour la diffusion des idées nouvelles et le développement du libéralisme intellectuel.

Œuvres. *Stephani Doleti Orationes duo in Tolosam* (E), suivis de *Carmina* (2 livres) (P), 1534. – *Dialogus de imitatione Ciceroniana,* 1535 (E). – *Gloses sur les « Discours » de Cicéron,* 1536 (E). – *Commentarii linguae latinae,* 1536 et 1538 (E). – *De re navali,* 1537 (E). – *Carmina* (2e éd., augmentée, 4 livres), 1538 (P). – *Genethliacum,* 1539 (P). – *L'Avant-Naissance de Claude Dolet... Œuvre très utile et nécessaire à la vie commune, contenant comme l'homme se doit gouverner en ce monde* (transposition du *Genethliacum*), 1539 (P). – *Francisci Valesi gallorum regis fata,* 1539 (P). – *Les Gestes de François de Valois, roi de France* (transposition en prose de l'ouvrage précédent), 1540 (N). – *Gloses sur les « Épîtres familières » de Cicéron* (en latin), 1540 (E). – *Gloses sur « l'Andrienne » et « l'Eunuque » de Térence* (en latin), 1540 (E). – *La Manière de bien traduire d'une langue en l'autre. Davantage, de la ponctuation de la langue française. Plus, des accents d'icelle,* 1540 (E). – *Traduction* des *Épîtres familières de Cicéron,* 1542. – *Cato christianus,* 1542 (E). – *Traduction des Questions tusculanes de Cicéron,* 1543. – *Traduction de l'Axiochos et de l'Hipparchos de Platon,* 1544. – *Second Enfer* (épîtres), 1544 (P). – *Cantique d'Étienne Dolet, prisonnier à la Conciergerie de Paris, sur la désolation et la consolation,* 1546 (P).

DONNAY Maurice Charles. Paris 12.11.1859 – 31.3.1945. Après des débuts de chansonnier et de revuiste au cabaret du Chat-Noir, il se tourna vers la comédie de boulevard, dont il est l'un des auteurs qui ont le moins vieilli, sans doute à cause d'une psychologie plus fine que celle qui s'attache ordinairement au genre et d'un style dont le classicisme fait toute sa place à un humour qui ne va pas sans profondeur. D. a aussi publié une pièce en vers, *le Ménage de Molière,* et de nombreux volumes d'essais et de souvenirs. Acad. fr. 1907.

Œuvres. *Phryné,* 1891 (T). – *Ailleurs,* 1892 (T). – *Lysistrata,* 1893 (T). – *Folle Entreprise,* 1894 (T). – *Amants,* 1895 (T). – *La Douloureuse,* 1897 (T). – *L'Affranchie,* 1898 (T). – *Georgette Lemeunier,* 1898 (T). – *Le Torrent,* 1899 (T). – Avec Lucien Descaves, *la Clairière,* 1900 (T). – *L'Autre Danger,* 1902 (T). – *L'Escalade,*

1904 (T). – *Le Retour de Jérusalem,* 1904 (T). – Avec Lucien Descaves, *Oiseaux de passage,* 1904 (T). – *Paraître,* 1906 (T). – *Éducation de prince,* 1906 (T). – *La Patronne,* 1908 (T). – Avec Jules Lemaitre, *le Mariage de Télémaque* (livret), 1910 (T). – *Le Ménage de Molière,* 1912 (T). – *Les Éclaireuses,* 1913 (T). – *Pendant qu'ils sont à Noyon,* 1917 (N). – *La Chasse à l'homme,* 1919 (T). – *Le Roi Candaule* (livret), 1920 (T). – Avec A. Rivoire, *la Belle Angevine,* 1922 (T). – Avec H. Duvernois, *le Geste,* 1924 (T). – *Autour du « Chat-Noir »,* 1926 (E). – *Centrale,* 1930 (E). – *Mes débuts à Paris,* 1937 (E). – *Le Lycée Louis-le-Grand,* 1939 (E). – *J'ai vécu 1900,* posth., 1950 (E). – *Mon journal 1919-1939,* posth., 1953.

DONNEAU DE VISÉ Jean. Paris 3.12.1638 – 8.7.1710. Destiné par sa famille à l'état ecclésiastique, il préféra se consacrer aux lettres. *Zélinde ou la Véritable Critique de « l'École des femmes »* le fit connaître ; il écrivit quelques comédies de mœurs, des *Nouvelles galantes et comiques* et des *Mémoires pour servir à l'histoire de Louis XIV* mais surtout, il fonda, en association avec Thomas Corneille, *le Mercure galant,* journal mensuel, où il attaqua Racine, Boileau, La Fontaine, et soutint les dernières tragédies de Corneille. Quoique la vénalité des rédacteurs fût bien connue (le contrat d'association prévoyait le partage des dons en nature ou en espèces), cette feuille, perfide et souvent injuste, jouit d'un crédit certain et influença le goût des beaux esprits.

Œuvres. *Zélinde ou la Véritable Critique de « l'École des Femmes » et la critique de la critique,* 1663 (T). – *Nouvelles nouvelles,* 1663 (N). – *Deffence de la « Sophonisbe » de Corneille,* 1663 (E). – *Deffence du « Sertorius » de Corneille,* 1663 (E). – *La Vengeance des marquis,* 1664 (T). – *Les Costeaux ou les Marquis friands,* 1665 (T). – *La Veuve à la mode,* 1667 (T). – *Lettre sur la comédie du « Misanthrope »* (en tête de la première édition de la pièce), 1667 (E). – *L'Embarras de Godard ou l'Accouchée Délie,* 1668 (T). – *Nouvelles galantes, comiques et tragiques,* 1669 (N). – *La Mère coquette,* 1669 (T). – *Les Intrigues de la loterie,* 1670 (T). – *Les Amours de Vénus et d'Adonis,* 1670 (T). – *Le Gentilhomme guespin,* 1670 (T). – *Les Amours du soleil,* 1671 (T). – *Le Mariage de Bacchus et d'Ariane,* 1672 (T). – *Les Maris infidèles,* 1673 (T). – *Les Dames vengées ou la Dupe de soi-même,* 1675 (T). – Avec Thomas Corneille, *la Devineresse,* 1679 (T). – *Le Vieillard couru,* 1696 (T). – *Mémoires pour servir à l'histoire de Louis XIV* (10 vol.), 1697-1705 (N). – *Lettre critique de M. de... sur le livre intitulé « la Vie de M. de Molière...,* 1706 (E). – *Histoire du siège de Toulon,* 1707.

DORAT, Jean Dinemandi, dit **Daurat** ou. Limoges 1508 – Paris 1588. Chargé d'instruire les séminaristes (1540), D. utilisa une nouvelle méthode d'enseignement qui consistait à ne pas séparer l'étude de la langue latine de celle de la langue grecque. Professeur du jeune Ronsard, il devint principal du collège de Coqueret en 1547. Il contribua à faire de ce lieu le centre intellectuel le plus actif de la capitale. Précepteur des enfants d'Henri III, il fut nommé ensuite lecteur de grec au collège des Lecteurs royaux (Collège de France). Il n'a jamais publié qu'un mince recueil de vers grecs, latins et français, sous le titre de *Poematica* (1586). Mais il a pris une part active au développement du goût pour les auteurs anciens grâce à un enseignement dont Ronsard, en particulier, se souvint lorsqu'il désigna D. pour succéder à Jacques Peletier dans le groupe de la Pléiade.

DORGELÈS, Roland Lécavelé, dit. Amiens 1885 – Paris 1973. Il suit d'abord les cours de l'École des beaux-arts avant de faire du journalisme. Ami de Francis Carco, il collabore à divers périodiques et devient le chroniqueur humoriste de Montmartre. Lors de la Première Guerre mondiale, il s'engage et publie son premier livre, *la Machine à finir la guerre.* Son roman demeuré célèbre, *les Croix de bois,* lui valut, en manquant de peu le prix Goncourt (attribué à Proust), une notoriété qu'aucune œuvre très éclatante n'a vraiment confirmée. À part une suite donnée aux *Croix de bois, le Cabaret de la Belle Femme,* D. a surtout composé des récits de voyages et de guerre. Au soir de sa vie, D. devait revenir au roman avec un ouvrage plein d'humour, *À bas l'argent.* Acad. Goncourt 1929.

Œuvres. *La Machine à finir la guerre,* 1917 (N). – *Les Croix de bois,* 1919 (N). – *Le Cabaret de la Belle Femme,* 1919 (N). – *Les Veillées du Lapin agile,* 1920 (N). – *Saint-Magloire,* 1922 (N). – *Le Réveil des morts,* 1923 (N). – *Sur la route mandarine,* 1925 (N). – *Montmartre, mon pays,* 1928 (E). – *Le Château des brouillards,* 1932 (E). – *Si c'était vrai ?* 1934 (N). – *Quand j'étais montmartrois,* 1936 (E). – *Vive la liberté !* 1937 (E). – *Retour au front,* 1940 (E). – *Sous le casque blanc,* 1942 (E). – *Route des tropiques,* 1944 (E). – *Carte d'identité,* 1945 (N). –

Bouquet de bohème, 1947 (E). – *Bleu horizon,* 1949 (N). – *Portraits sans retouches,* 1952 (E). – *Promenades montmartroises,* 1961 (E). – *Au beau temps de la Butte,* 1963 (E). – *À bas l'argent,* 1966 (N). – *Lettre ouverte à un milliardaire,* 1967 (E). – *Images,* posth., 1976 (N). – *Vacances forcées,* posth., 1985 (N).

DOTREMONT Christian. Tervuren 1922 – Bruxelles 1979. Poète et peintre belge d'expression française. Il est le fondateur du groupe belge « le Surréalisme révolutionnaire » (1947) et le rédacteur en chef de la revue *Cobra, revue internationale de l'art expérimental.* De sa collaboration avec Asger Jorn sont nées les premières « peintures-mots » (1948). L'écriture manuscrite est l'outil de ce poète imprégné de calligraphie chinoise. En 1962, il met en œuvre les *Logogrammes,* manuscrits spontanés d'un poème associant l'invention verbale et l'imagination graphique.

Œuvres. *Ancienne Éternité,* 1940 (P). – *Souvenirs d'un jeune bagnard,* 1941 (P). – *Le Corps grand ouvert,* 1941 (P). – *Noués comme une cravate,* 1944 (P). – *L'Avant-Matin,* 1944 (P). – *Lettre d'amour,* 1945 (P). – *Jambages au cou,* 1949 (P). – *Les Grandes Choses,* 1953 (P). – *La Pierre et l'Oreiller,* 1955 (N). – *Vues, Laponie,* 1957 (P). – *Fagnes,* 1958 (P). – *Petite Géométrie fidèle,* 1959 (P). – *Digue,* 1959 (P). – *La Reine des murs,* 1960 (P). – *La Chevelure des choses,* 1961 (P). – *Moi qui j'avais,* 1961 (P). – Avec Mogens Balle, *Dessins-mots,* 1962 (P). – *Logogrammes I. Logogrammes II,* 1964-1965 (P). – *Le Oui et le non, le peut-être,* 1968 (P). – Avec Mogens Balle, *L'Imaginatrice* (poèmes-affiches), 1969 (P). – *Liation exa tumulte et différents poèmes,* 1970 (P). – *Typographismes I,* 1971 (P). – Avec Atlan, *les Transformés,* 1972 (P). – *De loin aussi d'ici,* 1973 (P). – *Un match et avant et après,* 1975 (P). – *Logbook,* 1975 (P). – *J'écris donc je crée* (poèmes en 25 logogrammes), 1978 (P). – *Traces,* posth., 1980. – Avec J.-C. Lambert, *Grand Hôtel des valises, locataire : Dotremont,* posth., 1981.

DOUBROVSKY Serge. (Voir NOUVELLE CRITIQUE.)

DRAME [grec *drama* = action]. Pièce de théâtre qui s'apparente à la tragédie par le sérieux et la gravité du ton, à la comédie par la peinture réaliste du milieu. Le drame peut également comporter des éléments tragiques et des éléments comiques, comme c'est le cas dans le drame romantique. Il se manifesta déjà au Moyen Âge sous la forme du « drame liturgique », et le « mélange des genres » est une des caractéristiques des *Miracles.* Éclipsé au XVIe s. et surtout au XVIIe s. par les genres « nobles » (tragédie et comédie), il tenta de s'affirmer au XVIIIe s. dans le drame bourgeois (*le Fils naturel,* de Diderot ; *le Philosophe sans le savoir,* de Sedaine). Mais ses intentions moralisantes et philosophiques nuisirent à sa qualité esthétique. Le drame donne alors naissance au mélodrame, et le romantisme lui confère ses lettres de noblesse avec le triomphe d'*Hernani.* Mais l'échec des *Burgraves* lui porte un coup décisif. Le drame devient alors un genre hybride. Il est tour à tour réaliste, naturaliste, historique, romanesque (E. Rostand), symboliste (Villiers de L'Isle-Adam, Maeterlinck), psychologique (Porto-Riche) et même poétique (Claudel). En définitive, le théâtre moderne délaisse ce terme de « drame », préférant nommer « pièces » des œuvres dramatiques où l'auteur crée lui-même sa propre forme, sans subir l'autorité d'une terminologie incertaine (Giraudoux, Cocteau, Anouilh). (Voir aussi THÉÂTRE.)

DRIEU LA ROCHELLE Pierre. Paris 13.1.1893 – 15.3.1945. Son désarroi d'ancien combattant de Verdun s'exprime dans *Mesure de la France,* où, servi par un style puissant, il compare les vieilles nations d'Europe aux grandes masses humaines d'Amérique, de Russie et de Chine. C'est le point de départ d'une des orientations essentielles de sa pensée d'écrivain politique, dont on ne saurait contester la sincérité. Il conçoit d'abord une sorte de mystique, européenne et nationaliste à la fois, qui s'exprime dans *Genève ou Moscou* et *l'Europe contre les patries.* Obsédé par la décadence de l'Europe, il rencontre Doriot en 1936, et cette rencontre est décisive dans la mesure où elle l'engage dans une voie qui devait se révéler pour lui une impasse tragique : ayant choisi la collaboration – peut-être à contrecœur, d'ailleurs –, D. devait se suicider en 1945 lorsqu'il apprit qu'il allait être arrêté.
Mais le personnage politique de D., avec le recul, tend à s'estomper au profit du romancier, de celui qui, en particulier avec son roman autobiographique *Gilles,* s'est fait le mémorialiste vigoureux et éventuellement satirique des aspirations et déceptions d'une génération, sur le fond d'une « observation systématique » d'un monde qui se défait, celui de la bourgeoisie décadente de l'après-guerre. Au moment de son suicide, D., qui s'était déjà déclaré

« chrétien par lassitude », était engagé dans une recherche spirituelle dont on ne peut savoir où elle l'aurait conduit, mais dont les orientations, conformes à certains aspects de son tempérament masqués par son engagement politique, apparaissent en 1943 dans *l'Homme à cheval,* sorte de testament spirituel romancé, où l'on voit un guerrier vaincu et désespéré – figure de D. lui-même – accomplir au Mexique un pèlerinage en un lieu sacré que la guerre n'a jamais atteint. Destinée tragique par son échec même, dont l'expression littéraire dans les « romans » autobiographiques reste caractéristique d'un homme qui, comme il le disait, « n'a jamais pu s'habituer à lui-même ».

Œuvres. *Interrogation,* 1917 (P). – *Fond de cantine,* 1919 (P). – *État civil,* 1921 (N). – *Mesure de la France,* 1922 (E). – *Plainte contre inconnu* (nouvelles), 1925 (N). – *L'Homme couvert de femmes,* 1925 (N). – *Le Jeune Européen,* 1927 (E). – *Genève ou Moscou,* 1928 (E). – *Blèche,* 1928 (N). – *Une femme à sa fenêtre,* 1930 (N). – *L'Europe contre les patries,* 1931 (E). – *Le Feu follet,* 1931 (N). – *Drôle de voyage,* 1933 (N). – *La Comédie de Charleroi* (nouvelles), 1934 (N). – *Socialisme fasciste* (recueil), 1934 (E). – *Journal d'un homme trompé,* 1934 (N). – *Beloukia,* 1936 (N). – *Avec Doriot,* 1937 (E). – *Rêveuse Bourgeoisie,* 1937 (N). – *Gilles,* 1939 (N). – *Notes pour comprendre le siècle,* 1941 (E). – *Chroniques politiques* (recueil), 1942 (E). – *L'Homme à cheval,* 1943 (N). – *Le Français d'Europe,* 1944 (E). – *Charlotte Corday,* 1944 (T). – *Le Chef,* 1944 (T). – *Récit secret,* posth., 1958 (E). – *Exorde,* posth., 1961 (E). – *Journal 1944-1945,* posth., 1961. – *Histoires déplaisantes,* posth., 1963 (N). – *Les Chiens de paille,* posth., 1964 (N). – *Sur les écrivains* (recueil), posth., 1964 (E). – *Mémoires de Dirk Raspe,* posth., 1966 (N).

DRODE Daniel. Cambrai 31.10.1932. Il est l'auteur de science-fiction le plus controversé pour avoir obtenu le prix Jules-Verne 1959 avec son roman *Surface de la planète,* dont le propos était d'écrire, dans un langage extrapolé, une histoire se passant dans l'avenir, expérience unique. L'auteur s'en est expliqué dans un article virulent, « Science-fiction à fond » (1960) : « En l'an 10000 après notre ère, Lfxh'n (Smith) continuera, si l'on en croit les auteurs de S.-F., à ouvrir des guillemets, à se couvrir de virgules et à s'emmêlasser dans les imparfaits du subjonctif. » D. a encore publié quelques nouvelles également audacieuses, *la Rose des Énervents* (1960), *Quatre-en-un* (1960), lutte d'un électronicien contre la machine polymorphe dont il est le gardien, et surtout *Dedans* (1963), qui élabore le thème de l'isolé qui se constitue en se détruisant.

DRUMONT Édouard Adolphe. Paris 3.5.1844 – 5.2.1917. Après une carrière déjà longue de journaliste, notamment à *l'Univers* de Louis Veuillot, où il fit ses premières armes de polémiste, il connut un grand succès avec *la France juive* (150 rééditions en un an), dont l'antisémitisme déclaré mit en forme un grand nombre de thèmes épars dans l'opinion, prépara l'hostilité de beaucoup envers Dreyfus et inspira partiellement Maurras, Barrès, Bernanos. *La Libre Parole,* journal fondé par D. en 1892, continua jusqu'en 1910 d'exprimer les idées contenues parallèlement dans ses autres pamphlets. D. fut député d'Alger de 1898 à 1902.

Œuvres. *Mon vieux Paris,* 1879 (N). – *La France juive* (essai d'histoire contemporaine, 2 vol.), 1886. – *La Fin d'un monde,* 1889 (E). – *Le Testament d'un antisémite,* 1891 (E). – *A bas les Juifs !,* 1892 (E). – *De l'or, de la boue, du sang. De Panama à l'anarchie,* 1896 (E). – *Les Juifs contre la France,* 1899 (E).

DRUON Maurice. Paris 23.4.1918. Il a composé une vaste fresque de la société française d'avant 1940 dans sa série *la Fin des hommes,* dont le premier roman, *les Grandes Familles,* a obtenu le prix Goncourt et dès 1950 a été porté au cinéma. D. se tourna ensuite vers le roman historique avec *les Rois maudits,* œuvre popularisée par la Télévision, et *Alexandre le Grand.* Dans un cas comme dans l'autre, le romancier tente, le plus souvent avec succès, de composer les exigences du réalisme avec la puissance expressive des techniques de dramatisation, effort de synthèse particulièrement sensible dans l'ordre du style. D. est enfin, avec son oncle Joseph Kessel, l'auteur du *Chant des partisans* (1943), hymne des Résistants durant l'occupation allemande. Acad. fr. 1966.

Œuvres. *Mégarée,* 1942 (T). – *Lettres d'un Européen,* 1943, nouv. éd. augm. 1970 (E). – *La Dernière Brigade,* 1946 (T). – *La Fin des hommes* (série romanesque : *les Grandes Familles,* 1948 (N) ; *la Chute des corps,* 1950 (N) ; *Rendez-vous aux enfers,* 1951 (N) ; *la Volupté d'être,* 1954 (N). – *Remarques,* 1952 (N). – *Un voyageur,* 1954 (T). – *Les Rois maudits* (7 vol.), 1955-1959-1977 (N). – *Tistou les pouces verts,* 1957 (N). – *Alexandre le Grand ou le*

Roman d'un dieu, 1958 (N). – *La Contessa,* adapt. théâtrale de *la Volupté d'être,* 1961 (T). – *Le Chevalier,* 1962 (N). – *Le Sonneur de bien-aller,* 1962 (N). – *Les Mémoires de Zeus,* t. I *l'Aube des dieux,* 1963 ; t. II *les Jours des hommes,* 1967 (N). – *Paris, de César à Saint Louis,* 1964 (E). – *Bernard Buffet,* 1964 (E). – *Notes et Maximes sur le pouvoir,* 1965 (E). – *Le Bonheur des uns...* (nouvelles), 1967 (N). – *Mon commandant,* 1967 (N). – *L'Avenir en désarroi,* 1968 (E). – *Vézelay, colline éternelle,* 1968 (E). – *Une Église qui se trompe de siècle,* 1972 (E). – *La Parole et le Pouvoir* (recueil de discours), 1974. – *Attention la France !* 1981 (E). – *Réformer la démocratie,* 1982 (E).

DU BARTAS. (Voir BARTAS DU.)

DUBÉ Marcel. Montréal 3.1.1930. Écrivain québécois. Dès la période de ses études au collège Sainte-Marie et à la faculté des lettres de l'université de Montréal, D. commence à écrire pour le théâtre. Auteur dramatique engagé, il excelle à créer pour la scène des personnages quotidiens et tragiques, les « prolétaires » des villes, égarés entre les anciennes coutumes et le monde nouveau, dans un contexte social typiquement québécois. D. dépeint avec justesse et vigueur les traits caractéristiques de la société canadienne-française. Les dialogues sont à mi-chemin entre le français correct et le langage populiste. Dans ses œuvres les plus récentes, il lui arrive de céder à la tentation d'un engagement verbal et d'une forme de prédication ralentissant le mouvement scénique de ses drames qui mettent librement en scène un tableau nuancé et émouvant du milieu populaire contemporain, des adolescents et des jeunes adultes face aux attitudes rigides des gens arrivés. Défi aux contraintes sociales, désir d'indépendance et d'évasion, telles sont les caractéristiques des héros de D. Leur langue est directe et spontanée, issue de la réalité populaire et quotidienne. La satire devient plus acérée lorsqu'il s'attaque au monde bourgeois des affaires et de l'industrie ; ses visées sociales sont alors manifestes : matérialistes, hypocrites, mesquins, sans élévation, les personnages de ces milieux adoptent une langue correcte et sont moins violents, sous leur façade distinguée, que les héros des premières œuvres.
On a parlé de tragédie de l'échec pour caractériser l'œuvre de D. : les sombres dénouements de ses drames laissent en effet une impression de défaite et d'inachèvement, malgré la profonde sympathie que l'auteur suscite incontestablement envers ses héros. Il faut toutefois signaler une exception réconfortante à cette tendance générale de l'œuvre, le vieux couple du *Temps des lilas,* vieillards sereins, bienveillants, sans agressivité contre le progrès qui menace leur paisible bonheur.

Œuvres. *Zone,* 1953 (T). – *Chambres à louer,* 1956 (T). – *Un simple soldat,* 1958 (T). – *Florence,* 1958 (T). – *Le Temps des lilas,* 1958 (T). – *Le Barrage,* 1960 (T). – *Les Beaux Dimanches,* 1965 (T). – *Au retour des oies blanches,* 1966 (T). – *Bilan,* 1968 (T). – *Textes et Documents,* 1968 (E). – *Virginia,* 1968 (T). – *Pauvre Amour,* 1969 (T). – *Le Coup de l'étrier,* 1970 (T). – *Avant de t'en aller,* 1970 (T). – *Le Naufragé,* 1971 (T). – *L'Échéance du vendredi,* suivi de *Paradis perdu,* 1972 (T). – *Manuel,* texte dramatique, 1973. – *Médée,* 1973 (T). – *La Cellule,* 1973 (T). – *Jérémie, argument de ballet,* 1973. – *De l'autre côté du mur,* suivi de *Rendez-vous du lendemain, le Visiteur, l'Aiguillage, le Père idéal, les Frères ennemis,* 1973 (T). – *Textes et Documents.* II *La Tragédie est un acte de foi,* 1973 (E). – *Virginie,* 1974 (T). – *L'Impromptu de Québec ou le Testament,* 1974 (T). – *Poèmes de sable,* 1974 (P). – *L'été s'appelle Julie,* 1975 (T). – *Le Réformiste,* 1977 (T). – *Entre midi et soir,* 1977 (T). – *Octobre,* 1977 (T).

DU BELLAY. (Voir BELLAY DU.)

DUBILLARD Roland. Paris 2.12.1923. Au lendemain immédiat de ses études de philosophie, D. se fait acteur ; il ne manque aucune occasion de jouer, mais aussi de composer de brefs sketches ou des fragments dramatiques (en particulier pour la radio ou le cabaret). C'est en 1961 qu'avec *Naïves Hirondelles,* D. apparaît comme l'organisateur de subtiles relations dramatiques entre le burlesque et le dérisoire. En cela, il n'est certes pas sans parenté avec le « théâtre de l'absurde », mais il se distingue par l'originalité de son invention verbale. Autre nouveauté : son œuvre relève du « théâtre d'acteur » (D. participe lui-même à l'interprétation de ses pièces), théâtre où la mise en scène, inscrite d'ailleurs dans la structure même du texte, joue souvent un rôle décisif. Il interprète au cinéma quelques rôles, notamment dans *France S.A.* en 1974, *Aloïse, Sérieux comme le plaisir* (1975), *Les Vécés étaient fermés de l'intérieur* (1976).

Œuvres. *Si Camille me voyait* (opérette parlée), 1952 (T). – *Naïves Hirondelles,* 1961 (T). – *La Maison d'os,* 1962 (T). – *Je* *dirai que je suis tombé,* 1964 (T). – *Méditation sur la difficulté d'être en bronze,* 1964. – *Le Jardin aux betteraves,* 1969 (T). – *Les Crabes,* 1971 (T). – *Massacrons Vivaldi,* 1971 (T). – *Haguerty où es-tu ?* (trad. et adapt.), 1971 (T). – *Où boivent les vaches,* 1972 (T). – *Olga, ma vache ; les Campements ; les Confessions d'un fumeur de tabac français* (nouvelles), 1974 (N). — *Les Diablogues,* 1975 (T). – *Le Bain de vapeur,* 1977 (T). – *L'Eau en poudre,* 1978 (T). – *Un pneu, c'est un pneu,* 1983 (T). – *Un bruit qui court,* 1983 (T). – *La Boîte à outils,* 1985 (P).

Naïves Hirondelles

Le lieu est une boutique de modiste. Les personnages, une vieille dame, tenancière de la boutique, et deux amis : trio fantaisiste et un peu farfelu, dont la tranquillité va être troublée par l'arrivée d'une jeune fille qui emmène l'un des deux amis. L'autre et la vieille dame vont se mettre à attendre un retour problématique. Chacun des personnages est ainsi amené à évoquer, sur un mode comique qui n'exclut pas l'attendrissement, ce que chacun aurait pu être. Méditation comparative sur les effets dérisoires du hasard.

DU BOS Charles. Paris 27.10.1882 – La Celle-Saint-Cloud 5.8.1939. Né parisien d'une mère anglaise, il dut à cette circonstance un double enracinement intellectuel qui s'épanouit en des études universitaires à la française à Paris, où il découvre Bergson (« ma vraie naissance », dira-t-il), et à l'anglaise à Oxford, où il découvre Carlyle et Ruskin. Il conservera de cette double « innutrition », et au plus profond de lui-même, une aptitude exceptionnelle au cosmopolitisme intellectuel et, plus encore, une volonté constante de comparer, de confronter et de faire communier ensemble les esprits et les âmes à travers les œuvres. Ce qui explique sans doute qu'au-delà de ce qu'on appelle la critique, et bien qu'il ait été un critique hors de pair, Du B. est à la recherche de ce qui, dans les œuvres littéraires, appartient à la réalité la plus profonde et la plus universelle de l'homme, la réalité spirituelle. Il consacrera sa vie entière à un labeur de chaque instant, et sans cesse recommencé, pour pousser la critique jusqu'à ce haut degré d'intuition, de caractère bergsonien, qui peut seul permettre de saisir cette réalité spirituelle enfermée dans les textes. D'où, sans doute, le choix de ses prédilections : Goethe et Proust, Gide et Mauriac, Byron et Benjamin Constant, et bien d'autres encore ; d'où, sans doute aussi, cette méthode de découverte du secret des œuvres par approches successives qui explique le titre qu'il a choisi pour couvrir le rassemblement de ses principales études : *Approximations.* Cette conviction que toute authentique littérature est de l'ordre de la spiritualité est exprimée avec une exceptionnelle hauteur de vues dans un texte de publication posthume, *Du spirituel dans l'ordre littéraire.* On ne saurait donc s'étonner qu'à la suite de son maître Bergson, Du B. en soit venu, dans sa vie personnelle, à se poser les questions qui le conduisirent à se convertir au catholicisme en 1927. De part et d'autre de cette conversion, Du B., en marge de son activité de critique, poursuit inlassablement une quête intérieure dont rend compte son *Journal,* qui, à lui seul, vaut à son auteur de figurer au premier rang. Ce *Journal* constitue un prolongement des œuvres proprement critiques, et l'on y peut saisir la relation d'intimité et même d'identité qui, chez Du B., s'établit, à chaque instant, entre la vie intérieure et la réflexion littéraire. Relation qu'il cherche lui-même à déceler dans ce qu'il lit, car la critique est pour lui une entreprise de coïncidence spirituelle, dont le ressort est cette intuition de l'âme des écrits que le critique a pour mission de communiquer. Cet effort de communion avec l'être même d'une œuvre constitue peut-être la seule vraie justification de la culture. De ce point de vue, Du B. reste un exemplaire témoin de la légitimité spirituelle de la littérature.

Œuvres. *Réflexions sur Mérimée,* 1919 (E). – *Approximations* (7 vol.), 1922-1937. Éd. complète, préf. A. Maurois et F. Mauriac, 1965 (E). – *Extraits d'un journal,* 1929. – *Dialogue avec André Gide,* 1929 (E). – *Byron et le besoin de la fatalité,* 1930 (E). – *François Mauriac et le problème du romancier catholique,* 1933 (E). – *Qu'est-ce que la littérature ?* posth., 1945 (E). – *Grandeur et Misère de Benjamin Constant,* posth., 1946 (E). – *Journal* (9 vol.), posth., 1946-1962. – *Goethe,* posth., 1949 (E). – *Lettre de Charles Du Bos et Réponses d'André Gide,* posth., 1950. – *Du spirituel dans l'ordre littéraire,* préf. G. Poulet, posth., 1967. – *Robert et Elizabeth Browning ou la Plénitude de l'amour humain,* posth., 1982 (E).

DU CAMP Maxime. Paris 8.2.1822 – Baden-Baden 8.2.1894. Ami de jeunesse de Flaubert, dont il fut le compagnon de voyage en Orient (1849-1851), il commença de publier *Madame Bovary* dans la *Revue de Paris,* qu'il dirigeait, mais dut cesser à cause de l'hostilité des lecteurs. Flaubert l'en rendit responsable et rompit. Arriviste un peu désordonné,

Du C. fit une longue carrière de chroniqueur. Ses jugements étroitement bourgeois sur la Commune amenèrent les libéraux à l'empêcher de prononcer le discours officiel lors des funérailles de son dieu, Hugo (1885). Son œuvre comporte cinquante volumes, d'une abondante et parfois agréable superficialité. Il parle beaucoup de Flaubert, de Nerval et de Baudelaire dans ses *Souvenirs littéraires ;* ses *Souvenirs d'un demi-siècle* et ses *Mémoires* sont décevants : ce ne sont guère que médisances. Acad. fr. 1880.

Œuvres. *Souvenirs et Paysages d'Orient,* 1848 (N). – *Égypte, Nubie, Palestine et Syrie,* 1852 (N). – *Le Livre posthume, Mémoires d'un suicidé,* 1853 (N). – *Le Nil,* 1854 (N). – *En Hollande,* 1859 (N). – *Orient et Italie,* 1868 (N). – *Paris, ses organes, ses fonctions et sa vie dans la seconde moitié du* XIXe *siècle,* 1869-1875 (E). – *Les Convulsions de Paris,* 1878-1879 (E). – *Souvenirs littéraires,* 1882-1883 ; rééd., extraits, 1962. – Avec G. Flaubert, *Par les champs et par les grèves* (écrit en 1847), 1885 (N). – *La Charité privée à Paris,* 1885. – *Paris bienfaisant,* 1888. – *Souvenirs d'un demi-siècle,* posth., 1949. – *Mémoires,* posth., 1949.

DUCANGE Victor Henri Joseph Brahain-. La Haye (Pays-Bas) 24.11.1783 – Paris 15.10.1833. Ayant débuté par le mélodrame *Pharamond,* il fit, après l'Empire, plusieurs séjours en prison pour antiroyalisme. Il publia une dizaine de romans et donna au théâtre, souvent en collaboration, de nombreux mélodrames, en bénéficiant des interprétations du célèbre acteur Frédérick-Lemaître. Très populaire, il savait frapper le spectateur par l'entassement des effets dramatiques et par l'utilisation d'un dialogue très vif qui atténue les longueurs. Sa production, objectivement médiocre, est le modèle de la littérature à succès de la Restauration.

Œuvres. *Pharamond,* 1813 (T). – *Calas,* 1819 (T). – *Agathe ou le Petit Vieillard de Calais,* 1820 (N). – *Valentine ou le Pasteur d'Uzès,* 1821 (N). – *Thélène ou l'Amour de la guerre,* 1823 (N). – *Léonide ou la Vieille de Suresnes,* 1823 (N). – *Le Médecin confesseur,* 1825 (N). – *La Luthérienne,* 1825 (N). – *Les Trois Filles de la veuve,* 1826 (N). – *L'Artiste et le Soldat,* 1827 (N). – *Trente Ans ou la Vie d'un joueur,* 1827 (T). – *Le Jésuite,* 1830 (T). – *Marco Loricot ou le Petit Chouan,* 1836 (N).

DUCHARME Réjean. Saint-Félix-de-Valois 12.8.1941. Écrivain québécois. Après des études secondaires à Joliette, chez les Clercs de Saint-Viateur, il entre à l'École polytechnique de Montréal, mais n'y reste que six mois et travaille ensuite comme commis de bureau. C'est un personnage énigmatique dont, au Canada, l'identité et l'existence même ont fait l'objet de vives controverses, tandis qu'en France il bénéficiait d'une exceptionnelle publicité. Quoi qu'il en soit, son œuvre se situe au premier rang de la littérature québécoise contemporaine. Les héros de ses romans sont des adolescents en état de réaction contre le vieillissement sous toutes ses formes. Ces récits tendent à être des épopées enfantines ou adolescentes, dont les protagonistes refusent violemment et poétiquement l'univers adulte, et le romancier y exalte volontiers le thème du voyage et même du vagabondage. Mais surtout, ses livres sont ceux d'un artisan du langage, langage qui, à la limite, n'est plus celui de l'homme, mais celui d'un monde de fable, où D. introduit à l'occasion des animaux qui sont tout aussi poétiques que les hommes. Sa virtuosité dans le maniement du langage a d'autre part conduit D. à une curieuse expérimentation : il a donné au théâtre *le Cid maghané* (qui pourrait se traduire *le Cid estropié*), où l'on passe sans transition du français classique le plus pur au parler canadien le plus savoureux.

Œuvres. *L'Avalée des avalés,* 1966 (N). – *Le Nez qui voque,* 1967 (N). – *L'Océantume,* 1968 (N). – *Le Cid maghané,* 1968 (T). – *Le Marquis qui perdit,* s.d. (T). – *La Fille de Christophe Colomb,* 1969 (N). – *Ines Pérée et Inat Tendu,* 1970 (T). – *L'Hiver de force,* 1973 (N). – *Les Enfantômes,* 1976 (N). – *Ha ha !...,* 1982 (T).

L'Avalée des avalés

Enregistrement du monologue virulent et tourmenté de l'héroïne, Bérénice Einberg, entre neuf et quinze ans. Autour d'elle, son frère Christian, de plus en plus lointain, puis Constance Chlore, son amie d'enfance. Après une brève présence physique, celle-ci devient, dans la mort, la figure mythique de Constance Exsangue.

Le Nez qui voque

Journal du petit Mille Milles et de sa sœur Chateaugué. Enfermés dans une chambre du Vieux-Montréal, les deux enfants ne sortent que pour faire d'hallucinantes randonnées à bicyclette dans les rues encombrées de véhicules de toutes sortes : l'accident dont est victime Mille Milles – et qui est peut-être un suicide – apparaît comme le dénouement fatal de ces folles randonnées.

L'Océantume

La narratrice est une fillette d'origine crétoise établie au Canada. Elle vit dans un paquebot échoué au bord du fleuve, avec sa mère, son beau-père et son frère. Elle est très liée avec une camarade d'origine finlandaise dont la famille comprend huit frères. Les épisodes cocasses, les mots d'esprit et les aventures fantaisistes voisinent avec des réflexions souvent empreintes de la détresse la plus dépouillée.

DUCIS Jean-François. Versailles 22.8.1733 – 30.3.1816. Il est surtout connu pour avoir adapté Shakespeare, que ses traductions, quoique édulcorées, ont eu le mérite d'introduire pour la première fois sur les scènes françaises. Il écrivit aussi des tragédies de son cru et quelques poèmes. Académicien depuis 1778 (il avait succédé à Voltaire), D. était encore célèbre sous l'Empire.

Œuvres. *Amélise,* 1768 (T). – *Hamlet* (adapt. de Shakespeare), 1769 (T). – *Roméo et Juliette* (adapt. de Shakespeare), 1772 (T). – *Œdipe chez Admète,* 1778 (T). – *Le Roi Lear* (adapt. de Shakespeare), 1783 (T). – *Macbeth* (adapt. de Shakespeare), 1784 (T). – *Jean sans Terre,* 1791 (T). – *Othello* (adapt. de Shakespeare), 1792 (T). – *Abufar ou la Famille arabe,* 1795 (T). – *Phédor et Wladimir ou la Famille de Sibérie,* s.d. (T). – *Œuvres* (4 volumes), posth., 1819-1826. – *Œuvres posthumes,* posth., 1827. – *Correspondance,* posth., 1878.

DUCLOS, Charles Pinot, dit. Dinan 1704 – Paris 1772. Il suit les cours du collège d'Harcourt, à Paris, et fréquente ensuite assidûment les cafés (Procope, Gradot), au détriment de ses études de droit. En 1738, il présente à l'Académie des inscriptions et belles-lettres des mémoires sur les druides et sur les langues celtiques. Homme de talent et d'esprit, intime de Mme de Tencin, D. est aussi un conteur libertin très prisé : ses romans connaîtront de nombreuses rééditions ; un conte léger, *Acajou et Zirphile,* sera illustré par Boucher. Il compose un ballet, *les Caractères de la folie,* et un ouvrage historique, *Histoire de Louis XI.* Reçu à l'Académie française en 1747, il en devient le secrétaire perpétuel en 1755, fait publier la quatrième édition du *Dictionnaire* (1762) et prend l'initiative de faire éditer les grands écrivains français (Voltaire se chargeant de l'œuvre de Corneille). Il favorise le parti philosophique avec prudence et sans se compromettre. En 1750, il succède à Voltaire comme historiographe de France, protégé à la fois par Louis XV et par Mme de Pompadour. Il reste surtout estimé comme moraliste pour deux remarquables ouvrages sur les mœurs du temps, *Considérations sur les mœurs de ce siècle* et *Mémoires pour servir à l'histoire des mœurs du* XVIIIe *siècle,* qui valent autant par la justesse d'observation que par la finesse d'analyse psychologique.

Œuvres. *Histoire de Madame de Luz,* 1741 (N). – *Confessions du comte de...,* 1742 (N). – *Les Caractères de la folie* (ballet), 1743 (T). – *Acajou et Zirphile,* 1744 (N). – *Histoire de Louis XI* (4 volumes), 1745-1746. – *Considérations sur les mœurs de ce siècle,* 1751 (E). – *Mémoires pour servir à l'histoire des mœurs du* XVIIIe *siècle,* 1751. – *Essai de grammaire française,* 1754. – *Essai sur les ponts et chaussées, la voirie et les corvées,* 1759. – *Réflexions sur les corvées des chemins,* 1762. – *Mémoires secrets sur le règne de Louis XIV, la Régence et le règne de Louis XV,* posth., 1791. – *Considérations sur l'Italie,* écrites en 1766, posth., 1791. – *Remarques sur la grammaire générale et raisonnée,* posth., 1806.

DUCRAY-DUMINIL François Guillaume. Paris 1761 – Ville d'Avray 29.10.1819. Critique dramatique, il fut surtout conteur et romancier ; écrivain abondant, son ingéniosité lui valut d'inépuisables succès populaires. Des romans moralisateurs comme *Victor ou l'Enfant de la forêt* et *Cœlina ou l'Enfant du mystère,* transposés au théâtre, devinrent les mélodrames les plus célèbres de l'époque. (Voir PIXÉRÉCOURT.)

Œuvres. *Les Soirées de la chaumière,* 1794 (N). – *Victor ou l'Enfant de la forêt,* 1796 (N). – *Cœlina ou l'Enfant du mystère,* 1798 (N). – *Les Veillées de ma grand-mère,* 1799 (N). – *Les Petits Orphelins du hameau,* 1800 (N). – *Paul ou la Ferme abandonnée,* 1800 (N). – *Lolotte et Fanfan,* 1807 (N). – *Le Petit Carillonneur,* 1809 (N). – *Contes de fées,* 1819 (N).

DU DEFFAND, Marie de Vichy-Chamrond, marquise. Chamrond (Saône-et-Loire) 25.12.1697 – Paris 22.10.1780. D'une famille noble du Bourbonnais, elle est élevée à Paris, puis mariée au marquis du Deffand, lieutenant général de l'Orléanais. Bientôt séparée de son mari, elle fréquente le milieu fort libre et cynique de l'entourage du Régent, dont elle a peut-être été la maîtresse, et mène une existence de galanterie et de dissipation. À la cour de Sceaux, chez la duchesse du Maine, elle se lie intimement avec le président Hénault, magistrat spirituel et mondain, rencontre Voltaire et Mme du Châtelet, Fontenelle et d'Alembert. Elle passe pour une des femmes les plus aimables et les plus spirituelles de son temps. Peu à peu, cependant, elle se lasse du vide d'une vie mondaine frivole et va s'installer, en 1747, rue Saint-Dominique, au couvent Saint-Joseph, dans l'ancien appartement de Mme de Montespan. Sans fortune considérable, elle ne réunit pas moins dans son salon une société choisie, dont le principal animateur sera d'Alembert jusqu'en 1764 ; on y rencontre Marivaux, La Harpe, Marmontel, Turgot, des encyclopédistes, Montesquieu et Voltaire (qui fera sa dernière visite en 1778). Devenue aveugle vers 1754, Mme du D., « la plus vivante des mortes », a fait venir auprès d'elle la gracieuse et spirituelle Julie de Lespinasse, sa jeune parente illégitime, qui lui sert de dame de compagnie. Les visiteurs prennent l'habitude de se rendre dans l'appartement de celle-ci en attendant l'heure de passer chez Mme du D. Lorsqu'elle découvre le manège, la marquise accuse la jeune femme d'hypocrisie et de visées ambitieuses, et la rupture est brutale. Quittant alors son ancienne protectrice, Julie ouvre son propre salon, accueillant bon nombre de ceux qui maintenant préfèrent se réunir chez elle, en particulier d'Alembert, Marmontel et Turgot. Mme du D., déjà pessimiste et désabusée, s'aigrit davantage, mais elle se prend dans le même temps d'une amitié amoureuse passionnée pour l'Anglais Horace Walpole, de vingt ans son cadet, dont elle apprécie l'intelligence et le caractère, et qui lui rend, depuis 1765, de fidèles visites lors de ses courts séjours à Paris. Cette amitié éclairera les dernières années de l'infirme, et elle écrit à Walpole de très belles lettres qui seront publiées à Londres en 1816 et en 1912. Épistolière au style élégant et alerte, Mme du D. a toute sa vie entretenu une correspondance animée et spirituelle reflétant bien l'esprit de son époque et qui fait d'elle un des maîtres du genre épistolaire : fine et perspicace, elle énonce des jugements d'une remarquable justesse, qu'il s'agisse de littérature ou de pénétration psychologique. D'autre part, tout en étant sans illusion sur elle-même, elle se laisse aller à des sentiments exaltés et aux « emportements romanesques ». Sa *Correspondance* avec ses amis (Voltaire, la duchesse de Choiseul, le président Hénault, Maupertuis et d'autres), éditée pour la première fois en 1865, constitue un document de premier ordre pour la connaissance de la sensibilité et de la société au XVIIIe s.

DUFRESNY Charles, seigneur de La Rivière. Paris 1648 – 6.10.1724. Apprécié de Louis XIV, il mena à la cour une vie insouciante, incapable de penser au lendemain et dilapidant les gratifications royales. Il négligea également de donner la pleine mesure de son talent, en collaborant jusqu'en 1696 avec Regnard, puis écrivit seul des comédies aux procédés faciles (quiproquos, retours inattendus), mais d'allure enjouée et, au total, fort gaies. Ses *Amusements sérieux et comiques d'un Siamois* eurent du succès et donnèrent sans doute à Montesquieu l'idée des *Lettres persanes.* Il dirigea *le Mercure galant* de 1710 à 1713.

Œuvres. *L'Opéra de campagne,* 1692 (T). – *Les Adieux des officiers,* 1693 (T). – Avec Regnard, *la Foire de Saint-Germain,* 1696 (T). – *Le Chevalier joueur,* 1697 (T). – *La Noce interrompue,* 1699 (T). – *Malade sans maladie,* 1699 (T). – *L'Esprit de contradiction,* 1700 (T). – *Le Double Veuvage,* 1702 (T). – *Le Faux Honnête Homme,* 1703 (T). – *Amusements sérieux et comiques d'un Siamois,* 1705 (N). – *Le Jaloux, honteux de l'être,* 1707 (T). – *La Joueuse,* 1709 (T). – *La Coquette de village,* 1715 (T). – *La Réconciliation normande,* 1719 (T).

DUGAS Marcel. Saint-Jacques-de-l'Achigan (Québec) 1883 – Montréal 1947. Écrivain québécois. Dans son œuvre poétique, il appela la littérature canadienne à participer à la révolte surréaliste. Par son activité de critique, il fit connaître en France, où il vécut pendant vingt ans, la littérature de son pays.

Œuvres. *Feux de Bengale à Verlaine glorieux,* 1915 (P). – *Psyché au cinéma,* 1916 (P). – *Apologie,* 1919 (E). – *Flacons à la mer,* 1923 (P). – *Littérature canadienne,* 1929 (E). – *Cordes anciennes,* 1933 (P). – *Un romantique canadien, Louis Fréchette,* 1934 (E). – *Paroles en liberté,* 1944 (P).

DU GUILLET Pernette. Lyon vers 1520 – 1545. Musicienne accomplie, elle fut peut-être le grand amour platonique de Maurice Scève : mariée, elle entendait respecter son contrat. Elle a laissé un petit nombre de poèmes, que son mari recueillit pieusement à sa mort (elle n'était âgée que de vingt-cinq ans) sous le titre de *Rimes de gentille et vertueuse dame Pernette du Guillet, lyonnaise* (1545). Moins violente que celle de sa concitoyenne Louise Labé, son œuvre est remarquable par la délicatesse, la sincérité et la simplicité des sentiments exprimés.

DUHAMEL Georges. Paris 30.6.1884 – Valmondois (Val-d'Oise) 13.4.1966. Médecin de formation et de profession, il vint à la littérature en 1906, par l'intermédiaire de son ami Vildrac et dans le cadre de l'expérience de l'ABBAYE DE CRÉTEIL (voir cet article), qu'il transposera dans un des volumes de sa *Chronique des Pasquier : le Désert de Bièvres.* Profondément marqué par son expérience de chirurgien au cours de la Grande Guerre, il fit paraître en 1918 *Civilisation* (prix Goncourt), qui compte, avec un autre livre de même inspiration, la *Vie des martyrs,* au nombre des témoignages les plus bouleversants inspirés par la guerre. A partir de là, D. affirme les thèmes essentiels d'un humanisme moderne dans des livres où domine la protestation contre les excès de la civilisation mécanique : *la Possession du monde* et *Scènes de la vie future.* Cet humanisme généreux, fidèle à l'expérience de l'Abbaye et d'inspiration unanimiste, va bientôt s'incarner dans un univers romanesque, de caractère cyclique, à la création duquel D. consacrera la suite de sa vie. Il en naîtra deux ensembles : le premier centré autour d'un « héros », Salavin ; le second autour d'une famille, les Pasquier. D. imagine d'abord d'incarner dans Salavin ce que la condition humaine dans le monde moderne peut avoir à la fois de sympathique et de dérisoire, et ce sera la série *Vie et Aventures de Salavin,* suite tout au long de laquelle Salavin, rêveur et nostalgique mais faible et impuissant, voit constamment ses velléités d'action ou de dévouement déjouées par l'ironie du sort, qui n'est autre que sa nature profonde. L'histoire de Salavin est ainsi le déroulement de la fatalité ironique qui pèse sur un personnage victime de sa propre absurdité intérieure. D. voudra ensuite élargir ses perspectives et inclure aussi la société dans un nouveau cycle de caractère plus complexe et plus panoramique, la *Chronique des Pasquier.* L'histoire personnelle de chacun des membres de la famille Pasquier y sert de fil conducteur à l'exploration de toute une société. L'accent mis alternativement sur tel ou tel personnage permet non seulement de varier les points de vue, mais aussi de composer le diagnostic social avec la peinture des caractères, tandis que le recours à l'analyse psychologique ou au journal à la première personne permet d'intérioriser la relation entre les personnages. Cette œuvre est cependant dominée par deux êtres privilégiés, Laurent, le biologiste, et sa sœur Cécile, la musicienne. Ainsi se trouve posé ce problème du recours à une transcendance surnaturelle qui a si profondément tourmenté la génération de D. C'est par rapport à ces deux personnages que se définit la crise morale et spirituelle dont D. tente d'établir l'analyse, à partir d'eux que rayonne l'inquiétude suscitée par le monde moderne dans des âmes d'élite : ce n'est pas sans intention que D. a rapproché ainsi le savant rationaliste et la musicienne mystique, tandis que l'autre frère, Joseph, lancé dans les « affaires », introduit dans la chronique une dimension balzacienne. C'est principalement grâce à la lucidité et à la profondeur avec lesquelles est analysée cette crise morale et spirituelle que les *Pasquier* méritent de survivre. Acad. fr. 1935.

Œuvres. *Des légendes, des batailles,* 1907 (P). – *L'Homme en tête,* 1909 (P). – Avec Ch. Vildrac, *Notes sur la technique poétique,* 1909 (E). – *Selon ma loi,* 1910 (P). – *La Lumière,* 1911 (T). – *Les Compagnons,* 1912 (P). – *Dans l'ombre des statues,* 1912 (T). – *Combat,* 1913 (T). – *Vie des martyrs,* 1917 (N). – *Civilisation,* 1918 (N). – *La Possession du monde,* 1919 (E). – *Entretiens dans le tumulte,* 1919 (N). – *Élégies,* 1920 (P). – *Vie et Aventures de Salavin* (5 vol. : *Confession de minuit,* 1920 ; *Deux Hommes,* 1924 ; *Journal de Salavin,* 1927 ; *le Club des Lyonnais,* 1929 ; *Tel qu'en lui-même*), 1932 (N). – *Les Plaisirs et les Jeux,* 1922 (N). – *Les Hommes abandonnés,* 1923 (N). – *Le Prince Jaffar,* 1924 (N). – *La Pierre d'Horeb,* 1926 (N). – *Le Voyage à Moscou,* 1927 (E). – *Scènes de la vie future,* 1930 (N). – *Géographie cordiale de l'Europe* (3 parties : *Suite hollandaise ; Images de la Grèce ; Chant du Nord*), 1931 (E). – *Querelles de famille,* 1932 (E). – *L'Humaniste et l'Automate,* 1933 (E). – *Discours aux nuages,* 1934 (E). – *Remarques sur les Mémoires imaginaires,* 1934 (E). – *Chronique des Pasquier* (10 vol. : *le Notaire du Havre,* 1933 ; *le Jardin des bêtes sauvages,* 1934 ; *Vue de la terre promise,* 1934 ; *la Nuit de la Saint-Jean,* 1935 ; *le Désert de Bièvres,* 1937 ; *les Maîtres,* 1937 ; *Cécile parmi nous,* 1938 ; *Combat contre les ombres,* 1939 ; *Suzanne et les Jeunes Hommes,* 1941 ; *la Passion de Joseph Pasquier*), 1944 (N). – *Fables de mon jardin* (contes), 1936 (N). – *Défense des lettres,* 1937 (E). – *Mémorial de la guerre blanche,* 1939 (E). – *Chroniques des saisons amères,* 1940-1943. – *La Musique consolatrice,* 1944 (E). – *Inventaire de l'abîme* (Mémoires 1884-1901), 1944. – *Biographie de mes fantômes* (Mémoires 1901-1906), 1944. – *Souvenirs de la vie du Paradis,* 1946 (E). – *Tribulations de l'espérance,* 1947 (E). – *Le Temps de la recherche* (Mémoires 1906-1914), 1947. – *Le Bestiaire et l'Herbier* (contes), 1948 (N). – *La Pesée des* *âmes* (Mémoires 1914-1919), 1949. – *Le Voyage de Patrice Périot,* 1950 (N). – *Les Livres du bonheur,* recueil contenant : *les Plaisirs et les Jeux,* 1922 ; *Érispaudants,* 1926 ; *Mon royaume,* 1932 ; *Fables de mon jardin,* 1936 ; *le Bestiaire et l'Herbier,* 1948 (N). – *Cri des profondeurs,* 1951 (N). – *Les Espoirs et les Épreuves* (Mémoires 1914-1928), 1953. – *Lumières sur ma vie* (groupe les 5 vol. de *Mémoires* déjà cités). – *Les Compagnons de l'Apocalypse,* 1957 (N). – *Le Complexe de Théophile,* 1958 (N). – *Nouvelles du sombre empire,* 1960 (N). – *Problèmes de la civilisation,* 1962 (E). – *Le Livre de l'amertume. Journal 1925-1956,* posth., 1984.

DUMAS Alexandre, dit **Dumas père.** Villers-Cotterêts 24.7.1802 – Puys (Dieppe) 6.12.1870. Fils du général Davy de La Pailleterie, dit Dumas, petit-fils d'une femme noire de Saint-Domingue, il reçut une éducation négligée. Il écrivit dès sa jeunesse et devint célèbre avec les drames romantiques *Henri III et sa cour, Christine* et *Antony,* que suivirent de nombreuses autres pièces. Cependant sa réputation s'affirma davantage encore par ses longs romans de cape et d'épée, qui parurent en feuilletons et qui n'ont pas cessé d'être populaires, comme les célèbres *Trois Mousquetaires.* Il adapta la plupart de ces ouvrages pour la scène du Théâtre historique, qu'il dirigea de 1847 à 1850. Sous le second Empire, il résida à Bruxelles (1851-1854), où il publia ses *Mémoires.* En 1859, il accompagna l'expédition garibaldienne. Jusqu'à sa mort, il continua de produire à grande cadence, et l'abondance de cette œuvre, qui nécessita de nombreuses collaborations, nuit souvent à sa qualité : la psychologie est superficielle, les bavardages déclamatoires alourdissent l'action. Mais D. sait raconter ; peu curieux de stricte exactitude historique, il évoque avec vigueur l'atmosphère de l'époque décrite. Ses personnages fougueux affrontent infatigablement des situations parfois réellement poignantes. Il fallait de la carrure pour ne pas crouler sous une production aussi énorme. Mais au-delà des négligences inévitables, il faut reconnaître aussi à D. d'avoir été un exceptionnel vulgarisateur des valeurs les plus largement humaines du romantisme. Rarement le personnage du « héros », qu'il s'agisse de d'Artagnan ou de Monte-Cristo, a été doué d'un aussi efficace pouvoir de présence imaginaire. C'est là, sans doute, ce qui explique la popularité de cette œuvre et la permanence de sa fascination. Quant à sa portée proprement littéraire, outre que D. a été l'un des plus grands représentants du théâtre romantique, son œuvre de romancier, en particulier avec *Monte-Cristo,* mérite sa place dans le grand effort de la génération romantique pour faire du roman la forme moderne de l'épopée et pour incarner dans une affabulation grandiose ce personnage prométhéen du surhomme qui, dans le même temps, est aussi la grande hantise de Balzac.

Œuvres. *Élégie sur la mort du général Foy,* 1825 (P). – *La Chasse et l'amour,* 1825 (T). – *La Noce et l'enterrement,* 1826 (T). – *Henri III et sa cour,* 1829 (T.). – *Christine,* 1830 (T). – *Antony,* 1831 (T). – *Charles VII chez ses grands vassaux,* 1831 (T). – *Richard Darlington,* 1831 (T). – Avec Gaillardet, *la Tour de Nesle,* 1832 (T). – *Gaule et France,* 1832 (N). – *Angèle,* 1833 (T). – *Catherine Howard,* 1834 (T). – *Impressions de voyage* (29 vol.), 1835-1859. – *Don Juan de Mañara ou la Chute d'un ange,* 1836 (T). – *Kean ou Désordre et Génie,* 1836 (T). – *Le Capitaine Paul,* 1838 (N). – *Mademoiselle de Belle-Isle,* 1839 (T). – *Acté,* 1839 (N). – *Les Aventures de John Davis,* 1840 (N). – *Othon l'Archer,* 1840 (N). – *Un mariage sous Louis XV,* 1841 (T). – *Jeanne d'Arc,* 1842 (N). – *Lorenzino,* 1842 (T). – *Les Demoiselles de Saint-Cyr,* 1843 (T). – *Le Chevalier d'Harmenthal,* 1843 (N). – *Georges,* 1843 (N). – *Sylvandire,* 1844 (T). – *Amaury,* 1844 (N). – *Les Trois Mousquetaires,* 1844 (N). – *Vingt Ans après,* 1845 (N). – *La Reine Margot,* 1845 (N) [adaptation pour le théâtre, 1847]. – *Le Comte de Monte-Cristo,* 1845 (N) [adaptation pour le théâtre, 1848]. – *La Dame de Monsoreau,* 1846 (N). – *Joseph Balsamo,* 1846 (N). – *Le Chevalier de Maison-Rouge,* 1846 (N). – Avec Auguste Maquet, *Catilina,* 1848 (T). – *Les Quarante-Cinq,* 1848 (N). – *Le Vicomte de Bragelonne,* 1848 (N). – *La Jeunesse des mousquetaires,* 1849 (T). – *Ma guerre des femmes,* 1849 (T). – *Le Collier de la Reine,* 1849 (N). – *Mémoires d'un médecin* (2 vol., faisant suite à *Joseph Balsamo* et au *Collier de la reine*) : *Ange Pitou,* 1851 ; *la Comtesse de Charny,* 1852 (N). – *Les Cenci,* 1854 (N). – *Mes Mémoires* (22 vol.), 1852-1854. – *Les Mohicans de Paris,* 1855 (N). – *Les Mémoires de Garibaldi,* 1860. – *Causeries,* 1860. – *Les Blancs et les Bleus,* 1868 (N). – *Histoite de mes bêtes,* 1868 (N). – *Grand Dictionnaire de cuisine,* posth., 1873.

Antony

Drame contemporain dont l'action se déroule sous la Restauration. Antony et Adèle s'aimaient ; Antony a disparu, et Adèle a consenti à épouser le colonel d'Hervey, mariage conforme à sa position sociale. Le drame commence lorsqu'une lettre vient annoncer à Adèle le retour d'Antony. Pour échapper aux risques que peut lui faire courir son amour toujours vivant, Adèle décide de s'enfuir loin de Paris. Mais, alors que les chevaux de sa voiture se sont emballés, mettant sa vie en danger, ils sont maîtrisés par un jeune homme, qui, blessé, est transporté chez Adèle, et qui se trouve être Antony lui-même. Il lui avoue alors la raison de sa disparition : il est un enfant trouvé et, par là, se voit condamné à vivre en marge de la société. Son amour ancien, encore renforcé par la pitié et la reconnaissance, reprend possession du cœur d'Adèle, qui, toutefois, par un effort héroïque, résiste à sa passion et décide d'aller retrouver son mari en garnison à Strasbourg. Antony la suit, la rejoint, la ramène à Paris et, apprenant le retour imminent du mari, supplie Adèle de fuir avec lui. Elle hésite, à cause de sa fille. Sur ces entrefaites, le colonel frappe à la porte ; pour éviter le scandale et sauver l'honneur d'Adèle, Antony la poignarde et prononce ensuite à l'adresse du colonel la parole célèbre : « Elle me résistait, je l'ai assassinée. »

Les Trois Mousquetaires

Ils sont trois, en effet, mousquetaires du roi, au temps de la domination de Richelieu et des intrigues anglaises en rapport avec la passion réciproque d'Anne d'Autriche et du duc de Buckingham ; ils se nomment Athos, Porthos et Aramis. Arrive un quatrième personnage ; ce sera le héros : pauvre cadet de Gascogne, d'Artagnan, qui va bénéficier de l'amitié des trois mousquetaires. Au service du roi, les mousquetaires et d'Artagnan se trouvent en conflit avec les hommes de Richelieu, puis avec le Cardinal lui-même. Ils auront en particulier affaire à l'un des agents les plus perfides et les plus efficaces de Richelieu, Milady. Les mousquetaires se couvrent de gloire au siège de La Rochelle, mais le conflit qui oppose Richelieu aux protestants et aux Anglais, qui les soutiennent, n'a pas seulement cet aspect militaire : une guerre sournoise se poursuit, où se trouvent mêlés la reine et Buckingham, que Milady reçoit l'ordre de faire disparaître. Avertis, et autant pour sauver l'honneur de la reine que pour contrecarrer les projets de Richelieu, les mousquetaires, avec d'Artagnan comme principal animateur, parviennent à faire arrêter Milady, qui s'évade, fait assassiner Buckingham et, de surcroît, empoisonne la jeune lingère de la reine, dont d'Artagnan était amoureux. Lancés à sa poursuite, les mousquetaires finissent par la rejoindre dans le Nord, au bord de la Lys, la font comparaître devant un tribunal qu'ils constituent entre eux et procèdent à son exécution. Finalement, le Cardinal ne peut éviter de reconnaître la valeur et la générosité de d'Artagnan, qui accède au grade de lieutenant dans la compagnie des mousquetaires du roi. Les autres quittent le service, Athos pour se retirer à la campagne, Porthos pour se marier, Aramis pour se faire prêtre.

Le Comte de Monte-Cristo

L'île de Monte-Cristo, inhabitée, est située près de l'île d'Elbe : les bateaux de commerce qui viennent du Proche-Orient vers Marseille la doublent sur leur chemin. C'est le cas du *Pharaon,* appartenant à l'armateur Morel et commandé par le jeune Edmond Dantès. Mais l'île d'Elbe, en 1814-1815, c'est aussi le séjour de Napoléon. Dantès, fiancé de la belle Mercédès, ce qui provoque la jalousie de son ami Fernand, est alors l'objet d'une machination montée par Fernand, avec l'appui d'un autre faux ami, Danglars. Il est dénoncé comme ayant servi d'intermédiaire entre l'île d'Elbe et les conspirateurs bonapartistes de France. Incarcéré au Château d'If, il y est oublié. Le temps passe, et Edmond est sauvé du désespoir par un autre prisonnier, un abbé italien, Faria, qui passe pour fou parce qu'il ne cesse de se dire possesseur d'un trésor fabuleux. Dantès devient son ami ; avant de mourir, Faria lui confie son secret, la présence d'une incalculable fortune, sous forme d'or, de pierres et de diamants, cachée dans l'île de Monte-Cristo, et l'abbé communique aussi à Dantès les indications topographiques nécessaires à la récupération du trésor. On a coutume, au château d'If, de jeter à la mer, cousus dans un sac, les cadavres des prisonniers morts. Faria meurt, Dantès trouve le moyen de se substituer à lui, il est jeté à la mer, réussit à s'extraire du sac, est sauvé par un bateau de passage, se fait déposer à Monte-Cristo et découvre le trésor. Il conçoit alors le projet grandiose qui va faire de lui un surhomme : se servir de la puissance immense que lui donne cette fortune pour exercer la justice à la manière d'une sorte de Destin omniprésent. Il devient le comte de Monte-Cristo, fréquente le monde, y brille d'un éclat exceptionnel, retrouve ses ennemis dans des positions sociales élevées. Il procède systématiquement à leur destruction avec un art consommé, en utilisant à la fois les ressources de sa fortune, le génie d'une intelligence exceptionnelle et un sens esthétique supérieur. Mais la Justice a pour symbole une balance. Dantès avait eu des amis fidèles, en particulier les enfants de son patron

Morel ; il met autant d'obstination à les secourir qu'à se venger de ses ennemis. Sa tâche achevée, il disparaît sur son yacht, vers l'Orient, en compagnie de la jeune et belle Grecque Haydée.

DUMAS Alexandre, dit **Dumas fils.** Paris 27.7.1824 – Marly-le-Roi 27.11.1895. Fils naturel du précédent. Il publia des vers dès 1842 et en réunit l'ensemble dans *Péchés de jeunesse.* Parmi ses romans, le seul qui soit resté célèbre, *la Dame aux camélias* (1847), le doit à l'adaptation théâtrale faite par l'auteur lui-même, qui obtint le plus grand triomphe du XIXe s. Mais il écrivit des pièces plus caractéristiques de sa conception du théâtre moderne, par exemple *la Femme de Claude.* Il donna aussi des essais de morale ou de politique et fut, au contraire de son père, admis à l'Académie française. Il demeura longtemps le plus célèbre des deux Dumas ; la tendance se renverse de nos jours. Non que son œuvre soit inintéressante, mais ses recherches sur le « théâtre utile », sur la pièce à thèse, sur les questions morales à l'ordre du jour, donnent à l'ensemble de ce qu'il écrit une raideur monotone. Il y a pourtant du mouvement dans son théâtre. Acad. fr. 1874.

Œuvres. *Péchés de jeunesse,* 1845 (P). – *Le Bijou de la Reine,* 1846 (T). – *Les Aventures de quatre femmes et d'un perroquet,* 1846 (N). – *La Dame aux camélias,* 1848 (N) [adaptation pour le théâtre, 1852]. – *Le Docteur Servand,* 1849 (N). – *Césarine,* 1849 (N). – *Tristan le Roux,* 1850 (N). – *Le Régent Mustel,* 1850 (N). – *Diane de Lys,* 1851 (N) [adaptation pour le théâtre, 1853]. – *Le Demi-Monde,* 1855 (T). – *La Question d'argent,* 1857 (T). – *Le Fils naturel,* 1858 (T). – *Un père prodigue,* 1859 (T). – *L'Ami des femmes,* 1864 (T). – *L'Affaire Clemenceau,* 1866 (N). – *Les Idées de Mme Aubray,* 1867 (T). – *Une visite de noces,* 1871 (T). – *La Princesse Georges,* 1871 (T). – *Lettre sur les choses du jour,* 1871 (E). – *L'Homme-femme,* 1872 (E). – *La Femme de Claude,* 1873 (T). – *Monsieur Alphonse,* 1874 (T). – *L'Étrangère,* 1876 (T). – *Entr'actes* (recueil de brochures), 1878 (E). – *Le Théâtre des autres* (pièces écrites en collaboration) : *le Supplice d'une femme,* 1865 ; *Héloïse Paranquet,* 1866 ; *le Filleul de Pompignac,* 1869 ; *la Comtesse Romani,* 1877 ; *les Danicheff,* 1879 (T). – *La Question du divorce,* 1880 (E). – *La Princesse de Bagdad,* 1882 (T). – *La Recherche de la paternité,* 1885 (E). – *Denise,* 1885 (T). – *Francillon,* 1887 (T). – *Nouveaux Entr'actes,* 1890 (E). – *La Troublante* (inach.), 1895 (T). – *La Route de Thèbes* (inach.), 1895 (T).

La Femme de Claude

L'un des drames les plus caractéristiques de l'inspiration réaliste et sociale de D., sur le thème des conséquences de l'indignité de la femme et du désaccord du couple. En contrepoint, une protestation contre l'antisémitisme à propos des deux personnages de Daniel, sioniste avant la lettre, et de sa fille Rébecca, amoureuse platonique du héros, Claude. Ces thèmes sont, d'autre part, inscrits dans une affabulation romanesque qui fait appel aux mystères de l'espionnage. Claude, en effet, savant éminent, vient d'inventer un canon de dimensions réduites mais d'une puissance infiniment supérieure à celle des armes en usage ; un espion germanique (nous sommes en 1873), qui utilise un nom – et un accent – marseillais : Cantagnac, se présente pour acheter à Claude sa propriété. En fait, c'est pour lui dérober son invention. Or Claude, qui vit avec son disciple Antonin, a une femme, Césarine, qui le trompe scandaleusement. C'est sur elle et sur sa vénalité que compte l'espion. Il s'est arrangé pour pouvoir exercer sur Césarine un chantage qu'il espère efficace. Aussi Césarine va-t-elle essayer de reconquérir Claude et de faire appel à sa générosité pour pouvoir ensuite lui arracher son secret et le vendre à l'espion. Claude perce la machination, renvoie Césarine. Elle essaie alors de soudoyer Antonin, qui l'aime, le malheureux ! (il l'a avoué à Claude lui-même). Antonin permettra à Césarine de s'emparer du manuscrit où Claude a consigné l'essentiel de ses recherches. Pourtant, au moment où elle se prépare à remettre le document à l'espion, Claude, qui a suivi en secret la manœuvre, intervient et exécute Césarine comme une criminelle.

DU PERRON, Jacques Davy, cardinal. Val-de-Joux (Suisse) 1556 – Paris 1618. Issu d'une famille protestante et lettrée originaire de Saint-Lô, Du P. commença ses études sous la direction de son père. Puis il les poursuivit seul. Venu à Paris pour y parfaire ses connaissances, il se lia d'amitié avec Desportes, Baïf, Scaliger et Cujas. On croit savoir que c'est sous l'influence de Desportes qu'il se convertit au catholicisme (1583). Son talent d'orateur, lorsqu'il prononça le *Sermon de l'amour de Dieu* et l'*Oraison funèbre de Ronsard,* le fit tout de suite remarquer : c'est lui qui fut ensuite chargé de prononcer l'oraison funèbre de Marie Stuart. Entré dans les ordres, c'est lui aussi qui, très certainement, amena Henri IV au catholicisme. Il fut envoyé en mission à Rome et y obtint la levée de l'interdit qui planait encore sur le royaume de France. Ce défenseur intransigeant de l'Église catholique participa entre autres aux conférences de Fontainebleau (1600) qui réunirent catholiques et protestants. Il fut affronté à Duplessis-Mornay, le « Pape des huguenots » : il avait pour mission de réfuter son *Traité de l'Eucharistie.* Il l'emporta et, pour récompense, fut nommé cardinal en 1604. Henri IV, pour sa part, le fit archevêque de Sens et grand aumônier de France. A la mort du roi, il fit partie du Conseil de régence et intervint aux états généraux de 1614 et à l'Assemblée des notables de décembre 1617. Défenseur de la foi catholique, appelé le « Grand Convertisseur », il joua un rôle politique important : conseiller du roi, parvenu aux sommets de la hiérarchie catholique, il fut pendant longtemps le religieux le plus écouté de France. Il a écrit quelques poèmes, comme *le Temple de l'inconstance* et surtout *le Cantique de la Vierge Marie,* qui font de lui un intermédiaire entre la Pléiade et Malherbe.

Œuvres. *Oraison funèbre de Ronsard,* 1586. – *Discours spirituel sur le premier verset du Psaume CXXII,* 1586. – *Discours sur la comparaison des vertus morales et théologiques, fait par le commandement du roi Henri III,* 1597. – *Les Actes de la conférence de Fontainebleau,* 1601. – *Harangue aux états généraux de 1614-1615,* 1615. – *Œuvres* (3 vol.) : *Traité du Saint-Sacrement de l'Eucharistie ; les Ambassades et Négociations de l'illustrissime et révérendissime cardinal du Perron ; Réfutation de toutes les objections tirées des passages de saint Augustin* (posth., 1622-1624). – *Poèmes : le Temple de l'Inconstance ; le Cantique de la Vierge Marie.*

DUPLESSIS-MORNAY Philippe. Buhy (Val-d'Oise) 1549 – La Forêt-sur-Sèvre (Deux-Sèvres) 2.2.1623. Fils d'un catholique fervent, D.-M. se convertit au protestantisme à la mort de son père. Après une période durant laquelle il voyagea beaucoup (Genève, Allemagne, Italie), il entra en 1577 au Conseil du roi de Navarre, qui le chargea de différentes missions, notamment auprès de la reine d'Angleterre. Homme de guerre, il défendit Montauban en 1585. Il fut aussi surintendant des finances de la Réforme. Théologien enfin, sa pensée fut respectée au point qu'il fut appelé le « Pape des huguenots ». Malgré toutes ces qualités, il ne put résister au talent d'orateur de Du Perron, avec qui il fut confronté au cours d'une discussion théologique (1600). Devenu gouverneur de Saumur, il se brouilla avec Henri IV. Après l'assassinat de ce dernier, il entra dans la faveur de la régente, qui voulait également se concilier le parti protestant. Mais, chassé de son poste, il se retira dans ses terres. Ses *Mémoires,* qui constituent une source précieuse d'informations sur son temps, sont écrits dans un style sobre et déjà classique.

Œuvres. *Traité de l'Église,* 1578. – *Discours véritable de la conférence tenue à Fontainebleau le quatrième de mai,* 1600. – *Discours et Méditations chrétiennes,* 1609. – *Traité de la vie et de la mort,* posth., 1624. – *Mémoires* (1572-1589), posth., 1624-1625.

DUPONT Pierre-Antoine. Lyon 23.4.1821 – 25.7.1870. Ouvrier très pauvre, il dut à l'amitié et à l'admiration de Baudelaire de pouvoir se faire connaître. Il réunit ses chansons (1845-1848) dans *les Paysans,* que Théophile Gautier présenta au public ; les thèmes en sont rustiques, mais souvent touchent à la politique et à la philosophie. La pensée n'est pas sans valeur dans *le Chant des ouvriers* (1846). Il prit une part active à la révolution de 1848 et s'opposa au coup d'État du 2-Décembre. Menacé d'arrestation, il passa en Savoie. Condamné par contumace à sept années de déportation (1852), il fut gracié et put revenir en France, mais sous promesse de se tenir coi ; ce qu'il fit.

DUPREY Jean-Pierre. Rouen 1.1.1930 – Paris 2.10.1959. Arrivé à Paris après ses études en 1948, il entre en contact avec Breton, qui croit trouver en ce jeune homme de dix-huit ans un poète capable d'animer une nouvelle génération surréaliste. D. est mort trop tôt pour qu'on puisse apprécier dans quelle mesure Breton avait vu juste. Celui-ci n'avait pas eu tort, en tout cas, en prêtant attention aux poèmes que D. avait écrits entre 1945 et 1947 et qui venaient de paraître en 1948 dans la revue *En marge,* et en faisant une place à D. dans son *Anthologie de l'humour noir* lors de sa réédition. En 1949, D. entreprend d'orienter sa poésie dans le sens d'une expression plus explicitement dramatique, et il rassemble ses essais dans *Derrière son double.* A-t-il alors le sentiment d'un échec ou d'une insuffisante maturation ? Toujours est-il qu'il abandonne la poésie pour la sculpture. L'année même où il revient à la poésie, avec *la Fin et la Manière,* il se suicide pour des raisons qui sont demeurées obscures.

DURAND Oswald. Écrivain haïtien. (Voir NÉGRO-AFRICAINE [LITTÉRATURE].)

DURANTY Louis Émile Edmond. Paris 5.6.1833 – 10.4.1880. Après l'échec de sa revue *Réalisme* (six numéros, 1856-1857), qui défendait Courbet, il inaugura le naturalisme avec *le Malheur d'Henriette Gérard* et contribua, par ses remarquables critiques, à faire accepter les impressionnistes. Peu connu de son temps, guère plus du nôtre, il eut cependant un rôle décisif dans l'évolution des théories romanesques et artistiques. Quant à ses romans, qui les relirait s'apercevrait que leur simplicité les a préservés du vieillissement. On ne saurait enfin oublier que D. fut le promoteur du théâtre écrit de marionnettes, avec une œuvre d'une remarquable originalité, *Théâtre des marionnettes du jardin des Tuileries.*

Œuvres. *Le Malheur d'Henriette Gérard,* 1860 (N). – *La Cause du beau Guillaume,* 1862, rééd. 1985 (N). – *Théâtre des marionnettes du jardin des Tuileries,* 1863. – *Les Combats de Françoise du Quesnoy,* 1872 (N). – *La Nouvelle Peinture, à propos du groupe d'artistes qui expose dans les galeries Durand-Ruel,* 1876 (E).

DURAS Marguerite. Giadinh (Indochine) 4.4.1914. Partie d'une forme de roman-narration assez proche de la « tradition », elle cherche ensuite, tout en se distinguant du « nouveau roman », à renouveler la forme romanesque en réduisant la part du récit au profit d'une structure thématique où les personnages prennent place plus comme des symboles ou des signes que comme des caractères. Le roman se construit autour d'un événement insolite qui ressemble à une crise, mais une crise sans véritable dénouement. Cependant elle met en évidence les relations entre des personnages qui se rencontrent pour se révéler et retombent ensuite dans leur solitude première. Mais partout se retrouve l'inexpliqué de la passion, qu'il s'agisse de la passion du couple de *Moderato cantabile* ou de celle de la population qui vit en vase clos dans le cadre colonial du *Vice-Consul,* ou encore de celle de la mère d'*Un barrage contre le Pacifique.* Mais contrairement à ce qui se passe dans le roman classique, ces passions, dans leur déchaînement même, et plus encore dans leur expression – toujours hésitante, en suspens entre silence et parole –, ne parviennent jamais à épuiser le désir qui leur donne naissance. Aussi l'univers de M. D. est-il l'univers de l'inachevé et de l'inassouvi ; toutefois, grâce au pouvoir suggestif du langage, en particulier des dialogues, qui prennent de plus en plus de place, cet univers insolite trouve là la source d'une tension tragique qui, tout en se dissimulant dans un inexprimé suggestif, y gagne en intensité. Une nécessité intérieure plutôt qu'une fatalité externe, laquelle n'est pourtant pas absente, conduit les personnages jusqu'à cet affrontement sans issue entre leur être et la vie qui est sans doute le thème dominant de l'œuvre de M. D. Ils vivent le plus souvent dans des lieux marginaux ou insolites (à cet égard, le monde colonial où M. D. est née et où elle a passé son adolescence lui a servi d'inspirateur et de modèle) et ils se meuvent ainsi toujours dans un univers devenu symbolique de leur propre situation-limite.

Cet univers exige donc le recours à une écriture qui soit, elle aussi, une écriture-limite, qui conserve certaines références à l'écriture traditionnelle alors qu'elle ne cesse en même temps de la transgresser ; écriture qui tente de transcrire les pleins et les vides de la durée, les à-coups rythmiques du contrepoint entre la durée intérieure et le déroulement mécanique du temps narratif. Cette orientation à dominante rythmique du style de M. D. explique sans doute qu'elle privilégie le dialogue au dépens de la narration pure, et qu'elle veuille visiblement suggérer une musicalité qui pourrait réussir à substituer l'incantation à l'expression.

Lorsqu'à partir des années 60, la romancière se tourne vers le théâtre et adapte pour la scène tel ou tel de ses romans, *Des journées entières dans les arbres* ou *le Square,* elle obéit à une impulsion qui, en se prolongeant, la conduira à s'épanouir plus encore par l'expression cinématographique. Elle collabore comme dialoguiste avec Alain Resnais pour *Hiroshima mon amour* et il n'est pas douteux que le texte du film fait plus que soutenir l'effet incantatoire des images. Après *la Musica, India Song* est le point culminant de la carrière cinématographique de M. D., ce film où l'association poétique de la musique, de la « voix off » et des images produit un univers où la romancière découvre enfin une écriture complexe accordée à sa recherche de l'absolu dans l'intensité de l'instant.

L'œuvre de M. D., tant romanesque que théâtrale ou cinématographique, est longtemps restée sinon tout à fait confidentielle, du moins réservée à un public « choisi » ; elle fut d'ailleurs, semble-t-il, plus largement reconnue hors de France grâce à de nombreuses traductions. Brusquement, en 1984, avec *l'Amant* (prix Goncourt), qui connaît un exceptionnel succès de librairie, elle conquiert le « grand public » : en un sens, ce roman, où M. D. reprend l'histoire de la jeune fille d'*Un barrage contre le Pacifique,* marque un retour à la narration pure : narration autobiographique à la première personne qui rattache *l'Amant* à l'un des grands courants de la littérature contemporaine ; peut-être est-ce là une des raisons de son succès auprès d'un public toujours friand de confessions. Mais M. D. y trouve aussi le moyen de réconcilier son écriture personnelle avec le souci d'une communication plus aisée et plus directe avec le lecteur.

Œuvres. *Les Impudents,* 1943 (N). – *La Vie tranquille,* 1944 (N). – *Un barrage contre le Pacifique,* 1950 (N) [adaptation pour le film de R. Clément, 1958]. – *Le Marin de Gibraltar,* 1952 (N). – *Les Petits Chevaux de Tarquinia,* 1953 (N). – *Des journées entières dans les arbres,* suivi de *Le Boa, Madame Dodin, les Chantiers,* 1954 (N). – *Le Square,* 1955 (N). – *Moderato cantabile,* 1958 (N) [adaptation pour le film de Peter Brook, 1966]. – *Les Viaducs de la Seine-et-Oise,* 1959 (T). – *Dix Heures et demie du soir en été,* 1960 (N). – *Hiroshima, mon amour* (scénario et dialogues du film d'A. Resnais), 1960. – *Une aussi longue absence* (scénario et dialogues, avec Gérard Jarlot), 1961. – Avec James Lord, *la Bête dans la jungle* (d'après Henry James), 1962 (T). – *L'Après-midi de Monsieur Andesmas,* 1962 (N). – *Le Ravissement de Lol V. Stein,* 1964 (N). – *Théâtre I : les Eaux et Forêts ; le Square ; la Musica,* 1965 (T). – *Le Vice-Consul,* 1965 (N). – *La Musica* (film), 1966. – *L'Amante anglaise,* 1967 (N), 1968 (T). – *Théâtre II : Suzanna Andler ; Des journées entières dans les arbres ; Yes peut-être ; le Shaga ; Un homme est venu me voir,* 1968 (T). – *Détruire, dit-elle,* 1969 (N), [film, 1969]. – *Abahn, Sabana, David,* 1970 (N), [adaptation pour le film *Jaune le soleil,* 1971]. – *L'Amour,* 1971 (N). – *Nathalie Granger* (film), 1972. – *India Song* (texte, théâtre, film), 1973. – *La Femme du Gange* (film), 1973. – *Nathalie Granger,* suivi de *la Femme du Gange,* 1973. – *Les Parleuses,* entretiens avec Xavière Gautier, 1974. – *India Song* (film), 1975. – *Baxter, Vera Baxter* (film), 1976. – *Son nom de Venise dans Calcutta désert* (film), 1976. – *Des journées entières dans les arbres* (film), 1976. – *Étude sur l'œuvre littéraire, théâtrale et cinématographique de Marguerite Duras* (M. D., Jacques Lacan, Maurice Blanchot), 1976. – *Le Camion* (film), 1977. – *Le Camion,* suivi de *Entretien avec Michelle Porte,* 1977. – *L'Eden Cinéma,* 1977 (T). – *Les Lieux de Marguerite Duras* (M. D. et Michelle Porte), 1978. – *Le Navire Night* (film), 1978. – *Césarée* (film), 1979. – *Les Mains négatives* (film), 1979. – *Aurélia Steiner* (film), 1979. – *Véra Baxter ou les Plages de l'Atlantique,* 1980 (N). – *L'Homme assis dans le couloir,* 1980 (N). – *L'Été 80,* 1980 (N). – *Les Yeux verts,* 1980. – *Agatha,* 1981 (N). – *Outside,* 1981, rééd. 1985 (N). – *L'Homme atlantique,* 1982 (N). – *Savannah Bay,* 1982, éd. augmentée 1983 (T). – *La Maladie de la mort,* 1982 (N). – *Dialogue de Rome* (film, moyen métrage), 1982. – *Théâtre III :* avec James Lord, *La Bête dans la jungle* (d'après Henry James) ; avec Robert Antelme, *les Papiers d'Aspern* (d'après Henry James) ; *La Danse de mort* (d'après August Strindberg), 1984 (T). – *L'Amant,* 1984 (N). – *La Musica Deuxième,* 1985 (T). – *La Douleur,* 1985 (N). – *Les Enfants* (film), 1985.

DU RYER Pierre. Paris 1605 ? – 1658. Après des études juridiques, il devint conseiller et secrétaire du roi et de ses finances, puis servit César de Vendôme. Mais la disgrâce de ce dernier le jeta presque dans la misère. Ni son élection à l'Académie française ni sa charge d'historiographe de France ne purent lui assurer une vie aisée. Ses meilleures tragi-comédies – *Arétaphile,* par exemple, ou *Cléomédon* – font appel à tous les procédés romanesques traditionnels : enfants supposés, déguisements, reconnaissances, retournements de situation. Mais elles expriment, à l'occasion, une réflexion sur la légitimité et les servitudes du pouvoir. L'œuvre dramatique de Du R. lui valut de jouer, avant que Corneille ne s'imposât, le rôle d'un exemple parmi les jeunes dramaturges. Acad. fr. 1646.

Œuvres. *Arétaphile,* 1628 (T). – *Cléomédon,* 1634 (T). – *Lucrèce,* 1638 (T). – *Alcionée,* 1640 (T). – *Esther,* 1642 (T). – *Saül,* 1642 (T). – *Bérénice,* s.d. (T). – *Scevola,* 1647 (T).

DUTOURD Jean. Paris 14.1.1920. Il s'est révélé au public français grâce à *Au bon beurre,* satire des mœurs durant l'occupation allemande, qui lui valut le prix Interallié. Il a publié depuis de nombreux romans, caractérisés par leur verve. Chroniqueur, critique de télévision dans un grand quotidien parisien, il sait traduire dans un style simple et vivant son attachement au « bon sens » aussi bien que la virulence de son humeur satirique. Acad. fr. 1978.

Œuvres. *Le Complexe de César,* 1946 (E). – *Le Déjeuner du lundi,* 1948 (N). – *L'Arbre,* 1948 (T). – *Une tête de chien,* 1949 (N). – *Le Petit Don Juan,* 1950 (E). – *Au bon beurre,* 1952 (N). – *Le Vieil*

Homme et la mer (trad. d'après Hemingway), 1952 (N). – *Doucin,* 1955 (N). – *Les Taxis de la Marne,* 1956 (E). – *Le Fond et la Forme* (tome I), 1958 (E). – *Les Dupes,* 1959 (N). – *L'Ame sensible,* 1959 (E). – *Les Muses parlent* (trad. d'après Truman Capote), 1959 (N). – *Le Fond et la Forme* (tome II), 1960 (E). – *Rivarol,* 1961 (E). – *Les Horreurs de l'amour,* 1963 (N). – *La Fin des Peaux-Rouges,* 1964 (N). – *Le Demi-Solde* (Mémoires), 1964 (N). – *Les Horreurs de la paix,* 1964 (N). – *Le Fond et la Forme* (tome III), 1965 (E). – *Pluche ou l'Amour de l'art,* 1967 (N). – *Petit Journal 1965-1966,* 1967. – *L'École des jocrisses,* 1970 (E). – *Le Paradoxe du critique,* 1971 (E). – *Le Crépuscule des loups,* 1971 (N). – *Le Printemps de la vie,* 1972 (N). – *Carnet d'un émigré,* 1973 (E). – *2024,* 1975 (E). – *Mascareigne,* 1977 (N). – *Les Matinées de Chaillot* (recueil d'articles 1967-1974), 1977 (E). – *Cinq ans chez les sauvages,* 1977. – *Les choses comme elles sont,* 1978 (E). – *Le Bonheur et autres idées,* 1980 (E). – *Mémoires de Mary Watson,* 1980 (N). – *Un ami qui vous veut du bien,* 1981 (E). – *De la France considérée comme une maladie,* 1982 (E). – *Henri ou l'Éducation nationale,* 1983 (N). – *Le Socialisme à tête de linotte,* 1983 (E).

DU VAIR Guillaume. Paris 7.3.1566 – Tonneins 3.8.1621. Enfant prodige (il obtient sa licence à l'âge de quatorze ans, grâce à un décret), Du V. est issu d'une famille de la noblesse. Après quelque temps passé à la cour du duc d'Alençon (1571), en qualité de maître des requêtes, dégoûté par les intrigues qui s'y tramaient, il entre au parlement de Paris comme conseiller. Il tente de rapprocher Henri III de la Ligue. Représentant cette Ligue aux états généraux (25 janv. 1593), il prend pourtant la défense du roi de Navarre et reçoit sa récompense, le gouvernement de la Provence.

Du V. est surtout un orateur : son *Exhortation à la paix* et son discours *Pour la manutention de la loi salique* eurent un retentissement considérable aux états généraux. Il fait montre d'une éloquence simple et directe, faite pour convaincre, qui ne s'embarrasse pas de citations érudites : son *Traité de l'éloquence françoise et des raisons pour lesquelles elle est demeurée si basse* expose une théorie de l'art oratoire tel qu'il le pratiquait.
L'orateur se double d'un moraliste et se situe dans la tradition stoïcienne d'Épictète. Il traduit d'ailleurs le *Manuel* d'Épictète et compose deux traités importants, *De la philosophie des stoïques* et *De la constance et consolation ès calamitez publiques :* ces œuvres morales ont certainement exercé une influence décisive sur Malherbe, qui fut lié d'une intime amitié avec Du V. A la fin de sa vie, l'orateur et l'érudit cèdent la place au commentateur chrétien, qui se consacre alors à sa méditation sur la Bible.

Œuvres. *Méditations sur les Psaumes,* 1580. – *Philosophie morale des stoïques,* 1585. – *De la saincte philosophie,* 1588. – *Discours en Parlement après les barricades,* 1588. – *Exhortation à la paix, adressée à ceux de la Ligue,* 1592. – *La Philosophie morale des stoïques,* 1592 ; 1603. – *Suasion de l'arrêt pour la loi salique,* 28 juin 1593. – *Traité de la constance et consolation ès calamitez publiques,* 1593. – *Traité de l'éloquence françoise et des raisons pourquoi elle est demeurée si basse,* 1595. – *Méditations sur Job,* 1610. – *Méditations sur le « Cantique » d'Ézéchias,* 1610. – *Méditations sur les « Lamentations » de Jérémie,* 1610. – *Les Œuvres politiques, morales et meslées du sieur Du Vair* (5 parties : *Actions et Traités oratoires ; De l'éloquence françoise ; Arrêts en robes rouges ; Traités philosophiques ; Traités de piété et Méditations*), 11 éditions posth., de 1606 à 1641. – *Le Manuel d'Épictète, translaté par G. Du Vair,* posth., 1921.

E

ÉCOLE DE GENÈVE [CRITIQUE]. Dans les années 30, un certain nombre d'universitaires suisses, au premier rang desquels **Albert Béguin** (1901-1957, voir ce nom) et **Marcel Raymond** (1897-1981), commencent d'élaborer une « nouvelle critique » en prenant pour point de départ à la fois la conception bergsonienne de la création artistique et les expériences de « critique créatrice » de Charles Du Bos et d'Albert Thibaudet (auquel Marcel Raymond succédera en 1936 à l'université de Genève) ; en même temps, ils s'efforcent d'intégrer à leur approche critique les enseignements des expériences poétiques contemporaines, le surréalisme en particulier. Ainsi se constitue, avec Genève pour centre, une sorte d'École dont les deux textes fondateurs sont, de Marcel Raymond, *De Baudelaire au surréalisme* (1933) et, d'Albert Béguin, *l'Âme romantique et le rêve* (1937), textes constamment réédités depuis.

L'orientation dominante de la pensée de Marcel Raymond, le maître incontesté de cette École, concerne la définition, par l'analyse d'œuvres significatives, de l'*objet* littéraire : l'objet littéraire en tant qu'*être*, c'est-à-dire le *texte*, dont le critique doit tenter de définir le mode d'existence ; tel est l'objectif que poursuit Marcel Raymond au long de ses œuvres maîtresses, *Paul Valéry et la Tentation de l'esprit* (1946), *le Sens de la qualité* (1948), et *Romantisme et rêverie* (1975). C'est aussi ce qui le conduit à découvrir et révéler l'originalité spécifique de certaines œuvres ou de certains âges littéraires, la poétique de la Pléiade (*l'Influence de Ronsard sur la poésie française*, 1965) ou la littérature de l'âge baroque (*Baroque et renaissance poétique,* 1955) ; on notera à ce propos que Raymond fut le premier à attirer l'attention sur la signification et l'importance du *Printemps* d'Agrippa d'Aubigné dans un chapitre de *Génies de France*, publié par Béguin dans ses *Cahiers du Rhône* en 1942.

C'est sans doute dans un passage du *Sens de la qualité* que Raymond a le plus explicitement défini les symptômes de la crise littéraire ouverte dans les années 1920-1930, crise qui, à son tour, impose à la critique de contribuer à sa solution : « Je crois que nous sommes condamnés présentement à une vision de l'univers morcelée, discontinue ; condamnés à adopter divers points de vue, à ouvrir des perspectives divergentes, à travailler sur des plans qui ne se recoupent pas. » Diagnostic apparemment pessimiste, mais qui explique que, selon Raymond, sur ce point en parfait accord avec Béguin, toute approche critique doit partir de ce qu'il appelle une « présence objective initiale », le problème étant de déterminer les conditions de cette objectivité initiale.

Il reste que l'un des apports les plus positifs de Raymond et de l'École de Genève à l'évolution contemporaine de la critique est cette affirmation de la primauté du *texte* et de son intériorité significative, perçue à travers sa forme, comme objet central de la réflexion critique sur la littérature et comme point de départ nécessaire de toute entreprise de compréhension du phénomène littéraire.

Dans les années 1950, la conception critique de Marcel Raymond inspire l'œuvre de **Georges Poulet** (né en 1902), qui, pour cette raison, et parce qu'il entretint avec Marcel Raymond des relations personnelles ininterrompues, se rattache à l'École de Genève : en témoigne d'ailleurs la *Correspondance M. Raymond-G. Poulet, 1950-1977*, publiée en 1980. C'est avec ses *Études sur le temps humain* de 1950, suivies de *la Distance intérieure* (1952), *les Métamor-*

phoses du cercle (1961) et *la Conscience critique* (1971) que Poulet expérimente sa conception de la critique comme identification d'une conscience et d'un texte, le texte étant lui-même le produit d'une conscience en train de se dire. Telle est la définition de l'attitude critique que Poulet expose clairement dans une lettre du 21 novembre 1973 à Marcel Raymond : « Ce qui m'importe, c'est le remplacement provisoire de ma propre activité mentale par une activité seconde à laquelle je me soumets et m'offre comme siège et qui n'est autre que le mouvement de la vie spirituelle à l'intérieur de la pensée d'autrui se prolongeant en quelque sorte dans la mienne. »
Ainsi, par l'intermédiaire de Georges Poulet et de son influence – qui fut, avec celle de Bachelard, décisive pour l'évolution de la critique des années 60 – l'École de Genève forme comme une sorte de passage et de communication entre la « critique créatrice » des années 1920-1940 et certains courants de la « nouvelle critique » des année 60. On en trouve d'ailleurs un témoignage évident dans la vitalité dont n'a cessé de faire preuve l'École critique suisse avec les continuateurs de Béguin, Raymond et Poulet, en particulier Jean Starobinski et Marc Eigeldinger. (Voir NOUVELLE CRITIQUE.)

ÉCOLE LYONNAISE. Proche de la Suisse, de l'Allemagne et de l'Italie, Lyon va être le centre, dans la première partie du XVIe s., d'une vie intellectuelle et artistique particulièrement brillante et intense. Capitale de l'imprimerie, elle possède en 1500 cent cinquante-six ateliers, qui favorisent l'expansion de l'humanisme. Érudits, poètes et libres esprits affluent à Lyon et même s'y établissent pour imprimer ou faire éditer leurs œuvres, des textes classiques latins et grecs ou des éditions de la Bible. É. Dolet, Jean Lemaire de Belges, Rabelais, Bonaventure Des Périers, Marot illustrent, parmi bien d'autres, l'importance et la richesse spirituelle du renouveau humaniste et littéraire lyonnais. Ville prospère aussi, grâce au développement des échanges commerciaux et de l'industrie de la soie, Lyon a vu se fixer de nombreux Italiens, banquiers et négociants, souvent d'origine florentine, qui introduisent une civilisation luxueuse et raffinée. À ce contact s'épanouissent dans les cercles mondains et érudits de la ville la vogue du platonisme et des discussions sur la métaphysique de l'amour, celle du pétrarquisme, le goût de l'élégance du langage et du raffinement intellectuel et sentimental. Parmi les cénacles cultivés de la riche bourgeoisie, qui font alors de Lyon la capitale de la poésie française, un groupe, désigné sous le nom d'*école lyonnaise,* assurera le triomphe de cet esprit mi-platonicien, mi-pétrarquiste et celui du féminisme littéraire dans la poésie française nouvelle, peu avant l'entreprise de la Pléiade. (Voir SCÈVE, HÉROËT, LABÉ, PERNETTE DU GUILLET.)

EEKHOUD Georges. Anvers 1854 – Bruxelles 1927. Écrivain belge d'expression française. Il appartient à une famille de la riche bourgeoisie belge. Orphelin très jeune, il a pour tuteur son oncle maternel et fera ses études en Suisse. Rentré en Belgique, en 1871, il est admis à l'École de guerre de Bruxelles, où il a pour répétiteur Ch. De Coster. Cependant, son peu de goût pour le métier des armes l'éloigne bientôt de l'institution militaire. Il mène alors une vie insouciante en dilapidant l'héritage paternel. S'intéressant aux lettres, il devient secrétaire de l'Union littéraire belge, qui groupe des écrivains amateurs et professionnels de langue française ou flamande, et écrit des vers. Il se rend à Paris, rencontre Verlaine et R. de Gourmont, fréquente Zola et le groupe de Médan, mais, passionné par les arts plastiques, séjourne surtout à Barbizon, lieu d'élection de la jeune peinture. De retour en Belgique, il se partage entre la critique littéraire et la poésie. Presque ruiné, il trouve auprès de sa grand-mère maternelle la compréhension que lui a refusée son tuteur. Il héritera de cette grand-mère une fortune qu'il ne saura pas mieux conserver que celle de son père. Désormais, le journalisme lui fournira l'essentiel de ses ressources. En 1881, il se fixe dans la capitale belge et collabore à la revue *Jeune Belgique,* que vient de fonder Max Waller. Il y publiera ses meilleurs poèmes, « le Semeur » et « l'Homme de l'églogue », puis renoncera à la poésie, pour laquelle il se sent peu doué, au profit du récit en prose – contes, nouvelles ou romans. Après *la Danse macabre du pont de Lucerne* (1878), inspirée par une ancienne légende helvétique, il écrit trois autres contes, qui paraissent aussi dans *Jeune Belgique :* « les Protégés de ma grand-mère » (1882), « la Belette » (1883), « le Cœur de Tony Wandel » (1884). Mais c'est dans ses romans que va s'épanouir sa personnalité indépendante et bien marquée, aux tendances contradictoires. Raffiné et cultivé, il est attiré par les simples, par les mœurs frustes des paysans de la Campine, par les êtres douteux ou perdus qui hantent les bas-fonds, et qu'il peint avec sympathie. Il a le sens de la couleur, de la beauté plastique, de la truculence flamande, l'amour du terroir ; il exalte la violence de l'instinct et des passions, la vie sensuelle, avec un réalisme âpre et fort jusqu'à l'outrance. Sa langue fait appel aux termes régionaux et aux néologismes, et son œuvre subit l'influence de l'esthétique naturaliste. En 1894, il se sépare de *Jeune Belgique,* pour fonder avec des amis – parmi lesquels Verhaeren et Demolder – une revue dissidente, *le Coq rouge* (1895), et part en guerre contre la « belgeoisie », synonyme de médiocrité, de platitude et d'académisme. Puis il compose *Escal-Vigor,* roman sur les amours d'un esthète, qui scandalise et lui vaut un procès. Dans un récit historico-légendaire consacré à sa ville natale, *les Libertins d'Anvers,* il mêle lyrisme et réalisme, en s'appuyant sur une documentation historique soigneusement accumulée. L'écrivain mourra avant d'avoir pu faire paraître un roman picaresque, inspiré par un épisode des *Lusiades* de Camões, *Magrice en Flandre ou le Buisson des mendiants.* Les *Proses plastiques* montrent un E. fidèle à son inspiration flamande, mais d'une manière plus adoucie. Passionné de Skakespeare, E. a aussi traduit ou adapté un certain nombre d'œuvres du théâtre élisabéthain. Français d'éducation et de culture, son rôle est important dans la renaissance des lettres françaises en Belgique ; en même temps, il est un écrivain particulièrement représentatif du roman régionaliste. Sous divers pseudonymes, il a été aussi, pour augmenter ses ressources, un romancier populaire. Dès sa fondation, l'Académie royale de Belgique l'a appelé à siéger parmi ses membres.

Œuvres. *Myrtes et Cyprès,* 1876 (P). – *Zigzags poétiques,* 1878 (P). – *Les Pittoresques,* 1879 (P). – *Kees Doorik,* 1883 (N). – *Kermesses,* 1885 (N). – *Les Milices de Saint-François,* 1886 (N). – *Nouvelles Kermesses,* 1887 (N). – *La Nouvelle Carthage,* 1888 (N). – *Les Fusillés de Malines,* 1891 (N). – *Le Cycle patibulaire* (nouvelles), 1892 (N). – *Le Siècle de Shakespeare,* 1893 (N). – *Mes communions* (nouvelles), 1897 (N). – *Escal-Vigor,* 1899 (N). – *La Faneuse d'amour* (seconde version des *Milices de Saint-François*), 1900 (N). – *Les Voyous de velours,* 1904 (N). – *Les Libertins d'Anvers,* 1912 (N). – *Le Terroir incarné,* 1912 (N). – *Magrice en Flandre ou le Buisson des mendiants,* posth., 1927 (N). – *Proses plastiques,* posth., 1929 (N).

ÉGLOGUE [latin *ecloga* = texte détaché, choisi]. Petit poème pastoral, épousant fréquemment la forme du dialogue, où sont présentés des bergers qui, presque toujours, chantent l'amour. Il n'y a pas de grande différence entre l'idylle et l'églogue. Cette dernière serait peut-être plus animée.

ÉGOTISME. Le mot figure au titre d'un des journaux de Stendhal (*Souvenirs d'égotisme*) et est entré dans le vocabulaire de la critique littéraire pour désigner ce qu'exprime aussi le terme de *beylisme* (du nom patronymique de Stendhal, Henri Beyle ; *cf.* le livre de Léon Blum, *Stendhal et le beylisme,* 1912). À travers l'œuvre de Stendhal tout d'abord, l'égotisme apparaît comme une expérience d'exaltation du moi et de son énergie intérieure traduite par cette « chasse au bonheur » où se trouve engagé le héros stendhalien. À partir de là, l'égotisme est devenu comme une mystique de la personnalité qui nourrit un « culte du moi » accompagné d'intense ferveur. On en trouve quelques-unes des expressions les plus significatives dans des œuvres aussi diverses que celle de Barrès ou celle de Gide. À l'époque contemporaine, l'égotisme littéraire a connu un renouveau remarquable chez des écrivains comme Roger Nimier ou Michel Déon. Mais il y a un certain degré d'égotisme chez bien d'autres écrivains du XXe s., car l'égotisme est finalement lié à une affirmation d'appartenance à une aristocratie de l'âge et de l'esprit, celle que constituent les *« happy few »* à qui Stendhal avait dédié *le Rouge et le Noir.*

ELBE DE VENTADOUR. Début du XIIe s. Troubadour occitan. Puissant seigneur du Limousin auquel on a récemment attribué, de manière incertaine, quelques poèmes jusqu'ici anonymes. Les *Vidas* le considèrent comme un des premiers maîtres de la littérature occitane.

ÉLÉGIE [grec *elegeia* = chant triste]. Petit poème lyrique sur un sujet triste. Elle se définit par sa forme métrique. Chez les Anciens, elle était composée de distiques formés par un hexamètre et un pentamètre. Elle exprimait les sujets les plus divers. L'élégie ne pénétra en France qu'à la Renaissance (avec Ronsard et du Bellay), et sans grand succès. La rigueur de Malherbe et celle des classiques mirent fin aux épanchements de ce genre, qui devait cependant être repris lors de la renaissance néo-classique de la fin du XVIIIe s., en particulier par A. Chénier.

ELIADE Mircea. Bucarest 9.3.1907. Écrivain roumain d'expression française.

Spécialiste de la recherche scientifique sur le sacré, le symbole et le mythe, E. s'est d'abord révélé au public français par son *Histoire des religions* et son *Mythe de l'éternel retour,* où il cherche à capter dans les différentes traditions les mythes analogues qui se dissimulent derrière des rites différents, selon le principe universel de construction issu du sens du mystère, pure présence de l'âme du monde en chaque homme.
E. est également l'auteur d'une œuvre romanesque qui se rattache aux racines fondamentales de l'expérience religieuse ; ses romans mettent en action les signes et les symboles étudiés dans ses recherches théoriques, révélant un univers fantastique et merveilleux. De ces pérégrinations au sein de ce qu'Henry Corbin nomme l'« imaginal », fécondité du sacré en nous-mêmes, E. n'a point écarté les interrogations sur le monde actuel, peignant les vicissitudes d'une génération perdue dans une société qui ne répond pas à ses besoins. En ce sens, *Forêt interdite* présente une véritable fresque de la Roumanie moderne.

Œuvres. *Retour du paradis,* 1934 (N). – *Les Huligans,* 1935 (N). – *Techniques du yoga,* 1948 (E). – *Traité d'histoire des religions,* 1949, rééd. 1979 (E). – *Le Mythe de l'éternel retour,* 1949 (E). – *Maitreyi (la Nuit bengali),* trad., 1950, rééd. 1979 (N). – *Le Chamanisme et les techniques archaïques de l'extase,* 1951 (E). – *Images et Symboles,* 1952, rééd. 1979 (E). – *Le Yoga, Immortalité et Liberté,* 1954 (E). – *Forêt interdite,* trad., 1955 (N). – *Minuit à Serampore,* 1956, rééd. 1980 (N). – *Forgerons et alchimistes,* 1956, rééd. 1977 (E). – *Naissances mystiques,* 1959 (E). – *Patanjali et le yoga,* 1962 (E). – *Méphistophélès et l'Androgyne,* 1962, rééd. 1981 (E). – *Aspects du mythe,* 1963 (E). – *Le Sacré et le Profane,* 1965 (E). – *De Zalmoxis à Gengis khân,* 1970 (E). – *La Nostalgie des Origines,* 1971 (E). – *Religions australiennes,* 1972 (E). – *Mythes, rêves et mystères,* 1972 (E). – *Fragments d'un journal,* trad., 1973 (E). – *Le Vieil Homme et l'Officier,* trad., 1977, rééd. 1982 (N). – *Histoire des croyances et des idées religieuses,* 3 vol., 1976-1983 (E). – *Initiation, rites, sociétés secrètes, naissances mystiques,* 1976 (E). – *L'Épreuve du labyrinthe, entretiens avec C.-H. Rocquet,* 1978, rééd. 1985. – *Occultisme, sorcellerie et modes culturelles,* 1978 (E). – *Mademoiselle Christina,* trad., 1978 (N). – *Andronic et le serpent,* trad., 1979 (N). – *Mémoires I : les Promesses de l'équinoxe (1907-1937),* 1980. – *Fragments d'un journal II (1970-1978),* 1981. – *Noces au paradis,* trad., 1981 (N). – *Le Temps d'un centenaire,* suivi de *Dayan,* trad., 1981 (N). – *Uniformes de général,* trad., 1981 (N). – *Les Dix-Neuf Roses,* trad., 1982 (N). – *Les Morts incertaines,* 1983 (N). – *Les Trois Grâces,* trad., 1984 (N). – *À l'ombre d'une fleur de lys...,* trad., 1985 (N).

ÉLIE Robert. Montréal 1915 – 1973. Écrivain canadien-français. Après ses études au collège Sainte-Marie et à l'université de Montréal, il est journaliste à *la Presse* et au *Canada,* puis critique d'art ; il commence sa carrière d'écrivain dès 1948 avec *Au-delà des visages.* Il est nommé directeur de l'École des beaux-arts de Montréal en 1957, directeur de l'Enseignement des arts pour la province de Québec en 1961 et, l'année suivante, devient attaché culturel à la Délégation générale du Québec à Paris. Il retourne ensuite à Montréal pour prendre un poste de direction au musée des Beaux-Arts.
É. est essentiellement l'auteur de deux romans, *la Fin des songes* (1950) et *Il suffit d'un jour* (1957). Le premier est une étude lucide sur la question essentielle du sens de la vie, telle qu'elle se pose à un homme incapable de lui apporter une réponse – et qui se résout au suicide. Dans le second, ce sont moins les faits qui sont retenus que leur retentissement sur les personnages : l'objet poursuivi est la critique d'un milieu sans passion et qui appelle une libération humaine, quelle qu'elle soit. En marge de l'œuvre romanesque, il faut signaler quelques poèmes ésotériques publiés dans *la Relève,* une plaquette sur Borduas, quelques articles pleins de ferveur et de profondeur sur son ami Saint-Denys Garneau. L'œuvre de É. porte la marque d'une pensée juste et vigoureuse.

ÉLOQUENCE [ART ORATOIRE]. Art de bien parler, de persuader, de convaincre par la parole. Le terme désigne surtout un genre littéraire dont le développement est caractéristique de certaines cultures et de certaines époques. Ainsi en est-il de l'éloquence politique ou judiciaire dans l'Antiquité grecque (Isocrate, Lysias, Démosthène) ou romaine (Cicéron) : à Athènes et à Rome, l'entraînement à l'art oratoire, la rhétorique, était l'élément essentiel de la formation intellectuelle. Au XVIIe s., en France, les développements de la Contre-Réforme entraînent l'épanouissement de l'éloquence sacrée, qui atteindra son apogée avec Bossuet. Après quoi, elle entrera progressivement en décadence, jusqu'à ce qu'elle connaisse au XIXe s., avec Lacordaire, une étonnante mais éphémère résurrection. Quant à l'éloquence politique, après avoir été marquée par un important développement sous la Révolution (Vergniaud, Danton, Robespierre, Saint-Just), elle reparaîtra épisodiquement dans les enceintes parlementaires de la IIIe République (A. de Mun, Jaurès, Briand). Mais l'expression littéraire continuera, à l'époque moderne, d'utiliser des procédés, tours, rythmes et modes d'expression hérités de l'éloquence et de l'art oratoire.

ELSKAMP Max. Anvers 5.5.1862 – 10.12.1931. Poète belge d'expression française. Il descendait d'une lignée de négociants et garda toute sa vie les impressions reçues dans le décor médiéval de sa ville natale et dans une famille où se mêlaient mystique et amour du travail bien fait. Ses débuts en littérature sont tardifs (*Dominical,* 1892) et l'apparentent discrètement à Verlaine, Laforgue et Mallarmé. Symboliste-né, il eut une production régulière, artisanale, colorée, peu variée mais précieuse. Son œuvre entière s'explique par une sorte de dialogue secret entre la vie recluse du poète et la vie de cette ville d'Anvers qui l'entoure. Il en recueille les échos pour les transposer en une poésie à la fois lointaine et présente. Ainsi s'explique l'archaïsme délibéré, mais sincère, qui le pousse à retrouver le ton et les rythmes de la poésie médiévale.
Mais E. est aussi doué d'une sensibilité picturale, et, d'ailleurs, il illustrait lui-même ses ouvrages de gravures sur bois. Il se veut, en effet, avant tout un « imagier », et ses *Enluminures* constituent une suite de miniatures poétiques – peut-être ce qu'il y a de plus précieux dans son œuvre. Œuvre, dans l'ensemble, irréaliste, qui propose les images d'une illusion poétique au cœur même du monde moderne. Mais lorsque ce monde aura blessé le poète et lui aura imposé de cruelles épreuves, E. chantera son amertume avec des accents déchirants dans les écrits qui suivront la guerre, en particulier *Aegri somnia.* Acad. royale de langue et litt. fr. 1921.

Œuvres. *L'Éventail japonais,* 1884 (P). – *Dominical,* 1892 (P). – *Salutations dont d'angéliques,* 1893 (P). – *En symbole vers l'apostolat,* 1895 (P). – *Six Chansons de pauvre homme pour célébrer la Semaine de Flandre,* 1896 (P). – *La Louange de la vie* (recueil des quatre titres précédents), 1898 (P). – *Enluminures,* 1898 (P). – *Sous les tentes de l'exode,* 1921 (E). – *Chansons désabusées,* 1922 (P). – *La Chanson de la rue Saint-Paul,* 1922 (P). – *Maya,* 1923 (P). – *Délectations moroses,* 1923 (P). – *Aegri somnia,* 1924 (P). – *Les Huit Chansons reverdies,* posth., 1932 (P). – *Les Fleurs vertes,* posth., 1934 (P). – *Les Joies blondes,* posth., 1934 (P). – *Œuvres complètes* (préface de P. Seghers), 1967.

ÉLUARD Paul, Eugène Grindel, dit. Saint-Denis 14.12. 1895 – Charenton-le-Pont 18.11.1952. Banlieusard qui se souviendra toujours de ses origines, É. est très jeune atteint de tuberculose et doit interrompre ses études pour faire un séjour à Davos en sanatorium. Mobilisé cependant et envoyé au front, il y est blessé : il écrit alors ses premiers vers, fort marqués par l'unanimisme. À la recherche d'un langage nouveau, il trouve dans le surréalisme, qu'il aborde par l'intermédiaire de B. Péret, une science du mot qui permet à son lyrisme de s'épanouir. Soucieux de ne pas renier l'héritage du passé (il publiera en 1951 une anthologie poétique qui occupa toute sa vie), il parvient d'emblée à l'équilibre, et ses recueils surréalistes sont restés d'une étonnante jeunesse, de *Mourir de ne pas mourir* à *la Rose publique.* Sa fidélité à la poésie traditionnelle le conduit à s'écarter peu à peu du groupe d'A. Breton, tandis que son inspiration, sans rien renier de ses aspects oniriques, se fait plus intime, dès *les Yeux fertiles.* Le drame de Guernica, au cours de la guerre civile espagnole, choque violemment la bonté native d'É., dont la poésie, sans jamais devenir agressive, sera désormais résolument engagée en faveur de ce qu'il pense être promesse de bonheur pour l'humanité. Antifasciste, résistant de la première heure, avec en particulier le célèbre *Poésie et Vérité* (1942), É. revient au communisme, auquel il avait adhéré pendant quelques mois dans sa jeunesse, et se montre un partisan résolu du stalinisme, de 1942 à sa mort, avec des recueils qui dépassèrent l'audience habituelle d'une production poétique et qui, sur un ton hugolien souvent efficace, aboutissaient à un manichéisme intellectuel et moral quelque peu rudimentaire. Cependant É., qui demeure un lyrique et un « doux », mêle encore son aventure personnelle à sa poésie communautaire ; de même que la fuite de sa première femme, Gala (partie rejoindre Dali), l'avait acculé à la dépression, de même la mort subite de la deuxième, Nusch (1946), le frappa d'un violent désespoir, qui transparaît dans les *Poèmes* de 1948 ou dans *Poésie ininterrompue.* La rencontre de Dominique, qui devint la troisième femme d'É. en 1951, s'épanouit en un érotisme glorieux, dont les éclats brefs sont très éloignés des ellipses pudiques du poète secret des années trente.
A la mort d'É., le parti communiste rendi

à l'écrivain militant un extraordinaire hommage. Sa poésie politique était la plus connue du public. Les destinées du stalinisme ont entraîné une révision des jugements, qui, semble-t-il, met plus justement en avant l'immense lyrique que fut É. : le plus grand poète de l'amour au XXe s. Clarté et mystère se sont rarement unis de façon aussi vivante, peu de destinées individuelles ont su se chanter en mots aussi éloquemment universels. Qui d'autre, enfin, a plus subtilement marié lumière et nuit, chant corporel et transparence amoureuse ? On respecte É. politique, parce qu'il fut sincère. On aime É. pour sa poésie lyrique, parce que c'est bien là la musique originelle des amants.

Œuvres. *Le Devoir et l'Inquiétude,* 1917 (P). – *Poèmes pour la paix,* 1918 (P). – *Les Animaux et leurs hommes, les hommes et leurs animaux,* 1920 (P). – *Exemples,* 1921 (P). – *Premiers Poèmes* (recueil), 1921 (P). – *Les Nécessités de la vie et les conséquences des rêves,* 1921 (P). – *Répétitions,* 1922 (P). – *Les Malheurs des Immortels,* 1922 (P). – *Mourir de ne pas mourir,* 1924 (P). – *Les Dessous d'une vie ou la Pyramide humaine,* 1926 (P). – *Capitale de la douleur,* 1926 (P). – *Au défaut du silence,* 1926 (P). – *Défense de savoir,* 1928 (P). – *L'Amour, la poésie,* 1929 (P). – *À toute épreuve,* 1930 (P). – Avec Breton et Char, *Ralentir travaux,* 1930 (P). – Avec Breton, *l'Immaculée Conception,* 1930 (P). – *Dors,* 1931 (P). – *La Vie immédiate,* 1932 (P). – *Comme deux gouttes d'eau,* 1933 (P). – *La Rose publique,* 1934 (P). – *Facile,* 1935 (P). – *Nuits partagées,* 1935 (P). – Avec Breton, *Notes sur la poésie,* 1936 (E). – *Les Yeux fertiles,* 1936 (P). – *Appliquée,* 1937 (P). – *L'Évidence poétique,* 1937 (E). – *Les Mains libres,* 1937 (P). – *Cours naturel,* 1938 (P). – Avec Breton, *Dictionnaire abrégé du surréalisme,* 1938 (E). – *Chanson complète,* 1939 (P). – *Donner à voir,* 1939 (E). – *Médieuses,* 1939 (P). – *Le Livre ouvert,* 1940-1942 (P). – *Choix de poèmes* (recueil), 1941 (P). – *Poésie et Vérité,* 1942 (P). – *Poésie involontaire et Poésie intentionnelle,* 1942 (E). – *Les Sept Poèmes d'amour en guerre,* 1943 (P). – *Au rendez-vous allemand,* 1944 (P). – *Dignes de vivre,* 1944 (P). – *Le Lit, la Table,* 1944 (P). – *À Pablo Picasso,* 1944 (P). – *Lingères légères,* 1945 (P). – *Double d'ombres,* 1945 (P). – *Poésie ininterrompue I,* 1946 (P). – *Le Dur Désir de durer,* 1946 (P). – *Le Temps déborde,* 1947 (P). – *Corps mémorable,* 1947 (P). – *Le Bestiaire,* 1948 (P). – *À l'intérieur de la vue,* 1948 (P). – *Poèmes politiques,* 1948 (P). – *Poèmes pour tous,* 1948 (P). – *Léda,* 1949 (P). – *Grèce, ma rose de raison,* 1949 (P). – *Une leçon de morale,* 1949 (P). – *La jarre peut-elle être plus belle que l'eau ?,* 1951 (P). – *Pouvoir tout dire,* 1951 (P). – *Première Anthologie vivante de la poésie du passé,* 1951 (P). – *Le Phénix,* 1951 (P). – *Poésie ininterrompue II,* posth., 1953 (P). – *Œil de fumée,* posth., 1953 (P). – *Les Sentiers et les Routes de la poésie,* posth., 1954 (P). – *Lettres de jeunesse avec poèmes inédits,* posth. 1962. – *Derniers Poèmes d'amour* (recueil), posth., 1963. – *Le Poète et son ombre,* posth., 1964. – *Une longue réflexion amoureuse,* posth., 1966. – *Lettres à Gala (1924-1948),* posth., 1984.

EMMANUEL Pierre, Noël Mathieu, dit. Gan (Pyrénées-Atlantiques) 3.5.1916 – Paris 22.9.1984. Né de parents qui émigrent bientôt aux États-Unis, il est élevé par son oncle paternel à Lyon et fréquente un établissement scolaire religieux. *La Jeune Parque* de Valéry lui apporte à l'époque la révélation de la poésie. Après des études de lettres à l'université de Lyon, il enseigne quelque temps dans son ancien collège et se familiarise, au hasard des lectures, avec les romantiques allemands, en particulier avec Hölderlin, qui lui inspirera son recueil *le Poète fou* et avec les auteurs anglais (Th. Hardy, Hopkins). Il lit la Bible et découvre la poésie de P.-J. Jouve *(Sueur de Sang),* qui va déterminer sa vocation. Au cours d'un voyage à Paris, fin 1937, E. fait la connaissance de Jouve, qu'il admire et qui va le guider dans ses premiers essais poétiques. Grâce à H. Michaux, il collabore aussi aux *Cahiers du Sud* et à la revue *Mesures,* dirigée par Paulhan. Son premier recueil de vers, *Élégies,* paraît en 1940. Il rejoint P.-J. Jouve, qui a gagné Dieulefit (Drôme) au moment de l'invasion allemande. Pendant l'Occupation, nombre d'écrivains engagés dans le combat pour la pensée libre se retrouveront dans cette région, où E. va exercer son activité professorale tout en s'adonnant à la poésie et en participant à la Résistance. Un nouveau recueil poétique, *Tombeau d'Orphée,* où Orphée apparaît comme le double du poète, lui vaut une soudaine célébrité. Ce seront ensuite les grands poèmes de la Résistance, inspirés par la guerre et le déchaînement des forces du Mal : leur spiritualité visionnaire, leur ampleur lyrique et leur résonance profonde dépassent l'actualité ; leurs titres mêmes revêtent une valeur symbolique : *Jour de colère, Combats avec tes défenseurs, la Liberté guide nos pas.* Dès ses premières œuvres, deux images « matricielles » se font jour : celle d'Orphée (*Tombeau d'Orphée ;*

Orphiques) et celle, d'inspiration catholique, du Christ (*le Poète et son Christ*). À cette dernière image se rattache aussi la conscience angoissée présente au sein de tous les poèmes de la Résistance. Dans sa tentative « pour élucider par les symboles ceux des conflits permanents de l'espèce dont l'homme moderne souffre le plus », E. conçoit l'idée d'un monument poétique universel, qui serait « l'épopée spirituelle d'une époque », et la poésie lui apparaît comme une forme d'action qui rend compte de l'événement en termes d'éternité (*Poésie, raison ardente*) : le langage est pour lui « l'être même de l'homme ». Au fur et à mesure des années, il aspirera toujours davantage à « se rapprocher de l'essence du mot, seule transfiguration véritable » et à atteindre l'unité dans la création. Sa poésie manifeste ainsi deux tendances contradictoires, qu'il cherchera à équilibrer : le lyrisme épique et visionnaire, au souffle puissant, dans la grande tradition d'Agrippa d'Aubigné et de Hugo. et une aspiration à la netteté, à la simplicité, à la ferveur, dans des œuvres plus brèves, plus resserrées, plus intériorisées, plus dépouillées, comme *Évangéliaire, la Nouvelle Naissance* et *Una ou la Mort la Vie.* C'est pourtant dans la figuration épique et symbolique de la tragédie de l'homme, saisie à travers son histoire spirituelle, que E. a trouvé son inspiration la plus féconde. Après *Sodome,* qui veut représenter « la souffrance humaine dans son fond », il tente, avec *Babel,* grande fresque organisée comme une architecture légendaire, de « bâtir une épopée spirituelle de l'histoire humaine non point dans sa nouveauté, mais dans sa sempiternelle répétition ». Le poète y décrit, à travers une suite d'épisodes symboliques, les assauts de l'homme contre le Ciel, jusqu'à ce qu'éclate, dans une vision surnaturaliste, le heurt de la Terre et de Dieu. Cette recherche épique et visionnaire se continue souterrainement tandis que E. se consacre à la réflexion sur les problèmes de la culture dans le monde moderne, réflexion qui s'exprime dans de nombreux essais jusqu'à *la Révolution parallèle.* La poésie « prophétique » réapparaît en 1970 avec *Jacob :* la figure du personnage biblique s'y déploie en un vaste triptyque, où elle est vue successivement à travers le récit biblique, le christianisme de l'Évangile et la réflexion sur l'homme moderne. Cette inspiration trouvera son point culminant dans *Sophia,* dont la construction poétique coïncide symboliquement avec celle d'une cathédrale, du *Porche* à la *Rosace* en passant par le *Tympan, l'Abside,* le *Chœur,* le *Dôme* et la *Nef,* et dans *Tu,* dialogue prophétique du naturel et du surnaturel. Hanté depuis le début de son œuvre par l'énigme de la relation entre l'homme et la femme, qui n'est autre que la forme exemplaire de l'énigme de la « jointure », selon le mot de Péguy, entre le charnel et le spirituel, E. construit l'ultime architecture de sa cathédrale prophétique avec le *Livre de l'homme et de la femme,* formé de trois recueils : *Una ou la mort la vie, Duel* et *l'Autre.* Il restait encore au poète-prophète de composer enfin la grande synthèse poétique de son univers spirituel : atteint dans sa chair par une implacable maladie, inspiré par l'urgence même de son achèvement, il reprend, à la lumière de l'expérience acquise tout au long de son œuvre, le grand projet cosmogonique dont, trente ans plus tôt, *Babel* avait été le poème annonciateur : quelques jours avant sa mort, en septembre 1984, paraissait, avec le sous-titre *Cosmogonie, le Grand Œuvre,* où de l'origine à l'épanouissement de l'Être, se déploie une suite d'hymnes orchestrant la genèse du monde sous le signe de la double naissance, au cœur de l'Histoire et de son développement, de l'Esprit et de la Liberté : « Chacun à présent se sent l'assurance – d'être soi-même sur la foi de celui – dont la vue l'emplit. »

Cette œuvre poétique, où E. fait preuve, dans le maniement des formes les plus diverses, d'une maîtrise technique riche de prolongements symboliques, est complétée et, pour ainsi dire, accompagnée par une constante réflexion sur soi-même, sur la poésie, sur les problèmes de l'homme d'aujourd'hui, dans une suite de volumes qui, de *Qui est cet homme ?* jusqu'à *la Face humaine,* constituent une véritable autobiographie spirituelle, et donnent la clé d'une personnalité complexe, parfois déroutante, animée d'une foi ardente et engagée dans la recherche passionnée d'une humanité renouvelée, par là même fidèle à son origine surnaturelle. Acad. fr. 1968.

Œuvres. *Élégies,* 1941 (P). – *Le Tombeau d'Orphée,* 1941 (P). – *Orphique,* 1941 (P). – *Cantos,* 1943 (P). – *Le Poète fou,* 1944 (P). – *La liberté guide nos pas,* 1945 (E). – *Sodome,* 1945 (P).– *Memento des vivants,* 1946 (P). – *Poésie raison ardente,* 1947 (P). – *Chanson du dé à coudre,* 1947 (P). – *Qui est cet homme ?,* 1948 (P). – *Ca[r] enfin je vous aime,* 1949, rééd. 1983 (N) – *Babel* (5 parties : *l'Avènement ; le Bâtisseur ; l'Orage sous la terre ; Commencement de l'homme ; la Chute de Babel*) 1952 (P). – *La Colombe,* 1952 (P). – *L'Ouvrier de la onzième heure,* 1953 (E) – *Visage nuage,* 1957 (P). – *Versant d* *l'âge,* 1958 (P). – *Évangéliaire,* 1961 (P). – *Le Poète et son Christ,* 1962 (P). – *Jour de colère,* 1962 (P). – *Combats avec tes défenseurs,* 1962 (P). – *Le Goût de l'un,* 1963 (E). – *La Nouvelle Naissance,* 1963 (P). – *La Face humaine,* 1965 (E). – *La Ligne de faîte* (anthologie), 1966 (P). – *Baudelaire devant Dieu,* 1967 (E). – *Le monde est intérieur,* 1967 (E). – *Jacob* (8 parties : *Origine ; Genèse du combat ; Isaac ; la Grande Mère ; Nuit de Jacob ; la Sainte Face ; Jacob n'importe qui ; Tu es*), 1970 (P). – *Choses dites,* 1970 (E). – *Pour une politique de la culture,* 1971 (E). – *Sophia,* 1973 (P). – *La Révolution parallèle,* 1975 (E). – *La Vie terrestre,* 1976 (P). – *Tu,* 1978 (P). – *Livre de l'homme et de la femme : Una ou la Mort la Vie,* 1978 ; *Duel,* 1979 ; *l'Autre,* 1980 (P). – *La Culture, noblesse du monde,* 1980. – *L'Arbre et le vent,* 1981 (E). – *Baudelaire, la femme et Dieu,* 1982 (E). – *Une année de grâce,* 1983 (E). – *Le Grand Œuvre. Cosmogonie,* 1984 (P).

EMPIRISME. Méthode d'investigation philosophique qui affirme se fonder uniquement sur l'expérience et s'oppose ainsi au rationalisme. Le débat entre les deux méthodes s'est poursuivi durant toute l'histoire de la philosophie. Dans l'Antiquité, d'après Platon, les idées sont innées. Aristote, lui, est persuadé qu'elles ne sont que le résultat d'expériences diverses. Au XVIIe s., Descartes défend les idées « innées » alors que Locke prend le parti de la thèse adverse et fonde l'empirisme moderne. Leibniz essaie de concilier les deux méthodes en soutenant que l'expérience est indispensable pour faire passer les idées à l'état de jugement clairement compris et consciemment exécuté. Développé particulièrement en Angleterre au XVIIIe s., l'empirisme, par l'intermédiaire du sensualisme (voir CONDILLAC), a influencé profondément la littérature du « Siècle des lumières ».

ENCYCLOPÉDIE l', [ENCYCLOPÉDISTES]. « Dictionnaire raisonné des sciences, des arts et des métiers » confié à Diderot (1746) par le libraire Le Breton. Inspiré à l'origine par la *Cyclopaedia* de l'Anglais Chambers (1728), l'ouvrage fut tout de suite élargi aux dimensions de l'univers. Le *Prospectus* de 1750 puis le *Discours préliminaire* de d'Alembert annoncent le premier tome, qui paraît le 1er juillet 1751. Les jésuites du *Journal de Trévoux* le font condamner au feu pour propositions hérétiques d'un des collaborateurs, l'abbé de Prades (1720-1782). La rédaction par ce dernier de l'article CERTITUDE (t. II, 1752) ajoute aux attaques des jésuites celles des jansénistes : les deux volumes sont interdits à la vente. Diderot bénéficie alors de la protection de Mme de Pompadour et du directeur de la librairie, Malesherbes. Malgré les attaques de Fréron, les tomes III à VII voient le jour (1753-1757). Cependant, le parti dévot mène une campagne de pamphlets (*les Cacouacs,* de Moreau) qui favorise les brouilles. Rousseau devient l'ennemi des philosophes après l'article GENÈVE, de d'Alembert (1757). Ce dernier, découragé par la stérilité de ces querelles, abandonne l'entreprise (1758). Enfin, saisissant comme prétexte la parution du traité d'Helvétius *De l'esprit,* le Conseil d'État interdit le dictionnaire et ordonne le remboursement des souscripteurs (1759). Malesherbes sauve une fois de plus la situation, et, malgré des périodes de découragement, Diderot fait paraître les tomes VIII à XVII (1760-1765), accompagnés de onze volumes de planches (1762-1772). Le succès fut immense pour l'époque (4 000 souscripteurs) ; il y eut encore quatre volumes de suppléments, quatre nouveaux volumes de planches ainsi qu'une *Table analytique* (1775-1780). L'*Encyclopédie* comporte plus de mille articles, touchant à la philosophie, à la littérature, à la morale, à la religion, à la politique, à l'économie et aux arts appliqués. La diversité des propos se fond dans l'unité d'inspiration : abattre les préjugés, faire triompher la raison. Les encyclopédistes, après Bayle, ont voulu mettre toutes les branches de la connaissance à portée de l'homme cultivé. Ils ont réussi, défauts compris, la meilleure photographie possible de leur siècle. Une des nouveautés de l'ouvrage est la place considérable accordée et le soin apporté aux articles sur les arts mécaniques : documentation, richesse des textes, nombre des planches d'illustration font de cette part de l'*Encyclopédie* un témoignage d'autant plus neuf qu'il s'accompagne d'une réhabilitation des travailleurs manuels et des techniciens que les révolutionnaires de 1789 sauront comprendre. Les principaux autres caractères de l'ouvrage – qui manifeste en maint endroit une tendance fâcheuse aux digressions – sont un déisme souvent proche de l'athéisme, une orientation politique largement inspirée de Montesquieu et de Locke, un refus général de l'intolérance dans tous les domaines.

Hormis d'Alembert, tôt parti avec Marmontel, Diderot eut comme proche collaborateur, de 1758 à 1772, le chevalier de Jaucourt (1704-1778) et, comme « nègres », un certain nombre de travailleurs obscurs mais acharnés : Belin, Blondel,

Duclos, Le Blond, Toussaint, l'abbé Yvon, etc. Enfin, plusieurs esprits éclairés furent des collaborateurs occasionnels et des inspirateurs constants de l'équipe ; entre autres, Condillac, Condorcet, Helvétius, d'Holbach, Turgot. Rousseau et Voltaire donnèrent quelques articles, l'un de musique, l'autre d'esthétique. Voltaire inspira en sous-main nombre d'articles à sujets religieux.

Autres encyclopédistes : P.J. Barthez (médecin, 1734-1806) ; E.J. Bouchu (théoricien des techniques, 1714-1773) ; N.A. Boulanger (ingénieur, 1722-1759) ; L. Cahusac (spécialiste de l'opéra, 1706-1759) ; Damilaville (« courriériste » des encyclopédistes, 1721-1768) ; Daubenton (naturaliste, 1716-1799) ; C.C. Dumarsais (grammairien, 1676-1756) ; L.J. Goussier (mécanicien, 1722-1799) ; C.M. La Condamine (chimiste, 1701-1774) ; Le Monnier (médecin et botaniste, 1717-1799) ; C.G. Le Roy (spécialiste de la chasse, 1723-1789) ; A. Louis (chirurgien, 1723-1792) ; E. Mallet (abbé, théologien, 1713-1751) ; P.J. Malouin (chimiste, 1701-1778) ; A. Morellet (abbé, économiste, 1727-1819) ; Pertré (abbé, théologien) ; T. Tronchin (médecin, 1709-1781) ; C.H. Watelet (beaux-arts, 1718-1786).

ENGAGEMENT. L'engagement d'un écrivain consiste à prendre résolument parti dans une querelle ou un combat, qu'il soit littéraire, politique, idéologique ou social, en assumant le risque du choix effectué. Ce terme fut mis à la mode par l'existentialisme de Sartre, qui déclare que l'homme, qu'il le veuille ou non, se trouve forcément « engagé ». Ne pas choisir est encore une manière de choisir. Mieux vaut, alors, vouloir délibérément son choix, plutôt que de le subir. Dans le cadre actuel de la société, l'engagement a pris une connotation plus précisément politique : est engagé le poète, l'artiste qui a décidé de défendre une idéologie déterminée. Il semble que, depuis les années 1960, une réaction se soit manifestée contre la « littérature engagée », soit sous la forme d'une littérature du détachement (Blondin), soit par le recours à des techniques privilégiant l'écriture (le « nouveau roman »).

ENVOI. Vers placés à la fin d'un poème, et plus particulièrement d'une ballade, pour rendre hommage à la personne à qui le poème est adressé. L'envoi de la ballade commençait, au Moyen Âge, par le mot « Prince », qui désignait aussi bien le protecteur illustre que les présidents des académies littéraires qui florissaient alors.

ÉPIGRAMME [grec *epigramma* = inscription]. Chez les Anciens, courte pièce en prose ou en vers, à l'origine destinée à être inscrite sur un monument. En France, petite pièce en vers sur toutes sortes de sujets d'inspiration satirique ou charmante. L'épigramme servit surtout à alimenter et exacerber des polémiques littéraires, ce qui aiguisa la rigueur satirique de son trait mais réduisit la portée du genre.

ÉPIGRAPHE [grec *épi* = sur, *graphein* = écrire]. 1. Inscription placée sur un édifice. 2. Citation d'un auteur, en tête de livre ou de chapitre, qui en indique le thème. Inconnue des Anciens et de nos écrivains classiques, l'épigraphe-citation fut mise à la mode par Montesquieu et J.-J. Rousseau. Ces épigraphes étaient le plus souvent en latin. (En tête des *Confessions* se trouve l'épigraphe *Intus et in cute,* « Intérieurement et sous la peau ».) L'âge romantique répandit cet usage en choisissant volontiers ses épigraphes dans les littératures modernes (les épigraphes des différents chapitres du *Rouge et le Noir* de Stendhal).

ÉPINAY Louise Tardieu d'Esclavelles d'. Valenciennes 1726 – Paris 1783. De famille noble mais sans fortune, elle est élevée par une parente après la mort de son père et a pour compagne la future Mme d'Houdetot, qui deviendra sa belle-sœur. Elle épouse son cousin germain, riche mais débauché, dont elle ne tarde pas à se détacher. Elle aura une première liaison avec Dupin de Francueil, puis avec le baron de Grimm, qui sera pour elle un ami sûr. Son salon, ouvert à la brillante société de l'époque et en particulier aux gens de lettres, est fréquenté par Duclos, Diderot, d'Holbach, Saint-Lambert et surtout J.-J. Rousseau, dont Mme d'É. est quelque temps la protectrice : elle le loge dans sa petite maison de l'Hermitage, près de Montmorency, dépendance de son château de la Chevrette, et Rousseau y travaille en paix à l'*Émile,* au *Contrat social* tout en préparant *la Nouvelle Héloïse,* qu'inspire l'image de Mme d'Houdetot dont il s'est épris secrètement. Une brouille, à laquelle Grimm et Diderot paraissent n'avoir pas été étrangers, se produit en 1757, et Rousseau quitte l'Hermitage. Mme d'É. se rend alors à Genève, où elle demeure jusqu'en 1759 et entretient des rapports amicaux avec Voltaire, qu'elle va voir aux Délices. Rentrée à Paris, elle devra faire face à une situation financière délicate, due aux dilapidations de son mari, puis de son fils Louis. Elle n'en continue pas moins de recevoir et sera très liée avec l'abbé Galiani : de 1769 à 1772, les deux amis entretiendront une active et spirituelle *Correspondance.* Elle collabore aussi à la *Correspondance littéraire* que rédige Grimm à l'intention des princes étrangers. Attaquée par Rousseau dans ses *Confessions,* elle riposte par un roman autobiographique, *l'Histoire de Mme de Montbrilland,* qui, remanié et augmenté de quelques lettres inédites, sera publié par la suite sous le titre de *Mémoires.* Elle a enfin composé un ouvrage d'éducation, les *Conversations d'Émilie,* à l'intention de sa petite-fille.

Œuvres. *Collaboration à la « Correspondance littéraire » de Grimm,* 1753-1790. – *Mes moments heureux,* 1758 (E). – *Lettres à mon fils,* 1759. – *Conversations d'Émilie,* 1774. – *Histoire de Mme de Montbrilland* (publiée sous le titre de *Mémoires*), posth., 1818 (N). – *Mme d'Épinay et l'abbé Galiani* (lettres de 1769 à 1772), posth., 1929. – *Les Dernières Années de Mme d'Épinay* (lettres de 1773 à 1782), posth., 1933.

ÉPISTOLAIRE (genre). Comme le dit clairement l'étymologie (lat. *epistula* = lettre), le genre épistolaire naît de l'évolution littéraire de la lettre, étant entendu qu'il ne peut s'agir, en tout état de cause, que de correspondance privée. Dans le contexte culturel propre à certaines sociétés, le caractère littéraire de la correspondance privée, lié à la mise en œuvre d'un style spécifique, entraîne la diffusion des lettres, tout d'abord à l'intérieur du cercle des relations personnelles de l'auteur, puis, par zones successives, dans l'ensemble du public cultivé : à partir du moment où une correspondance atteint ce public, elle appartient à la littérature et à son histoire, et toutes les conditions sont alors réunies pour que la lettre privée apparaisse comme constituant un genre littéraire à part entière. C'est ainsi que, dans les milieux mondains du XVIIe et du XVIIIe s., s'instaurèrent la circulation et la diffusion des lettres privées dans le public et que naquit vraiment le *genre* épistolaire (correspondance de Voiture, de Mme de Sévigné, de Mme du Deffand, de Voltaire...). Aussi les auteurs de lettres, qui, du fait de leur talent et de leur notoriété, ne pouvaient manquer de savoir à l'avance que celles-ci seraient largement diffusées, leur conféraient-ils consciemment une marque proprement littéraire ; mais, dans le cas des maîtres du genre – Mme de Sévigné ou encore Mme du Deffand –, cette élaboration ne nuit en rien à l'authenticité personnelle de la correspondance ; elle en souligne au contraire les caractères distinctifs : spontanéité, naturel, sensibilité, caractères que met en relief l'élaboration esthétique du *style* épistolaire. Compte tenu d'ailleurs de certaines exceptions – Voltaire, entre autres –, les épistoliers (ou épistolières, car ce genre fut largement pratiqué par des femmes) ne sont généralement pas des écrivains professionnels, des « gens de lettres » : le genre épistolaire est le plus beau fleuron de cette littérature d'amateurs qu'engendrent les sociétés hautement raffinées ; Mme de Sévigné n'a rien écrit d'autre que ses *Lettres* et elle a su en faire l'un des chefs-d'œuvre de la littérature universelle.

Aussi convient-il de distinguer soigneusement le *genre* épistolaire des autres modes de présence de la lettre dans la littérature : le genre poétique de l'épître (voir ce mot) ne saurait y être rattaché, car la fiction épistolaire n'y est qu'un moyen de concilier, sur un thème le plus souvent familier, poésie et naturel. De même, la forme épistolaire, parce qu'elle permet entre des personnages un dialogue aux multiples voix et qu'elle s'exprime à la première personne, pourra servir à personnaliser la narration romanesque : le roman par lettres connut ainsi une faveur particulière au XVIIe et surtout au XVIIIe s., les exemples les plus fameux en étant *Julie ou la Nouvelle Héloïse* de Rousseau et *les Liaisons dangereuses* de Laclos. Il n'est pas rare non plus que la littérature polémique ait recours à la forme de la lettre (lettres de P.-L. Courier), sans que pour autant les textes ainsi composés appartiennent au genre épistolaire. On observera enfin que la lettre intervient au théâtre comme procédé dramatique : qu'on se souvienne du coup de théâtre provoqué par la découverte et la lecture d'une lettre dans le *Bajazet* de Racine. Le trait commun de ces divers emplois littéraires de la lettre est bien qu'il s'agit alors de lettres *fictives ;* or, le genre épistolaire exige qu'il s'agisse au contraire de correspondance non fictives, de lettres authentiques adressées à un destinataire réel, mais écrites dans un style délibérément littéraire, la synthèse réussie de l'authentique et du littéraire constituant la définition même du genre épistolaire.

C'est dans cette perspective que se pose le problème de l'appartenance à ce genre des correspondances d'écrivains (Flaubert, Valéry, Gide, Claudel, pour ne citer que quelques exemples). Le plus souvent, ces lettres ne répondent pas originellement à une intention proprement littéraire, sauf si l'écrivain est aussi un épistolier (Voltaire) : elles revêtent en effet pour le lecteur, et c'est en général la raison de leur publication, souvent posthume, une valeur surtout documentaire : de ce point de vue, elles n'appartiennent pas au genre épistolaire. Il n'en est pas moins évident qu'elles portent la marque personnelle de leur auteur ; dans certains cas, elles font partie de son « œuvre » : la correspondance de Flaubert offre un exemple remarquable de cette superposition, dans une correspondance d'écrivain, de l'intérêt documentaire et de l'intérêt littéraire. Enfin, il s'agit bien là de lettres non fictives écrites à l'intention d'un destinataire réel, et, à cet égard, elles peuvent relever sinon tout à fait du « genre », du moins de la « littérature » épistolaire : il faut admettre que, dans ce cas, les frontières du genre épistolaire sont quelque peu indécises.

ÉPITHALAME [grec *épithalamion* = chant nuptial]. Poème composé pour faire l'éloge des époux à l'occasion de leur mariage. Très en vogue durant l'Antiquité, l'épithalame apparaît dans la littérature française à la Renaissance, célébrant plus particulièrement les noces des souverains. À l'heure actuelle, il est tombé en désuétude. Le *Poème lu au mariage d'André Salmon,* d'Apollinaire, peut être considéré comme un vestige de ce genre poétique.

ÉPÎTRE [latin *epistola* = lettre]. Lettre en vers, sur un sujet philosophique ou satirique. Cette forme fut très en vogue aux XVIIe et XVIIIe s. (Boileau, Voltaire...).

ÉPOPÉE. Dans la tradition classique d'origine grecque (le mot vient du grec *epos* = parole), l'épopée est généralement un long poème, initialement destiné à la récitation publique, récit d'aventures exemplaires et héroïques, à l'intention d'une société dont elle transforme l'histoire en un système cohérent de symboles et de mythes, généralement autour d'un héros central. Ainsi se constituent les « cycles épiques », celui d'Achille ou d'Ulysse, celui de Roland ou de Guillaume d'Orange. Mais l'épopée, c'est aussi la mise en scène visionnaire d'un vaste cosmos mythologique, où l'homme et les dieux, l'histoire et les forces de la nature instaurent un jeu complexe de conflits et d'harmonies. De ce point de vue, l'épopée relève de la *poésie totale,* et c'est à ce titre qu'elle est apparue comme se situant au sommet de la hiérarchie des genres poétiques, ainsi qu'en témoigne la place qu'occupe Homère dans le panthéon littéraire de la culture occidentale. On a cru, à l'époque romantique, que l'épopée était un genre « primitif » et qu'elle représentait l'origine populaire de la poésie. En fait, il n'en est rien : les grandes épopées, qu'il s'agisse d'Homère ou de la *Chanson de Roland,* sont des œuvres élaborées, résultant d'une longue évolution et exprimant une culture et une civilisation achevées. Une éventuelle renaissance moderne de l'épopée a donné lieu, depuis l'âge humaniste, à de multiples tentatives, dont les échecs jalonnent l'histoire de la littérature française classique, de Ronsard à Voltaire, tandis que la littérature anglaise connaît la géniale exception de Milton. Le romantisme sera à son tour obsédé par la nostalgie épique et produira la grande somme de *la Légende des siècles* de Hugo. Il convient sans doute d'observer qu'au-delà du *genre* de l'épopée la dimension épique se rencontre à l'époque moderne surtout dans le roman : *la Comédie humaine* de Balzac est une manière d'épopée, comme le fit observer Baudelaire dès 1846. Enfin le cinéma fait une place considérable à l'expression épique, dont il transpose, dans son langage propre, les structures caractéristiques (*cf.,* en particulier, le « western » américain).

ERCKMANN-CHATRIAN. Nom formé par le duo de romanciers français **Émile Erckmann** (La Petite-Pierre, Phalsbourg [Moselle] 20.5.1822 – Lunéville 14.3.1899) et **Alexandre Chatrian** (Le Grand-Soldat [Meurthe] 18.12.1826 – Villemomble 3.9.1890). S'attachant, dès leurs débuts, à exprimer le charme rustique de leur patrie commune, ils orientèrent leur production dans trois directions : des contes, largement influencés par Hoffmann, à qui ils doivent leur atmosphère légendaire et surnaturelle plaquée sur un soigneux réalisme local, par exemple leurs *Contes fantastiques* ; des romans qui s'attachent à traduire le quotidien, le plus célèbre étant *l'Ami Fritz ;* un cycle de « romans nationaux » enfin, qui leur apporta leurs plus durables succès, tels *le Fou Yégof* ou l'*Histoire d'un conscrit de 1813.* Leur solidité narrative s'appuie sur des sujets bien choisis et sur la simplicité d'un style plein de ressources évocatrices, surtout dû à Erckmann, de loin le meilleur des deux écrivains.

Œuvres. *L'Œil invisible,* 1856 (N). – *L'Illustre Docteur Mathéus,* 1859 (N). – *Contes fantastiques,* 1860 (N). – *Les Contes de la montagne,* 1860 (N). – *Maître Daniel Roch,* 1861 (N). – *Le Juif polonais,* 1862 (N) [adapt. théâtrale, 1869]. – *Le Fou Yégof,* 1862 (N). – *Contes des bords du Rhin,* 1862 (N). – *Madame Thérèse ou les Volontaires de 92,* 1863 (N). – *Histoire d'un conscrit de 1813,* 1864 (N). – *L'Ami Fritz,* 1864 (N) [adapt. théâtrale, 1877]. –

Waterloo (suite du *Conscrit de 1813),* 1865 (N). – *Histoire d'un homme du peuple,* 1865 (N). – *Confidences d'un joueur de clarinette,* 1865 (N). – *L'Invasion* (déjà paru sous le titre *le Fou Yégof*), 1866 (N). – *Contes et Romans populaires,* 1866 (N). – *La Guerre,* 1866 (N). – *La Maison forestière,* 1866 (N). – *Hugues-le-Loup,* 1866 (N). – *Le Passage des Russes,* 1867 (N). – *Pourquoi Hunebourg ne fut pas rendu,* 1867 (N). – *Le Blocus,* 1867 (N). – *Les Bohémiens sous la Révolution,* 1867 (N). – *Le Capitaine Rochart,* 1867 (N). – *Histoire d'un paysan,* 1868-1870 (N). – *Contes vosgiens,* 1877 (N). – *Les Rantzau,* 1882 (T). – Par Erckmann seul, *Alsaciens et Vosgiens d'autrefois.*

ERMOLD LE NOIR. Vers 825 – 850. Poète français d'expression latine. Originaire d'Aquitaine, il fut dignitaire de la cour de Louis le Pieux, mais celui-ci le bannit après qu'E. eut incité Pépin, le fils du roi, à se révolter contre son père. Pour regagner la faveur royale, E. écrivit, dans la manière de Virgile et d'Ovide, une épopée latine en strophes élégiaques : *De rebus gestis Ludovici Pii,* pastiche remarquablement réussi des grands poètes de la latinité classique : on y trouve en particulier une description vivante et dramatique de la reconquête de Barcelone sur les Maures.

ÉSOTÉRISME. (Voir HERMÉTISME.)

ESPARBÈS Georges d', Thomas Auguste Esparbès, dit. Valence-d'Agen (Tarn-et-Garonne) 24.3.1864 – Saint-Germain-en-Laye 1944. Journaliste collaborant principalement à des quotidiens patriotiques, il consacra sa carrière d'écrivain à évoquer dans ses romans l'épopée napoléonienne. Son imagination lui permit d'enjoliver l'histoire de façon vivante et colorée. Il fut conservateur du château de Fontainebleau.

Œuvres. *La Légende de l'Aigle,* 1894 (N). – *La Guerre en dentelles,* 1896 (N). – *Le Régiment,* 1898 (N). – *Les Demi-Soldes,* 1899 (N). – *Le Roi,* 1900 (N). – *La Grogne,* 1904 (N). – *L'Épopée française,* 1911 (N). – *Le Vent du boulet,* 1914 (N). – *Ceux de l'an XIV,* 1917 (N). – *La Guerre en sabots,* 1917 (N). – *Les Victorieux,* 1919 (N).

ESSAI. Genre littéraire qui caractérise beaucoup moins le contenu d'un ouvrage que la manière dont il a été conçu, c'est-à-dire avec modestie, avec humilité, voire avec humour, comme si l'auteur s'*essayait* à une œuvre future. En effet, l'auteur d'un essai ne tente pas de donner un ouvrage achevé, exemplaire. Il ne propose qu'un *essai* de cette œuvre, mais qui se suffit à lui-même. Ce qui ne saurait signifier que l'essai porte en lui un caractère négligé : par cette dénomination, l'auteur entend seulement marquer la précarité, la relativité des thèses affirmées dans son ouvrage. Les essais portent généralement sur des sujets à tendance philosophique où toutes les matières, pêle-mêle, peuvent être traitées, sans ordre apparent, comme dans les *Essais* de Montaigne. À l'époque moderne et contemporaine, par son aspect critique, réflexif, philosophique et éventuellement politique, l'essai a élargi son domaine, devenant un véritable genre (Camus, Malraux...) : aussi l'*essayiste* figure-t-il aujourd'hui au même niveau d'importance que le poète, le dramaturge ou le romancier.

ESTANG Luc, Lucien Bastard, autorisé par décret du 10.9.1976 à se nommer. Paris 12.11.1911. Après une enfance sombre et austère, et une adolescence difficile, il vient à la littérature par le journalisme (il collaborera à *la Croix* de 1934 à 1955). Une première période, jusque vers 1950, est dominée par la poésie, puis, sans y renoncer pour autant, E. se fera surtout romancier. Son œuvre est cependant marquée d'une profonde unité, que peut symboliser le titre d'un recueil poétique de 1943, *le Mystère apprivoisé.* Il dira d'ailleurs que, pour lui, la littérature est en effet « apprivoisement ». Double apprivoisement sans doute, correspondant à un double pari : le pari de la foi chrétienne et l'apprivoisement des mystères surnaturels, le pari de la littérature et l'apprivoisement des mystères humains. C'est cette correspondance entre le surnaturel et l'humain, sous le signe commun du mystère, qui détermine, à partir des *Stigmates,* le privilège accordé désormais à l'expression romanesque. E. entreprend d'explorer cette ombre des cœurs où se cache le secret du Bien et du Mal – peut-être aussi le secret même du regard de Dieu sur un être. Car les romans de E., comme sa poésie, témoignent en commun d'un extrémisme spirituel qui le fait disciple aussi bien de Nietzsche que de Bernanos, et il se plaît à organiser une atmosphère où, selon ses propres paroles, « le saint et le pécheur se rejoignent dans une conduite semblablement forcenée, chacun selon sa vérité ». Avec *l'Apostat,* histoire d'un écrivain qui compose une étude sur Julien l'Apostat, E. met en scène un personnage qui, ayant bâti sa vie entière sur le pari de la foi, s'aperçoit qu'il l'a perdu. Il y a peut-être là un tournant dans l'œuvre de E., mais il n'est pas certain que la perte du pari signifie la perte de la foi elle-même. Il n'est pas certain non plus que d'avoir pris conscience de cet échec à travers un travail littéraire signifie que soit perdu aussi le pari de la littérature. Grand prix de littérature de l'Académie française 1962.

Œuvres. *Au-delà de moi-même,* 1938 (P). – *Transhumances,* 1939 (P). – *Puissance du matin,* 1941 (P). – *Le Mystère apprivoisé,* 1943 (P). – *Les Béatitudes,* 1945 (P). – *Le Passage du Seigneur,* 1945 (E). – *Les sens apprennent,* 1947 (P). – *Temps d'amour,* 1947 (N). – *Présence de Bernanos,* 1947 (E). – *Charges d'âmes* (I, *les Stigmates*), 1949 (N). – *Le Poème de la mer,* 1950 (P). – *Charges d'âmes* (II, *Cherchant qui dévorer,* 1951 ; III, *les Fontaines du grand abîme,* 1954) [N]. – *Les Quatre Éléments,* 1956 (P). – *Ce que je crois,* 1956 (E). – *Saint-Exupéry par lui-même,* 1956 (E). – *L'Interrogatoire,* 1957 (N). – *L'Horloger du Cherche-Midi,* 1959 (N). – *Le Bonheur et le Salut,* 1961 (N). – *D'une nuit noire et blanche,* 1962 (P). – *Que ces mots répondent,* 1964 (N). – *L'Apostat,* 1968 (N). – *La Fille à l'oursin,* 1971 (N). – Avec Jacqueline Frichet, « Émile Zola et la passion de la vie, le théâtre lyrique d'Émile Zola » (in *Colloque sur Émile Zola*), 1971 (E). – *Il était un p'tit homme* (2 vol., I, *A la chasse aux perdrix ;* II, *Boislevent*), 1975 (N). – *La Laisse du Temps,* 1977 (P). – *Les Déicides,* 1980 (N). – *Corps à cœur,* 1982 (P). – *Les Femmes de M. Legouvé,* 1983 (N). – *Le Loup meurt en silence,* 1984 (N).

ESTAUNIÉ Édouard. Dijon 4.2.1862 – Paris 1942. Il appartient à une famille de la bourgeoisie aisée, de souche languedocienne et bourguignonne. Élevé avec austérité, il fait ses premières études au collège des jésuites de Dijon. Polytechnicien, puis ingénieur, il mènera une double carrière de fonctionnaire et d'écrivain : inspecteur général des Postes et Télégraphes, il est l'auteur d'ouvrages scientifiques remarqués. Il consacre ses loisirs à la création littéraire et, en 1891, publie ses premiers romans : *Un simple, Bonne Dame,* récits où se manifeste son attirance pour la peinture des existences banales, des milieux modestes et provinciaux. *L'Empreinte,* un de ses plus célèbres romans, évoque un collège de jésuites, pour y blâmer l'éducation qui marque l'élève d'une « empreinte » indélébile. *Le Ferment* s'attache à montrer les erreurs de l'éducation laïque, qui, dans les âmes moralement désabusées, suscite des tendances anarchistes. Dans les romans suivants, E. devient le psychologue et moraliste attentif des conflits intérieurs, de « ce que l'on ne voit pas », qui analyse avec rigueur les ressorts secrets des êtres et de leurs actes. Romancier de l'inquiétude et du silence, au talent austère et mélancolique, d'une grande élévation spirituelle, il mêle l'intuition à une lucidité stricte, cherchant « à éveiller dans les âmes, qu'elles soient ou non orientées, une sonorité et un besoin du surnaturel ». Avec son atmosphère étouffée et grise, la province lui offre un cadre en accord avec les drames intimes qui bouleversent l'apparente tranquillité des êtres. Après *la Vie secrète,* cette « force redoutable qui règne au plus profond de l'âme pour forger sa destinée, mais que nul n'aperçoit, car, enfermé dans son drame, chacun méconnaît l'autre », *Les choses voient* suggère l'approche extérieure des faits psychologiques par le biais des objets. *Solitudes* évoque les fatalités irréversibles de la solitude intérieure et sociale. *L'Appel de la route,* centré sur le personnage de Mlle Lormier, étrange solitaire marquée par sa laideur physique, qui, derrière les murs d'une petite cité bourguignonne, poursuit sans fin sa méditation sur le *Traité des passions de l'amour* attribué à Pascal, est sans doute, avec *Les choses voient,* une des œuvres les plus profondes d'E., qui renouvelle son inspiration avec *Madame Clapain,* où l'analyse psychologique se fond dans l'atmosphère trouble propre au roman policier. Au-delà de son traditionalisme de forme et de sa discrétion, l'œuvre d'E. est une œuvre de haute signification littéraire, l'une des plus injustement méconnues. Car E. est un précurseur, dont les thèmes dominants seront repris et largement mis en évidence par toute une part de la littérature contemporaine : c'est, en effet, un romancier qui a su, avec beaucoup d'originalité, explorer tout ce qui se cache d'angoisse existentielle derrière la banalité ou le mutisme des êtres et des choses. Acad. fr. 1923.

Œuvres. *Un simple,* 1891 (N). – *Bonne Dame,* 1891 (N). – *Les Sources de l'énergie électrique,* 1895 (E). – *L'Empreinte,* 1896 (N). – *Le Ferment,* 1899 (N). – *L'Épave,* 1902 (N). – *Traité pratique de télécommunications,* 1903 (E). – *La Vie secrète,* 1908 (N). – *Les choses voient,* 1913 (N). – *L'Ascension de M. Baslèvre,* 1921 (N). – *L'Appel de la route,* 1922 (N). – *Solitudes* (3 nouvelles : *Mademoiselle Gauche ;*

Monsieur Champel ; les Jauffrelin), 1922 (N). – *L'Infirme aux mains de lumière,* 1923 (N). – *Tels qu'ils furent,* 1927 (N). – *Madame Chapain,* 1932 (N).

Les choses voient
Une maison de la fin du XVIIIe s., dans un coin aristocratique du vieux Dijon. Elle est mise en vente avec son mobilier. L'acheteur, qui visite en compagnie du notaire, n'est pas tellement satisfait ; il pensait trouver des « antiquités » lucratives, et, en fait, ce ne sont pas là encore tout à fait des « antiquités ». Mais ces objets méprisés se mettent à converser : « Nous sommes la vie des morts. » Une fois la maison redevenue vide et silencieuse, les souvenirs affluent en elle, et les objets donnent libre cours à leur mémoire. L'horloge, entrée dans la maison en 1831, commence avec l'histoire d'un crime, la disparition de Madame Rose de la maison alors occupée par Noémi Pégu et Marcel Clérabault. C'est ensuite le tour du miroir, qui, lui, n'a jamais vu qu'un visage, celui de Noémi, devenue Noémi Clérabault, mais qui a su lire sur ce visage les secrets et les souffrances ; ainsi l'histoire du miroir prend-elle la suite de celle de l'horloge, après le mariage de Noémi et de Marcel, et la mort de ce dernier, au cours de l'adolescence de leur fille Line. Enfin, « au cœur de la maison, il y avait la cour », quatre murs qui se mettent, eux aussi, à se souvenir. Ils discutent de l'amour, que l'un deux prétend « avoir vu comme un être », ce qui introduit les révélations du secrétaire, bourré de lettres et de documents, lui le véritable confident de la vie intime de la Maison. Épilogue : les anciens habitants réapparaissent un instant aux yeux des objets, puis s'enfuient. Ce n'était qu'une vision. Le nouveau propriétaire revient avec les déménageurs, les choses qui avaient vu ne verront plus, et le silence des choses signifie la mort de la Maison.

Mademoiselle Gauche (Solitudes I).
À Vézelay, où le narrateur passait ses vacances dans la maison familiale, « à l'angle d'une petite place, à deux cents mètres de la Basilique ». En face demeurait Mlle Gauche, vieillie et infirme, que l'on portait jusqu'à la Basilique un dimanche par mois. Il lui rend visite, à elle que, dans le passé, il avait toujours négligée. Les propos qu'elle tient sont ceux d'une « femme toute sa vie murée dans sa maison comme dans un caveau, sans autre distraction que d'attendre la mort ». Désormais, le narrateur reste attaché à Mlle Gauche et, un jour, il apprend comment elle a fini : un étranger, qui se prétendait son parent, est venu vivre avec elle, sous prétexte de lui tenir compagnie, mais sachant bien qu'elle n'en avait plus pour longtemps. Il s'est fait léguer la maison, et, cinq jours après que Mlle Gauche eut, non sans peine, signé le testament, « le délire l'emportait ».

ESTHÉTIQUE [grec : *aisthêsis* = faculté de sentir, sensibilité]. L'esthétique est, comme son nom l'indique, en premier lieu le phénomène de la connaissance sensible, directement lié à l'affectivité, qui se manifeste en présence du beau, et plus particulièrement devant une œuvre d'art. Dans un sens plus large, l'esthétique désigne toute réflexion philosophique sur l'art. De nos jours, elle est devenue une discipline à part entière, qui se distingue de l'histoire de l'art, de la critique ou encore de la philosophie, dont elle était tributaire. Elle s'impose comme une méthode de connaissance du beau, aussi bien dans les œuvres d'art (picturales, architecturales, littéraires, cinématographiques) que dans les œuvres des hommes en général (il existe aujourd'hui une « esthétique industrielle »). Elle tente de systématiser les processus de la création artistique à tous les niveaux, en évitant tout aussi bien de s'égarer vers le recueil des sentiments éprouvés, qui la réduirait à un impressionnisme vague, que vers la rigueur d'une science, qui la figerait dans des normes incapables de mesurer dans sa diversité concrète le sentiment du beau.

ESTIENNE Henri, dit **Henri II E.** Paris 1531 – Lyon 1598. Typographe, érudit, satirique, grammairien, polémiste : fils et petit-fils d'une illustre famille d'imprimeurs qui joignent à leur savoir-faire d'artisans une érudition exemplaire, E. fut à bonne école. Son père, Robert E. (1503-1559), lui donna en outre les meilleurs professeurs (Toussain, Turnèbe). Mais, dès l'âge de quinze ans, Henri fut pris par la passion de l'aventure et de la découverte, qui se manifesta chez lui par la recherche de manuscrits rares. Il parcourut l'Italie pour acquérir des pièces introuvables, et c'est ainsi qu'en 1554 il lui fut possible d'éditer les *Odes* d'Anacréon, qui n'avaient jamais été portées à la connaissance du public. Au cours de la même année, il édite également l'œuvre de Denys d'Halicarnasse. Deux ans plus tard, il fonde sa propre imprimerie à Genève ; en 1559, à la mort de son père, il réunit les deux maisons et devient imprimeur de la République de Genève. À partir de cette époque commence une période encore plus active, au cours de laquelle E. publiera les principaux chefs-d'œuvre de l'Antiquité.

Sortiront de ses presses, entre autres : une édition des œuvres de Pindare (1562), les *Psaumes* de David en latin (1562), une traduction latine de Sextus Empiricus (1568), les œuvres complètes de Plutarque (1578), l'œuvre de Platon. Dans le même temps, E. accumule les travaux érudits, dont le principal est le *Trésor de la langue grecque.* Fort admiré par ses contemporains, ce travail, pourtant, le ruinera. Son intérêt pour le grec ne l'empêche pas de porter à la langue française la plus grande attention. Il publie, à ce sujet, *la Conformité du langage français avec le grec* et *Deux Dialogues du nouveau langage français italianisé et autrement déguisé...,* où il s'élève contre l'abus des néologismes et des italianismes. E. dénonce également les travers de son temps : il s'attaque au clergé tout comme, d'ailleurs, à la société laïque dans *Apologie pour Hérodote.* Poursuivi, il se réfugie dans son fief de Genève. Mais, à partir de 1587, son imprimerie périclite. Endetté, usant des pires expédients pour se tirer de ce mauvais pas, il doit quitter Genève. Il continue cependant ses travaux et publiera jusqu'à la fin de sa vie.
Tout à la fois artiste et artisan érudit, E. a eu le privilège de fabriquer un livre en son entier, le rédigeant et le confectionnant, diffusant un produit dont il est l'auteur intégral, tout en se mettant au service de la pensée la plus évoluée du XVIe s.

Œuvres. *Conformité du langage français avec le grec,* 1565. – *Introduction au « Traité de la conformité des merveilles anciennes avec les Modernes » ou Traité préparatif à « l'Apologie pour Hérodote »,* 1566. – *Épigrammes grecques,* 1570. – *Thesaurus graecae linguae* (lexique en 5 vol.), 1572. – *Maximes des Grecs et des Latins sur la vertu, mises en vers,* 1573. – *Discours merveilleux de la vie, actions et déportements de Catherine de Médicis,* 1575. – *De latinitate falso suspecta,* 1576. – *Le Pseudo Cicero,* 1577. – *Le Nizoliodidascalus,* 1578. – *Deux Dialogues du nouveau langage français italianisé et autrement déguisé, principalement entre les courtisans de ce temps...,* 1578. – *Projet du livre intitulé « De la précellence du langage français »,* 1579. – *Les Paralipomènes,* 1581. – *Les Hypomnèses,* 1582. – *Noctes aliquot Parisianae,* 1583. – *Les Prémices ou le Livre des proverbes épigrammatisés ou des Épigrammes proverbialisés,* 1594. – *De latinitate Lipsii palaestra,* 1595.

ETCHERELLI Claire. Bordeaux 1934. Par l'alchimie romanesque qui fait d'un simple témoignage une œuvre, les récits de C.E. constituent des chroniques réalistes qui décrivent minutieusement le monde du travail, de la pauvreté et de la marginalisation sociale. Elle le connaît bien, ayant vécu très démunie à Paris, ce qui l'a contrainte de travailler en usine à la chaîne pendant deux ans. Sans tomber dans une littérature misérabiliste et tout en refusant l'étiquette d' « écrivain prolétarien » que la critique lui a trop souvent attribuée, C.E. explore le vaste territoire de l'incompréhension entre les êtres et de la misère humaine. Ce qui saisit le lecteur et l'emporte dans les trois romans qui constituent son œuvre, c'est une certaine chaleur pour clamer l'espoir et le désir d'une autre vie que celle qui s'offre à ses personnages. Ses héroïnes ont ceci en commun et d'essentiel qu'elles ne savent pas séparer leur drame personnel du drame collectif. *Élise ou la Vraie Vie,* qui obtint le prix Femina en 1967, conte l'amour tragique d'une Française et d'un travailleur immigré mais élabore aussi une réflexion sur la guerre d'Algérie et ses conséquences sociales. *À propos de Clémence* part de la fin de cette guerre pour s'attacher à la vie d'une vendeuse de supermarché dans la banlieue ouvrière et les bidonvilles. L'importance du thème politique apparaît surtout dans *Un arbre voyageur* où le destin d'une femme marginale se confond avec celui des jeunes révoltés de 1968, « incompréhensiblement menacés de naufrage ». Prenant part aux émeutes, l'héroïne revient à Paris le jour où les chars russes entrent à Prague. Là s'interrompt la chronique, à l'espoir succèdent la déconvenue et l'échec. Une technique sûre et un style très souple démontrent une réelle maîtrise de l'écriture romanesque, non dépourvue d'accents de lyrisme. Qualifier sa prose de « littérature prolétarienne » relève d'une classification réductrice qui ne rend pas compte de la recherche esthétique et cloisonne une œuvre ouverte sur le monde.

Œuvres. *Élise ou la Vraie Vie,* 1967 (N). – *À propos de Clémence,* 1971 (N). – *Un arbre voyageur,* 1978 (N).

ÉTIEMBLE René. Mayenne 26.1.1909. Normalien, agrégé, comparatiste, érudit et polémiste, militant de la défense de la culture, mais aussi protagoniste de son élargissement aux dimensions du monde (en particulier du monde extrême-oriental, dont il est spécialiste), É. est l'adversaire déterminé de tous les cloisonnements et de toutes les déviations, l'irréductible pourfendeur de l'esprit de système. S'il s'agit de littérature et de critique, il illustre cette position par son étude du *Mythe de Rimbaud ;* s'il s'agit de beau langage, il dénonce avec humour et causticité la manie du « franglais ». Aussi É. est-il une figure de proue des lettres contemporaines, en particulier avec les cinq volumes d'*Hygiène des lettres,* où l'auteur s'attaque, avec une singulière efficacité, aux illusions et aux vices de l'esprit que glorifie trop souvent l'*intelligentsia* d'aujourd'hui. Il obient le Grand prix de la critique littéraire en 1982 pour *Quelques essais de littérature universelle.*

Œuvres. *Rimbaud,* 1936 (E). – *L'Enfant de chœur,* 1937 (N). – *Peaux de couleuvre,* 1948 (N). – *Cœurs doubles,* 1948 (T). – *Six Essais sur trois tyrannies,* 1950 (E). – *Le Mythe de Rimbaud,* 1952 (E). – *Hygiène des lettres* (I, *Premières Notions,* 1952 ; II, *Littérature dégagée,* 1955) [E]. – *Confucius,* 1956, rééd. 1966 (E). – *Le Péché vraiment capital,* 1957 (E). – *Hygiène des lettres* (III, *Savoir et Goût),* 1958 (E). – *Supervielle,* 1960 (E). – *Le Babélien,* 1960-1962 (E). – *L'Écriture,* 1961 (E). – *Rey-Millet,* 1962 (E). – *Comparaison n'est pas raison,* 1963 (E). – *Connaissons-nous la Chine ?* 1964 (E). – *Le Jargon des sciences,* 1966 (E). – *Les Jésuites en Chine,* 1966 (E). – *Hygiène des lettres* (IV, *Poètes ou faiseurs?* 1966 ; V, *C'est le bouquet !* 1967) [E]. – *Le Sonnet des voyelles, de l'audition colorée à la vision érotique,* 1968 (E). – *Retours du monde,* 1969 (E). – *Deux Lectures du Kyoto de Kawabata,* 1972 (E). – *Parlez-vous franglais ?* 1973, éd. augmentée 1980 (E). – *Mes contre-poisons,* 1974 (E). – *Essais de littérature (vraiment) générale* (éd. revue et augmentée), 1975 (E). – *Blason d'un corps,* 1974 (E). – *Quarante Ans de mon maoïsme (1934-1974),* 1976 (E). – *Les Égarements du cœur et de l'esprit* (d'après Crébillon fils), 1977 (E). – *Comment lire un roman japonais ? le « Kyoto » de Kawabata,* 1980 (E). – *Trois femmes de race,* 1981 (E). – *Quelques essais de littérature universelle,* 1982 (E). – *Rimbaud, système solaire ou trou noir,* 1984 (E).

ÉVOLUTIONNISME. Doctrine biologique, appliquée par la suite à la culture et à la société, selon laquelle tout être vivant évolue en se modifiant ; de même tout être social ou culturel est susceptible, avec le temps, de variations, même si celles-ci sont imperceptibles. Si l'idée d'évolution fut pressentie dès l'Antiquité (par Empédocle et Héraclite, en particulier), l'évolutionnisme n'a été scientifiquement élaboré qu'au début du XIXe s., en biologie, par Lamarck, disciple de Buffon. Il fut développé par Darwin, qui tenta d'établir des lois (théorie de la sélection naturelle). L'évolutionnisme concerne tout autant les phénomènes culturels que les naturels : il a particulièrement marqué la formation de la sociologie. Les théories évolutionnistes ont, d'autre part, influencé la critique littéraire de la fin du XIXe s. (Taine, Renan, Brunetière).

F

FABLE [latin *fabula* = propos, récit]. Illustration, par un récit mythologique, imaginaire ou allégorique, d'une vérité morale. Les *Fables* de La Fontaine par exemple, comme celles d'Ésope, utilisent des animaux comme protagonistes. Plus largement, au théâtre ou dans l'épopée, la « fable » désigne la trame du récit ou de l'action. Le mot, ici, reprend son sens étymologique de « récit ». Par extension, toute œuvre narrative ou dramatique repose sur une « affabulation ».

FABLIAU. Cette forme d'expression littéraire apparaît et se développe dans la littérature française à partir du XIIe s. Le fabliau est un court récit, d'inspiration le plus souvent satirique, burlesque, réaliste, délibérément anticourtoise. Il fut l'arme de combat de la bourgeoisie du Moyen Âge, qui cherchait à s'imposer contre la noblesse. Il nous en reste environ cent cinquante.

FABRE Émile. Metz 24.3.1869 – Paris 1955. Journaliste à Marseille, il fit partie des défenseurs d'Antoine et de son Théâtre-Libre. Très influencé par Becque, il s'est attaché, dans son œuvre théâtrale, avec une férocité satirique un peu hautaine, à dénoncer les différents méfaits de la richesse. Il obtint de grands succès en portant à la scène, non sans habileté, certains romans de Balzac. Il administra la Comédie-Française de 1913 à 1936.

Œuvres. *Comme ils sont tous,* 1894 (T). – *L'Argent,* 1895 (T). – *Le Bien d'autrui,* 1897 (T). – *Timon d'Athènes,* 1899 (T). – *La Vie publique,* 1901 (T). – *La Rabouilleuse* (adapt. théâtrale du roman de Balzac), 1903 (T). – *Les Ventres dorés,* 1905 (T). – *La Maison d'argile,* 1907 (T). – *Les Vainqueurs,* 1908 (T). – *Les Sauterelles,* 1909 (T). – *César Birotteau* (adapt. théâtrale du roman de Balzac *« Grandeur et Décadence de César Birotteau »*), 1911 (T). – *Un grand bourgeois,* 1914 (T). – *La Maison sous l'orage,* 1920 (T). – *De Thalie à Melpomène,* 1947 (E).

FABRE Jean-Henri. Saint-Léons (Aveyron) 1823 – Sérignan-du-Comtat (Vaucluse) 1915. D'origine rouergate, il est très pauvre et doit, pour vivre, travailler la terre. Curieux de la nature qui l'entoure, il l'observe avec minutie. Une formation d'autodidacte lui permet d'entrer à l'École normale d'Avignon et de devenir instituteur, puis professeur au lycée d'Avignon, tout en continuant de se livrer à des recherches d'entomologie. En 1878, il prend sa retraite et s'installe à Sérignan (Vaucluse), où il passe la dernière partie de sa vie. Il a publié divers ouvrages scolaires (en particulier de botanique), mais reste surtout connu pour ses *Souvenirs entomologiques.* Il est aussi un écrivain de langue d'oc (prose et vers) et a collaboré à *l'Armana prouvençau.* Majoral du félibrige, il a composé une *Petite œuvre provençale du félibre des Tavan.* (Voir FÉLIBRIGE.)

Œuvres. *La Science élémentaire, lectures courantes,* 1862-1865 (E). – *Les Ravageurs, récits de l'oncle Paul sur les insectes nuisibles,* 1870 (E). – *Astronomie élémentaire,* 1872 (E). – *Les Auxiliaires, récits sur les animaux utiles,* 1873 (E). – *Souvenirs entomologiques* (10 vol.), 1879-1907 (E).

FABRE D'ÉGLANTINE, Philippe François Nazaire Fabre, dit. Carcassonne 28.12.1750 – Paris 5.4.1794. Contraint par sa famille, il fut religieux et, pour un sonnet à la Vierge, remporta l'églantine d'or aux jeux Floraux de Toulouse (d'où son surnom). Ayant compris quels étaient ses vrais dons, il abandonna son premier état pour devenir comédien, puis, à la Révolution, secrétaire de Danton. Il connut enfin l'aisance et fit applaudir, *le Philinte de Molière ou la Suite du « Misanthrope »,* pièce politique moralisante, s'inspirant de l'actualité, et rousseauiste, comme sa comédie des *Précepteurs* d'après *l'Émile.* Il fut l'auteur de la célèbre chanson *Il pleut, il pleut, bergère !* ainsi que du calendrier révolutionnaire. Il figura parmi les « dantonistes » et mourut sur l'échafaud.

Œuvres. *Les Gens de lettres ou le Provincial à Paris,* 1787 (T). – *Augusta,* 1787 (T). – *Le Présomptueux ou l'Heureux imaginaire,* 1789 (T). – *Le Collatéral ou l'Amour et l'Intérêt,* 1789 (T). – *Le Philinte de Molière ou la Suite du « Misanthrope »,* 1790 (T). – *Le Convalescent de qualité ou l'Aristocrate,* 1791 (T). – *Isabelle de Salisbury,* 1791 (T). – *L'Intrigue épistolaire,* 1792 (T). – *Correspondance amoureuse de Fabre d'Églantine* (3 vol.), posth., 1796. – *Les Précepteurs,* posth., 1799 (T).

FABRE D'OLIVET Antoine. Ganges (Hérault) 1768 – Paris 1825. Aucune de ses œuvres n'est inoubliable, mais toutes ont eu leur influence : après avoir suivi l'actualité révolutionnaire dans ses poèmes à couplets (1789-1792), il donna en 1796 *le Sage de l'Hindoustan,* curieuse pièce à idées, fruit de son engouement pour l'érudition orientale. En tant que penseur, il publia divers ouvrages aux théories aventureuses. Le félibrige le considéra comme un de ses précurseurs pour son roman provençal *Azalaïs et le Gentil Amar* et pour ses poésies en occitan, *le Troubadour.*

Œuvres. *Azalaïs et le Gentil Amar,* 1794 (N). – *Le Sage de l'Hindoustan,* 1796 (T). – *Le Troubadour, poésies occitaniques du XIIIe siècle,* 1803 (P). – *La Langue hébraïque restituée,* suivi de *Théodoxie universelle* (rééd.), 1978 (E).

FAGUET Émile. La Roche-sur-Yon 1847 – Paris 1916. Éminent universitaire, dont l'influence fut loin d'être négligeable en son temps et jusque vers 1930 (la critique moderne devait trop souvent, comme dans le cas de Lanson, caricaturer sa méthode et sa pensée), F. eut le mérite d'affirmer et d'illustrer la distinction de nature entre l'histoire littéraire et la critique proprement dite. Il écrit par exemple en 1912 dans *l'Art de lire* : « L'historien littéraire doit être aussi impersonnel qu'il peut l'être... Il ne doit que renseigner... Le critique commence où l'historien littéraire finit, ou, plutôt, il est sur un tout autre plan géométrique que l'historien littéraire. À lui, ce qu'on demande au contraire, c'est sa pensée sur un auteur ou sur un ouvrage... Ce qu'on lui demande, ce n'est pas une carte du pays, ce sont des impressions de voyage. » Dans son œuvre critique, F. tente précisément de réunir, sans les confondre, ces deux approches de la littérature, en greffant sur les résultats d'une application rigoureuse des méthodes de l'histoire littéraire une critique d'humeur, qui n'évite pas toujours les excès et les injustices, surtout lorsque F. traite de la littérature du XIXe siècle, face à laquelle il reste un « classique ». Mais son œuvre n'en est pas moins riche de suggestions et d'analyses pénétrantes, en particulier à propos du XVIIe et du XVIIIe siècle, et les étudiants de lettres auraient parfois intérêt à s'y référer encore, tout en conservant à son égard la distance critique indispensable. Acad. fr. 1900.

Œuvres. *La Tragédie française au XVIe siècle,* 1883. – *Les Grands Maîtres du XVIIe siècle,* 1885. – *XIXe Siècle, études littéraires,* 1887. – *XVIIe Siècle,* 1890. – *Politiques et moralistes du XIXe Siècle,* 1891-1900. – *XVIe Siècle,* 1893. – *Histoire de la littérature française,* 1900-1901. – *La Politique comparée de Voltaire, Rousseau et Montesquieu,* 1902. – *Propos littéraires,* 1902-1909. – *Propos de théâtre,* 1903-1905. – *En lisant Nietzsche,* 1904. – *Pour qu'on lise Platon,* 1905. – *Rousseau penseur,* 1912. – *L'Art de lire,* 1912. – *Fontenelle,* 1912.

FAIL Noël du, seigneur de La Hérissaye. Château-Letard (près de Rennes) 5.1520 – Rennes 7.7.1591. D'abord militaire, puis juriste, conseiller au parlement de Bretagne, il rédigea en 1579, à la demande d'Henri III, un *Mémoire* de jurisprudence contenant des extraits des « plus notables et solennels arrêts du parlement de Bretagne ». Mais ce magistrat avait, dans sa jeunesse, consacré une partie de ses loisirs à se divertir et à divertir ses lecteurs en écrivant des *Discours d'aucuns propos rustiques, facétieux et de singulière récréation* (1547) ainsi que des *Balivernes ou Contes nouveaux d'Eutrapel* (1548) qui lui donnent une place de choix dans la lignée des écrivains de la tradition « gauloise » : il est en particulier le créateur de ce joyeux drille nommé Eutrapel, qui ne serait pas indigne de figurer dans la galerie des personnages rabelaisiens.

FALL Malick. Saint-Louis 1921 – Dakar 1979. Écrivain sénégalais d'expression française. Après de bonnes études à l'école William-Ponty, il exerça le métier d'instituteur. Aux premières années de l'indépendance africaine, il occupe les fonctions d'inspecteur primaire. Il change de direction, passe aux Affaires étrangères : c'est ainsi qu'il a été ambassadeur du Sénégal au Maroc, puis en Tunisie, avant de prendre du service aux Nations-Unies. F. s'est essayé dans plusieurs genres, comme s'il cherchait un terrain plus favorable à l'épanouissement de son talent. *Reliefs* est l'œuvre originale d'un poète plein de promesse. Quant au roman *la Plaie,* s'il n'évite pas toujours les ornières dans lesquelles le roman anticolonialiste s'était enfoncé, il indique cependant des voies à explorer et la possibilité de renouveler ce genre.

Œuvres. *Temps présents,* 1964 (T). – *Reliefs* (préf. L.S. Senghor), 1965 (P). – *La Plaie,* 1966 (N).

FANTAISISTES (poètes). La « fantaisie » poétique, c'est-à-dire la tendance à pratiquer l'expression poétique comme une sorte de jeu, à travers lequel, d'ailleurs, peuvent se manifester, sous le signe d'une parfaite liberté verbale et technique, aussi bien le monde des sentiments que celui de l'imaginaire, est une constante de la poésie française. On peut en faire remonter la tradition jusqu'aux troubadours, et elle se continue à travers la poésie marotique jusqu'à la préciosité. Elle sera plus tard revivifiée, à l'époque symboliste, par Verlaine et Laforgue, après avoir connu un remarquable épanouissement dans l'œuvre de Banville. Mais c'est à la fin du XIXe et au début du XXe s. que la « fantaisie » devient véritablement une « poétique », dont les représentants se groupent autour de la revue *le Divan* d'Henri Martineau, et autour du maître du groupe, P.-J. Toulet. Cette poétique se caractérise par le choix délibéré de formes brèves et légères, de rythmes raffinés et subtils (qui rattachent cette école aux « décadents ») et de thèmes traditionnels ou quotidiens. Les principaux représentants du groupe sont, auprès de Toulet, Derême et Carco, J. Pellerin (1885-1921), L. Véranne (1885-1954). J.-M. Bernard (1881-1915). On peut enfin rattacher au groupe fantaisiste certains chansonniers comme Franc-Nohain ou Raoul Ponchon.

FANTASTIQUE. Le fantastique, qui, du romantisme à la science-fiction, tend, à l'époque moderne, à devenir une catégorie esthétique distincte, n'en a pas moins été anciennement présent dans la littérature : il y a des éléments de fantastique chez Homère, comme aussi dans le romanesque médiéval. Mais c'est à l'époque romantique, au moment où la littérature française s'ouvre aux influences anglaise et allemande, que le fantastique devient presque un « genre » : en 1830, Nodier publiera son essai *Du fantastique en littérature,* tandis que se développe l'influence du « roman gothique » anglais et des *Contes* de l'Allemand Hoffmann. Il est presque impossible de donner, du fait de sa nature même, une définition du fantastique. Il appartient à l'ordre de l'imaginaire et de l'onirique, et se distingue du merveilleux dans la mesure où il suppose une rationalité antérieure dont il emprunte les mécanismes pour les appliquer à de l'irrationnel souvent fabriqué et imaginé tout exprès. Utilisant le plus souvent le genre ramassé de la nouvelle et du conte, le fantastique connaîtra son apogée dans la seconde moitié du XIXe s., de Mérimée à Maupassant et à Villiers de l'Isle-Adam. Mais au-delà du *genre* fantastique proprement dit, le fantastique est devenu un ingrédient qui, combiné avec le bizarre, l'insolite et l'onirique, entre dans la composition des diverses formes d'une littérature « surnaturaliste », comme disait Baudelaire, cela de Barbey d'Aurevilly à Lautréamont et au surréalisme.
Suivant l'époque, le fantastique se lit comme l'envers du discours théologique, illuministe, spiritualiste ou psychopathologique et n'existe que par ce discours qu'il défait de l'intérieur. Soumis au désir et non à la réalité des choses, l'univers fantastique est un monde renversé et vertigineux, car il annule les frontières entre les oppositions traditionnelles (la mort et la vie, l'animé et l'inanimé, l'objet et son reflet, la femme et l'homme). Il fabrique ainsi un autre possible qui témoigne de la préhension lacunaire du réel et dénonce la disparité du monde connu pour dessiner un ordre supérieur. Refusant d'accorder aucun statut à la réalité, la littérature fantastique est à la fois une interrogation sur la norme et sur la valeur et une tentative de formulation narrative de la relation de l'homme avec le monde sensible. Par nature, le fantastique est un genre en perpétuelle mutation, réactualisé nécessairement par l'évolution du réel, les variations du discours culturel à partir duquel il se constitue. Depuis une cinquantaine d'années, on a assisté à une diversification des supports (bande dessinée, cinéma), à un renouvellement des thèmes et des fonctions du genre. L'interrogation et le malaise de l'individu devant le monde se traduit aujourd'hui par un traitement fantastique de l'espace et du temps. C'est

dans cette perspective qu'on peut aborder les récits de Borges, de Cortazar ou de Robbe-Grillet. Gérard Genette a bien décelé, chez ce dernier, le rêve d'un réalisme intégral qui entraîne paradoxalement le saut dans l'irréel, une sorte de « vertige fixé » qui fait exister le monde tout en le déréalisant. Dans la mesure où la mise en question de la limite entre réel et irréel, propre à toute œuvre littéraire, est le centre explicite du récit fantastique, il apparaît comme une véritable « mise en abyme » de toute la littérature.

Bibliographie. J.-P. SARTRE, *Situations I* (« Aminadab »), 1947 ; P.-G. CASTEX, *le Conte fantastique en France de Nodier à Maupassant,* 1951 ; L. VAX, *l'Art et la littérature fantastique,* 1960 ; M. SCHNEIDER, *la Littérature fantastique en France,* 1964 ; G. GENETTE, *Figures I* (« Vertige fixé »), 1966 ; *LITTÉRATURE* n° 8, 1972 ; P.-G. CASTEX, *Anthologie du conte fantastique français,* 1973 ; I. BESSIÈRE, *le Récit fantastique, la poétique de l'incertain,* 1974 ; R. CAILLOIS, *Obliques,* précédé de *Images, images...,* 1975 ; T. TODOROV, *Introduction à la littérature fantastique,* 1970-1976 ; *L'HERNE, le Romantisme noir,* 1978 ; L. VAX, *les Chefs-d'œuvre de la littérature fantastique,* 1979.

FARCE [lat. pop. *farsus* (part. passé de *farcire* = farcir)]. Petite pièce bouffonne qui prend naissance au XVe s. Ainsi nommée, probablement, parce que cette pièce était introduite dans la représentation d'un mystère, de la même manière que la farce est introduite dans le corps d'une volaille. La farce ne comprend que trois ou quatre personnages, définis par leur condition sociale : le mari, la femme, l'amant et, parfois, le valet. L'intrigue, même rudimentaire, met en scène la bêtise humaine dans son affrontement inégal avec la ruse. Le plus souvent, le trompeur est trompé à son tour par plus rusé que lui (voir LA FARCE DE MAÎTRE PATHELIN), renversement de situation qui se produit à la fin de la pièce et en fournit le dénouement. Le but principal est de faire rire, par tous les moyens : déguisements, jargon, coups, violences, accumulation d'injures, situations incongrues, tous procédés qui seront repris et développés dans les farces et même les comédies de Molière.

FARCE DE MAÎTRE PATHELIN (la). Composée entre 1461 et 1469, cette farce, d'un auteur anonyme, est encore jouée de nos jours, et avec un égal succès. Pathelin, avocat véreux, parvient à obtenir d'acheter à crédit de l'étoffe chez le drapier Guillaume. Il l'invite chez lui pour lui régler son dû. Avec sa femme Guillemette, Pathelin organise une mise en scène pour faire croire au drapier qu'il est gravement malade. Lorsque le drapier arrive chez Pathelin, celui-ci délire dans un jargon incompréhensible. Le drapier, persuadé que Pathelin est possédé par le diable, ne tarde pas à déguerpir, très content de s'en tirer à si bon compte. Sur ces entrefaites, Thibaud l'Agnelet, un berger, vient demander à Pathelin de prendre sa défense dans un procès où il est accusé d'avoir tué et mangé les brebis de son maître. Au tribunal, on découvre que le maître en question n'est autre que le drapier Guillaume, qui reconnaît, dans le défenseur de l'Agnelet, Pathelin, plus vivant que jamais. Au cours d'un quiproquo ahurissant, Guillaume, aux questions posées par le juge concernant l'affaire de l'Agnelet, rétorque en évoquant son étoffe impayée. Quant à l'Agnelet, pour toute réponse, il bêle, comme le lui avait recommandé Pathelin. Pathelin gagne le procès, mais, dès qu'il réclame ses honoraires à l'Agnelet, celui-ci continue de bêler en guise de paiement. Sans jamais tomber dans la vulgarité, le comique de cette farce est irrésistible ; il propose déjà tous les ressorts du rire qui feront la gloire de Molière (comique de situations, de répétitions, de mots).

FAREL Guillaume. Les Fareaux, Gap 1489 – Neuchâtel 13.9.1565. Il se rallia, dès 1515, aux idées de la Réforme, dont il fut un des principaux militants. Il essaya ensuite d'établir une Constitution de l'Église réformée, mais cette tâche était au-dessus de ses moyens : il l'abandonna à Calvin et persuada ce dernier de se fixer à Genève. Dans l'ombre de Calvin, limitant ses efforts à la ville de Neuchâtel, F. poursuivit sa lutte jusqu'à ses derniers jours. Avant tout prédicateur, homme d'action éloquent et efficace, F. a laissé, entre autres, deux traités polémiques : *le Glaive de la parole* et *Du vray visage de la croix,* et un exposé, le plus ancien en langue française, sur la doctrine des réformés : *Sommaire et Brève Déclaration d'aucuns lieux fort nécessaires à un chacun chrétien...*

Œuvres. *Sommaire et Brève Déclaration d'aucuns lieux fort nécessaires à un chacun chrétien pour mettre sa confiance en Dieu et aider son prochain,* 1530. – *Manière et Façon qu'on tient en baillant le saint baptême,* 1533. – *Manière et Façon qu'on tient ès lieux que Dieu de sa grâce a visités,* 1533. – *Confession de la foy, laquelle tous bourgeois et habitants de Genève et sujets* *du pays doivent jurer de garder et tenir,* 1537. – *Épître envoyée aux reliques de la dissipation horrible de l'Antéchrist,* 1544. – *La Sainte Cène du Seigneur,* s.d. – *Le Glaive de la parole,* 1550. – *Du vray visage de la croix,* 1552. – *Correspondance des réformateurs dans les pays de langue française* (contient des lettres de Farel), posth., 1866-1897.

FARGUE Léon-Paul. Paris 4.3.1876 – 24.11.1947. Lors de ses études, il ne sait trop s'il doit préparer le concours d'entrée à l'École normale supérieure ou s'il s'adonnera à son goût pour la peinture : déjà dans cette hésitation adolescente perce la manifestation d'un trait caractéristique de la personnalité de F. : il y a chez lui du touche-à-tout – un peu comme chez Cocteau, son cadet de treize ans. Finalement, il opte pour la littérature, s'imprègne de symbolisme, subit tout particulièrement l'influence de Mallarmé et c'est sous le signe de l'obédience symboliste qu'il publie en 1895 les poèmes de *Tancrède.* Mais une originalité s'y fait jour déjà, à travers la technique de ce que le poète appelle les « variantes », technique de modulation poétique que F. utilisera encore dans un genre qu'il affectionne, le poème en prose (par exemple les textes réunis plus tard dans *Épaisseurs*).
Dans le même temps, un autre personnage commence de cohabiter avec le poète et il prendra de plus en plus de place, jusqu'à presque faire oublier le créateur : l'animateur littéraire et artistique, qui se veut une sorte de carrefour, celui qui fréquente les lieux à la mode, qui se fait le prosélyte de toutes les avant-gardes, le compagnon de toutes les originalités, littéraires avec Klingsor, Larbaud, Gide, picturales avec Bonnard et Vuillard, musicales et chorégraphiques avec Satie, Stravinsky, Diaghilev et les Ballets russes. Ainsi F. devient-il peu à peu une sorte de mythe vivant, générateur de multiples anecdotes pittoresques, authentiques ou légendaires. Il couronnera cette activité d'animateur lorsque, dans les années 20, avec Valery Larbaud, il collaborera au lancement de l'*Ulysse* de Joyce et fondera une revue de luxe, *Commerce,* qui accueillera toutes les nouveautés du temps. C'est alors que F. contribue à la révélation de l'expérience surréaliste : ce qui lui vaudra de figurer, en 1924, dans la « galerie d'honneur » du *Manifeste du surréalisme* d'André Breton.
Celui-ci, justement, écrit de F. qu'il est « surréaliste dans l'atmosphère » ; si l'activité de l'animateur occupe le devant de la scène, le poète ne cesse pas pour autant d'écrire, mais il se soucie peu de publier ailleurs que dans des revues souvent confidentielles. Certes le poète-chroniqueur de Paris, celui de *D'après Paris* et du *Piéton de Paris,* connaît une certaine célébrité, mais il reste qu'encore aujourd'hui la place de F. dans le mouvement littéraire du premier tiers du XXe siècle est méconnue. Pourtant un autre témoin que Breton, témoin perspicace s'il en fut, Max Jacob, dit de F. : « Sans échasses d'aucune sorte, sans dictionnaires ni pastiches, il a exprimé une sensibilité toute neuve ».
F. est effectivement un des tout premiers à avoir exprimé cette « sensibilité toute neuve » qu'est la modernité poétique, dont il a voulu se faire en même temps, pour ainsi dire, le mémorialiste. Un des premiers aussi à avoir fait du recours à l'humour un des modes privilégiés d'expression de cette sensibilité, humour qui lui permet de relier les deux grands thèmes d'inspiration de la modernité, le merveilleux et le quotidien, le familier et le féerique, modernité que F. a tout fait pour acclimater dans les milieux de l'avant-garde littéraire et artistique ; et il est encore le premier à avoir placé au centre de la mythologie moderniste cette image particulière de Paris qui va occuper tant de place dans l'œuvre d'Apollinaire ou de Cendrars, chez les surréalistes et dans le cinéma de l'entre-deux-guerres : un cinéaste comme René Clair, dans ses films parisiens, mettra ainsi en scène et sur écran les multiples reflets de l'univers farguien.

Œuvres. *Idées de retard,* 1893 (P). – *Tancrède* (écrit en 1894), 1911 (P). – *Poèmes,* 1912 (P). – *Pour la musique,* 1914 (P). – *Épaisseurs* (poèmes en prose), 1928 (P). – *Vulturne* (poèmes en prose), 1929 (P). – *Sous la lampe,* 1930 (E). – *Espaces* (recueil), 1930 (P). – Poèmes en prose : *Suite familière,* 1930 ; *D'après Paris,* 1932 ; *Banalité,* 1938 ; *le Piéton de Paris,* 1939 ; *Haute Solitude,* 1940. – *Refuges* (souvenirs), 1942 (N). – *Déjeuners de soleil,* 1942 (E). – *Lanterne magique* (souvenirs), 1944 (N). – *De la mode,* 1945 (E). – Avec André Beucler, *Composite* (chroniques poétiques), 1945. – *Méandres* (souvenirs), 1946 (N). – *Poisons,* 1946 (E). – *Portraits de famille* (souvenirs), 1947 (N). – *Dîners de lune,* posth., 1947 (E).

FARRÈRE Claude, Frédéric-Charles Bargone, dit. Lyon 1876 – Paris 1957. Ses grands succès, qui se situent avant la guerre de 1914, puisent leur inspiration dans une double source : ses souvenirs d'officier de marine en Extrême-Orient lui fournissent la matière des *Civilisés,* qui obtinrent le prix Goncourt en 1906, et la tradition réaliste est bien représentée par un roman comme *les Petites Alliées.* Par la suite, son œuvre, surabondante, rencontra de plus en plus d'indifférence. Son élection contre Claudel à l'Académie française (1935) parut à certains scandaleuse.

Œuvres. *Fumée d'opium,* 1904 (N). – *Les Civilisés,* 1905 (N). – *L'Homme qui assassina,* 1907 (N). – *Mlle Dax, jeune fille,* 1907 (N). – *La Bataille,* 1909 (N). – *Les Petites Alliées,* 1911 (N). – *Thomas l'Agnelet,* 1913 (N). – *La Dernière Déesse,* 1920 (N). – *Cent Millions d'or,* 1927 (N). – *Le Chef,* 1930 (N). – *Les Quatre Dames d'Angora,* 1934 (N). – *L'Homme seul,* 1942 (N). – *Pierre Loti,* 1950 (E). – *Les Petites Cousines,* 1953 (N). – *Mes voyages* (Mémoires), 1955.

FATRASIE. Forme poétique du XIIIe s., composée de strophes à forme fixe dont les rimes sont ordonnées de la façon suivante : aabaab, babab. La fatrasie, qui met en scène des animaux fabuleux ou bien des membres d'animaux discourant à l'exemple des hommes, présente une suite de propos apparemment incohérents et vise ainsi à créer une contradiction systématique entre l'acte et sa modalité. Elle se propose surtout d'amuser le public. La plus célèbre est la *Fatrasie d'Arras* (1280), composée de cinquante-quatre strophes.

FAUCHOIS René. Rouen 1882 – Paris 1962. Il débuta très jeune avec *le Roi des Juifs,* pièce en cinq actes, créée au théâtre de l'Œuvre où il était acteur. Puis il partagea sa production entre le drame en vers et la comédie. *Boudu sauvé des eaux,* une de ses meilleures pièces, connut, grâce à l'adaptation de Jean Renoir et à l'interprétation de Michel Simon, un éclatant succès cinématographique (1932). F. écrivit pour Fauré le livret de son drame lyrique *Pénélope.*

Œuvres. *Le Roi des Juifs,* 1899 (T). – *Louis XVII* (en vers), 1902 (T). – *L'Exode,* 1905 (T). – *La Fille de Pilate,* 1908 (T). – *Beethoven* (en vers), 1909 (T). – *Pénélope* (livret d'opéra-comique, musique de Gabriel Fauré), 1913 (T). – *Nausicaa* (livret d'opéra-comique, musique de Reynaldo Hahn), 1919 (T). – *Rossini* (en vers), 1920 (T). – *Mozart* (en vers), 1925 (T). – *Le Singe qui parle,* 1925 (T). – *Mademoiselle Jockey,* 1926 (T). – *Les Glorioles,* 1929 (P). – *Prenez garde à la peinture,* 1932 (T). – *Boudu sauvé des eaux,* 1933 (T). – *Rêves d'amour,* 1943 (T). – *Casimir ou le Génie de la Bastille,* 1944 (T). – *Quatrains bachiques,* 1945 (P). – *Quand le diable y serait,* 1947 (T). – *Le Rose et le Vert,* 1949 (T). – *Délices des mourants,* 1953 (P). – *La Part de l'homme,* 1955 (P). – *Jeanne et ses voix* (en vers), 1956 (T).

FAVART Charles Simon. Paris 13.11.1710 – Belleville (Paris) 12.5.1792. Pâtissier de profession, il prit la direction d'une troupe de théâtre en 1740 et, en 1745, épousa l'actrice Justine du Ronceray, qui, devenue célèbre, fut la maîtresse du maréchal de Saxe. Il dirigea plusieurs théâtres et produisit une œuvre abondante ; homme plein de finesse, habile technicien de la scène, il sut s'attirer une renommée européenne. Son œuvre, tombée dans l'oubli, inaugure cependant la comédie musicale avec des pièces comme *Annette et Lubin* ou *la Fée Urgèle.* F. joua probablement un rôle important dans la rédaction des pièces publiées par sa femme, notamment *les Amours de Bastien et Bastienne,* parodie du *Devin de village* de Rousseau, sur laquelle Mozart écrivit un de ses premiers essais de théâtre lyrique.

Œuvres. *La Chercheuse d'esprit,* 1741 (T). – *Le Coq de village,* 1743 (T). – Avec Mme Favart, *les Amours de Bastien et Bastienne,* 1753 (T). – *Les Trois Sultanes,* 1761 (T). – *Annette et Lubin,* 1762 (T). – *L'Anglais à Bordeaux,* 1763 (T). – *Isabelle et Gertrude* (musique de Blaise), 1765 (T). – *La Fée Urgèle* (musique de Duni), 1765 (T). – *Les Moissonneurs,* 1768 (T). – *La Rosière de Salency,* 1769 (T). – *Théâtre* (10 vol.) 1763-1772. – *Mémoires et Correspondance littéraire, dramatique et anecdotique* (3 vol.), posth., 1808.

FAYE Jean-Pierre. Paris 19.7.1925. L'œuvre de F. n'est apparemment pas sans quelque analogie avec les recherches du « nouveau roman ». Elle s'en éloigne pourtant par son refus de toute systématisation théorique. Elle est surtout une tentative de retour aux origines de l'expression verbale, mais dans le cadre des exigences propres de l'esprit moderne. C'est ainsi que F. reprend le principe de l'analogie, pour en faire non pas seulement un procédé ou une source d'images et de métaphores, mais plutôt la structure même de la genèse de l'œuvre littéraire ; de sorte que l'œuvre elle-même, le « roman », se compose avec l'expression de sa genèse technique. Il s'ensuit un véritable bouleversement du matériau de l'œuvre, et, par exemple, F. privilégie la simultanéité par rapport à la durée, les structures spatiales par rapport aux structures temporelles. Ainsi les « romans » successifs deviennent réciproquement complémentaires à l'intérieur d'une sorte de géométrie littéraire, dont chaque œuvre particulière explore et dessine tel ou tel « plan » – celui, par exemple, de *l'Écluse* ou de *la Cassure* –, ce qui d'ailleurs confère aux titres de F. leur valeur symbolique. Parallèlement, le romancier s'interroge sur lui-même et sur son art dans des essais portant sur le moment où se déclenche la genèse de l'œuvre littéraire.

Œuvres. *Entre les rues,* 1958 (N). – *Fleuve renversé,* 1960 (P). – *La Cassure,* 1961 (N). – *Battement,* 1962 (N). – *L'Écluse,* 1964 (N). – *Analogues,* 1964 (N). – *Théâtre.* Comprend : *Hommes et Pierres, Latvia, Vitrine, Centre,* 1964 (T). – *Couleurs pliées,* 1965 (P). – *Le Récit hunique,* 1967 (E). – *Le Montage,* 1968 (E). – *Les Troyens, hexagramme ou roman,* 1970 (N). – *Iskra,* avec : *Cirque,* 1972. – *Langages totalitaires, critique de la raison narrative, critique de l'économie narrative,* 1972 (E). – *La Critique du langage et son économie,* 1973 (E). – *Langages totalitaires,* précédé de : *Théorie du récit,* 1973 (E). – *Lutte de classes à Dunkerque, les morts, les mots, les appareils d'État,* 1973 (E). – *Migrations du récit sur le peuple juif,* 1974 (E). – *Livres communicants,* 1975 (E). – *Inferno-Versions,* 1975 (N). – *L'Ovale. Détail,* 1975. – *Le Portugal d'Otalo. La révolution dans le labyrinthe,* 1976 (E). – *Les Portes des villes du monde,* avec : *Manifeste raconté de la narration nouvelle,* 1977 (E). – Avec Noam Chomsky et Joseph Emonds, *Langue. Théorie générative étendue,* suivi de : *le Transformationnisme et la critique,* 1977 (E). – *Verres,* 1978 (P). – Avec Vladimir Claude Fisera, *Prague, la Révolution des Conseils ouvriers, 1968-1969,* 1978 (E). – Avec Marc Rombaut et Jean-Pierre Verheggen, *les Minorités dans la pensée,* Colloque de Namur, 1979 (E). – *Commencement d'une figure en mouvement,* 1980 (E). – Avec Jörn Merkert, *Klenholz,* 1980 (E). – *L'Ensemble des mesures,* 1980 (E). – *Dictionnaire politique portatif en cinq mots* (collectif), 1982 (E). – *L'Espace Amérique,* 1982 (E). – *Yumi,* 1983 (N). – *Syeeda,* 1985 (P).

La Cassure

Apparemment, c'est l'« histoire » de Simon et Guiza Roncal, mais réduite à des signes extérieurs qui font figure d'événements et dont la description objective, à l'imparfait de l'indicatif, selon une structure plus analogique que chronologique, transforme cette histoire en énigme aux multiples solutions possibles. Le monde extérieur lui-même – il s'agit de la journée du 13 mai 1958 – n'est présent que par sa relation analogique avec le comportement et l'apparence des personnages : c'est la *cassure* historique qui apparaît alors, par inversion, comme le reflet contingent de la *cassure* des personnages.

L'Écluse

Cette « écluse », c'est le mur qui sépare les deux parties de Berlin. Pour détemporaliser la situation, l'auteur a recours à des expressions empruntées au langage médiéval (« beau doux ami »), qu'il place dans la bouche de Vanna alors qu'elle retrouve en imagination son ami, Ewald, qu'elle a connu lors d'une rencontre à Berlin-Est. Mais elle est maintenant à l'Ouest. Elle ne le reverra plus, puisqu'il ne peut franchir le mur, et que, elle, Vanna, malgré son désir, a renoncé librement à son droit de passage à l'Est : car, de la topographie berlinoise, l'« écluse » s'est insinuée dans l'être même de Vanna.

FÉERIE. Pièce de théâtre qui repose essentiellement sur la magie. Les principaux personnages : fées, démons, enchanteurs..., y sont doués de pouvoirs surnaturels. Les féeries donnent lieu à des spectacles où s'accomplissent des prodiges de magnificence à l'aide d'une décoration somptueuse, de costumes imposants et d'une mise en scène qui vise à étonner le spectateur par l'habileté des changements de décor. Attestée dès le Moyen Âge, la féerie prit de l'importance au fur et à mesure que les moyens techniques mis à la disposition du metteur en scène se développaient (« masques » anglais de l'époque élisabéthaine et post-élisabéthaine, pièces à machines du XVIIe s.). Elle trouva son apogée au XIXe s. où le « Boulevard du Crime » offrait à son public des merveilles d'ingéniosité pour susciter l'horrible et le merveilleux. De nos jours, le cinéma, à technique plus savante et maniable, s'est approprié la part du féerique dans le monde artistique. Grâce à des « trucs » toujours plus ingénieux, il est le mieux placé pour donner au spectateur l'impression de l'extraordinaire : Méliès, un des pionniers du cinéma « féerique », était également un illusionniste.

FÉLIBRIGE. École littéraire, fondée en Provence (1854) dans le propos de redonner à la langue d'oc et à tous les dialectes occitans la faveur qu'ils connurent au Moyen Âge. Le mot vient du bas latin *felibris,* qui signifie nourrisson (des Muses). Ce groupe a tous les statuts d'une association. Le chiffre sept semble présider à ses destinées. Sept poètes le fondèrent (dont Frédéric Mistral, qui trouva le mot) ; ses jeux Floraux ont lieu tous les sept ans, à Toulouse ; il a pour symbole une étoile à sept branches. Depuis sa fondation, le félibrige n'a pas désarmé, mais, ces dernières années, ses revendications pour la renaissance et le développement de la langue d'oc sont également empreintes de politique, ce qui entre en contradiction avec le caractère purement culturel du félibrige proprement dit.

FÉNELON François de Pons de Salignac de La Mothe. Château de Fénelon (Dordogne) 6.8.1651 – Cambrai 1.1.1715. Voué à l'état ecclésiastique dès l'enfance, il vient terminer ses études théologiques à Saint-Sulpice. Il est nommé en 1678 supérieur des Nouvelles Catholiques, congrégation chargée d'obtenir, non par la contrainte mais par la persuasion, l'abjuration de jeunes protestantes. Chargé de mission auprès des calvinistes de Saintonge, il se montre compréhensif mais capable, à l'occasion, de fermeté. Protégé par Bossuet, il est nommé en 1689 précepteur du duc de Bourgogne, pour qui il écrit des *Fables,* les *Dialogues des morts* et *Télémaque.* Son élection à l'Académie en 1693 et sa nomination au siège archiépiscopal de Cambrai semblent marquer l'apogée de sa carrière ; en réalité, la disgrâce a déjà commencé. Les *Tables de Chaulnes* contiennent une critique non déguisée de l'absolutisme, qui, déjà présente dans *Télémaque,* fait interdire ce dernier livre. Surtout, l'adhésion de F. aux doctrines quiétistes de Mme Guyon dans son *Explication des maximes des saints,* entraîne sa condamnation par l'épiscopat français (mené par Bossuet, particulièrement violent) et par Rome (1699), et le fait reléguer dans son diocèse ; il y mènera une vie exemplaire de bonté et de piété.

Les écrits de F. le situent parmi les auteurs les plus représentatifs de la fin du XVIIe s. Son tempérament souple mais persévérant, sa grandeur dans la soumission et sa retenue dans les manifestations de la sensibilité témoignent d'une subtile synthèse qui, tout en préservant les éléments essentiels du classicisme, porte en germe les principaux traits du Siècle des lumières. Ce qu'il y a de critique politique dans les *Tables de Chaulnes* et dans *Télémaque* n'annonce certes pas la Révolution : F., en aristocrate, préconise une monarchie tempérée par la noblesse, et toutes ses critiques sont loin d'être originales. Mais l'ironie – quelquefois l'audace – de la satire fait de lui un précurseur de Montesquieu et de Voltaire. *Télémaque,* sous l'apparence romanesque d'une suite de *l'Odyssée,* cache un ensemble de leçons d'histoire, de géographie, de morale et de philosophie politique à l'usage des princes, où il apparaît que la vertu est le plus sûr moyen d'accès au bonheur. Ce trait encore annonce le XVIIIe s. ; de même, le mysticisme de F., qui implique la béatitude dans l'« état d'oraison », et non la mortification, n'est pas sans préfigurer la *Profession de foi du vicaire savoyard.* F. crée la prose poétique, qui s'affadira au XVIIIe s chez les auteurs mineurs, mais sera illustrée par Rousseau et Chateaubriand ; il aime le naturel chez l'homme, dans les paysages, dans le style – ce qui fait encore de lui un précurseur –, et les projets comme les goûts qu'il exprime dans sa *Lettre à l'Académie* sont très modernes. F. n'est pas seulement le témoin d'une époque de transition; il imprime à la littérature une marque toute personnelle, et beaucoup des tendances du siècle des philosophes trouvent en lui un devancier. Il est aussi grand par son œuvre que par la lignée d'écrivains qui procède de lui.

Œuvres. *Traité de l'éducation des filles,* 1687. – *Traité du ministère des pasteurs,* 1688. – *De la véritable et solide piété,* 1690. – *Explication des maximes des saints sur la vie intérieure,* 1697. – *Dissertation sur les oppositions véritables,* 1698. – *Les Aventures de Télémaque, fils d'Ulysse, ou Suite du Quatrième Livre de « l'Odyssée » d'Homère,* 1699. – *Fables,* 1699. – *Sophronime,* suivi de *Dialogues des morts,* 1700 (rééd. sous le titre *Dialogues des morts,* 1712). – *Sermons et Entretiens I,* 1706. – *Lettre sur l'infaillibilité de l'Église...,* 1709. – *Lettres au père Quesnel,* 1710. – *Manuel de piété,* 1710-1718. – *Tables de Chaulnes,* 1711. – *Traité de l'existence et des attributs de Dieu,* 1712. – *Mémoires... sur la mort du duc de Bourgogne,* 1712. – *Lettre à M. Dacier sur les occupations de l'Académie française,* (écrite en 1714), posth., 1716 (rééd. dans *Dialogues sur l'éloquence en général et sur celle de la chaire en particulier, avec une lettre écrite à l'Académie française,* posth., 1718). – *Fables* (2e éd.), posth., 1718. – *Sermons et Entretiens II,* posth., 1718. – *Lettres sur divers points de spiritualité,* posth., 1718. – *Lettres sur l'autorité de l'Église,* posth., 1719. – *Essai philosophique sur le gouvernement civil,* posth., 1721. – *Abrégé des vies des anciens philosophes,* posth., 1726. – *Examen de conscience sur les devoirs de la royauté,* posth., 1734. – *Divers Mémoires concernant la guerre de la Succession d'Espagne,* posth., 1787. – *« L'Odyssée » d'Homère,* posth., 1792. – *De summi pontificis auctoritate,* posth., 1820. – *Réfutation du système du P. Malebranche,* posth., 1820. – *Explication et Réfutation des LXVIII propositions de Molinos,* posth., 1820. – *Dissertation De* *amore puro,* posth., 1822. – *Epistolae ad S.D. nostrum Clementem papam XI,* posth., 1822. – *Mémoire sur les progrès du jansénisme...,* posth., 1822. – *Opuscules divers... composés pour le duc de Bourgogne,* posth., 1823. – *Poésies,* posth., 1824. – *Correspondance,* posth., 1827-1829. (Rééd. générale en cours.)

Télémaque

Ce roman pédagogique prend place dans la grande lignée humaniste des œuvres consacrées, de Ronsard à Bossuet, au problème majeur d'une civilisation monarchique, qui est celui de l'éducation du prince. Télémaque est, en effet, un prince, destiné à recueillir la succession de son père Ulysse. Humaniste, ce roman l'est aussi par la fiction qui sert à traduire concrètement la pensée pédagogique de F., puisqu'il est une épopée en marge de *l'Odyssée,* dont la partie initiale, *le Voyage de Télémaque,* lui fournit son point de départ. Humaniste, il l'est enfin par sa dimension utopique, par sa proposition d'une cité idéale, à la manière – quelles que soient par ailleurs les différences de contenu – de Platon ou de Thomas More. Mais c'est aussi un roman d'où le romanesque n'est point exclu, non plus que le merveilleux : mis en présence du char d'Amphitrite ou de la grotte de Thétis, Télémaque assiste à des spectacles féeriques. Dans de multiples occasions, il est valeureux et chevaleresque, et il connaîtra les passions de l'amour. Mais humanisme, merveilleux et romanesque sont ici les moyens de traduire, en termes de culture littéraire, une idéologie morale, sociale et politique d'une parfaite cohérence. Peut-être est-ce là ce qui, dans le *Télémaque,* au demeurant fort injustement méconnu depuis, a si puissamment fasciné le XVIIIe s. : Montesquieu l'admirait (« ouvrage divin de ce siècle », écrit-il dans *Mes pensées,* no 449), et il n'est pas le seul. Voici donc Télémaque parti à la recherche de son père : c'est la donnée homérique. Il est accompagné de Mentor, sage précepteur dont Minerve (l'Athèna d'Homère) a emprunté la figure. Ses aventures (car *Télémaque* est aussi un roman d'aventures) le mènent en Sicile, où il échappe à la mort ; en Égypte, où il admire le gouvernement de Sésostris ; à Tyr, modèle de république marchande ; à Chypre, l'île de Vénus, où il échappe de justesse, grâce à la vigilance de Mentor, aux tentations de la volupté. Mais la première étape essentielle est la Crète, qui, après avoir chassé le tyrannique Idoménée, est soumise au pouvoir idéal de Minos : vie simple et frugale, à l'exclusion de toute forme de luxe ; pouvoir monarchique soumis à l'ordre constitutionnel des lois, condition nécessaire et du bonheur du peuple et de la sagesse du souverain. Télémaque, toujours anxieux de retrouver son père, quitte la Crète. Il sera jeté par une tempête dans l'île de Calypso, où va se développer, dans la ligne du souvenir homérique, un double épisode romanesque : Calypso tombe amoureuse de Télémaque, qui, lui, est frappé par Vénus d'une violente passion pour la nymphe Eucharis. Et Mentor ne peut trouver d'autre remède que de le jeter à la mer. Tous deux gagnent alors à la nage un navire phénicien, dont l'équipage évoque le bonheur des habitants de la Bétique, seconde utopie après la Crète de Minos. Finalement, Mentor et Télémaque abordent à Salente, où les accueille Idoménée, autrefois expulsé de Crète. Mentor va devenir le conseiller politique d'Idoménée (qui représente peut-être Louis XIV, tandis que Mentor est le porte-parole de F.) : il le met en garde contre les flatteurs et lui expose les réformes à mettre en œuvre. Pendant ce temps, Télémaque, comme un vrai chevalier, fait à la guerre son apprentissage des armes, mais sans vaine gloriole et dans un souci constant de pacification. Lorsqu'il revient à Salente, il a donc achevé sa formation – et à cet égard *Télémaque* est bien ce qu'on appellera plus tard un « roman d'apprentissage » ; il peut alors recevoir avec profit les leçons politiques de Mentor, illustrées par les réalisations exemplaires de Salente qui confirment les utopies antérieures de Crète et de Bétique. Devenu, à la lumière de cet apprentissage et de ces expériences, un prince parfait, Télémaque peut retourner à Ithaque, où il retrouvera son père, et il épousera la fille d'Idoménée, Antiope.

FÉNÉON Félix. Turin 29.6.1861 – Châtenay-Malabry 29.2.1944. On sait très peu de choses sur sa vie, sinon qu'il fut employé en qualité de commis au ministère de la Guerre, de 1881 à 1894. À cette date, du fait des relations qu'il entretenait avec certains dirigeants du mouvement anarchiste, il se trouva impliqué dans un complot terroriste ; mais il parvint, lors du « procès des Trente », à faire reconnaître son innocence. En 1883, il avait fondé *la Revue indépendante,* destinée à accueillir les œuvres de ses amis les poètes symbolistes. De 1895 à 1903, il dirigea la très importante *Revue blanche.* En 1906, il créa dans le journal *le Matin* une rubrique intitulée *Nouvelles en trois lignes,* qui devint bientôt célèbre. Il écrivit des études qu'il ne destinait pas à la publication et dont la clairvoyance a été révélée grâce à Jean Paulhan, qui les édita après la mort du critique : habile à distinguer le talent du génie, amateur éclairé de peinture comme de littérature, F. fait partie de ces esprits qui, se tenant eux-mêmes en retrait, exercèrent une influence durable sur l'évolution esthétique de leur époque.

Œuvres. *Les Impressionnistes,* 1886 (E). – *Le Bottin des lettres,* 1893 (E). – *Œuvres* (recueil d'essais : *Arts ; Lettres ; les Mœurs ; Divers,* éd. par J. Paulhan), posth., 1948 (E).

FERAOUN Mouloud, Aït Chaâbane, dit. Tizi-Hibel (Haute-Kabylie) 8.3.1913 – El Biar 15.3.1962. Écrivain algérien d'expression française. Issu d'une famille kabyle pauvre, F. obtint une bourse et devint instituteur. En 1950, il reçoit pour son roman autobiographique *le Fils du pauvre* le grand prix littéraire de la Ville d'Alger. Au cours de la tragédie algérienne, F., face à ce qu'il considère comme une guerre cruelle et absurde, oppose la lucidité à la haine. Victime de sa situation en quelque sorte « au-dessus de la mêlée », il sera assassiné, avec cinq de ses collègues des services sociaux, par un commando de l'O.A.S. Son œuvre, même dans les livres prophétiques antérieurs à 1954, reflète, à travers le thème obsédant de l'incommunicabilité, le drame vécu du contact entre deux civilisations ; mais, étranger à tout désespoir, F. voit dans ce drame l'ascèse spirituelle qui, au-delà des déterminismes raciaux ou sociologiques, doit conduire à une authentique mais difficile universalité. A cet égard, F. est, parmi les écrivains de la francophonie contemporaine, un de ceux qui méritent le mieux d'être appelés « humanistes ».

Œuvres. *Le Fils du pauvre,* 1950 (N). – *La Terre et le sang,* 1953 (N). – *Jours de Kabylie,* 1954 (E). – *Les Chemins qui montent,* 1957 (N). – *Poèmes de Si Mahoud,* 1960 (P). – *Journal 1955-1962,* posth., 1962. – *Lettres à ses amis,* posth., 1969.

FERNANDEZ Dominique. Neuilly-sur-Seine 25.8.1929. Fils du critique Ramon Fernandez, F. effectue de brillantes études couronnées par une agrégation d'italien. Nommé professeur à l'Institut français de Naples, il découvre l'Italie qui deviendra le motif essentiel de son œuvre. En 1968, il soutient sa thèse intitulée *l'Échec de Pavese* alors qu'il enseigne l'italien à l'université de Haute-Bretagne. Puis il collabore régulièrement à *l'Express* et à de nombreuses revues musicales en tant que critique. Alliant à la prescience du romancier l'érudition de l'essayiste, F. s'attache à ressusciter les mille visages de l'Italie. Comme Stendhal, il est ce promeneur amoureux, toujours en quête de « petits faits vrais » recomposés ensuite par l'écriture. Napolitain d'adoption, passionné par l'opéra, il se distingue, dès ses premiers romans (*l'Écorce des pierres, l'Aube*), par la finesse des analyses, la grande rigueur de l'argumentation et un art subtil de l'esquive. C'est dans *l'Échec de Pavese, l'Arbre jusqu'aux racines,* puis *Eisenstein* qu'il applique une méthode de recherche psycho-biographique en illustrant la thèse freudienne d'un refoulement de la sexualité sublimée dans l'activité créatrice. Il éclaire ainsi d'un jour nouveau la quête proustienne, les arcanes de la création chez Michel-Ange, l'art de Mozart. En 1974, il obtient le prix Médicis pour *Porporino.* Dans cette biographie imaginaire qui retrace le destin d'un castrat du XVIIIe siècle, F. brosse un somptueux portrait de Naples à la veille de la Révolution. Ce roman marque d'autre part la volonté de l'écrivain d'affirmer sa différence sexuelle. Il dénonce plus explicitement dans *l'Étoile rose* une société qui impose ses normes et rejette dans la marginalité ceux qui refusent de les suivre. Vivant leur homosexualité dans la mauvaise conscience et la contrainte, les personnages sont condamnés à une double vie placée sous le signe de la culpabilité. C'est avec ce regard qu'il reconstitue l'itinéraire tragique de Pier Paolo Pasolini dont il fait le héros de *Dans la main de l'ange* (prix Goncourt 1982). Sous ce titre séraphique se cache un récit brûlant où F. construit un mythe, celui de l'homme déchiré, paria sublime et solitaire dont la mort serait un ultime sacrifice.

Œuvres. *Le Roman italien et la Crise de la conscience moderne,* 1958 (E). – *L'Écorce des pierres,* 1959 (N). – *L'Aube,* 1962 (N). – *Mère Méditerranée,* 1965 (E). – *Les Événements de Palerme,* 1966 (E). – *L'Échec de Pavese,* 1968 (E). – *Lettre à Dora,* 1969 (N). – *Les Enfants de Gogol,* 1971 (N). – *Il Mito dell'America,* 1969 (E). – *L'Arbre jusqu'aux racines,* 1972 (E). – *Porporino ou les Mystères de Naples,* 1974 (N). – *Eisenstein,* 1975 (E). – *La Rose des Tudors,* 1976 (E). – *Les Siciliens,* 1977 (E). – *Amsterdam,* 1977 (E). – *L'Étoile rose,* 1978 (N). – *Une fleur de jasmin à l'oreille,* 1980 (N). – *Le Promeneur amoureux,* 1980 (E). – *Signor Giovanni,* 1981 (N). – *Dans la main de l'ange,* 1982 (N). – *Interventi sulla letteratura francese,* 1982 (E). – *Le Volcan sous la ville,* 1983 (E). – *Le Banquet des anges,* 1984 (E).

FERRON Jacques. Louiseville 20.1.1921. Écrivain québécois. Il fait des études classiques au séminaire de Trois-Rivières, puis des études de médecine à l'université Laval de Montréal. Il a d'abord exercé la profession médicale dans l'armée, immédiatement après la guerre, puis en milieu rural gaspésien avant de s'installer à Ville Jacques-Cartier. C'est un homme engagé, aussi bien dans les lettres que dans la politique : il est socialiste et séparatiste. Il manifeste un curieux anarchisme, sans doute l'héritage d'un très ancien esprit d'indépendance campagnard. Dans ses contes aussi bien qu'au théâtre, son humour contient toujours un « grain de folie » des plus divertissants, qui se fonde sur l'observation avertie et mordante des mœurs québécoises. La langue est nerveuse, incisive, voire caustique. Le côté farfelu, la recherche du bizarre et de l'insolite cachent un certain sérieux des intentions : il serait dommage que ce sérieux ne soit pas pris au sérieux ! Le style passe volontiers à un registre plus intime pour évoquer la misère, l'injustice et la mort qui hantent certaines existences malheureuses : le lyrisme des images dans les contes s'accorde bien à une émouvante complicité sous-jacente à la verve humoristique. À partir d'une légende, d'un fait divers ou d'une vie réelle, F. crée un univers animé de tout un folklore qui rejoint l'âme authentique du peuple. Dans ses contes, le naturel se fait insolite ; le fantastique, naturel. Les récits et les tableaux sont d'une concision remarquable, d'une verdeur de style et d'invention des plus originales. La forme elliptique de l'écriture et la progression du conte favorisent des rapprochements tout à fait inattendus. Le tout se prête merveilleusement à une durée syncopée, orientée vers le trait final. Les romans de F. empruntent à la technique du conte leur caractère allégorique, la liberté des correspondances symboliques et la forme elliptique de la narration. Le temps est restreint et parfaitement délimité ; la durée romanesque est souvent affranchie de l'ordre chronologique, ce qui permet un relief, par la facture même du récit, des significations intimes que laisserait plus difficilement soupçonner la matière anecdotique.

Œuvres. *L'Ogre,* 1950 (T). – *La Barbe de François Hertel,* 1951 (T). – *Le Dodu,* 1956 (T). – *Tante Élise ou le Prix de l'amour,* 1956 (T). – *Le Cheval de Don Juan,* 1957 (T). – *Le Licou,* 1958 (T). – *Les Grands Soleils,* 1958 (T). – *Cotnoir,* 1962 (T). – *Contes du pays incertain,* 1962 (N). – *Cazou ou le Prix de la virginité,* 1963. – *Contes anglais et autres,* 1964 (N). – *La Nuit,* 1965 (N). – *Papa Boss,* 1966 (N). – *La Charrette,* 1967 (N). – *La Tête du roi,* 1967 (T). – *Théâtre I, le Don Juan chrétien,* avec *les Grands Soleils, Tante Élise,* déjà parus, 1968 (T). – *Contes,* éd. intégrale, 1968 – *Historiettes,* 1969 (N). – *Le Ciel de Québec,* 1969 (N). – *Le Salut de l'Irlande,* 1970 (N). – *Les Roses sauvages,* 1971 (N). – *Le « Saint-Elias »,* 1972 (N). – *La Chaise du maréchal-ferrant,* 1972 (N). – *Du fond de mon arrière-cuisine,* 1973 (E). – *Les Confitures de coings et autres textes,* 1973 (N). – *L'Amélanchier,* 1975 (N). – *Escarmouches : la longue passe,* 1975 (E). – *Théâtre II, la Tête du roi, le Dodu, la Mort de Monsieur Borduas, le Permis de dramaturge, l'Impromptu des deux chiens,* 1975 (T). – *Rosaire,* précédé de *l'Exécution de Maski,* 1981 (N).

FEUILLET Octave. Saint-Lô 11.8.1821 – Paris 29.12.1890. Après ses débuts précoces dans le roman-feuilleton, il fut révélé au public par la création d'un drame, *Échec et mat,* et par l'accueil au Théâtre-Français de ses deux pièces suivantes, *Palma* et *la Vieillesse de Richelieu.* Dès lors, il mena une double carrière de romancier et d'auteur dramatique, caractérisée par un souci moralisateur de plus en plus envahissant. Les *Scènes et Proverbes,* que publia de lui la *Revue des deux mondes,* lui valurent le surnom moqueur de « Musset des familles ». Ses pièces ne sont sauvées du sermon moralisateur que par un peu d'ampleur scénique. Quant à ses romans, ils montrent certes un don réel d'observation morale des milieux sociaux, qui lui valut une célébrité parfois suspecte, mais, très en faveur jadis auprès du public féminin, ils semblent aujourd'hui anachroniques. Acad. fr. 1862.

Œuvres. *Un bourgeois de Rome,* 1845 (T). – *Échec et mat,* 1846 (T). – *Polichinelle,* 1846 (T). – *Palma,* 1847 (T). – *La Vieillesse de Richelieu,* 1848 (T). – *Rédemption,* 1849 (T). – *Scènes et proverbes,* 1851. – *Bellah,* 1852 (N). – *Le Pour et le Contre,* 1853 (T). – *La Crise,* 1854 (T). – *Péril en la demeure,* 1855 (T). – *Le Village,* 1856 (T). – *Montjoie,* 1856 (T). – *Dalila,* 1857 (T). – *La Petite Comtesse,* 1857 (N). – *Le Roman d'un jeune homme pauvre,* 1858, rééd. 1976 (N). – *Le Cheveu blanc,* 1860 (T). – *Histoire de Sibylle,* 1862 (N). – *Monsieur de Camors,* 1867 (N). – *Julia de Trécœur,* 1872 (N). – *Le Sphinx,* 1874 (T). – *Histoire d'une Parisienne,* 1881 (N). – *La Partie de dames,* 1884 (T). – *Chamillac,* 1886 (T). – *La Morte,* 1886 (N). – *L'Honneur d'un artiste,* 1890 (N).

FEUILLETON. Article scientifique, critique, littéraire que l'on retrouve en bas de page, périodiquement, dans un journal. À l'origine, le feuilleton, inauguré par Geoffroy dans *le Journal des débats* au XIXᵉ s., était critique ; il fut repris avec succès par Sainte-Beuve, dont les articles se trouvent rassemblés dans les *Lundis.* Ensuite, le roman supplanta la critique : c'est sous forme de feuilleton que parurent la plupart des romans de Balzac et les *Mystères de Paris* d'Eugène Sue. Genre populaire, riche en action, ses épisodes étaient disposés de manière à laisser le lecteur en haleine d'un numéro à l'autre. A. Dumas père fut le maître du genre. Le feuilleton télévisé maintient la tradition de ce genre caractéristique du monde moderne. Dans sa forme de diffusion, il utilise toujours les moyens les plus modernes selon l'époque (journal, cinéma, puis télévision). Dans son contenu, il s'applique à faciliter la lecture pour atteindre le plus grand public. Il maintient le suspens à seule fin d'assurer la vente du prochain journal ou l'écoute de la prochaine émission, ce qui nuit certainement à sa qualité.

FÉVAL Paul Henri Corentin. Rennes 27.9.1817 – Paris 8.3.1887. Chroniqueur à la *Revue de Paris,* il obtint un succès décisif avec *les Mystères de Londres,* qu'il publia sous le nom de Francis Trolopp et qui concurrencèrent sérieusement *les Mystères de Paris* de Sue. Après *le Fils du Diable,* il s'installe définitivement dans le rôle fort lucratif d'un inlassable fabricateur de succès populaires dont le plus durable est sans doute *le Bossu.* Narrateur habile, il néglige toute psychologie et lâche la bride à une imagination débordante. Revenu à la religion dans sa vieillesse, il racheta les droits de ses œuvres pour les expurger, se lança dans la littérature édifiante et mourut complètement ruiné par des opérations financières imprudentes.
Son fils, **Paul Féval II** (Paris 1860-1933), donna une suite au *Bossu : le Fils de Lagardère* (1893).

Œuvres. *Le Club des phoques,* 1841 (T). – *Le Loup blanc,* 1844 (N). – *Les Mystères de Londres* (11 vol.), 1844 (N) [adapt. théâtrale, 1848]. – *Les Amours de Paris,* 1846 (N). – *Le Fils du Diable,* 1847 (N) [adapt. théâtrale, 1847]. – *L'Homme de fer,* 1856 (N). – *Les Compagnons du silence,* 1857 (N). – *Le Bossu ou le Petit Parisien,* 1858 (N) [adapt. théâtrale avec Anicet Bourgeois, 1862]. – *Le Roi des gueux,* 1859 (N). – *Le Poisson d'or,* 1863 (N). – *La Première Aventure de Corentin Quimper,* 1876 (N). – *Les Étapes d'une conversion,* 1877-1881 (N).

FEYDEAU Ernest Aimé. Paris 16.3.1821 – 29.10.1873. Ami de Flaubert, il fut d'abord son concurrent lorsque le succès de scandale de son roman *Fanny* menaça de dépasser celui de *Madame Bovary.* Peu soucieux de perfection stylistique, il se rattache à l'école réaliste, et ses conceptions en matière littéraire sont assez proches de celles qu'exprime la préface de *Mademoiselle de Maupin,* de Gautier, sur l'incompatibilité entre art et morale. Outre des pièces de théâtre qui ne connurent pas le succès et furent vite oubliées et de médiocres essais de mœurs ou d'histoire, F. a publié après *Fanny,* et sur sa lancée, plusieurs autres romans, parmi lesquels *la Comtesse de Châlis ou les Mœurs du jour,* qui fut un grand succès. Il avait écrit aussi un roman à clés sur les amours de Baudelaire et de Mᵐᵉ Sabatier, *Sylvie.* Il bénéficia de l'indulgence de son ami Flaubert, qui favorisa ainsi sa carrière littéraire.

Œuvres. *Les Nationales,* 1844 (P). – *Histoire des usages funèbres et des sépultures des peuples anciens,* 1857-1861 (E). – *Fanny,* 1858 (N). – *Daniel,* 1859 (N). – *Catherine d'Overmeire,* 1860 (N). – *Un début à l'Opéra,* 1860 (N). – *Sylvie,* 1861 (N). – *Le Mari de la danseuse,* 1861 (N). – *La Comtesse de Châlis ou les Mœurs du jour,* 1867 (N).

FEYDEAU Georges. Paris 8.12.1862 – Rueil 6.6.1921. Fils du précédent. Il eut beaucoup de mal à s'imposer : s'il parvint à attirer l'attention par une comédie, *Tailleur pour dames,* le vrai succès ne lui vint qu'avec le vaudeville *Monsieur chasse.* Dès lors, la liste de ses œuvres ne comporte que des titres célèbres, entre autres ceux qui lui ont valu un renouveau de succès depuis 1950, *l'Hôtel du Libre-Échange, le Dindon, la Puce à l'oreille, Occupe-toi d'Amélie!* et *Feu la mère de Madame.* Tout en conservant les caractères essentiels du vaudeville hérité du XIXᵉ s., F. entreprend d'en moderniser le rythme et de renouveler le genre en y privilégiant la nécessité mécanique de l'intrigue et le caractère cocasse des situations et du langage. Après avoir été le grand amuseur de la scène française entre 1895 et 1914, F. fut presque complètement oublié au cours de l'entre-deux-guerres, victime sans doute du discrédit où était tombé le genre du vaudeville. Il devait être tiré de l'oubli après 1950, en particulier par J.-L. Barrault, et a repris sa place dans le répertoire du Boulevard, de la Comédie-Française et aussi de la télévision. Il semble que le public contemporain, au-delà de l'intérêt littéraire – chez F. à peu près absent –, ainsi que de l'intérêt documentaire, s'intéresse avant tout à la « pureté » mécanique de ce théâtre, qui fait qu'il produit un comique presque abstrait dont la logique s'impose immédiatement. Ajoutons que les pièces de F. offrent à l'acteur et au metteur en scène une occasion exceptionnelle de déployer leurs talents.

Œuvres. *Le Diapason,* 1883 (T). – *Amour et piano,* 1883 (T). – *Tailleur pour dames,* 1887 (T). – *La Lycéenne,* 1887 (T). – *Les Fiancés de Loches,* 1888 (T). – *L'Affaire Édouard,* 1889 (T). – *Le Mariage de Barillon,* 1890 (T). – *Monsieur chasse,* 1892 (T). – *Champignol malgré lui,* 1892 (T). – *Le Système Ribadier,* 1892 (T). – *L'Hôtel du Libre-Échange,* 1894 (T). – *Un fil à la patte,* 1894 (T). – *Le Dindon,* 1896 (T). – *La Dame de chez Maxim's,* 1899 (T). – *Le Bourgeon,* 1906 (T). – *La main passe,* 1907 (T). – *La Puce à l'oreille,* 1907 (T). – *Occupe-toi d'Amélie !* 1908 (T). – *Feu la mère de Madame,* 1908 (T). – *On purge bébé,* 1910 (T). – *Mais n'te promène donc pas toute nue,* 1912 (T). – *Hortense a dit « J'm'en fous »,* 1916 (T).

L'Hôtel du Libre-Échange

L'acte I fabrique et met en place les rouages de la mécanique. À Passy, deux couples amis habitent deux villas contiguës : Pinglet, entrepreneur, et sa femme Angélique ; Paillardin, architecte-expert près les tribunaux, et sa femme Marcelle. Ce soir-là, Mme Pinglet doit se rendre chez sa sœur, à Ville-d'Avray, et Paillardin doit s'absenter pour une expertise concernant une chambre prétendue hantée dans un hôtel. Or il se trouve qu'une brouille intervient entre Paillardin et sa femme, qui, par dépit, accepte le rendez-vous que lui donne Pinglet dans un hôtel... à découvrir. Survient alors un ami de province, Mathieu, avec ses filles. Au moment où Pinglet révèle – à haute voix, par inadvertance – le nom de l'hôtel du Libre-Échange, Mathieu saisit au vol ce nom et l'adresse, et décide d'aller s'y loger avec sa progéniture. C'est naturellement aussi l'hôtel où Paillardin doit aller expertiser, et le jeu de mots suggestif contenu dans son nom, s'il n'attire pas l'attention de personnages peu intelligents, est, en revanche, censé être parfaitement clair pour le spectateur ! Pour compléter enfin le futur imbroglio, le jeune collégien Maxime, neveu de Paillardin, est pris en charge – alors qu'il est en train de lire un livre de M. Caro, le psychologue, sur l'amour – par la domestique délurée des Pinglet, Victoire. Sous prétexte de reconduire Maxime à Stanislas, elle l'emmènera à l'hôtel du Libre-Échange, qu'elle a repéré grâce à un prospectus. L'acte II n'a plus qu'à laisser jouer tout seul ce mécanisme selon sa logique propre : tout le monde se retrouve à l'hôtel ; affolement général et réciproque, provoquant de multiples quiproquos (Pinglet, passé par une cheminée, est pris pour un ramoneur, et Paillardin est convaincu, par le bruit et les diverses apparitions dont il est le témoin, que l'hôtel est bien hanté). Pour couronner le tout et accroître la confusion, descente de police sous la direction d'un commissaire. Pour se sauver lui-même et pour sauver Marcelle, sa « partenaire », qui n'a eu ni le loisir ni le désir de le devenir, Pinglet se fait passer pour Paillardin, tandis que, dans la même intention (mais ils n'ont pas pu se concerter), Marcelle se fait passer pour Mme Pinglet : pour le commissaire, les deux partenaires coupables sont donc... Paillardin et Mme Pinglet ! Il en dresse constat. Pendant ce temps, la vraie Mme Pinglet, victime d'un accident de voiture, avait été projetée sur un tas de cailloux, et, à l'hôtel, Paillardin avait reçu un coup de poing du pseudo-ramoneur (pris par lui pour un esprit frappeur). Comment en sortir ? La situation se dénoue à la fin de l'acte III, qui ramène tous les personnages chez les Pinglet. Paillardin et Mme Pinglet reçoivent du commissariat une citation à comparaître à laquelle ils ne comprennent rien, tandis que Pinglet prend l'attitude qui sied à un conjoint offensé, et Marcelle de même. Heureusement, la citation est annulée lorsque le commissaire apprend que Paillardin est architecte-expert : il a précisément besoin de conseils pour sa maison de campagne ! Arrive alors Mathieu, qui risque bien de révéler la vérité : tout le monde s'accorde pour le faire taire et le renvoyer dare-dare, avec ses filles, à Valenciennes (où il fait beau alors qu'il pleut à Paris). Enfin c'est le tour de Maxime et de Victoire ; Maxime se résout à dire la vérité en ce qui le concerne : du coup, Victoire est renvoyée. Chacun des autres ayant quelque peu honte de son aventure, tout rentre à peu près dans l'ordre, et même, Maxime récupère 5 000 francs que le commissaire avait confisqués à Pinglet.

FLAUBERT Gustave. Rouen 12.12.1821 – Croisset (Seine-Maritime) 8.5.1880. D'ascendance champenoise par son père, normande par sa mère, F., dès son enfance rouennaise, se montre d'une étonnante précocité : à onze ans, il lit *Faust* dans la traduction de Nerval ; il rédige au collège le journal *Art et Progrès* et, en 1836, compose ses premières nouvelles ; certaines sont publiées dans le *Colibri,* petit journal local, en 1837. En 1838, il achève sa première œuvre importante, *Mémoires d'un fou.* Reçu bachelier en 1840, il commence des études de droit à Paris et écrit *Novembre.* Il fait la connaissance de Maxime Du Camp et esquisse la première *Éducation sentimentale.* En 1844, une grave crise nerveuse le contraint à interrompre ses études. Il consacre son temps à la lecture, et à l'achèvement de l'*Éducation.* Il rencontre Louise Colet, qui devient sa maîtresse et son amie (1846), puis voyage avec Du Camp dans l'ouest de la France et écrit avec lui *Par les champs et par les grèves.* Après avoir participé à la révolution de 1848, F. rédige la première version de *la Tentation de Saint Antoine,* qu'il termine en septembre 1849. Lu à Bouilhet et à Du Camp, ce texte est par eux condamné. Et c'est alors que les amis du romancier lui conseillent de « mettre sa muse au pain sec » et de traiter un sujet tiré de la banalité quotidienne. En octobre 1849, il s'embarque pour l'Orient avec Maxime du Camp. Il ne rentre qu'en mai 1851, ayant visité l'Égypte, la Turquie, la Grèce, et commence aussitôt *Madame Bovary,* dont il a concu l'idée au cours de ce voyage. Il rompt avec Louise Colet en 1854 et achève son roman vers la fin de 1855. Tandis que Du Camp en publie le début dans *la Revue de Paris,* qu'il dirige, F. commence à remanier *la Tentation.* Il sort acquitté du procès intenté à *Madame Bovary* pour immoralité ; lorsque le roman paraît en librairie, il a déjà terminé la deuxième *Tentation,* qu'il n'ose publier, et commencé *Salammbô.* Il voyage en Tunisie (1858) et se consacre avec acharnement à la difficile rédaction de son nouveau livre ; ses amis (Bouilhet, les Goncourt, Renan) le voient de moins en moins. *Salammbô* parait enfin en 1862 et remporte un vif succès. En septembre 1864, après une « récréation » mondaine, F. s'enferme à nouveau pour rédiger la seconde *Éducation sentimentale,* ne se montrant ici ou là que pour se documenter. Ce livre paraît en 1869, année où la mort de Bouilhet frappe vivement son ami. Aussitôt il se remet au travail, pour une troisième version de *la Tentation de saint Antoine,* qu'il achève en 1872. Infatigable, il aborde *Bouvard et Pécuchet,* tandis qu'une tentative de comédie, *le Candidat,* se solde par un échec. *La Tentation* paraît dans son texte définitif et reçoit les éloges de Renan. Malgré des ennuis de santé et d'argent, F. rédige successivement « la Légende de saint Julien l'Hospitalier, « Un cœur simple » et « Hérodias », qui seront publiés sous le titre *Trois Contes.* Il meurt subitement au moment de partir pour un voyage à Paris, laissant inachevé *Bouvard et Pécuchet.* C'est seulement en 1909 que sera entreprise la première publication sérieuse des *Œuvres complètes,* comprenant les inédits de jeunesse et une volumineuse correspondance.

On s'est arraché F., on se l'arrache encore ; ce n'est pas un chef d'école, et le classer ne mène à rien. Si son œuvre semble facile à cerner, c'est qu'une fois sorti de l'adolescence F. n'a guère évolué. *Mémoires d'un fou* est le cri d'un collégien, romantique – parce que telle est la mode –, assoiffé de justice, plein d'amour pour l'humanité ; dès *Novembre* apparaissent une tristesse de vivre, un désenchantement qui s'accentueront jusqu'à *Bouvard et Pécuchet.* La première *Éducation sentimentale,* ultime œuvre où l'apport autobiographique ne soit pas encore savamment déguisé sous l'apparente impersonnalité des romans de la maturité, fixe les principes artistiques dont F. ne s'écartera plus : le seul salut est la représentation de la vie par l'art. En créant, F. s'accorde le bonheur qu'il refuse à ses créatures. De sujets apparemment très divers, ses romans sont, en réalité, tous commandés de très près par sa vision personnelle du monde : il ne parle que de ce qu'il connaît, et ce n'est pas là la moindre raison des affres créatrices qu'il traverse dans la rédaction de tous ses grands livres. Seul son génie lui évita de succomber sous sa documentation. Si l'on doit distinguer deux inspirations, ce sera entre les romans à tendance philosophique *(la Tentation de saint Antoine, Bouvard et Pécuchet)* et les romans plus purement romanesques *(Madame Bovary, Salammbô,* les deux *Éducation)* : les premiers mettent en scène des symboles de l'humanité plus que des personnages, mais sont chargés d'une amère tendresse ; les seconds suivent de plus près la vie même, avec, toutefois, de la chaleur. Pourtant, de *Madame Bovary* au dessin plus stylisé et plus satirique de la seconde *Éducation sentimentale,* se manifeste un assèchement progressif du climat romanesque. Il est difficile, du seul point de vue littéraire, de prétendre établir une prééminence dans la trilogie des chefs-d'œuvre : si l'admirable description de l'ennui provincial et conjugal d'Emma a pu donner naissance à la notion de « bovarysme », encore utilisée en critique, *Salammbô* ne mérite pas moins d'être salué pour son intense lumière, solaire et lunaire tour à tour, et pour les couleurs violentes de ses descriptions moins interminables que proprement extatiques. Quant à l'*Éducation* de 1869, n'a-t-on pas relevé, dans l'étude du comportement face à la vie de son héros velléitaire et ballotté, Frédéric Moreau, des thèses qui préfigurent celles de l'existentialisme ? Une telle référence suffit à montrer que F., loin de n'être qu'un splendide mais laborieux styliste, peut et doit être considéré comme le grand initiateur du roman moderne.

Œuvres diverses parues en revue. *Mort de Marguerite de Bourgogne,* 1834 (N). – *Mort du duc de Guise,* 1835 (N). – *Voyage en enfer,* 1835 (N). – *Narrations et Discours,* 1835-1836 (N). – *Deux Mains sur une couronne,* 1836 (N). – *Chronique normande du* x*e siècle,* 1836 (N). – *La Femme du monde,* 1836 (N). – *Un secret de Philippe le Prudent* (inach.), 1836 (N). – *La Peste à Florence,* 1836 (N). – *Bibliomanie,* 1836 (N). – *Rage et Impuissance,* 1836 (N). – *Rêve d'enfer,* 1837 (N). – *Une leçon d'histoire naturelle : genre commis,* 1837 (N). – *Quidquid volueris,* 1837 (N). – *Passion et Vertu,* 1837 (N). – *Loys XI, drame romantique en prose,* 1838. – *Agonies,* 1838 (N). – *La Danse des morts,* 1838 (N). – *Ivre et mort,* 1838 (N). – *Les Mémoires d'un fou,* 1838 (N). – *Rabelais,* 1838 (N). – *Smarh,* 1839 (N). – *Les Arts et le Commerce,* 1839 (N). – *Rome et les Césars,* 1839 (N). – *Les Funérailles du docteur Mathurin,* 1839 (N). – *Mademoiselle Rachel,* 1840 (N). – *Voyage aux Pyrénées et en Corse,* 1840 (N). – *Novembre,* 1843 (N). – *Voyage en Italie et en Suisse,* 1845 (N). – *La Découverte de la vaccine* (inach.), 1845 (T). – *Voyage en Orient,* 1849-1851. – *Dictionnaire des idées reçues,* 1850. – *Voyage à Carthage,* 1858 (N). – Avec Bouilhet et d'Osmoy, *le Château des cœurs* (féerie), 1863 (T).

Œuvres publiées en librairie. *Madame Bovary,* 1857 (N). – *Salammbô,* 1862 (N). – *L'Éducation sentimentale* (2e version), 1869 (N). – *Préface aux « Dernières chansons » de Bouilhet,* 1873. – *Le Sexe faible* (d'après les papiers laissés par Bouilhet), 1873 (T). – *La Tentation de saint Antoine,* 1874 (N). – *Le Candidat,* 1874 (T). – *Trois Contes (la Légende de saint Julien l'Hospitalier ; Un cœur simple ; Hérodias),* 1875-1877 (N). – *Le Château des cœurs,* 1879 (T). – *Bouvard et Pécuchet* (inach.), posth., 1884 (N). – Avec Du Camp, *Par les champs et par les grèves,* posth., 1885 (N). – *Mémoires d'un fou,* posth., 1900 (N). – *Dictionnaire des idées reçues,* posth., 1913. – *L'Éducation sentimentale,* 1re version, posth., 1914 (N). – *Correspondance* (4 vol.), posth., 1887-1893 ; nouv. édition, 9 vol., posth., 1926-1933. – *Œuvres complètes* (26 vol.), posth., 1909-1953, 1964 (éd. établie par B. Masson). – *Correspondance,* éd. établie par J. Bruneau (en cours de publication ; 2 vol. parus). – *Œuvres complètes,* éd.établie par G. Sagnes (en préparation).

Madame Bovary

Charles Bovary, après une scolarité difficile, vient d'obtenir, non sans peine, son titre d'officier de santé. Il s'installe en Normandie, à Tostes, et épouse une riche veuve, plus âgée que lui, qui lui rend la vie impossible. Ses visites le conduisent à travers la campagne, où il rencontre la fille d'un gros fermier, Emma Rouault, dont il s'éprend aussitôt ; il l'épousera après la mort de sa première femme. Mais Emma, cœur sensible et imagination romanesque, nourrie de lectures romantiques, s'est mariée, elle, pour échapper à son milieu terre à terre, pour mener la vie brillante et exaltante, « poétique » en un mot, dont elle a toujours rêvé. Or Charles, s'il est bon et passionnément amoureux, est bien lui aussi terre à terre. La crise va commencer avec une invitation à un bal dans un château voisin, qui lance Emma dans les imaginations les plus délirantes, et désormais la jeune femme va être obsédée par la comparaison entre ce qu'elle a cru entrevoir et la réalité que représente son mari, que représente aussi ce milieu de Yonville, où ils sont maintenant installés, milieu symbolisé par le pharmacien Homais. La fringale sentimentale et romanesque d'Emma est telle qu'il lui suffit de rencontrer un jeune homme parfaitement insignifiant, mais qui joue au romantique, le clerc de notaire Léon Dupuis, pour s'enflammer aussitôt. Léon quitte Yonville pour des études à Paris ; Emma est alors plus que jamais disponible. Après une rencontre aux comices agricoles, Rodolphe Boulanger, propriétaire des environs et homme à femmes, n'aura qu'à la cueillir. Mais, pour Rodolphe, la passion d'Emma est bientôt encombrante : ce n'est en effet, à ses yeux, qu'une passade, à laquelle il met fin sans ménagements. Voici qu'alors Emma retrouve Léon à Rouen, ils vont ensemble à l'Opéra (Emma est également amoureuse du ténor) ; chaque semaine, sous prétexte de prendre des leçons de musique, alors que, naturellement, Charles, depuis le début, ne se doute de rien, Emma se rend à Rouen pour des rendez-vous avec Léon qu'elle imagine exaltants et qui ne sont que dérisoires. La réalité, c'est un double adultère, c'est la chute dans l'extravagance financière, ce sont des dettes secrètes ; c'est aussi, après l'abandon de Rodolphe, le détachement progressif de Léon, qui, à son tour, se lasse. Voici le moment où Emma s'aperçoit qu'elle a tout perdu et n'a rien gagné. Pressée par un créancier impitoyable, elle essaie de se tirer d'une situation impossible en demandant à Rodolphe de la secourir : en vain. Alors elle va dérober de l'arsenic chez Homais et s'empoisonne ; elle meurt sous les yeux de Charles désespéré, Charles, qui n'a cessé de l'aimer à sa manière et qui lui pardonne tout. D'Emma, il lui reste sa fille, et surtout une image qui le hante. Mais la solitude le tuera. Et celui qui triomphe socialement, qui a gagné richesse, décorations et considération, c'est... Homais.

Salammbô

Carthage entretient une armée de mercenaires, mais néglige de les payer. Ils se révoltent sous le commandement du Libyen Mathô et assiègent la cité. Au cœur de la ville – évoquée par la précision grandiose des descriptions archéologiques –, le temple de la déesse Tânit, où la fille d'Hamilcar, Salammbô, est vouée à la garde du voile sacré, le *zaïmph,* talisman surnaturel de Carthage. Les mercenaires parviennent à s'emparer du voile ; il incombe à Salammbô d'en reprendre possession, et l'on compte sur sa beauté fascinante. Elle va trouver Mathô dans sa tente et parvient à rapporter le *zaïmph* dans le temple de Tânit. De son côté, Hamilcar réussit à attirer le gros de l'armée mercenaire dans le défilé de la Hache, dont les issues ont été fermées : la faim et la soif y auront raison des mercenaires. Un autre détachement, venu de Tunis sous le commandement de Mathô, est à son tour décimé. Mathô, fait prisonnier, est massacré par la foule carthaginoise sous les yeux de Salammbô. Celle-ci épousera le Numide rallié Narr'Havas. Mais elle laisse alors exploser son désespoir en révélant sa passion pour Mathô : elle meurt, victime du conflit tragique qu'elle portait héroïquement en elle depuis sa rencontre avec le rebelle libyen.

L'Éducation sentimentale

1840. Un jeune homme qui vient d'être reçu bachelier rejoint sa mère à Nogent-sur-Seine pour les vacances. Il rêve de passions romantiques et de gloire littéraire. Sur le bateau qui remonte la Seine, il a remarqué une jeune femme : lui, c'est Frédéric Moreau ; elle, c'est Mme Arnoux. Revenu à Paris pour ses études de droit, Frédéric est hanté par l'image de Mme Arnoux et se lance à sa recherche. Fréquentant le milieu étudiant, il se lie avec des jeunes gens semblables à lui, particulièrement avec un certain Deslauriers, qui rêve de passion, avec d'autres qui rêvent d'art, d'autres qui rêvent d'argent, d'autres encore qui rêvent de justice et de fraternité. Certains se trouvent en relation avec un marchand de tableaux qui n'est autre que le mari de Mme Arnoux ; Frédéric la voit, continue de l'aimer. Mais le temps passe, Frédéric ne travaille guère ; il s'installe dans une sorte de compromis entre les rêves de son imagination et la médiocrité de sa vie. Il aura quelques aventures : une liaison avec la grisette Rosanette, des relations avec les milieux financiers par l'intermédiaire du salon Dambreuse ; peut-être même que, s'il voulait vraiment, Mme Dambreuse... Mais Frédéric reste passif, se laisse ballotter par un destin plus inerte que tragique. Il est comme le héros de la non-participation à la vie : on le voit bien lorsqu'il se trouve mêlé aux effervescences politiques où l'entraîne son ami Sénécal, lorsqu'il est témoin de la révolution de 1848... En 1867, vingt-sept ans après le voyage en bateau sur la Seine et la rencontre de Mme Arnoux, c'est un Frédéric étiolé qui reçoit la visite d'une Mme Arnoux à cheveux blancs ; il est trop tard, ils s'attendrissent ensemble sur le passé et se quittent. Un dimanche après-midi, à Nogent-sur-Seine, Frédéric et Deslauriers ne peuvent que constater qu'ils ont manqué leur vie ; ils se rendent dans le « lieu de perdition » tenu par une femme qu'on appelait la Turque (parce qu'elle se nommait Zénaïde Turc). À peine sont-ils entrés qu'ils s'enfuient, pour se raconter ensuite « prolixement », les souvenirs de la première fois où ils y étaient allés, en... 1837 ! « C'est là ce que nous avons eu de meilleur. » Sur cette parole s'achève ce roman de la défaite.

La Tentation de saint Antoine

Inspirée par un tableau de Breughel, l'œuvre a pour cadre le désert de la Thébaïde, où saint Antoine, ermite solitaire, s'est retiré au sommet d'une montagne. Sous ses yeux, en une vision fantastique, le panorama s'anime et se peuple : défilent devant lui les mythes, les civilisations, leurs images et leurs idoles. C'est le Diable, le metteur en scène de ce film insolite, le Diable qui entraîne l'ermite à travers les mondes, dans les profondeurs sous-marines, jusqu'au cœur même de la matière en perpétuelle mutation ; chaque vision est accompagnée d'une tentation, et la tentation suprême est la tentation panthéiste. Mais ce ne sont là que visions, ce ne sont qu'illusions : tout l'art de F. vise à leur conférer, dans l'imaginaire, une puissance de réalité qu'elles ne possèdent nullement : le saint ermite, c'est l'homme victime de cette imposture universelle ; le Diable, c'est la puissance qui confère au néant la fascination du réel.

Bouvard et Pécuchet

Deux expéditionnaires d'une cinquantaine d'années, deux célibataires unis par l'amitié ou, du moins, par une sorte de camaraderie. Las de leur vie morne et médiocre, ayant quelques économies, ils décident de vivre ensemble à la campagne et de se nourrir l'esprit de culture et de science, de partager leur temps entre l'agriculture rationnelle et l'acquisition du savoir. Le livre est l'histoire de leurs échecs tristes et ridicules, l'histoire des aventures de leur inaptitude congénitale et universelle, jusqu'à ce qu'il ne leur reste plus qu'à reprendre leur ancien métier. Faute d'être achevé, le livre reste énigmatique, mais peut-être F. le voulait-il tel : il n'est pas sûr du tout que les deux « héros » aient même compris le sens de leur mésaventure, si toutefois elle en avait un, ce qui n'est pas certain non plus...

FLÉCHIER Valentin Esprit. Pernes-les-Fontaines (Vaucluse) 19.6.1632 – Nîmes 16.2.1710. Après des études religieuses, il enseigna d'abord la rhétorique, puis vint à la Cour, fut nommé lecteur du dauphin et se fit connaître par des vers, par ses *Mémoires sur les Grands Jours d'Auvergne,* par sa *Vie de Théodose,* par ses sermons et surtout par ses *Oraisons funèbres.* Orateur sacré, il fait preuve d'une grande simplicité et d'une sérieuse connaissance de l'Écriture, qui concourent à rendre vivante et convaincante la leçon morale. Son style est très élaboré et utilise volontiers les procédés de la littérature profane. Une telle conception du sermon comme œuvre d'art, qui fit alors son succès, apparaît aujourd'hui comme déplacée auprès de l'équilibre d'un Bossuet. Acad. fr. 1673.

Œuvres. *Vie du cardinal Commendon,* 1671. – *Vie de Théodose le Grand,* 1679. – *Récit fidèle de ce qui s'est passé dans les assemblées des fanatiques du Vivarais,* 1689. – *Recueil d'oraisons funèbres* (... *de Julie d'Angennes, duchesse de Montansier,* 1672 ; *de la duchesse d'Aiguillon,* 1675 ; *de Turenne,* 1676 ; *de Lamoignon,* 1679 ; *de Marie-Thérèse d'Autriche, reine de France,* 1684 ; *de Le Tellier,* 1686 ; *de la Dauphine,* 1690 ; *du duc de Montansier,* 1690), 1691. – *Histoire du cardinal Ximenès,* 1693. – *Panégyriques et Autres Sermons de Fléchier,* 1696. – *Lettres choisies,* posth., 1711. – *Mandements et Lettres pastorales,* posth., 1826. – *Correspondance avec M*[lle] *de La Vigne,* posth., 1833. – *Mémoires sur les Grands jours d'Auvergne* (rédigés en 1666), posth., 1844.

FLEG, Edmond Flegenheimer, dit. Genève 1874 – Paris 1963. Normalien, agrégé d'allemand, engagé volontaire en 1914, il a centré son œuvre sur les problèmes de la condition juive; sa foi ardente donne à ses livres très divers un ferment d'unité dont rend bien compte *l'Anthologie juive* de 1954.

Œuvres. *Démon,* 1906 (T). – *La Bête,* 1910 (T). – *Écoute, Israël* (2 vol.), 1913-1921 (P). – *Le Trouble-Fête,* 1913 (T). – *Le Mur des pleurs,* 1919 (P). – *La Maison du Bon Dieu,* 1920 (T). – *Le Juif du pape,* 1925 (T). – *L'Enfant prophète,* 1926 (N). – *Moïse,* 1928 (N). – *Pourquoi je suis juif,* 1928 (E). – *Le Marchand de Paris,* 1928 (T). – *Salomon,* 1930 (N). – *Les Dieudieux,* 1931 (T). – *Œdipe* (musique d'Enesco), 1932 (T). – *Jésus raconté par le Juif errant,* 1935 (N). – *Sainte Jeanne,* 1936 (T). – *Faust,* 1937 (T). – *Anthologie juive,* 1939-1954. – *Le Chant nouveau,* 1946 (P). – *Le Problème d'aujourd'hui,* 1948 (E). – *La Terre que Dieu habite,* 1953 (E). – *Écoute, Israël* (nouv. version), 1954 (P). – *Salomon raconté par les peuples,* 1959 (N). – *Vers le monde qui vient,* 1960 (E).

FLERS Robert, marquis de. Pont-l'Évêque 25.11.1872 – Vittel 30.7.1927. (Voir CAILLAVET Gaston.)

FLOIRE ET BLANCHEFLOR. Premier « roman idyllique » français, anonyme, dont on connaît deux versions : l'une (dite aristocratique) datant de 1160-1170, l'autre (populaire) antérieure à 1200. La première version, seule complète – et bien supérieure à la seconde –, comprend 2 977 vers octosyllabes à rimes plates. L'action se déroulant pour l'essentiel dans un cadre oriental, on a cherché les origines du roman dans des contes arabes, ou dans la poésie persane, ou encore dans des romans grecs et byzantins (*Apollonius de Tyr, le Livre d'Esther*), voire dans des récits qui auraient été rapportés de Terre sainte lors des croisades.
Le roman idyllique reprend les deux thèmes essentiels du roman courtois : l'amour et l'aventure. Mais il accentue l'aspect de tendresse de l'amour et, dans ce propos, choisit comme thème un amour qui est, à l'origine, un amour d'enfance. D'autre part, il pratique systématiquement le dénouement heureux, car son climat propre exige que soit éliminée la conception tragique de la passion dont ne s'écarte jamais complètement le romanesque courtois. Enfin, le roman idyllique rompt avec les sources d'inspiration habituelles de la courtoisie en privilégiant le pittoresque et l'exotisme d'origine orientale. Tels sont les caractères que met en œuvre *Floire et Blancheflor* en proposant au lecteur des

personnages à mi-chemin entre l'imaginaire et le réel, et en les engageant dans une aventure destinée à susciter chez le lecteur une sympathie émue et une sorte d'admiration tendre. Un roi païen, Fénix, enlève la fille d'un chevalier français qui vient de perdre son mari alors qu'elle est enceinte, comme l'est aussi l'épouse de Fénix. Les deux femmes donnent naissance le même jour à un garçon et à une fille, nommés, la chrétienne Blancheflor, et le païen Floire. Ils sont élevés ensemble, et il naît entre eux un amour d'enfance qui ne laisse pas d'inquiéter Fénix. Celui-ci décide d'éloigner Floire, qui tombe malade et que son père est obligé de faire revenir. Blancheflor est alors vendue comme esclave, et l'on fait croire à son ami qu'elle est morte, en lui érigeant un tombeau vide. Floire, inconsolable, obtient de sa mère la révélation de la vérité et de son père le droit de partir à la recherche de Blancheflor. À la suite de nombreuses aventures, qui entraînent Floire jusqu'à Babylone, le jeune homme finira par libérer et épouser son amie. Floire succédera à son père et se convertira au christianisme pour l'amour de Blancheflor.
Ce roman a connu au Moyen Âge un immense succès dont témoigne l'existence de la version dite populaire et de nombreuses traductions en diverses langues. Il déclencha une sorte de mode littéraire qui donna naissance à des romans comme les anonymes *Floris et Lériope* et *Galeran,* et *l'Escoufle* de Jean Renart, ainsi qu'à la « chantefable » *Aucassin et Nicolette,* dont les données et l'affabulation, sinon la forme, sont très proches de celles de *Floire et Blancheflor.* Enfin Boccace s'inspirera de la version populaire pour son *Filocolo.*

FLORIAN Jean-Pierre Claris de. Sauve (Gard) 6.3.1755 – Sceaux 13.9.1794. Parent par alliance de Voltaire, qui le surnomme Florianet, il passe son enfance dans les Cévennes, où il est né, dans la région d'Anduze, en pleine nature. Il restera aussi deux années auprès de Voltaire, au château de Ferney, puis entre comme page chez le duc de Penthièvre, homme de cœur et philanthrope. Après un début de carrière militaire sans lendemain, le jeune F. retourne chez le duc de Penthièvre, son protecteur et ami, qui l'attache alors à son service. Il peut ainsi se consacrer aux lettres tout en menant une vie mondaine. Auteur dramatique, il écrit d'agréables petites comédies et remet au goût du jour les arlequinades. Romancier, il subit l'influence de Gessner et publie des romans dans le genre pastoral, en particulier *Galatée,* imité de Cervantès, dont il va traduire le *Don Quichotte* – en l'affaiblissant d'ailleurs considérablement. Dans le genre historique, on lui doit entre autres une épopée en prose, *Numa Pompilius.* Auteur également de plusieurs nouvelles, il reste avant tout connu pour ses *Fables :* au nombre de quatre-vingt-neuf, écrites dans un style aimable et facile, non dépourvues d'ironie et de malice, elles sont le plus souvent d'une morale assez désabusée, sinon amère, mais n'atteignent ni la perfection ni la puissance suggestive de celles de La Fontaine. Emprisonné comme suspect pendant la Terreur, F. est libéré après Thermidor, le 9 août 1794, mais il meurt quelques semaines plus tard, dans sa maison de Sceaux. Acad. fr. 1788.

Œuvres. *Jeannot et Colin,* 1780 (T). – *Le Baiser,* 1781 (T). – *Voltaire et le Serf du Mont-Jura,* 1782 (P). – *Les Sept Nouvelles : Bliombéris* (nouv. fr.) ; *Pierre* (nouv. all.) ; *Rosalbo* (nouv. sicil.) ; *Célestine* (nouv. esp.) ; *Sophronime* (nouv. gr.) ; *Sancho* (nouv. port.) ; *Bathmendi* (nouv. persane), 1783 (N). – *Galatée* (roman pastoral imité de Cervantès), 1783 (N). – *Arlequinades* (recueil : *les Deux Billets,* 1779 ; *le Bon Ménage,* 1782 ; *les Deux Jumeaux de Bergame,* 1782 ; *le Bon Fils,* 1782 ; *le Bon Père,* 1783 ; *la Bonne Mère,* 1784), 1784 (T). – *Ruth, églogue tirée de l'Écriture sainte,* 1784 (P). – *Numa Pompilius,* 1786 (N). – *Essai sur la pastorale,* 1787 (E). – *Estelle et Némorin,* 1787 (N). – *Tobie,* 1791 (P). – *Gonzalve de Cordoue* (précédé d'un *Précis historique sur les Maures),* 1791 (N). – *Fables* (89 fables en 5 livres), 1792 (P). – *Traduction de « Don Quichotte »,* posth., 1799. – *Mémoires d'un jeune Espagnol,* posth., 1807. – *Romances pastorales ou le Petit Florian,* posth., 1807. – *Œuvres complètes,* 1820-1824.

FOLLAIN Jean. Canisy (Manche) 1903 – Paris 1971. Il fait des études de droit à Caen et à Paris (1921-1927), puis devient successivement avocat au barreau de Paris (1928-1951) et, pendant huit ans, magistrat à Charleville. Poète, il se lie avec L.-P. Fargue, P. Reverdy, Mac Orlan. En 1934, il épouse la fille du peintre Maurice Denis, elle-même connue comme peintre sous le nom de Madeleine Dinès. À partir de 1958, il fait de nombreux voyages à l'étranger (Japon, Brésil, Bolivie, Pérou – pays auquel il consacre un excellent livre en 1964 –, États-Unis). Il meurt accidentellement à Paris. Avec une profonde nostalgie de l'enfance et de sa province, F. est le poète de l'objet, du quotidien prosaïque, des activités familières, évoqués en des images concrètes, minutieuses et souvent imprévues, qui s'efforcent de cerner l'impalpable et l'insolite dans la réalité. L'« inventaire » de F. est celui des instants et des choses d'un passé disparu qui continue de vivre en lui. Donnant aux choses un « goût très fin d'éternel », il cherche à traduire les liens subtils et essentiels de l'homme et de son univers, dans une langue tranquillement harmonieuse et dépouillée, savamment elliptique et d'une densité contenue. Grand prix de poésie de l'Acad. fr. 1970.

Œuvres. *La Main chaude,* 1933 (P). – *Chants terrestres,* 1937 (P). – *Paris,* 1937 (N). – *L'Épicerie d'enfance,* 1938 (N). – *Ici-bas,* 1941 (P). – *Canisy,* 1942 (N). – *Inventaire,* 1942 (P). – *Usage du temps,* 1943 (P). – *Exister,* 1947 (P). – *Chef-Lieu,* 1950 (P). – *Les Choses données,* 1952 (P). – *Territoires,* 1953 (P). – *Objets,* 1955 (P). – *Choix de textes,* 1956 (P). – *Tout Instant,* 1957 (P). – *Des heures,* 1960 (P). – *Le Curé d'Ars,* 1961 (E). – *Appareil de la terre,* 1964 (P). – *Le Pérou,* 1964 (E). – *Petit Glossaire de l'argot ecclésiastique,* 1966. – *D'après tout,* 1967 (P). – *Espaces d'instants,* 1971 (P). – *Collège,* posth., 1974 (P). – *La Table,* posth., 1984.

FOLQUET de Marseille. Vers 1160 – Toulouse 1231. Troubadour occitan. Fils d'un riche marchand génois établi à Marseille, on ne sait s'il est né dans la ville ou s'il y fut amené étant enfant. Ses chansons, qui contiennent des allusions personnelles et historiques, nous apprennent qu'il est en relation avec plusieurs cours du midi de la France : cour d'Aix (Alphonse II d'Aragon), cour de Nîmes, cour de Montpellier (Eudoxie, fille de l'empereur byzantin Comnène, mariée à Guillaume VIII de Montpellier). Il chante également Richard Cœur de Lion et est étroitement lié d'amitié avec Bertran de Born. Après 1195, il se retire avec sa famille dans l'abbaye cistercienne du Toronet (actuellement Le Thoronet, Var). D'abord abbé, il devient en 1205 évêque de Toulouse et, dès lors, jouera un rôle historique de premier plan. Lié avec saint Dominique, qu'il protège, il prêche à ses côtés les hérétiques et déploie une prodigieuse activité diplomatique. C'est aussi pour combattre l'hérésie qu'il collabore à la fondation de l'université de Toulouse en 1229. Le « chansonnier » authentique de F., entièrement composé entre 1179 et 1195, comprend environ vingt pièces : quatorze chansons d'amour (les neuf premières célèbrent l'amour, les autres le blâment), une tenson, une cobla, une complainte *(planh),* pour la mort de Barral, qui est sa meilleure œuvre, deux ou trois chansons de croisade, où dominent les réflexions morales. On relève chez lui de nombreux emprunts aux auteurs classiques latins (Sénèque, Ovide, etc.), qu'il a pu connaître par des florilèges ou anthologies, ainsi qu'à des œuvres d'autres troubadours. Dante le place dans le Paradis de sa *Divine Comédie* (chant IX, v. 64-108, sous le nom de Foulques de Toulouse), parmi les *spiriti amanti,* conformément à la légende qui veut qu'il ait aimé la vertueuse vicomtesse Barral et Eudoxie.

FOMBEURE Maurice. Jardres (Vienne) 23.9.1906 – Paris 1.1.1981. D'origine paysanne, il fait une carrière universitaire après être passé par l'École normale supérieure de Saint-Cloud. Dès son arrivée à Paris (1929), il fréquente les milieux littéraires, et devient bientôt un habitué de la brasserie Lipp, à Saint-Germain-des-Prés. En 1930, il publie un premier recueil de poésies contenant des pastiches surréalistes et affirme déjà la nécessité de rompre avec une poésie devenue trop difficile : il faut, en effet, selon lui, renouveler et « rafraîchir » la poésie. Ainsi, tout en accueillant les influences de Max Jacob, Cocteau, Fargue, F. s'inspirera de Villon, de Rabelais, de Ronsard, de Saint-Amant et d'Apollinaire. Spontané, argotique ou précieux, fantaisiste et plein d'humour, avec une verve truculente, son vocabulaire, d'une richesse d'invention qui rappelle Rabelais, témoigne de sa virtuosité et d'une forte personnalité. Sa poésie, colorée, cocasse, insolite, d'une sève vigoureuse, est celle de « quelqu'un qui parle français, un certain français, un certain vers français, clair et gai comme du vin blanc... La veine de Villon et de Charles d'Orléans » (P. Claudel). Grand prix de poésie de l'Acad. fr. 1980.

Œuvres. *Silences sur le toit,* 1930 (P). – *La Rivière aux oies,* 1932 (N). – *Soldat,* 1935 (N). – *Les Moulins de la parole,* 1936 (P). – *Bruits de la terre,* 1937 (P). – *Chansons de la grande hune,* 1939 (P). – *D'amour et d'aventure,* 1942 (P). – *À dos d'oiseau,* 1942, rééd. 1971 (P). – *Greniers des saisons,* 1942 (P). – *Arentelles,* 1943 (P). – *Aux créneaux de la pluie,* 1946 (P). – *Orion le Tueur* (opéra bouffe), 1947 (T). – *La Vie aventureuse de Monsieur de Saint-Amant,* 1947 (N). – *Manille coinchée,* 1948 (N). – *Mystère de Poitiers,* 1948 (N). – *Les godillots sont lourds,* 1948 (N). – *Les Étoiles brûlées,* 1950, rééd. 1983 (P). – *Le Vin de la Haumuche,* 1952 (N). – *Pendant que vous dormez,* 1953 (P). – *Une forêt de charme,* 1955, rééd. 1983 (P). – *Sous les tambours du ciel,* 1959 (P). – *Quel est ce cœur ?* 1963 (P). – *À chat petit,* 1967 (P).

FONTENELLE Bernard Le Bovier de. Rouen 11.2.1657 – Paris 9.1.1757. Ses poèmes de débutant parurent dans le *Mercure galant* de Donneau de Visé et furent couronnés par l'Académie française ; avocat peu passionné par le barreau, il se fixa, en 1687, à Paris, où il mena la vie d'un mondain apprécié, écrivant des livrets d'opéra et des pièces de théâtre, dont certaines seulement furent jouées. Ce n'était cependant pas un homme léger : engagé dans les querelles littéraires de son temps, il se montre, dans son *Discours sur l'églogue* (contre Théocrite) et, surtout, dans sa *Digression sur les Anciens et les Modernes,* un partisan convaincu de ces derniers, et La Bruyère, dans son portrait de Cydias (*Caractères,* V, 75), l'a attaqué avec violence comme le type même du « moderne » mondain et du « bel esprit » professionnel. Son *Parallèle de Corneille et de Racine* est, en fait, un panégyrique du premier, dont il était le neveu. Parmi de nombreux ouvrages d'un esprit critique souvent audacieux, notons encore *De l'origine des fables* (1686) et *Histoire des oracles* (1687), qui confirmèrent sa célébrité. Cependant, notre siècle a mis en avant deux œuvres de F. dont la clarté d'exposition, l'aisance de raisonnement, le pouvoir d'élucidation ont fait des jalons annonciateurs de l'esprit philosophique du XVIIIe s. Ce sont les *Dialogues des morts* et les *Entretiens sur la pluralité des mondes :* un échange fictif de conversations permet d'apporter de l'agrément à l'évocation, par ailleurs documentée, des problèmes soulevés par les découvertes scientifiques de l'époque. Imbu de sa noblesse, F. fut accusé de manquer de sensibilité, mais son scepticisme plaisant fit beaucoup pour convaincre le public intellectuel du nécessaire règne de la Raison. Sa longévité exceptionnelle, transition symbolique entre deux siècles, lui permit d'en voir l'avènement. Acad. fr. 1691.

Œuvres. *L'Amour noyé,* 1677 (P). – *Élégie du ruisseau à une prairie,* 1677 (P). – *Description de l'empire de la poésie,* 1678 (E). – *Psyché* (comédie lyrique), 1679 (T). – *Bellérophon* (opéra-ballet), 1679 (T). – *Aspar,* 1680 (T). – *La Comète,* 1681 (T). – *Dialogues des morts,* 1683 (N). – *Le Jugement de Pluton,* 1684 (N). – *Lettres du chevalier d'Her,* 1685 (N). – *Éloge de M. Corneille,* 1685 (E). – *Entretiens sur la pluralité des mondes,* 1686 (E). – *Doutes sur les causes occasionnelles,* 1686 (E). – *De l'origine des fables,* 1686 (E). – *Histoire des oracles,* 1687 (E). – *Discours sur l'églogue,* 1687 (E). – *Poésies pastorales,* 1688 (P). – *Digression sur les Anciens et les Modernes,* 1688 (E). – *Thétis et Pelée* (tragédie lyrique), 1689 (T). – *Énée et Lavinie* (tragédie lyrique), 1690 (T). – *Brutus,* 1690 (T). – *Parallèle de Corneille et de Racine,* 1693. – *Histoire du renouvellement de l'Académie royale des sciences en 1699,* 1715. – *Éloge des académiciens,* 1715. – *Idalie,* 1720 (T). – *Macate,* 1722 (T). – *Le Tyran,* 1724 (T). – *Traité du bonheur* (écrit en 1700), 1724 (E). – *Abdalonime,* 1725 (T). – *Éléments de la géométrie et de l'infini,* 1727 (E). – *Henriette,* 1740 (T). – *Lysianasse,* 1741 (T). – *Vie de M. Corneille avec l'histoire du théâtre français jusqu'à lui,* 1742 (E). – *Théâtre* (2 vol.), 1742 (T). – *Théorie des tourbillons cartésiens,* 1752 (E).

Digression sur les Anciens et les Modernes

(Voir ANCIENS ET MODERNES.)

De l'origine des fables

Les « fables », ce sont ici les récits mythologiques, les histoires merveilleuses des dieux, illustrations de la croyance des hommes en l'existence de puissances surnaturelles. Elles sont donc « l'histoire des erreurs de l'esprit humain », tandis que les progrès de la raison scientifique permettent de les dissiper en substituant l'explication rationnelle de la nature à l'imagination mythologique. De sorte que c'est bien l'idée même de surnaturel qui se trouve ici ruinée, et, à travers les mythes païens, ce sont toutes les « fables », quelle que soit leur source, que l'auteur condamne sans appel au nom de la raison.

Histoire des oracles

En adaptant ici un gros livre érudit (en latin) du Hollandais Van Dale, F., dans un style élégant et mondain, considère particulièrement le cas des oracles de l'Antiquité. C'est pour lui l'occasion de souligner l'importance de la vérification des faits invoqués à l'appui de la véracité de ces oracles, l'occasion aussi de dénoncer la stupidité et la crédulité de l'opinion (épisode de la dent d'or). Il en ressort que la croyance aux oracles, cas particulier du miraculeux, n'est due qu'à l'exploitation par les prêtres de la crédulité publique : c'est donc bien la notion même de prophétie et de miracle qui est radicalement mise en cause.

Entretiens sur la pluralité des mondes

Exemple typique de vulgarisation scientifique à l'intention d'un public mondain. En compagnie de la marquise de G., dont il est l'invité, le philosophe fait, par un beau soir d'automne, une promenade dans le parc du château, et c'est pour lui l'occasion d'une élégante leçon d'astronomie, aboutissant, par une comparaison entre la nature et l'Opéra, à l'explication rationnelle de la « machinerie » de l'univers : nul besoin d'autre explication que mécanique, même si la marquise proteste un peu, pour la forme. Telle est, en effet, la leçon du progrès scientifique inauguré par Descartes. Mais pourquoi le progrès s'arrêterait-il ? De la constatation des résultats acquis il est légitime de passer à la prévision des résultats à venir. Et, par exemple, puisqu'on regarde le ciel, si beau, pourquoi ne pas prévoir les développements de l'« art de voler » (l'homme n'a-t-il pas déjà fait considérablement progresser l'art de naviguer ?). Il est sûr que cet art « se perfectionnera, et, quelque jour, on ira jusqu'à la Lune ». Ce qui suggère l'hypothèse du relativisme cosmique : que trouvera l'homme lorsqu'il aura le moyen de quitter la Terre ? Et pourquoi ne pas supposer, hypothèse tout à fait rationnelle et, ce qui ne gâte rien, amusante, que, si la Terre est habitée, il peut bien y avoir aussi d'autres mondes habités ?

FORÊTS Louis-René des. Paris 28.1.1918. À l'écart des courants littéraires et des chapelles, l'œuvre de Des F., rare par la quantité et d'une exceptionnelle qualité d'écriture, est à la fois un procès de la parole *(le Bavard)* et une expérimentation de son pouvoir magique. Ainsi le Bavard est-il celui qui cède à la volupté de se raconter, mais il expérimente, au cœur même de sa parole, son impuissance à se définir. Il y a là, comme dans les autres œuvres de Des F., et malgré la discrétion de leur présence dans la littérature contemporaine, un témoignage d'une remarquable rigueur sur cette crise du langage qui obsède tant d'écrivains d'aujourd'hui : il est probable que cette œuvre, peu connue du grand public, n'a pas manqué d'exercer son influence sur nombre d'écrivains hantés par le problème d'une justification de la parole et de l'écriture. Après dix-sept ans de silence, l'auteur de *Bavard* publie en 1984 de longs extraits d'une autobiographie poétique très retenue, formée de fragments assez courts qui s'entrecroisent en une grande trame unique. *Ostinato* est un texte musical, incantatoire, au cœur duquel est logée une nécessité aveugle qui oblige l'écrivain à poursuivre le travail d'écriture.

Œuvres. *Les Mendiants,* 1943 (N). – *Le Bavard,* 1946, rééd. 1978 (N). – *La Chambre des enfants* (nouvelles), 1960, rééd. 1983 (N). – *Les Mégères de la mer,* 1967, rééd. 1983 (P). – *Ostinato,* 1984 (N). – *Un malade en forêt* (écrit en 1945), 1985 (N). – *Voies et détours de la fiction,* 1985 (E).

FORMALISME. Système philosophique qui consiste à expliquer le monde par les formes, la pensée par les lois qui l'ordonnent, au détriment de la matière ou du contenu. À la limite, le formalisme nie l'existence de la matière. En littérature, et particulièrement en poésie, le mot désigne une esthétique inspirée par le culte exclusif de la forme (par ex. : « l'art pour l'art »). En linguistique, l'école des *formalistes russes* se rattache au structuralisme.

FORT Paul. Reims 1.2.1872 – Argenlieu 1960. Pendant ses études à Louis-le-Grand, il rencontre P. Louÿs, puis Gide, au moment de tenter le concours d'entrée à Saint-Cyr : il se tourne, sur leurs conseils, vers la poésie et fréquente le café Voltaire, bastion des symbolistes. En 1889, il lance un manifeste hostile au théâtre naturaliste ; en 1890, il crée le théâtre des Arts (plus tard théâtre de l'Œuvre), où furent interprétées des œuvres de Maeterlinck, de Verlaine, et des adaptations de textes poétiques (chant I de *l'Iliade ; le Corbeau,* de Poe...). Il anima la revue *Vers et Prose* (1905-1914) ainsi que le cercle littéraire des mardis de la Closerie des Lilas à Montparnasse. Il revint beaucoup plus tard à la scène, non sans succès, mais son principal titre de renommée est la longue série des *Ballades françaises,* inaugurées dans les revues en 1893 et publiées en librairie à partir de 1897. Bien qu'elles lui aient valu en 1912 le titre de « prince des poètes », F. n'est peut-être pas rangé aujourd'hui aussi haut qu'il le mérite. Les *Ballades,* revue des provinces, des villes et des silhouettes historiques de la France, évoluèrent, tout en restant très lyriques à travers leur variété de ton et de vocabulaire, d'une armature oratoire très lâche à un entrelacs savamment gradué de vers blancs, voire d'alexandrins rimés, volontairement dissimulés sous la prose apparente. Si un poète sut donner au vers libre ses lettres de noblesse, c'est bien F. le méconnu.

Œuvres. *Les Ballades françaises* (54 vol.), 1897-1949 (P). – *Les Chroniques de France,* contenant *Louis XI, curieux homme,* 1922 (T) ; *Ysabeau,* 1924 (T) ; *le Camp du Drap d'Or,* 1926 (T) ; *les Compères du roi Louis XI,* 1927 (T) ; *l'Or ou Une matinée de Philippe le Bel,* 1927 (T) ; *Ruggieri ou les Fantômes,* 1927 (T) ; *Guillaume le Bâtard,* 1928 (T) ; *le Miracle devant le roi* (pièce radiophonique), 1922-1949 (T). – *Histoire de la poésie française depuis 1850,* 1926. – *Mes Mémoires (Toute la vie d'un poète, 1892-1943),* 1944.

FOUCAULT Michel. Poitiers 15.10.1926 – Paris 25.6.1984. La carrière de ce normalien professeur de philosophie trouva son couronnement avec son élection au Collège de France en 1970. Mais, parallèlement à sa carrière universitaire, il a poursuivi une exploration de plus en plus approfondie des problèmes afférents à la notion de nature humaine et des questions relatives à la substantialité du langage. Parti d'un examen des aspects pathologiques de ces problèmes, il en est venu, à travers l'étude du cas typique de *Raymond Roussel,* à la mise en question de la relation entre le langage et le monde dans un ouvrage retentissant, *les Mots et les Choses,* que complète *l'Archéologie du savoir.* Utilisant la méthode structuraliste (qui n'est pour lui qu'une méthode, et non point un *a priori* idéologique), F. entreprend, à travers l'analyse du langage, de développer une critique de la naissance des idées. La mise en question progressivement explicite des fondements mêmes de la culture, dans la mesure où celle-ci suppose une capacité du langage à rendre compte substantiellement de la nature des choses, correspond, dans l'ordre de la réflexion philosophique, à la mise au jour de la crise du langage, de la communication et du savoir, qui domine, dans l'ordre proprement littéraire, tant d'œuvres contemporaines, et l'on ne saurait minimiser l'importance significative de l'œuvre de F. dans la mesure même où elle illustre cette correspondance entre la réflexion philosophique et l'expérience littéraire. Quelques jours avant sa mort, F. a publié les tomes II et III de son *Histoire de la sexualité.* En systématisant les morales sexuelles de l'Antiquité et en recherchant les conditions de la naissance de telles morales, F. fait œuvre d'historien de la pensée. Parler de la sexualité comme d'une expérience historiquement singulière supposait d'entreprendre la généalogie du sujet désirant et de remonter à la philosophie antique. C'est ce que F. a su entreprendre en combinant l'exactitude d'une histoire et la puissance d'une rêverie.

Œuvres. *Maladie mentale et psychologie,* 1954, rééd. 1966 (E). – *Histoire de la folie à l'âge classique, folie et déraison,* 1961, rééd. 1972 (E). – *La Naissance de la clinique, une archéologie du langage médical,* 1963 (E). – *Raymond Roussel,* 1963 (E). – *Les Mots et les choses, une archéologie des sciences humaines,* 1966 (E). – *L'Archéologie du savoir,* 1969 (E). – *L'Ordre du discours* (leçon inaugurale au Collège de France le 2 décembre 1970), 1971. – *Moi, Pierre Rivière, ayant égorgé ma mère, ma sœur et mon frère. Un cas de parricide au* XIX*e siècle,* 1973. – *Ceci n'est pas une pipe. Sur Magritte,* 1973 (E). – *Surveiller et punir. Naissance de la prison,* 1975 (E). – *Histoire de la sexualité* (1, *la Volonté de savoir*), 1976 (E). – *Microphysique du pouvoir* (entretiens et cours), 1977. – *Herculine Barbin, dite Alexina B.,* 1978. – Avec Arlette Farge, *le Désordre des familles. Lettres de cachet des archives de la Bastille,* 1982 (E). – *Histoire de la sexualité* (2, *l'Usage des Plaisirs ;* 3, *le Souci de soi*), 1984 (E).

FOUCHET Max-Pol. Saint-Vaast-La-Hougue 1.5.1913 – Vézelay 22.8.1980. Pendant la guerre, il créa et dirigea à Alger la revue *Fontaine,* qui regroupa tous les écrivains résistants. Son activité poétique ne l'empêcha pas d'être aussi un homme public, grand voyageur, qui rapportait de ses pérégrinations des documents filmés et des essais. F. fut aussi l'un des initiateurs de la télévision « culturelle ».

Œuvres. *Simples sans vertu,* 1936 (P). – *Vent profond,* 1938 (P). – *Les Limites de l'amour,* 1942 (P). – Avec André Camp, *le Mexique que j'aime,* 1951 (E). – *Les Peuples nus,* 1953 (E). – *Terres indiennes,* 1955 (E). – *Bissière,* 1956 (E). – *Anthologie de la poésie française,* 1956. – *L'Art amoureux des Indes,* 1957 (E). – *Le Fil de la vie,* 1957. – *De l'amour au voyage,* 1958. – *Portugal des voiles,* 1959 (E). – *Demeure le secret,* 1961 (P). – *L'Art à Carthage,* 1963 (E). – *La Poésie française,* anthologie thématique, 1964. – *Nubie, splendeur sauvée,* 1964 (E). – *Les Appels,* 1967 (E). – *Femmes de nuit et d'aube,* 1967 (P). – *Un jour ne m'en souviens. Mémoire parlée,* 1968 (N). – *Lire Rembrandt,* 1970 (E). – *Les Évidences secrètes,* 1972. – *Les Nus de Renoir,* 1974 (E). – Avec Robert Doisneau, *le Paris de Robert Doisneau et de Max-Pol Fouchet,* 1974 (E). – *Anthologie de la poésie française,* nouvelle édition, 1974. – *Gauguin,* 1975 (E). – *Corot,* 1975 (E). – *Helman,* 1975 (E). – *La Rencontre de Santa-Cruz,* 1976 (N). – *Wilfredo Lam,* 1976 (E). – *Fontaines de mes jours,* 1979. – *Histoires pour dire autre chose,* 1980. – *La Relevée des herbes,* 1980. – *Les Poètes de la revue « Fontaine » 1939-1948, les Poètes dans la guerre,* 1980 (E). – *Demeure le secret,* posth., 1985 (P).

FRANCE Anatole, François-Anatole Thibault, dit. Paris 16.4.1844 – Saint-Cyr-sur-Loire 12.10.1924. Fils d'un libraire, il se tourna très jeune vers la bibliographie et l'érudition. Lecteur aux éditions Lemerre (1869), membre du comité du *Parnasse contemporain,* il devient en 1876 bibliothécaire du Sénat. Il vécut principalement à Paris, donnant des articles au journal *le Temps* (1885-93). Il préface *les Plaisirs et les Jours* de Marcel Proust, à la demande duquel il s'engage aux côtés de Zola dans la défense de Dreyfus, et qui s'est inspiré en partie de son personnage littéraire pour le Bergotte de *À la recherche du temps perdu.* Il soutint la politique anticléricale de Combes et, en 1914, se retira de la vie publique : la guerre affecta profondément en lui l'humaniste et le pacifiste, et il acheva en Touraine une vie littéraire glorieuse.

Le scepticisme aimablement rationaliste du « bon maître », si cruellement moqué par les surréalistes, n'est pas le seul aspect de l'œuvre de F. Après avoir débuté comme poète strictement parnassien, il s'oriente principalement vers un roman ironique teinté de philosophie, mais s'essaie également au roman historique. Les souvenirs d'enfance du *Livre de mon ami,* les souvenirs d'amoureux du *Lys rouge* préludent à la série de l'*Histoire contemporaine,* satire amusée, mais peu indulgente, des petitesses sociales et religieuses d'un milieu provincial. Après l'affaire Dreyfus, largement évoquée dans ce cycle, les préoccupations sociales d'Anatole France se font plus nettes dans *Crainquebille* et plus pessimistes dans l'*Île des pingouins ;* ses dernières œuvres, attristées par la guerre, se réfugient non sans découragement dans la fausse paix des souvenirs d'enfance avec *le Petit Pierre* et *la Vie en fleur.*

Le penseur fut très discuté ; nul ne peut refuser son admiration au styliste. De principe et de goût classiques, F. élève la langue française jusqu'à une perfection de clarté qu'animent l'ironie et le sens des nuances. Le scepticisme qui s'exprime dès *le Jardin d'Épicure* se teinte jusqu'au bout, même dans les œuvres les plus acides, d'un sens discret de la pitié. Ces diverses tendances du style et de la pensée de F. ont atteint la perfection dans son chef d'œuvre, *Les dieux ont soif,* chronique de la Terreur qui compte parmi les rares livres réussis sur la vie quotidienne de cette époque de la Révolution. Acad. fr. 1896. Prix Nobel 1921.

Œuvres. *Alfred de Vigny,* 1868 (E). – *Les Poèmes dorés,* 1873 (P). – *Les Noces corinthiennes,* 1876 (T). – *Jocaste et le Chat maigre,* 1879 (N). – *Le Crime de Sylvestre Bonnard, membre de l'Institut,* 1881 (N). – *Les Désirs de Jean Servien,* 1882 (N). – *Le Livre de mon ami* (souvenirs d'enfance), 1885 (N). – *Le Château de Vaux-le-Vicomte,* 1888 (E). – *La Vie littéraire* (recueil de chroniques, 5 vol.), 1888-1892. – *Balthazar* (contient des contes : *Balthazar ; la Fille de Lilith ; Laeta Acilia,* et un roman fantastique, *Abeille*), 1889 (N). – *Thaïs* (opéra mis en musique par Massenet, 1894 [T]), 1890 (N). – *L'Étui de nacre* (recueil de contes, contient *le Procurateur de Judée),* 1892 (N). – *La Rôtisserie de la reine Pédauque,* 1893 (N). – *L'Elvire de Lamartine,* 1893 (E). – *Les Opinions de Jérôme Coignard* (recueil d'articles), 1893 (N). – *Le Lys rouge* (porté au théâtre en 1899), 1894 (N). – *Le Jardin d'Épicure,* 1895 (E). – *Le Puits de sainte Claire* (contes), 1895 (N). – *Préface pour « les Plaisirs et les Jours » de Proust,* 1896. – *L'Orme du mail (l'Histoire contemporaine,* I), 1897 (N). – *Le Mannequin d'osier, (l'Histoire contemporaine,* II [porté au théâtre en 1904]), 1898 (N). – *Au petit bonheur,* 1898 (N). – *L'Anneau d'améthyste (l'Histoire contemporaine,* III), 1899 (N). – *Pierre Nozière* (souvenirs d'enfance), 1899 (N). – *Jean Gütenberg,* 1900 (E). – *Monsieur Bergeret à Paris (l'Histoire contemporaine,* IV), 1901 (N). – *Opinions sociales,* 1902 (E). – *Crainquebille, Putois, Riquet et autres récits profitables* (contes [*Crainquebille,* porté au théâtre en 1903]), 1902 (N). – *Histoire comique,* 1903 (N). – *Le Parti noir,* 1904 (E). – *L'Église et la République,* 1904 (E). – *Sur la pierre blanche,* 1905 (N). – *Pour le prolétariat,* 1906 (E). – *Vers les temps meilleurs* (discours et lettres), 1906 (E). – *Suzette Labrousse,* 1907 (E). – *Vie de Jeanne d'Arc* (2 vol.), 1908 (N). – *L'Île des pingouins,* 1908 (N). – *Les Contes de Jacques Tournebroche,* 1908 (N). – *Sur une Grecque,* 1908. – *Les Sept Femmes de Barbe-Bleue et Autres Contes,* 1909 (N). – *Aux étudiants,* 1910 (E). – *Poèmes du souvenir,* 1911 (P). – *Les dieux ont soif,* 1912 (N). – *La Comédie de celui qui épousa une femme muette,* 1912. – *Le Génie latin,* recueil de préfaces, 1913. – *La Révolte des anges,* 1914 (N). – *Sur la voie glorieuse,* 1915 (E). – *Ce que disent nos morts,* 1916 (E). – *Le Petit Pierre* (souvenirs d'enfance), 1918 (N). – *Stendhal,* 1920 (E). – *La Vie en fleur* (souvenirs d'enfance), 1922 (N). – *Dernières Pages inédites,* posth., 1925. – *Œuvres complètes,* éd. établie par M.-C. Bancquart, t. I, 1984.

L'Histoire contemporaine

En quatre volumes, c'est l'histoire de l'universitaire Bergeret, de ses rapports avec la société et de ses réflexions sur les gens, sur les catégories sociales et idéologiques, sur l'opinion publique des différents milieux. Dans *l'Orme du mail,* Bergeret, professeur dans une université de province, apparaît comme un sceptique, observant le monde qui l'entoure, en particulier les notables : l'archevêque, les personnalités dominantes du séminaire, l'abbé Lantaigne et l'abbé Guitrel, le préfet, l'archiviste, un général en retraite. Lorsque Bergeret veut se reposer de ses observations et détendre son esprit critique, cet amoureux des livres – comme son créateur – va se réfugier, pour y trouver un plaisir sans mélange, dans la boutique du libraire Paillot. *Le Mannequin d'osier* est celui dont se sert Mme Bergeret pour ses travaux de couture, Mme Bergeret qui trompe son mari avec un disciple de celui-ci, M. Roux ! C'est là l'histoire de la vie privée, et particulièrement conjugale, de M. Bergeret, qui finit par rompre avec sa femme pour vivre un célibat volontaire en compagnie d'un autre disciple, M. Goubin, auprès de qui il peut épancher librement son amertume. *L'Anneau d'améthyste,* c'est, bien sûr, l'anneau épiscopal : la rivalité entre les deux abbés, Lantaigne et Guitrel, se termine par la victoire du second, plus machiavélique que son confrère, trop dogmatique. Là-dessus, éclate l'affaire Dreyfus : Bergeret est seul à prendre le parti de l'innocent condamné ; il brave ainsi l'opinion publique, et il ne lui reste plus, pour retrouver quelque sérénité, qu'à se mettre au travail ou à prendre pour auditeur son brave chien Riquet. Jusque-là provincial, M. Bergeret est alors nommé à la Sorbonne. Et voici *Monsieur Bergeret à Paris :* dreyfusard, il est l'objet des attaques d'adversaires plus bruyants qu'intelligents, généralement monarchistes, que le professeur, devenu philosophe, juge avec ironie mais surveille avec vigilance. Grâce à cette attitude, il a enfin trouvé le moyen d'assurer son équilibre intérieur.

Les dieux ont soif

Roman historique sur un sujet proche du *Quatrevingt-Treize* de Hugo, mais la scène se situe à Paris, sous la Terreur, et la question vendéenne n'intervient pas. C'est, dans le cadre d'une double évocation de la vie politique et de la vie quotidienne, l'histoire d'Évariste Gamelin, à la fois Robespierre et Saint-Just, révolutionnaire absolu, qui, au Tribunal révolutionnaire, où il siège parmi les « durs », se montre constamment impitoyable. Et pourtant il a une maîtresse, qu'il aime d'un amour pur et tendre, et qui habite, ô ironie, « rue Honoré », à l'enseigne de *l'Amour peintre.* Survient Thermidor : c'est au tour d'Évariste d'être victime. La charrette qui le mène à la guillotine passe sous les fenêtres closes de *l'Amour peintre,* et une main de femme, à peine visible, lance à celui qui va mourir un œillet rouge, qui tombe à ses pieds : « Ses yeux se gonflèrent de larmes, et ce fut tout pénétré du charme de cet adieu qu'il vit se lever sur la place de la Révolution le couteau ensanglanté. » Mais, de quelque parti qu'ils soient, les « dieux » ont toujours soif, non d'amour mais de sang.

FRANCITÉ. (Voir FRANCOPHONIE.)

FRANC-NOHAIN, Maurice Legrand, dit. Corbigny (Nièvre) 25.10.1872 – Paris 18.10.1934. Il plaça ses débuts sous le signe de Banville en publiant *Inattentions et Sollicitudes :* l'inspiration y est moins présente que la virtuosité. Ses autres recueils montrent un esprit imaginatif, subtil, drôle. À la fois fantaisiste aimable et chroniqueur satirique, sans indulgence pour les bourgeois de province, il était lié aux poètes décadents et à *la Revue blanche.* Il donna d'autres œuvres, en prose, aimables et spirituelles narrations, et quelques pièces de théâtre qui obtinrent un estimable succès.

Œuvres. *Inattentions et Sollicitudes,* 1893 (P). – *Flûtes,* 1898 (P). – *Les Chansons des trains et des gares,* 1899 (P). – *La Nouvelle Cuisinière bourgeoise,* 1900 (P). – *La Grenouille et le Capucin,* 1900 (T). – *Les Dimanches en famille,* 1902 (P). – *La Fiancée du scaphandrier,* 1902 (T). – *Le Temps des croisades* (livret d'opérette, musique de Claude Terrasse), 1904 (T). – *L'Heure espagnole,* 1904 (T). – *Le Bonhomme Jadis,* 1906 (T). – *Jaboune,* 1910 (N). – *Le Journal de Jaboune,* 1914 (N). – *Serinettes et Petites Oies blanches,* 1919 (P). – *Fables,* 1921 (P). – *Le Kiosque à musique,* 1922 (P). – *Couci-Couça,* 1923 (N). – *Nouvelles Fables,* 1927 (P). – *La Vie amoureuse de Jean de La Fontaine,* 1928 (E). – *L'Art de vivre,* 1929 (E). – *Le Chapeau chinois,* 1930 (T). – *Fables,* 1931 (P). – *Guide du bon sens,* 1932 (E). – *Fables,* 1933 (P). – *Fables,* posth., 1936 (P).

FRANÇOIS DE SALES, saint. Château de Sales (Haute-Savoie) 21.8.1567 – Lyon 28.12.1622. Né en Savoie, il restera toute sa vie proche de cette nature qu'il admire. Dès sa jeunesse, il reçoit une forte culture humaniste. Après les collèges de La Roche et d'Annecy, il fréquente, jusqu'en 1588, le collège de Clermont, à Paris, et surmonte à cette époque une profonde crise spirituelle. Il part ensuite étudier le droit à Padoue, ville qui passe alors pour être un foyer de l'athéisme et de la libre pensée. Docteur en droit en 1592, il pourrait devenir conseiller au parlement de Savoie, mais refuse, pour s'engager dans la carrière ecclésiastique.

En 1593, il est ordonné prêtre. Envoyé en mission dans le Chablais – il s'agit de ramener Genève à la foi catholique et de rétablir l'unité de la foi et du culte dans le diocèse –, il suscite de nombreuses conversions. Ses meilleurs arguments pour convaincre sont ceux du bon sens, du cœur et de la simplicité ; on lui donnera le surnom d'« Auteur de la paix ». Il publie peu après deux œuvres d'apologétique inspirées par cette mission : *les Controverses* et *Défense de l'étendard de la Sainte-Croix.* Nommé en 1596 coadjuteur de l'évêque de Genève, son oncle, il lui succédera en 1602. C'est aussi en 1602 qu'il se rend à Paris pour prêcher le carême. Sa solide éloquence, moins oratoire qu'amicale et insinuante, consacre sa réputation.

À la prédication il joint la direction de conscience, nuancée, souple, aimable et progressive, adaptée aux besoins spirituels de chacun, comme en témoignent ses très nombreuses lettres. Parmi ses correspondants, la baronne de Chantal, qu'il a rencontrée à Dijon en 1604 à l'occasion de la prédication du carême, et avec qui il noue des relations épistolaires amicales, va diriger l'institut de la Visitation Sainte-Marie qu'il fonde à Annecy en 1610. C'est elle qui devient la première supérieure de l'ordre de la Visitation qu'il crée en 1618. Pour faire profiter le public des conseils qu'il a prodigués comme directeur spirituel à Mme de Chantal et à une autre dame, Mme de Charmoisy, il réunit les lettres qu'il leur a écrites et publie son *Introduction à la vie dévote,* dont la destinataire est désignée par le pseudonyme de Philothée. L'idée essentielle et nouvelle de F. de S. est de rendre la dévotion accessible à tous, en préconisant une piété qui permet de mener une vie chrétienne exemplaire sans rompre avec le monde. Le livre, dont le retentissement est grand, est suivi par un *Traité de l'amour de Dieu,* œuvre de théologie mystique qui développe une psychologie subtile de l'amour divin, source de contemplation et d'action, et de l'amour profane. Depuis 1610, F. de S. se consacre à ses activités diocésaines et à son institut de la Visitation, où il fait des causeries religieuses d'un esprit élevé : *les Vrais Entretiens spirituels.* En 1619, il se rend de nouveau à Paris et, pendant un an, y prêche infatigablement. Ses sermons, dont on ne possède qu'un petit nombre, éliminent la controverse et les allusions scolastiques et les remplacent par la ferveur et la piété dans la prédication de l'Évangile. Il rencontre vers cette époque les Arnauld, et en particulier la Mère Angélique, mais toute l'orientation de sa pensée atteste qu'il ne pouvait aucunement subir l'influence janséniste. Il reste en effet, au sens plein du terme, un humaniste, et toute son œuvre, en particulier *la Vie dévote,* montre qu'à ses yeux entre humanisme et mystique il n'y a aucune incompatibilité. Son action même le confirme, car, parallèlement à ses activités religieuses, il continue de s'intéresser aux arts et aux lettres : il est un lecteur de Montaigne, il est lié d'amitié avec H. d'Urfé et, dès 1606, il fonde une *Académie florimontane,* sur le modèle des académies italiennes du temps, académie dont la réputation s'étend rapidement à toute la France, et dont l'influence est loin d'être négligeable dans la formation de l'idéal de l'« honnête homme ». Car F. de S. est aussi le premier grand théoricien de l'« honnêteté », où il voit comme le reflet humain et social de l'idéal chrétien. Il lui arrivera d'ailleurs, et c'est bien une attitude d'humaniste, courageuse par surcroît à cette époque, de prendre publiquement position en faveur des idées soutenues par Galilée. Il apparaît donc bien comme le grand représentant de l'humanisme chrétien qui, dans le cadre de la Contre-Réforme, s'oppose en fait au rigorisme antihumaniste d'où naîtra bientôt le jansénisme. Et dans cet effort de synthèse de l'humanisme et du christianisme, F. de S. est le précurseur à la fois de Bossuet et de Fénelon. Il est enfin, avant Guez de Balzac et Descartes, le premier créateur d'une prose française moderne, celle-même qu'emploieront les classiques. Canonisé dès 1665, il a été proclamé docteur de l'Église par Pie IX en 1877.

Œuvres. *Les Controverses,* 1595-1597. – *Défense de l'étendard de la Sainte-Croix,* 1600. – *Introduction à la vie dévote,* 1609. – *Traité de l'amour de Dieu,* 1616. – *Les Vrais Entretiens spirituels,* posth., 1629. – *Œuvres complètes* (26 vol.), posth., 1892-1932. – *Sermons,* posth., 1896-1898. – *Lettres* (11 vol.), posth., 1925-1932.

FRANCOPHONIE [FRANCITÉ]. C'est un fait que la littérature d'expression française déborde désormais largement le cadre géographique et politique de l'hexagone français. Dans l'ordre linguistique, ce fait se traduit par la communauté de langue que désigne le mot de *francophonie,* qui, par extension, désigne aussi l'ensemble des œuvres littéraires de langue française. Cette communauté linguistique et littéraire suppose-t-elle, d'autre part, l'existence d'une communauté culturelle correspondante ? À cette question que soulève, en tout état de cause, l'existence même d'un ensemble de littératures francophones, certains promoteurs, parmi les plus fervents, de la francophonie – tel

L.S. Senghor – ont cru pouvoir répondre affirmativement et ont proposé, pour désigner cette communauté culturelle, le terme de *francité :* dans cette hypothèse, la *francophonie* apparaîtrait donc comme l'expression linguistique et littéraire de la *francité.*
Quant à la géographie littéraire de la francophonie, on y distingue généralement deux grandes zones ; pour reprendre la terminologie de Maurice Piron, de l'Académie royale de Belgique, la francophonie comprendrait : 1° les littératures francophones « marginales », qui se sont développées dans les zones linguistiques dont le français est la langue maternelle, en Belgique, en Suisse et au Canada ; 2° les littératures francophones « extérieures », celles qui sont nées, particulièrement en Afrique, hors du domaine héréditaire de la langue.
Quoi qu'il en soit, ce qui caractérise le mouvement de la francophonie, tel qu'il s'est développé au XXe s., c'est essentiellement un effort de conciliation entre l'appartenance à une communauté linguistique et littéraire et la recherche, par chaque littérature particulière, de son identité propre, conciliation qui suppose que soit dépassé le dilemme de l'assimilation ou du provincialisme, ce à quoi, précisément, se sont attachés la plupart des écrivains de la francophonie, particulièrement au Québec et en Afrique. Mais il convient sans doute de ne pas oublier que l'exemple avait été donné dès le début du siècle par le Vaudois Ramuz, et, de ce point de vue, l'œuvre du Belge Ghelderode, composée avant 1940, revêt la même signification, comme aussi, au Québec, celle de Nelligan ou de Saint-Denys Garneau. Dans ces conditions, l'apport culturel de la francophonie à la francité est aussi divers que les composantes du domaine francophone : le trait commun en est sans doute l'enrichissement du patrimoine de la francité par l'assimilation des originalités « marginales » et « extérieures » de la francophonie, selon la terminologie de Maurice Piron. C'est vrai de la Suisse romande comme de la Belgique wallonne, des écrivains de la négritude comme de ceux du monde maghrébin ; ce qui explique sans doute que, pour jouer pleinement leur rôle dans l'épanouissement de la diversification culturelle de la francité, les écrivains de la francophonie se sentent et se proclament tenus, avant tout, de promouvoir dans leurs œuvres la conscience et l'expression de leur identité originale. (Voir BIBLIOGRAPHIE.)

FRANK Jean-Michel. Neuilly-sur-Seine 1.6.1922. Après des études au lycée Carnot et à la Sorbonne, il est reçu à l'agrégation de philosophie en 1945. Parallèlement à une carrière d'enseignant, qu'il interrompra en 1970, il s'engage de plus en plus profondément dans la voie d'une recherche poétique qui, sous le signe d'un lyrisme où l'aveu du rêve s'harmonise avec la retenue de la pudeur et la présence de la nature, l'a conduit à affirmer, d'année en année, son originalité et sa maîtrise d'un langage aux subtiles résonances. En même temps s'opère, sur le fond obsédant d'un horizon tragique, le contrepoint symbolique de l'angoisse et de la spiritualité.

Œuvres. *Journal d'un autre,* 1960. – *Toute la nuit j'écoute,* 1967. (P). – *Ma fenêtre sur la folie,* 1969 (P). – *Les Poètes entre eux,* 1975 (P). – *Dieu protège les roses,* 1977 (P). – *Le Christ est du matin,* 1981 (P). – *Musique raison ardente,* 1983 (P). – *Dernier, dernier nuage,* 1985 (P).

FRANK Nino. (Voir CINÉMA.)

FRAPIÉ Léon. Paris 27.1.1863 – 29.9.1949. Il débute dans la littérature par des articles destinés à des revues et à des périodiques. Marié à une institutrice, il s'intéresse tout particulièrement à l'enfance pauvre et malheureuse, et à la vie dans l'école des quartiers populaires. Ses romans, probes et sincères, sont d'un naturalisme qui n'exclut ni l'idéalisme ni la tendresse et la pitié. Cette veine « populiste » trouvera sa meilleure expression dans l'œuvre de F. restée la plus célèbre, *la Maternelle* (prix Goncourt 1904).

Œuvres. *L'Institutrice de province,* 1897 (N). – *Marcelin Gayard,* 1902 (N). – *La Maternelle* (adapt. théâtrale, 1920), 1904 (N). – *L'Écolière,* 1905 (N). – *La Boîte aux gosses,* 1907 (N). – *La Figurante,* 1908 (N). – *Contes imprévus,* 1909 (N). – *Contes de la Maternelle I,* 1910 (N). – *L'Enfant perdu,* 1913 (N). – *Contes de la guerre,* 1915 (N). – *Contes de la Maternelle II,* 1919 (N). – *Les Filles à marier,* 1923 (N). – *Les Amis de Juliette,* 1926 (N). – *La Divinisée,* 1927 (N). – *Le Métier d'homme,* 1929 (N). – *La Reine de cœur,* 1936 (N). – *Sentiments,* 1937 (N).

FRÉCHETTE Louis. Lévis (Québec) 1839 – Montréal 1908. Écrivain canadien-français. Il fait sans enthousiasme des études classiques, d'abord au séminaire de Québec, puis au collège de Sainte-Anne-de-la-Pocatière, et termine au séminaire de Nicolet. Il se destine ensuite au droit et publie son premier recueil de vers, *Mes loisirs,* un an avant d'être reçu au barreau, mais il fait piètre figure sur les deux plans, littéraire et professionnel. Il fonde sans succès deux journaux à Lévis. Amer en raison de ses multiples échecs, il s'expatrie à Chicago, où il tire sa subsistance d'un poste de secrétaire du département de l'Illinois central, après avoir connu un nouvel échec dans le journalisme local : il exprime alors son dépit contre ses compatriotes dans *la Voix d'un exilé.* Il rentre au Canada en 1871, pour se lancer dans une carrière politique. À sa troisième tentative, il est élu député de Lévis au parlement fédéral. Il conserve cette fonction de 1874 à 1878, et le rythme de sa production littéraire s'accélère : en 1887 paraît *la Légende d'un peuple,* son œuvre la plus importante, conçue pour correspondre à *la Légende des siècles.* Battu aux élections fédérales de 1882, il devient greffier du conseil législatif de Québec en 1889. En 1880, à l'occasion de l'un de ses voyages en France, il avait été reçu par Victor Hugo.

Œuvres. *Introduction au Glossaire franco-canadien d'Oscar Dunn.* – *Mes loisirs,* 1863 (P). – *La Voix d'un exilé,* 1867 (P). – *Pêle-Mêle,* 1877 (P). – *Fleurs boréales,* 1879 (P). – *Oiseaux de neige,* 1879 (P). – *Popineau* (drame lyrique), 1880 (T). – *Félix Pontié* (drame lyrique), 1880 (T). – *La Légende d'un peuple* (poésies canadiennes), 1887 (P). – *Feuilles volantes,* 1891 (P). – *Originaux et Détraqués* (contes), 1892 (N). – *La Noël au Canada,* 1900 (N). – *Mémoires intimes,* 1900. – *Contes d'autrefois,* 1900. – *Épaves poétiques* (contient *Veronica,* drame en vers), 1908 (P). – *Morceaux choisis,* posth., 1924. – *Contes d'autrefois* (nouv. éd.), posth., 1946.

FRÉNAUD André. Montceau-les-Mines 26.7.1907. Il fut étudiant en droit tout en sachant qu'il serait « sociologue ou écrivain ». Il sera poète. Découvert par Aragon et Seghers pendant la guerre, alors qu'il était prisonnier (son premier recueil, *les Rois mages,* fut composé en captivité), F. subira superficiellement l'influence du surréalisme ; mais, tout en donnant pleins pouvoirs à l'imaginaire, il est aussi un « poète de raison », qui jamais ne se départit d'une rigueur contrôlée, à la fois dans la sélection de ses images intérieures et dans leur transcription. C'est un poète du désir de la perfection, mais sans ce risque de raréfaction formelle qui accompagne souvent un tel désir : il y a aussi, dans cette poésie, des accents rudes et vigoureux qui contribuent à incarner dans du concret un lyrisme cependant d'origine métaphysique. Sans doute, dans son paradoxe profond, une des voix les plus singulières et les moins conformistes de la poésie contemporaine.

Œuvres. *Les Rois mages,* 1943 (P). – *Les Mystères de Paris,* 1944 (P). – *Malamour,* 1945 (P). – *La Noce noire,* 1946 (P). – *Poèmes de Brandebourg,* 1948 (P). – *Poèmes de dessous le plancher,* 1949-1950 (P). – *Les Paysans,* 1951 (P). – *Source entière,* 1952 (P). – *Passage de la Visitation,* 1956 (P). – *Ancienne Mémoire,* 1960 (P). – *Il n'y a pas de Paradis* (recueil de poèmes écrits de 1943 à 1960), 1962 (P). – *Agonie du général Krivitski,* 1963 (P). – *Le Chemin des devins,* 1966 (P). – *L'Étape dans la clairière,* 1966 (P). – *Vieux Pays,* 1967 (P). – *La Sainte Face,* 1967 (P). – *Depuis toujours déjà* (recueil de poèmes écrits de 1953 à 1968), 1970 (P). – *La Sorcière de Rome,* 1973 (P). – *Mines de rien, petits délires,* 1974 (P). – *Les Rois mages 1938-1943,* 1977 (N). – *Notre inhabileté fatale* (entretiens), 1979 (E). – *Haeres,* 1982 (P). – *Miró, comme un enchanteur,* 1983 (E).

FRÉRON Élie Catherine. Quimper 20.1.1718 – Montrouge 3.1776. Élevé chez les jésuites, il donna quelques pièces de vers inspirées par l'actualité politique, mais ne révéla vraiment son talent que comme journaliste : il publia, de 1745 à 1774, une revue, ensuite reprise par son fils et successivement intitulée *Lettres de Mme la Comtesse de *** sur quelques écrits modernes, Lettres sur quelques écrits de ce temps, l'Année littéraire.* F., surtout connu aujourd'hui comme victime favorite de Voltaire, fait preuve dans ce périodique d'une modération de pensée et de style bien éloignée de sa réputation. Il tenta cependant, à la tête du parti dévot, d'empêcher Diderot et ses amis de publier l'*Encyclopédie.* Mais d'Alembert obtint de Louis XV la révocation du privilège de *l'Année littéraire.* Frappé d'une crise cardiaque à cette nouvelle, F. ne put se remettre. Louis XVI allait, peu après, renouveler le privilège de la revue, qui parut, sous la direction du fils de F., jusqu'en 1790.

Œuvres. *Histoire de Marie Stuart,* 1742. – *Les Conquêtes du roi* (ode), 1744. – *Ode sur la bataille de Fontenoy,* 1745 (P). – *Lettres de Mme la Comtesse de *** sur quelques écrits modernes,* 1745-1746. – En collaboration, *les Vrais Plaisirs ou les Amours de Vénus et d'Adonis* (trad. du 8e chant de l'*Adonis* de Marino), 1748. – *Lettres sur quelques écrits de ce temps,* 1749-1752. – *L'Année littéraire,* 1752-1774. – *Histoire de l'Empire d'Allemagne,* posth., 1771.

FREUDISME. Doctrine de Freud (1856-1939), de ses disciples et de ses successeurs. Méthode d'investigation de l'inconscient par le moyen de la psychanalyse. Le freudisme a joué un rôle décisif dans l'évolution littéraire contemporaine par son influence sur le surréalisme et, ultérieurement, à partir de 1960, sur certains courants de la « nouvelle critique » (en particulier Ch. Mauron et la « psychocritique », J. Bellemin-Noël...).

FRISON-ROCHE Roger. Paris 10.2.1906. De famille savoyarde, il devient guide de montagne à Chamonix en 1923. Il prend part à deux expéditions dans les montagnes sahariennes, en 1935 et 1937, avant de devenir journaliste à Alger. C'est là qu'il écrit *Premier de cordée,* roman qui connaît le plus grand succès en inaugurant une littérature de la montagne, dont F.-R. se fera désormais le spécialiste, non sans un réel talent, quoique de portée littéraire limitée. Il élargit ensuite cette inspiration dans des récits qui célèbrent la nature exotique ou primitive.

Œuvres. *Premier de cordée,* 1943 (N). – *La Grande Crevasse,* 1948 (N). – *Retour à la montagne,* 1957 (N). – *Les Montagnards de la nuit,* 1968 (N). – *L'Appel du Hoggar,* 1936 (N). – *Bivouacs sous la lune (la Piste oubliée,* 1950 ; *la Montagne aux écritures,* 1953 ; *le Rendez-Vous d'Essendilène,* 1954) [N]. – *La Dernière Migration,* 1965 (N). – *Nahanni, trappeurs et prospecteurs du Grand Nord canadien,* 1966 (N). – *Peuples chasseurs de l'Arctique,* 1966 (N). – *Les Montagnards de la nuit,* 1968 (N). – *Le Rapt,* 1971, rééd. 1981 (N). – *Les Terres de l'infini* (1, *la Peau de bison,* 1971 ; 2, *la Vallée sans homme,* 1973) [N]. – Avec P. Tairraz, *la Vanoise,* 1973. – Avec J.-C. Killy, *Quinze Histoires de neige,* 1974 (N). – Avec P. Tairraz, *Cinquante Ans de Sahara,* 1974. – Avec P. Tairraz, *Berge,* 1975. – Avec P. Tairraz, *Montagne,* 1975. – *Les Seigneurs de la faune canadienne,* 1976 (N). – *Djebel-Amour,* 1979. – *Le Versant du soleil,* 1981 (N). – *Mont-Blanc aux sept vallées,* rééd. 1983.

FROISSART Jean. Valenciennes 1333 ou 1337 – Chimay après 1395. Après avoir reçu une éducation de clerc, F. s'attache à la personne de Robert de Namur puis se rend en Angleterre (1361) et entre au service de Philippine de Hainaut, femme du roi Édouard III. Nommé secrétaire de la reine et « clerc de sa chambre », il lui présente une esquisse de ce que seront plus tard ses *Chroniques.* Encouragé dans sa vocation d'historiographe, F. voyage beaucoup, en France (1364) et en Écosse (1365). En 1366, il est en Guyenne. Il visitera également l'Italie, où il fera la connaissance de Pétrarque. La nouvelle de la mort de sa protectrice (1369) lui parvient à Rome. Rentré à Valenciennes, il trouve un nouveau protecteur en la personne de Venceslas de Luxembourg, dont il fréquente la cour avec assiduité. Le duc de Brabant le remercie de ses bons offices en le gratifiant de la cure de Lestinne-au-Mont. Mais F. se lasse rapidement de cette mission pastorale qui ne convient guère à son tempérament curieux. Il passe alors au service du duc de Châtillon, comte de Blois, qui lui accorde la charge de chapelain, et, en 1384, il reçoit le canonicat de Chimay. À partir de cette date, F. suit Guy de Blois dans ses voyages et séjourne à la cour de France durant trois années. Attiré par la renommée de Gaston Phœbus, il se rend dans le Béarn et, à partir de là, rayonne dans le midi de la France, qu'il ne connaissait pas encore. Il visitera ensuite la Hollande et retournera en Angleterre. On suppose qu'il trouva toujours des protecteurs pour assurer ses besoins matériels. À partir de 1395, sa trace se perd.

F. est surtout un historien « courtois ». Dès l'âge de vingt ans, il entreprend, sans doute à la demande de son premier protecteur, Robert de Namur, de rédiger des *Chroniques de France, d'Angleterre et des pays voisins.* Il s'inspire pour cela de Jean le Bel, à qui il emprunte, parfois textuellement, certains passages de sa chronique : l'histoire des six bourgeois de Calais rapportée par F. est copiée mot à mot sur l'œuvre de Jean le Bel. Dans ses *Chroniques,* F. fait le récit des guerres qui ont ensanglanté l'Europe de 1327 à 1400. Il utilise avant tout les témoignages qu'il a pu recueillir lors de ses nombreux voyages et aussi ses propres souvenirs, quelque peu enjolivés par son talent d'écrivain. Cette double source d'information, subjective donc incertaine, met en cause l'impartialité de son rapport. Mais F., qui n'avait aucune idée préconçue, travaille aussi bien pour Philippe de Hainaut que pour Guy de Blois, dont les engagements étaient radicalement opposés. Il a connu le point de vue anglais et le français. Même si ses jugements varient selon les personnes qu'il rencontre et les protecteurs qui l'emploient, il est permis de lui accorder un certain crédit. L'incertitude de son jugement est encore fort significative et représentative des désordres de la France de ce temps. Cependant, F. n'a jamais rencontré que des hommes de cour. Il ignore les misères de la guerre et met plutôt en vedette les épisodes chevaleresques. Mais c'est aussi un écrivain : il se plaît à écrire pour embellir tout ce qui correspond à cet idéal chevaleresque qui est le seul qu'il connaît. À partir des faits donnés, il imagine, il exagère, il dramatise : grâce à cette esthétisation, le lecteur peut alors rêver, apprécier le talent de l'auteur, mais non pas connaître les véritables tenants et aboutissants de la réalité de l'histoire. Pourtant, malgré les erreurs commises, les partis pris naïfs, les *Chroniques* restent un document important pour qui veut savoir, non pas l'histoire, mais les mœurs de ce XIVe s., du moins celles de la noblesse. Ce talent de conteur, ce sens artistique se trouve confirmé dans des poésies que F. écrivit entre 1362 et 1394, même s'il se satisfait de suivre, sans grande originalité, les canons de la poésie courtoise, qui ont alors perdu de leur efficacité. Ballades, rondeaux, virelais, lais, pastourelles composent l'essentiel de ses œuvres poétiques. Pour plaire à un de ses protecteurs, le duc de Brabant, il a aussi écrit un long roman en vers, *Méliador.*

Œuvres. *Poésies* (composées de 1362 à 1394, 3 vol.), posth., 1870-1872 ; rééd. sous le titre *Ballades et Rondeaux,* 1978. – *Méliador* (roman en vers achevé en 1388, 3 vol.), posth., 1893-1899. – *Chroniques de France, d'Angleterre, d'Écosse, d'Espagne, de Bretagne, de Gascogne, de Flandre et lieux d'alentour* (4 livres rédigés de 1369 à 1410), 1re éd., posth., 1495.

FROMENTIN Eugène. La Rochelle 24.10.1820 – Saint-Maurice (Charente-Maritime) 27.8.1876. Il fit à Paris des études de peinture assez poussées, puis voyagea longuement en Afrique du Nord, dont les paysages lui inspirèrent croquis et tableaux en grand nombre, et des ouvrages descriptifs où sa précision de coloriste s'est transmise à son style. À la veille de sa mort parurent *les Maîtres d'autrefois,* ensemble d'études critiques sur divers peintres des Pays-Bas qui fait toujours autorité. Cependant, F. reste surtout l'auteur d'un des chefs-d'œuvre du roman psychologique, *Dominique.* Ce livre transpose avec discrétion une aventure sentimentale de l'extrême jeunesse de F. ; épris d'une femme mariée, il avait connu avec elle de grands moments d'exaltation sans qu'elle devînt jamais sa maîtresse. La séparation définitive qui suivit cette liaison romanesque devait fortement imprégner la vie de F., qui, pour se délivrer de ses souvenirs, composa cette confession romancée, pleine de pudeur et de mélancolie. Cent ans après *la Nouvelle Héloïse,* F. retrouve, dans un registre plus intime et plus concis, un parfait équilibre entre réalité et subjectivité, qui se traduit par la composition de l'analyse intérieure avec les admirables descriptions de la Saintonge où s'épanouit le génie pictural de F. Ce qui sans doute explique que, tout au long, et ce n'est pas le moindre charme de ce livre, l'impression de réalité accompagne sans défaillance l'intensité de l'expression lyrique.

Œuvres. *Visites artistiques,* 1852 (E). – *Simples Pèlerinages,* 1856 (E). – *Un été dans le Sahara,* 1856 (N). – *Une année dans le Sahel,* 1858 (N). – *Dominique,* 1862 (N). – *Les Maîtres d'autrefois,* 1876 (E). – *Lettres de jeunesse,* posth., 1909. – *Voyage en Égypte,* posth., 1935. – *Œuvres complètes,* éd. établie par G. Sagnes, 1984.

Dominique

Le roman est écrit au passé, très souvent à l'imparfait, le temps du souvenir qui dure : Dominique de Bray, dans le cadre de son domaine des Trembles, en Saintonge, raconte son histoire à un de ses amis. Dominique s'est épris de Madeleine d'Orsel, sœur d'un de ses camarades ; mais celle-ci épouse M. de Nièvres. Or voici qu'un jour Mme de Nièvres vient avec son mari passer ses vacances aux Trembles. Dominique vit alors auprès de Madeleine une expérience de bonheur et de torture mêlés, qui fut sans doute celle que connut F. lui-même. De retour à Paris, Madeleine, qui soupçonne la passion de Dominique, entreprend de l'en guérir en le voyant souvent ; mais elle est elle-même prise à ce jeu dangereux et ne voit plus d'autre issue qu'une séparation définitive. Elle éloigne donc Dominique. Mais celui-ci, venant à visiter une exposition de peinture, y aperçoit le portrait de Madeleine ; cette présence le pousse à se précipiter aussitôt chez elle, où il la trouve seule : mais si cette rencontre est l'occasion de l'échange d'un baiser, ce baiser lui-même est, comme le dit Madeleine, « le seul obstacle qui puisse nous séparer sans idée de retour », paroles auxquelles font écho celles qui, dans la bouche de Dominique, sont la conclusion de son histoire : « Je ne la revis plus, ni ce soir-là, ni le lendemain, ni jamais. ».

FUMET Stanislas. Lescar (Pyrénées-Atlantiques) 10.5.1896 – 1.9.1983. Fils du compositeur Dynam-Victor F., ami de César Franck, à qui il doit les sources mêmes de sa spiritualité, F. fit ses études au collège des oratoriens de Juilly, où son père fut maître de chapelle de 1897 à 1907. En 1911, à Paris (il n'a pas quinze ans), il fonde sa première revue littéraire, *la Forge,* avec quelques camarades plus âgés que lui. Il se gave alors de lectures diverses mais cependant marquées d'une profonde unité : Cervantès, Dickens, Zola, Tolstoï, mais aussi Euripide et Shakespeare, Goethe et Achim von Arnim. C'est au cours de ces lectures d'adolescence qu'il se découvre un maître : Baudelaire. Il découvre en même temps le théâtre de Claudel et ne cessera plus dès lors d'approfondir son œuvre. Ce sera enfin la découverte décisive : celle de Léon Bloy, que son père admirait depuis qu'en 1887 *le Désespéré* avait contribué à la conversion soudaine au catholicisme de l'anarchiste et du spirite qu'il avait été jusqu'alors. Cette fringale de savoir est avivée par la passion avec laquelle F. subit l'influence de l'art moderne – en particulier de Cézanne et de la sculpture. C'est à partir de cette formation, mais aussi de la spiritualité philosophique et religieuse que F. élabore progressivement, que prend naissance et se développe dans son œuvre une méditation esthétique qui, quoique fâcheusement méconnue, reste un témoignage exemplaire de l'effort de toute une génération pour construire la synthèse de l'art et de la spiritualité. C'est cette volonté qui inspirait F. lorsqu'en 1925 il fondait, avec J. Maritain, la collection « le Roseau d'or », dont la place dans la vie littéraire et artistique fut considérable. Cette même volonté inspire encore F. lorsqu'après 1945 il utilise la radiodiffusion pour approfondir l'étude de ce même rapport entre spiritualité et création artistique ; on retiendra particulièrement la série d'émissions intitulée : *Cent Ans de spiritualité dans les lettres françaises, 1845-1945.* Enfin son autobiographie, *Histoire de Dieu dans ma vie,* est aussi un témoignage irremplaçable sur l'histoire spirituelle de toute une génération.

Œuvres. *Notre Baudelaire,* 1926 (E). – *Ernest Hello ou le Drame de la lumière,* 1928 (E). – *Le Procès de l'art,* 1929 (E). – *Mission de Léon Bloy,* 1931 (E). – *L'Amour. Les Stigmates,* 1933 (E). – *Aux trois couleurs de la dame blessée,* 1941 (E). – *L'Impatience des limites,* 1942 (E). – *Défense de Dieu,* 1945 (E). – *Éloge des sept péchés capitaux,* 1946 (E). – *Le peuple a ses raisons,* 1947 (E). – *La Ligne de vie,* 1948 (E). – *Mikael, qui est comme Dieu ?,* 1954 (E). – *La Poésie à travers les arts,* 1954 (E). – *Claudel,* 1958 (E). – *La Poésie au rendez-vous,* 1966 (E). – *Rimbaud, mystique contrarié,* 1966 (E). – *Léon Bloy, captif de l'absolu,* 1967 (E). – *Véronique ou l'Usage sacré de l'art,* 1970 (E). – *Le Néant contesté,* 1972 (E). – *Histoire de Dieu dans ma vie,* 1978.

FURETIÈRE Antoine. Paris 28.12.1619 – 14.5.1688. D'origine modeste, il poursuit de solides études humanistes, devient avocat, mais préfère vivre de bénéfices ecclésiastiques. Lorsqu'il est élu à l'Académie, en 1662, il n'est connu que par ses satires du pédantisme et de la préciosité. Les défauts et les insuffisances du dictionnaire de l'Académie, alors en préparation, l'incitent à composer de son côté un *Dictionnaire universel,* acte d'indiscipline qui le fait exclure de l'illustre compagnie. L'ouvrage comporte des défauts, mais il est de consultation commode ; beaucoup de mots y sont admis que ne reçoit pas le dictionnaire de l'Académie, et les définitions y sont plus complètes que dans celui-ci. Avec *le Roman bourgeois,* F. donne libre cours à sa veine satirique : il y met en scène le petit peuple de Paris, les habitués de la place Maubert, les gens de chicane, parodiant à la fois l'épopée et le roman précieux ; le respect d'une stricte doctrine réaliste prive son roman d'envolée et de finesse ; l'intrigue, les caractères sont ceux qui conviennent à des gens comme tout le monde : on voit à quel point *le Roman bourgeois* annonce le roman réaliste et même le « nouveau roman ». F. n'est pas un isolé : Sorel et Scarron professent les mêmes idées littéraires que lui. Mais il est l'ami de Racine, de Boileau, de Molière : maint trait du *Roman bourgeois* se retrouve dans les *Satires* et dans *le Bourgeois gentilhomme,* et *les Plaideurs* furent probablement écrits avec la collaboration de F. Ces analogies jettent un jour nouveau sur la doctrine classique et donnent au rôle de F. une importance insoupçonnée.

Œuvres. *Poésies diverses,* 1655 (P). – *Nouvelle allégorique ou Histoire des derniers troubles arrivés au royaume d'éloquence,* 1658 (P). – *Le Voyage de Mercure,* 1659 (P). – *Le Roman bourgeois,* 1666 (N). – Avec Racine, *les Plaideurs,* 1668. – *Essai d'un dictionnaire universel,* 1684. – *Plan et Dessein allégorique et tragico-burlesque intitulé « les Couches de l'Académie »,* 1687. – *Factum pour Messire Antoine Furetière, abbé de Chalivoy, contre quelques-uns de l'Académie française,* 1688. – *Second et Troisième Factum,* 1688. – *Lettre de M. Furetière à M. Doujat, de l'Académie française,* 1688. – *Dictionnaire universel contenant généralement tous les mots français, tant vieux que modernes, et les termes des sciences et des arts,* posth., 1690.

Le Roman bourgeois

Dans le cadre minutieusement restitué du quartier de la place Maubert, au cœur d'une population décrite avec un réalisme qui préfigure celui de Balzac, le récit développe une double intrigue centrée sur les deux personnages féminins de Lucrèce et de Javotte. Lucrèce, élevée dans le voisinage d'un tripot, décidée à faire carrière et à se caser en haut lieu, réussit à se débarrasser des conséquences prévisibles de son inconduite et, grâce à son passage dans un couvent, à se présenter sans tache au mariage. L'innocente Javotte, élevée dans la plus grande austérité par sa mère, se laisse séduire par les illusions romanesques de *l'Astrée,* qui sont le moyen dont se sert un habile séducteur pour enlever la jeune fille. L'auteur en profite pour stigmatiser la nocivité des formules romanesques que la naïve Javotte s'est mise à apprendre par cœur. Mais si cette intrigue a bien pour fonction de faire du *Roman bourgeois* un véritable antiroman, elle est surtout l'occasion de peindre une humanité moyenne pour ainsi dire immobilisée sous le regard de l'observateur dans le champ étroit qu'offre à son investigation un petit quartier de Paris.

FUSTEL DE COULANGES Numa Denis. Paris 18.3.1830 – Massy 12.9.1889. Sa vie fut tout entière consacrée à la science historique. Successivement élève à l'École normale supérieure et à l'École française d'Athènes, où il compose son *Mémoire sur l'histoire de l'île de Chio,* il devient professeur de lycée à Amiens et à Paris, puis est appelé en 1860 à enseigner l'histoire à l'université de Strasbourg, où il restera dix ans. Nommé maître de conférences à l'École normale supérieure en 1870, il sera appelé à occuper la chaire d'histoire ancienne (1875) et celle d'histoire du Moyen Âge (1878) à la Sorbonne. En 1880, il se verra confier la direction de l'École normale supérieure. C'est sa passion pour l'histoire ancienne qui lui a inspiré le sujet de ses thèses sur *Polybe* et sur *le Culte de Vesta* ainsi que son œuvre la plus célèbre, *la Cité antique,* où il se montre un précurseur des sociologues. Il y donne une étude comparative des sociétés grecque et romaine, en même temps qu'il fait ressortir la primauté des croyances religieuses, et particulièrement du culte des ancêtres, dans la conception primitive de la cité. Orientant ensuite ses recherches historiques vers le passé national, F. de C. se propose de « décrire les anciennes institutions de la France et d'en marquer l'enchaînement » dans une *Histoire des institutions politiques de l'ancienne France* qui irait jusqu'en 1789. Mais, déjà trop malade pour mener cette tâche à son terme, il ne parvient à réaliser qu'une partie de son étude analytique, celle qui porte sur la formation du régime féodal en France. Véritable fondateur de la science historique moderne, il a défini sa méthode dans plusieurs études réunies sous le titre de *Recherches ;* l'histoire consiste, écrit-il, « à constater des faits, à les analyser, à les rapprocher, à en marquer le lien ». Ses principes essentiels – esprit critique, objectivité et érudition – l'opposent au romantisme historique et à la sensibilité intuitive, au symbolisme et à l'engagement d'un Michelet. Il s'interdit tout jugement de valeur, se défie des écarts d'imagination, des généralisations hâtives, des préjugés, de la partialité et de la tendance spontanée à assimiler le passé au présent. Il unit, en outre, à la rigueur scientifique qui caractérise ses travaux et à son talent pour les exposer de remarquables qualités d'écrivain. Malgré l'abstraction des idées exprimées, sa prose, toujours sobre, vivante et évocatrice, reste d'une parfaite simplicité et d'une lumineuse clarté. Il peut être considéré comme le plus grand historien français de la seconde partie du XIXe siècle.

Œuvres. *Mémoire sur l'histoire de l'île de Chio,* 1853 (E). – *Polybe ou la Grèce conquise par les Romains,* 1858 (E). – *Le Culte de Vesta,* 1858 (E). – *La Cité antique,* 1864. – *Histoire des institutions de l'ancienne France* (*l'Empire romain, les Germains, la Royauté mérovingienne,* 1875 ; *la Monarchie franque,* 1888 ; *l'Alleu et le Domaine rural pendant l'époque mérovingienne,* 1889 ; *les Origines du système féodal,* posth., 1890 ; *la Gaule romaine,* posth., 1891 ; *l'Invasion germanique,* posth., 1891 ; *les Transformations de la royauté pendant l'époque carolingienne,* posth., 1892), 1875-1892. – *Recherches,* 1885. – *Nouvelles Recherches sur quelques problèmes d'histoire,* posth., 1891. – *Questions historiques,* posth., 1893.

FUTURISME. Mouvement littéraire et artistique lancé par l'Italien Marinetti dans un *Manifeste futuriste* que publiera *le Figaro* du 20.2.1909. En France, le futurisme sera plus une attitude qu'une véritable esthétique, attitude qui privilégie le choix d'images, de sujets ou de thèmes empruntés à la vie moderne. En ce sens, le futurisme est un aspect du mouvement général qui cherche à élaborer une poésie du monde moderne et de ce qu'Apollinaire appellera l'« Esprit nouveau ». C'est sans doute Apollinaire qui a été le plus marqué par le futurisme, comme en témoigne un poème tel que « Zone », dans *Alcools,* Apollinaire qui s'inspirera de certaines thèses futuristes pour défendre la peinture moderne (*les Peintres cubistes,* 1913) et écrira, en réponse à Marinetti, son *Antitradition futuriste,* publié à Milan en 1913.

G

GABORIAU Émile. Saujon (Charente-Maritime) 9.11.1832 – Paris 28.9.1873. Clerc d'avoué, il s'engagea dans la cavalerie et, de 1852 à 1856, servit en Afrique. Réformé, il devint journaliste et obtint brusquement le succès, alors qu'il était secrétaire de Paul Féval, avec un pastiche du *Double Assassinat de la rue Morgue* de Poe : *l'Affaire Lerouge.* Spécialiste du feuilleton et créateur des personnages populaires de Lecoq, ancêtre lointain de Sherlock Holmes *(Monsieur Lecoq)* et du détective Tabaret, G. fait figure de précurseur du roman policier. (Voir ROMAN POLICIER.)

Œuvres. *L'Affaire Lerouge,* 1866 (N). – *Le Crime d'Orcival,* 1867 (N). – *Le Dossier n° 113,* 1867 (N). – *Les Esclaves de Paris,* 1868 (N). – *Monsieur Lecoq,* 1869 (N). – *La Vie infernale,* 1870 (N). – *La Clique dorée,* 1871 (N). – Avec Hostein, adapt. théâtrale de *l'Affaire Lerouge,* 1872 (T). – *La Dégringolade,* 1873 (N). – *La Corde au cou,* 1873, rééd. 1978 (N).

GACE BRULÉ. Fin XIIe s. – 1220. Né dans une famille de la petite noblesse, G.B. fait partie des premiers poètes de langue d'oïl qui ont chanté l'amour courtois : il fréquenta la cour de Marie de Champagne, qui était, à cette époque, le centre littéraire de la France du Nord, et où, sans doute, il se forma. Devenu trouvère professionnel, il alla de château en château et séjourna plus particulièrement chez Geoffroi Plantagenêt, dont il devint l'ami. Plus tard, Louis VIII lui accorda sa protection (de 1212 à 1213). Cent dix poèmes lyriques de G.B. nous sont parvenus. C'est, avec celle de Thibaut de Champagne, l'œuvre la plus considérable qu'un trouvère nous ait laissée. Mis à part un jeu-parti et un débat entre femmes, le « service d'amour » est l'unique source de son inspiration. À partir de l'œuvre de G.B., il serait possible de récapituler tous les thèmes exploités par les troubadours d'abord, par les trouvères ensuite. Une seule différence : pour G.B., l'amour n'est pas un libre engagement des deux parties en présence, mais une passion irrésistible et fatale, ce qui confère à son œuvre des accents tragiques ; mais cette orientation est compensée, et parfois neutralisée, par son goût d'une atmosphère mélancolique et la mélodie en mineur de sa musicalité. Quant à sa fidélité à la convention littéraire, elle n'est pas due à une incapacité de créer des formes nouvelles : c'est que la tradition courtoise correspondait profondément au tempérament de G.B., surtout occupé à explorer et à analyser le monde confus des sentiments exacerbés par un isolement volontaire, grâce à quoi il élabore, jusqu'à un haut degré d'épuration, le « fin amor », même si ce désir ne doit jamais atteindre que la réalité du poème. Aussi est-il le premier maître d'une « poésie d'analyse » : à la fois subjective et esthétique, elle s'exprime dans une langue qui, tout en privilégiant la recherche formelle, refuse l'hermétisme.

Œuvres. *Les Chansons de Gace Brulé,* posth., 1902 (P).

GADENNE Paul. Armentières (Nord) 4.4.1907 – Cambo (Pyrénées-Atlantiques) 1.5.1956. Il aura fallu trente ans pour que l'œuvre de G. trouve la place qui lui revenait. À sa mort, en 1956, seuls quelques initiés parlaient de *Siloé* ou du *Vent noir.* La révélation posthume des *Hauts Quartiers* en 1973 a permis au cercle de s'élargir et aux curieux de se pencher sur le destin malheureux d'un romancier qui écrivait « avec l'encre de son sang ». Issu d'une famille aisée, G. a passé son enfance à Boulogne-sur-Mer où ses parents s'étaient réfugiés pendant la guerre. Puis, à Paris, il prépare l'École normale supérieure, rate le concours mais est reçu à l'agrégation de lettres classiques. Après son service militaire, pendant lequel il se lie avec Claude Lévi-Strauss, il est nommé professeur de lettres à Rouen. Une première attaque de tuberculose en 1933 l'oblige à quitter son poste et à séjourner en sanatorium, expérience relatée dans *Siloé*. En 1941, il s'installe à Bayonne, se marie en 1945 et vit très pauvrement dans une chambre qu'il décrit d'ailleurs tout au long des *Hauts Quartiers*. Au cours des dix dernières années de sa vie, sa situation financière s'améliore mais la maladie l'emporte en 1956 malgré son acharnement à vivre. Et c'est bien ce que l'œuvre traduit avec force. Ce refus de la complaisance à soi-même, ce désir de renouvellement de soi mais aussi cette hantise de la mort et de la décomposition apparaissent dans tous les romans. Décomposition du gros mammifère marin échoué sur le sable dans *Baleine*, symbole d'un monde déchiré entre l'apothéose et la destruction, déchéance de l'être frappé par la maladie dans *Siloé*. Seuls l'amour, l'exigence de pureté, l'art porté à un point de perfection apportent la rédemption aux héros de G. S'il ne les débarrasse pas de leur solitude, l'amour les oblige à chercher au-delà de la souffrance quotidienne une espérance idéale. Romancier de l'existence intérieure, auteur confidentiel, « décalé », G. sait exprimer la noirceur du monde tout en évoquant la magie de la vie quotidienne avec un sens du détail qui cerne l'indicible et rappelle Henry James ou Marguerite Duras. Guetteur vigilant, il ressemble au narrateur de *Rue profonde*, exilé dans une chambre sous les toits pour « échapper aux spectacles humains ». Mais au-dessus de la ville, dominant les événements et les êtres, il porte un regard neuf sur l'existence.

Œuvres. *Siloé*, 1941, rééd. 1983 (N). – *Le Vent noir*, 1947, rééd. 1983 (N). – *La Rue profonde*, 1948, rééd. 1982 (N). – *L'Avenue*, 1949 (N). – *La Plage de Scheveningen*, 1952, rééd. 1982 (N). – *L'Invitation chez les Stirl*, 1955, rééd. 1983 (N). – *Les Hauts Quartiers*, posth., 1973 (N). – *Baleine*, posth., 1982 (N). – *L'Inadvertance* (quatre nouvelles), posth., 1982 (N). – *Poèmes*, posth., 1983 (P). – *À propos du roman*, posth., 1983 (E).

GALIANI Ferdinando, abbé. Chieti 2.12.1728 – Naples 30.10.1787. Écrivain italien d'expression française. Élevé à Naples par son oncle paternel, il composait déjà à seize ans des dissertations politiques et économiques. Il se fit connaître en publiant, en 1751, un traité *De la monnaie* en italien, et en 1754, une étude *Sur la parfaite conservation du blé*. Il partit en 1759 pour Paris en qualité de secrétaire de l'ambassade napolitaine. Il devint très vite l'habitué des salons littéraires les plus en vogue, où l'on appréciait son caractère, son esprit, sa culture. Il eut pour amis Diderot, Grimm, Mme d'Épinay. Rappelé à Naples en 1769, il échangea avec ses amis français une *Correspondance* abondante et brillante qui est sans doute son chef-d'œuvre. Voltaire disait de lui : « Comment pouvez-vous dire que je ne connais point l'Abbé ! Est-ce que je ne l'ai pas lu ?... Il doit ressembler à son ouvrage comme deux gouttes d'eau, ou plutôt comme deux étincelles. N'est-il pas vif, actif, plein de raison et de plaisanterie ? », et Diderot *(le Neveu de Rameau)* : « Les folies de cet homme [le neveu], les contes de l'abbé G., les extravagances de Rabelais m'ont quelquefois fait rêver profondément. »

Œuvres. *Della moneta*, 1751 (E). – *Sur la parfaite conservation du blé*, 1754 (E). – *Éloge du pape Benoît XIV*, 1758. – *Dialogues sur le commerce des blés*, 1770 (E). – *Les Devoirs des souverains neutres*, 1782 (E). – *Le Dialecte napolitain* (grammaire, avec un dictionnaire en annexe), 1782. – *Dialogue sur les femmes*, posth., 1789. – *Commentaire sur Horace* (composé en 1765 sous le titre *Pensées sur Horace*), posth., 1821. – *Correspondance*, posth., 1881.

GALZY Jeanne. Montpellier 1884 – 6.5.1977. Ses débuts de poétesse dans différentes revues n'attirèrent guère l'attention, non plus que sa production romanesque, commencée en 1911 et abondamment poursuivie de longues années. Toutefois l'on n'a pas oublié *la Femme chez les garçons*, dont le titre pourrait tromper sur la sagesse de ses souvenirs de professeur au lycée Lamartine à Paris, ni le prix Femina 1923 : *les Allongés*, relation de son expérience de la maladie. Elle s'est consacrée ensuite, entre autres sujets historiques ou biographiques, à des ouvrages d'érudition sur le XVIe s. Elle a aussi publié dans les années 60 une *Vie intime d'André Chénier* et une biographie de George Sand. Sa sensibilité aux problèmes religieux est particulièrement aiguë dans deux essais : *Sainte Thérèse d'Avila* et *le Dieu terrible*.

Œuvres. *La Femme chez les garçons*, 1917 (N). – *Les Allongés*, 1923, rééd. 1975 (N). – *L'Initiatrice aux mains vides*, 1929 (N). – *Jeunes Filles en serre chaude*,

1934 (N). – *Le village rêve,* 1935 (N). – *Margot, reine sans royaume,* 1939 (N). – *Les Oiseaux des îles,* 1941 (N). – *La Cage de fer,* 1946 (N). – *La Femme étrangère,* 1950 (N). – *George Sand,* 1950 (E). – *L'Image,* 1953 (N). – *Le Parfum de l'œillet,* 1956 (N). – *Celle qui vint d'ailleurs,* 1958 (N). – *La Fille,* 1961 (N). – *Agrippa d'Aubigné,* 1965 (E). – *La Surprise de vivre* (1, *la Surprise de vivre,* 1969 ; 2, *les Sources vives,* 1971 ; 3, *la Cavalière,* 1974 ; 4, *le Rossignol aveugle,* 1976) [N].

GANDON Yves. Blois 1899 – Paris 12.1.1975. Il débuta comme poète *(Ventres de guignols)* et poursuivit dans cette veine une production mince mais fidèle (quatre recueils, dont *Blason de la Mélancolie*). G. écrivit beaucoup, notamment comme critique littéraire : il donna *le Démon du style.* Il présida la Société des gens de lettres (1957-1959) puis la section française du Pen-Club. Excellent pasticheur *(les Mascarades littéraires),* il fut aussi romancier, particulièrement dans sa chronique en douze volumes, *le Pré-aux-Dames,* qui lui valut en 1953 le prix littéraire de la Ville de Paris.

Œuvres. *Ventres de guignols,* 1922 (P). – *Mascarades littéraires* (pastiches), 1930. – *Blason de la mélancolie,* 1933 (P). – *Usage de faux* (pastiches), 1936. – *Le Démon du style,* 1938 (E). – *Le Pavillon des délices regrettées* (pastiches), 1942. – *Le Pré-aux-Dames* (« Chronique romanesque de la sensibilité française », 12 vol.), 1942-1967 (N). – *Rêveries sur les divins empereurs* (pastiches), 1943 (P). – *Prières de la dernière nuit,* 1943 (P). – *En pays singulier* (histoires insolites), 1949 (N). – *L'Offrande à Timonoé,* 1950 (N). – *La Ville invisible,* 1953 (N). – *Sylvaine et ses plaisirs,* 1956 (N). – *Petite Suite d'été,* 1958 (N). – *L'Extrême-Orient sans étoile rouge,* 1958. – *Les Raisins de brumaire,* 1958 (N). – *Terres chaudes,* 1959 (N). – *Folle Églé,* 1959 (N). – *L'Amérique aux Indiens,* 1960. – *À la recherche de l'Éden,* 1962. – *Après les hommes,* 1963 (N). – *Le lotus naît dans la boue* (nouvelles), 1964 (N). – *Les Voyages,* 1965 (N). – *Pour un bourbon Collins,* 1967 (N). – *Monsieur Miracle,* 1968 (N). – *Aliette,* 1971 (N). – *Captain Lafortune,* 1971 (N). – *Rêver de l'Espagne,* 1972. – *Du style classique,* 1972. – *Destination inconnue,* 1975 (N).

GARELLI Jacques. Belgrade 2.6.1931. En 1960, dans son discours de réception du prix Nobel, Saint-John Perse remarquait : « Lorsque les philosophes eux-mêmes désertent le seuil métaphysique, il advient au poète de relever là le métaphysicien. » Or il advient, inversement, en ces années 60, qu'à leur tour la poésie et la poétique « désertent le seuil métaphysique » ; se diffusent alors en effet les théories d'inspiration formaliste et structuraliste, dont une des manifestations les plus spectaculaires allait être, en 1967, à l'occasion du centenaire de la mort du poète, l'interprétation d'un poème de Baudelaire, *les Chats,* par Roman Jakobson.
Mais en 1966 avaient paru simultanément, sous la signature de G., un recueil poétique, *Brèche,* et un essai théorique, *la Gravitation poétique,* qui ne manquèrent pas d'attirer l'attention des critiques et qui d'ailleurs reçurent conjointement un prix de l'Académie française. Philosophe de vocation, de formation et de profession – il est professeur à l'université d'Amiens après avoir enseigné aux États-Unis, à Yale d'abord, puis à l'université de New York, de 1970 à 1981 –, G. inaugurait, par cette double publication, une œuvre qui allait régulièrement se partager entre la *poésie* et la *poétique,* recueils de poèmes et essais théoriques se correspondant rigoureusement ; œuvre qui suit un parcours ascendant, de l'hypothèse à l'affirmation, de l'expérimentation à la création, parcours dont le tournant, pour ainsi dire, se situe aux environs de 1970 : d'une part, un itinéraire préliminaire et hypothétique, avec les œuvres antérieures à 1970 ; d'autre part, un itinéraire de conquête et d'affirmation qui culmine dans les recueils *Lieux précaires* et *Difficile séjour,* et dans les essais *le Recel et la Dispersion* et surtout *le Temps des signes* de 1983. Dans l'introduction de ce dernier essai, G. énonce, de la manière la plus nette, le principe originel commun à sa poésie et à sa poétique : « C'est parce que le poète fait surgir, par l'acte temporel de parole, des êtres qui, avant son travail créateur, n'existaient pas et dont la présence verbale résiste à tout effort d'analyse intellectualiste, qu'il se trouve conduit à se poser... des problèmes de style ontologique quand il réfléchit à sa création. » C'est que le poème n'est pas seulement un jeu de formes et de structures, une simple fabrication et composition de signes. Même s'il est vrai que le signe poétique ne se réfère à aucun « signifié » extérieur et étranger au poème – ce qui est le principe des poétiques formalistes –, il ne s'ensuit nullement qu'il soit pour autant privé d'*être* et de *sens* : la plénitude ontologique du poème tient précisément à ce phénomène, certes mystérieux, qu'est le surgissement, dans le poème, par la seule opération de son langage, d'un être irréductible à

tout ce qui se peut percevoir par les sens ou l'intelligence ; comme le proclame un poème en prose de *Difficile séjour,* « j'assigne un lieu à ces migrations du verbe qui, investies des chemins de l'œil, fraient passage, quand le Moi s'érige en mur ou rempart, qu'il touche sa vie sur le grain du froid, déchiffrant sur l'opacité du granit un extrême jamais retranché de soi ». Ainsi G. trouve-t-il sa place dans la lignée de ces poètes qui osent affronter le problème métaphysique, posé depuis Mallarmé, des relations entre l'Être et le Dire ; car il s'agit bien de redonner, face aux hypothèses formalistes, la plénitude de son sens à la notion même de *création,* la poésie étant alors – par retour au sens étymologique du mot grec *poièsis,* qui fait que désormais l'expression de *création poétique* devient tautologique – création d'une *substance,* au sens que ce mot pouvait avoir dans le vocabulaire aristotélicien ou cartésien ; et le poème est, par la mise en œuvre de l'énergie propre du langage poétique, passage substantiel d'une inexistence à une existence, d'une absence à une présence ; cela dans un ordre de réalité qui est l'ordre propre de la poésie, lequel s'oppose, pour les nier sans les ignorer, pour les exorciser en les affrontant, aux forces d'anéantissement du « froid » ou du « mur » : « Mais tout bascule sitôt que le verbe proclame... Car le verbe, aussi, dresse obstacle, dans le prolongement d'un second regard. Sa puissance tient du retrait. Ses appels, des parcours balisés, champ ou clôture, dont le pourpre jadis recueilli des feuillages suit la dérive cassée du jour. Telle révolue la ligne d'anciens partages, pour la voix qui suscite et déploie sa force sur le froid déposé d'un mur » *(Difficile séjour).*

Tout au long de cette entreprise de re-création d'une substance poétique et de restauration ontologique de la poésie, le philosophe n'abandonne jamais le poète : il ne cesse de le nourrir des apports poétiquement assimilables de la philosophie contemporaine, spécialement de la phénoménologie, du moins telle qu'elle s'épanouit dans la pensée et l'œuvre de Merleau-Ponty : réconciliation et même synthèse entre philosophie et poésie qui ne sont pas la moindre originalité de G. dans le mouvement de la poésie contemporaine ; car il ne s'agit pas là d'une attitude qui serait simplement « littéraire », mais bien, comme le dit G. lui-même, de cette affirmation décisive que, par l'acte poétique, il peut être donné à l'homme de saisir le comment et le pourquoi de son « Être-au-monde » : dans la valeur ontologique inhérente au poème réside une des clés du mystère de la relation de l'homme avec lui-même et avec le monde. Il est permis enfin de s'étonner que l'œuvre de G., poète et philosophe détaché de toute compromission avec les modes et les snobismes, n'ait pas encore conquis en France le rayonnement qu'elle mérite, alors qu'aux États-Unis – où, il est vrai, G. a enseigné pendant plus de dix années –, on n'hésite pas parfois à le rattacher à la lignée d'un des plus grands poètes américains de ce siècle, Ezra Pound.

Œuvres. *Brèche,* 1966 (P). – *La Gravitation poétique,* 1966 (E). – *Les Dépossessions.* – *Prendre appui,* 1968 (P). – *Lieux précaires.* – *La Pluie belliqueuse du Souviendras,* 1972 (P). – *Le Recel et la Dispersion,* 1978 (E). – *Artaud et la question du lieu,* 1982 (E). – *Le Temps des signes,* 1983 (E). – *Difficile séjour.* – *L'Ubiquité d'être,* 1985 (P).

GARNEAU SAINT-DENYS Hector de. (Voir SAINT-DENYS GARNEAU.)

GARNIER Pierre. (Voir POÉSIE SPATIALISTE.)

GARNIER Robert. La Ferté-Bernard (Sarthe) 1544 – Le Mans 20.9.1590. Élevé dans un milieu humaniste, il fait des études de droit à Toulouse et, en 1567, devient avocat au parlement de Paris. Il sera ensuite conseiller au présidial du Mans (1569), lieutenant criminel du Maine (1574), puis membre du Grand Conseil du roi (1586). Se préoccupant en premier lieu de ses devoirs de magistrat, il ne consacre aux lettres que ses loisirs. C'est en disciple et ami des poètes de la Pléiade qu'il compose des vers. En 1566, il remporte le prix de l'Églantine aux jeux Floraux de Toulouse pour son recueil de poèmes, *les Plaintes amoureuses.* Mais c'est en faisant revivre dramatiquement les sujets et thèmes élaborés par le théâtre savant et universitaire d'alors que vont se révéler et s'affirmer, avec une exceptionnelle puissance, les dons qui feront de G. le dramaturge français le plus représentatif de son temps.

Formé par la lecture du théâtre de Sénèque, qui ne cessera de l'influencer, il fonde sa conception de la tragédie sur la méditation des œuvres d'Aristote ou de la *Poétique* de Scaliger, complétées plus tard par les théories qu'énonce J. de La Taille dans son *Art de la tragédie.* Il emprunte ses sujets à des épisodes de l'histoire romaine ou de la mythologie grecque correspondant au drame de la France plongée dans les horreurs de la guerre civile. Ce sont d'abord *Porcie,* qui peint le désespoir et la mort de la veuve de Brutus ; *Hippolyte, fils de Thésée ; Cornélie,* sur la mort de Pompée ; *Marc-Antoine,* sur celle d'Antoine et de Cléopâtre. L'action y reste statique, et la psychologie des personnages sert de support aux idées politiques ou morales de l'auteur : G. juxtapose les scènes plus qu'il ne les enchaîne et, visant à enseigner autant qu'à émouvoir, fait de la tragédie « une démonstration dramatique fondée sur une vue panoramique de toutes les conséquences extrêmes d'un événement accompli qui, progressant d'argument en argument vers sa conclusion, soutient l'intérêt du spectateur par l'entrecroisement des thèmes, la tension et la détente de l'émotion, l'honnêteté de la discussion et l'éclat des images » (M.M. Mouflard). La formation de l'auteur explique son goût pour le débat tragique et pour l'éloquence, qu'il sait soutenir par des maximes et sentences morales bien frappées. Par la suite, sous l'influence du théâtre de J. de La Taille, peut-être aussi sous celle de *la Franciade* de Ronsard, la prédominance dramatique l'emportera sur la prédominance lyrique. L'action progresse, les événements se succèdent, la psychologie des personnages devient plus complexe, les récits s'allègent, et l'auteur s'attache plus au pathétique et aux effets dramatiques qu'à l'aspect didactique et aux développements moraux. L'influence de Sénèque, marquée par l'emphase et la rigidité, se fait plus discrète, et celle du théâtre grec – d'Euripide, de Sophocle et d'Eschyle – particulièrement sensible dans les tragédies *la Troade* et *Antigone.* Dans ces tragédies « grecques », G. épanouit son génie dramatique en se faisant le metteur en scène efficace du pathétique de l'horreur, et c'est en vue de cet effet qu'il exploite aussi bien les longues tirades poétiques que la surabondance de l'action et des événements. Dans *la Troade,* il rassemble la matière répartie dans trois tragédies antiques, *les Troyennes* et *Hécube,* d'Euripide, et *les Troades,* de Sénèque. Dans *Antigone,* son premier chef-d'œuvre, il accumule, selon sa propre expression (significative), de « soudains et multipliés désastres », et c'est là une claire définition de sa conception de la tragédie, déjà la tragédie « implexe » de Corneille. Il est clair enfin que ce goût de l'accumulation dramatiquement organisée des « désastres » oriente la tragédie de G. dans le sens d'une transposition symbolique de l'histoire contemporaine. Dans une troisième phase, G. résoudra la contradiction entre son imagination avide de spectaculaire et son sens de la construction dramatique en donnant, avec *les Juives,* une tragédie parfaitement équilibrée, répondant encore toutefois aux préoccupations et inquiétudes de son temps : il abandonne l'inspiration antique pour l'inspiration biblique et, tout en conservant le lyrisme des chœurs, resserre la tension dramatique et fonde l'action sur une psychologie plus développée. Beauté du style et équilibre entre les exigences de l'action dramatique et celles de l'expression lyrique font de cette pièce la composition la plus achevée de l'art de G. et le modèle même de la tragédie du XVIe s. Dans un autre genre, en s'inspirant du *Roland furieux* de l'Arioste, G. avait aussi créé, avec *Bradamante,* et sous son aspect pratiquement définitif, la *tragi-comédie,* dont la vogue sera considérable pendant la première moitié du XVIIe s. : sujet moderne, absence de chœurs malgré des fragments lyriques, action d'un tragique atténué avec des intermèdes d'un comique en demi-teinte, et, comme dans les comédies, une intrigue et des rivalités amoureuses, dont le romanesque ne peut évidemment être assimilé à la tragédie.

L'œuvre dramatique de G. est tout entière remarquable par la clarté du style et par sa richesse en images et en effets plastiques. Ronsard louera le son « grave et haut » de sa poésie, dont les traits caractéristiques sont l'ampleur, la force, un rythme martelé. Enfin, l'utilisation des chœurs, particulièrement habile, donne lieu à des combinaisons originales, qu'ils soient intégrés à l'action ou considérés comme ornements : chaque tragédie comporte en moyenne cinq chœurs d'environ dix strophes, d'une grande variété rythmique, destinés à être chantés par des amateurs.

Vue dans son ensemble, et compte tenu de sa progression ascendante, l'œuvre dramatique de G., tout en annonçant certains aspects de la tragédie cornélienne, représente au théâtre, avec une remarquable intensité, cette coïncidence entre l'imagination baroque et l'histoire contemporaine qui caractérise aussi, à la même époque, en poésie, l'œuvre d'Agrippa d'Aubigné. Tel est d'ailleurs le sens de l'éloge adressé par Ronsard au dramaturge dans un sonnet dont voici les quatrains : *Quel son masle et hardy, quelle bouche héroïque, / Et quel superbe vers enten-je ici sonner ? / Le lierre est trop bas pour ton front couronner, / Et le bouc est trop peu pour ta Muse tragique. / Si Bacchus retournait au manoir plutonique, / Il ne voudroit Eschyle au monde redonner, / Il te choisiroit seul, qui seul peux estonner / Le théâtre français de ton cothurne antique.*

Œuvres. *Les Plaintes amoureuses,* 1566 (P). – *Hymne de la monarchie,* 1567 (P). – *Porcie, épouse de Brutus,* 1568 (T). – *Hippolyte, fils de Thésée,* 1573 (T). – *Cornélie, épouse de Pompée,* 1574 (T). – *Marc-Antoine,* 1578 (T). – *La Troade ou la Destruction de Troie,* 1579 (T). – *Antigone ou la Piété,* 1580 (T). – *Bradamante,* 1582 (T). – *Sédécie ou les Juives,* 1583 (T).

La Troade ou la Destruction de Troie

L'auteur précise lui-même, à la fin de son « argument », qu'il a réuni ici la matière des *Troyennes* et de l'*Hécube* d'Euripide, et des *Troades* de Sénèque. La tragédie est ainsi rythmée en crescendo par la succession des désastres tragiques qui affectent Hécube entourée du chœur des Troyennes et trouve, en épilogue, son point culminant dans la vengeance d'Hécube sur le traître Polymestor. L'acte I est dominé par l'enlèvement de Cassandre, destinée à Agamemnon ; l'acte II par le meurtre d'Astyanax, précipité du haut de la seule tour que les Grecs ont laissé subsister de Troie ; l'acte III par le sacrifice de Polyxène, fille d'Hécube et de Priam, sur le tombeau d'Achille, sacrifice réclamé par Calchas, le même qui avait exigé le sacrifice d'Iphigénie, et pour la même raison : la flotte grecque ne pourra quitter Troie que si les mânes d'Achille ont été apaisés par le sacrifice de Polyxène ; à l'acte IV, un messager vient faire le récit de la mort d'Astyanax, après quoi le héraut grec Talthybie vient annoncer à Hécube la découverte sur la grève du corps rejeté par la mer de son plus jeune fils, Polydore, autrefois envoyé avec un considérable trésor auprès du roi thrace Polymestor, et le même Talthybie raconte aussi à la suite le sacrifice de Polyxène. L'acte V voit paraître sur scène Polymestor, convoqué par Hécube qui lui a fait croire qu'elle voulait lui remettre les trésors de Troie cachés dans sa tente. Polymestor se laisse prendre au piège, pénètre dans la tente des Troyennes, qui lui crèvent les yeux. Agamemnon intervient alors comme un juge, obtient de Polymestor l'aveu de sa trahison et de son crime : il a tué Polydore et l'a jeté à la mer dès qu'il a eu connaissance du désastre de Troie, pour s'approprier le trésor de Priam. Agamemnon lui refuse grâce, et Hécube peut alors, dans une magnifique tirade – la dernière de la tragédie –, savourer à la fois sa douleur et sa vengeance.

Antigone ou la Piété

Comme *la Troade,* cette tragédie rassemble la matière de plusieurs tragédies antiques, *Œdipe roi, les Sept contre Thèbes* et *Antigone.* La tragédie commence au lendemain du moment où Œdipe s'est crevé les yeux après la découverte qu'il a faite de son parricide et de son inceste. L'acte I est ainsi une sorte de prologue constitué par le dialogue d'Œdipe, qui veut mourir, et de sa fille Antigone, qui le supplie de consentir à survivre. Au début de l'acte II, un messager vient annoncer à Antigone et à sa mère Jocaste l'arrivée des troupes d'Argos sous le commandement de Polynice, le fils d'Œdipe, qui vient ainsi tenter de ravir par la force le trône de Thèbes à son frère Étéocle. L'acte est rempli par les vaines tentatives de conciliation de Jocaste, en particulier dans un dialogue pathétique avec Polynice. L'acte III annonce la double mort d'Étéocle et de Polynice au terme d'un duel fratricide. L'acte IV est celui du conflit entre Antigone et Créon, qui, après la mort des deux frères, règne légitimement sur Thèbes, à propos de l'ensevelissement du corps du rebelle Polynice : c'est le célèbre sujet de *l'Antigone* de Sophocle, mais réduit en un acte, ce qui provoque une précipitation du rythme des événements : condamnation d'Antigone et résistance de son fiancé Hémon, fils de Créon. L'acte V verra l'accumulation fatale des conséquences de la volonté de Créon : suicide d'Antigone et d'Hémon, suivi de celui d'Eurydice, mère d'Hémon et femme de Créon. La tragédie se terminera sur le désespoir sans issue de Créon : *Ô rigoureux Destin, qu'on ne peut éviter !*

Les Juives

Nous sommes au moment de la captivité de Babylone, après la victoire de Nabuchodonosor sur Sédécie. L'acte I est essentiellement un prologue lyrique dominé par la supplication de Jérémie et le *mea culpa* chanté par le chœur des Juives. À l'acte II, on apprend que Nabuchodonosor s'apprête à faire subir à Sédécie un châtiment exemplaire : tandis que le chœur, se référant à nouveau à l'histoire d'Israël, rappelle les fautes passées des Juifs, la reine Amital, femme de Sédécie, implore la pitié de la reine d'Assyrie. À l'acte III, Amital est en présence de Nabuchodonosor lui-même, qui lui adresse des paroles ambiguës ; tandis qu'Amital reprend espoir, le chœur des Juives exprime en revanche son inquiétude. À l'acte IV, c'est Sédécie lui-même qui tente de fléchir son vainqueur ; puis il se laisse aller à lancer contre lui de violentes imprécations. On vient alors arracher à la garde des Juives du chœur les enfants de Sédécie. On apprendra à l'acte V que Nabuchodonosor les a fait massacrer ainsi que le grand-prêtre Sarrée, tandis que Sédécie a eu les yeux crevés. La pièce s'achève sur la leçon morale et religieuse que tire de cette tragédie le prophète Jérémie.

GARY Romain, Romain Kacew, dit. Moscou 8.5.1914 – Paris 2.12.1980. Issu d'une famille d'acteurs russes, il arrive en France avec sa mère en 1926 et fera ses études au lycée de Nice, puis à l'université d'Aix. Pendant la guerre, il rejoindra la France libre. La pluralité culturelle de ses origines le prédisposait au cosmopolitisme, mais à un cosmopolitisme d'enracinement français. Ainsi s'explique, au moins en partie, l'originalité du livre qui le rendit célèbre dès 1945 et qui reçut alors le prix des Critiques, *Éducation européenne :* il y manifestait un sens profond de la vérité dramatique des rapports entre « étrangers », et il se dégageait de ce livre une haute leçon morale. Dans ses romans ultérieurs, G. approfondit et généralise sa vision du monde en mettant en œuvre des personnages et des intrigues situés au-delà des classifications sociales ou morales, pour retrouver l'homme éternel et ses valeurs constitutives et positives. C'est l'orientation qui s'affirme, de façon décisive et parfois brutale, dans *les Racines du ciel* (prix Goncourt 1956), où, au-delà du prétexte que fournit le problème de la chasse aux éléphants en Afrique, se déroule une lutte à la fois tragique et héroïque au service de la beauté de la vie et de la dignité de l'homme. Dans ce livre paraît aussi cette fougue du style qui dominera *la Danse de Gengis Cohn (Frère Océan I),* dénonciation impitoyable de la torture qu'impose à l'homme la tyrannie des idéologies. Tout au long de cette œuvre, l'homme apparaît comme un aventurier héroïque – l'auteur dit lui-même un *picaro* –, mais un aventurier dont le mobile décisif est la quête de son droit à l'existence personnelle. C'est après sa mort, dans son testament, que l'on découvrit que G. et Émile Ajar ne faisaient qu'un. Les derniers romans de G. n'avaient plus le souffle et la magie des premiers. L'auteur y affiche un pessimisme et une lassitude qui rompent le charme romanesque. (Voir AJAR Émile.)

Œuvres. *Éducation européenne,* 1945 (N). – *Tulipe,* 1946 (N). – *Le Grand Vestiaire,* 1948 (N). – *Les Couleurs du jour,* 1952 (N). – *Les Racines du ciel,* 1956 (N). – *La Promesse de l'aube* (autobiographie), 1960 (N). – *Johnie cœur,* 1962 (T). – *Gloire à nos illustres pionniers,* 1962 (N). – *Lady L.,* 1963 (N). – *Pour Sganarelle,* 1965 (N). – *La Comédie américaine* (1, *les Mangeurs d'étoiles*), 1966 (N). – *Frère Océan* (1, *la Danse de Gengis Cohn,* 1967 ; 2, *la Tête coupable,* 1968) [N]. – *La Comédie américaine* (2, *Adieu, Gary Cooper*), 1969 (N). – *Tulipe* (2e éd.), 1970 (N). – *Chien blanc,* 1970 (N). – *Les Trésors de la mer Rouge,* 1971. – *Europa,* 1972. – *Les Enchanteurs,* 1973 (N). – *La nuit sera calme,* 1974 (N). – *Au-delà de cette limite, votre ticket n'est plus valable,* 1975 (N). – *Les oiseaux vont mourir au Pérou* (avec *Gloire à nos illustres pionniers),* 1975 (N). – *Clair de femme,* 1977 (N). – *Les Têtes de Stéphanie,* 1977 (N). – *Charges d'âmes,* 1977 (N). – *La Bonne Moitié,* 1979 (T). – *Les Clowns lyriques,* 1979 (N). – *Les Cerfs-volants,* 1980 (N). – *L'Homme à la colombe,* posth., 1984 (N).

GASCAR Pierre, Pierre Fournier, dit. Paris 13.3.1916. Profondément marqué par son expérience de l'univers concentrationnaire pendant la Seconde Guerre mondiale, au cours de laquelle, à la suite de deux évasions manquées, il fut envoyé au camp disciplinaire de Rawa-Ruska, en Ukraine, G. est, dans un âge de *crise* des valeurs, un romancier de la *recherche* des valeurs : après *les Bêtes* (prix des Critiques, 1953), *le Temps des morts* (prix Goncourt 1953) est la chronique angoissée de son expérience de Rawa-Ruska. De cette angoisse initiale se dégagera progressivement l'expression d'une sensibilité fraternelle qui, sans cesser d'être lucide, met en relief le jeu des chances et des risques de l'homme, lorsque, par exemple, comme dans *les Charmes,* il est engagé dans ce drame cependant ouvert sur l'avenir qu'est le passage de l'enfance à l'adolescence. Œuvre forte, enracinée dans une expérience que l'on sent authentique, et dont la langue et le style évoluent dans le sens d'une rigueur et d'un dépouillement qui en intensifient le caractère à la fois incisif et tendre.

Œuvres. *Les Meubles,* 1949 (N). – *Le Visage clos,* 1951 (N). – *Les Bêtes,* 1953 (N). – *Le Temps des morts,* 1953 (N). – *Les Femmes,* 1955 (N). – *La Graine,* 1955 (N). – *Aujourd'hui la Chine,* 1956 (E). – *L'Herbe des rues,* 1957 (N). – *Voyage chez les vivants,* 1958 (E). – *La Barre de corail,* 1958 (E). – *Les Pas-Perdus,* 1958 (T). – *Soleils,* 1960 (N). – *Le Fugitif,* 1961 (N). – *Vestiges du présent,* 1962 (E). – *Les Moutons de feu,* 1963 (N). – *Le Meilleur de la vie,* 1964 (N). – *Le Sable vif,* 1964 (N). – *Les Charmes,* 1965 (N). – *Auto,* 1968 (E). – *L'Or,* 1968 (E). – *Les Chimères,* 1969 (N). – *L'Arche,* 1971 (N). – *Rimbaud et la Commune,* 1971 (E). – *Le Présage,* 1972 (E). – *Quartier latin,* 1973 (N). – *L'Homme et l'animal,* 1974

(E). – *Les Sources,* 1975 (N). – *Dans la forêt humaine,* 1976 (N). – *Le Gros Chêne,* 1977 (N). – *Charles VI. Le Bal des ardents,* 1977 (N). – *L'Ombre de Robespierre,* 1979 (E). – *Bernard Palissy,* 1980 (E). – *Le Boulevard du crime,* 1980 (N). – *Les Secrets de Maître Bernard,* 1980 (N). – *Toffoli ou la Force du destin,* 1980 (E). – *Terres de mémoire,* 1980 (N). – *Gérard de Nerval et son temps,* 1981 (E). – *Le Règne végétal,* 1981 (N). – *Le Fortin,* 1983 (N). – *Buffon,* 1983 (E). – *Le Diable à Paris,* 1985 (N).

GASQUET Joachim. Aix-en-Provence 31.3.1873 – Paris 6.5.1921. L'éclat de sa province natale se retrouve dans la langue toujours très lyrique des recueils poétiques, dont les principaux parurent entre 1901 et 1920 : au-delà de son accent « régionaliste », G. y manifeste, non sans quelque artifice parfois, sa volonté de synthèse des grandes traditions poétiques, du Moyen Âge au Romantisme. Quand il s'essaye au théâtre ou au roman, il ne renonce pas pour autant à ce ton lyrique qui est la marque dominante de son œuvre et qui transparaît jusque dans sa belle biographie de son compatriote Cézanne. Sa femme, **Marie G.** (1872-1960), fut pour lui une collaboratrice dévouée, en particulier alors qu'à la suite de ses blessures de guerre G. eut à subir une longue agonie durant laquelle il dut faire appel à toutes les ressources de l'optimisme qui inspire toute son œuvre. Marie G. est l'auteur de souvenirs romancés parus après la mort de son mari, sous le titre *Une enfance provençale.*

Œuvres. *L'Arbre et les Vents,* 1901 (P). – *Chants séculaires,* 1903 (P). – *Dionysos,* 1904 (T). – *Printemps,* 1909 (P). – *Le Paradis retrouvé,* 1911 (P). – *Les Hymmes,* 1918 (P). – *Omphale,* 1919 (T). – *Les Chants de la forêt,* 1920 (P). – *Tu ne tueras point,* 1920 (N). – *Bûcher secret,* 1921 (P). – *Il y a une volupté dans la douleur,* 1921 (N). – *Paul Cézanne,* 1921 (E). – *Sainte Jeanne d'Arc,* posth., 1929. – *Des chants, de l'amour et des hymnes,* posth., 1929 (P).

GASSENDI, Pierre Gassend, dit. Champtercier (Alpes-de-Haute-Provence) 22.1.1592 – Paris 24.10.1655. Issu d'une modeste famille rurale, il fait de brillantes études au collège de Digne, est reçu en 1614 docteur de l'université d'Avignon et enseignera la philosophie et la théologie à Aix. Prévôt de la cathédrale de Digne (1623), il entre en conflit avec son chapitre et quitte sa région natale pour Grenoble. Dès lors, sa pensée s'oriente, à partir de la critique de la tradition scolastique et aristotélicienne (G. écrit en latin des *Exercitationes paradoxicae adversus Aristotelaeos,*), vers une réflexion approfondie sur les sciences : il occupera une chaire de mathématiques au Collège de France (1645, année où il refuse la charge de précepteur du jeune Louis XIV). Il est alors en relations suivies avec les savants de son temps, Képler et Galilée en particulier. Il se trouve placé sur le même terrain intellectuel que Descartes, dont il est le rival et qu'il attaque dans sa *Disquisitio metaphysica.* C'est à partir de là qu'il aboutira à l'épicurisme, de façon tout à fait explicite dans sa *Philosophiae Epicuri syntagma.* À ce titre, il est à l'origine du courant libertin, ce courant de pensée qui, de Cyrano de Bergerac à Molière et Saint-Évremond, imprègne une part importante de la société et de la littérature du XVIIe s., et G. est, directement ou indirectement, le maître à penser de ceux parmi les « honnêtes gens » à qui s'adressera le Pascal des *Pensées,* en attendant que, par l'intermédiaire de Fontenelle, le « gassendisme » devienne un élément constitutif de la « philosophie » du XVIIIe s.

Œuvres. *Exercitationes paradoxicae adversus Aristotelaeos,* 1624 (E). – *Epistolica exercitatio, in qua principia philosophiae Roberti Fluddi, medici, releguntur,* 1630 (E). – *Disquisitio metaphysica, seu Dubitationes et instantiae adversus Renati Cartesii metaphysicam et responsa,* 1644 (E). – *De vita et moribus Epicuri,* 1647 (E). – *Animadversiones in decimum librum Diogenis Laertii,* 1649 (E). – *Philosophiae Epicuri Syntagma,* 1649 (E). – *Opera* (6 vol.), posth., 1658.

GATTI Armand Dante. Monaco 6.1.1924. Fils d'émigrés italiens, il eut une enfance pauvre, une enfance de bidonvilles, marquée par l'image de son père, militant syndicaliste, dont il retracera la vie dans sa pièce : *la Vie imaginaire de l'éboueur Auguste G.* Très jeune il doit travailler, mais, après la mort de son père (1938), tué au cours d'un affrontement avec les forces de l'ordre, G. se jure de le venger en dénonçant l'injustice dont il a été victime. Résistant, il est arrêté et transféré dans un camp de concentration, expérience dont il voudra aussi être le témoin (*l'Enfant-Rat ; la Deuxième Existence du camp de Tatenberg. Chronique d'une planète provisoire*). Pour pouvoir prendre parti en toute liberté, il a décidé à partir de 1959, de se consacrer exclusivement à la création théâtrale. Chacune de ses pièces est un réquisitoire politique directement inspiré par l'événement : *Chant public devant deux chaises électriques,* à propos de l'affaire Sacco-Vanzetti ; *V. comme Viêt-nam.* Techniquement, ce théâtre « engagé » apparaît aussi comme un théâtre de la mémoire, où l'éclatement de l'espace et du temps ouvre la porte à une mise en scène directe des structures d'une conscience en état d'explosion.

Œuvres. *Le Crapaud-Buffle,* 1959 (T). – *L'Enfant-Rat,* 1960 (T). – *Le Voyage du grand Tchou,* 1960 (T). – *Le Quetzal,* 1960 (T). – *L'Enclos* (film), 1962. – *La Deuxième Existence du camp de Tatenberg. Chronique d'une planète provisoire,* 1962 (T). – *La Vie imaginaire de l'éboueur Auguste G.,* 1962 (T). – *L'Autre Cristobal* (film), 1964. – *Chant public devant deux chaises électriques,* 1964 (T). – *V. comme Viêt-nam,* 1967 (T). – *La Naissance,* 1968 (T). – *La Cigogne,* 1968 (T). – *Passion en rouge, jaune et violet,* 1968 (T). – *Passion du général Franco,* 1968 (T). – *Les Treize Soleils de la rue Saint-Blaise,* 1968 (T). – *Un homme seul,* 1969 (T). – *Rosa collective,* 1971 (T). – *Passion du général Franco par les émigrés eux-mêmes,* suivi de *la Tribu des Carcana en guerre contre quoi,* 1975 (T). – Préface au livre de P. Oyamburu, *la Revanche de Bakounine ou De l'anarchisme à l'autogestion,* 1975. – *Notes de travail en Ulster,* 1983 (E).

GAULLE Charles de. Lille 27.11.1890 – Colombey-les-Deux-Églises (Haute-Marne) 9.11.1970. Sorti de Saint-Cyr en 1912, il se distingue dès la Première Guerre mondiale, au cours de laquelle il est fait prisonnier (1916). Professeur d'histoire militaire à Saint-Cyr (1921), collaborateur du maréchal Pétain (1925), il exerce divers commandements à Trèves (1927-1929), puis à Beyrouth (1929-1931). Déjà connu des milieux militaires et politiques par ses ouvrages sur l'armée, la stratégie et la tactique, il est promu colonel en 1937, puis, après l'invasion de mai 1940, il entre dans le gouvernement de Paul Reynaud, qui le nomme général de brigade à titre temporaire. Lors de l'armistice de juin 1940, il s'exile à Londres, d'où il lancera son célèbre Appel du 18-Juin, qui marque sa rupture avec la politique du gouvernement de Vichy. Libérateur de Paris en août 1944 et président du gouvernement provisoire, il s'éloigne volontairement du pouvoir en janvier 1946 par hostilité au « jeu des partis », avec lesquels il est en total désaccord sur le problème des institutions. C'est alors ce qu'on a appelé « la traversée du désert », jusqu'à ce que de G. soit rappelé à la suite des événements de mai 1958 en Algérie : il fonde la Ve République et en est le premier président (1959-1969).
L'œuvre littéraire de de G. est d'abord celle d'un militaire : ses théories stratégiques sur l'emploi des blindés *(Vers l'armée de métier)* imposent son nom comme celui d'un des penseurs et des écrivains les plus originaux de l'armée française, et bien des pages annoncent cette maîtrise du style qui s'épanouira dans les *Mémoires de guerre,* rédigés au cours de la « traversée du désert ». Écarté du pouvoir à la suite de l'échec du référendum d'avril 1969, de G. entreprit alors de composer une double réaffirmation de sa vision de l'histoire et de son personnage dans les *Mémoires d'espoir,* dont la rédaction fut interrompue par la mort.
De G. avait déjà manifesté dans ses premiers ouvrages, en particulier dans *le Fil de l'épée,* un don exceptionnel de styliste. L'épanouissement et la maîtrise accrue de ce don font toute la valeur littéraire des *Mémoires de guerre :* la formation de l'écrivain, sous le signe à la fois de la rigueur classique et d'une ferveur à la Chateaubriand, y détermine, au-delà même du style, mais par le style, l'insertion caractéristique du récit actualisé de l'événement dans l'ampleur d'une perspective historique qui instaure, dans le même mouvement, le recul nécessaire à la méditation. Quant aux *Discours et Messages* prononcés en public, à la radio ou à la télévision, de 1940 à 1969, ils révèlent la maîtrise progressive d'une rhétorique propre aux moyens modernes de communication.

Œuvres. *La Discorde chez l'ennemi,* 1924. – *Histoire des troupes du Levant,* 1931. – *Le Fil de l'épée,* 1932. – *Vers l'armée de métier,* 1934. – *La France et son armée,* 1938. – *Trois Études,* 1945. – *Mémoires de guerre* (3 vol., *l'Appel,* 1954 ; *l'Unité,* 1956 ; *le Salut,* 1960). – *Mémoires d'espoir* (2 vol., *le Renouveau,* 1970 ; *l'Effort,* inach., posth., 1971). – *Discours et Messages* (5 vol.), posth., 1970.

GAUTIER Théophile. Tarbes 30.8.1811 – Neuilly 23.12.1872. Fils d'un fonctionnaire des contributions directes rapidement nommé à Paris, il fait ses études au lycée Charlemagne, où il se lie d'amitié avec Gérard de Nerval ; on les voit ensemble à la « bataille d'Hernani » (25 février 1830). Le 28 juillet 1830, alors qu'éclate la révolution, il publie son premier recueil de *Poésies.* Membre du « Petit Cénacle » de Pétrus Borel, il publie *Albertus,* poème d'hommage à Hugo, et un recueil de nouvelles satiriques, *les Jeunes-France ;* il mène une vie turbulente dans les milieux d'artistes et compose *Mademoiselle de Maupin,* dont la préface, si elle lui aliène la critique, lui vaut l'amitié de Balzac, qui l'invite à collaborer à sa *Chronique de Paris.* En 1836, il entre au journal *la Presse,* où il tiendra une chronique d'actualité jusqu'en 1855. Continuant d'écrire *(Fortunio),* il voyage en Espagne (1840) et revient enthousiasmé par cette « sauvage contrée » : il réunit ses impressions en 1843 sous le titre *Tra los montes (Voyage en Espagne)* et les épanouit dans les poèmes *d'España* dont les meilleurs sont inspirés par la peinture espagnole (« Sur deux tableaux de Valdès Leal », « Zurbaran »). Il donne des livrets de ballets qui resteront célèbres *(Gisèle, la Péri)* et un recueil d'articles sur des auteurs méconnus des XVe-XVIIe s. *(les Grotesques).* Il connaît la prospérité pendant quelques années, mais la révolution de 1848 le contraint à réduire son train de vie ; il retourne toutefois en Espagne, puis visite l'Italie (1850). Ses travaux de poète aboutissent à la publication de son recueil le plus connu, *Émaux et Camées,* qui sera réédité et augmenté six fois de son vivant. Le second Empire voit l'apparition du *Roman de la momie,* du ballet *Sacountâla,* d'une étude biographique sur Honoré de Balzac. Annoncé depuis 1836, *le Capitaine Fracasse* paraît en feuilleton de 1861 à 1863 ; G. continue de voyager énormément (Russie, Angleterre, Suisse, Espagne) et se présente quatre fois sans succès à l'Académie ; il meurt d'une maladie cardiaque, laissant inachevée une *Histoire du romantisme* mais ayant mis la dernière main à *Émaux et Camées.*

Deux tendances se font jour dans la production de G. : romantisme échevelé du fanatique de Hugo, impersonnalité voulue de l'inspirateur des théories de l'Art pour l'Art. Sa situation à la croisée des chemins du XIXe s. suffirait donc à signifier son importance si son œuvre elle-même, peu lue de nos jours, ne donnait de son talent une image flatteuse et variée. On connaît *Émaux et Camées,* recueil de vers impeccables, d'une haute technique, d'une beauté glaciale, bible du Parnasse mais aussi de Baudelaire, et le célèbre *Capitaine Fracasse,* parodie romantique de Scarron où s'étale avec bonheur le penchant de G. pour l'époque Louis XIII ; mais l'on aurait avantage à lire *les Jeunes-France,* aussi bien pour l'étrangeté de leur fantastique que pour comprendre le souci d'honnêteté littéraire qui, très vite, sépara G. des romantiques, à ses yeux rêveurs philanthropiques avides d'excentricité stérile. Son activité et son influence de critique d'art (chroniques de la revue *l'Artiste ; l'Art moderne,* 1856) ne sauraient être passées sous silence, et il fut un critique littéraire original, tirant de l'oubli les écrivains du passé, excellent chroniqueur, et surtout auteur de la préface de *Mademoiselle de Maupin,* aussi essentielle que celle de *Cromwell,* car on y découvre la dualité d'un auteur dont le goût des images et des couleurs s'exprime aussi bien dans l'immobilité sculpturale du vers que dans l'envolée acerbe de la prose. Son refus des préoccupations morales en art, son sens de la dignité de l'artiste, son talent d'écrivain font de G. un personnage-charnière qu'il faudra, tôt ou tard, réintégrer parmi les « grands ». Car il convient aussi de donner toute sa place, auprès du romantique, au « poète impeccable » dont parle Baudelaire dans la dédicace des *Fleurs du mal* et au théoricien de l'art gratuit, au maître du fantastique exotique et archéologique qui sait tirer de ce fantastique un romanesque esthétique d'une puissante originalité, celui qui émane d'œuvres comme *Une nuit de Cléopâtre, Arria Marcella* et le *Roman de la momie.*

Œuvres. *Poésies,* 1830 (P). – *Albertus ou l'Âme et le Péché,* 1832 (P). – *La Comédie de la mort. Intérieurs. Paysages,* 1832-1840 (P). – *Les Jeunes-France, romans goguenards,* 1833 (N). – *Mademoiselle de Maupin* (accompagné d'une « Préface »), 1835-1836 (N). – *Fortunio* (a fourni un livret d'opéra mis en musique par Nicolas Westerhout en 1895), 1838 (N). – *Une larme du diable* (fantaisie dramatique d'après le *Faust* de Goethe), 1839 (T). – *Gisèle* (livret de ballet mis en musique par A. Adam), 1841 (T). – *La Mille et Deuxième Nuit,* 1842 (N). – *La Peri* (livret de ballet), 1843 (T). – *Tra los montes, voyage en Espagne* (N), suivi de *España* (P), 1843. – *Les Grotesques* (recueil d'articles), 1844 (E). – *Zigzags. Voyage en Belgique et en Hollande,* 1844. – *Une nuit de Cléopâtre* (a fourni un livret d'opéra écrit par J. Barbier et mis en musique par Victor Massé en 1885), 1845 (N). – *La Chaîne d'or,* 1845 (N). – *Le Tricorne enchanté,* 1845 (P). – *La Toison d'or,* 1845 (N). – *Pierrot posthume,* 1845 (T). – *La Croix de Berny* (roman par lettres, en collaboration), 1845 (N). – *Jean et Jeannette,* 1846 (N). – *La Juive de Constantine,* 1846 (T). – *Les Roués innocents,* 1847 (N). – *Le Roi Candaule,* 1847 (N). – *Militona,* 1847 (N). – *Regardez, mais n'y touchez pas,* 1847 (T). – *Le Salon de peinture de 1847* (recueil d'articles), 1847 (E). – *Histoire des peintres* (2 vol., en collaboration), 1847 (E). – *Les Deux Étoiles,* 1848 (N). – *Le Selam* (livret d'opéra mis en musique par E. Reyer), 1850 (T). – *La*

Pâquerette (ballet), 1851 (T). – *Arria Marcella,* 1852 (T). – *Italia, voyage en Italie,* 1852 (E). – *L'Art moderne,* 1852 (E). – *Émaux et Camées,* 1852 (P). – *Constantinople, voyage en Orient,* 1853 (N). – *Gemma* (livret de ballet), 1854 (T). – *Les Beaux-Arts en Europe* (recueil d'articles), 1856 (E). – *Avatar et Jettatura* (contes fantastiques), 1857 (N). – *Le Roman de la momie,* 1858 (N). – *Histoire de l'art dramatique en France depuis vingt-cinq ans* (recueil d'articles, 6 vol.), 1858 (E). – *L'Anneau de Sacountâla* (livret de ballet mis en musique par E. Reyer), 1858 (T). – *Honoré de Balzac,* 1859 (E). – *Trésors d'art de la Russie ancienne et moderne,* 1860-1863 (E). – *L'Abécédaire du Salon,* 1861 (E). – *Les Dessins de Victor Hugo,* 1863 (E). – *Le Capitaine Fracasse* (écrit en 1836), 1863 (N). – *Les Dieux et les Demi-Dieux de la peinture,* 1864 (E). – *La Peau de tigre* (nouvelles), 1864-1865 (N). – *La Belle Jenny* (déjà paru sous le titre *les Deux Étoiles* en 1848), 1865 (N). – *Quand on voyage,* 1865 (N). – *Spirite,* 1866 (N). – *Voyage en Russie* (3 vol.), 1866 (N). – *Le Parnasse contemporain* (ouvrage collectif, collaboration au 1er vol.), 1866. – *Le Musée du Louvre,* 1867 (E). – *Aux mânes de l'Empereur,* 1869 (P). – *Un douzain de sonnets,* 1869 (P). – *Ménagerie intime* (autobiographie), 1869 (N). – *Tableaux de siège,* 1870-1871. – *Émaux et Camées* (nouv. éd., 47 poèmes), 1872 (P). – *Portraits contemporains* (contient : *H. de Balzac*), posth., 1874 (E). – *Histoire du romantisme* (inach.), posth., 1874 (E). – *L'Orient* (récit de voyage), posth., 1877 (N). – *Œuvres complètes,* 1978.

Une nuit de Cléopâtre

Un jeune Égyptien amoureux de Cléopâtre ne connaîtra l'assouvissement de sa passion que pour en mourir, cela dans le cadre d'une reconstitution fantastique et somptueuse de l'Égypte antique.

Arria Marcella

Un dandy romantique, Octavien, tombe amoureux d'une jeune gorge féminine moulée dans la cendre de Pompéi. Cette passion suscite, sous la forme d'une fantastique hallucination, la résurrection de l'antique cité et de la jeune fille elle-même, qu'Octavien aperçoit au théâtre et auprès de laquelle le conduit une jeune esclave. Tandis que le désir amoureux d'Octavien et d'Arria s'épanouit dans un univers d'illusion onirique, le charme est bientôt rompu par l'apparition du père de la jeune fille, « disciple du Christ ».

Le Roman de la momie

Un autre dandy, Anglais celui-ci, devant l'apparition, sous les bandelettes défaites de la momie, du corps d'une vierge égyptienne, entreprend par l'imagination la remontée des siècles, afin de vivre intensément son rêve d'amour impossible.

GAUTIER D'ARRAS. XIIe s. Il est l'auteur de deux romans en vers, *Éracles* (1164) et *Ille et Galeron* (1167). *Éracles* tient du roman et de l'épopée et témoigne déjà d'une finesse psychologique remarquable. Rédigé à la cour de Blois et dédié à Béatrice, la seconde femme de Barberousse, *Ille et Galeron* approfondit encore l'étude des sentiments, à savoir les conflits d'un homme aux prises avec deux amours simultanées. Même si G. d'A. ne développe pas l'analyse autant que Chrétien de Troyes, il peut être considéré comme un des premiers maîtres du roman d'analyse au XIIe s.

GAUTIER DE COINCY. Coincy, près de Soissons, 1177 – Soissons 1236. Il serait entré dans les ordres à l'âge de quinze ou seize ans et fut, par la suite, prieur de Vic-sur-Aisne. Poète lyrique des plus personnels, G. de C. est surtout l'auteur des *Miracles de la Sainte Vierge* (1220), recueil de légendes et de miracles inspirés, le plus souvent, par l'œuvre d'Hugues Farsit, qu'il se contente parfois de traduire directement du latin. La piété exemplaire de G. de C. ne lui interdit pas de dépasser la seule édification religieuse, qui était l'unique souci de ses prédécesseurs. Il se permet des conclusions tout à fait originales quand, par exemple, il présente la Vierge comme une source intarissable de charité et d'indulgence, qui pardonne tous les péchés, sans restriction, pour peu que la contrition soit sincère. C'est ainsi qu'elle ressuscite les enfants morts dans les bras mêmes de l'infanticide... La naïveté du sentiment qui guide G. de C. lui valut une grande popularité, et les *Miracles de la Sainte Vierge* deviendront au siècle suivant une des sources du théâtre religieux et du genre du « miracle » (*Miracles de Notre-Dame par personnages,* XIVe s.).

GAY Delphine. (Voir GIRARDIN.)

GAY-LUSSAC Bruno. Paris 1.1.1918. Neveu de François Mauriac, il passe son enfance tantôt à Paris, tantôt en Limousin. Il se fait connaître en 1955 par *les Moustiques,* où il transcrit avec une sorte de minutie apparemment impassible ce qui est sans doute l'inquiétude à l'état pur, une inquiétude sans objet autre qu'elle-même : inquiétude qui s'inscrit dans la double ambiguïté de la communication et de la solitude, porte-à-faux sur lequel se construit *le Salon bleu* (1964), l'œuvre la plus caractéristique de G.-L., où l'on voit des parents qui se retrouvent, après de longues années, dans la maison de vacances de leur jeunesse, et qui ne savent quel usage faire, dans leur présent, des souvenirs de leur passé.

Œuvres. *Les Enfants aveugles,* 1938 (N). – *Farandole,* 1947 (N). – *Une gorgée de poison,* 1950 (N). – *La ville dort,* 1951 (N). – *Les Moustiques,* 1955 (N). – *L'Examen de minuit,* 1959 (N). – *La Peur,* 1961 (N). – *L'Insaisissable,* 1963 (N). – *Le Salon bleu,* 1964 (N). – *La Robe,* 1966 (N). – *L'Ami,* 1968 (N). – *L'Analphabète,* 1971 (N). – *L'Homme violet,* 1974 (N). – *Thérèse,* 1975 (N). – *La Chambre d'instance,* 1978 (N). – *L'Heure,* 1979 (N). – *L'Arbre éclaté,* 1980 (N). – *Le Voyage enchanté,* 1981 (N). – *L'Autre versant,* 1983 (N). – *L'Âne savant,* 1984 (N). – *Les Anges fous,* 1985 (N).

GÉLINAS Gratien. Saint-Tite-de-Champlain 8.12.1909. Écrivain canadien-français. Après des études classiques au collège de Montréal, il entre à l'École des hautes études commerciales. D'abord comédien, il passe rapidement comme acteur à la radio, où il connaît un succès immédiat dans *le Curé de village.* Pendant une dizaine d'années, sa revue annuelle, *Fridolinades,* tour d'horizon satirique et joyeux des incidents de la vie sociale et politique du Québec, a fait rire toute la province. C'est de quelques-uns de ces tableaux qu'il a tiré la matière de sa première pièce, *Tit-Coq,* jouée quelques années après la guerre : c'est le drame d'un enfant naturel dans une société traditionnellement religieuse, toujours réticente envers les bâtards, « enfants du vice ». La structure se ressent encore des procédés de la revue et consiste en une douzaine de sketches juxtaposés. Les caractères sont dessinés d'un trait net et incisif, sans trop de nuances, et le langage est délibérément farci de canadianismes populaires. Auteur dramatique, metteur en scène, G. est un homme de théâtre complet : il interprète toujours ses œuvres après les avoir écrites et mises en scène ; depuis 1958, il dirige la Comédie canadienne de Montréal. C'est sans doute grâce à cette expérience qu'il a pu, à partir de 1960, dégager son œuvre de ses origines encore proches du genre de la revue, pour produire des pièces plus charpentées et aussi – sous le masque de leur apparence ironique ou comique – plus « sérieuses » : ainsi en est-il de *Bousille et les Justes,* réquisitoire contre la respectabilité et plaidoyer pour ce paria qu'est Bousille, peu intelligent sans doute et bourré de complexes, mais bon et sincère.

Œuvres. *Tit-Coq,* 1948 (T). – *Bousille et les Justes,* 1961 (T). – *Hier les enfants dansaient,* 1968 (T). – *Les Fridolinades (1945-1946 ; 1943-1944 ; 1941-1942),* 1980-1981 (T).

GENET Jean. Paris 19.12.1910. Enfant abandonné et confié à l'Assistance publique, G. connut, dès l'âge de dix ans, une vie mouvementée qui le conduira dans plusieurs maisons de redressement. Par la suite voleur, déserteur, homosexuel, il assumera totalement ses caractéristiques dans des ouvrages qui feront scandale. Le « mal » y est célébré, l'immoralité la plus totale recherchée, exercée, mise sur un piédestal, non sans provocation systématique. Pour pallier le non-conformisme de son inspiration, G. utilise une langue classique, lyrique, encombrée cependant d'images baroques, qui le range parmi les meilleurs écrivains de son temps. Dans son théâtre, plus encore que dans ses romans ou ses poèmes, s'affirment les mêmes traits caractéristiques : violence, goût de l'insolite et du scandale, provocation, liés à une volonté sincère de dénoncer tous les faux-semblants d'un monde qui le renie, qu'il renie. La forme théâtrale convient en effet parfaitement à G. pour exprimer sa révolte fondamentale. Le port du masque ou le déguisement marquent l'écart que d'aucuns s'appliquent à établir entre l'être et le paraître, qu'il cherche à réconcilier pour que l'homme puisse vivre dans sa totalité, sans être obligé de cacher ce qui ne convient pas à la société dans laquelle il est obligé de vivre. G. démasque ainsi avec force ce qui gît peut-être, ignoré, dans les couches obscures de la conscience, et que, lui, il entreprend d'assumer pleinement par l'expression littéraire, ce qui explique sans doute que J.-P. Sartre ait pu voir en lui un « modèle ».

Œuvres. *Pompes funèbres,* 1944, rééd. 1978 (N). – *Querelle de Brest,* 1944 (N). – *Les Bonnes,* 1946 (T). – *Notre-Dame des Fleurs,* 1946 (N). – *Miracle de la rose,* 1947 (N). – *Haute Surveillance,* 1949 (T). – *Journal du voleur,* 1949 (N). – *Le Condamné à mort,* 1951 (P). – *Un chant d'amour,* 1951 (P). – *Le Balcon,* 1956 (T). – *Les Nègres,* 1958 (T). – *Les Paravents,* 1961 (T). – *L'Atelier d'Alberto Giacometti,* 1963 (E). – *Lettres à Roger Blin,* 1966 (E).

Les Bonnes

La pièce est construite sur un jeu d'échange entre illusion et réalité, qui n'est pas sans analogie avec la technique baroque (voir ce mot et ROTROU) de la pièce dans la pièce. Deux bonnes, Claire et Solange, en l'absence de leur maîtresse, jouent en effet au jeu de la patronne et de la servante, Claire incarnant « Madame » tandis que Solange joue le rôle de Claire domestique. Mais ce jeu est l'occasion d'une prise de conscience violente et cruelle de la relation ambiguë des bonnes et de leur maîtresse, relation à la fois de haine et d'adoration, qui tend à se sacraliser dans cette double dimension contradictoire à la faveur même du *jeu* théâtral : de sorte que le jeu de l'illusion devient progressivement un jeu de révélation, et c'est ce mouvement qui structure la tension dramatique. Tandis que l'amant de « Madame » (« Monsieur »), arrêté sur dénonciation des bonnes, trouve le moyen de se faire libérer, ce qui détermine chez les bonnes un paroxysme de ressentiment, elles décident de tuer leur maîtresse en l'empoisonnant : mais le jeu s'est, de par leur volonté, si totalement substitué à la réalité que c'est Claire qui, jouant jusqu'au bout le rôle de sa maîtresse, mourra à sa place après avoir absorbé le tilleul empoisonné préparé pour « Madame ».

Le Balcon

C'est l'enseigne de la maison (« close ») de Madame Irma, où divers personnages viennent surtout pour se donner la possibilité de jouer à être illusoirement ce que leur suggèrent leurs pulsions les plus secrètes : un employé du gaz s'y transforme en évêque ! Mais, dans la ville, c'est la révolution, autre forme d'illusion, explosion des aspirations et pulsions du peuple : telle est du moins la pensée du Chef de la police – sorte de psychanalyste –, qui voudrait bien que les révolutionnaires puissent être neutralisés en allant plutôt chez Madame Irma jouer les rôles du pouvoir. La situation est d'autant plus grave que les représentants réels du pouvoir ont été massacrés. Il importe donc de faire croire au peuple qu'au contraire ils survivent. Madame Irma et ses clients acceptent de jouer alors les rôles de la Reine, du Général, etc. Et l'opération réussit. Bientôt c'est le Chef des révolutionnaires vaincus lui-même qui demandera à jouer le rôle de Chef de la police. A ce moment, le vrai Chef de la police, saisi lui aussi par le démon de la gloire, pour éterniser son triomphe, se fait emmurer dans un mausolée construit sur son ordre. On entend alors éclater les coups de feu d'une nouvelle révolution : tout est sans doute à recommencer.

GENETTE Gérard. Paris 1930. Agrégé de lettres et normalien, G., après quelques années d'enseignement, se tourne vers la critique littéraire à une époque où le débat entre les traditionalistes et les tenants d'une « nouvelle critique » est particulièrement âpre. Entre 1959 et 1965 il publie de nombreux articles dans des revues critiques (*la Nouvelle Revue française, Tel Quel, Critique*), rassemblés en 1966 dans *Figures I.* Définissant l'espace et l'œuvre littéraires comme un texte, c'est-à-dire « comme un tissu de figures », G. entreprend en poéticien une théorie générale des formes littéraires (codes rhétoriques, techniques narratives, structures poétiques) qui explore les divers « possibles du discours ». Il est à ce titre représentatif du courant critique qui veut éclairer l'acte même d'écrire mais demeure en marge des écoles, dénonçant ceux qui proposent des systèmes rigides de classification des textes. C'est dans *l'Introduction à l'Architexte* puis dans *Palimpsestes* qu'il développe les notions de « transcendance du texte » et d'« hypertextualité » (par laquelle une œuvre en transforme une ou plusieurs autres). Son champ d'investigation s'étend désormais de *l'Astrée* à Borges en passant par Flaubert, Proust et Robbe-Grillet. G. est maître de conférences à l'École normale supérieure et directeur d'études à l'École des hautes études en sciences sociales.

Œuvres. *Figures I,* 1966 (E). – *Figures II,* 1969 (E). – *Figures III,* 1972 (E). – *Mimologiques,* 1976 (E). – *Introduction à l'Architexte,* 1979 (E). – *Palimpsestes,* 1982 (E). – *Travail de Flaubert* (collectif), 1983 (E). – *Nouveau discours du récit,* 1983.

GENEVOIX Maurice. Decize (Nièvre) 1890 – Javea (Espagne) 8.9.1980. Il débuta comme narrateur de sa propre guerre avec la série *Ceux de Quatorze.* Il est beaucoup plus connu pour ses nombreux romans de la nature, qui évoquent avec tendresse, dans un style d'une très agréable aisance, les paysages, les bêtes et les gens des provinces qui lui sont chères : Nivernais, Val-de-Loire et Sologne, le plus célèbre étant *Raboliot,* prix Goncourt 1925. Grand voyageur, il s'est notamment rendu au Canada avant-guerre : il y écrivit les romans *Laframboise et Belle Humeur* et *Eva Charlebois,* et donna des impressions de son séjour dans *Canada.* Entré à l'Académie française en 1946, il en fut le secrétaire perpétuel de 1958 à 1974. Il donna une nouvelle expression de son inspiration la plus personnelle dans *Un jour* à travers le portrait d'un personnage à la fois aristocratique et « primitif »,

Fernand d'Aubel ; G. s'y interroge à la fois sur son œuvre et sur le sens de la vie : dans le cadre de la forêt d'Orléans, en donnant la parole à ce personnage qui est son double « naturel », G. décrit toutes les images et tous les accidents de l'émerveillement devant la nature et ses habitants, et retrouve une jeunesse d'inspiration qui assure la vitalité du style. C'est bien ce génie de la vitalité et de la poésie dans l'écriture qui reste la marque originale d'un écrivain étranger, jusqu'au bout, à toute sclérose, et capable d'être, d'abord, magnifiquement lui-même.

Œuvres. *Ceux de Quatorze* (comprend : *Sous Verdun,* 1916 ; *Nuits de guerre,* 1917 ; *Au seuil des guitounes,* 1918 ; *la Boue,* 1921 ; *les Éparges,* 1923) [N]. – *Jeanne Robelin,* 1920 (N). – *Rémi des Rauches,* 1922 (N). – *Raboliot,* 1925 (N). – *Euthymos, vainqueur olympique,* 1925 (N). – *La Boîte à pêche,* 1926 (N). – *Les Mains vides,* 1928 (N). – *Cyrille,* 1929 (N). – *Rroû,* 1930 (N). – *Forêt voisine,* 1933 (N). – *Marcheloup,* 1934 (N). – *Le Jardin dans l'île,* 1936 (N). – *La Dernière Harde,* 1938 (N). – *Les Compagnons de l'aubépin,* 1938 (N). – *L'Hirondelle qui fit le printemps,* 1941 (N). – *Laframboise et Belle Humeur,* 1942 (N). – *Eva Charlebois,* 1944 (N). – *Canada,* 1945 (E). – *Sanglar,* 1946 (N). – *L'Écureuil du Bois-Bourru,* 1947 (N). – *Afrique blanche, Afrique noire,* 1949 (E). – *L'Aventure est en nous,* 1952 (N). – *Fatou Cissé,* 1954 (N). – *Vlaminck,* 1954 (E). – *Routes de l'aventure,* 1959 (N). – *Au cadran de mon clocher,* 1960 (N). – *Vaincre à Olympie,* 1960 (N). – *Les Deux Lutins,* 1961 (N). – *La Loire, Agnès et les Garçons,* 1962, rééd. 1985 (N). – *Derrière les collines,* 1963 (N). – *Beau François,* 1965 (N). – *Christian Caillard,* 1965 (N). – *La Forêt perdue,* 1967 (N). – *Images pour un jardin sans murs,* 1968. – *Tendre Bestiaire,* 1969. – *Mon ami l'écureuil,* 1969 (N). – *Bestiaire enchanté,* 1970 – *Bestiaire sans oubli,* 1971. – *Maurice Genevoix illustre ses « Bestiaires »,* 1972. – *La Mort de près,* 1972 (N). – *Deux Fauves* (*l'Assassin,* 1930 ; *Gai-l'Amour,* 1932), 1973 (N). – *Un jour,* 1976 (N). – *Lorelei,* 1978 (N). – *La Motte rouge,* 1979 (N). – *Trente mille jours,* 1980 (N). – *Je verrai, si tu veux, les pays de la neige,* 1980 (N).

Raboliot

C'est le braconnier de Sologne : entre Raboliot et son pays, une connivence comparable à celle qui l'unit à sa chienne Aïcha, comme au gibier même qu'il pourchasse sans égards pour les lois et règlements. Car lois et règlements appartiennent à un autre monde, celui qu'incarnent les gardes-chasse et le gendarme Bourrel. Pour ce monde, Raboliot n'éprouve pas de haine : il n'a avec lui aucune relation d'aucune sorte. Mais ce monde le rejette, et c'est le gendarme qui va haïr le braconnier. Toutefois Raboliot reste pleinement humain : traqué et contraint de se cacher, il ne pourra supporter de ne plus revoir sa femme et ses enfants ; c'est bien là le piège qui lui est tendu, et il y tombera, mais après avoir, comme par anticipation et cédant à une impulsion irrésistible, fait subir au gendarme Bourrel le châtiment qu'à ses yeux il mérite.

GENLIS, Stéphanie Félicité du Crest de Saint-Aubin, comtesse de. Issy-l'Évêque (Saône-et-Loire) 25.1.1746 – Paris 31.10.1830. Institutrice du futur Louis-Philippe, elle donna des ouvrages pédagogiques et, sous l'Empire, de nombreux romans, dont *Mademoiselle de Clermont.* Sa seule œuvre encore considérée aujourd'hui est la série de ses *Mémoires :* son évocation du XVIIIe s. finissant vaut moins par le style, inégal et sans originalité, que par la masse d'anecdotes que sa vie auprès des grands lui a permis de nous laisser sur la Cour de Louis XVI.

Œuvres. *Traité d'éducation à l'usage des jeunes personnes,* 1771-1780. – *Adèle et Théodore,* 1782 (N). – *Les Veillées du Château* (contes), 1784 (N). – *Conseils sur l'éducation du Dauphin,* 1790. – *Les Leçons d'une gouvernante,* 1791. – *Les Petits Émigrés,* 1798 (N). – *Mademoiselle de Clermont,* 1802 (N). – *Contes moraux,* 1802 (N). – *La Duchesse de La Vallière,* 1804 (N). – *Madame de Maintenon,* 1806 (N). – *Le Siège de La Rochelle,* 1808 (N). – *Mémoires inédits sur le XVIIIe siècle et sur la Révolution,* 1825.

GENRES. Regroupement, sous une même étiquette, de morceaux littéraires de nature semblable soit par la forme, soit par le contenu (genre épique, genre dramatique). Cette notion n'apparut qu'à la Renaissance et s'imposa au XVIIe s. de façon très stricte. Le romantisme essaya, au contraire, de pulvériser ces catégories en prônant le « mélange des genres », alléguant que la rigueur de la classification *a priori* des œuvres littéraires est une entrave à la liberté créatrice. La littérature moderne affirme cette tendance. Néanmoins, la notion de genre se réfère désormais, plutôt qu'à des formes ou à des contenus, à des prototypes « structuraux ».

GÉRALDY Paul, Paul Le Fèvre, dit. Paris 6.5.1885 – Neuilly-sur-Seine

10.3.1983. Dramaturge et poète, il se rattache à la tradition intimiste et sentimentale, qu'il renouvelle par sa finesse psychologique et son souci d'une forme à la fois subtile et rigoureuse. Ses détracteurs l'ont souvent taxé de « féminité », au sens péjoratif de ce terme, et, de fait, G. a surtout connu le succès auprès du public féminin ; mais cette même féminité, cette fois au sens laudatif, lui a permis de composer une remarquable version théâtrale de *Duo* de Colette. Quant à sa poésie, la part sans doute la plus durable de son œuvre, elle cultive, parfois un peu artificiellement, mais toujours avec efficacité, un charme original étroitement lié à un ton impressionniste rebelle à toute définition, dont on trouvera le chef-d'œuvre dans le recueil *Toi et Moi,* un des livres de poésie les plus célèbres de son temps, dont le mérite reste intact si l'on considère l'aisance de la versification et l'aptitude à poétiser le langage le plus ordinaire. G. enfin nous a laissé des carnets romancés comme *la Guerre, Madame* ou *l'Homme et l'amour,* d'une exceptionnelle acuité psychologique.

Œuvres. *Roméo et Juliette* (trad.), 1890 (T). – *Les Petites Âmes,* 1908 (P). – *Toi et Moi,* 1913, rééd. 1985 (P). – *Le Grand-Père,* 1915 (P). – *La Guerre, Madame,* 1916 (N). – *Les Noces d'argent,* 1921 (T). – *Aimer,* 1921 (T). – *Grands Garçons,* 1922 (T). – *Le Prélude,* 1923 (N). – Avec R. Spitzer, *Si je voulais,* 1924 (T). – *Robert et Marianne,* 1925 (T). – *Son mari,* 1927 (T). – *L'Amour,* 1929. – Avec R. Spitzer, *l'Homme de joie,* 1929 (T). – *Carnets d'un auteur dramatique,* 1931. – *Débarcadères,* 1931. – *Christine,* 1932 (T). – *Do, mi, sol, do,* 1934 (T). – *Clindindin* (pour enfants), 1937 (N). – *Duo* (d'après le roman de Colette), 1938 (T). – *Voir, écouter, sentir,* 1938. – *Gilbert et Marcellin,* 1945 (T). – *Ainsi soit-il,* 1946 (T). – *L'Homme et l'amour,* 1951 (N). – *Trois Comédies sentimentales,* 1961 (T). – *Vous qui passez,* 1967 (N).

GERMINET G. (Voir RADIO.)

GERSON, Jean Charlier, dit **de.** Gerson (Ardennes) 1363 – Lyon 1429. Dès sa jeunesse, G. fut orienté vers le sacerdoce. Après des études au collège de Navarre, il se consacra en priorité à l'enseignement, puis fut nommé curé de Saint-Jean-en-Grève et chanoine de Notre-Dame de Paris. Il finit par obtenir en 1395 la haute fonction de chancelier de l'université, succédant à son maître et ami Pierre d'Ailly.

G. fut l'une des figures les plus vivantes et les plus attachantes de son temps. Il se distingua surtout par ses *Discours* prononcés dans les universités et par ses *Sermons,* où il prend parti dans toutes les querelles. Politiquement, il mit en garde le roi contre les troubles qui menaçaient le royaume du fait de la mésentente entre Charles VI et ses oncles. Partout où il le pouvait, à la cour, au parlement, à l'université, dans sa paroisse, il parlait de la paix, de l'unité nécessaire aussi bien à l'intérieur du royaume qu'au sein de l'Église, déchirée par les schismes. C'est ainsi que le 6 janvier 1391 il rendit compte au roi de la confusion qui résultait de la double élection d'Urbain VI à Rome et de Clément VII en Avignon. Malgré l'opposition de Louis d'Orléans, qui donnait sa préférence au pape français, alors que lui-même soutenait le pape romain, G. défendit sa position avec autorité au concile de Pise (1409) et à celui de Constance (1414) : il obtint satisfaction avec l'élection de Martin V. D'une impartialité exemplaire, malgré la fermeté de ses opinions, il condamna l'assassinat de Louis d'Orléans, qu'il avait combattu avec ténacité. Jean sans Peur, responsable de cet assassinat, se vengea par de dures représailles, ce qui n'empêcha pas G. de demander, au concile de Pise, la condamnation de l'assassinat politique. À l'avènement de Jean sans Peur, G. préféra ne pas rentrer en France après le concile de Constance et vécut en Bavière. Revenu en France à la mort du duc de Bourgogne (1419), il se retira à Lyon, à l'écart des affaires de l'État, dans un couvent de Célestins. Il consacra le reste de sa vie à la rédaction d'ouvrages de théologie et à la contemplation.

G. a laissé un grand nombre de traités intéressant le gouvernement de l'Église. Dans le *De infallibilitate papae,* il place l'autorité des conciles au-dessus de celle du pape. Pédagogue, il a joué un rôle important dans la réforme des études universitaires. Il s'est livré à une critique acerbe de la théologie scolastique et tenta d'éclaircir la confusion qui résultait du mélange de la logique et de la métaphysique. Au-dessus des raisonnements de l'homme et de leur confusion, il donnait la primauté à l'enseignement du Christ, qui, seul, doit faire autorité. « Évangéliste » avant l'heure, G. a montré une élévation d'âme qui inspirait chacune de ses actions. Écouté par les princes, respecté même par ses ennemis, il sut aussi se tenir près du peuple, s'occupant plus particulièrement de l'éducation des enfants déshérités.

Œuvres. *Cinquante-Cinq Sermons et Discours* conservés (prononcés de 1389 à 1413). – *Seize Sermons prêchés devant la cour,* 1389-1397. – *La Montagne de contemplation,* 1397. – *De restitutione obedientiae,* 1400. – *Trente Sermons prêchés en paroisse* (contient la série *Pœnitemini),* 1401-1404. – *Contra vanam curiositatem in negotio fidei,* 1402. – *Neuf Discours ou Sermons de doctrine,* 1404-1413. – *Vivat Rex, Veniat Pax* (harangues), avant 1413. – *Consolatio theologiae,* 1414-1419. – *De auferibilitate papae ab Ecclesia,* 1417. – Traités *(la Mendicité spirituelle, le Triparti, le Dialogue spirituel, la Médecine de l'âme, l'Examen de conscience et la confession, l'Art de bien vivre et de bien mourir, l'A.B.C. des gens simples, Parlement secret de l'homme contemplatif à son âme, Vision)* [contre *le Roman de la Rose*], posth., 1492.

GERVAIS DU BUS. (Voir ROMAN DE FAUVEL.)

GESTE (ou CYCLE) DE DOON DE MAYENCE. Cette geste, qui fait suite à la *Geste du roi* et à la *Geste de Garin de Monglane,* rassemble les chansons de geste relatives au thème de la rébellion du vassal contre son suzerain, ce qui explique le caractère distinctif de ce cycle, le déchaînement de la violence. Généralement victime d'une injustice, le vassal en prend prétexte pour s'insurger contre son suzerain, en oubliant que le loyalisme féodal est, par nature, inconditionnel ; il sera contraint, par la fatalité même de sa révolte, d'aller jusqu'à la trahison, jusqu'à combattre son suzerain dans les rangs de l'ennemi (*Gormont et Isambart*). Aussi les chansons de cette geste débouchent-elles sur le tragique : du héros tragique le rebelle a la démesure et l'obstination. Mais l'univers de la geste reste un univers chrétien, orienté vers la rédemption du héros : celui-ci finit généralement par se repentir et par se soumettre, le plus souvent grâce à une intervention divine et dans des conditions ménageant son amour-propre, qui, dans la mystique féodale, se nomme honneur. Il peut alors réintégrer l'ordre moral et social, où il retrouve la place que lui valent sa race et sa vaillance. Le chef-d'œuvre de ce cycle est sans doute *Raoul de Cambrai,* avec, en particulier, la structure de la poursuite qui inspirera à Hugo *l'Aigle du casque* de *la Légende des siècles.*

GESTE (ou CYCLE) DE GARIN DE MONGLANE ou DE GUILLAUME D'ORANGE. Dans la continuité du *Cycle du roi,* cette geste rassemble les chansons groupées autour du héros central qu'est Guillaume-au-Court-nez, dit Guillaume d'Orange. Après la chanson qui fait la transition entre les deux cycles, *le Couronnement de Louis,* où Guillaume contribue à instaurer le loyalisme dynastique en assurant l'avènement de Louis le Pieux contre les tentatives d'usurpation, les autres chansons (*le Charroi de Nîmes, la Prise d'Orange, les Aliscans, la Chanson de Guillaume*) mettent en scène l'action guerrière de Guillaume et de ses parents, toujours inspirée par un indéfectible dévouement au suzerain : cette geste est en cela l'exacte antithèse de celle de Doon de Mayence. Le même caractère inspire les chansons qui ont pour héros central le père de Guillaume (*Aimeri de Narbonne),* son grand-père *(Girard de Vienne)* ou encore son arrière-grand-père, le fondateur de la lignée, Garin de Monglane.

GHELDERODE Michel De, Adolphe Adhémar Louis Michel Martens, autorisé par arrêté royal du 9.7.1929 à se nommer. Ixelles 3.4.1898 – Bruxelles 1.4.1962. Écrivain belge d'expression française. Il commença par écrire des pièces en français pour le Théatre populaire flamand de Johan de Meester, pièces qui étaient traduites en flamand pour être représentées devant des auditoires populaires. C'est dire la place qu'occupe dans son œuvre l'inspiration flamande, avec ce mélange d'horreur et de bouffonnerie qui fait songer à Brueghel et plus encore à Jérôme Bosch. Mais cette inspiration ne suffit pas à expliquer la prophétique nouveauté de l'œuvre de G. Elle fut en effet, pour l'essentiel, écrite entre 1925 et 1940, mais ne devait être connue en France qu'à partir de 1947, année où la compagnie André Reybaz révéla *Hop, signor !* et *Fastes d'enfer.* G. est influencé par les élisabéthains (il est probablement, en profondeur, le plus shakespearien des dramaturges du XXe s.) et par Strindberg. Il faut y joindre la découverte de l'expressionnisme allemand, qui contribua à orienter G. dans la voie d'un théâtre où l'étrangeté du fantastique produit un univers de démesure, dont les deux dimensions – farce et tragédie – se rejoignent : dramaturgie où la magie incantatoire du langage le dispute à sa brutale cruauté ; univers où l'homme se trouve à la fois ridicule et déchiré, en proie au Mal comme à l'Amour, à la Souffrance comme à la Joie, et finalement possédé par la Peur et la Mort. Tels sont, selon le titre d'une des pièces de G., les *Fastes d'enfer,* que ne cesse d'explorer le dramaturge, dans des œuvres où farce et crime, mêlés dans une atmosphère de kermesse, de fantastique et même de mysticisme, naissent des comportements de personnages à la fois aberrants et cependant déterminés par un destin d'une parfaite logique, cette combinaison d'aberration et de logique étant le plus souvent le signe d'une sournoise présence satanique. Il faut enfin souligner le caractère visionnaire de ce théâtre, dont le langage ne cesse de construire de véritables tableaux (ce qui explique le succès de G. auprès des metteurs en scène de la génération d'après 1945). Il lui est même arrivé de s'inspirer directement des peintres : ainsi, dans *Escurial,* drame de la Flandre espagnole, où se mêlent le mysticisme espagnol et le délire flamand, G. traduit en théâtre deux tableaux, l'un du Greco, pour le roi, l'autre de Vélasquez, pour le bouffon. Les personnages de G. accèdent d'ailleurs à cette intense présence visionnaire par le moyen d'un langage dont la verve et le sarcasme débouchent sur une sorte d'onirisme verbal qui coïncide avec l'atmosphère de rêve ou de cauchemar où se déroulent des tableaux hallucinants comme ceux de *Sire Halewyn* ou de *la Ballade du Grand Macabre.*

Œuvres. *La Mort regarde à la fenêtre,* 1918 (T). – *Images de la vie de saint François d'Assise* (revue religieuse), 1925 (T). – *Mystère de la Passion de Notre Seigneur* (pièce pour marionnettes), 1925. – *La Mort du docteur Faust,* 1925-1926 (T). – *Barabbas,* (pièce écrite en 1928, jouée à Paris en 1950), 1928 (T). – *Christophe Colomb* (féerie écrite en 1927), 1929 (T). – *Le Massacre des Innocents* (pièce pour marionnettes), 1929 (T). – *La Tentation de saint Antoine* (pièce pour marionnettes), 1929 (T). – *Le Siège d'Ostende* (pièce pour marionnettes), 1933 (T). – *Les Femmes au tombeau* (pièce pour marionnettes), 1934 (T). – *Hop, signor !* (drame écrit en 1935, créé à Bruxelles en 1942, à Paris en 1947), 1938 (T). – *Sortie de l'auteur* (pièce écrite en 1930, jouée en 1962), 1941 (T). – *D'un diable qui prêcha merveille* (pièce pour marionnettes, écrite en 1934), 1941 (T). – *Escurial* (drame écrit en 1927, créé en 1930 à Liège), 1948 (T). – *Fastes d'enfer* (tragédie-bouffe écrite en 1929), 1949 (T). – *Mademoiselle Jaïre* (mystère écrit en 1934), 1949 (T). – *Sire Halewyn* (drame écrit en 1938, créé à Bruxelles en 1938), 1950 (T). – *Théâtre I,* 1950 (T). – *Magie rouge* (pièce écrite en 1931), 1951 (T). – *Le Soleil se couche* (écrit en 1933), 1951 (T). – *Théâtre II* (éd. compl.), 1952 (T). – *La Farce du mort qui faillit trépasser* (pièce pour marionnettes), 1952 (T). – *La Farce des ténébreux* (écrit en 1936), 1953 (T). – *La Ballade du Grand Macabre* (farce écrite en 1934, créée sous le titre *la Grande Kermesse*), 1953 (T). – *L'École des bouffons* (drame écrit en 1937), 1953 (T). – *Théâtre III* (éd. compl.), 1953 (T). – *Théâtre IV* (éd. compl.), 1955 (T). – *Les Aveugles,* 1956 (T). – *Les Entretiens d'Ostende* (7 entretiens de R. Iglésis et A. Trutat avec G. diffusés en 1951 et 1952 sous le titre *Images et Visions d'un solitaire*), 1956. – *Théâtre V* (éd. compl.), 1956 (T).

Hop, signor !

Un nain génial, Juréal, sculpte des images où il inscrit, dans le tourment et la violence des formes, sa propre torture morale. Car tout le monde se moque de lui, et sa femme Marguerite se laisse courtiser par deux seigneurs, que Juréal finit par provoquer en duel : le nain sculpteur meurt, lynché par la foule. Les deux seigneurs se querellent et s'entretuent pour Marguerite, qui, condamnée, sera exécutée : c'est alors, et alors seulement, qu'entre les mains du bourreau elle trouvera, ensemble, l'amour et la mort.

Fastes d'enfer

L'évêque Jan in Ereme vient de mourir d'une mort qui paraît suspecte. Or, voici que, dans son palais épiscopal, Jan sort de la chambre mortuaire pour recracher l'hostie empoisonnée par son auxiliaire Simon Laquedeem. Après quoi, l'évêque réintègre la chambre.

Sire Halewyn

Incarnation du mythe de Barbe-Bleue contaminé avec celui des Sirènes, Sire Halewyn charme les femmes par son chant, mais c'est pour les faire périr, et il se plaît à contempler les potences où sont pendues ses victimes. Voici que la belle Parmelende, à son tour, cède à la fascination du chant maléfique, pénètre dans le château à l'éclairage macabre de Sire Halewyn ; la neige recouvre le paysage, créant une autre fascination, et Parmelende regarde ; ce regard, qui lui fait découvrir les potences funèbres, produit en elle une acuité de conscience qui la libère du charme meurtrier, sans, pour autant, la libérer de ce qui est sans doute de l'amour ; tout en baisant la bouche du monstre charmeur, elle lui tranche la tête.

GHÉON, Henri Léon Vangeon, dit. Bray-sur-Seine 15.3.1875 – Paris 23.7.1944. Docteur en médecine, il ne se tourna que tard vers la littérature, bien qu'il eût débuté dès 1897 par des vers *(Chansons d'aube).* Après avoir participé à la fondation de la *Nouvelle Revue française* (1909), il publia en 1911 *Nos directions,* plaidoyer pour une renaissance du théâtre poétique, qu'il illustra la même année par une tragédie populaire, *le Pain,* et plus tard par *l'Eau de vie,* tragédie rustique. Converti au catholicisme pendant la guerre, il consacra le reste de sa vie à des œuvres inspirées par une foi naïve, notamment des pièces *(le Pauvre sous l'escalier ; les Trois Miracles de sainte Cécile).* Avec sa propre troupe, les Compagnons de Notre-Dame, il poursuivit, non sans succès, cette rénovation des mystères du Moyen Âge avec, entre autres, *le Comédien et la grâce, les Aventures de Gilles :* ces œuvres dures et convaincues, quoique grandiloquentes, sont très représentatives d'un théâtre où se composent efficacement réalisme et mysticisme.

Œuvres. *Chansons d'aube,* 1897 (P). – *La Solitude de l'été,* 1898 (P). – *Le Consolateur,* 1899 (N). – *Nos directions,* 1911 (E). – *Le Pain,* 1912 (T). – *Témoignage d'un converti,* 1919 (E). – *L'Homme né de la guerre,* 1919 (E). – *L'Impromptu du charcutier,* 1920 (T). – *Le Pendu dépendu,* 1920 (T). – *L'Eau de vie,* 1921 (T). – *Le Pauvre sous l'escalier,* 1921 (T). – *Les Trois Miracles de sainte Cécile,* 1922 (T). – *La Bergère au pays des loups,* 1922 (T). – *Le Martyre de saint Valérien,* 1922 (T). – *Jeux et Miracles pour le peuple fidèle,* 1924 (T). – *Le Triomphe de saint Thomas d'Aquin,* 1924 (T). – *Parti pris,* 1924 (E). – *La Parade du Pont-aux-Diables,* 1925 (T). – *Le Comédien et la grâce,* 1925 (T). – *Le Saint Curé d'Ars,* 1928 (E). – *Bernadette devant Marie,* 1931 (T). – *Le Mystère du roi Saint Louis,* 1931 (T). – *La Mort de Lazare,* 1931 (T). – *Le Chemin de la Croix,* 1932 (T). – *Promenades avec Mozart,* 1932 (E). – *Le Noël sur la place,* 1935 (T). – *Les Aventures de Gilles,* 1936 (T). – *Judith,* 1937 (T). – *Le Jeu des grandes heures de Reims,* 1938 (T). – *Les Chants de la vie et de la foi,* 1939 (P). – *La Jambe noire,* 1941 (N). – *Le Jeu des merveilles de saint Martin,* 1943 (T). – *Dramaturges d'hier et d'aujourd'hui,* 1944 (E); nouv. éd., posth., 1963. – *Correspondance Ghéon-Gide,* posth., 1978.

GHIL, René Guilbert, dit **René**. Tourcoing 27.9.1862 – Niort 15.9.1925. Écrivain d'origine belge. Très jeune, il se lia avec les symbolistes Laforgue et Kahn et s'orienta vers une esthétique mallarméenne. Sa production poétique se compose principalement des trois ensembles, *Dire du mieux, Dire des sangs* et *Dire de la loi,* qui prolongent les théories suggérées par le sonnet des « Voyelles » de Rimbaud. Versificateur rocailleux et hermétique, G. avait exposé ses idées dans un *Traité du Verbe* pour lequel Mallarmé composa, à titre de préface, un *Avant-Dire.*

Œuvres. *Légende d'âmes et de sangs,* 1885 (P). – *Traité du Verbe,* 1886 (E). – *Dire du mieux* (recueil comprenant : *le Geste ingénu,* 1887 ; *le Meilleur Devenir,* 1889 ; *la Preuve égoïste,* 1890 ; *le Vœu de vivre,* 1891 ; *l'Ordre altruiste,* 1894) [P]. – *Pantoun des pantouns,* 1902 (P). – *Tradition de la poésie scientifique,* 1909-1920 (E). – *Dire des sangs* (recueil comprenant : *le Pas humain,* 1898 ; *le Toit des hommes,* 1902 ; *les Images du monde,* 1912) [P]. – *Les Dates et les Œuvres,* 1923 (E). – *Dire de la loi* (recueil), 1925 (P). – *Traité du Verbe,* éd. établie par T. Goruppi, 1978.

GIBERT ou **GERBERT DE MONTREUIL.** Première moitié du XIIIe s. Il est connu comme l'un des continuateurs du *Perceval* de Chrétien de Troyes, et sans doute fut-il l'un de ceux qui, dans la première moitié du XIIIe s., contribuèrent à la vulgarisation des romans du XIIe s. et du romanesque courtois. Il est lui-même l'auteur de romans conformes à cette tradition : *Roman de la Pucelle à la rose, Roman du comte de Poitiers* (entre 1190 et 1200).

Œuvres. *Perceval* (faisant suite au poème de Chrestien de Troyes, 17 000 vers), s.d. (P). – *Tristan ménestrel* (faisant suite à *Perceval*), s.d. (P). – *Roman de la violette* ou *de Gérard de Nevers* (reprend les deux poèmes *le Roman de la Pucelle à la rose* et *le Roman du comte de Poitiers*), entre 1190 et 1200 (P).

GIDE André. Paris 22.11.1869 – 19.2.1951. De son père, languedocien et professeur de droit, comme de sa mère, issue de la haute bourgeoisie du Havre, G. reçoit en héritage un protestantisme dont la stricte austérité exacerba très tôt son extrême nervosité. Orphelin de père dès 1880, il mène des études décousues, exclusivement entouré de femmes, parmi lesquelles sa future épouse, sa cousine Madeleine Rondeaux. Délivré par l'aisance familiale du souci de travailler, il fait en 1891 dans la littérature des débuts de symboliste avec *les Cahiers d'André Walter* et le *Traité du Narcisse,* suivis des *Poésies d'André Walter* et du *Voyage d'Urien.* Un long séjour en Afrique du Nord (1893-1895) lui révèle la double vérité de son être : l'homosexualité et un besoin angoissé de communion spirituelle. La première, qu'il ne reniera jamais, transforme son union blanche avec Madeleine, épousée en 1895, en un étrange et douloureux partage.

es œuvres de cette époque illustrent à des ɛgrés divers le « nouvel être » de G. : *aludes, Saül, les Nourritures terrestres, le oi Candaule, l'Immoraliste;* toutes cir-ulent parmi un nombre restreint d'amis armi lesquels Valéry qui dédiera à G., en 917, sa *Jeune Parque.* Ce n'est qu'en 1909 ue G, en prenant part à la fondation de *Nouvelle Revue française* et en publiant *Porte étroite,* atteint une certaine noto-été; son premier vrai succès de librairie ate de 1914 (*les Caves du Vatican).* Les nnées de guerre le voient résoudre négati-ement une crise religieuse (*Numquid et ... ?);* après *la Symphonie pastorale* il onne *Si le grain ne meurt,* puis *Corydon,* squissé dès 1911, double illustration, l'une utobiographique, l'autre plus lyrique et éorique, d'un choix sexuel qu'il a décidé ne fois pour toutes de ne jamais taire. G. evient célèbre et, rançon d'une œuvre au eilleur sens du mot « scandaleuse », se it des ennemis implacables (H. Massis, . Béraud). Les œuvres maîtresses se ccèdent : roman (*les Faux-Monnayeurs*), ssais politiques (*Voyage au Congo; le etour de l' U.R.S.S.*), théâtre *(Œdipe).* Sa mme meurt en 1938, et, l'année suivante, livre au public un demi-siècle de son *urnal* (1889-1939), dont des fragments aient déjà paru. Exilé en Tunisie pen-ant la guerre, il y médite longuement sur i-même (*Thésée,* 1946) et relit avant de publier une confession dramatique sur vie conjugale rédigée dès 1938 *(Et nunc anet in te*, suivie de *Journal intime);* il re des *Caves du Vatican* une farce dont création à la Comédie-Française (1950) gne une longue vie de succès discutés. 'année de sa mort paraissent les pages reines et lumineuses d'*Ainsi soit-il ou Les ux sont faits.* G. a renié les essais d'André 'alter; aussi bien n'est-il devenu lui-même ı'avec ses deux premiers chefs-d'œuvre, *s Nourritures terrestres* et *l'Immoraliste.* a confession homosexuelle n'y est pas ncore triomphante, le style poétique de ppel à la disponibilité sensuelle qui tentit dans le recueil de 1897 nous paraît arfois vieilli ; mais *les Nourritures terres-es* furent la bible d'une génération (*cf.* aniel de Fontanin dans *les Thibault*) et ontiennent le germe du « gidisme » – qui est pas une théorie mais plutôt, à travers complexité d'une œuvre étonnamment verse, l'affirmation infatigable d'une per-nnalité dont la présence se veut gênante, rovocatrice : « Belle fonction à assurer, lle d'inquiéteur » (*Journal,* 28 mars 35). Mais si G., en cela disciple de Iontaigne, se prononce avec force et onstance en faveur de l'individualisme, il t loin de s'en tenir à une liberté sans uides, dont la revendication serait stérile : son journal comme sa correspondance, d'une exceptionnelle richesse, le montrent au contraire d'une extrême sévérité critique envers ses propres choix. Nombreux sont ceux qui ont trouvé intolérable l'indiscrétion du *Journal,* de *Si le grain ne meurt,* de *Et nunc manet in te :* mais doit-on accuser de complaisance un effort si évident, si continu, de sincérité ? À travers lui-même, c'est une inlassable étude de l'âme humaine que mène G., indéfectiblement fidèle en cela à la leçon de son maître Montaigne, à qui il a consacré un essai pénétrant.

Parmi les chefs-d'œuvre de cet humaniste protéiforme, trois se détachent et font désormais figure de réussites consacrées : dans *la Porte étroite,* fortement nourrie de souvenirs personnels, Jérôme et Alissa, qui s'aiment depuis l'enfance, s'acheminent peu à peu, du seul fait d'Alissa, vers une union mystique excluant tout commerce réel; la peinture de cet héroïsme volontaire est déjà un hommage à Madeleine Gide. *Les Caves du Vatican,* peut-être le livre de G. resté le plus jeune, n'est pas un roman mais une « sotie » – nuance qui en indique l'esprit; l'histoire, assez complexe et pleine d'un humour corrosif, y a moins d'importance que les sous-entendus philosophiques qui la nourrissent ; c'est dans cette œuvre que, par le personnage de Lafcadio tuant l'innocent Fleurissoire, G. introduit en littérature la notion primordiale d'« acte gratuit ». Enfin, dans *les Faux-Monnayeurs,* le seul de ses ouvrages qu'il ait sous-titré « roman », G. a voulu, à partir des éléments devenus traditionnels depuis Balzac, constituer une sorte de « roman pur », un carrefour de problèmes qui pût heurter le lecteur et le saisir du sentiment d'une durée moins vécue que vraiment vivante : avant les grands romanciers américains (Faulkner, Dos Passos), G. rompt le fil de la chronologie, introduit le simultanéisme, ne laisse aucune scène se figer, se fixer au détriment de la spontanéité, et enfin – premier d'une foule souvent ignorante de sa dette – écrit le roman d'un roman en train de se faire : le héros, Édouard, songe, tout au long du livre, à écrire ce livre même; lorsqu'il y renonce, celui de G. est terminé. La subtile genèse de ce succès toujours moderne est retracée dans le *Journal des « Faux-Monnayeurs »,* publié par G. en même temps que son roman. Des œuvres moins connues seraient à redécouvrir, en particulier l'admirable *Thésée,* récapitulation par un vieillard des thèmes de ses propres œuvres, méditation pathétique sur une vie qui jamais ne connut le secret. L'apaisement du dernier âge y laisse intactes les qualités intrinsèques d'un style qui atteint

le dépouillement du classicisme à travers un vocabulaire très étudié, souvent néologique mais sans nulle gratuité, apte à retenir et à traduire le moindre frémissement sensuel ou intellectuel, merveilleusement frère de la pensée.
Est-ce à cause de l'universelle présence de lui-même dans son œuvre que G., dès sa mort, est entré au « purgatoire » ? La disparition du personnage devrait au contraire permettre un constat plus serein de la richesse de l'apport gidien dans la littérature française : d'André Walter, Narcisse inquiet, à G. dénonciateur du colonialisme et du stalinisme, de G. précurseur de Butor à G. animateur de *la Nouvelle Revue française* et, à travers elle, de la vie littéraire et de la critique, par de nombreux liens nous lui restons aujourd'hui encore rattachés. Prix Nobel 1947.

Œuvres. *Les Cahiers d'André Walter,* 1891 (N). – *Le Traité du Narcisse,* 1891 (N). – *Poésies d'André Walter,* 1892 (P). – *La Tentative amoureuse ou le Traité du vain désir,* 1893 (N). – *Le Voyage d'Urien,* 1893 (N). – *Paludes* (sotie), 1895 (N). – *Les Nourritures terrestres,* 1897 (N). – *Réflexions sur quelques points de littérature et de morale,* 1897 (E). – *Le Prométhée mal enchaîné* (sotie), 1899 (N). – *Philoctète ou le Traité des trois morales,* 1899 (N). – *El Hadj ou le Traité du faux prophète,* 1899 (N). – *Feuilles de route,* 1899 (E). – *Lettres à Angèle* (recueil de chroniques), 1900. – *De l'influence en littérature* (conférence), 1900. – *Les Limites de l'art* (conférence non prononcée), 1901. – *Le Roi Candaule* (drame), 1901 (T). – *L'Immoraliste* (récit), 1902 (N). – *Saül* (drame écrit en 1897-1899, créé à Paris en 1922), 1903 (T). – *De l'importance du public* (conférence), 1903. – *Prétextes,* 1903 (E). – *Oscar Wilde,* 1903 (E). – *De l'évolution au théâtre,* 1904 (E). – *Amyntas* (recueil comprenant : *Feuilles de route,* 1896 ; *Mopsus,* 1899 ; *De Biskra à Toggourt,* décembre 1900 ; *le Renoncement au voyage,* 1903-1904), 1906. – *Dostoïevski d'après sa correspondance,* 1908 (E). – *Le Retour de l'enfant prodigue* (écrit en 1907), 1909 (N). – *La Porte étroite* (récit), 1909 (N). – *Nouveaux Prétextes,* 1911 (E). – *Charles-Louis Philippe,* 1911 (E). – *Isabelle* (première version de *Corydon*), 1911 (N). – *Le Retour de l'enfant prodigue* (nouvelle version regroupant 5 traités : *Bethsabée,* écrit en 1902; *El Hadj ; le Philoctète ; le Traité du Narcisse ; la Tentative amoureuse),* 1912 (N). – Traduction du *Gitanpali* de Rabindranath Tagore, 1913. – *Les Caves du Vatican* (sotie), 1914. – *Souvenirs de la Cour d'assises,* 1914. – Traduction du *Typhon* de Conrad, 1918. – Traduction d'œuvres choisies de Wal Whitman, 1918. – *La Symphonie pastoral* (récit), 1919 (N). – *Traité des Dioscure* (fragment), 1919 (N). – *Considérations su la mythologie grecque,* 1919 (E). – *Mor ceaux choisis,* 1921 (N). – Traductio d'*Antoine et Cléopâtre* de Shakespeare 1921 (T). – *Numquid et tu ?* (autobio graphie écrite en 1915-1916), 1922 (N). – Traduction de *Amal et la Lettre du roi* d Rabindranath Tagore, 1922 (T). – Traduc tion du *Mariage du Ciel et de l'Enfer* d William Blake, 1922. – *Dostoïevski,* 192 (E). – Traduction de *la Dame de pique* d Pouchkine, 1923 (N). – *Incidences* (recuei d'études), 1924 (E). – *Si le grain ne meur* (Mémoires déjà publiés en partie en 1920 1921), 1924 (N). – *Corydon* (2e éd.), 192 (N). – *Les Faux-Monnayeurs,* 1926 (N). – *Journal des « Faux-Monnayeurs »* (ten entre 1919 et 1925), 1926 (E). – *Lettre su les faits divers,* 1926. – *Voyage au Cong* (récit autobiographique), 1927 (N). – *Din diki,* 1927 (E). – *Joseph Conrad,* 1927 (E) – *Émile Verhaeren,* 1927 (E). – *Retour d Tchad* (suite de *Voyage au Congo,* avec e appendice *la Détresse de notre Afriqu équatoriale*), 1928 (E). – *L'École des fem mes,* récit (1er volume du « triptyque » *l'École des femmes*), 1929 (N). – *Suivan Montaigne et Essai sur Montaigne,* 192 (E). – *Robert,* récit (2e volume de *l'Écol des femmes*), 1930 (N). – *La Séquestrée d Poitiers,* 1930 (E). – *L'Affaire Redureau* suivi de *Fait divers,* 1930 (E). – *Œdip* (drame en 3 actes), 1931 (T). – *Jacque Rivière,* 1931 (E). – *Divers* (regroupe de écrits déjà parus : *Caractères ; Dictées ; U esprit non prévenu ; Lettres),* 1939. – *Œu vres complètes* (15 vol.), 1932-1939. – Tra duction du second *Faust*, 1932. – Traduc tion de *Arden de Feversham,* 1933. – Tra duction de *la Vie et la Mort de mon frèr Rudolf* de L. Tureck, 1934. – *Pages d journal (1929-1932),* 1934. – *Perséphon* (mélodrame en vers, musique de Stra vinski), 1934 (T). – Traduction des *Récit* de Pouchkine, 1935. – *Les Nouvelles Nour ritures,* 1935 (P). – *Retour de l'U.R.S.S.* 1936 (E). – *Geneviève ou la Confidenc inachevée,* récit (3e volume de *l'École de femmes*), 1936 (N). – *Nouvelles Pages d journal (1932-1935),* 1936. – *Retouches mon « Retour de l'U.R.S.S. »,* 1937 (E). – *Notes sur Chopin,* 1938 (E). – *Journa 1889-1939* (2 vol. déjà parus), 1939. – *Découvrons Henri Michaux* (conférenc non prononcée), 1941 (E). – *Le Treizièm Arbre,* 1942 (T). – *Interviews imaginaires* 1943 (E). – *Attendu que...,* 1943. – *Page de journal (1939-1942),* 1944. – Traductio d'*Hamlet* de Shakespeare, 1944 (T). – *Souvenirs littéraires et problèmes actue*

onférence), 1946. – *La Symphonie pasto-*
'le (adapt. cinématographique de J. De-
nnoy), 1946. – *Thésée* (récit), 1946. – *Et*
unc manet in te (souvenirs écrits en
)38-1939, édités à 13 ex.), 1947. – *Paul*
aléry, 1947 (E). – *Poétique,* 1947 (E). –
'Arbitraire, 1947 (E). – Avec J.-L. Bar-
ult, adapt. théâtrale du *Procès* de Kafka,
)47 (T). – *Correspondance avec Francis*
ımmes, 1948. – *Proserpine* (symphonie
:amatique), 1948 (T). – *Les Caves du*
atican (farce en 3 actes tirée de sa sotie,
éée à Paris le 13 décembre 1950), 1948
`). – *Préfaces,* 1948. – *Rencontres,* 1948.
Éloges, 1948. – *34 Entretiens radio-*
ıoniques avec J. Amrouche (publiés en
)69), 1948. – *Robert ou l'Intérêt général*
omédie écrite en 1934-1936 et 1938-
)40), 1949 (T). – *Feuillets d'automne,*
)49 (E). – *Correspondance avec Paul*
laudel, 1949. – *Correspondance avec*
harles Du Bos, 1949. – *Littérature engagée*
extes de 1930-1937), 1949. – *Anthologie*
: la poésie française, 1949. – *Journal*
)42-1949, 1950. – Traduction du *Promé-*
:ée de Goethe, posth., 1951. – *Et nunc*
:anet in te, suivi de *Journal intime,* posth.,
)51. – *Ainsi soit-il ou Les jeux sont faits*
ppendice au *Journal* écrit en 1949-1951),
osth., 1952. – *Correspondance avec R.M.*
ilke, posth., 1952. – *Lettres à un sculp-*
ur, posth., 1952. – *Correspondance avec*
aléry, posth., 1955. – *Correspondance*
vec A. Rouveyre, posth., 1967. – *Corres-*
ondance avec Martin du Gard, posth.,
)69. – *Ne jugez pas* (contient : *Souvenirs*
: la Cour d'assises; la Séquestrée de
oitiers ; l'Affaire Redureau), posth., 1969.

L'Immoraliste

utobiographie largement transposée, râce à la présence d'un « personnage ojectif », Ménalque, qui instaure la disınce entre le récit et les expériences de auteur, en même temps qu'il sert de ıtalyseur pour la prise de conscience du éros, Michel. Celui-ci, historien de métier, épousé Marceline, dont le dévouement, ı cours d'un voyage en Afrique du Nord, a aidé à rétablir sa santé gravement ompromise. Rentré à Paris, Michel reend son activité d'historien, Marceline st enceinte. Michel trouve alors en Ménalue le représentant d'une sagesse fondée ır une totale disponibilité, Ménalque qui ressent chez Michel un sentiment d'envie son égard ; mais il lui fait observer que, ıarié et bientôt père, il a, par là même, enoncé à toute disponibilité par un choix ui l'engage. Marceline est victime d'une ıusse couche, dont elle ne se remet pas. our favoriser son rétablissement, le couple etourne en Algérie, à Biskra. L'état de larceline s'aggrave, et, tandis qu'elle agonise dans sa chambre, après un reste de scrupule, Michel cède à la tentation de sortir dans la nuit arabe avec le jeune Algérien Moktir, qui exerce sur lui une étrange séduction. Il ne rentrera que pour recueillir le dernier soupir de Marceline. Ainsi finit l'histoire que Michel raconte, trois mois après, à ses amis. Après un silence, il ne reprend la parole, à la dernière page, que pour évoquer la jalousie du petit Ali, frère d'une jeune prostituée dont Michel dit : « Je souffrais, les premières semaines, que parfois elle passât la nuit près de moi. » On notera qu'à la fin de la préface, G. précise : « Au demeurant, je n'ai cherché de rien prouver, mais de bien peindre et d'éclairer bien ma peinture. »

La Porte étroite

C'est l'histoire de Jérôme et d'Alissa, couple formé dès l'enfance et exalté jusqu'au mysticisme par la parabole évangélique de la Porte étroite. L'accent est mis, non sans quelque ambiguïté, sur le sacrifice d'Alissa, qui ne sera révélé à Jérôme qu'après sa mort, par le journal qu'elle tenait secrètement. C'est le journal de l'aveu de l'amour, et du renoncement à l'amour, tel qu'il avait été finalement vécu par les deux héros, mais à une altitude inégale, lors d'une ultime rencontre dans le jardin de leur enfance, où Alissa, depuis trois jours, *attendait* Jérôme, mais pour le *refuser*.

Les Caves du Vatican

Sous les apparences d'une parodie des intrigues policières, cette « sotie » est l'illustration d'une esthétique et d'une éthique de l'arbitraire, figure extrémiste du thème gidien de la disponibilité, ici figurée par l'image du « carrefour ». Car, selon le héros, Lafcadio, au moment où, par un « acte gratuit » resté célèbre, il a précipité par la portière d'un wagon de chemin de fer le vieil Amédée Fleurissoire, fabricant d'objets de piété, celui-ci lui est apparu comme un « carrefour ». Mais cette image est aussi le symbole de l'arbitraire et de la gratuité des choix possibles en quoi consiste la disponibilité authentique et, par exemple aussi, la liberté d'affabulation de l'écrivain, dont l'intrigue des *Caves* offre une parfaite illustration. Ce Fleurissoire, en effet, est une sorte de croisé, engagé dans l'aventure que suscite l'alliance suspecte et inattendue des jésuites et de la franc-maçonnerie, aventure qui a pour objectif de libérer le vrai pape enfermé au château Saint-Ange alors qu'un antipape est installé au Vatican. Mais en fait, ce n'est là qu'un « canular », monté par des escrocs qui y voient le moyen de soutirer beaucoup d'argent aux naïfs. C'est dans le train qui va de Rome à Naples que Lafcadio va se livrer à son fameux acte gratuit aux dépens de Fleurissoire. Mais alors va paraître un autre personnage : Fleurissoire, en effet, avait sur lui le carnet d'agence Cook de son beau-frère, l'écrivain Julius de Baraglioul, ainsi que des boutons de manchettes donnés à ce dernier par l'étrange Carola. C'est que Fleurissoire avait par hasard rencontré à Rome Julius, venu là pour assister à un congrès mais aussi pour présenter au Vatican le cas d'un troisième beau-frère, le savant athée Anthime Armand-Dubois, récemment converti par un miracle. Mais Julius avait encore pour mission de recueillir des informations sur un mystérieux jeune homme, qui n'est autre que Lafcadio, lequel se trouve être le bâtard du père de Julius. De loin en loin était déjà apparu le personnage inquiétant d'un chef de bande connu sous le nom de chef du Mille-Pattes ; c'est lui qui fournira à la sotie un dénouement cocasse : il a en effet surpris le crime de Lafcadio et y voit une occasion d'enrôler ce dernier, par chantage, dans sa bande. Mais les deux hommes se reconnaissent : le chef du Mille-Pattes n'est autre que « Protos », camarade de collège admiré par Lafcadio pour avoir trouvé le moyen, un jour, d'être, de façon fort inattendue, premier en thème grec !...

Les Faux-Monnayeurs

Bernard Profitendieu découvre, en lisant une ancienne lettre d'amour adressée à sa mère, qu'il n'est pas, comme il le croyait, le fils du juge Profitendieu : cette découverte lui donne le sentiment d'une libération, et, d'ailleurs, il quittera la maison de son père. Là-dessus vont se greffer des intrigues parallèles et entrecroisées, justifiées par la présence, autour de Bernard, de ses amis et camarades, en particulier les deux fils du magistrat Molinier, Oscar et Vincent. Il y a surtout l'oncle des Molinier, Édouard, romancier particulièrement populaire auprès de la jeunesse, et que Bernard est curieux d'approcher. Comme le romancier rentre d'un voyage en Angleterre, Bernard se trouve en possession de sa valise ; il n'hésite pas devant l'indiscrétion, qui lui permet, après l'avoir ouverte, d'y trouver le journal d'Édouard et de lire les pages consacrées au roman que celui-ci est en train d'écrire sous le titre : *les Faux-Monnayeurs*. C'est alors ce roman d'Édouard qui devient le sujet du roman de G. : introduction du personnage de la doctoresse Sophroniska, qui interroge Édouard sur sa conception du roman ; on en retiendra que, pour lui, ce roman est un roman « sans sujet ». Mais la réflexion sur le roman n'interrompt pas le roman lui-même : la doctoresse soigne, par thérapeutique psychanalytique, le jeune Boris, petit-fils du vieux pianiste La Pérouse, lui-même am d'Édouard et surveillant dans la pensio où se trouve Boris. Or il y a dans cett pension, dans la classe du jeune homm une bande, les « Hommes forts » : ils or embrigadé Boris et ils imaginent de tire au sort le nom de celui d'entre eux qu pour accéder à la dignité héroïque, s suicidera sans motif : ce sont eux le « faux-monnayeurs », en un sens, bie que ce puisse être aussi les romancier C'est Boris que le sort désigne, Boris qu s'exécute aussitôt sous les yeux de L Pérouse. Est-ce par hasard qu'au mêm moment Édouard apprend, pour conclu le roman, que Bernard Profitendieu es retourné chez son père ?

Thésée

Dialogue-débat entre Œdipe et Thésé après que celui-ci a recueilli l'Aveugle d Thèbes à Colone. Débat sur le véritab héroïsme et la véritable sagesse. Pou Thésée, même s'il a dû vivre le drame d Phèdre, il l'a vécu comme un de ce inévitables accidents qui traversent tou vie humaine, mais il est heureux parce qu toujours, il a su « passer outre » ; Œdipe au contraire, en se crevant les yeux, s'es à la face du monde, manifesté comme u vaincu, en acceptant l'idée de culpabilité fût-elle involontaire (allusion, peut-être, la doctrine du péché originel). Œdip rétorque certes que, par cet acte, qu l'étonne lui-même, il allait, délibérémen et volontairement, jusqu'au bout de so destin et retrouvait ainsi une grandeu authentique et une sorte de victoire dan cette manière de surenchérir sur sa condi tion de victime. Mais Thésée n'est pas pou autant convaincu : s'il consent à loue Œdipe, il ne saurait l'approuver de défini la victoire de l'Homme par une recherch de la Surhumanité : « Je reste enfant d cette terre, et crois que l'homme, quel qu' soit et si taré que tu le juges, doit fair jeu des cartes qu'il a. »

GIGUÈRE Roland. Montréal 4.5.192 Écrivain québécois. Poète, typographe e graphiste, G. se définit lui-même comm un homme de papier. Sa plus grand originalité est la mise en œuvre d'u courant d'échanges entre l'écriture poéti que et l'art graphique qui, tous deux, lu paraissent recouvrir les mêmes sens et le mêmes valeurs. Ses recueils sont toujour agrémentés de collages à la façon lettrist et de gravures. C'est d'ailleurs par le bia de la gravure que le poète commence s carrière. Élève en 1947 à l'École des art graphiques de Montréal, il exerce le métie de typographe et fonde parallèlement le éditions Erta qui publient des livres d'a d'écrivains et d'artistes québécois. À Paris de 1957 à 1963, il suit des cours de technique graphique et étudie la lithographie, tout en travaillant comme maquettiste à *Jours de France.* C'est au cours de ce séjour qu'il découvre le surréalisme ainsi que les arts primitifs et participe aux activités du groupe « Phase » : étape capitale qui correspond à une nouvelle orientation de l'œuvre. Les premiers recueils, *Faire naître, les Nuits abat-jour,* jusqu'aux *Armes blanches,* évoquent un monde dégradé et soumis à une destruction inévitable. L'homme, coupé des châteaux de l'enfance, « rêvera encore de ses rêves éteints » (*Midi perdu*) mais prend conscience de l'irréversibilité du temps. Le poète crée cependant une tension entre la destruction et une possible renaissance : *les Yeux fixes* englobent à la fois l'apocalypse et la genèse de l'homme et de l'univers. Le premier poème d'*Armes blanches* s'intitule significativement « Continuer à vivre », car malgré les calamités du monde, le poète invite à une réconciliation éphémère avec la vie. Cette veine humaniste se conjugue avec une modernité formelle héritée du surréalisme. L'admiration de G. pour Éluard est évidente, notamment dans *Adorable femme des neiges,* recueil tout entier dédié à la femme muse, inspiratrice et médiatrice. La revendication du poète passe dès lors moins par la révolte devant le monde que par la nécessité de trouver un ailleurs. Désormais, sa recherche de « l'homme essentiel » s'effectue par le recours exclusif à l'imaginaire. *L'Âge de la parole* traduit ce sentiment de libération. L'image et la métaphore sont ainsi les clefs de la poésie de G. : empruntant certaines techniques à l'écriture automatique (utilisation de motifs, de jeux phoniques et rythmiques), le poète crée des textes visuels en parfait accord avec les arts plastiques qui le passionnent. Au fil des années, il a transposé progressivement ses conceptions littéraires en théories picturales. *Forêt vierge folle,* paru en 1978, illustre cet itinéraire. Les divers poèmes, réflexions esthétiques, dessins, photos et collages qui composent le recueil traduisent une volonté d'abolir les frontières entre les différentes disciplines artistiques.

Œuvres. *Faire naître,* 1949 (P). – *Trois pas,* 1950 (P). – *Les Nuits abat-jour,* 1950 (P). – *Midi perdu,* 1951 (P). – *Yeux fixes,* 1951 (P). – *Images apprivoisées,* 1953 (P). – *Les Armes blanches,* 1954 (P). – *Le défaut des ruines est d'avoir des habitants,* 1957 (P). – *Adorable femme des neiges,* 1959 (P). – *L'Âge de la parole : poèmes 1949-1960,* 1965 (P). – *Pouvoir du noir,* 1966 (P). – *Naturellement,* 1968 (P). – *La Main au feu, 1949-1968,* 1973 (P). – *La Sérigraphie à la colle,* 1973 (E). – *Abécédaire,* 1975 (P). – *J'imagine,* 1976 (P). – *Forêt vierge folle,* 1978 (P). – *10 cartes postales,* 1982 (P).

GILBERT Nicolas Joseph Laurent. Fontenoy-le-Château (Vosges) 15.12.1750 – Paris 16.11.1780. Il débute sans grand succès à Nancy, où il publie un roman (*Statira et Omestris*) et un *Début poétique.* Venu à Paris en 1774, alors qu'il vient d'écrire deux satires, l'une en prose *(le Carnaval des Auteurs),* l'autre en vers *(le Siècle),* il ne trouve que sévérité et injustes reproches auprès des critiques, en tête desquels La Harpe. Ce traitement immérité ne fait que rendre plus amer le ton de ses satires, dont la verve passionnée le rapproche de Juvénal : le *Dix-Huitième Siècle, Mon apologie.* C'est dans *le Poète malheureux,* poème de 1772, que Vigny put trouver la matière de la légende préromantique qu'il construisit dans *Stello* autour de G. ; en fait, si celui-ci mourut à moins de trente ans, ce n'est pas de misère (il était pensionné par Louis XVI), mais des suites d'une chute de cheval.

Œuvres. *Les Familles de Darius et d'Éridame ou Statira et Omestris,* 1770 (N). – *Début poétique* (trois héroïdes), 1771 (P). – *Le Poète malheureux,* 1772 (P). – *Le Carnaval des auteurs* (satire), 1773. – *Le Jugement dernier* (ode), 1773 (P). – *Le Siècle* (satire), 1775 (P). – *Mon apologie* (poème satirique), 1778 (P). – *L'Ode imitée de plusieurs psaumes ou Adieux à la vie* (ode), 1780 (P). – *Le Combat d'Ouessant* (ode), posth., 1788 (P).

GILSON Paul. (Voir CINÉMA.)

GIONO Jean. Manosque 30.3.1895 – 9.10.1970. Fils d'un cordonnier et d'une repasseuse nourris des traditions du compagnonnage, il eut une enfance provençale partiellement autodidacte et devint employé de banque. Il n'aborda la littérature que tardivement et demeura toute sa vie attaché à la ville qui l'avait vu naître. Incarcéré pour antimilitarisme en 1939, il le fut à nouveau en 1944, mais cette fois pour collaboration. Ces mésaventures laissèrent intacte l'ironie qui l'accompagna au long d'une vieillesse peu à peu délaissée. L'œuvre de G., quoi qu'on ait dit de son incohérence, évolue en fait avec une grande logique. Ses premiers romans, révélés par Gide *(Colline ; Un de Baumugnes,* porté au cinéma par Pagnol sous le titre *Angèle,* du nom de l'héroïne ;

Regain ; le Grand Troupeau ; Jean le Bleu), sont ceux d'un amoureux de la Provence, dont la vie, éclatante et sourde tour à tour, est restituée dans un langage d'une délicieuse et inquiétante poésie, dans un climat de soleil et de bonheur païen qui fait penser, par contraste, à l'univers de Ramuz. L'humanitarisme pacifiste de G. le poussa par la suite à lancer des « messages » dont la profusion lyrique quasi hugolienne n'évite pas l'enflure. Pendant et après la guerre, G. passa de la prophétie à une sagesse plus proche de ses vrais dons poétiques et mena à bien de très vieux projets : *l'Eau vive, Un roi sans divertissement, Noé, le Hussard sur le toit* sont les principales étapes de l'évolution qui fit de G., aux yeux d'une certaine critique avide de classifications, un « nouveau Stendhal », avec, en particulier, *Voyage en Italie, le Bonheur fou* et *le Désastre de Pavie.* L'indifférence de G. envers le succès, sa fidélité aux thèmes méridionaux ont fait injustement négliger ses derniers livres, dont l'inspiration s'épanouit dans *le Déserteur.* Sa mort a cependant déjà permis d'apercevoir combien son œuvre avait hâtivement été réduite, et quelles richesses d'invention dans la forme romanesque révèlent des livres aussi mal connus que *Noé, Ennemonde* ou *Village.* Acad. Goncourt 1954.

Œuvres. *Accompagnés de la flûte,* 1924 (P). – *Colline (Pan I),* 1928 (N). – *Un de Baumugnes (Pan II),* 1929 (N). – *Présentation de Pan,* 1930 (E). – *Naissance de l'Odyssée,* 1930 (E). – *Regain (Pan III),* 1930 (N). – *Le Grand Troupeau,* 1931 (N). – *Jean le Bleu,* 1932 (N). – *Le Lanceur de graine,* 1932 (T). – *Le Serpent d'étoiles,* 1933 (N). – *Le Chant du monde,* 1934 (N). – *Que ma joie demeure,* 1935 (N). – *Les Vraies Richesses,* 1936 (N). – *Batailles dans la montagne,* 1937 (N). – *Refus d'obéissance,* 1937 (N). – *Le Poids du ciel,* 1938 (N). – *Précisions,* 1939 (N). – *Provence,* 1939 (N). – *Pour saluer Melville,* 1941 (E). – *Le Bout de la route,* 1941 (T). – *Triomphe de la vie,* 1942 (N). – *L'Eau vive* (contes), 1943 (N). – *La Femme du boulanger,* 1944 (T). – *Un roi sans divertissement,* 1947 (N). – *Noé,* 1947 (N). – *Le Voyage en calèche* (divertissement romantique), 1947 (T). – *Mort d'un personnage,* 1949 (N). – *Les Âmes fortes,* 1949 (N). – *Les Grands Chemins,* 1951 (N). – *Le Hussard sur le toit,* 1951 (N). – *Le Moulin de Pologne,* 1952 (N). – *Voyage en Italie,* 1953 (N). – *Le Bonheur fou,* 1957 (N). – *Angelo,* 1958 (N). – *Le Désastre de Pavie,* 1963 (N). – *La Calèche* (2e version du *Voyage en calèche),* 1965 (T). – *Les Deux Cavaliers de l'orage* (écrit en 1951), 1965 (N). – *Ennemonde et Autres Caractères,* 1968 (N). – *L'Iris de Suse,* 1970 (N). – *Les Récits de la demi-brigade* (recueil de nouvelles), posth., 1972 (N). – *Le Déserteur* (recueil comprenant *Arcadie, Arcadie; la Pierre*), posth., 1973 (N). – *Les Terrasses de l'île d'Elbe,* posth., 1976 (N). – *Dragoon,* posth., 1982 (N). – *Les Trois Arbres de Palzem,* posth., 1984 (N). – *Village,* écrit en 1950, posth., 1985.

Un de Baumugnes

Dans le cadre d'un hymne à la haute Provence, les thèmes gionesques s'entrecroisent et se heurtent pour produire le double destin d'une victime et d'un rédempteur. La victime, c'est Angèle, séduite par un mauvais garçon marseillais, donc victime de la ville; le rédempteur, c'est Albin, le fils de la terre, qui, un jour, a lui aussi découvert la corruption des villes, mais qui portait en lui de quoi rester fidèle à la pureté de *sa* nature, qui correspond, comme par une sorte de grâce, à la pureté de *la* nature. Il aimait Angèle, mais n'avait pas su communiquer avec elle au temps où elle l'aurait sans doute accueilli ; et voici qu'il saura spontanément et efficacement, du cœur même de son état de grâce, communiquer avec elle, maintenant que, pour avoir « fauté », elle est séparée de lui : car son père lui inflige le châtiment d'une rigoureuse séquestration. À distance, par-dessus le mur de la séparation, la musique d'Albin, parce qu'elle est la voix même de la pureté du village de Baumugnes, peut atteindre Angèle, et, comme c'est une musique qui « enlève le cœur », c'est la musique aussi de la promesse et de la réconciliation.

Le Hussard sur le toit

Parfait exemple de la seconde manière – stendhalienne ? – de G. Roman historique tout d'abord : 1838, l'époque des *carbonari* et des conspirations visant à la libération de l'Italie, donc un âge de héros. C'est aussi l'année où le choléra ravage la région de Manosque, – et la panique y est telle qu'elle joue comme un révélateur du capital de vilenie secrètement enfoui dans le cœur des hommes. Le roman va mettre en présence ces deux forces antagonistes : d'un côté, l'Italien Angelo Pardi, officier piémontais exilé à Manosque, qui, pour rejoindre son pays afin d'y prendre sa part de la lutte patriotique, va devoir traverser seul tout d'abord, cette région en proie à l'épidémie; de l'autre côté, les hommes qu'il rencontre, livrés à l'horreur de l'épidémie, mais aussi et surtout à l'horreur de leurs égoïsmes exaspérés, horreur tantôt tragique, et tantôt grotesque : une grande âme parmi la foule des âmes basses. Il lui faut encore échapper à la menace de la quarantaine, et il sera ainsi amené à séjourner plusieurs jours sur les toits de Manosque, symbole évident de son attitude solitaire de héros non dépourvu du sens de l'humour, et justification du titre. À Manosque, Angelo avait été secouru par une jeune femme, Pauline de Théus : il la retrouvera avant d'atteindre la frontière italienne ; et c'est en compagnie de celle qui est de nature son égale, le seul être humain à son niveau, qu'il traversera désormais cet environnement d'horreur que cependant dément la présence de Pauline, tandis que l'été accablant continue de faire peser sur le reste de l'humanité, « mêlée à l'univers, une énorme plaisanterie ».

GIRARDIN Émile de. Paris 22.6.1806 – 27.4.1881. Après un roman autobiographique sur son enfance adultérine, *Émile*, il se tourna vers le journalisme, où ses dons d'inventeur lui permirent de devenir rapidement le plus grand entrepreneur de presse entre 1830 et 1880. *Le Voleur*, périodique composé d'extraits des livres nouveaux, *la Mode*, où écrivit Balzac, sont ses premiers essais. Les suivent *le Journal des connaissances utiles* et *le Musée des familles*, qui inaugurent l'abonnement à bon marché; *l'Almanach de France* atteignit des tirages fabuleux pour l'époque (1 200 000 ex.). Enfin, en 1836, il imita Dutacq, qui venait de fonder *le Siècle*, et le dépassa par le succès de son quotidien *la Presse*, proposé aux abonnés, grâce aux annonces publicitaires, insérées dans le journal, à la moitié du prix alors pratiqué (40 F au lieu de 80) ; plusieurs grands romans y parurent en feuilleton. Dans tous ces journaux, G., habile opportuniste, se montrait prudemment frondeur. Il fut député sous la monarchie de Juillet et, beaucoup plus tard, en rachetant *le Petit Journal* et *la France*, eut une influence politique non négligeable sur la victoire républicaine de 1877.
Il subit l'influence de sa femme, **Delphine GAY DE GIRARDIN** (Aix-la-Chapelle 26.1.1804 – Paris 29.6.1855) ; leur salon reçut vers 1840 tous les plus grands écrivains. Elle-même écrivit des poèmes (Lamartine la flatta du nom de « dixième Muse »), des romans, des pièces qui peuvent être oubliés; on retient encore de ses écrits le titre d'une spirituelle pochade, *la Canne de M. de Balzac*. Enfin, de 1836 à 1848, sous le pseudonyme de VICOMTE DE LAUNAY, Mme de G. donna chaque semaine dans *la Presse* une *Lettre parisienne* suivie avec attention par les lecteurs.

Œuvres. Émile de Girardin : *Émile*, 1827 (N). – *Le Voleur*, périodique créé en 1828. – *La Mode*, périodique créé en 1829. – *Le Journal des connaissances utiles*, périodique créé en 1831. – *Le Musée des familles*, périodique créé en 1833. – *Le Panthéon littéraire*, périodique créé en 1834. – *L'Almanach de France*, périodique créé en 1835. – *La Presse*, quotidien créé en 1836.
Delphine Gay de Girardin : *Essais poétiques*, 1824-1825 (P). – *Le Lorgnon*, 1831 (N). – *Le Marquis de Pontanges*, 1835 (N). – *La Canne de M. de Balzac*, 1835 (N). – *Lettres parisiennes* (chroniques parues dans *la Presse)*, 1836-1848. – *L'École des journalistes*, 1840 (T). – *Judith*, 1843 (T). – *Cléopâtre*, 1847 (T). – *La joie fait peur*, 1854 (T).

GIRART D'AMIENS. XIIIe s. Il vécut vers 1280 à la cour du roi d'Angleterre Édouard Ier. La reine Éléonore lui commanda un roman arthurien, *Escanor* (vers 1280, publ. 1886), qui rappelle les amours du sénéchal Ké et la lutte entre Gauvain et son ami Escanor. *Méliacin* (1280-1300), qui devait inspirer Adenet le Roi pour son *Cléomadès*, a pour centre d'intérêt un cheval merveilleux qui sert à l'enlèvement d'une belle jeune fille. Ce texte est resté inédit, ainsi que *Charlemagne* (avant 1308), qui n'est qu'un remaniement des *Grandes Chroniques de France.*

GIRART DE ROUSSILLON. Chanson de geste du XIIe s., composée de 10 002 décasyllabes assonancés. Elle raconte la lutte entre Girart, fils de Drogon de Bourgogne, et son suzerain, Charles. Ce dernier a épousé Élissent, la fiancée destinée à Girart. La guerre éclate ; Girart est vaincu. Obligé de s'exiler, il passe vingt années dans la forêt des Ardennes, en compagnie de Berte, devenue sa femme. Grâce à l'aide d'Élissent, il rentre en France sous un déguisement et se réconcilie avec le roi. Girart de Roussillon est l'équivalent littéraire d'un certain comte Gerardus, régent du royaume de Provence, qui avait eu des démêlés avec Charles le Chauve.
Cette chanson appartient au cycle de Doon de Mayence. Elle se distingue des autres chansons de geste par le mélange des styles (féodal, réaliste et romanesque). Les discussions juridiques y tiennent une place importante et sont décrites avec précision. Les rapports de Girart et d'Élissent ne manquent pas de subtilité. Quant au dévouement de Berte, la femme de Girart, il ne laisse pas d'être fort touchant.

GIRART DE VIENNE. Chanson de geste du début du XIIIe s., composée de 6 000 vers, attribuée sans certitude à Bertrand de Bar-sur-Aube. Aimeri, neveu de Girart de Vienne, entend, à la cour de Charlemagne, l'impératrice se vanter d'une humiliation qu'elle aurait fait subir à Girart. Blessé dans son amour-propre familial, Aimeri exhorte Girart à se venger de cet outrage immérité. Le clan familial se dresse contre l'empereur, mais, pour abréger une dispute qui menace de durer longtemps, un champion est désigné dans chacun des deux camps : Roland défendra la cause de l'empereur ; Olivier, autre neveu de Girart, la cause de l'oncle offensé. Le combat est sans issue : chacun des deux héros fait preuve d'une vaillance exemplaire et égale. Heureusement, un ange intervient qui leur conseille de réserver leurs forces pour combattre l'Infidèle. La situation est renversée : on se jure une amitié éternelle, qui est consolidée par une promesse de mariage entre Roland et Aude, sœur d'Olivier. Quant à Girart, il s'agenouille devant l'empereur : l'insulte est oubliée.

GIRAUDOUX Jean. Bellac (Haute-Vienne) 29.10.1882 – Paris 31.1.1944. Fils d'un percepteur, il est reçu à l'École normale supérieure en 1903 et s'oriente vers des études germaniques, dont l'influence est sensible dans son œuvre. Entré au Quai d'Orsay en 1910, il est deux fois blessé pendant la Grande Guerre, puis est envoyé comme instructeur militaire en mission au Portugal et aux États-Unis. Après la guerre, sa renommée grandissante d'écrivain teinte peu à peu de gloire une carrière déjà fort brillante de haut fonctionnaire. Nommé commissaire à l'Information en 1939, il abandonne ce poste dès la défaite et se retire de la vie publique pour retrouver la littérature. Il mourra quelques mois avant la Libération.
L'œuvre de G. frappe par sa diversité. La guerre de 1914 lui inspira *Lectures pour une ombre, Amica America* et *Adorable Clio* ; celle de 1939 *Pleins Pouvoirs* et *Sans pouvoirs* : des premiers aux seconds de ces essais, une légèreté qui était voile de pudeur s'est transformée en sévérité lucide, dénuée de toute illusion sur un avenir dessiné d'un crayon amer. Le critique littéraire, toujours présent dans l'œuvre d'invention, s'est plus spécialement exprimé dans de célèbres conférences *(les Cinq Tentations de La Fontaine)* et dans de brefs essais que réunit *Littérature.* Quant au créateur, il s'est d'abord fait connaître par des romans (parmi lesquels celui qui lui apporta la notoriété, *Siegfried et le Limousin*), après avoir débuté sans éclat par un recueil de nouvelles, *Provinciales.* Cependant la rencontre de Louis Jouvet détermine assez tardivement G. à se tourner de préférence vers le théâtre, où il débute avec *Siegfried,* pièce tirée de son roman. Pièces et romans sont les œuvres d'un esprit exceptionnel, qui irritent aussi violemment ceux qui le jugent léger qu'elles enchantent ses admirateurs. Il n'est pas très facile de faire le partage : les romans, par exemple, ont-ils la fragilité du chef-d'œuvre ou celle du caprice ? Sans parler des moins heureux, qui cèdent aux « trucs » du roman à clés *(Bella; Combat avec l'ange),* doit-on trouver maladroitement précieuses, indiscrètement intellectuelles ou d'une délicieuse poésie les promenades vagabondes que sont *Suzanne* et *Juliette ?* Livres sans règles, se moquant des procédés reçus, proches de l'anti-roman; paysages aimés, légers et frêles du Limousin ; paresse d'un récit sans cadre, mais fermement guidé par la plume accomplie d'un conteur quelque peu narcissique. Quant à la production théâtrale, généralement considérée comme plus solide, beaucoup se sont demandé si son incorrigible « beau langage » ne la condamne pas à être plutôt lue que jouée : la préciosité des innombrables références littéraires, devenue moins perceptible à la scène, laisserait à découvert une certaine pauvreté dramatique. Mais G. ne voulait-il pas délivrer le théâtre du tragique et, montrant l'artificialité des conceptions classiques, soustraire l'homme à la hantise du destin ? Si cet humanisme souriant jette tous ses feux dans les premières pièces, la montée de l'hitlérisme contraignit, contre ses principes mêmes, le germaniste G. à laisser peu à peu transparaître son angoisse. Dans *La guerre de Troie...,* dont le sujet homérique n'est qu'un prétexte à commenter l'inquiétante montée des périls européens, l'opposition entre le couple bondissant de jeunesse d'Andromaque et d'Hector et l'absurdité sartrienne d'un dénouement que son apparente gratuité revêt de plus d'horreur produit un choc dont l'efficacité sur le public s'est vérifiée lors d'une heureuse reprise (Théâtre de la Ville, Paris, 1971-1972) : s'y dévoilent les mérites et les limites de ce généreux théâtre du langage, trop pathétiquement confiant dans le couple humain pour qu'on ne lui pardonne son amour excessif des images, de la parodie littéraire, d'un certain clinquant verbal quelquefois vieilli. Les deux dernières pièces de G., la sombre et statique *Sodome,* la grinçante *Folle de Chaillot,* comme son ultime et méconnu roman, *Choix des élues,* donneraient peut-être la clé de son personnage : sous

l'humour, sous le jeu, sous la fumée des mots, l'inquiétude tendue d'un homme extraordinairement lucide quant au peu de chances de bonheur échues à son siècle.

Œuvres. *Provinciales* (recueil de nouvelles), 1909 (N). – *L'École des indifférents* (nouvelles), 1911 (N). – *Lectures pour une ombre,* 1917 (N). – *Simon le Pathétique,* 1918 (N). – *Amica America,* 1919 (N). – *Elpénor* (fantaisie homérique), 1920 (N). – *Adorable Clio,* 1920 (N). – *Suzanne et le Pacifique,* 1921 (N). – *Siegfried et le Limousin,* 1922 (N). – *Juliette au pays des hommes,* 1924 (N). – *Bella,* 1926 (N). – *Églantine,* 1927 (N). – *Siegfried* (pièce tirée de *Siegfried et le Limousin*), 1928 (T). – *Le Sport,* 1928 (E). – *Amphitryon 38,* 1929 (T). – *Les Aventures de Jérôme Bardini,* 1930 (N). – *Rues et Visages de Berlin,* 1930. – *Judith,* 1931 (T). – *La France sentimentale,* 1932 (N). – *Intermezzo,* 1933 (T). – *Combat avec l'ange,* 1934 (N). – *Tessa* (d'après *la Nymphe au cœur fidèle* de Margaret Kennedy), 1934 (T). – *Suite à Siegfried* (articles), 1934. – *La guerre de Troie n'aura pas lieu,* 1935 (T). – *Supplément au voyage de Cook,* 1935 (T). – *Fin de Siegfried,* 1935 (T). – *Électre,* 1937 (T). – *L'Impromptu de Paris,* 1937 (T). – *Et moi aussi j'ai été un petit Meaulnes,* 1937 (E). – *Le Cantique des cantiques,* 1938 (T). – *Les Cinq Tentations de Jean de La Fontaine,* 1938 (E). – *Ondine,* 1939 (T). – *Choix des élues,* 1939 (N). – *Pleins Pouvoirs,* 1939 (E). – *Littérature,* 1941 (E). – *L'Apollon de Marsac,* 1942 (T). – *La Duchesse de Langeais* (film), 1942. – *Hommage à Marivaux,* 1943 (E). – *Sodome et Gomorrhe,* 1943 (T). – *Les Anges du péché* (film), 1944. – *La Folle de Chaillot* (pièce écrite en 1942), posth., 1945 (T). – *Armistice à Bordeaux* (essai écrit en 1940), posth., 1945 (E). – *Sans pouvoirs* (essais écrits de 1941 à 1943), posth., 1945 (E). – *Pour une politique urbaine,* posth., 1945 (E). – *L'Apollon de Bellac* (nouveau titre de *l'Apollon de Marsac*), posth., 1947 (T). – *Visitations* (essai écrit en 1942), posth., 1947 (E). – *De Pleins Pouvoirs à Sans pouvoirs,* posth., 1950 (E). – *La Française et la France* (essais écrits en 1934 et 1939), posth., 1951 (E). – *Les Contes d'un matin* (nouvelles écrites de 1904 à 1911), posth., 1952 (N). – *Pour Lucrèce* (pièce écrite en 1942-1943), posth., 1953 (T). – *La Menteuse* (inachevé), posth., 1958 (N). – *Les Gracques* (pièce écrite en 1936), posth., 1958 (T). – *Portugal* (récit écrit en 1941), posth., 1958 (N). – *Combat avec l'image* (essai écrit en 1941), posth., 1958 (E). – *Béthanie* (pièce tirée du scénario du film *les Anges du péché*), posth., 1963 (T). – *L'Or dans la nuit,* posth., 1969 (E). – *Carnet des Dardanelles,* posth., 1969. – *La Menteuse* (édition intégrale), posth., 1969 (N). – *Souvenirs de deux existences,* posth., 1975 (N). – *Lettres,* posth., 1975. – *Théâtre complet,* éd. établie par J. Body, 1982.

Aventures de Jérôme Bardini

Le roman peut-être le plus représentatif, et, en tout cas, le plus « moderne » de G.; le roman de la fuite illusoire d'un homme devant son humanité. Jérôme Bardini, las de la monotonie quotidienne, décide de se transformer en étranger, de se lancer à la poursuite de la parfaite disponibilité : il quitte son poste de receveur de l'enregistrement, sa femme et son enfant. Mais, à New York, il découvre qu'il n'est pas si facile d'être disponible et d'échapper ainsi à l'humanité : dans Central Park, il rencontre Stéphanie, qui sera vite pour lui Stephy, « jeune fille sans tache et sans défaut » ; mais elle, elle ne se fait aucune illusion : pour elle, Jérôme, c'est « l'Ombre » (comme le Spectre d'Isabelle dans *Intermezzo*) *;* elle sait qu'elle vit une parenthèse, heureuse certes mais éphémère ; elle sait que Jérôme, qui déjà, au cours de leur lune de miel, part seul dans la forêt, ne peut pas ne pas s'évader de cette parenthèse. Aussi décide-t-elle de le devancer; son instinct prophétique lui inspire de partir la première. Mais le Destin ne laissera pas Jérôme libre de se rendre disponible par la fuite. Il place sur son chemin un enfant perdu, le Kid, et voilà notre héros engagé dans l'autre grand attachement humain, l'attachement paternel, après l'amour de la femme, lui qui avait, justement, avant de fuir, une femme et un enfant, car le Destin a le sens de l'humour. Le Kid retrouve sa famille, Jérôme est donc à nouveau disponible, mais en lui s'est dégagée la conscience que l'homme n'est pas fait pour la fuite hors de l'humanité, et, du coup, la fuite a perdu pour Jérôme son pouvoir de fascination. Il rentre en France pour réintégrer son humanité et il peut dire alors – ce sont les derniers mots : « Je suis responsable. »

Intermezzo

« Intermède » singulier provoqué par la présence dans une petite ville du Limousin d'un spectre ; et voici que se produisent d'étranges choses : par exemple, c'est le plus pauvre des habitants qui, à la loterie, gagne le gros lot ! C'est que la jeune institutrice, Isabelle, a des rendez-vous avec le Spectre, et cette étrangeté d'un monde où règne le bonheur sous la forme de la fantaisie se communique même à l'enseignement qu'Isabelle donne, en plein air, aux fillettes de sa classe. Aussi l'administration dépêche-t-elle un Inspecteur, incarnation caricaturale de la « raison », que, naturellement, la situation scandalise ; mais le Spectre est plus fort que lui. D'ailleurs, parmi les hommes réels et vivants, il en est qui perçoivent tout ce que représente l'expérience d'Isabelle, en particulier le Droguiste et le Contrôleur des poids et mesures, qui, même, est amoureux d'Isabelle, et demande sa main au moment précis d'un de ses rendez-vous avec le Spectre. Là où l'Inspecteur a échoué, le Contrôleur gagnera : car il fait remarquer à Isabelle que le choix est entre la mort avec le Spectre ou la vie avec un fonctionnaire à Gap ou à Bressuire. Isabelle se laisse convaincre, mais elle ne veut pas être infidèle à son rendez-vous avec le Spectre, qu'elle voit donc pour la dernière fois, et alors, pour la première fois, elle se jette dans ses bras. Le Spectre disparaît, mais Isabelle est comme dans le coma : c'est bien ce que le Contrôleur pressentait. Heureusement, le Droguiste connaît le remède : la drogue qu'il faut à Isabelle, c'est la vie. Autour d'Isabelle surgissent alors les signes de la vie : les joueurs de cartes, les fillettes qui récitent leur leçon, tous les bruits de tous les jours. Isabelle revient à elle, elle épousera le Contrôleur, et, au prochain tirage, la motocyclette ira au cul-de-jatte et le gros lot au millionnaire. « Et fini, l'intermède ! » Car il est aussi dangereux pour l'homme, qui risque d'en mourir, de ne point assumer les risques de sa condition que de vouloir les ignorer.

La Guerre de Troie n'aura pas lieu

Hector victorieux n'aspire qu'à la paix et se prépare à fermer les Portes de la guerre, lorsqu'il apprend que Pâris a enlevé Hélène et que les Grecs sont prêts à recourir à la guerre. Troie est alors partagée en deux camps ; celui de la paix – Hector, Andromaque, Hécube – et celui de la guerre – des vieillards, des juristes et surtout le poète Démokos. Hector marque un point lorsque, à la suite de son entrevue avec Hélène, il obtient d'elle qu'elle rejoigne aussitôt et spontanément la Grèce. Dans ces conditions, « la guerre de Troie n'aura pas lieu ». Cependant une flotte grecque se présente devant Troie sous le commandement d'Ulysse, qu'Hector décide de recevoir pour lui remettre Hélène. Il semble donc que le mécanisme de la paix soit déclenché de façon irréversible, car, s'il est sceptique quant à la bonté de la nature humaine et quant à la possibilité de contrecarrer le Destin, Ulysse se laisse convaincre par Hector : Andromaque n'a-t-elle pas « le même battement de cils que Pénélope » ? Mais ... tandis qu'Ulysse se prépare à rejoindre la flotte et à ramener Hélène, un soldat de son escorte, Oiax, a déjà insulté Hector et l'a même giflé; il est vrai qu'il est ivre. La violence absurde devancera-t-elle la démarche pacifique d'Ulysse ? Tout le tragique est dans ce conflit de rythme : Oiax insulte Andromaque, Hector parvient à se dominer, mais le poète Démokos se substitue à lui et menace Oiax ; pour neutraliser Démokos, Hector n'hésite pas à le transpercer de son javelot. Mais avant de mourir, Démokos accuse Oiax de l'avoir tué, les Troyens se déchaînent et tuent le Grec : la guerre de Troie a déjà lieu.

Électre

Égisthe, qui règne sur Argos, veut donner en mariage au Jardinier Électre, la fille d'Agamemnon, mort autrefois dans des conditions énigmatiques et à qui Égisthe a succédé. Il y a aussi à Argos trois fillettes, qui prétendent être les Euménides et qu'on verra grandir au fur et à mesure que progressera la tragédie. Il y a enfin un Mendiant, qui bientôt fera figure de prophète. Électre, qui, chez G., à la différence de ce qu'il en est chez Sophocle et Euripide, ne sait pas encore que c'est sa mère Clytemnestre qui a assassiné Agamemnon avec la complicité d'Égisthe, pressent cependant en sa mère la présence de la culpabilité, et elle se met à la haïr farouchement, d'une haine *absolue ;* et c'est son frère Oreste qu'elle dressera contre Clytemnestre. Quant à Égisthe, il n'ignore pas la menace qu'Électre fait peser sur lui, dans sa soif de justice *absolue;* mais il est roi avant tout, et même un grand roi, face au danger qui menace la cité : qu'on lui laisse au moins le temps de sauver Argos ; après quoi, il consentira à son châtiment. Mais Électre, dans son impatience de l'absolu, refuse de lui concéder le temps. Le tragique est ici dans l'affrontement de ces deux grandeurs, raison pour laquelle, sans doute, rompant avec la tradition, G. a voulu élever Égisthe, dans son ordre, à la hauteur même d'Électre. Le Mendiant va révéler la vérité sur la mort d'Agamemnon ; c'est lui qui va se faire l'écho de l'exécution par Oreste de Clytemnestre et d'Égisthe, lequel, en mourant, crie le nom d'Électre. Mais s'il est vrai qu'Électre s'exalte de posséder enfin la justice, pendant ce temps la ville brûle, le monde est saccagé, Oreste est livré aux Euménides, qui ne le lâcheront plus, et il maudira sa sœur. C'est le Mendiant qui a le dernier mot, au-delà du tragique universel de ce dénouement : à une femme du peuple, la femme Narsès, qui lui demande comment cela s'appelle lorsque « tout est saccagé et que l'air pourtant se respire », il répond : « Cela s'appelle l'aurore. »

GIROUX André. Québec 1916 – 1977. Écrivain canadien-français. Après ses études à Québec, il entre dans la fonction publique, où il poursuit une brillante carrière. Avec Réal Benoît et quelques autres, il lance une revue littéraire de grande tenue, *Regards* (1940-1942). Publiciste au ministère de l'Industrie et du Commerce, en 1963 en poste à la Délégation générale du Québec à Paris, il devient directeur général de la Diffusion de la culture lorsqu'il rentre à Québec, en 1966 ; la même année, il sera promu sous-ministre adjoint. Il était devenu membre de la Société royale du Canada en 1960.
Il a publié deux romans : *Au-delà des visages* (1948), *Le gouffre a toujours soif* (1953) et des nouvelles réunies sous le titre *Malgré tout la joie* (1959). La probité intellectuelle, la délicatesse des sentiments et une émotion quelquefois angoissée sont les dominantes de l'œuvre de G. Il cherche à déceler, derrière les masques de l'hypocrisie mondaine, les plus secrètes et les plus dangereuses aventures spirituelles. Son œuvre est un hymne à une inaccessible pureté, une recherche éperdue d'un triomphe, toujours précaire, de l'esprit sur la chair.

GLATIGNY Albert Joseph Alexandre. Lillebonne (Seine-Maritime) 21.5.1839 – Sèvres 16.4.1873. Comédien ambulant dès l'âge de dix-sept ans, il mena une existence difficile, improvisant avec brio des pièces en vers pour sa troupe. Disciple de Banville, il avait débuté par deux recueils poétiques dont Verlaine a reconnu l'influence sur son évolution : *les Vignes folles* et *les Flèches d'or.*

Œuvres. *Les Vignes folles,* 1860 (P). – *Les Flèches d'or,* 1864 (P). – *Gilles et Pasquins,* 1872 (P). – *L'Illustre Brizacier* (pièce écrite en 1856), posth., 1873 (T).

GNOMIQUE (poésie) [grec *gnômê = sentence*]. Poésie qui a recours à la forme condensée de la maxime ou du proverbe pour exprimer des vérités morales.

GNOSE. (Voir KABBALE.)

GNOSTICISME [grec *gnôsis* = connaissance]. Doctrine de philosophie religieuse qui prétend détenir une connaissance intégrale du tout par l'intermédiaire de l'intuition, voire de la voyance. Ce type de connaissance est censé révéler, de façon instantanée, évidente et définitive, les vérités cachées, expérience réservée aux seuls initiés. Le gnosticisme est un phénomène inhérent à chacune des grandes religions. Il est généralement considéré comme suspect par le groupe à l'intérieur duquel il prend naissance : l'hérésie cathare dans le christianisme, la Kabbale dans le judaïsme, par ex. Indépendamment de sa signification religieuse, la tradition gnostique a inspiré certains courants de la littérature européenne (néoplatonisme de la Renaissance) et a fortement influencé les grands représentants du « romantisme profond » (Novalis, William Blake, Gérard de Nerval).

GOBINEAU Joseph Arthur, comte de. Ville-d'Avray 14.7.1816 – Turin 13.10.1882. Les divers postes qu'il occupa dans le monde de 1849 à 1877 lui fournirent une importante somme d'observations subjectives, dont se nourrit son œuvre. Il débuta dans le roman-feuilleton (1843-1848), mais c'est comme « théoricien » qu'il se fit un nom, le nazisme ayant tiré de son *Essai sur l'inégalité des races humaines* (1853-1855) un certain nombre de ses postulats racistes ; G. eût probablement été surpris de voir utilisé de façon péremptoire un livre qu'il savait ne reposer sur aucune base scientifique. On s'accorde aujourd'hui pour mettre en avant les mérites du narrateur et de l'épistolier. Le roman *les Pléiades* et *les Nouvelles asiatiques,* tardivement reconnus comme chefs-d'œuvre, se lisent avec intérêt; G. y est aussi maître de son style que de sa pensée, et la noblesse des caractères égale la vérité des vues psychologiques. La *Correspondance* révèle enfin un esprit d'une exceptionnelle richesse, auquel on n'accorde pas toujours toute l'attention qu'il mérite.

Œuvres. *Le Prisonnier chanceux,* 1847 (N). – *Ternove,* 1847 (N). – *Les Aventures de Nicolas Belavoir,* 1847 (N). – *Mademoiselle Irnois,* 1847 (N). – *L'Abbaye de Typhaines,* 1849 (N). – *Essai sur l'inégalité des races humaines,* 1853-1855 (E). – *Trois Ans en Asie, de 1855 à 1858,* 1859 (N). – *Voyage à Terre-Neuve,* 1861. – *Traité des écritures cunéiformes,* 1864 (E). – *Les Religions et les Philosophies dans l'Asie centrale,* 1865 (E). – *Histoire des Perses d'après les auteurs orientaux, grecs et latins,* 1869 (E). – *Souvenirs de voyage* (nouvelles), 1872, rééd. 1982 (N). – *Les Pléiades,* 1874, rééd. 1982 (N). – *Nouvelles asiatiques,* 1876, rééd. 1982 (N). – *Amadis* (épopée héroïque, suite de *le Paradis de Beowulf,* inédit), 1877 (P). – *La Renaissance,* 1877 (E). – *Histoire d'Ottar Jarl, pirate norvégien,* 1879 (N). – *La Troisième République française et ce qu'elle vaut,* posth., 1907 (E). – *Le Paradis de Beowulf,* posth., 1907-1911 (N). – *Scaramouche,* posth., 1907-1911 (N). – *Les Voiles noirs,* posth., 1907-1911 (N). – *Correspondance* (8 vol.), posth., 1908-1960. – *Adélaïde et Mademoiselle Irnois* (nouvelles), posth., 1913, rééd. 1982 (N). – *La Fleur d'or* (essais écrits en 1877 pour accompagner *la Renaissance),* posth., 1918 (E). – *Ce qui est arrivé à la France en 1870,* posth., 1923 (E). – *La Renaissance* (éd. complète comprenant les essais de 1877), posth., 1929. – *Œuvres,* 3 vol., 1982 *sq.* – *Les Nouvelles* (éd. complète, 1 vol.), 1985.

Les Pléiades

Roman à la fois idéologique, aristocratique et psychologique, dont l'unité profonde réside dans l'affirmation de l'héroïsme spirituel. Unité traduite, dans l'intrigue, par le thème de l'amitié qui unit trois aristocrates, « fils de roi », le Français Louis de Landon, l'Anglais Wilfrid Nore, l'Allemand Conrad Lanze. Ils forment entre eux une fraternité d'âme, une de ces « Pléiades », constellations spirituelles où s'accomplit le plus haut achèvement de l'humanité. La même altitude se reflète dans les aventures sentimentales des personnages, qui se retrouvent dans une petite cour allemande, à Burbach : le prince Jean-Théodore, héros de la seconde partie du roman, y incarne la noblesse de cœur qu'exprime son amour pour sa cousine Aurore et qui lui vaut de devenir son époux.

GODBOUT Jacques. Montréal 27.11.1933. Écrivain québécois. Études secondaires au collège Jean de Brébeuf. Études universitaires à Montréal, thèse de maîtrise sur Rimbaud. Professeur à Addis-Abeba (Éthiopie) de 1954 à 1957. À son retour au Canada, il travaille à l'Office national du film comme scénariste et réalisateur. Il s'occupe activement du lancement de la revue *Liberté* et de la fondation du *Mouvement laïque de langue française,* deux manifestations de la « nouvelle gauche » québécoise. Il soutient également l' *Association professionnelle des cinéastes.* Il est à la fois romancier et poète, peintre et homme de théâtre, journaliste et cinéaste.
L'œuvre poétique de G. comprend trois recueils de poèmes, et les nombreux romans qui ont suivi sont à la pointe du nouveau roman canadien. Pour G., le roman est aujourd'hui lui aussi une forme de poème, un moyen de connaissance. Preuve d'un esprit lucide à l'affût de lui-même et des formes accordées à sa recherche, le style se caractérise par une liberté de facture remarquable.Ces romans sont brefs, composés de scènes courtes, juxtaposées, qui rappellent la technique cinématographique du montage. Une certaine violence expressive, une tendresse souriante et une ironie virulente sont les traits distinctifs de cette œuvre forte.

Œuvres. *Carton-pâte,* 1956 (P). – *Les Pavés secs,* 1958 (P). – *C'est la chaude loi des hommes,* 1960 (P). – *L'Aquarium,* 1962 (N). – *Le Couteau sur la table,* 1965 (N). – *Salut Galarneau !* 1967 (N). – *D'amour P.Q.,* 1972 (N). – *Le Réformiste, textes tranquilles,* 1975 (N). – *L'Isle-au-dragon,* 1976 (N). – *Les Têtes à Papineau,* 1981 (N). – *Participation contre démocratie,* 1983 (E). – *Le Murmure marchand,* 1984 (N).

GODEAU Antoine. Dreux 24.9.1605 – Vence 1672. Malgré sa laideur, il eut une jeunesse brillante et frivole, appartint au groupe des « illustres bergers », puis fréquenta l'hôtel de Rambouillet, où on le surnommait « le Nain de Julie » ! De cette période on conserve des *Œuvres chrétiennes* et, découvertes récemment, des poésies galantes. Il fut l'un des premiers académiciens (1634) et, en 1636, devint évêque de Grasse : contre toute attente, il remplit sa mission avec sérieux, composa de nombreux ouvrages religieux et publia des *Oraisons funèbres,* sans cesser, d'ailleurs, de composer en vers. Ses œuvres chrétiennes furent longtemps seules connues ; mais G. tint, vers l'époque de la création de l'Académie, le rôle important d'un défenseur du courant moderniste, comme en témoigne son *Discours sur les œuvres de M. de Malherbe.* En revanche, ses vers manquent singulièrement de vraie poésie.

Œuvres. *Discours sur les œuvres de M. de Malherbe,* 1629. – *Paraphrase sur les Épîtres de saint Paul aux Corinthiens, aux Galates, aux Éphésiens,* 1632. – *Œuvres chrétiennes, vers et proses,* 1633. – *Cantiques en vers français,* 1637. – *Oraison funèbre de Louis le Juste,* 1644. – *Oraison funèbre de l'évêque de Bazas,* 1646. – *Vie de l'apôtre saint Paul,* 1647. – *La Grande Chartreuse,* 1650 (P). – *Vie de saint Augustin,* 1652. – *Oraison funèbre de J.-P. Camus, ancien évêque de Belley,* 1653. – *Histoire de l'Église jusqu'à la fin du VIIIe siècle* (2 vol.), 1653. – *Saint Paul, poète chrétien,* 1654 (P). – *Oraison funèbre de Messire Mathieu Molé, garde des Sceaux de France,* 1656. – *Oraison funèbre du Sérénissime Roy de Portugal Jean IV du nom,* 1657. – *Oraison funèbre de Messire Pomponne de Bellièvre,* 1657. – *La Vie de saint Charles Borromée,* 1657. – *Harangue faite au roi dans la ville de Lyon,* 1658. – *Discours fait à M. le cardinal de Mazarin* *dans la ville de Lyon,* 1658. – *Contre la mauvaise morale du temps, aux évêques de l'Église,* 1660 (P). – *Éloge des évêques qui dans tous les siècles ont fleuri en doctrine et en sainteté,* 1665. – *Éloge de saint François de Sales,* 1667. – *Les Fastes de l'Église pour les douze mois de l'année,* posth., 1674 (P). – *Paraphrase des Psaumes de David en vers français,* posth., 1676 (P). – *Homélies sur les dimanches et fêtes de l'année,* posth., 1682. – *La Morale chrétienne,* posth., 1705.

GOFFIN Robert. Ohain (Brabant wallon) 21.5.1898 – Genval (Belgique) 27.6.1984. Écrivain belge d'expression française, il fit partie à Bruxelles du groupe littéraire de la « Lanterne sourde », avec Plisnier et Michaux, et fut membre, de 1953 à sa mort, de l'Académie royale de Belgique. Son œuvre, qui se partage entre la poésie et l'essai, est, pour l'essentiel, dominée par la recherche de la « vraie vie absente », sous le signe de Rimbaud, à qui G. a consacré une grande partie de sa recherche critique. Poète gourmand, proche de l'inspiration exubérante de son terroir, G. a intégré à sa boulimie lyrique les dynamismes du monde moderne, et ce n'est pas par hasard que l'essayiste s'est intéressé au jazz. Ainsi le quotidien et le fantastique, le rêve et la réalité, la liberté lyrique et la rigueur constructive suscitent une poésie qui se veut participation intégrale à l'aventure de l'homme de toujours et d'aujourd'hui.

Œuvres. *Jazz-Band,* 1922 (P). – *Aux frontières du jazz,* 1932 (E). – *La Proie pour l'ombre,* 1935 (P). – *Sang bleu,* 1939 (P). – *Pérou,* 1940 (P). – *Histoire du jazz,* 1943. – *Le roi des Belges a-t-il trahi ?* 1943 (E). – *Rimbaud vivant, Mallarmé vivant,* 1948 (E). – *Nouvelle Histoire du jazz,* 1948. – *Le Voleur de feu,* 1950 (P). – *Foudre natale,* 1955 (P). – *Œuvres poétiques,* 1958 (P). – *Archipels de la sève,* 1959 (P). – *Sources du ciel,* 1962 (P). – *Corps combustibles,* 1964 (P). – *Fil d'Ariane pour la poésie,* 1964 (E). – *Sablier pour une cosmogonie,* 1966 (P). – *Le Versant noir,* 1967 (P). – *Faits divers,* 1968 (P). – *Phosphores chanteurs,* 1970 (P). – *Quatre fois vingt ans,* 1799 (N). – *Souvenirs à bout portant I,* 1979 (N). – *Souvenirs avant l'adieu II,* 1980 (N).

GOLDMANN Lucien. (Voir NOUVELLE CRITIQUE.)

GOLIARDS (les). Nom donné, aux XIIe s. et XIIIe s., soit à des étudiants, soit à des clercs en rupture de clergie, devenus de simples parasites à la cour des prélats et payant leur écot en écrivant pour leurs maîtres des pamphlets, des œuvres de circonstance et même des traités religieux. Mais ils mettent aussi à profit leur situation pour écrire et diffuser des œuvres originales, généralement sur le thème du plaisir amoureux et d'inspiration quelque peu épicurienne. Cette contradiction entre le sérieux et le plaisant ne paraît guère les embarrasser : leur devise est le « carpe diem » d'Horace, et ils écrivent en effet selon l'humeur et la nécessité du moment. Mais comme ils ne se gênaient pas non plus pour faire de l'Église une satire des plus mordantes, ils furent officiellement condamnés par les autorités ecclésiastiques en 1291. Leur place dans l'histoire littéraire tient à ce que leur œuvre est la première au Moyen Âge à s'inspirer de sentiments personnels et à faire une place à la vie quotidienne : en cela, elle annonce Rutebeuf et Villon.

GOMBAULD Jean Oger de. Saint-Just-de-Lussac vers 1580 – Paris 1666. D'origine protestante, il fit partie de la cour de Henri IV et, après la mort du roi, bénéficia de la faveur de la régente, Marie de Médicis, à qui il voua un culte dont l'écho se retrouve dans son roman allégorique *Endymion ;* il compta aussi au nombre des habitués de l'hôtel de Rambouillet. Alors que ses essais dramatiques ne méritent guère d'être retenus, ses *Poésies* lui valurent en son temps une certaine notoriété et la réputation d'un spécialiste du sonnet : certains de ses sonnets sont en effet des modèles du genre. Sur les thèmes traditionnels de l'amour galant, cet admirateur de Malherbe veille à la pureté formelle de ses vers, et il fut de ceux qui, dans une époque à cet égard décisive, contribuèrent à l'élaboration d'un nouveau langage poétique. Acad. fr. 1634.

Œuvres. *Endymion,* 1624 (N). – *L'Amaranthe* (pastorale), 1631 (T). – *Panégyrique à Mgr le cardinal de Richelieu,* 1646. – *Poésies,* 1646. – *Lettres de Gombauld,* 1647. – *Épigrammes* (3 livres), 1657 (P).– *Les Danaïdes* (tragédie), 1658 (T). – *Traités et Lettres de feu M. de Gombauld touchant la religion,* posth., 1669.

GONCOURT Edmond Louis Antoine Huot de (Nancy 26.5.1822 – Champrosay [Yvelines] 16.7.1896) et **Jules Alfred** (Paris 17.12.1830 – 20.6.1870). La fortune qu'ils héritèrent de leur père, en assurant leur aisance matérielle, les laissa disponibles toute leur vie pour la littérature. Ils commencèrent par s'intéresser à l'art et à la culture du XVIIIe siècle, qu'ils contribuèrent à remettre à la mode par diverses études à la fois érudites et élégantes, tel *l'Art du XVIIIe siècle.* Ils devaient aussi jouer un rôle non négligeable dans l'évolution de l'art moderne par l'attention qu'ils surent porter à l'art japonais. Déjà dans ce premier domaine d'exploration, les deux frères engagèrent une collaboration, presque unique dans l'histoire de la littérature, qui triomphe dans leur œuvre proprement littéraire. Œuvre au destin paradoxal qui occupe une place capitale dans l'histoire des lettres au XIXe siècle et qui n'en est pas moins tombée dans l'oubli : qui lit encore aujourd'hui des ouvrages aussi célèbres en leur temps que *Renée Mauperin* ou *Germinie Lacerteux ?* C'est à peine s'ils sont encore réédités.

Or les frères G. sont les véritables fondateurs du naturalisme, dont ils furent les premiers à affirmer et à appliquer les principes : choix d'histoires « vraies » comme sujets de roman, documentation précise, prédilection pour les cas pathologiques, élaboration enfin d'une esthétique et d'une technique adaptées à ce parti naturaliste, le roman tendant à se confondre avec l'histoire et le romancier devenant « l'historien du présent » tandis que l'historien est le « romancier du passé ». Ainsi le roman sans doute le plus caractéristique des G., *Germinie Lacerteux,* est-il l'histoire de leur bonne, Rosalie Malingre, qu'ils croyaient parfaitement honnête et dévouée, alors qu'après sa mort ils devaient apprendre qu'elle avait des dettes, qu'elle avait entretenu une foule d'amants avec l'argent qu'elle volait à ses maîtres et qu'enfin elle s'était mise à boire ; de sorte que la plupart de ces romans sont des romans à clés où se retrouvent parfois des propos enregistrés sur le vif par les auteurs.

Mais la désaffection de la postérité à l'égard des frères G. tient sans doute au caractère trop systématique d'un naturalisme dont les artifices apparaissent dans la pratique de ce style dont ils étaient si fiers, le fameux « style artiste », riche en néologismes et en mots rares ou recherchés, qui fait que très vite leur œuvre s'est mise à « dater ».

Après la mort de son frère, Edmond continua seul la tâche commune dans le même esprit et le même style : c'est lui qui rédigea cette histoire ultra-naturaliste, inspirée par une visite que les deux frères avaient faite dans une prison de femmes, qu'est *la Fille Élisa.* Dans le même temps, Edmond revient aussi aux études sur le XVIIIe s. et sur l'art japonais. Enfin les deux frères avaient commencé dès 1851 un *Journal* qu'Edmond continua jusqu'à sa mort, source de renseignements qu'il convient d'utiliser avec la plus grande prudence, car les G. avaient tendance à se faire surtout l'écho des racontars qui circulaient dans les milieux artistiques et littéraires.

Aujourd'hui le nom des G. revient annuellement au premier plan de l'actualité lors de l'attribution du prix littéraire fondé par Edmond et décerné pour la première fois en 1903 par une académie fondée pour faire pièce à l'Académie française. (Voir PRIX LITTÉRAIRES.)

Œuvres. *En 18...,* 1852 (N). – *Histoire de la société française pendant la Révolution,* 1854-1855 (E). – *Le Directoire,* 1855 (E). – *Portraits intimes du XVIIIe siècle,* 1857-1858 (E). – *Sophie Arnould,* 1857 (E). – *Histoire de Marie-Antoinette,* 1858 (E). – *L'Art du XVIIIe siècle,* 1859-1875 (E). – *Madame du Barry* (dans *les Maîtresses de Louis XIV),* 1860 (E). – *Hommes de lettres,* 1860 (N). – *Sœur Philomène,* 1861 (N). – *La Femme au XVIIIe siècle. La Société, l'Amour et le Mariage,* 1862 (E). – *Renée Mauperin,* 1864 (N). – *Germinie Lacerteux,* 1865 (N). – *Henriette Maréchal,* 1866 (T). – *Manette Salomon,* 1867, adaptation théâtrale 1896 (N). – *Charles Demailly* (déjà paru sous le titre *l'Homme de lettres),* 1868 (N). – *Madame Gervaisais,* 1869 (N). – *La Fille Élisa,* 1877 (N). – *Les Frères Zemgano,* 1879 (N). – *Madame de Pompadour,* 1881, rééd. 1982 (E). – *La Faustin,* 1882 (N). – *Chérie,* 1884 (N). – Adaptation théâtrale de *Germinie Lacerteux,* 1888 (T). – *Outamaro, le peintre des maisons vertes,* 1891 (E). – *L'Art japonais,* 1893 (E). – *Hokousaï,* t. II de *l'Art japonais,* 1896 (E). – *Journal* (publication partielle), 1887-1896. – *Journal* (édition complète), posth., 1956-1959.

GORMONT ET ISEMBART. Chanson de geste du XIe siècle, remaniée au début du XIIe siècle, appartenant au cycle de Doon de Mayence. Il n'en reste qu'un fragment de six cent soixante et un vers octosyllabiques. Le texte de cette chanson est sans doute le plus ancien qui ait été conservé. Gormont, roi des Sarrasins, vient à bout tour à tour des meilleurs chevaliers français jusqu'à l'intervention du roi Louis en personne, qui abat son ennemi mais mourra à la suite de ses blessures. Malgré le ralliement d'un chevalier français renégat, Isembart, les païens sont vaincus. Isembart trouve la mort, mais, au dernier moment, il se reconvertit au christianisme et rachète ainsi sa trahison. Isembart, comme Ogier (voir *le Chevalier Ogier*), avait été victime d'une cabale montée contre lui, et c'est à la suite de cet affront qu'il avait rallié les Sarrasins et renoncé à la foi chrétienne. L'auteur anonyme ne cache pas sa sympathie pour le renégat, qui, malgré son reniement, est resté, dans son comportement, un chevalier français et chrétien.

GOURMONT Remy de. Bazoches-au-Houlme (Orne) 4.4.1858 – Paris 17.9.1915. Une des plus vastes cultures de son temps; un esprit subtil jusqu'au bizarre; un style original, parfois même maniéré : tout cela fut connu dès *Sixtine* (1890). Intellectuel d'élégance décadente, amateur sensuel du symbolisme, G. fut de toutes les entreprises ou, du moins, de toutes les curiosités littéraires de son temps, et son œuvre se nourrit de la solitude où il vécut dès sa jeunesse du fait du lupus facial dont il était affligé. Il travailla à la Bibliothèque nationale (1884-1891) et fut cofondateur du *Mercure de France* (1890).

Œuvres. *Merlette,* 1886 (N). – *Sixtine, roman de la vie cérébrale,* 1890 (N). – *Le Latin mystique,* 1892 (E). – *Lilith,* 1892 (N). – *Théodat,* 1893 (T). – *Les Histoires magiques,* 1893 (N). – *Les Proses moroses,* 1894 (N). – *Épilogues, réflexions sur la vie,* 1895 (E). – *Le Livre des masques. Portraits symbolistes, gloses et documents sur les écrivains d'hier et d'aujourd'hui,* 1896-1898 (E). – *Esthétique de la langue française,* 1899 (E). – *Oraisons mauvaises,* 1900 (P). – *La Culture des idées,* 1900 (E). – *Simone,* 1901 (P). – *Le Problème du style,* 1902 (E). – *Le Chemin de velours, nouvelles dissociations d'idées,* 1902 (E). – *La Physique de l'amour,* 1903 (E). – *Promenades littéraires,* 1904-1913 (E). – *Promenades philosophiques* (3 vol.), 1905-1909 (E). – *Le Dialogue des amateurs,* 1905-1910 (E). – *Une nuit au Luxembourg,* 1906 (N). – *Un cœur virginal,* 1907 (N). – *Les Lettres d'un satyre,* 1913. – *Lettres à Sixtine,* posth., 1921. – *Lettres à l'Amazone,* posth., 1923. – *Promenades littéraires* (nouv. éd., 7 vol.), posth., 1927 (E).

GOURNAY, Marie Le Jars de Gournay, dite Mlle de. Paris 6.10.1566 – 13.7.1645. Elle étudia seule, sans maître, tout en assurant l'éducation de ses frères et sœurs, orphelins comme elle. « Elle savait force de choses qui ne sont pas ordinaires aux personnes de son sexe », entre autres, l'alchimie : sa vie durant, elle rechercha la pierre philosophale. À l'âge de vingt ans, après la lecture des *Essais* de Montaigne, elle décide de faire la connaissance du philosophe, dont elle deviendra, par la suite, la « fille d'alliance » et le plus précieux auxiliaire. À la mort de Montaigne, Mlle de G. fut chargée de l'édition posthume des *Essais,* qui parut en 1595, précédée d'une longue préface due à ses soins. Les dix éditions suivantes seront chaque fois améliorées : au fur et à mesure, Mlle de G. modifiera la préface, précisera les références, traduira les citations. Connue et estimée dans les milieux littéraires et érudits, elle fut en relation avec les écrivains les plus en vue de son temps, et la personnalité de ses protecteurs (Henri IV, Louis XIII, Richelieu) indique la considération dont elle était l'objet. Pourtant, en butte à des moqueries (elle fut, non sans ironie, qualifiée de « Sirène française et dixième Muse »), elle dut lutter pour gagner l'estime de ceux-là mêmes qui la dénigraient.
Elle-même a beaucoup écrit : un grand nombre de poésies de circonstance, pièces très courtes (quatrains, distiques, épigrammes), à l'occasion des grands événements de la cour (mariages, naissances et décès royaux), préférant, comme modèle, Malherbe à Ronsard. Elle a aussi médité sur des sujets littéraires et, sous le titre *l'Ombre de la demoiselle de Gournay,* elle rassembla en 1626 une œuvre éparpillée, traitant des sujets les plus divers.

Œuvres. Préface à l'édition posthume des *Essais* de Montaigne, 1595. – Traités : *Du peu de prix de la qualité de noblesse ; Égalité des hommes et des femmes ; Du langage français, des rimes, des diminutifs français ; Défense de la poésie et du langage des poètes ; le Promenoir de M. de Montaigne ; Bouquet de Pinde.* – *L'Ombre de Mlle de Gournay* (recueil des traités cités), 1626. – *Avis ou présents de la demoiselle de Gournay* (2e éd., du recueil précédent), 1634 ; éd. définitive, 1641.

GOZLAN Léon. Marseille 1.9.1803 – Paris 1.9.1866. Son premier roman, *le Notaire de Chantilly,* nuisit par son triomphe au succès du *Lys dans la vallée.* Bon observateur, conteur de talent, G. fut meilleur journaliste que romancier ou dramaturge, malgré l'abondance de sa production. Il débuta en racontant ses voyages dans les mers équatoriales (il avait voulu redresser la fortune de son père, armateur juif ruiné par les pirates barbaresques). Ses souvenirs sur Balzac, dont il avait été le secrétaire *(Balzac en pantoufles),* outre leur saveur et leur bonhomie, se rangent parmi les rares témoignages dignes de foi sur cet écrivain : c'est grâce à ce livre que le nom de G. est passé à la postérité.

Œuvres. *Le Notaire de Chantilly,* 1836 (N). – *Tourelles* (1er vol., 1837; 2e vol., 1839, réédité sous le titre *les Châteaux de France,* 1837-1855) [E]. – *Washington, Levert et Socrate Leblanc,* 1838 (N). – *Le Médecin du Pecq,* 1839 (N). – *La Dernière Sœur grise,* 1842 (N). – *Méandres* (nouvelles), 1842 (N). – *La Main droite et la Main gauche,* 1842 (T). – *Le Dragon rouge,* 1843 (N). – *Ève,* 1843 (T). – *Aristide Froissart,* 1844 (N). – *Nuit blanche* (nouvelles), 1844 (N). – *Notre-Dame des abîmes,* 1845 (T). – *Les Nuits du Père-Lachaise,* 1845 (N). – *Trois Rois, trois dames,* 1847 (T). – *Un cheveu blond,* 1847 (T). – *Le Lion empaillé,* 1848 (T). – *Le Livre noir,* 1848 (T). – *Une tempête dans un verre d'eau,* 1849 (T). – *La Queue du chien d'Alcibiade,* 1849 (T). – *Pied de fer,* 1850 (T). – *La Fin du roman,* 1851 (T). – *Le Coucher d'une étoile,* 1851 (T). – *Dieu merci, le couvert est mis,* 1851 (T). – *Les Paniers de la comtesse,* 1851 (T). – *Histoire de cent trente femmes,* 1853 (N). – *Les Vendanges* (nouvelles), 1853 (N). – *Louise de Nanteuil,* 1854 (T). – *Le Lilas de Perse,* 1854 (N). – *Le Gâteau des reines,* 1855 (T). – *Le Tapis vert* (nouvelles), 1855 (N). – *Jardins,* 1856 (N). – *Balzac en pantoufles,* 1856 (E). – *La Famille Lambert,* 1857 (T). – *Les Émotions de Polydore Marasquin,* 1857 (N). – *La Folle du nº 16,* 1861 (N). – *La Pluie et le Beau Temps,* 1861 (T). – *Le Vampire du Val-de-Grâce,* 1862 (N).

GRACQ Julien, Louis Poirier, dit. Saint-Florent-le-Vieil (Maine-et-Loire) 27.6.1910. Universitaire de formation et de profession (ancien élève de l'École normale supérieure et agrégé d'histoire), G. a construit, modestement et continûment, en marge de sa carrière professorale, une œuvre rare et profonde. Marqué par le surréalisme (il est l'auteur de la meilleure étude sur *André Breton*), il ne lui est cependant pas asservi. Il peut tout aussi bien se rattacher aux magies celtiques du Moyen Âge qu'à l'onirisme nervalien. Qu'il s'agisse de l'irréalisme délibéré des décors et paysages de *Au château d'Argol* ou de la réalité quotidienne d'une plage bretonne pendant les vacances *(Un beau ténébreux),* le monde propre de G. s'auréole toujours d'un mystère dont on ne sait s'il est menace ou promesse et dont la fascination tient à cette ambiguïté même. Mais son pouvoir d'incantation a sa source dans le langage, et cette œuvre, si elle est romanesque dans son apparence, est poétique dans sa nature profonde : c'est l'accès à une parfaite pureté de cette poésie à la fois de langage et d'atmosphère qui donne à l'œuvre la plus célèbre de G., *le Rivage des Syrtes,* sa place restée unique dans la littérature contemporaine ; pour ce livre, l'auteur reçut le prix Goncourt, qu'il refusa pour rester fidèle à la position qu'il venait d'affirmer dans son pamphlet, *la Littérature à l'estomac*. Comme pour satisfaire à une sorte de loi d'alternance, du moins quant aux sujets, *Un balcon en forêt* revient à des données « réelles » puisqu'il s'agit de l'histoire personnelle d'un personnage mobilisé pendant la guerre de 1939-1940 : mais l'enchantement poétique et onirique est toujours là, celui d'une situation paradoxale et nécessairement éphémère (comme, plus tard, dans la nouvelle *le Roi Cophetua*) qui, par là-même, rend possible la révélation des secrets des êtres et des choses. Car G. est avant tout le poète du secret, et aussi ce narrateur qui sait faire servir les techniques du récit ou de la description au déchiffrement d'un univers à la fois caché et manifeste : l'évidence de la narration est comme le miroir du secret poétique, et sans doute est-ce tout le génie de G. que ce pouvoir de transparence instauré au cœur même du mystère et traduit dans une fusion exceptionnelle du narratif et du poétique. Ses « romans » sont généralement brefs, et il a cultivé avec pénétration le genre de la nouvelle : celle qui donne son titre au recueil de 1970, *la Presqu'île,* est caractéristique de cette concentration de la magie poétique dans les structures masquées d'une narration intemporelle : le récit a beau faire intervenir ces « réalités » quotidiennes que sont le chemin de fer ou l'automobile, la présence d'une étrangeté aussi évidente que dégagée de toute attache temporelle y est d'autant plus intense. L'événement, comme le personnage, est absorbé par cette atmosphère qui est à la fois du monde et au-delà du monde. De sorte que le recours au rêve n'est pas ici évasion ou fuite, mais, au contraire, pénétration et finalement possession de la « vraie vie », dont il s'agit de percevoir les signes : la mission de l'écrivain est de soumettre rigoureusement son écriture à la traduction authentique de ces signes. De là naît ce que l'écrivain lui-même, dans *Préférences,* appelle une littérature « emblématique », principe qui ne lui inspire pas seulement ces romans-poèmes que sont ses récits, mais aussi la progressive élaboration d'une poétique universelle. Qu'il aborde l'élucidation de ses impressions personnelles face aux accidents de la vie, l'approfondissement de ses goûts littéraires – « en lisant en écrivant », comme il dit – ou « la forme d'une ville » telle qu'il en conserve l'empreinte, il reste l'inlassable pourchasseur de signes dont l'écriture se calque sur les subtils linéaments d'un univers mystérieux et illuminé. De sorte que, comme les « romans », les « essais », eux aussi, participent de la même quête poétique.

Œuvres. *Au château d'Argol,* 1938 (N). – *Un beau ténébreux,* 1945 (N). – *Liberté grande* (recueil de poèmes en prose), 1946 (P). – *André Breton,* 1948 (E). – *Le Roi pêcheur,* 1949 (T). – *La Littérature à l'estomac,* 1950 (E). – *Le Rivage des Syrtes,* 1951 (N). – *Un balcon en forêt,* 1958 (N). – *Préférences,* 1961 (E). – *Lettrines,* 1967 (E). – *La Presqu'île* (3 nouvelles : *la Route ; la Presqu'île ; le Roi Cophetua*), 1970 (N). – *Lettrines II,* 1974 (E). – *Les Eaux étroites,* 1976 (N). – *En lisant, en écrivant,* 1981 (E). – *La Forme d'une ville,* 1985 (E). – *Œuvres complètes* (2 vol.), éd. établie par B. Boie (en préparation).

Au château d'Argol

Un château proche de la mer, au cœur de la forêt, dont le nom déjà suggère l'étrangeté ; le riche propriétaire, Albert, est aussi un intellectuel ; il est lié d'amitié avec Herminien : tandis qu'Albert se veut surtout philosophe, Herminien pousse volontiers son raffinement de dilettante jusqu'à l'esthétisme. Lorsque Herminien, invité par Albert, arrive au château d'Argol, il est accompagné d'une jeune femme, très belle, Heide ; une coïncidence veut que son nom se trouve gravé sur une ancienne tombe du cimetière : présage ? Les trois personnages sont donc réunis dans une solitude pleine de pressentiments confus : les signes se multiplient, s'intensifient. Un jour, Albert voit partir avec Heide Herminien armé ; au crépuscule, il part lui-même dans la forêt, à leur recherche, alors qu'un orage menace : ce sera pour découvrir Heide ligotée, nue et ensanglantée ; Herminien a disparu. Ramenée au château, Heide guérit ; elle part aussitôt à la recherche d'Herminien, qu'elle trouve gisant en un lieu lui aussi plein de signes mystérieux, victime d'une chute de cheval. Ramené au château, Herminien, comme Heide, guérira. Retour au point de départ ? La traversée tragique des signes et des épreuves a porté la relation entre les trois personnages jusqu'à son paroxysme, jusqu'à l'intolérable : c'est alors qu'Herminien entraîne avec lui Albert dans le passage secret qui conduit à l'intérieur même de la chambre de Heide; celle-ci s'empoisonne; pour la venger, Albert tue Herminien.

Le Rivage des Syrtes

Comme dans la plupart des œuvres de G., l'action se réduit à peu de matière, mais elle est plongée dans un univers qui, lui, embrasse, dans son symbolisme multiple, l'ampleur et le mystère de cette attente tragique qu'est le Destin. Depuis trois siècles, sur le rivage de la mer des Syrtes, une principauté, la seigneurie d'Orsenna, vit dans l'attente des événements qui pourraient surgir de l'état de guerre où elle se trouve engagée avec la principauté située sur l'autre rive de la mer, le Farghestan. Mais vient un moment où ce suspens négatif crée à Orsenna une sorte d'impatience qui va se cristalliser dans le personnage d'Aldo, jeune aristocrate chargé de se rendre, loin de la capitale et de sa vie brillante, sur le rivage désert des Syrtes pour y observer ce qui pourrait se passer sur la mer et sur la rive opposée. Mystérieusement travaillé par cette impatience de l'événement qui est en lui le travail du Destin, Aldo, avec son navire le *Redoutable,* dépassera l'île de Vezzano – terme assigné aux opérations de reconnaissance maritime – pour s'approcher des côtes ennemies ; comme si, de l'autre côté aussi, quelqu'un attendait une occasion de rompre l'inertie du temps, le *Redoutable* essuie trois coups de canon. L'événement l'emporte alors sur la durée : la guerre éclate, et sans doute Orsenna sera anéantie avec tout ce qu'elle représente de raffinement et de civilisation, Orsenna dont un citoyen a commis l'erreur de provoquer le Destin.

La Presqu'île

Un « homme quelconque », Simon, attend une femme, Irmgard, dans la salle d'attente d'une gare dont l'activité semble mince. Personne n'étant arrivé au premier train, Simon se dirige en voiture vers la bourgade de Brévenay, dont l'activité est encore plus mince que celle de la gare. Le voici donc transféré dans un temps *imprévu,* car le temps prévu était seulement celui de l'attente d'Irmgard, temps prévu qui vient d'être épuisé. Simon reprend sa voiture pour parcourir au hasard le pays, la Bretagne de la géographie mais aussi celle des mythes et des légendes ; cela pour passer le temps jusqu'au train de 19 h 53. Mais entre l'heure du déjeuner et celle du train, le paysage investit peu à peu l'âme et le corps de Simon, à tel point qu'il laisse sa voiture – devenue alors une sorte de démon – « courir sur sa lancée ». Une lutte s'instaure en lui entre cette invasion du paysage et l'image d'Irmgard, mais le paysage trouve au cœur le plus secret de Simon quelque complicité, car la Bretagne, depuis l'enfance, hante son imagination, en particulier les paysages magiques du Bocage et du Marais, où précisément sa voiture l'a conduit. Et ce mouvement spontané de sa voiture le plonge de plus en plus intimement dans une sorte de film enchanté dont il se décrit à lui-même les images successives. Certes il revient à Brévenay prendre une chambre à l'hôtel, que, même, il décore de fleurs à l'intention d'Irmgard, mais il repart, comme mû par une impulsion irréversible, et le paysage reprend possession de lui, la voiture reprend sa fonction d'agent du paysage, et le film recommence à se dérouler. À tel point que, lorsque arrive l'heure du train, cette heure, naguère désirée, inspire à Simon de la peur. Quand, à la gare, au train de 19 h 53, Irmgard arrive en effet, le « bonheur » attendu est devenu pour Simon un sentiment de « sécurité neutre ». Il est si profondément habité par la substance magique dont il s'est nourri qu'à la vue d'Irmgard il se pose cette question : « Comment la rejoindre ? »

GRAFFIGNY Françoise d'Issembourg et d'Happoncourt de. Nancy 13.2.1695 – Paris 12.12.1758. Mariée, ou plutôt sacrifiée très jeune à un homme emporté, qui mit plusieurs fois sa vie en péril, elle dut vivre de sa plume. Ses *Lettres d'une Péruvienne* (1747) reprennent le procédé des *Lettres persanes* de Montesquieu. Elle y dénonce vigoureusement les injustices d'une société qui ne l'a guère épargnée. Mais la langue y est quelque peu alambiquée, les caractères manquent de cohérence, et maint défaut technique révèle l'inexpérience de l'auteur, qui ne se montre guère plus habile dans *Cénie,* comédie sentimentale larmoyante (1751). On lit avec plus d'intérêt *la Vie privée de Voltaire,* ensemble de souvenirs publiés en 1820 et relatant de façon vivante et anecdotique l'existence quotidienne du philosophe à Cirey en 1738.

Œuvres. *Lettres d'une Péruvienne,* 1747 (N). – *Cénie,* 1751 (T). – *Lettres d'une Péruvienne* (2e éd. augm., 2 vol.), 1752 (N). – *La Fille d'Aristide,* 1758 (T). – *Œuvres complètes,* posth., 1788. – *La Vie privée de Voltaire et de Mme du Châtelet ou Six Mois à Cirey,* posth., 1820 (N).

GRANDBOIS Alain. Saint-Casimir-de-Portneuf 25.5.1900 – Québec 3.1975. Écrivain canadien-français. Études secondaires au collège de Montréal, au séminaire de Québec; études supérieures à Saint-Duncan University et à l'université Laval de Québec, d'où il sort licencé en droit. Issu d'une famille aisée, il passe une grande partie de sa vie à parcourir le monde. Il fait de longs séjours en France et voyage en Italie, en Espagne, en Autriche, en Allemagne, en Russie, en Afrique, en Chine, aux Indes et au Japon. En 1940, il est ramené au Canada par la guerre. Il participe à la fondation de l'Académie canadienne-française en 1944. Il a reçu le prix Duvernay et la médaille Lorne Pierce.

G. a consacré vingt années de sa vie aux voyages. De « toutes ces rues parcourues dans l'angoisse de la pluie », certaines le retiennent périodiquement. Paris tout d'abord, où il publie en 1933 *Né à Québec,* biographie romancée de Louis Jolliet, l'explorateur qui descendit le Mississippi jusqu'à son embouchure. Il écrit ensuite *les Voyages de Marco Polo,* après avoir refait lui-même ces voyages. *Avant le chaos* est un recueil de nouvelles plein de ses souvenirs de voyages à travers le monde. Visiblement, l'auteur garde la nostalgie des années folles de l'entre-deux-guerres. Ses personnages sont des aristocrates et des artistes qui promènent leur désœuvrement dans une Europe de convention.

Après la guerre paraissent trois recueils poétiques, réunis en un seul volume en 1963 sous le titre *Poèmes.* Les deux premiers comptent parmi les plus belles œuvres du Canada français. Le thème central de l'œuvre de G. est la mort, la mort toujours présente au cœur et à l'esprit du poète, et qui donne son caractère tragique à la vie humaine. Les thèmes et le style en effet ne sont pas spécifiquement canadiens, mais sont d'intérêt universel. Par la gravité de sa démarche, par son refus de la narration et de la déclamation, par son sens du mystère et par un fascinant mélange de dureté et de tendresse, aussi bien que par la coexistence dans son œuvre de la joie et de l'angoisse, G. est accordé à la sensibilité moderne. C'est le poète canadien qui a exercé l'influence la plus importante sur la jeune poésie de son pays. La place exceptionnelle qu'il occupe dans les lettres canadiennes lui vient de la richesse d'une expérience personnelle où il a couru tous les risques. Les dimensions universelles et humaines de ses thèmes et sa connaissance des possibilités du langage sont un apport précieux à la poésie canadienne aussi bien qu'au patrimoine général de la « francité ».

Œuvres. *Né à Québec, Louis Jolliet* (récit), 1933 (N). – *Les Voyages de Marco Polo,* 1942 (N). – *Avant le chaos* (nouvelles), 1945, rééd. augmentée 1964 (N). – *Les Îles de la nuit,* 1946, rééd. 1972 (P). – *Rivages de l'homme,* 1948 (P). – Préface aux poèmes de S. Garneau : *Objets trouvés,* 1951. – *L'Étoile pourpre,* 1957 (P). – *Poèmes* (recueil des trois titres précédents), 1963 (P). – *Visages du monde. Images et souvenirs de l'entre-deux-guerres,* 1970. –

Délivrance du jour et autres inédits (avec dessins de l'auteur), posth., 1980. – *Le Matin,* récit, posth.

GRANDES CHRONIQUES DE FRANCE. Entre 1185 et 1201 fut entreprise, à l'abbaye royale de Saint-Denis, une vaste compilation de faits historiques, qui avait pour titre *Historia regum francorum*. C'est entre 1258 et 1286 que Mathieu de Vendôme, abbé de Saint-Denis, fit composer un recueil de *Chroniques* écrites en latin : l'histoire se continuait jusqu'au règne de Philippe Auguste. Cette encyclopédie fut complétée par les *Gesta Ludovici VIII* et les *Vies de Saint Louis* et de *Philippe le Hardi* par Guillaume de Nangis. En 1274, Mathieu de Vendôme fit traduire le texte latin en français. Cette traduction devint la base de ce qui allait être les *Grandes Chroniques de France* de Saint-Denis, abbaye désormais célèbre pour s'être faite la « gardienne de l'histoire ».

GRAS Félix. Malemort-du-Comtat (Vaucluse) 3.5.1844 – Avignon 1901. Écrivain français de langue d'oc. Ami de Mistral, il dirigea le félibrige à partir de 1891 tout en menant la vie paisible d'un notaire, puis d'un juge de paix. Ceux qui ne lisent pas le provençal ignorent tout d'une œuvre que les connaisseurs rangent parmi les meilleures et les plus ardentes qu'ait produites une époque de riche rénovation.

Œuvres. *Les Charbonniers,* 1876 (P). – *Toulouse,* 1882 (P). – *Le Romancero provençal,* 1887 (P). – *Le Catéchisme du bon félibre,* 1891 (E). – *Les Papalines,* 1891 (N). – *Les Rouges du Midi,* 1896 (N). – *L'Héritage de l'oncle Bagnol,* posth., 1910.

GRÉBAN Arnoul. Le Mans début XVe siècle. Maître ès arts (1444), bachelier en théologie (1456), G. fut organiste et directeur de la maîtrise de Notre-Dame, puis chanoine de Saint-Julien-du-Mans (1450). Il est l'auteur de la version la plus remarquable et la plus connue du *Mystère de la Passion,* composée à la demande de l'association dramatique des Confrères de la Passion. Cette œuvre n'a jamais été imprimée, ni au XVe siècle ni au XVIe siècle, car, dès 1486, Jean Michel remania l'œuvre de G., et ce nouveau *Mystère de la Passion* prit la place de l'original. Huit manuscrits en ont été conservés.
Au travers de cette vaste fresque de 35 000 vers, G., poète habile, théologien savant, cherche à reconstituer, à l'aide des Évangiles, la Passion du Christ. Cette œuvre est divisée en « journées ». La première journée rapporte l'enfance du Christ : la deuxième sa vie publique ; la troisième expose longuement sa Passion, sa mort et son ensevelissement. La dernière journée commence à la résurrection et se termine par la descente du Saint-Esprit. Chacune de ces journées débute par un prologue qui rappelle les événements de la journée précédente. G. n'est pas un novateur ; il s'inspire de très près de la *Passion d'Arras* de Marcadé et s'applique à plaire à son auditoire. Néanmoins, la grandeur de son projet ne s'est pas amoindrie dans la réalisation : le *Mystère de la Passion* est encore représenté de nos jours.

GRÉBAN Simon. XVe s. Frère du précédent. Moine de Saint-Riquier, il fut secrétaire de Charles d'Anjou, qui lui commanda le *Triomphant Mystère des « Actes des Apôtres »* dans les années 1468-1470. On ne sait si Arnoul G. y participa ou si son frère l'imita. Toujours est-il que quelques vers ont une parenté certaine avec le *Mystère de la Passion.* Le *Triomphant Mystère* ne présente guère d'originalité, si ce n'est sa longueur (plus de 60 000 vers). Cette œuvre eut cependant un certain effet puisque, à la suite d'une représentation tumultueuse à Bourg (1536), la pièce fut interdite. L'auteur avait montré des épisodes atroces de la vie de Néron, et le procureur général du parlement de Paris s'en inquiéta.

GREEN Julien. Paris 6.9.1900. Romancier français d'origine américaine. Engagé volontaire à la fin de la guerre, il fit ses études supérieures aux États-Unis; sa maîtrise des deux langues est égale, mais il a préféré très tôt s'exprimer littérairement en français. Sa biographie, sans accidents graves, est avant tout l'itinéraire d'une âme : d'origine protestante, il se convertit en 1916 au catholicisme puis devint pour longtemps agnostique. Revenu à la foi vers la quarantaine, il reste depuis lors l'un des créateurs les plus tourmentés de la littérature contemporaine. Presque uniquement romancier, il est venu tardivement au théâtre et tient régulièrement depuis 1928 un journal, partiellement publié; enfin il a fait revivre son enfance et sa jeunesse dans quatre volumes d'autobiographie.
« Explorateur mystique de la nuit » (P.-H. Simon), G. est un des romanciers les plus noirs de sa génération : Bernanos a dans la grâce divine une confiance qui manque à G., Mauriac a dans le style une lumière qu'ignore le talent de G. De son propre aveu peu doué pour l'écriture

romanesque, il nous emprisonne en même temps que ses personnages ; ballottés par leur désespoir de criminels sans motivation consciente, ils nous entraînent dans le tourbillon de leur errance : nous sommes pyromanes avec l'extraordinaire héroïne de *Mont-Cinère* (coup d'essai et peut-être coup de maître du romancier), nous marchons sous la pluie aux côtés d'Adrienne Mesurat, fille haineuse ; devenus l'étudiant puritain obsédé par la chair, nous assassinons Moïra. C'est le secret de G. d'être à la fois si loin de l'aisance, de la puissance et du naturel et si proche de nous qu'il semble nous agripper, nous demandant de partager ses obsessions jamais guéries. Cependant le meilleur et le plus admirable G. est celui du *Journal ;* il s'y détourne de l'actualité pour sonder sa vie propre et les mystères de l'invisible ; le prix de ces pages sévèrement sélectionnées est dû entre autres à une constante pudeur dans l'évocation des tourments charnels (l'homosexualité) ou spirituels (présence de Satan), que l'on n'a pas retrouvée dans la récente autobiographie de G. On découvre avec émotion combien tout ce qu'il ne fait que suggérer dans son journal se transpose avec une violence libératrice dans ses romans : par un procédé de « délégation » qui le rapproche de Balzac, G. charge des faibles, des criminels ou des médiocres d'aller jusqu'au bout de ce qui n'est chez lui qu'à l'état de tendance. Mais la faiblesse, chez G. écrivain, d'une lueur divine qui laisse en fait « chaque homme dans sa nuit », permet cependant d'apercevoir de quelle volonté, de quel goût infatigable de l'absolu se nourrit l'espérance de l'homme G. (*cf.* l'épigraphe de *Moïra,* empruntée à saint François de Sales : « La pureté ne se trouve qu'en paradis ou en enfer »). Le *Journal,* outre sa richesse spirituelle, est d'une lecture beaucoup plus lumineuse que les romans, sa pâte est moins compacte, son style souvent d'un merveilleux naturel ; cette différence s'est accentuée avec le temps, G. donnant aujourd'hui l'impression d'avoir tout dit comme écrivain de fiction et de ne plus pouvoir s'exprimer de façon neuve qu'en son nom personnel. Pas plus ses romans d'après-guerre que ses pièces, alourdis par les souvenirs autobiographiques, ne soulevèrent le même intérêt que ses débuts, plus inquiétants, plus révélateurs (*cf.*, par exemple, la fascinante nouvelle *les Clés de la Mort,* 1928) ; et même ses plus fidèle admirateurs ont avoué leur déception devant *l'Autre,* sa dernière tentative romanesque : sa volonté d'alléger et de moderniser son style donne en fait l'impression d'une composition hâtive et bavarde, tandis que le manichéisme spirituel de l'intrigue présentée la rend, selon certains, invraisemblable. Plus que jamais, le vrai G. doit être recherché dans les pages inépuisées de son *Journal :* il semble avoir trouvé dans la discrétion volontaire le seul ton de voix qui rende vraiment compte des subtilités d'une âme inapte à la paix intérieure. Le recueil de nouvelles intitulé *Histoires de vertige* met en scène des personnages en proie au mal de vivre et inaptes au bonheur. Preuve en est la thématique de l'ombre et de la nuit qui rythme toutes les descriptions. Les rares trouées lumineuses sont autant de notes d'espoir. Acad. fr. 1971.

Œuvres. *Pamphlet contre les catholiques de France* (sous le pseudonyme de THÉOPHILE DE LAPORTE), 1924 (E). – *Mont-Cinère,* 1926, rééd., complétée, 1984 (N). – *Suite anglaise* (études sur S. Johnson, W. Blake, Ch. Lamb et Ch. Brontë), 1927 (E). – *Adrienne Mesurat,* 1927 (N). – *Le Voyageur sur la Terre* (nouvelles), 1927 (N). – *Christine* (nouvelle), 1927 (N). – *Léviathan* (nouvelle), 1928 (N). – *Léviathan* (roman), 1929 (N). – *L'Autre Sommeil* (nouvelle), 1931 (N). – *Épaves,* 1932 (N). – *Le Visionnaire,* 1934 (N). – *Minuit,* 1936 (N). – *Les Années faciles, Journal I,* 1938 (N). – *Derniers beaux jours, Journal II,* 1939 (N). – *Varouna,* 1940 (N). – *Quand nous étions tous ensemble,* 1943 (N). – *Devant la porte sombre, Journal III,* 1946 (N). – *Si j'étais vous,* 1947 (N). – *L'Œil de l'ouragan, Journal IV,* 1949 (N). – *Moïra,* 1950 (N). – *Le Revenant, Journal V,* 1951 (N). – *Sud,* 1953 (T). – *L'Ennemi,* 1954 (T). – *Le Miroir intérieur, Journal VI,* 1955 (N). – *Le Malfaiteur,* 1956 (N). – *L'Ombre,* 1956 (T). – *Le Bel Aujourd'hui, Journal VII,* 1958 (N). – *Chaque Homme dans sa nuit,* 1960 (N). – *Partir avant le jour* (récit autobiographique), 1963 (N). – *Mille Chemins ouverts* (récit autobiographique), 1964 (N). – *La Dame de pique* (d'après Pouchkine), 1965 (N). – *Terre lointaine* (récit autobiographique), 1966 (N). – *Vers l'invisible, Journal VIII,* 1967 (N). – *L'Autre,* 1971 (N). – *Ce qui reste de jour, Journal IX,* 1971 (N). – *Jeunesse* (récit autobiographique), 1974 (N). – *La Bouteille à la mer, Journal X,* 1976. – *Le Mauvais Lieu,* 1977 (N). – *Dans la gueule du temps, 1926-1976,* 1978 (N). – *La terre est si belle, Journal XI,* 1978 (N). – *Ce qu'il faut d'amour à l'homme,* 1978 (E). – *L'Automate,* 1981 (T). – *La Lumière du monde, Journal XII,* 1983 (N). – *Frère François,* 1983 (N). – *Paris,* 1983 (T). – *Histoires de vertige,* 1984 (N). – *Villes, journal de voyage 1920-1984,* 1985 (N). – *Demain n'existe pas ; l'Automate,* 1985 (T).

Adrienne Mesurat

Au début de ce siècle, à La Tour-L'Évêque, petite ville de province, Adrienne Mesurat, privée de mère, vit médiocrement entre une sœur malade et un vieux père maniaque. Sa sœur se retire dans un couvent, Adrienne reste seule avec son père. Situation qui oblige sa sensibilité à s'enfermer, comme clandestinement, dans les profondeurs secrètes de son être intime. Elle est en effet amoureuse d'un médecin voisin, et cet amour, comprimé mais exalté par sa compression même, déclenche le processus semi-conscient d'une véritable explosion, explosion de haine contre son père, dont la présence est ressentie comme un obstacle aussi insurmontable qu'illégitime. Un jour, on le retrouve mort au pied de l'escalier ; c'est Adrienne qui l'a poussé d'un geste violent : a-t-elle *voulu* le tuer ? Désormais, elle s'enfermera dans la conscience de son « crime », dans la solitude de sa culpabilité, d'une condition tragique et sans issue, poursuivant une sorte de monologue intérieur que n'arrivent pas à rompre les quelques diversions qu'il lui arrivera de tenter : signe que son destin était bien celui d'une enfant perdue et, proprement, d'une « âme damnée ».

Chaque homme dans sa nuit

L'action, qui est d'ailleurs, pour l'essentiel, tout intérieure, est située aux États-Unis. Wilfred est vendeur dans un magasin de confection : tandis qu'il attire l'attention ambiguë des hommes, il est d'autre part, malgré lui et malgré son catholicisme sincère et fervent, comme possédé par le pouvoir de séduction qu'il exerce sur les femmes et dont il est conscient avec angoisse. Ayant accédé à une certaine indépendance après avoir recueilli la succession de son oncle, catholique et marginal comme lui dans un milieu protestant conformiste, il n'en est que plus conscient encore de la présence en lui d'un double nocturne et diabolique, qui, à ses yeux, se projette dans la personnalité suspecte de son collègue Max. Tandis qu'il fascine ses cousins James Knight et surtout Angus Howard et séduit la femme du premier, Phœbé, Wilfred, possédé par sa passion qui le hante comme sa propre voix, a recours à la confession comme au seul exorcisme possible. Pour mériter son pardon, il s'impose d'aller retrouver Max, qui, au cours de ce face à face, le tue : pendant que Wilfred agonise, Max le supplie de lui pardonner son geste meurtrier, et, avant de mourir, Wilfred lui répond : « Oui. » Ce dénouement dramatique, dont le symbolisme spirituel est clair, est suivi d'un épilogue qui tente d'expliciter cette spiritualité : après les obsèques de Wilfred, un dialogue contrasté oppose sa mère et ses cousins, l'une, porte-parole du conformisme le plus médiocre, et même le plus stupide ; les autres, hantés par la recherche du sens de ce destin mystérieux, du sens aussi de cet ultime bonheur qu'exprimait la dernière et simple parole du mourant.

GREGH Fernand. Paris 14.10.1873 – 1960. Brillant élève du lycée Condorcet, où il connut Proust, G. travailla d'abord dans de très nombreux périodiques littéraires; il fit notamment paraître dans la *Revue de Paris* un « Menuet » attribué à Verlaine, sur lequel il donnait en même temps un article : plus d'un critique s'y laissa prendre (1896). Il tenta d'attirer, par son humanisme naturel, le public français vers la poésie élégiaque dans une œuvre discrète qui s'écarte peu des techniques traditionnelles. Il a donné des études sur Victor Hugo qui font autorité et trois volumes de Mémoires. Acad. fr. 1953.

Œuvres. *La Maison de l'enfance,* 1896 (P). – *La Beauté de vivre,* 1900 (P). – *Une fenêtre ouverte,* 1901 (E). – *Les Clartés humaines,* 1904 (P). – *Études sur V. Hugo* (contient le *Manifeste sur la poésie* de 1902), 1904 (E). – *L'Or des minutes,* 1905 (P). – *Prélude féerique,* 1908 (P). – *La Chaîne éternelle,* 1910 (P). – *La Couronne douloureuse,* 1917 (P). – *Couleur de la vie,* 1927 (P). – *La Gloire du cœur,* 1932 (P). – *L'Œuvre de V. Hugo,* 1933 (E). – *Portrait de la poésie française,* 1936-1938 (E). – *L'Âge d'or* (Mémoires), 1947. – *Théâtre* (recueil comprenant : *les Amants romantiques ; la Belle au bois dormant ; le Petit Poucet ; Malmaison*), 1950 (T). – *L'Âge d'airain* (Mémoires), 1951. – *L'Âge de bronze* (Mémoires), 1953. – *Victor Hugo, sa vie, son œuvre,* 1954 (E). – *Le Mot du monde,* 1957 (P).

GRÉGOIRE DE TOURS, Georgius Florentinus Gregorius, dit. Clermont 538 – Tours 594. Historien français d'expression latine. Dès son plus jeune âge, G. de T. est destiné à la carrière ecclésiastique. En 573, il devient évêque de Tours, succédant à cinq prélats de sa famille. Au sein de la barbarie, de la Gaule de cette époque encore inorganisée, G. eut une action tout à fait efficace. Jusqu'à sa mort, il défendit les droits de l'Église, plus particulièrement contre les attaques de Chilpéric. Il embrassa la cause de l'évêque Prétextat et regroupa ses partisans pour s'opposer à la volonté du roi. Cependant, il tint à jouer un rôle de conciliateur en ces temps troublés où les puissants se

partageaient la Gaule selon leur bon plaisir et l'efficacité de leurs troupes.
L'œuvre de G. étonne par sa naïveté et sa simplicité, alors que l'homme d'action fut perpétuellement obligé de résoudre, et parfois avec succès, de difficiles problèmes politiques. Il semble que l'écriture ait été pour lui un refuge où il se repose des lourdes charges de son ministère. Ses écrits ne sont pas exempts d'imperfections, d'incorrections et d'inexpérience (il est un latiniste assez médiocre). Son érudition semble se limiter à la connaissance de la Bible et de quelques auteurs romains (Salluste, Virgile). Mais la ferveur avec laquelle il entreprend de rédiger, par exemple, ses *Vies des Pères de l'Église* ne peut laisser indifférent. En outre, G. ne se prive pas, tout en rapportant les faits, de dénoncer les injustices et de rendre hommage à ceux qui savent ne pas s'en rendre coupables. G. est surtout l'auteur de *Historia Francorum,* important ouvrage qu'il n'aura pas le temps d'achever. Malgré son érudition sujette à caution, il fait là un véritable travail d'historien, incorporant à son récit des documents (par exemple, une lettre de saint Remi à Clovis). En dépit de certains partis pris – il soutient l'Église, et c'est naturel –, il est d'une objectivité digne d'être remarquée, et qui fait de lui le premier historien français.

Œuvres. *Septem Libri miraculorum* (contiennent : *De virtutibus sancti Martini,* 4 livres, 575-581 ; *De virtutibus sancti Juliani,* 581-587 ; *De gloria martyrum,* 590 ; *De gloria confessorum,* suite du précédent), 575-592. – *Traité sur les Psaumes,* s. d. – *Offices de Sidoine Apollinaire* (ouvrage perdu). – *Historia Francorum* (15 livres), 575-592. – *Vitae patrum,* 594. – *Œuvres complètes,* posth., 1699.

GRESSET Jean-Baptiste Louis. Amiens 29.8.1709 – 16.6.1777. Après des études religieuses, il fit preuve de beaucoup d'humour dès son poème *Ver-Vert,* histoire d'un perroquet élevé dans un couvent de Nevers. *Le Carême impromptu, le Lutrin vivant,* sont des contes en vers d'un anticléricalisme vif et spirituel, mais qui effaroucha; mal vu des jésuites, G. se tourna vers le théâtre : si *Édouard III* et *Sidney* échouèrent, la comédie *le Méchant* fut bien accueillie. Il revint à Amiens assez jeune et y termina sa vie dans la piété, écrivant encore mais ne publiant plus. C'est une figure mal connue, en marge de son siècle. Acad. fr. 1748.

Œuvres. *Ode sur l'amour de la patrie,* 1730 (P). – *Ver-Vert, histoire d'un perroquet de Nevers,* 1734 (P). – *Le Carême impromptu,* 1734 (P). – *Le Lutrin vivant,* 1734 (P). – *La Chartreuse,* 1734 (P). – *Épître à ma Muse. Épître au P. Bougeant. Épître à ma sœur,* 1734-1735 (P). – *Adieux aux Jésuites* (à M. l'abbé Marquet), 1735. – *Édouard III,* 1740 (T). – *Sidney,* 1745 (T). – *Le Méchant,* 1747 (T). – *Œuvres complètes* (3 vol.), posth., 1803. – *Le Parrain magnifique* (poème en 10 chants), posth., 1810. – *Poèmes inédits,* posth., 1924-1925.

GRÉVIN Jacques. Clermont-en-Beauvaisis 1538 – Turin 1570. Très jeune, il fit représenter des comédies et des tragédies dans les collèges parisiens, en particulier *César,* une des premières pièces originales de la langue française. Il se lie avec les poètes de la Pléiade, surtout du Bellay et Ronsard. En 1556, il publie *l'Olimpe,* recueil de poèmes dédiés à Nicole Estienne, de la famille des imprimeurs, et, en 1561, il donne une édition de ses pièces de théâtre. Simultanément il poursuit des études de médecine, publie, en latin, une *Anatomie illustrée* et traduit en latin un ouvrage de J. Wier dans lequel celui-ci demande un traitement plus humain pour les sorciers. Dès 1560, G. avait choisi la Réforme. En 1567, craignant pour sa sécurité, il se réfugia en Angleterre. Il alla ensuite aux Pays-Bas, où il travailla à la traduction de deux emblèmes, à un traité de toxicologie et à un ouvrage sur les venins. Chez la duchesse de Savoie, à Turin, il trouva une situation plus stable. Celle-ci fit de lui son conseiller, son médecin et le précepteur de ses enfants. Le médecin est oublié, le poète n'a pas suffisamment cultivé l'art des vers, et sa production s'inspire trop souvent de Ronsard et de Du Bartas. Mais il eut le grand mérite de composer une œuvre dramatique qui ne soit pas une traduction servile des œuvres des Anciens ; il a, d'autre part, utilisé l'alexandrin pour la première fois au théâtre. Quant à ses comédies, elles plurent beaucoup au public de l'époque : elles représentaient une action qui se déroulait dans des lieux connus, actuels, et mettaient en scène des intrigues qui n'étaient pas directement calquées sur les comédies antiques ou sur la comédie italienne.

Œuvres. *Les Maubertines,* 1558 (T). – *La Trésorière,* 1559 (T). – *Les Esbahis,* 1560 (T). – *L'Olimpe,* 1560 (P). – *La Gélodacrye,* 1560-1561 (P). – *César* (adapt. en vers français de la tragédie latine *Julius Caesar* de Muret), 1561 (T). – *Théâtre* (recueil), 1561 (T). – *Le Temple de Ronsard,* 1562 (P). – *Traité des venins,* 1568 (E). – *Œuvres* *de Nicandre, médecin et poète grec, traduites en vers français,* 1568. – *Anatomie illustrée* (en lat. et en fr.), 1569. – *Guerre contre l'antimoine,* s. d. – *De l'imposture et tromperie des diables, enchantements et sorcelleries* (trad. d'un livre de Jean Wier), s. d. – *Théâtre complet et Poésies choisies,* rééd. 1922.

GRIGNON Claude Henri. Sainte-Adèle 1894 – 1976. Écrivain canadien-français. Études au collège de Saint-Laurent, interrompues assez vite. Autodidacte, il s'intéresse aux réalistes, aux naturalistes et aux symbolistes. Les pamphlétaires catholiques français, Bloy, Huysmans, Bernanos, ont été ses maîtres à penser. Parmi les Canadiens, Olivar Asselin est l'un de ceux dont il se réclame. Il collabore à *l'Ordre* et à *la Renaissance* comme journaliste. Il dirige ensuite l'hebdomadaire libéral *En avant,* de 1937 à 1939. Pendant sept ans, à partir de 1936, il rédige sous forme de feuilleton quotidien, ses *Pamphlets de Valdombre,* qui lui valent un public fervent et fidèle, attaque avec véhémence les chefs de l'Union nationale ainsi que les écrivains qu'il juge sans talent, cela avec une partialité souvent savoureuse. A partir de 1938, il tire de nombreuses adaptations, pour la radio et la télévision, de son roman *Un homme et son péché* paru en 1933 ; c'est l'œuvre principale de G., qui retrace la tragique histoire d'un avare vivant dans les Laurentides. Ce roman a le mérite d'introduire dans les lettres canadiennes-françaises un réalisme, voire un naturalisme, qui leur avait fait défaut jusque-là. C'est sans contredit l'un des meilleurs romans réalistes du Canada français.

Œuvres. *Les Vivants et les autres,* 1922 (E). – *L'Enfant du mystère* (récit), 1928. – *Le Secret de Lindbergh,* 1928 (N). – *Un homme et son péché,* 1933, rééd. 1978, avec le sous-titre *les Belles Histoires du pays d'en haut* (N). – *Ombres et clameurs,* 1933 (E). – *Le Déserteur* (nouvelles), 1934 (N). – *Les Pamphlets de Valdombre,* 1936-1942 (E).

GRINGOIRE, dit aussi **Pierre GRINGORE.** Thury-Harcourt (Calvados) 1475 ? – Nancy ? 1538. G. que Théodore de Banville et Victor Hugo se sont plu à dépeindre comme un artiste bohème et romantique avant l'heure, était, selon la définition d'un de ses contemporains, « le bourgeois le mieux éteint et le plus rassis », qui trouvait, sans doute, dans l'exercice de la poésie, un moyen honorable pour subvenir à ses besoins. Il avait pour devise : « Tout par raison, raison partout, partout raison. » Il semble qu'il ait fait des études médiocres et que, tour à tour, il trouva protection auprès de Louis XII et de François 1er. Comme ce dernier ne paraissait guère apprécier ses talents poétiques, G. devint, en 1518, héraut d'armes du duc de Lorraine et vécut tranquillement à la cour de Nancy, bourgeoisement marié à Catherine Roger. Parmi son oeuvre abondante et qui touche à toutes sortes de genres, citons : un long poème allégorique, *le Chasteau de Labour* ; une satire dirigée contre les femmes, *le Chasteau d'Amours ; les Folles Entreprises ; les Abus du monde ; les Menus Propos.* Passionné de théâtre, il fut membre d'une confrérie théâtrale, « les Enfants sans souci », et organisa des spectacles, des fêtes et des mystères. Le *Jeu du prince des Sots et de mère Sotte* , qui reste son œuvre maîtresse, eut un succès considérable. Courtisan dévoué, G. défendit aussi ses rois dans des œuvres polémiques, ne craignant pas d'utiliser la diffamation pour demeurer dans les bonnes grâces de ses protecteurs. Son succès poétique fut de courte durée : la Pléiade se chargea de faire oublier le poète courtisan et le rhétoriqueur attardé, mais le dramaturge a conservé toute sa force.

Œuvres. *Le Chasteau de Labour,* 1499 (P). – *Le Chasteau d'Amours,* 1500 (P). – *Les Folles Entreprises,* 1505 (P). – *Les Abus du monde,* 1506 (P). – *L'Entreprise de Venise,* 1509 (P). – *L'Obstination des Suisses,* 1510 (P). – *La Chasse du cerf des cerfs (Servus servorum dei)* [contre Jules II], 1510 (P). – *L'Espoir de paix,* 1511 (P). – *Les Menus Propos de mère Sotte,* 1511 (P). – *Le Jeu du prince des sots et de mère Sotte* (sotie), 1512 (T). – *Vie de Monseigneur Saint Louis* (mystère en 9 livres), 1514 (T). – *Sottie nouvelle des chroniqueurs,* 1515 (T). – *Le Blason des hérétiques,* contre Luther, 1524 (P).

Le Jeu du prince des sots et de mère Sotte

Exemple typique de l'utilisation politique du théâtre : Louis XII est en conflit avec le pape Jules II, et il s'agit de soutenir la politique royale en ruinant le prestige de la papauté chez un peuple catholique ; le genre de la sotie y est particulièrement propre : le prince des sots – Louis XII – passe une revue générale de ses partisans. Mais on voit aussi paraître, dans cette sorte de défilé, des abbés grotesques qui précèdent mère Sotte, revêtue, pour qu'il n'y ait aucun malentendu, des insignes pontificaux, et dans sa suite figurent au premier rang ses ministres aux noms significatifs, Sotte Fiance et Sotte Occasion. Mère Sotte entreprend de pousser à la rébellion les sots, entendons les sujets du roi. Mais c'est en vain : seuls les abbés trahissent leur roi. Situation de conflit qui entraîne une bataille inévitable, au terme de laquelle mère Sotte est dépouillée de tous ses insignes sacrés ; et dès lors, tout le monde l'abandonne.

GROSJEAN Jean. Paris 21.12.1912. Après avoir poursuivi des études tout en travaillant de ses mains, G. entre au séminaire en 1933 ; il sera ordonné prêtre en 1939, mais se séparera de l'Église catholique en 1950. Pendant la guerre, il s'était lié d'amitié avec André Malraux, et, en 1967, il est appelé auprès de Jean Paulhan à la direction de *la Nouvelle Revue française.* Imprégné de lectures bibliques, mais influencé aussi par Claudel et Saint-John Perse, G. est un poète de nature « prophétique » : mais c'est un prophète de la *fraternité* divine, un poète de la présence de Dieu à proximité des êtres et des choses du monde. Et cette poésie prophétique sera aussi, comme réciproquement, une poésie de l'offrande; le langage lui-même ne cesse de rechercher, dans ses figures, ses images et ses rythmes, cette réciprocité de l'offrande et de la prophétie. Grâce à quoi G., tout en refusant la poésie « circonstancielle » ou « personnelle », réalise dans un recueil comme les *Élégies,* de 1967, une exceptionnelle harmonie – elle-même poétique – entre lyrisme et et prophétie. Il a obtenu le Prix de poésie de l'Académie française pour l'ensemble de son œuvre en 1983.

Œuvres. *Terres du temps,* 1946 (P). – *Hypostases,* 1950 (P). – *Le Livre du juste,* 1952 (P). – *Fils de l'homme,* 1954 (P). – *Les Prophètes,* 1955 (P). – *Majestés et Passants,* 1956 (P). – *Austrasie,* 1961 (P). – *Apocalypse,* 1962 (P). – *Hiver,* 1964 (P). – *Élégies,* 1967 (P). – *La Gloire,* 1969 (P). – *La Nuit de Saül,* 1970 (P). – *Le Messie,* 1975 (P). – *Les Beaux Jours,* 1980 (P). – *Élie,* 1982 (N). – *Darius,* 1983 (N). – *Pilate,* 1984 (N). – *Jonas,* 1985 (N).

GROTESQUE [italien *grottesco,* dérivé de *grotta* = grotte]. Terme de beaux-arts : se dit des arabesques, à l'imitation de celles qui ont été trouvées dans des édifices anciens, ensevelis sous terre, dans des « grottes ». Le sujet, non plus que les dessins de ces figures n'étaient « grotesques », au sens où le mot est employé dans le langage courant. Ils offraient seulement des contours fantaisistes. Par la suite, grotesque a désigné toute figure qui, par son fantastique et son irrégularité, tend à devenir excessive ou même ridicule. Le grotesque, en particulier dans son acception littéraire, devint un jeu, une déformation systématique de la nature, dans le seul but de faire rire. Il ne comporte aucune critique implicite, à la différence du burlesque. À l'époque romantique, Th. Gautier, dans *les Grotesques,* a tenté, non sans succès, de faire revivre les représentants du genre grotesque tel qu'il avait été en faveur à la fin du XVIe s. et au début du XVIIe s.

GUÉHENNO Marcel, dit **Jean.** Fougères 25.3.1890 – Paris 28.9.1978. Il a raconté son enfance pauvre de fils de cordonnier breton, son appétit de culture intellectuelle, son expérience de lycéen et de normalien dans un bref mais très beau volume de mémoires, dont le titre, *Changer la vie,* condense l'essentiel du message de G. Professeur de Première supérieure au lycée Lakanal, puis inspecteur général, il ne cessera jamais d'accorder à sa vocation d'enseignant la première place. C'est dans la ligne de cette vocation et selon son tempérament qu'il aborde la critique littéraire et se propose d'en élargir les horizons, soit en recherchant dans les œuvres littéraires la présence d'un message universel *(l'Évangile éternel),* soit en privilégiant les écrivains dont l'œuvre lui semble revêtir ce même caractère d'universalité. Lorsqu'il s'attache à l'étude, dans cet esprit, de Jean-Jacques Rousseau ou de Michelet, il découvre aussi et met en valeur la portée d'œuvres que leurs origines situent en marge de la tradition mais qui n'en sont pas moins insérées dans le grand courant de l'humanisme français. Réconcilier le « peuple » (au sens de Michelet) avec l'humanisme littéraire est resté, d'un bout à l'autre de sa longue vie, l'ambition majeure de G., et, à ce titre, sa place dans l'histoire culturelle contemporaine reste considérable. Ainsi s'explique la forme que revêt son engagement politique, comme directeur de la revue *Europe* de 1929 à 1936 et de l'hebdomadaire *Vendredi,* de 1935 à 1938, puis dans la Résistance, en particulier aux *Cahiers de Minuit.* Dans les chroniques du *Figaro* qu'il publiera à partir de 1945, il demeurera fidèle à lui-même et à ses idées de jeunesse : exigence morale d'une haute rigueur, double fidélité à sa formation universitaire et à ses origines prolétariennes ; il exprimera ses vues dans un style exceptionnel, que marquent la sincérité du ton et la finesse de la langue. Ce sont ces mêmes qualités qui caractérisent son œuvre proprement littéraire, par laquelle G. a largement contribué, de son *Journal d'un homme de quarante ans* à ses *Carnets du* *vieil écrivain,* de 1934 à 1971, à la renaissance contemporaine du genre de l'autobiographie. Acad. fr. 1962.

Œuvres. *L'Évangile éternel,* 1927 (E). – *Caliban parle,* 1928 (E). – *Conversion à l'humain,* 1931. – *Journal d'un homme de quarante ans,* 1934. – *Jeunesse de la France,* 1936. – *Journal d'une « révolution » (1936-1938),* 1939 (E). – *Dans la prison* (sous le pseudonyme de CÉVENNES), 1944. – *L'Université dans la Résistance,* 1944. – *La France nouvelle,* 1945. – *Journal des années noires (1940-1944),* 1947. – *Jean-Jacques en marge des « Confessions »,* 1948 (E). – *La Part de la France,* 1949 (E). – *Jean-Jacques, roman et vérité,* 1950 (E). – *Jean-Jacques, grandeur et misère d'un esprit,* 1952 (E). – *Voyages,* 1952. – *Aventures de l'esprit,* 1954 (E). – *La Foi difficile,* 1957 (E). – *Sur le chemin des hommes,* 1959. – *Changer la vie,* 1961 (N). – *Jean-Jacques, histoire d'une conscience,* 1962 (E). – *Plaisir de lire,* 1964 (E). – *Ce que je crois,* 1964 (E). – *La Mort des autres,* 1967. – *Caliban et Prospero* (recueil d'essais), 1969 (E). – *Carnets du vieil écrivain,* 1971. – *Dernières Lumières, derniers plaisirs,* 1977.

GUÉRIN Eugénie de. Le Cayla (Tarn), 29.1.1805 – 31.5.1848. Retirée dans son château près d'Albi, elle mena une vie solitaire, ardente, à la mesure de l'âme exceptionnelle dont elle n'a pas voulu faire commerce en en livrant l'intimité au public : c'est seulement en 1855 que le libraire Trébutien publia son *Journal intime,* qui couvre les années 1832-1834, et quelques écrits réunis sous le titre *Reliquiae* ; on y découvre un don du style, une qualité spirituelle de la mélancolie qui font regretter la discrétion de l'auteur. En fait, E. de G. se consacra principalement à l'éducation et à la vie de son frère, **Georges** *Maurice* **de GUÉRIN,** Le Cayla, 4.8.1810 – 17.7.1839, dont elle édita une partie de l'œuvre. Très conditionné par une enfance solitaire seulement peuplée de la présence de sa sœur et par des velléités sacerdotales qui le conduisirent à fréquenter Lamennais (1832), G. vécut à Paris de 1833 à 1837, où, pour gagner péniblement sa vie, il enseigna à Stanislas, et fit un mariage malheureux. Il revint auprès de sa sœur mourir de la tuberculose. Son œuvre, entièrement posthume, fut, comme celle d'Eugénie, publiée par Trébutien et Barbey d'Aurevilly, leurs plus fidèles amis. Fort mince, mais d'une exceptionnelle densité, elle comprend principalement deux admirables poèmes en prose, *le Centaure* et *la Bacchante,* et un journal intime des années 1832-1835, intitulé *le Cahier vert.* On y voit les heurts constants entre une forte hérédité catholique et un tempérament littéraire d'une violence païenne, tourné de préférence vers l'antique. Le couple rare d'un frère et d'une sœur aux spiritualités également intenses, aux œuvres également confidentielles les range tout à fait à part des courants ordinaires de leur siècle, et peut-être même de la « littérature ». Mais il convient de souligner qu'il y a chez l'un et chez l'autre (comme chez leur ami Barbey d'Aurevilly) un puissant pressentiment du « surnaturalisme » qui se manifestera en poésie après le tournant de 1860. Ils appartiennent à la précieuse et rare phalange des vrais précurseurs, ce qui explique qu'ils n'aient été que tardivement et incomplètement reconnus pour ce qu'ils sont. Lorsque Maurice note dans son *Cahier vert* (10.12.1834) qu'il « habite avec les éléments intérieurs des choses », il définit l'essentiel de son inspiration, nourrie des correspondances et analogies entre l'imagination spirituelle et les profondeurs secrètes de la nature : la poétique qui s'épanouit déjà chez G. triomphera chez Baudelaire et deviendra l'un des courants majeurs de la poésie moderne. Il y a plus encore : véritable créateur du poème en prose, G. (et Eugénie témoigne jusque dans ses lettres de la même intuition) fait plus que pressentir les valeurs magiques du rythme pur, dans le mouvement comme dans le repos, dans la dépression comme dans l'exaltation : il est le premier à avoir manifesté, dans des œuvres étranges et prophétiques, combien une rythmique commune au langage et à la vie intérieure possède le pouvoir de libérer les forces secrètes de l'esprit et les rêves de l'âme : il est, à cet égard, le fondateur de cette nouvelle prose après lui illustrée par Baudelaire et, plus près de nous, par Julien Gracq. C'est ainsi que G. – telle est sa vraie place – inaugurait une démarche spirituelle et poétique qui allait bientôt, au-delà du romantisme, bousculer les perspectives de la littérature et préparer les révolutions de son langage.

Œuvres. Eugénie de Guérin : *Journal intime, 1832-1834,* posth., 1855. – *Lettres à Louise de Baynes,* posth., 1924-1925. – *Lettres à son frère Maurice,* posth., 1929. Maurice de Guérin : *le Centaure,* posth., 1840 (P). – *La Bacchante,* posth., 1862 (P). – *Le Cahier vert. Journal intime 1832-1835,* posth., 1862. – *Poésie,* éd. établie par M. Fumaroli, 1984.

Le Centaure

Vision totale d'une surnature à la fois spirituelle et cosmique, d'où jaillit une oscillation harmonique entre panthéisme et intériorité, qui emporte le poète jusqu'à l'exaltation d'une véritable épopée unifiante de l'âme et du monde : le Centaure Macarée développe devant Mélampe, représentant de la sagesse humaine, son autobiographie surnaturelle, qui débouche sur le mystère de l'inconnu. Mais la conscience du mystère ne l'a point empêché d'explorer tous les possibles que lui offraient l'ardeur de sa propre jeunesse et la vitalité correspondante de la nature. De cette exploration il a rapporté, pour les confier à son auditeur, sinon la possession des secrets surnaturels, à jamais inaccessibles, du moins le souvenir, qui correspond à la vraie vie dont il est le symbole incarné, de ses inépuisables voyages au-delà des frontières humaines. Le personnage symbolique du Centaure figure ainsi la présence, au cœur de l'homme, d'une incurable impatience des limites.

GUÈVREMONT Germaine, née **Grignon.** Saint-Jérôme 1900 – Montréal 1968. Écrivain canadien-français. Études à Sainte-Scolastique, Saint-Jérôme, Lachine et Toronto. G. G. est issue d'une célèbre lignée d'écrivains laurentiens : Claude-Henri Grignon est son cousin ; Edmond Grignon, son oncle ; Joseph-Jérôme Grignon, son père, avocat et polygraphe, poète et prosateur. Par sa mère, Valentine Labelle, elle s'apparente au fameux curé Labelle, pionnier des Laurentides. Son mari, Hyacinthe G., natif de la région de Sorel, est le petit-fils de Moïse-Didace Beauchemin, personnage principal d'un roman de l'écrivain. Secrétaire de Me Thibodeau-Rinfret à Sainte-Scolastique, elle assiste aux querelles paysannes dont elle s'inspirera dans *En pleine terre,* récits terriens publiés en 1942. Entre-temps, elle s'est adonnée au journalisme comme reporter-correspondante de *la Gazette de Montréal.* Elle collabore au *Courrier* de Sorel, de 1928 à 1935, date à laquelle elle s'installe à Montréal avec sa famille. Son cousin, Victor Barbeau, lui confie alors le secrétariat de la Société des écrivains. Sur la demande de Françoise Gaudet-Smet, elle accepte d'écrire des contes pour *Paysana.* En 1945, elle publie *le Survenant,* aussitôt accueilli comme l'un des meilleurs romans canadiens-français contemporains : premier épisode d'une trilogie restée inachevée et dont ne paraîtra que le second épisode, *Marie-Didace.*
G.G. apparaît essentiellement comme une romancière de mœurs. Le roman paysan est chez elle à la fois réaliste et poétique ; ses thèmes, qui sont parallèles à ceux de Ringuet, s'en distinguent pourtant par une sensibilité toute féminine. Elle s'attache plus à la vie familiale et sociale qu'à la lutte contre les éléments dans les travaux de la terre. Cette différence de perspective renouvelle le genre et comble un vide. Elle donne une dimension de premier plan à l'aventure toujours présente dans le roman campagnard traditionnel depuis *Maria Chapdelaine* et *Menaud, maître draveur.* Elle aborde les problèmes et les réalités les plus fondamentales du peuple canadien-français avec une aisance et une justesse de ton inégalées.

Œuvres. *En pleine terre* (contes), 1942 (N). – *Le Survenant,* 1945, rééd. 1974 (N). – *Marie-Didace,* 1947, rééd. 1956 (N).

GUILLAUME IX D'AQUITAINE. 22.10.1071 – 1126 ou 1127. Troubadour occitan. Duc d'Aquitaine et sixième comte de Poitiers, Guillaume étendait ses fiefs sur un vaste territoire. Bien que dépendant du roi de France, il était plus puissant que lui et il affirma son indépendance en se libérant des contraintes de la religion. À l'âge de quinze ans, il prit en main la direction de ses domaines et, à la suite de son mariage avec la fille du comte de Toulouse, il revendiqua le comté. Il mit à profit le départ pour la croisade de Raymond de Saint-Gilles, héritier du comté de Toulouse, pour tenter de s'emparer de ses domaines. Mais l'Église, qui se chargeait de défendre les biens des croisés pendant leur absence, l'en empêcha. Par goût de l'aventure, et sans conviction religieuse, il partit à son tour pour la Terre sainte. L'expédition fut un échec : il fut contraint de lever le siège de Constantinople, et, lorsqu'il parvint à Antioche, des trente mille hommes qui formaient son armée il n'en restait que six. Revenu sur ses terres, Guillaume poursuivit ses activités guerrières, lutta contre ses vassaux pour les soumettre, offrant ses services à qui les désirait. Il contribua ainsi à la victoire d'Alphonse d'Aragon (1120) sur les Sarrasins. Ce grand pourfendeur fut aussi un séducteur actif si l'on en croit les chroniqueurs du temps, qui le qualifient de « l'un des plus grands trompeurs de femmes ».
Mais le pittoresque de la personnalité de G. ne doit pas faire oublier le poète : « Il savait bien composer des poèmes et chanter. » Qui plus est, il est le premier poète en langue vulgaire dont les poésies aient été conservées. Et, bien qu'il ne soit peut-être que le disciple ou le successeur de troubadours demeurés inconnus, il mérite déjà, ne serait-ce qu'à ce titre, toute notre attention. Onze poèmes nous sont parvenus. Nous retrouvons dans son œuvre tous les thèmes qui deviendront les

caractéristiques des troubadours : le poète soupire pour une dame inabordable, il s'incline devant elle avec humilité, il lui voue un « service », analogue à celui que le vassal doit à son suzerain. En matière poétique du moins, G. fut plus respectueux du code courtois qu'il ne le fut dans sa vie du code féodal. Il sut trouver un juste équilibre entre l'amour le plus sensuel et l'adoration quasi platonique, équilibre qui caractérise l'amour courtois porté à son plus haut point d'élaboration. On suppose que cette conception fut influencée par le séjour qu'il fit dans le monastère de Fontevrault, qui avait à sa tête une femme. Les moines devaient la servir et la respecter de la même manière que l'apôtre Jean vénérait la Vierge Marie. C'est peut-être la voie de l'amour qui, sur le tard, permit à G. de se faire pénitent humble et repentant ; il termina ses jours dans un couvent : « J'ai aimé la vaillance et la joie, mais maintenant je m'éloigne de toutes deux et m'en vais chez Celui auprès duquel tous les pécheurs trouvent la paix. » G. avait de la poésie l'idée la plus haute : il parle de son « métier poétique » qui se conquiert à force de labeur, comme une forteresse, comme une dame.

Œuvres. *Les Chansons de Guillaume IX, duc d'Aquitaine.* Éd. établie par A. Jeanroy, 1917.

GUILLAUME DE LORRIS. Lorris-en-Gâtinais 1200 ? – 1240 ? Il est l'auteur des quatre mille cinquante-huit premiers vers du *Roman de la Rose* (continué par Jean de Meung). L'étendue de sa culture et son raffinement témoignent d'une étroite appartenance au milieu lettré et courtois de son temps. Il écrit en effet aux environs de 1230, et c'est sous la fiction d'un songe qu'il compose une véritable somme poétique, rassemblée dans le récit d'une longue aventure allégorique. Par ce double procédé du songe et de l'allégorie, G. de L. opère la parfaite synthèse courtoise du lyrisme et du romanesque. Certes, les procédés qu'il emploie sont traditionnels, mais le poète les anime de son enthousiasme, et ces procédés deviennent chez lui les rites vivants d'un véritable culte, comme si, en cet apogée de la culture médiévale qu'est la première moitié du XIIIe s., le moment était venu de célébrer la suprême cérémonie poétique, celle qui couronne l'achèvement d'une civilisation. Aussi la fonction essentielle de l'univers allégorique est-elle d'envelopper l'aventure amoureuse du climat d'idéalité qui fait de cette première partie du *Roman de la Rose* non seulement l'admirable testament spirituel de la courtoisie, mais encore l'une des plus hautes expressions de la spiritualité du « fin amor » des troubadours. Œuvre qui préfigure aussi, dans le langage de son temps, la spiritualité amoureuse de la Renaissance néo-platonicienne, celle d'un Pétrarque et d'un Maurice Scève.

Œuvres. *Le Roman de la Rose,* éd. établie par E. Langlois, 1914-1924 ; trad. fr. moderne par A. Lanly (5 vol.), 1983.

Le Roman de la Rose I

L'allégorie centrale du poème est ce cadre symbolique du verger d'amour où son rêve transporte le poète, le jardin au cœur duquel fleurit la Rose parfaite. Mais c'est aussi un lieu clos et inaccessible, et l'ultime possession de la Rose, si jamais elle doit s'obtenir, ce qui n'est pas certain, n'aura lieu qu'après la traversée d'un labyrinthe aux multiples épreuves. Avant même que le poète puisse pénétrer dans le Verger, il est mis en présence de sa clôture, où son rêve lui fait voir des images inquiétantes peintes sur le mur, sorte de prélude symbolique figurant le thème essentiel de l'obstacle : il y a là en effet Haine, Vilenie, Convoitise. Mais Dame Oiseuse ouvrira au poète la porte dérobée par laquelle il pénètre dans le verger de Déduit ; il y connaît une première extase devant le spectacle que lui offre le couple de Déduit et de Liesse. Lorsqu'il parvient devant le buisson au cœur duquel fleurit la Rose, percé de flèches par le dieu Amour, il ne pourra plus se défaire de l'obsession de cette image malgré tous les obstacles dont Amour lui développe le programme. Il aura certes, pour le servir, Bel Accueil, fils de Courtoisie, mais il aura, pour le persécuter, Danger, Honte, Male-Bouche, Peur, Raison. Grâce à Pitié, Franchise et Bel Accueil, grâce aussi à Vénus, il pourra cueillir sur la Rose un baiser, mais Jalousie, qui a rassemblé tous les ennemis de l'Amant, emprisonne les fleurs dans une enceinte de murailles et enferme Bel Accueil dans une tour que garde une horrible vieille. Là s'arrête le poème de G. de L., au moment où l'Amant chante sa lamentation et son désespoir. (Voir JEAN DE MEUNG.)

GUILLAUME DE MACHAUT. Machaut (Ardennes) 1300 ? – Reims 4.1377. Poète et musicien, issu d'une famille roturière, il put faire des études approfondies et fut bientôt remarqué par Jean de Luxembourg, roi de Bohême, qui le prit à son service comme secrétaire. G. de M. l'accompagna dans ses déplacements, en Pologne, en Lituanie, et peut-être était-il à ses côtés à la bataille de Crécy (1346), où le roi de Bohême trouva la mort.

Chanoine de Reims à partir de 1340 grâce à son protecteur, G. de M., après la mort de Jean de Luxembourg, partagea son temps entre l'exercice de ses fonctions ecclésiastiques et la composition de ses œuvres. Il bénéficiera de la protection de différent seigneurs, en particulier Pierre de Lusignan pour qui il composa *la Chute d'Alexandrie.* Fidèle à l'inspiration courtoise pour ce qui est des thèmes de son œuvre poétique, G. de M. apparaît surtout, en poésie comme en musique, comme un grand créateur de formes. S'il a été considéré en son temps comme un maître, c'est qu'il possède au plus haut point la science des rythmes et des sonorités, qu'il organise avec maîtrise en une rigoureuse architecture formelle. C'est en artiste conscient de son art qu'il assure la promotion définitive des « formes fixes », et, s'il ne les a pas, semble-t-il, véritablement inventées, il leur a conféré force et dignité : sans l'élaboration poétique que leur imposa G. de M., ces formes n'auraient pu sans doute servir de langage à la fécondité créatrice de poètes comme Charles d'Orléans et Christine de Pisan.

Œuvres. *Le Dit du Vergier,* s.d. – *Jugement du roi de Behaingue* (écrit en quatrains), vers 1340 (N). – *Le Remède de Fortune,* 1341 (N). – *Le Dit dou Lyon,* 1342 (N). – *Le Dit de l'Alérion ou Dit des quatre oiseaux,* 1349 (N). – *Le Jugement du roi de Navarre,* 1349 (N). – *Le Confort d'Ami,* 1357 (N). – *La Fontaine amoureuse ou Livre de Morpheus,* 1361 (N). – *Le Voir Dit,* 1364 (N). – *La Prise d'Alexandrie* (poème historique), vers 1369 (N). – *Poésies lyriques,* éd. établie par V. Chichmaref, 1909.

GUILLERAGUES, Gabriel de Lavergne, sieur de. Bordeaux 4.12.1628 – Constantinople 4.3.1685. Issu d'une famille de noblesse de robe, homme de confiance du prince de Conti, il acheva sa vie comme ambassadeur à Constantinople. Il avait été lié avec tous les milieux aristocratiques et littéraires de son temps, en relation avec Molière, Racine et Boileau (qui lui dédia son *Épître V*), Mme de Sévigné et Mme de Lafayette. Lorsqu'en janvier 1669 l'éditeur Barbin fit paraître un volume de *Lettres portugaises* traduites en français (cinq lettres), l'ouvrage connut un succès considérable. Le destinataire était simplement désigné comme un « gentilhomme de qualité qui servait en Portugal », mais l'anonymat était si complet qu'il enveloppait aussi bien l'auteur (cette religieuse du couvent de Beja qui écrit des lettres si brûlantes de passion) que le traducteur. Dès cette même année 1669, le bruit courut que le héros de l'aventure était le chevalier de Chamilly et que le traducteur était G. ; au début du XIXe s., on crut apprendre que la religieuse portugaise se nommait Mariana Alcoforado, mais les travaux les plus récents ont établi avec certitude qu'il s'agissait là d'une supercherie littéraire, qui n'est pas en soi un phénomène exceptionnel. Celle-ci concerne l'un des chefs-d'œuvre majeurs de la littérature psychologique, et l'auteur est bien, tout simplement, ce G. ami de Racine. C'est le poème de la déception du cœur et de la chair, écrit dans un style châtié et élégant, parfaite traduction d'une analyse où passion et lucidité se renforcent mutuellement. Les lettres ne sont sans doute pas authentiques, elles ont été composées à partir de diverses lettres d'amour reçues par des officiers français retour de la campagne du Portugal. Quoi qu'il en soit de leurs sources, ces lettres doivent à la plume de G. de proposer, dans leur violence et leur brièveté, une image décisive du cœur humain, proche de celle que dessine de son côté la tragédie racinienne.

Lettres d'une religieuse portugaise

Des lieux et des circonstances presque rien ne nous est dit : le cloître de Beja ; une terrasse ; au loin, la ville de Mertola. Des souvenirs : un beau cavalier qui, en caracolant sous la terrasse, a séduit la jeune religieuse. Puis le rappel en France du bel officier, qui n'écrit pas, qui ne revient pas. Les lettres de la religieuse à son amant jalonnent les étapes de l'aveu, de l'évidence et de la résignation désespérée (on songe au dénouement de *Bérénice).* De l'espoir inquiet, à travers les sursauts d'une passion qui veut encore se rassurer, qui mendie quelque mensonge même, elle glisse à une lucidité désespérée sur elle-même, sur la réalité de la passion amoureuse, dans une conscience parfaitement claire de la fatalité de son destin. Il faut citer la formule par laquelle elle définit enfin son état : « J'ai éprouvé que vous m'étiez moins cher que ma passion. »

GUILLEVIC Eugène. Carnac 5.8.1907. Breton, il entend parler couramment français, pour la première fois, à l'âge de vingt ans ; bien qu'il la connût pour les besoins scolaires et administratifs, la langue française n'était pas sa langue maternelle ; elle devait devenir sa langue poétique, mais les origines linguistiques de G. expliquent que sa poésie soit d'abord une poésie des mots, plus exactement même une conquête de la maîtrise totale des mots, par la rigueur de leur contrôle et la mise en œuvre des correspondances entre leurs significations apparentes et cachées. Car les mots « résistent » au poète, et le poème naît du corps à corps du poète avec les mots : aussi la poétique de G. tend-elle à l'ascétisme formel, et il lui arrive de réinventer pour son compte la condensation du *hai-kai* japonais. Mais cette poétique ne débouche pas sur le formalisme, au contraire : si les mots résistent, c'est qu'ils sont chargés de réalité, réalité humaine, cosmique, sociale, historique. Alors apparaît dans le poème un lyrisme qui valorise le réel plutôt que le sentiment et qui prend pour matière les choses de la terre, les êtres et les objets : en cela, il arrive à G. de se trouver proche d'un autre poète, de la génération immédiatement antérieure, Francis Ponge, l'auteur du *Parti pris des choses,* formule qui pourrait aussi s'appliquer à une part importante de l'œuvre de G., en particulier le recueil qui le révéla en 1942, *Terraqué.* Ainsi s'explique aussi que cette poésie soit souvent une poésie « engagée » mais dans un sens plus lyrique que politique : le monde réel que révèlent les mots poétiquement agencés n'est pas un monde idéal, qu'il s'agisse de la société ou de l'histoire, mais, parce que les mots sont aussi l'arme de l'homme, la poésie doit servir à réconcilier l'homme et le monde, en nommant, pour les dénoncer, l'injustice et le mensonge, l'imposture et la souffrance ; quelle que soit l'horreur d'un monde voué à la violence, le poète, parce qu'il est poète, peut s'écrier : « Vive la vie quand même ! », le poème se situant alors, dans l'équilibre de sa forme laconique, entre le désespoir et le réconfort.

Œuvres. *Requiem,* 1938 (P). – *Terraqué,* 1942 (P). – *Amulettes,* 1946 (P). – *Exécutoire,* 1947 (P). – *Fractures,* 1947 (P). – *Élégies,* 1948 (P). – *Gagner,* 1949 (P). – *Les Chansons d'Antonin Blond,* 1949 (P). – *Les Murs,* 1950 (P). – *Coordonnées,* 1950 (P). – *Envie de vivre,* 1951 (P). – *Le Goût de la paix,* 1951 (E). – *Terre à bonheur,* 1952 (P). – *Trente et Un Sonnets,* 1954 (P). – *L'Âge mûr,* 1955 (P). – *Carnac,* 1961 (P). – *Chemin,* 1961 (P). – *Sphère,* 1963 (P). – *Avec,* 1966 (P). – *Euclidiennes,* 1967 (P). – *Villes,* 1969 (P). – *De la prairie,* 1970 (P). – *Encoches,* 1971 (P). – *Paroi,* 1971 (P). – *Racines,* 1973 (P). – *Inclus,* 1973 (P). – *Du domaine,* 1978 (P). – Avec Le Yaouanc, *Magnificat,* 1978 (P). – *Étier* (recueil), 1979 (P). – *Autres (poèmes 1969-1979),* 1980 (P). – *Vivre en poésie,* 1980 (E). – *Babiolettes* (poésie enfantine), 1980. – *Harpes,* 1980 (P). – *L'Herbier de la Bretagne,* 1980 (E). – *Trouées (poèmes 1973-1980),* 1981 (P). – *Fabliettes* (poésie enfantine), 1981. – Avec Raymond Charles, *Choses parlées,* 1982 (E). – *Nuit,* 1983 (P). – *Requis (poèmes 1977-1982),* 1983 (P). – *Autrefois,* 1984 (P).

GUILLOUX Louis. Saint-Brieuc 15.1.1899 – 14.10.1980. L'œuvre de G. relève, à beaucoup d'égards, de l'autobiographie transposée mais aussi de cette forme de réalisme romanesque que fut le « populisme » (G. a reçu précisément en 1942, lors de la publication du *Pain des rêves,* le Prix populiste). La combinaison, parfois contradictoire mais féconde, de ces deux composantes explique que l'autobiographie (d'une extrême discrétion, d'ailleurs) s'insère dans une chronique sociale qui implique aussi une méditation métaphysique sous-jacente. Marqué par l'influence de son père, militant socialiste, et par celle de son professeur de philosophie au lycée de Saint-Brieuc, Georges Palante, qui figure dans *le Sang noir* et dans *le Jeu de patience* sous le nom de *Cripure* (Palante était un fanatique de la *Critique de la raison pure* de Kant, d'où la contrepèterie *Cripure de la raisontique),* titre de la seule pièce de théâtre de G., le romancier se souvient aussi de ses lectures de prédilection : Rousseau, Vallès, Romain Rolland. Il n'entre pas vraiment, néanmoins, dans le système de la littérature « engagée ». De fait, G., admirateur de Lénine et de la révolution russe, refusera toujours de devenir communiste et n'adhérera jamais à aucun parti. Cette attitude personnelle se reflète dans son œuvre, où les problèmes humains sont posés avec réalisme et parfois avec brutalité (et pas seulement les problèmes politiques et sociaux), mais le romancier refuse de leur apporter une réponse unilatérale. Quelle que soit par exemple l'âpreté de la critique sociale, cette critique fait partie d'une mise en question globale du monde, qui débouche sur un problème central, celui d'un éventuel « raccord » entre l'homme et le monde, le problème du bonheur et de son impossibilité ; on comprend que le romancier de l'absurde, Albert Camus, se soit fait le préfacier de G. pour *la Maison du peuple* et *Compagnons* lors de leur réédition après 1945. Telle était l'originalité qui frappa aussitôt les lecteurs du *Sang noir* lorsqu'il parut en 1935 : œuvre réaliste dans sa conception et sa technique, mais, à travers son personnage central, c'est aussi l'analyse d'une tragédie métaphysique qui, faute de solution, conduit son héros, Cripure, à se suicider comme l'avait fait Palante, son modèle, en 1925. En 1949, *le Jeu de patience,* où réapparaissent, parmi beaucoup d'autres, quelques personnages du *Sang noir,* est, au lieu d'une crise ramassée en vingt-quatre heures, une vaste construction où la technique de l'entrecroisement permet au romancier d'élever le problème du bonheur et de la raison d'être de l'homme à l'échelle d'une période historique, celle de l'entre-deux-guerres, et de l'ensemble d'une société condensée dans le miroir de concentration d'une ville-microcosme de 1912 à 1950. Œuvre finalement inclassable car, si elle se rattache par certains côtés à la tradition naturaliste, elle superpose à ce naturalisme un climat humaniste, fait de tendresse et de confiance en l'homme, qui exclut le désespoir, s'il n'exclut pas, au contraire, le tragique. Techniquement enfin, il arrive à G., principalement dans *le Jeu de patience,* de mettre en œuvre des procédés, d'inspiration cinématographique par exemple, qui permettent le chassé-croisé des thèmes et des événements en même temps qu'ils rompent la structure temporelle du récit chronologique.

Œuvres. *La Maison du peuple,* 1927 (N). – *Dossier confidentiel,* 1930 (N). – *Compagnons,* 1931 (N). – *Hyménée,* 1932 (N). – *Angelina,* 1934 (N). – *Le Sang noir,* 1935 (N). – *Histoires de brigands,* 1936 (N). – *Le Pain des rêves,* 1942 (N). – *Le Jeu de patience,* 1949 (N). – *Absent de Paris,* 1952 (N). – *Parpagnacco ou la Conjuration,* 1954 (N). – *Les Batailles perdues,* 1960 (N). – *Cripure,* 1962 (T). – *La Confrontation,* 1968 (N). – *O.K. Jo, Saludo,* 1976 (N). – *Coco perdu, essai de voix,* 1978 (N). – *Carnets I, 1921-1944,* 1978. – *Carnets II,* posth., 1982. – *L'Herbe d'oubli* (recueil de souvenirs), posth., 1984.

GUIMARD Paul. Saint-Mars-la-Jaille (Loire-Atlantique) 3.3.1921. Après des études secondaires au collège Saint-Stanislas de Nantes, G. écrit pendant la guerre à *l'Écho de la Loire* puis à *Ouest-Éclair* jusqu'en 1944. Il épouse en 1951 la romancière Benoîte Groult et publie en 1956 son premier roman, *les Faux Frères,* qui lui vaut le Grand prix de l'humour. *Rue du Havre,* un an plus tard, obtient le prix Interallié. Parallèlement à sa carrière d'homme de lettres et de journaliste, G. participe à la vie publique. Conseiller à la culture en 1982, il est aussi membre de la Haute autorité de la communication audiovisuelle. Ses romans ont popularisé une technique narrative très cinématographique qui utilise les flash-back et les moments de « temps suspendu » au cours desquels le passé se récapitule. C'est ainsi que l'automobiliste gravement accidenté des *Choses de la vie* prend la mesure du trajet de son existence et en tire d'amères leçons. C'est toujours le hasard, véritable *deus ex machina,* qui préside aux destinées de tous ces personnages et joue de ce fait un rôle prépondérant dans le développement narratif : l'accident stupide des *Choses de la vie,* la rencontre fortuite de deux jeunes gens dans *Rue du Havre,* le contretemps malheureux qui provoque la mort du héros de *l'Ironie du sort.* Plus particulièrement centrés sur l'évocation du monde maritime, *le Mauvais Temps* et *l'Empire des mers* rappellent que G. est aussi un marin chevronné et aventureux. A l'aide des carnets de bord des participants d'une course autour du monde, il offre avec *l'Empire des mers* une description pertinente de la vie à bord d'un voilier et des difficultés provoquées par le « huis clos ». Cette épopée marine à la conquête de la liberté fait de G. le chantre moderne des aventuriers.

Œuvres. *Les Faux Frères,* 1956 (N). – *Rue du Havre,* 1957 (N). – Avec A. Blondin, *Un garçon d'honneur,* 1960 (T). – *L'Ironie du sort,* 1961 (N). – *Les Choses de la vie,* 1967 (N). – *Les Cousins de la Constance,* 1975 (N). – *Le Mauvais Temps,* 1976 (N). – *L'Empire des mers,* 1978 (N). – *Des nouvelles de la famille,* 1980 (N).

GUIOT DE DIJON. Dijon, début du XIIIe s. ? On ne sait rien de sa vie, mais il composa une des chansons les plus populaires de son temps, la *Chanson d'outrée,* qui devint la chanson de marche des croisés et demeura célèbre jusqu'à la fin du Moyen Âge. Cette chanson fait part des angoisses de la dame dans l'attente de l'époux parti en Terre sainte et donne la prière adressée à Dieu pour « aider le pèlerin ». Malgré la convention du genre, Guiot laisse entendre des accents personnels sincères, qui lui valurent le succès. Quelques autres chansons anonymes lui ont été attribuées, sans certitude.

GUIOT DE PROVINS. Fin XIIe s. – début XIIIe s. Richard Cœur de Lion, Henri Libéral, comte de Champagne, Pierre II d'Aragon furent ses protecteurs. Allant de la cour de l'un à celle de l'autre, G. a beaucoup voyagé jusqu'en Palestine, dont il fait une description assez juste dans la *Bible Guiot*. Vers la fin de sa vie, il se retira à l'abbaye de Cîteaux, après une existence quelque peu dissipée. Malgré son désir de repentance, G. ne put longtemps supporter l'ascétisme des cisterciens et se fit clunisien. La *Bible Guiot,* son œuvre principale, poème de 2 700 vers, est un témoignage sur la société du temps. G. y décrit le siècle, qui n'est plus ce qu'il était : les grands seigneurs sont en voie de disparition ; les ordres religieux, en pleine décadence, ne valent guère mieux. L'abbaye de Cluny n'échappe pas, non plus, à ses critiques, et il dénonce la démesure sous toutes ses formes. Menée allégrement, ne reculant pas devant la satire et l'ironie, la *Bible Guiot* connut un très grand succès et servit de modèle à d'autres écrivains médiévaux (*cf.* la *Bible* du seigneur de Berzé). G. a écrit également un poème allégorique : *l'Armure du chevalier.*

GUITRY Alexandre Pierre Georges, dit **Sacha**. Saint-Pétersbourg 21.2.1885 – Paris 24.7.1957. Fils du célèbre acteur Lucien G., il se brouille avec son père en 1902 et se fait dessinateur-portraitiste tout en commençant à écrire pour le théâtre, où il se révèle rapidement un brillant « faiseur » (*la Prise de Berg-op-Zoom,* 1912). Acteur-né, il doit à sa personnalité essentiellement comédienne l'unité de son œuvre et de sa vie. Son personnage a rempli la « chronique parisienne » comme son œuvre a occupé pendant plus de trente ans les théâtres parisiens, puis les écrans de toute la France. Car G. a su très tôt percevoir le pouvoir amplificateur du cinéma, et, lorsqu'il se met à faire des films dès que le cinéma est devenu parlant, il les fait comme ses pièces, avec le même goût « boulevardier » de l'intrigue et du mot d'auteur. Au théâtre comme au cinéma, il connaîtra le succès que lui assurent son sens de la péripétie, la vivacité ironique et spirituelle de ses dialogues, et peut-être aussi cette conception désabusée de la vie que vient compenser une impertinence aussi étourdissante qu'égocentrique, ce côté La Fontaine de G. qui explique que le fabuliste ait pu lui fournir le sujet de sa meilleure pièce *(Jean de La Fontaine).* Car cet amuseur aime mettre en scène les grands hommes *(Pasteur, Mozart, Talleyrand),* et il a le goût des sujets historiques, sans se préoccuper beaucoup ni d'exactitude matérielle ni de véracité symbolique : c'est au cinéma qu'il confiera le soin d'exprimer, sur une grande échelle, cette « inspiration historique », avec, en particulier, *Si Versailles m'était conté.* Mais ce qui a fait le succès de G., c'est aussi ce qui fait la faiblesse d'une œuvre et d'une manière que leur brillant n'empêche pas d'être superficielles et qui risquent de vite sembler désuètes. Vers la fin d'une carrière théâtrale exceptionnelle et d'une carrière mondaine souvent scandaleuse, G., devenu membre de l'académie Goncourt en 1939, eut à affronter les circonstances de la guerre et de l'Occupation, qui n'étaient guère favorables à son personnage. Il devra quitter l'académie Goncourt en 1948, après avoir été arrêté en 1944 sous l'inculpation de collaboration ; de cette expérience il tirera deux ouvrages, qui ne sont certes pas dépourvus d'intérêt : *Quatre Ans d'occupations* et *Soixante Jours de prison.*

Œuvres. *Le Page* (opéra-bouffe), 1902. – *Nono,* 1905 (T). – *Chez les Zoaques,* 1906 (T). – *La Clef,* 1907 (T). – *Le Veilleur de nuit,* 1911 (T). – *La Prise de Berg-op-Zoom,* 1912 (T).– *La Pèlerine écossaise,* 1913 (T). – *La Jalousie,* 1915 (T). – *Faisons un rêve,* 1916 (T). – *Jean de La Fontaine,* 1916 (T). – *L'Illusionniste,* 1917 (T). – *Deburau,* 1918 (T). – *Pasteur,* 1919 (T). – *Mon père avait raison,* 1919 (T). – *Je t'aime,* 1920 (T). – *Le Comédien,* 1921 (T). – *Un sujet de roman,* 1923 (T). – *Mozart,* 1925 (T). – *Désiré,* 1927 (T). – *Quadrille,* 1927 (T). – *Frans Hals ou l'Admiration* (film), 1931. – *Françoise,* 1932 (T). – *Le Nouveau Testament,* 1934 (T). – *Si j'ai bonne mémoire* (souvenirs), 1934 (N). – *Quand jouons-nous la comédie ?* 1935 (T). – *Le Mot de Cambronne,* 1936 (T). – *Le Roman d'un tricheur* (film), 1935-1936. – *Quadrille,* 1937 (T). – *Les Perles de la Couronne* (film), 1937. – *Remontons les Champs-Élysées* (film), 1938. – *Ceux de chez nous* (film), 1939. – *Ils étaient neuf célibataires* (film), 1939. – *Le Destin fabuleux de Désirée Clary* (film), 1942. – *N'écoutez pas, mesdames,* 1942. (T). – *Quatre Ans d'occupations* (2 vol.), 1946-1948. – *Le Diable boiteux* (film), 1948. – *Aux deux colombes,* 1948 (T). – *Tu m'as sauvé la vie,* 1949 (T). – *Je l'ai été trois fois* (film), 1949. – *Toâ,* 1949 (T). – *Soixante Jours de prison* (2 vol.), 1949-1950 (N). – *Deburau* (film), 1950. – *Palsambleu,* 1953 (T). – *Si Versailles m'était conté* (film), 1953. – *Si Paris m'était conté* (film), 1955. – *Napoléon* (film), 1955.

GUITTON Jean. Saint-Étienne 18.8.1901. Une brillante carrière de philosophe universitaire s'accompagne chez G. d'une carrière tout aussi brillante de penseur catholique attaché à l'approfondissement philosophique des données de la foi et à leur adaptation, sans complaisance moderniste, aux évolutions de la pensée moderne. Influencé par la pensée de saint Augustin et de Newman, G. renoue avec une tradition qui remonte jusqu'à l'Antiquité, comme en témoigne sa thèse sur *le Temps et l'Éternité chez Plotin et saint Augustin ;* mais cette découverte se veut aussi renouvellement en profondeur, comme en témoignent l'étude sur *la Philosophie de Newman* et le rôle joué par G. lors des « Conversations de Malines », sur le problème anglican, entre lord Halifax et le cardinal Mercier. Mais G. est aussi, dès ses premières œuvres, un authentique écrivain : il apparaît même que, dans un âge où la philosophie tend de plus en plus à s'éloigner du grand public par le recours à un langage technique, G., au contraire, conserve le souci d'écrire dans une langue claire et dans un style attrayant, ce qui sans doute lui valut d'entrer à l'Académie française. Il est aussi un maître de l'analyse concrète, et c'est ce don qui l'incite à déborder le domaine proprement philosophique pour aborder soit la littérature pure avec les nouvelles de *Césarine,* soit, plus fréquemment, la biographie avec le *Portrait de M. Pouget* et l'autobiographie directe ou indirecte avec le *Journal* et les livres où G. évoque la belle figure de sa mère *(Une mère en sa vallée).* Acad. fr. 1961.

Œuvres. *La Pensée moderne et le catholicisme* (8 vol.), 1930-1955 (E). – *Le Temps et l'Éternité chez Plotin et saint Augustin,* 1933 (E). – *La Philosophie de Newman,* 1933 (E). – *Portrait de M. Pouget,* 1941 (E). – *Essai sur l'amour humain,* 1946 (E). – *Difficultés de croire,* 1948 (E). – *L'Existence temporelle,* 1949 (E). – *La Vierge Marie,* 1950 (E). – *Entretien de Pascal avec M. de Saci,* 1950 (E). – *Perspectives sur l'inquiétude religieuse,* 1950 (E). – *Le Travail intellectuel,* 1951 (E). – *Pascal et Leibniz, étude sur deux types de penseurs,* 1951 (E). – *Dialogues avec M. Pouget,* 1954 (E). – *Jésus,* 1956 (E). – *La Vocation de Bergson,* 1960 (E). – *Platon,* 1960 (E). – *Césarine* (recueil de nouvelles), 1961 (N). – *Le Clair et l'Obscur,* 1961 (E). – *Génie de Pascal,* 1962 (E). – *Le Christ écartelé,* 1963 (E). – *Ratisbonne,* 1964 (E). – *Siloé, heures de méditation en Terre sainte,* 1965 (E). – *Renan et Newman, journal II,* 1966. – *Écrire comme on se souvient,* 1974 (N). – *Journal,* 1976.– *Une mère en sa vallée,* 1978 (N). – *Philosophie,* 1979 (E). – *Paul VI secret,* 1980 (E). – *Le Temps d'une vie,* 1980 (E). – *Œcuménisme,* 1981 (E). – *Crises dans l'Église : le Christ écartelé,* 1981 (E). – *Jugements,* 1981 (E). – *Pages brûlées, journal de captivité (1942-1943),* 1984 (E).

GUIZOT François Pierre Guillaume. Nîmes 4.10.1787 – Val-Richer (Calvados) 12.10.1874. Son activité d'écrivain fut considérable, parallèlement à un enseignement de l'histoire en Sorbonne que la liberté d'esprit de G., sous la Restauration, fit plusieurs fois interdire. Après 1840, il devait jouer un rôle considérable comme chef du gouvernement de Louis-Philippe. Il fut de ceux qui élaborèrent les méthodes modernes de l'histoire, en mettant l'accent sur ce qui conduit de l'analyse à la synthèse. Si la précision de la méthode produit une certaine froideur du style, il convient de reconnaître à G. le mérite d'avoir su appliquer à l'histoire une esthétique de l'austérité formelle qui correspond parfaitement à l'idée qu'il se fait de sa discipline, austérité que G. doit sans doute à ses origines protestantes, qui influença son action politique et gouvernementale et marqua enfin les dernières années de sa vie après son retrait définitif de la vie publique à la suite de la Révolution qui le renversa en 1848. Acad. fr. 1836.

Œuvres. *Du gouvernement représentatif et de l'état actuel de la France,* 1816 (E). – *Histoire des origines du gouvernement représentatif,* 1821-1822 (E). – *Essais sur l'histoire de France,* 1823. – *Histoire de la révolution d'Angleterre,* 1826-1827. – *Histoire générale de la civilisation en Europe,* 1828. – *Cours d'histoire moderne,* 1828-1830. – *Histoire générale de la civilisation en France,* 1830. – *Collection des Mémoires relatifs à l'histoire de France depuis la fondation de la monarchie française jusqu'au XIIIe siècle* (3 volumes, sous la direction de Guizot), 1833-1835. – *De la démocratie en France,* 1849. – *Mémoires pour servir à l'histoire de mon temps,* 1858-1867. – *L'Histoire de France, depuis les temps les plus reculés jusqu'en 1789, racontée à mes petits-enfants,* 1872-1876.

GUTH Paul. Ossun (Hautes-Pyrénées) 5.3.1910. Il doit sa notoriété à une série de récits, en partie autobiographiques, où il relate avec humour et réalisme les mésaventures d'un professeur. G. a su donner à son héros, le « Naïf », ainsi qu'à d'autres personnages, telle Jeanne la Mince, un poids de réalité en même temps qu'une dimension imaginaire qui en font de véritables types. Dans la suite de son œuvre, G., lauréat du grand prix du roman de l'Académie française pour *le Naïf locataire,* a entrepris d'appliquer à l'histoire la même verve et le même entrain et a, de la sorte, connu un large succès avec son *Histoire de la douce France.* Il a obtenu le Grand prix de littérature de l'Académie française en 1978.

Œuvres. *Autour des dames du Bois de Boulogne,* 1945 (N). – *Fugues,* 1946 (N). – *L'Épouvantail* (pour enfants), 1946. – *Quarante contre un,* 1947 (N). – *Les Sept Trompettes,* 1948 (N). – *La Locomotive Joséphine* (pour enfants), 1950. – *Quarante contre un* (deuxième série), 1951 (N). – *Michel Simon,* 1951 (E). – *Le Pouvoir de Germaine Calban,* 1952 (N). – *Mémoires* *d'un naïf,* 1953 (N). – *Le Naïf sous les drapeaux,* 1954 (N). – *Le Naïf aux quarante enfants,* 1955, rééd. 1980 (N). – *Le Naïf locataire,* 1956 (N). – *Le Mariage du Naïf,* 1957 (N). – *Jeanne la Mince,* 1960 (N). – *Jeanne la Mince à Paris,* 1961 (N). – *Jeanne la Mince et l'Amour,* 1962 (N). – *Jeanne la Mince et la Jalousie,* 1963 (N). – *Histoire de la douce France,* 1968. – *La Chance,* 1973 (N). – *Lettre à votre fils qui en a ras le bol,* 1978 (N). – *Moi, Joséphine, Impératrice,* 1979 (N). – *Saint Louis,* 1980 (E). – *Lettre ouverte aux futurs illettrés,* 1980 (E). – *Histoire de la littérature française,* I : *Du Moyen Âge à la Révolution ;* II : *De la Révolution à la Belle Époque,* 1981 (E). – *Le Ce que je crois du naïf,* 1982 (E). – *L'Aube de la France,* I : *Des Gaulois aux croisés ;* II : *Du roi des cathédrales au roi des mignons,* 1982 (E). – *Une enfance pour la vie,* 1984 (N). – *La Tigresse,* 1985 (N).

GUTTINGUER Ulric. Rouen 1785 – Paris 1866. Curieusement, et peut-être injustement, oublié de nos jours, il fut l'ami de Musset et de Sainte-Beuve, à qui il ressemble par sa sensibilité à la fois languide et passionnelle. Aussi fut-il l'un des plus ardents parmi les romantiques de 1820, et son œuvre, fort inégale certes, recèle toutefois quelques poèmes dont le lyrisme frappe par son authencité et la douceur mélodieuse de son expression.

Œuvres. *Coffin ou les Mineurs sauvés,* 1812 (P). – *Nadir* (recueil), 1822 (E). – *Dithyrambe sur la mort de Byron,* 1824. – *Mélanges poétiques,* 1824 (P). – *Le Bal,* 1825 (P). – *Édith ou le Champ d'Hastings,* 1827 (P). – *Charles VII à Jumièges,* 1827 (P). – *Amour et Opinion,* 1827 (N). – *Recueil d'élégies,* 1829 (P). – *Arthur* (roman autobiographique), 1836 (N). – *Fables et Méditations,* 1837 (P). – *Les Deux Âges du poète,* 1844 (P). – *Pensées et Impressions d'un campagnard,* 1847. – *Dernier Amour,* 1852 (P).

GUYOTAT Pierre. Bourg-Argental (Loire) 1940. Fils de médecin de campagne, G. passe une enfance assez libre et commence à écrire dès l'âge de 14 ans. Il quitte brutalement sa famille à 18 ans et s'installe à Paris, exerçant divers petits métiers. De 1960 à 1962 il part faire son service militaire en Algérie, y est emprisonné pour des raisons politiques puis muté en unité disciplinaire. À son retour, il participe à la vie culturelle parisienne, devient rédacteur littéraire au *Nouvel Observateur* et membre du comité de lecture des éditions du Seuil. Il a 25 ans lorsqu'il achève *Tombeau pour cinq cent mille soldats,* pamphlet prolixe et vengeur dans lequel il dénonce l'armée et les violences d'une guerre qu'il a vue de près. Ce texte marque une rupture définitive avec le classicisme de ses deux premiers romans, *Sur un cheval* et *Ashby.* En 1970 il publie *Éden, Éden, Éden,* censuré malgré le soutien de nombreux intellectuels comme Barthes, Sollers et Leiris. A partir d'une apologie provocante des lieux et des milieux de la prostitution, G. exprime sa hantise de l'esclavage. La figure prostitutionnelle, métaphore de l'asservissement de l'homme, devient dès lors le thème majeur de ses ouvrages. En tentant d'autre part de créer une langue poétique, ce qu'il appelle « une poésie de la comptabilité humaine », G., surtout dans *le Livre,* décompose l'écriture pour réécrire le monde à sa manière. Voyage onirique dans l'espace et dans le temps, *le Livre* construit l'utopie d'une nomadisation intégrale de l'espèce humaine dans une langue disloquée et métissée, dépourvue d'ossature syntaxique, au premier abord illisible. Le succès de scandale que remporte chacune de ses œuvres fait de G. un auteur marginal et inclassable, l'un des plus controversés de la littérature contemporaine.

Œuvres. *Sur un cheval,* 1961 (N). – *Ashby,* 1964 (N). – *Tombeau pour cinq cent mille soldats,* 1967 (N). – *Éden, Éden, Éden,* 1970 (N). – *Littérature interdite,* 1972 (E). – *Prostitution,* 1975 (N). – *Le Livre,* 1984 (N). – *Vivre,* 1984 (E). – *Histoire de Samora Machel* (N), en préparation.

GYP, Sybille Gabrielle Marie-Antoinette de Riqueti de Mirabeau, comtesse de Martel de Janville, dite. Koëtsal (Morbihan) 15.8.1850 – Neuilly-sur-Seine 29.6.1932. Les milieux mondains, qu'elle connaissait bien, lui fournirent la matière et le décor d'un grand nombre de romans, de même facture, vifs et enlevés, aimablement satiriques et non sans esprit. Bien qu'elles soient aujourd'hui quelque peu oubliées, ces œuvres ont joué en leur temps leur rôle dans la promotion d'une littérature féminine à part entière. Quelques-uns de ces romans mériteraient sans doute que leur fût reconnue une certaine place dans l'histoire littéraire de la fin du XIXe et du début du XXe s., en particulier *le Mariage de Chiffon,* pochade à laquelle le recul donne une certaine saveur sociologique et qui met en scène un personnage bien campé de jeune fille insolente mais d'une grâce irrésistible, dont le modèle est peut-être G. elle-même. Ce roman a fait l'objet d'une célèbre adaptation cinématographique de Claude Autant-Lara (1942). G. a laissé plusieurs volumes de Mémoires.

Œuvres. *Petit Bob,* 1882 (N). – *Autour du mariage,* 1883 (N). – *Autour du divorce,* 1886 (N). – *Ohé ! la grande vie,* 1891 (N). – *Ces bons docteurs,* 1892 (N). – *Le Mariage de Chiffon,* 1894 (N). – *Le Journal d'un philosophe,* 1894 (N). – *Ohé ! les dirigeants,* 1896 (N). – *Le Baron Sinaï,* 1897 (N). – *Israël,* 1898 (N). – *Friquet,* 1901 (N). – *La Fée,* 1902 (N). – *Un ménage dernier cri,* 1903 (N). – *L'Âge du toc,* 1903 (N). – *Le Bonheur de Ginette,* 1911 (N). – *Les Flanchards,* 1917 (N). – *Les Profitards,* 1918 (N). – *Le Monde à côté,* 1920 (N). – *Souvenirs d'une petite fille,* 1927-1928.

H

HAÏN-TENY. Genre poétique malgache. De toute la riche littérature traditionnelle malgache, c'est le *haïn-teny* qui a obtenu la plus grande consécration hors de Madagascar, grâce à Jean Paulhan qui publia en 1913 une étude sur ces anciens poèmes, accompagnée d'admirables traductions en français. Certains ont été recueillis par le malgachisant norvégien Dahle à la fin du XIXe s., d'autres par Paulhan ; Jean-Joseph Rabearivelo, parmi d'autres poètes malgaches, en adapta quelques-uns en français ; aujourd'hui encore, dans les campagnes protégées de la modernisation, on peut entendre dire le *haïn-teny* ; un manuscrit datant du règne de la reine Ranavalona Ire, récemment publié, montre que la reine avait vivement encouragé la collecte des *haïn-teny* et leur conservation par l'écriture. Particulièrement en honneur en Imerina (région centrale de Madagascar), le *haïn-teny* (l'expression, selon Jean Paulhan, peut signifier « science du langage », « science des mots », ou encore « paroles savantes », ou même « paroles sages » ; selon d'autres malgachisants, il faut la traduire par « science et puissance des mots ») est une forme de poésie délibérément obscure, qui trouve son origine dans des duels poétiques proches du *jeu-parti* ou du *tenso* de notre Moyen Âge. Chacun des adversaires, dans cette poésie de dispute, puise dans un vaste répertoire de formules stéréotypées et de proverbes, qu'il adapte à chaque circonstance. Le modèle fondamental du *haïn-teny* est celui de la querelle amoureuse ; certains *haïn-teny* anciens, violemment érotiques, témoignent d'une grande liberté sexuelle, mais la censure morale a fait s'édulcorer et progressivement disparaître ce type de *haïn-teny.* Il n'est pas interdit de penser que, par l'intermédiaire de la revue *Proverbe,* de Paulhan et Éluard, le *haïn-teny* a pu indirectement participer à la réflexion sur le langage poétique poursuivie par le surréalisme français.

HALÉVY Ludovic. (Voir MEILHAC.)

HAMP Pierre, Henri-L. Bourillon, dit. Nice 1876 – Le Vésinet 1962. Il fut cuisinier avant de se découvrir écrivain et se proposa de mettre sa plume d'autodidacte au service de ceux qui travaillent de leurs mains. Il se rattache aussi au courant dit « populiste », bien qu'il s'en distingue par sa défiance à l'égard de toute idéalisation. Il fut ainsi le romancier à la fois lyrique et réaliste des métiers, matière première d'une vaste fresque romanesque, *la Peine des hommes,* dont la structure se veut à la fois panoramique et analytique ; à certains égards, cette suite romanesque de H. obéit à la loi de large développement rythmique qui caractérise les différentes formes qu'a revêtues le « roman-fleuve » au cours de l'entre-deux-guerres. H. a d'autre part consacré une part de son œuvre à des transpositions semi-autobiographiques de l'expérience qu'il avait acquise comme employé aux Chemins de Fer du Nord, puis comme ingénieur des Travaux publics, en particulier : *Il faut que vous naissiez de nouveau.* Cette même expérience, complétée par son passage dans le journalisme, lui inspira diverses enquêtes sociologiques, sur les mineurs, par exemple, dans *Gueules noires.*

Œuvres. *Marée fraîche* (« la Peine des hommes »), 1908 (N). – *Le Rail* (« la Peine des hommes »), 1912 (N). – *Les Métiers blessés* (« la Peine des hommes »), 1919 (N). – *Le Lin* (« la Peine des hommes »), 1924 (N). – *Mes métiers,* 1930 (N). – *La Laine* (« la Peine des hommes »), 1931 (N). – *Il faut que vous naissiez de nouveau,* 1935 (N). – *Notre pain* *quotidien* (« la Peine des hommes »), 1937 (N). – *Gueules noires* (« Enquêtes »), 1938 (N). – *Braves Gens de France* (« Gens »), 1939 (N). – *Gens de cœur* (« Gens »), 1941 (N). – *Et avec ça, Madame?* 1946 (N). – *En passant par la Lorraine* (« Enquêtes »), 1947 (N). – *L'Éternel,* 1948 (N). – *Hormisdas le Canadien* (« la Peine des hommes »), 1952 (N).

HARCOURT Robert, comte d'. Château de Grosbois (Seine-et-Marne) 23.11.1881 – Pargny-lès-Reims 1965. Germaniste, auteur d'une thèse sur C.F. Meyer et titulaire de la chaire de langue et littérature germaniques à l'Institut catholique de Paris, c'est à l'Allemagne qu'il a consacré ses activités d'historien et d'essayiste. À ce titre, il se fit à partir de 1935 le critique à la fois objectif et impitoyable de l'idéologie nationale-socialiste avec en particulier *l'Évangile de la force* et *le Nazisme peint par lui-même.* Acad. fr. 1946.

Œuvres. *C.F. Meyer, sa vie, son œuvre,* 1914 (E). – *La Jeunesse de Schiller,* 1928 (E). – *L'Éducation sentimentale de Goethe,* 1931 (E). – *Goethe et l'art de vivre,* 1935, rééd. 1965 (E). – *L'Évangile de la force,* 1936. – *Le Visage de la jeunesse du IIIe Reich,* 1936 (E). – *Les Catholiques d'Allemagne,* 1938 (E). – *Les Poèmes philosophiques de Schiller,* 1944 (E). – *Comment traiter l'Allemagne,* 1946 (E). – *Le Nazisme peint par lui-même,* 1946 (E). – *Les Allemands d'aujourd'hui,* 1948 (E). – *La Religion de Goethe,* 1949 (E). – *Visage de l'Allemagne actuelle,* 1950 (E). – *Souvenirs de captivité,* 1955 (N). – *Funérailles de M. Paul Claudel à Notre-Dame, le 28 février 1955,* 1956. – *Konrad Adenauer,* 1956 (E). – *L'Allemagne d'Adenauer,* 1958 (E). – *L'Allemagne et l'Europe,* 1960 (E). – *L'Allemagne d'Adenauer à Erhard,* 1964 (E).

HARDY Alexandre. Paris vers 1570 – vers 1632. Auteur à gages de plusieurs troupes ambulantes, dont celle de Valleran le Comte, il écrivit à leur intention environ huit cents pièces, dont trente-quatre seulement furent imprimées (1624-1628) : tragédies, tragi-comédies, pastorales, poèmes dramatiques. Seuls ses défauts font l'unité de cette œuvre : la langue en est particulièrement incorrecte ; H. est un versificateur plutôt qu'un poète, et ses alexandrins se ressentent d'une composition hâtive – mais ils ne tranchent guère en cela sur l'ensemble de la production prémalherbienne – ; il ignore les bienséances – mais les bienséances n'existent pas encore – ; ses audaces révèlent simplement un goût du spectacle puisé à la source des Mystères et des Moralités du Moyen Âge. Ce même attachement à des techniques dramatiques archaïques empêche H. de concevoir la tragédie ou la tragi-comédie comme une crise : il ne cherche pas à nouer une intrigue, mais seulement à mettre en scène une action historique illustre ; il n'a pas le sens de la « scène à faire », introduit des éléments inutiles, néglige souvent l'unité d'action. Plus pathétiques que dramatiques, ses tragédies, dont on retiendra *Scédase, Méléagre, Didon, Marianne,* témoignent d'une sorte de vulgarisation de la sensibilité baroque. Dans ses tragi-comédies, telles *Phraarte, Gésippe, Elmire, la Force du sang,* il s'efforce en revanche d'embrouiller l'intrigue, de laisser le spectateur indécis sur le sort des héros et de créer ainsi un intérêt dramatique de caractère romanesque. Il est en cela le précurseur de Du Ryer, Scudéry, Rotrou, Mairet. Mais c'est en réaction contre ces tendances que se construira, à partir de Corneille, la tragédie classique.

Œuvres. *Alphée* (pastorale), 1600 (T). – *Les Chastes et Loyales Amours de Théagène et Chariclée* (8 pièces tirées des *Éthiopiques* d'Héliodore), 1601 (T). – *Didon se sacrifiant,* 1603 (T). – *Scédase ou l'Hospitalité violée,* 1604 (T). – *Panthée,* 1604 (T). – *Méléagre,* 1604 (T). – *Procris ou la Jalousie infortunée,* 1605 (T). – *Coriolan,* 1607 (T). – *La Mort d'Achille,* 1607 (T). – *Cornélie,* 1609 (T). – *Arsacome,* 1609 (T). – *Marianne,* 1610 (T). – *Alcée* (pastorale), 1610 (T). – *La Force du sang,* 1611 (T). – *Le Ravissement de Proserpine,* 1611 (T). – *La Gigantomachie,* 1612 (T). – *Félismène,* 1613 (T). – *Dorise,* 1613 (T). – *Corinne* (pastorale), 1614 (T). – *Elmire ou l'Heureuse Bigame,* 1615 (T). – *Lucrèce ou l'Adultère puni,* 1616 (T). – *La Belle Égyptienne,* 1616 (T). – *Alcméon ou la Vengeance féminine,* 1618 (T). – *Le Triomphe d'Amour* (pastorale), 1618 (T). – *La Mort de Daïre,* 1619 (T). – *Frédégonde ou le Chaste Amour,* 1621 (T). – *Aristoclée ou le Mariage infortuné,* 1621 (T). – *La Mort d'Alexandre,* 1624 (T). – *Timoclée ou la Juste Vengeance,* 1624 (T). – *Le Jaloux* (comédie), 1625 (T). – *Le Méliandre ou le Ravissement volontaire,* 1625 (T). – *Théâtre d'Alexandre Hardy* (5 vol.), 1624-1628. – *Berne des deux rimeurs de l'Hôtel de Bourgogne* (libelle), 1628.

HARMONIE [grec *harmonia* = ajustement]. Ensemble des qualités vocaliques qui rendent le discours agréable à l'oreille.

On distingue l'*harmonie mécanique* et l'*harmonie imitative.* La première consiste à placer les mots selon les règles de l'euphonie ; la seconde, à utiliser et à ordonner les mots selon la valeur phonétique qui les rend imitatifs de ce qu'ils expriment.

HART Robert-Edward. Port-Louis (île Maurice) 1891 – Souillac (île Maurice) 1954. Poète mauricien d'expression française. Profondément attaché à son île natale, H. ne l'a quittée que pour deux rapides voyages en Europe et pour quelques séjours de plus longue durée à Madagascar, où il devint l'ami du poète malgache Jean-Joseph Rabearivelo. Presque toutes ses œuvres ont été publiées dans l'île Maurice, à compte d'auteur et confidentiellement. Aussi n'ont-elles été connues que par des citations dans quelques anthologies. Comme tous les poètes des Mascareignes au début du XXe s., H. a commencé par suivre les modèles du Parnasse, dont l'inspiration se cherche souvent dans les îles tropicales. Son voyage à Madagascar et la découverte de la poésie malgache traditionnelle ont accéléré son évolution vers le symbolisme. Il poursuit dès lors une quête poétique de l'« enfance fabuleuse », d'un « royaume inconnu, par-delà le bien et le mal ». Sa recherche spirituelle se nourrit de lectures hindouistes. Il rêve sur la *Bhagāvād-Gīta,* compose des *Poèmes védiques.* Sa poésie, contemplative et mystérieuse, recherche une fusion idéale avec la nature, que symbolise une langue fluide, débarrassée des concepts trop rigides et des articulations trop rationnelles. C'est une quête analogue que poursuivait à la même époque, à l'île Maurice, un autre poète : Malcolm de Chazal.

Œuvres. *Pages mélancoliques,* 1912 (P). – *Les Voix intimes,* 1920 (P). – *L'Ombre étoilée,* 1924 (P). – *Mer indienne,* 1925 (P). – *Le Cycle de Pierre Flandre,* 1928-1936 (P). – *Le Poème de l'île Maurice,* 1933 (P). – *Bhagāvād-Gīta,* 1936 (P). – *Poèmes solaires,* 1937 (P). – *Poèmes védiques,* 1941 (P). – *Plénitudes,* 1949 (P).

HAZOUMÉ Paul. Porto-Novo 16.4.1890 – Cotonou 18.4.1980. Écrivain béninois. Il reçut une formation d'ethnologue et écrivit une thèse remarquée sur *le Pacte du sang au Dahomey* (1937). Il est l'auteur d'un essai qui retint l'attention au Congrès des écrivains et artistes noirs de 1956 : *la Révolte des prêtres au Dahomey.* Dès 1945, il a occupé de hautes fonctions politiques ; c'est ainsi qu'il représenta son pays à l'Assemblée de l'Union française. Sa formation et son vif intérêt pour la tradition africaine ont trouvé leur expression commune dans son roman *Doguicimi.* Cette œuvre, où l'auteur présente les coutumes de son pays sous leur véritable jour et dans leur environnement socioculturel particulier, inaugure prophétiquement, à cette date, le mouvement de réhabilitation des cultures africaines qui s'épanouira après 1945.

Œuvres. *Le Pacte du sang au Dahomey,* 1937 (E). – *Doguicimi,* 1938, éd. revue 1978 (N). – *La France contre le racisme allemand,* 1940 (E). – *Cinquante ans d'apostolat au Dahomey. Souvenirs de Monseigneur Fr. Steinetz,* 1942 (N). – *La Révolte des prêtres au Dahomey,* 1956 (E).

HÉBERT Anne. Sainte-Catherine-de-Fossambault 8.1916. Écrivain canadien-français. De santé fragile, elle reçoit une éducation privée : son père, le poète et critique Maurice H., exerce une profonde influence sur sa formation intellectuelle. Pendant toute son adolescence, elle subit aussi l'influence de son cousin, Saint-Denys Garneau, de quatre ans son aîné, et elle fréquente le cercle littéraire groupé autour de la revue *la Relève.* Elle participera, en qualité de scénariste, aux activités de l'Office national canadien du film (1953-1954) et, après avoir séjourné en France grâce à une bourse de la Société royale du Canada, elle décide de s'installer à Paris, où elle passe la plus grande partie de son temps, tout en faisant de fréquents voyages au Québec. Elle a vu son œuvre couronnée par le prix Duvernay et elle a reçu le prix du Gouverneur général, section poésie. Son œuvre, qui, pour la forme, se partage entre la poésie, le roman et le théâtre, n'en est pas moins, dans sa nature profonde, essentiellement poétique. Et c'est à l'œuvre poétique qu'il faut d'abord s'adresser pour comprendre A.H. Son premier recueil, *les Songes en équilibre,* est fait de poèmes fort simples inspirés par les rêves d'une enfant recluse qui se sert du jeu des mots et des rythmes pour se libérer de la solitude. Ce thème de la solitude intérieure, qui restera le thème dominant d'A.H., s'exprime sur un ton à la fois plus grave et plus dépouillé dans *le Tombeau des rois,* où il atteint l'altitude tragique d'une poésie symbolisée par l'image du mur, figure obsédante de l'incommunicabilité, de la séparation et, finalement, de la mort. Cette première inspiration sera suivie à partir de 1960, avec *Poèmes,* d'une réconciliation avec le monde, figurée par le thème de la cohabitation de la poésie et de l'univers. Ce même thème de la réconciliation était annoncé dès 1958 par le roman *les Chambres de bois,* où l'on voit l'héroïne, Catherine, passer du séjour dans les « chambres » du rêve à la communion avec la vie sous la forme d'un amour total pour un garçon simple et fort ; réponse symbolique au tragique du récit *le Torrent,* où l'on voit au contraire se déchaîner la révolte d'un adolescent contre sa mère, sans que pour autant la frustration de cet être puisse déboucher sur une forme quelconque de bonheur et d'assouvissement. Ce conflit entre une condition de frustration et une vocation de libération est désormais au centre de l'œuvre d'A.H. et domine en particulier son théâtre. Elle est ainsi conduite à retrouver et à privilégier le thème poétique et métaphysique de la descente aux enfers (*cf.* l'expérience de la possession et de la sorcellerie dans *les Enfants du Sabbat*), en même temps qu'elle maîtrise de plus en plus la technique romanesque : effort couronné par l'œuvre où l'inspiration d'A.H. trouve sa maturité et sa plénitude, *Kamouraska,* drame d'une conscience où se superposent le présent et le passé, concentrés dans une double temporalité, celle du récit – une nuit – et celle, beaucoup plus ample – une vie –, de l'aventure vécue par l'héroïne ; cette aventure elle-même est comme une sorte d'hallucination dont la puissance fascinante est accentuée par le rythme haletant du style, fait de phrases brusques et hachées. Illustration d'un destin qui impose que, pour accéder enfin à la vraie vie, l'homme doive traverser le royaume de la mort. Telle est d'ailleurs l'orientation générale de l'œuvre entière d'A.H. Elle obtient en 1982 le prix Femina pour son roman *les Fous de Bassan.*

Œuvres. *Les Songes en équilibre,* 1942 (P). – *Le Torrent* (nouvelles), 1950 (N). – *Le Tombeau des rois,* 1953 (P). – *Les Chambres de bois,* 1958 (N). – *Poèmes. Le Tombeau des rois* et *Mystère de la parole,* 1960 (P). – Avec Frank Scott, *la Traduction : dialogue entre l'auteur et le traducteur à propos du « Tombeau des rois »,* 1960 (E). – *Le Torrent,* suivi de deux nouvelles inédites, 1964 (N). – *Théâtre (la Mercière assassinée ; le Temps sauvage ; les Invités au procès),* 1967 (T). – *Kamouraska,* 1970 (N). – *Les Enfants du Sabbat,* 1975 (N). – *Héloïse,* 1980 (N). – *Les Fous de Bassan,* 1982 (N).

Kamouraska

Tout le récit tient dans une nuit, où Élisabeth d'Aulnières assiste et participe à la lutte contre la mort de son second mari, Jérôme Rolland, qu'elle a épousé dix-huit ans auparavant et à qui elle a donné huit enfants. La conscience de l'héroïne superpose et assimile à la situation qu'elle est en train de vivre la vision hallucinée de l'aventure d'amour et de sang que, jeune femme, elle a vécue vingt ans plus tôt : mariée à seize ans à Antoine Tassy, seigneur de Kamouraska, sorte de brute débauchée, elle lui a donné deux enfants. Devenue, par désespoir d'abord avant que ce soit par amour, la maîtresse du docteur Georges Nelson, ancien camarade de son mari, elle devient enceinte de son amant et, pour sauver les apparences, opère une réconciliation de convenance avec son mari. Mais lorsqu'il devient impérieux pour Élisabeth et Georges de se débarrasser du mari, ils chargent Aurélie Caron, servante un peu sorcière, d'aller à Kamouraska le séduire d'abord, l'empoisonner ensuite. Mais la tentative échoue ; l'amant entreprend à son tour une équipée téméraire à travers la neige et le froid : il franchit en quelques jours les 200 milles qui le séparent de Kamouraska et tue Antoine ; après quoi, il ne revient auprès de sa maîtresse que pour prendre congé d'elle. À la suite d'un procès au terme duquel elle a bénéficié d'un non-lieu, tandis que son amant a cherché refuge aux États-Unis, Élisabeth rentre dans la grisaille d'une vie conventionnelle et morne et accepte d'épouser l'honnête Jérôme Rolland. Dans ses hallucinations, au cours de la nuit d'agonie de Jérôme, qui fournit au récit son cadre temporel, Élisabeth ne cesse, à la faveur des alternances de la veille, du demi-sommeil et du rêve, de mêler le présent et le passé, comme si l'expérience infernale de l'hallucination devait être épuisée pour qu'en soit abolie la fascination maléfique.

HÉLINAND DE FROIDEMONT. Pont-leroy (Beauvais) vers 1160 – vers 1230. Il mena d'abord la vie libre du trouvère pour se convertir brusquement, en 1190, à une vie plus sage. Il se retira, peut-être à la faveur d'un accident, au monastère cistercien de Froidemont, ce qui ne laissa pas d'étonner ses amis. Il mena dès lors une vie austère, s'appliquant à faire pénitence. Son œuvre, surtout écrite en langue latine, comprend des sermons, des épîtres et une *Chronique* dont le témoignage est d'un intérêt capital pour établir la liste des œuvres arthuriennes qui n'ont pas été retrouvées. Il est aussi l'auteur d'un poème en douzains octosyllabiques français, les *Vers de la mort,* composé en 1194 et 1197. Éloquent, lyrique, foisonnant d'images parfois hallucinantes, ce poème a été, jusqu'au XVIe s., lu et imité (en particulier par Jean Bodel). Tout en maintenant la rigueur de la rhétorique, il préfigure les danses macabres du XVe s. Et cette hallucination habilement provoquée est en partie produite par l'invention d'une nouvelle forme de strophe, dite « strophe d'Hélinand », qui contribue à donner au poème un rythme cahotant et constitue la forme privilégiée d'une poétique déjà « baroque » de l'étonnement et de l'horreur réaliste.

HELLENS Franz, Frédéric Van Ermenghen, dit. Bruxelles 1881 – 3.2.1972. Écrivain belge d'expression française. Fondateur en 1920, avec son compatriote Henri Michaux, d'une revue littéraire, *le Disque vert,* reprise en 1953, il fut un des écrivains qui contribuèrent à libérer la littérature francophone belge de ses traditions parfois trop régionalistes, et, à cet égard, H. apparaît, particulièrement en ce qui concerne la langue, comme un des précurseurs de la « francité » (voir FRANCOPHONIE). Poète de tempérament, et bien qu'il ait effectivement écrit des poèmes, il traduit son inspiration dans des œuvres narratives qui sont d'un merveilleux conteur plutôt que d'un romancier, malgré certaines apparences. C'est que H. voit et peint la réalité extérieure ou intérieure comme un inépuisable réservoir de surréalité, ce qui fait parfois de lui un maître du fantastique ; une de ses œuvres les plus personnelles, un recueil de nouvelles, est précisément intitulée : *Réalités fantastiques.* La même aptitude à fondre ensemble le réel et l'imaginaire, le rêvé et le vécu se retrouve dans des œuvres très attachantes comme *les Filles du désir* ou *Frédéric,* souvenirs d'enfance et de jeunesse.

Œuvres. *Les Hors-le-Vent* (recueil de contes), 1909 (N). – *Les Clartés latentes,* 1912 (N). – *Mélusine,* 1921 (N). – *Notes prises d'une lucarne* (poèmes en prose), 1924 (P). – *Œil de Dieu,* 1925 (N). – *Le Naïf,* 1925 (N). – *Éclairages,* 1926 (P). – *La Femme partagée,* 1929 (N). – *Les Filles du désir,* 1930 (N). – *Réalités fantastiques* (nouvelles), 1931 (N). – *Poésies de la veille et du lendemain,* 1932 (P). – *Frédéric,* 1935 (N). – *Le Magasin aux poudres,* 1936 (N). – *Liturgies,* 1939 (P). – *Fantômes vivants,* 1944 (N). – *Naître et mourir,* 1946 (N). – *Moreldieu,* 1948 (N). – *Miroirs conjugués,* 1950 (P). – *L'Homme de soixante ans,* 1951 (N). – *Les Marées de l'Escaut,* 1953 (N). – *Verhaeren,* 1953 (E). – *Mémoires d'Elseneur,* 1954 (N). – *Dans l'automne de mon grand âge,* 1956 (N). – *Sainte-Marie de Waluwé,* 1957 (N). – *Documents secrets (1905-1956),* 1958 (N). – *Des pas dans le jardin,* 1959 (N). – *Comme le raisin promis pour la vendange,* 1959 (P). – *Poésie complète,* 1905-1959 (P). – *Entre toutes les femmes,* 1960 (N). – *Le Jeune Homme Annibal,* 1961 (N). – *L'Âge dur (1957-1960),* 1962 (N). – *Valeurs sûres, cahier d'un rêveur,* 1962 (P). – *Lettre à un jeune écrivain,* 1962 (E). – *Éléments pour un portrait de l'écrivain par lui-même,* 1962. – *Adieu au poète Jean Cocteau,* 1963. – *La Vie seconde,* 1963 (N). – *Le Fabulaire,* 1964 (P). – *La Pendule Empire,* suivi de *Trois Contes exemplaires,* 1964 (N). – *Entre le sommeil et la mort,* 1964 (N). – *Les Yeux du rêve,* 1965 (N). – *Seine-et-Oise,* suivi de *Poèmes de la source et de l'embouchure,* 1965 (P). – *Objets,* 1966 (P). – *La Comédie des portraits,* 1966 (N). – *Poétique des éléments et des mythes,* 1966 (E). – *Le Dernier Jour du monde,* 1967 (N). – *Arbres,* 1967 (P). – *Le Fantastique réel,* 1967 (E). – *Cet âge qu'on dit grand,* 1970 (N).

HELLO Ernest. Lorient 4.11.1828 – 14.7.1885. Dès les années 1850, il fut le premier porte-parole de la réaction antipositiviste et antiscientiste qui devait exercer une considérable influence sur la pensée et la littérature de la fin du XIXe et du début du XXe s. Peut-être est-ce parce qu'il fut un pionnier qu'il devait être de nos jours injustement oublié. Lorsqu'il fait paraître en 1858 son *M. Renan, l'Allemagne et l'athéisme au XIXe siècle,* il traduit sa réaction de catholique intransigeant dans un style fulgurant et prophétique qui restera sa marque distinctive. De 1859 à 1862, il publiera avec Georges Seigneur un journal, *le Croisé,* dont le deuxième abonné fut M. Jean-Marie Vianney, le célèbre curé d'Ars, qui dira de lui : « M.H. a reçu de Dieu le génie. » Comme ceux qui seront ses disciples et ses continuateurs, de Léon Bloy – sur lequel l'influence de H. semble avoir été décisive – jusqu'à Georges Bernanos, son œuvre est marquée par le thème de l'inadaptation au monde tel qu'il est, par la nostalgie de l'éternité. Il avoue lui-même, dans une de ses œuvres les plus profondément personnelles, *Du néant à Dieu :* « Je suis un homme de désir. » Cette primauté du désir spirituel explique que l'œuvre de H. en reste souvent à l'ébauche et que, cependant, elle contienne des pages qui étonnent par leur puissance et leur originalité. Il est vrai que pour H. le souci proprement esthétique était secondaire : ce qui lui importait était qu'il pût agir sur les âmes par la mise en œuvre d'un art de la contagion spirituelle.

C'est cette capacité de contagion de son œuvre qui explique l'influence exercée par H. sur la littérature spiritualiste d'après la Première Guerre mondiale.

Œuvres. *M. Renan, l'Allemagne et l'athéisme au* XIX*e siècle,* 1858 (E). – *Le Style,* 1861 (E). – *Le Père Lacordaire, ses œuvres et sa doctrine,* 1862 (E). – *M. Renan et la « Vie de Jésus »,* 1863 (E). – *Le Livre des visions et instructions de la bienheureuse Angèle de Foligno* (trad.), 1868. – *Œuvres choisies de Ruysbroek l'Admirable* (trad.), 1869. – *L'Homme, la Vie, la Science, l'Art,* 1872 (E). – *Physionomies de saints,* 1875 (E). – *Les Paroles de Dieu,* 1877 (E). – *Contes extraordinaires,* 1879 (N). – *Les Plateaux de la balance,* 1880 (E). – *Du néant à Dieu,* posth. (E).

HÉLOÏSE. Paris 1101 – couvent du Paraclet, près de Nogent-sur-Marne, entre 1160 et 1170. Auteur des célèbres *Lettres* à Abélard (écrites de 1125 à 1142, publiées en 1616), elle n'est généralement connue que pour avoir formé avec le philosophe un couple exemplaire et légendaire. Il semble pourtant, d'après l'estime qui lui fut témoignée par ses contemporains et la qualité de sa correspondance, qu'elle mérite quelque considération pour elle-même, car les lettres qu'elle nous a laissées démontrent que c'est sa personnalité qui explique la qualité de ses amours avec Abélard. Séduite, elle refuse le mariage ; contrainte ensuite de l'accepter par respect des convenances, elle exige qu'il demeure secret pour ne pas compromettre la liberté intellectuelle de son amant, pour ne pas non plus altérer la qualité spirituelle de leur amour. Ce qu'elle écrit, en effet, révèle qu'elle se réfère à la spiritualité courtoise, et ses *Lettres* ont leur place au premier rang de la littérature inspirée par cette spiritualité ; le fait qu'elles soient l'expression sincère d'un amour authentiquement vécu montre que la courtoisie est non seulement un phénomène littéraire mais aussi une véritable manière de vivre et de sentir. Abélard fera don à H. de ce couvent du Paraclet dont elle sera l'abbesse exemplaire jusqu'à sa mort. (Voir ABÉLARD.)

HELVÉTIUS Claude Adrien. Paris 1.1715 – Versailles 26.12.1771. Fermier général à l'âge de vingt-trois ans, il jouit d'un revenu considérable ; il en profite pour satisfaire ses goûts littéraires et, partageant sa vie entre la campagne et la fréquentation des salons parisiens, il se fait philosophe amateur. Il publia le fruit de ses réflexions dans son livre *De l'esprit,* qui apparut comme une sorte de manifeste du matérialisme philosophique. Ce livre, condamné par le pape, fut brûlé le 6.2.1759. H. renonça dès lors à publier sinon à écrire, voyagea à travers l'Europe, mais resta un membre influent des cercles philosophiques et collabora à l'*Encyclopédie.*

Œuvres. *De l'esprit,* 1758 (E). – *Progrès de la Raison dans la recherche du Vrai,* 1771 (E). – *De l'homme, de ses facultés intellectuelles et de son éducation,* posth., 1772 (E). – *Le Bonheur,* posth., 1773 (P). – *Le Vrai Sens du système de la nature,* posth., 1774 (E). – *Œuvres complètes* (contiennent *Épître sur l'orgueil et la paresse de l'esprit ; Lettres d'Helvétius à Voltaire et de Voltaire à Helvétius),* posth., 1795, rééd. 1967 – 1969.

HÉMISTICHE [grec *hêmistikhos, hêmi* = demi, *stikhos* = vers]. Désigne chacune des deux parties d'un vers séparées par la césure. Dans l'alexandrin, par exemple, les deux hémistiches sont le plus souvent de valeur égale : 6 + 6. Le décasyllabe comporte en revanche un hémistiche de 4 syllabes et un de 6 (la coupe en 5 + 5 n'est cependant pas impossible).

HÉMON Louis. Brest 12.10.1880 – Chapleau (Ontario, Canada) 8.7.1913. Issu d'une famille d'universitaires bretons, il eut une enfance assez solitaire, toute nourrie de multiples lectures. Après ses études parisiennes au lycée Louis-le-Grand, il se maria, mais, ayant perdu sa femme en 1903, il se mit à voyager, séjourna huit années en Angleterre, où il fut chroniqueur sportif, et partit en 1911 pour le Canada, où il se fit bûcheron ; il devait trouver la mort écrasé par un train. H. ne publia de son vivant qu'une nouvelle, *Lizzie Blakeston ;* il dut sa célébrité posthume au livre qu'il écrivit au Canada en hommage à la présence française, *Maria Chapdelaine,* célébrité justifiée par la touchante simplicité de l'intrigue et les admirables descriptions du décor canadien. Mais H. est beaucoup plus que l'auteur d'un seul livre : *Colin-Maillard* et *Battling Malone, pugiliste,* mériteraient une place de choix, et plus encore les nouvelles réunies dans *la Belle que voilà,* que caractérisent la délicatesse du ton et le charme de l'atmosphère. Enfin *Monsieur Ripois et la Némésis* a inspiré à René Clément un de ses meilleurs films et à Gérard Philipe, son principal interprète, un de ses meilleurs rôles.

Œuvres. *Lizzie Blakeston* (nouvelle) 1908. – *Maria Chapdelaine* (récit du

Canada français), posth., 1916 (N). – *La Belle que voilà,* posth., 1923 (N). – *Colin-Maillard,* posth., 1924 (N). – *Battling Malone, pugiliste,* posth., 1926 (N). – *Monsieur Ripois et la Némésis,* posth., 1926 (N). – *Lettres de Louis Hémon à sa famille,* posth., 1968.

Maria Chapdelaine

C'est l'histoire de cette jeune Canadienne au nom harmonieux qui aime d'une passion à la fois intense et pure François Paradis. Quand elle l'aura perdu, un autre amour – qui se confondait en elle avec le premier –, l'amour de son terroir, survit avec assez de force pour l'inciter à accepter un ordinaire mariage de raison. Toute la signification profonde de sa destinée est inscrite dans sa relation presque charnelle avec sa terre natale.

La Belle que voilà

C'est la nouvelle qui donne son titre au recueil : deux vieux amis se retrouvent après des années, et l'un d'eux, Raquet, se laisse aller à un monologue au cours duquel il rapporte son plus cher souvenir, celui d'une passion d'enfance pour une petite fille disparue, Liette : ainsi revit ce que le narrateur appelle son « passé magique ».

HÉNAULT Charles Jean-François, dit **le Président.** Paris 8.2.1685 – 24.11.1770. Fils de fermier général, il fut président de la première chambre des enquêtes au parlement de Paris et surintendant de la Maison de la reine. Homme du monde, il cultiva la poésie légère, donna d'assez médiocres comédies et un drame historique à sujet national, *François II,* pièce faible mais représentative d'un genre destiné à un brillant avenir. Son ouvrage le plus connu est l'*Abrégé chronologique de l'histoire de France,* qui condense sous un faible volume les faits principaux de notre histoire jusqu'à la mort de Louis XIV. H. ne cherche pas à expliquer, mais il joint à une information approfondie les agréments chers à la haute société. Lié d'amitié avec Mme du Deffand, habitué des cercles « philosophiques », il a laissé des *Mémoires* au style agréable et de grande valeur documentaire. Acad. fr. 1723.

Œuvres. *Cornélie vestale* (tragédie), 1713 (T). – *Marius à Cirthe* (tragédie), 1715 (T). – *Abrégé chronologique de l'histoire de France jusqu'à la mort de Louis XIV,* 1744. – *François II, roi de France,* 1747 (T). – *Théâtre (la Petite Maison ; le Jaloux de lui-même ; le Temple des chimères ; l'Oracle de Delphes ; le Réveil d'Épiménide),* 1770. – *Histoire critique de l'établissement des Français dans les Gaules,* posth., 1802. – *Mémoires,* posth., 1854.

HENDÉCASYLLABE [grec *hendeka* = onze]. Vers composé de onze syllabes. Très rare en français, ce vers a surtout été employé par Verlaine et par les poètes symbolistes.

HENNEBERG Charles, 1899 – 1959, **Nathalie,** née en 1917. Couple d'écrivains français d'origines allemande et russe, spécialisé dans la science-fiction du genre *Heroic Fantasy.* Leurs œuvres furent d'abord signées CHARLES H., puis, à partir de 1961, NATHALIE CH. H., et elles dominent nettement l'ensemble de la science-fiction d'expression française par la puissance de l'imagination et un style flamboyant, qui entraînent le lecteur en des univers fascinants et le font passer sur des défauts qui sont comme l'envers de ces qualités : mépris de la syntaxe, enflure, emploi excessif de l'amalgame, transfert parfois abusif de la responsabilité humaine sur des êtres mystérieux et trop délibérément maléfiques.

Œuvres. *D'or et de nuit* (nouvelles), 1951 (N). – *La Naissance des dieux,* 1954 (N). – *Le Chant des astronautes,* 1958 (N). – *La Rosée du soleil,* 1959 (N). – *Les Dieux verts,* 1961 (N). – *La Forteresse perdue,* 1962 (N). – *Le Sang des astres,* 1963 (N). – *La Plaie,* 1963 (N). – *L'Opale entydre,* 1966 (N).

HENNIQUE Léon. Basse-Terre (Guadeloupe) 4.11.1851 – Paris 25.12.1935. Après avoir donné, dans le recueil des *Soirées de Médan,* la nouvelle « l'Affaire du grand sept », il affirma son orientation réaliste dans une série d'œuvres romanesques et théâtrales : *les Héros modernes* montrent bien son évolution dans leurs deux volets très différents *(la Dévouée ; l'Accident de M. Hébert).* Son intérêt pour l'histoire se manifeste dans *la Mort du duc d'Enghien* et dans *Élisabeth Couronneau ;* il adapta Zola pour la scène *(Jacques Damour)* et lui resta fidèle dans *Esther Brandès* et *la Menteuse.* Son pessimisme d'écrivain naturaliste ayant heurté le public, il cessa peu à peu de produire pour se consacrer à la naissante académie Goncourt, dont il fut le premier président.

Œuvres. *La Dévouée,* 1878 (N). – *Élisabeth Couronneau,* 1879 (N). – *L'Empereur d'Assoucay,* 1879 (T). – *L'Affaire du grand sept* (dans *les Soirées de Médan*), 1879 (N). – *Les Hauts Faits de M. de Ponthau,* 1880 (N). – *Benjamin Rozès,* 1881 (N). – Avec Huysmans, *Pierrot sceptique* (pantomime), 1881 (T). – *L'Accident de M. Hébert,* 1883 (N). – *Pœuf,* 1887 (N). – *Esther Brandès,* 1887 (T). – *Jacques Damour* (d'après

Zola), 1887 (T). – *La Mort du duc d'Enghien* (drame), 1888 (T). – *Un caractère,* 1889 (N). – *Amour* (drame), 1890 (T). – *La Menteuse,* 1893 (T). – *L'Argent d'autrui* (comédie), 1893 (T). – *Minnie Brandon,* 1899 (N). – *Chronique du temps qui fut la Jacquerie,* 1903. – *Jarnac,* 1909 (T). – *Un drôle de compagnon,* 1920 (N).

HENRIOT Émile. Paris 1889 – 1961. Douée de charme et d'aisance dans le style, son œuvre de poète et de romancier appartient à ce qu'il a appelé lui-même, dans un recueil critique qui se lit avec plaisir, *les Livres du second rayon.* Comme il convenait à un débutant dans les premières années de ce siècle, H. a d'abord été poète et fait alors figure de disciple d'Henri de Régnier ; on peut trouver aujourd'hui encore un charme certain à ses *Jardins à la française* ou à ses *Églogues imitées de Virgile,* mais il a sans doute plus d'originalité dans ses *Aquarelles.* Si, après la Grande Guerre, il n'abandonne pas tout à fait la poésie, il s'essaie au roman, où, malgré la finesse de l'analyse psychologique, il ne saurait faire concurrence aux grands romanciers de sa génération. Devenu en 1919 le critique du *Temps,* puis, après 1944, du *Monde,* il pratique une critique littéraire de goût et de compréhension plutôt que de doctrine et exerce, au long des années, sur le public cultivé une influence non négligeable. Cette activité de feuilletonniste littéraire ne l'empêche pas de consacrer aux écrivains qu'il aime, *Chateaubriand, Stendhal* ou *Musset,* des ouvrages où la chaleur de la sympathie trouve, pour s'exprimer et se communiquer, un style d'authentique écrivain. Acad. fr. 1945.

Œuvres. *Poèmes à Sylvie,* 1906 (P). – *La Flamme et les Cendres,* 1909 (P). – *Petite Suite italienne,* 1909 (P). – *Jardins à la française,* 1911 (P). – *Églogues imitées de Virgile,* 1912 (P). – *Le Diable à l'hôtel,* 1919 (N). – *Aquarelles,* 1922 (P). – *Aricie Brun ou les Vertus bourgeoises,* 1924 (N). – *Stendhal,* 1924 (E). – *Vignettes et Allégories,* 1925 (P). – *Les Livres du second rayon,* 1925 (E). – *Poésies* (recueil), 1928 (P). – *Musset,* 1928 (E). – *Les Occasions perdues,* 1931 (N). – *En Provence,* 1932. – *D'Héloïse à Marie Bashkirtseff,* 1935 (E). – *De Marie de France à Katherine Mansfield,* 1937 (E). – *De Turold à Chénier,* 1944 (E). – *Tristis exul,* 1945 (P). – *De Lamartine à Valéry,* 1946 (E). – *Beautés du Brésil,* 1947. – *La Rose de Bratislava,* 1948 (N). – *Chateaubriand,* 1948 (E). – *Les jours raccourcissent,* 1954 (P). – *Au bord du temps* (souvenirs), 1958. – *Courrier littéraire* (11 vol.), 1922-1959. – *On n'est pas perdu sur la terre* (souvenirs), 1960.

HEREDIA José-Maria de. La Fortuna (Cuba) 22.11.1842 – Bourdonné (Yvelines) 3.10.1905. Poète français né de père espagnol. C'est au cours de ses études à La Havane qu'il découvrit Hugo et Leconte de Lisle ; revenu en France (où il avait été collégien), il fut accueilli au *Parnasse contemporain* (1866) et, après avoir figuré en vue dans le salon de Leconte de Lisle, fonda le sien propre. C'est à H. que le Parnasse doit d'avoir atteint la consécration publique : son unique recueil poétique, *les Trophées* (1893), est le résultat d'un infatigable travail de concentration. Négligeant le positivisme pessimiste des premiers poètes du groupe, il s'attache à satisfaire le goût contemporain pour le bibelot et à faire de chacun de ses sonnets un microcosme verbal complet : ces œuvres, émaillées de mots rares, de couleurs violentes et de rythmes monumentaux, constituent le point-limite de l'alexandrin régulier. Bien inférieur en inspiration aux « grands » du sonnet que sont Nerval ou Mallarmé, H., par sa facture, l'emporte sur Coppée ou Sully Prudhomme et, moins sentimental qu'eux, vieillit moins vite. Mais son goût indiscret du panache et de l'héroïsme, qui fut pour beaucoup dans son succès, semble aujourd'hui excessif. Acad. fr. 1894.

HERGÉ, Georges Rémi, dit. Etterbeek (Belgique) 22.5.1907 – Bruxelles 3.3.1983. Tout commence dans l'aventure d'H. le 10 janvier 1929 avec le premier voyage de Tintin en Union soviétique où il pourfend les bolcheviks à tour de bras. H. n'a alors que vingt-deux ans. Après des études dans un collège religieux et quelques années de scoutisme, il avait fait ses premières armes au quotidien belge *le Vingtième siècle.* Passant du service des abonnements à la photogravure puis à l'illustration, il crée en 1928 *le Petit Vingtième* dont il a l'entière responsabilité. Ses différentes séries : Totor, Quick et Flupke, insupportables garnements bruxellois, Jo, Zette et Jocko sont bien vite supplantés par Tintin. En 1940, il collabore au journal *le Soir* et prend en charge le supplément jeunesse. Très attaqué à la libération, il est tenu à l'écart de toutes publications pendant plusieurs années. C'est avec la naissance du journal *Tintin* et le succès croissant des albums qui atteignent le million d'exemplaires annuel en 1956 qu'H. retrouve sa popularité. Il voyage alors un peu partout dans le monde et réalise l'un de ses plus vieux rêves en 1973 : découvrir la Chine dont la culture l'a toujours fasciné. Les aventures de Tintin et leur créateur, aussi secret et solitaire qu'il ait pu être, font aujourd'hui partie de la légende du XXe siècle. Leur histoire est commune. Lorsque Hergé découvre les « comics » américains à la fin des années 20, il adopte sur-le-champ une technique narrative qui privilégie l'histoire et intègre le dialogue au dessin. Avec Tintin, il anime un personnage-symbole, défenseur du libre arbitre, de la paix et de la fraternité contre les oppressions politiques et idéologiques. Personnage neutre, sans âge, pratiquement asexué, Tintin remplit à merveille le rôle essentiel du héros d'une série : celui d'être un parfait support de l'identification du lecteur. C'est cette vacuité qui lui permet aussi d'évoluer au fil des albums sans aucune contradiction. Colonialiste en 1930 *(Tintin au Congo),* il défend les guérilleros en 1975 *(Tintin et les Picaros).* Alors que chez les Soviets et en Amérique, il prône une idéologie de droite, *le Sceptre d'Ottokar* puis le *Lotus bleu* sont déjà beaucoup plus ambigus. Si l'on assiste aujourd'hui à une floraison d'interprétations sociologiques et psychanalytiques de l'univers de Tintin, il semble bien toutefois que le succès même, sans précédent, du mythe de Tintin (80 000 000 d'albums vendus à ce jour) soit une justification suffisante de l'intérêt qu'il rencontre auprès des lecteurs les plus divers. (Voir BANDE DESSINÉE.)

Œuvres. *Totor chef de patrouille des Hannetons,* en feuilleton dans le *Boy-Scout belge,* 1926-1930. – *Les Nouveaux exploits de Quick et Flupke,* en feuilleton dans *le Petit Vingtième,* 1930. – *Popol et Virginie au Far West,* en feuilleton dans *le Petit Vingtième,* 1934. – *Les Aventures de Jo, Zette et Jocko (le Rayon mystère,* 1 *le « Manitoba » ne répond plus ;* 2 *l'Éruption du Karamako,* 1936-1937. – *Le Stratonef H 22,* 1 *le Testament de M. Pump ;* 2 *Destination New York),* 1937-1939. – *La Vallée des cobras,* 1954.

Les Aventures de Tintin. *Tintin au pays des Soviets,* 1930. – *Tintin au Congo,* 1931. – *Tintin en Amérique,* 1932. – *Les Cigares du Pharaon,* 1934. – *Le Lotus bleu,* 1935. – *L'Oreille cassée,* 1937. – *L'Île Noire,* 1938. – *Le Sceptre d'Ottokar,* 1939. – *Le Crabe aux pinces d'or,* 1941. – *L'Étoile mystérieuse,* 1942. – *Le Secret de la Licorne,* 1943. – *Le Trésor de Rackham le Rouge,* 1943. – *Les Sept Boules de cristal,* 1948. – *Le Temple du Soleil,* 1949. – *Tintin au pays de l'or noir,* 1950. – *Objectif lune,* 1953. – *On a marché sur la lune,* 1954. – *L'Affaire Tournesol,* 1956. – *Coke en stock,* 1958. – *Tintin au Tibet,* 1960. – *Les Bijoux de la Castafiore,* 1963. – *Vol 714 pour Sydney,* 1968. – *Tintin et les Picaros,* 1976.

Films. *Le Mystère de la toison d'or,* 1961. – *Tintin et les oranges bleues,* 1964.

Dessins animés. *Le Temple du Soleil,* 1969. – *Tintin et le lac aux requins,* 1972.

HÉRIAT Philippe, Raymond Payelle, dit. Paris 15.9.1898 – 10.10.1971. Enfant de la grande bourgeoisie, descendant de Z. Carraud, l'amie de Balzac, il interrompt ses études pour s'engager (1916) ; passionné pour le cinéma naissant, il travaille pendant dix ans comme technicien, puis comme acteur, avant de publier son premier roman, *l'Innocent* (1931). Élu en 1949 à l'académie Goncourt, il la quitta en février 1971 à la suite d'un différend avec ses confrères. Outre quelques œuvres dramatiques, H. est surtout le romancier des *Boussardel,* remarquable chronique d'une famille bourgeoise, du second Empire à nos jours, dont la simplicité renouvelle heureusement le genre du roman-fleuve, et dont le deuxième épisode (paru avant le premier de la série), *les Enfants gâtés,* reçut le prix Goncourt en 1939.

Œuvres. *L'Innocent,* 1931 (N). – *La Main tendue,* 1933 (N). – *L'Araignée du matin,* 1934 (N). – *Le Départ de Valvidia,* 1934 (N). – *La Foire aux garçons,* 1934 (N). – *Miroirs,* 1936 (N). – *Les Enfants gâtés* (*la Famille Boussardel,* II), 1939 (N). – *La Famille Boussardel,* I, 1946 (N). – *Le Secret de Mayerling,* 1949 (N). – *Théâtre I* (comprend *l'Immaculée ; Belle de jour*), 1950 (T). – *Les Noces de deuil,* 1953 (T). – *Les Grilles d'or (la Famille Boussardel, III),* 1957 (N). – *Retour sur mes pas* (souvenirs), 1959. – *Théâtre II* (comprend : *les Joies de la famille ; les Noces de deuil ; Deux Arguments de ballet*), 1960 (T). – *Le Temps d'aimer (la Famille Boussardel, IV),* 1968 (N).

HERMANT Abel. Paris 8.2.1862 – Chantilly 22.9.1950. Reçu premier à l'École normale supérieure en 1880, il démissionne, préférant la littérature à l'Université. Il devient bientôt célèbre après avoir publié des romans comme *le Cavalier Miserey* et surtout *les Transatlantiques ;* le public aime la verve piquante de son style, la vivacité de ses dialogues, l'humour de ses descriptions de la haute société. Cette œuvre pâtit plus tard pour les mêmes raisons qui avaient fait son succès : l'esprit de H. appartient à la « Belle Époque » et risque bien de s'être périmé avec elle. Toutefois, H. reste un maître de la langue, et le meilleur de son œuvre est peut-être dans les chroniques signées LANCELOT, ensuite réunies en volume, où il se fait le champion compétent et intransigeant de la pureté grammaticale, syntaxique et stylistique. Incarcéré à la Libération pour avoir collaboré à la presse parisienne pendant l'Occupation, condamné à la réclusion perpétuelle, il fut libéré en 1948, tenta, sans grand succès, de se justifier dans son plaidoyer « pro domo », *Treizième Cahier,* et mourut deux ans plus tard. Acad. fr. 1926, exclu en 1945.

Œuvres. *Les Mépris,* 1883 (P). – *M. Rabosson,* 1884 (N). – *Le Cavalier Miserey,* 1887 (N). – *Nathalie Madoré,* 1888 (N). – *La Surintendante,* 1889 (N). – *Amours de tête,* 1890 (N). – *Serge,* 1891 (N). – *Les Confidences d'une aïeule,* 1893 (N). – *La Carrière,* 1894 (N). – *La Meute,* 1896 (T). – *Les Transatlantiques,* 1897 (N). – *Le Faubourg,* 1899 (T). – *Le Char de l'État,* 1900 (N). – *Mémoires pour servir à l'histoire d'une société* (comprend : *Souvenirs du vicomte de Courpière,* 1901 ; *M. de Courpière marié,* 1906 ; *les Grands Bourgeois,* 1906 ; *les Affranchis,* 1908) [N]. – *Trains de luxe,* 1908 (N). – *Les Confidences d'une biche,* 1909 (N). – *Le Cadet de Coutras* (5e tome des *Mémoires pour servir à l'histoire d'une société*), 1909-1913 (N). – *Le Joyeux Garçon,* 1913 (N). – *La Petite Femme,* 1914 (N). – *Le Caravansérail,* 1917 (N). – *Le Rival inconnu,* 1919 (N). – *D'une guerre à l'autre,* 1921 (E). – *Xavier ou Entretiens sur la grammaire française,* 1923 (E). – *Le Cycle de lord Chelsea,* 1923-1926 (N). – *Les Fortunes de Ludmilla,* 1924 (N). – *Secondes Classes,* 1926 (N). – *Platon,* 1926 (E). – *Les Épaves,* 1927 (N). – *Grammaire de l'Académie française,* 1932. – *Les Samedis de M. Lancelot,* 1932 (E). – *Savoir parler,* 1935 (E). – *La Dernière Incarnation de M. de Courpière,* 1937 (N). – *La Castiglione, la « dame de cœur » des Tuileries,* 1938 (N). – *Remarques de M. Lancelot pour la défense de la langue française,* 1938 (E). – *Treizième Cahier,* 1949.

HERMÉTISME. Selon une tradition mystique grecque, Hermès Trismégiste (= trois fois le plus grand) présidait au secret des initiations. Ainsi a pris naissance, dans la culture religieuse occidentale, la tradition de l'hermétisme et de l'ésotérisme, qui se compose avec celle de l'occultisme médiéval (représenté, par exemple, par l'alchimie). De cette double source est né l'hermétisme moderne, sous la forme, en particulier, de l'illuminisme du XVIIIe s. (*cf. Consuelo* de G. Sand et *les Illuminés* de G. de Nerval). Occultisme et hermétisme ont joué un rôle important dans le développement de la franc-maçonnerie, dans la formation du romantisme, dans le climat spirituel de l'époque symboliste (Huysmans, Villiers de l'Isle-Adam). Par extension, est dit hermétique (ou ésotérique) tout écrit dont le langage et le message ne sauraient être compris que par des initiés, tout écrit qui se signale par une certaine obscurité délibérée de l'expression. La dominante hermétique caractérise tout particulièrement une tradition poétique qui se maintient, dans la littérature française, des troubadours à Maurice Scève, de la Pléiade à Mallarmé et au surréalisme.

HÉROËT Antoine. Paris 1492 ? – 1568. Disciple et ami de Marot, H. fut introduit à la cour de Marguerite de Navarre, puis fit partie de l'entourage poétique de François Ier ; Henri II le nomma évêque de Digne en 1552. C'est Étienne Dolet qui publia à Lyon en 1542 son œuvre majeure, *la Parfaite Amie ;* alors que, jusque-là, il n'avait guère écrit que de petits poèmes sentimentaux, rondeaux et huitains, *la Parfaite Amie* est au contraire un long poème (1 662 décasyllabes), qui est comme le bréviaire du platonisme français tel qu'il était en train de s'épanouir dans le cercle parisien de Marguerite de Navarre, tel qu'il s'exprimera bientôt à Lyon dans les œuvres de Maurice Scève. Le succès et l'influence en furent considérables puisque le poème connut vingt éditions. La même année paraissait un autre poème, directement inspiré du *Banquet* de Platon, *l'Androgyne.* H. méritera d'être appelé par son éditeur, É. Dolet, « l'heureux illustrateur du haut sens de Platon ». C'est à ce titre que son œuvre marque la rupture avec la poésie des rhétoriqueurs, mais elle marque aussi la continuité entre cette poésie néoplatonicienne et la tradition courtoise : H., en effet, continuant Christine de Pisan, élabore, contre les doctrines misogynes de Jean de Meung ou de Rabelais, une véritable glorification doctrinale de la Femme, source de vertu spirituelle et poétique, et son œuvre est la première expression de ce mythe féminin et de cette spiritualité du « ravissement d'amour » qui inspireront le grand courant de la poésie renaissante, de Maurice Scève à Ronsard.

Œuvres. *La Parfaicte Amye, avec plusieurs autres compositions du même auteur,* 1542 (P). – *L'Androgyne, traduction libre de Platon,* 1542 (P). – *Opuscules d'amour, par Héroët, La Borderie et autres divins poètes,* 1547 (P).

HÉROS. Nom donné par les Grecs aux personnages mythologiques issus de l'union d'un dieu et d'une mortelle (ou d'un homme et d'une déesse) et, par extension, aux hommes d'un courage et d'un mérite exceptionnels qui furent divinisés par la suite. Dans le monde moderne, ce mot désigne un personnage qui se distingue par des actions éclatantes (elles-mêmes dites *héroïques*) ou qui occupe dans l'histoire une place privilégiée et devient alors le centre d'une légende. Ainsi y a-t-il une relation essentielle entre le héros et le genre littéraire de l'épopée. À partir de là, le mot en est venu à désigner le personnage principal d'une œuvre littéraire. Plus précisément, et quel que soit le genre considéré, la signification littéraire du héros, de Corneille à Malraux, se réfère soit à un destin exemplaire, soit aux manifestations morales ou historiques d'une énergie « hors de l'ordre commun », souvent aux deux ensemble.

HERVIEU Paul Ernest. Neuilly 2.9.1857 – Paris 25.10.1915. Il abandonna le barreau pour la littérature et, jusqu'en 1895, écrivit des romans influencés par le naturalisme et inspirés par une observation impitoyable de la société. Le pessimisme qu'il y exprime s'étend à la nature humaine en général, comme en témoigne son roman le plus caractéristique, *Peints par eux-mêmes.* Il se tourna alors vers le théâtre, qui lui semblait plus apte à incarner vraiment sa vision du monde, cela en un temps où, grâce à Antoine, le drame moderne tentait un renouvellement (illustré, d'autre part, dans l'œuvre de F. de Curel) qui coïncidait avec les aspirations de H. Certes, comme Curel, il n'échappe pas tout à fait aux risques de la pièce à thèse mais, à partir d'une conception du drame qui s'inspire de Dumas fils (problèmes du mariage : *les Tenailles*), il évolue vers une plus forte originalité et, dans le cadre d'une construction dramatique souvent rigide et presque géométrique, il sait dramatiser les idées (à ce titre, il est l'un des meilleurs représentants de ce qu'on a appelé le « théâtre d'idées ») et conférer une véritable puissance pathétique à des sujets toujours inspirés par le thème du conflit entre nature et civilisation : problèmes du divorce *(le Dédale)*, du féminisme *(la Loi de l'homme)*, de l'amour maternel *(la Course au flambeau)*. Acad. fr. 1900.

Œuvres. *Diogène, le chien,* 1882 (N). – *La Bêtise parisienne,* 1884 (N). – *L'Inconnu,* 1886 (N). – *Flirt,* 1890 (N). – *Les paroles restent,* 1892 (T). – *Peints par eux-mêmes,* 1893 (N). – *Les Tenailles,* 1895 (T). – *La Loi de l'homme,* 1897 (T). – *L'Énigme,* 1901 (T). – *La Course au flambeau,* 1901 (T). – *Théroigne de Méricourt,* 1902 (T). – *Le Dédale,* 1903 (T). – *Réveil,* 1905 (T). – *Connais-toi,* 1909 (T). – *Bagatelles,* 1912 (T). – *Le destin est maître,* 1914 (T).

HÉTÉROMÉTRIQUE (strophe). Strophe dont deux ou plusieurs vers sont de mesures différentes : par exemple, une strophe composée d'alexandrins et d'octosyllabes.

HISTOIRE. Dans le sens littéraire du terme, récit des faits et des événements relatifs aux peuples particuliers ou à l'humanité en général (histoire universelle). Le mot en est venu à désigner ainsi, principalement au XIXe s., un véritable « genre » littéraire (Augustin Thierry, Michelet). Mais l'histoire se définit aussi comme le compte rendu de la connaissance du passé humain et tend alors à devenir une des « sciences humaines ». Elle reconstitue ce passé à l'aide de documents, de témoignages, et oriente éventuellement cette reconstitution selon des idéologies diverses qui tendent à découvrir un « sens de l'histoire » et débouchent alors sur la philosophie de l'histoire.

HISTORIOGRAPHE. Personne nommée officiellement pour écrire ce qui deviendra l'histoire de son temps : Racine, Boileau furent les historiographes de Louis XIV.

HISTORIOGRAPHIE. À la différence de l'histoire, simple enregistrement, sous forme littéraire, des faits historiques contemporains ou récents.

HOLBACH, Paul-Henry Dietrich, baron d'. Heidelsheim (Palatinat) 1.1723 – Paris 21.1.1789. D'origine allemande, il s'installa à Paris pour y jouir de son immense fortune et y entretint une sorte de salon où se rencontraient les intellectuels du temps, en particulier le groupe de ceux qui allaient lancer l'*Encylopédie ;* Diderot, d'Alembert, Helvétius. Particulièrement lié à Diderot et, comme lui, influencé par la chimie et la biologie, d'H. entreprit de construire un système philosophique intégralement matérialiste, qu'il exposa dans son *Système de la nature,* dont l'audace choqua même Voltaire. Il compta, naturellement, au nombre des collaborateurs de l'*Encyclopédie.*

Œuvres. *Lettre à une dame d'un certain âge sur l'état présent de l'opéra,* 1752 (E).

– *Traité de minéralogie,* 1753 (E). – *Traité de chimie métallurgique,* 1758 (E). – *Traité de physique, d'histoire naturelle et de minéralogie,* 1759 (E). – *Le Christianisme dévoilé ou Examen des principes et des effets de la religion chrétienne,* 1767 (E). – *La Contagion sacrée,* 1767 (E). – *Esprit du clergé ou le Christianisme primitif vengé des entreprises et des excès de nos prêtres modernes,* 1767 (E). – *De l'imposture sacerdotale ou Recueil de pièces sur le clergé,* 1767 (E). – *Les Prêtres démasqués ou les Intrigues du clergé chrétien,* 1768 (E). – *Théologie portative,* 1768 (E). – *De la cruauté religieuse,* 1769 (E). – *Le Système de la nature ou Des lois du monde physique et moral,* 1770 (E). – *L'Esprit du judaïsme,* 1770 (E). – *Examen critique de la vie et des œuvres de saint Paul,* 1770 (E). – *Histoire critique de Jésus-Christ ou Analyse raisonnée des Évangiles,* 1770 (E). – *Essai sur les préjugés ou De l'influence des opinions sur les mœurs et le bonheur des hommes,* 1770 (E). – *Le Bon Sens du curé Meslier ou Idées naturelles opposées aux idées surnaturelles,* 1772 (E). – *Système social ou Principes naturels de la morale et de la politique,* 1773 (E). – *La Politique naturelle ou Discours sur les vrais principes du gouvernement* (2 vol.), 1773-1774 (E). – *L'Éthocratrie ou le Gouvernement fondé sur la morale,* 1776 (E). – *Éléments de morale universelle,* 1776 (E).

HOUDAR DE LA MOTTE, dit aussi **LA MOTTE-HOUDAR, Antoine.** Paris 15.1.1672 – 26.12.1731. Après des études de droit, il s'essaya au théâtre avec *les Originaux,* comédie, mais ne connut le succès qu'avec un livret d'opéra, *l'Europe galante* (musique de Campra) ; il exploita abondamment le genre de l'opéra-ballet, mais écrivit aussi des tragédies et des textes de cantates. Son œuvre de théoricien de la poésie reste intéressante. Ses *Réflexions sur la critique* et son *Discours sur la poésie en général et l'ode en particulier* révèlent un des plus fervents partisans de la thèse des Modernes. Disciple de Fontenelle, il refuse les conventions poétiques, les images mythologiques, au point de réduire de vingt-quatre à douze chants le poème d'Homère dans son *Iliade* et de « traduire » Racine en prose ! Il ira même, aux alentours de 1730, jusqu'à condamner la tragédie en vers. Acad. fr. 1710.

Œuvres. *Les Originaux,* 1693 (T). – *L'Europe galante* (livret d'opéra, musique de Campra), 1697 (T). – *Odes,* 1707 (P). – Adaptation de *l'Iliade,* précédée d'un *Discours sur Homère,* 1714. – *Réflexions sur la critique,* 1715 (E). – *Fables,* précédées de *Discours sur la Fable,* 1719. – *Les Macchabées,* 1722 (T). – *Iñès de Castro,* 1723 (T). – *Œdipe,* 1730 (T). – *Réflexions sur la tragédie,* 1730 (E). – *Œuvres complètes* (10 vol.), posth., 1754.

HOUSSAYE, Arsène Housset, dit. Bruyères (Aisne) 28.3.1815 – Paris 26.2.1896. Venu à Paris en 1832, il se lia avec Th. Gautier et Gérard de Nerval, et c'est à lui que Baudelaire dédia plus tard ses *Petits Poèmes en prose.* Il devint rapidement un excellent connaisseur de la vie littéraire. Administrateur de divers théâtres (dont le Français, de 1849 à 1856), directeur de *l'Artiste* à partir de 1843, il se montra bien meilleur animateur et critique d'art qu'écrivain. L'*Histoire du quarante et unième fauteuil de l'Académie française* est toutefois une remarquable satire, et ses *Souvenirs d'un demi-siècle* constituent une source précieuse de renseignements.

Œuvres. *La Couronne de bluets,* 1836 (N). – *Une pécheresse,* 1836 (N). – *Les Revenants,* 1839 (N). – *Les Onze Maîtresses délaissées,* 1840 (N). – *Mlle de Vandeuil, Mlle de Kérouart, Milla, Marie,* 1842-1843 (N). – *Galerie de portraits du* XVIIIe *siècle,* 1844 (N). – *La Vertu de Rosine,* 1844 (N). – *Les Caprices de la marquise,* 1844 (T). – *Romans, Contes et Voyages,* 1846 (N). – *Histoire de la peinture flamande et hollandaise,* 1847 (E). – *Les Trois Sœurs,* 1847 (N). – *Philosophes et Comédiennes,* 1850 (N). – *Le Voyage à ma fenêtre,* 1851 (N). – *Poésies complètes,* 1851 (P). – *La Pantoufle de Cendrillon,* 1852 (N). – *Les Filles d'Ève,* 1852 (N) – *Les Femmes sous la Régence et sous la Terreur,* 1852 (N). – *Le Violon de Franjolé,* 1855 (N). – *Histoire du quarante et unième fauteuil de l'Académie française,* 1855 (N). – *Le Roi Voltaire,* 1858 (N). – *Mlle Mariani,* 1859 (E). – Avec Jules Sandeau, *Mlle de la Vallière et Mme de Montespan,* 1860 (N). – *Histoire de l'art français,* 1860 (E). – *Les Femmes comme elles sont,* 1861 (N). – *Les Femmes du temps passé,* 1862 (N). – *Jean-Jacques Rousseau et Mme de Warens,* 1863. – *Mlle Cléopâtre,* 1864 (N). – *Blanche et Marguerite,* 1864 (N). – *Le Repentir de Marion,* 1864 (N) – *Le Roman de la duchesse,* 1865 (N). – *Notre-Dame de Thermidor,* 1867 (N). – *Nos grandes dames,* 1868 (N). – *Histoire de Léonard de Vinci,* 1869. – *Les Parisiennes,* 1869-1870 (N). – *Mlle des Trente-Six Vertus,* 1873 (T). – *Juliette et Roméo,* 1873 (T). – *La Tragique Aventure du bal masqué,* 1873 (N). – *Les Femmes du Diable,* 1876 (N). – *La Comédienne,* 1884 (N). – *Souvenirs d'un demi-siècle,* 1885-1891.

HOUVILLE Gérard d', Marie-Louise Antoinette de Heredia, dite. Paris 1875 - 1963. Fille de J.-M. de Heredia et femme d'H. de Régnier, elle réunit en 1930 l'ensemble de ses *Poésies,* dont l'inspiration nostalgique, qui se moule volontiers sur le modèle de la stance, semble plus proche de celle de son mari que de celle de son père. Ses délicats récits, en particulier *Enfantines et Amoureuses,* rencontrèrent un accueil favorable.

Œuvres. *L'Inconstante,* 1903 (N). – *Le Temps d'aimer,* 1908 (N). – *Tant pis pour toi !,* 1921 (N). – *L'Enfant,* 1925 (N). – *Je crois que je vous aime,* 1927 (N). – *Esclave amoureuse,* 1927 (N). – *Poésies,* 1930 (P). – *Enfantines et Amoureuses,* 1946 (N).

HUET Pierre Daniel. Caen 8.2.1630 – Paris 27.1.1721. Élève des jésuites, il montra très jeune un goût passionné du savoir. Reçu docteur en droit, il n'abandonna cependant pas l'étude des langues anciennes (dont l'hébreu) et fréquenta sans pédantisme les salons et la Cour, ce qui lui valut d'être nommé sous-précepteur du Dauphin, aux côtés de Bossuet, et d'entrer à l'Académie française. Il forma le plan des éditions *ad usum Delphini* et traduisit lui-même les *Commentaires* d'Origène et le *Daphnis et Chloé* de Longus. On lui doit aussi des ouvrages théologiques en français et en latin, des *Poésies,* une *Histoire du commerce et de la navigation des Anciens* et un *Traité sur l'origine des romans.* La Fontaine choisit bien naturellement ce remarquable savant, mais aussi ce fin lettré alors évêque de Soissons (il était entré dans les ordres en 1676), pour exprimer dans son *Épître à Huet* (1687) son admiration envers les Anciens et envers ceux des Modernes qui suivent leurs leçons. Acad. fr. 1674.

Œuvres. *Les Amours de Daphnis et Chloé* (trad. de la pastorale de Longus), 1648. – *De l'interprétation des auteurs* (2 vol. : *De claris interpretibus ; De optimo genere interpretandi*), 1661 (E). – *Commentaires d'Origène sur l'Écriture sainte* (trad.), 1668. – *Traité sur l'origine des romans,* 1670 (E). – *Discours de réception à l'Académie française,* 1674. – *Demonstratio evangelica,* 1679 (E). – *Censura philosophiae cartesianae,* 1689 (E). – *Quaestiones Alnetanae de concordia rationis et fidei,* 1690 (E). – *De la situation du Paradis terrestre,* 1691. – *Nouveaux Mémoires pour servir à l'histoire du cartésianisme,* 1692 (E). – *Statuts synodaux pour le diocèse d'Avranches,* 1693. – *Histoire des navigations de Salomon,* 1698. – *Poemata,* 1700 (P). – *Histoire des origines de la ville de Caen,* 1702. – *Dissertation sur diverses matières de religion et de philosophie,* 1712 (E). – *Histoire du commerce et de la navigation des Anciens,* 1716. – *Commentarius de rebus ad eum pertinentibus* (Mémoires), 1718. – *Traité de la faiblesse de l'esprit humain,* posth., 1722. – *Huetiana* (Mémoires), posth., 1722. – *Diane de Castro ou le Faux Inca,* posth., 1728. – *Œuvres complètes,* posth., 1858-1860.

HUGO Victor Marie, comte. Besançon 26.2.1802 – Paris 22.5.1885. Né « d'un sang breton et lorrain à la fois », H. eut une enfance vagabonde (Corse, Italie, Espagne) due aux voyages de son père, le général, et à la mésentente croissante entre celui-ci et sa femme. Ce n'est qu'en 1812 qu'il revient définitivement à Paris, où il demeurera, sauf durant de nombreux mais courts voyages (Bretagne, Rhin, Pyrénées), jusqu'au départ pour l'exil. Après un bref séjour aux Feuillantines, il poursuit sans enthousiasme ses études à la pension Cordier, puis à Louis-le-Grand, enfin à la faculté de droit. Poète lauréat (Académie française 1817 ; jeux Floraux de Toulouse 1819), il se consacre dès lors à la littérature et fait paraître avec ses frères le *Conservateur littéraire* (1819). En 1822, il épouse Adèle Foucher, qui lui donnera quatre enfants : Léopoldine (1824), Charles (1826), François (1828), Adèle (1830). La même année, il publie les *Odes,* qu'il remanie plusieurs fois et qui deviennent en 1828 les *Odes et Ballades.* Monarchiste et catholique à l'origine, il évolue vers le libéralisme, qu'il rattache au romantisme en littérature ; il devient le chef de file du mouvement romantique après la parution de *Cromwell* (1827) et des *Orientales* (1828), l'interdiction de son drame *Marion Delorme* (1829) par la censure et surtout la bataille d'*Hernani* (1830). Mais son succès est gâché par des déboires personnels : dissolution du Cénacle romantique, intrigue d'Adèle avec Sainte-Beuve. H. noue alors avec Juliette Drouet une liaison qui, tumultueuse au départ, durera cinquante ans (1833-1883). Son œuvre prend de l'ampleur : roman *(Notre-Dame de Paris),* théâtre *(Ruy Blas)* et surtout poésie lyrique *(les Feuilles d'automne ; les Chants du crépuscule ; les Voix intérieures ; les Rayons et les Ombres).* La mort brutale de sa fille Léopoldine (1843) le pousse à chercher un dérivatif dans l'action politique : il lutte en faveur de la Pologne, contre l'injustice sociale, contre la peine de mort. Nommé pair de France (1843), il se détache peu à peu d'un régime figé et, chantre de Napoléon, en vient à appuyer le prince Louis-Napoléon : ce n'est qu'en 1849 qu'il attaque celui-ci, au nom de la liberté. Impuissant en face du coup d'État, il s'enfuit à Bruxelles (1851), puis à Jersey (1853), enfin à Guernesey (1855), où il achète et de ses propres mains décore « Hauteville-House ». Sans renoncer à la lutte politique *(les Châtiments),* il se consacre à son œuvre ; il publie *les Contemplations, la Légende des siècles* (première livraison,1859), *les Misérables, les Travailleurs de la mer, l'Homme qui rit.* Adèle, qui vit le plus souvent à Bruxelles, y meurt en 1868. H. rentre à Paris dès la proclamation de la République, le 4.9.1870, mais, élu député de Paris, il démissionne au moment du vote sur la paix et se retire à Bruxelles durant la Commune. Nommé sénateur inamovible en 1876, il devient le porte-drapeau de la gauche humanitaire, qui lui fera, malgré ses dernières volontés, des funérailles nationales. Il laissait une masse considérable d'œuvres non publiées.

Dans un siècle fertile en génies, H. reste le premier par l'abondance, la puissance et la variété de son œuvre : il a pratiqué tous les genres, examiné tout les problèmes, étudié ou critiqué tous les arts. Dessinateur autant que poète, il a laissé plus de deux mille dessins, qui éclairent sa vision du monde : goût des contrastes du noir et du blanc, obsession des formes tourmentées et grouillantes, recherche de la caricature, sentiment d'une nature tour à tour accueillante, mystérieuse ou sauvage. « Tout vit ! Tout est plein d'âmes ! » (« Ce que dit la bouche d'ombre », *Contemplations*). Conscient, jusqu'à l'orgueil le plus démesuré, de sa force créatrice, il trouve dans un univers panthéiste le seul interlocuteur à sa taille ; ce n'est qu'en présence de Dieu qu'il se tait : « .... et je mourus. » *(Dieu).* Pourtant son œuvre immense est inégale, sinon incohérente ; sa pensée, comme ses écrits, abonde en élans incontrôlés, en repentirs et même en redites maladroites et lassantes.

Dès les *Odes,* H. s'affirme poète avant tout : la poésie est la même, qu'elle utilise la prose ou les vers : « Le domaine de la poésie est illimité. » À l'origine cependant, le talent nuisit au génie : poète lauréat, H. est aussi un poète courtisan, qui brille surtout par ses qualités formelles (« le Pas d'armes du roi Jean ») ; la virtuosité rythmique et sonore se suffit à elle même. Mais le goût du pittoresque souvent démoniaque annonce l'éclat des *Orientales,* où se fixent les conceptions poétiques de H. : virtuosité (« les Djinns »), sens plastique, descriptions qui dissimulent une idée (« Clair de lune », « l'Enfant grec »), conscience du danger que constitue, en fait, l'art pour l'art et de la nécessité de rester en contact avec l'histoire. Les quatre recueils lyriques des années 1830-1840 marquent la fin de cette évolution : les vers intimistes *(les Feuilles d'automne)* et les plaintes mélancoliques *(les Chants du crépuscule)* se mêlent à des poèmes humanitaires et à des déclarations politiques et patriotiques. Désormais le poète reconnaît qu'il a une fonction essentielle : il est le prophète, le voyant, le rêveur aussi, qui se tient à l'écoute autant des *Voix intérieures* que de la nature (« À Albert Dürer »). Le mystère de l'âme humaine est le reflet de celui du monde (« Puits de l'Inde »), la folie et la mort (« À Eugène, vicomte H. ») deviennent obsédantes face à l'indifférence de l'univers (« Tristesse d'Olympio »). Tous ces thèmes, orchestrés dans *les Rayons et les Ombres,* annoncent, en mineur, les poèmes de l'exil, en particulier *la Légende des Siècles* et *les Contemplations.* Ceux-ci se situent à un triple niveau : polémiques et politiques, ils manifestent la part que prend H. à l'histoire de son temps ; épiques, ils révèlent une conception manichéenne mais optimiste de l'histoire : la lutte du Bien et du Mal est sans fin (« Eviradnus »), ainsi que celle de la charité et de la misère (« les Pauvres Gens »), mais Dieu accepte de racheter Satan, qui redevient, par l'entremise de l'ange Liberté, Lucifer *(la Fin de Satan).* Ainsi l'hymne au progrès (« Pleine Mer », « Plein Ciel ») suppose la vérité du panthéisme révélé par l'Ange *(Dieu).* Enfin les poèmes lyriques et métaphysiques précisent le rôle du poète (« les Mages »), qui souffre avec les autres hommes (« Pauca meae », consacré à la mémoire de Léopoldine) mais, inspiré, connaît directement l'Être, l'Infini et les révèle aux hommes (« Ce que dit la bouche d'ombre »), car il est seul conscient et maître du pouvoir magique du Verbe (« Réponse à un acte d'accusation. Suite ») : la métaphore n'est plus une image, mais un instrument d'exploration. Les derniers recueils confirment cette orientation : *l'Année terrible* (1872) met en parallèle les événements historiques (siège de Paris, Commune) et la mort de Charles (1871) ; *les Quatre Vents de l'esprit* (1881) traitent des problèmes de la science et de la philosophie. À l'opposé, les *Chansons des rues et des bois* et *l'Art d'être grand-père* montrent le poète attaché aux joies simples de la famille et aux paysages paisibles d'une nature réconciliée. Autant que la lutte contre l'obscurantisme, la misère, la solitude et la mort, l'amour universel est la clef de l'œuvre poétique de H.

La gloire de H. dramaturge et romancier

ne fut pas moindre que celle de H. poète. Pourtant l'œuvre théâtrale, qui s'achève sur un échec, a une fonction plus théorique que pratique, témoin *Cromwell*, pièce-manifeste absolument injouable. H. n'a pas réussi à créer ce théâtre épique et historique dont il rêvait *(les Burgraves)* et s'est tourné vers les divertissements du *Théâtre en liberté*. Même dans ses meilleures pièces *(Hernani, Ruy Blas)*, il ne retient l'intérêt que par la splendeur de la poésie ; dans le déroulement de l'action, la fatalité n'est qu'un hasard invraisemblable et le pathétique se dégrade souvent en mélodrame ; quant à l'application de la théorie du mélange des genres sublime et grotesque, elle brise en fait l'unité organique de la pièce. De même, les romans demeurent tout à fait à l'écart de l'évolution inaugurée par Balzac : H. hésite entre le roman noir, le plaidoyer humanitaire *(les Derniers Jours d'un condamné)*, la fresque historique et l'épopée politique *(Quatrevingt-Treize)*. Restent le goût du baroque *(l'Homme qui rit)* et une épopée où les événements historiques jouent en contrepoint avec l'évolution des héros *(les Misérables)*, et où l'homme affronte une nature sournoise, cruelle et obstinée *(les Travailleurs de la mer)*. Drames et romans reprennent les grands thèmes de la poésie. Plus qu'un style, une voix : plus qu'une pensée, une vision : à travers de multiples épreuves, H. atteint sa maturité au moment même où la littérature française l'abandonne, solitaire, pour d'autres modèles. Mais c'est cette solitude même qui lui donne sa vraie place parmi ses pairs – la première.

Œuvres. *Odes et Poésies diverses*, 1822 (P). – *Han d'Islande*, 1823 (N). – *Nouvelles Odes*, 1824 (P). – *Bug-Jargal*, 1826 (N). – *Odes et Ballades*, 1826 (P). – *Cromwell*, précédé d'une *Préface*, 1827 (T). – *Les Orientales*, 1828 (P). – *Les Derniers Jours d'un condamné*, 1829 (N). – *Marion Delorme*, 1829 (T). – *Hernani*, 1830 (T). – *Notre-Dame de Paris*, 1831 (N). – *Les Feuilles d'automne*, 1831 (P). – *Le roi s'amuse*, 1832 (T). – *Lucrèce Borgia*, 1833 (T). – *Marie Tudor*, 1833 (T). – *Étude sur Mirabeau*, 1834 (E). – *Littérature et Philosophie mêlées* (2 vol), 1834 (E). – *Claude Gueux* (nouvelle), 1834 (N). – *Angelo, tyran de Padoue*, 1835 (T). – *Les Chants du crépuscule*, 1835 (P). – *Ésmeralda* (musique de Louise Bertin), 1836 (T). – *Les Voix intérieures*, 1837 (P). – *Ruy Blas*, 1838 (T). – *Les Rayons et les Ombres*, 1840 (P). – *Le Rhin, lettres à un ami* (impressions de voyage), 1842. – *Les Burgraves*, 1843 (T). – *Napoléon-le-Petit* (pamphlet), 1852. – *Les Châtiments*, 1853 (P). – *Lettre à Louis Bonaparte*, 1855. – *Les Contemplations*, 1856 (P). – *La Légende des siècles* (1re série), 1859 (P). – *Les Misérables*, 1862 (N). – *Les Dessins de Victor Hugo* (préface de Th. Gautier), 1862. – *William Shakespeare*, 1864 (E). – *Chansons des rues et des bois*, 1865 (P). – *L'Intervention*, 1866. – *Les Travailleurs de la mer*, 1866 (N). – *La Voix de Guernesey* (plus tard *Mentana)*, 1866 (P). – *Paris* (préface de *Paris-Guide*, réalisé par P. Meurice, pour l'Exposition universelle de Paris), 1867. – *L'Homme qui rit*, 1869 (N). – *Appel aux Allemands*, 9 septembre 1870. – *Appel aux Français*, 17 septembre 1870. – *Appel aux Parisiens*, 2 octobre 1870. – *L'Année terrible*, 1872 (P). – *Quatrevingt-Treize*, 1874 (N). – *Mes fils*, 1874. – *Actes et Paroles* (recueil de discours et écrits politiques : tome I, *Avant l'exil*, juin 1875 ; tome II, *Pendant l'exil*, novembre 1875 ; tome III, *Depuis l'exil*, juillet 1876). – *La Légende des siècles* (2e série), 1877 (P). – *L'Art d'être grand-père*, 1877 (P). – *Histoire d'un crime* (écrit en 1851-1852 : tome I, 1877 ; tome II, 1878) (N). – *Le Pape* (poèmes), 1878 (P). – *La Pitié suprême* (écrit en 1858), 1879. – *Religions et Religion*, 1880. – *L'Âne* (écrit en 1858), 1880 (P). – *Les Quatre Vents de l'esprit*, 1881 (P). – *Torquemada*, 1882 (T). – *La Légende des siècles* (3e série), 1883 (P). – *L'Archipel de la Manche*, 1883. – *Théâtre en liberté* (contient : *Prologue ; la Grand'Mère ; l'Épée ; Mangeront-ils ? ; Sur la lisière d'un bois ; les Gueux ; Être aimé ; la Forêt mouillée)*, posth., 1886 (T). – *La Fin de Satan*, posth., 1886 (P). – *Choses vues* (recueil de notes, 1re série), posth., 1887 (E). – *Toute la lyre* (I), posth., 1888 (P) – *Amy Robsart, les Jumeaux*, posth., 1889 (T). – *En voyage : Alpes et Pyrénées*, posth., 1890. – *Dieu* (écrit en 1855), posth., 1891 (P). – *France et Belgique*, posth., 1892. – *Lettres aux Bertin*, posth., 1892. – *Toute la lyre* (II), posth., 1893 (P). – *Correspondance (1815-1835)*, posth., 1896. – *Correspondance (1836-1882)*, posth., 1898. – *Les Années funestes (1852-1870)*, posth., 1898 (P). – *Choses vues* (nouvelle série), posth., 1900 (E). – *Post-scriptum de ma vie*, posth., 1901. – *Lettres à la fiancée (1820-1822)*, posth., 1901. – *La Dernière Gerbe*, posth., 1902 (P). – *Correspondance avec Paul Meurice (1851-1878)*, posth., 1909. – *Les Tables tournantes de Jersey*, posth., 1923. – *Théâtre de jeunesse. Plans et projets*, posth., 1934 (T) (contient : *Irtamène*, écrit en 1816 ; *À quelque chose malheur est bon*, écrit en 1818). – *Mille Francs de récompense* (écrit en 1866), posth., 1934. – *Océan, Tas de pierres*, posth., 1942 (P). – *Pierres* (vers et prose), posth., 1951. – *Souvenirs* *personnels (1848-1851),* posth., 1952. – *Strophes inédites,* posth., 1952. – *Trois Cahiers de vers français,* posth., 1952. – *Carnets intimes (1870-1871),* posth., 1953. – *Cris dans l'ombre et Chansons lointaines,* posth., 1953. – *Journal 1830-1848,* posth., 1954. – *Choses de la Bible (1846),* posth., 1955. – *Lettres à Juliette Drouet,* posth., 1964, rééd. 1985. – *Journal de ce que j'apprends chaque jour (1846-1848),* posth., 1965. – *Boîte aux lettres,* posth., 1965. – *Un carnet des « Misérables » et autres textes,* posth., 1965.

I. THÉÂTRE

Préface de Cromwell

La théorie du drame s'élabore à partir d'une vision symbolique de l'histoire humaine, selon laquelle à chaque âge correspond un mode spécifique de l'expression littéraire. Ces âges, H. en discerne trois : 1° les âges *primitifs,* que caractérisent pureté et innocence ; il s'ensuit, comme naturellement, une primauté de l'expression poétique et du lyrisme ; 2° les âges *antiques,* que caractérisent l'organisation sociale et politique ainsi que les conflits guerriers : il en découle une littérature de caractère héroïque, tragédie et épopée ; 3° les âges *modernes,* inaugurés par le christianisme qui instaure l'opposition de l'âme et du corps, de la chair et de l'esprit, du bien et du mal. Cette dualité de l'homme se traduit alors dans la structure dramatique. Aussi une littérature vraiment « moderne » doit-elle aboutir à l'épanouissement du drame, ce qui suppose qu'en soit élaborée la théorie. Cette théorie part de l'idée chrétienne de l'homme « composé de deux êtres, l'un périssable, l'autre immortel ; l'un charnel, l'autre éthéré ». La doctrine de la séparation des genres contredit ce principe du fait qu'elle isole un seul aspect de l'homme. Le drame, au contraire, se fixera pour règle d'en réunir organiquement les deux aspects ; c'est la théorie du « mélange des genres » ou, plus exactement, de la liaison organique entre les deux expressions de la dualité humaine : le grotesque et le sublime. La logique du drame exige ensuite la conformité de l'œuvre d'art à la vérité humaine : or, cette vérité est multiple, dans le temps et dans l'espace, du fait même qu'elle revêt un caractère historique ; donc la règle classique des unités est fausse : le drame devra, au contraire, restituer sur la scène la totalité spatiale, locale et historique de la réalité humaine ; seule subsistera, pour assurer la nécessaire cohérence du drame, l'unité d'action, définie comme principe d'organisation de l'ensemble dramatique. Enfin la dimension historique de la réalité humaine appelle une attention particulière, car le drame, s'il veut respecter jusqu'au bout son principe, doit accorder la primauté à la « couleur locale », c'est-à-dire à la reconstitution scénique et verbale de l'authenticité concrète des temps et des lieux. Dans ces conditions, le drame implique la totale liberté du dramaturge quant à la mise en œuvre des éléments constitutifs de sa dramaturgie : il ne saurait recourir à l'imitation ni à l'académisme ; il est tenu de proscrire les limitations arbitraires du langage. Ici se pose alors le problème du style, et en particulier celui du vers : contrairement à ceux qui préconisaient le théâtre en prose, H. reste fidèle au vers, et en particulier à l'alexandrin, car, le drame étant de nature poétique, le langage versifié reste le mode d'expression naturel de la *poésie dramatique.*

Marion Delorme

Le drame met en scène, sous le règne de Louis XIII, la rivalité du noble marquis de Saverny et de l'officier Didier, l'un et l'autre amoureux de la belle courtisane Marion Delorme. C'est Didier que Marion aime, et, au nom de cet amour, elle éconduit Saverny. Les deux jeunes gens se battent en duel et sont, en conséquence, arrêtés et condamnés à mort. Malgré les appels à la grâce du roi, la volonté de Richelieu reste inébranlable. C'est alors qu'un marché sordide est proposé à Marion et à Didier ; le lieutenant criminel Laffemas s'engage, si Marion consent à lui accorder ses faveurs, à faire évader le jeune homme. À ce même moment, Didier apprend la vérité sur le passé de Marion et, tout en refusant le marché proposé par Laffemas, il crie son indignation à Marion : celle-ci cependant témoigne d'une telle souffrance qu'elle est transfigurée par l'amour, et Didier se laisse attendrir. Didier sera exécuté en même temps que Saverny, tandis que Marion, désespérée, maudit Richelieu, l'« Homme rouge ».

Hernani

Pas d'unité de lieu : la scène passe de Saragosse aux montagnes d'Aragon, puis à Aix-la-Chapelle. Pas d'unité de temps : l'action se déroule en plusieurs mois. Enfin si l'« unité d'ensemble » est sauvegardée, l'action est multiple, qui mêle une intrigue sentimentale et une intrigue politique dans le cadre d'une reconstitution historique. Une belle jeune fille, doña Sol, est en présence de deux amoureux qu'opposent l'un à l'autre à la fois leur caractère et leur condition : le roi d'Espagne don Carlos et un mystérieux proscrit devenu chef de bande et rebelle, Hernani. De surcroît, doña Sol est promise en mariage à son oncle et gardien, don Ruy Gomez de Silva, qui s'indigne de voir ses deux rivaux paraître dans la chambre de sa fiancée. Le roi, pour se disculper lui-même, sauve aussi son rival en faisant passer Hernani pour un homme de sa suite. À l'acte II, tandis qu'Hernani entreprend d'enlever doña Sol, il rencontre don Carlos qui rôde autour du palais et qui tombe alors en son pouvoir ; mais le roi refuse de se battre en duel avec un bandit : Hernani le laisse aller. L'acte III coïncide avec le jour même des noces de Ruy Gomez et de doña Sol au château de Silva ; mais avant que la cérémonie puisse avoir lieu, un pèlerin frappe à la porte du château : c'est Hernani, qui vient annoncer que sa tête est mise à prix et qui demande qu'on le livre au roi ; ce que Ruy Gomez refuse au nom de l'hospitalité, et, lorsque le roi lui-même est annoncé, il cache Hernani. Une fois le roi parti, Ruy Gomez et Hernani concluent un pacte : Hernani s'engage à tuer le roi, après quoi il mettra sa vie à la disposition de Ruy Gomez, qui lui rappellera sa promesse en sonnant du cor. L'acte IV est dominé par la méditation de don Carlos auprès du tombeau de Charlemagne à Aix-la-Chapelle, à la suite de la nouvelle qui lui a été transmise qu'une conjuration se tramait contre lui. Trois coups de canon annoncent son élévation à l'empire, et aussitôt ses soldats s'emparent des conjurés, que commandent Hernani et Ruy Gomez. Devenu Charles Quint, don Carlos fait preuve de clémence ; usant de son autorité, alors qu'on découvre qu'Hernani est en réalité don Juan d'Aragon, il l'unit à doña Sol, tandis qu'une fureur jalouse s'empare de Ruy Gomez. L'acte V commence dans une atmosphère de fête : ce sont les noces de doña Sol et de don Juan-Hernani. Mais la fête est troublée par le son du cor de Ruy Gomez, qui rappelle son engagement à Hernani. Don Juan d'Aragon ne peut se soustraire à la promesse d'Hernani : il s'empoisonne avec doña Sol, et Ruy Gomez se poignarde sur leurs cadavres.

Ruy Blas

C'est le drame du « ver de terre amoureux d'une étoile », le laquais Ruy Blas amoureux de la reine d'Espagne, doña Maria de Neubourg, jeune femme nostalgique et négligée par son mari. Un noir courtisan, don Salluste, qui la tient pour responsable de sa disgrâce, médite contre elle une vengeance exemplaire. Il songe d'abord à son cousin don César de Bazan, noble déchu devenu compagnon de bandits et bandit lui-même ; mais il a conservé le sens de l'honneur et refuse l'offre de Salluste. Celui-ci se tourne alors vers son valet Ruy Blas et lui donne l'ordre de se faire aimer de la reine. L'acte II est l'acte de la reine : celle-ci, dans son ennui, rêve de l'inconnu qui dépose des fleurs sur le mur de son parc, au risque de sa vie. Entre-temps, Salluste, pour faciliter la réussite de son plan, a fait passer Ruy Blas pour don César ; celui-ci se présente alors chez la reine, qui s'émeut et voit en lui l'inconnu dont elle rêvait. L'acte III est celui de l'ascension de Ruy Blas, déterminée à la fois par ses qualités politiques et par la protection de la reine ; le voici Premier ministre. Dans une scène célèbre, à laquelle la reine assiste cachée derrière un rideau (« Bon appétit, messieurs ! »), il apostrophe les ministres, à qui il reproche de ruiner l'Espagne. Au sortir de cette scène, l'admiration qu'elle éprouve incite la reine à avouer son amour à Ruy Blas, qu'elle croit être don César. Salluste paraît alors pour rappeler Ruy Blas à la réalité et exiger de lui qu'il exécute sa vengeance contre la reine, à laquelle il donnera rendez-vous dans une maison secrète appartenant à don Salluste. À l'acte IV, la scène est dans cette maison, et voici que le vrai don César, poursuivi par les alguazils, y tombe par la cheminée. Tandis qu'il se goberge, don Salluste survient et le fait arrêter. À l'acte V, la reine arrive au rendez-vous ; elle est surprise à minuit avec Ruy Blas. Don Salluste lui révèle la véritable identité du faux don César et exige qu'elle signe son abdication. Mais Ruy Blas, dans un suprême acte d'amour, tue don Salluste, s'empoisonne et meurt dans les bras de la reine, qui lui consent à la fois son amour et son pardon.

II. ROMANS

Notre-Dame de Paris

Roman historique, roman noir, roman symbolique. Dans le cadre d'une reconstitution du Paris médiéval, c'est aussi l'évocation d'un univers fantastique tandis qu'une fatalité implacable pèse sur les personnages. La Cathédrale est au centre de cet univers et comme au carrefour de ses significations. Elle est en effet la commune demeure du sonneur de cloches Quasimodo, le nain monstrueux, et du prêtre diabolique Claude Frollo, autre monstre, mais au moral et non plus au physique ; c'est la Cathédrale aussi dont le parvis sert de scène à la danseuse bohémienne Esmeralda. Frollo, qui désire la posséder, ordonne à Quasimodo de l'enlever ; mais intervient alors le bel officier Phœbus de Chateaupers, qui la sauve ; dans le même temps, le poète Gringoire, auteur d'un mystère représenté dans la grand-salle du Palais de Justice, s'égare dans la Cour des miracles, où le roi des truands le traduit en jugement : il sera à son tour sauvé par Esmeralda, qui déclare vouloir l'épouser. Quasimodo, de son côté, en quelque sorte enfermé dans l'univers des tours de la Cathédrale, où il se meut à son aise, sent naître en lui une émotion nouvelle lorsqu'Esmeralda lui donne à boire tandis qu'il est exposé au pilori en punition de sa tentative d'enlèvement. Mais Esmeralda aime Phœbus ; Frollo l'apprend et dresse un guet-apens au cours duquel il poignarde le jeune officier en conversation d'amour avec la bohémienne : c'est celle-ci qui sera accusée du meurtre de Phœbus. Suspecte d'autre part comme bohémienne, elle est condamnée non seulement pour meurtre mais aussi pour sorcellerie : avant l'exécution a lieu la cérémonie de l'amende honorable devant la Cathédrale ; Quasimodo s'empare d'Esmeralda et l'entraîne avec lui dans la Cathédrale, asile inviolable. Les truands de la Cour des miracles entreprennent alors, malencontreusement, de libérer Esmeralda en attaquant la Cathédrale : ils se heurtent à la résistance de Quasimodo, qui les met en déroute. Pendant la bataille, Frollo s'est emparé de la jeune bohémienne et tente de la posséder ; en vain ; pour se venger il la remet à une vieille, qui reconnaît en elle l'enfant qu'elle avait autrefois perdue et qui tente alors de la sauver. Sans succès : le destin veut qu'Esmeralda soit reprise. Elle sera pendue : Frollo, devant ce spectacle, est pris d'un ricanement satanique, qui incite Quasimodo à se saisir de lui et à le précipiter dans le vide du haut des tours de Notre-Dame. Après quoi, il se rend au charnier de Montfaucon, où a été déposé le cadavre d'Esmeralda, et il meurt en l'étreignant.

Les Misérables

Roman épique et historique qui, dans le cadre de l'histoire contemporaine, raconte la régénération de l'homme à partir de la dualité manichéenne du Bien et du Mal dans leurs aspects moraux et surtout sociaux. D'où l'importance du thème de la Justice et de la dénonciation des maux inhérents à l'ordre social. Le héros central, symbole de l'Homme et de sa dualité, est un ancien forçat, Jean Valjean, qui, accueilli chez l'évêque de Digne, Mgr Myriel, cède à la tentation de voler quelques couverts d'argent ; il s'enfuit, est pris par les gendarmes, mais l'évêque le sauve en se portant garant de son honnêteté. Geste décisif qui transforme Jean Valjean. Il deviendra l'honnête et respecté M. Madeleine, maire de sa ville. Or voici que dans cette ville sévit le policier Javert, qui soupçonne déjà M. Madeleine d'être Jean Valjean. Une affaire où interviendront les deux hommes va déterminer leur conflit : Fantine a été séduite, puis abandonnée avec sa fille Cosette ; elle est arrêtée par Javert, mais M. Madeleine la fait relâcher, et le ressentiment aiguise les soupçons de Javert. Le moment de la crise approche : bientôt, un vagabond, Champmathieu, est arrêté, car on est convaincu qu'il n'est autre que Jean Valjean. C'est pour M. Madeleine le moment de ce que H. appelle « une tempête sous un crâne », crise intérieure au terme de laquelle M. Madeleine décide de se dénoncer pour ne pas laisser punir un innocent : il fera publiquement cet aveu au cours même de la séance du tribunal où l'on juge Champmathieu. Laissé en liberté provisoire, il assiste Fantine au moment de sa mort et lui fait le serment de protéger Cosette ; après quoi il s'échappe et regagne Paris. Cosette est placée chez un couple d'aubergistes, les sinistres Thénardier (lui a fait fortune en détroussant les morts de Waterloo). Quant à Jean Valjean, il est repris par Javert et renvoyé au bagne. Il trouve cependant le moyen de s'évader une nouvelle fois en s'arrangeant pour que tout le monde le croie mort noyé. Il retrouve Cosette, l'enlève aux Thénardier et à leur méchanceté, et se réfugie finalement avec elle à Picpus, auprès de la communauté de l'Adoration perpétuelle. De là il ira, avec Cosette, s'installer rue Plumet, sous le nom de Fauchelevent. Il sera une nouvelle fois arrêté par Javert mais lui échappera. Entre-temps, il a fait connaissance avec les milieux républicains, où il a rencontré le jeune Marius. Entre Marius et Cosette naît alors une idylle approuvée par Valjean qui, fidèle à la promesse faite à Fantine, se conduit à l'égard de Cosette comme un père. Nous voici en 1832, au moment de la révolte des « misérables » parisiens. Sur une barricade, rue Saint-Denis, Jean Valjean est du côté des républicains avec Marius et un gosse de Paris, le célèbre Gavroche : un climat d'épopée emporte alors le récit de H., et ce n'est pas par hasard que l'épisode, en lui-même secondaire, de la mort de Gavroche est resté l'un des plus célèbres du roman. Intervient aussi l'étudiant Enjolras, qui anime la lutte sur la barricade. De l'autre côté, il y a Javert : Valjean devient alors le symbole même de la générosité dont il avait autrefois recueilli le germe chez Mgr Myriel : il laisse volontairement échapper Javert, alors que c'était là pour lui une magnifique occasion de vengeance légitime. Marius, de son côté, est blessé, et c'est Valjean qui le sauve. Lorsqu'il sera guéri, il épousera Cosette, et Jean Valjean pourra mourir en laissant à Cosette et à Marius le message essentiel : « Aimez-vous bien toujours, il n'y a guère autre chose que cela dans le monde. »

III. POÉSIE

Les Contemplations

La grande somme lyrique et prophétique. Le titre d'un des poèmes du dernier livre (IV) peut en donner la clé : *« Ibo »* (« J'irai »). C'est en effet le journal de la grande marche spirituelle du poète depuis l'enfance et la jeunesse jusqu'aux révélations de la « bouche d'ombre », à travers les exaltations de l'amour et les abîmes de la souffrance. Car ces « Mémoires d'une âme » sont organisés en deux grandes parties, de part et d'autre de l'événement – signe du destin et source de l'initiation – que fut la mort de la fille chérie de H., Léopoldine : I. *Autrefois ;* II. *Aujourd'hui,* et, comme pour souligner la place décisive de l'événement dans le destin poétique de l'auteur, chacune des deux parties comprend un nombre égal de trois livres.
1. *Autrefois.* Le livre I, *Aurore,* est consacré aux thèmes lyriques et frais de l'enfance et de la jeunesse, symbolisées, par exemple, par le printemps ou par la fraîcheur d'un paysage de nature. Le livre II, *l'Âme en fleur,* est celui de l'amour, inspiré dans sa quasi-totalité par Juliette Drouet. Le livre III, *les Luttes et les Rêves,* résulte d'une conversion du lyrisme du poète à la pitié envers les membres souffrants de l'humanité, élargissement qui rappelle celui du lyrisme de Lamartine dans sa *Lettre à Félix Guillemardet,* élargissement qui ouvre aussi la porte au symbolisme philosophique, recherche du sens de la souffrance humaine.
2. *Aujourd'hui.* Le livre IV, *Pauca meae (quelques mots pour mon enfant),* est celui de la douleur, consacré au souvenir de Léopoldine et aux réactions du père : tantôt réaction de révolte, tantôt soumission à la volonté de Dieu. Le livre V, *En marche,* est celui de la mise en marche d'une énergie intérieure qui, se nourrissant des expériences de la vie, s'engage dans la voie de la méditation, tantôt à la lumière de souvenirs personnels, tantôt dans la perspective d'une compréhension intuitive des mystères de la nature, de l'homme et de Dieu. Le recueil débouche ainsi, avec le livre VI, *Au bord de l'infini,* sur les révélations contenues dans de multiples messages, tantôt messages d'angoisse engendrant la tentation du désespoir, tantôt au contraire messages d'espérance, et ce sont eux qui finalement l'emportent. L'espérance peut alors ouvrir sur la prophétie, sur le message ultime de « Ce que dit la bouche d'ombre » : domination des forces de lumière sur les puissances des ténèbres, échec des maléfices et triomphe de l'universel amour.

Dieu. La Légende des siècles. La Fin de Satan

La grande somme épique de la vision hugolienne de l'histoire humaine, conçue sous forme d'un triptyque, dont l'élément central, *la Légende des siècles,* le seul achevé, est de beaucoup le plus développé. Néanmoins, on ne saurait séparer *la Légende* des deux autres volets, *Dieu* et *la Fin de Satan.*
1. *Dieu.* C'est l'exploration poursuivie par « les poètes profonds, hommes de la stature » qui « vivaient jadis, géants, en familiarité/avec le jour, la nuit, l'ombre et l'éternité. » Qui est Dieu ? Les réponses historiques de l'humanité sont successivement données par des animaux symboliques : la chauve-souris, le hibou, le corbeau, le vautour, l'aigle et le griffon ; ce sont les porte-parole du progrès de l'homme dans la reconnaissance de Dieu, de l'athéisme au christianisme, en passant par le scepticisme, le manichéisme, le paganisme et le judaïsme mosaïque.
2. *La Légende des siècles.* Entre l'interrogation qui inaugure et domine l'histoire humaine, et le point culminant du progrès que chantera *la Fin de Satan, la Légende* est la mise en épisodes, en scènes et en images, de l'histoire elle-même, selon une double structure : dramatique, avec la lutte du Bien et du Mal ; prophétique, avec la courbe ascendante du progrès. D'Ève à Jésus, *la Légende* déroule d'abord les images de l'âge biblique, de l'histoire de Caïn (« la Conscience »), irruption du mal dans le monde, à celle de Booz (« Booz endormi »), qui est promesse de rédemption. À la Bible succèdent Rome, l'Islam, puis surtout le « cycle héroïque chrétien », où se mêlent les mythes nordiques et germaniques avec les légendes espagnoles et françaises. Au-delà de l'Orient et de l'Italie paraît comme une illumination la Renaissance : c'est le grand poème central du « Satyre », prophétisant la naissance de l'homme et le développement de ses pouvoirs, en contraste avec les tentatives de la tyrannie, représentée en particulier par Philippe II (« la Rose de l'infante »). Tandis que le XVIIe et le XVIIIe siècle sont, pour ainsi dire, court-circuités (peut-être parce que, trop rationalistes, ils ne se prêtent guère à l'interprétation prophétique), *la Légende* en arrive alors aux Temps modernes, inaugurés par Napoléon : ce sont les poèmes consacrés à la légende symbolique de l'Empereur. Enfin le regard du poète, débordant

l'histoire accomplie, s'ouvre sur les perspectives de l'histoire à venir : « Vingtième Siècle » pressent la conquête du monde par l'homme et la croissance bénéfique de son pouvoir (« Pleine Mer », « Plein Ciel »), et, au-delà même de l'histoire, l'ultime vision, « Hors des temps », fait entendre « la Trompette du Jugement ». *La Légende* s'achèvera sur une vision grandiose, « Abîme », où, au-delà du dialogue entre la Terre et le Cosmos, le dernier mot appartient à l'Infini, qui proclame : *L'être multiple vit dans mon unité sombre,* tandis que Dieu ajoute : *Je n'aurais qu'à souffler, et tout serait dans l'ombre.*

3. *La Fin de Satan.* Dieu et l'Infini se retrouveront au terme de *la Fin de Satan :* une plume échappée à l'aile de Satan – Satan précipité « depuis quatre mille années » dans le gouffre de l'insondable abîme – a donné naissance à l'ange Liberté. Tandis que paraissent les grands personnages symboliques, Nemrod et le Christ, l'ange Liberté rejoint Satan pour le supplier de mettre fin à son œuvre de maléfice et de haine. Alors éclate le paradoxe de Satan, explication du paradoxe correspondant de l'homme et de l'histoire ; il est en effet lui-même amour (« Cent fois, cent fois, cent fois, j'en répète l'aveu,/ J'aime »), mais : « l'amour me hait ». Cette confession que Dieu est amour appelle la réponse de Dieu même : « Non, je ne te hais point », car entre Dieu et Satan a pris place l'ange Liberté, et c'est lui qui, sous le regard de Dieu, acquiert le pouvoir de délivrer l'homme et de délivrer Satan lui-même ; pour conclure le poème et proclamer la prophétie du monde futur, « Dieu parle dans l'Infini » et y fait retentir la parole définitive : « Satan est mort ; renais, ô Lucifer céleste ! »

HUGUES DE SAINT-VICTOR. Près d'Ypres fin XIe – abbaye de Saint-Victor (Paris) 3.1141. Il passa la plus grande partie de sa vie au monastère de Saint-Victor fondé par G. de Champeaux. Curiosité de l'esprit, goût du savoir et même tendance à accumuler les connaissances, telles sont ses qualités maîtresses. Son intérêt se porte sur les sujets les plus variés : sciences humaines, arts libéraux, philosophie, histoire. Son œuvre la plus importante est le *Didascalion* (en latin), récapitulation des différentes disciplines qu'il faut connaître avant d'aborder l'étude de l'Écriture sainte et de la théologie. S.V. organise le savoir philosophique en quatre parties. Au sommet se trouve la « theorica » (elle-même subdivisée en mathématiques, physique et théologie) ; ensuite la « practica » ou éthique, puis la « mechanica », qui rassemble l'ensemble des techniques humaines. Enfin la « logica », qui joue le rôle de régulateur et initie aux autres sciences. Dans le domaine de la théologie, H. allie la loi, dictée par l'Écriture, et son expérience personnelle, sans contradictions apparentes. Dans plusieurs opuscules, lettres ou traités, et surtout dans son *De sacramentis legis naturalis scriptae,* s'exprime cette dualité qui peut apparaître comme à l'avant-garde de la pensée religieuse de l'époque. Son enseignement a été soigneusement conservé par la tradition victorienne et a contribué à faire de ce monastère l'un des hauts lieux de la pensée religieuse du Moyen Âge et l'un des meilleurs témoignages de son authenticité : Rutebeuf, dans ses attaques contre le clergé régulier, n'en épargne pas moins l'abbaye de Saint-Victor, ce qui est significatif.

Œuvres. *De grammatica,* s.d. – *Practica geometriae,* s.d. – *Chronicon,* s.d. – *De sacramentis legis naturalis scriptae,* s.d. – *De sacramentis fidei christianae,* avant 1136. – *Summa sententiarum,* s.d. – *Didascalion* ou *Eruditionis didascalicae libri septem,* après 1137. – *De scripturis et scriptoribus sacris praenotatiunculae,* s.d. – *Homiliae in Ecclesiastem,* s.d. – *In Hierarchiam celestem Sancti Dyonisii,* s.d. – *De arca Nœ morali,* s. d. – *De arca Nœ mystica,* s.d. – *De arrha animae,* s.d.

HUMANISME. Dans son sens général et moderne, le terme désigne tout art, toute doctrine, toute idéologie qui propose un « modèle humain » défini comme synthèse des qualités intellectuelles, sociales, morales, affectives, caractéristiques de la « nature humaine ». Il y a donc à travers l'histoire, diachroniquement, et à l'intérieur d'une civilisation donnée, synchroniquement, possibilité de plusieurs humanismes (par ex., humanisme chrétien, humanisme libéral, humanisme marxiste, etc.).

Historiquement, le terme désigne d'autre part le mouvement intellectuel qui, aux XVe et XVIe s., s'étendit sur toute l'Europe et qui, s'opposant à la tradition scolastique médiévale, prône le retour aux sources de la culture : sources religieuses avec l'évangélisme, sources littéraires et philosophiques avec le retour à l'Antiquité. Mais l'humanisme historique répond aussi à la définition générale, car les grands humanistes proposent justement un « modèle humain » – incarné par ex., chez Rabelais dans le mythe de Gargantua et de Pantagruel –, modèle que construisent conjointement la culture, la morale, la pédagogie et la politique des humanistes, de Rabelais à Ronsard et à Montaigne. Cet humanisme, qui peut se définir par la volonté d'accomplir la nature humaine dans sa plénitude, avait d'ailleurs été pressenti par le Moyen Âge lui-même, dans le cadre, par exemple, de la « Renaissance » du XIIe s. ou de certains courants philosophiques (Abélard). Cet humanisme connaîtra, à travers des crises successives, comme celles de la fin du XVIe ou de la fin du XVIIe s., une longue évolution qui conduit de l'humanisme « antique » du XVIe s. à l'humanisme « moderne » du XVIIIe s., en attendant l'humanisme historique ou scientiste du XIXe s. À travers cette évolution se manifeste la permanence d'une recherche de l'authenticité humaine dans les diverses incarnations culturelles qui résultent des tranformations historiques. Enfin, il semble que, dans la seconde moitié du XXe s., l'humanisme connaisse une de ses crises les plus graves : malgré l'affirmation de J.-P. Sartre pour qui « l'existentialisme est un humanisme » (titre d'un livre de 1948), l'existentialisme n'en avait pas moins mis en question un des principes fondamentaux de l'humanisme, la notion de nature humaine ; la philosophie de l'absurde tend à nier la possibilité même d'un accord – essentiel du point de vue humaniste – entre l'homme et le monde, et A. Camus a dû précisément dépasser la philosophie de l'absurde pour pouvoir reconstruire un humanisme ; enfin, après que Nietzsche eut proclamé la mort de Dieu, mort qui, selon Dostoïevski, risque de ruiner le fondement moral et métaphysique de l'humanisme, la pensée contemporaine (M. Foucault) a lancé l'hypothèse de la « mort de l'homme » : le problème d'un humanisme moderne est ainsi posé en termes particulièrement aigus.

HUMOUR. Du mot anglais *humour* (américain : *humor),* lui-même emprunté au français *humeur.* Différent à la fois de l'*esprit* et de l'*ironie,* avec lesquels il a cependant quelque affinité, l'humour est l'envers du sérieux : qui « se prend au sérieux » n'a pas « le sens de l'humour » (les deux expressions sont pratiquement synonymes). On sait que l'humour est souvent considéré comme une spécialité britannique ; il est vrai qu'il occupe dans la littérature anglaise une place considérable. Mais l'humour est aussi une disposition universelle de l'esprit humain qui tend à se couvrir de sérieux pour faire passer le comique implicite d'une vision volontiers dérisoire de la nature humaine et de la société : le symptôme caractéristique de l'humour est à cet égard sa causticité. Dans la littérature française, l'humour est un des ressorts particuliers du surréalisme ; mais Breton en donne une définition nouvelle dans la mesure où elle s'inspire de Freud et de la psychanalyse : « le triomphe paradoxal du principe de plaisir sur les conditions réelles » ; il est donc tout à la fois refuge de l'esprit et instrument d'agression contre le monde réel. Ainsi se forme l'humour dit « objectif », qui naît d'une distorsion entre la réalité objective et la représentation subjective de cette même réalité. L'humour acquiert dès lors une dimension nouvelle, et il est comme le revers du désespoir existentiel : c'est l'humour « noir » de J. Vaché, par exemple, qui se retrouve chez certains dramaturges contemporains tel Ionesco, expression d'un tragique qui se voit lui-même comme dérisoire, dans la mesure où il est un tragique du « non-sens », et il est vrai que le « non-sens » dans le langage est comme une expression-limite de l'esprit humoristique (dans la littérature anglaise, le genre particulier du *nonsense* correspond à une sorte d'extrémisme de l'humour).

HUON DE BORDEAUX. Chanson de geste de la fin du XIIe ou du début du XIIIe s. plus tard intégrée artificiellement à la *Geste du roi,* ce texte est comme une transition entre la littérature héroïque et la littérature courtoise. Elle illustre en effet l'influence sur les légendes épiques du romanesque qui commence alors à imprégner la littérature et la société médiévales. Le jeune Huon reçoit de Charlemagne une mission dangereuse destinée à racheter le meurtre de Charlot que Huon a tué sans le connaître. Il devra se rendre auprès de l'émir Gaudisse, dans l'Orient lointain, tuer le premier païen qu'il rencontrera, embrasser trois fois la fille de l'émir et transmettre des messages insolents. Mais le poème s'attache surtout à raconter les aventures merveilleuses du héros au cours de son voyage, aventures qui, toutes, découlent de la première, la rencontre dans la forêt, du nain Obéron ; celui-ci fait un premier miracle : le son de son cor magique libère Huon et ses compagnons de la faim et de la souffrance, mais, effrayés par cette sorcellerie, il s'enfuient, à la grande colère du nain qui finira par les contraindre à reconnaître son pouvoir. Dès lors, Obéron sera jusqu'au bout le protecteur fidèle et efficace du héros, qui mène sa tâche à bien, grâce non point à son énergie propre, mais à de constantes interventions magiques. Si Huon en effet finit par rentrer en France avec, pour épouse, Esclamonde, la fille même de l'émir, c'est que la rencontre d'Obéron l'a fait entrer dans ce monde romanesque de la magie et du merveilleux où tout se déroule et se résout par enchantement. Dès lors l'épopée cesse d'être légendaire et héroïque pour s'ouvrir à l'imaginaire et au fantastique.

HUYSMANS Joris-Karl, Georges Charles Marie, dit. Paris 5.2.1848 – 12.5.1907. Son père appartenait à une famille hollandaise de Breda, héritière d'une longue tradition artistique : il vint à Paris pour y pratiquer la lithographie et épousa la fille d'un fonctionnaire. De cette union naquit le futur écrivain, qui, dès ses débuts en littérature, traduisit en néerlandais deux de ses prénoms. Le père meurt alors que l'enfant a huit ans, et c'est désormais, selon ses propres termes, « une vie d'humiliation et de panne », qui le marquera profondément. Il deviendra fonctionnaire au ministère de l'Intérieur et, jusqu'à sa retraite à Ligugé en 1898, habitera le quartier Saint-Sulpice. Il commencera par être un disciple de Baudelaire, sur le modèle de qui il publie en 1874 des poèmes en prose, *le Drageoir aux épices ;* puis il s'engage dans la voie du réalisme un peu à la manière des Goncourt, en contruisant ses romans autour de ses souvenirs et de ses expériences : dès 1876, *Marthe* est un roman sur la prostitution, en avance d'un an sur *la Fille Élisa* (E. de Goncourt) ; *les Sœurs Vatard,* histoire de deux brocheuses, évoquent la condition ouvrière féminine ; *En ménage* décrit avec minutie le ménage de célibataires de deux amis, André et Cyprien ; le type du célibataire – image de H. lui-même ? – se retrouve incarné dans Jean Folantin, le héros de *À vau-l'eau,* alors que la vie conjugale – dont H. n'avait aucune expérience personnelle – forme le sujet de *En rade.* Tous ces livres plongent le lecteur en plein naturalisme, et H. s'est fait progressivement le disciple de Zola : il avait en 1880 collaboré aux *Soirées de Médan* avec sa nouvelle « Sac au dos ». Dans le même temps, H. se passionne pour l'art moderne, en particulier pour la peinture impressionniste *(L'Art moderne),* et d'ailleurs son art de romancier ou de nouvelliste est lui-même de caractère pictural et impressionniste, grâce à quoi cette part de son œuvre constitue un document de premier ordre sur le Paris de ces années 1880 : H. ne se définissait-il pas lui-même comme un « Hollandais putréfié de parisianisme » ? Il écrira aussi des monographies sur les quartiers de Paris *(la Bièvre, les Gobelins, le Quartier Notre-Dame).* Mais l'écrivain a bientôt le sentiment que ce naturalisme impressionniste risque de le conduire à une impasse, et, quelques années plus tard, il avouera sa nostalgie de ce qu'il appelle alors un « naturalisme spiritualiste », c'est-à-dire ce que Baudelaire, son premier maître, avait désigné du nom de « surnaturalisme ». En 1884 paraît *À rebours,* qui marque un tournant décisif dans l'œuvre de H. Le livre met en scène le personnage resté célèbre de Des Esseintes, qui, retiré dans une villa de Fontenay-aux-Roses, y pratique une sorte d'ascétisme raffiné, ascétisme poétique qui a pour fin de créer un univers artificiel de caractère purement esthétique, et l'on comprend que Mallarmé ait écrit une « prose pour des Esseintes ». Mais l'importance de *À rebours,* non seulement dans l'œuvre de H. mais aussi dans l'histoire littéraire de la fin du XIXe s, tient à ce que ce livre marquait une rupture décisive avec le naturalisme et, par là, symbolisait la volonté de sortir de l'impasse naturaliste, volonté dont H. est le précurseur et qui est aussi celle de Mallarmé, de Villiers de l'Isle-Adam ou du jeune Claudel. Déjà Des Esseintes s'intéresse au surnaturel, religieux ou esthétique ; avec *Là-bas,* qui met en scène le personnage de Durtal, incarnation de H. lui-même, le surnaturalisme commence de se porter au-delà de l'esthétisme : le livre retrace la découverte des mystères de l'occultisme et de la magie et accentue par conséquent la rupture avec le naturalisme. En 1895, l'itinéraire spirituel de H. s'achève avec *En route,* relation autobiographique de sa conversion au catholicisme, intervenue trois ans plus tôt sous la direction de l'abbé Mugnier. *La Cathédrale* traduit l'aspect esthétique de cette conversion, en développant, à propos de Chartres, une méditation sur la symbolique de l'architecture gothique. C'est la même année (1898) que H. se retire comme oblat chez les Bénédictins de Ligugé ; en 1903, après l'expulsion des moines (1901) et son retour forcé à Paris, il publiera le récit de cette expérience dans *l'Oblat,* avant de s'intéresser au problème de Lourdes dans *les Foules de Lourdes.* Cette œuvre, qui paraît ainsi se partager entre deux inspirations opposées, est en fait marquée d'une profonde unité littéraire : c'est partout la même brutalité nerveuse du style, le même goût du détail et de la précision, les mêmes tendances expressionnistes, la même sincérité enfin. Il est peu d'œuvres de cette époque qui soient aussi manifestement le miroir d'une âme. Et c'est sans doute ce qui explique que l'œuvre de H. ait suscité chez ses lecteurs, jusqu'à nos jours, une fidélité passionnée.

Elle est, en tout cas, comme l'avait bien vu Barbey d'Aurevilly, un des plus sincères témoignages de la crise née, dans les dernières années du XIXe s., de la contradiction, qui tourmente alors les milieux intellectuels, entre le triomphe du naturalisme et la nostalgie du surnaturalisme.

Œuvres. *Le Drageoir aux épices* (poèmes en prose), 1874 (P). – *Marthe, histoire d'une fille,* 1876 (N). – *Émile Zola et « l'Assommoir »,* 1877 (E). – *Les Sœurs Vatard,* 1879 (N). – « Sac au dos » (dans *les Soirées de Médan*), 1880 (N). – *Croquis parisiens,* 1880 (E). – Avec L. Hennique, *Pierrot sceptique* (pantomime), 1881 (T). – *En ménage,* 1881 (N). – *À vau-l'eau,* 1882 (N). – *L'Art moderne,* 1883. – *À rebours,* 1884 (N). – *En rade,* 1887 (N). – *Certains,* 1889 (E). – *Là-bas,* 1891 (N). – *En route,* 1895 (N). – *La Cathédrale,* 1898 (N). – *La Bièvre et Saint-Séverin,* 1898. – *Pages catholiques,* 1899 (E). – *Sainte Lydwine de Schiedam,* 1901 (E). – *De tout,* 1902. – *Esquisse biographique sur don Bosco,* 1902 (E). – *L'Oblat,* 1903 (N). – *Trois Primitifs,* 1905 (E). – *Les Foules de Lourdes,* 1906. – *Trois Églises et Trois Primitifs,* posth., 1908. – *Croquis et eaux-fortes* (douze textes publiés de 1875 à 1877), posth., 1984.

À rebours

Dernier rejeton d'une grande famille, Jean Des Esseintes, après avoir épuisé les ressources de la société et du plaisir, se consacre à la solitude. Mais la raison de son refus du monde est d'ordre esthétique ; aussi entreprend-il de transformer sa retraite en une sorte de fête raffinée pour dilettante blasé. Cependant l'excès même de son esthétisme donne naissance à une perpétuelle surenchère qui débouche sur l'épuisement et conduit à la névrose. Le médecin de Des Esseintes ne voit de salut que dans le retour à la fréquentation des hommes, ce qui désespère l'esthète et le conduit à invoquer la grâce du Dieu des chrétiens, mais c'est en vain : il s'est en quelque sorte lui-même condamné à son néant.

Là-Bas. En route

A certains égards, le nouveau personnage de H., Durtal, est de la même race que Des Esseintes ; à lui aussi, le monde des hommes, tel qu'il est, répugne ; mais le point d'arrivée de Des Esseintes est le point de départ de Durtal, dont l'itinéraire va se poursuivre en deux étapes, à partir d'une volonté de dépassement de l'esthétisme pur, qui s'est révélé être une impasse. Dans *Là-bas,* c'est la plongée dans le monde – à la fois mystique et diabolique – de l'occultisme et de la magie ; mais, du fait même de son ambiguïté, cette expérience aboutit elle aussi à une impasse. Aussi, dans *En route,* Durtal trouve-t-il le moyen d'ouvrir l'esthétisme sur une perspective de plénitude spirituelle, celle de la grâce chrétienne, sous la forme de la vie monastique : de la découverte des beautés de l'art chrétien Durtal passe à la reconnaissance de leur signification profonde et entre alors dans la voie du salut : son évolution, sa « route », le conduit ainsi, naturellement et nécessairement, à expérimenter les vertus rédemptrices de la vie monastique, forme exemplaire de la vraie mystique ; évolution couronnée et accomplie, au terme de la route, dans la vie religieuse que raconteront *l'Oblat* et *la Cathédrale.*

HYMNE. Cantique, chant de gloire, poème d'invocation ou d'adoration. Chez les Anciens, l'hymne était un poème en l'honneur des dieux, qui, de ce fait, revêtait un caractère mythologique (*Hymnes* de Callimaque). Ressuscité au XVIe s. en France par Ronsard (*Hymnes,* 1555-1556), il devient un poème de glorification (*Hymne de Henri II)* ou la forme lyrique de la poésie philosophique (*Hymne de la mort).* À l'époque moderne, sous l'influence du romantisme allemand en particulier (Novalis, *Hymnes à la nuit),* sans que le mot soit toujours explicitement employé, la forme « hymnique » de l'expression poétique tend à coïncider avec l'inspiration visionnaire et prophétique (P.-J. Jouve).

I

ÏAMBE. Dans l'Antiquité : 1. Pied composé d'une brève et d'une longue, de rythme ascendant. 2. Vers, dont le deuxième, le quatrième et le sixième pied sont ordinairement des ïambes. À l'époque moderne, par allusion au fait que le rythme ïambique avait servi à la satire dans la poésie grecque (Archiloque), le mot désigne une pièce satirique généralement composée d'alexandrins et d'octosyllabes alternés, et de ton violent (A. Chénier, A. Barbier).

IDÉALISME. Attitude philosophique selon laquelle il n'est pas de réalité indépendante de la pensée qui la conçoit. En littérature, et particulièrement en poésie, l'esthétique idéaliste définit l'art comme moyen de connaissance d'une réalité transcendante au monde sensible, qui n'en est alors que la figure ou le symbole : c'est le sens du célèbre sonnet des « Correspondances » de Baudelaire, et, dans son ensemble, le mouvement symboliste de la fin du XIXe s. relève d'une esthétique idéaliste. Enfin, dans une signification plus confuse, il arrive que le mot soit pris en mauvaise part et qu'on appelle littérature « idéaliste » une littérature qui refuse de tenir compte des aspects gênants, immoraux ou violents de la réalité.

IDÉOLOGUES. Groupe philosophico-politique, représenté principalement par Destutt de Tracy (1754-1836), Cabanis (1757-1808), Volney (1757-1820) et Daunou (1761-1840). Le moment d'apogée de son influence se situe sous le Directoire et le Consulat : le double propos des Idéologues est essentiellement de fonder la psychologie sur les méthodes des sciences physiologiques, la médecine en particulier (psychophysiologie de Cabanis), et de définir la politique comme technique scientifique (économie sociale de Destutt de Tracy). Cette école de pensée se rattache ainsi à l'orientation déjà « scientiste » de certains philosophes du XVIIIe s. (Cabanis était le fils d'un ami de Turgot et fut un familier du salon de Mme Helvétius) ; elle continue et approfondit l'effort de Diderot pour fonder expérimentalement la théorie des relations entre le physique et le moral (Cabanis, *Rapports du physique et du moral chez l'homme*). C'est Destutt de Tracy qui, avec ses *Éléments d'idéologie* de 1804, donne au mouvement le nom qu'il a conservé dans l'histoire de la pensée. C'est lui aussi qui généralise le principe idéologique selon lequel tout dans l'homme, l'individuel et le collectif, est gouverné par un rigoureux déterminisme *(Traité de la volonté).* La théorie stendhalienne de l'amour est l'exemple le plus célèbre de l'influence littéraire exercée par les Idéologues, mais cette influence fut en fait sensiblement plus large, même si elle apparaît parfois diffuse ou indirecte : tout ce qui, dans la littérature du XIXe s., se rattache au principe d'un déterminisme psychophysiologique et sociologique trouve sa source première dans la théorie des Idéologues, qui furent les premiers à systématiser une interprétation déterministe des sentiments et comportement humains. On notera enfin que, historiquement, les Idéologues sont contemporains du courant spiritualiste qui, en opposition avec eux, se manifeste en littérature (*le Génie du christianisme* de Chateaubriand paraît la même année, 1802, que le livre de Cabanis mentionné ci-dessus) et en philosophie : Maine de Biran (1766-1824), d'abord lié avec Cabanis et Destutt de Tracy, opère un véritable virage spiritualiste avec son *Mémoire sur la décomposition de la pensée* de 1805 et surtout son *Essai sur les fondements de la psychologie* (posth., écrit aux environs de 1810), où, précurseur de Bergson, il propose l'hypothèse d'une énergie mentale, source d'une causalité proprement spirituelle. Cette opposition entre déterminisme et spiritualisme ainsi instaurée dès les années 1800 explique bien des aspects conflictuels de la pensée et de la littérature du XIXe s., et, par exemple, l'ambiguïté de la philosophie implicite d'un Balzac, également influencé par ces deux courants de pensée.

IDYLLE [grec *éidullion* = petit tableau]. Originellement : petit poème lyrique de sujet généralement amoureux. Le sens s'est rapidement élargi pour désigner une littérature de caractère sentimental. C'est ce caractère qui définit le genre idyllique du Moyen Âge *(Floire et Blancheflor)* et, mieux encore, de l'époque de la Préciosité. En tant que genre, l'idylle renaîtra au XVIIIe s. dans le cadre du mouvement néo-classique, par exemple chez A. Chénier : elle revêt alors un caractère à la fois pittoresque, symbolique et mythologique (« l'Aveugle » ; Néère »). Quand elle met l'accent sur le décor pastoral, l'idylle est proche de l'églogue.

IKOR Roger. Paris 28.5.1912. Né d'un père lituanien et d'une mère polonaise, avec une ascendance juive, I. fait ses études au lycée Condorcet et entre à l'École normale supérieure. Après avoir passé l'agrégation de grammaire, il enseigne au lycée d'Avignon jusqu'à la guerre. Lieutenant d'infanterie, fait prisonnier en 1940, il restera en captivité en Poméranie pendant cinq ans. Cette dure expérience deviendra pour lui une source de méditation et d'inspiration, et le journal qu'il tient alors reflétera « la trace fidèle d'un certain moi placé dans certaines conditions ». À son retour, il reprend son activité d'enseignant dans un lycée parisien, tout en collaborant aux *Lettres françaises* et en composant des romans dans la ligne traditionnelle et réaliste. Il terminera sa carrière universitaire en 1973 comme maître-assistant à la Sorbonne. *À travers nos déserts* et *les Grands Moyens* sont suivis d'un premier roman cyclique, *les Fils d'Avrom* (I, *la Greffe du Printemps ;* II, *les Eaux mêlées,* prix Goncourt 1955 et prix Albert-Schweitzer), histoire de l'intégration progressive dans la communauté française d'une famille juive émigrée de Russie, à travers trois générations. Se réclamant de R. Martin du Gard, de G. Duhamel et de J. Romains, I. compose ensuite une nouvelle œuvre romanesque cyclique, *Si le temps...*, qui mêle au goût de la fresque morale et sociale contemporaine, avec des personnages vigoureusement tracés, celui de la réflexion sur une éthique. Empreinte d'un humanisme généreux et optimiste qui fait confiance à l'homme et à l'avenir, l'œuvre d'I. fait appel aux grands thèmes de toujours et aux sentiments les plus naturels et les plus proches de la vie quotidienne, dans une langue vivante, chaleureuse et communicative, souvent même plus parlée qu'écrite : ce qui explique sans doute que *les Eaux mêlées* aient pu donner lieu à une adaptation télévisée qui est un modèle du genre. Mais I., loin de s'en tenir à une narration purement linéaire, met aussi en œuvre toutes les techniques qui lui permettent de donner priorité à l'épaisseur de son univers et au dynamisme de l'énergie individuelle et collective qui l'anime.

Œuvres. *L'Insurrection ouvrière de juin 1848,* 1936 (E). – *Saint-Just,* 1937 (E). – *À travers nos déserts,* 1950 (N). – *Les Grands Moyens,* 1951 (N). – *Les Fils d'Avrom* (I, *la Greffe du printemps ;* II, *les Eaux mêlées),* 1955 (N). – *Ulysse au port,* 1956 (T). – *Ciel ouvert* (nouvelle), 1957 (N). – *Mise au net,* 1957 (E). – *Si le temps...* (6 vol. : *le Semeur de vent,* 1960 ; *les Murmures de la guerre,* 1961 ; *la Pluie sur la mer,* 1962 ; *la Ceinture du ciel,* 1964 ; *les Poulains ; Frères humains),* 1960-1969 (N). – *Gloucq ou la Toison d'or,* 1965 (N). – *Les Cas de conscience du professeur,* 1967 (E). – *Peut-on être juif aujourd'hui ?* 1968 (E). – *Lettre ouverte aux juifs,* 1970 (E). – *Le Tourniquet des innocents,* 1972 (N). – *L'École et la Culture ou l'Université en proie aux bêtes,* 1972 (E). – *Pour une fois, écoute, mon enfant,* 1976 (E). – *Lettre ouverte à de gentils terroristes,* 1976 (E). – *Molière double,* 1977 (E). – *Le Cœur à rire,* 1978 (E). – *Sans haine et sans colère,* 1978 (E). – *La Kahina,* 1979 (N). – *L'Éternité dernière,* 1980 (N). – *Je porte plainte,* 1981 (E). – *Le Joueur de flûte,* 1983 (T). – *La Tête du poisson,* 1983 (N). – *Les Fleurs du soir,* 1985 (N).

La Greffe du printemps. Les Eaux mêlées

Histoire de trois générations successives d'une famille juive venue de Russie en France avant la guerre de 1914. Le récit est donc chronologique et insère l'histoire de cette famille dans l'histoire de la France : déjà au niveau de cette insertion et des formes qu'elle revêt s'affirme et se diversifie le thème dominant de l'œuvre : celui de l'assimilation. Les générations restent tout au long en contact, dans le cadre des liens familiaux, mais avec des degrés d'assimilation plus ou moins avancés, de sorte que le récit, au-delà de sa chronologie linéaire, symbolise aussi, dans son épaisseur, le progressif « mélange » des « eaux », mélange accompli lorsque le fils de la troisième génération, Simon, épouse une « Française », et lorsqu'un enfant va naître de cette union : aux yeux du vieux Yankel, le patriarche, qui fraternise avec les petits-bourgeois beaux-parents de Simon, dans la banlieue parisienne, c'est là le signe d'une grande espérance humaine incarnée dans le « monde de demain ». Il est clair enfin que la vibration qui traverse tout ce cycle romanesque, même s'il est écrit dans le style de l'objectivité réaliste, témoigne de la présence d'une autobiographie transposée, car, tout au long, cette histoire laisse au lecteur l'impression qu'elle est à la fois observée de l'extérieur et vécue de l'intérieur.

ILLUMINISME. (Voir HERMÉTISME.)

INTERMÈDE [*italien intermezzo*]. Divertissement musical intercalé au XVIe s., en Italie, entre les actes d'une comédie ou d'une tragédie et appelé *intermezzo.* On peut déjà appeler « intermèdes » les pauses ménagées, au Moyen Âge, entre les parties des longs mystères, pauses pendant lesquelles des psaumes étaient chantés. Molière usa d'intermèdes dans quelques-unes de ses comédies *(le Bourgeois gentilhomme, le Malade imaginaire) ;* Racine également dans *Esther* et *Athalie,* où ce sont des chœurs lyriques qui jouent ce rôle. Sont également appelées intermèdes de petites pièces gaies, jouées avant ou après la pièce principale. Ces « intermèdes » sont fréquents dans le théâtre italien et espagnol. En France, on les appelle plus volontiers « levers de rideau ».

INTRIGUE. Organisation des événements constitutifs d'une action dramatique ou romanesque, construite selon une logique interne qui vise à conférer une signification à cette suite d'événements (dans une littérature du non-sens, comme celle du « nouveau roman » des années 1950, la première opération de destruction ou de relativisation du sens est précisément l'abolition de l'intrigue). Comparable à ce qu'est le montage au cinéma, l'intrigue d'un roman ou d'une pièce de théâtre est une structure née de la mise en œuvre d'un système plus ou moins complexe d'articulations entre les éléments de l'action : la fonction de l'intrigue est ainsi d'établir le fondement de l'œuvre elle-même sur une ordonnance formelle clairement perceptible par le lecteur ou le spectateur. Les principes de construction de l'intrigue varient selon le parti esthétique de l'auteur : ainsi, dans la tragédie du XVIIe s., tandis que Corneille met en œuvre une intrigue complexe (« implexe », disait-il), Racine, au contraire, recherche avant tout la simplicité et la linéarité ; dans le roman, les différents types d'intrigues se différencient selon un choix fondamental entre la structure linéaire d'une intrigue purement chronologique (Flaubert) et les différentes formes de structure en contrepoint, telles qu'elles se sont manifestées de Balzac à Proust et à Jules Romains. Comme le montage cinématographique, l'intrigue romanesque ou dramatique est étroitement solidaire de la temporalité de l'œuvre : ce n'est pas par hasard que, pour le théâtre comme pour le roman, du XVIIe au XXe s., les théories littéraires concernant l'intrigue ont porté avant tout sur l'organisation de la durée interne de l'œuvre (règle des unités du théâtre classique, ubiquité temporelle et spatiale du drame romantique ou du théâtre claudélien, retour des personnages dans le roman balzacien, conception bergsonienne de la durée dans le roman proustien, dissolution de la temporalité dans le « nouveau roman »).

IONESCO Eugène. Slatina (Roumanie) 26.11.1912. Dramaturge français d'origine roumaine. Né d'un père roumain, avocat, et d'une mère française, il passe son enfance en France, à Paris et à La Chapelle-Anthenaise, petit village de la Mayenne, dont il gardera un poétique souvenir. À onze ans, il écrit ses premiers poèmes, un scénario de comédie et un drame patriotique. En 1925, il retourne en Roumanie, et, ses parents ayant divorcé, sa garde est confiée à son père. Il doit alors apprendre le roumain, qu'il ignorait, et changer de rythme de vie. Il voudrait devenir acteur, mais son père l'oriente vers l'enseignement, et il prépare une licence de français. Influencé par Maeterlinck et F. Jammes, il écrit alors des vers d'inspiration symboliste, en même temps qu'un roman. Il commence à collaborer à des revues, où il énonce déjà certains principes de sa future dramaturgie. Marié en 1936, il obtient une bourse du gouvernement roumain en 1938 pour préparer à Paris une thèse sur « les Thèmes du péché et de la mort dans la poésie française depuis Baudelaire », thèse restée à l'état de projet. Mais I. retrouve la France et ses souvenirs personnels en un moment où la guerre va éclater ; il rejoint alors la Roumanie, qu'il ne tarde pas à quitter pour se fixer définitivement à Paris, où il mènera tout d'abord une existence besogneuse. Un jour, désireux d'apprendre rapidement l'anglais, il fait l'emplette d'un manuel de conversation, à la lecture duquel il est saisi d'une sorte d'illumination : ces dialogues faits de truismes et de clichés lui apparaissent comme possédant une force comique, satirique et symbolique qui suggère un véritable procès du langage. Il compose aussitôt *la Cantatrice chauve,* pièce parodique et parodie de pièce, ainsi intitulée « parce qu'aucune cantatrice, chauve ou chevelue, n'y fait son apparition » ! Personnages élémentaires et mécaniques prononçant des phrases tirées du manuel de conversation ; dialogues dont l'incohérence, le vide et la banalité dénoncent la vanité du langage et du monde qu'il prétend exprimer. Puis ces mécanismes linguistiques se faussent, défigurant et falsifiant le « réel ». Ce comique est soutenu et approfondi par une accélération rythmique qui aboutit à la véhémence et à l'éclatement purs. À la fin, les mots qui envahissent la scène atteignent ainsi le paroxysme du non-sens. Agression du public et satire d'un certain théâtre, cette « antipièce » est en 1950 un échec, en attendant de connaître, dix ans plus tard, un succès qui ne s'est jamais démenti depuis. Seuls Breton et Queneau, parmi les écrivains, et J. Lemarchand, parmi les critiques, surent en reconnaître d'emblée la portée. Sans se décourager, I. récidive avec *la Leçon,* où un professeur timide et bégayant domine peu à peu et finit par tuer son élève, jeune fille à l'innocence pleine d'assurance et de sottise, qu'il préparait au « doctorat total ». I. compose dans le même temps *Jacques ou la Soumission,* « drame naturaliste » où il met en œuvre, parodiquement, divers procédés de théâtre (mimes, masques, maquillages, burlesque de cirque) en accord avec une totale dérision du langage (déformations, non-sens, utilisation aberrante de termes psychanalytiques, « collages » de citations incohérentes), afin d'explorer les instincts que révèle le rêve, dans une tentative pour théâtraliser la « logique » propre aux relations oniriques. À cette première période de recherche et d'expérimentation, où I. élabore sa technique, appartiennent encore des sketches, ou scènes isolées, fondés sur un jeu de langage ou sur l'emploi d'un procédé scénique *(les Salutations ; le Rhume onirique ; le Salon de l'automobile ; la Nièce épouse ; Le connaissez-vous ? ; la Jeune Fille à marier ; le Maître ; les Grandes Chaleurs).* En 1952, *les Chaises* marquent un premier tournant, dans la mesure où cette « farce tragique » découle d'un système dramatique déjà élaboré et, dans son mélange savant de grotesque et de pitoyable, atteint une dimension métaphysique. D'autre part, avec *Victimes du devoir,* « pseudo-drame » dont l'intrigue policière symbolise, plus systématiquement que dans les pièces antérieures, l'investigation psychanalytique, I. exploite les images oniriques comme des signes équivoques et utilise à cet effet des souvenirs personnels transposés. C'est encore la plongée dans l'inconscient qui forme la trame d'*Amédée ou Comment s'en débarrasser,* où, à travers l'histoire de ce cadavre conservé par un couple dans son appartement et qui ne cesse de grandir démesurément, se trouve posé le problème de l'échec du couple, une des obsessions de ce théâtre, comme en témoignera plus tard *la Soif et la faim ;* mais c'est aussi le problème de la création littéraire, puisque Amédée est un écrivain raté. En 1957, *Tueur sans gages* marque un second tournant dans l'œuvre de I. en inaugurant le « cycle Bérenger », du nom du personnage qui désormais va servir à développer des thèmes nouveaux, en particulier le thème du « collectif », à travers la mise en scène et la dérision des fantasmes sociaux et idéologiques ; c'est ainsi que le tueur de la cité radieuse est comme le produit fatal d'un progrès qui débouche sur le désordre : mais c'est là aussi le symbole d'une humanité vouée à la chute et à la dégradation, et, dès lors, le théâtre de I. va de plus en plus acquérir une dimension métaphysique ; dans le célèbre *Rhinocéros,* au-delà de la dénonciation du pouvoir déshumanisant des idéologies, la pièce attaque toutes les formes d'hystérie collective et surtout met en question la capacité de résistance de l'homme à ce processus de déshumanisation qu'il sécrète lui-même dès qu'il devient un être collectif. Moment de réflexion pour le dramaturge, qui éprouve le besoin de faire le point et qui va dans *Notes et Contre-Notes,* rassembler l'essentiel de sa pensée sur le théâtre et sa fonction. C'est alors qu'il choisit de voir désormais dans la création dramatique autre chose qu'un jeu, fût-il symbolique : « Elle devrait être un passage vers autre chose » ; c'est alors aussi qu'il affirme son opposition radicale et irréductible aux conceptions dramatiques de Brecht. Pour I., il s'agit, par le drame, d'ouvrir des perspectives sur un autre monde qui serait un antimonde ; dans *le Piéton de l'air,* Bérenger, lui-même auteur dramatique, est comme le générateur d'une féerie dont il expérimente les deux faces, la face exaltante et la face cauchemardesque : même dans l'évasion hors du monde, l'homme ne peut parvenir à exorciser l'ambiguïté de sa nature. I. est ainsi conduit à retrouver la structure tragique du drame humain : *le Roi se meurt* achève à la fois le cycle Bérenger et le tournant dramaturgique et spirituel amorcé avec *Tueur sans gages.* Devenu un roi dérisoire en train de se mourir, le héros prend conscience de la vanité de la vie face à l'intervention du destin sous les espèces de la mort. Ce même thème de l'affrontement entre les aspirations de la vie et le poids du destin inspire cette autre tragédie qu'est *la Soif et la faim,* où la quête de l'impossible bonheur conduit à l'échec dans la captivité, tandis que, face à la fatalité tragique d'une vie commandée par la démesure des rêves impossibles, subsiste, dans un admirable personnage féminin, la chance que peut représenter un amour authentique. Après quelques années d'interruption de son œuvre dramatique, consacrées à un nouveau temps de réflexion sur son art *(Journal en miettes ; Présent passé, passé présent ; Découvertes),* I. revient au théâtre en 1972 avec *Macbett,* où il aborde de front ce thème du pouvoir qui n'était pas absent de *Rhinocéros* ou du *Roi se meurt :* mais cette fois, à travers une libre paraphrase de Shakespeare, le thème du pouvoir est au centre d'un drame qui est à la fois tragédie et bouffonnerie, le tragique et le bouffon étant si inextricablement mêlés qu'entre les deux termes se construit, tout au long de la pièce, une sorte de causalité réciproque. Ainsi se trouve éclairée l'orientation dominante de toute l'œuvre de I. : parti du jeu de l'insolite et de la conscience de l'absurde (en particulier au niveau du langage), mais avec, au cœur du jeu, la présence implicite d'un destin dérisoire, le dramaturge montre du doigt tout ce qu'implique cette apparente dérision, et le sentiment de l'étrangeté du monde devient le ressort dramatique essentiel. Ainsi s'explique le rôle joué par l'humour dans ce théâtre foncièrement tragique ; l'humour dans tous ses registres, y compris le registre noir, est le langage de cette étrangeté réciproque de l'homme et du monde, et le recours aux multiples fantasmes du rêve ou du cauchemar est le symptôme de la vanité de toute résistance humaine. Mais ce théâtre se veut aussi protestation contre tout ce qui prétend asservir l'homme à un monde qui lui est hostile par essence : monde inquiétant et incohérent, dont la tyrannie sociale ou idéologique est, contre l'homme, l'arme de prédilection. On ne saurait ignorer, sans risque grave de contresens, ce côté « humaniste » du théâtre de I. Si faible que l'homme soit devant le monde et ses puissances (démoniaques ?) – et I. s'acharne à peindre ces faiblesses comme pour se prémunir contre toute illusion –, il n'en est pas moins la seule et unique « valeur », ce qui est illustré *a contrario* par ce qu'il devient lorsque ses démons intérieurs ou les puissances du monde l'engagent dans la voie de la dégradation. Aussi les dernières œuvres de I., au terme d'une évolution parfaitement cohérente malgré certaines apparences, en viennent-elles à se construire autour du thème de la condition tragique de l'homme face au monde, à ses risques, ses tentations et ses pouvoirs.

Œuvres. *Élégies pour des êtres minuscules,* 1931. – *La Cantatrice chauve,* 1950 (T). – *La Leçon,* 1950 (T). – *Jacques ou la Soumission,* 1950 (T). – *L'avenir est dans les œufs ou Il faut de tout pour faire un monde,* 1951 (T). – *Les Chaises,* 1952 (T). – *Victimes du devoir,* 1953 (T). – *Le Nouveau Locataire,* 1953 (T). – *Amédée ou Comment s'en débarrasser,* 1953 (T). – *Le Tableau,* 1954 (T). – *Théâtre I* (contient *le Maître*), 1954. – *L'Impromptu de l'Alma,* 1955 (T). – *Tueur sans gages,* 1957 (T). – *Théâtre II* (contient *la Jeune fille à marier),* 1958. – *Scène à quatre,* 1959 (T). – *Rhinocéros,* 1959 (T). – *Apprendre à marcher* (ballet), 1960 (T). – *La Colère* (scénario d'un sketch destiné au film *les Sept Péchés capitaux*),1960. – *Notes et Contre-Notes,* 1962 (E). – *Le Piéton de l'air,* 1962 (T). – *Le roi se meurt,* 1962 (T). – *Délire à deux,* 1962 (T). – *La Lacune,* 1962 (T). – *La Photo du colonel* (nouvelles), 1962 (N). – *L'Œuf dur,* 1963 (T). – *Théâtre III* (contient *les Salutations*), 1963. – *La Soif et la faim,* 1964 (T). – *Entretiens avec Claude Bonnefoy,* 1966. – *Théâtre IV* (contient *le Salon de l'automobile*), 1966. – *Journal en miettes,* 1967 – *Présent passé, passé présent,* 1968. – *L'Épidémie ou Jeux de massacre,* 1969, éd. illustrée, 1981 (T). – *Découvertes,* 1969 (E) – *Conte numéro 1,* 1969 (N). – *Conte numéro 2, pour enfants de moins de trois ans,* 1970 (N). – *Macbett,* 1972 (T). – *Ce formidable bordel,* 1973 (T). – *Le Solitaire,* 1973 (N). – *Théâtre V* (contient *Exercices de conversation et de diction françaises pour étudiants américains*), 1974. – *L'Homme aux valises,* 1975. – *La Vase* (scénario du film du Heinz von Kramer), 1975. – *Entre la vie et le rêve* (nouv. éd. des *Entretiens avec Claude Bonnefoy*), 1977 (E). – *Antidotes,* 1977 (E). – *Contes,* 1979 (T). – *Un homme en question,* suivi de *Questions à X* 1979 (E). – *Théâtre VII* (contient *Voyage chez les morts, Thèmes et variations*), 1980 – *Le Blanc et le Noir,* 1981, rééd. 1985 (E). – *La Vie grotesque et tragique de Victor Hugo*, 1982 (E).

Les Chaises

Tout le drame est dans la présence croissante des chaises – personnage principaux – qui envahissent la scène en l'absence de toute personne qui en ferait usage : symbole sensible de la conjonction de l'Absence et de l'Absurde. Certes, ce monde des chaises n'est pas absolument vide d'humanité, mais c'est encore pire : il y a là deux vieillards qui ne cessent, selon un rythme qui va s'accélérant, d'imaginer une population d'usagers de ces chaises devenues innombrables. Il y a aussi un Orateur porteur de quelque message qui ne sera jamais délivré, car il est sourd-muet et ne peut qu'émettre des sons inarticulés sur lesquels s'achève cette tragédie bouffonne de l'absence et de l'incommunication, où ces chaises représentent, selon l'auteur, « le vide ontologique, une sorte de tourbillon du vide ».

Tueur sans gages

Bérenger découvre avec émerveillement la cité radieuse ; mais en fait elle est hantée par un Tueur mystérieux aux victimes quotidiennes. Situation qui semble ne rencontrer que de l'indifférence, même auprès des « responsables », par exemple l'Architecte. Scandalisé, Bérenger décide de rechercher et d'éliminer le Tueur. Alors commence l'épreuve de l'Homme : Bérenger trouve chez lui l'inquiétant Édouard, dont la serviette contient, entre autres objets, un plan de la ville, le journal du Tueur et même l'indication précise des lieux et heures de ses prochains crimes. Bérenger entraîne Édouard avec lui en vue d'en débarrasser la cité radieuse : mais, au cours d'une sorte de ballet chaplinesque à travers la ville, Bérenger perd la serviette, pièce à conviction, se heurte aux difficultés de la circulation et à l'indifférence des agents, tandis qu'autour de lui l'espace se rétrécit, et l'angoisse, elle, croît en proportion. Soudain, un ricanement : c'est le Tueur, à l'adresse de qui Bérenger prononce un discours qu'il veut pathétique et qui se révèle alors dérisoire, car le Tueur reste insensible, et Bérenger lui-même, à la fin et quoi qu'il en ait, sent surgir dans son esprit des arguments irréfutables en faveur du Tueur.

Rhinocéros

La petite ville où vit Bérenger est tout à coup le siège d'événements singuliers : on y voit paraître dans les rues un rhinocéros, puis un autre... À chaque apparition de rhinocéros correspond la disparition d'un habitant. C'est une sorte d'épidémie qui se répand rapidement, atteint l'entourage de Bérenger, ses collègues, son ami Jean. Face à l'épidémie, les gens commencent par se révolter, puis ils se soumettent en cherchant à comprendre ces animaux, en trouvant même des justifications à cette épidémie de métamorphoses ; ils vont même jusqu'à vouloir comprendre le phénomène de l'intérieur, tentent l'expérience et deviennent à leur tour rhinocéros. Un beau jour, c'est la fiancée de Bérenger, Daisy, qui succombe. Alors lui, qui, jusque-là, était resté intrépide et invulnérable, connaît un moment de doute et de désespoir : il se trouve laid par comparaison avec ces rhinocéros, dont les têtes représentées sur la toile de fond deviennent de plus en plus belles au fur et à mesure que le drame se déroule. Bérenger est donc convaincu que c'est lui qui est un monstre. Heureusement pour lui, alors qu'il voudrait devenir rhinocéros, il ne le peut pas ; ce qui provoque en lui un sursaut dont on ne sait quelles seront les conséquences : « Je suis le dernier homme... »

Le Roi se meurt

Bérenger est devenu roi, sous le nom de Bérenger Ier, mais il est en train de mourir. Sur la scène va se dérouler la *cérémonie* (titre initial de la pièce) de la mort du roi Bérenger. Il est entouré de deux femmes, Marguerite, sa première épouse, qu'il hait, et Marie, sa seconde épouse, qu'il aime. Il y a aussi le Médecin, sans pouvoir, et le Garde, qui commente la situation sans paraître éprouver la moindre émotion. Face à la mort, le Roi ressent le scandale de sa condition d'homme, et son monologue, que ne sauraient vraiment interrompre ou modifier les interventions des autres personnages, ne cesse de dérouler les diverses variations de ce thème du scandale de la mort, du désespoir à la résignation, de l'incrédulité au sentiment du néant, de la dépression à la révolte. Tandis que Marie, au nom de l'amour, tente de le « divertir » (au sens pascalien) de la présence de la mort en l'entraînant à rêver du monde futur, Bérenger s'enferme de plus en plus dans son obsession : avec sa mort, tout est voué à l'anéantissement. Et Marguerite, au nom du réalisme, maintient la rigueur de sa lucidité, ce qui lui permettra de conduire jusqu'au bout le déroulement de la cérémonie.

La Soif et la faim

Aventure symbolique en trois épisodes, où se trouve engagé le couple formé par Jean et sa femme Marie-Madeleine. Ils vivent dans un petit appartement modeste qui devient peu à peu pour Jean le lieu de son angoisse, la prison étriquée de son dépérissement : toute la tendresse douce et amoureuse que lui témoigne sa femme est impuissante à le guérir de ce mal, bien qu'une petite fille soit là, dans son berceau, et que Marie-Madeleine aperçoive, dans une illumination, le beau jardin qui correspond à la beauté de son cœur. Jean finira par s'enfuir. Le voici, au deuxième épisode, après avoir semble-t-il, beaucoup voyagé, dans un paysage aussi opposé que possible au jardin de Marie-Madeleine : montagne aride sous une lumière crue – paysage très beau, d'ailleurs, mais abstrait et inhumain : c'est là que Jean a rendez-vous avec une jeune femme... qui ne vient pas. Las d'attendre, il s'en va. Sans doute a-t-il encore longuement vagabondé lorsque, au troisième épisode, épuisé, il arrive en un lieu encore plus étrange : un monastère peuplé de moines, qui l'accueillent et le nourrissent. Puis, pour le distraire, ils lui proposent un spectacle encore plus étrange et inquiétant que ce bizarre couvent : deux clowns sont là prisonniers et subissent une cure de « désaliénation » ; l'un d'eux, Tripp, pour obtenir sa nourriture, renie sa foi en Dieu ; l'autre, Brechtoll (allusion évidente au dramaturge allemand Brecht), renie son athéisme pour la même raison. Mais ce spectacle est une sorte de préfiguration du sort de Jean lui-même : au moment où il prétend quitter le couvent, après avoir remercié les moines de leur accueil, il est informé que, pour payer cette hospitalité, il devra « servir » pendant un temps indéterminé. Alors lui apparaissent, comme dans un ciel inaccessible, sa femme et sa fille Marthe – qui a grandi –, entourées du jardin apparu à Marie-Madeleine à la fin du premier épisode. Jean voudrait s'élancer pour les rejoindre, car ce jardin et ces présences féminines sont bien réels, mais il est retenu par son service, dont les moines se mettent à calculer le temps en alignant interminablement des chiffres sur un tableau noir : comme pour les rattraper, Jean, lui, ne cesse d'accélérer son service : de ces deux rythmes concurrents, lequel l'emportera ? Si seulement Jean avait cru en l'amour de sa femme...

IRONIE [grec *eirôneia* = interrogation]. Le mot servit tout d'abord à désigner la méthode pédagogique de Socrate, dite *eirôneia,* qui consistait à feindre l'ignorance pour mettre en évidence l'ignorance réelle des interlocuteurs. En français moderne, on appelle ironie une sorte de moquerie à but éducatif et surtout démystificateur, qui consiste à ne pas donner aux mots leur valeur réelle ou complète, de manière à faire entendre le contraire de ce qui est apparemment dit.
L'ironie est un jeu intellectuel de l'esprit, alors que l'humour est une attitude générale vis-à-vis du monde. On *fait* de l'ironie ; on *a* de l'humour.

ISOMÉTRIQUE (strophe). Strophe ou pièce poétique dont les vers sont chacun de même mesure. Se dit aussi de rimes qui appartiennent à des mots de même longueur syllabique : *bonheur – malheur.*

ISOPET, ou YSOPET, ou ÉSOPET, du nom d'Ésope. Au Moyen Âge, on désigne sous ce nom des recueils français de fables traduites ou adaptées de l'œuvre constamment remaniée du fabuliste latin Phèdre (Ier s. apr. J.-C.), versificateur et adaptateur supposé d'Ésope, lui-même considéré comme le créateur du genre de l'apologue. Les isopets procèdent de trois grands recueils en langue latine : l'*Ésope* d'*Adémar de Chabannes* (prose, Xe s.), contenant soixante-sept fables, dont trente-sept tirées du recueil connu de Phèdre ; l'*Ésope* de *Wissembourg* (prose, début du Xe s.), contenant soixante-trois fables et une dédicace sous forme d'apologue ; le *Romulus* (XIe s.), avec des versions en prose et en vers, qui, sous sa forme complète, connaîtra un très grand succès pendant plusieurs siècles. Le *Romulus* en prose sera traduit en français, d'après une édition latino-allemande, par Julien Macho (1480). Le *Romulus* versifié comprend trois versions, dont la plus répandue est celle de l'« anonyme de Nevelet » (dont Walter l'Anglais est peut-être l'auteur). Elle sera traduite en français dans l'*Isopet* de Lyon (probabl. XIIIe s., dialecte de la Franche-Comté), l'*Isopet I-Avionnet* (suivi de dix-huit fables du poète latin Avienus, IVe s. apr. J.-C. ; XIVe s.) et l'*Isopet III* de Paris (XVe s.). Alexandre Neckham, compatriote de Walter l'Anglais, est également l'auteur d'une version en vers du *Romulus,* qui servira à la traduction en vers français, dans l'*Isopet II* de Paris (fin XIIIe ou début du XIVe s., en francien, entaché de picardismes) et dans l'*Isopet* de Chartres (fin XIIIe s., dialecte de l'Île-de-France). Divers recueils ayant pour origine le *Romulus* seront établis, parmi lesquels le *Romulus anglo-latin,* dont se servira Marie de France dans ses *Isopets.* Le recueil général des isopets a été publié par J. Bastin en 1929 (2 vol.).

ISOU Isidore, Jean Isidore Goldstein, dit. Écrivain français d'origine roumaine. Botoşani 1925. Animateur, avec Maurice Lemaître, né à Paris en 1926, du mouvement « lettriste » « Il n'existe rien dans l'Esprit qui ne soit pas ou qui ne puisse pas devenir Lettre », alors que le mot, « le grand niveleur », « assassine les sensibilités ». Son œuvre s'intéresse à tous les domaines (littérature, musique, peinture, mathématiques) en vue de tenter de pulvériser les modes habituels de l'expression artistique ; sa théorie est exposée dans

Qu'est-ce que le lettrisme ? et *Bilan lettriste.*

Œuvres. *Introduction à une nouvelle poésie et à une nouvelle musique,* 1946 (E). – *Bilan lettriste 1947,* 1947 (E). – *Agrégation d'un nom et d'un messie,* 1948 (E). – *Réflexions sur M. André Breton,* 1948 (E). – *La Mécanique des femmes,* 1949 (E). – *Précisions sur ma poésie et moi,* 1950 (E). – *Les Journaux des dieux,* 1950 (E). – Avec M. Lemaître, *Traité de bave et d'éternité* (scénario de film), 1951. – *Lettre à Jean Paulhan,* 1953. – *Amos ou l'Introduction à la métagraphologie,* 1953 (E). – *Qu'est-ce que le lettrisme ?,* 1953 (E). – *Fondements pour la transformation intégrale du théâtre,* 1953-1970 (E). – Avec M. Lemaître, *Hypergraphies lettristes,* 1954. – *Bilan lettriste* (nouv. éd.), 1955 (E). – *Réponse à la plastique lettriste et hypergraphique,* 1957 (E). – *Précisions sur ma poésie à moi,* suivies de *Dix Poèmes magnifiques,* 1958 (E). – *Traité d'économie nucléaire. Le soulèvement de la jeunesse,* 1958 (E). – *Le Néo-lettrisme : l'ultra-lettrisme n'est que du sous-lettrisme,* 1960 (E). – *L'Art super-temporel,* suivi de *le Polyautomatisme dans la méca-esthétique,* 1960 (E). – *Le Lettrisme et l'hypergraphie dans la peinture et la sculpture contemporaines,* 1962 (E). – *Le Grand Désordre* (roman), précédé de *Essai sur la fresque ou le Roman hypergraphique et polyaromatique,* 1962. – *Les champs de force de la peinture lettriste,* 1964 (E). – *Œuvres de spectacle* (comprend : *Traité de bave et d'éternité ; la Marche des jongleurs ; Apologie d'Isidore Isou*), 1965. – *Esthétique du cinéma : essai sur le cinéma discrépant,* 1966. – *Manifestes du soulèvement de la jeunesse,* 1950-1966. – *Histoire et Rénovation de l'automatisme spirituel,* 1967 (E). – *La Mystification encyclopédique et ontologique de la philosophie devant la méthode créatrice,* 1967 (E). – *La Stratégie du soulèvement de la jeunesse (1949-1968),* 1968 (E). – *Contre Jacques Rueff,* 1973 (E). – *Considérations sur la mort et l'enterrement de Tristan Tzara,* 1973 (E). – *Freud, sale flic, la psychanalyse et la police,* 1973 (E). – *Les Véritables Créateurs et les falsificateurs de Dada, du surréalisme et du lettrisme (1965-1973),* 1973. – *Histoire du socialisme : du socialisme primitif au socialisme des créateurs.* Suivi de *Manifestes pour le soulèvement de la jeunesse,* 1984 (E).

ISTRATI Panaït. Braïla (Roumanie) 11.8.1884 – Bucarest 16.4.1935. Écrivain roumain de langue française. Fils d'un contrebandier et d'une blanchisseuse, il eut une jeunesse mouvementée et fut successivement garçon d'auberge, manœuvre, peintre d'enseignes et photographe. Découvert par R. Rolland alors qu'après douze ans d'errance il venait de rater son suicide, il devint rapidement célèbre. À côté d'une autobiographie en roumain (*Trecut si Viitor* [« Passé et Avenir »]), il publia en français de prenantes évocations de son pays et de ses problèmes sociaux ; le pittoresque souvent fantaisiste d'une peinture sans rigueur n'y dissimule jamais un pathétique profondément humain. Tenté par le communisme, I. se rendit en U.R.S.S. ; il en revint amèrement déçu *(Vers l'autre flamme).* Ce météore littéraire est un modèle du refus d'adhésion.

Œuvres. *Les Récits d'Adrien Zograffi* (cycle romanesque), 1924-1925 (N). – *Kyra Kyralina* (préface de Romain Rolland), 1924 (N). – *Trecut si Viitor* « Passé et Avenir » (autobiographie, en roumain), 1925. – *Oncle Anghel,* 1925 (N). – *Les Haidoucks,* 1925 (N). – *Jeunesse d'Adrien Zograffi,* 1926-1930 (N.). – *Vers l'autre flamme,* 1927-1929 (E). – *Les Chardons du Baragan,* 1928 (N). – *Mes départs,* 1928 (E). – *Le Pêcheur d'éponges,* 1930 (E). – *Pour avoir aimé la terre,* 1930 (N). – *La Maison Thüringer,* 1933 (N). – *La Vie d'Adrien Zograffi,* 1933-1934 (N). – *Le Pèlerin du cœur* (textes réunis et présentés par Alexandre Talec), posth., 1984.

J

JACCOTTET Philippe. Moudon (Vaud) 1925. Poète suisse d'expression française. Après ses études à Lausanne, il vient à Paris, avant de s'installer définitivement dans la Drôme, à Grignan. Remarqué par Paulhan, il collabore à *la Nouvelle Revue française.* Traducteur de poètes allemands ou italiens (Novalis, Ungaretti, Rilke, Musil), il élabore une poésie dont les sources sont puisées dans une culture largement européenne, poésie qui veut être aussi la poursuite d'une culture vivante. Aussi prend-elle pour principes l'honnêteté du langage, la patience du regard et de la parole. C'est la fixation, dans une sorte de médaille verbale, de l'« image fugace », « plus fugace que le passage du vent ». Peu à peu s'affirme et se confirme, dans l'œuvre de J., un poète de haute qualité, porte-parole d'une exigence de renouveau de la poésie qui ne doive rien ni à la provocation, ni à la recherche hermétique, ni à aucune des formes dites « modernes » de la complaisance intellectuelle. Il s'agit plutôt de traduire, dans les formes de la brièveté, de l'allusion suggestive ou de la « mi-voix », la tension permanente et féconde entre l'indicible et la parole.

Œuvres. *Requiem,* 1947 (P). – *L'Effraie et Autres Poèmes,* 1954 (P). – *La Promenade sous les arbres,* 1957 (P). – *L'Ignorant,* 1958 (P). – *Éléments d'un songe* (proses), 1961. – *L'Obscurité* (récit), 1961. – *La Semaison, Carnets (1954-1962),* 1963. – *Airs,* 1967 (P). – *L'Entretien des Muses, chronique de poésie,* 1968. – *Paysages avec figures absentes,* 1970 (P). – *Carnets 1963-1967,* 1971. – *À travers un verger* (proses), 1976. – *Rilke par lui-même,* 1976 (E). – *À la lumière d'hiver,* avec *Leçons et Chants d'en bas,* 1977 (P). – *Journées. Carnets (1968-1975),* 1977. – *Platon. Le Banquet,* 1979 (E). – *Pensées sous les nuages,* 1983 (P). – *La Semaison. Carnets (1954-1979),* 1984. – *À travers un verger,* suivi de *les Cormorans* et de *Beauregard,* 1984 (P).

JACOB Max. Quimper 11.7.1876 – camp de Drancy 5.3.1944. Né et élevé en Bretagne, où son père est à la fois tailleur et marchand d'antiquités, il appartient à une famille juive d'origine allemande établie en France depuis 1806, et dont le nom, Alexandre, est remplacé par celui de Jacob en 1889. Nature sensible et instable, plus à l'aise dans le monde du rêve que dans celui des réalités quotidiennes, J. semble s'être accommodé avec peine d'un milieu familial de petite bourgeoisie. Il fait au lycée de Quimper de bonnes études jusqu'en 1894, puis s'oriente vers l'École coloniale. Venu dans cette intention à Paris, il ne tarde pas à abandonner les perspectives d'une carrière administrative pour l'art et la littérature. Ayant décidé de devenir critique d'art et peintre, il se lie avec des artistes, en particulier avec Picasso et Derain. À partir de 1907, il s'installe à Montmartre, non loin du « Bateau-Lavoir », vivant dans cette atmosphère propice aux recherches de nouveauté technique et d'exaltation spirituelle. Il fréquente des écrivains comme Salmon, Carco, Mac Orlan, Apollinaire ; il s'intéresse au théâtre, dans la ligne de la *commedia dell'arte,* qui lui inspire des gouaches (il écrira d'ailleurs plus tard un opéra-bouffe avec musique de R. Manuel : *Isabelle et Pantalon,* 1922). Curieux en même temps de tout ce qui peut engendrer un retour à l'esprit d'enfance (qui est un des traits essentiels de son caractère), il compose des livres pour enfants *(Histoire du roi Kaboul Ier et du marmiton Gauvain ; le Géant du soleil).* Il mène alors « une vie de privations et de souffrances », qui est aussi une vie dissolue (stupéfiants, entre autres choses), et il exerce, pour subsister, toutes sortes de métiers. L'astrologie et l'occultisme le passionnent : il établit des horoscopes et lit les kabbalistes : il fait ainsi l'apprentissage du surnaturel et, à la suite de plusieurs visions mystiques – la première en 1909 –, il se convertit au catholicisme après une période de préparation religieuse. Avec Picasso pour parrain, il est baptisé en 1915, sous le nom de Cyprien-Max. Grâce au marchand de tableaux Kahnweiler, il peut publier ses premières œuvres : *Saint Matorel,* « mystère chrétien » (illustré par Picasso), *les Œuvres burlesques et mystiques du frère Matorel, mort au couvent de Barcelone* (illustré par Derain), et un « drame céleste », *le Siège de Jérusalem.* La Bretagne, dont il dira qu'il l'a « dans les doigts, dans l'œil et dans le cœur », lui inspire des chants celtiques faisant appel au folklore et aux légendes *(la Côte)* et de nombreux poèmes d'une verve populaire, simple et naïve qui seront réunis en 1953, et qu'il signe MORVEN LE GAËLIQUE. Le personnage de Matorel lui fournira encore le sujet d'une étude de mœurs sous forme dialoguée, *Matorel en province,* En 1917, il fait paraître une œuvre à laquelle les surréalistes emprunteront bien des procédés : *le Cornet à dés,* recueil de poèmes en prose dont le titre significatif fait allusion à la part qui revient aux initiatives du hasard en poésie (une seconde version de l'œuvre sera publiée en 1955). L'auteur souligne en avant-propos l'importance des ressources de l'inconscient pour la connaissance du surnaturel. Acrobate de l'esprit et du langage, il jongle avec les mots, use avec prédilection du calembour et du coq-à-l'âne, dans des poèmes qui parodient parfois le roman-feuilleton ou offrent du monde une image tranformée par le rêve, avec des aspects inattendus et inquiétants, ou cocasses et d'une fantaisie insolite. Un autre recueil poétique non moins révélateur, *le Laboratoire central,* cache l'inquiétude, l'angoisse lucide et l'obsession de la mort sous la virtuosité verbale, l'humour sarcastique et la cocasserie. Pendant la guerre, J. se lie avec Modigliani et Cocteau à Montparnasse et prodigue ses conseils au jeune Radiguet. Puis, las d'une vie déréglée, il décide de se retirer à Saint-Benoît-sur-Loire (1921) et, jusqu'en 1928, ne s'en évadera que pour des voyages à Guéret (où il rencontre Jouhandeau), à Quimper (dans sa famille), à Roscoff, en Italie et en Espagne. Il met à profit cette retraite pour composer plusieurs romans, dont *le Terrain Bouchaballe,* où il observe narquoisement les mœurs de gens de Quimper sous le couvert de l'histoire d'un legs fait à une petite préfecture imaginaire. Toujours à Saint-Benoît, où il vit dans le recueillement à l'ombre de la basilique romane, J. écrit un *Art poétique :* l'art, qu'il conçoit comme une extériorisation, doit, selon lui, faire la jonction « entre les *mots* et les *maux,...* entre la tête et le cœur ». Ses *Conseils à un jeune poète* précisent encore sa méthode esthétique-émotion, recherche et approfondissement de la vie intérieure (« la beauté est le fruit de la vie intérieure »), cependant qu'une œuvre ne peut être pour lui que « l'intelligence de quelque chose ». Sa ferveur religieuse se teinte de fantaisie et d'humour dans les poèmes des *Visions infernales,* des *Pénitents en maillots roses,* du *Fond de l'eau.* Il rentre à Paris en 1928, mène alors une vie mondaine et dissipée, publie de nouveaux poèmes et écrit pour le théâtre. Puis en 1936, le dégoût de la ville et un désir de « vivre dans l'humilité, l'obscurité, la prière obstinée » lui font reprendre le chemin de Saint-Benoît. Vivant très simplement, il se remet à la poésie et à la peinture, reçoit de jeunes poètes, les invite à chercher leur personnalité profonde. Il publie ses *Ballades,* s'adonne à la méditation mystique, abordée sous forme de journal, puis transformée en poèmes en prose, avec des retours et refrains, symboles d'obsession (*Méditations religieuses,* posth.). La guerre, l'Occupation, la hantise de la déportation et de la mort sont pour lui de lourdes et douloureuses épreuves, que compense, dans l'ordre spirituel, l'engagement mystique d'une vie intérieure dont la basilique de Saint-Benoît est le centre. Finalement arrêté en février 1944 et transféré au camp de Drancy, il meurt de congestion pulmonaire alors que Cocteau venait d'obtenir la promesse de sa libération.

Personnalité complexe et déconcertante, J. est un poète qui n'a cessé de rechercher le secret des choses et du langage à travers les techniques les plus diverses, celles de la mystification, de l'excentricité et du burlesque comme celles de la méditation et de la spiritualité : si les voies d'accès à ce secret poétique apparaissent souvent divergentes, c'est bien la nostalgie du surréel qui fait l'unité de cette œuvre, et le progrès de l'expérimentation à la connaissance qui en explique et en justifie l'évolution. C'est en ce sens que J., au-delà de la rupture avec les poétiques même les plus récentes, comme le symbolisme, a influencé le mouvement de la poésie contemporaine, et cette influence s'est étendue aux domaines de la peinture et de la musique. Il a en particulier assuré un profond renouvellement du lyrisme, sous le signe duquel s'établit un lien proprement poétique entre le cocasse et le spirituel. Car, finalement, c'est l'exigence d'un cœur inassouvi qui détermine, sous une forme ou sous une autre, cette nostalgie de *l'envol* qu'exprime ce vers clé de *Sacrifice impérial :* « Donne-moi une couverture volante qui me porte. »

Œuvres. *Histoire du roi Kaboul Ier et du marmiton Gauvain* (pour enfants), 1903 (N). – *Le Géant du soleil (pour enfants),* 1904 (N). – *Saint Matorel, mystère chrétien,* 1909 (N). – *La Côte* (recueil de chants celtiques), 1911 (P). – *Les Œuvres burlesques et mystiques du frère Matorel, mort au couvent de Barcelone,* 1912. – *Le Siège de Jérusalem,* 1912 (T). – *Le Cornet à dés* (poèmes en prose), 1917 (P). – *Le Phanérogame,* 1918 (N). – *La Défense de Tartuffe,* 1919. – *Le Cinématoma* (fragments des *Mémoires des autres*), 1920 (N). – *Le Roi de Béotie* (recueil de nouvelles), 1921 (N). – *Le Laboratoire central* (recueil de poèmes), 1921 (P). – *Matorel en province,* 1921 (N). – *Isabelle et Pantalon* (opéra-bouffe, musique de R. Manuel), 1922 (T). – *Le Cabinet noir,* 1922 (N). – *Art poétique,* 1922 (E). – *Le Terrain Bouchaballe* (2 vol.), 1923 (N). – *Filibuth ou la Montre en or,* 1923 (N). – *Visions infernales* (poèmes mis en musique par Sauguet en 1948), 1924 (P). – *L'Homme de chair et l'Homme reflet,* 1924. – *Les Pénitents en maillots roses* (poèmes mis en musique par Sauguet en 1944), 1925 (P). – *Le Nom,* 1926. – *Le Fond de l'eau,* 1927 (P). – *Vision des souffrances et de la mort de Jésus, fils de Dieu* (dessins), 1928. – *Sacrifice impérial,* 1929 (P). – *Tableau de la bourgeoisie,* 1930 (E). – *Rivages,* 1931 (P). – *Le Bal masqué* (musique de Poulenc), 1932 (P). – *Bourgeois de France et d'ailleurs,* 1933 (E). – *Ballades en prose,* 1938 (P). – *Derniers Poèmes en vers et en prose,* posth., 1945. – *Conseils à un jeune poète,* posth., 1945. – *Méditations religieuses,* posth., 1945 et 1947. – *Correspondance,* posth., 1947 à 1953. – *Poèmes de Morven le Gaëlique,* posth., 1950.

JALOUX Edmond. Marseille 19.6.1878 – Lutry (Suisse) 15.8.1949. On a plus vite oublié son œuvre de romancier que sa production de critique, dont le mérite fut d'attirer l'attention sur les littératures étrangères modernes et contemporaines *(Rilke ; Goethe) ;* ses innombrables articles, éclectiques et curieux de nouveautés, restent accessibles en recueils : on retiendra particulièrement *l'Esprit des livres, De Pascal à Barrès* et *D'Eschyle à Giraudoux.* Acad. fr. 1936.

Œuvres. *Agonie de l'amour,* 1902 (N). – *Le reste est silence* 1909 (N). – *L'Incertaine,* 1918 (N). – *Fumées dans la campagne,* 1918 (N). – *La Fin d'un beau jour,* 1921 (N). – *L'Escalier d'or,* 1922 (N). – *L'Esprit des livres* (7 vol.), 1924-1940 (E). – *L'Alcyone,* 1925 (N). – *L'Ami des jeunes filles,* 1926 (N). – *Figures étrangères,* 1926 (E). – *Ô toi que j'eusse aimée,* 1927 (N). – *Rainer Maria Rilke,* 1927 (E). – *De Pascal à Barrès,* 1927 (E). – *Perspectives et Personnages,* 1931 (E). – *Au pays du roman,* 1931 (E). – *La Balance faussée,* 1932 (N). – *Du rêve à la réalité,* 1932 (E). – *Vie de Goethe,* 1933 (E). – *La Grenade mordue,* 1934 (N). – *Le Voyageur,* 1935 (N). – *La Capricieuse,* 1939 (N). – *Le vent souffle sur les flammes,* 1942 (N). – *Les Saisons littéraires* (souvenirs), 1942 (E). – *Essences, pensées et maximes,* 1944 (E). – *D'Eschyle à Giraudoux,* 1946 (E). – *Introduction à l'histoire de la littérature française,* 1946. – *Visages français,* posth., 1954.

JAMMES Francis. Tournay (Hautes-Pyrénées) 2.12.1868 – Hasparren (Pyrénées-Atlantiques) 1.11.1938. Après des études bordelaises, ce calme fils du Béarn revient vivre à Orthez auprès de sa mère. C'est de là qu'il envoie à Paris, en 1894, ses premiers vers, dont l'authenticité et l'originalité lui attirent la sympathie d'esprits aussi divers que Mallarmé, Henri de Régnier et Gide. Mais J. refusera toujours la tentation du succès mondain et de la vie littéraire parisienne : il poursuivra, dans sa province, la construction d'une œuvre dont l'art poétique se fonde sur la seule simplicité du cœur ; telles sont les prières du *Deuil des primevères,* tel est aussi le lyrisme, pathétique à force d'intimité avec la nature, du recueil *De l'Angélus de l'aube à l'Angélus du soir.* Proche par l'inspiration de sa cadette, la poétesse Marie Noël, elle aussi exclusivement provinciale, J. est déjà, dans ses premiers recueils, une âme naturellement franciscaine. Entré en relations avec Claudel, il se convertit au catholicisme et traduit son éblouissement spirituel dans *Clairières dans le ciel.* Franciscain, il l'est aussi par son sentiment religieux de la nature, et il est un des rares poètes à avoir su chanter l'âme des bêtes, déjà avec sa célèbre *Prière pour aller au Paradis avec les ânes* et, un peu plus tard, dans le conte poétique du *Roman du lièvre.* Virgilien enfin, par son aptitude à inventer des noms poétiques autour desquels il construit son univers imaginaire *(Clara d'Ellébeuse),* il l'est de manière plus explicite lorsqu'il entreprend, en utilisant désormais l'alexandrin au lieu du vers libre, les *Géorgiques chrétiennes,* qui déploient, en sept chants, la fresque paysanne où J. a voulu traduire sa louange personnelle de Dieu. À beaucoup d'égards en marge des courants dominants de la poésie de son temps, bien qu'il doive quelque chose au symbolisme, J. sera, plus que jamais, après 1920, un marginal, de plus en plus étranger au monde littéraire dans sa solitude pyrénéenne où cependant il poursuit indéfectiblement sa tâche : quatre livres de *Quatrains,* entre autres, en sont la preuve. Poète de ce qu'il appelait lui-même les « petites âmes », J. reste le témoin, quasi unique en son temps, d'une spiritualité poétique faite de douceur, d'humilité et d'harmonie.

Œuvres. *Six Sonnets,* 1891 (P). – *Vers,* 1892 (P). – *Vers* (troisième recueil), 1893 (P). – *Un jour,* 1895 (P). – *De l'Angélus de l'aube à l'Angélus du soir,* 1898 (P). – *Clara d'Ellébeuse ou l'Histoire d'une ancienne jeune fille,* suivi des *Choses* et de *Contes,* 1899 (N). – *Le Deuil des primevères,* 1901 (P). – *Almaïde d'Étremont ou l'Histoire d'une jeune fille passionnée,* suivi de *Notes,* de *Deux Proses* et d'un récit, *J.-J. Rousseau et Mme de Warens aux Charmettes et à Chambéry,* 1901 (N). – *Le Triomphe de la vie,* 1902 (N). – *Le Roman du lièvre,* 1903 (N). – *Pomme d'anis ou l'Histoire d'une jeune fille infirme,* suivi de *Dix-huit Poésies,* 1904 (N). – *Clairières dans le ciel,* 1906 (P). – *Les Géorgiques chrétiennes* (3 vol.), 1911-1912 (P). – *Feuilles dans le vent,* 1914 (P). – *Le Rosaire au soleil,* 1916 (N). – *Le Curé d'Ozeron,* 1918 (N). – *La Vierge et les Sonnets,* 1919 (P). – *Le Poète rustique,* 1920 (N). – *Le Bon Dieu chez les enfants,* 1921 (N). – *Les Caprices du poète* (Mémoires), 1923. – *Quatre Livres de quatrains,* 1923-1925 (P). – *Les Robinsons basques,* 1925 (N). – *Ma France poétique,* 1926 (P). – *Janot-Poète,* 1928 (N). – *L'Antigyde ou Élie de Nacre,* 1932 (N). – *Pipe-chien,* 1933 (N). – *Le Crucifix du poète,* 1934 (P). – *De tout temps, à jamais,* 1935 (P). – *Sources,* 1936 (P). – *Portraits de femmes : Mamore ; Sylvie ; Clitie ; Simone (Sylvie* et *Clitie* déjà parus sous le titre *Deux Proses,* à la suite d'*Almaïde d'Étremont*), posth, 1943 (N). – *Solitudes peuplées,* posth., 1945 (P). – *Correspondance avec Colette,* posth., 1945. – *Correspondance avec Albert Samain,* posth., 1946. – *Correspondance avec Valery Larbaud,* posth., 1947. – *Correspondance avec André Gide,* posth., 1948. – *Le Poème d'Ironie et d'Amour,* posth., 1950 (P). – *Jonquille ou l'Histoire d'une jeune fille folle* (inach.), posth., 1954 (N).

JAMYN Amadis. Chaource (Aube) 1540 – Paris 1593. Secrétaire et protégé de Ronsard, il a reçu une formation humaniste avec des maîtres comme le poète et helléniste Dorat et le savant Turnèbe. Il accompagnera le plus souvent Ronsard lors des séjours de celui-ci à Tours et dans le Vendômois, et restera son ami. Devenu secrétaire et lecteur ordinaire de la chambre du roi (1571), il reçoit plusieurs bénéfices ecclésiastiques. Sous Henri III, il appartiendra à l'académie du Palais, puis, vers 1580, il se retirera de la cour. Poète élégant, fin et cultivé, il écrit avec naturel des pièces au style souple et aisé, souvent empreintes d'un discret réalisme. Continuateur du poète Hugues Salel (1504-1553), il a donné la traduction en vers français des livres XII à XVI de *l'Iliade* et commencé celle de *l'Odyssée.* Outre un *Avant-Chant nuptial* (1570), écrit pour le mariage de Charles IX, il a composé des poésies variées, en particulier des pièces de circonstance et des poésies dédiées à la maréchale de Retz *(Artémis),* à une maîtresse de Charles IX, Marguerite d'Atri-Acquaviva *(Callirée),* ou à une dame de Tours dont il était amoureux *(Oriane).* À la mort de Ronsard, il collaborera, avec les survivants de la Pléiade et d'autres écrivains, à la composition d'un *Tombeau* en hommage au grand poète disparu. Tout en imitant les Anciens et les poètes lyriques italiens, il a su conserver un accent personnel, et la Cour de France l'a apprécié comme l'un des « plus excellents poètes français » appartenant au milieu libre et raffiné de la Pléiade.

Œuvres. *Avant-Chant nuptial,* 1570 (P). – Traduction des livres XII à XVI de *l'Iliade,* 1574. – *Œuvres poétiques* (cinq livres : *Poésies adressées à Leurs Majestés ; II, Oriane ; III, Callirée ; IV, Artémis ; V. Mélanges),* 1er recueil, 1575 ; rééd. en 1577, 1579, 1582 (P). – Traduction de *l'Iliade* entière, 1584. – *Œuvres poétiques,* 2e recueil, 1584 (P). – Traduction des trois premiers livres de *l'Odyssée,* 1584.

JANIN Jules Gabriel. Saint-Étienne 16.2.1804 – Paris 20.6.1874. Après *l'Âne mort et la Femme guillotinée* (1829), parodie de roman macabre d'une facture trop faible pour soutenir la bizarrerie de sa conception, il publia de nombreux contes de teinte fantastique et fit une carrière dans le feuilleton. Il s'y montre plus spirituel que profond – comme dans toute son œuvre critique, qui lui valut la meilleure part de sa gloire. Journaliste au *Figaro,* à *la Quotidienne,* au *Messager,* J., que ses contemporains surnommèrent « le Prince de la critique », trôna à partir de 1836 au *Journal des débats :* du haut de cette tribune, il distribuait des jugements féroces sur les écrivains en renom. Balzac, qui fut parmi ses victimes après avoir été de ses amis, a pastiché son style impressionniste et papillottant dans un article attribué à Lucien de Rubempré *(Illusions perdues)*. Il fut élu académicien au fauteuil de Sainte-Beuve (1870).

Œuvres. *L'Âne mort et la Femme guillotinée,* 1829 (N). – *La Confession,* 1830 (N). – *Barnave,* 1831. – *Contes fantastiques, Contes littéraires,* 1832 (N). – *Contes nouveaux,* 1833 (N). – *Romans, contes et nouvelles littéraires* (deux séries de 3 vol.), 1834-1835 (N). – *L'Enfance et la Jeunesse de Lysis,* 1835 (N). – *Le Chemin de traverse,* 1836 (N). – *Un cœur pour deux amours,* 1837 (N). – *Versailles et son musée historique,* 1838 (E). – *Les Catacombes,* 1839 (N). – *Voyage en Italie,* 1839 (N). – *Voyage d'un homme heureux,* 1840 (N). – *Le Prince royal,* 1842 (N). – *Un hiver à Paris,* 1842 (N). – *La Normandie historique,* 1843 (E). – *La Bretagne historique,* 1844 (E). – *Le roi est mort,* 1848. – *La Religieuse de Toulouse,* 1850 (N). – *Les Gaietés champêtres* (églogue), 1851 (P). – *Histoire de la littérature dramatique* (1re partie, 6 vol.), 1851-1856 (E). – *Les Petits Bonheurs,* 1856 (N). – *Les Symphonies de l'hiver,* 1857 (N). – *Les Contes fantastiques, les Contes non estampillés, les Contes du chalet,* 1857-1858 (N). – *Variétés littéraires, Portraits contemporains,* 1859 (E). – *La Fin d'un monde et du neveu de Rameau,* 1860 (E). – *Les Œuvres d'Horace* (traduction), 1860-1861. – *Rachel et la tragédie,* 1861 (E). – *Les Oiseaux bleus,* 1864 (N). – *La Poésie et l'éloquence à Rome au temps des Césars,* 1864 (E). – *Discours de réception... à la porte de l'Académie française,* 1865. – *Béranger et son temps,* 1866 (E). – *L'Amour des livres,* 1866 (E). – *Le Talisman,* 1866 (N). – *Circé,* 1867. – *Le Chevalier de Fosseuse,* 1868.

JANKÉLÉVITCH Vladimir. Bourges 31.8.1903. – Paris 6.6.1985. Titulaire de la chaire de philosophie morale à la Sorbonne de 1951 à 1978, J. est un philosophe original, à la fois moraliste et métaphysicien, musicologue et musicien passionné. À l'écart des modes et des écoles, il est très longtemps resté méconnu malgré l'abondance de son œuvre. Né de parents russes émigrés (son père fut le premier traducteur de Freud en langue française), il enseigna, après son agrégation, à l'Institut français de Prague, puis dans de nombreux lycées français, avant d'accéder à une chaire universitaire. En 1933 il soutient sa thèse consacrée à la pensée de Schelling et, dès 1938, publie de nombreux ouvrages de musicologie. *Le Traité des vertus* en 1949 inaugure une problématique morale qui demeure au centre de sa pensée. Son œuvre est en effet une tentative pour penser la morale non en tant que système mais comme « le comble de l'ambiguïté et de l'insaisissable, l'insaisissable de l'insaisissable ». Contre une pensée globalisante, J. traque les détails, les « presque rien » de l'existence humaine et les formes les plus éphémères de la temporalité. En métaphysicien, il tente de définir des notions-limites comme l'ironie, la nostalgie et l'irréversibilité. Sa philosophie est avant tout une pensée interrogative, profondément enracinée dans l'existence et l'aventure humaines. Comment vivre en se sachant mortel ? Comment l'homme libre peut-il assumer la loi contraignante du temps qui le constitue et le détruit à la fois ? En reconnaissant, dit J., la valeur de l'instant et de l'occasion. C'est ainsi, dans une telle appréhension de la durée, que la musique, création temporelle par excellence, doit prendre tout son sens.

Œuvres. *Henri Bergson,* 1931 (E). – *L'Odyssée de la Conscience dans la dernière philosophie de Schelling,* 1933 (E). – *La Mauvaise Conscience,* 1933 (E). – *L'Ironie,* 1936 (E). – *L'Alternative,* 1938 (E). – *Gabriel Fauré, ses mélodies, son esthétique,* 1938 (E). – *Maurice Ravel,* 1939 (E). – *Du mensonge,* 1942 (E). – *Le Mal,* 1948 (E). – *Traité des vertus,* 1949 (E). – *Debussy et le mystère,* 1950 (E). – *L'Austérité et la vie morale,* 1953 (E). – *Philosophie première, introduction à une philosophie du presque,* 1954 (E). – *La Rhapsodie, verve et improvisation musicale,* 1955 (E). – *Le Nocturne,* 1957 (E). – *Le Je-ne-sais-quoi et le presque rien,* 1957 (rééd. en 1980 en trois vol. : I. *La Manière et l'occasion* ; II. *La Méconnaissance* ; III. *La Volonté de vouloir*) [E]. – *Le Pur et l'impur,* 1960 (E). – *La Musique et l'ineffable,* 1961, rééd. 1983 (E). – *Le Pardon,* 1967 (E). – *L'Impardonnable,* 1971 (E). – *L'Irréversible et la nostalgie,* 1974 (E). – *L'Aventure, l'ennui, le sérieux,* 1976 (E). – *La Mort,* 1977 (E). – *Quelque part dans l'inachevé,* 1978 (E). – *Liszt et la Rhapsodie. Essai sur la virtuosité,* 1979 (E). – *Le Paradoxe de la morale,* 1981 (E). – *La Présence lointaine,* 1983 (E). – *Sources,* 1984 (E).

JANSÉNISME. Doctrine de Corneille Jansen, dit Jansénius, évêque d'Ypres (1585-1638), qui, dans son *Augustinus* (posth., 1640), prétendait revenir à la pure doctrine de saint Augustin, en particulier sur la question de la grâce : le jansénisme, s'opposant aux jésuites disciples de Molina

(« molinistes »), met en doute le libre arbitre de l'homme et affirme que la grâce est un don gratuit de Dieu, sans qu'intervienne le mérite de l'homme. Cinq propositions tirées de l'*Augustinus* seront condamnées par Rome en 1653, et une polémique animée par le grand Arnauld s'instaura en France autour de cette condamnation, Arnauld prétendant que les propositions condamnées ne figuraient pas dans l'*Augustinus* (question de fait) sans pour autant prétendre qu'elles n'étaient pas hérétiques (question de droit). C'est cette polémique qui fut l'occasion des *Provinciales* de Pascal. Mais au-delà de cette polémique particulière, le jansénisme revêt, dans la vie intellectuelle, sociale et même politique du XVIIe s., une signification considérable : il représente en effet un courant antérieur à la publication de l'*Augustinus,* qui se manifesta, dès les premières années du siècle, sous l'impulsion de l'abbé de Saint-Cyran, avec la réforme de la communauté de Port-Royal-des-Champs, ensuite établie à partir de 1625 à Paris sous la direction de la mère Angélique Arnauld. Ce courant s'oppose à l'humanisme chrétien représenté d'autre part par saint François de Sales et relève d'un extrémisme spirituel qui se fait une règle de la rupture complète avec l'esprit du monde. Ce mouvement connut une influence considérable dans les milieux de grande bourgeoisie et de noblesse de robe, auxquels appartenaient ceux qui, tel le grand avocat Antoine Le Maître, se retirèrent du monde pour devenir les « Solitaires » de Port-Royal, où ils fondèrent aussi les « Petites Écoles » dont fut élève le jeune Racine. Cette conception extrémiste du christianisme était incompatible avec le grand rêve de synthèse et de réconciliation de l'humanisme chrétien. Mais à partir de 1660 environ, le jansénisme glissera quelque peu du plan théologique au plan sociologique et apparaîtra comme une force sociale en opposition avec le pouvoir monarchique : ce qui explique les mesures prises alors par le pouvoir politique contre le jansénisme (dissolution et expulsion de la communauté, 1709), tandis que la doctrine théologique du jansénisme sera définitivement condamnée par Rome dans la bulle *Unigenitus* (1713). Quant aux prolongements proprement politiques du jansénisme, ils apparaîtront clairement plus tard, au XVIIIe s., où l'opposition parlementaire s'appuiera volontiers sur les milieux bourgeois, chez lesquels le jansénisme est longtemps resté influent.

JARRY Alfred. Laval (Mayenne) 8.9.1873 – Paris 1.11.1907. La vie de ce créateur trop honni ou trop célèbre se confond très tôt avec celle du type qui lui doit sa fortune littéraire : le père Ubu. Fils d'un négociant, J. commence ses études dans un petit lycée de Laval et les poursuit au collège de Saint-Brieuc (1885-1888), où il écrit ses premières œuvres, des comédies en vers ou en prose. Entré en 1888 au lycée de Rennes pour y achever sa rhétorique, il y prend connaissance d'un texte écrit par son aîné Charles Morin, *les Polonais,* sur le professeur de physique M. Hébert, surnommé le P.H. ou père Heb et caricaturé comme résumé de « tout le grotesque qui est au monde ». Il en fait une comédie, qui est représentée dès décembre 1888 par un théâtre de marionnettes : c'est la première version du premier cycle d'Ubu, *Ubu roi.* En 1889-1890, J. compose et fait représenter *Onésime ou les Tribulations de Priou,* première version du deuxième cycle d'Ubu, *Ubu cocu.* Le personnage du P.H. reçoit son nom d'Ubu au cours de l'année de khâgne que J. passe à Henri-IV (1891-1892). Ubu joue un rôle dans *Guignol,* fragment du premier livre de J. publié en librairie, *les Minutes de sable : mémorial.* Il apparaît à nouveau dans le roman *César Antéchrist. Ubu roi* est imprimé en 1896 et créé dans sa version en cinq actes le 10 décembre de la même année. *L'Archéoptéryx,* seconde version inédite du futur *Ubu cocu,* précède *l'Amour en visites,* où réapparaissent des textes ubuesques divers. Le troisième cycle, *Ubu enchaîné,* et le quatrième, *l'Almanach du père Ubu illustré,* sont composés en 1899. J., de santé mal équilibrée malgré sa robuste constitution, n'a que le temps d'écrire le cinquième et dernier cycle de son Ubu, *Ubu sur la Butte,* avant de mourir d'abus alcooliques et de méningite tuberculeuse à l'hôpital de la Charité.

On commence seulement à éditer et à répertorier une œuvre qui déborde largement le seul Ubu. Quant à ce dernier, ses multiples apparitions ne se ressemblent guère ; il faut distinguer au moins l'*Ubu roi,* né dès 1888, satire collégienne de la dictature professorale, et son raccourci (deux actes seulement), *Ubu sur la Butte,* sorte de revue de chansonnier, du plus adulte (selon J. lui-même), *Ubu enchaîné,* détaché de son origine « potachique » et dont l'ambition de libération destructrice est plus universelle. Le T.N.P. a peut-être eu tort, dans son *Ubu* de 1960, de vouloir mêler tous ces textes. Du moins le caractère central du personnage n'évolue-t-il guère, à la fois dénonciateur de l'absurdité de l'existence et lui-même présomptueux mélange de toutes les vanités et de toutes les vulgarités. Les procédés de Jarry sont volontairement gros : la farce refuse la finesse. Selon que l'on est ou non sensible au langage ubuesque, on le juge « sublime » ou désastreusement « énorme ». Cette indiscrète verrue sur le fin visage de la littérature décadente des années 1895 garde aujourd'hui toute sa valeur de provocation. J. se situe dans la lignée des irréductibles (Lautréamont, Rimbaud, Dada), pour qui la littérature est une négation libératrice, une entreprise de destruction vitale ; le cycle ubuesque est objectivement d'une tenue littéraire médiocre, mais ce qui compte – et qui comptait, pour J. –, c'est sa valeur subversive de défi aux valeurs reçues.

Œuvres. *Comédies de jeunesse (les Brigands de la Calabre ; le Parapluie-seringue du docteur Tanathon* ; *Roupias Tête de Seiche* ; *Sicca professeur* ; *le Procès* ; *Krœflick ou l'Héritage* ; *Un cours de Bidasse* ; *l'Ouverture de la pêche* ; *les Antiaclastes),* 1885-1888 – *Ubu roi* (théâtre de marionnettes), 1888 (T). – *Onésime ou les Tribulations de Priou,* 1889-1890 (T). – *Les Minutes de sable : mémorial,* 1894 (P). – *César Antéchrist,* 1895 (P). – *Perhindrion* (revue d'estampes), 1896. – *Ubu roi,* drame en cinq actes, en prose. Restitué en son intégrité tel qu'il a été représenté par les Marionnettes du Théâtre des Phynances en 1888, 1896 (T). – *L'Archéoptéryx,* 1897 (T). – *Les Jours et les Nuits, roman d'un déserteur,* 1897 (N). – *L'Amour en visites,* 1898. – *Ubu enchaîné,* 1899. – *L'Amour absolu,* 1899. – *L'Almanach du père Ubu illustré,* 1899. – *Messaline, roman de l'ancienne Rome,* 1901 (N). – *Le Surmâle,* 1902 (N). – *Le Bain du roi,* 1903 (P). – *Ubu sur la Butte,* 1906 (T). – *Par la taille. Le Moutardier du Pape* (théâtre mirlitonesque), 1906-1907 (T). – *Spéculations,* posth., 1911. – *Pantagruel,* posth., 1911. – *Gestes et Opinions du docteur Faustroll, pataphysicien* (écrit en 1898), posth., 1911. – *Paralipomènes d'Ubu,* posth., 1921. – *La Dragonne,* posth., 1943. – *Ubu cocu,* posth., 1944 (T). – *Œuvres poétiques complètes,* posth., 1945 (P). – *L'Autre Alceste,* posth., 1947. – *La Revanche de la nuit,* posth., 1949 (P). – *Descendit ad Infernos,* posth.,1950. – *Saint-Brieuc des Choux,* posth., 1964. – *Tout Ubu,* posth., 1967. – *La Chandelle verte,* posth., 1969. – *Œuvres complètes* (t. I), éd. établie par M. Arrivé, 1972.

Ubu roi

Le père Ubu, qu'accompagne toujours la mère Ubu, est devenu roi (de Pologne) en usurpant le trône. Il a mis une couronne sur son chapeau et il a trouvé un mot pour symboliser son pouvoir : « cornegidouille », mot magique qui recouvre aussi bien la « phynance » que la « merdre », et sous le couvert duquel il étale, avec une sorte de sadisme grossier – jusque dans son langage –, la contamination de la cruauté et de la bêtise, susbtances constitutives de son pouvoir. Le point culminant de son règne est cette scène grandiose et fantastique où, dans la grande salle du Palais, où l'on apporte « la caisse à Nobles », « le crochet à Nobles », « le couteau à Nobles » et « le bouquin à Nobles », Ubu fait expédier tous les Nobles à la trappe, sous le regard intéressé des Magistrats et des Financiers, qui croyaient bien y trouver leur profit. Mais comme Ubu veut tout s'approprier, Magistrats et Financiers protestent ; ils iront eux aussi « à la trappe ». La rançon de l'opération est qu'il faudra qu'Ubu désormais aille en personne de village en village recueillir les impôts. Vient enfin le moment où le Tsar chasse Ubu et rétablit sur le trône le jeune Bougrelas. Alors Ubu s'embarque avec sa bande, navigue sur la Baltique : quoi qu'il advienne, « Ubu ne mourra pas », et son ultime propos est de se faire « Maître des Finances à Paris » !

JASMIN Claude. Montréal 10.11.1930. Écrivain québécois. Après ses études classiques au collège Grasset et à l'École des arts appliqués, dont il est diplômé, il sera tour à tour, ou simultanément, céramiste, comédien, professeur et critique d'art, décorateur à Radio-Canada, dramaturge et romancier. De 1960 à 1965, il publie cinq romans et une pièce. *La Corde au cou,* son deuxième roman, obtient le prix du Cercle de France. La force et l'élan de ses œuvres romanesques tiennent à son style rapide et syncopé, au rythme haletant de ses récits, où les personnages fuient la société et se fuient eux-mêmes, cherchant dans l'amour et la violence l'oubli de leur milieu. Les dialogues abondent en termes grossiers, introduits avec le propos de faire choc. Ses personnages-narrateurs, à la recherche, dans un univers en mouvement, d'une innocence perdue mais qu'ils croient retrouver au bout de leur longue course, monologuent plus qu'ils ne racontent. Rêvant d'une enfance heureuse, sachant aussi qu'elle est la source de leur mal, ils tendent désespérément à la fois de la retrouver et de la rejeter. Victimes et criminels, ils ne peuvent accomplir leur destin que par la fuite : dans cette fuite éperdue, alors que le rêve se surimpose aux événements, chaque chose se fait à la fois menaçante et protectrice, chaque rencontre est occasion d'amitié et de trahison.

Œuvres. *Et puis, tout est silence,* 1960, rééd. 1965 (N). – *La Corde au cou,* 1961

(N). – *Délivrez-nous du mal,* 1961 (N). – *Blues pour un homme averti,* 1964 (T). – *Éthel et le terroriste,* 1964 (N). – *Pleure pas, Germaine,* 1965 (N). – *Les Cœurs empaillés,* 1967 (N). – *Les Artisans créateurs,* 1967 (E). – *Rimbaud, mon beau salaud,* 1969 (N). – *Jasmin par Jasmin* (dossier), 1970. – *Tuez le veau gras,* 1970 (T). – *Un bilan littéraire,* 1970 (E). – *L'Outaragasipi,* 1971 (N). – *La Petite Patrie,* 1972 (N). – *C'est toujours la même histoire,* 1972 (N). – *Pointe-Calumet boogie-woogie,* 1973 (N). – *Sainte-Adèle-la-vaisselle,* 1974 (N). – *Le Loup de Brunswick City,* 1976 (N). – *Feu à volonté* (recueil d'articles), 1976. – *Revoir Éthel,* 1976 (N). – *Feu sur la télévision,* 1977 (E). – *La Sablière,* 1979 (N). – *Le veau d'or,* 1979 (T). – *Les Contes du sommet bleu,* 1980 (N). – *L'Armoire de Pantagruel,* 1982 (N). – *Fuites et poursuites,* 1982 (N). – *Le Crucifié du sommet bleu,* 1984 (N). – *L'État-maquereau, l'État-maffia,* 1984 (E).

JAUFRÉ RUDEL. Troubadour occitan. Première moitié du XIIe s. Personnage mystérieux, ami du troubadour Marcabru, qui lui adresse un message « outre-mer », il était, selon les Anciennes *Vidas,* « prince de Blaye » ; peut-être appartenait-il en effet à la noblesse : il semble qu'il ait pris part à la croisade de Louis VII en 1147 et qu'il n'en soit pas revenu. On lui attribue onze *Canzos,* dont sept avec certitude : elles comptent au nombre des moins contestables chefs-d'œuvre de la poésie lyrique des troubadours. J.R. y chante l'amour nostalgique d'une bien-aimée lointaine, que les *Vidas* identifient avec la comtesse de Tripoli. J.R. s'en serait épris en entendant les récits de pèlerins venus d'Autriche. Il se serait croisé par amour pour elle, et c'est dans ses bras qu'il serait mort. Légende symbolique née sans doute de la ferveur poétique et de la délicatesse rythmique qui inspirent la célébration par le poète de « l'amour de loin ». Légende qui inspirera bien des poètes, des Allemands Heine et Uhland à l'Italien Carducci et à l'Anglais Swinburne, et qui fournira à Rostand le thème de sa *Princesse lointaine.*

JAURÈS Jean Léon. Castres (Tarn) 3.9.1859 – Paris 31.7.1914. Normalien (de la même promotion que Bergson), agrégé de philosophie, admirateur ardemment républicain de Hugo et de Michelet, il collabora, de 1885 à sa mort, à *la Dépêche de Toulouse,* mais donna le meilleur de ses talents de journaliste à *l'Humanité,* quotidien fondé par lui en 1904. Député socialiste (1893), il défendit Dreyfus *(les Preuves)* et exprima, comme orateur et comme théoricien, un grand nombre d'espérances diffuses parmi le prolétariat *(Études socialistes).* Solide historien, il publia une *Histoire socialiste de la Révolution française.* Anticolonialiste, rétif à l'esprit revanchard *(l'Armée nouvelle),* il tenta d'opposer à la montée des périls une farouche volonté de paix. Assassiné trois jours avant une guerre qu'il n'eût pu empêcher, il avait en fait cherché toute sa vie l'équilibre entre patriotisme et internationalisme, entre socialisme et humanisme *(cf.* son *Introduction* à l'*Histoire socialiste).*

Œuvres. *De la réalité du monde sensible,* 1891 (E). – *Les Origines du socialisme allemand dans Luther, Kant, Fichte et Hegel,* 1891 (E). – *Les Preuves,* 1898 (E). – *Action socialiste* (recueil d'articles), 1899. – *Études socialistes* (recueil d'articles), 1902. – *Histoire socialiste 1789-1900,* ouvrage collectif en 12 volumes. Les premiers volumes, *Histoire socialiste de la Révolution française* sont écrits par Jaurès : *la Constituante ; la Législative ; la Convention* (1re partie) ; *la Convention* (2e partie), 1901-1904. Le volume XI comprend, de J., en collaboration avec Dubreuilh : *la Guerre franco-prussienne ; la Commune,* 1907. – *L'Armée nouvelle,* 1910. – *Œuvres de Jean Jaurès* (publication partielle), posth., 1932-1939.

JEAN D'ARRAS. XIVe s. C'est lui, semble-t-il, qui rendit hommage au duc de Bourgogne en 1361 en lui offrant un de ses fiefs. Il aurait été, par la suite, libraire et relieur à Paris, fréquentant, grâce à sa profession, les écrivains et les mécènes de la capitale et plus particulièrement Jean de Berry. Ce dernier lui aurait confié la composition du *Roman de Mélusine* (1392-1393). Cette paternité semble assez probable, attendu que l'auteur de cet ouvrage ne cesse de mentionner ses connaissances du métier de libraire, utilisant des termes techniques que seul un spécialiste en la matière pouvait connaître.

Le Roman de Mélusine

Mélusine, pour avoir voulu punir son père de sa mauvaise conduite, est condamnée par sa mère, la fée Pressine, à voir, chaque samedi, la partie inférieure de son corps transformée en serpent. Si un chevalier accepte de ne pas la voir en ce funeste jour, elle pourra le prendre pour époux. S'il manque à son serment, elle sera définitivement condamnée à cette forme peu enviable.

JEAN DE CONDÉ. 1280 ? – première moitié du XIVe s. Fils du ménestrel Baudouin de C., auteur de dits moraux, il est le ménestrel attitré de la cour de Hainaut. Très jeune, il s'est trouvé en contact avec une société aristocratique et cultivée qu'il sait observer et juger. Son œuvre, écrite entre 1300 et 1345, est extrêmement variée. Dans le genre narratif (en tout 6 342 vers), elle comprend cinq fabliaux et trois lais courtois. Elle comporte aussi une partie moralisante ou didactique, dans laquelle intervient parfois l'élément narratif. Ce sont des fantaisies allégoriques, des contes moraux et de nombreux poèmes généralement assez courts (satiriques, à dominante sociale ou morale, ou d'inspiration religieuse). « Mainteneur » des traditions chevaleresques, l'auteur apparaît comme le dernier représentant d'une littérature courtoise déclinante. L'éthique courtoise l'intéresse moins que la conception chrétienne de l'amour et son expression sociale, le mariage. Il voit dans la femme la mère, l'épouse ou l'amie. Les thèmes moraux et sociaux revêtent aussi une grande importance : moraliste chrétien, il trouve dans la religion l'unique réponse aux problèmes de la condition humaine. Ses fabliaux ne sont pas moins intéressants : d'une composition brève et nerveuse, ils évitent le scatologique et la grosse vulgarité sans être cependant dépourvus de verve comique et de truculence. J. de C. réalise dans son œuvre un remarquable équilibre littéraire que renforcent encore une langue et un style retenus et harmonieux.

Œuvres. *Dits et Contes de Baudouin et de Jean de C.,* 1866-1867.

JEAN DE MEUNG, Jean Clopinel ou Chopinel, dit. Meung-sur-Loire 1240 ? – 1305 ? Maître ès arts, c'est-à-dire ayant reçu la formation universitaire des clercs, J. de M. se fit connaître par des traductions du latin (*la Consolation de la philosophie,* de Boèce) et est aussi l'auteur d'un *Testament,* d'un réel intérêt documentaire concernant cette bourgeoisie qui commençait à prendre de l'importance dans la seconde moitié du XIIIe s. et dont, à certains égards, J. de M. représente l'esprit. Mais il est surtout le continuateur du *Roman de la Rose :* il en reprend la rédaction quarante ans après Guillaume de Lorris, dans un esprit qui est l'antithèse même de l'esprit courtois ; aussi cette seconde partie du *Roman de la Rose* illustre-t-elle avec éclat la révolution spirituelle et intellectuelle qui accompagne, en ces années de la fin du siècle, la mise en question d'une culture et d'une civilisation. Au long de 17 722 vers (car J. de M. est un tantinet bavard et prolixe) s'exprime un naturalisme philosophique, moral et social, fondé sur un esprit critique d'une extrême virulence, qui fait plus qu'annoncer l'humanisme du XVIe s. En même temps, le poète reprend quelques-uns des thèmes de la littérature « bourgeoise » du Moyen Âge, en particulier l'antiféminisme de la tradition des fabliaux : aussi le poème de J. de M., qui connaîtra une diffusion considérable pour l'époque, déclenchera-t-il plus tard une mémorable querelle, au cours de laquelle la poétesse Christine de Pisan prendra le parti de la défense des femmes, en opposant à J. de M. les thèses renouvelées de la poésie courtoise. Certes, J. de M. reste, quant à la forme, fidèle à l'affabulation de son prédécesseur et à la technique de l'allégorie. Mais parmi les nouvelles allégories qu'il introduit, il en est deux, Nature et son chapelain Genius, qui, si elles jouent leur rôle dans la conquête définitive de la Rose sur laquelle s'achève le poème, n'en sont pas moins les porte-parole d'une pensée subversive : non content de contester les lois et règles de l'amour courtois, J. de M. en vient à préconiser l'union libre au nom des droits de la nature ; en leur nom, il s'attaque aussi aux fondements mêmes de la société qui avait engendré l'idéal de la courtoisie, autour des deux mythes contre lesquels J. de M. dirige ses principaux traits, le Seigneur et la Femme. À travers l'idéal de l'amour courtois, il vise aussi l'organisation aristocratique de la société, et, au nom du même principe naturaliste, il condamne aussi bien l'ascétisme monacal que l'ascétisme sentimental. À cet égard, la seconde partie du *Roman de la Rose* est comme le miroir de la crise de civilisation qui ne fera que s'accentuer au cours des XIVe et XVe s., en attendant la grande explosion humaniste dont J. de M. apparaît ici comme l'incontestable précurseur.

Œuvres. *Le Roman de la Rose* (seconde partie, écrite entre 1275 et 1280). – Traduction de *la Consolation de la philosophie,* de Boèce. – Traduction du *Traité de l'art militaire,* de Végèce, 1284. – Traduction des *Épîtres* d'Abailard et d'Héloïse. – *Les Lois des trépassés,* posth., 1481-1484 (P). – *Le Trésor ou les Sept Articles de la foi,* posth., 1503 (P). – *Le Miroir d'alchymie,* s.d. (P). – *Les Proverbes dorés,* s.d. (P). – *Remontrance au roi,* traduction du *De mirabilibus hiberniae,* de Giraud de Barri. – Traduction du *Livre d'Espirituel Amistié,* de Aelred, abbé de Riévaux. – *Testament* (quatrains), suivi d'un *Codicille.* – *Le Roman de la Rose,* éd. établie par E. Langlois, 1914-1924 ; par F. Lecoy,

3 vol., 1965-1970 ; par D. Poirion, 1974 ; par J. Dufournet, 1984.

Le Roman de la Rose, II
La Quête de la Rose continue : l'Amant entreprend une opération en règle contre la tour où est détenu Bel-Accueil, et, non content de recevoir l'appui de nombreux seigneurs, il a aussi recours à la ruse en la personne de Faux-Semblant. Il y aura une nouvelle captivité de Bel-Accueil et un nouveau siège, victorieux, avec intervention de deux nouveaux personnages, Nature et son chapelain Genius, grâce à quoi la Rose sera finalement cueillie. Mais Nature et Genius auront eu le temps de prononcer, sous forme de digressions, un certain nombre de discours et de déclarations polémiques dont les objectifs seront l'aristocratie seigneuriale, la femme et les gens d'Église.

JEAN DU PÉRIER ou DU PRIER, dit aussi LE PRIEUR. Seconde moitié du XVe s. Personnage mystérieux dont on ne sait rien sinon qu'il fut « maréchal des logis » de René le Bon, roi de Sicile, dans les années 1460. Les documents contemporains le signalent comme l'auteur d'un certain nombre d'œuvres dramatiques, parmi lesquelles *le Mystère du roi Advenir*. On suppose qu'il appartint au groupe des auteurs de *mystères* dont faisaient partie à Paris les frères Gréban, et on lui attribue avec quelque certitude un des premiers *mystères* à grand spectacle, le *Mystère de la Passion,* représenté à Angers en 1446, que suivit, dix ans plus tard, au même lieu, un *Mystère de la Résurrection.* Il est probablement, avec Arnoul Gréban, un des principaux vulgarisateurs du genre du *mystère* et un de ceux qui en ont élaboré les techniques et le langage.

Œuvres. *Le Mystère de la Passion,* 1446. – *Le Mystère du roi Advenir,* vers 1450. – Avec les frères Gréban, *le Triumphant Mystère des Actes des Apôtres.* – *Le Mystère de la Résurrection,* 1456.

JEAN LE BEL. (Voir FROISSART.)

JEAN RENART. (Voir RENART.)

JEU-PARTI. Œuvre lyrique médiévale que l'on trouve surtout dans le nord de la France et consistant en un débat entre deux interlocuteurs qui exposent chacun leur point de vue sur un thème, généralement amoureux, dans des strophes chantées sur une mélodie identique. Ne s'est guère répandu qu'au XIIIe s. Une forme analogue, nommée *tenso,* s'était développée antérieurement dans la poésie occitane.

JEU D'ADAM (le). Seconde moitié du XIIe s. Drame religieux anonyme en langue vulgaire (anglo-normand), composé de mille trois cents vers, divisé en trois parties. La première et la deuxième partie racontent l'aventure d'Adam et Ève et le meurtre d'Abel ; la troisième présente ceux qui sont considérés comme les précurseurs du Christ : Abraham, Moïse, Aaron, David, Salomon, Balaam, Habacuq, Jérémie. Plus que l'histoire d'Adam à proprement parler, l'auteur met en scène l'histoire des prophètes, quelle que soit leur origine. Ce thème rejoint celui de la « procession de prophètes » – sujet courant au Moyen Âge, à en juger par les ornements des églises. Destiné à être joué sur scène, le texte est enrichi de nombreuses notations techniques à l'intention des acteurs. C'est le plus ancien texte dramatique médiéval qui nous soit parvenu, et il représente la transition entre le drame liturgique et le mystère proprement dit.

JODELLE Étienne, sieur de Lymodin. Paris 1532 – 1573. Il commença par publier, dès l'âge de dix-sept ans, des *Sonnets, Odes et Charontides.* Mais l'influence de son maître, le poète Muret, qui avait écrit une tragédie, *Julius Caesar,* fut décisive. En 1552, J. présentait, lui aussi, une tragédie, *Cléopâtre captive,* et une comédie, *Eugène,* qu'il interpréta lui-même. *Cléopâtre captive* obtint un triomphe auprès des membres de la Pléiade, triomphe que célébra une fête au cours de laquelle fut symboliquement sacrifié un bouc. Ces festivités païennes attirèrent sur l'auteur les foudres des croyants, des catholiques comme des protestants, et plus particulièrement celles de Théodore de Bèze, qui avait, lui aussi, écrit des tragédies. J., encouragé pourtant par le succès, poursuivit sa carrière dramatique. En 1558, il fit représenter une comédie, *la Rencontre,* et une tragédie, *Didon se sacrifiant.* Il fut alors reconnu comme le concurrent direct de Ronsard. Parallèlement, il continuait d'organiser des fêtes bouffonnes, qui contribuaient à maintenir sa renommée mais lui attiraient tout autant de haines que de sympathies. Le *Recueil des inscriptions, figures, devises et masquarades ordonnées en l'hôtel de ville de Paris, le jeudi 17 de février 1558,* rend compte d'une des réjouissances dont J. fut l'heureux instigateur. Mais, peu à peu, des incidents techniques, des plaisanteries d'un goût discutable écartèrent de lui la faveur du public et celle du roi, qui commençaient à se lasser, et c'est en vain qu'il essaya de regagner leur estime. Ses amis eux-mêmes l'abandonnèrent à ses farces qu'en fin de compte il était le seul à apprécier. Son art à proprement parler est aussi sujet à contestation. Même dans *Cléopâtre captive,* son chef-d'œuvre, qui rapporte comment Cléopâtre préfère se tuer plutôt que de participer au triomphe d'Octave, les situations ne sont pas nettes, les caractères sont mal dessinés, l'action est lente – mais, de temps en temps, jaillit un éclair poétique. Encore hésitante, sa démarche dramatique est pourtant une étape importante dans le cheminement du théâtre au XVIe s., cheminement qui aboutira à la tragédie classique. J. se soumet instinctivement à la loi des trois unités, s'efforce de resserrer le déroulement de l'action et de préciser les conflits passionnels. Il est aussi un des premiers à utiliser l'alexandrin et surtout à appliquer le principe de l'imitation, telle que l'avait recommandée la Pléiade.

Œuvres. *Sonnets, Odes et Charontides,* 1549 (P). – *Cléopâtre captive,* 1553 (T). – *Eugène,* 1553 (T). – *La Rencontre,* 1558 (T). – *Didon se sacrifiant,* 1558 (T). – *Recueil des inscriptions, figures, devises et masquarades, ordonnées en l'hôtel de ville de Paris, le jeudi 17 de février 1558,* 1558. – *Œuvres et Mélanges poétiques d'Étienne Jodelle, sieur de Lymodin,* posth., 1574. – *Œuvres complètes,* éd. établie par E. Balmas, 1965.

JOINVILLE Jean, sire de. Château de Joinville (Haute-Marne) 1224 – 24.12.1317. Issu d'une famille de haute noblesse, J. fut envoyé très jeune à la cour de Thibaut de Champagne pour y faire son éducation, comme il convenait à un jeune noble de l'époque. A la suite de son père, il devint sénéchal de Champagne. Plus tard, écuyer de Louis IX, roi de France, il servit d'intermédiaire pour résoudre les différents problèmes qui séparaient les Maisons de Champagne et de France : il ne fut pas étranger à la solution du conflit par le mariage d'Isabelle de France avec Thibaut de Champagne. En 1255, à la suite d'une grave maladie, Louis IX entreprit la septième croisade. J. l'accompagna, et la sincérité religieuse de son maître le toucha profondément. Le roi fut fait prisonnier à Mansourah, ainsi que son fidèle compagnon. L'expérience commune devait faire de J. l'ami intime du roi. Libéré, Louis IX, toujours accompagné de J., effectua différentes campagnes en Orient. Il arriva même que J. prît part au combat. De retour en France, il devint le conseiller officiel du roi, qui lui attribua un fief et une rente perpétuelle. Chargé de nombreuses missions, tant par la cour de France que par celle de Champagne, J. bénéficia partout d'une estime que lui valaient sa franchise et sa bonne humeur. Malgré son dévouement envers le roi, J. ne le suivit pourtant pas lorsqu'il entreprit la huitième croisade en 1270, prétextant qu'il fallait « demeurer ci pour son peuple aidier et deffendre ». À vrai dire, il pensait que le royaume de France jouissait d'une bonne paix à l'intérieur et que point n'était nécessaire de la mettre en danger par des expéditions aléatoires, dont le but escompté n'était pas toujours atteint. Au cours de cette huitième croisade, le roi mourut à Tunis. Les enquêteurs chargés d'établir un rapport en vue de la canonisation de Louis IX (1282) s'adressèrent à J. pour recueillir des renseignements. Et, à la demande de la reine de Navarre, il rédigea, de 1305 à 1309, son *Livre des saintes paroles et des bons faits de notre Saint Roi Louis.* Nul mieux que lui n'était désigné pour cette tâche. Dans son ouvrage, J. ne se soucie guère de faire un récit chronologique. Il ne retient que les détails qui l'ont frappé, au fur et à mesure qu'ils surgissent à la conscience, s'y attarde au gré de son inspiration, sème les anecdotes selon son bon plaisir ou son humeur. Il utilise ainsi des réminiscences et des impressions toutes personnelles. Il parle de Saint Louis mais aussi de lui-même. Il se révèle comme un « honnête homme » avant la lettre, appréciant son confort, bon chrétien sans toutefois être inconditionnellement voué à la cause. Il se félicite, par exemple, de ne pas avoir participé à la croisade qui se termina si mal. Doué d'un bon sens et d'une bonne humeur inaltérables, non dépourvu d'humour, il établit une causerie à bâtons rompus (notons qu'il dicte son texte à des clercs, ce qui conserve à l'écrit le ton de la conversation familière). J. fait preuve d'une mémoire étonnante pour un homme de son âge, rapportant des souvenirs, des impressions, peut-être atténués par le temps, mais qui donnent une image exacte de ce que fut Saint Louis. Il nous montre dans sa vie quotidienne ce saint qui fut aussi un homme et dont l'image vivante et proche n'intimide pas le narrateur.

Œuvres. *Credo,* 1250. – *Histoire de Saint Louis ou Livre des saintes paroles et des bons faits de notre Saint Roi Louis,* 1309. – Traduction en français moderne par A. Mary, 1928.

JONGLEUR [latin *joculator* = rieur, qui dit ou fait des plaisanteries ; ou bien encore de *jangler,* d'origine germanique = bavarder avec abondance]. Attesté dès le VIIIe s., le jongleur est principalement un chanteur qui s'accompagne d'un instrument de musique mais qui pratique également toutes les formes du spectacle (il est aussi montreur d'animaux ou de marionnettes). Issu du peuple, il s'adresse au peuple, allant de ville en ville et faisant même de brefs séjours dans les châteaux qui veulent bien l'accueillir. Son répertoire est constitué aussi bien par des poèmes d'autres écrivains que par ses propres œuvres.

JOUBERT Joseph. Montignac (Dordogne) 1754 – Villeneuve-sur-Yonne 4.5.1824. Enfant délicat et d'une nature sensible, il fera ses humanités au collège des Doctrinaires de Toulouse, où il reçoit en outre une stricte éducation religieuse. Après ses études, il commencera par enseigner dans son collège, puis ira se fixer à Paris, en 1778, pour tenter sa fortune dans les lettres. Il fréquenta les écrivains en renom, La Harpe, d'Alembert, Marmontel, Parny et Diderot, à qui il sert de secrétaire et dont il subit passagèrement l'influence. Il se lie d'une profonde amitié avec le poète et critique Fontanes (1757-1821) et a une liaison avec la femme de Restif de La Bretonne, qu'il connaît bien. L'ambiance et l'esprit du siècle l'ont fait devenir athée. Il étudie, lit, admire les écrivains anglais (Shakespeare, Richardson), écrit pour vivre. C'est ainsi qu'il entreprend en 1787 l'étude des origines de la Gaule. Sa santé fragile le fera retourner dans sa ville natale, où il obtiendra un poste de juge de paix, fonction qu'il ne tarde guère à résigner pour retourner à Paris en 1792. Il aspire à la tranquillité, se marie l'année suivante et va vivre à Villeneuve-sur-Yonne. Il y fait la connaissance de Mme de Beaumont, femme du monde et future égérie de Chateaubriand, qui s'est réfugiée à Villeneuve pour échapper à la tourmente révolutionnaire. Elle sera l'une de ses plus fidèles amies. Il lui présentera Fontanes et Chateaubriand, et, à partir de 1801, toute une petite société choisie d'hommes de lettres se retrouve dans le salon de Pauline de Beaumont à Paris. J. s'intéresse, à l'époque, à la philosophie et lit Descartes, Condillac, Locke, Leibniz et Kant. Il revient aussi à la religion et s'en tiendra désormais à une scrupuleuse observation de la morale chrétienne, en faisant de la sagesse la plus belle des qualités de l'homme. Lorsque son ami Fontanes est nommé grand maître de l'Université par Napoléon, J. sera appelé à devenir inspecteur de l'enseignement (1808). Il s'acquittera de sa tâche avec intelligence et conscience, jusqu'à ce que la Restauration mette fin à son activité. Ses dernières années seront entièrement consacrées à la famille et à l'amitié.

J. a beaucoup écrit, régulièrement, et d'abord pour sa satisfaction personnelle. Des *Carnets* qu'il a tenus, réflexions sur l'homme, l'âme, la vie, les lettres, qui sont l'œuvre d'un moraliste et d'un critique, Chateaubriand tirera après sa mort un recueil de *Pensées,* qui sera repris et complété pour devenir *Pensées, Essais et Maximes de J. J.* L'écrivain y apparaît avec sa sensibilité mesurée, son esprit cultivé et raffiné, capable de saisir les nuances les plus subtiles et les plus justes, tant en morale qu'en littérature.

Œuvres. *Recueil et pensées procurées par Chateaubriand,* posth., 1838. – *Pensées, Essais et Maximes de Joseph Joubert,* posth., 1842. – *Correspondance,* posth., 1850. – *Les Carnets de Joseph Joubert* (éd. complète des *Pensées),* posth., 1938.

JOUHANDEAU Marcel. Guéret 26.7.1888 – Rueil-Malmaison 8.4.1979. Studieux fils de commerçants, il devient, en 1912, après une année de khâgne à Henri-IV marquée par une grave crise de conscience, professeur au collège Saint-Jean-de-Passy. Il y enseignera jusqu'en 1949. En marge de cette vie discrète s'est construite une œuvre aux senteurs voulues de scandale et de soufre ; elle suit trois chemins. Le mémorialiste se souvient inlassablement de sa ville natale, qu'il évoque sans tendresse sous le nom de Chaminadour dans les volumes qui portent ce titre, dans les *Pincengrain*, dans *Prudence Hautechaume* et dans la série *Mémorial.* L'introspectif s'analyse dans la série *Monsieur Godeau,* dans *Chroniques maritales,* dans *Scènes de la vie conjugale* et dans la série *Élise ;* on y lit, non sans gêne, la confidence détaillée des orages de sa vie avec la danseuse Caryathis, épousée en 1929. Enfin l'essayiste se penche sur ses propres difficultés religieuses, en catholique tourmenté, en moraliste – ou immoraliste – proche de Gide, entre autres, dans *Algèbre des valeurs morales* ou dans *Essai sur moi-même.* Le principal reproche que l'on peut adresser à J., dont l'œuvre prit à la fin de sa vie l'allure d'une confidence ininterrompue *(Journaliers),* est son bavardage. Du moins sait-il composer de son indiscrétion même la matière d'un style admirable, fait de lumière nette et de justes nuances.

Œuvres. *La Jeunesse de Théophile,* 1921 (N). – *Les Pincengrain,* 1924 (N). – *Brigitte ou la Belle au bois dormant,* 1925 (N).

– *Monsieur Godeau intime,* 1926 (N). – *Prudence Hautechaume,* 1927 (N). – *Opales,* 1928 (N). – *Astaroth,* 1929 (N). – *Le Journal d'un coiffeur,* 1931 (N). – *Éloge de l'imprudence,* 1932 (E). – *Tite-le-long,* 1932 (N). – *Monsieur Godeau marié,* 1933 (N). – *Binche-Ana,* 1933 (N). – *Images de Paris,* 1934 (N). – *Chaminadour I,* 1934 (N). – *Algèbre des valeurs morales,* 1935 (E). – *Chaminadour II,* 1936 (N). – *Le Saladier,* 1936 (N). – *Le Péril juif,* 1937 (E). – *Le Jardin de Cordoue,* 1938 (N). – *Chroniques maritales,* 1938 (N). – *De l'abjection,* 1939 (E). – *Requiem... et lux,* 1940 (N). – *Chaminadour III,* 1941 (N). – *Triptyque (les Térébinthe ; Élise ; Veronicaena),* 1942 (N). – *Le Parricide imaginaire,* 1942 (N). – *Les Miens,* 1942 (N). – *Nouvelles Chroniques maritales,* 1943 (N). – *L'Oncle Henri,* 1943 (N). – *Petit Bestiaire,* 1944 (N). – *Chronique d'une passion,* 1944 (E). – *Essai sur moi-même,* 1946 (E). – *Animaux familiers,* 1947 (N). – *Carnets de Don Juan,* 1947 (N). – *Le Livre de mon père et de ma mère (Mémorial I),* 1948 (N). – *Ménagerie domestique,* 1948 (N). – *La faute plutôt que le scandale,* 1949 (N). – *Ma classe de 6*^e^, 1949 (E). – *Le Voyage secret,* 1949 (E). – *La Ferme en folie,* 1950 (N). – *Un monde,* 1950 (N). – *L'Imposteur ou Élise iconoclaste,* 1950 (N). – *Éloge de la volupté,* 1951 (E). – *Contes rustiques,* 1951 (N). – *Le Fils du boucher (Mémorial II),* 1951 (N). – *Élise architecte,* 1951 (N). – *Léonora ou les Dangers de la vertu,* 1951 (N). – *Ces Messieurs,* 1951 (N). – *Nouveau Bestiaire,* 1952 (N). – *De la grandeur,* 1952 (E). – *Notes sur la magie et le vol,* 1952 (E). – *La Paroisse du temps jadis (Mémorial III),* 1952 (N). – *Galande ou Convalescence au village,* 1953 (N). – *Derniers Jours et Mort de Véronique,* 1953 (N). – *Carnets du professeur,* 1953 (E). – *L'École des garçons,* 1953 (E). – *Apprentis et Garçons (Mémorial IV),* 1953 (N). – *Ana de madame d'Apremont,* 1954 (N). – *Tirésias,* 1954 (E). – *Éléments pour une éthique,* 1955 (E). – *Contes d'enfer* (comprenant *Ximénès, Malinjoude* et *Don Juan),* 1955 (N). – *Du pur amour,* 1955 (N). – *Le Langage de la tribu (Mémorial V),* 1955 (N). – *Jaunisse* (chronique, suivi d' *Elisaena),* 1956 (N). – *Réflexions sur la vieillesse et la mort,* 1956 (E). – *Nouvelles Images de Paris,* avec *Remarque sur les visages,* 1956 (E). – *Carnets de l'écrivain,* 1957 (E). – *Vie de saint Philippe Neri,* 1957 (E). – *Théâtre sans spectacle (le Meurtre de la duchesse de Choiseul-Praslin ; Antoine et Octavie ; Viol),* 1957 (T). – *Les Chemins de l'adolescence (Mémorial VI),* 1958 (N). – *Correspondance avec André Gide,* 1958. – *Réflexions sur la vie et le bonheur,* 1958 (E). – *Les Argonautes,* 1959 (N). – *L'Éternel Procès,* 1959 (N). – *L'École des filles,* 1960 (N). – *Cocu, pendu et content,* 1960 (N). – *Descente aux enfers,* 1961 (N). – *Animaleries,* 1961 (N). – *Les Plus Belles Lettres de Voltaire,* 1961. – *Journaliers I (1957-1959),* 1961. – *Trois Crimes rituels,* 1962 (E). – *Chroniques maritales, avec Élise,* 1962 (N). – *Les Instantanés de la mémoire (Journaliers II, 1959),* 1962. – *Littérature confidentielle (Journaliers III, 1959),* 1963. – *Que tout n'est qu'allusion (Journaliers IV, 1960),* 1963. – *Le Bien du mal (Journaliers V, 1960),* 1964. – *Être inimitable (Journaliers VI, 1960),* 1964. – *Chronique d'une passion* (nouv. éd.), 1964 (E). – *La Malmaison (Journaliers VII, 1961),* 1965. – *Que la vie est une fête (Journaliers VIII, 1961),* 1966. – *Ma classe de 6*^e^ (nouv. éd.), 1966 (E). – *Que l'amour est un (Journaliers IX, 1961),* 1967. – *Le Gourdin d'Élise (Journaliers X, 1962),* 1968. – *La Vertu dépaysée (Journaliers XI, 1962),* 1968. – *Nouveau Testament (Journaliers XII, 1963),* 1968. – *Magnificat (Journaliers XIII, 1963),* 1969. – *La Possession (Journaliers XIV, 1963),* 1970. – *Confrontation avec la poussière (Journaliers XV, 1963),* 1970. – *Olympias,* suivi de *Antistia* et de *Tout ou Rien,* 1970 (T). – *Léonora ou les Dangers de la vertu* (nouv. éd.), 1970 (N). – *Une adolescence,* 1971 (N). – *Aux cent actes divers (Journaliers XVI, 1964),* 1971. – *Lettres d'une mère à son fils (1908-1926),* 1971. – *Azaël,* 1972 (N). – *Gémonies (Journaliers XVII, 1964),* 1972. – *Bon an, mal an (Mémorial VII, 1908-1928),* 1973 (N). – *Paulo minus ab Angelis (Journaliers XVIII, 1964-1965),* 1973. – *Un second soleil (Journaliers XIX, 1965),* 1973. – *Jeux de miroirs (Journaliers XX, 1965-1966),* 1974. – *Orfèvre et Sorcier ou Invraisemblable et Vrai (Journaliers XXI, 1966-1967),* 1975. – *Parousie (Journaliers XXII, 1967-1968),* 1975. – *Propos,* 1975. – *Souffrir et être méprisé (Journaliers XXIII, 1968-1969),* 1976. – *Une gifle de bonheur (Journaliers XXIV, 1969-1970),* 1977. – *La Mort d'Élise (Journaliers XXV, 1970-1971),* 1977. – *La vie commence comme une fête* (entretiens avec J.-J. Pauvert), 1977. – *Nunc dimittis (Journaliers XXVI, 1971-1972),* 1979. – *Du singulier à l'éternel (Journaliers XXVII, 1972-1973),* posth., 1981. – *Dans l'épouvante le sourire aux lèvres (Journaliers XXVIII, 1973-1974),* posth., 1983.

JOURNAL. Publication quotidienne ou périodique, consacrée à l'actualité dans tous les domaines (politique, économique, artistique, sportif). En France, c'est Théo-

phraste Renaudot qui, le 30 mai 1631, lança le premier journal, la *Gazette*. La Révolution française transforme le journal en une tribune politique. Le journal ne prit sa véritable expansion qu'avec l'ère industrielle, au XIXe s., grâce, en particulier, à la découverte de nouvelles techniques d'impression et aux recettes provenant de la publicité naissante. Il devint alors un quotidien, avec la forme que l'on connaît à l'heure actuelle. De nos jours, le journal subit la concurrence de nouveaux moyens d'information plus rapides et frappants ; la radiodiffusion et la télévision (journal parlé, journal télévisé).
Au XIXe s., au temps du feuilleton, le journal a joué un rôle littéraire considérable (publication des œuvres de Balzac, par exemple).

JOURNAL INTIME. Recueil de notes de longueur variable, écrites au jour le jour, où un écrivain rend compte des incidents de sa vie personnelle, des émotions, des réflexions qu'ils suscitent. Simple mémorandum des événements, il peut devenir une véritable œuvre littéraire, surtout quand son auteur est un écrivain chevronné (*Journal* de Léautaud, de Gide, de Green) ou encore lorsque le talent de l'auteur inconnu laisse un témoignage particulièrement significatif sur une époque ou même une personne (*Journal* d'Anne Frank). Le romantisme, particulièrement porté à l'analyse des sentiments et des émotions, a mis ce genre en vedette (*Cahier vert* de Maurice de Guérin, *Journal* de Benjamin Constant). Le journal intime est révélateur des sentiments cachés et les plus profonds de l'auteur (*Journal intime* de H.F. Amiel), et en même temps, par l'intermédiaire de cette individualité, il révèle en détail l'état d'esprit d'une époque à travers les réactions d'une personnalité d'élite. Il arrive que le mot serve de titre à des œuvres de fiction où le « journal » est tenu par un personnage imaginaire (Gide, *Journal des Faux-Monnayeurs*). [Voir aussi AUTOBIOGRAPHIE.]

JOURNAL D'UN BOURGEOIS DE PARIS. 1405 – 1449. L'auteur est probablement un clerc, peut-être un chanoine de Notre-Dame, ayant appartenu à l'université de Paris. Le *Journal*, écrit pendant la guerre de Cent Ans, est un document précieux pour saisir la réalité d'une époque à travers les incidents de la vie quotidienne, les événements qui ont frappé l'imagination de l'auteur et ses réactions personnelles. Il mentionne la rareté et le renchérissement des vivres, la dépréciation de la monnaie dans la capitale, mais expose aussi, avec un réalisme parfois cru, les atrocités commises par les armées. Il se montre, dans l'ensemble, hostile au parti des Armagnacs. Son style est simple et vigoureux.

JOUVE Pierre Jean. Arras 11.10.1887 – Paris 9.1.1976. En lui enseignant le piano, sa mère lui fait découvrir le monde merveilleux de la musique. Il suit les cours du collège d'Arras, puis fera des études de mathématiques spéciales et de droit à Lille et, un peu plus tard, de philosophie à la faculté de Poitiers. Vers sa seizième année, une grave maladie dont il s'est difficilement remis va lui laisser une santé fragile. En lisant Baudelaire, Mallarmé et Rimbaud, il a pris le goût de la poésie. Il fonde une petite revue poétique, *les Bandeaux d'or* (1906), et ses premiers vers s'inspirent des derniers symbolistes. Installé à Paris en 1908, il fréquente le groupe des poètes de l'« Abbaye », dont l'influence se reflète dans sa poésie d'alors. Engagé volontaire pendant la guerre de 1914, il est, du fait de son état de santé, muté en Suisse, où il se lie avec R. Rolland, qui encourage sa vocation poétique. En 1919-1921, J. séjournera à Florence, puis à Salzbourg et en Bavière. Une crise morale profonde l'amène à renier toutes les œuvres qu'il a écrites précédemment et à rompre avec R. Rolland et les poètes de l'« Abbaye » (1924). En 1925, sa découverte de la psychanalyse et des forces de l'inconscient vient enrichir sa connaissance de l'homme. À travers la double symbolique du freudisme et du christianisme, son univers poétique va prendre une nouvelle dimension. L'inconscient lui fournit une matière qu'il utilise et élabore intégralement. Il reprend, parce qu'il les retrouve en lui, les images sexuelles et génitales du freudisme et les rend intolérables et explosives en les liant au sens du péché, tandis que la spiritualité ne cesse d'attirer vers le haut cet univers de cauchemar, marqué par les stigmates de la faute, par l'angoisse et par la mort. Aux forces Inconscient, Spiritualité et Catastrophe correspondent chez J. trois registres constants et souvent entremêlés : une érotique forcenée, rongée par le remords ; une angoisse mystique qui ne se voit jamais apaisée (sauf peut-être par la sagesse extrême-orientale, dans les derniers recueils) ; et une dimension cosmique et apocalyptique toujours incarnée dans son drame personnel. Sa poésie en effet métamorphose les données psychanalytiques en son langage particulier et ne cessera de joindre par des mythes symboliques les hasards de l'expérience vécue à la nécessité d'un destin universel. L'œuvre romanesque de J., écrite entre 1925 et 1935, se présente comme une tentative d'exploration psychanalytique appliquée à la fiction. L'auteur y introduit les obsessions et thèmes qui inspireront toute son œuvre poétique *(Paulina 1880).* J. trace la thématique de son œuvre et expose sa démarche spirituelle dans un texte capital publié en avant-propos à son recueil poétique *Sueur de sang,* et intitulé *Inconscient, Spiritualité et Catastrophe.* Tout au long de sa vie, il approfondira l'univers qu'il s'est ainsi créé et, poursuivant, dans la solitude et l'effort, l'exploration de la lutte obscure du conscient et de l'inconscient, il fait entendre un chant désespéré et douloureux, difficile et singulier. En poésie, c'est d'abord l'élan religieux de *Noces,* dont l'épigraphe est « Vita Nuova ». Cinq ans plus tard, *Sueur de sang* marque le nouveau bouleversement de l'attitude spirituelle du poète avec l'expérience psychanalytique, qui débouche sur une vision apocalyptique du monde et de l'histoire *(Matière céleste ; Kyrie).*

La guerre de 1939-1945 est pour J. l'occasion de ressentir plus profondément encore l'accord de sa sensibilité avec la dimension du drame. Réfugié à Genève après avoir passé plusieurs mois dans le midi de la France, il composera diverses œuvres marquantes en prose et en vers, des essais et écrits politiques, des articles et préfaces. *La Vierge de Paris* groupera toute l'œuvre poétique de J. de 1939 à 1944 (*Gloire, Porche à la nuit des saints, Vers majeurs* ...) : la poésie lui apparaît alors comme l'instrument d'« une lutte pour des valeurs immuables ».

Œuvres. *Présences,* 1912 (P). – *La Danse des morts,* 1917 (P). – *Les Mystérieuses Noces,* 1925 (P). – *Prière,* 1924 (P). – *Paulina 1880,* 1925 (N). – *Nouvelles Noces,* 1926 (P). – *Le Monde désert,* 1927 (N). – *Noces,* 1928 (P). – *L'Aventure de Catherine Crachat* (1, *Hécate,* 1928 ; 2, *Vagadu,* 1931) [N]. – *Le Paradis perdu,* 1929 (P). – *La Symphonie à Dieu,* 1930 (P). – *Histoires sanglantes,* 1932 (N). – *Sueur de sang* (avec, en avant-propos : *Inconscient, Spiritualité et Catastrophe,* 1933 [E]), 1933 (P). – *La Scène capitale,* 1935 (N). – *Hélène,* 1936 (P). – *Urne,* 1936 (P). – *Matière céleste,* 1936-1937 (P). – *Roméo et Juliette* (trad. de Shakespeare), 1937 (T). – *Kyrie,* 1938 (P). – *Ode au peuple,* 1939 (P). – *Gloire,* 1942 (P). – *Le « Don Juan » de Mozart,* 1942 (E). – *Tombeau de Baudelaire,* 1942, rééd. 1950 (E). – *La Vierge de Paris* (œuvre poétique 1939-1944), 1944 (P). – *L'Homme du 18 juin,* 1945 (E). – *Apologie du poète,* 1947 (E). – *Hymne,* 1947 (P). – *Génie,* 1947 (P). – *Diadème,* 1949 (P). – *Ode,* 1950 (P). – *Langue,* 1952 (P). – Avec M. Fano, *Wozzek ou le Nouvel Opéra,* 1953 (E). – *En miroir, « Journal sans date »,* 1954. – *Sonnets* (trad. de Shakespeare), 1955 (P). – *Lyrique,* 1956 (P). – *Mélodrame,* 1957 (P). – *Inventions,* 1958 (P). – *Macbeth* (trad. de Shakespeare), 1959 (T). – *Proses,* 1960 (P). – *La Scène capitale* (édition définitive), 1961 (N). – *Othello* (trad. de Shakespeare), 1961 (T). – *Moires,* 1962 (P). – *Ténèbre,* 1965 (P). – *Œuvres poétiques* (4 vol.), 1964-1967. – *Folie et génie* (trois causeries), posth., 1984.

K

KABBALE [hébreu *qabbalah* = tradition]. D'origine biblique et orientale, la tradition de la kabbale se fonde sur la distinction entre deux aspects de l'enseignement de Moïse : l'aspect *exotérique,* exprimé par le *Pentateuque* et destiné à la masse ; l'aspect *ésotérique,* c'est-à-dire secret, confié par le maître à soixante-dix disciples *(sopherim),* qui en assurèrent eux-mêmes la transmission. Il s'agit donc d'une tradition orale de caractère occulte, transmise à travers les siècles de maître à disciple. La tradition originelle, la *gnôse* (grec *gnôsis* = connaissance), a ainsi donné naissance à une double science, théorique et pratique, qui constitue proprement la kabbale. L'élément central de la théorie kabbaliste est une cosmogonie qui, fondée sur l'unité de Dieu *(En-Soph),* en produit les émanations *(sephiroth),* lesquelles, à leur tour, donnent naissance aux « lignes » correspondant aux vingt-deux lettres de l'alphabet hébreu, et, à partir de ces « lignes », s'élaborent les *Voies de la Sagesse.* La partie pratique ou opérative de la kabbale consiste en une *mystique du Nom :* tout être ou objet porte un Nom mystique et secret dont la prononciation rituelle détermine une action efficace. On voit par là que la pratique kabbaliste n'est pas sans analogie avec les pratiques magiques. C'est au XIIIe s. que la kabbale fut l'objet d'une compilation écrite dans l'œuvre du juif espagnol Sem Tob, et, à partir de là, elle a largement exercé son influence sur la pensée ésotérique européenne, et a servi de source et de modèle à la plupart des occultistes, en particulier aux XVIIIe et XIXe s. (Voir OCCULTISME.)

KAHN Gustave. Metz 21.12.1859 – Paris 1936. Son œuvre, très abondante, touche à tous les genres : roman, conte, journalisme littéraire, critique d'art, poésie – pratique *(les Palais nomades ; Domaine de fée ; le Livre d'images)* – et théorie *(le Vers libre).* Mais c'est surtout comme animateur de la vie littéraire de la fin du siècle qu'il mérite de ne pas être oublié : il fonda la revue *la Vogue* et travailla au *Symboliste* et à *la Revue indépendante ;* ami de Rimbaud et de Verlaine, il tenta avec Catulle Mendès d'attirer à la poésie la plus neuve le public le moins averti *(Matinées de poètes).* Il publia des biographies d'artistes *(Boucher ; Fragonard ; Rodin ; Fantin-Latour ; Baudelaire)* et contribua à l'histoire du symbolisme *(Symbolistes et Décadents ; les Origines du symbolisme).*

Œuvres. *Premiers poèmes* (avec une *Préface sur le vers libre*), 1885 (P). – *Les Palais nomades,* 1887 (P). – *Chansons d'amant,* 1891 (P). – *Domaine de fée,* 1895 (P). – *La Pluie et le Beau Temps,* 1895 (P). – *Limbes de lumière,* 1895 (P). – *Le Livre d'images,* 1897 (P). – *Matinées de poètes,* 1897 (P). – *Symbolistes et Décadents,* 1902 (E). – *Boucher,* 1905 (E). – *Fragonard,* 1906 (E). – *Rodin,* 1906 (E). – *Le Vers libre,* 1912 (E). – *Silhouettes littéraires,* 1925 (E). – *Fantin-Latour,* 1926 (E). – *Baudelaire,* 1928 (E). – *Les Origines du symbolisme,* posth., 1939 (E).

KANE Cheikh Hamidou. Matam 3.4.1928. Romancier sénégalais. Né dans une région très marquée par l'islam et restée particulièrement attachée à la tradition, K. n'entra à l'école française qu'à dix ans, après avoir été formé, dès son enfance, par l'étude du Coran. Il fit ensuite de bonnes études secondaires, puis vint à Paris pour des études de droit et de philosophie. En 1961, breveté de l'École de la France d'outre-mer, il rentre au Sénégal, où il exercera d'importantes fonctions dans l'administration et dans la gestion de l'économie. C'est en 1961 que paraît *l'Aventure ambiguë,* récit autobiographique, qui connut un grand succès car l'auteur y abordait des problèmes jusque-là ignorés, ou à peu près, de la littérature africaine. Le livre reçut en 1962 le grand prix littéraire de l'Afrique noire d'expression française. Ce roman développe le thème de l'initiation manquée, et K. y décrit les problèmes auxquels se trouve confrontée la société africaine à l'heure où la pénétration moderniste se fait décisive : le point de départ de la crise analysée par ce roman est l'ébranlement d'une société islamique qui avait appris à renoncer au monde pour assurer son salut. Brutalement l'Europe et ses séductions s'imposent à elle et menacent de tout y bouleverser. Il est encore difficile d'apprécier la portée de l'œuvre de K. ; on peut toutefois remarquer qu'il a, d'entrée de jeu, concentré l'attention sur des problèmes d'ordre spirituel et a ainsi comblé un vide dans le roman africain. Il possède au plus haut degré l'art du dialogue et a souvent recours au procédé de l'allusion, qui ouvre la voie à une multiplicité d'interprétations. Il réussit à traduire dans la langue littéraire française ce que le discours africain contient de plus original, et c'est là ce qui, en dépit d'une certaine tendance à la digression ou à la prolixité, confère à ce roman une unité de ton parfaitement accordée à sa profonde signification spirituelle.

L'Aventure ambiguë

Le jeune Samba Diallo, descendant des chefs temporels de son pays, appelé, selon la tradition, à assumer aussi la charge de chef spirituel en cette période de crise, est envoyé en France. Il y découvre d'autres formes de pensée et une manière différente d'aborder les problèmes de la vie. Il prend conscience de sa différence et entreprend de concilier ce qu'il a reçu de sa tradition et ce qu'il a découvert en France. Il n'y réussit pas et rentre en Afrique, conscient de ne plus être la même personne qu'avant son expérience européenne. Il a découvert en effet une société qui s'attache au monde, qui, au besoin, même, le privilégie, et qui a fort bien appris à concilier le souci du monde et la recherche du salut. Cet ébranlement de ses convictions les plus profondes est la source d'un drame personnel qui constitue l'élément pathétique du roman et qui conduira le héros à la mort.

KARR Alphonse. Paris 24.11.1808 – Saint-Raphaël (Var) 29.9.1890. Son premier roman, *Sous les tilleuls,* connut un succès qui laissait présager une carrière plus brillante ; en fait, si K. continua d'écrire des romans pendant près de cinquante ans, c'est comme journaliste satirique qu'il a fait passer son nom à la postérité : *les Guêpes,* pamphlet mensuel publié de 1839 à 1849 et plusieurs fois repris, mais sans le même succès, de 1855 à 1872, utilise le côté humoristique d'un talent porté plutôt, dans les romans, vers la sensiblerie. Les pointes de style ont vieilli, les attaques *ad hominem,* visant des auteurs aujourd'hui oubliés, n'ont plus de saveur ; cependant, le triomphe de cette publication assurée par un homme seul tenta des concurrents : le plus célèbre, Balzac, échoua faute de sens des affaires (*la Revue parisienne,* 1840). Pêcheur et horticulteur passionné *(Voyage autour de mon jardin),* K., après le coup d'État de Louis-Napoléon Bonaparte, se retira sur la côte d'Azur pour y cultiver la violette. Il a publié ses souvenirs dans un *Livre de bord* qui se lit sans ennui.

Œuvres. *Sous les tilleuls,* 1832 (N). – *Une heure trop tard,* 1833 (N). – *Fa dièse,* 1834 (N). – *Vendredi soir,* 1835 (N). – *Le Chemin le plus court,* 1837 (N). – *Geneviève,* 1838 (N). – *Clotilde,* 1939 (N). – *Les Guêpes* (revue satirique mensuelle), 1839-1849. – *Feu Bressier,* 1844 (N). – *Voyage autour de mon jardin,* 1845. – *La Famille Alain,* 1848 (N). – *Histoire de Rose et de Jean Duchemin,* 1849 (N). – *Clovis Gosselin,* 1851 (N). – *Contes et Nouvelles,* 1852 (N). – *Les Soirées de Sainte-Adresse,* 1852. – *Bourdonnements* (série de « Guêpes »), 1852. – *Fort en thème,* 1853 (N). – *Histoire d'un pion,* 1854 (N). – *Lettres écrites de mon jardin,* 1855. – *Les Femmes,* 1856 (N). – *Une poignée de vérités* (série de « Guêpes »), 1857. – *Promenade hors de mon jardin,* 1858. – *Trois Cents Pages* (série de « Guêpes »), 1858. – *La Pêche en eau douce et en eau salée,* 1858. – *La Pénélope normande,* 1858 (T). – *Menus Propos* (série de « Guêpes »), 1859. – *Les Roses jaunes,* 1861 (T). – *Livre de bord* (souvenirs), 1880.

KATEB Yacine. (Voir YACINE Kateb.)

KESSEL Joseph. Clara (Argentine) 10.2.1898 – Avernes (Val-d'Oise) 23.7.1979. Dès son enfance, ce « Russe de naissance et Juif de surcroît », comme il se désigne lui-même dans son discours de réception à l'Académie, est transporté d'Argentine en Russie, puis de Russie en France, et à dix ans il se retrouve à Nice. Prédestination ? Il sera toute sa vie un aventurier au sens le plus rigoureux du terme, constamment en mouvement, depuis le moment où, à dix-huit ans, en 1916, il s'engage dans l'aviation de combat, jusqu'à ses expériences extrême-orientales de l'après-guerre (Chine, Indochine, Inde, Ceylan), sa participation à la guerre d'Espagne et ses nombreux voyages dans tous les coins du monde. Il accumule les images et n'a, lorsqu'il se met à écrire, qu'à traduire les actions dont il a été le témoin ou l'acteur. Il aurait pu n'être qu'un excellent reporter, et c'est bien par le reportage qu'il a commencé en 1919, dès sa démobilisation. Mais voici que le reportage lui sert de révélateur : il découvre lui-même, et le public découvrira avec lui en 1923 lors de la publication de *l'Équipage,* inspiré par son expérience d'aviateur, que le reporter possède aussi le pouvoir de conjuguer le merveilleux et le réel et de conférer à la nature comme aux hommes cette présence « fabuleuse » qui est le ressort de l'épopée. Présence plongée d'autre part dans un décor dynamique et coloré, et, si K. a pu choquer par les aspects scandaleux de certains de ses sujets, la force de vérité de ses évocations de contrées lointaines assure à ses romans d'aventures une fortune justifiée. C'est que, dans ces romans, la relation entre l'auteur, toujours présent à travers ses personnages, et le monde, représenté par la nature, les animaux, une humanité exotique ou primitive, est un rapport en quelque sorte charnel, bien illustré par un style instantané, proche encore de celui du reportage, mais produit d'une élaboration qui, pour être cachée, n'en est pas moins efficace. Qu'il s'agisse de la vie au jour le jour d'une escadrille pendant la Grande Guerre, sous le double signe de la fraternité et du risque *(l'Équipage),* des aventures épiques des cavaliers afghans emportés au-delà d'eux-mêmes par le goût de la bataille et le sens de leur dignité *(les Cavaliers)* ou de la vie fabuleuse où une petite fille se trouve entraînée par l'amour qu'elle porte à un magnifique lion du Kilimandjaro *(le Lion),* les romans de K. forment une sorte de vaste fresque dont les tableaux divers, vibrants de vie, alliant le réalisme et le merveilleux, sont les différents moments d'une recherche de l'homme à travers l'infinie multiplicité de ses incarnations singulières. Grand prix du roman de l'Acad. fr., 1927. Acad. fr. 1962.

Œuvres. *La Steppe rouge,* 1922 (N). – *L'Équipage,* 1923 (N). – *Mary de Cork,* 1925 (N). – *Mémoires d'un commissaire du peuple,* 1925 (N). – *Les Captifs,* 1926 (N). – *Les Cœurs purs,* 1927 (N). – *Belle de jour,* 1928 (N). – *Nuits de princes,* 1928 (N). – *Les Nuits de Sibérie,* 1928 (N). – *Dames de Californie,* 1929 (N). – *Vent de sable,* 1929 (N). – *Fortune carrée,* 1930 (N). – *Le Coup de grâce,* 1931 (N). – *Wagon-lit,* 1932 (N). – *Les Enfants de la chance,* 1934 (N). – *Le Repos de l'équipage,* 1935 (N). – *La Passante du « Sans-Souci »,* 1936 (N). – *La Rose de Java,* 1937 (N). – *Hollywood, ville mirage,* 1937 (N). – *Mermoz,* 1938 (E). – *L'Armée des ombres,* 1946 (N). – *Les Bataillons du ciel,* 1947 (N). – *Le Tour du malheur,* 1950 (N). – *Au grand Socco,* 1952 (N). – *Les Amants du Tage,* 1954 (N). – *La Vallée des rubis,* 1955 (N). – *Le Lion,* 1958 (N). – *Terre d'amour et de feu, Israël,* 1925-1961 (N). – *Tous n'étaient pas des anges,* 1963 (N). – *Les Cavaliers,* 1968 (N). – *Les Fils de l'impossible,* 1970 (N). – *Les Rois aveugles,* 1970 (N). – *Des hommes,* 1972 (N). – *Le Tour du malheur* (nouv. éd., 4 vol.), 1974 (N). – *Vladivostok, les temps sauvages,* 1975 (N). – *Hong-Kong et Macao,* 1975.

KLEIN Gérard. Paris 27.5.1937. Écrivain de science-fiction. Directeur de la collection *Ailleurs et Demain* depuis 1969, il a su assimiler la leçon des auteurs américains de science-fiction, de Bradbury, qui inspira ses débuts en janvier 1956, aux dernières acquisitions de l'« Heroic Fantasy » de Farmer et Zelazny. Il est en outre le seul à avoir critiqué en profondeur les écrivains conjecturaux marquants, qu'il s'agisse de Hermann Hesse ou de Philip K. Dick. Il a publié dans la plupart des collections et revues spécialisées françaises, sous son nom ou sous des pseudonymes, et une nouvelle comme *l'Écume du soleil* soutient la comparaison avec les ouvrages des meilleurs représentants du genre.

Œuvres. *L'Écume du soleil* (nouvelles), 1958 (N). – *Les Perles du temps* (nouvelles), 1958 (N). – *Le Gambit des étoiles,* 1958 (N). – *Le temps n'a pas d'odeur,* 1963 (N). – *Les Tests, ballons-sondes de la psychologie,* 1963 (E). – *Les Seigneurs de la guerre,* 1971 (N). – *La Loi du talion* (nouvelles), 1973 (N). – *Sur l'autre face du monde et Autres Romans scientifiques de sciences et voyages,* 1973 (N). – *Histoires comme si,* 1975, réed. 1985 (N). – *Anthologie,* 1978 (E). – *Le Sceptre du hasard,* 1980 (N). – *Les Tueurs de temps,* 1981 (N). – *La Ligne bleue des mômes,* 1982. – *Histoire de la quatrième dimension,* 1983 (E). – *Histoire des cosmonautes,* 1984 (N). – *Histoires des sociétés futures,* 1984 (N).

KLINGSOR Tristan, Léon Leclère, dit. La Chapelle-aux-Pots (Oise) 1874 – Le Mans 1966. Directeur de la revue *la Vogue* (1895-1901), ami du peintre Vuillard et du compositeur Ravel, il se donna d'abord pour tâche d'insuffler au symbolisme finissant une nouvelle jeunesse. D'une culture et d'une sensibilité raffinées, mais éloigné des goûts décadents et attiré au contraire par la nature et la vie quotidienne, il tenta de chanter le quotidien et le familier selon les timbres et les rythmes les plus subtils : si cet affinement du ton poétique n'évite pas toujours de s'amincir jusqu'au mièvre, il est souvent la source d'une forme de « fantaisie » qui fait aussi du poète un proche parent de P.-J. Toulet. K. fut également peintre : on peut voir ses *Environs d'Angers* au musée national d'Art moderne de Paris.

Œuvres. *Schéhérazade,* 1903 (P). – *Le Valet de cœur,* 1908 (P). – *Poèmes de bohème,* 1913 (P). – *Humoresques,* 1921 (P). – *L'Escarbille d'or,* 1922 (P). – *Poèmes du brugnon,* 1934 (P). – *Cinquante Sonnets du dormeur éveillé,* 1949 (P). – *Florilège poétique,* 1956 (P). – *Claude Lepape,* 1958 (E). – *Le Tambour voilé,* 1960 (P). – *Second Florilège,* 1964 (P). – *La Maison d'Aloysius,* 1965 (P). – *Poèmes de la princesse Chou,* posth., 1974 (P).

KLOSSOWSKI Pierre. Paris 9.8.1905. Il eut une enfance tout imprégnée d'influences littéraires et artistiques. Son père, historien d'art et peintre, était lié avec des artistes comme Bonnard et avec des écrivains comme Rilke ou Gide. Dès sa vingtième année, K. devait s'intéresser de près à la psychanalyse, puis en 1934 il se liait d'amitié avec Georges Bataille, et ce fut là sans doute un moment décisif de sa formation. Après une crise religieuse au cours de laquelle il fut novice dominicain (aventure spirituelle qu'il a relatée dans *la Vocation suspendue),* K. s'engage délibérément, sous le signe de Sade *(Sade mon prochain)* et sous l'influence de Bataille, dans la prospection littéraire systématique du Mal, mais avec un effort non moins systématique de classicisme dans le style, qui tend à souligner la définition de la littérature comme tentative de substitution de l'existence verbale à l'existence réelle, charnelle ou spirituelle. Comme si, par la vertu du style, le « sadisme » débouchait, au-delà de la jouissance de la destruction, sur un pouvoir de perpétuité, purement littéraire, de cette destruction même.

Œuvres. *Sade mon prochain,* avec *le Philosophe scélérat,* 1947 (E). – *Les Méditations bibliques de Hamann,* trad., 1948 (E). – *La Vocation suspendue,* 1950 (N). – *Les Lois de l'hospitalité,* I, *Roberte, ce soir,* 1954 ; II, *la Révocation de l'édit de Nantes,* 1959 ; III, *le Souffleur ou le Théâtre de société,* 1960 (N). – *Le Bain de Diane,* 1956 (N). – *Suétone, Vie des Césars,* trad. et commentaires, 1957. – *Un si funeste désir,* 1963 (E). – *Virgile, l'Énéide,* préf. et trad., 1964. – *Le Baphomet,* 1965 (N). – *Nietzsche et le cercle vicieux,* 1969, rééd. 1978 (E). – *La Monnaie vivante,* 1970 (N). – *Nietzsche, la Gaya Scienza,* introd. et trad., 1973. – *Origines culturelles et mythes d'un certain comportement des dames romaines,* 1973. – *Les Derniers Travaux de Gulliver,* 1975.

KOCK Paul de. Écrivain français d'origine hollandaise. Paris (Passy) 21.5.1794 – 29.8.1871. En cinquante ans, il fit créer sur scène une soixantaine d'ouvrages dramatiques, surtout des vaudevilles, et publia soixante-trois romans ou recueils de récits, qui souvent parurent en feuilleton, parmi lesquels ses plus grands succès furent *Georgette, Mon voisin Raymond, la Laitière de Montfermeil, l'Amoureux transi, la Fille aux trois jupons.* L'humour de Paul de Kock, qui lui permit de prolonger son succès au point d'être traduit à l'étranger, nous paraît aujourd'hui puisé à des sources quelque peu vulgaires ; pour vif qu'il soit, le style de ce peintre des grisettes et des petits bourgeois n'en est pas moins stéréotypé.

Œuvres. *L'Enfant de ma femme* (adapt. th. 1835), 1812 (N). – *Madame de Valnoir* 1814 (T). – *Georgette ou la Nièce du tabellion,* 1820 (N). – *Gustave le mauvais sujet,* 1821 (N). – *Mon voisin Raymond,* 1822 (N). – *Monsieur Dupont ou la Jeune Fille et sa bonne,* 1824 (N). – *La Laitière de Montfermeil,* 1827 (N). – *La Pucelle de Belleville,* 1834 (N). – *Un jeune homme charmant,* 1835 (N). – *L'Homme aux trois culottes ou la République, l'Empire et la Restauration,* 1841 (N). – *Un homme à marier,* 1843 (N). – *L'Amoureux transi,* 1843 (N). – *Un bal dans le grand monde,* 1845 (N). – *L'Amant de la lune,* 1847 (N). – *La Fille aux trois jupons,* 1863 (N).

KOUROUMA Ahmadou. Boundiali 1927. Écrivain ivoirien. Il fit de bonnes études jusqu'à son exclusion du Collège technique supérieur, où il était élève, pour fait de grève. Il prend part ensuite à la guerre d'Indochine et, rendu à la vie civile, reprend ses études à Paris, puis à Lyon. Il exerce la profession d'actuaire. Mis à part une pièce de théâtre inédite, *Tougnantigui ou le Diseur de vérité,* K. n'a écrit qu'un unique roman, *le Soleil des indépendances* (1968, prix de la Francité), qui est peut-être le plus important des romans africains des années 1960-1970. Il ne rompt cependant pas avec l'engagement politique, qui reste l'un des aspects majeurs du roman africain de la période coloniale et post-coloniale : K. dénonce les mœurs politiques de l'Afrique contemporaine et montre le divorce qui s'installe dans l'esprit des dirigeants qui n'ont à la bouche que les mots progrès et développement mais cèdent en même temps aux superstitions les plus rétrogrades. K. montre aussi et surtout comment cette Afrique nouvelle, sans direction morale ou spirituelle, en vient à renier une autre Afrique plusieurs fois millénaire, qui a su triompher de tous les aléas de l'histoire. C'est à la description de cette Afrique qui se meurt que K. consacre le meilleur de son talent. Jamais avant lui on n'avait décrit avec une telle profondeur la mentalité et les croyances de l'homme de la campagne, qui communie avec la nature, vit dans la familiarité des esprits et des dieux : on comprend qu'un esprit comme K. soit désemparé devant le verbalisme des politiciens et l'inefficacité des technocrates. Mais s'il conserve les formes les plus caractéristiques de la littérature traditionnelle, il parvient cependant à créer aussi un effet de distanciation en se donnant l'apparence de railler son héros, dont la mort préfigure celle du monde qu'il représente. Enfin on ne saurait négliger les particularités de la langue de K. qui, du fait que l'écrivain pense en malinké et écrit en français, recèle de singulières beautés : elle réussit à traduire, même si le puriste n'y trouve pas toujours son compte, les structures mentales africaines. Si l'on se donne la peine de tenir compte de l'origine malinké de l'auteur, on saisit mieux la portée significative de son français africanisé.

KOUYATÉ Seydou Badian. Bamako 10.4.1928. Écrivain malien. Après ses études à Bamako d'abord, puis à la faculté de médecine de Montpellier, il deviendra, lors de l'indépendance, ministre de l'Économie. C'est en 1958 qu'il a publié un roman fort remarqué, *Sous l'orage,* où, par le biais d'une histoire d'amour, il aborde le problème du conflit des générations en décrivant l'écart qui sépare les Anciens de la communauté et les jeunes gens formés à l'individualisme par l'influence européenne. Le roman vaut surtout par la qualité du style qui permet à l'auteur de communiquer à ses personnages une âme présente et vivante. K. a aussi abordé l'expression dramatique avec *la Mort de Chaka* (1961), qui n'évite pas les écueils du théâtre idéologique à thèse. Son essai politique, *les Dirigeants africains face à leur peuple* (1964), a obtenu le grand prix littéraire de l'Afrique noire en 1964.

Œuvres. *Sous l'orage,* 1958 (N). – *La Mort de Chaka,* 1961 (T). – *Les Dirigeants africains face à leur peuple,* 1964 (E). – *Le Sang des masques,* 1976 (N). – *Noces sacrées,* 1977 (N).

KRISTEVA Julia. Sofia (Bulgarie) 1941. J. K., rigoureuse théoricienne du langage, professeur de linguistique à l'université et psychanalyste, est arrivée en France en 1966. Ses études à Sofia puis sa situation de journaliste d'un quotidien bulgare lui avaient donné la possibilité de s'ouvrir sur la culture française à travers Sartre, Blanchot ou Camus et d'étudier les formalistes russes. Il règne en France au début des années 70 une grande effervescence intellectuelle propice à la renaissance des études littéraires et sémiologiques, en particulier autour de Barthes et du groupe « Tel Quel » avec lequel elle collabore très activement. C'est là qu'elle rencontre Philippe Sollers dont elle deviendra la femme quelque temps plus tard. J. K. poursuit alors une recherche ambitieuse sur l'écriture moderne, qui tient compte du dispositif psychanalytique (fonctionnement conscient et inconscient des signes) et de l'insertion sociale des textes. Elle élabore ainsi une « théorie de la catharsis » selon laquelle la littérature aurait un effet purificateur. En explorant les labyrinthes du langage sous l'égide de Freud et de Lacan, elle s'intéresse tout particulièrement, dans *Sémeiotikè* par exemple, à la production des énoncés et à la description des stratégies discursives qui témoignent de l'hétérogénéité de la langue mais aussi de la peinture et de la littérature. C'est par la « sémanalyse » qu'elle entreprend l'étude de certaines « expériences-limites » du sujet dans le langage : l'apprentissage de la langue par les enfants et le discours psychotique. Cela l'amène à poser une interrogation plus vaste sur l'identité et la singularité, à considérer l'individu comme « une constellation contradictoire ». Ses deux derniers ouvrages sont une approche psycholinguistique des textes littéraires. Par-delà le cas Céline, elle élabore dans *Pouvoirs de l'horreur* une véritable théorie de l'abjection. *Histoires d'amour* suit le cheminement inverse : une recherche sur « l'idéalisation » à travers l'étude analytique et archéologique du discours amoureux de l'Occident.

Œuvres. *Sémeiotikè. Recherches pour une sémanalyse,* 1969 (E). – *Le Texte du roman,* 1970 (E). – *Des Chinoises,* 1974 (E). – *La Révolution du langage poétique,* 1974 (E). – *La Traversée des signes,* 1975 (E). – *Polylogue,* 1977 (E). – *Folle vérité* (collectif), 1979 (E). – *Pouvoirs de l'horreur,* 1980 (E). – *Langage cet inconnu,* 1981 (E). – *Histoires d'amour,* 1983 (E).

L

LABÉ Louise, Louise Perrin, née **Charly** ou **Charlin,** dite. Lyon 1524 – Parcieux-les-Dombes (Ain) 1566. Fille d'un riche cordier lyonnais, elle reçut une éducation raffinée : latin, italien, musique ; elle pratiqua même l'équitation, ce qui lui permit de participer, sous un travesti, au siège de Perpignan, pour retrouver son amant ! De caractère ardent et passionné, elle nous apparaît comme une extrémiste du sentiment ; elle est aussi l'apôtre d'un féminisme intellectuel et social dont elle expose le manifeste dans l'*Épitre dédicatoire* de son œuvre à Clémence de Bourges. Elle épousa un cordier de Lyon, Ennemond Perrin, ce qui lui valut d'être surnommée « la Belle Cordière ». Son salon fut le lieu de rendez-vous des esprits les plus éclairés de son temps, entre autres Maurice Scève, mais aussi Mellin de Saint-Gelais et Peletier du Mans et, à l'occasion, un ami de Du Bellay, Olivier de Magny : une tradition, qui n'est guère assurée, veut qu'elle ait aimé ce dernier d'un amour dont toute son œuvre chanterait l'ardeur ; on raconte encore que l'*Ode au sire Aymond,* de Magny, serait une moquerie d'Ennemond Perrin trompé par Louise au profit d'Olivier : ce n'est pas mieux assuré. Enfin Louise fut accusée de mener une vie dissolue, et c'est sans doute une calomnie. Mais qu'elle ait été ainsi l'objet de légendes, fussent-elles scandaleuses, révèle l'importance de son personnage. Et son œuvre : trois élégies et vingt-trois sonnets (dont un, le premier, en italien), en tout six cent quarante-huit vers, révèle l'éminent génie poétique de celle que Marceline Desbordes-Valmore devait appeler « la Nymphe ardente du Rhône ». Cette poésie est faite, à travers la perfection formelle du vers et du sonnet, de la tension, qui se retrouvera chez Ronsard, entre le platonisme intellectuel et le dynamisme de la passion ; ainsi naît une poésie à la fois épurée par l'expression et animée par les violences du cœur et même de la chair. De surcroît, et ce n'est pas rien, L.L. est le grand symbole vivant du triomphe féminin si caractéristique de la Renaissance, et elle incarne, à la fois dans sa personne et dans son œuvre, le mythe que Héroët venait de chanter dans son poème de *la Parfaite Amie.*

Œuvres. *Œuvres dédiées à Clémence de Bourges (Épître dédicatoire ; le Débat de Folie et d'Amour* [dialogue en prose] ; *Sonnets ; Élégies),* 1555.

LABICHE Eugène Marin. Paris 5.5.1815 – 13.1.1888. Après des débuts dans le roman-feuilleton, il trouva très vite sa voie et, avec divers collaborateurs, dont É. Augier, mena à bien plus de cent comédies et vaudevilles entre 1837 et 1875. L'abondance de son œuvre l'empêche d'aller très profond dans l'analyse des travers humains, mais son imagination fertile et sainement gaie a su trouver un juste milieu entre la farce et la comédie de mœurs ; les œuvres de L., par l'originalité même de leur comique, n'ont cessé de séduire les acteurs, les metteurs en scène et un public toujours renouvelé et toujours fidèle. Leur actualité, quoique fortement datée, ne nuit pas à l'universalité de leur effet. Acad. fr. 1880.

Œuvres. *La Cuvette d'eau,* 1837 (T). – *Monsieur Coislin ou l'Homme infiniment poli,* 1838 (T). – *La Clef des champs,* 1839 (N). – *Deux Papas très bien,* 1845 (T). – *Frisette,* 1846 (T). – *Embrassons-nous, Folleville,* 1850 (T). – *Un chapeau de paille d'Italie,* 1851 (T). – *Edgar et sa bonne,* 1852 (T). – *Le Misanthrope et l'Auvergnat,* 1852 (T). – *Ôtez votre fille, s'il vous plaît,* 1854 (T). – *Si jamais je te pince !* 1855 (T). – *La Perle de la Canebière,* 1856 (T). – *L'Affaire de la rue de Lourcine,* 1857

(T). – *En avant, les Chinois !* 1858 (T). – *L'Omelette à la Follembûche,* 1859 (T). – *Le Voyage de M. Perrichon,* 1860 (T). – *Les Deux Timides,* 1860 (T). – *Les Vivacités du capitaine Tic,* 1867 (T). – *La Poudre aux yeux,* 1861 (T). – *La Station Champbaudet,* 1861 (T). – *Les Petits Oiseaux,* 1862 (T). – *Célimare le Bien-Aimé,* 1863 (T). – *La Cagnotte,* 1864 (T). – *Moi,* 1864 (T). – *Un mari qui lance sa femme,* 1864 (T). – *Le Point de mire,* 1864 (T). – *L'Homme qui manque le coche,* 1865 (T). – *Le Premier Prix de piano,* 1865 (T). – *Un pied dans le crime,* 1866 (T). – *La Main leste,* 1867 (T). – *Le Papa du prix d'honneur,* 1868 (T). – *Le Roi d'Amatibou,* 1868 (T). – *Le Corricolo* (opéra-comique), 1868 (T). – *Le Fils du brigadier* (opéra-comique), 1868 (T). – *Le Choix d'un gendre,* 1869 (T). – *Le Plus Heureux des trois,* 1870 (T). – *L'Ennemie,* 1871 (T). – *Le Livre bleu,* 1871 (T). – *Il est de la police,* 1872 (T). – *Doit-on le dire ?* 1872 (T). – *Les Trente Millions de Gladiator,* 1875 (T). – *La Cigale chez les fourmis,* 1876 (T).

Le Voyage de M. Perrichon

M. Perrichon, carrossier et père de famille, fait un voyage dans les Alpes avec sa femme et sa fille, Henriette, que courtisent deux jeunes gens fort différents, Armand et Daniel. Au cours d'une excursion à la Mer de Glace, M. Perrichon fait une chute, et il est sauvé par Armand, dont Daniel fait valoir les mérites : ils s'étaient entendus pour s'engager dans un combat loyal en vue de la conquête de la jeune fille. Daniel à son tour organise un accident parallèle, mais, comme M. Perrichon s'était montré fort ingrat avec Armand, il intervertit les rôles : cette fois, c'est M. Perrichon qui sauvera Daniel, et il en concevra une telle satisfaction, une telle estime à l'égard de lui-même, que sa « reconnaissance » pour Daniel ne connaîtra point de bornes. Cependant, Henriette s'était attachée, elle, au « bon » Armand, et elle échappera, *in extremis,* au piège que Daniel avait, trop astucieusement, tendu à son père.

La Cagnotte

Une vieille fille, austère et romanesque à la fois, cherche un mari par la voie des petites annonces. A la suite de quoi, elle se rend à Paris, pour y trouver, comme candidat à sa main, le pharmacien de sa petite ville, avec qui elle jouait aux cartes tous les soirs ! Tandis qu'a lieu chez le directeur de l'agence matrimoniale une entrevue entre les deux « candidats » qui est quelque peu inattendue, se déroulent les mésaventures d'un groupe de petits-bourgeois de La Ferté-sous-Jouarre venus à Paris manger la cagnotte produite par leurs parties de cartes quotidiennes.

Un chapeau de paille d'Italie

Le jeune Fadinard est au matin de ses noces avec l'aimable Hélène, fille d'un pépiniériste de Charentonneau. Mais, il y a peu, son cheval, au Bois, a endommagé le chapeau de paille d'Italie d'une dame qui se promenait avec un capitaine et qui, dans cette affaire, risque sa réputation : comment expliquera-t-elle à son mari la disparition de ce chapeau orné de coquelicots ? Il va donc falloir courir tout Paris pour en trouver le sosie, tandis que la noce, pilotée par le beau-père, s'impatiente dans ses fiacres. Voici qu'on découvre que, dans tout Paris, un seul chapeau peut faire l'affaire, qui appartient à la baronne de Champigny, chez laquelle Fadinard va donc se précipiter. Et il propose à son beau-père d'emmener la noce déjeuner au restaurant. Chez la baronne, il se présente comme le ténor italien qu'elle attend pour une réception. Mais survient Nonancourt, le beau-père, et la noce, qui a suivi Fadinard, s'est crue au restaurant et a dévoré le lunch préparé pour les invités de la baronne. Enfin une femme de chambre apporte le chapeau : ce n'est pas le bon ! Celui-ci a été offert par sa propriétaire à sa filleule, Mme de Mauperthuis, laquelle n'est autre que la dame du Bois. Le beau-père, excédé, prétend ramener chez lui avec sa fille tous les cadeaux de mariage, mais, depuis le début, un vieil oncle transportait avec lui son propre cadeau, qui se trouve être un chapeau de paille d'Italie en tous points semblable à celui dont Fadinard a besoin. Grâce à quoi, pour finir, la dame du Bois coiffe le chapeau, neutralise la jalousie de son époux, et Nonancourt rend à Fadinard son estime, sa fille et... la corbeille de noce, avec l'emblème qu'il transportait depuis le début, le myrte.

LA BOÉTIE Étienne de. Sarlat 1.11.1530 – Germignan 18.8.1563. Après ses études au collège de Guyenne (Bordeaux), où il manifeste une précocité remarquable, il écrit, à dix-huit ans, son *Discours sur la servitude volontaire* ou *Contr'un* pour dénoncer les excès de l'autorité politique : il aurait assisté à la cruelle répression exercée par Montmorency sur la foule bordelaise en rébellion contre les collecteurs d'impôts. Nommé conseiller au parlement de Bordeaux, il fait la connaissance de Montaigne, déjà impressionné par la générosité de son *Discours :* une amitié sans réserve va désormais les unir, que l'auteur des *Essais* a rendue célèbre et exemplaire par les pages qu'il lui a consacrées (« Parce que c'était lui, parce que c'était moi », *Essais,* I, 28). Homme d'une qualité rare, peu soucieux de sa notoriété, bouleversé par les guerres civiles, L. B. meurt prématurément, à l'âge de trente-trois ans. L'œuvre n'est sans doute pas à la hauteur de l'homme ; toutefois, elle est un témoignage capital sur la crise de conscience qui se prépare en cette seconde moitié du XVIe s. dans les esprits formés par l'humanisme. Car L.B. est aussi un parfait humaniste : il a traduit Xénophon et Plutarque ; sa correspondance, longtemps restée inédite, est bien aussi celle d'un humaniste ; enfin il s'est essayé à la poésie : c'est Montaigne qui se chargea de préparer, avec le plus grand soin, le recueil des poèmes de son ami en français et en latin. L.B. n'eut guère d'influence de son temps : seuls les protestants utilisèrent son *Discours* pour légitimer leur cause. Il devait être redécouvert au XIXe s. et Lamennais, en 1830, réédita le *Discours* à des fins polémiques.

Œuvres. *Contr'un ou Discours sur la servitude volontaire,* 1547 (E). – *La Mesnagerie de Xénophon, les règles de mariage de Plutarque, lettre de consolation à sa femme, le tout traduit du grec en français par M. Étienne de La Boétie, ensemble quelques vers latins et français de son invention,* posth., 1570 – *Quelques mémoires de nos troubles sur l'Édict de janvier 1562,* posth., 1917.

LA BRUYÈRE Jean de. Paris 16. ?8.1645 – Versailles 10.5.1696. D'origine bourgeoise, il fut élève des Oratoriens, étudia le droit, fut reçu avocat et acheta une charge de trésorier des finances à Caen (1673). Il resta néanmoins à Paris et y mena une vie solitaire, simple, dénuée d'ambition. En 1684, grâce sans doute à la protection de Bossuet, il fut nommé précepteur du duc de Bourbon, fonction qui lui permit de fréquenter les cours, et particulièrement celle des Condé, mais ne lui ménagea ni les déceptions ni les humiliations. De ses observations il tira *les Caractères de Théophraste traduits du grec, avec les Caractères ou les Mœurs de ce siècle* (1688-1696), publiés anonymement en 1688, qui eurent un immense succès et, du vivant de l'auteur, connurent neuf éditions, que L.B. ne cessa d'augmenter à partir de la quatrième. L. B., qui devait en partie la réussite de son livre aux nombreuses clefs qui circulèrent bientôt, renouvela le scandale avec son *Discours prononcé dans l'Académie française* et sa *Préface* (1693) en prenant presque violemment parti pour les Anciens. Peu avant de mourir, il ébaucha des *Dialogues sur le quiétisme* (complétés et publiés en 1699), favorables à Bossuet, donc hostiles à Fénelon.

Les Caractères contiennent des maximes et des portraits, deux manières pour L. B. de peindre de façon non méthodique, mais presque exhaustive, les mœurs de son siècle. Il ne propose pas un art de vivre ni ne tente une explication synthétique du comportement humain ; il se borne à l'analyse psychologique ; les maximes présentent, de façon souvent laconique, une affirmation abrupte concernant les mœurs. Tant d'assurance risque de lasser, et les lecteurs d'aujourd'hui négligent le plus souvent les maximes ; il convient cependant de saisir la destination de ce « genre » : alimenter les conversations, susciter une controverse de salon plus qu'une réflexion personnelle. Il reste que les contemporains de L.B. eux-mêmes préféraient les portraits ; ils faisaient leurs délices des clefs proposées pour chacun des personnages ; on goûte davantage aujourd'hui la vérité de l'observation, la vie et le pittoresque des anecdotes, la variété des tableaux. D'ailleurs, même s'il peint un personnage défini, L.B. grossit les traits, invente des détails, pour faire de son portrait un type universel ; souvent, seuls le décor et les costumes appartiennent au XVIIe s. Il lui arrive cependant de critiquer les habitudes politiques et sociales de son temps ; il apparaît alors comme un de ces bourgeois sincèrement attachés au monarque et à Dieu, scandalisés par la morgue des parvenus, par l'inutilité de la noblesse et l'incapacité du clergé. Partisan des Anciens, L.B. l'est en se présentant comme le continuateur de Théophraste ; mais c'est son temps qu'il observe, et il crée son style propre. On voit bien par là que, pour les écrivains classiques, le culte des Anciens n'est ni un esclavage ni un refus du temps présent. Car c'est la parfaite adéquation du style et du sujet qui, en évitant la monotonie, fait de L.B. un des plus grands artistes de son temps. Il varie constamment le ton, même dans l'abstraction ; il pique souvent l'intérêt en condensant jusqu'à l'énigme, mais la concision, si elle est recherchée, n'est jamais contraire à l'intensité expressive : il y a trop de vérité dans *les Caractères* pour qu'ils ne soient pas la revanche d'un esprit fier que le refus de la bassesse a écarté des honneurs. Mais l'impitoyable analyse de l'esprit critique n'altère en rien l'honnêteté de regard du témoin. Car tous les jugements de L.B., qu'il s'agisse de littérature ou de morale, de la société ou de la nature humaine, si lucides et sévères qu'ils soient, portent, dans leur formulation et leur style, la marque d'un goût équitable et sensible.

Aussi le thème dominant de cette œuvre de forme non systématique est-il l'inlassable dénonciation du faux-semblant sous tous ses aspects, moraux, sociaux et littéraires : pour ce moraliste, il n'est pire péché que la manie du masque et l'incapacité d'être vrai. Acad. fr. 1693.

Œuvres. *Œuvres complètes,* éd. établie par G. Servois, 4 vol., 1865-1882. – *Les Caractères,* éd. établie par R. Garapon, 1962, rééd. 1978.

Les Caractères

Seize chapitres, dont l'ordre ne correspond sans doute pas à une structure logique, mais n'est pas pour autant indifférent. L'ensemble est en effet encadré par un prologue de théorie littéraire (I. *Des ouvrages de l'esprit*), synthèse du goût et de l'esprit classiques, et un épilogue (XVI. *Des esprits forts*), consacré à la critique des principes, conséquences et progrès de l'esprit libertin, cela dans le temps même où les « nouveautés » philosophiques s'exprimaient dans les livres de Bayle et de Fontenelle. Entre ces deux chapitres extrêmes, le corps de l'ouvrage obéit à un mouvement (« le plan que je me suis fait ») qui conduit des observations morales et psychologiques (II. *Du mérite personnel ;* III. *Des femmes ;* IV. *Du cœur*) aux réflexions concernant la société (V. *De la société et de la conversation ;* VI. *Des biens de fortune ;* VII. *De la ville ;* VIII. *De la Cour ;* IX. *Des grands ;* X. *Du souverain ou de la République*) et, de là, aux différents éléments d'une peinture de l'homme en général (XI. *De l'homme ;* XII. *Des jugements ;* XIII. *De la mode ;* XIV. *De quelques usages*), tandis que le quinzième et avant-dernier chapitre, *De la chaire,* conclut cette partie en se consacrant plus particulièrement à la dégénérescence du sentiment et du discours religieux, tout en servant de transition avec le chapitre *Des esprits forts.* On remarquera enfin l'importance accordée à la partie centrale sur la société : six chapitres sur seize.

Discours prononcé dans l'Académie française et **Préface**

Le *Discours* est consacré, pour l'essentiel, à un éloge systématique de ceux des académiciens qui représentent le classicisme et la tradition des Anciens : La Fontaine, Boileau, Racine, Bossuet, éloge suivi de celui de Louis XIV. La *Préface* est une réaction violemment polémique contre ceux des académiciens, partisans des Modernes, qui « lâchèrent sur moi deux auteurs associés à une même gazette », *(le Mercure galant).* L.B. en profite pour dénoncer l'esprit mondain, représenté par « des faiseurs de stances et d'élégies amoureuses, ces beaux esprits qui tournent un sonnet sur une absence ou sur un retour, qui font une épigramme sur une belle gorge et un madrigal sur une jouissance ». La *Préface* enfin récuse fermement l'interprétation des *Caractères* selon le principe des « clefs ».

LA CALPRENÈDE, Gautier de Costes, seigneur de. Château de Toulgou-en-Périgord v. 1610 – Le Grand-Andely 1663. Ce gentilhomme ordinaire de la chambre du roi s'essaye d'abord au théâtre, jouant un rôle non négligeable dans la renaissance de la tragédie humaniste avant *le Cid.* Il s'inspire du théâtre des jésuites, de Garnier, de Mairet, de Tristan. Mais il traite aussi des sujets d'histoire contemporaine, et Thomas Corneille refera après lui *le Comte d'Essex* ; la plus significative de ses pièces reste *la Mort de Mithridate,* tragédie jouée en 1635. Il se tourne ensuite vers le roman et donne, entre autres, *Cassandre, Cléopâtre* et *Faramond.* Ces romans-fleuves sont composés d'une succession de récits amoureux reliés par une intrigue qui n'est qu'un prétexte. Mais, à la différence des romans de Mlle de Scudéry, la galanterie s'y accompagne d'un héroïsme vrai, non dénué d'une certaine grandeur.

Œuvres. *La Mort de Mithridate,* 1635 (T). – *Bradamante,* 1636 (T). – *Jeanne d'Angleterre,* 1636 (T). – *Clarionte ou le Sacrifice sanglant,* 1637 (T). – *Le Comte d'Essex,* 1638 (T). – *La Mort des enfants d'Hérode ou Suite de la Mariamne,* 1639 (T). – *Édouard, roi d'Angleterre,* 1639 (T). – *Phalante,* 1641 (T). – *Cassandre* (10 vol.), 1642-1650 (N). – *Hermenigilde,* 1643 (T). – *Cléopâtre* (12 vol.), 1647-1658 (N). – *Bélisaire,* 1659 (T). – *Faramond ou l'Histoire de France* (12 vol.), 1661-1670, inachevé, continué par Vaumorière (N).

LACAN Jacques. Paris 13.4.1901 – 9.9.1981. Issu d'une famille de la grande bourgeoisie, il fait ses études au collège Stanislas. Il s'oriente rapidement vers la psychiatrie et travaille avec le professeur Henri Claude puis avec Georges de Clérambault. En 1932, il soutient sa thèse consacrée à la « Psychose paranoïaque dans ses rapports avec l'inconscient », se lie avec les milieux surréalistes et donne des articles au *Minotaure.* Son entrée en psychanalyse date du 31 juillet 1936 lors de son intervention au XIVe Congrès international de psychanalyse où il présente une communication sur « le stade du miroir », reprise et complétée en 1949. Par opposition à la Société psychanalytique de Paris, il crée en 1953 la Société française de psychanalyse dont le premier objectif est le retour à Freud et le refus d'un abâtardissement de la psychanalyse sous l'influence américaine. Cette société est dissoute en 1964 pour donner naissance à l'École freudienne de Paris, fidèle à l'enseignement que L. dispense alors à l'École normale supérieure, à l'École des hautes études puis à l'Université. En 1969 commence une crise qui se poursuivra jusqu'au 10 janvier 1980, date officielle de la dissolution de l'École freudienne. L. a marqué de façon irréversible la transformation de la psychanalyse en France depuis ses premiers entretiens cliniques et théoriques dans les années 30. Par choix doctrinal, il soutient le principe d'autonomie de la psychanalyse à l'égard de la biologie, c'est d'ailleurs ce qui lui valut son exclusion de la S.P.P. en 1953. Ses travaux illustrent la méthode structurale qui a influencé dans les années 60 à partir du modèle linguistique toutes les sciences humaines. Étudiée sous cet angle, la psychanalyse n'est possible que si « l'inconscient est structuré comme un langage », l'inconscient étant lui-même défini à l'aide de ce que L. nomme « le stade du miroir », ce moment instantané où un enfant se reconnaît pour la première fois dans un miroir, assumant sa fonction d'individu. Parti du retour à Freud qui s'effectue à travers le surréalisme et l'hégélianisme, L. n'en forge pas moins sa propre doctrine qu'il affine chaque semaine dans son célèbre *Séminaire*. Dès lors, il devient légendaire, et nombreux sont ceux qui lui reprochent ses jeux perpétuels sur les mots, ses agencements de concepts abscons et y voient une volonté délibérée d'illisibilité, nuisible à la clarté analytique. Quoi qu'il en soit, sa mort est loin d'avoir mis un terme à son œuvre et à l'élaboration de sa légende puisque la publication des *Séminaires* n'est pas achevée.

Œuvres. *De la psychose paranoïaque dans ses rapports avec la personnalité,* 1932, nouv. éd. 1975 (E). – *Écrits,* 1966 (E). – *Scilicet,* 1970 (E). – *Télévision,* 1974 (E).

Les Séminaires. Déjà parus : Livre XI (1963-1964) : *Les Quatre Concepts fondamentaux de la psychanalyse,* 1973. – Livre I (1953-1954) : *Sur les écrits techniques de Freud,* 1975. – Livre XX (1972-1973) : *Encore,* 1975. – Livre II (1954-1955) : *Le Moi dans la théorie de Freud et dans la pratique de la psychanalyse,* 1978. – Livre III (1955-1956) : *Les Psychoses,* 1981. A paraître : Livre IV (1956-1957) : *La Relation d'objet.* – Livre V (1957-1958) : *Les Formations de l'inconscient.* – Livre VI (1958-1959) : *Le Désir et son interprétation.* – Livre VII (1959-1960) : *L'Éthique de la psychanalyse.* – Livre VIII (1960-1961) : *Le Transfert.* – Livre IX (1961-1962) : *L'Identification.* – Livre X (1962-1963) : *L'Angoisse.* – Livre XII (1964-1965) : *Problèmes cruciaux de la psychanalyse.* – Livre XIII (1965-1966) : *L'Objet de la psychanalyse.* – Livre XIV (1966-1967) : *La Logique du fantasme.* – Livre XV (1967-1968) : *L'Acte psychanalytique.* – Livre XVI (1968-1969) : *D'un autre à l'Autre.* – Livre XVII (1969-1970) : *L'Envers de la psychanalyse.* – Livre XVIII (1970-1971) : *Discours qui ne serait pas du semblant.* – Livre XIX (1971-1972) : *Ou pire.* – Livre XXI (1973-1974) : *Les Non-dupes errent.* – Livre XXII (1974-1975) : *R.S.I.* – Livre XXIII (1975-1976) : *Le Sinthome.* – Livre XXIV (1976-1977) : *L'Insu que sait de l'une-bévue s'aile à mourre.* – Livre XXV (1977-1978) : *Le Moment de conclure.* – Livre XXVI (1978-1979) : *La Dissolution.*

LA CEPPÈDE Jean de. Marseille vers 1548 – Avignon 1623 ? Après des études approfondies, L.C. reçoit en 1578 la charge de conseiller au parlement d'Aix. Il gravira méthodiquement les échelons de la hiérarchie pour parvenir à la fonction de président de la Chambre des comptes de Provence (1608). Protégé par Marie de Médicis, L.C. restera fidèle à la cause royale et particulièrement dévoué à la personne d'Henri de Navarre, ce qui lui attirera la haine des ligueurs. Très estimé dans le monde parlementaire, fréquentant les milieux lettrés, L.C. exercera ses fonctions durant quarante-cinq ans, jusqu'à sa mort. En partie pour échapper aux tracas que lui causaient les ravages de la guerre civile, L.C. a écrit une œuvre de poète. Cette œuvre – qui resta quasi inconnue jusqu'au XXe s. – est constituée essentiellement par les *Théorèmes* (au sens grec de « visions »), composés de cinq cent quinze sonnets, auxquels est jointe une imitation des *Psaumes de la pénitence* de David. Les *Théorèmes* sont divisés en deux parties : I. *Sur le sacré mystère de notre rédemption ;* II. *Sur les mystères de la descente de Jésus-Christ aux enfers, de Sa résurrection, de Ses apparitions après icelle, de Son ascension et de la mission du Saint-Esprit en forme visible.* D'inspiration uniquement religieuse, l'œuvre de L.C. s'oppose au courant profane, voire païen, de la Pléiade. Cette œuvre édifiante sur la Passion, la mort et la résurrection du Christ présente également une réflexion et une sensibilité toutes personnelles, qui ne se laissent pas intimider par les impératifs dogmatiques du grand sujet choisi. Sans jamais s'écarter des dogmes, L.C. fait valoir une imagination florissante, usant de métaphores originales, d'antithèses, dans un style concis, éloigné tout aussi bien de l'hermétisme d'un Scève que de la facilité d'écriture d'un poète de cour. La langue, concrète, drue, malgré les envolées lyriques, interdit toute emphase et maintient l'œuvre dans une rigueur à l'intérieur de laquelle peut librement s'épanouir le génie propre à L.C., l'un des écrivains les plus représentatifs de la tentation « baroque » dans la poésie française de la fin du XVIe s.

Œuvres. *Imitation des Psaumes de la pénitence avec des sonnets et des méditations sur le mystère de la rédemption,* 1594 (P). – *Théorèmes spirituels sur le sacré mystère de notre rédemption,* 1613 (P). – *Seconde Partie des Théorèmes spirituels sur les mystères de la descente de Jésus-Christ aux enfers, de Sa résurrection, de Ses apparitions après icelle, de Son ascension et de la mission du Saint-Esprit en forme visible,* 1621 (P).

LA CHAUSSÉE, Pierre-Claude Nivelle de. Paris 1691 ou 1692 – 1754. Appartenant à une riche famille bourgeoise, il fait ses études au collège des jésuites de Louis-le-Grand, puis mène une existence dissipée. Mélomane et instrumentiste, il fréquente les salons et prend part à la vie de société en écrivant des parades, grossières et obscènes, dans le goût de l'époque. Ce n'est guère qu'en 1732 qu'il débute vraiment dans la littérature en écrivant un médiocre poème didactique, *Épître de Clio,* justification de la poésie, qui a toutefois le mérite d'être une défense de la pureté de la langue française. Le succès remporté lui vaudra d'être élu à l'Académie française. Mais c'est au théâtre qu'il doit sa renommée. Auteur d'œuvres de genres divers, L.C. est surtout celui qui va imposer un genre nouveau : la « comédie larmoyante ». Il écrit des pièces qui prétendent incliner à la vertu en attendrissant et mêlent pathétique et sensiblerie. Avec des situations prises dans la vie familière, mais où intervient l'élément romanesque, ces pièces, de caractère « moderne », sont plutôt des drames que des comédies et annoncent déjà le drame bourgeois de Diderot. Ce théâtre « équivoque » remporta un vif succès et suscitera bien des imitations au XVIIIe s. Le plus grand succès de L.C. fut, en 1741, *Mélanide,* et l'on désigna le nouveau genre par un curieux néologisme : « romanédie » (comédie romanesque). Acad. fr. 1736.

Œuvres. *Lettre de la marquise de L. sur les fables nouvelles,* 1719 (E). – *Épître de Clio à M. de B. au sujet des opinions répandues depuis peu contre la poésie,* 1731 (P). – *La Fausse Antipathie,* 1733 (T). – *Le Préjugé à la mode,* 1735 (T). – *L'École des amis,* 1737 (T). – *Maximien,* 1738 (T). – *Mélanide,* 1741 (T). – *Geneviève de Brabant,* 1741 (T). – *Amour pour amour,* 1742 (T). – *Paméla,* 1743 (T). – *L'École des mères,* 1744 (T). – *Le Rival de lui-même,* 1746 (T). – *L'Amour castillan,* 1747 (T). – *La Gouvernante,* 1747 (T). – *L'École de la jeunesse,* 1749 (T). – *L'Homme de fortune,* 1751 (T). – *La Rancune officieuse,* 1754 (T). – *Le Retour imprévu,* 1756 (T). – *Œuvres complètes* (5 vol.), posth., 1762.

Mélanide

Déjà dans *le Préjugé à la mode,* L.C. avait choisi comme sujet la réhabilitation de l'amour conjugal. Il reprend ce thème dans *Mélanide,* en accentuant son caractère pathétique et sentimental : l'héroïne, en effet, vit séparée de son mari, à qui cependant elle veut rester fidèle ; séquestrée, déshéritée, elle apprend bientôt que son époux est le rival de son propre fils ; elle intervient, avec succès, pour les empêcher de s'entre-tuer. Devant une telle manifestation de générosité survenue au sein même du malheur où Mélanide est plongée, le cœur du mari s'attendrit : à force de vertu, Mélanide a regagné son époux.

LACLOS, Pierre Ambroise François Choderlos de. Amiens 19.10.1741 – Tarente (Italie) 5.9.1803. Destiné par sa famille à la carrière des armes, il entra à l'école d'artillerie, devint sous-lieutenant en 1761 et lieutenant en 1762, mais, privé de soutien à la Cour, ne bénéficia d'aucune promotion rapide et brillante. Il mena, dans des garnisons, une vie désœuvrée et inutile, donna des vers à l'*Almanach des Muses,* écrivit des contes et composa des livrets d'opéra. En 1782, il publia *les Liaisons dangereuses,* qui eurent un très grand succès. Obligé de quitter l'armée après ses *Considérations sur l'influence du génie de Vauban,* il fut engagé par le duc d'Orléans comme secrétaire des commandements et joua bientôt un rôle de tout premier plan, plus important que celui du duc même au sein de son propre parti, rôle décisif lors des premières journées révolutionnaires. Il dirigea le journal des Jacobins, permit la victoire de Valmy, trouva le temps d'inventer le boulet creux. Rendu suspect par ses relations avec la famille d'Orléans, il fut emprisonné en 1793, puis libéré en 1794. Rallié à Bonaparte, il retrouva l'armée comme général de brigade, mais mourut avant de pouvoir exercer sa charge de directeur de l'artillerie à Naples.

Cette vie mouvementée est éclipsée pour nous par l'événement littéraire que constituent *les Liaisons dangereuses.* L. y reprend le procédé du roman par lettres déjà illustré, entre autres, par *la Nouvelle Héloïse,* mais, par un double mouvement qui n'est contradictoire qu'en apparence, il prive ses lettres des épanchements du cœur et approfondit cependant leur vérité psychologique. C'est qu'il assimile mieux que Rousseau la spécificité de la lettre, son existence réelle et son efficacité, les différences fondamentales qui la distinguent du langage narratif. En un mot, L. maîtrise parfaitement le réalisme particulier du roman épistolaire, ses moteurs d'intérêt spécifiques, ses finesses. Dans le roman d'analyse traditionnel, c'est l'auteur qui dévoile de l'extérieur les sentiments de ses personnages ; chez Rousseau, à travers les déclarations enflammées des héros de *la Nouvelle Héloïse,* c'est encore la conception d'un langage véridique et libérateur qui s'exprime. Chez L., au contraire, la vérité, si elle existe, naît de la confrontation de diverses informations, toutes déformées par le caractère ou les intentions de leurs auteurs : car les arrière-pensées ne sont jamais absentes. Ainsi, tout en se retirant lui-même du roman en tant qu'auteur, tout en se bornant à présenter en quelques pages ce recueil de lettres, L. fait accomplir au roman d'analyse un pas important ; il introduit les procédés très modernes que sont la technique du point de vue et la distanciation. D'autre part, la lettre, avec lui, devient partie intégrante de l'action : point de confidents ou presque dans *les Liaisons dangereuses ;* la lettre cherche au moins autant à obtenir un résultat matériel qu'à exprimer un sentiment ; ainsi L. joint-il à la finesse de l'analyse ce qu'il y a de plus vivant dans le roman. Il y parvient également par un travail tout particulier du style ; au contraire de ses prédécesseurs, il différencie nettement l'expression selon les personnages – la froide Merteuil, le calculateur Valmont, l'émouvante Mme de Tourvel –, ce qui participe également du réalisme propre au genre épistolaire. L. se défend du reproche d'immoralité : il prétend – mais le procédé est bien habituel – qu'en peignant les conséquences désastreuses de la faiblesse il présente *a contrario* les avantages de la vertu. Il reste que son roman est aussi un remarquable exercice de cynisme, une peinture scandaleuse des mœurs de l'aristocratie au XVIIIe s., une des premières entreprises littéraires de démystification des passions.

Œuvres. « Souvenirs », dans *Almanach des Muses,* 1773 (P). – « Épîtres à Églé » *(idem),* 1773 (P). – *La Procession* (conte en vers), s.d. – *Le Bon Choix* (conte en vers), s.d. – *Ernestine* (livret d'opéra), 1777. – *La Matrone* (livret d'opéra), 1780. – *Les Liaisons dangereuses,* 1782 (N). – *Cecilia ou les Mémoires d'une héritière, théorie du roman,* 1784 (E). – *De l'éducation des femmes,* 1785 (E). – *Considérations sur l'influence du génie de Vauban,* 1786 (E). – *Pièces fugitives,* 1787 (P). – *Les Vertus de Louis XVI,* 1787 (E). – *Correspondance avec Mme Riccoboni,* 1787. – *De la guerre et de la paix,* 1795 (E). – *Lettres,* posth., 1904. – *Poésies,* posth., 1908.

Les Liaisons dangereuses

Les deux protagonistes du roman, la marquise de Merteuil et le vicomte de Valmont, ont été autrefois amants et ont décidé de transformer cette ancienne liaison en amitié et en complicité : le roman est, à travers les lettres qu'échangent les personnages, l'histoire du déroulement (très immoral) et de l'issue (très morale) de cette complicité. Il y a donc, en face de la marquise et de Valmont, un autre groupe de personnages, le groupe des cibles de l'opération dont Valmont et la marquise sont les stratèges et les tacticiens : la présidente de Tourvel, honnête et vertueuse, qu'il s'agit d'entraîner à l'adultère et au déshonneur ; Valmont y emploiera toutes les habiletés d'une séduction calculée, et la marquise toute l'intelligence de ses conseils pervers et expérimentés. Mais une seule cible ne suffit pas aux deux complices : ils s'attaquent aussi au jeune couple d'amoureux formé par le chevalier Danceny et Cécile de Volanges, que Valmont est chargé par son amie de « former » et qu'il réussira à conquérir ainsi que la Présidente. À certains égards, le roman est dominé par le couple féminin que forment, en un contraste saisissant, la Merteuil et la Présidente, comme Baudelaire l'a remarqué en notant que la Présidente est un « type simple, grandiose, attachant. Admirable création. Une Ève touchante », tandis que « la Merteuil » est une « Ève satanique » *(Notes sur « les L.D. »).* D'autre part, entre la Merteuil et Valmont, la complicité s'organise en fonction d'un projet de jeu qui se traduit en un dessein de conquête et à l'intérieur duquel se développe, pour reprendre une autre remarque de Baudelaire, une « rivalité de gloire ». L'œuvre s'achève sur un dénouement romanesque classique : Valmont est tué en duel par Danceny, Cécile entre au couvent, Mme de Tourvel meurt de remords, Mme de Merteuil perd sa fortune dans un procès et sa beauté à la suite de la petite vérole, puis s'exile en Hollande.

LACORDAIRE Jean-Baptiste Henri Dominique. Recey-sur-Ource (Côte-d'Or) 12.5.1802 – Sorèze (Tarn) 22.11.1861. Originaire de la Bourgogne, issu d'une famille bourgeoise aisée, il suit des cours de droit et devient avocat. Cependant, attiré par le sacerdoce, il entre au séminaire de Saint-Sulpice en 1824. Ordonné prêtre trois ans plus tard, il rejoint Lamennais, qui vient de fonder le journal *l'Avenir,* et combat à ses côtés, avec Montalembert, pour un catholicisme social et libéral. À l'époque, il s'intéresse à la liberté de l'enseignement ; il parvient, avec ses deux amis, à en faire accepter le principe en 1833, après avoir été condamné pour avoir ouvert sans autorisation une école libre. En 1834, il rompt définitivement avec Lamennais, qui s'est séparé de l'Église, et écrit ses *Considérations sur le système philosophique de Lamennais.* Ses dons d'orateur le font désigner pour faire à Notre-Dame de Paris des conférences « où la nouvelle génération pût entendre les vérités de la foi exposées sous une forme nouvelle », et il débute lors du carême de 1835. Une chaude et souple éloquence, une langue simple et pathétique, des arguments qui font plus appel au cœur qu'à la raison, une évidente sincérité lui assurent un immense succès. Cependant, il interrompt ses prédications pour faire une retraite et compléter sa formation théologique à Rome. En 1839, L. entre dans l'ordre des Dominicains, qu'il parvient à faire rétablir en France, où il était frappé d'interdit depuis la Révolution. En 1841, L. publie une *Vie de saint Dominique* et reprend à Notre-Dame ses conférences religieuses – qu'il donnera de façon ininterrompue jusqu'en 1851–, avec pour objectif de réconcilier avec l'Église la société moderne issue de la Révolution. Lors de la révolution de 1848, élu député de Marseille, il va siéger à l'extrême gauche de l'Assemblée constituante. Un peu plus tard, il prend la direction du collège de Sorèze, qu'il a fondé et où il passera ses dernières années. Acad. fr. 1860.

Œuvres. *Mémoire sur « l'Avenir »,* 1831 (E). – *Considérations sur le système philosophique de M. de Lamennais,* 1834 (E). – *Lettre sur le Saint-Siège,* 1837 (E). – *Mémoire pour le rétablissement en France de l'ordre des Frères prêcheurs,* 1840 (E). – *Vie de saint Dominique,* 1841 (E). – *Sermons isolés et Oraisons funèbres,* 1844-1847. – *Conférences de Notre-Dame de Paris* (4 vol.), 1844-1852. – *Conférences prêchées à Lyon et à Grenoble,* 1845. – *Oraison funèbre de O'Connell,* 1849. – *Frédéric Ozanam, sa vie,* 1855. – *Discours sur le droit et le devoir de la propriété,* 1858. – *Lettre à un jeune homme sur la vie chrétienne,* 1858. – *De la liberté de l'Italie et de l'Église,* 1861. – *Lettres à des jeunes gens,* posth., 1862. – *Lettres à Mme la Comtesse de La Tour du Pin,* posth., 1863. – *Correspondance avec Mme Swetchine,* posth., 1863. – *Œuvres,* 9 vol., posth., 1872-1873.

LACRETELLE Jacques de. Château de Cormatin (Saône-et-Loire) 14.7.1888 – Paris 2.1.1985. Nourri de lettres dès son jeune âge, d'ailleurs descendant de plusieurs historiens et poètes des XVIIIe et XIXe s., il obtint avec *Silbermann* et *le Retour de Silbermann* le succès qui accompagna désormais ses autres romans, en particulier *la Bonifas, Amour nuptial* (grand prix du Roman de l'Académie française 1929) et surtout son œuvre maîtresse, *les Hauts-Ponts.* Tempérament sombre et pessimiste, psychologue et moraliste plein de mesure, L. exprime son inquiétude spirituelle et son scepticisme sur l'homme dans une langue sans grand éclat, mais d'un beau classicisme. Ce classicisme d'ailleurs n'est pas purement formel : l'ambition du romancier est de faire réapparaître, dans le contexte de la vie moderne, la permanence irrépressible d'une fatalité tragique, inscrite dans le déchaînement d'obsessions dévastatrices et de passions primitives qui sont le tissu même de la nature humaine. Pour ses quatre-vingt-dix ans, en 1981, L. publia un recueil de nouvelles (*Quand le destin nous mène*), dans lequel, comme à l'accoutumée, il conduit ses héros jusqu'au bout d'eux-mêmes, c'est-à-dire jusqu'à leur mort. Acad. fr. 1936.

Œuvres. *La Vie inquiète de Jean Hermelin,* 1920 (N). – *Silbermann,* 1922 (N). – *La Bonifas,* 1925 (N). – *Lettres espagnoles,* 1927 (N). – *Aparté, Colère,* 1927 (N). – *L'Âme cachée,* 1928 (N). – *Quatre Études sur Gobineau,* 1928 (E). – *Amour nuptial,* 1929 (N). – *Histoire de Paola Ferrani,* 1929 (N). – *Le Retour de Silbermann,* 1929 (N). – *Le Demi-Dieu ou le Voyage en Grèce,* 1931 (N). – *Les Hauts-Ponts* (4 vol.), 1932-1935 (N). – *Les Aveux étudiés,* 1934 (N). – *L'Écrivain public,* 1936 (N). – *La Vie privée de Racine,* 1939 (N). – *Le Pour et le Contre,* 1946 (N). – *Deux Cœurs simples,* 1952 (N). – *Une visite en été,* 1952 (T). – *Le Tiroir secret* (autobiographie), 1959 (N). – *Les Maîtres et les Amis,* 1959

(N). – *La Grèce que j'aime,* 1960 (E). – *La Galerie des amants,* 1963 (N). – *L'Amour sur la place,* 1964 (N). – *Journal de bord,* 1974 (N). – *Les Vivants et leur ombre,* 1977 (N). – *Quand le destin nous mène,* 1981 (N).

Les Hauts-Ponts

L'héroïne, Lise Darembert, se considère comme la légitime propriétaire d'un domaine vendéen que ses parents ont été contraints de vendre. Elle est véritablement *possédée* par son attachement passionnel à ce domaine des Hauts-Ponts. Dans un premier temps, cette passion charnelle mobilise toutes ses énergies, et, au terme d'une lutte farouche, elle réussit à racheter *son* domaine. Mais voici que son fils Alexis contracte de telles dettes que Lise doit revendre le domaine. Peut-être compte-t-elle alors sur la gratitude de ce fils pour l'aider à retrouver son bien, mais Alexis se convertit et part comme missionnaire pour l'Orient, ce qui, aux yeux de sa mère, est une véritable trahison. Incapable de se séparer de ce qui lui tient non seulement au cœur mais même au corps, elle s'installe dans une misérable baraque à proximité des Hauts-Ponts pour y vieillir solitaire et désolée mais tout aussi possédée : l'été, elle se loue comme domestique au service des nouveaux propriétaires, qui ne viennent aux Hauts-Ponts que pendant les vacances. Mais un jour, on la congédie... Il ne lui reste plus qu'à rêver, à la fois passionnément et dérisoirement, au moment où, les propriétaires étant absents, elle pourra satisfaire sa manie en rôdant dans le parc, mais ce sera pour y trouver une mort misérable.

LA FARE Charles Auguste, marquis de. Valgorge 1644 – Paris 3.6.1712. Capitaine des gardes de Monsieur puis du duc d'Orléans, cet ami de Chaulieu avait, au dire de Voltaire, près de soixante ans lorsqu'il commença à écrire des vers. Ses *Poésies* se confinent dans les genres mineurs et chantent l'amour, le vin et les plaisirs, reflétant bien l'épicurisme du personnage. On publia après sa mort ses *Mémoires et Réflexions sur les principaux événements du règne de Louis XIV,* où il fait preuve d'un sens de l'observation qui s'accorde mal avec le conformisme de ses poésies. La Fare servit de source à Voltaire, sans que l'on sache si l'auteur du *Siècle de Louis XIV* eut avec lui des entretiens ou s'il put consulter son manuscrit.

Œuvres. *Mémoires et Réflexions sur les principaux événements du règne de Louis XIV,* 1715. – *Panthée* (livret d'opéra), s.d. – *Poésies,* posth., 1724.

LAFAYETTE, Marie-Madeleine Pioche de La Vergne, comtesse de. Paris 17.3.1634 – 25.5.1693. Fille d'un ingénieur cultivé, elle reçut les leçons de Rapin et de Ménage et eut une jeunesse gaie et insouciante. Mariée en 1655, elle vécut quelque temps en Auvergne, mais se fixa à Paris en 1658, sans son mari. Elle fréquenta les salons, la Cour, connut des intrigues ; elle était parente par alliance de Mme de Sévigné et amie d'Henriette d'Angleterre. Chez elle, on voyait Huet, Ménage, Retz, Segrais ; surtout, elle était liée avec La Rochefoucauld d'une amitié amoureuse passionnée. *La Princesse de Montpensier, Zaïde, la Princesse de Clèves* parurent sous des noms supposés ou anonymement. On a douté que Mme de L. fût l'auteur de ces romans. On peut dire aujourd'hui que, à l'exception de *Zaïde,* probablement écrit en collaboration, Mme de L. se borna à demander les avis de Segrais et à soumettre son style à Huet. À l'époque où Mme de L. entreprend d'écrire, le genre romanesque a été illustré par La Calprenède et Mlle de Scudéry ; il n'est guère apprécié des doctes ; il est volumineux (plusieurs milliers de pages), sans unité, galant, romanesque ; il est dénué de vérité historique. C'est en réaction qu'est né le roman réaliste, avec Sorel, Furetière, Scarron, qui récuse les héros traditionnels et leur préfère des bourgeois, dont il décrit la vie mesquine dans un style volontiers burlesque. En empruntant à ces deux genres, également excessifs, Mme de L. fait du roman un authentique genre classique. *Zaïde* reste proche du roman précieux ; les événements en sont romanesques, et divers épisodes se succèdent, faiblement reliés par une intrigue principale. Mais les dimensions du roman sont raisonnables, et l'effort de vérité dans les caractères comme dans le décor est manifeste. *La Princesse de Montpensier,* qui possède les mêmes qualités et non les mêmes défauts, annonce le chef-d'œuvre qu'est *la Princesse de Clèves :* en peu de pages, si l'on compare cette œuvre aux romans précieux, Mme de L. nous donne ce qui manquait à ces derniers : la couleur historique, une intrigue, la vérité des caractères. L'action est située dans un pays bien réel, à une date précise, et personne n'ignore que, dans les décors et les costumes du temps d'Henri II (qu'elle connaît par les historiens et les mémorialistes), elle peint la cour de Louis XIV. Les épisodes rapportés, notablement abrégés, précisent le climat moral et s'intègrent parfaitement à l'action. Le romanesque n'est pas absent, mais, au lieu de confronter les héros à des périls toujours plus grands et toujours identiques, il sert à éveiller les passions et à montrer sous des éclairages variés les vérités du cœur. Nous assistons ainsi à la mystérieuse naissance de l'amour entre le duc de Nemours et Mme de Clèves, à la lutte inégale que la princesse livre à sa passion, aux jeux cruels de la Cour, friande de scandales. Dans cette société sans pitié, l'aveu apparaît comme un refuge ; mais c'est trop se fier à la force persuasive de la vérité et à la grandeur d'âme d'autrui : le monde moral de Mme de L. n'est pas celui de Corneille. Il reste alors à l'héroïne, qui, malgré sa défiance, s'est laissé emporter par les passions, à entreprendre la quête d'un difficile équilibre intérieur. Mme de L. lègue aussi au roman d'analyse, qu'elle crée avec *la Princesse de Clèves,* ce style froid d'apparence et sans grande envolée, imité des mémorialistes, mais riche de vibrations sous-jacentes, qui est le plus sûr véhicule de l'émotion vraie.

Œuvres. Dans *la Galerie des portraits* (ouvrage collectif), *Portrait de Madame de Sévigné,* 1659 (E). – *La Princesse de Montpensier,* 1662 (N). – *Zaïde,* 1669-1671 (N). – *La Princesse de Clèves,* 1678 (N). – *Histoire d'Henriette d'Angleterre,* posth., 1720. – *La Comtesse de Tende* (nouvelle historique, écrite en 1664), posth., 1724 (N). – *Mémoires de la cour de France pour les années 1688 et 1689,* posth., 1751, rééd. 1965. – *Correspondance,* posth., 1924, 1942, 1971. – *Isabelle ou le Journal amoureux d'Espagne,* posth., 1961 (N).

La Princesse de Clèves

L'histoire est simple, faite de peu de matière, et se résume brièvement : à la cour d'Henri II paraît un jour une jeune fille d'une éblouissante beauté, qui a reçu, grâce à sa mère, une parfaite éducation morale et mondaine, Mlle de Chartres. M. de Clèves la rencontre par hasard chez un joaillier et en tombe aussitôt amoureux. Malgré quelques obstacles, il ne tarde pas à l'épouser. Peu après réapparaît à la Cour, d'où il avait été quelque temps absent, un jeune homme doué de toutes les perfections, le duc de Nemours. Entre la princesse et le duc, c'est le coup de foudre. Le duc n'a de cesse, au prix des plus grandes imprudences, de faire connaître sa passion à celle qui en est l'objet, tandis que la princesse prend progressivement conscience de ses propres sentiments. Ne voyant désormais d'autre moyen de se protéger contre elle-même, elle fait à son mari l'aveu de sa passion sans nommer celui qu'elle aime. M. de Clèves, saisi malgré lui par les tourments de la jalousie, en mourra. La princesse, quoique libre, refuse d'épouser le duc et se retire du monde pour se partager entre le couvent et la campagne, « et sa vie, qui fut courte, laissa des exemples de vertu inimitables ». On le voit : la matière est d'abord romanesque, comme le prouvent aussi certains incidents de l'action, lettre volée, portrait dérobé... Ce n'est pas ce qui a valu à cette œuvre son immortalité, non plus que le cadre historique idéalisé, qui, cependant, contribue à situer les personnages au niveau de cette altitude spirituelle qui les rend si exemplaires et si fascinants. Mais l'essentiel est ailleurs : ce roman conjugue la souplesse et la continuité de l'analyse avec la rigueur d'une construction symbolique. Un sommet, la célèbre scène de l'aveu, de part et d'autre duquel s'organisent presque symétriquement deux mouvements : le premier, la naissance de la passion dans le cœur de la princesse et le développement de la conscience qu'elle en prend, jusqu'à ce qu'elle se trouve prisonnière de cette impasse où doit inéluctablement aboutir toute femme qui, comme dit La Rochefoucauld (548), « a tout ensemble de l'amour et de la vertu » ; le second mouvement est dominé par cette autre impasse tragique que produisent, dans la situation intérieure de la princesse, son remords d'avoir été cause involontaire de la mort de son mari et sa crainte croissante des tourments et des aléas de la passion : si elle ne peut appartenir à Nemours, c'est à la fois par devoir et comme par expiation, mais aussi par crainte de compromettre ce qu'elle appelle elle-même son « repos » ; elle ne peut, en effet, éviter de songer à l'hypothèse d'une infidélité future de son amant devenu son époux et d'anticiper ainsi sur les affres de la jalousie. Et c'est bien le repos de la retraite d'abord, de la mort ensuite, qui constitue le dénouement de cette aventure. On ne peut enfin manquer de souligner les symétries qui rythment l'analyse et le récit et qui forment, autour du paroxysme de l'aveu, les temps forts du roman : parallélisme entre les deux rencontres, également fortuites, celle de Mlle de Chartres et de M. de Clèves chez le joaillier, celle de la princesse et de Nemours au bal de la Cour ; autre parallélisme entre l'épisode du portrait dérobé, qui révèle à la princesse la passion du duc, et celui de la lettre qui, attribuée par erreur à la main de Nemours, est pour la princesse l'occasion d'une expérience anticipée et atroce de la jalousie ; organisation rythmique et progressive des différentes manifestations de la passion de Nemours qui déterminent le rythme intérieur des sentiments de la princesse, jusqu'à ce que l'intensité de cette présence, directe ou indirecte, la contraigne à la fuir définitivement pour échapper à l'investissement passionnel, dont la structure du roman est le signe de plus en plus évident et de plus en plus tragique.

LA FONTAINE Jean de. Château-Thierry 7.7.1621 – Paris 13.2.1695. Fils d'un maître des Eaux et Forêts, il fait ses études à Château-Thierry, puis à Paris, où il a Furetière pour condisciple. Après un séjour à l'Oratoire (1641-1642) et un bref retour chez ses parents consacré à la lecture et à ses premières ébauches poétiques, il vient à Paris vers 1646 pour faire son droit et y fréquente plutôt les jeunes poètes. Il épouse en 1647 Marie Héricart, âgée de quatorze ans et demi et parente de Racine. En 1653 lui naît un fils, Charles, dont il semble ne jamais s'être beaucoup soucié ; maître des Eaux et Forêts depuis l'année précédente, il publie sa première œuvre, une comédie en vers imitée de Térence, *l'Eunuque.* À la mort de son père (1658), L. F. se trouve affronté à de graves ennuis d'argent ; recommandé au surintendant Fouquet, il lui dédie son poème *Adonis* et entreprend en son honneur l'*Élégie aux nymphes de Vaux,* qui sera publiée en 1662 : à cette date, Fouquet a déjà été arrêté ; L. F. prend sa défense dans une *Ode au roi.* Devenu « gentilhomme servant » de la duchesse douairière d'Orléans, il publie ses *Contes et Nouvelles en vers,* mais surtout le premier groupe de ses *Fables,* dont le succès est d'emblée très vif. Après *les Amours de Psyché et de Cupidon,* roman en prose mêlée de vers dont s'inspireront Molière et Corneille pour leur comédie-ballet *Psyché* (1671), L. F., qui a quitté les Eaux et Forêts et perdu ses dernières ressources du fait de la mort de la duchesse d'Orléans, se place sous la protection de Mme de La Sablière (1673) ; la même année paraît son *Poème de la captivité de Saint-Malc.* Lulli refuse *Daphné,* livret d'opéra écrit pour lui par L. F., qui se venge par les vers satiriques du *Florentin.* Un recueil de *Nouveaux Contes* est interdit par La Reynie, lieutenant de police, en raison de son caractère licencieux. La vente de la maison de son père permet à L. F. de se délivrer de ses dettes ; les livres VII à XI des *Fables,* dédiés à Mme de Montespan, renouvellent le succès des premiers. De nouveaux essais dramatiques ou poétiques se soldent par des échecs, en particulier la création à la Comédie-Française du *Rendez-vous.* Élu orageusement à l'Académie malgré la préférence royale pour Boileau, L. F. n'est reçu qu'après l'élection de l'auteur de l'*Art poétique* (1684). La querelle des Anciens et des Modernes ayant éclaté au sujet du *Siècle de Louis XIV,* de Perrault, L. F., ami de ce dernier, prend position en faveur des Anciens, mais avec modération, dans son *Épître à Huet.* Tandis que les amis et les protecteurs du poète s'éteignent peu à peu, il donne sans succès *Astrée* (tragédie lyrique) ; La Bruyère le fait entrer en 1691 dans la galerie de portraits de ses *Caractères.* Tombé gravement malade en 1693, année de la mort de Mme de La Sablière, L. F. renie ses *Contes* et, une fois rétabli, s'installe chez le maître des requêtes d'Hervart. Il meurt deux ans plus tard, ayant publié un XIIe et dernier livre de *Fables.*

L. F. est l'un des hommes les plus malaisément identifiables de la littérature française ; les portraits contemporains nous laissent volontiers l'image d'un incurable distrait, d'un paresseux notoire. L. F. connaissait et cultivait ses défauts et fit toujours preuve d'une extrême lucidité. Son œuvre est tout aussi mal connue que lui-même. Pour combien ne se réduit-elle pas aux *Fables,* voire même à quelques-unes d'entre elles, mal rabâchées, plus mal comprises encore ? Or, si l'on peut parler d'un miracle à propos de ces chefs-d'œuvre que ne laissait prévoir ni n'explique le reste de la production de l'écrivain, il s'en faut de beaucoup que L. F. soit l'homme d'une seule œuvre. Certes, on a fait justice des *Contes* ; ils plurent et firent scandale ; reconnaissons aujourd'hui qu'ils risquent d'ennuyer. Du moins l'ingéniosité de leur fabrication et de leurs rythmes invite-t-elle à relire, et plus souvent à découvrir, des pièces isolées comme la chanson « On languit, on meurt près de Sylvie » ou les vers « Sur la prise de Philisbourg » dont la virtuosité piquante, fort éloignée de la noblesse des grands poèmes comme le vibrant et méconnu *Saint-Malc,* prouve la variété des dons expressifs de L. F. Dramaturge qui ne put donner sa mesure, élégiaque proche du grand Théophile de Viau, prosateur de grande maîtrise sous un apparent abandon, L. F. a réuni la palette de toutes ses nuances créatrices au long des *Fables.* Genre mineur, assez méprisé pour que *l'Art poétique* de Boileau ne le mentionne même pas, la fable a éclaté sous l'influence d'un poète protéiforme qui y a vu l'incarnation idéale de son besoin d'« invoquer des neuf Sœurs la troupe tout entière » et de varier le ton selon son caprice. La rencontre est tardive : les premiers essais du fabuliste ne peuvent remonter au-delà de 1660. Les modèles de L. F. sont très divers : les Latins Phèdre et Horace, l'anthologie de Nevelet (*Mythologia Aesopica,* 1610), les apologues orientaux (le *Gulistan* de Sâdi, traduit en 1634 ; Bidpaï, traduit en 1644 et 1666) ; mais le poète français ne leur emprunte que la matière d'un discours dont il transcende toutes les maladresses par l'invention d'un langage original ; s'il y a *un* génie du vers libre en France, c'est, bien avant les vers-libristes de 1900, le L. F. des *Fables,* qui, dans l'églogue comme dans l'épopée en miniature, utilise tous les mètres avec une virtuosité confondante et nullement gratuite. S'il convient de distinguer les six premiers livres (dédiés au Dauphin, âgé de six ans) et une partie du dernier (destiné au duc de Bourgogne, onze ans), où L. F. brode sur les thèmes de ses devanciers, des livres du recueil adressé à Mme de Montespan, où le poète se permet de plus grandes libertés idéologiques, on irait à l'erreur en voulant nier l'homogénéité de l'ensemble. L'abondance des allusions à l'actualité (dont beaucoup nous échappent certainement) n'empêche pas, c'est le charme des *Fables,* la moralité de chacune d'entre elles de se parer d'une valeur universelle. C'est s'en tenir à l'anecdote de ne voir dans le lion que le symbole du Roi, dans les animaux que la caricature de la Cour ; tout animal et tout homme des *Fables* nous parle d'abord de nous – et avec une éloquence que sa discrétion et sa richesse gardent du vieillissement : abandonnées la parodie marotique des *Contes,* comme l'abstraction recherchée des poèmes, L. F. livre dans son style son expérience de la vie, accueillant les vieux mots, le vocabulaire des artisans, construisant une langue richement sensuelle : les *Fables* doivent être dites pour que l'on perçoive tout ce qui, en elles, est musique. L'insignifiance d'un sujet se mue en précieux enseignement par le miracle d'une communication qu'il faut savoir redécouvrir à force de simplicité : la sagesse des *Fables* n'est pas, en effet, celle du monde mais celle des pauvres gens, et l'ensemble de recettes de bon sens que sont les « moralités », loin de figer les traditions paysannes ainsi reprises par L. F., dessine au contraire, de caprice en caprice, le dessin inimitable de sa volage gravité.

Ainsi le « Fabuliste », comme il est communément désigné, est-il beaucoup plus qu'un fabuliste : un exemplaire génie de la *transparence,* transparence du langage, qui fait de lui le poète de la clarté ; transparence de sa présence, qu'il n'a nul besoin de claironner ; transparence de son esprit, qui se contente de raconter des histoires pour scruter les profondeurs de l'homme. Il est, par cette transparence, le plus évidemment classique des classiques.

Œuvres. *L'Eunuque, de Térence* (adapt.), 1654 (T). – *Adonis* (manuscrit), 1658 (P). – *Le Songe de Vaux,* 1658 (P). – *Les Rieurs du Beau-Richard* (ballet), 1660 (T). – *Élégie aux nymphes de Vaux,* 1662 (P). – *Relation d'un voyage de Paris en Limousin* (lettres à sa femme), 1663. – *Ode au roi,* 1663 (P). – *Nouvelles en vers tirées de Boccace et de l'Arioste,* 1665 (P). – *Contes et Nouvelles en vers* (2e partie), 1666 (P). – En collaboration, *la Cité de Dieu,* de saint Augustin (trad. des citations en vers), 1665-1667. – *Fables choisies mises en vers par M. de La Fontaine* (livres I à VI), 1668 (P). – *Les Amours de Psyché et de Cupidon,* 1669 (N). – *Adonis* (imprimé), 1669 (P). – *Contes et Nouvelles en vers* (3e partie), 1671 (P). – *Recueil de poésies chrétiennes et diverses,* 1671 (P). – *Élégies à Clymène,* 1671 (P). – *Poème de la captivité de Saint-Malc,* 1673 (P). – *Lettres à Turenne,* 1674. – *Nouveaux Contes* (éd. clandestine), 1674 (P). – *Pièces de circonstance sur la paix de Nimègue,* 1678 (P). – *Fables choisies mises en vers par M. de La Fontaine et par lui revues* (livres VII à XI), 1678-1679 (P). – En collaboration, *Épîtres de Sénèque* (trad. des *Lettres à Lucilius* pour les citations en vers), 1681. – *Poème du quinquina et autres ouvrages en vers,* 1682 (P). – *Daphné* (écrit en 1674) et *Galatée* (inachevé), livrets de ballet, 1682. – *Achille* (inachevé), 1682 (T). – *Le Rendez-vous,* 1683 (T). – *Discours à Mme de La Sablière,* 1684. – *Comparaison d'Alexandre, de César et de Monsieur le Prince [de Conti],* 1684. – *Ragotin,* 1684 (T). – *Philémon et Baucis,* 1685 (P). – *Les Filles de Minée,* 1685 (P). – *Cinq Contes,* 1685. – *Le Florentin,* 1686 (P). – *Épître à Huet,* 1687. – *La Coupe enchantée,* 1688 (T). – *Astrée,* 1691 (T). – *Remarques adressées à Maucroix sur sa traduction d'Astérius,* 1694 (E). – *Fables choisies* (livre XII), 1694 (P). – *Les Œuvres posthumes de M. de La Fontaine,* 1696. – *Pièces de théâtre* (comprenant *l'Eunuque, le Florentin, la Coupe enchantée, Je vous prends sans vert, Ragotin*), posth., 1702. – *Œuvres complètes,* éd. établie par P. Clarac et J. Marmier, 1965.

Adonis

Vénus, éprise du jeune et bel adolescent Adonis, part à sa recherche et le trouve couché sur le gazon qui tapisse les bords d'un ruisseau. Surpris et fasciné par cette apparition à laquelle « rien ne manque », ni un charme secret « ni la grâce plus belle encor que la beauté », Adonis sera aisément conquis. Mais ces amours seront de courte durée : un jour, Adonis s'égare dans les bois et meurt au cours d'une chasse au sanglier.

La Coupe enchantée (Contes, III, 4)

La jeune et charmante Caliste a été élevée au fond d'un couvent ; mais, avec l'adolescence, l'amour devient le plus fort. Mariée avec Damon, Caliste connaît des jours bienheureux ; cependant, après « deux ans de paradis », vient, sous le signe de la jalousie du mari, « l'enfer des enfers ». Grâce à une magicienne qu'il a pu séduire, Damon acquiert le pouvoir de savoir avec certitude s'il est ou non trompé : il utilise d'abord l'Eau de la métamorphose, puis surtout cette Coupe enchantée dont le contenu s'écoule si le personnage qui s'apprête à y boire est « dûment atteint de cocuage ». Dans son impatience, Damon consulte la coupe « de quart d'heure en quart d'heure », sans succès d'abord – si l'on peut dire –, mais, au bout de huit jours, elle se vide enfin. Caliste demandera et obtiendra son pardon, mais Damon y met comme condition de pouvoir réunir une « armée » de ses pareils, armée qui ne cesse de croître jusqu'à ce que la morale de l'histoire soit tirée par... Renaud, neveu de Charlemagne, qui considère comme plus sage de ne point avoir recours à la Coupe : « Charlemagne lui-même aurait eu tort de boire ! »

Les Amours de Psyché et de Cupidon

Le narrateur est Polyphile, dont le nom (l'homme aux goûts multiples) est un évident pseudonyme de L. F. lui-même. Un prince grec a trois filles, dont la plus jeune, Psyché, est si belle que Vénus en est jalouse et s'en plaint à son fils Cupidon. Par la volonté de Vénus, la jeune fille sera donc livrée à Cupidon lui-même, qui exigera d'elle qu'elle ne tente jamais de le voir en pleine lumière. Interdiction que Psyché – d'autre part mal conseillée par ses sœurs jalouses – ne manquera pas d'enfreindre. Lorsque sa lampe, une nuit, éclaire son amant, Psyché entre en extase, mais... Suspens que le narrateur prolonge par l'interruption de son récit au profit d'un intermède consacré à une discussion littéraire entre les quatre amis dont la réunion dans le parc de Versailles a motivé ce récit, discussion au cours de laquelle ils conversent sur les problèmes du théâtre, de la tragédie et de la comédie. Lorsque le récit reprend, c'est pour narrer les épreuves successives de Psyché, qui finira par se réconcilier avec son époux. Et le roman s'achève sur un « Hymne à la Volupté. »

Les Fables

Douze livres, qui peuvent se répartir en trois séries : 1. Livres I-VI ; 2. Livres VII-XI ; 3. Livre XII, chaque série ayant, pour ainsi dire, sa couleur particulière. La première série (I, 22 fables ; II, 20 fables ; III, 18 fables ; IV, 22 fables ; V, 21 fables ; VI, 21 fables et un épilogue), précédée d'une *Vie d'Ésope,* est celle où L. F. se tient au plus près de son modèle grec et où la fable reste un récit de forme simple et Anecdotique, mettant en scène des animaux et s'achevant sur une « moralité » : « le Corbeau et le Renard » (I, 2), « le Loup et l'Agneau (I, 10), « les Grenouilles qui demandent un roi » (III, 4), « le Lièvre et la Perdrix » (V, 17), « le Lièvre et la Tortue » (VI, 10). Quelques exceptions à cette règle : « Simonide préservé par les dieux » (I, 14), « le Meunier, son Fils et l'Âne » (III, 1), « le Laboureur et ses enfants » (V, 9), « la Jeune Veuve » (VI, 21), par exemple. La deuxième série (VII, 18 fables ; VIII, 27 fables ; IX, 19 fables ; X, 15 fables, XI, 9 fables et un épilogue) ; entre IX et X, le « Discours à Mme de La Sablière » conserve le plus souvent le symbolisme moral mais s'éloigne du modèle ésopique et s'inspire d'autres sources, en particulier orientales (Bidpaï). Mais surtout cette série introduit, au-delà de l'anecdote, de la narration et de la moralité, une réflexion plus profonde, fondée sur une observation plus aiguë, souvent plus amère, avec une orientation plus franchement satirique, tandis que s'affirme la structure dramatique de la fable. Le ton de cette série est donné dès le début par la fable 1 du livre VII, « les Animaux malades de la peste », à juste titre l'une des plus célèbres. On pourra citer aussi : « le Héron », « la Fille » (double fable, VII, 4-5), « la Mort et le Mourant » (VIII, 1), « les Deux Amis » (VIII, 11), « les Obsèques de la lionne » (VIII, 14), « les Deux Pigeons » (IX, 2), « le Berger et le Roi » (X, 9), « le Songe d'un habitant du Mogol » (XI, 4), « le Paysan du Danube » (XI, 7).
La troisième série enfin, formée par le seul livre XII (24 fables), revient à la tradition ésopique ; elle vaut surtout par l'art de la narration et – dédiée au jeune duc de Bourgogne – accentue la moralisation : « le Philosophe scythe » (XII, 20). Certains ont pu voir là les signes d'un affaiblissement du génie du fabuliste, mais, à lire honnêtement ces fables, rien n'est moins sûr.

LAFORGUE Jules. Montevideo (Uruguay) 16.8.1860 – Paris 29.8.1887. Arrivé en France en 1866, il fit ses études à Tarbes et à Paris. L'amitié de Paul Bourget lui valut le poste de lecteur de l'impératrice douairière Augusta à Berlin (1881-1885) : le climat de la Prusse ruina sa santé déjà fragile, mais le poète garda en lui l'empreinte du génie philosophique et musical de ce pays. En 1886, déjà très atteint par la tuberculose, il visita Elseneur, puis Londres, où il se maria. À sa mort, à l'âge de vingt-sept ans, il laissait une œuvre longtemps méconnue, mais dont l'originalité et la qualité poétique n'ont cessé, depuis, d'apparaître avec une évidence croissante. Il convient en effet de ne pas confondre L. avec le courant décadent, auquel, certes, il appartient, mais au-dessus duquel le maintiennent son élégance morale, sa culture philosophique, sa lucidité intellectuelle. Athée fortement influencé par Schopenhauer, corps frêle qu'horrifie l'amour physique, âme timide jusqu'à l'inhibition esthétique, L. ne donne dans son œuvre que le reflet de ce que lui eût permis de devenir un tempérament comparable à celui de Rimbaud. Sa faiblesse se réfugie dans un humour très personnel, plein de gouaille mais où la souffrance affleure ; ironiste impénitent, il moque les procédés à la mode en les parodiant ; cruel et suave à la façon de Tristan Corbière, dont *les Amours jaunes* l'avaient beaucoup frappé, il a, jusque dans l'humour, une amertume qui est sa signature ; admirateur de Verlaine, il cherche à imiter son don de dissonance subtile et, dans ses dernières œuvres, se risque à aborder le vers libre.

Au-delà de ce qu'il doit au « décadentisme », et qui n'est pas l'essentiel, L. se dégage de toute appartenance à un quelconque « courant » littéraire de son temps, par rapport auquel il est à la fois anachronique, par ce que sa poésie contient encore de romantisme, et précurseur, dans la mesure même où son « mal d'être » et la conscience ironique qu'il en prend annoncent toute une lignée de poètes du XXe siècle : poésie de l'exil spirituel et métaphysique, désespoir qui tente de s'exorciser par la fantaisie apparente du langage et des images, discordance pathétique et dérisoire à la fois entre l'appel du rêve et une conscience acérée de la vanité des illusions. Et le pressentiment de la mort proche aggrave encore la nostalgie du rêve et l'acuité de la conscience. En 1885, L. publie ses poèmes sous le titre *les Complaintes* : il s'y avoue marqué par le double signe symbolique du mythe lunaire, qui lui sert à figurer sa condition d'exilé nostalgique, et de l'aspiration inassouvie au « légendaire », qui traduit l'essence même de sa vocation poétique : « Je ne suis qu'un viveur lunaire – Qui fait des ronds dans les bassins »... mais c'est « sans autre dessein – Que devenir un légendaire » *(Imitation de Notre-Dame la Lune).* « Ah ! oui, devenir légendaire », s'écrie-t-il encore, mais le malheur est que le poète se trouve placé « au seuil des siècles charlatans ».

Dans ses *Moralités légendaires,* sortes de « légendes » philosophiques et modèles de poésie en prose, L. consacre un de ses récits symboliques à Hamlet, dont il avait rencontré le fantôme lors de son passage à Elseneur. Il est bien en effet un Hamlet moderne, dont « la belle âme en ribote », comme il dit *(les Complaintes. Variations sur le mot « Falot, falote »),* se donne l'air de jouer avec les mots et avec elle-même pour oublier que « ses grands sanglots – Sur les beaux lacs de l'Idéal » ne sont finalement que « des ronds dans l'eau » ! Si L. se rattache au symbolisme par la liberté de son langage, son génie de la suggestion, son sens des rythmes et des sonorités, un peu à la Verlaine, il s'engage déjà, au-delà du symbolisme, dans cette combinatoire poétique de lyrisme, d'insolite et même d'auto-mystification qui explique l'influence qu'il exercera sur le courant de la poésie ultérieure qui va de Max Jacob et d'Apollinaire jusqu'à des « fantaisistes » comme P.-J. Toulet et certains surréalistes comme Robert Desnos.

Œuvres. *Les Complaintes.* 1885 (P). – *Le Sanglot de la terre,* 1886 (P). – *L'Imitation de Notre-Dame la Lune,* 1886 (P). – *Le Concile féerique,* posth., 1890 (P). – *Des fleurs de bonne volonté,* posth., 1890 (P). – *Les Moralités légendaires* (six contes philosophiques), posth., 1890. – *Derniers Vers,* posth., 1890 (P). – *Mélanges posthumes* (recueil de pensées et d'essais ; contient *Pierrot fumiste,* comédie), posth., 1903. – *Correspondance,* 2 vol., posth., 1929-1930. – *Poésies complètes,* 1970.

LA HARPE Jean-François de. Paris 20.11.1739 – 1803. Il était le fils d'un officier suisse au service de la France. Orphelin très jeune, il fait cependant d'excellentes études au collège d'Harcourt et en 1759 débute dans la littérature en écrivant des vers. Poète académique, satirique ou élégiaque, il publiera encore par la suite des odes, stances, etc. Abordant le théâtre, il n'écrira pas moins d'une dizaine de tragédies entre 1763 et 1786, mais seule la première, *Warwick,* louée par Voltaire, obtient quelque succès. Correspondant du futur Paul Ier de Russie de 1774 à 1791, il publiera une *Correspondance littéraire adressée au grand-duc de Russie,* qui, par les jugements extrêmement durs qu'il porte sur ses contemporains, suscitera un scandale. Traducteur, il donne *la Vie des douze Césars* (Suétone), *la Lusiade* (Camoëns), *la Jérusalem délivrée* (le Tasse). Critique littéraire sévère, dont les articles paraissent dans le *Mercure,* il ne ménage personne et se fait beaucoup d'ennemis. De 1786 à 1798, il donne à l'université privée du *Lycée* (devenu *l'Athénée* au temps de la Révolution) ses fameux cours de littérature. Il les réunira en un recueil, *le Lycée ou Cours de littérature ancienne et moderne,* que suivront encore les *Mélanges...* et le *Nouveau Supplément :* ouvrage inégal, mais premier ouvrage d'ensemble d'histoire de la littérature, avec des analyses et des critiques pertinentes sur les écrivains étudiés. Enthousiasmé par la Révolution, L.H. manque d'en être la victime et, en 1794, est incarcéré comme suspect. Il sort de prison transformé, ardent catholique et royaliste, publie des brochures politiques, combat les idées philosophiques et révolutionnaires qu'il a prônées naguère, écrit une épopée sur *la Religion ou le Roi martyr* et devient l'un des fidèles habitués du salon de Mme Récamier. Chateaubriand le considère comme un « esprit droit, éclairé, impartial, au milieu de ses passions, capable de sentir le talent, de l'admirer, de pleurer à de beaux vers ou à une belle action... ». Acad. fr. 1776.

Œuvres. *Les Héroïdes,* 1759 (P). – *Poésies fugitives,* 1762 (P). – *Warwick,* 1763 (T). – *Timoléon,* 1764 (T). – *Pharamond,* 1765 (T). – *Gustave Wasa,* 1766 (T). – *Mélanie ou la Religieuse,* 1770 (T). – *Éloge de Henri IV,* 1770 (E). – *La Vie des douze Césars* (trad. de Suétone), 1770. – *Éloge de Fénelon,* 1771 (E). – *Éloge de Racine,* 1772 (E). – *Éloge de Catinat,* 1773 (E). – *Éloge de La Fontaine,* 1774 (E). – *La Lusiade* (trad. de Camoëns), 1776. – *Menzicoff,* 1776 (T). – *Les Barmécides,* 1778 (T). – *La Jérusalem délivrée* (trad. du Tasse, en vers), s. d. – *Tagu et Féline,* 1780 (P). – *Abrégé de l'Histoire générale des voyages,* 1780 (E). – *Jeanne de Naples,* 1781 (T). – *Les Brames,* 1781 (T). – *Coriolan,* 1784 (T). – *Virginie,* 1786 (T). – *De la guerre déclarée par les derniers tyrans à la raison, à la morale, aux lettres et aux arts,* 1796 (E). – *Du fanatisme dans la langue révolutionnaire,* 1797 (E). – *Mémorial historique, politique et littéraire* (périodique), mai-septembre 1797. – *Le Lycée ou Cours de littérature ancienne et moderne de 1787 à 1799,* 1799. – *Psautier* (trad.), s.d. – *Correspondance littéraire adressée au grand-duc de Russie (1774-1791),* 1801. – *Philosophie du XVIIIe siècle,* posth., 1805 (E). – *Mélanges inédits de littérature,* posth., 1810 (E). – *La Religion ou le Roi martyr* (épopée), posth., 1814 (P). – *La Prophétie de Cazotte,* posth., 1927 (E).

LAI. (Voir MARIE DE FRANCE.)

LAÎNÉ Pascal. Anet (Eure-et-Loir) 10.5.1942. Après une agrégation de philosophie, ce brillant normalien enseigne au lycée Louis-le-Grand, puis à l'Université. En 1967, il publie son premier roman *B comme Barrabas,* suivi de *l'Irrévolution* qui lui vaut le prix Médicis, et de *la Dentellière* pour lequel il obtient le Goncourt en 1974. Ce roman conte la tragédie de Pomme, timide shampooineuse, amoureuse d'un « sorbonnard » trop imbu de lui-même pour s'ouvrir au monde secret et naïf de sa compagne. Ici s'affirme l'art de L. pour suggérer des pans entiers de personnalité et d'existence à l'aide de micro-observations et pour dénoncer les inégalités qui marquent les classes et les sexes. On observe cependant chez L. deux courants romanesques bien distincts. L'auteur de *Terre des ombres* et de *l'Eau du miroir* s'oppose à celui de *Tendres cousines* et de *Jeanne du bon plaisir.* Ici le mal de vivre, la blessure provoquée par l'absence du père, la hantise de l'enracinement impossible, là les divertissements érotiques et littéraires, le marivaudage libertin façon XVIIIe, l'art de la transposition et de l'équivoque. C'est peut-être dans une écriture ascétique, plate, « blanche », qui cultive tous les charmes de la litote, qu'il faut chercher le dénominateur commun de tous les romans. L., lecteur assidu de Queneau et de Gombrowicz, possède un sens aigu de la dérision et de l'absurde mais ses romans ressemblent parfois à de brillants « exercices de style » auxquels il manque l'emportement, le souffle et la magie verbale du vrai romanesque.

Œuvres. *B comme Barrabas,* 1967 (N). – *L'Irrévolution,* 1971 (N). – *La Dentellière,* 1974 (N). – *La Femme et ses images,* 1974 (E). – *Si on partait,* 1978 (N). – *Tendres cousines,* 1979 (N). – *L'Eau du miroir,* 1979 (N). – *Terre des ombres,* 1982 (N). – *Si j'ose dire,* 1982 (E). – *Jeanne du bon plaisir ou les Hasards de la fidélité,* 1984 (N). – *Plutôt deux fois qu'une,* 1985 (N).

LAMARTINE Alphonse Marie Louis de. Mâcon 21.10.1790 – Paris 28.2.1869. Issu d'une famille noble mais fils d'un cadet sans grande fortune, il grandit en liberté dans les vignes de Milly, élevé par sa mère et par l'abbé Dumont (qui sera plus tard le modèle de Jocelyn). Un temps pensionnaire à Lyon, il fait de bonnes études chez les Pères de la Foi à Belley (1803-1808). Revenu chez ses parents, il mène une vie oisive, écrit ses premiers vers, commence sa carrière amoureuse ; pour le détourner d'un mariage qui leur déplaît ses parents l'envoient en Italie (1811) : il y rencontre celle qui deviendra, quarante ans plus tard, Graziella. Élu maire de illy en 1812, il compose la première ersion d'une tragédie biblique, *Saül,* qui ra refusée cinq ans plus tard par l'acteur alma. Garde du corps de Louis XVIII n 1814, il s'exile en Savoie pendant les ent-Jours ; en octobre 1816, malade et oujours oisif, il rencontre au cours d'une ure à Aix-les-Bains Mme Julie Charles, qui evient sa maîtresse et meurt à la fin de année suivante, peu après que le poète composé pour elle « le Lac ». Suivent es années de travail et d'incertitude ; les *léditations poétiques,* parues en mars 820, sont suivies de peu par le mariage e L. avec l'Anglaise Marianne-Elisa irch. Les éditions du recueil se succèdent e tirage en 1822), mais le triomphe éteint : *la Mort de Socrate* et les *Nouvelles léditations poétiques* n'ont qu'un succès édiocre. Après un échec à l'Académie ançaise, L. est nommé par Charles X crétaire de légation à Florence (juillet 825) : période de bonheur et de fécondité ttéraire brutalement interrompue par la ort tragique de la mère du poète (nov. 829). Reçu à l'Académie en 1830, il ublie les *Harmonies poétiques et reli-ieuses* (juin) ; il démissionne de son poste iplomatique lors du changement de pou-oir et, faute de réussir devant les élec-urs, compose des poèmes à caractère olitique (« À Némésis », « Contre la eine de mort », « Ode sur les révolu-ons »). Après un voyage en Orient, urant lequel il a pour la troisième fois douleur de perdre un de ses enfants 1832), son élection comme député du Tord le pousse à faire passer au premier lan sa carrière politique. Cependant, il ontinue à publier : *Des destinées de la oésie, Voyage en Orient, Jocelyn* ; mais 'est l'orateur parlementaire qui s'impose plus facilement ; ses derniers volumes e vers, s'ils sont mis à l'Index, ne ouleversent pas l'opinion *(la Chute d'un nge ; Recueillements poétiques).* Tandis ue de nouveaux deuils le frappent, il ompt de plus en plus ouvertement avec s orientations de Louis-Philippe *(la larseillaise de la Paix).* Au cours d'un oyage en Italie, il commence *Graziella,* ais la grande œuvre de cette période est *'Histoire des Girondins,* qui connaîtra un ès vif succès. Membre du gouvernement rovisoire (24 février 1848), il proclame République, mais le romantisme de son loquence (son discours sur le drapeau icolore est resté célèbre) ne suffit pas à ésoudre les problèmes économiques et olitiques : en décembre, il est écrasé par ouis-Napoléon Bonaparte à l'élection résidentielle. Dès lors, bien que dirigeant ncore le journal *le Conseiller du peuple* 1849-1851), il se consacre surtout à l'édition de ses *Œuvres complètes,* destinée à atténuer ses ennuis d'argent, en même temps que paraissent de nouveaux vo-lumes, notamment *Graziella* et *Raphaël.* Le second Empire verra paraître une foule d'ouvrages, surproduction qui n'est qu'une tentative pathétique pour enrayer la mi-sère ; la série la plus connue est le *Cours familier de littérature,* qui contient les deux derniers poèmes de L., « Désert » et « la Vigne et la Maison ». Une nouvelle édition des œuvres n'empêche pas la vieillesse du poète, devenu veuf, de se terminer dans la pauvreté, la tristesse et l'affaiblissement, malgré l'affection de sa nièce, Valentine de Cessiat.

Historien honorable mais bavard, narra-teur un peu solennel mais souvent plein de charme, mémorialiste peu fiable malgré son évidente sincérité initiale, L. a cédé comme Chateaubriand au désir de s'or-chestrer pour la postérité ; mais si le génie de la prose a permis à l'un de nous laisser les *Mémoires d'outre-tombe,* l'autre, du fait même de sa facilité d'écriture, et aussi par la hâte qu'imposait le besoin d'argent, s'est davantage éparpillé et n'a pu laisser l'image d'une destinée aussi cohérente. Tempérament peu vigoureux mais surtout accablé de malheurs, pauvre alors qu'il adorait le luxe, L. a vécu et survit comme « le poète des *Méditations* » ; lourde destinée que celle de l'écrivain qui a commencé par son chef-d'œuvre... L'his-toire littéraire fait volontiers de ce recueil la première manifestation du romantisme français. Il convient de ne pas se mépren-dre. On a peine, lorsqu'on trouve au-jourd'hui L. un peu surfait, ses thèmes usés, son style vieilli, à concevoir quelle révolution du langage apportaient les *Méditations* de 1820 : non point tant une révolution du matériau poétique, qui reste fortement soumis aux clichés classiques du vocabulaire « noble » ; mais une révolu-tion dans le ton : le premier après des précurseurs au talent trop timide pour s'imposer (Millevoye, Parny), L. donne à la poésie l'allure de la confidence person-nelle. Les *Méditations* s'organisent en une autobiographie sentimentale dont la réus-site est indiscutable ; si la rhétorique lamartinienne a vieilli parce qu'elle conti-nuait celle du siècle précédent, la musique de son alexandrin ne cessera jamais de charmer nos oreilles parce que la combina-toire des sonorités qu'elle invente n'est pas soumise aux modes. Même le L. politique met en œuvre pour chanter son adieu à la poésie lyrique les qualités de poète lyrique qui sont les seules par lesquelles il s'exprime en vérité *(Lettre à Félix Guillemardet)* ; même le L. épique, que son génie naturel ne pouvait conduire à la réussite (*Jocelyn* et *la Chute d'un ange* ne sont que des fragments de *Visions* immenses et jamais achevées), trouve ses meilleurs morceaux quand son inspiration se fait d'abord musique. Comparé à l'universel Hugo, il manque et de variété et de force ; lue pour elle-même et sans acrimonie préventive, sa confidence sonne comme l'une des plus harmonieuses de la littérature française.

Œuvres. *Saül,* 1818 (T). – *Les Méditations poétiques,* 1820 (P). – *La Mort de Socrate,* 1823 (P). – *Les Nouvelles Méditations poétiques,* 1823 (P). – *Dernier Chant du pèlerinage d'Harold,* 1825 (P). – *Le Chant du sacre ou la Veillée des armes,* 1825 (P). – *Harmonies poétiques et religieuses,* 1830 (P). – *Des destinées de la poésie,* 1834 (E). – *Voyage en Orient,* 1835 (N). – *Jocelyn, Épisode, Journal trouvé chez un curé de campagne,* 1836 (P). – *La Chute d'un ange,* 1838 (P). – *Recueillements poétiques,* 1839 (P). – *Discours sur le retour des cendres de l'Empereur,* 1840. – *La Marseillaise de la Paix,* 1841 (P). – *Histoire des Girondins,* 1846 (E). – *Trois Mois au pouvoir,* 1848 (E). – *Histoire de la révolution de Février,* 1849 (E). – *Confidences* (souvenirs), 1849. – *Raphaël, pages de la vingtième année* (autobiographie), 1849 (N). – *Œuvres complètes,* 1849-1850. – *Toussaint Louverture,* 1850 (T). – *Nouvelles Confidences,* 1851 (N). – *Geneviève, histoire d'une servante,* 1851 (N). – *Le Tailleur de pierres de Saint-Point,* 1851 (N). – *Nouveau Voyage en Orient,* 1851 (N). – *Histoire de la Restauration* (8 vol.), 1851-1853. – *Graziella* (fragment des *Confidences),* 1852 (N). – *Histoire des Constituants* (4 vol.), 1853. – *Histoire de la Turquie* (8 vol.), 1853-1854. – *Histoire de la Russie* (2 vol.), 1855. – *Vie des grands hommes* (5 vol.), 1855. – *Cours familier de littérature* (28 vol.), 1856-1869. – *Vie des grands hommes* (4 vol.), 1863-1866 (E). – *Antar ou la Civilisation pastorale* (trad. d'un roman de chevalerie arabe), 1864 (N). – *La France parlementaire* (œuvres oratoires et écrits politiques), 1864-1865.

La Chute d'un ange et Jocelyn

Dans le cadre des *Visions* qui devaient constituer son grand poème épique, L. avait conçu un sujet dont le thème était celui de la Rédemption, après la Chute, par la souffrance et le sacrifice, cadre à l'intérieur duquel devait prendre place une interprétation symbolique de l'histoire, des origines bibliques de l'humanité à la Révolution française.

La Chute d'un ange, épisode initial des *Visions* (toutefois composé après *Jocelyn*), met en scène l'histoire condensée dans son titre : séduit par la beauté d'une jeune fille un ange, sous l'effet de cette fascination d'humanité, accepte, pour satisfaire son désir, d'être précipité sur la Terre, où il connaîtra l'amour et toutes les aventures de la condition humaine. Il ne connaîtra cependant pas la mort définitive, puisque la sanction de sa chute volontaire, édictée par Dieu lui-même, le condamne à renaître sans cesse jusqu'à ce que, à la fin du monde, il sache enfin se détacher de la Terre et trouver dans la souffrance et le sacrifice la source de sa réintégration au royaume des Cieux.

Jocelyn est aussi une histoire de souffrance, de sacrifice et de rédemption, mais située au terme du parcours historique des *Visions.* S'inspirant, pour une part, de la vie de son précepteur, l'abbé Dumont, L. raconte l'histoire du jeune Jocelyn, entré au séminaire pour laisser en dot à sa sœur sa part d'héritage, et qui doit, en 1793, se réfugier dans les montagnes du Dauphiné. Il y rencontre un autre fugitif, blessé à mort, qui lui confie son fils, Laurence. Jocelyn et Laurence vivent ainsi ensemble sous le signe d'une amitié exemplaire dans la grotte des Aigles, jusqu'au jour où Jocelyn découvre que Laurence est une femme. Entre eux naît alors, succédant à l'amitié, un amour pur et chaste : Jocelyn promet à Laurence de l'épouser. Mais, en 1795, l'évêque de Grenoble, condamné à mort, convoque Jocelyn et le persuade de se faire ordonner prêtre : le jeune homme sacrifie ainsi son amour à son devoir. Le mariage prévu est donc impossible. Laurence se rend à Paris pour y mener une vie mondaine ; Jocelyn devient curé de Valneige, pauvre village de montagne et y mène une vie évangélique exemplaire qui fait de lui une sorte de saint. Mais voici qu'un jour de novembre 1802 il est appelé auprès d'une jeune mourante : c'est Laurence, qui, malade, a voulu revoir la grotte des Aigles. Jocelyn se fait reconnaître, entend Laurence en confession et l'enterre auprès de la grotte, où il la rejoindra bientôt, car, fidèle à sa vie de sacrifice, il mourra en soignant des pestiférés.

Le poème est divisé en neuf « époques » suivies d'un *Épilogue* (publié en 1839) où un pâtre révèle au poète qu'il a vu dans le miroir du lac, tout près de la grotte, les ombres des deux amants unis par des « noces éternelles ». On notera que *Jocelyn* a connu, dès sa publication et pour longtemps, une considérable popularité, et qu'il a, par exemple, au XXe s., fait l'objet de plusieurs adaptations cinématographiques.

.AMBERT, Anne-Thérèse de Marguenat .e Courcelles, marquise de. Paris 1647 – 733. Belle-fille de l'écrivain Bachaumont, lle prend très jeune l'habitude de la ecture et de la réflexion. Veuve du narquis de L., elle anime, dans les ernières années du XVIIe s. et jusqu'à sa nort, un salon où se retrouve l'élite ristocratique et intellectuelle du temps Fontenelle, La Motte, Marivaux, le prési-ent Hénault, Montesquieu, Mme Dacier, Ame d'Aulnoy). On lit des œuvres inédites, t les entretiens portent sur la philosophie u la littérature. Partisans des Modernes t partisans des Anciens sont également ccueillis par Mme de L., elle-même se angeant dans le camp des Modernes. urtout moraliste, elle fit paraître des uvrages intéressant l'éducation et la ondition de la femme dans la société, ainsi ue des réflexions sur l'amitié et sur la ieillesse.

Euvres. *Avis d'une mère à son fils,* 1726 E). – *Réflexions nouvelles sur les femmes,* 727 (E). – *Avis d'une mère à sa fille,* 1728 E). – *Traité de l'amitié,* 1732 (E). – *Traité le la vieillesse,* 1732 (E). – *La Femme rmite,* posth., 1748 (N). – *Œuvres omplètes,* posth., 1748.

.AMBIN Denis. Montreuil-sur-Mer 516 – Paris 1572. Il a fréquenté les poètes le la Brigade et, en 1560, a obtenu une haire de langue et littérature grecques au Collège de France. L. s'y est acquis une olide réputation, mais il lui fut reproché ne lenteur excessive, provoquée par un xcès de scrupules, qui lui faisait toujours emettre à plus tard l'achèvement de ce u'il aurait pu terminer sur le moment. Il laissé cependant de nombreux travaux : n traité de prononciation grecque, un raité de philosophie, des commentaires ur Cornelius Nepos, une *Vie de Cicéron.* Et enfin, des *Lettres galantes* qui donnent n tableau assez inattendu de sa vie et des nœurs de l'époque. Bouleversé par la Saint-Barthélemy, il meurt un mois après ette tragédie. Il a également laissé à la angue française un mot nouveau, *lambin.*

Euvres. *Édition commentée des œuvres l'Horace,* 1561. – *Orationes,* 1562. – *Édition commentée du « De natura re-um » de Lucrèce,* 1564. – *Édition ommentée des œuvres de Cicéron,* 1566. – *Oratio de recta pronunciatione linguae raecae,* 1568 (E). – *Oratio de rationis rincipatu. De philosophia cum arte dicendi onjungenda oratio,* 1568 (E). – *Commen-arii in Cornelium Nepotem,* 1569 (E). – *Édition commentée des « Discours » de Démosthène,* 1570. – *Emendationes in Ciceronis opera,* posth. 1577. – *Édition commentée des « Comédies » de Plaute,* posth., 1577. – *Ciceronis vita ex ejus operibus collecta,* posth., 1578 (E). – *Lettres galantes,* s.d., éd. établie par H. Potez et F. Fréchac, 1941.

LAMENNAIS Hugues Félicité Robert de. Saint-Malo 19.6.1782 – Paris 27.2.1854. Troublée par la Révolution, son enfance bretonne fut solitaire et ses études religieuses décousues. Après qu'il fut devenu prêtre en 1816, la publication, en 1817, de son *Essai sur l'indifférence en matière de religion,* réunit autour de lui un cercle de disciples (dont Montalembert et M. de Guérin), convaincus comme lui que le retour à la religiosité proposé par Chateaubriand devait s'approfondir par un retour à la pratique religieuse elle-même. Tout en défendant son *Essai* par de nouveaux développements, il tenta de se maintenir dans l'obédience envers Rome avec *De la religion considérée dans ses rapports avec l'ordre public et civil.* Mais son plaidoyer pour la démocratie politique et pour la séparation de l'Église et de l'État, réclamées par lui dans son journal *l'Avenir* (1830-1832), amena sa condamnation ; le succès considérable de son autodéfense, *Paroles d'un croyant,* n'empêcha pas une seconde et définitive désapprobation papale. L., quittant alors l'Église et s'en tenant à des sentiments religieux très généraux, s'engagea dans les rangs républicains, où il fut très actif jusqu'au coup d'État du Deux-Décembre. Sa fougue inlassable, son honnêteté intellectuelle, la force de ses idées firent de lui, aux yeux des générations romantiques, le symbole des tentatives de conciliation entre tradition catholique et souci de progrès social.

Œuvres. *Réflexions sur l'état de l'Église en France pendant le XVIIIe siècle et sur sa situation actuelle,* 1808 (E). – *Guide spirituel ou Miroir de l'âme religieuse,* 1809 (E). – *La Tradition de l'Église,* 1814 (E). – *Essai sur l'indifférence en matière de religion* (vol. I), 1817 (E). – *Mélanges religieux et philosophiques,* 1819 (E). – *Essai sur l'indifférence...* (vol. II), 1820 (E). – *Défense de l'Essai...* 1821 (E). – *Essai sur l'indifférence...* (vol. III et IV), 1823 (E). – *Imitation de Jésus-Christ* (trad.), 1824. – *De la religion considérée dans ses rapports avec l'ordre public et civil,* 1824 (E). – *Nouveaux Mélanges,* 1826. – *Des progrès de la Révolution et de la guerre contre l'Église,* 1828 (E). – *L'Avenir* (journal), 1830-1831. – *Paroles d'un croyant,* 1834 (E). – *Troisièmes Mélanges,* 1835 (E). – *Les Affaires de Rome,* 1836-1837 (E). – *Œuvres complètes,* 1836-1837.

– *Le Livre du peuple,* 1838 (E). – *De la lutte entre la cour et le pouvoir parlementaire,* 1839 (E). – *L'Esclavage moderne,* 1839 (E). – *La Politique du peuple,* 1840 (E). – *Questions politiques et philosophiques,* 1840 (E). – *Du passé et de l'avenir du peuple,* 1841 (E). – *De la religion,* 1841 (E). – *Esquisse d'une philosophie,* 1841-1846 (E). – *Le Peuple constituant* (journal), 1848. – *La Question du travail,* 1848 (E). – *De la société première et de ses lois,* 1848 (E). – *De la famille et de la propriété,* 1848 (E). – *Divina Comedia* (trad.), posth., 1856. – *Correspondance,* posth., 1858.

LA METTRIE Julien Offroy de. Saint-Malo 19.12.1709 – Berlin 11.11.1751. Ancien élève des jésuites de Caen devenu médecin, il bénéficia de la protection de Frédéric II, qui lui confia la direction de son Académie, mais avec qui il eut, comme avec Voltaire, lors du séjour de celui-ci en Prusse, de bruyants démêlés. Philosophe matérialiste et mécaniste, il ne semble pas avoir exercé une grande influence. Mais son *Homme-machine* reste un document significatif sur la force du courant qui entraînait certains penseurs du XVIIIe s. vers une sorte d'extrémisme matérialiste.

Œuvres. *Traité du vertige, avec la description d'une catalepsie hystérique,* 1737 (E). – *Lettres sur l'art de conserver la santé,* 1738 (E). – *Nouveau Traité des maladies vénériennes,* 1739 (E). – *Traité de la petite vérole,* 1740 (E). – *Essai sur l'esprit et les beaux esprits,* 1741 (E). – *Observations de médecine pratique,* 1743 (E). – *Saint Côme vengé ou Critique du traité d'Astruc,* 1744 (E). – *Histoire naturelle de l'âme,* 1745 (E). – *Politique du médecin,* 1746 (E). – *La Faculté vengée,* 1747 (T). – *L'Homme-machine,* 1748 (E). – *L'Homme-plante,* 1748 (E). – *Ouvrage de Pénélope,* 1748 (E). – *Caractères des médecins,* 1750 (E). – *Les Animaux plus que machines,* 1750 (E). – *Réflexions philosophiques sur l'origine des animaux,* 1750 (E). – *Traité de l'asthme et de la dysenterie,* 1750 (E). – *L'Art de jouir,* 1751 (E). – *Vénus métaphysique,* 1752 (E). – *Épître à mon esprit,* posth., 1774 (E).

LA MOTHE LE VAYER François de. Paris 1588 – 1672. Magistrat, il sera nommé, en 1649, précepteur du duc d'Orléans, et, en 1652, de Louis XIV. Philosophe sceptique, il fréquente le cercle érudit des frères Dupuy (l'Académie putéane) et se lie avec Gassendi, Naudé et Diodati, avec qui il forme le groupe dit de la « Tétrade ». Il fut conseiller d'État et historiographe de France. Il publie, en 1630, *Quatre Dialogues faits à l'imitation des Anciens,* et, l'année suivante, cinq nouveaux *Dialogues,* affirmant son scepticisme, dénonçant les contradictions de la raison, rejetant le dogmatisme religieux et prônant une sorte de détachement et d'indifférence face à l'incertitude en matière de religion. Mais il se veut aussi sceptique *chrétien* qui humilie les petites sciences humaines devant la religion. Et, en supprimant les superstitions, son scepticisme lui apparaît comme la meilleure base de la religion. Avec son épicurisme intellectuel et moral, L.M.L.V. apparaît comme un trait d'union entre Montaigne, qui l'a beaucoup influencé, et son siècle. Il appartient, bien qu'il s'en défende, au courant érudit libertin et s'est intéressé à toutes les formes de connaissance. Sa vision critique de l'histoire, en particulier, est, à beaucoup d'égards, très moderne : *Du peu de certitude qu'il y a dans l'histoire.* Acad. fr. 1639.

Œuvres. *Discours de la contrariété d'humeur qui se trouve entre certaines nations,* 1636 (E). – *Considérations sur l'éloquence française de ce temps,* 1638 (E). – *De l'instruction de Mgr le Dauphin,* 1640 (E). – *De la vertu des payens,* 1642 (E). – *Jugement sur les Anciens et principaux historiens grecs et latins,* 1646 (E). – *Géographie, Rhétorique, Morale, Économique, Logique et Physique du Prince,* 1651-1656 (E). – *En quoi la piété des Français diffère de celle des Espagnols,* s.d. (E). – *Petits Traités en forme de lettres* (4 vol.), 1651-1656. – *Discours pour montrer que les doutes de la philosophie sceptique sont d'un grand usage dans les sciences,* 1668 (E). – *Du peu de certitude qu'il y a dans l'histoire,* 1668 (E). – *Hexaméron rustique,* 1671. – *Dialogues faits à l'imitation des Anciens* (écrits en 1630-1631), posth. 1698. – *Œuvres complètes,* posth., 1756-1759.

LA MOTTE-HOUDAR. (Voir HOUDAR DE LA MOTTE.)

LANCELOT DU LAC. XIIIe s. (1215-1240). Sous ce titre général ont été recomposées et regroupées au XIIIe s., en un ensemble de romans en prose appelé aussi *vulgate arthurienne,* les « histoires » du cycle d'Arthur autour des aventures de Lancelot et de la quête du Graal. Cette compilation se compose de trois parties : *le Lancelot propre, la Queste del Saint Graal, la Mort le roi Artu,* auxquelles s'ajoutèrent postérieurement l'*Estoire del Graal* et *Merlin.* (Voir CHRÉTIEN DE TROYES.)

LANCLOS ou LENCLOS Anne, dite **Ninon de.** Paris 15.11.1620 – 17.10.1705. Orpheline à quinze ans, douée de beauté et d'esprit, elle fit rapidement son chemin dans le monde, mena une vie des plus libres, au cours de laquelle elle bénéficia de la « protection » de quelques-uns des plus prestigieux parmi les grands – Condé ou La Rochefoucauld, par exemple. Mais surtout, elle profita de sa situation privilégiée pour se faire l'égérie des grands esprits non conformistes du temps : chez elle se retrouvaient peut-être Molière et certainement Gassendi et Saint-Évremond ; après l'exil de ce dernier à Londres, elle entretint avec lui une correspondance suivie, et les quelques *Lettres* de N. de L. qui ont survécu révèlent avec certitude qu'elle avait le don du style. L'anecdote rapportant qu'à la fin de sa vie elle sut discerner le futur génie de Voltaire enfant et qu'elle lui donna deux mille francs pour acheter des livres est probablement authentique.

LANGEVIN André. Montréal 1927. Écrivain canadien-français. Journaliste et écrivain au talent précoce, il travaille plusieurs années comme réalisateur à Radio-Canada. Entre 1951 et 1958, il écrit trois romans et deux pièces de théâtre. Son premier roman, *Évadé de la nuit,* est un drame de l'incommunicabilité, qui vaut à son auteur le prix du Cercle du livre de France. *Poussière sur la ville* est un des meilleurs romans canadiens-français : il décrit la vie tragique d'un jeune médecin, trompé par sa femme, qui assiste impuissant au suicide de celle-ci lorsque l'homme dont elle est la maîtresse décide d'épouser une autre femme. Ce bref roman a la rigueur d'une tragédie classique. *Le Temps des hommes* est la pathétique histoire d'un prêtre défroqué qui cherche une raison de vivre : il croit l'avoir trouvée lorsqu'il rencontre un meurtrier qui fuit la justice et qu'il tente de sauver. L'univers romanesque de L. est celui de la solitude perpétuelle des êtres ; son œuvre est un chant âpre et sévère traversé par un grand courant de sympathie à l'égard de l'homme en proie au mal de vivre.

Œuvres. *Évadé de la nuit,* 1951 (N). – *Poussière sur la ville,* 1953 (N). – *Le Temps des hommes,* 1956 (N). – *L'Œil du peuple,* 1959 (T). – *La Télévision, du noir à la couleur,* 1960 (E). – *Paul Langevin, mon père,* 1971. – *L'Élan d'Amérique,* 1972 (N). – *Une chaîne dans le parc,* 1974 (N). – *Le Fou solidaire,* 1980 (N).

LANGUIRAND Jacques. Montréal 1.5.1931. Écrivain canadien-français. Animateur d'émissions de radio et de télévision, il a fait une entrée remarquée dans le monde du théâtre québécois avec sa première pièce, *les Insolites,* en 1956. Les trois pièces qu'il a fait représenter ensuite, *les Grands Départs, le Gibet* et *les Violons de l'automne,* sont, comme sa première œuvre, conçues dans une perspective universelle, selon la sensibilité propre au milieu du XXe s. Pendant ses séjours à Paris pour des travaux radiophoniques, L. fréquenta les cabarets de la rive gauche et s'intéressa aux œuvres des « dramaturges de l'absurde », Beckett, Ionesco, Vauthier. C'est cette inspiration qui se retrouve dans le roman *Tout compte fait.* Mais cette conception du théâtre ne satisfait pas L., qui s'intéresse surtout à l'audiovisuel et aux problèmes du spectacle total. C'est dans cette perspective qu'il conçoit une pièce comme *Klondyke,* spectaculaire évocation de l'aventure des chercheurs d'or du siècle dernier au Yukon, tentative pour intégrer dans une œuvre unique tous les arts, poésie du texte, musique, chorégraphie, décoration et intervention de séquences cinématographiques.

Œuvres. *Les Insolites,* 1956 (T). – *Les Grands Départs,* 1959 (T). – *Le Gibet,* 1960 (T). – *Les Violons de l'automne,* 1960 (T). – *Le Dictionnaire insolite,* 1961. – *J'ai découvert Tahiti et les îles du « Bonheur »,* 1961 (E). – *Tout compte fait,* 1964 (N). – *Klondyke,* 1965 (T). – *Communication 1 : De McLuhan à Pythagore,* 1972 (E). – *La Voie initiatique,* 1978 (E). – *Vivre sa vie,* 1979 (E). – *Mater materia,* 1980 (E). – *Vivre ici maintenant,* 1981 (E).

LA NOUE François de. Nantes 1531 – Moncontour 4.8.1591. Issu d'une famille catholique d'ancienne noblesse bretonne, il se convertit au protestantisme en 1558. Avec Brantôme, il escorte Marie Stuart en Écosse (1561). Il prendra ensuite part à toutes les guerres intérieures et extérieures, en particulier sous les ordres de Condé et, à partir de 1589, sous ceux de Henri de Navarre. Blessé plusieurs fois, il a en 1570 le bras gauche fracassé par une arquebusade au siège de Fontenay-le-Comte. La prothèse en métal qu'il porte dès lors lui vaut le surnom de *Bras de Fer.* On lui a donné d'autre part le beau titre de *Bayard huguenot.* À sa mort, Henri IV dira : « C'était un grand homme de guerre et encore plus un grand homme de bien ». Plusieurs fois prisonnier, c'est au cours d'une de ses captivités, en Flandre, où il est retenu cinq ans dans des conditions extrêmement dures, qu'il commence à rédiger ses *Discours politiques et militaires suivis d'observations sur les troubles civils.*

Il les achèvera à Genève, où il est contraint de se retirer en 1587. Moraliste rigoureux, tolérant pour autrui, L.N. s'efforce de rester impartial et s'efface derrière les événements. Le style vaut l'homme : simplicité, vivacité, vigueur et sincérité. Il avait aussi composé un commentaire et un abrégé des *Vies* de Plutarque, aujourd'hui perdus.

Œuvres. *Commentaire sur l'« Histoire » de Guichardin,* 1568 (E). – *Discours politiques et militaires suivis d'observations sur les troubles civils* (vingt-six discours), 1587. – *Correspondance de F. de La Noue,* posth., 1854.

LANOUX Armand. Paris 24.10.1913 – Champs-sur-Marne 23.3.1983. Instituteur, peintre, directeur littéraire, puis secrétaire d'une maison d'édition et, de 1969 à sa mort, membre de l'académie Goncourt, il est l'auteur d'une œuvre littéraire très diverse. Poète d'inspiration surréaliste ou populaire, il est aussi et surtout romancier : il débute par un roman policier, *la Canadienne assassinée,* que suivent des romans d'une veine réaliste ou naturaliste d'où une certaine fantaisie poétique et originale n'est pas absente (*la Nef des fous,* prix du Roman populiste). Avec *les Lézards dans l'horloge* (grand prix du Roman de la Société des gens de lettres) apparaissent une maturité et une force d'évocation qui vont encore se préciser dans la trilogie de souvenirs de guerre de *Margot l'Enragée : le Commandant Watrin* (prix Interallié 1956), qui retrace la destinée de deux officiers français au cours de la dernière guerre ; *le Rendez-vous de Bruges* (1958), qui traite du monde de la folie, et *Quand la mer se retire* (prix Goncourt 1963). Enfin, L. a écrit des essais et des chroniques très vivantes et bien documentées *(Physiologie de Paris : Montmartre, Saint-Germain-des-Prés, le Marais parisien, les Grands Boulevards ; Amours 1900).*

Œuvres. *La Canadienne assassinée,* 1943 (N). – *La Fille de mai,* 1943 (P). – *La Nef des fous,* 1948 (N). – *La Classe du matin,* 1949 (N). – *Cet âge trop tendre,* 1951 (N). – *Les Lézards dans l'horloge,* 1952 (N). – *Le Petit Colporteur,* 1953 (P). – *Bonjour, monsieur Zola,* 1954 (E). – *Physiologie de Paris ou Paris en forme de cœur : Montmartre, Saint-Germain-des-Prés, le Marais parisien, les Grands Boulevards,* 1955-1965 (E). – *Le Photographe délirant,* 1956 (N). – *Margot l'Enragée : I, le Commandant Watrin,* 1956 ; *II, le Rendez-vous de Bruges,* 1958 ; *III, Quand la mer se retire,* 1963 (N). – *À quoi jouent les enfants du bourreau ?* 1959 (N). – *Amours 1900,* 1961 (E). – *Maupassant, le Bel-Ami,* 1967 (E). – *La Polka des canons,* 1971 (N). – *Une histoire de la Commune de Paris* (tome I, 1972 ; tome II, *Le Coq rouge*), 1972 (E). – *La Tête tranchée* (paru précédemment sous le titre *À quoi jouent les enfants du bourreau ?*), 1972 (N). – *Femmes,* 1972. – *1900. La bourgeoisie absolue... « Amours 1900 »* (éd. revue et corrigée d'*Amours 1900*), 1973 (E). – *Le Berger des abeilles,* 1974 (N). – *Adieu la vie, adieu l'amour,* 1977 (N). – *L'Or et la Neige,* 1978 (N). – Avec Stellio Lorenzi : *Zola ou la Conscience humaine,* 1978. – *Les Châteaux de sable,* 1979 (N). – *Le Montreur d'ombres,* 1982 (N). – *Madame Steinheil ou la Connaissance du président,* 1982 (E).

LANSON Gustave. Orléans 1857 – Paris 1934. Normalien, il enseigne d'abord dans les lycées, puis, avant d'accéder à l'Enseignement supérieur, est, pendant une année, à Saint-Pétersbourg, précepteur du futur tsar Nicolas II. Sa thèse de 1888 sur Nivelle de la Chaussée annonce déjà sa future méthode et lui ouvre une carrière de professeur d'université qui le conduira à la Sorbonne puis, en 1902, à la direction de l'École normale supérieure, poste qu'il conservera jusqu'en 1927. Avant tout pédagogue (il joue un rôle important dans la réforme scolaire et universitaire de 1902), L. le reste lorsqu'il aborde l'histoire littéraire et la critique. Ce qui explique l'importance primordiale qu'il accorde à la *méthode* : la connaissance rigoureuse des faits littéraires, dans leur diversité et leur complexité, est, à ses yeux, le fondement nécessaire de toute appréciation de la littérature. Ainsi naît la célèbre « méthode des fiches » dont L. lui-même souligne qu'elle n'est qu'un moyen d'accès à une juste image des faits littéraires : « L'érudition n'est pas un but, c'est un moyen. Les fiches sont des instruments pour l'extension de la connaissance, des assurances contre l'inexactitude de la mémoire : leur but est au-delà d'elles-mêmes » *(De la méthode de l'histoire littéraire).* Ce qu'on appellera plus tard le « lansonisme », pour en critiquer, de manière trop souvent simpliste, les limites et les insuffisances, n'est en fait qu'une caricature défigurant la pensée véritable de L. Celui-ci en effet n'a cessé de mettre l'accent, aussi bien dans ses ouvrages théoriques que dans son *Histoire de la littérature française* ou dans ses études particulières de tel ou tel écrivain, sur la relation nécessaire entre les deux temps successifs de la réflexion sur les œuvres littéraires ; vérité objective de l'image d'une œuvre ou d'un écrivain, dans un premier temps, destinée à servir de fondement incontestable à la construction, dans un second temps, d'une idée « personnelle » de cet écrivain ou de cette œuvre : « Notre idéal est d'arriver à construire le Bossuet et le Voltaire que ni le catholique ni l'anticlérical ne pourront nier » (*ibid.*).

L'apport décisif de L. fut donc d'élaborer les principes et les techniques d'une méthode d'histoire littéraire qui, depuis, a fait ses preuves et n'a point cessé d'être valable, et d'en définir en même temps la fonction comme assise solide d'une authentique culture. Un autre mérite de L. fut – surtout en un temps où régnait sans partage l'idéologie positiviste – de refuser toute assimilation de l'histoire littéraire à un modèle scientifique étranger à la nature propre de la littérature, et de souligner l'autonomie absolue du domaine littéraire par rapport au domaine des sciences physiques ou sociales ; ce qui le conduit à rejeter toute réduction du phénomène littéraire à un phénomène purement historique ou sociologique ; à cet égard, la pensée de L. s'oppose radicalement, par exemple, à celle de Taine dont on a parfois prétendu, à tort, qu'il était le disciple. Au contraire, le caractère *spécifique* de la littérature est le postulat sur lequel se fondent sa méthode et son œuvre. Il s'efforce ainsi de sauvegarder pleinement l'originalité personnelle de la création littéraire et l'originalité également personnelle de sa réception par le lecteur. L'*Avant-propos* de son *Histoire de la littérature française,* où il a condensé l'essentiel de sa pensée, est sur ce point parfaitement clair : « L'histoire littéraire a pour objet la description des individualités... En littérature comme en art, on ne peut perdre de vue les œuvres, infiniment et indéfiniment réceptives et dont jamais personne ne peut affirmer avoir épuisé le contenu et fixé la formule... La littérature est un instrument de culture intérieure, voilà son véritable office. »

L'œuvre de L., tout en portant la marque de son temps et de sa forte personnalité, est encore aujourd'hui loin d'être caduque ou périmée ; elle reste en tout état de cause un modèle de probité intellectuelle et la méthode qui la fonde n'a rien perdu de son efficacité.

Œuvres. *Nivelle de la Chaussée et la comédie larmoyante,* 1888. – *Bossuet,* 1890. – *Boileau,* 1892. – *Histoire de la littérature française,* 1894, rééd. 1967. – *Hommes et livres,* 1895. – *Corneille,* 1898. – *Voltaire,* 1906. – *L'Art de la prose,* 1908, rééd. 1968. – *Manuel bibliographique de la littérature française moderne de 1500 à nos jours,* 1909-1921, rééd. 1939. – *De la méthode de l'histoire littéraire,* 1911, rééd. 1979. – *Esquisse d'une histoire de la tragédie française,* 1920. – *Études d'histoire littéraire,* 1930.

LA PÉRUSE, Jean Bastier, dit. La Péruse (Charente) 1529 – 1554. Il acquit très vite une réputation de premier ordre que la brièveté de son existence ne lui laissa point le temps de confirmer. Étudiant à Poitiers, puis à Paris, il se joint aussitôt au groupe qui allait former la Pléiade et il se fait connaître par une tragédie, *Médée* (1553). D'emblée, c'est la gloire : L. P., devançant Jodelle, fait figure de rénovateur de la tragédie. Mais il meurt l'année suivante. Les *Autres Poésies* de J. de L. P. (éd. posth., 1866), composées de quatre odes, de chansons, d'étrennes, de mignardises, complètent son œuvre : poésies essentiellement lyriques, elles ont un charme et une délicatesse qui ne sont pas sans émouvoir le lecteur (*cf.* l'« Oraison pour avoir santé » où L. P. déplore sa maladie). À sa mort, Ronsard put déclarer : « Le second ornement de la tragique Muse est mort avec lui. »

LAPIDAIRE (poésie) [lat. *lapis* = pierre]. Genre poétique pratiqué aux XIIe et XIIIe s. (notamment par Philippe de Thaon), qui traite des propriétés et des vertus des pierres précieuses. Ce genre de poésie a été inspiré par un livre de Damigeron, auteur grec du Ier s. apr. J.-C. Ces poèmes n'ont aucune valeur scientifique. Au figuré, « lapidaire » se dit d'une formule fortement condensée analogue à la maxime.

LAPOINTE Gatien. Sainte-Justine-de-Bellechasse 18.12.1931. Écrivain canadien-français. Après ses études à Québec et à Montréal, il séjourne à Paris de 1956 à 1962, pour y obtenir un doctorat ès lettres avec une thèse sur Éluard. Il devient ensuite professeur de littérature au collège militaire de Saint-Jean et chargé de cours à l'université de Montréal. En 1961, il obtient à Paris le prix du Club des poètes pour *Temps premier,* écrit en 1957. L'année de la publication de *l'Ode au Saint-Laurent* (1963), il reçoit le prix Du Maurier et le prix du Gouverneur général du Canada pour la poésie. *Le Premier Mot,* paru en 1967, lui vaut le prix du Gouvernement du Québec. La poésie de L. est simple, directe et dense. Elle devient juste et forte en particulier dans les derniers recueils, où le poète évoque un pays jeune, aux prises avec un futur démesuré, le

Québec, tout en continuant d'être hanté par l'angoisse du temps : l'homme cherche sa place dans le monde et dans l'histoire et tente d'apprivoiser, dans le peu de temps accordé, son pays et ceux qui l'habitent. Le temps, auquel il faut livrer une lutte angoissante, est à la fois l'ennemi inéluctable et le nécessaire allié.

Œuvres. *Jour malaisé,* 1953 (P). – *Otages de la joie,* 1955 (P). – *Le Temps premier,* 1957 (P). – *Lumière du monde,* 1962 (P). – *Ode au Saint-Laurent,* 1963 (P). – *J'appartiens à la terre,* 1963 (P). – *Le Chevalier de neige,* 1963 (P). – *Le Premier Mot,* précédé de *le Pari de ne pas mourir,* 1967 (P). – *Arbre-Radar,* 1980 (P). – *Chorégraphie d'un pays* (album de photographies), 1980. – *Corps et Graphies,* 1981 (P). – *Barbare inouï,* 1981 (P). – *Corps de l'instant* (anthologie sonore), 1983 (P).

LAPOINTE Paul-Marie. Saint-Félicien 22.9.1929. Écrivain québécois. L. a bâti en trente ans une des œuvres les plus importantes de la poésie canadienne, œuvre traduite aujourd'hui dans de nombreux pays. En 1976, il obtient des États-Unis le prix du « International Poetry Forum » pour l'ensemble de son œuvre, déjà couronnée au Québec en 1972 par le prix David et le prix du Gouverneur général. Journaliste depuis 1950, L. a été rédacteur en chef du magazine *Maclean* de 1963 à 1968 et dirige actuellement le service de programmation de Radio-Canada. Son œuvre poétique est placée sous le signe de la révolte, de la recherche et de l'innovation et il conçoit la poésie comme un affrontement du réel par toutes les forces vives du langage et de l'être. Ses premiers recueils, *le Vierge incendié, Choix de poèmes* et *Pour les âmes,* assez hermétiques, sont de vastes lamentos où le poète exprime sa vision pessimiste du monde à grand renfort d'images bibliques ou de scènes à l'antique : l'homme est incapable de se dépasser si ce n'est par et grâce à l'amour. *Tableaux de l'amoureuse,* puis *Bouche rouge,* retrouvent l'alchimie d'un paysage érotique qui participe du grand tableau végétal, tellurique, astral autant que charnel, déjà évoqué dans *Arbres.* Cette vision figure à la fois le bonheur, « l'apprivoisement » du monde et la fin des temps. Et c'est par cette tension d'images tour à tour souterraines et foudroyantes que le poète se bat pour « l'adorable délire d'aimer ». Innovateur, L. fut le premier à réaliser une synthèse de l'écriture automatique, issue du surréalisme, et des rythmes syncopés du jazz. Progressivement, sa révolte devant le monde passe davantage par une utilisation libérée et libératrice du langage que par la mise en œuvre d'un réseau de thèmes. Délimitée par l'imaginaire, la liberté des mots préfigure celle des hommes. *Écritures* apparaît bien comme la jubilation d'une parole en liberté, « l'exaltation de la lettre ». D'une richesse qui paraît inépuisable (on y trouve des récits, des aphorismes, des poèmes, sentences, dialogues, des pages à lire de haut en bas et de droite à gauche), le recueil est une tentative pour atteindre à ce texte infini dont tout un courant moderniste n'a cessé de rêver depuis Mallarmé.

Œuvres. *Le Vierge incendié,* 1948 (P). – *Choix de poèmes. Arbres,* 1960 (P). – *Pour les âmes,* 1964 (P). – *Le Réel absolu : poèmes 1948-1965,* 1971 (P). – *Tableaux de l'amoureuse,* suivi de *Une ; Unique ; Art égyptien ; Voyage et huit autres poèmes,* 1974 (P). – *Bouche rouge,* 1976 (P). – *Arbres* (avec cinq sérigraphies de Roland Giguère), 1978 (P). – *Écritures,* 1979 (P). – *Tombeau de René Crevel,* 1979 (P).

LAPRADE Pierre Marin Victor Richard de. Montbrison (Loire) 13.1.1812 – Lyon 13.12.1883. D'abord avocat, il fut professeur de littérature à l'université de Lyon (1847-1861). On a bien oublié cet élégiaque à la production abondante, et qui eut son heure de succès. Si l'ensemble de son œuvre tombe dans la monotonie par faiblesse d'inspiration narrative et manque de variété spirituelle, il convient d'en retenir *Psyché,* dont la veine lamartinienne est bien venue ; les *Idylles héroïques* et les *Poèmes civiques,* qui cherchent dans le patriotisme une occasion de vigueur ; *le Livre d'un père,* enfin, dont la tendresse retrouve sur le tard les meilleures qualités des premières œuvres. L., qui donna en prose plusieurs études sur la fortune littéraire du sentiment de la nature, fut élu académicien au fauteuil de Musset (1858).

Œuvres. *Les Parfums de Madeleine,* 1839 (P). – *La Colère de Jésus,* 1840 (P). – *Psyché,* 1841 (P). – *Odes et Poèmes,* 1844 (P). – *Poèmes évangéliques,* 1852 (P). – *Les Symphonies,* 1855 (P). – *Idylles héroïques,* 1858 (P). – *Questions d'art et de morale,* 1861 (E). – *Les Voix du silence,* 1865 (P). – *Les Arbres du Luxembourg,* 1865 (P). – *Le Sentiment de la nature avant le christianisme,* 1866 (E). – *L'Éducation homicide,* 1867 (E). – *Pernette,* 1868 (P). – *Le Sentiment de la nature chez les modernes,* 1868 (E). – *Harmodius,* 1870 (T). – *Pendant la guerre,* 1872 (P). – *Poèmes civiques,* 1874 (P). – *Tribuns et Courtisans,* 1875 (T). – *Le Livre d'un père,* 1876 (P). – *Le Livre des adieux,*

1878 (P). – *Essai de critique idéaliste,* 1882 (E). – *Histoire du sentiment de la nature,* 1883 (E).

LARBAUD Valery. Vichy 29.8.1881 – 2.2.1957. Avant d'être victime, en 1935, d'une congestion cérébrale qui condamna ses vingt dernières années à une immobilité d'hémiplégique, L. a été l'un des grands voyageurs de la littérature française ; assez riche pour pouvoir s'affranchir de tout travail sédentaire, il fut d'abord l'utilisateur, bientôt le romancier et le poète, des moyens de transports ferroviaires et maritimes. Sa connaissance de l'Europe se concrétisa dans une abondante activité de traduction, notamment de l'espagnol et de l'anglais ; il s'était fait connaître en 1901 par sa traduction de *la Ballade du vieux marin* de Coleridge et révisa avec Joyce la version française d'*Ulysse.* Comme écrivain d'invention, L. est le créateur de Barnabooth, milliardaire qui lui ressemble fort et que, en opposition au cliché du génie pauvre, il présente comme un grand poète (*Poèmes par un riche armateur* et *A.O. Barnabooth... son journal intime,* rééédités ensemble en 1922). Au cours d'un voyage à Londres, en 1911, L. rencontra Gide, qui, devenu son ami, favorisa le succès de son œuvre et l'introduisit à la *Nouvelle Revue française,* où son influence fut remarquable ; lorsque la maladie le contraignit au silence, L. était déjà reconnu d'un public relativement large, que séduisait sa parenté de style et d'inspiration avec Cendrars et Apollinaire. Romancier en apparence, L., dans ses œuvres les plus notables, est pour l'essentiel un poète : *Fermina Marquez,* fin portrait d'adolescente ; *Enfantines,* recueil de ses contes publiés avant-guerre dans *La Phalange* et la *Nouvelle Revue française ; Beauté, mon beau souci ; Amants, heureux amants* (trois nouvelles dédiées à Joyce, où grâce à la contiguïté des temps et des lieux, se dégage une poésie intermédiaire entre le jeu et le sentiment ; les femmes aimées, associées aux lieux que le voyage a arrimés dans la mémoire du narrateur, peuplent une solitude qu'elles charment sans la remplir) ; *Ce vice impuni, la lecture ; Jaune, bleu, blanc ; Sous l'invocation de saint Jérôme* – ce sont là autant d'essais-confidences au ton extrêmement personnel, où le sentiment de la fuite du temps, ressenti, en particulier dans *Enfantines,* avec une sorte de résignation poétique, se mêle aux charmes exotiques ; les souvenirs littéraires et musicaux d'un homme cultivé et de sensibilité très moderne (à cet égard proche de Cocteau) se composent avec la simplicité d'une écriture transparente, celle d'un écrivain, que la subtilité de son regard tendre n'empêche pas de conserver le sens de l'humour.

Œuvres. *La Ballade du vieux marin* (trad. de Coleridge), 1901 (P). – *Poèmes par un riche armateur ou Œuvres françaises de M. Barnabooth,* 1908 (P). – *Fermina Marquez,* 1911 (N). – *A.O. Barnabooth. Le Pauvre Chemisier. Son journal intime,* 1913. – *Enfantines* (contes), 1918 (N). – *Beauté, mon beau souci* (récits), 1920 (N). – *Poésies de A.O. Barnabooth,* 1923 (P). – *Ce vice impuni, la lecture,* 1925 (E). – *Amants, heureux amants,* 1926 (N). – *Jaune, bleu, blanc* (journal de voyage), 1927. – Avec Auguste Morel et Stuart Gilbert, *Ulysse* (trad. de Joyce), 1929. – *Techniques,* 1932 (E). – *Aux couleurs de Rome,* 1938 (E). – *Domaine français,* 1941 (E). – *Sous l'invocation de saint Jérôme,* 1946 (E). – *Journal (1912-1935),* éd. établie par R. Mallet, 1955. – *Correspondance (1920-1935),* posth., 1971. – *Correspondance avec Alfonso Reyes* (éd. trad. Patoux), posth., 1973. – *Correspondance avec Marcel Ray,* 3 vol., posth., 1979-1980.

Fermina Marquez

Récit d'un souvenir d'adolescence ; mais, selon une technique caractéristique de L., le lecteur ne le saura explicitement qu'à la fin, à la faveur d'un épilogue où le narrateur date enfin son passé et se pose en recul temporel par rapport à son récit. Le récit même est certes écrit au passé, et les imparfaits de durée y sont fort abondants, mais ce passé, faute de repères, est un symbole d'intemporalité, l'intemporalité même de l'adolescence revécue, figurée par la clôture spatiale de ce collège où se passe l'histoire et par la brièveté temporelle de la durée qui sépare l'arrivée d'une jeune fille du départ en vacances. Dans l'ordre du réel, ce ne fut qu'un épisode, une sorte de parenthèse, sans antécédents et sans suite ; dans l'ordre de la mémoire, c'est un moment décisif, une révélation spirituelle à partir d'un événement une fois pour toutes fixé, tel qu'en lui-même enfin l'éternité le change, par son inscription littéraire dans un récit. Donc : un collège de la banlieue parisienne, du côté de Bagneux, dans les dernières années de l'autre siècle, le collège Saint-Augustin, spécialisé dans l'éducation des fils de riches familles latino-américaines, et qui reçoit aussi quelques jeunes Français privilégiés, dont le narrateur, d'ailleurs extérieur à l'histoire qu'il raconte ; mais il appartient pleinement à l'univers adolescent où cette histoire va se dérouler : situation en quelque sorte médiane et médiatrice du narrateur, qui lui permet de confondre en lui lucidité et sympathie. Un jour arrivent de Colombie la tante et les deux sœurs d'un « petit » de cinquième, qui, à ce titre, pourront venir chaque jour passer une heure ou deux dans le parc de ce collège exclusivement masculin. Autour de l'aînée des sœurs, Fermina Marquez, se forme une cour de jeunes gens, lors des récréations ou d'une partie de tennis ; mais parmi eux s'en distinguent deux : le Lyonnais Joanny Léniot, élève modèle, persuadé qu'il a du génie ; il se prend pour une sorte de Julien Sorel et calcule à l'avance une stratégie de séduction qui se heurte, de la part de Fermina, à une armure de mysticisme (dont on ne sait jusqu'à quel point il est authentique et s'il n'est pas une tactique de résistance), tandis que le jeune homme, tout bonnement, tombe amoureux de Fermina ; l'autre héros, le Mexicain Santos Irrutia, bénéficie d'un prestige masculin que renforcent ses escapades nocturnes et clandestines à Montmartre : si Léniot joue au génie, Santos, lui, joue au libertin ; c'est lui qui finira par l'emporter sur son camarade. Tout cela n'est finalement qu'un jeu, du côté de Fermina aussi, mais c'est un jeu qui engage le cœur et dont la trace est indélébile, ce dont témoigne la permanence de ce souvenir chez quelqu'un, le narrateur, qui ne fut pourtant dans cette affaire qu'un spectateur. L'épilogue apprendra au lecteur que cette aventure est, pour ainsi dire, effacée de l'histoire : le collège qui en fut la scène a été vendu (le seul lien avec le passé est l'ancien concierge, devenu gardien provisoire de la propriété) ; Joanny est mort ; Santos a épousé une Allemande. Quant à Fermina, cohérente avec la logique de son personnage, elle qui n'a jamais cessé d'être un mystère vivant, et d'autant plus fascinante, le narrateur ne sait ce qu'elle est devenue.

LARGUIER Léo. La Grand-Combe (Gard) 6.12.1878 – Paris 31.10.1950. Ce descendant d'une vieille famille huguenote des Cévennes arriva à Paris en 1896 après avoir fait ses études à Alès. Si son œuvre ne renouvelle aucune tradition littéraire, du moins reste-t-elle l'un des meilleurs produits d'une certaine « vie parisienne ». Talent aimable à l'écriture nuancée, L. intéresse ceux qui recherchent des témoignages sur les peintres et écrivains de l'entre-deux-guerres, qu'il a presque tous connus. Acad. Goncourt 1936.

Œuvres. *La Maison du poète,* 1903 (P). – *Les Isolements,* 1905 (P). – *Jacques,* 1907 (P). – *Théophile Gautier,* 1911 (E). – *L'Heure des tziganes,* 1912 (T). – *Esclarmonde de Montségur,* 1913 (T). – *Orchestres,* 1914 (P). – *Les Heures déchirées,* 1918 (N). – *La Lumière du jour,* 1919 (T). – *François Pain, gendarme,* 1919 (N). – *Lamartine,* 1920 (E). – *Les Bonaparte,* 1921 (T). – *En compagnie des vieux peintres,* 1927 (E). – *Dimanche avec Paul Cézanne,* 1928 (E). – *Avant le déluge,* 1929 (E). – *Le Père Corot,* 1931 (E). – *Le 4-Septembre,* 1931 (E). – *Le Citoyen Jaurès,* 1932 (E). – *Victor Hugo,* 1935 (E). – *Les Ombres,* 1935 (P). – *Les Dimanches de la rue Jacob* (souvenirs), 1936. – *Saint-Germain-des-Prés, mon village* (souvenirs), 1938. – *Mes vingt ans et moi* (souvenirs), 1944. – *Cézanne ou la Lutte avec l'ange de la peinture,* 1947 (E). – *Petits Loyers et Tours d'ivoire,* 1947 (N). – *Fâchés, solitaires et bourrus,* 1947 (N). – *Quatrains d'automne,* posth. 1953 (P).

LARIVEY Pierre de. Troyes 1540 ou 1541 – 12.2.1611. Fils d'un Florentin émigré en France, L. fréquenta les avocats et les membres du parlement. Nommé chanoine de la collégiale de Saint-Étienne de Troyes, il fut ordonné prêtre. Comme il avait une parfaite connaissance des langues française et italienne, il occupa ses loisirs à faire des traductions. Mais L. est surtout connu comme auteur dramatique. En 1579, sous le titre *les Six Premières Comédies facétieuses du sieur P. de L.,* il fit paraître : *le Laquais, la Veuve, le Jaloux, le Morfondu, les Écoliers, les Esprits.* Très certainement imitées de Plaute et de Térence, les comédies de L. utilisent rarement des situations originales, et leurs personnages ne sont guère différents des modèles latins ou italiens. Mais L. s'est appliqué à transposer ses pièces dans un milieu français pour les rendre plus vraisemblables aux yeux du public à qui elles étaient destinées. Les caractères sont peu approfondis et ne correspondent pas toujours à l'action où ils se trouvent impliqués. La comédie la plus réussie est sans doute *les Esprits :* L. y met en scène deux vieillards dont l'un, avare, servira de modèle à Molière pour son *École des maris* et surtout pour *l'Avare.* Regnard s'en est lui aussi inspiré, dans *le Retour imprévu.* Peu novateur dans la création d'intrigues et de caractères, L. a cependant donné à la comédie le mouvement qui lui manquait, et, s'il ne fut pas représenté de son vivant, il a contribué à favoriser l'épanouissement du théâtre comique dans le siècle qui suivit.

Œuvres. *Les Facétieuses Nuits de Straparole* (trad. de l'ital.), 1573 (N). – *Deux Livres de philosophie fabuleuse* (trad.), 1577. – *Les Six Premières Comédies facétieuses du sieur Pierre de Larivey* *hampenois, à l'imitation des Anciens grecs, atins et Modernes italiens : le Laquais, la Veuve, le Jaloux, le Morfondu, les Écoliers, es Esprits,* 1579 (T). – *La Philosophie et nstitution morale* (trad. de Piccolomini), 581 (E). – *Deux Discours* (trad. de Capelloni), 1595. – *L'Humanité de Jésus-Christ* (trad. de l'Arétin), 1604. – *Trois Nouvelles Comédies : la Constance, le idèle, les Tromperies,* 1611 (T).

A ROCHEFOUCAULD François VI, rince de Marcillac, puis duc de. Paris 5.9.1613 – 17.4.1680. Après avoir reçu es rudiments d'éducation, il se maria à uinze ans, fut soldat à seize, complota ontre Richelieu avec la duchesse de Chevreuse dès son arrivée à la Cour 1630), prit part à la Fronde, y reçut deux erribles blessures qui l'obligèrent à s'éloiner de la scène politique, puis obtint, en 656, l'autorisation de regagner Paris, où arriva humilié et déçu dans ses ambiions ; il fréquenta alors les salons, connut ous les beaux esprits et fut l'intime de Mme de Lafayette. Ses *Réflexions ou Sentences et Maximes morales* sont le reflet l'une vie manquée et aussi des préoccupaions des salons de l'époque : d'une part le ivre apporte, sous une forme souvent aradoxale et choquante, bien faite pour laire et alimenter les conversations des récieux et précieuses, des réponses à cerains débats psychologiques alors fort en ogue ; d'autre part, bien des remarques sychologiques suggèrent, semble-t-il, de éritables portraits, de sens épigrammatiue. Mais aujourd'hui les « clefs » ont isparu, et l'ouvrage nous présente, à traers plus de cinq cents maximes, une héorie pessimiste de l'homme, selon lauelle l'intérêt ou *amour-propre* est le noteur des actions humaines et se cache errière les apparences de la vertu. L.R. ne onne aucun conseil pratique, mais on otera que l'homme qu'il décrit est l'homne sans dieu : il ménage, mais sans l'expliiter, un ultime recours à la foi. Le style es *Maximes,* travaillé jusqu'au laconisme ce qui rend la lecture parfois difficile – narie parfaitement la vérité de l'observaon au goût mondain de la « pointe ». Mais, au-delà de cette impersonnalité, de ropos à la fois mondain et esthétique, se essine secrètement un visage, et là résient, par rapport aux auteurs ordinaires e maximes, l'originalité et la profondeur e L. R. Ce visage est conforme au portrait u'il a laissé de lui-même (sa première euvre publiée, 1659), et surtout c'est le isage de ce même homme tragique, captif ans espoir dans la prison de sa propre ature, que Pascal dépeint dans ses *Pensées :* mais au moins l'homme pascalien a-t-il la ressource de la grâce ; le visage humain des *Maximes* est, lui, le visage du désespoir ; ce n'est cependant pas un désespoir sans issue, puisque la perfection de la lucidité et de la conscience, que traduit la forme même de la maxime dans ce qu'elle a d'absolu, est une sorte d'exorcisme de la nature ; exorcisme littéraire qui, comme chez Pascal, comme chez Racine, comme chez Mme de Lafayette, trouve, dans l'expression authentique et éventuellement brutale de la nature, de quoi finalement la démentir. Là est sans doute le sens profond des *Maximes* et ce qui leur donne le droit d'occuper dans la littérature classique une place plus centrale que celle qui leur est communément reconnue. On notera que L.R. a aussi écrit des *Mémoires,* dont l'intérêt documentaire est important mais dont la valeur littéraire est faible, car, comme disait Vauvenargues, L.R. « était philosophe et n'était pas peintre ».

Œuvres. *Portrait de La R. par lui-même* (dans le *Recueil des portraits...* de Mlle de Montpensier), 1659 (E). – *Mémoires de M.D.L.R. contenant – dans tous leurs détails – les brigues pour le gouvernement à la mort de Louis XIII, Guerre de Paris, Retraite de M. de Longueville en Normandie, Prison des Princes, Guerre de Guyenne...,* 1662 (N). – *Réflexions ou Sentences et Maximes morales,* 1664.

LA ROCQUE Gilbert. Montréal 29.4.1943 – 26.11.1984. Écrivain québécois. Disparu brutalement et prématurément en 1984, L. R. faisait partie de cette génération d'écrivains qui a gravité autour des éditions du Jour au début des années 70. Avec Victor-Lévy Beaulieu et Pierre Turgeon, il était de ceux qu'on appelle parfois les « fils de Jacques Hébert ». Directeur littéraire aux éditions de l'Aurore en 1973, puis à « Québec-Amérique », l'un des fondateurs de « VLB-éditeur » en 1976, L. R. a exercé plusieurs métiers (ferblantier, employé de banque, commis) avant d'aborder l'écriture par le biais de la critique littéraire et de la traduction. Obéissant à un mouvement qui conduit, selon l'expression de Ch. Mauron, « des métaphores obsédantes au mythe personnel », l'univers romanesque de cet étrange écrivain fonctionne à partir de l'utilisation de motifs récurrents qui superposent au contenu manifeste du texte un contenu latent, semblable en cela au mécanisme du rêve. C'est le but assigné à l'œuvre d'art qui se doit de démasquer la réalité, en faisant pénétrer le regard au-delà des apparences. Mais on n'entre pas facilement dans cet univers morcelé régi par une esthétique de la répulsion. La relation au monde qu'entretiennent tous les personnages se place en effet sous le signe du dégoût profond pour les autres et va jusqu'à la négation de l'être. *Après la boue, Serge d'entre les morts,* et *les Masques* ont pour point de départ un traumatisme (viol, mort d'une grand-mère, noyade d'un fils) qui est comme une justification du refus de la réalité. Les personnages explorent alors ces régions de l'inconscient qui les conduisent inévitablement à l'enfance et au cercle familial détesté. Obsédés de souvenirs et de fantasmes, ils doivent vaincre des obstacles et subir une initiation difficile pour pouvoir renaître. Percevant le monde comme un égout, une immense putréfaction, tous évoluent souterrainement. C'est pourquoi le motif du couloir est essentiel : lorsque le jeune héros de *Corridors* traverse celui de la maison de sa grand-mère, il rentre dans la matrice de son passé, retrouve l'innocence de l'enfance. Loin d'être une alliée dans cette quête, la femme est l'éternelle menace. « Avaleuse », « aspirante », déesse mortifère, elle liquéfie et décompose l'univers masculin. Les nombreux réseaux thématiques (folie, mort, sexe, putréfaction), exprimés dans une langue d'une densité et d'une richesse exceptionnelles, dénotent un sens tragique de la vie et du temps. Malgré ce constat d'impuissance, L. R. ne cache pas toujours une certaine tendresse portée à l'humain, à sa solitude et à son innocence.

Œuvres. *Le Nombril,* 1970 (N). – *Corridors,* 1971 (N). – *Après la boue,* 1972 (N). – *Serge d'entre les morts,* 1976 (N). – *Le Refuge,* 1979 (T). – *Les Masques,* 1980 (N). – *Le Passager,* 1984 (N).

LARRONDE C. (Voir RADIO.)

LA SALLE ou LA SALE, Antoine de. 1388 – apr. 1461. Originaire de Provence, il reçoit une excellente éducation et entre au service de la maison d'Anjou. Il parcourt l'Italie, la Sicile, la France et plus tard le Brabant. Il ira même jusqu'au Portugal et au Maroc. En 1432, il est précepteur de Jean de Calabre, fils du roi René d'Anjou. Pour son élève, il rédige, vers 1440, *la Salade* (titre tiré de son nom), traité de l'art de gouverner qui contient maintes nouvelles et anecdotes. Pour la maison d'Anjou, il rédigera une *Chronique et généalogie des comtes d'Anjou de la maison de France* (posth., 1517), puis, en 1448, assumera en Flandre le préceptorat de trois des fils de Louis de Luxembourg. Il semble avoir achevé sa vie en Bourgogne au service de Philippe le Bon, à qui, en 1461 (dernière mention qui soit faite de son nom), il dédicacera un exemplaire de ses œuvres. Il avait dédié à son premier élève, Jean de Calabre, vers 1456, son *Histoire et Plaisante Chronique du petit Jehan de Saintré et de la belle dame des Belles-Cousines,* le chef-d'œuvre d'un âge de crise, alors qu'en cette seconde moitié du XVe s. s'amorce une profonde révolution dans les mœurs et dans les idées. Le *Petit Jehan de Saintré* relève en effet, quant à la forme, d'un genre intermédiaire entre le roman et la nouvelle ou le fabliau, et, quant au fond, d'une curieuse hybridation du romanesque et du réalisme, dont la réussite est le signe du génie de l'auteur. L'histoire commence en roman d'éducation courtoise pour se prolonger en roman de chevalerie et s'achever en fabliau ; mais au cœur du roman de chevalerie, celui d'un jeune garçon qui, formé par une belle dame, accomplit les prouesses qu'appelait son éducation, il y a déjà du réalisme, parfois presque de la parodie, et le romanesque s'y passe aisément de merveilleux : il s'ensuit qu'une ironie sous-jacente naît de cette transposition naturaliste de l'idéal courtois, qui cependant n'est jamais vraiment discrédité ; d'autre part, le fabliau de la seconde partie, qui raconte comment la dame trahit dans sa vie l'idéal qu'elle a prétendu enseigner et imposer à son jeune chevalier n'en affirme pas moins, pour finir, la primauté morale du chevalier loyal sur la dame indigne. C'est bien là un chef-d'œuvre d'équilibre, obtenu grâce à un art consommé et à une technique de composition qui maintiennent tout au long l'unité du récit. Quant au détail, écrit dans une langue ensemble naturelle et vigoureuse, il dégage une sorte de grâce originale produite par un dosage subtil de délicatesse, de réalisme et d'humour. On a parfois attribué à L.S. le recueil des *Quinze Joyes de mariage* et les *Cent Nouvelles nouvelles,* attributions qui semblent dénuées de tout fondement.

Œuvres. *Le Paradis de la reine Sibylle* (récit), 1437 (N). – *L'Addicion, extraite des chroniques de Flandres,* s.d. (N). – *La Salade, laquelle fait mention de tous les pays du monde* (ouvrage pédagogique), 1444. – *La Journée d'honneur et de prouesse,* 1447 (N). – *La Sale* (traité de morale), 1451 (E). – *Histoire et Plaisante Chronique du petit Jehan de Saintré et de la belle dame des Belles-Cousines,* 1456 (N). – *Le Réconfort de M*[me] *de Fresne* (récit historique), 1457 (N). – *Des anciens tournois et faits d'armes* (traité), 1459 (E).

– *Chronique et généalogie des comtes d'Anjou de la maison de France,* posth., 1517 (N).

Le Petit Jehan de Saintré

L'époque est celle de Jean II le Bon : le fils unique du seigneur de Saintré en Touraine, le petit Jehan, âgé de treize ans, manifeste de telles qualités que le roi le fait venir à sa cour : Jehan y trouve une jeune veuve, la dame des Belles-Cousines, qui le prend alors en main pour le former afin qu'il devienne plus tard son chevalier servant. À travers de nombreux incidents et anecdotes, cette éducation se poursuit avec le plus grand succès au long de huit à neuf années. À vingt et un ans, Jehan part pour les aventures qui sont le lot d'un vrai chevalier, et, pour le service de sa dame, il accomplira mille prouesses à travers le monde, de la Catalogne jusqu'en Prusse. Quant à la dame, elle quitte la cour pour se retirer pendant quelque temps sur ses terres, où on ne l'avait pas vue depuis seize ans ! Mais voici que, là, elle rencontre un abbé de vingt-cinq ans, qui « en toutes joyeusetés s'employait ». La solitude est mauvaise conseillère, et la dame ne tardera pas à tomber dans les bras de l'abbé et à mener avec lui joyeuse vie. Jehan revient, trouve sa dame à la chasse avec son « ami », reçoit un accueil plutôt glacial, subit quelques lourdes humiliations de la part de l'abbé, qu'il finira par contraindre à se battre avec lui à la loyale : il est vainqueur et, au terme du combat, perce de sa dague les joues et la langue de l'abbé. Puis il arrache à son ancienne amie sa ceinture bleue (couleur de la fidélité !). L'histoire se termine sur un procès à la cour, au terme duquel la dame est amenée à avouer sa faute devant la reine : aveu qui détermine Jehan à restituer la ceinture et à renouveler généreusement son hommage à sa dame.

LAS CASES, Marie Joseph Emmanuel Dieudonné, comte de. Château de Las Cases (Haute-Garonne) 1766 – Paris 15.5.1842. Descendant d'une vieille famille noble, fidèle royaliste jusqu'en 1795, il se tourna vers Napoléon, qui, ayant appris ses faits d'armes, le nomma maître des requêtes au Conseil d'État (1810). Ayant accompagné l'Empereur dans son dernier exil, il prit sous sa dictée, en 1815 et 1816, les notes qui lui permirent de rédiger *le Mémorial de Sainte-Hélène* (8 vol., 1822-1829), testament à la fois sublime et complaisant dont les innombrables rééditions contribuèrent à la naissance et au développement de la légende napoléonienne sous la monarchie de Juillet (*cf.*, par ex., le rôle joué par ce texte dans la formation de Julien Sorel, le héros du *Rouge et le Noir*).

Œuvres. *Atlas historique, généalogique, chronologique* (sous le pseudonyme de LE SAGE), 1802. – *Mémorial de Sainte-Hélène ou Journal où se trouve consigné jour par jour ce qu'a dit et fait Napoléon,* 1822-1829. – *Mémoires d'E.A.D., comte de Las Cases, communiqués par lui-même, contenant l'histoire de sa vie,* 1819.

LASNIER Rina. Saint-Grégoire-d'Iberville 6.8.1915. Écrivain canadien-français. Après ses études, une maladie prolongée la détourne de la médecine pour l'orienter vers la littérature. Journaliste, bibliothécaire, secrétaire, publiciste, elle écrit surtout des poèmes, auprès de quelques essais dramatiques, inspirés de l'histoire religieuse du Canada. Dans son recueil poétique, *Images et Proses,* elle est inspirée par l'amour de la nature autant que par la piété religieuse : le conflit intime de la poétesse partagée entre l'instinct de possession et la nécessité du renoncement se dessine déjà. Dans *Madones canadiennes,* quelques belles pièces sont à retenir : « Berceuse », « la Dormition », « la Madone du prisonnier ». *Le Chant de la montée* est un poème en quinze chants, aux strophes amples, entrecoupées d'interludes d'un ton léger, inspiré par l'Écriture, sur le thème de Rachel et Jacob. R. L. se propose d'y montrer comment l'amour humain est une préfiguration de l'amour surnaturel. Elle y traite du déchirement de la femme dont le ciel et la terre se disputent l'amour. Le cri d'angoisse qui jaillit de cette œuvre lui donne un accent tragique et des résonances humaines profondes. Cette poésie transcende les ambiguïtés psychologiques pour accéder au lyrisme pur. Depuis 1950, la poésie de R. L. n'est plus tournée uniquement vers les thèmes historiques ou mystiques. Elle s'est pénétrée d'une culture approfondie et s'est faite résolument moderne : *l'Arbre blanc,* où elle célèbre les noces de l'arbre et de la neige, est l'aboutissement de cette dialectique de l'absence et de la présence qui fonde et tourmente toute sa poésie. Les œuvres précédentes, sous le signe d'une évolution poursuivie avec ténacité, marquent chaque fois une étape franchie : dans *Présence de l'absence,* l'absence était parée, au regard de l'amour humain, des prestiges de la présence, sans la triste passion possessive de celle-ci; dans *Escales,* la poétesse marque un temps d'arrêt et de réflexion sur les préoccupations des humains. Présence provisoire. Elle reprend ensuite son survol solitaire : *Mémoire sans* *jours* se situe dans l'intemporel; le présent y reste indéterminé, le futur sans date, et le vécu n'y sert que de soutien à la pensée symbolique. Enfin, dans *les Gisants,* recueil qui précède immédiatement *l'Arbre blanc,* la poétesse cherche à spiritualiser le fait physique de la mort : les gisants, images pétrifiées de ceux qui ont vécu, symbolisent la présence des absents. R. L. se pose toujours la même question angoissée : la présence au monde a-t-elle une valeur en soi ? Aucune réponse simple et définitive n'est apportée. D'une part, le présent apparaît souvent dévalorisé au profit d'un ailleurs dans l'espace ou le temps : entre l'attente et le souvenir, l'événement n'est très souvent qu'un infime passage. D'autre part, un réel désir d'incarnation, de participation effective à tout ce qui est humain l'emporte peu à peu sur une spiritualité un peu éthérée. Il semble que, dans *l'Arbre blanc,* le conflit de ces deux tendances soit devenu conscient. L'arbre symbolise la présence terrestre, et la neige confère à tout ce qu'elle revêt la splendeur légère de l'intemporel. L'auteur prend pour point de départ la rencontre des deux symboles pour exprimer une réalité puissamment concrète, peu à peu transformée en vision d'éternité. L'incarnation qu'elle a tant cherchée consiste à accepter le réel et, l'ayant accepté, à savoir s'en dégager. La poésie naît de la cristallisation des émotions et de l'expérience vécue : le poème s'identifie alors à l'arbre blanc, éternisant l'instant, fusion du réel et du renoncement au réel. Membre de l'Académie canadienne-française depuis sa fondation en 1947, R.L. appartient depuis 1940 à la Société des écrivains canadiens. Elle a été appelée en 1961 à siéger au Conseil des arts du ministère des Affaires culturelles.

Œuvres. *Féerie indienne,* 1939 (T). – *Images et Proses,* 1941 (P). – *Le Jeu de la voyagère,* 1941 (T). – *La Modestie chrétienne,* 1942 (E). – *Les Fiançailles d'Anne de Noué,* 1943 (T). – *La Mère de nos mères,* prose, 1943. – *Madones canadiennes,* 1944 (P). – *Notre-Dame du pain,* 1947 (T). – *Le Chant de la montée,* 1947 (P). – *Escales,* 1950 (P). – *Présence de l'absence,* 1956 (P). – *La Grande Dame des pauvres,* 1959 (P). – *Mémoire sans jours,* 1960 (P). – *Miroirs,* 1960 (P). – *La Malemer* (ode), s. d. – *Les Gisants,* suivi de *Quatrains quotidiens,* 1963 (P). – *Rina Lasnier,* anthologie, 1965. – *L'Arbre blanc,* 1967 (P). – *L'Invisible,* 1969 (P). – *La Part du feu,* 1970 (P). – *La Salle des rêves,* 1971 (P). – *Poèmes,* 1972. – *Le Rêve du quart jour,* 1973 (N). – *L'Échelle des anges,* 1975 (P). – *Les Signes,* 1976 (P). – *Poèmes* (I, *Matin d'oiseaux,* 1978 ; II, *Paliers de paroles,* 1978). – *Entendre l'ombre : Poèmes,* 1981 (P). – *Voir la nuit : Proses,* 1981. – *Le Choix de Rina Lasnier dans l'œuvre de Rina Lasnier,* 1981.

LA TAILHÈDE Raymond Pierre Joseph Gagnabé de. Moissac 14.10.1867 – Montpellier 25.4.1938. Disciple de Moréas, il s'attacha à rester « fidèle à la prosodie traditionnelle et au culte du passé littéraire de la France » ; il mit en œuvre ce principe dans sa production poétique et, contre son ami Maurras, prit la défense de la poésie romantique dans une plaquette écrite en collaboration *(Un débat sur le romantisme).*

Œuvres. *Reliques de Jules Tellier* (contient *le Tombeau de Jules Tellier*), 1890. – *La Métamorphose des fontaines,* 1895 (P). – *Triomphes,* 1905 (P). – *Toi qui rêves toujours,* 1906 (P). – *Chœur des Océanides,* 1911 (P). – *Poésies* (recueil), 1926 (P). – *Un débat sur le romantisme,* 1929 (E).

LA TAILLE Jean de, seigneur de Bondaroy. Bondaroy, près de Pithiviers, entre 1533 et 1540 – 1608 ? D'une famille de petite noblesse, il fit ses études au collège de Boncourt puis à l'université d'Orléans. Il servit dans l'armée catholique, mais, lors de la troisième guerre de Religion, on le retrouve aux côtés des protestants. Grièvement blessé au cours d'un combat, il se retira dans sa seigneurie de Bondaroy. Ce guerrier n'aime pas la guerre : dans une *Remonstrance pour le Roy,* il exhorte les adversaires à se réconcilier. Ce même souci politique de la paix se retrouve dans son *Prince nécessaire,* où il apparaît comme un Machiavel français, et qui ne sera redécouvert qu'en 1882. C'est aussi un poète, auteur d'élégies, de chansons, de sonnets, un auteur de comédies (*les Corrivaux* et *le Nécromant,* d'après l'Arioste). Mais il est surtout l'un des plus importants initiateurs, auprès de Jodelle et de Garnier, de ce qui sera la tragédie classique. Dans ses deux tragédies, *Saül le Furieux* et *la Famine ou les Gabéonites* (1562 et 1573), il réussit à concentrer l'action et à extraire déjà du pathétique baroque l'émotion épurée qui sera plus tard le tragique classique. Il semble avoir été parfaitement conscient de ce projet dramatique, puisque, dans un essai en tête de *Saül, De l'art de la tragédie,* il formule une double définition de la tragédie par sa « matière » et par sa « disposition » : quant à la matière, il est nécessaire de présenter des malheurs extrêmes et hors du commun, et quant à la disposition, elle découle de la règle des unités, ici exposée pour la première fois, et de la division en cinq actes. Enfin, L. T. énonce, dans ce même essai, une apologie de l'art dramatique qui n'est pas sans annoncer celle que Corneille, en 1636, placera dans la bouche d'Alcandre à la fin de *l'Illusion comique.*

Œuvres. *Remonstrance pour le Roy à tous ses sujets qui ont pris les armes,* 1562 (E). – *Le Prince nécessaire,* vers 1570 (P). – *Saül le Furieux, plus une Remonstrance pour le Roy Charles IX, avec hymnes, cartels, épitaphes, anagrammatismes et autres œuvres;* précédé d'un *Art de la tragédie,* composé en 1562, 1572 (T). – *Les Corrivaux,* 1573 (T). – *Le Nécromant* (d'après l'Arioste), 1573 (T). – *La Famine ou les Gabéonites, ensemble plusieurs autres œuvres poétiques,* 1573 (T). – *Poésies* (recueil d'élégies, épitaphes, chansons, sonnets, satires), 1574 (P). – *La Géomancie abrégée, pour savoir les choses passées, présentes et futures. Ensemble le Blason des pierres précieuses contenant leurs vertus et propriétés,* 1574 (E et P). – *Histoire abrégée des singeries de la Ligue* (satire), 1595. – *Combat de Fortune et de Pauvreté* (satire), 1601. – *Le Courtisan retiré* (poème satirique), s.d. – *Discours notable des duels,* 1607 (E). – *Saül le Furieux. La Famine ou les Gabéonites,* éd. établie par E. Forsyth, 1968. – *Les Corrivaux,* éd. établie par D. L. Drysdall, 1974.

Saül le Furieux

Dès le début de la tragédie (Ier acte) Saül apparaît sur la scène en proie à une crise de démence : il se jette sur ses fils, qu'il croit être des ennemis, et ceux-ci, devant cette preuve d'incapacité de leur père, décident de prendre eux-mêmes la direction des opérations contre les Philistins. Le chœur des Lévites leur souhaite bonne chance. Au IIe acte, Saül se réveille et, après quelques propos encore délirants, revient à lui : son écuyer lui rappelle les causes et circonstances de cette folie, effet de la colère de Dieu provoquée par sa désobéissance. Saül proteste contre l'excès de rigueur d'un Dieu dont il se croit abandonné, et son désespoir le pousse, sur intervention d'un second écuyer, à aller consulter une sorcière. Le chœur exprime alors son inquiétude devant cette décision et condamne vigoureusement ce recours à la magie. Au IIIe acte, le drame se noue : il est dominé par l'entretien entre Saül et la sorcière d'Endor, qui évoque l'esprit de Samuel et annonce à Saül, par ce truchement, sa mort prochaine et celle de ses fils. Dénouement dont l'accomplissement et les conséquences rempliront les actes IV et V : Saül apprend la victoire des Philistins et la mort héroïque de ses fils ; désespéré, et plus que jamais convaincu que Dieu l'a définitivement abandonné, il demande à son écuyer de le tuer ; celui-ci refuse, pour contraindre le roi à rechercher la mort dans le combat ; le chœur, à son tour, condamne ce projet de suicide et se lamente sur la mort des soldats d'Israël. À l'acte V apparaît David (dont la future ascension avait été rapidement annoncée au début de l'acte III) : la couronne de Saül lui est offerte, et la tragédie se termine poétiquement sur une glorification de Saül par David : « Tu fus, ô roi, si vaillant et si fort / Qu'autre que toi ne t'eût su mettre à mort. »

LATOUCHE, Hyacinthe Joseph Alexandre Thabaud de, dit **Henri de.** La Châtre (Indre) 3.2.1785 – Aulnay-sous-Bois 27.2.1851. Si, au théâtre, *le Tour de faveur* remporta un estimable succès, si l'on remarqua l'audacieux roman *Fragoletta* (1829), dont le personnage central est un hermaphrodite, si enfin le recueil de vers *Adieux* contient quelques beaux poèmes, L. fut dans son ensemble un écrivain très inégal et souvent médiocre. Mais il fut l'éditeur d'André Chénier (1819), à une époque où le poète était encore inconnu; ami et mentor mal récompensé de Balzac, il mit toujours son activité au service des romantiques, écrivant notamment en 1845 contre leur adversaire Gustave Planche le cruel roman *Adrienne.* Il traduisit Schiller et Goethe et dirigea le premier *Figaro* (1826-1832).

Œuvres. *Projets de sagesse,* 1811 (T). – *La Mort de Rotrou,* 1811 (P). – *Selmours et Florian,* 1818 (T). – *Le Tour de faveur,* 1818 (T). – *Le Procès Fualdès,* 1818 (E). – *Les Mémoires de Mme Manson,* 1818 (E). – *Lettres sur le Salon de 1819,* 1819 (E). – *Édition des Œuvres complètes d'A. Chénier,* 1819. – *Biographie pittoresque des députés,* 1820 (E). – *Lettres de deux amants de Barcelone,* 1821 (N). – *Correspondance de Clément XIV et de Carlin,* 1827 (N). – *Fragoletta,* 1829 (N). – *La Reine d'Espagne,* 1831 (T). – *La Vallée aux loups* (contes et nouvelles), 1833 (N). – *Grangeneuve,* 1835 (N). – *France et Marie,* 1836 (N). – *Léo,* 1840 (N). – *Un mirage,* 1842 (N). – *Les Adieux,* 1843 (P). – *Les Agrestes,* 1844 (P). – *Adrienne,* 1845 (N). – *Encore adieu,* posth., 1852 (P.)

LA TOUR DU PIN Patrice de. Paris 16.9.1911 – Le Bignon-Mirabeau 29.10.1975. Descendant par son père de Girard Ier d'Auvergne (Xe s.) et par sa mère des rois d'Irlande, il passe son enfance au château familial du Bignon-Mirabeau (lieu de naissance du grand orateur), en Sologne. Après les années de collège, il fait des études en Sorbonne et à l'École des sciences politiques. Avant tout, cependant, il est poète. En 1933 paraît son premier recueil poétique, *la Quête de joie,* dont divers extraits publiés précédemment – notamment « les Enfants de septembre » – ont déjà retenu l'attention du monde des lettres et du public. Empruntant au vocabulaire médiéval le mot *quête,* L.T. du P. considère sa propre expérience et le monde où elle s'inscrit comme un microcosme à explorer et comme un passage à franchir. Sous une forme classique, sa poésie, bien différente des courants de l'époque, a des accents neufs. Profondément religieuse et humaine, elle témoigne de la sincérité spirituelle d'un écrivain qui joint à un tempérament mystique l'expérience de la solitude et de la communion avec la nature et une intelligence pénétrante des pouvoirs du langage. Déjà alors, il conçoit les grandes lignes de l'œuvre vaste et complexe qu'il va peu à peu tracer et qui se précise avec le temps tandis que s'enrichit son expérience humaine (captivité en Allemagne en 1940-1943, mariage, devoirs familiaux, vie publique, etc). Cette œuvre, proche de l'inspiration celtique médiévale, sera le compte rendu symbolique d'un itinéraire sprirituel qui, partant de la nature et de l'homme, aboutit à la prière par la voie du « jeu » mystique (jeu de l'homme lui-même, devant le monde, devant Dieu) : c'est en effet en dialoguant avec lui-même, avec la nature et avec Dieu que l'homme joue sa signification et son salut. Constante « accession à l'Esprit » par son ouverture sur le symbolisme du monde, l'itinéraire poétique de L. T. du P. est tout orienté vers la connaissance personnelle de Dieu. Dans sa *Lettre aux confidents,* le poète expose le sens profond de son aventure spirituelle. *La Quête de joie* a été suivie de plusieurs recueils où éthique et poétique s'incarnent dans des êtres de légende (« Tous les pays qui n'ont plus de légende/Seront condamnés à mourir de froid ») à la poursuite de l'idéal spirituel. Véritable prise de conscience, *Une somme de poésie* réunit cet ensemble, non en suivant l'ordre chronologique, mais d'après l'ordre symbolique des thèmes : *D'un aventurier, l'Enfer, le Lucernaire, le Don de la passion, l'Enfer, Psaumes, la Vie recluse en poésie* (prose), suivi de *Présence et Poésie, les Anges, Deux Chroniques intérieures, la Genèse, le Jeu du seul, les Concerts sur la Terre.* Après le jeu de l'homme devant lui-même et sa méditation sur le destin, *le Second Jeu,* celui de l'homme devant autrui, est contemplation errante, expérience d'austérité et angoisse spirituelle. Plus dépouillé et moins dispersé que la *Somme,* il canalise davantage les élans du lyrisme au profit de la réflexion philosophique et de la foi. Il est jalonné par *les Contes de soi, Un bestiaire fabuleux, la Contemplation errante, Noël des eaux* et aboutit, avec le *Petit Théâtre crépusculaire,* à l'« orbite liturgique », à la gravitation de l'âme autour de Dieu, à une totale adhésion à la croyance, à la « théopoésie » du jeu de l'homme devant Dieu. *Une lutte pour la vie* apporte une nouvelle pierre à l'édifice du poète pour qui la poésie est devenue paraphrase et commentaire de la prière. L.T. du P. a reçu en 1961 le grand prix de Poésie de l'Académie française et, en 1971, le grand prix de Littérature catholique.

Œuvres. *La Quête de joie,* 1933 (P). – *D'un aventurier,* 1934 (P). – *L'Enfer,* 1935 (P). – *Le Lucernaire,* 1936 (P). – *Le Don de la passion,* 1937 (P). – *Psaumes,* 1938 (P). – *La Vie recluse en poésie* (prose), suivi de *Présence et Poésie,* 1938 (P). – *Les Anges,* 1939 (P). – *Deux Chroniques intérieures,* 1945 (P). – *La Genèse,* 1945 (P). – *Le Jeu du seul,* 1946 (P). – *Les Concerts sur la Terre,* 1946 (P). – *Une somme de poésie (*recueil), 1946 (P). – *Les Contes de soi,* 1946 (P). – *Un bestiaire fabuleux,* 1948. – *La Contemplation errante,* 1948 (P). – *Noël des eaux,* 1951 (P). – *Pépinière de sapins de Noël,* 1957 (P). – *Le Second Jeu* (recueil), 1959 (P). – *Lettre aux confidents,* 1960 (E). – *Petit Théâtre crépusculaire,* 1963 (P). – *La Quête de joie,* avec *Petite Somme de poésie,* 1967 (P). – *Une lutte pour la vie,* 1970 (P). – *Concert eucharistique,* 1972 (P). – *Le Troisième Jeu,* s. d. – *Psaumes de tous mes temps,* 1974 (P). – *Lettres de faire-part* (contient *Lettre de passe, Lettre de créance, Lettre d'adieu*), 1975 (E). – *Lettres à Luc Estang,* posth., 1981. – *Somme de poésie* (posth.) : I, *le Jeu de l'homme en lui-même,* 1981 ; II, *le Jeu de l'un devant les autres,* 1982 ; III, *le Jeu de l'un devant Dieu*, 1983.

LAUTRÉAMONT, Isidore Ducasse, dit **le comte de.** Montevideo (Uruguay) 4.4.1846 – Paris 24.11.1870. Son père était chancelier adjoint au consulat de France à Montevideo. De son enfance dans un Uruguay en guerre avec l'Argentine, puis déchiré par les *pronunciamientos,* nous ne savons rien. Interne au lycée impérial de Tarbes (1850-1862), puis de Pau (1863-1865), il semble avoir fait de bonnes études classiques. C'est à Tarbes qu'il connut Georges Dazet, cité dans la première édition du *Chant I* de *Maldoror* et dont le nom disparut par la suite, signe de la coupure que L. entendit établir entre sa biographie et son œuvre : tout doit rester allusif et fallacieux. Installé à Paris (1867), il publie le *Chant I,* qui est repris dans la revue *Parfums de l'âme.* L'œuvre intégrale, *les Chants de Maldoror,* paraît chez Lacroix, sous le nom de comte de Lautréamont, en 1869. Les deux fascicules des *Poésies* paraissent en 1870, sous le nom d'Isidore Ducasse : ils se présentent comme une préface à une série de poèmes chantant « l'espoir, l'espérance, le CALME, le bonheur, le DEVOIR », mais constituent en fait l'œuvre elle-même. L. meurt pendant le siège de Paris : nous ne savons ni de quoi ni comment. Les *Chants de Maldoror* sont réédités en 1874 et 1890. Auteur inconnu de son vivant, L. jouit d'une extraordinaire gloire posthume : redécouvert par les surréalistes, qui virent surtout en lui un inventeur d'images en rapport avec leur théorie (*cf.* aux chants V et VI la série des « beau comme... »), il est devenu celui qui a défini et par là bafoué les limites de la littérature – au vrai, le seul *écrivain :* « Ouvrez Lautréamont, et voilà toute la littérature retournée comme un parapluie. Fermez Lautréamont, et tout aussitôt se remet en place » (Francis Ponge). L'œuvre de L. se refuse consciemment à l'interprétation : si elle relève apparemment à la fois du délire visionnaire, du canular systématique, du sadomasochisme et de perversions de tous ordres (*cf.* chant VI), elle s'affirme, en fait, comme une entreprise de démolition dont le lecteur est la première victime. Les *Poésies,* trop souvent négligées ou méprisées, prouvent que les *Chants* ne sont pas l'œuvre d'un épigone exalté du luciférisme, du romantisme noir et de la littérature populaire, dont ils adoptent les formes : en attaquant violemment les « Grandes-Têtes-Molles de notre époque » (Goethe, Byron, Hugo, Poe...), en célébrant par ailleurs comme « seuls chefs-d'œuvre de la langue française... les discours de distribution de prix pour les lycées et les discours académiques », en remarquant enfin que « la psychologie a encore beaucoup de progrès à faire », les *Poésies* interdisent toute lecture simpliste des *Chants :* « L'auteur espère que le lecteur sous-entend » *(Poésies).* Ainsi Maldoror, « le poétique Rocambole » (chant VI), est-il à la fois figure du mal dans le monde, l'auteur décrivant ce monde, et le lecteur pris au piège et « devenu momentanément féroce comme ce qu'il lit » (chant I, strophe 1). L'utilisation frénétique des figures de rhétorique, les descriptions, les accumulations dissimulent la construction essentiellement elliptique, la cohérence interne de l'œuvre : le tourniquet incessant des formules, leur humour insolent tendent à la « crétinisation » du lecteur trop bienveillant. Les rêves, les fantasmes, les sarcasmes, la dérision veulent montrer qu'il n'y a plus de vérité, que le langage peut tout dire. C'est pourquoi L. réclame du lecteur la même lucidité que celle dont il a eu besoin comme auteur; le seul secours qu'il lui accorde est l'ironie qu'il manifeste à son propre égard. Ce qui est littérature doit rester littérature et non devenir rêve ou Dieu (« le Grand Objet extérieur »).

« La poésie personnelle a fait son temps... La poésie doit être faite par tous. Non par un » *(Poésies).* S'effaçant constamment derrière son œuvre, provoquant le lecteur à la prendre seul en charge, lui interdisant toute autre attitude que le refus ou la complicité critique, L. veut aboutir à une poésie qui soit aussi science de la poésie et en fasse saisir l'origine. Mais il se refuse à l'expliciter : tout commentaire de l'œuvre n'est qu'*un* commentaire possible. « Allez-y voir vous-mêmes si vous ne voulez pas me croire » (fin du chant VI).

Œuvres. *Chant de Maldoror I,* 1868. – *Les Chants de Maldoror* (six chants), 1869. – *Poésies* (deux fascicules), 1870 (P). – *Poésies, Préface à un livre futur,* posth., 1920 (P). – *Œuvres complètes,* posth., 1958, 1970.

Les Chants de Maldoror

Livre véritablement construit, en six chants, à la manière d'une épopée, autour de la métamorphose de son héros, Maldoror. Celui-ci est d'abord un héros romantique et autobiographique, réincarnation du byronisme et double de son créateur, jusque dans les traits maladifs de son apparence physique. Au long des incantations successives auxquelles il se livre, sur lui-même, sur le monde, sur les hommes, sur Mervyn, « le fils de la blonde Angleterre », Maldoror élabore sa conscience tragique en désespoir métaphysique, compense son néant humain par la provocation d'un angélisme inversé ; le voici dressé contre Dieu et contre l'Homme, dans l'affirmation d'une analogie consciente avec Lucifer-Satan ; il échappe à l'humanité pour devenir un démon-symbole lancé dans une chevauchée maléfique au-dessus de la terre entière, accomplissant ainsi, en acte, le principe générateur de l'œuvre, tel que l'avait, au chant I, proclamé le créateur de Maldoror : « Je fais servir mon génie à peindre les délices de la cruauté. »

LA VARENDE, Jean Balthazar Marie Mallard, vicomte de. Château de Bonneville-Chamblac (Eure) 29.5.1885 – Paris 8.6.1959. Royaliste et catholique, il passa toute sa vie dans ses propriétés du pays d'Ouche, racontant dans ses romans les gentilhommes ses ancêtres, leur orgueil disparu, leur sensualité brutale, leur intrépidité au service du souverain. Est-ce la nostalgie de cette époque violente qui a donné au style de L. V. son allure si personnelle, chaotique et fruste ? Acad. Goncourt 1942-1944.

Œuvres. *Pays d'Ouche* (récits), 1936 (N). – *Nez-de-cuir, gentilhomme d'amour,* 1936 (N). – *Le Centaure de Dieu,* 1938 (N). – *Les Manants du roi* (nouvelles), 1938 (N). – *Man d'Arc,* 1939 (N). – *Le Mont-Saint-Michel,* 1941 (E). – *Les Contes sauvages,* 1942 (N). – *L'Homme aux gants de toile,* 1943 (N). – *Guillaume le Bâtard, conquérant,* 1946 (N). – *Le Troisième Jour,* 1947 (N). – *Le Cheval et l'image,* 1947 (E). – *Indulgence plénière,* 1951 (N). – *Le Sorcier vert,* 1952 (N). – *Le Souverain Seigneur,* 1953 (N). – *La Dernière Fête,* 1953 (N). – *M. le Duc de Saint-Simon et sa Comédie humaine,* 1955 (N). – *Cœur pensif,* 1957 (N). – *La Partisane,* posth., 1960 (N).

LAVEDAN Henri Léon Émile. Orléans 9.4.1859 – Paris 12.9.1940. Fils d'un journaliste célèbre, il fréquenta très jeune le Paris mondain, qu'il mit en scène dans des chroniques dialoguées signées du pseudonyme de MANCHECOURT: le succès de leur publication dans les grands journaux le poussa à les réunir en volumes, puis à les porter à la scène : *le Prince d'Aurec, le Vieux Marcheur,* comédies tourbillonnantes et mécaniques. L. chercha plus tard à élever le ton de son œuvre jusqu'à l'expression d'intentions moralisantes, dans ses drames *(le Marquis de Priola; le Duel; Servir)* ou son cycle romanesque *le Chemin du salut.* C'est finalement comme journaliste qu'il peut sans doute le mieux survivre : dans les pochades de ses débuts ; dans ses articles de *l'Illustration,* auxquels la guerre parvint à donner une vraie gravité ; enfin dans ses Mémoires *(Avant l'oubli),* d'un intérêt anecdotique notable. Acad. fr. 1898.

Œuvres. *Mam'zelle Vertu,* 1885 (N). – *Lydie,* 1887 (N). – *Sire,* 1888 (N). – *Une famille,* 1891 (T). – *Le Nouveau Jeu,* 1892 (N). – *Le Prince d'Aurec,* 1894 (T). – *Le Vieux Marcheur,* 1895 (T). – *Les Deux Noblesses,* 1895 (T). – *Les Marionnettes,* 1896 (N). – *Catherine,* 1896 (T). – *Le Marquis de Priola,* 1902 (T). – *Le Duel,* 1905 (T). – *Le Bon Temps,* 1906 (N). – *Bon an, mal an* (recueil d'articles), 1908-1913. – *Servir,* 1913 (T). – *Le Chemin du salut* (sept vol.), 1920-1925 (N). – *Les Grandes Heures* (recueil d'articles), 1921. – *Monsieur Vincent, aumônier des galères,* 1928 (N). – *La Belle Histoire de Geneviève,* 1930 (N). – *Avant l'oubli* (Mémoires, quatre vol.), 1933-1938.

LA VILLE DE MIRMONT Jean de. Bordeaux 2.12.1886 – Verneuil-Courtonne (Aisne) 28.11.1914. Venu à Paris en 1903, il s'y lia avec Mauriac, qui préfaça en 1929 l'unique volume posthume des œuvres qu'il eut le temps d'écrire avant sa mort au front. Seule une nouvelle avait été publiée, à tirage confidentiel, *les Dimanches de Jean Dézert* (1914), quatre brefs tableaux dont l'ironie cache mal un profond désespoir; si croyant fût-il, L. V. de M., dans son évocation des milieux populaires et des vies les plus mornes, semble convaincu de la solitude absolue de l'homme. Une impression plus nuancée se dégage de ses poèmes et de ses *Huit Contes* (1929) ; ces derniers constituent, dans leur brièveté parfois maladroite, une transition entre les poèmes en prose de Baudelaire et ceux de Gracq ; le plus remarquable, *les Pétrels,* brode sur le thème du départ en mer, obsession dominante des poésies, dont les cinq sections *(l'Horizon chimérique ; Jeux ; Attitudes ; Chansons sentimentales; Confidences)* s'organisent en bouquets d'amertume et de désillusion, faits de vaisseaux fantômes et de « départs inassouvis ». La facture parnassienne de ces courtes pièces se charge d'ironie, les images capiteuses venues droit des *Fleurs du mal* s'accompagnent d'humour, mais toute la feinte légèreté du poète, mort avant d'avoir pu se dégager de ces influences, ne saurait tromper sur la gravité de son ardent romantisme, auquel rend justice le farouche et sombre cycle des poèmes mis en musique par Gabriel Fauré (*l'Horizon chimérique,* 1921).

LAYE Camara. Kouroussa 1.1.1928 – Dakar 4.2.1980. Romancier guinéen. Fils de forgeron, ce jeune Malinké fréquente l'école coranique et l'école primaire dans son village natal, puis il entre au collège technique de Conakry. Il obtient une bourse et poursuit ses études au Centre-école automobile d'Argenteuil. Il travaille aux usines Simca, s'inscrit au Conservatoire national des arts et métiers. Pour lutter contre le froid et la solitude, L. évoque son enfance et se réchauffe ainsi au chaud soleil de son pays. Son premier roman, *l'Enfant noir,* obtient en 1953 le prix Charles-Veillon. À la surprise du public, qui avait fort bien accueilli ce roman autobiographique que les intellectuels noirs engagés dans la lutte contre la colonisation boudaient, L. publie, l'année suivante, *le Regard du roi,* roman « kafkaïen », au dire de l'auteur lui-même. La Guinée nouvellement indépendante lui confie d'importantes responsabilités au ministère de l'Information. À ce titre, il parcourt l'Afrique de l'Ouest, prend part à de nombreux congrès de la culture. Pendant cette période, L. n'a écrit qu'une nouvelle, *les Yeux de la statue,* qu'il a voulue, une fois de plus, symbolique. Il faudra attendre 1966, après la rupture de cet écrivain avec le régime de Conakry et son exil à Dakar, pour retrouver la veine de *l'Enfant noir* dans *Dramouss,* qui constitue la suite naturelle du premier roman. L. a toujours intrigué le public africain. On peut en juger par la faveur qui lui fut marquée lors de la publication de son premier roman et par l'indifférence presque généralisée qui a accueilli ses autres œuvres. Aujourd'hui, on semble mieux comprendre les préoccupations profondes de l'auteur, qui n'ont rien à voir avec cet exotisme tant célébré par la critique. D'abord, il faut retenir l'attachement de L. à la tradition africaine, qu'il ne comprend pas toujours puisqu'il a été formé loin des siens, à l'école européenne. C'est la redécouverte de l'univers traditionnel de son enfance qui constitue le sujet de *l'Enfant noir. Dramouss,* si imaginaire, si symbolique que l'ait voulu l'auteur, ne s'écarte pas de la description des règles et habitudes mentales qui sont l'essentiel de la tradition à laquelle les personnages sont particulièrement attachés. Tous ces romans décrivent la même forme de sensibilité, une mentalité animiste. Ils reprennent plus ou moins le thème de l'aliénation, des menaces qui pèsent sur la liberté individuelle, d'une façon intérieure, personnelle dans *le Regard du roi,* extérieure mais aussi collective dans *Dramouss.* L. décrit ainsi l'aliénation de Clarence, dans *le Regard du roi,* de Clarence qui sera cependant sauvé par le roi, personnage qui symbolise la grâce : Clarence, au terme de sa quête, en dépit de ses hésitations, tâtonnements et égarements, voit son salut assuré. Les deux premiers romans de L. ont surtout suscité l'enthousiasme du public étranger. *Dramouss* semble avoir concilié à l'auteur les faveurs du public africain, qui y retrouve ses préoccupations les plus immédiates, même si on peut encore s'étonner de la disparité des styles et formes de sensibilité d'une œuvre à l'autre.

Œuvres. *L'Enfant noir,* 1953 (N). – *Le Regard du roi,* 1954 (N). – *Les Yeux de la statue* (nouvelle), 1959. – *Dramouss,* 1966 (N). – *Le Maître de la parole,* 1978 (N).

LÉAUTAUD Paul. Paris 18.1.1872 – La Vallée-aux-Loups (Le Plessis-Robinson) 22.2.1956. Abandonné par sa mère et fils d'un père indigne, il dut travailler à seize ans. Après avoir exercé divers métiers, il entra au *Mercure de France* en 1895 et en fut le secrétaire de 1908 à 1941. Il y tint la rubrique dramatique jusqu'en 1921, avant de la continuer à la *Nouvelle Revue française* et aux *Nouvelles littéraires.* Il s'était fait connaître en 1900 par une *Anthologie des poètes d'aujourd'hui,* que suivit, en 1907, une nouvelle autobiographique, *le Petit Ami.* Mais il doit sa notoriété à un vaste *Journal littéraire* dont le texte intégral ne fut connu qu'après sa mort et dont le reste de son œuvre n'est finalement que l'écho transposé : la liberté caustique et parfois malveillante de ses jugements sur les personnes et sur les œuvres reflète à la fois l'étendue de son intelligence et l'égocentrisme misanthropique de son personnage de solitaire ne supportant guère que chiens et chats (qu'il entretenait en grand nombre dans son pavillon de Fontenay-aux-Roses). Un portrait plus véritable encore de L. se dessine dans les savoureux *Entretiens avec Robert Mallet,* recueil d'interviews radiophoniques où l'ironie glacée le dispute à la verve.

Œuvres. Avec Adolphe Van Bever : *les Poètes d'aujourd'hui* (anthologie), 1900. – *Le Petit Ami,* 1903 (N). – *Le Théâtre de Maurice Boissard, I* (recueil de chroniques dramatiques), 1926 (E). – *Passe-temps,* 1927 (E). – *Le Théâtre de Maurice Boissard, II,* 1943 (E). – *Entretiens avec Robert Mallet,* 1952. – *Journal littéraire* (19 vol.), posth., 1956-1966. – *Une réception académique et quelques propos,* posth., 1956. – *Lettres à ma mère,* posth., 1956 – *Le Petit Ami,* précédé d'*Essais* et suivi de *In memoriam* et *Amours,* posth., 1956. – *Le Journal intime,* posth., 1957. – *Mélanges,* s. d. – *Le Théâtre de Maurice Boissard, III,* posth., 1958 (E). – *Poésies,* posth., 1963. – *Le Petit Ouvrage inachevé,* posth., 1964. – *Lettres à Marie Dormoy,* posth., 1966.

LEBLANC Maurice. Rouen 1864 – Perpignan 6.11.1941. On a oublié sa carrière de romancier psychologique à la Paul Bourget, car son invention tardive du personnage d'Arsène Lupin a suffi à immortaliser son nom. L'abondante suite des romans inspirés par le célèbre « gentleman-cambrioleur » a rendu fameux ce hors-la-loi moins puissant mais plus astucieux que Fantômas, à l'imagination rebondissante et à l'immoralité philanthropique.

Œuvres. *Des couples* (nouvelles), 1891. – *Une Femme,* 1892 (N). – *Armelle et Claude,* 1897 (N). – *L'Œuvre de mort,* 1898 (N). – *Les Lèvres jointes,* 1899 (N). – *Arsène Lupin, gentleman-cambrioleur,* 1907 (N). – *Arsène Lupin contre Herlock Sholmès,* 1908 (N). – *L'Aiguille creuse,* 1909 (N). – *813 : la Double Vie d'Arsène Lupin,* 1910 (N). – *Le Bouchon de cristal,* 1912 (N). – *Les Confidences d'Arsène Lupin,* 1914 (N). – *Les Trois Crimes d'Arsène Lupin,* 1917 (N). – *Le Triangle d'or,* 1918 (N). – *L'Île aux trente cercueils,* 1920 (N). – *Les Dents du tigre,* 1920 (N). – *Les Huit Coups de l'horloge,* 1923 (N). – *La Comtesse de Cagliostro,* 1924 (N). – *La Demoiselle aux yeux verts,* 1927 (N). – *La Demeure mystérieuse,* s. d. (N). – *L'Éclat d'obus,* s. d. (N). – *L'Agence Barnett et Cie,* 1928 (N). – *La Barre-y-va,* 1931 (N). – *La Femme aux deux sourires,* 1933 (N). – *Victor, de la Brigade mondaine,* 1933 (N). – *La Cagliostro se venge,* 1935 (N) – *Les Trois Yeux,* s. d. (N).

LE BRAZ Anatole, Jean-François Lebras, dit. Saint-Servais (Côtes-du-Nord) 2.4.1859 – Menton 20.3.1926. Fils d'instituteur, il fut, après de brillantes études, professeur aux lycées d'Étampes et de Quimper, puis à l'université de Rennes (1901-1924). Il a laissé une œuvre abondante, vivifiée par un ardent amour de la Bretagne dont il a tenté de restituer l'« âme armoricaine ».

Œuvres. *Le Gardien du feu,* 1890 (N). – *La Chanson de la Bretagne,* 1892 (P). – *Les Légendes de la mort en basse Bretagne,* 1893. – *Au pays des pardons,* 1894 (N). – *Pâques d'Islande* (nouvelles), 1897 (N). – *Le Sang de la sirène,* 1901 (N). – *La Terre du passé,* 1901 (N). – *Histoire du théâtre celtique,* 1904 (E). – *L'Îlienne,* 1904 (N). – *Contes du soleil et de la brume* (nouvelles), 1905 (N). – *La Bretagne,* 1925 (E). – *Poèmes votifs,* 1927 (P).

LEBRUN, Ponce Denis Écouchard, dit **Lebrun-Pindare.** Paris 1729–1807. Brillant condisciple du petit-fils de Racine au collège Mazarin, il devient d'abord secrétaire des commandements du prince de Conti. Bientôt connu et admiré comme poète lyrique, il sera pensionné par Calonne. Il accueille avec enthousiasme la Révolution et les idées nouvelles, en attendant de célébrer l'Empire comme autrefois l'Ancien Régime et de recevoir, avant sa mort, une pension de Napoléon. C'est à ses *Odes* qu'il doit sa célébrité auprès de ses contemporains : son inspiration est élevée mais le plus souvent abstraite, et il abuse de la mythologie et des procédés poétiques pseudo-classiques, artifices de rhétorique et ornements laborieusement poétiques. Parmi ses meilleures odes, on retient son *Ode sur le vaisseau le « Vengeur »* et l'*Ode à Buffon*. André Chénier, qui subit son influence, car L. fréquentait le salon littéraire de sa mère, lui dédia sa première *Épître* et l'imita dans son « Ode à David » et dans *le Jeu de paume.* Les *Épigrammes* de L., mordantes à souhait, constituent, selon Sainte-Beuve, un recueil unique dans la langue française. Elles gardent tout leur sel et leur intérêt.

Œuvres. *Odes sur le désastre de Lisbonne,* 1755 (P). – *Ode à Voltaire,* 1760 (P). – *La Wasprie* (libelle), 1761. – *L'Âne littéraire* (libelle), 1761. – *Ode à Buffon,* 1771 (P). – *Exegi monumentum,* 1787 (P). – *Odes républicaines au peuple français,* 1794. – *Ode au vaisseau le « Vengeur »,* 1794. – *Œuvres* (comprenant cent quarante odes, quatre livres d'élégies, deux livres d'épîtres, six cents épigrammes et madrigaux), posth., 1811 (P).

LE CLEC'H Guy. Paris 9.6.1917. Distingué en 1952 par l'attribution de la bourse Blumenthal pour son roman *la Plaie et le Couteau,* L.C. propose une œuvre que caractérise un style à la fois réaliste et métaphorique destiné à traduire la recherche inquiète d'une raison de vivre. Il est probable qu'il représente aussi cette tentation autobiographique si caractéristique de la littérature contemporaine, qui, en même temps, se cherche des masques – par souci, chez L.C., de retrouver une pudeur littéraire souvent récusée par d'autres. Le roman devient ici une chronique de l'insatisfaction et de la difficulté d'être, sous la forme, comme dans *la Plaie et le Couteau,* d'une incapacité des personnages à assumer intérieurement leurs propres élans et leurs propres échecs. Ainsi s'explique l'importance de la relation entre le passé et le présent, entre le souvenir et la vie, comme si la mort inéluctable de chaque instant de vie était l'équivalent d'une espérance : mais cette espérance, les personnages de L.C., ces personnages qui meurent de n'avoir pas su assumer leur passé, tel Étienne dans *le Témoin silencieux,* n'y pénètrent pas, ils restent sur le seuil ; et pourtant, au-delà de leur fatalité tragique, se profile la virtualité d'un salut qui pourrait leur venir de la découverte des secrets du temps.

Œuvres. *Le Témoin silencieux,* 1949 (N). – *Le Visage des hommes,* 1950 (N). – *La Plaie et le Couteau,* 1952 (N). – *Le Défi,* 1954 (N). – *Tout homme a sa chance,* 1957 (N). – *Une folle joie,* 1961 (N). – *L'Aube sur les remparts,* 1967 (N). – *Les Moissons de l'abîme,* 1968 (N). – *Les Tudors et les Stuarts,* 1969 (E). – *La Violence des pacifiques,* 1970 (N). – *L'Enfant de porcelaine,* 1981 (N).

LECLERC Félix. La Tuque 2.8.1914. Écrivain canadien-français. La merveilleuse enfance nomade de L., dans une famille de onze enfants aux parents pittoresques et attachants, connaît des cadres aussi divers que nombreux : la Tuque, Rouyn, Noranda, Lotbinière et Vaudreuil, où il est d'ailleurs retourné s'installer. L. a fait ses études à Ottawa. Speaker à Québec pendant trois ans, puis « scripteur » radiophonique à Trois-Rivières, il se livre à la rédaction de contes poétiques dans *Adagio,* de fables dans *Allegro,* de poèmes proprement dits dans *Andante,* puis il fait le récit de quelques péripéties de son enfance dans *Pieds nus dans l'aube.* À cette époque, l'île d'Orléans est son abri de prédilection. On le connaissait déjà pendant la guerre comme conteur-poète-fabuliste, par le livre et la radio, avant que son ami Guy Maufette l'incite à chanter ses refrains pour entrecouper ses textes à la radio. À cette même époque, il fait du théâtre avec *les Compagnons de Saint-Laurent.* L'imprésario français Jean Canetti le remarque et prend l'initiative de le lancer à Paris. Après sa brillante conquête de Paris, il reçoit des mains de Jean Giono le grand prix du Disque français (1951).

Œuvres. *Adagio,* contes, 1943. – *Allegro,* fables, 1944. – *Andante,* 1944 (P). – *Pieds nus dans l'aube,* 1946 (N). – *Dialogues d'hommes et de bêtes,* 1949 (T). – *Maluron,* 1949 (T). – *Les Chansons de Félix Leclerc le Canadien,* 1950. – *Théâtre de village,* 1951. – *Le Hamac dans les voiles,* 1952 (N). – *Moi, mes souliers,* 1955 (N). – *Le Fou de l'île,* 1958 (N). – *Les Seize Ans ou Sens unique,* 1958 (T). – *Douze Chansons nouvelles,* 1958. – *Le P'tit Bonheur* et *Sonnez les matines,* 1959 (T). – *Le Calepin d'un flâneur,* 1961 (N). – *L'Auberge des morts subites,* 1964 (T). – *Chansons pour tes yeux,* 1968 (P). – *Cent Chansons,* 1970. – *Carcajou ou le Diable des bois,* 1973 (N). – *L'Ancêtre,* 1974 (P). – *Bonjour de l'île,* 1975 (N). – *Un Matin,* 1977 (P). – *Qui est le père ?* 1977 (T). – *Le Petit Livre bleu de Félix ou le Nouveau calepin du même flâneur* (maximes), 1978. – *L'Avare et le violon magique,* 1979 (N). – *Le Tour de l'île,* 1980 (N). – *Chansons dans la mémoire longtemps,* 3 vol., 1981 (P). – *Si tous les enfants du monde* (pour enfants), 1981. – *Rêves à vendre,* 1984 (N).

LE CLERC Guillaume. Début du XIIIe s. Il semble qu'il ait été le plus fécond et le plus varié des trouvères. Non dépourvu de culture , il écrivait en dialecte normand. Ses œuvres sont marquées par un certain esprit critique. C'est ainsi qu'il condamne avec éloquence la croisade contre les albigeois. L'attribution à cet auteur de *la Male Honte* (fabliau) et du roman *Fergus et Galienne* est sujette à caution.

Œuvres. *Bestiaire divin,* 1210. – *Le Besant de Dieu* (poème moral), 1226 (P). – *Imitation du Livre de Tobie* (trad. biblique), s. d. – *La Vie de sainte Madeleine,* s. d. – *Les Treis Moz,* s. d. (P). – *Les Joies Nostre-Dame,* s. d. – *Le Roman des romans,* s. d. – *Recueil de fabliaux,* posth., 1911.

LE CLÉZIO Jean-Marie Gustave, dit **J.-M. G.** Nice 13.4.1940. Issu d'une famille bretonne émigrée au XVIIIe s. à l'île Maurice, fils d'un médecin du gouvernement britannique au Nigeria, il se fit connaître en 1963 avec *le Procès-verbal* (prix Théophraste-Renaudot), histoire d'Adam Pollo, reclus volontaire dans une maison abandonnée. Roman, dans la mesure où il y a bien une histoire; « nouveau roman » peut-être, dans la mesure où, plutôt qu'une histoire, c'est bien un « procès-verbal » ; mais surtout expérience d'*écriture* destinée à « exprimer la platitude » *(l'Extase matérielle)*, s'il est vrai que l'écrivain est un « faiseur de paraboles » *(id.)*. Tous les livres de L.C. sont en effet des paraboles de la solitude et de l'errance, inéluctables fatalités de la *condition* humaine ; paraboles aussi de l'ambiguïté de la vie et de ses langages, ambiguïté qui constitue l'inéluctable fatalité de l'*expression* humaine. En 1980, L. C. a reçu le prix Paul-Morand, décerné par l'Académie française.

Œuvres. *Le Procès-verbal,* 1963 (N). – *La Fièvre,* 1965 (N). – *Le Déluge,* 1966 (N). – *Terra amata,* 1967 (N). – *L'Extase matérielle,* 1967 (E). – *Le Livre des fuites,* 1969 (N). – *La Guerre,* 1970 (N). – *Les Géants,* 1973 (N). – *Mydriase,* 1973 (N). – *Voyages de l'autre côté,* 1975 (N). – *Les Prophéties de Chilam Balam,* 1976. – *L'Inconnu sur la terre,* 1978 (E). – *Mondo et Autres Histoires,* 1978 (N). – *Désert,*

1980 (N). – *Trois Villes saintes,* 1980 (N). – *La Ronde et autres faits divers,* 1982 (N). – *Celui qui n'avait jamais vu la mer,* suivi de *la Montagne du dieu vivant* (pour enfants), 1982. – *Lullaby* (pour enfants), 1982. – *Relation de Michoacan,* 1984 (N). – *Le Chercheur d'or,* 1985 (N). – *Le jour où Beaumont fit connaissance avec la douleur,* 1985 (N).

Le Procès-verbal

Adam Pollo, dont le prénom n'est pas fortuit, a eu, avant d'aborder seul dans cette baraque d'où l'on peut voir la mer, une vie consacrée à la lecture. Il a de ce fait contracté le virus du *regard* : il s'en sert pour se recomposer arbitrairement un univers qui ne soit qu'à lui, comme celui des terreurs enfantines, et, par exemple, il voit le soleil comme une gigantesque araignée. Quant aux gens, qu'il regarde lorsqu'il descend sur la plage, il les regarde hors de toute relation éventuelle ou même hypothétique. De même avec les animaux : il suit chaque jour un chien jusqu'à la maison de sa maîtresse, mais il est bien entendu qu'il n'est pas *avec* le chien et que le chien n'est pas *avec* lui. Il trouve un rat blanc dans sa baraque : il le tuera. Les femmes ? Il en reçoit une, énigmatique, Michèle, mais ce sera pour s'enfuir hors de sa retraite et rejoindre le « monde » : une lettre qu'à la fin du roman il écrit à sa mère dit bien que ce n'est pas pour y trouver une quelconque communication ; et quand il s'adresse aux gens, dans la rue, ceux-ci ont peur. Que va-t-il devenir ? Il est incapable de « devenir » : « Il va dormir vaguement dans le monde qu'on lui donne. » Un supplément au *Procès-verbal, Un maniaque arrêté à Carros,* nous apprend qu'Adam est dans un hôpital psychiatrique, catalogué comme paranoïaque, mais, pour lui, cela n'a aucun sens.

Le Déluge

Une jeune fille, Anna, s'est suicidée parce qu'elle ne supportait plus un monde qui n'était pas *à elle.* C'est donc bien une sœur d'Adam Pollo. Au moment de mourir, elle a enregistré une bande magnétique, qu'elle a adressée à François Besson, qui, dès lors, à son tour, se dissocie du monde des hommes, devenant ainsi, par une sorte de contagion, le frère spirituel et d'Anna et d'Adam.

LECONTE DE LISLE, Charles Marie René Leconte, dit. Saint-Paul-de-la-Réunion 22.10.1818 – Louveciennes 17.7.1894. Élevé et éduqué à Nantes (1822-32), il revint près de ses parents à la Réunion, lut beaucoup, puis alla se fixer à Rennes pour y faire des études de droit (1837), qu'il abandonna au bout de quatre ans pour la littérature. Il fonda deux revues, *la Variété* (1840-1841) et *le Scorpion* (1842-1843). Un nouveau séjour à la Réunion le fait se heurter aux difficultés de la vie coloniale ; lorsqu'un camarade de Rennes lui propose d'entrer à *la Démocratie pacifique,* la revue du fouriériste V. Considérant, il n'hésite pas et revient en France (1843) : il sera un sincère phalanstérien jusqu'en 1848. Ses premières œuvres, nouvelles et poèmes, paraissent en revue (1846-1847). À la révolution de Février, L. de L. demande l'abolition de l'esclavage; vite déçu par le gouvernement provisoire, il collabore épisodiquement à *la Réforme* de Lamennais (1849), puis se désintéresse de la politique. Versant dans le pessimisme, il choisit de se consacrer à son œuvre poétique : *Poèmes antiques ; Poèmes et Poésies ; Poésies complètes.* Marié en 1857, il accepte en 1864 une pension de l'empereur ; la célébrité, sinon l'aisance, ne lui vient qu'après 1866, date de sa participation au *Parnasse contemporain.* C'est alors qu'il publie, de 1861 à 1885, la série de ses traductions en vers des grands textes de l'Antiquité. Cependant, la précarité de ses ressources ne cessa jamais, malgré le succès du deuxième et du troisième *Parnasse,* malgré la parution des *Poèmes barbares* et des *Poèmes tragiques,* malgré son entrée tardive à l'Académie française, où il occupa le fauteuil de Hugo. Cette existence plus glorieuse que confortable fut celle d'un des plus importants poètes du XIXᵉ s. : les *Poèmes antiques* – et leur préface admirée de Hugo – inaugurèrent une influence qui, supplantant celle de Gautier, dura trente ans. « L'Art pour l'Art » s'y affirme, non contre tout le romantisme, mais contre le romantisme fantaisiste et stérile des Jeunes-France ; le retour à l'hellénisme, prôné depuis dix ans, y trouve sa première œuvre indiscutable, permet au poète de prendre ses distances à l'égard de toute actualité politique, revendique une primauté polémique du polythéisme sur la religion judéo-chrétienne. Mais il faudrait se garder, parce que L. de L. fut chef d'école, de figer son personnage de créateur, en fait très divers au long d'une œuvre extrêmement concertée et dont l'originalité s'affirme dans les *Poèmes barbares* ; celui qui réclama toujours l'impersonnalité était un grand sensible, voire un violent (*Qaïn*) ; si sa poésie, bien souvent, nous émeut encore, c'est par le frémissement sensuel ou sentimental qui court sous ses vers. L. de L. est un poète de l'amour ; la nature l'émerveille, et toute son œuvre la contemple, tentant d'en restituer la trompeuse et pittoresque immobilité : force des souvenirs exotiques (« la Fontaine aux lianes »), peintures splendides d'animaux («le Rêve du jaguar »). Mais son admiration pour la vie – là est son originalité souvent mal comprise – ne s'est jamais mieux incarnée que dans la recension systématique des mythes, des civilisations, des cultes – une place privilégiée étant accordée à l'univers hellénique et à sa lumière (« Niobé »). Loin d'être un spectateur impassible, L. de L. cherchait dans la sérénité l'oubli du désespoir, dans le souci du Beau le plus juste emploi de sa liberté d'artiste. Toute sa poésie, lui que fascine le Néant, se contraint à clamer la valeur de l'Esprit. C'est cette tension et cette sincérité qui mettent L. de L. au-dessus de ses disciples : il leur a donné les recettes de la perfection formelle, sans pouvoir leur livrer les secrets de la nécessité d'écrire. Acad fr. 1886.

Œuvres. *Poèmes antiques* (précédés d'une *Préface*), 1852 (P). – *Poèmes et Poésies,* 1855 (P). – *Le Chemin de la Croix,* 1856. – *Poésies complètes,* 1858. – *Idylles et Odes anacréontiques* (trad. de Théocrite), 1861. – *Poésies barbares,* 1862 (P). – *Le Parnasse contemporain* (ouvrage collectif, recueil de vers nouveaux, 1er vol.), 1866 (P). – *L'Iliade* (trad. d'Homère), 1866. – *L'Odyssée* (trad. d'Homère), 1867. – *Hymnes homériques* (trad.), 1868. – *Hymnes orphiques* (trad. d'Hésiode), 1869. – *Catéchisme populaire républicain,* 1870 (E). – *Le Parnasse contemporain* (2e vol.), 1861 (P). – *Histoire populaire de la Révolution française,* 1871 (E). – *Le Sacre de Paris,* 1871. – *Le Soir d'une bataille,* 1871. – *Histoire populaire du christianisme,* 1871 (E). – *Poèmes barbares* (nouv. éd., augm., des *Poésies barbares*), 1872 (P). – Traduction des *Œuvres complètes* d'Eschyle, 1872. – Traduction des *Œuvres* d'Horace, 1873. – *Les Erynnies* (drame, d'après Eschyle), 1873 (T). – *Histoire du Moyen Âge,* 1876 (E). – *Le Parnasse contemporain* (3e vol.), 1876 (P). – *Poèmes tragiques,* 1876 (P). – *Les Éolides* (poème symphonique de César Franck, d'après Leconte de Lisle), 1876. – Traduction *des Œuvres complètes* de Sophocle, 1877. – Traduction *des Œuvres complètes* d'Euripide, 1885. – *L'Apollonide* (drame, d'après Euripide), 1888 (T). – *Derniers Poèmes,* posth., 1895 (P). – *Poètes contemporains* (études sur Béranger, Lamartine, Hugo, Vigny, Barbier), posth., 1895 (E). – *Contes en prose,* posth., 1910 (N).

LEDUC Violette. Arras 8.4.1907 – Faucon (Vaucluse) 1972. Pensionnaire aux collèges de Valenciennes et de Douai, elle y découvre l'amour interdit, avec Isabelle d'abord, avec Hermine ensuite. Plus tard, elle connaîtra l'autre amour (avec Gabriel, qu'elle épousera en 1939) ; mais elle reste prisonnière d'un partage. En 1932 elle avait rencontré Maurice Sachs, qui exerça sur elle une influence décisive. Plus décisive encore sera en 1945 la rencontre de Simone de Beauvoir, grâce à qui paraît *l'Asphyxie.* Dix-huit ans plus tard, S. de Beauvoir écrira pour *la Bâtarde* une préface retentissante qui en assurera le succès. Ce livre est une autobiographie dominée par la volonté systématique de tout dire, mais c'est aussi un effort, en quelque sorte brut et sans élaboration, pour revivre la vie. Manière qui engendre précision et intensité dans l'exploration de secrets parfois inavouables. Littérairement, *la Bâtarde,* qui se veut compte rendu de l'« enfer humain », se caractérise par un ton qui peut susciter aussi bien la fascination que la répulsion.

Œuvres. *Ma mère ne m'a jamais donné la main,* 1945 (N). – *L'Asphyxie,* 1946 (N). – *L'Affamée,* 1948 (N). – *Ravages,* 1955 (N). – *La Vieille Fille et la mort,* 1958 (N). – *Trésors à prendre,* 1960 (N). – *La Bâtarde,* 1964 (N). – *La Femme au petit renard,* 1965 (N). – *Thérèse et Isabelle,* 1966 (N). – *La Folie en tête,* 1970 (N). – *Le Taxi,* 1971 (N). – *La Chasse à l'amour,* posth., 1973 (N). – *Trésor à perdre,* posth., 1978 (N).

LEFÈVRE D'ÉTAPLES Jacques. Étaples 1450 – Nérac 1536. Après des études scolastiques traditionnelles, L. entreprend, assez tard, des études humanistes. Hémonyme lui enseigne le grec, et il se lie avec les représentants les plus éminents du platonisme : Pic de La Mirandole, Marsile Ficin (1491-1498). Porté vers le rationalisme, L. est, en même temps, attiré par le mysticisme. Il a le goût de la vie intérieure et mène une vie quasi monastique. Sa philosophie, fondée sur le rationalisme, aboutit, en définitive, à une mystique de l'amour divin, qui parvient à réconcilier les doctrines les plus opposées. Il contribua tout d'abord à l'édition des *Livres hermétiques,* de l'œuvre du Pseudo-Denys et d'ouvrages inspirés par la spiritualité rhénane dont il avait pris connaissance lors d'un voyage en Allemagne, ouvrages qui ne sont pas sans avoir encouragé sa ferveur mystique. Cet itinéraire, à la fois savant et spirituel, conduit L. à commenter les cinq traductions latines des *Psaumes (Quintuplese Psalterium)* et à corriger la *Vulgate,* qui, jusque-là, faisait autorité en matière de foi. Les attaques

dont il fut l'objet ne furent pas toujours imméritées : ses commentaires sur les Écritures ne s'appuient pas sur une connaissance exacte de la philologie ; il ne cherche pas à découvrir le sens littéral des textes mais s'efforce surtout de mettre en relief l'esprit qui s'en dégage, substituant à la raison raisonnante une foi profonde et indiscutable. Jusque dans le travail de l'érudit qu'il s'efforce d'être, il demeure un contemplatif et un mystique, plus attaché à l'esprit qu'à la lettre. Attaqué en 1521 par la Sorbonne, il se réfugie chez Guillaume Briçonnet, qui, dans son diocèse de Meaux, travaillait déjà sur le christianisme des Apôtres et essayait d'introduire des réformes dans la liturgie. Malgré un procès – interrompu grâce à l'intervention de François Ier –, L. fait encore paraître, en juin 1522, ses *Commentarii initiatorii in IV Evangelia.* Il y adjure les évêques de rétablir l'Église primitive et affirme, une fois de plus, que seule la foi permet d'obtenir le salut. L. est surtout le responsable de la traduction de la *Bible* en français moderne, qu'il établira au long d'un travail de sept années (1523-1530), traduction qui sera reprise par Calvin et est encore, pour l'essentiel, en usage dans les Églises protestantes.
En butte à des persécutions, L. se réfugia d'abord à Strasbourg. Il finit ses jours tranquillement à Nérac, sous la protection de Marguerite de Navarre. Il fut en France le premier promoteur de l'évangélisme, profondément influencé par les idées de Luther, et il fonda le groupe qui fut par la suite appelé l'« école de Meaux ».

Œuvres. *Introduction à la Métaphysique d'Aristote,* 1490 (E). – *Étude critique de l'encyclopédie d'Aristote (Physique,* 1492-1494; *Éthique à Nicomaque,* 1497; *Organon,* 1503 ; *Politique,* 1506 ; *Métaphysique,* 1515). – *Introductio in terminorum cognitionem,* 1500 (E). – *Quintuplex Psalterium* (trad. lat. du Psautier), 1509 (E). – *Commentaires sur les Épîtres de saint Paul,* 1512 (E). – *Commentarii initiatorii in IV Evangelia,* 1522 (E). – *Épistres et Évangiles pour les cinquante et deux dimanches de l'an, avec brève et très utile exposition d'icelles,* 1525. – *Ancien Testament* (d'après la Vulgate), 1530.

Éditions : *les Livres hermétiques,* 1494. – *Pseudo-Denys,* 1499. – *Raymond Lulle,* 1505. – *Richard de Saint-Victor,* 1510. – *Ruysbroeck,* 1512.

LE FRANC MARTIN. (V. MARTIN LE FRANC.)

LEFRANC DE POMPIGNAN Jean-Jacques. Montauban 1709 – Pompignan 1784. Premier président à la cour des aides de Montauban, il abandonne la magistrature pour se consacrer aux lettres. Se tournant vers la poésie, il compose des odes – en particulier l'*Ode sur la mort de J.-B. Rousseau* – et surtout des *Poésies sacrées et philosophiques,* rappelant que la foi n'était pas éteinte au XVIIIe s. L'auteur, qui savait l'hébreu, a su rendre avec force et majesté la poésie biblique, et son œuvre, prolongeant la tradition classique, présente une réelle valeur littéraire. Il fut aussi le premier traducteur du théâtre d'Eschyle. Il attaquera les philosophes dans son discours de réception à l'Académie et sera dès lors constamment en butte aux injustes sarcasmes et aux railleries de ceux-ci, en particulier de Voltaire. Il finit par se retirer sur sa terre de Pompignan, où il acheva paisiblement sa vie. Acad. fr. 1759.

Œuvres. *Didon,* 1734 (T). – *Zaraïde,* 1735 (T). – *Les Adieux de Mars,* 1736 (T). – *Le Triomphe de l'harmonie,* 1737 (T). – *Voyage de Languedoc et de Provence,* 1740 (E). – *Essai critique sur l'état présent de la république des lettres,* 1744 (E). – *Léandre et Héro,* opéra, 1750 (T). – Traduction des psaumes de David, 1751. – Traduction de prophéties et cantiques, 1755. – *Poésies sacrées,* 1756 (P). – Traduction de tragédies d'Eschyle, 1770. – *Odes chrétiennes et philosophiques,* 1771 (P). – Traduction des *Géorgiques* de Virgile, 1784. – *Œuvres complètes,* 1784.

LEIRIS Michel. Paris 20.4.1901. Le représentant sans doute le plus original de la renaissance contemporaine de l'autobiographie et, en même temps, de la mise en question des valeurs du langage. Il fit partie du groupe surréaliste, et c'est bien l'expérience surréaliste qui, pour L. comme pour Queneau, est à la source de l'interrogation sur les « règles du jeu » du langage et de la littérature. Mais L. est parfaitement conscient du risque qui guette une imagination sauvage, comme celle que prônait Breton, et sans doute est-ce là la raison de sa rupture avec le surréalisme, lorsque, dans les années 1930, il se fait ethnologue et va étudier sur le terrain, en particulier en Afrique, la structure du comportement de l'homme dit « primitif », celui chez qui dominent, mais spontanément, l'inconscient, l'intuition, le rêve, le mythe. L'expérience ethnologique devient alors la caution d'un retour au réel, mais à un réel qui conserverait le secret authentique de l'imaginaire *(l'Afrique fantôme).* Après la poétique surréaliste de *Simulacre,* L. reste encore fidèle à ce type d'expression dans *Haut-Mal* et *Nuits sans nuit.* Mais dès 1939, avec *l'Âge d'homme,* complété en 1946 et poursuivi avec les quatre volumes qui composent *la Règle du jeu (Biffures ; Fourbis ; Fibrilles ; Frêle Bruit),* c'est le recours à l'autobiographie : écrire et vivre ne sont plus qu'un seul et même acte, et la fonction propre de l'écriture, qui peut seule la légitimer, est cette dissection de l'être personnel, à travers la multiplicité de ses expériences, qui met à découvert, sans pudeur mais sans ostentation, les dessous de la « règle du jeu » (le jeu de la vie et le jeu de la littérature identifiés) : les risques et périls, les profits et pertes, car il s'agit bien – et telle est la fonction privilégiée de l'autobiographie – de « liquider en les formulant un certain nombre de choses » dont le poids est devenu intolérable. Mais, conformément à la plus noble tradition de l'autobiographie (celle de Montaigne et celle de Rousseau), L. se propose de figurer, à travers sa propre « autopsychanalyse », les règles universelles du jeu de l'homme dans sa vie et dans les aspects que revêt son expression protéiforme. Il s'agit donc d'une vaste entreprise de déchiffrement de *l'*homme, à travers l'exploration de la conscience et de l'inconscient d'*un* homme au contact des sources originelles de l'humanité ; il s'agit aussi de tenter de réduire, par l'écriture, la distance qui subsiste, en tout état de cause, entre l'instantanéité de l'intuition et le déroulement temporel du déchiffrement. Ainsi s'instaure, à l'intérieur même de l'acte littéraire, ce tragique de la temporalité qui est au cœur de l'œuvre de L. Jouer, à ses risques et périls, avec cette distance et le langage qui tente de la combler, telle est finalement la vocation de l'écrivain.

Œuvres. *Simulacre,* 1925 (P). – *Le Point cardinal,* 1927 (N). – *L'Afrique fantôme* (journal de la mission Dakar-Djibouti), 1934 (N). – *L'Âge d'homme* (autobiographie), précédé de : *la Littérature considérée comme une tauromachie,* 1939. – *Glossaire j'y serre mes gloses,* 1939 (E). – *Haut-Mal* (recueil poétique), 1943, rééd. 1969 (P). – *Nuits sans nuit* (recueil de récits de rêves), 1946 (N). – *Aurora* (écrit en 1927/1928), 1946, rééd. 1977 (N). – *La Langue secrète des Dogons de Sanga,* 1948 (E). – *La Règle du jeu* (autobiographie), *I. Biffures,* 1948 (N). – *Race et Civilisation,* 1951 (E). – *La Règle du jeu, II. Fourbis,* 1955 (N). – *Contacts de civilisation en Martinique et en Guadeloupe,* 1955 (E). – *Bagatelles végétales,* 1956 (E). – *La Possession et ses aspects théâtraux chez les Éthiopiens de Gondar,* 1958, rééd. 1980 (E). – *Nuits sans nuit,* et *Quelques Jours sans jour* (nouv. éd. augm.), 1961 (N). – *Vivantes Cendres, innommées* (recueil poétique), 1961 (P). – *Grande Fuite de neige,* 1964 (P). – *Brisées,* 1966 (E). – *La Règle du jeu, III. Fibrilles,* 1966 (N). – *Mots sans mémoire,* 1969 (P). – *Cinq Études d'ethnologie,* 1969 (E). – *Bacon ou la Vérité criante,* 1975 (E). – *La Règle du jeu, IV. Frêle Bruit,* 1976 (N). – *Alberto Giacometti,* 1979 (E). – *Au verso des images,* 1980 (E). – *Miroir de la Tauromachie,* rééd. 1981 (E). – *Le Ruban au cou d'Olympia,* 1981 (N). – *Francis Bacon,* 1983 (E). – *Langage tangage, ou ce que les mots me disent,* 1985 (E).

LEMAIRE DE BELGES Jean. Belges, auj. Bavay (Nord) 1473 – 1525 ? Il appartient à la génération charnière située entre les rhétoriqueurs bourguignons et les poètes de la Renaissance : il est mort sans doute l'année même de la naissance de Ronsard. Il appartient à la Bourgogne du XVe s. par sa parenté (il est le neveu de Molinet) et par sa vie, car il fut le poète de Marguerite d'Autriche, régente des Pays-Bas, qu'il a glorifiée dans sa *Couronne margaritique* (1504). Mais cette Marguerite, comme plus tard son homonyme de Navarre, était elle-même une savante humaniste, et son influence fut sans doute décisive sur son poète, qui devait devenir plus tard historiographe d'Anne de Bretagne. Il est donc un poète de cour, solidaire de l'institution du mécénat, si caractéristique à la fois de la Bourgogne des rhétoriqueurs et de l'Europe de la Renaissance. Ce n'en est pas moins un grand poète, qui a eu la malchance de naître dans une époque dite de « transition », mais qui est en fait le premier grand poète de l'humanisme français. Sa culture englobe les Anciens et les Italiens : dans son *Temple d'Honneur et de Vertu,* éloge funèbre de son protecteur Pierre de Beaujeu, il sait se souvenir de Dante sans le plagier et, dans son évocation symétrique du Paradis et de l'Enfer, il opère, à travers le symbolisme de ses visions poétiques, une fusion, typiquement humaniste (on songe déjà au Ronsard des *Hymnes*), entre l'inspiration chrétienne et la mythologie païenne. Même lorsqu'il s'attache à des sujets d'apparence frivole et « précieuse », comme l'histoire de ce perroquet de Marguerite qui chante sa souffrance de l'éloignement de sa maîtresse et qui finit par mourir d'amour, il fait de cet oiseau le symbole quasi platonicien de la spiritualité amoureuse, et ces *Épîtres de l'amant vert* (dédicace au peintre Jean Perréal, le « Maître de Moulins »), au titre qui pourrait, aujourd'hui, faire sourire, sont la préfiguration déjà accomplie du thème de l'immortalité poétique obtenue par l'amour épuré en spiritualité, qui fera la gloire de Scève et de Ronsard. On ne mentionnera que pour mémoire l'œuvre historique de L. de B., quoique ses *Illustrations de la Gaule et singularités de Troie* soient une des sources, et peut-être la principale, de la *Franciade* de Ronsard.

Œuvres. *Le Temple d'Honneur et de Vertu,* 1503 (P). – *La Plainte du désiré ou Déploration du trépas de Louis de Luxembourg,* 1504 (P). – *La Couronne margaritique,* 1505 (P). – *Les Épîtres de l'amant vert,* 1505 (P). – *Les Regrets de la dame infortunée sur le trépas de son très cher frère unique* (Philippe le Beau), 1507 (P). – *Traité des pompes funèbres antiques et modernes,* 1507 (E). – *Pompe funéraille des obsèques de feu très catholique prince, le roi don Philippe de Castille, de León et Grenade* (récit), 1507. – *Les Chansons de Namur,* 1507 (P). – *Chronique anuale* (voyage de Marguerite dans les Pays-Bas), 1507 (P). – *Légende des Vénitiens,* 1509 (E). – *Trois Livres des illustrations de la Gaule Belgique* (livre I), 1509. – *Traité de la différence des schismes et des conciles de l'Église et de la prééminence et utilité des conciles de la Sainte Église gallicane,* 1511 (E). – *Épître du roi à Hector de Troie,* 1511 (P). – *Couplets de la valitude et de la convalescence de la reine,* 1511 (P). – *Le Promptuaire des conciles de l'Église catholique,* 1512 (E). – *Trois Livres des illustrations de la Gaule Belgique,* livre II, 1512; livre III (sous le titre : *Illustrations de Gaule et Singularités de Troie),* 1513. – *Traité de la concorde des deux langues* (en prose et en vers), 1513 (E). – *Traités singuliers, savoir : les trois contes intitulés de Cupidon et d'Atropos,* 1525 (P).

LE MAISTRE DE SACI, Louis Isaac Le Maistre, dit (Saci est l'anagramme de Isaac). Paris 29.3.1613 – château de Pomponne 4.1.1684. Initié au jansénisme par sa famille (voir ARNAULD), il se retira à Port-Royal après d'excellentes études et, en 1650, fut ordonné prêtre. Il fut le directeur spirituel des religieuses après Singlin, et, pendant quelques jours, de Pascal (ce fut l'occasion de l'*Entretien avec M. de Saci*). Enfermé trois ans à la Bastille (1666-1668), il entreprit une traduction de la Bible, rendue nécessaire par l'ancienneté de la Bible de Louvain et par la médiocrité des traductions faites sous Louis XIII. Le *Nouveau Testament* (dit *de Mons*) fut publié en 1667 ; la *Bible* complète, en 1695. Très étudié, le style de L. M. de S. cherche à dépouiller le texte sacré de ses grandeurs et de ses beautés profanes, sans reculer devant une certaine infidélité.

Œuvres. En collaboration, *Nouvelle Méthode pour apprendre la langue latine,* 1644 (E). – *Vie de saint Bernard,* 1648. – *Vie de saint Ignace,* s.d. – *Vie de saint Callimaque,* s. d. – *Vie de dom Barthélemy,* s. d. – *Vie des martyrs,* s. d. – En collaboration, *Nouvelle Méthode pour apprendre la langue grecque,* 1655 (E). – Avec Lancelot, *le Jardin des racines grecques* (en vers), 1655. – *Plaidoyers* (éd. compl.), 1657. – *L'Aumône chrétienne,* 1658. – *Imitation de Jésus-Christ* (trad.), 1662. – *Traité de la mortalité* (trad.), s.d. – *Traité du sacerdoce* (trad.), s.d. – *Le Nouveau Testament de Mons* (trad. d'après la *Vulgate*), 1667. – *La Bible* (trad. d'après la *Vulgate,* 30 vol.), 1672-1695.

LEMAITRE Jules. Vennecy (Loiret) 27.4.1853 – Tavers près Beaugency (Loiret) 4.8.1914. Originaire du Val-de-Loire et fils d'instituteurs chrétiens, il est lui-même universitaire de formation – élève de l'École normale supérieure – et de carrière (Le Havre, Alger et Grenoble), avant de se consacrer entièrement aux lettres en 1884. Sa thèse, présentée en 1882, porte sur *la Comédie après Molière et le théâtre de Dancourt.* Intelligence fine et délicate, L. possède une culture approfondie, du bon sens, de la fantaisie et de la malice, de la mesure et un goût « bien français ». Conférencier mondain, il consacre des études aux grands écrivains : *J.-J. Rousseau, J. Racine, Fénelon, Chateaubriand.* Il est poète, dramaturge, excellent conteur *(En marge des vieux livres),* mais surtout critique brillant et influent. Il collabore à la *Revue bleue,* au *XIXe siècle,* à *la Revue des Deux Mondes* et devient, à partir de 1885, le critique dramatique du *Journal des débats.* Comme A. France, il se réclame de l'esprit de dilettantisme et se trouve aux antipodes de l'esprit scientiste comme de la critique dogmatique d'un Brunetière. Se refusant à toute théorie, à toute généralisation, à tout esprit didactique, il fait de la critique impressionniste : ses recueils d'articles des *Contemporains* et des *Impressions de théâtre,* ne sont que des « impressions sincères notées avec soin ». L. marque bien sa préférence pour l'ordre, la clarté, le goût du « génie français » en jugeant des grandes œuvres de la littérature française, et, pour les ouvrages d'actualité, il réagit selon son sentiment, le plus souvent avec justesse, en multipliant les vues ingénieuses, les rapprochements utiles et les formules frappantes. Acad. fr. 1895.

Œuvres. *Les Médaillons,* 1880 (P). – *Petites Orientales,* 1883 (P). – *Sérénus, histoire d'un martyr,* 1886 (N). – *Les Contemporains* (recueil d'articles, 8 vol.), 1886-1918 (E). – *Impressions de théâtre* (recueil d'articles, 11 vol.), 1888-1920 (E). – *Révoltée,* 1889 (T). – *Dix Contes,* 1889 (N). – *Le Député Leveau,* 1890 (T). – *Le Mariage blanc,* 1890 (T). – *Flipote,* 1893 (T). – *Les Rois,* 1893 (T). – *Myrrha, vierge et martyre,* 1894 (N). – *L'Âge difficile,* 1895 (T). – *Le Pardon,* 1895 (T). – *La Bonne Hélène,* 1896 (T). – *L'Aînée,* 1898 (T). – *En marge des vieux livres,* 1905-1907 (N). – *La Massière,* 1905 (T). – *J.-J. Rousseau,* 1907 (E). – *J. Racine,* 1908 (E). – *Fénelon,* 1910 (E). – Avec M. Donnay et Cl. Terrasse, *le Mariage de Télémaque,* 1910 (T). – *Chateaubriand,* 1912 (E). – *La Vieillesse d'Hélène,* 1914 (N).

LEMAITRE Maurice. (Voir Isou.)

LEMELIN Roger. Saint-Sauveur (Québec) 7.4.1919. Écrivain canadien-français. Issu d'un faubourg ouvrier du Québec, où il a connu une enfance et une jeunesse turbulentes, il excelle à transposer dans ses romans la société où il a grandi. Pendant la crise qui succède aux années de prospérité, il hante les ruelles de son quartier, mêlé à des bandes de gamins gouailleurs. Il quitte l'école en huitième année. Il possède assez bien l'anglais et la comptabilité pour se trouver un emploi. Ses loisirs sont orientés vers les sports. Il rêve de championnats de ski au moment où une rupture de la cheville, survenue au cours d'un saut mal exécuté, bouleverse ses projets. Retenu au lit pendant plusieurs mois, il trouve là l'occasion de longues heures de lecture et d'exercices de style, préparation d'une foudroyante carrière d'écrivain populaire. Cet autodidacte se distingue en effet de l'écrivain canadien-français typique, nourri d'humanisme classique. Doué d'une intelligence vive et peu nuancée, L. partage d'emblée les joies et les détresses humbles ou bruyantes de ses personnages : le conteur l'emporte sur le styliste. Débordant d'une verve intarissable, libre, drôle et caricatural dans la satire, populaire avec l'instinct le plus sûr, ne répugnant pas à user de moyens un peu gros, cet écrivain provoque un vif émoi en inaugurant dans les lettres canadiennes-françaises une forme nouvelle d'observation des milieux populaires où la bonne humeur, l'acuité et la cruauté du regard font bon ménage.
Les deux premiers romans de L. ont connu un considérable succès de librairie, confirmé par une série d'émissions télévisées. *Au pied de la pente douce* met en scène deux milieux sociaux d'un quartier populaire de Québec : c'est la vie quotidienne avec ses « éclats de lumière dans un horizon gris et bas ». *Les Plouffe,* œuvre touffue de cinq cents pages qui fait pénétrer le lecteur dans l'intimité d'une famille ouvrière, ont soulevé l'enthousiasme du petit peuple, qui s'est reconnu dans cette famille canadienne-française moyenne. Deux ouvrages d'inspiration complètement différente ont suivi ces deux premiers romans à succès : *Fantaisies sur les péchés capitaux* est un divertissement qui représente un effort important de renouvellement, un pas vers la maturité, un souci évident de faire œuvre d'art; *Pierre le Magnifique* développe le drame intérieur d'un jeune séminariste, issu d'une classe sociale pauvre et besogneuse, qui se veut « magnifique » par le sacerdoce et qui est détourné de sa vocation par la beauté et le charme d'une femme. Quatre livres ont suffi à imposer L. comme écrivain. Depuis 1952, il a mis son prolifique talent au service de la télévision canadienne ; après un long silence, il a publié à nouveau plusieurs essais et romans à partir de 1977.

Œuvres. *Au pied de la pente douce,* 1944 (N). – *Les Plouffe,* 1948 (N). – *Fantaisies sur les péchés capitaux,* 1949 (N). – *Pierre le Magnifique,* 1952 (N). – *Langue, Esthétique et Morale,* 1977 (E). – *L'Écrivain et le Journaliste,* 1977 (E). – *Les Voies de l'espérance,* 1979 (N). – *La Culotte en or,* 1980 (N). – *Le Crime d'Ovide Plouffe,* 1982 (N).

LEMERCIER Népomucène. Paris 21.4.1771 – 7.6.1840. Destin bizarre que celui de ce précurseur du romantisme, qui en devint le plus féroce ennemi ! Son théâtre, si engoncé qu'il soit dans la forme classique, tente d'oublier la tyrannie des unités, cherche le renouvellement dans la couleur historique ; sa poésie, quoique bavarde, n'est pas sans force satirique. Joué au Théâtre-Français dès 1787, L. donna à vingt-trois ans le meilleur de lui-même dans *Agamemnon* et obtint un triomphe avec son *Tartuffe révolutionnaire,* parodie vite interdite par le Directoire. Mais *Pinto* est une tentative manquée de drame historique, et *Christophe Colomb* déclencha un chahut monstre par ses prétentions « shakespeariennes ». Dans l'œuvre du poète, passons sur *l'Atlantide* et sur *Moïse,* qui s'aventurent en d'ambitieuses bizarreries, pour retenir les vingt chants de la tumultueuse satire *la Panhypocrisiade,* dont l'ampleur épique annonce la *Légende des siècles.* Acad. fr. 1810.

Œuvres. *Méléagre,* 1787 (T). – *Agamemnon,* 1795 (T). – *Le Tartuffe révolutionnaire,* 1795 (T). – *Le Lévite d'Ephraïm,* vers 1795 (T). – *Ophis,* 1798 (T). – *Les Quatre Métamorphoses,* vers 1798 (P). – *Pinto ou la Journée d'une conspiration,* 1799 (T). – *Homère,* 1801 (P). – *Alexandre,* 1801 (P). – *Les Âges français,* 1803 (P). – *La Journée des Dupes,* 1804 (T). – *Plaute,* 1808 (T). – *Christophe Colomb,* 1809 (T). – *L'Hymen,* 1810 (T). – *L'Atlantide ou la Théogonie newtonienne,* 1812 (P). – *Charlemagne,* 1816 (T). – *Cours analytique de littérature générale,* 1817 (E). – *La Panhypocrisiade,* 1819-1832 (P). – *La Démence de Charles VI,* 1820 (T). – *Louis IX en Égypte,* 1821 (T). – *Frédégonde et Brunehaut,* 1821 (T). – *Moïse,* 1823 (P). – *Clovis,* 1830 (T).

LEMONNIER Antoine Louis Camille. Ixelles 24.3.1844 – Bruxelles 13.6.1913. Romancier belge d'expression française. Après des études de droit, il choisit de mener une vie de gentilhomme campagnard mais fit de nombreux séjours à Paris. Une brillante carrière d'écrivain concrétisa sa curiosité pour les nouveautés littéraires. Outre des volumes de critique d'art *(le Salon de Bruxelles ; Gustave Courbet et sa peinture)* et de contes *(Contes flamands et wallons ; Dames de volupté),* il donna principalement, comme romancier, avec, entre autres, *Un mâle, la Mort, Happe-chair, la Faute de Madame Charvet,* des descriptions crues de la réalité paysanne et bourgeoise ; puis, changeant de registre devant l'accueil réservé fait à son œuvre, il évoque, avec *l'Île vierge* et *Adam et Ève*, des rêves de pureté au style poétique ; *le Vent dans les moulins* et *Comme va le ruisseau,* orientent ce retour à la nature vers un souci plus net de réalisme descriptif. Talent solide au style exubérant, L. est un nom important de la littérature belge, dont il galvanisa le renouveau.

Œuvres. *Le Salon de Bruxelles,* 1863-1866 (E). – *Nos Flamands,* 1869 (N). – *Paris-Berlin* (pamphlet), 1870. – *Sedan,* 1871 (N). – *Contes flamands et wallons,* 1873 (N). – *Gustave Courbet et sa peinture,* 1878 (E). – *Un coin de village,* 1879 (E). – *Un mâle,* 1881 (N). – *Les Charniers* (rééd. de *Sedan*), 1881 (N). – *La Mort,* 1882 (N). – *Les Concubins,* 1885 (N). – *L'Hystérique,* 1885 (N). – *Happe-chair,* 1886 (N). – *Madame Lupar,* 1888 (N). – *La Belgique,* 1888 (E). – *Les Peintres de la vie,* 1888 (E). – *La Fin des bourgeois,* 1892 (N). – *Dames de volupté,* 1892 (N). – *La Faute de Madame Charvet,* 1895 (N). – *L'Île vierge,* 1897 (N). – *L'Homme en amour,* 1897 (N). – *Adam et Ève,* 1899 (N). – *Au cœur frais de la forêt,* 1900 (N). – *Le Vent dans les moulins,* 1901 (N). – *Les Deux Consciences,* 1902 (N). – *Le Petit Homme de Dieu,* 1902 (N). – *Comme va le ruisseau,* 1903 (N). – *Le Droit au bonheur,* 1904 (N).

LENCLOS Ninon de. (Voir LANCLOS).

LENORMAND Henri René. Paris 3.5.1882 – 16.2.1951. Auteur de quelques romans et essais, il obtint ses meilleurs succès au théâtre en peignant avec force, par scènes brèves et denses, des êtres exceptionnels, cas moraux rares ou aberrants. L'analyse psychologique, poussée jusqu'à l'exploration impitoyable de l'inconscient, soutient l'extrême pessimisme d'un observateur aigu du malheur humain. Une des originalités du dramaturge est qu'il fut l'un des premiers à mettre directement en scène la psychanalyse, en particulier dans *le Mangeur de rêves* : l'héroïne, Jeanine, lorsqu'elle apprend qu'elle a, enfant, causé la mort de sa mère et qu'ainsi se trouvent expliquées les angoisses qui la tourmentent, ne trouve dans cette révélation aucun apaisement, mais en éprouve au contraire une telle horreur d'elle-même qu'elle se suicide. Techniquement, pour mieux adapter la structure dramatique à la matière de ses œuvres, L. fut un des premiers à abandonner complètement le découpage traditionnel en actes pour organiser le drame en une suite de tableaux de durée variable, structure qui déséquilibre volontairement le rythme de l'action pour mieux symboliser le déséquilibre psychique des personnages.

Œuvres. *Les Paysages d'âme* (poèmes en prose), 1905 (P). – *La Folie blanche,* 1905 (T). – *Le Jardin sur la glace,* 1906 (N). – *Les Possédés,* 1909 (T). – *Terres chaudes,* 1918 (T). – *Les Ratés,* 1918 (T). – *Le temps est un songe,* 1919 (T). – *Le Simoun,* 1920 (T). – *La Dent rouge,* 1921 (T). – *Le Mangeur de rêves,* 1922 (T). – *L'Homme et ses fantômes,* 1924 (T). – *À l'ombre du mal,* 1924 (T). – *Le Lâche,* 1925 (T). – *L'Amour magicien,* 1926 (T). – *L'Innocente,* 1926 (T). – *Mixture,* 1927 (T). – *Une vie secrète,* 1929 (T). – *Les Trois Chambres,* 1930 (T). – *Le Crépuscule du théâtre,* 1934 (T). – *Asie,* 1935 (T). – *Pacifique,* 1937 (T). – *La Folle du Ciel,* 1938 (T). – *La Maison des remparts,* 1943 (T). – *Terre de Satan,* 1943 (T). – *Les Pitoeff,* 1943 (E). – *Les Déserts* (nouvelles), 1944 (N). – *Cœurs anxieux* (nouvelles), 1947 (N). – *Une fille est une fille,* 1949 (N). – *L'Enfant des *sables* (nouvelles), 1950 (N). – *Confessions d'un auteur dramatique* (2 vol.), 1949-1953 (E).

Le Simoun

Le titre évoque le climat lourd et maléfique du drame symbolisé par le lieu même de l'action : un bourg du M'zab, aux confins du Sahara, où vit un commerçant, Laurency. Pour rompre une solitude peuplée de fantasmes, il fait venir auprès de lui sa fille. La ressemblance de celle-ci avec sa mère, morte il y a longtemps, est telle que la fidélité posthume de Laurency à son amour d'autrefois se transforme en inceste : le voici amoureux fou de Clotilde, sa fille. Impasse où s'engouffrent les puissances obscures de l'inconscient. Seule la mort de Clotilde pourra délivrer Laurency, et, lorsqu'en effet elle meurt, il contemple son cadavre avec « une espèce de soulagement animal, la détente physique de la bête poursuivie qui se sent hors d'atteinte ».

Les Ratés

Lui et Elle, le Couple : de minables comédiens au dernier degré de la déchéance. Pour qu'ils puissent vivre, Elle s'est prostituée ; lorsque Lui l'apprend, il est envahi, du plus profond de son être, par des sentiments aussi violents qu'obscurs, dont l'irrésistible poussée provoque une crise psychique qui ne peut avoir d'autre solution que la mort.

LÉONARD Nicolas Germain. Basse-Terre (Guadeloupe) 1744 – Nantes 1793. Venu de la Guadeloupe, il est, avec Parny – né, lui, à la Réunion – le représentant d'une inspiration exotique, à la fois pastorale et nostalgique, qui s'incarne dans la forme conventionnelle, alors à la mode, de l'idylle à la manière de Gessner. Imprégné, comme André Chénier, de culture grecque et latine, il n'en est pas moins apte à traduire poétiquement les émotions d'une sensibilité aiguë : l'œuvre de L. reste une des plus attachantes manifestations d'une inspiration déjà romantique dans le cadre d'une forme néo-classique.

Œuvres. *Idylles morales,* 1766 (P). – *Essai de littérature,* 1769 (E). – *Le Temple de Gnide,* 1772 (N). – *La Nouvelle Clémentine,* 1774 (N). – *Idylles et Poèmes champêtres,* 1782 (P). – *Lettres de deux amants habitant Lyon,* 1783 (N). – *Alexis* (roman pastoral), s. d. (N). – *Les Saisons,* 1787 (P). – *Voyage aux Antilles,* 1787 (N).

LEPRINCE DE BEAUMONT. (Voir Beaumont.)

LE ROUGE Gustave. Valognes (Manche) 22.7.1887 – Paris 25.2.1938. Sa fécondité littéraire est devenue proverbiale : plusieurs volumes par an, « dramatiques romans d'amour » tour à tour terrifiants et romantiquement sentimentaux : enlèvements, héritages disputés, amours contrariées, mariages heureux en sont les éléments invariables.

Œuvres. *La Guerre des vampires,* s. d. (N). – *La Mandragore magique,* s. d. (N). – *L'Astre d'épouvante,* s. d. (N). – *La Princesse des airs,* s. d. (N). – *Le Prisonnier de la planète Mars,* s. d. (N). – *Le Sous-marin « Jules-Verne »,* s. d. (N). – *Le Voleur de visage,* avec : *le Dompteur de requins, des Pirates de la science, l'Îlot mystérieux,* s. d. (N). – *Le Mystérieux Docteur Cornélius : 1, l'Énigme ; le Manoir aux diamants ; le Sculpteur de chair humaine. 2, les Lords de la main rouge ; le Secret de l'île des Pendus ; les Chevaliers du chloroforme. 3, Un drame au Lunatic Asylum ; l'Automobile fantôme; le Cottage hanté ; le Portrait de Lucrèce Borgia. 4, Cœur de gitane ; la Croisière du « Gorille » aux yeux d'émeraude. 5, la Dame aux scabieuses ; la Tour fiévreuse ; le Dément de la maison bleue ; Bas les masques !* 1918-1929 (N). – *Le Mystère de Blacqueval,* 1929 (N). – *Un drame sous-marin,* 1931 (N). – *Les Écumeurs de la pampa,* 1933 (N).

LEROUX Gaston. Paris 1868 – Nice 1927. Journaliste après avoir été avocat, il est chargé de reportages par de grands quotidiens et écrit aussi des romans. Mais c'est dans le roman policier, dont il est devenu l'un des classiques, que ce maître de la mystification et de l'humour trouve sa véritable voie. Il crée, avec Rouletabille, un type de détective amateur débrouillard, sympathique et fin limier, qui mène ses enquêtes avec une logique sans faille et beaucoup de sagacité. Autre création de L., le non moins célèbre et pittoresque criminel romantique, Chéri-Bibi, personnage central d'un autre cycle de romans.

Œuvres. *La Double Vie de Théophraste Longuet,* 1904 (N). – *Le Mystère de la chambre jaune,* 1908 (N). – *Le Parfum de la dame en noir,* 1909 (N). – *Le Fantôme de l'Opéra,* 1910 (N). – *Rouletabille chez le tsar,* 1913 (N). – *Le Château noir,* 1916 (N). – *Les Étranges Noces de Rouletabille,* 1916 (N). – *Rouletabille chez Krupp,* 1920 (N). – *Le Crime de Rouletabille,* s.d. (N). – *Sur mon chemin,* s.d. (N). – *Les Héros de Chemulpo,* s.d. (N). – *Le Fauteuil hanté,* s.d. (N). – *L'Homme qui revient de loin,* s.d. (N). – *Le Cœur cambriolé,* s.d. (N). – *L'Homme qui a vu le diable,* s.d. (N). – *Rouletabille chez les Bohémiens (I, La Poupée sanglante ; II, La Machine à assassiner),* 1923 (N). – *Les Aventures de Chéri-Bibi* (5 vol.), 1913-1925 (N). – *Mister Flow,* s.d. (N). – *Les Mohicans de Babel,* s.d. (N). – *La Reine du Sabbat,* s.d. (N). – *La Maison des juges,* s.d. (T). – *Gare régulatrice,* s.d. (T). – *Le Lys,* s.d. (T).

LE ROY Eugène. Hautefort (Dordogne) 29.11.1836 – Montignac (Dordogne) 5.5.1907. Il devint fonctionnaire aux Contributions directes après avoir servi en Afrique et en Italie ; d'une existence modeste d'érudit périgourdin émergèrent cinq volumes très représentatifs de la littérature « régionaliste », en particulier le plus célèbre d'entre eux, *Jacquou le Croquant.* Conteur savoureux, historien renseigné, L.R. a été justement et pittoresquement réhabilité, en 1970, par l'adaptation télévisée de *Jacquou le Croquant.*

Œuvres. *Le Moulin du Frau,* 1895 (N). – *Jacquou le Croquant,* 1899 (N). – *Nicette et Milou* (nouvelles), 1901 (N). – *Le Pays des pierres* (nouvelles), 1906 (N). – *Les Gens d'Aubéroque,* 1907 (N). – *L'Ennemi de la mort,* posth., 1912, rééd. 1981 (N).

LESAGE Alain René. Sarzeau (Morbihan) 13.12.1668 – Boulogne-sur-Mer 17.11.1747. D'origine bretonne et bourgeoise, il commence ses études chez les jésuites de Vannes, qui lui donnent le goût du théâtre, puis se rend à Paris, fait son droit et s'inscrit au barreau. Il fréquente la bonne société et se lie avec Dancourt, qui restera son fidèle ami. La vie de L. sera toujours paisible, simple et laborieuse, et la surdité qui atteint l'auteur dès sa quarantième année n'aura pas d'influence sur son caractère. Décidé à vivre de sa plume, L. a d'abord publié, sans le moindre succès, *les Lettres galantes* d'Aristénète, traduites du grec. L'abbé Henriot, tuteur du jeune abbé de Lyonne, se fait alors son protecteur. Il lui verse une rente, lui conseille d'apprendre l'espagnol et de traduire Calderón et Lope de Vega. C'est l'époque finissante du Siècle d'or de la littérature espagnole, et le rayonnement de la civilisation hispanique qui s'est répandue à travers le monde depuis la Renaissance se fait encore sentir. L. publie en 1700, sous le titre de *Théâtre espagnol,* deux comédies de F. de Rojas et de Lope de Vega. Il donne ensuite au Théâtre-Français une comédie, *le Point d'honneur,* adaptée de Rojas, qui n'aura que deux représentations. Deux ans plus tard, il fait paraître une traduction du *Don Quichotte* d'Avellaneda, continuation de l'œuvre de Cervantès. Ce n'est qu'en 1707 qu'il connaît enfin la réussite, avec un acte inspiré de la pièce de Hurtado de Mendoza, *Crispin rival de son maître,* et avec un roman imité de l'œuvre de Guevara, *le Diable boiteux.* Crispin, qui rappelle les valets de Molière, prépare déjà Figaro. *Le Diable boiteux,* composé d'épisodes empruntés à divers auteurs espagnols et surtout d'additions originales de L., sera profondément remanié par l'auteur lors de la troisième édition (1726). Il y ajoutera encore deux dialogues, *les Entretiens des cheminées de Madrid* et *Une journée des Parques :* imitant La Bruyère, L. peint les « sottises humaines » et, en prêtant au mentor de l'écolier Cléofas, le diable Asmodée, le pouvoir de soulever le toit des maisons de Madrid pour pénétrer dans l'intimité des individus, il se livre, sous le couvert du lieu espagnol de l'action, à une critique burlesque de la société et des mœurs françaises. En 1709, la comédie en cinq actes *Turcaret,* pièce admirablement construite, qui porte pour la première fois à la scène un personnage de financier parvenu et sans scrupules, ne sera donnée par les Comédiens-Français que sur l'intervention du Grand Dauphin. La cabale des financiers l'empêche d'ailleurs de dépasser les sept représentations. L. s'y insurge contre un monde où les puissances d'argent corrompent tout et fait le procès des mœurs et de la société d'alors avec un réalisme lucide et satirique et une malicieuse intelligence. À partir de 1712, L., qui s'est brouillé avec les Comédiens, va écrire une centaine de pièces comiques, seul ou en collaboration – la plupart du temps avec Fuzelier (1672-1752), futur auteur du livret des *Indes galantes* de Rameau, et d'Orneval (?-1766). Ces pièces sont jouées à la Foire Saint-Laurent ou à la Foire Saint-Germain, et deux d'entre elles sont aussi données par les Italiens. En 1715, L. commence la publication (livres I-VI) de son plus célèbre roman, *Gil Blas de Santillane,* qui se poursuivra jusqu'en 1735. Tout en utilisant les procédés classiques des romans réalistes d'alors – juxtaposition d'événements, composition « en tiroirs » –, il emprunte à l'Espagne le genre du roman picaresque et sa technique, la narration des multiples et divertissantes aventures d'un *picaro,* vaurien plutôt sympathique, pauvre hère dont l'injustice sociale a fait un fripon. Au travers de la fiction espagnole, l'auteur évolue dans la société française depuis les années d'apprentissage de son héros jusqu'à sa vieillesse. Passant ainsi par tous les milieux sociaux, il en décrit les travers et les vices, observe impitoyablement les mœurs et les caractères avec un sens très juste de la réalité lorsqu'il peint ce qu'il connaît réellement. Roman d'aventures et parodie du roman romanesque, avec des situations burlesques, un comique réaliste parfois truculent, satire des mœurs faite avec esprit, adresse et bonne humeur, l'œuvre se situe aussi dans la lignée du *Roman comique* de Scarron et annonce, à certains égards, le roman réaliste moderne. Écrite dans un style vivant, elle connaîtra un succès considérable.

Œuvres. *Lettres galantes d'Aristénète* (trad. du grec), 1695. – *Théâtre espagnol* (comprend *le Traître puni* [trad. de Rojas] ; *Don Felix de Mendoce* [trad. de Lope de Vega]), 1700 (T). – *Le Point d'honneur* (trad. de Rojas), 1702 (T). – *Don Quichotte. Nouvelles Aventures de Don Quichotte de la Manche, l'admirable* (trad. d'Avellaneda), 1704 (N). – *Don César Ursin* (trad. de Calderón), 1707 (T). – *Crispin rival de son maître,* 1707 (T). – *Le Diable boiteux,* 1707 (N). – *La Tontine,* 1708 (T). – *Turcaret ou le Financier,* 1709 (T). – *Les Mille et Un Jours, contes persans* (trad.), 1710-1712. – *Histoire de Gil Blas de Santillane* (1re partie, livres I-VI), 1715 (N). – *Nouvelle Traduction de l'Orlando innamorato (Roland l'Amoureux),* 1717. – *Gil Blas* (2e partie, livres VII-IX), 1725 (N). – *Le Diable boiteux* (éd. remaniée), 1726 (N). – *Les Entretiens des cheminées de Madrid* (dialogues), 1726. – *Don Guzman d'Alfarache* (trad.), 1732 (N). – *Les Aventures de M. Robert, chevalier, dit de Beauchesne, capitaine de flibustiers dans la Nouvelle France,* 1732 (N). – *Histoire d'Estenavillo Gonzalès, surnommé le Garçon de bonne humeur, tirée de l'espagnol,* 1734 (N). – *Une journée des Parques* (dialogues), 1734. – *Gil Blas* (3e partie, livres X-XII), 1735 (N). – *Le Bachelier de Salamanque ou les Mémoires de D. Chérubin de la Ronda, tirés d'un manuscrit espagnol,* 1736-1738 (N). – *Le Théâtre de la Foire* (recueil d'œuvres théâtrales), 1737 (T). – *La Valise trouvée,* 1740 (N). – *Mélange amusant de saillies d'esprit et de traits historiques,* 1743.

Turcaret

M. Turcaret, homme de finances, se trouve en relations avec une baronne, elle-même dupe d'un chevalier dont le valet, Frontin, bientôt passé au service de Turcaret, se propose de faire ainsi fortune. Le mécanisme est mis en place qui va faire de la pièce, selon un mot de Frontin lui-même, « un ricochet de fourberies ». Turcaret, qui, certes, vole tout le monde dans sa fonction d'escroc d'envergure, n'en est pas moins volé par la baronne et par Frontin. Ce qui devait arriver arrive : Turcaret (acte III) se trouve un jour devant une de ses victimes, en présence de la baronne ; il tente de se tirer de cette situation délicate, mais il y a quelque peine. C'est pour lui le commencement de la fin : alors que, déjà marié, il courtisait la baronne et risquait ainsi la bigamie, il sera, au dénouement, découvert, arrêté et ruiné. Le seul qui tire son épingle du jeu, le seul gagnant dans cette aventure, c'est Frontin, dont l'histoire, succédant à celle de Turcaret, pourrait alors commencer...

Gil Blas de Santillane

Santillane se trouve dans les Asturies, en Espagne ; Gil Blas, fils d'un écuyer et d'une femme de chambre, en est originaire; or il a un oncle chanoine qui lui fait faire des études. Le voici donc, à dix-sept ans, qui se rend à la célèbre université de Salamanque. Au cours du voyage, il est enlevé par des brigands, qui l'enferment pour leur service dans le souterrain qui leur sert de repaire. Un jour, les brigands enlèvent une belle et noble dame, que Gil Blas entreprend de sauver tout en se libérant lui-même. Il profite de circonstances favorables et met son projet à exécution. Mais la liberté n'est alors pour Gil Blas que l'entrée dans une suite d'aventures diverses qui trouvent un premier dénouement lorsque l'archevêque de Grenade le prend à son service. Gil Blas est alors un jeune homme savant, distingué et fort habile à flatter ses protecteurs : il est le secrétaire mais aussi le confident de l'archevêque ; ce qui n'est pas nécessairement pour lui une sinécure : l'archevêque, en effet, dont l'éloquence était célèbre mais qui commence à baisser, consulte Gil Blas sur la qualité d'une de ses homélies : devant les atermoiements de son secrétaire, l'archevêque renvoie Gil Blas, ainsi relancé dans de nouvelles aventures. Il finira tout de même par devenir secrétaire du duc de Lerme, Premier ministre, pratiquera le trafic d'influence et s'arrangera enfin pour s'en faire un complice.

LESORT Paul-André. Granville 14.10.1915. Son œuvre est dominée par les problèmes de la communication spirituelle, d'âme à âme, entre les êtres. Chacun de ses romans, en particulier ceux de la série *le Fil de la vie,* met en scène le tragique propre à l'échec d'une relation désirée et impossible, face à la fatalité d'autonomie de chaque personne. Ce thème du conflit entre relation et autonomie rattache indirectement L. au courant existentialiste. Mais ici, l'existentialisme, comme chez Pascal ou Gabriel Marcel, est solidaire du christianisme : la seule issue possible est le dépassement de la fatalité existentielle par le recours à la seule source d'unité dans l'amour ouverte à l'homme, Dieu lui-même. Grand prix de Littérature catholique 1955.

Œuvres. *Les Reins et les Cœurs,* 1947 (N). – *Les Portes de la nuit* (nouvelles), 1948 (N). – *Le Fil de la vie* (*I. Né de la chair,* 1951; *II. Le vent souffle où il veut,* 1954) [N]. – *Le Fer rouge,* 1957 (N). – *G.B.K.,* 1960 (N). – *Paul Claudel par lui-même,* 1963 (E). – *Tabakou à Jérusalem,* 1965. – *Vie de Guillaume Périer,* 1966. – *Après le déluge,* 1977 (N).

LESPINASSE Julie Jeanne Éléonore de. Lyon 9.11.1732 – Paris 23.5.1776. Fille adultérine de la comtesse d'Albon, elle perdit son père à l'âge de seize ans; sa tante, Mme du Deffand, sauva l'adolescente d'une vie médiocre en la prenant comme lectrice dans son salon (1754). Mais l'éclat et l'intelligence de la jeune fille lui attirant la sympathie de tous, la tante, jalouse, rompit violemment (1764). Mlle de L. fonda alors son propre salon, que fréquentèrent les encyclopédistes, et surtout d'Alembert. Amoureuse du comte de Mora, puis du comte de Guibert, elle fut profondément ébranlée par la mort du premier et le mariage du second, qui accélérèrent sa fin. Sa *Correspondance* révèle une âme ardente et déjà romantique.

Œuvres. *Correspondance. Lettres au comte de Guibert,* posth., 1809. – *Lettres inédites à d'Alembert et à Condorcet,* posth., 1887.

L'ESTOILE Pierre de. Paris 1540 ou 1546 ? – 1611. Magistrat, il sut conserver sa charge sans jamais prendre ouvertement parti dans un sens ou dans l'autre durant les guerres de Religion. Il écrit au jour le jour, observateur impartial, curieux quant au détail, en retrait, vivant, selon ses propres termes, « à sa fenêtre ou plutôt derrière sa fenêtre, attentif au spectacle de la rue, l'oreille aux aguets, néanmoins, du côté du Louvre ». À cinquante ans, il abandonne sa charge de magistrat pour se consacrer exclusivement à la rédaction de son journal. Pêle-mêle, on y trouve des réflexions sur la politique, les affaires de l'État, les affaires de famille, dans un désordre qui donne, sur le vif, un tableau de la vie quotidienne sous les règnes d'Henri III et d'Henri IV. Il a laissé ainsi un document très précieux pour la connaissance de l'histoire de ce temps.

Œuvres. *Journal des choses advenues pendant le règne de Henri III,* posth., 1621. – *Mémoires journaux pour servir à l'histoire de la France depuis 1574 jusqu'à 1611* (12 vol.), posth., 1875-1896. Éd. établie par L.-R. Lefèvre et A. Martin, 4 vol., 1943-1960.

LÉVI-STRAUSS Claude. Bruxelles 28.11.1908. Fils de peintre, agrégé de philosophie, il se spécialise en sociologie et, de 1935 à 1938, enseigne cette discipline au Brésil, à l'université de São Paulo. C'est au Brésil qu'au cours de missions ethnographiques il découvre la vocation qui fera de lui l'un des maîtres de la pensée contemporaine. Car L.-S. possède aussi le don du style et se montre capable de traduire son « anthropologie structurale » dans un langage qui s'apparente à la poésie de l'exploration et du voyage. Mais ce qui n'était jusqu'alors, le plus souvent, qu'exotisme devient le décryptage des structures sociales et, à travers cette opération, la révélation de rapports nouveaux entre l'homme et lui-même, entre l'homme et l'univers. Tel est le sens profond de cette « science des mythes » qui inspire aussi bien l'autobiographie spirituelle de *Tristes Tropiques* que les découvertes rigoureusement fondées de *Mythologiques* (I. *Le Cru et le Cuit.* II. *Du miel aux cendres.* III. *L'Origine des manières de table.* IV. *L'Homme nu*).
Dans toute l'œuvre de L.-S., la recherche de l'originalité humaine se fonde sur l'observation et l'analyse des données élémentaires de cette originalité, parmi lesquelles figure l'expression artistique. Finalement, c'est le problème du *style humain* qui se trouve au cœur de cette recherche, comme le montre l'étude consacrée par L.-S. à l'art des tribus indiennes de Colombie britannique, *la Voie des masques.* Se rattachant d'autre part à la tradition de Rousseau, L.-S. entreprend de revaloriser l'homme dit « primitif » en fondant cette revalorisation sur la rigueur de son approche scientifique des sociétés humaines ; mais il trouve aussi, pour traduire ses convictions, des accents qui font de lui, en même temps qu'un maître des sciences humaines, un authentique écrivain. L.-S. a été de 1959 à 1982 professeur titulaire au Collège de France où il occupa la chaire d'anthropologie sociale. Acad. fr. 1973.

Œuvres. *La Vie familiale et sociale des Indiens Nambikwara,* 1948 (E). – *Les Structures élémentaires de la parenté,* 1949 (E). – *Race et Histoire,* 1952 (E). – *Tristes Tropiques,* 1955 (E). – *Anthropologie structurale,* t. I, 1958 (E). – *Entretiens de Georges Charbonnier avec Claude Lévi-Strauss,* 1961. – *Le Totémisme au-*

jourd'hui, 1962 (E). – *La Pensée sauvage,* 1962 (E). – *Mythologiques* (I. *Le Cru et le Cuit,* 1964 ; II. *Du miel aux cendres,* 1967 ; III. *L'Origine des manières de table,* 1968 ; IV. *L'Homme nu,* 1971) [E]. – *Anthropologie structurale,* t. II, 1973 (E). – *La Voie des masques,* 2 t., 1975, 1979 (E). – *L'Identité,* 1977 (E). – Avec A. Peyrefitte, *Discours de réception à l'Académie française et Réponse de C. Lévi-Strauss,* 1977. – *Introduction à l'œuvre de Marcel Mauss,* 1978 (E). – *Le Regard éloigné,* 1983 (E). – *Paroles données,* 1984 (E).

LÉVY Bernard-Henri. Béni-Saf (Algérie) 5.11.1949. Défenseur des droits de l'homme, tête de file des « nouveaux philosophes » et à ce titre très controversé, L. occupe l'avant-scène de la vie intellectuelle depuis plus de dix ans. Brillant normalien, élève de Derrida et d'Althusser, il passe avec succès l'agrégation de philosophie en 1971. C'est comme envoyé spécial de *Combat* qu'il part au Bengla Desh pendant la guerre de libération contre le Pakistan. Il en rapporte un témoignage brûlant dans son premier livre : *Bengla Desh : nationalisme et révolution.* En 1973, il enseigne à la rue d'Ulm et devient directeur d'une collection chez Grasset où s'exprime très vite le courant de la nouvelle philosophie représenté entre autres par Glucksmann, Lardreau et Jambet. *La Barbarie à visage humain* est le manifeste ramassé et percutant de la nouvelle école. L. y engage une bataille contre le marxisme universitaire, dénonce et taille en pièces les idéologies contemporaines de gauche ou de droite et propose une analyse solidement charpentée du fait totalitaire comme fléau moderne. Suite logique à cette première démonstration, *le Testament de Dieu* recherche sur quoi fonder la révolte contre l'oppression. Il substitue, ce faisant, l'éthique au politique pour prôner une stratégie de résistance fondée sur le monothéisme et la Bible. Lorsque *l'Idéologie française* paraît en 1981, une vaste polémique s'engage et L. est violemment attaqué. En analyste impitoyable de l'inconscient national, il affirme que le pétainisme et l'hitlérisme ont découlé d'une « idéologie française » globalement nationale-socialiste et raciste. Quittant l'essai pour le roman, il obtient le prix Médicis en 1984 avec *le Diable en tête.* Il y retrace l'itinéraire d'un jeune homme représentatif de toute une génération, dans un style brillant au service d'une narration polyphonique qui entremêle le journal intime, la lettre, l'interrogatoire, le témoignage et la confession.

Œuvres. *Bengla Desh : nationalisme et révolution,* 1973, rééd. 1985 sous le titre *les Indes rouges* (E). – *La Barbarie à visage humain,* 1977 (E). – *Le Testament de Dieu,* 1979 (E). – *L'Idéologie française,* 1981 (E). – *Questions de Principes,* 1983 (E). – *Le Diable en tête,* 1984 (N).

L'HOSPITAL Michel de. Aigueperse 1505 – Belesbat 1573. Après des études de droit à Toulouse et à Padoue, il est avocat au barreau de Paris, puis conseiller au parlement (1537), surintendant des Finances (1554) et chancelier de France (1560-67). Il se retire ensuite près d'Étampes, où il passe ses dernières années dans le regret de n'avoir pu « désarmer la haine de ceux que sa vieillesse ennuyait ». Magistrat d'une haute probité et catholique fervent, il est avant tout un apôtre de la tolérance et s'oppose avec fermeté à la politique de fanatisme religieux qui déchire la France. Grand écrivain politique, au style sobre et vigoureux, il fut aussi une intelligence ouverte à la culture humaniste : protecteur d'Amyot, il écrivit des *Poésies latines* où il se révèle un maître dans le maniement du latin et qui font bonne figure dans la littérature néo-latine du XVIe s.

Œuvres. *Harangue faite par monsieur le chancelier de France le treizième jour de janvier 1560, étant les États convoqués en la ville d'Orléans.* – *Discours de la pacification des troubles de l'an 1567.* – *Mémoire adressé à Charles IX et à Catherine de Médicis sur la nécessité de mettre un terme à la guerre civile ou le But de la guerre et de la paix,* 1570 (E). – *Epistolarum seu sermonum libri sex,* posth., 1585. – *Œuvres de L'Hospital* (5 vol., *Harangues, Mercuriales et Remonstrances ; Six Livres d'épîtres suivis d'épitaphes ; Mémoire adressé à Charles IX... ; Traité de la réformation de la justice ; Testament*), posth., 1824-1826. – *Poésies latines,* s.d.

LIBERTIN [lat. *libertinus* = affranchi]. Ce mot fut d'abord appliqué à tous ceux qui tentent de mener une vie affranchie des règles de la morale établie, et plus particulièrement de la religion, pour donner à l'existence un sens uniquement terrestre. Ils mettent en doute les vérités révélées et revendiquent, au nom de l'indépendance de l'esprit, le droit à l'incrédulité, pour suivre « le libre train que Nature prescrit » (Montaigne). Déjà ébauchée au XVIe s. par Rabelais et Montaigne, cette tendance de l'esprit devient militante au XVIIe s. avec Gassendi, Naudé, La Mothe Le Vayer, Théophile de Viau, Saint-Évremond (c'est aux libertins que songe Pascal dans les *Pensées*), et trouvera son plein épanouissement au XVIIIe s. avec Voltaire et surtout Diderot. À l'origine strictement opposé à la religion, le libertinage se dressera par la suite contre toutes les formes de contraintes qui interdisent à l'homme le libre épanouissement de sa personne, et plus particulièrement contre la morale de la société (*les Liaisons dangereuses,* de Choderlos de Laclos). C'est pourquoi il a pris un sens péjoratif pour désigner une personne qui ne « connaît pas de chaînes dans l'ordre des mœurs » (Valéry). Il convient cependant de distinguer le libertin, hautement conscient de la signification de son comportement (Sade, Roger Vailland), de celui qui ne contrôle plus sa liberté et se laisse aller à la licence.

LICENCE POÉTIQUE [latin *licet* = il est permis]. Possibilité, pour le poète, d'utiliser, dans la versification, des formes contraires à l'orthographe (« encor » au lieu de « encore »), à la syntaxe (anacoluthe), à la phonétique (diérèse ou synérèse), au vocabulaire usuel (« hyménée » au lieu de « mariage »), dans le propos de faciliter la construction du vers ou encore de donner plus de rythme, d'harmonie ou de noblesse au langage poétique.

LIEUX COMMUNS. Réflexions qui, sous le couvert de la liberté de juger et de s'exprimer, recouvrent des vérités banales, sans grande originalité. Dans l'Antiquité, sources auxquelles les rhéteurs recommandaient de recourir pour nourrir les développements, trouver les preuves et les arguments applicables à toutes sortes de sujets. Aristote, Cicéron recommandaient l'utilisation des l. c. (appelés encore « lieux oratoires »), qu'ils considéraient comme une partie essentielle de l'art oratoire. Les l. c. ont ainsi pour objet la recherche de toutes les circonstances qui peuvent se lier à un même sujet. Les l. c. « intrinsèques » intéressent un même sujet ; les l. c. « extrinsèques » relient ce sujet à d'autres sujets.

LIGNE Charles-Joseph, prince de. Bruxelles 1735 – Vienne (Autriche) 1814. Il passe sa jeunesse au château de Belœil, dans le Hainaut, où il reçoit une éducation française. Au service de l'Autriche dans les armées impériales dès 1752, il se distingue au cours de la guerre de Sept Ans et de celle de la Succession de Bavière. Chargé de diverses missions diplomatiques dans les cours européennes, il connaît aussi bien les chefs d'État que les personnalités littéraires et politiques de l'époque. Il jouit de la faveur de Joseph II et de Catherine II, rencontre Frédéric II de Prusse, les souverains français, fréquente à Paris les salons à la mode, est en relation avec des écrivains tels que Voltaire, Rousseau (dont il se veut le disciple), Goethe, Wieland, et correspond avec l'élite spirituelle de son temps. Joignant à un goût raffiné celui de la curiosité encyclopédique et de la galanterie du Siècle des lumières, il laisse dans ses écrits le témoignage d'un grand seigneur empreint de l'esprit et de la sensibilité d'un monde finissant. Il doit sa fortune littéraire à Mme de Staël, qu'il rencontre à Vienne en 1809 et qui publie un *Choix de lettres et pensées du maréchal prince de L.* Ses *Mélanges militaires, littéraires et sentimentaires* rassemblent notamment ses *Lettres à Eugénie sur les spectacles,* ses *Mélanges de littérature,* son *Coup d'œil sur Belœil et sur une grande partie des jardins d'Europe* (le prince de L., grand amateur de jardins, avait fait réaliser un jardin anglais avec tous les raffinements du genre). Outre des romans *(Histoire du comte de Bonneval, Lettres de Gustave de Linar),* des contes, quelques pièces de théâtre ou livrets d'opéras, on a de lui des *Mémoires* divers. Enfin, *Mes écarts ou Ma tête en liberté* livrent des réflexions lucides et spirituelles de ce prince sans illusion qui disait : « Mon temps est passé, mon monde est mort. »

Œuvres. *Lettres à Eugénie sur les spectacles,* 1772 (E). – *Préjugés et Fantaisies militaires,* 1780 (E). – *Coup d'œil sur Belœil et sur une grande partie des jardins d'Europe,* 1781 (E). – *Mélanges de littérature,* 1783 (E). – *Mélanges militaires, littéraires et sentimentaires* (34 vol.), 1794-1811. – *Contes immoraux ou Conversations de Bélial,* 1801 (N). – *Histoire du comte de Bonneval,* 1802 (N). – *Lettres de Gustave de Linar,* 1807 (N). – *Mémoires du prince Eugène de Savoie,* 1809 (N). – *Choix de lettres et pensées du maréchal de Ligne,* 1809. – *Nouveau Recueil de lettres,* 1812. – *Œuvres posthumes,* 1817. – *Mémoires et Mélanges historiques,* posth., 1827-1829. – *Mes écarts ou Ma tête en liberté,* posth., 1906.

LIMBOUR Georges. Courbevoie (Hauts-de-Seine) 12.8.1900 – Cadix (Espagne) 19.5.1970. D'une famille d'origines normande et ardennaise, fils d'un officier d'infanterie, L. fait ses études secondaires au Havre. Avec son ami Jean Dubuffet, il gagne Paris en octobre 1918 pour y achever une licence de philosophie. Il se lie alors avec Max Jacob, Antonin Artaud,

André Masson et se joint aux surréalistes. Mais l'incompatibilité de tempérament, les divergences esthétiques et politiques provoquent sa rupture fracassante avec Breton et son mouvement. L. affirme ainsi une indépendance d'esprit et une volonté de liberté qui ne se démentiront plus. Sa passion pour le voyage et sa carrière de professeur le mèneront en 1924 à Koritza tout au fond de l'Albanie, en Égypte en 1926, puis à Varsovie et en Hongrie jusqu'à la guerre qui le ramène en France. Il enseigne à Dieppe de 1943 à 1955, puis à Paris au lycée Jean-Baptiste Say. Indifférent à la gloire littéraire, personnage secret et solitaire, auteur encore méconnu aujourd'hui, L. a laissé une œuvre aux allures vagabondes qui lui ressemble. Ses écrits sur la peinture qui révèlent une sensibilité et un don d'observation peu communs en font un critique d'art remarquable. On le compare parfois au Diderot des « Salons ». Dans ses romans, récits et poèmes, où transparaît son admiration pour Rimbaud, il compose un microcosme qui reflète les contradictions du monde et les actes fondamentaux de la vie. Il s'agit pour lui de transfigurer le réel et de faire surgir un univers féerique par un jeu constant d'associations et de correspondances. *Le Bridge de Madame Lyane, les Vanilliers* et *la Pie voleuse,* romans poétiques et initiatiques, proposent une mythologie complexe qui conjugue l'horreur et les maléfices avec les plus heureuses réalités de l'amour et de la beauté. L'enchantement s'opère par le foisonnement des images et le style précieux et subtil de la narration, témoignages de l'acuité de la vision de l'écrivain et de son ambition poétique.

Œuvres. *Soleils bas,* 1924, rééd. 1972 (P). – *L'Illustre Cheval blanc,* 1930 (N). – *Les Vanilliers,* 1938 (N). – *La Pie voleuse,* 1939 (N). – *L'Enfant polaire,* 1948 (N). – *Le Bridge de Madame Lyane,* 1948 (N). – *André Masson,* 1951 (E). – *L'Art brut de Jean Dubuffet,* 1953 (E). – *La Chasse au mérou,* 1963 (N). – *Les Espagnols à Venise* (opéra-bouffe), 1966. – *Élocoquente,* 1967 (T). – *Contes et récits,* posth., 1973 (N).

LINGUISTIQUE. Science qui a pour objet l'étude du langage. On distingue : la *linguistique descriptive,* étude de toutes les formes connues du langage ; la *linguistique historique,* qui décrit l'évolution des différentes langues de manière comparative pour en déduire, si possible, une évolution du langage humain ; la *linguistique générale,* étude des conditions de fonctionnement, de la structure et de l'évolution du langage et des langues. C'est à partir de la *Linguistique générale* de Saussure (1916) que s'est développé le *structuralisme,* méthode des sciences humaines fondée sur le « modèle linguistique ».

LITTRÉ Émile Maximilien Paul. Paris 1.2.1801 – 2.6.1881. Médecin de formation, il fonda le *Journal hebdomadaire de médecine* (1828) et fut ainsi le précurseur de la presse médicale. Il traduisit aussi les *Œuvres d'Hippocrate* (1839-1861). C'était un libéral républicain, qui prit une part active au développement du journalisme politique après 1830 : il collabora au *National* pendant vingt ans. Dès qu'il prit connaissance des écrits d'Auguste Comte, il devint un des propagateurs les plus zélés du positivisme et mit au service de cette tâche son expérience de journaliste et son talent de vulgarisateur. Ses efforts en ce sens aboutirent en 1867 à la fondation de la *Revue de philosophie positive.* C'est encore ce même sens de la vulgarisation, comprise comme un véritable devoir intellectuel, qui incita L. à entreprendre, à partir de 1863 jusqu'en 1873, la tâche qui devait le rendre à jamais célèbre, le *Dictionnaire de la langue française,* qui n'a pas cessé, après un siècle, de conserver sa valeur. Acad. fr. 1871.

LOBA Ake. Abidjan 15.3.1927. Écrivain ivoirien. Issu d'une famille de paysans, il se rend en France pour se perfectionner dans les machines agricoles. Il y entreprend, tout en travaillant pour subvenir à ses besoins, des études qui le conduisent au baccalauréat. Son vif intérêt pour la littérature l'amène à composer de nombreux poèmes et à écrire un roman, *Kocoumbo, l'étudiant noir,* qui obtint en 1961 le grand prix littéraire d'Afrique d'expression française. C'est un récit consacré à la vie des étudiants noirs en France. L'itinéraire du héros constitue une véritable odyssée. Il finira par obtenir une situation de magistrat, mais au prix de multiples souffrances. *Les Fils de Kouretcha* (1966) met en scène le conflit des forces anciennes et modernes en Afrique. Un fleuve sacré va être profané au nom du progrès : un barrage doit y être construit et L. relate comme de l'intérieur les réactions des uns et des autres (prix Houphouët-Boigny). En 1973, il a publié *les Dépossédés.* D'un roman à l'autre, le style de L. a gagné en netteté et s'est remarquablement enrichi. Un quatrième roman, *Kocoumbo à Abidjan,* est en préparation depuis 1981.

LOGIQUE DE PORT-ROYAL. 1626. Ouvrage philosophique et pédagogique né de la collaboration d'Arnauld et de P. Nicole. C'est un traité de logique écrit en vue de l'éducation du duc de Chevreuse, dont la famille était étroitement liée à Port-Royal. Les auteurs y étudient successivement les idées, le jugement, le raisonnement et les méthodes de la connaissance. Dans cette dernière partie, qui est l'œuvre personnelle d'A. Arnauld, sont formulés les deux principes qui guident l'esprit dans son effort de recherche de la vérité : l'analyse et la synthèse, mais cette recherche, à travers ses méthodes, conserve comme objectif ultime la connaissance de Dieu. Cette *Logique,* qui devait rester un des fondements de la pédagogie moderne jusqu'au XIXe s., a sans doute joué un rôle décisif dans la vulgarisation de l'esprit cartésien.

LOTI, Pierre Louis Marie Julien Viaud, dit **Pierre.** Rochefort (Charente-Maritime) 14.1.1850 – Hendaye 10.6.1923. Élève de l'École navale, puis officier de marine (1868-1910), il passa sa vie à voyager et à raconter ses voyages ; surtout connu comme romancier, il a transporté ses lecteurs en Turquie *(Aziyadé ; les Désenchantées),* en Océanie *(Rarahu,* devenu en 1882 *le Mariage de Loti),* en Afrique *(le Roman d'un spahi),* en Extrême-Orient *(Madame Chrysanthème).* C'est le marin qui met en scène *Mon frère Yves* et *Pêcheur d'Islande* ; c'est l'amoureux tardif du Pays basque qui écrit *Ramuntcho.* Mais à côté de ses romans, dont les intrigues ont vieilli, il a donné de beaux volumes entièrement consacrés à ses voyages eux-mêmes : *la Galilée, l'Inde sans les Anglais, Vers Ispahan, la Mort de Philae, Un pèlerin d'Angkor.* Les caractéristiques de l'œuvre de L. sont un art de nuancer l'impressionnisme avec un vocabulaire étonnamment réduit, le goût des personnages taillés d'une pièce et en proie à de fortes passions, la mélancolie cultivée des idylles lointaines. À travers le détail des sensations d'un voyageur qui lui ressemble, comme dans les destinées frustes des personnages créés par sa plume, se heurtent un incoercible désir d'évasion et un pessimisme incurable.

Œuvres. *Aziyadé,* 1879 (N). – *Rarahu, idylle polynésienne,* 1880 (N). – *Le Roman d'un spahi,* 1881 (N). – *Fleurs d'ennui,* 1882 (N). – *Le Mariage de Loti* (nouv. éd. de *Rarahu*), 1882 (N). – *Mon frère Yves,* 1883 (N). – *Les Trois Dames de la Kasbah,* 1884 (N). – *Pêcheur d'Islande,* 1886 (N). – *Madame Chrysanthème,* 1887 (N). – *Japoneries d'automne,* 1889 (N). – *Au Maroc,* 1889 (N). – *Le Roman d'un enfant* (autobiogr.), 1890. – *Le Livre de la pitié et de la mort,* 1891 (N). – *Fantôme d'Orient,* 1892 (N). – *Matelot,* 1893 (N). – *Le Désert,* 1895 (N). – *La Galilée,* 1896 (N). – *Ramuntcho,* 1897 (N). – *Reflets sur la sombre route,* 1899 (N). – *Les Derniers Jours de Pékin,* 1901, rééd. 1985 (N). – *L'Inde sans les Anglais,* 1903 (N). – *Vers Ispahan,* 1904 (N). – *La Troisième Jeunesse de Madame Prune,* 1905 (N). – *Les Désenchantées,* 1906 (N). – *La Mort de Philae,* 1909 (N). – *Un pèlerin d'Angkor,* 1911 (N). – *La Turquie agonisante,* 1913 (N). – *La Hyène enragée,* 1916 (N). – *Prime Jeunesse* (autobiogr.), 1919 (N). – *Suprêmes Visions d'Orient,* 1921 (N). – *Un jeune officier pauvre* (autobiogr.), 1923 (N). – *Journal intime 1878-1881,* posth., 1925.

Pêcheur d'Islande

Histoire de Yann, pêcheur breton de Paimpol, qui, avec ses trois compagnons, dont Sylvestre, le fiancé de sa sœur, pratique la pêche lointaine dans les eaux islandaises. Il y a, à Paimpol, une jeune fille, Gaud, qui l'aime et souffre de son absence, quand il est au loin, et de sa timidité, quand il est là. Tandis que Sylvestre, devenu soldat, est tué en Chine, Gaud vient, pour la consoler, vivre auprès de sa grand-mère. De retour en Bretagne, Yann surmonte enfin son irrésolution et se décide à épouser Gaud : mais il doit repartir pour l'Islande, et il périra en mer.

LOUVET DE COUVRAY Jean-Baptiste. Paris 12.6.1760 – 25.8.1797. D'origine modeste (il était fils d'un papetier), il devint employé d'un libraire et écrivit alors ses deux romans, *les Amours du chevalier de Faublas* et *Émilie de Varmont.* Séduit par la Révolution, il fut élu député à la Convention, rédigea une feuille girondine *(la Sentinelle)* et contribua à la chute de Robespierre. Audacieux par leur libertinage, ses romans sont aussi remarquables par la finesse de l'analyse que par la vérité de la peinture de la société du XVIIIe s. Leur style vivant et alerte en rend la lecture agréable encore aujourd'hui. L'immense succès et les rééditions constantes de *Faublas* surtout témoignent de la permanence, dans le goût du public, d'un certain type de romanesque dont L. de C. est un représentant caractéristique.

Œuvres. *Les Amours du chevalier de Faublas,* 1787-1790 (N). – *Émilie de Varmont,* 1791 (N). – *La Sentinelle* (périodique), 1792-1793 et 1794-1795. – *Quelques Notices pour l'histoire et le récit de mes périls depuis le 31 mai 1793* (Mémoires), 1795. – *Mémoires* (éd. compl.), posth., 1889.

LOUŸS, Pierre Félix Louis, dit **Pierre.** Gand (Belgique) 10.12.1870 – Paris 6.6.1925. La rencontre de Leconte de Lisle (1889) l'amena à se lier avec les parnassiens. Ayant fondé en 1891 *la Conque,* revue où écrivirent ses amis Gide et Valéry, alors débutants, il y publia les poèmes plus tard réunis dans *Astarté.* Il donna également les poèmes en prose des *Chansons de Bilitis,* que la musique de Debussy allait rendre célèbres («la Flûte de Pan», «la Chevelure», «le Tombeau des Naïades»). La forme, imitée des lyriques grecs (il avait traduit en 1893 les *Poésies* de Méléagre et en 1894 les *Scènes de la vie des courtisanes* de Lucien), se fait précieuse et pleine de rigueur dans la description de paysages ou de scènes érotiques. Ce souci de beauté s'accomplit moins parfaitement dans les romans qui suivirent : *Aphrodite,* esthète et licencieux ; *la Femme et le Pantin,* sensuel et plus dramatique ; *les Aventures du roi Pausole,* conte satirique dans la veine du XVIIIe s. ; *Psyché,* œuvre angoissée qui résume les diverses tendances de l'artiste. Furent adaptés pour la scène : *Aphrodite* (drame lyrique) et *le Roi Pausole* (comédie musicale d'Ibert et Honegger). Après 1900, L. n'écrivit plus de grandes œuvres et se consacra à des travaux d'érudition.

Œuvres. *Astarté,* 1893 (P). – *Poésies de Méléagre* (trad.), 1893 (P). – *Léda* (conte), 1893 (N). – *Ariane* (conte), 1894 (N). – *La Maison sur le Nil* (conte), 1894 (N). – *Scènes de la vie des courtisanes* (trad. de Lucien), 1894 (N). – *Les Chansons de Bilitis* (poèmes en prose), 1894 (P). – *Danaé* (conte), 1895 (N). – *Aphrodite* (mœurs antiques), 1896 (N). – *Byblis* (conte), 1898 (N). – *La Femme et le Pantin,* 1898 (N). – *Les Aventures du roi Pausole,* 1901 (N). – *L'Homme de pourpre,* 1901 (N). – *Sanguines* (contes), 1903 (N). – *Archipel* (contes), 1906 (N). – *Isthi,* s.d. (P). – *Poétique,* 1916 (P). – *Pervigilium Martis,* 1916 (P). – *Le Crépuscule des nymphes,* 1925 (N). – *Psyché,* posth., 1927 (N). – *Journal intime,* posth., 1929. – *Correspondance avec Cl. Debussy,* posth., 1945.

LOYAL SERVITEUR (Le). Roman de chevalerie du XIVe s. Il s'agit d'un récit, sous forme de roman, de la vie de Bayard. Il se peut que ce « Loyal Serviteur » ne soit autre que Jacques de Mesures, compagnon d'armes de Bayard. Témoin privilégié de la vie de l'illustre soldat, l'écrivain anonyme en donne un portrait idéal qui a contribué à immortaliser la figure du « Chevalier sans peur et sans reproche ».

LOZEAU Albert. Montréal 1878 – 1924. Écrivain canadien-français. Il ne fréquenta que l'école primaire. Dès l'âge de quinze ans, il est immobilisé par la paraplégie qui va le terrasser complètement en 1896. Incapable de marcher, il reste alité plusieurs années jusqu'à ce que diverses interventions chirurgicales améliorent son sort et lui permettent de s'asseoir. Il passe les vingt dernières années de sa vie dans un fauteuil, à lire et à recevoir ses amis, quelques poètes de l'école de Montréal dont il devient membre ; mais si la chronologie le rattache à cette école, il demeure avant tout un poète solitaire. Il est isolé par son mal ; il l'est également par sa sensibilité, qu'affine son immobilité forcée. Atteint en pleine adolescence, il ne sombrera pas dans la révolte mais, de sa résignation, fera naître des poèmes intimistes.
Autodidacte, L. a beaucoup lu les poètes français. C'est de là qu'est venu son goût d'écrire en vers. Il a beaucoup fréquenté les poètes de la Pléiade et les romantiques. Son œuvre est la confession simple, directe et pudique, d'une âme solitaire prisonnière d'un corps perclus. Si la douleur transparaît partout dans son œuvre, douleur physique et souffrance morale, le poète parvient presque toujours à une haute sérénité. Il a chanté la nature, entrevue par la fenêtre de sa chambre, avec des accents d'une grande délicatesse. Il a surtout chanté ses rêves, ses amours déçues, les amitiés fidèles qui venaient rompre un moment la monotonie d'une vie paralysée par un mal incurable. À d'autres les vastes fresques ; il lui reste la miniature : il limite son horizon à l'arbre qui dessine des arabesques à la croisée de sa fenêtre et aux flocons de neige qui le dissimulent avant de s'y poser.

Œuvres. *Poésies complètes,* 3 vol., posth., 1925-1958.

LUMIÈRES (Siècle des). Au pluriel, « lumières » signifie intelligence, savoir, capacité intellectuelle. Le XVIIIe s., caractérisé par l'épanouissement de ces qualités dans tous les domaines, fut appelé le « Siècle des lumières ». Phénomène cosmopolite et européen, le « Siècle des lumières » français correspond à ce qu'on appelle en Angleterre « Enlightenment » et en Allemagne « Aufklärung ».

LYRIQUE (poésie) et LYRISME. Poésie ancienne qui se chantait avec accompagnement de la lyre. Par la suite, ces termes désignèrent toute poésie qui, sans être chantée, s'apparente, par son rythme ou son caractère, au lyrisme antique (odes, hymnes). À l'époque moderne, la poésie lyrique est celle qui exprime avec émotion, grandeur et noblesse, des sentiments, personnels ou généraux, portés à leur plus haut point d'intensité. En France, comme en Grèce, le lyrisme, à ses débuts, fut dépendant de la musique. Peu à peu, la poésie s'affranchit de la mélodie pour donner naissance (par opposition à la poésie de cour des trouvères et des troubadours, qui continuaient à s'accompagner de la lyre ou du luth) au lyrisme bourgeois, représenté par Rutebeuf et Adam de la Halle, et plus tard Villon, qui parvint à rendre grands et nobles les sentiments les plus banals, les tourments d'une âme aux prises avec la réalité quotidienne. La Pléiade, au XVIe s., commencera à soumettre les sentiments à un code poétique (sous forme de sonnets, par exemple). Cette attention aux sentiments sera poussée à l'extrême par les précieux, au début du XVIIe s., qui seront condamnés par le rationalisme d'un Malherbe et, d'une manière générale, par le classicisme, bien qu'il ne soit pas rare de voir certains classiques, et plus particulièrement Racine, se laisser aller à un lyrisme débordant : dans *Bérénice,* tragédie tout entière lyrique, le but n'est-il pas, selon Racine lui-même, de « plaire et toucher » ? Le XVIIIe s. restera, dans l'ensemble, fidèle à l'exemple des classiques, mais quelques voix prophétiques (Rousseau, dans les *Confessions* et les *Rêveries,* où il arrive que le lyrisme fasse irruption sous la forme de véritables poèmes en prose, et André Chénier, qui tente la synthèse des deux lyrismes, celui de la tradition classique et celui de l'âme moderne) préparent déjà l'âge d'or du lyrisme personnel, le romantisme ; c'est sans doute Musset qui a le mieux exprimé le principe de ce lyrisme romantique :

Les plus désespérés sont les chants les plus beaux. / Et j'en sais d'immortels qui sont de purs sanglots.

Après le romantisme et malgré la multiplicité des écoles littéraires successives, le lyrisme demeure une inspiration poétique majeure aussi bien chez Apollinaire que chez Verlaine, chez Claudel que chez Saint-John Perse ou Éluard ; la diversité même de ces noms prouve que le lyrisme n'a rien perdu de sa richesse inspiratrice : à un moment ou à un autre, et à des degrés divers, il apparaît dès que la poésie prend sa source dans ce que Baudelaire appelait « le cri du sentiment ». Quant à sa forme, la poésie lyrique n'a cessé d'osciller entre les formes amples et nobles, accordées au grand lyrisme des lieux communs, dont la plus constante est l'ode, de Ronsard à Malherbe et à Claudel, sans négliger les représentants estimables de ce lyrisme au XVIIIe s. (J.-B. Rousseau ou Lebrun), et les formes plus concises ou plus légères : la chanson des troubadours, dont la formule sera reprise par Verlaine et Apollinaire ; les formes fixes du Moyen Âge, rondeaux et ballades ; le sonnet enfin, qui, importé d'Italie au XVIe s., restera, jusqu'à Nerval, Baudelaire et Mallarmé, et au-delà, la forme privilégiée d'un lyrisme qui se veut construction esthétique en même temps qu'expression du cœur. Enfin, on ne saurait négliger l'effort de traduction rythmique, sous le signe de la liberté et de la souplesse, de l'inspiration lyrique qui, à partir de Maurice de Guérin, jusqu'à Rimbaud et Max Jacob, s'inscrit dans le développement moderne du poème en prose. (Voir aussi POÉSIE.)

M

MACARONIQUE (style) [italien *macaronico*]. En Italie, genre de poésie burlesque où l'on mélangeait des mots italiens et des mots latins. Par extension, genre de poésie burlesque où se mêlent les mots d'une langue quelconque et des mots latins. L'inventeur de cette forme est Tifi Odasi, de Padoue, dont la *Macharonea* parut en 1490 et qui fit aussitôt école, avec comme plus illustre adepte Teofilo Folgendo, connu sous le pseudonyme de MERLIN COCCAIE, dont l'œuvre la plus caractéristique est une épopée en vingt-cinq chants, *Baldus* (1525). En France, Rabelais s'est inspiré de certains passages de l'œuvre de Folgendo dans son *Gargantua* ; dans le *Malade imaginaire,* Molière a utilisé de façon divertissante le style macaronique.

MAC ORLAN, Pierre Dumarchey, dit. Péronne 26.2.1882 – Saint-Cyr-sur-Morin 27.6.1970. Victime très jeune de la misère, il dut travailler comme ouvrier ; seule sa ténacité lui permit de connaître l'avant-garde constituée par Picasso, Apollinaire, Max Jacob. Puis, à l'imitation de Cendrars et de Larbaud, il devint l'un des « bourlingueurs » de la littérature française. Il fit de nombreux séjours dans les ports de la Manche et de la mer du Nord, dont l'atmosphère inspira son plus célèbre roman, *le Quai des brumes* (1927), porté à l'écran par Marcel Carné (1938). Son œuvre, très abondante, est celle d'un authentique poète de l'imagination : qu'il s'agisse de poèmes proprement dits ou d'ouvrages narratifs, M. O. dissocie le récit d'aventures du banal réalisme pour en faire un produit personnel, mélancolique et souvent insolite. Le ton bourru, le lyrisme sans ostentation, l'exotisme intimiste de M. O. ont permis à plusieurs de ses poèmes de survivre heureusement dans la chanson populaire ; lui-même ne dédaigna pas de composer dans ce genre *(la Fille de Londres),* et l'on peut aussi évoquer à son propos les chansons et même le personnage d'Édith Piaf. C'est que l'univers de M. O., s'il est celui des ports et des bas-fonds, est vu avec un œil d'artiste qu'enrichit la tendresse pudique du cœur. Poète de ce fantastique où l'insolite côtoie le familier et qu'il a nommé lui-même « fantastique social », M. O. renouvelle ainsi aussi bien le roman d'aventures que le réalisme et les dépasse l'un et l'autre par son sens presque épique du merveilleux caché derrière les apparences du sordide, ce qui apparaît déjà clairement dans le livre qui le « lança » en 1921, *la Cavalière Elsa ;* ce qui triomphe aussi bien dans *le Quai des brumes* que dans *la Bandera* ou dans *le Bal du Pont du Nord,* ce qui explique enfin que M. O. ait été le principal inspirateur du « réalisme poétique » du cinéma de l'entre-deux-guerres. Acad. Goncourt 1950.

Œuvres. *Les Pattes en l'air,* 1911 (N). – *La Maison du retour écœurant,* 1912 (N). – *Contes de la pipe en terre,* 1913 (N). – *Le Rire jaune,* 1914 (N). – *Le Chant de l'équipage,* 1918 (N). – *Bob bataillonnaire,* 1919 (N). – *La Clique du café Brebis,* 1919 (N). – *Petit Manuel du parfait aventurier,* 1920 (N). – *À bord de « l'Étoile Matutine »,* 1920 (N). – *Le Nègre Léonard et Maître Jean Mullin,* 1920 (N). – *La Cavalière Elsa,* 1921 (N). – *L'Inflation sentimentale,* 1922 (P). – *La Vénus internationale,* 1923 (N). – *Malice,* 1923 (N). – *Aux lumières de Paris,* 1925 (N). – *Simone de Montmartre,* 1924 (P). – *Marguerite de la nuit,* 1925 (N). – *Les Pirates de l'avenue du Rhum,* 1925 (N). – *Images sur la Tamise,* 1925 (N). – *Sous la lumière froide,* 1926 (N). – *Brest,* 1926 (N). – *Le Quai des brumes* (adapté au cinéma par Marcel Carné sous le titre *Quai des brumes,* en 1938), 1927 (N). – *Dinah Miami,* 1928 (N). – *Œuvres poétiques* *complètes,* 1929 (P). – *Les Dés pipés ou les Aventures de miss Fanny Hill,* 1929 (N). – *Villes,* 1929 (N). – *La Tradition de minuit,* 1930 (N). – *La Bandera,* 1931 (N) [film de J. Duvivier, 1939]. – *La Légion étrangère,* 1932 (N). – *Filles et Ports d'Europe,* 1932 (N). – *Quartier réservé,* 1932 (N). – *Le Bataillon de la mauvaise chance,* 1933 (N). – *Le Camp Domineau,* 1937 (N). – *Chroniques de la fin du monde,* 1940 (N). – *L'Ancre de miséricorde,* 1941 (N). – *Montmartre,* 1946 (N). – *Œuvres poétiques complètes* (nouv. éd.), 1946 (P). – *Père Barbançon,* 1946 (P). – *Chansons de charme pour faux-nez,* 1950 (P). – *Le Bal du Pont du Nord* (sous-titre *la Nuit de Zeebrugge*), 1950 (N). – *Chansons pour accordéon,* 1953 (P). – *Poésies documentaires complètes,* 1954 (P). – *Le Mémorial du petit jour,* 1955 (N). – *Le Gros Rouge,* 1959 (N). – *La Petite Cloche de Sorbonne,* 1959 (N). – *Mémoires en chansons* (recueil de poèmes et chansons), 1965 (P). – *Masques sur mesure* (recueil d'essais), 1966 (E). – *Romans,* 1967 (N).

Le Quai des brumes

Dans le cabaret du « Lapin à Gil », du côté des docks du Havre, divers personnages également marginaux se retrouvent un soir de neige. Il y a là un peintre allemand, Kraus, un docker ancien soldat et déserteur, Jean Rabe, et la jeune Nelly, adolescente « affranchie ». Ils se sépareront à l'aube après que dans la nuit un meurtre aura été commis : Rabe sera tué, Kraus se pendra. Quant à Nelly, elle gravira les échelons de la hiérarchie spéciale de la galanterie pour devenir une chanteuse à la mode ; mais elle n'a pas cessé d'aimer Rabe, dont elle a recueilli le petit chien comme un symbole de fidélité.

MADRIGAL. L'origine du mot est incertaine, et diverses hypothèses ont été avancées : le latin *matricalis* = « nouvellement sorti de la matrice », ce qui rendrait compte du caractère naturel et spontané du genre ; l'espagnol *madrugar* = « se lever de bonne heure », et, dans ce cas, le madrigal, chanson du matin (comme l'aube médiévale), s'opposerait à la sérénade, chanson du soir ; enfin l'italien *mandriale* = « berger », ce qui rattacherait le madrigal au genre pastoral. Quoi qu'il en soit, c'est en Italie que le madrigal apparaît d'abord, à la fois comme forme poétique et comme forme musicale : il occupe une place éminente dans la musique italienne de la Renaissance, en particulier avec Gesualdo et avec Monteverdi. En poésie, il se caractérise principalement par sa liberté rythmique et s'oppose aux formes fixes du Moyen Âge. À la faveur de l'influence italienne, le madrigal est introduit dans la poésie française dès le début du XVIe s. et sera pratiqué par Marot et Mellin de Saint-Gelais. La préciosité enfin en fait, au XVIIe s., un de ses genres de prédilection (cf. *la Guirlande de Julie*). Si Molière, dans *les Femmes savantes,* tourne en ridicule le madrigal composé par Trissotin (= l'abbé Cottin), Boileau, dans son *Art poétique,* reconnaît à cette forme poétique quelque mérite et en donne la définition suivante :

Le madrigal, plus simple et plus noble en son tour,
Respire la douceur, la tendresse et l'amour.

Encore pratiqué par les poètes mondains du XVIIIe s. (Voltaire), le madrigal tombera ensuite en désuétude. On peut penser toutefois que certains poèmes de Mallarmé, en particulier les « Éventails », en sont une sorte de pastiche moderne.

MAETERLINCK Maurice. Gand 29.8.1862 – Nice 5.5.1949. Écrivain belge d'expression française. Il appartient à la vieille bourgeoisie aisée, et son père passe une grande partie de son temps entre ses ruches et ses vergers. M., qui pratique aussi en même temps tous les sports, fait ses études classiques chez les jésuites de Gand, puis, obéissant au vœu de sa famille, qui le destine au barreau, étudie le droit. Il se lie à l'époque avec É. Verhaeren. Avocat sans vocation qui perd ses causes et que la plaidoirie ennuie, il se détourne rapidement de la carrière juridique pour s'adonner aux lettres, qui l'attirent. À l'occasion d'un voyage à Paris, il fait la connaissance d'écrivains symbolistes et en particulier de Villiers de l'Isle-Adam, dont il subit l'influence. Prenant conscience de sa vocation d'écrivain, M. commence à écrire des vers, qui paraissent dans la revue belge *la Pléiade.* En 1889, il publie un recueil de poèmes d'une incontestable originalité, *Serres chaudes,* que suivront *Douze Chansons.* Ces œuvres, avec leur aura de rêve et de mystère, leur jeu d'images, de métaphores et de symboles, leur parler chantant et suggestif, font de M. un des grands précurseurs de la poésie contemporaine. Mais c'est surtout au théâtre qu'il va réussir à imposer, non sans difficultés, l'esthétique symboliste en mêlant expression dramatique et vision poétique. Il remet en cause la notion du théâtre classique au profit d'« un moi plus profond que le moi des passions et de la raison pure » et veut « faire entendre, par-dessus les dialogues ordinaires de la raison et des sentiments, le dialogue plus solennel et ininterrompu de l'être et de sa destinée ». Successivement, il donne *la Princesse Maleine,* qui, par son atmosphère étrange, heurte un public peu compréhensif, mais vaut à son auteur l'enthousiaste appui d'O. Mirbeau ; *l'Intruse,* où se manifeste la mystérieuse puissance de la mort ; *Pelléas et Mélisande,* qui évoque l'étrange et mystique puissance de l'amour, et qu'immortaliseront en particulier la musique de scène de Fauré (1898) et surtout le chef-d'œuvre lyrique de Debussy (1902), occasion d'un mémorable scandale ; *Aglavaine et Sélysette,* que d'aucuns considèrent comme le chef-d'œuvre de M. par la noblesse des sentiments qui y sont exaltés et par la pureté poétique ; *Ariane et Barbe-Bleue,* conte lyrique dont P. Dukas composera la musique ; *l'Oiseau bleu* enfin, où le recours à la féerie, cette fois sans compromission, permet à la poésie onirique du langage et de l'atmosphère de masquer les apparences du monde pour en révéler les essences. Opération caractéristique de toute la poésie de M. et déjà sensible dans *Serres chaudes :* le poète, en effet, hérite du symbolisme son idéalisme d'inspiration néoplatonicienne, mais cet idéalisme n'est pas ici une fin ; il est le moyen, proprement poétique, d'une double action : action métaphorique de métamorphose, par la combinaison des images, des rythmes et des sonorités (combinaison où M. apparaît comme un maître, ce qui explique la prédilection dont il jouira auprès des musiciens) ; mais aussi action de révélation par cette autre fonction du langage poétique, rendu capable de recouvrir d'abord les apparences du monde d'une sorte de fantasmagorie onirique pour faire ensuite apparaître sa réalité essentielle, sa *surréalité ;* et l'on comprend que M. ait pu être reconnu par certains surréalistes comme un de leurs plus authentiques précurseurs. Dans son expression dramatique, cette poésie substitue un théâtre d'atmosphère au théâtre d'action, mais il serait erroné de ne voir là qu'une sorte d'impressionnisme vague ; au contraire, le recours aux alternances de paroles et de silences et à toutes les autres formes d'une poétique et d'une dramaturgie de l'attente valorise l'atmosphère comme source de suspense spirituel, suspense à l'intérieur duquel opère un destin d'amour et de mort qui est, plus encore que tragique, un destin d'incertitude et de mystère permettant aux personnages de réunir en eux la dimension poétique et la dimension métaphysique ; en ce sens, le théâtre de M. accomplit l'une des intuitions les plus profondes et les plus fécondes du symbolisme. Cette orientation métaphysique de la poésie explique les autres aspects, parfois inattendus en apparence, de l'œuvre abondante de M. Car c'est aussi un philosophe moraliste, constamment tenté par la mystique, qui a lu aussi bien Ruysbroek, le grand mystique flamand, que l'Allemand Novalis ou le « transcendantaliste » américain Emerson : c'est ce M.-là qui va évoquer les mystères de la vie et de la nature, dans des ouvrages aussi divers que *le Trésor des humbles, la Sagesse et la Destinée, la Vie des abeilles* (l'un des plus justement célèbres), *l'Intelligence des fleurs, la Vie des termites, la Vie des fourmis.* Cette exploration des multiples mystères de l'homme et de la nature n'est cependant qu'une voie d'accès à l'exploration directe du métaphysique et de l'occulte, et il arrivera que M. ait aussi recours à l'anticipation ; on retiendra en particulier dans cette perspective : *le Temple enseveli, le Grand Secret* et *Avant le grand silence.* Au cours de la Seconde Guerre mondiale, M. s'exila aux États-Unis ; il passa ses dernières années dans sa propriété de la côte d'Azur, à laquelle il avait donné un nom emprunté à un poème de *Serres chaudes :* « Orlamonde ». Sa dernière publication (1948) fut une évocation très vivante de ses souvenirs de jeunesse : *Bulles bleues.* Le roi des Belges Albert Ier lui avait, en 1932, conféré le titre de comte. Prix Nobel 1911.

Œuvres. *Serres chaudes,* 1889 (P). – *La Princesse Maleine,* 1889 (T). – *L'Intruse,* 1890 (T). – *Les Aveugles,* 1890 (T). – *Les Sept Princesses,* 1891 (T). – *Pelléas et Mélisande,* 1892 (T). – *La Mort de Tintagiles,* 1894 (T). – *Intérieurs,* 1894 (T). – *Alladine et Palomides,* 1894 (T). – *Drames pour marionnettes,* 1894 (T). – *Aglavaine et Sélysette,* 1896 (T). – *Le Trésor des humbles,* 1896 (E). – *Douze Chansons,* 1896 (P). – *La Sagesse et la Destinée,* 1898 (E). – *Quinze Chansons,* 1900 (P). – *Sœur Béatrice,* 1901 (T). – *La Vie des abeilles,* 1901 (E). – *Monna Vanna,* 1902 (T). – *Ariane et Barbe-Bleue,* 1902 (T). – *Le Temple enseveli,* 1902 (E). – *Joyzelle,* 1903. – *Le Double Jardin,* 1904 (E). – *L'Intelligence des fleurs,* 1907 (E). – *L'Oiseau bleu,* 1908 (T). – *Marie-Magdeleine,* 1910 (T). – *La Mort,* 1913 (E). – *L'Hôte inconnu,* 1917 (E). – *Le Bourgmestre de Stilmonde,* 1919 (T). – *Les Sentiers dans la montagne,* 1919 (E). – *Le Miracle de saint Antoine,* 1920 (T). – *Le Grand Secret,* 1921 (E). – *Les Fiançailles,* 1922 (T). – *La Puissance des morts,* 1926 (T). – *La Vie des termites,* 1926 (E). – *La Vie de l'espace,* 1928 (E). – *La Grande Féerie,* 1929 (E). – *La Vie des fourmis,* 1930 (E). – *L'Araignée de verre,* 1932 (E). – *La Grande Loi,* 1933 (E). – *Avant le* *grand silence,* 1934 (E). – *Le Sablier,* 1935 (E). – *La Princesse Isabella,* 1935 (T). – *L'Ombre des ailes,* 1936 (E). – *Devant Dieu,* 1937 (E). – *La Grande Porte,* 1939 (E). – *L'Autre Monde ou le Cadran stellaire,* 1942 (E). – *Bulles bleues* (Mémoires), 1948. – *Jeanne d'Arc,* 1948 (T).

La Princesse Maleine

Maleine, fille du roi Marcellus, et Hjalmar, fils du roi de Hollande, se sont aimés dès le premier regard : ils sont fiancés. Mais une guerre éclate entre les deux rois : alors que Maleine veut rejoindre son fiancé, son père l'enferme avec sa nourrice dans une chambre au sommet d'une tour. La nourrice entreprend de desceller les pierres de la muraille et y parvient au bout de trois jours, alors que la captivité des deux prisonnières dure depuis un temps indéterminé. Lorsque, par l'ouverture pratiquée par la nourrice, elles regardent, c'est pour voir que tout a brûlé et que tout est mort, sauf les corbeaux. Maleine, orpheline et ruinée, part avec sa nourrice à la recherche de son fiancé. Mais le père de Hjalmar a décidé de faire épouser à celui-ci Uglyane, la fille de sa maîtresse la reine Anne, et le jeune homme a accepté. Cependant, Maleine réussit à s'introduire au château du roi de Hollande comme domestique ; elle prend la place d'Uglyane lors d'un rendez-vous que celle-ci avait avec le prince dans le parc et se fait reconnaître de lui. Devant la situation ainsi créée, la reine Anne tente d'empoisonner Maleine, mais, le poison étant trop lent, elle l'étrangle, avec la complicité du roi. Hjalmar venge sa fiancée en tuant la reine, puis il se suicide. Le roi devient fou.

Pelléas et Mélisande

Le prince Golaud a épousé Mélisande, mystérieuse jeune fille un jour rencontrée dans la forêt et dont il ne sait rien, sinon qu'elle ne l'aime pas et ne pourra jamais l'aimer. Golaud a un frère, Pelléas, vers qui se porte tout l'amour de Mélisande. Ainsi naît et se développe dans le cœur de Golaud toute la force maléfique de la jalousie : il ne cesse d'épier Pelléas et Mélisande et finit par les surprendre. Il commence par tuer Pelléas, puis, peu après, on découvre Golaud et Mélisande étendus devant la porte du palais. Golaud s'est transpercé de son épée, tandis que Mélisande n'a qu'une légère blessure « qui ne ferait pas mourir un pigeon ». Cependant, Golaud, tout entier constitué de force physique, sera ranimé, tandis que c'est Mélisande, incarnation symbolique de la fragilité, qui devra mourir.

MAGLOIRE SAINT-AUDE Clément. Écrivain haïtien. (Voir NÉGRO-AFRICAINE [LITTÉRATURE].)

MAGNY Olivier de. Cahors 1529 – 1561. Après ses études dans sa ville natale, il vient en 1547 à Paris, où il exerce les fonctions de secrétaire de Hugues Salel, poète de la cour de François Ier, et c'est ainsi que le jeune M. fut introduit dans les milieux littéraires de la capitale. À la mort de son protecteur (1553), il s'attacha à la personne de Jean de Saint-Marcel, qui lui proposa de l'accompagner à Rome, où il était chargé d'une mission auprès du Saint-Siège ; M. se lia à cette occasion avec du Bellay, qui se rendait à Rome au même moment et dans les mêmes conditions : la réaction de M., à qui sont dédiés deux sonnets des *Regrets,* où il est plusieurs fois nommé, fut sensiblement la même que celle de son ami. Passant à Lyon sur le chemin de Rome, M. y aurait rencontré Louise Labé, qui l'aurait aimé d'un amour fou, source de l'œuvre de la poétesse, mais c'est là sans doute une légende controuvée. Le milieu où il vécut explique que M. soit un disciple de Ronsard, mais il est plus qu'un imitateur : dans ses *Amours,* où Castanire est le reflet de la Cassandre de Ronsard, comme dans ses *Gayetez,* ses *Soupirs* ou ses *Odes,* se manifeste l'abondance facile d'un poète sans grande rigueur mais doué d'élégance et de délicatesse.

Œuvres. *Les Amours,* 1553 (P). – *Les Gayetez,* 1554 (P). – *Les Soupirs,* 1557 (P). – *Odes* (cinq livres), 1559 (P). – *Sonnets,* 1560 (P).

MAILLET Antonine. Écrivain canadien-français. Bouctouche (Nouveau-Brunswick) 1929. En 1979, l'attribution du prix Goncourt à *Pélagie-la-Charrette,* qui fit de ce roman un « best-seller », apportait la célébrité à un écrivain dont l'œuvre antérieure, plus tard redécouverte, était restée jusque-là inconnue en France ; écrivain qui, de surcroît, quoique canadienne, n'appartenait pas à la francophonie québécoise, mais à cette Acadie oubliée dont elle révélait l'originalité linguistique, la mythologie marginale et le pittoresque humain. A. M., qui s'est aussi exprimée au théâtre, en particulier avec *la Sagouine,* où la quotidienneté acadienne atteint une sorte de dimension épique, est avant tout une narratrice : elle ne s'intéresse guère à l'analyse des caractères, mais, par le contrepoint de sa propre parole et de celle de ses personnages, elle suscite, à la manière d'un conteur populaire, des types dynamiques et originaux, comme cette

Pélagie qui ramène d'exil vers la terre promise des ancêtres, à travers quelles aventures ! les Acadiens chassés de chez eux par les Anglais. On ne saurait enfin oublier le talent de « langagière » d'A.M., auteur d'une thèse sur Rabelais : son univers est un univers de mots, de tournures, de formules, d'idiotismes acadiens, et tous ces éléments se fondent dans l'unité du mouvement qui entraîne ensemble la conteuse, les événements qu'elle raconte, les personnages qui les vivent et l'univers de langage où ils baignent et à qui ils doivent l'intensité de leur présence.

Œuvres. *Pointe-aux-Coques,* 1958 (N). – *On a mangé la dune,* 1962 (N). – *Les Crasseux,* 1968 (T). – *Rabelais et les traditions populaires en Acadie,* 1971 (E). – *La Sagouine,* 1971 (T). – *Don l'orignal,* 1972 (N). – *Par derrière chez mon père* (contes), 1972. – *L'Acadie pour quasiment rien* (guide touristique), 1973. – *Gapi et Sullivan,* 1973 (T). – *Mariaagélas,* 1973 (N). – *Les Cordes-de-bois,* 1977 (N). – *La Veuve enragée,* 1977 (T). – *Le Bourgeois gentleman,* 1978 (T). – *Pélagie-la-Charrette,* 1979 (N). – *La Gribouille,* 1982 (N).

MAINARD ou **MAYNARD François.** Saint-Céré 1582 – Aurillac 23.12.1646. Qu'il fût secrétaire de Marguerite de Valois, président au présidial d'Aurillac ou conseiller d'État, il sut toujours réserver une part importante de son existence à la poésie. Disciple de Malherbe, il accordait un soin méticuleux à la composition de ses vers, qui se distinguent encore par leur exquise pureté de forme. Une partie importante de son œuvre – la moins connue aujourd'hui – est composée de pièces satiriques et bachiques : le style n'en est pas moins poli. Dans la poésie officielle, où il a heureusement rivalisé avec son maître Malherbe, il est un versificateur de facture vigoureuse ; il a le goût de l'ampleur rythmique, qui confère à son alexandrin une dignité toute classique ; mieux encore, dans des pièces d'inspiration personnelle, comme les célèbres stances « À une belle vieille », cette beauté du vers soutient une qualité lyrique qui devrait valoir à M. une des meilleures places parmi les poètes du XVIIe s. : « L'âme pleine d'amour et de mélancolie, / Et couché sous des fleurs et sous des orangers, / J'ai montré ma blessure aux deux mers d'Italie / Et fait dire ton nom aux échos étrangers. » Il fut un des premiers académiciens (1634).

Œuvres. *Philandre,* 1619 (P). – *Poésies,* 1646 (P). – *Lettres,* posth., 1653.

MAINE DE BIRAN, Marie François Pierre Gonthier de Biran, dit. Bergerac 29.11.1766 – Paris 20.7.1824. Après une brève carrière militaire qui s'acheva en octobre 1789, il se retira sur ses terres, près de Bergerac, pendant la Révolution. Il reprit une carrière civile sous l'Empire (sous-préfet, député au Corps législatif) et finit conseiller d'État sous la Restauration (1816). Cette carrière extérieure recouvre et cache une personnalité introvertie qui s'exprime dans son *Journal intime,* tenu à partir de 1792, publié intégralement en 1927, mais connu dès le XIXe s. C'est, dans un style à la fois confidentiel et tendu, une sorte de dialogue avec soi-même : s'y trouve retracé l'itinéraire spirituel d'une âme tourmentée qui s'achemine progressivement, et non sans à-coups, vers une conversion à Dieu, le Dieu du christianisme, alors qu'elle était partie d'une position proche de l'athéisme, celle des « idéologues » du début du siècle. Document psychologique exceptionnel, ce *Journal intime* inaugure et annonce de loin le goût pour une littérature de l'itinéraire spirituel qui caractérisera nombre d'œuvres des XIXe et XXe s., de Maurice de Guérin à Barrès, Mauriac, Green, Malègue, Bernanos – courant littéraire profond sur lequel l'influence, directe ou indirecte, de M. de B. sera déterminante. Il est aussi le grand précurseur du renouvellement de la psychologie qui triomphera plus tard avec Bergson : son *Essai sur les fondements de la psychologie et sur ses rapports avec l'étude de la nature* (1812) met l'accent sur l'analyse introspective de la conscience et, comme le *Journal intime,* annonce, un siècle à l'avance, les développements d'une littérature de la conscience, telle qu'elle s'épanouira par exemple chez Proust. Mal reconnu en son temps, M. de B. sera l'un des maîtres spirituels de la génération qui, à la fin du XIXe et au début du XXe s., tentera, en philosophie et en littérature, de réconcilier psychologie et spiritualité.

Œuvres. *L'Influence de l'habitude sur la faculté de penser,* 1802 (E). – *La Décomposition de la pensée,* 1805 (E). – *L'Aperception immédiate,* 1807 (E). – *Essai sur les fondements de la psychologie et sur ses rapports avec l'étude de la nature,* 1812 (E). – *Rapports du physique et du moral de l'homme,* 1814 (E). – *Nouvelles Considérations sur le sommeil, les songes et le somnambulisme,* 1817 (E). – *Observations sur le système du docteur Gall,* 1817 (E). – *Examen des leçons de philosophie de Laromiguière,* 1817 (E). – *Nouveaux Essais d'anthropologie,* posth., 1824 (E). – *Journal intime,* posth., 1927.

MAIRET Jean de. Besançon 4.1.1604 – 31.1.1686. Après de bonnes études à Paris, il connut très jeune le succès avec *Chryséide et Arimant, Sylvie, Silvanire, Virginie, Marc-Antoine.* Son chef-d'œuvre, *Sophonisbe,* lui valut de travailler sous les ordres de Richelieu et de jouer un rôle important dans les armes et dans la diplomatie. Après avoir participé activement à la « Querelle du *Cid* », il renonça à soutenir contre Corneille un combat inégal. Mazarin lui enjoignit de regagner Besançon, où il termina, après un ultime séjour à Paris, sa vie manquée d'homme d'État et de dramaturge. Le mérite de M. est d'avoir su introduire dans un sujet grave et pathétique, convenant à la tragédie, les finesses psychologiques jusque-là réservées à la pastorale. Il invente pour *Sylvie* et pour *Silvanire* le nom de « tragicomédie pastorale », qui, même si ces pièces restent fidèles, pour l'ensemble, au genre illustré par les *Bergeries* de Racan, témoigne déjà d'une conscience de l'évolution nécessaire des techniques dramatiques. *Sophonisbe,* qui renonce même aux artifices du romanesque, a été quelquefois considérée comme la première tragédie classique. Mais cette pièce, si elle respecte les unités de lieu et de temps, est construite sur deux actions distinctes ; l'atmosphère générale est plus pathétique que tragique, parce que les personnages s'abandonnent au malheur sans assumer le poids d'un dilemme : le spectateur éprouve de la pitié, mais non de la « terreur ». Il reste que M. eut l'intuition de ce que pouvait être une tragédie. Le génie seul lui manqua pour devancer Corneille.

Œuvres. *Chryséide et Arimant,* 1625 (T). – *Sylvie,* 1626 (T). – *Virginie,* 1628 (T). – *Sylvanire ou la Morte vive,* 1629 (T). – *Marc-Antoine ou la Cléopâtre,* 1630 (T). – *Les Galanteries du duc d'Ossonne,* 1632 (T). – *La Sophonisbe,* 1634 (T). – *Roland furieux,* 1636 (T). – *L'Illustre Corsaire,* 1637 (T). – *Athénaïs,* 1637 (T). – *Épître familière au sieur Corneille sur la tragicomédie du « Cid »,* 1637. – *Le Grand et Dernier Mustapha ou la Mort de Soliman,* 1639 (T). – *Sidonie,* 1643 (T). – *Œuvres poétiques,* s. d. – *La Sophonisbe,* éd. établie par Ch. Dédeyan, 1945, rééd. 1969.

MAISTRE Joseph, comte de. Chambéry 1.4.1753 – Turin 26.2.1821. Profondément marqué dès sa jeunesse par un mysticisme dont la source se trouve dans l'illuminisme du XVIIIe s., en particulier dans la pensée du « Philosophe inconnu », Saint-Martin, M. élabore une sorte de syncrétisme entre cette mystique teintée d'occultisme et un catholicisme rigoureux. Vivement affecté, alors qu'il est membre de la cour de justice du royaume de Sardaigne, par l'invasion de sa patrie, la Savoie, par les troupes révolutionnaires françaises, il traduit sa pensée en termes politiques, avec une force de logique et de style qui assurera son influence, dans ses *Considérations sur la France* ; il y présente la Révolution comme l'expiation consécutive aux suites politiques de l'erreur métaphysique, expiation qui seule peut permettre, dans une perspective providentialiste, une authentique restauration éclairée de l'ordre social. Le livre aura un retentissement considérable tout au long du XIXe s. et influencera la pensée politique aussi bien d'un Comte que d'un Maurras. Quant à l'idée de l'homme qui est sous-jacente à cette pensée politique, et selon laquelle la nature coïncide avec le mal, elle impressionnera fortement Baudelaire, qui trouvera en M., selon son propre mot, un de ses « intercesseurs ». L'autre grand ouvrage de M., *les Soirées de Saint-Pétersbourg,* écrit après son séjour en Russie comme ambassadeur (1802-1817), met en scène trois personnages, le Comte, le Sénateur et le Chevalier ; à travers leurs entretiens se développe le thème des rapports entre l'homme et la Providence : fidèle à la tradition illuministe, M. voit dans la nature humaine les traces d'une chute originelle et en tire les données du problème essentiel, qui est celui de la régénération de l'homme ; régénération qui, dans le plan providentiel, ne se peut opérer que par l'expiation : la souffrance de l'homme est juste, et, par exemple, la guerre est une loi de l'espèce, voulue par Dieu ; mais la guerre n'est qu'un cas exemplaire de cette loi d'expiation qui, grâce à son pouvoir purificateur, conduit l'humanité vers la restauration de son unité originelle : tel est le sens de l'histoire.

Œuvres. *Éloge de Victor Amédée III, duc de Savoie,* 1775 (E). – *Mémoire sur la franc-maçonnerie,* 1782 (E). – *Lettres d'un royaliste savoisien à ses compatriotes,* 1793 (E). – *Étude sur la souveraineté,* 1794-1796 (E). – *Considérations sur la France,* 1796 (E). – *Essai sur le principe générateur des constitutions politiques,* 1808 (E). – *Des délais de la justice divine,* 1815 (E). – *Du pape,* 1819 (E). – *De l'Église gallicane,* 1821 (E). – *Les Soirées de Saint-Pétersbourg ou Entretiens sur le gouvernement temporel de la Providence,* 1821 (E). – *Lettres à un gentilhomme russe sur l'Inquisition espagnole,* posth., 1822 (E). – *Examen de la philosophie de Bacon,* posth., 1826 (E). – *Lettres et Opuscules inédits,* posth., 1851. – *Mémoires politiques* *et Correspondance diplomatique,* posth., 1858. – *Correspondance,* posth., 1884-1886.

MAISTRE Xavier de. Chambéry 8.11.1763 – Saint Pétersbourg 12.6.1852. Frère du précédent. Après de médiocres études, il se fixa en Russie, s'y maria et devint général. Il a publié le délicieux et souriant *Voyage autour de ma chambre* et des nouvelles longtemps appréciées, non sans raison : *le Lépreux de la cité d'Aoste, les Prisonniers du Caucase, la Jeune Sibérienne.*

Dans ces différentes œuvres, qui furent célèbres puis tombèrent dans l'oubli, M. fait figure de précurseur : par sa sobriété narrative, par son sens de l'authenticité anecdotique, par la pure transparence de son langage, il crée cette distance entre le récit et sa matière qui sera le trait distinctif des maîtres de la nouvelle européenne moderne, Mérimée ou Pouchkine : il a su, le premier, mettre en œuvre une véritable esthétique de la brièveté.

Œuvres. *Voyage autour de ma chambre,* 1794, rééd. 1985 (N). – *Le Lépreux de la cité d'Aoste,* 1812, rééd. 1984, texte conforme à l'éd. de 1839 (N). – *Les Prisonniers du Caucase,* 1825 (N). – *La Jeune Sibérienne,* 1825 (N). – *Une Expédition nocturne autour de ma chambre,* 1825 (N).

Les Prisonniers du Caucase

Un gentilhomme russe, le major Kascambo, rejoint son poste dans le Caucase, où sévit la révolte des tribus indigènes. Surpris par un parti de Tchétchènes, il est fait prisonnier avec son ordonnance Ivan. Ils sont placés sous la surveillance d'un gardien cruel, Ibrahim, dont cependant le petit-fils suscite l'amitié du major, malade et enchaîné, tandis qu'Ivan se fait musulman pour gagner un peu de liberté. Un jour, les Tchétchènes vont attaquer un poste russe, et Ivan décide de tenter l'évasion ; mais il faut d'abord supprimer Ibrahim, sa belle-fille et son petit-fils. Lorsque Ivan, après avoir tué Ibrahim et sa belle-fille, s'apprête à porter la main sur le petit-fils, Kascambo tente de le retenir, mais sans succès. Les prisonniers réussiront à s'évader ; le major pourra se rétablir, grâce aux soins diligents d'Ivan, puis se marier, tandis que l'ordonnance accédera au grade de sous-officier.

MAJOR André. Montréal 22.4.1942. Écrivain québécois. Né d'un père métis et d'une mère d'ascendance écossaise, M. fait ses études au collège de Montréal puis chez les eudistes de Rosemont. Vers 1960, il exerce plusieurs métiers (apprenti-boulanger, facteur) puis collabore à la revue *Point de Vue* et aux pages littéraires du *Petit Journal.* Il suit alors des cours de journalisme et de philosophie et publie en 1961 deux recueils de poèmes, *Le froid se meurt* et *Holocauste à deux voix,* de facture classique et nourris de mythologie. C'est en 1963 qu'il devient secrétaire de Jacques Hébert aux éditions du Jour et participe à la fondation de la revue *Parti pris.* Après la publication de son premier roman, *Cabochon,* en 1964, M. écrit le scénario d'un long métrage pour Radio-Canada et très vite devient responsable de la chronique radio et télévision ainsi que de celle de littérature au *Devoir.* Son séjour d'un an en France en 1970 correspond à une pause dans sa carrière, nécessaire avant l'entrée dans une nouvelle période de création. À son retour, il reprend son métier de journaliste et réalise un grand nombre d'émissions culturelles à Radio-Canada. Il entreprend en 1974 une grande saga québécoise, *Histoires de déserteurs,* dont le troisième volet, *les Rescapés,* lui vaut le prix du Gouverneur général en 1977. Inscrite dans la thématique dite du « pays » qui a dominé le roman québécois des années 60, l'œuvre de M. s'en démarque très nettement aujourd'hui. Du *Cabochon* jusqu'au *Vent du diable,* fortement influencé par Félix-André Savard auquel il a consacré d'ailleurs un brillant essai, M. subit l'attrait de la campagne québécoise. Antoine, le héros de *Cabochon,* quitte la ville pour oublier le passé, mais il est frappé par l'état d'abandon de la nature environnante. Entre la ville qu'il a voulu fuir et la campagne qui le rejette, il hésite et s'aperçoit qu'il doit chercher ailleurs, en lui peut-être, l'espace vital dont il a besoin. Les élans lyriques et mythiques qui caractérisaient la prose de M. disparaissent totalement dans la trilogie qui privilégie au contraire un réalisme pur et une écriture des plus dépouillées. Cette rupture dans l'œuvre correspond à une prise de conscience du romancier et à une volonté délibérée de « dépoétiser le monde ». Les personnages, loin de fuir leur condition par la découverte de nouveaux espaces, échappent au poids de leur passé par la « désertion », c'est-à-dire la fuite hors du temps, de l'histoire et de l'espace même. Momo, l'un des personnages déserteurs, parvient à une sorte de *nulle part* métaphysique, le fond de la forêt, théâtre du silence, de la solitude et de l'effacement. Dans cet univers sans Dieu, lieu de l'inaccomplissement et de l'impossible édification, les personnages passent à côté de la vie sans lui donner de sens. Dans les nouvelles composant *la*

Folle d'Elvis, ils trouveront un dernier refuge dans la routine du quotidien. Rares sont les romanciers qui portent les techniques de composition romanesque à un tel point d'achèvement. *L'Épouvantail* en particulier « utilise toutes les ressources de l'art, depuis le monologue intérieur jusqu'à la rétroaction, en passant par la description et le monologue classique » (Ethier-Blais). De même, la prose, rigoureuse et souple, rend toute l'immédiateté complexe de la conscience des personnages.

Œuvres. *Le froid se meurt,* 1961 (P). – *Holocauste à deux voix,* 1961 (P). – *Nouvelles,* 1963 (N). – *Le Cabochon,* 1964 (N). – *La Chair de poule,* 1965 (N). – *Félix-Antoine Savard,* 1968 (E). – *Le Vent du diable,* 1968 (N). – *Poèmes pour durer,* 1969 (P). – *Le Désir,* suivi de *le Perdant* (pièces radiophoniques), 1973. – *Histoire de déserteurs : l'Épouvantail,* 1974 (N) ; *l'Épidémie,* 1975 (N) ; *les Rescapés,* 1976 (N). – *Une soirée en octobre,* 1975 (T). – *La Folle d'Elvis,* 1981 (N).

MALEBRANCHE Nicolas de. Paris 5.8.1638 – 13.10.1715. Fervent disciple de Descartes, prêtre et théologien, sa grande ambition est de christianiser le cartésianisme : tel est le sens de sa *Recherche de la vérité* et de ses *Méditations chrétiennes et métaphysiques.* Écrivain de talent, capable d'exprimer une pensée philosophique profonde et rigoureuse dans le langage des « honnêtes gens », il témoigne de la continuité et de la richesse du grand courant d'humanisme chrétien qui, de saint François de Sales à Fénelon – quels que soient les désaccords théologiques et philosophiques de M. avec celui-ci (*cf.* son *Traité de l'amour de Dieu*) –, traverse tout le XVIIe s.

Œuvres. *De la recherche de la vérité,* 1674 (E). – *Conversations chrétiennes,* 1676 (E). – *Méditations sur l'humilité et la pénitence,* 1677 (E). – *Traité de la nature et de la grâce,* 1680 (E). – *Méditations chrétiennes et métaphysiques,* 1683 (E). – *Traité de morale,* 1683 (E). – *Entretiens sur la métaphysique et la religion,* 1688 (E). – *Traité de la communication du mouvement,* 1692 (E). – *Entretiens sur la mort,* 1696 (E). – *Traité de l'amour de Dieu,* 1697 (E). – *Écrit contre la prévention,* 1704 (E). – *Entretien d'un philosophe chrétien et d'un philosophe chinois sur l'existence de Dieu,* 1708 (E). – *Réflexions sur la prémotion physique,* 1715 (E).

MALÈGUE Joseph Marie. La Tour d'Auvergne 8.12.1876 – L'Essongère, près de Nantes, 30.12.1940. Fils d'un notaire, il fit ses études à Clermont-Ferrand et à Versailles, puis au lycée Henri-IV – où il connut Bergson –, mais échoua deux fois au concours d'entrée à l'École normale supérieure (1901-1902). Après avoir hésité entre médecine et philosophie, il se lança dans de longues études juridiques et travailla comme précepteur dans une famille de l'aristocratie. Reçu docteur en droit et avocat en 1913, il n'exerça pas ; après son mariage (1923), il se consacra entièrement à la rédaction de son roman *Augustin ou le Maître est là,* qu'il fit paraître – non sans difficultés – en 1933. Après avoir publié divers articles de spiritualité, il mourut d'un ulcère à l'estomac, laissant inachevé un second roman, *Pierres noires ou les Classes moyennes du salut,* qui sera publié en 1958 et qui confirme l'importance – mal reconnue – de M. dans cette « littérature du spirituel » qu'ont illustrée Mauriac, Green, Bernanos ou Lesort. L'œuvre de M., représentée par deux romans de caractère « fluvial » quant à leur composition et à leur style, apparaît comme un confluent de courants divers, du bergsonisme proustien au sens de la réalité sociale, du lyrisme autobiographique au symbolisme d'un pittoresque original : originaire de la haute Auvergne, M. trouve, dans les paysages de son terroir et dans leurs relations profondes avec les êtres, la source d'une exceptionnelle synthèse de réalisme, de symbolisme et de spiritualité. Car la nostalgie et la quête d'une spiritualité de la transcendance, qui n'est autre que celle d'un christianisme redécouvert dans sa pureté, n'excluent pas, bien au contraire, un enracinement tout barrésien des personnages, surtout sensible dans *Pierres noires.* Quant à *Augustin,* histoire du fils d'un humble professeur, dont la vie est jalonnée par les réussites universitaires qui avaient manqué à son créateur, M. y décrit, avec un art consommé de la présence concrète, une inquiétude inhérente au tissu même de la vie ; il y a dans cette exploration du tragique du Temps quelque chose de proustien, certes, comme on l'a beaucoup dit, mais l'originalité de M. n'en est point diminuée : car ici le tragique du Temps, comme chez Pascal, pose à chaque homme directement et personnellement le problème du salut, et c'est en ce sens qu'Augustin est un être de chair, fortement individualisé, et en même temps un signe, un signe de l'homme universel. Dans ce livre d'une exceptionnelle densité, l'histoire a aussi sa part, sous la forme de l'actualité sociale ou intellectuelle : description satirique ou humoristique des milieux mondains, évocation de la crise moderniste et des difficultés de l'agnosticisme (comme dans le *Jean Barois* de Martin du Gard, où cette crise et ces difficultés sont vues d'un regard plus superficiel que dans *Augustin).* Enfin l'observation psychologique des effets de la maladie et de la souffrance dans le processus de rédemption qui est le fil conducteur de la vie d'Augustin Méridier donne lieu à des analyses d'une profondeur rarement atteinte. M. est sans aucun doute l'un des auteurs les plus fâcheusement méconnus de la première moitié du XXe s.

Œuvres. *Augustin ou le Maître est là,* 1933 (N). – *Pierres noires ou les Classes moyennes du salut,* posth., 1958 (N). – *Sous la meule de Dieu et autres contes,* posth., 1965 (N).

MALHERBE François de. Caen 1555 – Paris 16.10.1628. Issu d'une famille de magistrats, il poursuivit d'excellentes études jusqu'aux universités de Bâle et de Heidelberg ; mais, répugnant à la carrière juridique, il fut d'abord secrétaire d'Henri d'Angoulême à Aix et publia ses premières poésies, dont *les Larmes de saint Pierre,* d'inspiration nettement « baroque » selon la tendance dominante de l'époque. Privé d'appui par la mort d'Henri d'Angoulême et par celle d'Henri III, il mena pendant quinze ans, entre Caen et la Provence, une vie instable, difficile, mais riche de rencontres littéraires, sans se résoudre toutefois à publier plus d'une quinzaine d'œuvres. Précédé d'une réputation flatteuse, il se fixa à Paris en 1605 et remplit la fonction un peu humiliante de poète de la Cour avec un sérieux et une conscience inaccoutumés. En même temps, il jouait le rôle d'un chef d'école, représentant désormais de la réaction classique à la tentation baroque, auprès d'élèves dont l'histoire a surtout retenu Mainard et Racan. Il subit une éclipse sous le règne de Louis XIII, et ses dernières années furent marquées par les désordres et la mort de son fils. Son œuvre de théoricien est plus célèbre que son œuvre de poète. Il compose lentement et publie peu ; son inspiration se limite presque exclusivement à des poésies amoureuses, dénuées de sentiment vrai parce qu'écrites sur commande pour des grands, et à des poésies officielles dont la hauteur d'inspiration et la puissance souvent réelles disparaissent sous les exagérations et sous l'emphase servile. Il reste que M. est moins froid que ne le laissent entendre la tradition et la rigueur de ses préceptes ; homme de son temps et de son milieu, il ne s'interdit pas le brillant des procédés baroques, invention exubérante et métaphores filées. Surtout, la discipline qu'il s'impose rend possibles d'admirables réussites, que permet seule la perfection de l'expression. Sans doute Ronsard, Desportes même avaient tenté, dans la mesure de leurs moyens, de purifier leur poésie des licences trop familières à la Pléiade ; Bertaut pour les vers et du Vair pour la prose avaient entrepris une vaste rénovation de l'expression. Mais nul n'avait poussé si loin la recherche théorique, nul n'avait osé critiquer Homère même et Virgile. En donnant toute leur rigueur aux exigences formelles, et en renonçant aux genres mineurs, M. ouvre la voie à la poésie classique. Il choisit scrupuleusement son vocabulaire en se fondant sur l'usage et bannit les apports abusifs de la Pléiade. Il condamne les licences grammaticales (ellipse, inversion, tours archaïques). Il donne à tous les problèmes techniques du poète (hiatus, césure, rime) des solutions qui resteront incontestées jusqu'au romantisme et se penche même sur les difficiles questions de la sonorité et du rythme. En tout il fait triompher les deux vertus classiques : ses préceptes grammaticaux et métriques, son refus des images incohérentes ne visent que la clarté et la raison. Au XVIIe s., seuls quelques « libertins » refusent ses leçons, alors que la force et l'équilibre de sa poésie servent de modèle aux plus grands créateurs. Sa situation de poète de cour, son exigence de perfection poussée jusqu'à la stérilité et sans doute aussi une certaine absence de sensibilité l'ont empêché de nous laisser les plus beaux monuments de la poésie classique.

Œuvres. *Larmes sur la mort de Geneviève Rouxel,* 1575 (P). – *Les Larmes de saint Pierre,* 1587 (P). – *Instruction à son fils,* 1590. – *Consolation à Dupérier sur la mort de sa fille,* 1598-1599 (P). – *Les Muses françaises ralliées de diverses parts* (recueil collectif), 1598, 1599, 1603 (P). – *Ode à Marie de Médicis sur sa bienvenue en France,* 1600 (P). – *Prière pour le roi,* 1605 (P). – *Le Parnasse des plus excellents poètes de ce temps* (recueil collectif), 1607 (P). – *Commentaire sur Desportes,* v. 1608 (E). – *Nouveau Recueil des plus beaux vers de ce temps,* 1609 (P). – *Ode à Marie de Médicis sur les succès de sa Régence,* 1610 (P).– *Stances sur la mort de Henri le Grand,* 1610 (P). – *Vers du sieur de Malherbe à la reine,* 1611 (P). – *Les Délices de la poésie française* (recueils), 1615, 1620, 1621 (P).– *Paraphrase du Psaume CXLV,* vers 1625. – *Ode à Louis XIII allant châtier la rébellion des Rochellois,* 1628 (P). – *Œuvres de maître François de Malherbe,* posth., 1630.

MALLARMÉ Étienne, dit **Stéphane.** Paris 18.3.1842 – Valvins (Seine-et-Marne) 9.9.1898. Son père, Numa, devenu veuf en 1847, se remarie cinq ans plus tard ; l'enfant ne connaît guère le bonheur dans les diverses pensions où se déroulent ses études (à Passy, puis au lycée de Sens, où il obtient son baccalauréat en 1860). Jeune lecteur de poésie, il est bouleversé par les *Poésies complètes* de Gautier mais surtout, en 1861, par *les Fleurs du mal,* dont vient de paraître la deuxième édition. À Sens, il rencontre Maria Gerhard, demoiselle de compagnie allemande, plus âgée que lui ; il part pour Londres avec elle en novembre 1862 et l'épouse le 10 août 1863, peu après la mort de son père. Chargé de cours d'anglais au lycée de Tournon, il se lie avec les poètes Glatigny, Aubanel, Mistral. Il a déjà publié quelques vers ; en 1864, année où naît sa fille Geneviève, il écrit « l'Azur » et travaille à *Hérodiade* ; l'année suivante, il commence le *Faune* et compose « Sainte ». La parution de dix de ses poèmes dans *le Parnasse contemporain* commence à faire connaître son nom (1866). Après un bref passage à Besançon, il est nommé au lycée d'Avignon ; les dernières années du second Empire sont marquées pour lui par de graves ennuis d'argent ; *le Parnasse* refuse ses fragments d'*Hérodiade.* Mis en congé en janvier 1870, il ne retrouve un poste régulier qu'à la rentrée 1871, au lycée Fontanes, à Paris (aujourd'hui lycée Condorcet) ; comme poète, il devient célèbre : ami de Verlaine, qui lui présente Rimbaud, de Manet, chez qui il rencontre Zola, il écrit le « Tombeau » de Théophile Gautier, « Toast funèbre », mais se voit refuser par Lemerre *l'Après-midi d'un faune.* Depuis 1862, il publie régulièrement des traductions des poèmes de Poe : le volume définitif paraîtra en 1888. Dès 1880 se tiennent à son domicile, 87, rue de Rome, les fameux « mardis » : ce salon littéraire fit plus pour la renommée du poète que sa tentative de revue élégante, *la Dernière Mode* (1874-1875). Célébré par Verlaine dans *les Poètes maudits* (1884), il envoie à ce dernier une longue et précieuse lettre autobiographique (16 novembre 1885). Tandis qu'il continue de passer d'un poste à l'autre (Janson-de-Sailly ; collège Rollin), paraissent ses *Poésies,* éditées par la *Revue indépendante* de Fénéon. Après avoir tenté en vain de faire secourir Villiers de l'Isle-Adam, il prononce après la mort de ce dernier plusieurs conférences en Belgique et à Paris (1890). Les « mardis » accueillent des débutants : Valéry, Gide, Louÿs, H. de Régnier ; Debussy, qui a déjà mis en musique des poèmes de M. (« Apparition »), fait créer en 1894 le célèbre *Prélude à l'après-midi d'un faune.* M., la même année, prend sa retraite de professeur, ce qui lui laisse tout loisir pour présider de nombreux banquets littéraires et faire des tournées de conférences. Élu prince des poètes (1896), il travaille encore à *Hérodiade* lorsqu'il est saisi par un spasme mortel dans sa maison de Seine-et-Marne, à cinquante-six ans.

Si M. a toujours considéré la mission du poète comme un sacerdoce (mais Ch. Mauron parle plus adéquatement de « retranchement » : le poète est d'abord un homme seul), sa conception de la poésie elle-même et sa technique ont évolué. Les premiers poèmes (jusqu'en 1865 environ), écrits sous le signe de Baudelaire, opposent le réel à l'Idéal, « ciel antérieur où fleurit la beauté » ; ils sont déjà centrés sur l'image de Marie, la sœur du poète (1844-1857), dont la disparition hantera toute son œuvre. Dès ces premiers essais, l'angoisse de M. est plus métaphysique que morale (importance du thème symbolique de la fenêtre). Les années qui précèdent la guerre de 1870 sont pour M. celles d'une grave crise dépressive : chez lui, le danger de pauvreté se confond avec la possibilité de la démence ; la peur de la stérilité pèse déjà en lui de toute sa force. C'est en 1866 que se dessine avec netteté la vision du Livre, bloc littéraire unique et parfait dont tout ce que le poète pourra écrire jusqu'à sa mort ne sera que bribes. Les deux grands fragments de cette œuvre sont *Hérodiade* et le *Faune* : chacun d'eux a dominé l'une des deux périodes principales de la vie de M. Le séjour en province (1862-1870) est centré sur *Hérodiade,* qu'il s'agisse du drame lui-même – dont ne seront écrits que l'« Ouverture ancienne » (monologue de la Nourrice), une scène entre Hérodiade et la Nourrice et, plus tard, un intermède lyrique (le « Cantique de saint Jean ») – ou des poèmes qui mêlent son image à celle de Marie Mallarmé (Hérodiade inaccessible dans « Las de l'amer repos », approchée dans « Apparition », idéal qu'atteindre serait sacrilège dans « Fenêtre », « Pauvre Enfant pâle », « l'Azur »). Le séjour parisien, lui, est dominé par le personnage du poète lui-même, dont le faune est une représentation : si *Hérodiade* est l'œuvre de la pureté paralysante, le *Faune* laisse exploser au contraire un élan sensuel, reflet de la conquête par M. de la gloire et de l'amour (liaison avec Méry Laurent) – mais le poète, après avoir chanté le monde, semble réduit au silence ; tous les « toasts », « tombeaux », hommages (on a dit à quel point l'œuvre de Mallarmé était « de circonstance ») sont autant de coups frappés par la Mort, et même la tentative d'assomption du destin que représente *Un coup de dés jamais n'abolira le Hasard* ne peut modifier l'apparence de l'œuvre, gagnée peu à peu par les forces du Néant. M. est-il hermétique ? Assurément, la « Prose pour Des Esseintes » confirme l'avènement d'une période ésotérique : la pratique de l'hyperbole (passage implicite de l'apparence à la réalité cachée) et la dislocation syntaxique ne facilitent pas la lecture. Outre une tendance naturelle au raffinement et à la concision, M. a voulu, ce n'est pas douteux, créer une « langue de prêtres » ; en faisant le pari de casser le vocabulaire et la phrase à l'intérieur même du sonnet régulier, en cherchant la rime rare et le mot inconnu, il a créé un univers clos, où l'on n'entre que par effraction. Mais ce n'est pas là une orientation contradictoire aux choix de sa jeunesse : dans la fameuse phrase : « Je dis : une fleur, et aussitôt se lève, idée même et suave, l'absente de tout bouquet » (« Avant-dire », 1886), M. ne parle pas d'abstraire, mais au contraire d'*évoquer* avec la plus grande force, par la suppression de la contingence. Dès la dix-huitième année, son mythe personnel est fixé : c'est, à travers une sœur aimée et disparue (« abolie »), celui de la pureté perdue ; de « l'Azur » aux dernières lignes ébauchées d'*Hérodiade*, sa seule tentative est pour la retrouver. L'évolution se situe dans une épuration du langage poétique, qui reste toutefois syntaxiquement compréhensible : peintre, M. fût resté figuratif – et il n'eût probablement pas compris les surréalistes, dont la gratuité est contraire au sérieux de sa quête. Contempler l'œuvre de M., lorsqu'on devine l'œuvre qu'il entrevoyait, équivaut à un tragique constat d'échec ; cependant, que de beautés dans ces pathétiques ébauches où l'évocation du réel sombre fatalement dans une évocation du Néant !

Œuvres. « Premiers poèmes », dans *l'Artiste,* 1862 (P). – « Hérésie artistique : l'Art pour tous », dans *l'Artiste,* 1862 (E). – « Dix Poèmes », dans *le Parnasse contemporain* (premier fascicule), 1866 (P). – « Hérodiade », dans *le Parnasse contemporain* (second fascicule), 1871 (T). – « Toast funèbre », dans *le Tombeau de Gautier,* octobre 1873 (P). – « Poèmes en prose », dans *l'Art libre,* s. d. – « Le Corbeau » (trad. d'Edgar Poe), dans *la Renaissance artistique et littéraire,* 1874. – « Le Démon de l'analogie », dans *la Revue du monde nouveau,* 1874 (E). – *La Dernière Mode, gazette du monde et de la famille,* septembre 1874-janvier 1875. – *L'Après-midi d'un faune,* 1876 (P). – Préface au *Vathek* de Beckford, 1876 (E). – *Le Tombeau d'Edgar Poe,* dans un recueil américain, 1877 (P). – *Les Mots anglais, petite philologie à l'usage des classes et du monde,* 1878 (E). – « Prose pour Des Esseintes », dans *la Revue indépendante,* 1885. – Avant-dire au *Traité du Verbe* de René Ghil, 1886 (E). – *Les Poésies de Stéphane Mallarmé,* 1887 (P). – *Album de vers et de prose,* 1887. – *Les Poèmes d'Edgar Poe* (trad. illustrée par Manet), 1888. – *Villiers de l'Isle-Adam* (conférence), 1890. – *Pages,* recueil de vingt textes parus en revue de 1865 à 1890, 1891. – *Vers et Prose* (morceaux choisis), 1893. – *La Musique et les Lettres* (conférence), 1895. – *Berthe Morisot* (préface au catalogue de son exposition), 1896. – « Divagations », recueil d'études parues dans *la Revue blanche* en 1895-1896 sous le titre : « Variations sur un sujet », 1897 (E). – « Un coup de dés jamais n'abolira le Hasard », dans la revue *Cosmopolis,* 1897. – *Les Poésies de Stéphane Mallarmé* (éd. augm.), posth., 1899 (P). – *Madrigaux* (ill. par R. Dufy), posth., 1920. – *Vers de circonstance,* posth., 1920. – *Autobiographie* (lettre à Verlaine écrite en 1885), posth., 1924. – *Igitur ou la Folie d'Elbehnon* (écrit en 1869), posth., 1925 (P). – *Quant au livre,* posth., 1926. – *Contes indiens,* posth., 1927 (N). – *Thèmes anglais,* posth., 1937. – *Éventail,* posth., 1941 (P). – *Les Noces d'Hérodiade* (1re éd. critique), posth., 1959 (T). – *Pour un tombeau d'Anatole* (fils du poète), 1870-1879, posth., 1961 (P). – *Les Gossips de Mallarmé,* posth., 1962. – *Nursery Rhymes,* posth., 1964. – *Correspondance avec Whistler,* posth., 1964. – *Correspondance* II, posth., 1965. – *Correspondance* III, posth., 1969. – *Correspondance IV,* posth., 1973. – *Correspondance V,* posth., 1981. – *Correspondance VI,* posth., 1981. – *Correspondance VII,* posth., 1982. – *Correspondance VIII,* posth., 1983. – *Correspondance IX,* posth., 1983. – *Œuvres complètes.* t. I, *Poésies,* 1983. – *Correspondance X,* posth., 1984. – *Correspondance XI,* supplément, errata et addenda aux t. I à X (1862-1898), index général, 1985.

Hérodiade

Ce devait être un drame, dont M. n'a écrit que des fragments. Outre l'intermède lyrique du « Cantique de saint-Jean » ont été composées : l'« Ouverture », monologue d'exposition placé dans la bouche de la Nourrice ; une scène entre la Nourrice et Hérodiade, qui montre la jeune vierge face à son image dans le miroir, inquiète d'y percevoir, au-delà de la pureté, au cœur même de cette pureté, les drames de la tentation, de la corruption et de l'imperfection.

L'Après-midi d'un faune
En pleine chaleur sicilienne, un faune rêvait ; si beau ce songe, qu'il en veut perpétuer le charme sensuel et poétique par la magie de son chant et de sa musique. Magie qui l'emporte au-delà de lui-même et de son rêve, dans le tumulte de la passion et la violence des désirs. Il n'y échappera qu'en retombant dans le sommeil.

MALLEFILLE Jean Pierre Félicien. Île Bourbon (la Réunion) 3.5.1813 – Le Cormier (Yvelines) 24.11.1868. D'une famille de marins et de colons, il vint en France dès 1822. Il obtint très jeune le succès avec deux drames, *Glenarvon* et *les Sept Infants de Lara,* et poursuivit sa carrière à la scène et comme romancier. Délégué du gouvernement au Portugal lors de la révolution de 1848, il s'opposa au coup d'État du Deux-Décembre et, jusqu'à sa mort, resta fervent républicain. Grand voyageur, il donne à son œuvre couleur et force ; écrivain d'une rare conscience, il polit son style jusqu'à lui conférer souvent plus de raideur que de séduction ; polémiste redoutable, il avait, comme homme, et garde, comme écrivain, la vigueur et l'énergie que l'on refuse d'ordinaire aux créoles. M. est injustement méconnu, car son talent surpasse de loin celui des auteurs officiels du second Empire.

Œuvres. *Glenarvon,* 1835 (T). – *Les Sept Infants de Lara,* 1836 (T). – *Le Paysan des Alpes,* 1837 (T). – *Randal,* 1838 (T). – *Tiégault le loup,* 1839 (T). – *Les Enfants blancs,* 1841 (T). – *Psyché,* 1842 (T). – *Le Capitaine La Rose,* 1843 (N). – *Marcel,* 1845 (N). – *Forte Spada,* 1845 (T). – *Le Roi David,* 1846 (T). – *Le Cœur et la Dot,* 1852 (T). – *Le Collier,* 1855 (N). – *Les Mères repenties,* 1858 (T). – *Les Sceptiques,* 1867 (T). – *Les Mémoires de Don Juan* (inach.), 1868 (N).

MALLET-JORIS Françoise, Françoise Lilar, dite. Anvers 6.7.1930. Très tôt mise en contact avec le monde des lettres (sa mère, Suzanne Lilar, est membre de l'Académie royale de Belgique), elle fit ses études d'abord dans sa ville natale, puis dans une université américaine (Pennsylvanie) avant d'obtenir sa licence ès lettres à Paris. C'est à dix-huit ans qu'elle commence à écrire *le Rempart des béguines,* qui fera d'elle, auprès de Françoise Sagan, une des figures de proue de cet épanouissement de la littérature féminine si caractéristique des années 1950-1970. Ce premier roman causa d'ailleurs, par son sujet – qui fait une place centrale à l'homosexualité féminine –, une sorte de scandale. Mais F. M.-J. y apparaît déjà comme une romancière qui dispose d'un style vigoureux au service d'une lucidité finalement toute classique ; lucidité qui évoluera très rapidement dans le sens d'une quête passionnée de la vérité spirituelle sans que la romancière renonce à la franchise de ses descriptions, à la sincérité de ses analyses psychologiques ; ce qui, d'ailleurs, donne naissance souvent à une sorte d'humour fort original, humour auquel elle donnera libre cours dans *la Maison de papier.* Cet humour sert aussi de style à la révolte contre les faux-semblants et les hypocrisies qui est le fond le plus constant de l'œuvre de F. M.-J. Mais cette révolte n'exclut pas le souci de manifester la présence de la pureté et de l'intégrité morales (*Mensonges*). Cette recherche d'authenticité, à travers les accidents et méandres de l'éducation sentimentale d'un être fait de pure innocence, inspire ce qui est peut-être le chef-d'œuvre de la romancière, en tout cas son œuvre la plus caractéristique, *Allegra,* histoire à la fois humoristique et pathétique, et finalement tragique, de ce modèle de féminité qu'est l'héroïne dont le nom sert de titre à ce roman : au-delà de l'humour et de la révolte, apparaît ici en plein lumière cette quête de la vérité qui confère à l'œuvre de F. M.-J. une dimension discrètement autobiographique et qui aboutira à la conversion de la romancière au catholicisme, conversion à la suite de laquelle elle écrira un livre de confession personnelle, *Lettre à moi-même,* et des études romancées sur des phénomènes mystiques et, à travers eux, sur les problèmes posés par la foi (*les Signes et les Prodiges ; Trois Âges de la nuit*). Acad. Goncourt, 1970.

Œuvres. *Le Rempart des béguines,* 1951 (N). – *La Chambre rouge,* 1955 (N). – *Les Mensonges,* 1956 (N). – *Cordelia,* 1956 (N). – *L'Empire céleste,* 1958 (N). – *Les Personnages,* 1961 (N). – *Lettre à moi-même,* 1963. – *Marie Mancini, le premier amour de Louis XIV,* 1965. – *Les Signes et les Prodiges,* 1966 (N). – *Trois Âges de la nuit* (histoires de sorcellerie), 1968 (N). – *La Maison de papier,* 1970 (N). – *Le Roi qui aimait trop les fleurs,* 1971 (N). – *Les Feuilles mortes d'un bel été,* 1973 (N). – *Le Jeu du souterrain,* 1973 (N). – *J'aurais voulu jouer de l'accordéon,* 1976. – *Allegra,* 1976 (N). – *Jeanne Guyon,* 1978 (E). – *Dickie Roi,* 1979 (N). – *Un chagrin d'amour et d'ailleurs,* 1981 (N). – *Le Clin d'œil de l'ange,* 1983 (N).

Le Rempart des béguines

Récit d'une éducation sentimentale, celle d'Hélène, amoureuse de la maîtresse de son père, Tamara (qui habite – nous sommes en Belgique – « sous le rempart des béguines ») : Hélène est prise entre cet amour pour Tamara, qui la domine et l'envoûte, et l'amour de Tamara et de son père, qui déclenche l'expérience de la jalousie. Lorsque Tamara accepte d'épouser son amant, Hélène se trouve seule face à son propre drame et devra puiser dans cette solitude de quoi surmonter son désespoir d'adolescente.

L'Empire céleste

Montparnasse, un médiocre restaurant grec à l'enseigne – inattendue – de *l'Empire céleste,* au rez-de-chaussée d'un immeuble où habite le personnage central, Stéphane, musicien raté qui se prend pour un héros en puissance, porteur d'un message qu'il tente de délivrer dans les frontières restreintes du tout petit monde dont il se croit le centre. Plongé dans ce milieu dérisoire, condamné à une vie qui ne l'est pas moins, il poursuit ainsi, entouré de toute une population pittoresque, qui ne sait si elle doit lui ouvrir les yeux ou l'entretenir dans son illusion, un rêve de grandeur pitoyable et touchant.

MALONGA Jean. Brazzaville 1907. Écrivain congolais. Il fit ses études secondaires à la mission catholique. Dès 1946, il siégea à l'Assemblée nationale française. On retient surtout son roman *Cœur d'Aryenne,* qui a pour thème l'amour et le racisme. Avec *la Légende de M'PFoumou ma Mazono,* l'idéalisme révolutionnaire de l'auteur aborde le problème de la tradition, qu'il s'agit de fortifier en la rendant plus juste et plus humaine, pour la mettre à même de résister aux assauts du monde moderne.

Œuvres. *Cœur d'Aryenne,* 1954 (N). – *La Légende de M'PFoumou ma Mazono,* 1954, rééd. 1973 (N). – *La Légende des chutes de la Lufulakari* (chronique), inédit. – *Bandouzi et l'Avenir* (chronique), inédit. – *Nia ma Badi, le garde* (chronique), inédit.

MALOT Hector Henri. La Bouille (Seine-Maritime) 20.5.1830 – Fontenay-sous-Bois 17.7.1907. Bien qu'il ait été, dans les colonnes de *l'Opinion nationale,* un critique littéraire très écouté, c'est comme auteur de romans idéalistes qu'il acquit une célébrité encore vivace de nos jours. Certes, on ne lit plus guère ses autres ouvrages, mais nul ne se résigne à laisser au grenier le célèbre *Sans famille,* dont les vertus attendrissantes semblent aussi étonnamment intactes que celles des romans de la comtesse de Ségur. Épopée d'un orphelin, cette longue histoire, riche en drames et en violences, est ponctuée par les soucis humanitaires d'un auteur très au fait des réalités sociales. M. a voulu récidiver, mais, conformément au dicton, réussit beaucoup moins bien l'évocation du bonheur que celle des malheurs de son héros *(En famille).* Il a donné une bio-bibliographie de lui-même dans *le Roman de mes romans.*

Œuvres. *Victimes d'amour,* I *les Amants,* 1859 (N). – *Les Amours de Jacques,* 1860 (N). – *La Vie moderne en Angleterre* (recueil d'articles), 1862. – *Victimes d'amour,* II *les Époux,* 1865 ; III *les Enfants,* 1866 (N). – *Les Aventures de Romain Kalbris,* 1869 (N). – *Une bonne affaire,* 1870 (N). – *Mme Obernin,* 1870 (N). – *Suzanne,* 1872 (N). – *Un curé de province,* 1872 (N). – *Un miracle,* 1872 (N). – *Un mariage sous le second Empire,* 1872 (N). – *La Belle Madame Donis,* 1873 (N). – *L'Auberge du monde* (4 vol.), 1875-1876 (N). – *Les Batailles du mariage* (3 vol.), 1877 (N). – *Sans famille,* 1878 (N). – *Le Docteur Claude* (2 vol.), 1879 (N). – *La Bohème tapageuse* (3 vol.), 1880 (N). – *En famille,* 1893 (N). – *Le Roman de mes romans,* 1896 (N).

MALRAUX André. Paris 3.11.1901 – Créteil 23.11.1976. Fils de banquier, étudiant à l'École des langues orientales, il se passionne déjà pour la littérature et l'archéologie, mais reste dans le domaine de la fantaisie *(Lunes en papier ; Écrit pour une idole à trompe).* Son départ pour l'Extrême-Orient (1923) marque le début d'une autre vie : expéditions archéologiques, luttes révolutionnaires, engagement politique en Indochine et en Chine. De retour en Europe (1927), il publie *les Conquérants,* récit de la grève générale à Canton, puis *la Voie royale,* où s'entremêlent la recherche et le trafic des antiquités et l'obsession du pouvoir, la volonté de « laisser une trace sur la carte ». Enfin *la Condition humaine* (prix Goncourt 1933) raconte le soulèvement communiste de Chang-hai en 1927 et la répression féroce menée par Chang Kaï-chek, approuvé par Moscou, après sa victoire sur les gouvernementaux du Nord. En 1933, M. milite, aux côtés de Gide, contre le fascisme et le nazisme ; en 1936, il fait partie des Brigades internationales et joue un rôle important dans la guerre d'Espagne. Il écrit *l'Espoir* (qu'il traduit lui-même en film, sous le titre *Sierra de Teruel*), récit de différents épisodes de la lutte : face aux franquistes s'opposent ceux qui veulent *être* (les anarchistes, qui rêvent de « perpétuer l'Apocalypse », quitte à courir à la catastrophe) et ceux qui veulent *faire* (les communistes, décidés à « organiser l'Apocalypse », même au prix de l'abandon de certains idéaux). *Le Temps du mépris* cherchait déjà la solution de ces problèmes. Prisonnier en 1940, M. s'évade, est blessé dans la Résistance où, sous le nom de Colonel Berger, il commande les maquis de Corrèze et les organise en « brigade Alsace-Lorraine » ; à la Libération, il sera ministre de l'Information du général de Gaulle (1945-1946) ; de *la Lutte avec l'ange,* mutilé par la Gestapo et inachevé, restent en partie *les Noyers de l'Altenburg.* Après le départ de De Gaulle, M., déçu par la politique, se tourne vers la réflexion sur l'art et publie *Saturne, essai sur Goya, la Psychologie de l'art, les Voix du silence, le Musée imaginaire, la Métamorphose des dieux.* Prophète du gaullisme, secrétaire général du R.P.F., ministre d'État chargé des Affaires culturelles après le retour du général de Gaulle au pouvoir (1958-1969), il n'en continue pas moins son œuvre d'écrivain *(Antimémoires)* et de critique *(le Triangle noir).* Après le départ du général de Gaulle en 1969, M. renonce définitivement à toute activité politique et se consacre à une méditation d'allure testamentaire sur les grandes interrogations qui n'ont jamais cessé de le hanter : la mort, l'histoire, le destin.

Car l'homme est « le seul animal qui sache qu'il doit mourir » : tout le problème est là. Comment faire de sa vie et de sa mort quelque chose qui ne soit pas un absurde hasard subi sans conscience ? Que ce soit par l'action, en particulier politique, ou par l'art, l'homme a pour raison d'être de fonder, en lui-même et dans le monde, un « antidestin », et d'assumer le tragique de l'histoire pour témoigner de ce qu'il a voulu : la présence incessante de la mort oblige au courage et à la lucidité. D'où la prépondérance évidente, dans l'œuvre de M., de l'intellectuel ou, plutôt, de ce modèle humain que caractérise l'engagement au service de l'esprit, « celui dont une idée, si élémentaire soit-elle, engage et ordonne la vie ». Mais, pour l'intellectuel qu'est M., son expérience de l'homme est celle de l'action et de la création : à la fois agnostique et obsédé par les religions et les manifestations du sacré, il ne cesse de percevoir la mort comme une interrogation sans réponse intellectuelle : il n'est de réponse que dans l'*acte* ou dans l'*œuvre.* Ainsi se tourne-t-il vers l'homme qui agit, le héros, avec une préférence pour celui qui agit contre l'histoire et en même temps dans l'histoire – de Gaulle, par exemple –, et vers l'homme qui crée, l'artiste. Mais il y a aussi un héroïsme collectif : M. sait reconnaître, pour l'avoir éprouvée, la fraternité qui unit dans la lutte le héros et le peuple de ceux qui vivent au jour le jour : « Le courage aussi est une patrie » ; car l'expérience de la fraternité, au cœur même de la guerre, répond à l'interrogation métaphysique sur le mal : « Je cherche la région cruciale de l'âme où le Mal absolu s'oppose à la fraternité » *(Lazare). La Condition humaine* évoque la naissance difficile, heurtée, de cette fraternité et l'oppose à l'action frénétique de Tchen, le terroriste solitaire brûlé par le besoin d'un héroïsme désespéré et égocentrique. Aussi M., dans sa vie publique et personnelle comme dans sa création littéraire, a-t-il fait un choix, et s'y est-il tenu indéfectiblement : puisque le destin est la loi de l'histoire et la mort la loi de la condition humaine, le propre de l'homme est de transformer son histoire et sa mort en antidestin ; lorsque M. déclare qu'en 1940 il a « épousé la France », fonde par là son adhésion au gaullisme et proclame la primauté politique de l'idée nationale, c'est que cette idée – présente d'ailleurs comme une idée force dans les œuvres antérieures à 1940 et qui explique aussi la constante anticolonialiste de la pensée politique de M. – est une création humaine et par là un antidestin, une manière de dire *non* à l'histoire : lorsque les soldats allemands du front de la Vistule, lors de la première attaque par les gaz, en 1916, reculent pour tenter de sauver les soldats russes gazés et manifestent ainsi une victoire, fût-elle éphémère, de la fraternité sur la mort ; lorsque, pour honorer les blessés de la guerre civile ou les morts du maquis, les paysans espagnols ou de vieilles paysannes corréziennes font la haie, c'est encore une manière, qui n'appartient qu'à l'homme, de dire *non* à l'histoire et à la mort. Enfin, le recours de l'homme créateur à l'art, autre *acte* purement humain, remplit la même fonction, car l'art est négation du temps et négation du néant, et, par là, expression spirituelle de l'indispensable *non* à l'histoire et à la mort. Tel est le sens de toute l'œuvre « esthétique » de M. mais aussi de ces ouvrages, inaugurés par les *Antimémoires (le Miroir des limbes,* I), où il passe en revue les héros politiques, de De Gaulle à Mao Tsé-toung, en même temps qu'il confronte les civilisations, non pour insister sur leurs différences ou leur relativité, mais pour en repérer les convergences, car, si, par leurs différences, élément historique, les civilisations relèvent du destin, c'est par leurs convergences, dans l'ordre politique comme dans l'ordre esthétique, qu'elles relèvent de la création humaine, donc de la négation du destin et de la victoire sur le temps. Rien n'est, à cet égard, plus significatif que les pages consacrées par M., dans *Hôtes de passage,* à Alexandre, le héros du dépassement, par l'action humaine, des différences historiques entre civilisations.

Dans cette œuvre abondante, multiforme, apparemment diverse ou contradictoire, œuvre qui coïncide avec une vie, mais dont le ton, le style et la rhétorique manifestent l'unité profonde, s'épanouit, avec une remarquable constance, le thème héroïque : elle est jalonnée par l'inlassable dégagement des grandes images héroïques de l'humanité, images qui, certes, peuvent être, et sont souvent, des hommes, mais qui sont aussi des œuvres, des actions, des textes, et tout aussi bien des rêves et des songes. Pour reprendre une métaphore célèbre de M. lui-même, son œuvre est, tout entière, avec une remarquable cohérence, le musée imaginaire des négations humaines du temps et du destin.

Œuvres. *Lunes en papier,* 1921 (N). – *Écrit pour une idole à trompe,* 1921 (N). – *La Tentation de l'Occident,* 1926 (E). – *Royaume farfelu,* 1928 (N). – *Les Conquérants,* 1928 (N). – *La Voie royale,* 1930 (N). – *La Condition humaine,* 1933 (N). – *Le Temps du mépris,* 1935 (N). – *L'Espoir,* 1937 (N). – *Les Noyers de l'Altenburg* (inach.), 1943 (N). – *Esquisse d'une psychologie du cinéma,* 1946 (E). – *La Psychologie de l'art :* I *le Musée imaginaire,* 1947 ; II *la Création artistique,* 1948 ; III *la Monnaie de l'absolu,* 1950 (E). – *Saturne , essai sur Goya,* 1950 (E). – *Les Voix du silence,* 1951 (E). – *Le Musée imaginaire de la sculpture mondiale :* I *la Statuaire,* 1952 ; II *Des bas-reliefs aux grottes sacrées,* 1954 ; III *le Monde chrétien,* 1956 (E). – *La Métamorphose des dieux :* I *le Surnaturel,* 1957 (E). – *Antimémoires,* 1967 (N). – *Le Triangle noir, Laclos, Goya, Saint-Just,* 1970 (E). – *Les Chênes qu'on abat,* 1971. – *Oraisons funèbres,* 1971. – *Roi, je t'attends à Babylone,* 1973. – *La Métamorphose des dieux :* II *l'Irréel,* 1974 (E). – *Le Miroir des limbes* (suite des *Antimémoires*), 1974 (N). – *Lazare,* 1974. – *La Tête d'obsidienne,* 1974. – *Les Hôtes de passage* (3 premiers chapitres du tome II du *Miroir des limbes*), 1975. – *La Corde et les Souris* (comprend : *les Hôtes de passage, les Chênes qu'on abat* [version définitive], *la Tête d'obsidienne* [version définitive], *Lazare*), 1976. – *Le Miroir des limbes* (éd. déf.), 1976. – *L'Homme précaire et la littérature,* posth., 1977. – *Saturne, le destin, l'art et Goya,* posth., 1978.

La Voie royale

Le titre évoque l'expérience archéologique du jeune M. lui-même ; cette « voie », c'est celle qui, au Cambodge, conduit, à travers la jungle, aux grands temples khmers. Elle est suivie par le jeune archéologue Claude Vannec, accompagné d'un aventurier, Perken, dont la présence est indispensable car il connaît tous les secrets politiques de la région. Ensemble donc, ils partent à la recherche de Grabot, que les Moïs, après l'avoir capturé, ont réduit à l'état de loque humaine. Sur le canevas ainsi construit d'une aventure archéologique et politique, le récit intègre une méditation, en forme de dialogue entre les deux protagonistes et de monologue intérieur de chacun d'entre eux, sur la mort et sur l'art, sur la relation profonde et mystérieuse que Claude découvre, à travers cette aventure, et qui veut que la vie des œuvres d'art soit faite de la mort des hommes.

La Condition humaine

La date et le lieu sont dès le début fixés avec précision : Chang-hai, le 21 mars 1927, premier jour d'une « action » qui va composer en contrepoint un moment historique et un certain nombre de destins personnels. Le moment historique : la lutte en Chine entre les « généraux du Nord », à la solde de l'étranger et qui tiennent provisoirement la ville où les représente le capitaliste Ferral, et, en face, le Kuomintang, sous la direction de Chang Kaï-chek, qui est sur le point de s'emparer de la ville. Les destins personnels : Katow, révolutionnaire chevronné issu de la révolution de 1917 ; Tchen, le terroriste pur ; Kyo Gisors, l'idéaliste, et sa femme, la doctoresse May ; le vieux Gisors enfin, l'intellectuel communiste, mais aussi une sorte de maître spirituel à la manière extrême-orientale. Interaction entre ces deux séries : la victoire du Kuomintang et l'anéantissement, sous le regard de Kyo, Tchen et Katow, des « gouvernementaux » dans la célèbre agonie du train blindé ; l'ordre donné par Chang Kaï-chek aux groupes révolutionnaires, qui avaient déclenché une action insurrectionnelle indépendante avant l'arrivée de ses troupes, de rendre leurs armes ; le débat idéologique entre les révolutionnaires sur la question de savoir si l'on doit ou non obéir à l'ordre de Chang (avec ici l'intervention d'un émissaire de Moscou, Vologuine) ; et, dans le contexte de ce moment historique, l'évolution convergente vers la mort de chaque destin personnel, mais selon la logique divergente de chaque personnage : Tchen, qui décide d'agir seul et qui mourra en jetant une bombe sous la voiture de Chang Kaï-chek (lequel échappe d'ailleurs à l'attentat) ; les autres, prisonniers, n'ayant pour toute certitude que celle de mourir brûlés vifs dans une chaudière de locomotive. Tandis que Katow accomplit le geste héroïque de fraternité par lequel il offre à ses jeunes camarades sa part de cyanure, il médite sur le cadavre de Kyo allongé à ses côtés. Telle est la « condition humaine » : la condamnation à mort. Quant au vieux Gisors, il survit, se réfugie à Kobé, refuse de suivre May en Union soviétique, mais c'est pour se figer dans un rêve esthétique sous le signe de l'opium et de la musique.

L'Espoir

Une chronique de la guerre civile espagnole en forme de montage alterné d'épisodes, dont la signification se dégage à travers la dualité des deux personnages essentiels, Manuel et Magnin. Montage d'autre part organisé en trois grandes séries dont les deux premières sont elles-mêmes subdivisées en séries secondaires : I. *L'Illusion lyrique* – 1. *L'Illusion lyrique,* 2. *Exercice de l'Apocalypse ;* II. *Le Manzanarès* – 1. *Être et Faire,* 2. *Sang de gauche ;* III. *L'Espoir.* Structure de montage qui laisse transparaître, au travers de la narration événementielle, les thèmes de sa signification : la fraternité, dans l'*Illusion lyrique ;* « l'organisation de l'Apocalypse », dans *Exercice de l'Apocalypse,* à propos de la lutte autour de l'Alcazar de Tolède ; le dilemme de l'action et de l'idéologie, dans *Être et Faire ;* l'héroïsme du désespoir et de la solidarité, dans *Sang de gauche.* La dernière partie, *l'Espoir,* qui donne son titre à l'ensemble du livre, est celle où la chronique se concentre sur le récit de la guerre aérienne, dégageant ainsi l'amorce d'une transcendance de la personne humaine par rapport à l'histoire, ce que révèlent les dernières pages du roman, qui, proches en cela de celles de *la Condition humaine,* traduisent le rêve d'espoir de Manuel sous le signe de la musique.

MANDIARGUES André de. (V. PIEYRE DE MANDIARGUES.)

MAQUET Auguste. Paris 13.9.1813 – Sainte-Mesme (Yvelines) 9.1.1888. Engagé par Alexandre Dumas pour rédiger tout ou partie de ses romans et de ses drames, il rompit avec lui en 1851 ; dès avant cette date, il écrivait sous son propre nom. Ses romans et les adaptations théâtrales qu'il en fit laissent deviner le talent d'un narrateur solide et imaginatif.

Œuvres. *Le Beau d'Angennes,* 1843 (N). – *Deux Trahisons,* 1844 (N). – *La Fronde* (opéra), 1850 (T). – *Valéria,* 1851 (T). – *Le Château de Grantier,* 1852 (T). – *La Belle Gabrielle,* 1854 (N) ; adapt. théâtrale, 1857 (T). – *Le Comte de Lavernie,* 1855 (N) ; adapt. théâtrale, 1857 (T). – *La Maison du baigneur* 1856 (N) ; adapt. théâtrale, 1864 (T). – *Les Dettes de cœur* 1857 (N) ; adapt. théâtrale, 1859 (T). – *L'Envers et l'Endroit,* 1858 (N). – *La Rose blanche,* 1859 (N). – *Les Vertes Feuilles,* 1862 (N). – *Voyage au pays du bleu,* 1865 (N). – *Le Hussard de Bercheny,* 1865 (T).

MARAN René. Fort-de-France (Martinique) 5.11.1887 – Paris 9.5.1960. Auteur martiniquais de souche guyanaise. Bien avant que l'on parle de décolonisation, avant même que Gide dénonce les excès commis en Afrique noire, il a, timidement mais honnêtement, élaboré un portrait exact de la vie des indigènes ; son « roman nègre » *Batouala* obtint le prix Goncourt en 1921.

Œuvres. *La Maison du bonheur,* 1909 (P). – *La Vie intérieure,* 1912 (P). – *Batouala, véritable roman nègre,* 1921, rééd. 1980 (N). – *Le Visage calme,* 1922 (P). – *Youmba, la mangouste,* 1922 (N). – *Le petit Roi de Chimérie,* 1924 (N). – *Djouma, chien de brousse,* 1927 (N). – *Le Cœur serré,* 1931 (N). – *Le Tchad : de sable et d'or,* 1931 (E). – *Le Livre de la brousse,* 1934 (N). – *Les Belles Images,* 1935 (P). – *Livingstone et l'exploration de l'Afrique* (biographie), 1938. – *Savorgnan de Brazza et la fondation de l'A.E.F.* (biographie), 1941. – *Bêtes de la brousse,* 1941 (N). – *M'bala l'éléphant,* 1943 (N). – *Les Pionniers de l'Empire* (chronique), 3 vol., 1943-1955. – *Un homme pareil aux autres,* 1947, rééd. 1962 (N). – *Bacouya, le cynocéphale,* 1953 (N). – *Félix Éboué, grand commis et loyal serviteur,* 1957 (E). – *Le Livre du souvenir* (poèmes, 1909-1957), 1959 (P). – *Bertrand du Guesclin ou l'Épée du roi,* 1960.

MARCABRU ou MARCABRUN. Première moitié du XIIe s. Troubadour occitan. Élevé par un riche gentilhomme, M. eut pour maître le troubadour Cercamon, qui lui apprit son métier. Contempteur de l'amour courtois, qui, selon lui, amollissait les cœurs et les mœurs, féminisait les hommes par une trop grande fréquentation des femmes, M. excella surtout dans la satire, pour dénoncer ce qu'il considérait comme un réel danger. La virulence de ses attaques n'eut pas le résultat escompté : les seigneurs, lassés par ses ironies continuelles, décidèrent de lui prouver qu'ils avaient toujours autant de virilité et le tuèrent ; c'est du moins ce que rapporte la tradition. M. nous a laissé quarante-trois poèmes, qui suffisent à montrer qu'il était tout aussi rigoureux pour la forme que pour le fond. Il aurait été un des premiers troubadours à utiliser le « trobar clus » (l'expression hermétique).

Œuvres. *Vers,* 1130-1148 (P).

MARCADÉ Eustache. Fin du XIVe s. – Marmoutier (Touraine) 10.1.1440. Official de l'abbaye de Corbie, il fut l'un des quatre-vingts ministres de la « cour amoureuse » fondée en 1400 et chargée de louer, en ballades et en rondeaux, les dames et les demoiselles. Vers 1437, il fut révoqué de ses fonctions, dénoncé comme traître et emprisonné à Amiens. Au mois de septembre de la même année, sa clergie lui fut restituée, et il finit sa vie comme doyen de l'Université, après avoir obtenu le titre de docteur en droit canon. M. a vraisemblablement écrit le premier mystère, *le Mystère de la Passion d'Arras* (21 945 vers), suivi de *la Vengeance du Seigneur.* Ce mystère, truffé de sermons (l'auteur, ne l'oublions pas, fut chargé d'enseignement religieux), est d'un intérêt littéraire secondaire. Il faut cependant mentionner cette œuvre dans la mesure où Arnoul Gréban s'en inspirera pour écrire son *Mystère de la Passion :* plus précisément, c'est en suivant l'exemple de M. qu'il a composé son œuvre en quatre « journées ».

MARCEAU Félicien, Louis Carette, dit. Cortenberg (Belgique) 16.9.1913. Écrivain d'origine belge, naturalisé français. À ses débuts, il fut romancier *(Chasseneuil).* Il manifeste dans le genre narratif un esprit brillant et pétri d'humour qui s'applique à décrire une humanité médiocre, et cette manière triomphe dans des romans comme *l'Homme du roi* et *les Élans du cœur.* Le succès qu'il obtient alors l'incite à se tourner vers le théâtre, où il fera une brillante carrière d'auteur intermédiaire entre le « boulevard » et l'absurde ; cette recherche d'une sorte d'équilibre entre tradition et modernité caractérise sa première pièce à succès, *l'Œuf,* et il continuera d'exploiter cette veine avec le même bonheur : il met en scène des personnages falots et attendrissants, et l'ironie frôle, sans jamais y tomber, aussi bien le drame que la dérision ; de la même manière, la satire des mœurs reste implicite et se retient délibérément sur la voie qui pourrait mener à une mise en question plus radicale de l'homme et du monde : c'est ce qui fait sans doute à la fois la valeur dramatique et le brillant un peu superficiel d'œuvres techniquement irréprochables, dont un des meilleurs exemples est *la Bonne Soupe.* Revenu au roman, M. obtiendra le prix Goncourt 1969 avec *Creezy.* Acad. fr. 1975.

Œuvres. *Chasseneuil,* 1948 (N). – *Chair et Cuir,* 1951 (N). – *Capri, petite île,* 1951 (N). – *L'Homme du roi,* 1952 (N). – *Bergère légère,* 1953 (N). – *En de secrètes noces,* 1953 (N). – *Casanova ou l'Anti-don Juan,* 1954 (E). – *Les Élans du cœur,* 1955 (N). – *Balzac et son monde,* 1955 (E). – *L'Œuf,* 1956 (T). – *Les Belles Natures,* 1957 (N). – *La Bonne Soupe,* 1958 (T). – *Les Diamants de Mlle Antoinette,* 1959 (N). – Avec Ch. Vildrac, *l'Étouffe-chrétien,* 1960 (T). – *Les Cailloux,* 1962 (T). – *Catherina,* 1964 (T). – *La Preuve par quatre,* 1964 (T). – *Mme Princesse,* 1965 (T). – *La Mort de Néron,* 1965 (T). – *Un jour, j'ai rencontré la vérité,* 1967 (T). – *Les Années courtes,* 1968 (N). – *Creezy,* 1969 (N). – *Le Babour,* 1969 (T). – *L'Ouvre-boîte,* 1972 (T). – *L'Homme en question,* 1974 (T). – *Le Corps de mon ennemi,* 1975 (N). – *Le Roman en liberté,* 1977 (E). – *Discours de réception de Félicien Marceau à l'Académie française et Réponse d'André Roussin,* 1977. – *À nous de jouer,* 1979 (N). – Avec Marcel Bluwal et Jean Mistler, *Mozart,* 1982. – *Une insolente liberté. Les Aventures de Casanova,* 1983 (N). – *Appelez-moi Mademoiselle,* 1984 (N).

MARCEL Gabriel Honoré. Paris 7.12.1889 – 1973. Il eut une enfance privilégiée, dans un milieu familial qui lui communiqua une culture et une expérience humaine également précoces. Philosophe, musicien, ouvert largement aux expressions modernes de l'esprit, en particulier aux littératures étrangères, il sera, aux éditions Plon, à titre de directeur de la collection *Feux croisés,* l'initiateur d'une large diffusion en France des traductions d'œuvres étrangères. En 1929, à quarante ans, il se convertit au catholicisme et, dès lors, apparaîtra comme le représentant d'une pensée authentiquement chrétienne qui se veut en même temps, selon la propre expression de M., « philosophie concrète », une philosophie de l'*ici* et du *maintenant,* ce que l'on prendra l'habitude de désigner par « existentialisme chrétien ». Comme pour illustrer la conjonction caractéristique dans sa pensée de la réflexion philosophique et de l'expérience directe de la conscience et de ses mouvements intérieurs, M. utilisera la forme littéraire du journal, pour suivre à la trace, au jour le jour, le cheminement de sa propre pensée : ce sera son œuvre majeure, le *Journal métaphysique,* rédigé à partir de sa conversion en 1929. Autour de ce journal se groupent des œuvres plus systématiques, mais toujours soucieuses d'adhérer directement aux manifestations, dans la conscience même, des grands problèmes philosophiques, telles que *Homo viator, Prolégomènes à une métaphysique de l'espérance.* Cette obsession d'une philosophie concrète se traduit d'autre part dans la continuité d'une œuvre dramatique qui mériterait d'occuper, dans l'histoire du théâtre contemporain, une place plus importante que celle qui lui est généralement reconnue ; car, pour M., le théâtre (dont il a, comme critique dramatique, une expérience quasi quotidienne) est le lieu concret d'incarnation des grands conflits métaphysiques et spirituels, et il a tenté, non sans succès, d'intégrer à la construction dramatique les grands thèmes existentiels de sa méditation philosophique ; ce fut tout d'abord sous la forme de pièces surtout psychologiques *(l'Iconoclaste ; le Quatuor en fa dièse ; la Chapelle ardente),* mais il s'engagera dans une dramaturgie plus « idéologique », au sens le plus riche du terme, avec *le Monde cassé* et *la Soif,* dont les dates ne coïncident pas par hasard avec la grande montée des périls des années 1930. Cette orientation atteindra son expression la plus efficace dans deux drames, où l'inquiétude inhérente à la condition contemporaine de l'homme dans l'histoire fournit un ressort dramatique d'une puissante intensité : *la Fin des temps* et surtout *Rome n'est plus dans Rome.*

Œuvres. *Existence et Objectivité,* 1914 (E). – *Journal métaphysique,* 1914-1923 (E). – *Être et avoir,* 1918-1933 (E). – *Le Cœur des autres,* 1921 (T). – *L'Iconoclaste,* 1923 (T). – *Un homme de Dieu,* 1925 (T). – *Le Quatuor en fa dièse,* 1929 (T). – *La Chapelle ardente,* 1931 (T). – *Le Monde cassé,* 1933 (T). – *Le Chemin de crête,* 1936 (T). – *La Soif,* 1938 (T). – *Du refus à l'invocation,* 1940 (E). – *La Fin des temps,* 1940 (T). – *Homo viator, prolégomènes à une métaphysique de l'Espérance,* 1944 (E). – *La Métaphysique de Royce,* 1945 (E). – *Théâtre comique,* 1947 (T). – *L'Émissaire,* 1948 (T). – *Les Hommes contre l'humain,* 1951 (E). – *Rome n'est plus dans Rome,* 1951 (T). – *Le Mystère de l'Être,* 1952 (E). – *Cœurs avides,* 1953 (T). – *Croissez et multipliez,* 1955 (T). – *La Dimension Florestan,* 1958 (T). – *Un changement d'espérance : à la rencontre du Réarmement moral,* 1958 (E). – *Théâtre et Religion,* 1959 (E). – *Présence et Immortalité,* 1959 (E). – *L'Heure théâtrale (de Giraudoux à J.-P. Sartre),* 1959 (E). – *Le Signe de la croix,* 1961 (T). – *Fragments philosophiques* (1909-1914), 1962 (E). – *La Dignité humaine et ses assises existentielles,* 1964 (E). – *Regards sur le théâtre de Claudel,* 1964 (E). – *Paix sur la terre* (deux discours, une tragédie), 1965. – *Essai de philosophie concrète,* 1966 (E). – *Le secret est dans les îles* (contient : *le Dard,* 1936 ; *l'Émissaire,* 1948, *La Fin des temps,* 1949), 1967 (T). – *L'Homme contre l'humain,* 1968 (E). – *En chemin vers quel réveil ?* 1971 (E). – *Actualité du Réarmement moral,* 1971 (E). – *Pensées vers un ailleurs,* 1973 (E).

MARCOTTE Gilles. Sherbrooke 8.12.1925. Écrivain canadien-français. À la fin de ses études universitaires à Montréal, il présente une thèse de doctorat sur *la Poésie nouvelle au Canada français.* Tout d'abord journaliste, en particulier au *Devoir* et à *la Presse* de Montréal, dont il a dirigé les pages littéraires et artistiques, il fut chargé de recherches à l'Office national du film avant d'être professeur assistant à la faculté des lettres de l'université de Montréal, puis chargé de cours de littérature canadienne-française à l'université de Strasbourg. Cette brillante carrière universitaire n'a pas empêché M. de poursuivre parallèlement une carrière littéraire qui lui a valu en 1962, pour un recueil d'essais, *Une littérature qui se fait,* le prix du Gouverneur général. C'est surtout un romancier de la vie intérieure telle qu'elle s'exprime à travers la vie quotidienne ; d'où, dans son style et ses personnages, la recherche constante du contrepoint entre réalisme et intériorité. Ce qui l'intéresse, pour reprendre ses propres termes, c'est « ce qui fait qu'un homme, à toute heure du jour et non pas seulement dans quelques moments privilégiés, est un homme ». Il avoue avoir écrit son premier roman, *le Poids de Dieu,* pour élucider, à la faveur du processus de l'objectivation romanesque, certains problèmes personnels. Quant à *Retour à Coolbrook,* c'est, à l'aide du même processus, une sorte de compensation du roman précédent. Il s'agit donc bien, en relation avec l'une des grandes dominantes de la littérature contemporaine, d'une œuvre de source et d'inspiration autobiographiques.

Œuvres. *La Poésie nouvelle au Canada français,* s.d. (E). – *Le Poids de Dieu,* 1960 (N). – *Une littérature qui se fait,* 1962, nouv. éd. augmentée, 1968 (E). – *Retour à Coolbrook,* 1965 (N). – *Présence de la critique : critique et littérature contemporaines au Canada français,* 1966 (E). – *Le Temps des poètes : description critique de la poésie actuelle au Canada français,* 1969

(E). – *Les Bonnes Rencontres : chroniques littéraires,* 1971 (E). – *Un voyage,* 1973 (N). – *Le Roman à l'imparfait : essais sur le roman québécois d'aujourd'hui,* 1976 (E). – *Anthologie de la littérature québécoise (I Écrits de la Nouvelle-France, 1534-1760 ; II la Patrie littéraire, 1760-1895 ; III Vaisseau d'or et croix du chemin, 1895-1935 ; IV l'Âge de l'interrogation, 1937-1952),* 1978-1980. – *La Littérature et le reste,* 1980 (E). – *La Prose de Rimbaud,* 1983 (E).

MARGUERITE DE NAVARRE ou **D'ANGOULÊME,** dite aussi **de VALOIS.** Angoulême 11.4.1492 – Odos (Hautes-Pyrénées) 21.12.1549. Fille de Charles d'Orléans et de Louise de Savoie, sœur aînée de François Ier, elle « s'adonna fort aux lettres en son jeune âge » (Brantôme). Mais sa vie fut surtout ordonnée par le souci de servir la carrière de son frère. C'est pour des raisons d'ordre politique qu'elle épousa en 1509 le duc d'Alençon. Dès que son frère fut devenu roi de France, elle eut autour d'elle une cour, qu'elle anima de sa forte personnalité et qui devint le centre d'intérêt de toute la France littéraire. Attentive à toutes les nouveautés de l'esprit, elle ne fut pas indifférente aux idées défendues par l'évêque de Meaux, Guillaume Briçonnet, et, par son intermédiaire, fit la connaissance de Lefèvre d'Étaples, qu'elle protégea en lui offrant asile durant ses dernières années. Sa cour fut d'ailleurs un refuge pour tous ceux que menaçaient les interdits édictés contre la Réforme. Dès 1525, la captivité de François Ier l'obligea à prendre part à la vie politique : elle alla jusqu'en Espagne pour obtenir de Charles Quint des conditions de détention moins rigoureuses et même la libération du prisonnier. Elle participa de très près aux négociations qui suivirent et qui aboutirent au traité de Madrid (justement appelé « la paix des Dames »). Veuve à partir de 1525, elle épousa Henri d'Albret, roi de Navarre, dont elle aura une fille, Jeanne d'Albret, la future mère du roi Henri IV. Un mari infidèle, une fille indifférente, un fils qui meurt à l'âge de six mois inaugurèrent, pour elle, une existence qui, désormais, ne lui apportera plus que des déboires. La mort de sa mère (1531) la sépare de son frère, qui, de son côté, subit l'influence du connétable de Montmorency, et M. de N. se retire dans ses terres de Nérac, où, spontanément, elle recrée une cour de lettrés et de savants. Brouillée avec François Ier, déçue, éprouvée par les deuils successifs, M. de N. se consacre désormais à la méditation et à la littérature et entreprend la composition de *l'Heptaméron.* Inclinant de plus en plus vers une sorte de quiétisme, elle rompt en 1545 avec la Réforme, s'adonnant à la vie contemplative. Elle se retire définitivement en septembre 1549 à Odos, près de Tarbes, et meurt trois mois plus tard.

Son œuvre est à l'image de sa vie. Riche et variée, elle intéresse aussi bien l'actualité que la création littéraire à proprement parler. Le premier ouvrage de M. de N., écrit en 1524, ne paraît qu'en 1533 : *Dialogue en forme de vision nocturne* essaie de démêler les problèmes complexes posés par la Réforme. L'auteur y définit sa profession de foi et analyse les moyens pour obtenir le salut. *Le Miroir de l'âme pécheresse* (1531), censuré par la Sorbonne, préconise une entente avec les réformés allemands. Après sa mort, le secrétaire de M. de N., Jacques Simon, a exhumé, sous le titre *les Marguerites de la Marguerite des princesses,* quatre comédies pieuses : *l'Adoration des trois rois, la Comédie des innocents, la Comédie du désert, la Nature de Jésus-Christ,* un poème pastoral, des hymnes, des allégories et *la Complainte d'un prisonnier,* écrite pour obtenir la libération de son frère captif à Madrid. Ce recueil associe, tout à la fois, le sacré et le profane, témoignant d'un évangélisme lyrique. Les *Dernières Poésies* de M. de N. ne furent retrouvées qu'en 1896, par Abel Lefranc. Marquées par l'influence du néoplatonisme, elles sont très émouvantes, même si l'expression manque parfois de rigueur. Mais la place de M. de N. dans l'histoire de la nouvelle poésie française relève plus de son rôle d'animatrice que de son œuvre même. Réagissant contre la tradition de la poésie rhétorique, elle se fit la protectrice des érudits qui, à l'instar de Marsile Ficin, travaillaient à diffuser les théories néoplatoniciennes, ainsi que des poètes qui, tel Héroët, proposaient les nouveaux thèmes humanistes. À cet égard, le cercle littéraire et poétique de M. de N. joua, en le renforçant, le même rôle initiateur que le cercle lyonnais de Louise Labé et de Maurice Scève. Mais M. de N. n'est pas seulement une animatrice : son génie littéraire, le génie de la narration à la fois pittoresque et symbolique, éclate dans le recueil de nouvelles de *l'Heptaméron.* Inachevé, il prendra d'abord le nom d'*Histoire des amans fortunez,* recueil de soixante-douze contes recueillis après sa mort. *L'Heptaméron* rétablira les textes originaux. Admiratrice de Boccace, M. de N. a, elle aussi, voulu entreprendre un *Décaméron,* mais elle n'eut pas le temps de le mener à bien. Dans *l'Heptaméron,* l'influence de Boccace est évidente, non seulement dans la forme, mais aussi dans la violente satire antimonastique. M. témoigne cependant d'un goût des actions chevaleresques et des jeux de l'amour, et si, parfois, ses nouvelles tendent à devenir scabreuses, dans la tradition des fabliaux du Moyen Âge, elles sont tout aussitôt insérées dans une réflexion et une sensibilité qui les distinguent de la simple gaudriole gauloise.

Œuvres. *Le Miroir de l'âme pécheresse,* 1531 (E). – *Dialogue en forme de vision nocturne* (écrit en 1524), 1533 (E). – *Les Marguerites de la Marguerite des princesses,* 1547 (P). – *Comédie sur le trépas du roi* (élégie), 1547 (T). – *La Comédie jouée à Mont-de-Marsan,* 1548 (T). – *La Nativité,* s.d. (T). – *Les Trois Rois,* s.d. (T). – *Les Innocents,* s.d. (T). – *Le Désert,* s.d. (T). – *La Farce de Trop, Prou, Peu, Moins,* s.d. (T). – *Les Deux Filles,* s.d. (T). – *Le Malade,* s.d. (T). – *L'Inquisiteur,* s.d. (T). – *L'Heptaméron* (recueil de contes), posth., 1588-1589 (N). – *Dernières Poésies de la reine de Navarre,* posth., 1896 (P).

L'Heptaméron

Sept journées (c'est le sens du titre grec), au cours de chacune desquelles dix dames et gentilshommes racontent à tour de rôle une histoire (en fait, il y a deux nouvelles supplémentaires). Les personnages sont à peine décrits, mais, à travers eux, et au-delà de l'anecdote des sujets, l'auteur dépeint les habitudes, les mœurs et les mentalités de son temps. Les narrateurs eux-mêmes ont leur personnalité nettement marquée, et, pour certains, M. de N. dessine de véritables portraits : Mme Oisille est Louise de Savoie ; Parlamente, c'est M. de N. elle-même, et son mari Hircan est évidemment Henri d'Albret. Quant au thème dominant de tous ces récits, c'est l'amour, dont l'aboutissement naturel est le mariage, sinon, il doit se platoniser (Élisor, XXVI). Mais l'amour risque toujours de se dégrader, et le recueil narre aussi bien des histoires scandaleuses, incestes et viols par exemple. M. de N., fidèle à ses principes, si elle raconte ces histoires avec réalisme, s'arrange pour condamner les excès et les violences, fonction dévolue aux commentaires des narrateurs. L'auteur prend la parole, sous le masque de Parlamente, pour affirmer clairement sa théorie de l'amour et pour conseiller la prudence aux femmes, qui sont particulièrement exposées aux risques que représentent certaines de ces histoires, ce qui l'amène à mettre fortement l'accent sur les droits de la femme (XVIII ; XIX ; XXXVI) : de la sorte, *l'Heptaméron* apparaît comme un bréviaire du féminisme. Le platonisme y trouve sa place, et M. de N. ne manque pas de faire, par exemple, d'un de ses personnages, Dagoncin (VIII), le modèle idéal du parfait amant.

MARGUERITTE Paul. Laghouat (Algérie) 1.2.1860 – Hossegor (Pyrénées-Atlantiques) 30.12.1918 ; **Victor,** son frère, Blida (Algérie) 1.12.1866 – Monestier (Allier) 23.3.1942. Ils publièrent ensemble un cycle romanesque sur la guerre de 1870 *(Une époque)* et des livres pour enfants *(Poum ; Zette).* Paul écrivit seul *Pascal Géfosse, Jours d'épreuve, la Force des choses :* d'abord disciple de Zola, il nuança peu à peu son réalisme. Moins connu que son frère, il semble avoir eu des dons littéraires plus solides. Victor se consacra, dans sa production personnelle, à un certain nombre de problèmes moraux et sociaux ; sa manière drue et vigoureuse, portée vers l'érotisme, fit souvent scandale. Son roman le plus connu, *la Garçonne,* fut plusieurs fois porté à l'écran.

Œuvres. 1. Paul seul : *Mon père,* 1884 (N). – *Tous quatre,* 1885 (N). – *La Confession posthume,* 1886 (N). – *Pascal Géfosse,* 1887 (N). – *Jours d'épreuve,* 1889 (N). – *Amants,* 1890 (N). – *La Force des choses,* 1891 (N). – *Souvenirs de jeunesse,* 1906-1908. – *La Flamme,* 1909 (N). – *La Faiblesse humaine,* 1910 (N). – *La Maison brûle,* 1913 (N). – *L'Embusqué,* 1916 (N). – *Jouir,* 1918 (N).
2. Paul et Victor : *La Pariétaire,* 1896 (N). – *Le Carnaval de Nice,* 1897 (N). – *Poum,* 1897 (N). – *Une époque :* I *le Désastre,* 1898 ; II *les Tronçons du glaive,* 1900 ; III *les Braves Gens,* 1901 ; IV *la Commune,* 1904 (N). – *Deux Vies,* 1902 (N). – *Zette,* 1903 (N). – *Le Prisme,* 1905 (N).
3. Victor seul : *La Double Méprise* (adapt. de Calderón), 1898 (T). – *Prostituée,* 1907 (N). – *Le Talion,* 1908 (N). – *Jeunes Filles,* 1909 (N). – *L'Or,* 1910 (N). – *La Femme en chemin* (3 vol.), 1921-1924 (N). – *La Garçonne,* 1922 (N). – *Le Compagnon,* 1924 (N). – *Vers le bonheur* (3 vol.) 1925-1930 (N). – *Ton corps est à toi,* 1927 (N). – *Le Bétail humain,* 1928 (E). – *Le Chant du berger,* 1930 (N). – *La Patrie humaine,* 1931 (E). – *Non,* 1931 (E). – *Nos égales,* 1933 (N). – *Le Couple,* 1935 (N). – *Avortement de la S.D.N.,* 1936 (E). – *Vie d'Aristide Briand,* s.d. (E).

MARIE DE FRANCE. Seconde moitié du XIIe s. Nous ignorons tout de sa vie ; son nom même lui fut donné en 1581 par l'érudit Fauchet à partir de deux vers de l'épilogue de son *Ysopet* (recueil de fables inspirées d'Ésope): « Marie ai nom,/ Si suis de France ». Elle fait preuve d'une vaste culture : elle sait le latin et a lu Ovide, elle est nourrie de folklore celtique et parle, semble-t-il, le breton, l'anglais et le français (il lui arrive de donner pour un même mot ses différentes formes linguistiques). Le prologue de ses *Lais* (vers 1165) est dédié – sans que le nom du souverain soit explicitement indiqué – à Henri II Plantagenêt, à la cour duquel elle a dû vivre et écrire. Ces *Lais,* qui font de M. de F. la première femme de lettres de notre littérature et la créatrice du genre de la nouvelle, sont des récits dont la longueur varie d'une centaine à un millier d'octosyllabes, et dont la source principale est bretonne (bien qu'ils contiennent aussi des éléments antiques et orientaux) : le lai, en effet, est, à l'origine, un genre de composition musicale spécifiquement breton, sorte de chanson que M. de F. adapte pour en faire un concentré de romanesque et de psychologie. Mais son génie est d'avoir su en extraire le symbolisme profond en centrant le récit sur les deux thèmes dominants du merveilleux et de l'amour : un merveilleux qui coule de source et dont le naturel est rendu si évident par le don poétique de la narratrice qu'il touche et qu'il émeut comme la vie même ; quant à l'amour, s'il est déjà « courtois » (« Lanval », par exemple), il ne l'est pas encore avec trop de rigueur : son analyse et sa description font toute leur part aux délicatesses du cœur (« Laostic ») comme aux paroxysmes de la passion (« Eliduc »), et, comme il est dit dans « Yonec », « Ceux qui cette aventure ouïrent / Longtemps après un lai en firent / De la pitié, de la douleur / Que ils souffrirent par amour. » Tel est le ton de ces nouvelles poétiques, qui n'ont nul besoin d'artifice ni de rhétorique pour susciter la présence, dans une commune simplicité, du réel et de l'imaginaire, de l'événement et de l'émotion, de la vie et du destin. M. de F. est aussi la première à avoir élucidé et traduit en drames concrets les richesses psychologiques et les problèmes moraux contenus dans l'idéal courtois (« le Chèvrefeuille », épisode de l'histoire de Tristan, « Eliduc », « Laostic », « Equitan »). A cet égard, elle mérite d'apparaître comme la fondatrice de cette tradition qui donnera progressivement naissance au roman d'analyse. Et elle n'est pas non plus dépourvue d'humour (« Bisclavret »).

Œuvres. *Lais* (recueil de contes), vers 1160-1170 (P). – *L'Ysopet* (recueil de fables), vers 1170 (P). – *Le Purgatoire de saint Patrice* (légende, trad. du latin), s.d.

Lanval

Lanval, chevalier de la cour du roi Arthur, fait tort à la reine en lui refusant son amour. Il comparaît devant une « cour d'amour », qui lui fait son procès avec rigueur, sous l'accusation de félonie. Il sera sauvé par l'intervention d'une fée, « fleur de lis et rose nouvelle ».

Bisclavret ou **Bisclavaret**

Voici un couple parfait : un chevalier de l'entourage du roi et son épouse. Mais l'époux s'absente régulièrement, sans explication, trois jours par semaine. Au nom de leur amour, sa femme le presse d'éclaircir ce mystère, et il finit par avouer que, pendant ces absences, il se métamorphose en « bisclavret » (breton pour *loup-garou*) : c'est sa fatalité ; et il serait condamné à le rester s'il ne retrouvait ses vêtements, qu'il quitte lors de ses métamorphoses. L'amour de la dame ne tient pas devant cette effrayante révélation, elle ne peut supporter l'idée qu'elle est la compagne d'un loup-garou et elle se révèle incapable d'affronter cette épreuve de fidélité. Aussi la voit-on manifester sa véritable nature, qui se cachait sous le masque d'un amour parfait mais facile : elle demande à un de ses proches de dérober les vêtements de son mari, qui, comme il l'avait dit, reste changé en loup errant, et la « veuve » épouse l'ami qui l'a libérée de cet insolite compagnon. Un jour, le roi se trouve à la chasse, il capture un loup, qui, de façon fort inattendue, se révèle d'une parfaite courtoisie à son égard ; le roi le garde avec lui dans son palais, jusqu'à ce que paraissent la dame et son nouvel époux : le loup, ordinairement si doux, blesse alors le mari et arrache le nez de la dame. Il y a là un mystère à élucider : mise à la question, la dame avoue sa trahison. On va chercher les vêtements, qu'on dépose auprès du loup isolé dans une chambre : lorsqu'on rouvre la porte, on trouve le chevalier endormi sur le lit. Il sera avec honneur réintroduit à la cour, tandis que la dame, toujours privée de son nez (« énasée »), se verra ignominieusement chassée avec son complice.

Laostic (breton pour *rossignol*)

Deux barons, liés d'une étroite amitié, vivent dans le voisinage l'un de l'autre ; l'un est marié, l'autre célibataire. Celui-ci, soudainement frappé de la « flèche d'amour », tombe amoureux de la femme de son voisin. Amour pur et partagé : la dame et son ami trouvent leur plaisir à se voir la nuit par une fenêtre ou, plus exactement, à imaginer leur présence réciproque sous le signe d'un rossignol nocturne qui est comme l'emblème de leur amour. Mais le mari est saisi par la jalousie ; à force de pressions, il obtient de sa femme l'aveu que le rossignol nocturne joue dans sa vie un rôle mystérieux et par lui considéré comme suspect. Il fait prendre l'oiseau à la glu et le tue sous les yeux de la dame, non sans qu'un peu de sang rejaillisse sur le corsage de celle-ci : elle enverra l'oiseau mort à son ami, qui le déposera dans une châsse précieuse « que toujours on porte avec lui ».

Equitan

Equitan, roi breton, est lui aussi frappé de la flèche d'amour : il brûle pour la femme de son sénéchal, dont il fait sa complice, en lui promettant de la faire reine au cas où son mari mourrait, ce qui pousse la dame à organiser la mort du sénéchal. Elle imagine le stratagème d'un double bain, pour le roi et pour le sénéchal, la baignoire de ce dernier étant remplie d'eau bouillante. Malheureusement pour les complices, le sénéchal revient plus tôt que prévu et trouve le roi et la dame « couchés ensemble et enlacés » : le roi, pour justifier sa présence, saute à pieds joints dans une baignoire, mais ce n'est pas la bonne, et c'est lui qui meurt ébouillanté : après quoi le sénéchal se saisit de sa femme et « au bain la met tête première ».

Eliduc

C'est le plus long des lais (1 184 vers), celui qui s'apparente le plus à un véritable roman. Eliduc, chevalier breton, doit, sur l'ordre de son roi, quitter son pays et son épouse « belle et sage », Guildeloëc. Arrivé en Grande-Bretagne, à Exeter, il se met au service du roi de ce pays, dont la fille, Guilliadon, tombe amoureuse du beau chevalier. Eliduc, malgré son désir de rester fidèle à son épouse, ne peut résister à l'amour que, de son côté, il ressent pour Guilliadon, à qui il a caché son état d'homme marié. Un jour, son roi le rappelle en Bretagne, puis il revient à Exeter, décidé à ramener Guilliadon avec lui – ce qu'il fait. Mais survient une violente tempête, et l'un des matelots accuse Eliduc d'en être responsable, du fait de son amour coupable. Révélation qui tue Guilliadon : Eliduc fait creuser pour celle-ci un tombeau dans la forêt, près de la mer. Chaque jour, il va s'y recueillir, mais son épouse, intriguée, le fait suivre ; on découvre le lieu du tombeau : Guildeloëc s'y rend à son tour et trouve le corps de la jeune fille intact. Saisie de pitié, Guildeloëc, instruite par une belette magicienne, place une fleur à la bouche de Guilliadon, qui ressuscite et raconte son histoire à Guildeloëc. Celle-ci se retire dans un monastère, Eliduc épouse Guilliadon, mais bientôt le couple se « convertira à Dieu » : Eliduc se retire dans une abbaye tandis que Guilliadon va rejoindre Guildeloëc dans son couvent.

MARINISME. Préciosité du style obtenue par l'abus de *concetti* (idées brillantes, quelque peu affectées). Ce style fut mis à la mode, au début du XVIIe s., par Marino (1569-1625), plus connu en France sous le nom de « chevalier Marin ». À partir de l'influence que le poète italien exerça en France, où il s'était réfugié, le marinisme se répandit dans toute l'Europe sous la forme d'une « manière » littéraire pénétrant, plus ou moins, tous les genres. Si l'on se souvient que, pour Marino, selon la célèbre définition dont il est l'auteur, « la fin du poète est la merveille », on verra dans le marinisme une dérivation du baroque, ce qui explique en partie la vogue qui fut la sienne au XVIIe s. et encore au XVIIIe. L'influence de Marino est aussi une des sources de la Préciosité.

MARITAIN Jacques. Paris 18.11.1882 – Toulouse 28.4.1973. Petit-fils de Jules Favre du côté maternel, il héritait ainsi d'une tradition intellectuelle et politique marquée par le protestantisme libéral. Aussi, lorsque, au cours de ses études à la Sorbonne, il fit la connaissance de Léon Bloy, cette rencontre provoqua en lui un profond bouleversement : il se convertit au catholicisme, et Bloy fut son parrain (1906). Il en alla de même pour sa femme Raïssa, d'origine juive, qui devait être pour lui non seulement une admirable compagne mais aussi une collaboratrice de tous les instants : sans son influence, l'œuvre de M. ne serait pas ce qu'elle est ; et Raïssa fut la source vivante de ce foyer d'intense rayonnement que devint, dans les années 1930, la maison de M. à Meudon. Outre l'influence de Bloy, M. subit aussi celles de Péguy et de Bergson mais se trouva bientôt partagé entre ces influences et celle de la pensée maurrassienne, reçue en particulier à travers son amitié avec Henri Massis. Sa première œuvre sera une sévère critique de Bergson, *la Philosophie bergsonienne.* Mais, dès avant la condamnation de l'*Action française* par Pie XI (1926), M. commence à s'éloigner de Maurras : il ne conservera guère de cette première orientation que son attitude résolument critique à l'égard du monde moderne, tel que l'ont produit le cartésianisme et la Réforme *(Trois Réformateurs).* Soucieux désormais de restaurer une spiritualité authentique à l'intention d'une culture pénétrée de rationalisme, tout en restant rigoureusement fidèle à l'orthodoxie catholique, M. se tourne alors vers saint Thomas d'Aquin, le grand conciliateur de la raison et de la foi, et élabore la vaste synthèse d'un néothomisme, qu'il expose dans ses cours à l'Institut catholique et dans ses principaux ouvrages philosophiques, *Primauté du spirituel, De la philosophie chrétienne, Philosophie de la nature ;* ces livres révèlent un écrivain au style à la fois rigoureux et passionné, parfaitement maître de son instrument d'expression. Ces qualités littéraires s'affirment lorsque M., élargissant sa réflexion et son propos, aborde les problèmes de la culture *(Religion et Culture ; Science et Sagesse)* et propose la reconstruction de la culture moderne autour d'un nouvel humanisme, dans un livre dont l'influence fut considérable : *Humanisme intégral.* M. se trouve alors conduit à aborder les problèmes de société, et, de même qu'il avait proposé un nouvel ordre culturel, de même il propose, avec *Christianisme et démocratie* et *Principes d'une politique humaniste,* un nouvel ordre social et politique. Dès avant 1939, M. avait pris position sans équivoque contre toutes les formes de totalitarisme dans *les Juifs parmi les nations* et *Questions de conscience.* Il apparaissait alors comme le guide prestigieux et écouté du grand courant de pensée qui s'efforçait d'élaborer, en théorie et en pratique, la conciliation de l'idéal chrétien et de l'idéal démocratique. Si l'on remarque d'autre part que l'influence de M. fut largement internationale, c'est un courant essentiel de la pensée européenne des années 1930-1950 dont il a défini à la fois la doctrine et les principes d'engagement social et politique. Émigré aux Etats-Unis, où son prestige était grand, M. enseigna à l'université de Princeton de 1940 à 1945. De retour en France, il fut nommé ambassadeur auprès du Saint-Siège et resta à ce poste jusqu'en 1948. Il retourna alors aux États-Unis pour reprendre son enseignement à Princeton ; il mourut dans sa quatre-vingt-dixième année, après avoir publié encore de nombreux ouvrages où sa pensée ne cesse et de se confirmer et de se renouveler.

Œuvres. *La Philosophie bergsonienne, étude critique,* 1914 (E). – *Art et scolastique,* 1920 (E). – *Saint Thomas,* 1921 (E). – *Éléments de philosophie,* 1920-1923 (E). – *Antimoderne,* 1922 (E). – *Réflexions sur l'intelligence et sur sa vie propre,* 1924 (E). – *Primauté du spirituel,* 1927 (E). – *Trois Réformateurs,* 1928 (E). – *Le Docteur angélique,* 1929 (E). – *Religion et Culture,* 1930 (E). – *Distinguer pour unir ou les Degrés du savoir,* 1932 (E). – *Les Îles,* 1932 (E). – *Le Songe de Descartes,* 1932 (E). – *De la philosophie chrétienne,* 1933 (E). – *Sept Leçons sur l'être et les premiers principes de la philosophie spéculative,* 1934 (E). – *La Philosophie de la nature,* 1935 (E). – *Science et sagesse,* 1935 (E). – *Frontières de la poésie,* 1935 (E). – *Humanisme intégral,* 1936 (E). – *Questions de conscience,* 1938 (E). – *Les Juifs parmi les nations,* 1938 (E). – *Quatre Essais sur l'esprit dans sa condition charnelle,* 1939 (E). – *De la justice politique,* 1940 (E). – *Confession de foi,* 1941 (E). – *À travers le désastre,* 1941 (E). – *Les Droits de l'homme et la loi naturelle,* 1942 (E). – *Christianisme et démocratie,* 1943 (E). – *Sort de l'homme,* 1943 (E). – *Principes d'une politique humaniste,* 1944 (E). – *À travers la victoire,* 1945 (E). – *Pour la justice,* 1945 (E). – *La Pensée de saint Paul,* 1947 (E). – *La Personne et le bien commun,* 1947 (E). – *La Philosophie bergsonienne,* 1947 (E). – *Neuf Leçons sur les notions premières de la philosophie morale,* 1951 (E). – *Réflexions sur l'Amérique,* 1958 (E). – *Distinguer pour unir ou les Degrés du savoir,* 1959 (E). – *La Philosophie morale,* 1960 (E). – *Pour une philosophie de l'éducation,* 1960 (E). – *La Responsabilité de l'artiste,* 1961 (E). – *Dieu et la permission du mal,* 1963 (E). – Avec Raïssa Maritain, *Situation de la poésie,* 1964 (E). – *Le Journal de Raïssa,* 1965. – *Le Mystère d'Israël,* 1965 (E). – *L'Homme et l'État,* 1965 (E). – *Journal* (fragments), 1966. – *Le Paysan de la Garonne. Un vieux laïc s'interroge à propos du temps présent,* 1966 (E). – *L'Intuition créatrice dans l'art et dans la poésie,* 1966 (E). – *De la grâce et de l'humanité de Jésus,* 1967. – *Religion et culture,* 1968 (E). – *De l'Église du Christ. La personne de l'Église et son personnel,* 1970 (E). – *Approches sans entraves,* 1973. – *Correspondance J. Maritain-E. Mounier (1929-1939),* 1973.

MARIVAUX Pierre Carlet de Chamblain de. Paris 4.2.1688 – 12.2.1763. Son père ayant été nommé directeur de la Monnaie à Riom, c'est dans cette ville qu'il fit ses études secondaires. Bien qu'inscrit à l'école de droit dès 1710, il semble n'avoir résidé à Paris que plus tard : c'est à Limoges que paraît sa première pièce, *le Père prudent et équitable.* Mais ses ambitions littéraires le portent plutôt vers le roman *(les Effets surprenants de la sympathie)* et vers la parodie burlesque *(l'Iliade travestie).* Il épouse Colombe Bologne, de cinq ans son aînée (1717), et fait paraître de nombreux articles dans le *Mercure.* En 1719, s'il ne parvient pas à obtenir la place de son père, décédé, à Riom, il voit sa tragédie *la Mort* *d'Annibal* reçue à la Comédie-Française, qui la crée en 1720. De cette année date le vrai départ de sa carrière, qui se développe dans trois directions : le journalisme littéraire, avec *le Spectateur français* (vingt-cinq numéros), *l'Indigent Philosophe* (sept numéros) et *le Cabinet du Philosophe* (onze numéros) ; le roman, avec *la Vie de Marianne* et *le Paysan parvenu ;* le théâtre surtout, avec de nombreuses pièces dont les trois principales sont *la Double Inconstance, le Jeu de l'amour et du hasard* et *les Fausses Confidences.* La vie de M., dont les pièces remportent des succès divers, n'est marquée que par des accidents privés : mort de sa femme (1723), entrée de sa fille unique au couvent (1745) ; lié dès 1744 avec Mlle de Saint-Jean, M. finira sa vie à ses côtés sans l'épouser. Il fréquente les salons de Mme de Tencin puis de Mme Geoffrin ; son portrait par Van Loo est exposé à l'Académie royale (1753). Ses dernières années, attristées par plusieurs maladies, sont celles d'un écrivain célèbre mais souvent mal compris.

De l'homme privé, de sa vie discrète et sans aventures, nous savons très peu de chose ; ce n'est certes pas dans sa biographie que nous pourrons trouver le secret de son génie. Son originalité, dans un siècle qui préféra souvent à ses innovations les comédies larmoyantes de Nivelle de La Chaussée ou celles, postclassiques, de Voltaire, est d'avoir brisé le cercle où s'enfermait le théâtre depuis la mort de Molière ; ni comédie de mœurs, ni comédie d'intrigue, ni comédie de caractères : ce qu'il crée, c'est la comédie de sentiment. Seule une évolution de la réalité morale et sociale a pu lui permettre de mettre en scène avec vraisemblance les problèmes du cœur : à l'époque de Molière, les mariages ne se faisaient que par raison de convenance, et le thème du mariage d'amour reposait sur une hypothèse si romanesque qu'il fallait les plus abracadabrants dénouements pour en justifier l'exploitation littéraire. Lorsque M. entreprend d'écrire, si l'on est encore loin d'accorder le libre choix matrimonial aux enfants, plusieurs esprits blâment les pères qui contraignent les leurs à des unions artificielles. C'est dans la perspective de cette transformation des esprits que M. place son étude, reprise avec prédilection de pièce en pièce, de la naissance de l'amour : sans doute, il ne renonce pas aux obstacles traditionnels de la comédie (volonté parentale, conventions mondaines, empêchement juridique), mais ces obstacles eux-mêmes se trouvent intériorisés par la tonalité générale d'un débat qui est avant tout l'affaire du ou des personnages en proie à leurs problèmes sentimentaux. Ce n'est pas à dire qu'il faille appeler « sentimentale » la comédie de M. ; grâce aux analyses (parfois excessives) de critiques comme P. Gazagne, il est devenu impossible d'ignorer la force sensuelle de son théâtre : autant de surprises du désir que de surprises de la tendresse dans ces « surprises de l'amour » exagérément poudrées d'élégance abstraite par la tradition scénique. Ce qui peut faire croire à une certaine désincarnation de M. n'est, en fait, que sa profonde originalité linguistique. S'opposant en effet aux techniques de dialogue des comédies du XVIIe s., qui enchaînaient les répliques selon leur contenu d'idées, il pousse à ses extrêmes conséquences le procédé favori de la *commedia dell'arte :* le dialogue s'y « enchaîne autour de mots-repères apparaissant à la fin des répliques » (F. Deloffre) et peut donner l'impression qu'on ne réplique plus sur la chose, mais seulement sur le mot. Admirable détour, au contraire, et qui est le vrai « marivaudage » : entre des personnages qui tentent, par le jeu des reparties, d'imposer un masque à la vérité qui les tourmente, le langage n'est plus le signe de l'action mais l'action même. Cette façon d'écrire requiert de l'interprète une rare souplesse : rappelons quelle aide précieuse apportèrent à M. les comédiens du Théâtre-Italien dirigés par Luigi Riccoboni : il préférait leur naturel, leur virtuosité mimique, leur sens de l'improvisation, à la tradition plus solide des Comédiens-Français, beaucoup moins dociles à son originalité ; la plupart de ses grandes pièces furent écrites pour l'actrice Silvia, pour Riccoboni (qui jouait Lélio), pour Thomassin, dont le personnage (Arlequin) disparut en même temps que lui (1739). À côté des formes traditionnelles, utilisées par le débutant, on trouve dans le théâtre de M. toutes les variantes de la comédie d'analyse du cœur, et même des tentatives originales de représentation scénique de l'utopie sociale (*l'Île des Esclaves : l'Île de la Raison ; la Nouvelle Colonie ou la Ligue des femmes* [titre de 1750 : *la Colonie*]) ou de la fiction dans la fiction *(les Acteurs de bonne foi).* Les trois grandes pièces de M. réunissent les principaux procédés de sa logique de l'amour : le travestissement, l'inconstance, l'épreuve, le préjugé social ; qu'il s'agisse d'un chassé-croisé d'amoureux *(la Double Inconstance),* d'un double déguisement échangeant maîtres et valets *(le Jeu de l'amour...)* ou d'une réflexion plus grave sur le mariage *(les Fausses Confidences),* l'écriture de M. brode de subtiles variations sur le mensonge : mensonges du sentiment, mensonges de l'amour-propre, mensonges de l'orgueil, mensonges de l'inégalité sociale. La nouveauté et la richesse de l'œuvre dramatique de M. font pâlir sa production de romancier, qui a pourtant le mérite, à sa date, d'inaugurer le « roman d'apprentissage » à la première personne : non qu'il ne s'y soit permis d'aussi grandes audaces – en particulier dans le personnage social du paysan parvenu –, mais l'absence du carcan scénique, qui contraint à la concision, semble avoir libéré chez M. une certaine prolixité, compensée toutefois par le pittoresque du réalisme et le naturel de l'analyse ; quant aux tentatives critiques du rédacteur de feuilles littéraires, elles sont encore, malgré leur timidité, fort intéressantes comme témoignage sur les contemporains. Nul doute cependant : son seul théâtre suffit à faire de M. l'une des plus grandes figures du XVIIIe s. français, à la fois peintre subtil de la société de son temps et plus subtil encore de l'éternel cœur humain. Acad. fr. 1742.

Œuvres. *Le Père prudent et équitable,* 1712 (T). – *Les Aventures de *** ou les Effets surprenants de la sympathie,* 1713-1714 (N). – *La Voiture embourbée,* 1714 (N). – *Le Bilboquet,* 1714 (N). – *L'Iliade travestie* (parodie), 1716. – *Lettre sur les habitants de Paris,* 1717. – *Don Quichotte moderne* (parodie), 1717. – *Le Portrait de Climène* (ode anacréontique), 1717 (P). – *Caractères de M. de Marivaux,* 1718 (E). – *Lettre à une dame sur la perte d'un perroquet,* 1718. – *Pensées sur la clarté du discours et sur le sublime,* 1719 (E). – *Lettres contenant une aventure* (inach.), 1719-1720. – *La Mort d'Annibal,* 1720 (T). – *L'Amour et la Vérité,* 1720 (T). – *Arlequin poli par l'amour,* 1720 (T). – *La Surprise de l'amour,* 1722 (T). – *Le Spectateur français* (journal), 1721-1724. – *La Double Inconstance,* 1723 (T). – *L'Illustre Aventurier ou le Prince travesti,* 1724 (T). – *La Fausse Suivante ou le Fourbe puni,* 1724 (T). – *Le Dénouement imprévu,* 1724 (T). – *L'Île des esclaves,* 1725 (T). – *L'Héritier de village,* 1725 (T). – *L'Indigent Philosophe* (journal), 1727. – *Les Petits Hommes, ou l'Île de la Raison,* 1727 (T). – *La Seconde Surprise de l'amour,* 1728 (T). – *Le Triomphe de Plutus,* 1728 (T). – *La Nouvelle Colonie ou la Ligue des femmes,* 1729 (T). – *Le Jeu de l'amour et du hasard,* 1730 T). – *La Vie de Marianne,* 1731-1741 (N). – *La Réunion des amours,* 1731 (T). – *Le Triomphe de l'amour,* 1732 (T). – *Les Serments indiscrets,* 1732 (T). – *L'École des mères,* 1732 (T). – *L'Heureux Stratagème,* 1733 (T). – *La Méprise,* 1734 (T). – *Le Petit Maître corrigé,* 1734 (T). – *Le Cabinet du philosophe* (journal), 1734. – *Le Paysan parvenu,* 1734-1735 (N). – *La Mère confidente,* 1735 (T). – *Le Télémaque travesti* (parodie écrite en 1714), 1735-1736. – *L'École des mœurs,* 1735 (T). – *La Méprise,* 1735 (T). – *Le Legs,* 1736 (T). – *Pharamond ou les Folies romanesques* (écrit en 1712), 1737 (N). – *Les Fausses Confidences,* 1737 (T). – *La Joie imprévue,* 1738 (T). – *Les Sincères,* 1739 (T). – *L'Épreuve,* 1740 (T). – *La Commère,* 1741 (T). – *Éloge du cardinal Fleury* (discours de réception à l'Académie française), 1743. – *La Dispute,* 1744 (T). – *Réflexions sur le progrès de l'esprit humain,* 1744 (E). – *Le Préjugé vaincu,* 1746 (T). – *Réflexions sur Corneille et Racine,* 1749-1750 (E). – *La Colonie,* 1750 (T). – *Réflexions sur les Romains et les anciens Perses,* 1751 (E). – *L'Éducation d'un prince* (dialogue), 1754 (E). – *La Femme fidèle,* 1755 (E). – *Suite des réflexions sur l'esprit humain à l'occasion de Corneille et de Racine,* 1755 (E). – *Félicie,* 1757 (T).

Le Jeu de l'amour et du hasard

Deux jeunes gens : elle, Silvia ; lui, Dorante. Une situation initiale qui rappelle celle des comédies de Molière : le père de Dorante et le père de Silvia, M. Orgon (qui va jouer un rôle important de meneur de jeu), ont combiné le mariage de leurs enfants. Mais l'évolution de cette situation se fera dans un tout autre sens que chez Molière. Car M. Orgon, pour que ce mariage soit un mariage d'amour, imagine de camoufler l'opération en masquant sa fille sous un déguisement de soubrette : elle va prendre la place de sa femme de chambre, Lisette, qui, elle, prendra la place de sa maîtresse. Mais il se trouve que Dorante a eu la même idée : il prend la place de son valet Arlequin, sous le nom de Bourguignon, tandis qu'Arlequin prend la sienne. Le résultat est que les deux couples se trouvent bien constitués, mais, pour ainsi dire, à l'envers : Silvia-Dorante sous les apparences de Lisette-Bourguignon et Arlequin-Lisette sous les apparences de Silvia-Dorante, étant bien entendu que chaque membre de chaque couple ignore le déguisement de l'autre, alors que le spectateur, lui, est au courant. À partir de là, voici que l'amour va naître progressivement dans le cœur de Silvia pour Dorante, qu'elle croit être Bourguignon, et dans le cœur de Dorante pour Silvia, qu'il croit être Lisette : d'où l'entrée en lice de l'amour-propre, son combat de plus en plus inégal avec l'amour, jusqu'à ce que la coïncidence, soigneusement ménagée, entre le triomphe de l'amour et la révélation des véritables identités résolve la situation et rende possible et nécessaire le mariage. L'intrigue parallèle entre Arlequin et Lisette, qui aboutit elle aussi au mariage, permet à M. d'introduire dans sa comédie un contrepoint comique fondé sur la façon quasi burlesque dont Arlequin assume son déguisement. L'acte I est, selon la tradition classique, celui de l'exposition (nous sommes mis au courant du stratagème de M. Orgon et, un peu plus tard, nous apprenons celui de Dorante) ; parallèlement, la première entrevue entre Silvia et Dorante déguisés nous les montre saisis malgré eux par un véritable charme réciproque. C'est l'action de ce charme qui va remplir l'acte II : dans un premier temps (sc. VII-VIII), il se heurte à la résistance de l'amour-propre, mais, dans un second temps (sc. IX-X), l'équilibre se rétablit entre les deux adversaires ; peut-être même y a-t-il déjà un avantage pour l'amour. C'est à partir de là que l'acte III révèle une Silvia décidée à attaquer Dorante au moment où celui-ci, plus faible qu'elle, ne voit d'autre issue que son départ. Ainsi le triomphe de l'amour sera aussi le triomphe de Silvia. Lorsque celle-ci peut enfin s'écrier : « Que d'amour ! », c'est qu'elle est sûre d'elle-même et de Dorante. La révélation peut alors avoir lieu, ainsi que le double mariage.

Les Fausses Confidences

Une jeune femme riche, Araminte ; un jeune homme, Dorante, pauvre mais de condition convenable (il est le neveu d'un procureur, M. Rémy, qui figure au nombre des personnages de la pièce, car il est chargé des affaires d'Araminte) : Dorante, qui aime Araminte et voudrait bien en être aimé, vient, sur la recommandation de son oncle, d'être par elle engagé comme intendant ; un meneur de jeu, Dubois, ancien valet de Dorante, employé chez Araminte, dont la mission est de former le couple Araminte-Dorante grâce à la mise en œuvre de dons psychologiques qui sont ceux-mêmes de l'auteur. Et c'est bien grâce à ses « fausses confidences » (à Araminte) qu'en effet le couple finira par être prêt au mariage annoncé par le dénouement. Autour de ce trio central, les éléments nécessaires à l'incarnation de cette aventure : la mère d'Araminte, Mme Argante, sorte de bourgeois gentilhomme féminin, qui s'est mis dans la tête de faire épouser un comte à sa fille (laquelle est riche, mais n'est pas noble) ; ce comte, qui est amoureux d'Araminte, mais aussi en litige avec elle, offre de renoncer à son projet de procès, si le mariage a lieu ; une dame de compagnie enfin, Marton, qui croit que Dorante est pour elle, et dont les illusions viendront pimenter l'action de quelques incidents, mais sans qu'ils aillent jusqu'à provoquer dans le cœur d'Araminte une jalousie qui risquerait de faire tourner la comédie au drame. L'acte I met en place les éléments du jeu psychologique : arrivée de Dorante, qui prend d'abord contact avec Dubois, et, dès la scène II, celui-ci s'engage à lui faire épouser Araminte ; premier contact ensuite entre Araminte et Dorante, et déjà, à l'occasion d'une intervention malencontreuse de Mme Argante, Araminte prend le parti de Dorante (« Je ne veux pas qu'on vous chagrine »), point de départ de la cristallisation amoureuse. Enfin Dubois inaugure sa stratégie de la confidence : d'un côté, « C'est un démon que ce garçon-là » ; de l'autre, « Il vous adore, il y a six mois qu'il n'en vit point » (sc. XIV). L'acte II est celui des oscillations déterminées par la résistance de l'amour-propre (être amoureuse de son intendant, quels que soient ses mérites !) ; les interventions du comte n'arrangent rien, celles de Marton non plus, qui croit qu'un portrait que Dorante a fait peindre est le sien, alors qu'on découvre que c'est celui d'Araminte (sc. IX). L'acte II s'achève ainsi sur le suspens d'une Araminte en état de trouble et d'un Dorante en état de crainte : Araminte donne son congé à Dorante ; quant à Dubois, qui ne s'inquiète pas, il continue son manège, et Dorante, par sa seule attitude, laisse paraître ses sentiments, tandis qu'Araminte sent croître en elle une émotion qui est déjà de l'amour (« Le cœur me bat », sc. XIII). Comme dit Dubois : « Voici l'affaire dans sa crise » (sc. XVI). L'acte III sera celui de la révélation : on découvre une lettre de Dorante à Dubois (c'est le comte qui en fait la lecture publique, sc. VIII) où il est question de sa « passion ». Araminte querelle Dubois, ce qui est, aux yeux de celui-ci, le signe qu'elle est bien prise au piège ; Marton se désiste, et Araminte convoque Dorante (sc. XII) pour lui dire sa reconnaissance de tout ce qu'il a fait pour la conquérir ; c'est sa manière à elle de se rendre. Quant au comte, il ne lui reste plus qu'à renoncer à la fois à Araminte et à son procès, ce qu'il fait avec générosité. Que Mme Argante proteste, c'est dans l'ordre, mais peu importe, car, dans le monde de M., les Araminte sont libres de leur cœur.

La Colonie

M. se souvient de *l'Assemblée des femmes* d'Aristophane ; mais, pour bien marquer que le sujet de l'émancipation féminine est ici traité dans le cadre de la fantaisie et de l'humour, la pièce est précédée d'un *Divertissement* chanté. Nous sommes sur une île jusque-là déserte et qui vient d'être colonisée, il s'agit donc de choisir un gouvernement, opération pour laquelle, par situation, il n'y a pas de précédent. Les femmes tentent d'en profiter pour imposer leur suprématie, conduites, pour la noblesse, par la grande dame Arthénice, et, pour le tiers état, par la bourgeoise Mme Sorbin, car les maris de l'une et de l'autre ont été désignés pour gouverner, et elles exigent leur abdication en échange du maintien de l'amour conjugal. Un arbitre intervient alors, le sage Hermocrate, et, tandis qu'une sédition féminine se prépare, il trouve le moyen de faire rentrer les choses dans l'ordre, non sans que les femmes aient imposé aux hommes le respect de leurs droits. *La Colonie* est une comédie en un acte de dix-huit scènes.

La Vie de Marianne

Marianne, de parents inconnus, élevée par des personnes charitables, trouve protection auprès de Mme de Marsan ; le jeune Valville lui fait la cour, puis l'abandonne. Elle fait aussi une pénible expérience avec un certain M. de Climal, personnage fort suspect et déplaisant, c'est le moins qu'on puisse dire. Elle reçoit un jour la visite d'un homme d'« environ cinquante ans » qui se révèle être un galant homme. Marianne trouve en lui une sorte de réponse à cette délicatesse d'âme qui est la sienne et qui avait été si souvent froissée au cours de sa vie, en particulier lorsqu'elle était employée chez une cordiale mais fruste lingère, Mme Dutour.

Le Paysan parvenu

Roman à la première personne où un jeune paysan, nommé Jacob, venu à Paris de sa Champagne natale, raconte comment, grâce à son intelligence, son sens de l'observation et son absence de scrupules, il est devenu M. de La Vallée : c'est essentiellement l'histoire de la séduction par le jeune homme d'une demoiselle de la bourgeoisie, Mlle Habert, quelque peu mûrissante, qu'il épouse pour ensuite la tromper, mais avec une sorte d'innocence qui fait qu'il n'en est pas pour autant antipathique. C'est qu'il prend le monde comme il vient, est plutôt bon garçon et fait preuve d'une ingénuité dans le cynisme qui ne fait pas mauvais ménage avec l'aisance dont il a le privilège ; la clé de son caractère est dans cette remarque que lui fait un jour son maître : « Pour un paysan, vous ne manquez pas d'esprit », et il le prouve par la qualité même du langage que lui fait parler son créateur, que l'on reconnaît bien là.

MARMONTEL Jean-François. Bort-les-Orgues (Corrèze) 11.7.1723 – Abloville (Eure) 31.12.1799. Après avoir fait sa philosophie à Clermont-Ferrand, il vient à Paris en 1745. S'étant essayé sans succès à la tragédie, il publia ensuite, avec plus de réussite : *Contes moraux, Bélisaire* (roman idéologique), *le Huron* (opéra, musique de Grétry), *les Incas* (poème en prose), *Didon* (opéra, musique de Piccinni), *Éléments de littérature* (réunion de ses articles pour l'*Encyclopédie*) et une seconde série de *Contes moraux ;* après sa mort parurent les intéressants *Mémoires d'un père pour servir à l'instruction de ses enfants.* Lu dans toute l'Europe, servi par un talent facile, homme heureux grâce à sa prudence, styliste et documentaliste d'une grande conscience, M. reste de commerce agréable ; son personnage littéraire constitue une synthèse des principales tendances d'une littérature de l'« homme sensible », sentimentalisme moralisateur et libéralisme philosophique. Acad. fr. 1763.

Œuvres. *L'Invention de la poudre à canon,* 1741 (P). – *La Gloire de Louis XIV perpétuée dans le roi son successeur,* 1746 (P). – *Denys le Tyran,* 1748 (T). – *Aristomène,* 1749 (T). – *Cléopâtre,* 1750 (T). – *Les Héraclides,* 1752 (T). – *Egyptus,* 1753 (T). – *Les Funérailles de Sésostris,* 1753 (T). – *Les Charmes de l'étude,* 1760 (E). – *La Pharsale* (trad. de Lucain), 1761. – *Contes moraux,* 1761 (N). – *Poétique française,* 1763 (E). – *Bélisaire,* 1767 (N). – *Le Huron* (opéra, musique de Grétry), 1768 (T). – *Lucile* (opéra, musique de Grétry), 1769 (T). – *Silvain* (opéra, musique de Grétry), 1770 (T). – *Zémire et Azor* (opéra, musique de Grétry), 1771 (T). – *La Fausse Magie* (opéra, musique de Grétry), 1771 (T). – *Les Incas ou la Destruction de l'empire du Pérou* (poème en prose), 1777. – *Didon* (opéra, musique de Piccinni), 1783 (T). – *Pénélope* (opéra, musique de Piccinni), 1785 (T). – *Éléments de littérature* (réunion d'articles pour l'*Encyclopédie,* 6 vol.), 1787 (E). – *Œuvres complètes* (17 vol.), 1787. – *Mémoires sur la régence du duc d'Orléans,* 1789. – *Contes moraux* (seconde série), 1789-1792 (N). – *Mémoires d'un père pour servir à l'instruction de ses enfants* (autobiographie), posth., 1800. – *Leçons d'un père à ses enfants sur la langue française,* posth., 1808.

MAROT Clément. Cahors 1496 ou 1497 – Turin 10.9.1544. Après une enfance assez libre, durant laquelle il ne porte pas un grand intérêt aux études et moins encore à ses maîtres, qu'il ne juge pas à la hauteur de leur tâche, M. est très vite attiré par les facilités de la vie à la Cour, qu'il connaît par l'intermédiaire de son père, le rhétoriqueur Jean M., un des poètes favoris de la reine Anne de Bretagne. Il cherche donc à se faire sa place parmi les poètes courtisans, entre comme page au service de Nicolas de Neufville et devient clerc, toujours désireux de mettre en valeur son talent littéraire. Dès 1515, M. fait paraître le *Temple de Cupidon*, dans la manière des rhétoriqueurs. Il parvient à se débarrasser des vieilles formes du Moyen Âge pour se mettre au goût du jour avec une ballade, *À Madame d'Alençon* (Marguerite de Navarre) *pour estre couché en son esprit.* Séduite par cet art de quémander de si jolie manière, Marguerite le prend alors auprès d'elle comme valet de chambre (1518). Non content d'avoir flatté la dame, il fait l'éloge de son mari, le duc d'Alençon, dans *De l'arrivée de Monseigneur d'Alençon en Hainault.* Sans doute sous l'influence de Marguerite, il prend connaissance des idées de la Réforme, qui sera pour lui une source d'ennuis.

Bien que M. n'ait jamais été à l'avant-garde du mouvement évangéliste, il aura de nombreux démêlés avec l'Église. C'est ainsi qu'il est dénoncé, en 1526, pour avoir mangé du lard pendant le carême. Lors de son emprisonnement au Châtelet, il écrit *l'Épistre à Lyon Jamet* pour solliciter du secours. Grâce à l'intervention de Jamet, un de ses amis, il obtient des conditions de détention plus favorables et sera libéré au retour de François Ier. La rancœur suscitée par cette réclusion forcée aiguise chez M. son esprit caustique, et c'est dans cet esprit que, peu après, il écrira *l'Enfer,* satire mordante et même parfois cruelle des gens de justice. L'épreuve désormais a quelque peu durci le poète, mais comme sa vie personnelle ne lui fournit guère de sujets spectaculaires, il choisit le moindre prétexte pour versifier. Veut-il emprunter de l'argent au roi, il écrit *Au roy pour avoir été dérobé ;* stimulé par les événements de l'actualité mondaine les plus anodins, il compose ainsi une foule de pièces de circonstances (étrennes, épitaphes, cimetières, complaintes et surtout des épîtres et des blasons), qu'il réunira dans *l'Adolescence clémentine.* Poète attitré de la cour (de 1527 à 1534), M. jouit d'une gloire sans égale. Mais, accusé d'hérésie (il aurait une fois encore, en 1532, mangé du lard), M. à son grand regret, se voit contraint de quitter la cour, et il se réfugie chez Marguerite de Navarre puis chez Renée de France, à Ferrare. C'est à cette occasion qu'il écrit *Au roy, du temps de son exil,* pour se justifier des accusations qui sont portées contre lui. En Italie, M. étudie les poètes italiens et latins (Boccace, Ovide) et prend plus franchement parti pour la Réforme. Mais il rêve à la cour de France comme à un paradis perdu et, pour pouvoir y retourner, abjure ses « erreurs ». Pendant son absence, un autre a pris sa place, François Sagon, poète médiocre, qui ne craint pas d'utiliser la diffamation pour abaisser M. dans l'estime que le roi lui porte. *L'Épistre de Fripelipes, valet de Marot* répond à cette campagne calomnieuse de l'usurpateur. La situation de M. devient moins stable. Après la parution de *l'Enfer,* il est obligé de se réfugier à Genève, alors que les persécutions contre les réformés ont repris de plus belle. Mais M. ne parvient pas à se trouver en accord avec Calvin. Pour lui, l'évangélisme devrait plutôt être une religion libérale, où tous les hommes de bonne volonté pourraient se retrouver et vivre en harmonie. À la suite de sa rencontre avec Calvin, il entreprend néanmoins une traduction des Psaumes, qu'il fait paraître en 1543 sous le titre *Cinquante Psaumes de David mis en rimes françaises* et qui obtient un grand succès tant à la Cour que parmi les protestants. Mais la publication du *Sermon du bon pasteur et du mauvais* éloignera définitivement M. de la Cour ; la Sorbonne le condamne, et il doit à nouveau s'exiler, d'abord à Genève, puis à Chambéry et enfin à Turin, où il mourra solitaire et abandonné ; en 1544, année de sa mort, paraît la grande édition complète de ses œuvres.

Poète tout d'abord soumis aux formes consacrées de la « rhétorique », léger et badin et, en ce sens, étranger aux ambitions qui seront celles de la Pléiade, M. n'est sans doute pas un novateur, mais il a su personnaliser peu à peu son inspiration sous la pression même des épreuves que la vie ne lui ménagea pas, et, tout en conservant la grâce qui est sa signature, il s'est révélé capable, au long des années, de l'approfondir et d'atteindre au vrai lyrisme, même lorsque, comme dans *l'Enfer* – peut-être son chef-d'œuvre –, il conserve le langage allégorique. Dans cette alliance de l'aisance technique et de l'inspiration personnelle réside sans doute l'essentiel de son génie.

Œuvres. *Première Bucolique* (trad. de Virgile), 1512-1513. – *Le Jugement de Minos* (trad. de Lucien), 1514. – *Temple de Cupido, fait et composé par maître Clément Marot, facteur de la reine,* 1515 (P). – *Épistre de Maguelonne à son ami Pierre de Provence,* 1515 (P). – *Petite Épistre au roy,* 1516 (P). – *Épistre du dépourvu,* 1518 (P). – *Ballade à Madame d'Alençon pour estre couché en son esprit,* 1518 (P). – *De l'arrivée de Monseigneur d'Alençon en Hainault,* 1521 (P). – *Épistre* *à M. Bouchard, docteur en théologie,* 1526 (P). – *Épistre à Lyon Jamet,* 1526 (P). – *Rondeau parfait à ses amis après sa délivrance,* 1526 (P). – *Épistre au roy pour le délivrer de prison,* 1527 (P). – *Opuscules et Petits Traités de C. Marot* (recueil), 1530 (P). – *Épistre au roy pour avoir été dérobé,* 1531 (P). – *L'Adolescence clémentine,* 1533-1535 (P). – *Épistre au roy, du temps de son exil à Ferrare,* 1536 (P). – *Épistre à Monseigneur le Dauphin, du temps de son dict exil,* 1536 (P). – *Adieux à la ville de Lyon,* 1536 (P). – *Dieu gard la cour* (hymne), 1536 (P). – *Églogue au roy sous les noms de Pan et de Robin,* 1537 (P). – *Épistre de Fripelipes, valet de Marot, à Sagon,* 1537 (P). – *Sermon du bon pasteur et du mauvais,* 1539. – *Trente Psaumes de David mis en rimes françaises,* 1541. – *L'Enfer,* 1542 (P). – *Complainte d'un pastoureau chrétien, faite en forme d'églogue rustique, dressant sa plainte à Dieu, sous la personne de Pan, dieu des Bergers,* 1543 (P). – *Psaumes* (cinquante psaumes), 1543.

L'Enfer

Caractérisé dans sa forme par le recours au procédé « rhétorique » de l'allégorie, le poème transpose l'expérience de la détention du poète au Châtelet, lieu transformé en une allégorie de l'Enfer, et se construit sur le développement logique de cette allégorie initiale, à partir de laquelle tous les personnages de la police et de la justice royales se trouvent automatiquement identifiés aux monstres mythologiques de l'Hadès sans pour autant cesser d'être parfaitement reconnaissables ; ainsi en est-il de Cerbère, qui garde l'entrée et joue le rôle d'huissier ; ainsi en est-il aussi de Rhadamante, « plus enflammé qu'une ardente fournaise » ; ainsi en est-il enfin des inculpés, assimilés à des « âmes damnées ». On notera que M. utilise ici en humaniste la mythologie antique et que, même, dans cette allégorie de l'Enfer, il mêle images païennes et images chrétiennes, comme fera plus tard Ronsard.

MAROT Jean. Caen, vers 1450 – 1526. Père du précédent. Il fut en 1506 secrétaire de la reine Anne de Bretagne et poète de Louis XII, qu'il accompagna dans ses campagnes. Il chercha enfin la protection de François Ier, qu'il obtint. La fin de sa vie fut troublée par les frasques de son fils et par des soucis matériels.

Poète fécond mais sans originalité ni imagination, J. M. fait partie des rhétoriqueurs. D'une façon bien conventionnelle, il prit le parti des femmes dans *la Vraydisante Advocate des dames. Le Voyage de Gênes* est une chronique allégorique qui rapporte, assez platement, la prise de Gênes par Louis XII. Poète de cour, il produisit des poésies de circonstance, telles les *Prières pour la restauration de la santé de Madame Anne de Bretagne.*

M. ne survit dans les mémoires que grâce à la renommée de son fils. Son œuvre n'offre même pas un intérêt historique. Elle est seulement une marque de la décadence, à la fin du Moyen Âge, de la poésie lyrique, stéréotypée dans des formes vieillies ; décadence qui justifiera l'action de la Pléiade.

Œuvres. *La Vraydisante Advocate des dames,* 1506 (P). – *Le Voyage de Gênes,* 1507 (P). – *Le Doctrinal des princesses et des nobles dames,* 1508 (P). – *Le Voyage de Venise,* 1509 (P). – *Prières pour la restauration de la santé de Madame Anne de Bretagne,* 1512 (P). – *Épistre sur la défaite des Suisses à Marignan,* 1515 (P). – *La Déploration et l'Épitaphe de Claude de France,* 1524 (P).

MARTEAU Robert. Villiers-aux-Bois (Haute-Marne) 8.2.1925. Dans la lignée des poètes pour qui, de Maurice Scève à Gérard de Nerval, toute parole poétique a pour mission de découvrir un lambeau de vérité métaphysique, d'ouvrir la voie vers la Parole absolue dont l'homme a perdu la trace et jusqu'au souvenir, M. délivre un message d'inspiration orphique, mais dans le refus de toute rhétorique et de toute exaltation prophétique, lorsqu'il adopte l'ampleur lyrique d'un langage élargi comme lorsqu'il s'attache à la concision oraculaire du vers bref ou du poème court : son œuvre maintient ainsi son unité dans tout l'espace qui va de l'ode au sonnet.

Œuvres. *Royaume,* 1964 (P). – *Ode n° 8,* 1966 (P). – *Travaux sur la terre,* 1966 (P). – *Chagall sur la terre des dieux,* 1967 (E). – *Des chevaux parmi les arbres,* 1968 (P). – *Sibylles,* 1971 (P). – *Pentecôte,* 1973 (P). – *Atlante,* 1976 (P). – *Ce qui vient,* 1979 (P). – *Entre temps,* 1981 (P). – *Mont-Royal,* 1981 (P).

MARTIN Claire, Mme Roland Faucher. Québec 18.4.1914. Écrivain canadien-français. Tandis qu'elle poursuit ses études chez les Ursulines puis chez les sœurs de la Congrégation Notre-Dame, elle connaît une enfance et une adolescence malheureuses, qu'elle relatera dans les deux volumes de ses mémoires, *Dans un gant de fer* et *la Joue droite.* Particulièrement sensibilisée par son expérience personnelle aux problèmes de la condition sociale de la femme, elle sera présentatrice à la radio, d'abord à Québec puis à Montréal. C'est en 1958 qu'elle publie son premier livre, *Avec ou sans amour,* recueil de nouvelles qui lui vaut le prix du Cercle du livre de France. Deux romans suivirent, publiés d'abord à Montréal puis à Paris : *Doux-Amer* et *Quand j'aurai payé ton visage.* L'un et l'autre révèlent une observation aiguë des mécanismes psychologiques et, à cet égard, relèvent de la catégorie du roman d'analyse. Mais ce sont aussi des romans de l'aventure intérieure : amour précaire et menacé, aventure essentielle des personnages ; et c'est par le biais de cette expérience aventureuse de l'amour vécu comme un risque que s'opère la révélation psychologique des « caractères ». Quant aux Mémoires, ils sont caractérisés par leur réalisme teinté d'amertume : on y assiste au déroulement cruel d'une enfance et d'une adolescence contrariées, et, comme les romans, ils sont écrits dans une langue d'une pureté exemplaire. Dans *les Morts,* enfin, œuvre publiée entre les deux premiers romans et les Mémoires de Cl. M., l'orientation autobiographique du roman s'accentue : l'auteur y est omniprésente et poursuit, à travers ses personnages, une sorte de dialogue intérieur avec elle-même. La technique qui consiste à faire raconter l'histoire par une narratrice dans des conditions telles que les personnages n'existent que par rapport à elle est le signe évident de la signification autobiographique de ce roman.

Œuvres. *Avec ou sans amour* (nouvelles), 1958 (N). – *Doux-Amer,* 1960 (N). – *Quand j'aurai payé ton visage,* 1962 (N). – *Dans un gant de fer,* 1965 (N). – *La Joue droite,* 1966 (N). – *Les Morts,* 1970 (N). – *Markoosie,* 1971 (N). – *Moi, je n'étais qu'espoir,* 1972 (T). – *La petite fille lit,* 1973 (N).

MARTIN DU GARD Roger. Neuilly-sur-Seine 23.3.1881 – Sérigny (Orne) 22.8.1958. Après des études sans grand éclat, il entre à l'École des chartes (1899), mais c'est la littérature qui l'attire : attisée par la lecture de *Guerre et Paix,* sa curiosité naturelle pour l'histoire influencera fortement son œuvre. Après les romans *Devenir !* et *Jean Barois,* il consacre vingt ans à la rédaction des *Thibault,* tout en écrivant parallèlement quelques œuvres mineures, en particulier deux farces paysannes, *le Testament du père Leleu* et *la Gonfle.* Retiré en province dès la fin de la Première Guerre mondiale, c'est à Nice que, pendant la Seconde, il entreprend la composition d'un dernier roman, *Souvenirs du colonel de Maumort ;* cette œuvre restera inachevée du fait de la maladie qui assombrit la vieillesse de l'écrivain. Sans négliger *Jean Barois,* documentaire passionnant sur l'affaire Dreyfus, d'une rigueur historique et d'une probité de style exemplaires, nul ne conteste aux *Thibault* la place centrale dans l'œuvre de M. du G. Les huit épisodes du roman *(le Cahier gris ; le Pénitencier ; la Belle saison ; la Consultation ; la Sorellina ; la Mort du père ; l'Été 14 ; Épilogue)* opposent les vies de deux frères que tout sépare : Antoine, le médecin grand bourgeois, et son cadet Jacques, qui deviendrait un écrivain célèbre si sa soif de justice ne le poussait à rejoindre les rangs des révolutionnaires pacifistes genevois. L'œuvre comporte trois volets, assez distincts ; les six premières parties, abandonnant la technique austère et dissertative de *Jean Barois,* mêlent avec virtuosité les destinées, surtout sentimentales, des héros ; le style, discret mais brillant, la richesse inventive font de chacun de ces six volumes un chef-d'œuvre du roman traditionnel ; *l'Été 14,* qui, à lui seul, représente la moitié de tout l'ouvrage, renoue avec le reportage historique et idéologique ; l'auteur retrace les quelques jours qui précédèrent et suivirent la déclaration de guerre, avec un indubitable génie du contrepoint : querelles d'idées autour de Jaurès, tragédie d'amour entre Jacques et son amie Jenny, tension des scènes de rue ; partout la forme dramatique jaillit sous l'objectivité de l'historien. La faiblesse relative de *l'Épilogue* (mort d'Antoine) ne saurait empêcher de considérer M. du G. comme l'auteur du meilleur roman-fleuve français de l'entre-deux-guerres. Prix Nobel 1937.

Œuvres. *Devenir !* 1908 (N). – *L'Abbaye de Jumièges,* 1909 (E). – *Jean Barois,* 1913 (N). – *Le Testament du père Leleu,* 1914 (T). – *Les Thibault :* I *le Cahier gris,* 1922 ; II *le Pénitentier,* 1922 ; III *la Belle Saison,* 1923 ; IV *la Consultation,* 1928 ; V *la Sorellina,* 1928 ; VI *la Mort du père,* 1929 ; VII *l'Été 14,* 1936 ; VIII *Épilogue,* 1940 (N). – *La Gonfle,* 1928 (T). – *Un taciturne* (drame), 1931 (T). – *Confidence africaine* (nouvelle), 1931 (N). – *Vieille France,* 1933 (N). – *Souvenirs autobiographiques et littéraires,* 1955. – *Le lieutenant-colonel de Maumort,* posth., 1983 (N).

Les Thibault

Le Cahier gris introduit les personnages, expose leurs caractères, met en place les éléments de leur destinée et les conditions de leurs rapports : le « père », Oscar Thibault, grand bourgeois sévère et bien-pensant ; les deux fils, Antoine, l'aîné, interne des hôpitaux et médecin par vocation ; le cadet, Jacques, quatorze ans, déjà un « intellectuel » en révolte contre le conformisme de son milieu, et que nous voyons faire une fugue en compagnie de son ami Daniel de Fontanin. La sanction ne tarde pas : *le Pénitencier* est la maison de redressement fondée par le père Thibault, où il enferme son fils cadet malgré l'intervention en sa faveur de son aîné. Jacques sortira tout de même de ce « pénitencier », et, cinq ans plus tard, dans *la Belle Saison,* nous le voyons vivre la double expérience de l'amitié et de l'amour. Antoine, de son côté, inaugure et poursuit une carrière médicale particulièrement brillante, dont les problèmes vont progressivement le tourmenter de plus en plus, et ce sont ces problèmes de conscience d'Antoine que retrace principalement *la Consultation.* Voici alors que le père Thibault est frappé d'une très grave maladie. Jacques, à la veille d'entrer à l'École normale, disparaît : toutes les hypothèses sont possibles, même celle du suicide. Dans *la Sorellina,* Antoine, en lisant une revue suisse, où, malgré le pseudonyme, il reconnaît le style et la pensée de son frère, retrouve la trace de Jacques, à Lausanne, où le cadet fait à son aîné une sorte de confession et lui révèle le rôle décisif joué dans sa « libération » par un de ses anciens professeurs, Jalicourt. Antoine ramène Jacques à Paris au chevet de leur père, dont *la Mort du père* va raconter l'agonie et enregistrer les réactions en face de la mort, tandis qu'Antoine médite sur les secrets de la personnalité du mourant. Quant à Jacques, il est là comme un étranger et ne songe qu'à regagner la Suisse au plus tôt. C'est alors, après la mort du père, *l'Été 14* : Jacques milite dans les mouvements pacifistes, il assiste à l'assassinat de Jaurès, décide de passer en Suisse pour y poursuivre une action individuelle. Le 10 août, il part en avion avec son ami Meynestrel pour lancer sur le front des tracts rédigés en français et en allemand. L'appareil est abattu : Meynestrel meurt brûlé, Jacques, pris pour un espion, est exécuté par des gendarmes. Pendant ce temps, Antoine avait continué à exercer son métier et, dans une sorte d'entracte de l'action, il avait rencontré Jacques, en juillet 1914, pour une ultime confrontation de leurs deux personnalités. Seul survit désormais Antoine, le médecin ; *l'Épilogue* révèle qu'il a été gazé sur le front en 1917 : mal implacable qui ne peut connaître que des rémissions provisoires, comme le confirme à Antoine son maître et ami le docteur Philip. Ses souffrances devenant intolérables, Antoine y met fin par une piqûre le 18 novembre 1918, une semaine après l'Armistice.

MARTIN LE FRANC. Normandie 1410 – 1461. Il fit ses études à Paris et entra dans les ordres, où il occupa de hautes fonctions auprès des papes Félix V et Nicolas V. Esprit érudit et critique, il est l'auteur de deux ouvrages moraux et didactiques : *le Champion des dames* et *Estrif de Fortune et de Vertu,* dédié au duc de Bourgogne, Philippe le Bon. (Voir CHRISTINE DE PISAN.)

Le Champion des dames

24 000 octosyllabes. C'est une défense acharnée des femmes, en réaction contre la campagne misogyne lancée par Jean de Meung dans son *Roman de la rose.* Cette défense s'accompagne d'une critique sévère des mœurs corrompues de la cour. *Le Champion des dames* a joué un rôle de premier plan dans la querelle des femmes, qui fut un grand sujet de débat au cours du XVe s.

MASQUE. Faux visage, généralement de carton peint, dont on se couvre le visage pour se déguiser. D'origine religieuse, le masque se rencontre dans toutes les civilisations, et, dans certaines d'entre elles (Amérique précolombienne, Afrique noire), il est à la fois un objet sacré et magique et le mode dominant de l'expression artistique. Dans l'Antiquité grecque, le masque est utilisé pour la célébration du culte de Dionysos (dieu du Masque). Le théâtre étant issu du culte de Dionysos, il n'est pas étonnant qu'on retrouve le masque dans la tragédie et la comédie grecques. Dans l'amphithéâtre où avaient lieu les représentations, qui comportait plus de trois mille places, il jouait le rôle de porte-voix et symbolisait la personnalité du personnage. À l'époque moderne, le théâtre en fait une utilisation sporadique, de la *commedia dell'arte* au théâtre de Brecht par exemple. Le masque permet de donner à des personnages individuels (Arlequin), pris dans une situation spécifique, une valeur d'exemple universel. Mais au théâtre – comme dans la vie –, le masque n'est pas seulement matériel, et le mot doit être compris aussi dans son sens figuré : dans la comédie, en particulier, la discordance entre le masque des apparences et la réalité de la nature est, chez Molière par exemple, une source efficace du comique ; sous la forme plus large du déguisement, le masque est un des ressorts essentiels du théâtre de Marivaux. L'importance du masque au théâtre est confirmée par la fréquence d'emploi de cette image dans le vocabulaire de la critique.

MASSILLON Jean-Baptiste. Hyères 23.6.1663 – Beauregard-l'Évêque (Puy-de-Dôme) 18.9.1742. Jeune, il décida d'entrer à l'Oratoire et se consacra d'abord à l'enseignement. Il prêcha régulièrement à Versailles *(Grand Carême* et *Petit Carême),* et c'est lui qui prononça l'oraison funèbre de Louis XIV. En 1717, il fut nommé évêque de Clermont. Ses *Œuvres complètes* furent publiées de 1745 à 1748, dans une édition qu'il avait en partie préparée. M. est plus un moraliste qu'un théologien ; il fait peu référence aux Pères de l'Église et avant tout prône la vertu. Il fait preuve d'une grande finesse psychologique et parvient souvent à éveiller l'émotion. Il met en œuvre une sorte de prose poétique d'autant plus mélodieuse que les procédés en sont habilement masqués. M. n'eut pas la puissance d'un Bossuet ou d'un Bourdaloue, mais son éloquence insinuante fut bien adaptée à l'esprit des Lumières, alors en plein essor. Acad. fr. 1719.

Œuvres. *Oraison funèbre de l'archevêque de Vienne,* 1691. – *Oraison funèbre de l'archevêque de Lyon,* 1693. – *Le Grand Carême* (recueil de 42 sermons), 1699. – *Oraison funèbre de François-Louis de Bourbon, prince de Conti,* 1701. – *Oraison funèbre de Monseigneur Louis, dauphin,* 1711. – *Oraison funèbre de Louis le Grand, roi de France,* 1715. – *Le Petit Carême* (recueil de 6 sermons), 1718. – *Oraison funèbre de Madame, mère du Régent,* 1723.

MASSIS Henri. Paris 21.3.1886 – 17.4.1970. Auteur, dès ses vingt ans, d'un essai sur Zola, il écrivit, en disciple de Péguy, *l'Esprit de la nouvelle Sorbonne,* pamphlet antiscientiste rédigé en collaboration et publié sous pseudonyme. Par la suite, son œuvre, sous l'influence de Maurras, qui l'emporte bientôt sur celles de Péguy et de Maritain, s'infléchit résolument vers un nationalisme catholique et rationaliste qu'illustrent son enquête sur *les Jeunes Gens d'aujourd'hui* (écrite en collaboration avec Alfred de Tarde et publiée sous le nom d'AGATHON, 1913), *le Goût de l'action et la foi patriotique, Jugements* et *Défense de l'Occident.* Ses trente dernières années virent son influence diminuer, sans qu'il cessât de publier divers volumes d'essais où il se montre fidèle à une idéologie d'inspiration maurrassienne. Quoi qu'on pense de cette idéologie, l'œuvre de M. reste importante pour la connaissance de la vie intellectuelle des années 1900-1940, et sa qualité littéraire fait de son auteur un des pionniers du genre contemporain de l'essai. Acad. fr. 1960.

Œuvres. *L'Esprit de la nouvelle Sorbonne,* 1911 (E). – *Les Jeunes Gens d'aujourd'hui,* enquête, 1913. – *Le Goût de l'action et la foi patriotique,* 1913 (E). – *La Vie d'Ernest Psichari,* 1916 (E). – *Jugements,* 1923-1924 (E). – *Défense de l'Occident,* 1927 (E). – *Évocations,* souvenirs, 1931. – *Les idées restent,* 1941 (E). – *D'André Gide à Marcel Proust,* 1948 (E). – *Maurras et notre temps,* 1951-1961 (E). – *L'Occident et son destin,* 1956 (E). – *De l'homme à Dieu,* 1959 (E). – *Salazar face à face,* 1961 (E). – *Barrès et nous,* 1962 (E).

MASSON Loys. Rose-Hill (île Maurice) 31.12.1915 – Paris 24.11.1969. Originaire d'une île britannique et francophone, M., après une adolescence nourrie des poètes symbolistes s'embarque pour la France à vingt-quatre ans et arrive à Paris à la veille de la déclaration de guerre. Dans les années 40, où il participe à la Résistance, il rencontre Emmanuel Mounier et Pierre Seghers ; ce dernier fait de lui le secrétaire de rédaction de *Poésie 41.* Chrétien de toujours qui sera séduit par le communisme, il se veut poète engagé, mais cet engagement se heurte à des aspirations spirituelles qui tirent le poète vers la recherche d'une transcendance : son premier recueil « français », *Délivrez-nous du mal,* exalte les thèmes de l'engagement – la liberté, l'héroïsme –, mais révèle aussi la nostalgie d'une sagesse qui se nourrirait des mythes de la pureté et du mystère. Lorsque le poète se fait romancier *(le Notaire des Noirs)* ou dramaturge *(la Résurrection des corps),* la dénonciation du reniement ou de la trahison s'accompagne de l'aspiration au retour d'un paradis perdu, celui de l'enfance, celui des origines, celui d'un monde primitif, dont le poète – quel que soit le genre où il s'exprime – fait, par ses images, ses symboles et ses correspondances, un monde futur, se situant ainsi – là est sa grandeur – entre le désespoir et l'espérance, dans une égale fidélité à l'un et à l'autre.

Œuvres. *Fumées,* 1937 (P). – *Les Autres Nourritures,* 1938 (P). – *Délivrez-nous du mal,* 1942 (P). – *Poèmes d'ici,* 1943 (P). – *Chroniques de la grande nuit,* 1943 (P). – *L'Étoile et la Clef,* 1945 (N). – *Le Requi[em] civil,* 1946 (N). – *La lumière naît le mercredi,* 1946 (P). – *Pour une Église,* 194[illegible]

(E). – *Tous les corsaires sont morts,* 1947 (N). – *Icare ou le Voyage,* 1950 (P). – *Les Mutins,* 1951 (N). – *Les Cacti ou Petites Plantes de saint Benoît Labre,* 1951 (E). – *Tout ce que vous demanderez,* 1952 (N). – *Quatorze Poèmes du cœur vieillissant,* 1952 (P). – *La Résurrection des corps,* 1952 (T). – *Les Vignes de septembre,* 1955 (P). – *Les Tortues,* 1956 (N). – *La Douve,* 1957 (N). – *Les Sexes foudroyés,* 1958 (N). – *Christobal de Lugo,* 1960 (T). – *Le Notaire des Noirs,* 1961 (N). – *Les Noces de la vanille,* 1962 (N). – *Lagon de la miséricorde,* 1964 (N). – *Le Feu d'Espagne,* 1965 (N). – *La Dame de Pavoux,* 1965 (P). – *Les Anges noirs du trône,* 1967 (N). – *L'Illustre Thomas Wilson,* 1967 (N). – *La Croix de la rose rouge,* 1969 (N).

MATÉRIALISME. Doctrine philosophique pour qui tout, l'âme et l'esprit y compris, est matière. S'oppose au spiritualisme, pour qui l'esprit est la seule substance de la réalité. D'une manière générale, le matérialisme rejette tout ce qui participe d'un au-delà, quel qu'il soit. Si la pensée existe malgré tout, elle n'est jamais qu'une « donnée seconde » ou bien encore une illusion qu'il s'agit de combattre à l'aide de preuves concrètes. Le matérialisme, au cours des siècles, s'est manifesté sous plusieurs formes dont la plus récente est le matérialisme dialectique de Marx. À certaines époques, il a donné lieu à des expressions littéraires éminentes (Lucrèce, Diderot), et, à travers les idéologies qui en sont issues (positivisme, scientisme, marxisme), il sert éventuellement de principe unificateur à des interprétations systématiques de la création littéraire ou artistique.

MATIP Benjamin. Son Manding 15.5.1932. Écrivain camerounais. Après d'excellentes études secondaires dans son pays, il fait son droit à Paris. Docteur en droit en 1957, il s'inscrit au barreau de Paris avant de devenir procureur à la cour d'appel de Yaoundé. C'est en 1956 qu'il fait son entrée dans la littérature avec *Afrique, nous t'ignorons,* roman qui développe des thèmes anticolonialistes et décrit fort bien l'esprit de la tradition. Il se tourne ensuite vers le conte traditionnel avec *A la belle étoile* (1962), dont l'humour fait fort bien passer les thèmes progressistes.

Œuvres. *Afrique, nous t'ignorons,* 1956 (N). – *Heurts et malheurs des rapports Europe-Afrique noire dans l'Histoire moderne, XVI*e*-XVIII*e *siècle,* 1959 (E). – *À la belle étoile,* 1962 (N). – *Afrique ma patrie,* 1962 (E). – *Le Jugement suprême,* 1963 (N). – *Laisse-nous bâtir une Afrique debout,* 1979 (E).

MAUCROIX François de. Noyon 1619 – Reims 1708. Ami de La Fontaine, qu'il aurait connu sur les bancs de l'école à Château-Thierry, cet avocat fréquenta à Paris les milieux littéraires, puis se tourna vers l'Église et devint chanoine de Reims. Il traduisit, dans un style pur mais languissant, des discours de Démosthène et de Cicéron et un dialogue de Platon auquel La Fontaine donna une importante dissertation liminaire. Ses *Poésies* (1685) furent à juste titre jugées inférieures à ses traductions ; il s'en tient le plus souvent aux genres mineurs, la chanson, l'épigramme, ne se haussant que rarement jusqu'à l'ode ; son imagination est un peu courte, mais son naturel et sa délicatesse produisent parfois d'heureuses réussites.

MAULNIER Thierry, Jacques Talagrand, dit. Alès 1.9.1909. Essayiste, il fait preuve d'une vaste culture classique *(Nietzsche ; Racine).* Sa carrière dramatique débuta en 1944 par une adaptation de l'*Antigone* de Garnier. Il ne trouva un véritable succès qu'avec *Jeanne et ses juges* et *le Profanateur.* M. a poursuivi depuis une activité de critique, s'intéressant plus particulièrement aux problèmes politiques. Ses opinions relèvent d'un « européocentrisme » affirmé, comme en témoignent ses essais *L'Europe a fait le monde,* histoire de la pensée européenne, et *Lettre aux Américains.* Acad. fr. 1964.

Œuvres. *La crise est dans l'homme,* 1932 (E). – *Nietzsche,* 1933 (E). – *Racine,* 1934 (E). – *Mythes socialistes,* 1936 (E). – *Au-delà du nationalisme,* 1937 (E). – *Introduction à la poésie française,* 1939 (E). – *Lecture de Phèdre,* 1943 (E). – *Antigone* (adapt. théât. de Robert Garnier), 1944 (T). – *Violence et Conscience,* 1945 (E). – *La Course des rois,* 1947 (T). – *La Pensée marxiste,* 1948 (E). – *Le Profanateur,* 1950 (T). – *La Maison de la nuit,* 1951 (T). – *Jeanne et ses juges,* 1952 (T). – *Œdipe-roi* (adapt. théât. de Sophocle), 1952 (T). – *La Face de Méduse du communisme,* 1952 (E). – *La Ville au fond de la mer,* 1953 (T). – *La Maison de la nuit,* 1953 (T). – *Introduction à Colette,* 1954 (E). – *La Condition humaine* (adapt. théât. d'A. Malraux), 1955 (T). – *Le Prince d'Égypte* (adapt. théât. de Christopher Fry), 1955 (T). – *La Révolution du XX*e *siècle,* 1958 (E). – *Le Sexe et le Néant,* 1960 (E). – *Cette Grèce où nous sommes nés,* 1965 (E). – *L'Europe a fait le monde,*

1966 (E). – *Lettre aux Américains,* 1968 (E). – *La Défaite d'Annibal,* 1968 (T). – *Le Soir du conquérant,* 1970 (T). – Avec Gilbert Prouteau, *l'Honneur d'être juif,* 1971 (E). – *Le Sens des mots,* 1976. – *Les Vaches sacrées,* 1977. – *Schary Dore* (d'après *l'Avocat du diable* de M. West), 1979 (T). – *Dialogue inattendu* (avec Jean Elleinstein), 1979 (E). – *Introduction à la poésie française,* 1982 (E). – *Les Vaches sacrées II : l'Étonnement d'être,* 1982 (E). – Avec Gilbert Prouteau, *le Monde a pris le large à partir de Paris,* 1983.

MAUNICK Édouard J. Flacq (île Maurice) 1931. Poète mauricien. Enseignant de formation et de profession, il fut ensuite bibliothécaire avant de se faire connaître en 1954 avec son premier recueil, *Ces oiseaux de sang,* poèmes lyriques où sa personnalité est encore quelque peu masquée par l'influence du symbolisme. En 1960, M. s'installe à Paris et, tout en participant au mouvement de la négritude (il devient rédacteur en chef de *Demain l'Afrique*) et au développement de la francophonie (première « biennale de la langue française », Namur, 1965, puis diverses missions culturelles), il s'affirme comme un poète de plus en plus sûr de son inspiration et de sa technique. Sa poésie est désormais dominée par le double thème de l'exil et du métissage, l'île abandonnée, mais toujours présente dans la mémoire et dans l'imaginaire, devenant le symbole d'une identité, spirituelle et charnelle, obsédante dans son inaccessibilité même. Poésie, de ce fait, éminemment « plurielle », où, au-delà des influences subies (aussi bien Éluard que Milosz ou Pierre Emmanuel), prédomine la *métaphore* au sens le plus plein de ce terme, la métaphore médiatrice entre la déréliction intérieure et la prise de possession du monde, entre l'obsession du pays natal et la nostalgie d'universalité. M. est sans doute, parmi les poètes de la francophonie, un de ceux pour qui la double appartenance (« pétri d'Europe et des Indes »), traduite dans le jeu concerté des images et des symboles, est, le plus profondément, source d'un lyrisme qui s'ouvre aussi sur des vertiges métaphysiques.

Œuvres. *Ces oiseaux de sang,* 1954 (P). – *Les Manèges de la mer,* 1964 (P). – *Mascaret ou le Livre de la mer et de la mort,* 1966 (P). – *Jusqu'en terre yoruba,* 1969 (P). – *Fusillez-moi,* 1970 (P). – *Ensoleillé vif,* 1976 (P). – *En mémoire du mémorable,* 1979 (P). – *Désert Archipel,* 1981 (P). – *Cantate païenne pour Jésus-Fleuve,* 1983 (P). – *Saut dans l'arc-en-ciel,* 1985 (P).

MAUPASSANT Henri René Albert Guy de. Château de Miromesnil (Seine-Maritime) 5.8.1850 – Paris 6.7.1893. Au cours d'une enfance fort libre à Étretat, il devient familier des milieux paysans du pays de Caux ; élève rebelle du séminaire d'Yvetot, il termine ses études à Rouen, où son correspondant est Louis Bouilhet. Mobilisé en 1870, il assiste à la débâcle ; commis dans divers ministères, il observe les bureaucrates ; canoteur passionné, il fréquente les guinguettes et les snobs des bords de Marne ; placé sous l'influence de Flaubert par sa mère, née Laure Le Poittevin, amie d'enfance du romancier, il prend des leçons de réalisme et de style ; reçu chez Zola, il publie *Boule de suif* dans *les Soirées de Médan :* à trente ans, c'est enfin le succès. En dix ans, il fera paraître trois cents nouvelles et six romans. Car M. écrit désormais avec la conscience et l'acharnement qu'il a hérités de son maître Flaubert, dont cependant il diffère profondément par sa facilité d'écriture et sa fécondité naturelle. C'est tout un univers social et humain qu'il va, de la sorte, disséquer et décrire dans ses nouvelles, dont les plus importantes donnent leurs titres aux recueils qui se succèdent régulièrement de 1880 à 1890, entre autres : *la Maison Tellier, Mademoiselle Fifi, Yvette, Toine, le Horla.* La vie parisienne lui fournit nombre de sujets, qu'il traite avec virtuosité, et il donne volontiers à ses histoires un dénouement délibérément amoral, comme dans *les Sœurs Rondoli,* où l'on voit une mère organiser les aventures de ses filles. Mais M. a un goût évident pour les sujets « paysans », où il retrouve la tradition dite « gauloise » des fabliaux médiévaux, le plus souvent dans une Normandie immémoriale, et il sait rendre compte, non sans humour, de la sagesse intuitive des êtres frustes et résignés. Dans les dernières nouvelles, le fantastique l'emporte, qui est ici beaucoup plus qu'une manière littéraire : la transposition dans la lucidité de l'écriture de l'angoisse mortelle qui étreint de plus en plus gravement l'écrivain. Il s'agit parfois, comme dans *la Peur,* de hantises hallucinatoires que démystifie, comme par humour noir, le dénouement de la nouvelle. Mais les dernières œuvres – *l'Endormeuse, Qui sait ?, le Horla* – sont nourries des épreuves pathologiques de M. lui-même et, malgré le naturalisme de leur technique, revêtent le caractère d'un véritable miroir autobiographique ; on y trouve l'épouvante qui crée la tentation du suicide aussi bien que les perspectives aberrantes qui ouvrent sur la maison de santé ; c'est l'expérience même de M. qui, composée avec la conscience et la maîtrise de l'artiste, fait e lui le maître de la nouvelle fantastique, ar il est allé, dans cette voie, plus loin ue Mérimée et il est plus fidèlement éaliste que Villiers de l'Isle-Adam. Quant ux romans – *Une vie, Bel-Ami, Mont-riol, Pierre et Jean, Fort comme la mort, otre cœur* –, ils ne se distinguent pas ensiblement des nouvelles par leurs sujets, ais plutôt par la recherche d'une syn-hèse entre le roman d'analyse et la echnique naturaliste, ce qui ne va pas arfois sans quelque discordance. Mais si M., le plus accompli des auteurs de ouvelles, est sans doute un plus faible omancier, il n'en réussit pas moins, dans es œuvres comme *Pierre et Jean* ou *Une ie,* à incarner dans un style exemplaire ette « vérité choisie » dont la révélation st, à ses yeux, la raison d'être de son art, t grâce à laquelle il peut faire de ses ersonnages – Jeanne, dans *Une vie,* est noubliable – les symboles vivants d'une ondition ou d'un destin. Enfin il rend ompte de ses impressions de yachtman ans *Au soleil, Sur l'eau* et *la Vie errante.* M. est un des rares écrivains dont on uisse dire littéralement qu'il mourut puisé par la débauche : névralgies, hallu-inations visuelles, angoisse incoercible le onduisirent à la folie et à une tentative e suicide ; il mourut chez le docteur lanche. Quant à la signification de son euvre, elle relève du pessimisme le plus adical : la Providence est une chimère, le hristianisme une tromperie, l'univers un ombat d'aveugles où règne la bêtise ; ni mour, ni amitié, ni progrès moral n'exis-ent ; et ce pessimisme ne cesse de s'accen-uer à mesure que progresse la maladie, nais, jusqu'à la crise finale, M. gardera ntacte sa lucidité d'écrivain. Aussi est-ce n lui l'artiste, parce qu'il échappe à toute légradation, qui s'engage de plus en plus lans la voie du classicisme de la langue t du style, pour produire des œuvres l'une transparence verbale d'autant plus aisissante pour le lecteur qu'elle est mise u service d'une vision du monde de plus n plus tourmentée.

Euvres. *Des vers,* 1880 (P). – *Boule de uif* (dans *les Soirées de Médan*), 1880 (N). - *La Maison Tellier,* 1881 (N). – *Mademoi-elle Fifi,* 1882 (N). – *Contes de la Bécasse,* 883 (N). – *Clair de lune,* 1884 (N). – *Le Loup,* 1884 (N). – *Les Sœurs Rondoli,* 1884 N). – *Le Cas de Mme Luneau,* 1884 (N). - *Miss Harriett,* 1884 (N). – *Mon oncle Jules,* 1884 (N). – *Au soleil* (récit de voyage), 1884. – *Yvette,* 1885 (N). – *Les Contes du jour et de la nuit,* 1885 (N). - *Toine,* 1885 (N). – *Bel-Ami,* 1885 (N). – *La Bête à Maît-Belhomme,* 1886 (N). - *Monsieur Parent,* 1886 (N). – *La Petite Roque,* 1886 (N). – *Mont-Oriol,* 1887 (N). – *Le Horla,* 1887 (N). – *Pierre et Jean,* 1888 (N). – *Sur l'eau* (récit de voyage), 1888 (N). – *Le Rosier de Mme Husson,* 1888 (N). – *La Main gauche,* 1889 (N). – *Fort comme la mort,* 1889 (N). – *L'Inutile Beauté,* 1890 (N). – *La Vie errante* (récit de voyage), 1890 (N). – *Notre cœur,* 1890 (N). – *Musotte,* 1891 (T). – *La Paix du ménage,* 1891 (T). – *À la feuille de rose, maison turque,* posth., 1984 (T).

Toine

Un vieux paysan, le père Toine, est cloué au lit, paralysé – bouche inutile aux yeux de son entourage. Aussi sa femme, pour que, tout de même, il serve à quelque chose, lui donne-t-elle des œufs à couver ! L'opération réussit, et voici que le père Toine se prend d'une singulière affection pour ces poussins qu'il a aidés à naître.

Une vie

Une jeune fille de bonne famille normande, Jeanne, après son éducation au couvent, vit calmement au milieu des siens dans un château de Normandie ; elle se promène, elle rêve, elle lit : un cœur disponible. Demandée en mariage par le vicomte de Lamare, un beau parti, elle l'épouse. Voyage de noces, installation au château conjugal. Non seulement la vie est plate et vide, bien loin de pouvoir satisfaire un cœur comme celui de Jeanne, mais le mari, avare, tracassier, égoïste, trahit sa femme : il meurt tragiquement avec sa complice. Le couple avait eu un fils, Paul, dit « Poulet » : Jeanne concentre sur lui toute sa capacité d'affection ; l'enfant grandit et, peu à peu, tourne mal. Il se rend à Paris, où il mène une vie qui est pour sa mère une source continue de souffrance et d'inquiétude ; Jeanne ne sait rien refuser à Paul, qui la ruine. Tout ce temps écoulé conduit ainsi Jeanne au seuil de la vieillesse ; Paul a de sa maîtresse une fille ; la jeune mère étant mourante, Paul écrit à Jeanne pour lui demander de prendre l'enfant ; il précise qu'il est, comme d'habitude, sans le sou. Jeanne vieillie reprend vie et espoir à la pensée d'élever maintenant sa petite-fille, que, bien sûr, elle va recueillir. Auprès d'elle, sa vieille servante, Rosalie, représente la sagesse et l'attention de la fidélité : c'est elle qui, « pour la petite, plus tard », songe à marier *in extremis* Paul et sa maîtresse.

Bel-Ami

M. se souvient de Balzac, aussi bien des *Illusions perdues* que de l'histoire de Rastignac : ici aussi le lecteur pénètre dans les milieux de la presse, de l'argent et de la politique et assiste aux développements de l'arrivisme. Mais la vision de M. est bien différente de celle de Balzac, chez qui même les scélérats ne sont pas dépourvus de grandeur. Ici, au contraire, nous sommes dans le sordide et le dérisoire, et l'argent ne revêt pas cette dimension mythique qu'il a chez Balzac. Le héros (si l'on peut dire), Georges Duroy (plus tard Du Roy), lorsqu'il débute dans la presse parisienne, semble voué aux emplois subalternes : il n'a aucun talent, manque totalement d'envergure. Sa seule force, dont, au début, il n'est pas encore tout à fait conscient, est de savoir plaire aux femmes, femmes généralement, elles aussi, fort médiocres, mais bien placées en différents points stratégiques de la société. De là viendra à Duroy, de la part d'une femme justement, son surnom de « Bel-Ami », qui dit tout. La construction de cette histoire est simple, selon le crescendo de deux mouvements symétriques (deux parties, respectivement de huit et dix chapitres) : 1°) un roman d'*éducation,* histoire de l'apprentissage de Duroy, jalonnée par la conquête des femmes, l'ascension journalistique, la fréquentation des salons, les premiers contacts avec les affaires et les milieux politiques. Au terme de ce premier mouvement, Du Roy est devenu quelqu'un d'*important,* avec qui il faut compter, sans que d'ailleurs on sache exactement pourquoi ; 2°) le récit de la *conquête* du monde et du pouvoir : l'association organisée avec des femmes efficaces, Mme Forestier ou Mme Walter, engendre l'influence politique par l'intermédiaire d'un journal de plus en plus puissant, *la Vie française ;* Du Roy reçoit la Légion d'honneur « pour services exceptionnels », il exerce une influence déterminante sur le gouvernement, il fait fortune et se trouve mêlé aux grandes affaires. Il ne lui reste plus qu'à couronner et consolider sa réussite mondaine et politique : il épouse la fille du patron, c'est un grand mariage parisien, et alors « il lui sembla qu'il allait faire un bond du portique de la Madeleine au portique du Palais-Bourbon. » Bel-Ami est en effet celui dont on dit : « Il est fort, tout de même... Il sera député et ministre. »

MAURIAC Claude. Paris 25.4.1914. Fils de François M. Chroniqueur et journaliste, critique, essayiste et romancier, M. est assez représentatif de l'esprit de curiosité qui anime la génération venue à la littérature au lendemain de la Seconde Guerre mondiale ; et, puisque une part importante de l'activité de M. est consacrée à la critique cinématographique, il est légitime de le rapprocher de ceux qui, tel Alain Resnais, ont représenté la « nouvelle vague » cinématographique de 1950. Les quatre romans qui constituent la suite du *Dialogue intérieur* (I. *Toutes les femmes sont fatales ;* II. *Le Dîner en ville ;* III. *La Marquise sortit à cinq heures ;* IV. *L'Agrandissement*) se situent, à certains égards, dans la ligne du « nouveau roman » ; ils ne sauraient toutefois y être complètement assimilés. L'originalité de M. tient en effet à ce que, s'il se propose, comme les « nouveaux romanciers », de démythifier l'acte et l'écriture littéraires, s'il entreprend aussi – à l'aide de techniques minutieuses et subtiles – de neutraliser le temps et de libérer la multiplicité des possibles simultanés, c'est pour offrir à son lecteur l'occasion d'imaginer son propre univers : « une sorte de roman policier intellectuel » avec « juste ce qu'il faut pour retenir l'attention du lecteur. Du lecteur qui est en quelque sorte le détective » *(l'Oubli).*

Ce propos rejoint la réflexion que M. développe, dans son œuvre théorique et critique, sur le thème de l'« alittérature » *(l'Alittérature contemporaine ; De la littérature à l'alittérature) :* la fabrication de ce néologisme avec son préfixe privatif souligne la volonté de M. de procéder d'abord par élimination de tout ce qui, dans la littérature, relève de l'illusion et de fonder la nouvelle littérature sur le résidu de cette opération négative. M. rejoint ainsi cette recherche contemporaine de l'authentique qu'il a lui-même reconnue chez un écrivain comme Michel Leiris. La pratique de la critique cinématographique n'a cessé de confirmer les partis esthétiques de M. ; son œuvre littéraire doit sans doute beaucoup à l'influence du cinéma, dont il aime à souligner particulièrement la capacité d'ubiquité spatiale et temporelle. Œuvre parfois jugée un peu confuse ou trop marquée par une indétermination délibérée : M. est, à certains égards, un « touche-à-tout », comme Cocteau, à qui il a consacré une étude pénétrante *(Jean Cocteau ou la Vérité du mensonge).* Mais c'est, avant tout, une œuvre de recherche, et, en tant que telle, elle illustre avec talent un des aspects essentiels de la littérature du second demi-siècle. D'autre part, à partir de 1974, l'écrivain entreprend de se concentrer sur une œuvre à mi-chemin entre l'autobiographie et les « mémoires » mais qui traduit, elle aussi, la volonté à la fois de transgresser et de neutraliser le Temps en lui conférant cette « immobilité » littéraire que suggère le titre commun aux huit volumes parus à ce jour.

Œuvres. *Introduction à une mystique de l'enfer* (Jouhandeau), 1938 (E). – *Aimer Balzac,* 1945 (E). – *Jean Cocteau ou la Vérité du mensonge,* 1945-1963 (E). –

André Malraux ou le Mal du héros, 1947 (E). – *André Breton,* 1949 (E). – *Conversations avec André Gide,* 1951 (E). – *Hommes et idées d'aujourd'hui,* 1953 (E). – *Marcel Proust par lui-même,* 1953 (E). – *L'Amour au cinéma,* 1954 (E). – *Petite Littérature du cinéma,* 1957 (E). – *Toutes les femmes sont fatales,* 1957 (N). – *L'Alittérature contemporaine,* 1958 (E). – *Le Dîner en ville,* 1959 (N). – *La Marquise sortit à cinq heures,* 1961 (N). – *L'Agrandissement,* 1963 (N). – *L'Oubli,* 1966 (N). – *Théâtre : La Conversation* I et II ; *Ici, maintenant ; le Cirque ; les Parisiens du dimanche ; le Hun,* 1968 (T). – *De la littérature à l'alittérature,* 1969 (E). – *Une amitié contrariée,* 1970 (N). – *Un autre de Gaulle* (journal 1944-1954). – *Le Temps immobile :* I , 1974 ; II *les Espaces imaginaires,* 1975 ; III *Et comme l'espérance est violente,* 1976 ; IV *la Terrasse de Malagar,* 1977. – *Une certaine rage,* 1977. – *Le Temps immobile :* V *Aimer de Gaulle,* 1978. – *L'Éternité parfois,* 1978. – *Le Bouddha s'est mis à trembler,* 1979. – *Le Temps immobile :* VI *le Rire des pères dans les yeux des enfants,* 1979. – *Un cœur tout neuf,* 1980 (N). – *Laurent Terzieff,* 1980 (E). – *Radio nuit,* 1982 (N). – *Le Temps immobile :* VII *Signes, rencontres et rendez-vous,* 1983. – *Zabé,* 1984 (N). – *Le Temps immobile :* VIII *Bergère, O Tour Eiffel,* 1984. – *Qui peut le dire ?* (chroniques publiées dans *la Tribune de Genève* d'avril 1982 à décembre 1984), 1985.

MAURIAC François. Bordeaux 11.10.1885 – Paris 1.9.1970. Tôt orphelin de père, il fut soumis à l'influence de sa mère, qui lui transmit l'héritage moral de toute une tradition bourgeoise et catholique et le fit éduquer chez les marianistes. Enfant sauvage et rêveur, il observe son milieu d'un œil que tout frappe ; les annuelles vacances landaises créent pour toujours le paysage favori de son œuvre, que le vieillard cherchera jusqu'au bout sous les pins de son Malagar. Venu à Paris muni d'une licence de lettres, il entre à l'École des chartes et, en 1909, publie une plaquette de vers, comme tout jeune bourgeois désireux d'écrire : sa chance fut d'être lu par Barrès, qui lui promit publiquement la gloire et, par son soutien, lui entrouvrit la porte du succès. Dès avant 1914, il fait paraître ses premiers romans – car c'est le genre littéraire où il pressent sa meilleure chance. En 1922, *le Baiser au lépreux* lui permet enfin de trouver son style et de s'imposer comme un observateur pénétrant des mœurs. Les succès s'accumulent ; *Genitrix, le Désert de l'amour, Thérèse Desqueyroux* conduisent rapidement M. à l'Académie française (1933). Peu à peu, loin de se laisser enfermer dans sa « spécialité », il diversifie son œuvre : à côté de nouveaux romans, paraissent plusieurs essais dont *la Vie de Jean Racine* et *Dieu et Mammon,* ainsi que le *Journal* (à partir de 1934). En 1937 enfin, c'est la venue tardive, mais triomphale, de M. à la scène : *Asmodée* sera toutefois sa seule pièce réussie. La guerre de 1939 provoque en lui une violente réaction ; déjà révolté, comme Bernanos, par les horreurs commises en Espagne, il ne suit pas ce dernier dans son exil et combat, avec ses armes, l'occupation allemande (*le Cahier noir,* journal de guerre publié clandestinement sous le pseudonyme de FOREZ, 1943) ; sa générosité envers les intellectuels collaborationnistes (il tenta de sauver Brasillach à la Libération) lui aliéna de nombreux esprits de gauche. L'orientation des goûts romanesques du public vers une littérature de l'absurde ainsi que la politisation accrue du monde déterminèrent, après le conflit mondial, une évolution assez nette de l'écrivain : il publia encore des romans, et non de ses moindres (*le Sagouin ; Galigaï*), mais laissa prendre le pas en lui au polémiste et au pamphlétaire ; le romancier glorieux devint journaliste redoutable. Jusqu'à sa mort, il écrivit chaque semaine, dans *l'Express* puis dans *le Figaro Littéraire,* un célèbre *Bloc-Notes,* par l'intermédiaire duquel il donna, sans compromission d'aucune sorte, son opinion sur tous les grands problèmes : décolonisation de l'Afrique du Nord, retour du gaullisme au pouvoir, évolution de l'Église catholique. Les *Mémoires intérieurs* et les *Nouveaux Mémoires intérieurs* portent l'autobiographie à la hauteur d'une méditation spirituelle et révèlent un M. soucieux, jusque dans la polémique, de ne rien abdiquer de sa prédilection pour l'intériorité. Le vieil écrivain, loin de perdre le contact avec l'actualité, parvient à le maintenir tout en portant en lui la somme entière de son œuvre : à la veille de mourir, c'est un jeune homme qui stupéfie la critique par un roman d'une intensité toujours aussi efficace, *Un adolescent d'autrefois.*

L'agressivité de M. envers les adversaires du général de Gaulle a, surtout vers la fin de sa vie, singulièrement altéré les jugements portés de toutes parts sur l'écrivain ; il nous est aujourd'hui possible, non pas de minimiser le polémiste – qui n'a pas trouvé son successeur –, mais de retracer plus sereinement l'évolution du romancier. On remarque assez nettement deux périodes dans les années antérieures à la Seconde Guerre mondiale. *Thérèse*

Desqueyroux, son plus célèbre ouvrage, est typique d'une « première manière » : l'histoire de cette jeune femme qui tente d'empoisonner un mari détesté se déroule dans un climat étouffant, particulièrement noir ; le mal règne ; et toutes les premières œuvres, surtout *Préséances,* sont autant de satires féroces du pharisaïsme bourgeois. Après 1930, les trouées de lumière se font plus vives : *le Nœud de vipères,* confession d'un vieil homme aigri, sans illusion sur ses rapaces héritiers, s'achève pourtant sur l'espérance d'une sérénité nouvelle ; quant à *la Fin de la nuit,* bien que M. s'en soit défendu, c'est bien une suite de *Thérèse,* orientée vers une ascension spirituelle rédemptrice ; enfin, *le Mystère Frontenac,* sans absoudre la grande bourgeoisie catholique, ménage, par son évocation de l'unité familiale, un lieu d'harmonie parmi tant d'œuvres déchirées. M. romancier ne décrira toutefois jamais le bonheur : *Galigaï,* sous le resserrement de sa brièveté, laisse si peu percer l'espoir d'un salut qu'une postface y fut ajoutée ; quant à *Un adolescent d'autrefois,* si son aisance narrative peut faire illusion à première vue, le lecteur attentif n'y trouve rien d'autre qu'une reprise de tous les thèmes maléfiques de l'œuvre.
Peu d'écrivains ont été aussi profondément, continûment et publiquement chrétiens que M. ; mais il refusait qu'on l'appelât « romancier catholique » et se nommait lui-même « un catholique qui écrit des romans » ; cette nuance explique qu'il ait si naturellement évité les thèses moralisatrices d'un Bourget, voire la pesanteur explicative d'un certain Bernanos. M. est si peu édifiant que bien des catholiques estimaient son œuvre pernicieuse : c'est qu'il « vomit les tièdes », selon le mot de l'Apocalypse, et va de préférence vers les âmes égarées, vers les destins d'exception. Toutefois, c'est lire son œuvre en surface que de n'y voir qu'un chant du mal : toute créature y a soif de Dieu, mais généralement l'ignore ; en M., le pascalien savait la misère de l'homme en déréliction, le lecteur de Baudelaire son inextricable attirance vers le mal et le bien. Seul un immense artiste du langage comme M. pouvait concilier les nécessités harmoniques de l'art et le bouillonnement instable d'une conscience à décrire (cf. *le Romancier et ses personnages*) ; M., par les charmes d'un style justement célébré, sut allier secrets de l'âme et splendeurs du verbe. C'est d'ailleurs le détour par lequel le romancier et le journaliste se rejoignent en fin de compte : l'article politique, les « Mémoires intérieurs », les grands romans recourent tous au même registre, celui de la consonance ou de la résonance, de la parfaite harmonie d'écriture jusque dans l'attaque la moins indulgente. La limite de M. est cette perfection même, disent ceux pour qui la maladresse rocailleuse et le tempérament épique d'un Bernanos expriment mieux l'écartèlement chrétien : c'est oublier quelle violence sensuelle agite l'univers mauriacien, quels gouffres dissimulent ces récits lumineux, quelle inquiétude vraiment spirituelle élève le ton de ce qui semble souvent n'être que brillante satire. Grandeur et modestie d'un homme qui n'utilisa son génie qu'à la recherche passionnée du mystère de la dualité humaine. Acad. fr. 1933. Prix Nobel 1952.

Œuvres. *Les Mains jointes,* 1909 (P). – *L'Adieu à l'adolescence,* 1911 (P). – *L'Enfant chargé de chaînes,* 1913 (N). – *La Robe prétexte,* 1914 (N). – *De quelques cœurs inquiets* (essais et nouvelles), 1920. – *La Chair et le sang,* 1920 (N). – *Préséances,* 1921 (N). – *Le Baiser au lépreux,* 1922 (N). – *Le Fleuve de feu,* 1923 (N). – *Genitrix,* 1923 (N). – *Le Mal,* 1924, hors comm. (E). – *La Vie et la Mort d'un poète,* 1924 (E). – *Le Désert de l'amour,* 1925 (N). – *Orages,* 1925 (P). – *Le Jeune Homme,* 1926 (E). – *La Province* (notes et maximes), 1926. – *Bordeaux,* 1926 (E). – *Fabien* (récit), 1926 (N). – *Coups de couteau* (récit), 1926 (N). – *Un homme de lettres* (récit), 1926 (N). – *La Rencontre avec Pascal,* 1926 (E). – *L'Isolement de Barrès,* 1926 (E). – *Le Tourment de Jacques Rivière,* 1926 (E). – *Proust,* 1926 (E). – *Thérèse Desqueyroux,* 1927 (N) ; film, 1964. – *Conscience, instinct divin,* 1927 (E). – *Destins,* 1928 (N). – *La Vie de Jean Racine,* 1928 (E). – *Le Roman,* 1928 (E). – *Le Démon de la connaissance* (récit), 1928 (N). – *Dramaturges,* 1928 (E). – *Supplément au « Traité de la concupiscence » de Bossuet,* 1928 (E). – *Divagations sur Saint-Sulpice,* 1928 (E). – *Mes plus lointains souvenirs,* 1929 (N). – *Dieu et Mammon,* 1929 (E). – *La Nuit du bourreau de soi-même,* 1929 (E). – *Voltaire contre Pascal,* 1929 (E). – *Ce qui était perdu,* 1930 (N). – *Paroles en Espagne,* 1930 (E). – *Trois Grands Hommes devant Dieu* (Molière, Rousseau, Flaubert), 1930 (E). – *Souffrances et bonheur du chrétien,* 1931 (E). – *Blaise Pascal et sa sœur Jacqueline,* 1931 (E). – *L'Affaire Favre-Bulle,* 1931 (E). – *Le Jeudi saint,* 1931 (E). – *René Bazin,* 1931 (E). – *Pèlerins de Lourdes,* 1932 (E). – *Commencements d'une vie,* 1932 (N). – *Le Nœud de vipères,* 1932 (N). – *Le Drôle* (récit pour enfants), 1933 (N). – *Le Mystère Frontenac,* 1933 (N). – *Discours de réception à l'Académie française,* 1933. – *Le Romancier et ses* *personnages,* 1933 (E). – *Journal I,* 1934. – *La Fin de la nuit,* 1935 (N). – *Les Anges noirs,* 1936 (N). – *Vie de Jésus,* 1936 (E). – *Journal II,* 1937. – *Plongées* (nouvelles), 1938 (N). – *Asmodée,* 1938 (T). – *Les Chemins de la mer,* 1939 (N). – *Les Maisons fugitives,* 1939 (N). – *Journal III,* 1940. – *Le Sang d'Atys,* 1940 (P). – *La Pharisienne,* 1941 (N). – *La Nation française a une âme,* 1943 (E). – *Le Cahier noir,* 1943 (E). – *Les Arbres et les Pierres,* 1944 (E). – *Ne pas se renier,* 1944 (E). – *Les Mal Aimés,* 1945 (T). – *Le Bâillon dénoué* (recueil d'articles), 1945. – *La Rencontre avec Barrès,* 1945 (E). – *Sainte Marguerite de Cortone,* 1945 (E). – *Pages de journal,* 1945. – *Du côté de chez Proust,* 1947 (E). – *Réponse à Paul Claudel,* 1947 (E). – *Passage du malin,* 1948 (T). – *La Pierre d'achoppement,* 1948 (E). – *Journal d'un homme de trente ans,* 1948. – *Mes grands hommes,* 1949 (E). – *Orages* (2ᵉ éd., augm. de *Veillée avec André Lafon,* 1915 ; *le Sang d'Atys,* 1940 ; *Ébauche d'Endymion,* 1940), 1949 (P). – *Le Feu sur la terre ou le Pays sans chemin,* 1950 (T). – *Comme les autres,* 1950 (E). – *Journal IV,* 1950. – *Terres franciscaines,* 1950 (E). – *Le Sagouin,* 1951 (N). – *Galigaï,* 1952 (N). – *Lettres ouvertes,* 1952. – *La Mort d'André Gide,* 1952. – *Journal V,* 1953. – *Écrits intimes,* 1953. – *L'Agneau,* 1954 (N). – *Paroles catholiques,* 1954 (E). – *Le Pain vivant* (scénario), 1955. – *Bloc-Notes* (recueil d'articles 1952-1957), 1958. – *Le Fils de l'Homme,* 1958 (E). – *Mémoires intérieurs,* 1959. – *Le Nouveau Bloc-Notes* (recueil d'articles 1958-1960), 1961. – *Ce que je crois,* 1962 (E). – *De Gaulle,* 1964 (E). – *Nouveaux Mémoires intérieurs,* 1965. – *Les Autres et moi,* 1966. – *Mémoires politiques,* 1967. – *Le Nouveau Bloc-Notes* (recueil d'articles 1961-1964), 1968. – *Un adolescent d'autrefois,* 1969 (N). – *Le Nouveau Bloc-Notes* (recueil d'articles 1965-1967), 1969. – *Correspondance avec André Gide,* posth., 1971. – *Le Dernier Bloc-Notes* (recueil d'articles 1968-1970), posth., 1971. – *Maltaverne,* posth., 1972 (N). – *Mauriac avant Mauriac* (textes retrouvés, 1913-1922), posth., 1977. – *Les paroles restent* (interviews), posth., 1985.

Thérèse Desqueyroux

Ce roman est construit sur le principe du retour en arrière, avec prologue et épilogue. Le prologue montre Thérèse Larroque, épouse Desqueyroux, sortant du palais de justice de Bordeaux, où elle vient de bénéficier d'un non-lieu. À partir de là, le récit s'intériorise : dans le train qui la ramène chez elle à Argelouse, Thérèse revit son histoire. De caractère sensible, mais repliée sur elle-même, elle a épousé son voisin Bernard Desqueyroux, mariage qui arrangeait les deux familles dont les propriétés se sont ainsi trouvées réunies. Mais ce mari est un étranger pour sa femme, qui, peu à peu, pour des raisons confuses mais inéluctables, que Thérèse décrit plutôt qu'elle ne les analyse (monotonie, isolement, atmosphère brûlante – au propre et au figuré – du pays landais), sent naître en elle la haine, une haine qui, faute d'autre occasion, satisfait son besoin de vivre passionnément ; car en elle la passion est condamnée à s'ouvrir une route, n'importe laquelle : elle l'avait tenté sans succès avec l'amitié que Thérèse adolescente avait éprouvée pour la sœur de Bernard, Anne, et avec l'amour né de la fascination exercée sur elle par Jean Azevedo. Thérèse tentera d'empoisonner son mari, mais elle sera découverte et suspectée ; c'est le témoignage de Bernard lui-même qui déterminera le non-lieu. Au moment où son train s'arrête dans la petite gare de Saint-Clair, Thérèse a achevé de récapituler son passé et va retomber dans son présent lorsqu'elle sera arrivée à Argelouse, où l'attend son véritable tribunal, la famille, huis-clos plus intolérable que la prison. Elle songe au suicide, rêvant d'un Dieu qui pourrait accueillir même un monstre qui n'en est pas moins sa créature (« sainte Locuste »). La pensée de sa fille Marie traverse son esprit, mais, ce qui l'empêche de se donner la mort, c'est la disparition inopinée d'une vieille tante. Toutefois, si elle ne se suicide pas physiquement, elle se suicide moralement et psychologiquement, et son état inquiète à ce point Bernard qu'il décide de la libérer en la conduisant à Paris, où il la laisse seule dans un café. *La Fin de la nuit* reprendra à ce point l'histoire de Thérèse et ouvrira sa destinée maudite sur une chance de salut.

Un adolescent d'autrefois

Dans une propriété proche de Bordeaux, Maltaverne, le narrateur, Alain Gajac, vit paisiblement, semble-t-il, son adolescence entre sa mère et son frère Laurent. Mais Laurent meurt bientôt, et Alain se retrouve seul avec une mère dont l'unique souci est la gestion et l'accroissement de ses propriétés. Il y a là aussi un personnage inquiétant, le fils du régisseur, Simon Duberc, que l'on a, dès quinze ans, dit le narrateur, « affublé d'une soutane ». Par réaction contre ce milieu, Alain se réfugie dans les livres et dans la solitude : Pascal, Balzac, Proudhon, entre autres. Sa mère voudrait le voir mener une vie de relations, non certes dans son intérêt, mais pour rendre possible le mariage qui accroîtrait encore les biens de la famille. Or, de temps à autre, Alain se rend à Bordeaux pour y chercher des livres ; dans la librairie où il va régulièrement, il rencontre l'employée, Marie, et se met à l'aimer. Entre sa mère et Marie, symétriques et incompatibles, Alain sait qu'il n'y a pas de compromis possible ; d'ailleurs, par loyauté, Marie s'oppose à toute démarche dans ce sens. Mais Mme Gajac, elle, car elle est au courant, se rend à la librairie pour y avoir avec Marie une « explication ». C'est Marie qui fait à Alain le récit de cette entrevue, où Mme Gajac lui est apparue, dit-elle, comme « cette grande figure impérieuse d'Agrippine ». Mais Alain ne peut pas ne pas être « du côté de sa mère », et, finalement, Mme Gajac gagne contre Marie. Et voici qu'une petite fille, d'une famille proche, à laquelle sa mère avait pensé pour lui et qu'Alain est le dernier à avoir vue vivante, meurt tragiquement : on apprend qu'elle était amoureuse d'Alain. C'est alors que Marie lui conseille de partir pour Paris, ce qu'il fera, se libérant ainsi de sa mère sans pour autant revenir à Marie. Dans l'anonymat parisien, il remarque, au café Weber, rue Royale, une jeune fille, son regard, son sourire...

MAUROIS André, Émile Herzog, dit. Elbeuf 26.7.1885 – Paris 9.10.1967. Descendant d'une famille alsacienne d'industriels, il fut au lycée de Rouen l'un des élèves les plus brillants d'Alain. Durant la Grande Guerre officier de liaison auprès de l'armée britannique, il écrivit sur cette expérience deux romans humoristiques, *les Silences du colonel Bramble* et *les Discours du docteur O'Grady ;* ses autres romans sont peu significatifs, à l'exception de la subtile analyse psychologico-morale de *Climats,* exercice littéraire d'une élégante perfection. Esprit cultivé, ondoyant et divers, M. fut conférencier mondain, essayiste *(Dialogues sur le commandement ; Alain),* historien *(Histoire d'Angleterre ; Histoire des États-Unis).* Mais il donna le meilleur d'un talent dispersé dans ses célèbres biographies ; *Ariel ou la Vie de Shelley, la Vie de Disraëli, Byron* manquent de solidité documentaire, mais *À la recherche de Marcel Proust, Lélia ou la Vie de George Sand, Olympio ou la Vie de Victor Hugo, les Trois Dumas, Adrienne ou la Vie de Mme de La Fayette* sont les étapes de plus en plus maîtrisées qui aboutissent au chef-d'œuvre du genre qu'est *Prométhée ou la Vie de Balzac :* le style fluide du narrateur y déploie ses splendeurs au service d'une érudition remarquable, fournie à M. par sa femme. Vulgarisateur coupable aux yeux des spécialistes, raffiné prosateur à ceux des « honnêtes gens », M. n'est peut-être pas le grand écrivain qu'on a salué en lui de son vivant ; mais sa sagesse aimablement sceptique, sa culture intelligemment prodiguée lui assurent une place honorable parmi les hommes de lettres de son temps. Acad. fr. 1938.

Œuvres. *Les Silences du colonel Bramble,* 1918 (N). – *Ni ange ni bête,* 1919 (N). – *Les Discours du docteur O'Grady,* 1921 (N). – *Ariel ou la Vie de Shelley,* 1923 (E). – *Dialogues sur le commandement,* 1924 (E). – *Bernard Quesnay,* 1926 (N). – *Meïpe ou la Délivrance* (nouvelles), 1926 (N). – *La Vie de Disraëli,* 1927 (E). – *Études anglaises,* 1927 (E). – *Climats,* 1928 (N). – *Voyage au pays des Articoles* (nouvelles), 1928 (N). – *Le Pays des trente-six mille volontés* (contes pour enfants), 1928 (N). – *Aspects de la biographie,* 1929 (E). – *Byron,* 1930 (E). – *Patapoufs et Filifers* (contes pour enfants), 1930 (N). – *Le Peseur d'âmes* (nouvelles), 1931 (N). – *Lyautey,* 1931 (E). – *Tourgueniev,* 1931 (E). – *Le Cercle de famille,* 1932 (N). – *Mes songes que voici,* 1933 (E). – *L'Instinct du bonheur,* 1934 (N). – *Sentiments et coutumes,* 1934 (E). – *Voltaire,* 1935 (E). – *La Machine à lire les pensées* (nouvelles), 1937 (N). – *Édouard VII et son temps,* 1937 (E). – *Histoire de l'Angleterre,* 1937 (E). – *René ou la Vie de Chateaubriand,* 1938, rééd. 1985 (E). – *Un art de vivre,* 1939 (E). – *Toujours l'inattendu arrive* (nouvelles), 1943 (N). – *Histoire des États-Unis,* 1943 (E). – *Franklin,* 1946 (E). – *Terre promise,* 1946 (N). – *Sept Visages de l'amour,* 1946 (E). – *Retour en France,* 1947 (E). – *Histoire de France,* 1947 (E). – *Mémoires,* 1948. – *Les Mondes impossibles* (recueil de récits et nouvelles fantastiques, 1948 (N). – *À la recherche de Marcel Proust,* 1949 (E). – *Alain,* 1949 (E). – *Les Nouveaux Discours du docteur O'Grady,* 1950 (N). – *Destins exemplaires,* 1952 (E). – *Lélia ou la Vie de George Sand,* 1952 (E). – *Olympio ou la Vie de Victor Hugo,* 1954 (E). – *Les Roses de septembre,* 1956 (N). – *Les Trois Dumas,* 1957 (E). – *Robert et Elizabeth Browning,* 1957 (E). – *Lecture, mon doux plaisir,* 1957 (E). – *Portrait d'un ami qui s'appelait Moi,* 1959 (E). – *La Vie de sir Alexander Fleming,* 1959 (E). – *Pour piano seul* (recueil de nouvelles), 1960 (N). – *Adrienne ou la Vie de Mme de La Fayette,* 1961 (E). – *Les Deux Géants* (histoire des États-Unis, associée à une histoire de l'U.R.S.S. par Aragon), 1962 (E). – *De Proust à Camus,* 1963 (E). – *De La Bruyère à Proust,* 1964 (E). – *La Conversation,* 1964 (E). – *Prométhée ou la Vie de*

Balzac, 1965 (E). – *Au commencement était l'action,* 1966 (E).

Climats

Un roman en forme de parallèle : deux parties, avec, pour titres, deux prénoms féminins : *Odile* et *Isabelle.* Dans la première partie, Philippe Marcenat écrit à Isabelle de Cheverny : il revient sur son passé, sa jeunesse, un voyage en Italie, à Venise puis à Florence, sa rencontre, au cours de ce séjour, avec Odile Mallet, rencontre qui fait naître en lui un « sentiment de perfection » jamais encore éprouvé. Il quitte Florence fiancé, il épouse Odile et avec elle le bonheur. Mais bientôt il a le sentiment confus qu'Odile devient différente, que, même, elle lui dissimule quelque chose. C'est dans ce climat incertain qu'apparaît un brillant lieutenant de vaisseau, François du Crozand. Désormais, Odile se métamorphose sur un rythme accéléré. Philippe apprend qu'elle est devenue la maîtresse de François. Après un retour sans suite, Odile finira par abandonner Philippe, et, après avoir épousé François, elle se suicidera à Toulon d'un coup de revolver, peu de temps avant la mobilisation d'août 1914.

La seconde partie est le journal d'Isabelle rédigé après la mort de Philippe, qu'elle a épousé après la guerre, à la suite d'une période de relations amicales dont témoigne la correspondance de la première partie. Entre Philippe et Isabelle, peu à peu, la vie crée ses fêlures : l'histoire de ce second couple, racontée ici du point de vue de la femme, répète celle du premier, dans un climat cependant tout autre et avec les variantes qui découlent de la personnalité d'Isabelle, fort différente de celle d'Odile, tandis que celle du second Philippe est différente aussi de celle du premier. Cette fois, c'est le mari qui s'éloigne, fasciné par une femme, Solange, symétrique du François de la première partie. Mais il sera donné à Isabelle, après l'expérience de la jalousie et de la souffrance, de reconquérir Philippe : pendant des vacances en Limousin, entre Philippe et Isabelle renaît le véritable amour ; et comme si le destin voulait que cet amour ne pût à nouveau être atteint par le temps qui passe, Philippe, en quelques jours, meurt d'une pneumonie.

MAURON Charles. 1899 – 1966. (Voir PSYCHANALYSE ET CRITIQUE LITTÉRAIRE.)

MAURRAS Charles Marie Photius. Martigues 20.4.1868 – Tours 16.11.1952. Issu de petite bourgeoisie, il vint à Paris dès 1886 pour faire du journalisme. Sous l'influence de Comte, Taine et Renan, ce disciple de Mistral se tourna très tôt, en politique, vers le positivisme, en littérature vers le néoclassicisme. Ayant fait un voyage en Grèce, il en revint plus que jamais hostile au symbolisme, contre lequel il prit parti en se ralliant à l'école romane de Moréas, car alors il se destinait avant tout à la poésie. Mais, parallèlement, sa pensée s'oriente, au nom de la lumière rationaliste de l'hellénisme, vers une critique radicale du monde moderne considéré comme barbare : c'est à partir de là qu'il conçoit la doctrine politique à laquelle son nom restera attaché, doctrine antidémocratique et traditionaliste, le « maurrassisme », bientôt soutenue par le quotidien *l'Action française,* organe du « nationalisme intégral » incarné dans la monarchie, et dont l'influence va être considérable durant plus d'un quart de siècle. En 1926, le mouvement sera condamné par Pie XI, condamnation levée par Pie XII en 1939. À la libération, M. fut jugé passible de la détention perpétuelle pour son soutien actif au gouvernement de Vichy : il mourut quelques mois après avoir été gracié. Avec le recul que permet le passage du temps face à une vie marquée par les plus violentes polémiques, il est sans doute possible de dresser un bilan plus serein. Que l'influence de M. ait été considérable, on s'en rend compte en étudiant non seulement le comportement de ceux qui devinrent ses disciples, mais aussi les réactions diverses suscitées par le maurrassisme (chez un Bernanos, un Maritain, par exemple). D'autre part, il convient de souligner que l'engagement maurrassien est d'origine littéraire et historique : M. a prétendu opérer la synthèse de la sagesse hellénique et de l'ordre juridique romain ; agnostique en matière de religion, comme ses maîtres positivistes – on oublie trop souvent que M. est un esprit de formation positiviste –, il n'en a pas moins exalté le catholicisme, en partie comme contrepoids au libéralisme de la Réforme, en partie parce qu'il voyait dans l'Église d'abord une institution et un système de valeurs, qu'il interprétait de telle sorte qu'il n'évita pas le conflit avec Rome. Mais il y a aussi un M. qui se situe en marge du maurrassisme : le poète qui n'est pas sans rigueur, qui manifeste une sensibilité esthétique dont la fermeté se concilie avec la finesse, et l'on peut regretter que le personnage politique ait fait oublier le poète. Il y a aussi le penseur méditerranéen, l'auteur d'*Anthinéa,* le livre le plus personnel et le plus vibrant qu'il ait écrit, où le mythe intellectuel de l'hellénisme revêt des apparences mystiques et poétiques. Enfin le théoricien intransigeant de *l'Avenir de l'intelligence* mérite quelque attention pour qui veut comprendre les termes dans lesquels se posaient au début du siècle un certain nombre de problèmes liés aux interférences entre culture et politique. Acad. fr. 1938 ; il en fut exclu en 1945.

Œuvres. *Pour Psyché,* 1891 (P). – *Le Chemin de Paradis,* 1895 (E). – *Le Voyage d'Athènes,* 1896-1898. – *Trois Idées politiques,* 1898 (E). – *Enquête sur la monarchie,* 1900-1909 (E). – *Anthinéa,* 1901. – *Les Amants de Venise : George Sand et Musset,* 1902. – *L'Avenir de l'intelligence,* 1905 (E). – *Le Dilemme de Marc Sangnier,* 1906 (E). – *La Politique religieuse,* 1912 (E). – *L'Étang de Berre* (recueil), 1915 (E). – *Le Conseil de Dante* (publié en 1913 sous le titre *Notes sur Dante*), 1920 (E). – *Inscriptions,* 1921 (P). – *Romantisme et Révolution,* 1922 (E). – *Pages littéraires choisies,* 1922. – *Poètes,* 1923 (E). – *Le Mystère d'Ulysse,* 1923 (E). – *La Musique intérieure* (recueil), 1925 (P). – *Barbarie et Poésie,* 1925 (E). – *Un débat sur le romantisme,* 1928 (E). – *Au signe de Flore* (souvenirs), 1931. – *Quatre Nuits de Provence,* 1931 (E). – *Prologue d'un essai sur la critique,* 1932 (E). – *Nos raisons,* 1933 (E). – *Dictionnaire politique et critique* (recueil d'articles), 1934. – *Devant l'Allemagne éternelle,* 1936 (E). – *L'Amitié de Platon,* 1936 (E). – *La Dentelle du rempart,* 1937 (E). – *Mes idées politiques,* 1937 (E). – *Les Vergers sur la mer* (souvenirs), 1937. – *Jeanne d'Arc, Louis XIV, Napoléon,* 1937 (E). – *Jacques Bainville et Paul Bourget,* 1937 (E). – *Quatre Poèmes d'Eurydice,* 1938 (P). – *Louis XIV ou l'Homme-Roi,* 1939 (E). – *La Sagesse de Mistral,* 1941 (E). – *La Seule France,* 1941 (E) – *De la colère à la justice,* 1942 (E). – *L'Ordre et le Désordre,* 1948 (E). – *Au grand Juge de France,* 1949. – *Mon jardin qui s'est souvenu* (souvenirs), 1949. – *Conseils à un jeune Français,* 1949. – *Le Mont de Saturne,* 1950. – *Tragi-comédie de la surdité* (souvenirs), 1951. – *La Balance intérieure,* 1952 (P). – *Le Beau Jeu des reviviscences* (souvenirs), 1952. – *Pascal puni,* posth., 1953 (E). – *Maîtres et témoins de ma vie d'esprit,* posth., 1954 (E). – *Lettres de prison,* posth., 1958. – *Lettres à M. Mazel,* posth., 1960. – *À Martigues,* posth., 1960. – *Témoignage pour La Varende,* posth., 1961 (E). – *Souvenir de Jacques Bainville,* posth., 1962 (E). – *Portrait de Monsieur Renan,* posth., 1962 (E). – *Dictionnaire politique et critique* (complément), posth., 1962-1965. – *Soliloque du prisonnier,* posth., 1964. – *La République ou le Roi, correspondance avec M. Barrès* (1888-1923), posth., 1970. – *De la politique naturelle au nationalisme intégral,* posth., 1972.

MAXIME [latin médiéval *maxima* (sous-entendu *sententia*) = la plus grande (sous-entendu « sentence »)]. Proposition générale qui sert de règle de conduite. Exprimée de façon lapidaire, elle résume un principe de morale ou un jugement d'ordre général. Elle est devenue, en particulier au XVIIe s., un véritable genre littéraire. (Voir LA ROCHEFOUCAULD.)

MAYNARD François. (Voir MAINARD.)

MAZARINADES. Chansons ou pamphlets dirigés contre Mazarin pendant la Fronde. Ils sont très nombreux, rédigés en vers (Scarron, Sarrasin, Loret) ou en prose (cardinal de Retz, Guy Patin). Ces écrits ont pour leitmotiv la misère du peuple et les concussions des ministres. Ils s'en prennent, non sans chauvinisme, à tout ce qui est originaire de l'Italie.

MEERSCH Van der. (Voir VAN DER MEERSCH.)

MEILHAC Henri, Paris 22.2.1831 – 6.7.1897, et **HALÉVY Ludovic,** Paris 1.1.1834 – 8.5.1908. Ils unirent leurs talents pour signer de nombreux livrets d'opérettes d'Offenbach : *Orphée aux Enfers* (1861), *la Belle Hélène* (1865), *la Vie parisienne* (1866), *la Grande-Duchesse de Gérolstein* (1867), *la Périchole* (1868). M., également auteur, pour Massenet, du livret de *Manon* (1884), fut surtout un vaudevilliste ; il donna notamment, en collaboration avec son compère, *Froufrou, Tricoche et Cacolet, Loulou.* H., auteur, de son côté, du livret de *Carmen* (1873), fut plus volontiers narrateur. Quels que soient l'enjouement de leur style et l'agilité de leur talent inventif, dire que M. et H. sont par excellence des auteurs « parisiens » revient à reconnaître qu'ils ont plutôt mal vieilli ; seuls survivent ceux de leurs textes que soutient la folle musique d'Offenbach.

Œuvres. 1. Meilhac seul : *l'Autographe,* 1858 (T). – *Le Petit-Fils de Mascarille,* 1859 (T). – *La Vertu de Célimène,* 1861 (T). – *L'Attaché d'ambassade,* 1861 (T). – *Les Demoiselles Clochard,* 1886 (T). – *Décoré,* 1888 (T). – *Brevet supérieur,* 1892. 2. Avec L. Halévy : *Ce qui plaît aux hommes,* 1860 (T). – *Orphée aux enfers* (musique d'Offenbach), 1861 (T). – *Les Brebis de Panurge,* 1863 (T). – *La Belle*

Hélène (musique d'Offenbach), 1865 (T). – *Barbe-Bleue* (musique d'Offenbach), 1866 (T). – *La Vie parisienne* (musique d'Offenbach), 1866 (T). – *La Grande-Duchesse de Gérolstein* (musique d'Offenbach), 1867 (T). – *Fanny Lear,* 1868 (T). – *La Périchole* (musique d'Offenbach), 1868 (T). – *Les Brigands* (musique d'Offenbach), 1869 (T). – *Froufrou,* 1869 (T). – *Tricoche et Calobet,* 1872 (T). – *L'Été de la Saint-Martin,* 1873 (T). – *Carmen* (musique de Bizet), 1873 (T). – *La Petite Marquise,* 1874 (T).– *Loulou,* 1876 (T). – *Le Mari de la débutante,* 1879 (T).

3. Avec Ph. Gilles : *Manon* (d'après l'abbé Prévost, musique de Massenet), 1884 (T). – *Rip* (musique de Planquette), 1884 (T).

4. Avec A. Millaud : *Mam'zelle Nitouche,* 1883 (T).

5. Avec L. Ganderax, *Pepa,* 1888 (T).

6. L. Halévy seul : *Mme et M. Cardinal,* 1872 (N). – *Les Petites Cardinal,* 1880 (N). – *L'Abbé Constantin,* 1882 (N). – *La Famille Cardinal,* 1883 (N).

MELLIN DE SAINT-GELAIS. (V. SAINT-GELAIS.)

MÉLODRAME [grec *melos* = membre ; sens fig., membre de la phrase musicale, puis chant cadencé, et *drama* = action dramatique]. Dans le théâtre grec, c'est le dialogue chanté entre le coryphée et l'un des protagonistes. Le mot servira à désigner, à partir de la Renaissance italienne, la forme de drame lyrique et musical qui, en évoluant, donnera l'opéra (Monteverdi). En France, la première œuvre à porter ce nom, dans ce même sens, est le *Pygmalion* de J.-J. Rousseau (1775). Mais bien vite le mot servira à désigner des œuvres où la musique peut encore subsister sous forme de musique de scène, mais d'où elle est le plus souvent absente, et qui sont essentiellement des drames en prose et à grand spectacle, caractérisés par une action violente, que soutiennent surtout l'intensité du pathétique ainsi que l'accentuation du pittoresque spectaculaire. Né à la fin du XVIIIe s., le mélodrame conservera une immense popularité tout au long du XIXe. Il est issu à la fois de la comédie larmoyante et du drame bourgeois, sous le signe d'une accentuation de l'émotion pathétique, et il intègre à son univers dramatique les thèmes et la sentimentalité du « roman noir » d'origine anglaise ; enfin, il lui arrive souvent de faire appel à l'histoire, toujours en vue de porter à leur plus haut degré de présence scénique et d'intensité l'action, le pittoresque et l'émotion. Le mélodrame mélange donc tous les genres, ne dédaigne pas la facilité et la mise en œuvre de toutes les « ficelles » techniques propres à emporter l'adhésion du public : sombres et inquiétants décors, où évolue une population manichéenne, méchants – tyrans et traîtres – s'opposant aux bons – chevaliers héroïques, héroïnes touchantes et persécutées, orphelines abandonnées –, tous ces personnages se trouvant impliqués dans des actions extraordinaires dont l'invraisemblance importe peu à condition qu'elles soient violentes et bouleversantes. C'est le « Boulevard du Crime » (boulevard du Temple) qui fut le haut lieu de ce genre de spectacle, où triomphèrent les grands acteurs populaires, monstres sacrés aussi célèbres, sinon plus, que leurs personnages, tels Frédérick-Lemaître ou Marie Dorval. Le maître du genre, Guilbert de Pixérécourt, produisit, entre 1797 et 1835, plus de cent mélodrames, qui enthousiasmaient le jeune Hugo. Le genre sera continué par de nombreux auteurs à succès, parmi lesquels Victor Ducange (1783-1833. *Agathe,* 1820) et A. Dumas lui-même (*la Tour de Nesle*, 1832). Le mélodrame a eu le mérite d'amener au théâtre de nouvelles couches sociales ; il a également préparé et influencé le drame romantique, et certains drames de Hugo (*Lucrèce Borgia, Angelo, tyran de Padoue*) sont à beaucoup d'égards des mélodrames, genre dont le modèle a exercé une influence décisive sur le « drame romantique », qu'il s'agisse d'*Hernani*, de *Ruy Blas* ou de *Lorenzaccio* (*cf.* le célèbre vers de Musset : « Vive le mélodrame où Margot a pleuré »). Au XXe s., le mélodrame est passé du théâtre au cinéma, dont les moyens techniques s'accordent avec la triple ambition de réalisme, de multiplicité et d'agrandissement, caractéristique du genre. Plus récemment, la télévision, dont les feuilletons se rattachent souvent à cette tradition, a entrepris de ressusciter, selon ses lois propres, les mélodrames du XIXe s.

MEMMI Albert. Tunis 1920. Écrivain tunisien d'expression française. Après ses études à l'université d'Alger et la période difficile de la guerre, il revient à Tunis comme enseignant en 1949. Quatre ans plus tard, en 1953, la publication de *la Statue de sel*, avec une préface de Camus, lui fait attribuer le prix de Carthage ; en 1954, il obtient le prix Fénéon. Installé définitivement en France en 1956, il est devenu en 1970 maître de conférences, puis professeur de sociologie à l'université de Nanterre et, en 1975, directeur de l'U.E.R. de Sciences sociales. M. est sans doute le représentant le plus typique d'une culture formée de trois composantes, arabe, juive et française, ce qui explique sans doute que son œuvre, même incarnée dans les traits spécifiques du monde maghrébin, n'en accède pas moins, avec une souveraine aisance, à l'universalité. Ainsi le récit intitulé *Agar* est le compte rendu lucide et à certains égards impitoyable de l'expérience d'un mariage mixte entre un médecin juif tunisien et une étudiante catholique française. Mais au-delà de l'échec motivé par le décalage des civilisations, c'est aussi le tragique universel d'une incommunicabilité qui relève autant de la fatalité que de la circonstance. Et le problème de la liberté, s'il se trouve posé dans les termes concrets d'un conflit de mœurs et de culture, est aussi le problème du salut interdit à quiconque refuse d'assumer son destin propre : tel est aussi le sens profond des essais consacrés à *la Libération du Juif* et à *l'Homme dominé,* ce dernier livre étant comme une réponse positive, mais tout aussi lucide, au tragique d'*Agar.* M. est enfin l'auteur d'une précieuse *Anthologie des écrivains francophones du Maghreb* (nouv. éd. 1985).

Œuvres. *La Statue de sel,* 1953 (N). – *Agar,* 1955 (N). – *Portrait du colonisé,* précédé de *Portrait du colonisateur,* 1957 (E). – Avec Diop (Cheikh) et Morin (Edgar), *Culture et colonialisme,* 1957 (E). – *Portrait d'un Juif,* 1962 (E). – *La Poésie algérienne de 1830 à nos jours,* 1964 (E). – *Anthologie des écrivains maghrébins d'expression française,* 1965. – Avec P.H. Maucorps et J.-F. Held, *les Français et le racisme,* 1965 (E). – *La Libération du Juif,* 1966 (E). – *L'Homme dominé,* 1968 (E). – *Le Scorpion ou la Confession imaginaire,* 1969 (N). – *La Dépendance,* 1969 (N). – *Juifs et Arabes,* 1974 (E). – *Un entretien avec Robert Davies,* suivi de *De l'expérience vécue à la théorie de la domination,* 1975 (E). – *La Terre intérieure* (entretiens avec V. Malka), 1976. – *Le Désert ou la Vie et les Aventures de Jubair Ouali El-Mammi,* 1977 (N). – *La Dépendance. Esquisse pour un portrait du dépendant,* 1979 (E). – *Le Racisme,* 1982 (E). – *Ce que je crois,* 1985 (E). – *Anthologie des écrivains francophones du Maghreb,* 1985.

La Statue de sel

Ce roman est présenté comme le bilan que le narrateur fait de sa propre vie autour des deux pôles que représentent pour lui sa mère berbère, encore profondément solidaire d'un passé immémorial, et la fascination de la culture occidentale, sous les espèces de la philosophie, pour laquelle il se sent une vocation irrépressible. Mais, entre ces deux pôles, la communication se révèle impossible, comme est impossible aussi la rupture : destin tragique qui enferme le narrateur dans une insoluble impasse spirituelle et qui le conduit au bord de la ruine psychique et physique. Est-ce un dénouement ? Il décide de repartir de zéro.

MÉMOIRES [latin *memoria* = mémoire, qui signifie également : écrit pour que mémoire en soit gardée]. Relation écrite des événements qui se passent durant la vie d'un homme, lequel se fait le témoin de son existence ou de celle des autres, pour en laisser une image destinée à la postérité. Ce genre apparaît dès l'Antiquité (*Commentaires* de César), sous forme de témoignage historique, de document biographique (*Confessions* de saint Augustin) ou d'apologie. À la différence des « chroniques », qui prétendent à l'objectivité, les Mémoires sont délibérément de parti pris. L'auteur ne tient pas à faire fonction d'historien (*Mémoires* de Montluc, du cardinal de Retz, de Saint-Simon). Le plus souvent, il cherche à expliquer son action et à se justifier. À l'époque moderne et contemporaine, les *Mémoires* conservent les mêmes caractères mais accentuent généralement leur fonction de témoignage explicatif (Ch. de Gaulle, *Mémoires de guerre ;* F. Mauriac, *Mémoires intérieurs*). Afin d'illustrer sa rupture avec cette orientation traditionnelle, A. Malraux a inventé, pour ses œuvres de méditation sur son passé, le terme d'*Antimémoires* (1967).

MÉNAGE Gilles. Angers 15.8.1613 – Paris 7.1692. Après d'excellentes études, il fut reçu avocat, puis vécut de revenus ecclésiastiques. On le rencontrait dans les cercles savants et dans les salons, où il était très lié avec les théoriciens et les artisans de la première génération classique : après Chapelain, il jouit d'une autorité longtemps incontestée. Fort prisée en son temps, sa poésie, dont l'inspiration est absente, nous est aujourd'hui étrangère. Mais son œuvre de grammairien est remarquable : dans ses *Observations sur la langue française*, il corrige Vaugelas avec un goût et un sens de l'usage très sûrs ; son *Dictionnaire étymologique de la langue française* est très souvent d'une remarquable exactitude. C'était d'ailleurs un galant homme, que Molière a injustement caricaturé sous le nom de Vadius dans *les Femmes savantes.*

Œuvres. *La Requeste des Dictionnaires à l'Académie* (publ. sous le titre *le Parnasse alarmé*), 1649. – *Origines de la langue française,* 1650. – *Miscellanea,* 1652. –

Observations sur l'« Aminta » du Tasse, 1653. – *Édition des poésies de Malherbe,* 1666. – *Origini della lingua italiana,* 1669. – *Observations sur la langue française,* 1672. – *Histoire de Sablé,* 1682. – *L'Anti-Baillet,* 1690. – *Mulierum philosopharum historia,* 1690 (E). – *Dictionnaire étymologique de la langue française* (éd. compl. des *Origines de la langue française*), posth., 1694. – *Menagiana,* posth., 1693.

MÉNARD Louis Émile. Paris 19.10.1822 – 9.2.1901. Normalien et brillant helléniste, il se consacra, après un poème de jeunesse (*Prométhée délivré*), à des activités très diverses. Chimiste, il découvrit le collodion en 1848 ; peintre, il écrivit beaucoup sur un art qu'il pratiquait en amateur ; penseur politique, il publia en 1848 et 1849 un ensemble d'articles réunis sous le titre *Prologue d'une révolution* : leur orientation proudhonienne le contraignit à l'exil ; philosophe, il soutint une thèse de doctorat en 1860 (*De la morale avant les philosophes*) ; il se voulut linguiste (*Science du langage*), critique littéraire et traducteur (*Hermès Trismégiste*), historien de la religion (*Études sur les origines du christianisme*). Mais c'est comme poète, sous le pseudonyme de SENNEVILLE, qu'il fut le moins impersonnel : *Poèmes, Rêveries d'un païen mystique* (prose et vers) et le recueil de sonnets *Fleurs de toutes saisons* révèlent une âme sensible et sont l'œuvre d'un technicien du langage souvent exemplaire. Ses prétentions à l'universalité l'empêchèrent d'approfondir aucun de ses talents, mais l'on a tort de ne plus lire le poète, qui fut parfois génial et qui mérita pour ses débuts l'attention de Baudelaire (article du *Corsaire-Satan,* reproduit dans *l'Art romantique*).

Œuvres. *Prométhée délivré,* 1843 (P). – *Prologue d'une révolution* (recueil d'articles), 1848-1849 (E). – *Poèmes et poésies,* 1852 (P). – *De la morale avant les philosophes,* 1860 (E). – *Du polythéisme hellénique,* 1863 (E). – *Hermès Trismégiste* (trad. précédée d'une introd.), 1866. – *Science du langage,* 1867 (E). – *Études sur les origines du christianisme, les femmes et la morale chrétienne,* 1867 (E). – *Tableau historique des beaux-arts depuis la Renaissance jusqu'à la fin du* XVIIIe *siècle,* 1867. – Avec son père, René Ménard, *De la sculpture antique et moderne,* 1868. – *Les Rêveries d'un païen mystique,* (recueil de contes philosophiques), 1876. – *Fleurs de toutes saisons* (recueil de sonnets), 1877 (P). – *Histoire des anciens peuples de l'Orient,* 1882 (E). – *Histoire des Israélites,* 1883 (E). – *Histoire des Grecs,* 1886 (E). – *Études sur les origines du christianisme,* 1894 (E). – *Symbolique des religions anciennes et modernes,* 1897 (E). – *Othello* (trad. de Shakespeare), 1899.

MENDÈS Catulle. Bordeaux 20.5.1841 – Saint-Germain-en-Laye 7.2.1909. Producteur très abondant dans tous les genres, il demeure surtout le fondateur de la *Revue fantaisiste* (1860), qui groupa les premiers parnassiens. Il contribua à l'essor du wagnérisme en France. On lui doit le livret de *Gwendoline* de Chabrier. Esthète précieux, styliste à effets plus que penseur, conteur volontiers licencieux, M. est un représentant typique de l'écrivain « fin de siècle » ; d'une manière générale, l'abondance croissante de sa production confirma qu'il avait donné le meilleur de lui-même dans ses toutes premières œuvres.

Œuvres. *Philoméla,* 1863 (P). – *Histoires d'amour* (nouvelles), 1868 (N). – *Hespérus,* 1869 (P). – *Odelettes guerrières,* 1871 (P). – *Les Soixante-Treize Journées de la Commune,* 1871 (N). – *Contes épiques,* 1872 (P). – *La Part du roi,* 1872 (T). – *Frères d'armes,* 1873 (T). – *Justice,* 1877 (T). – *Les Folies amoureuses,* 1877 (N). – *Le Capitaine Fracasse* (adapt. théât. d'après Th. Gautier), 1878 (T). – *La Vie et la mort d'un clown,* 1879 (N). – *Les Mères ennemies,* 1880 (N), adapt. théât., 1882. – *Le Roi vierge,* 1881 (N). – Avec R. Lesclide, *la Divine Aventure* (trad. des *Confessions* de Cagliostro), 1881. – *Le Roman d'une nuit,* 1883 (T). – *Les Monstres parisiens,* 1883-1885 (N). – *La Légende du Parnasse contemporain,* 1884 (E). – *Pour lire au bain* (nouvelles), 1885 (N). – *Zo'Har,* 1886 (N). – *Gwendoline* (livret d'opéra, musique d'E. Chabrier), 1886 (T). – *Richard Wagner,* 1886 (E). – *La Demoiselle en or,* 1886 (N). – *La Première Maîtresse,* 1887 (N). – *L'Homme tout nu,* 1887 (N). – *Isoline* (livret d'opéra, musique d'A. Messager), 1888 (T). – *Gog,* 1896 (N). – *La Reine Fiammette,* 1898 (T). – *Médée,* 1898 (T). – *L'Œuvre wagnérienne en France,* 1899 (E). – *Scarron,* 1905 (T). – *Ariane,* 1906 (T). – *La Vierge d'Avila,* 1906 (T). – *Glatigny,* 1906 (T).

MÉNESTREL [lat. *ministerialis* = chargé d'un service, serviteur, artisan, plus particulièrement chargé du service musical]. Écrivain du Moyen Âge ; lié à la personne d'un seigneur, à la cour d'un monarque, il a pour fonction de composer des chants d'intention satirique, pour le divertissement de son seigneur. Quelque peu méprisé à cause de ce service qui l'assujettit à son mécène, il disparaîtra. Ne pas le confondre avec le trouvère ou le troubadour, hommes libres.

MERCIER Louis Sébastien. Paris 6.7.1740 – 25.4.1814. Dramaturge, journaliste et romancier, il a surtout sa place dans l'histoire de l'évolution des idées sur le théâtre dans la seconde moitié du XVIIIe s., idées qu'il a exposées dans son *Essai sur l'art dramatique* de 1773 et qu'il a illustrées par ses drames : ses innovations prennent place dans le sillage de Diderot et de Sedaine, mais pour les dépasser dans le sens de leur propre logique ; ce sont en effet des drames réalistes et sociaux comme *le Déserteur* et, le plus caractéristique, *la Brouette du vinaigrier,* ou des drames historiques à tendance symbolique et idéologique comme, surtout, *Jean Hennuyer, évêque de Lisieux, la Mort de Louis XI* et *Timon d'Athènes,* drames qui furent représentés dans l'Europe entière avec grand succès. Le romancier est à la fois rousseauiste et utopique *(les Songes philosophiques ; l'An 2440).* Député sous la Convention, membre de l'Institut, M. reste, même sous l'Empire, un fervent républicain. Précurseur du romantisme par son goût pour le symbolisme et pour l'histoire, par sa mélancolie, par son amour des ruines, précurseur de Balzac par son réalisme psychologique et par ses descriptions sociales, dans son étonnant *Tableau de Paris,* il créa bien des mythes dont la littérature du XIXe s. s'est nourrie après lui. Tombé injustement dans l'oubli, il a été remis à sa place par la recherche littéraire du XXe s.

Œuvres. *Les Héroïdes,* 1760 (P). – *L'Homme sauvage* (trad. de Pfeil), 1767 (N). – *Les Songes philosophiques,* 1768 (N). – *Les Contes moraux,* 1769 (N). – *Jenneval ou le Barneveldt français,* 1769 (T). – *L'An 2440, rêve s'il en fut jamais,* 1770 (N). – *Le Déserteur,* 1770 (T). – *Olinde et Sophronie,* 1771 (T). – *L'Indigent,* 1772 (T). – *Jean Hennuyer, évêque de Lisieux,* 1772 (T). – *Natalie,* 1773 (T). – *Traité du théâtre ou Nouvel Essai sur l'art dramatique,* 1773 (E). – *Le Juge,* 1774 (T). – *Childéric, premier roi de France,* 1774 (T). – *L'Habitant de la Guadeloupe,* 1775 (T). – *La Brouette du vinaigrier,* 1775 (T). – *Éloges et Discours philosophiques,* 1776 (E). – *Les Comédiens au foyer,* 1777 (T). – *Tableau de Paris* (douze vol.), 1781-1788 (E). – *La Destruction de la Ligue,* 1782 (T). – *La Mort de Louis XI, roi de France,* 1783 (T). – *Montesquieu à Marseille,* 1784 (T). – *Mon bonnet de nuit,* 1784 (N). – *La Maison de Molière,* 1788 (T). – *Le Vieillard et ses trois filles* (imité du *Roi Lear* de Shakespeare), 1792 (T). – *Fénelon dans son diocèse,* 1794 (T). – *Timon d'Athènes,* 1795 (T). – *Les Tombeaux de Vérone* (imité de *Roméo et Juliette* de Shakespeare), 1796 (T). – *Nouveau Paris,* 1799-1800 (E). – *Néologie ou Vocabulaire des mots nouveaux ou à renouveler,* 1801 (E). – *Jeanne d'Arc ou la Pucelle d'Orléans* (trad. de Schiller), 1802 (T). – *Histoire de France depuis Clovis jusqu'au règne de Louis XVI,* 1802 (E). – *De l'impossibilité du système astronomique de Copernic et de Newton,* 1806 (E). – *Satire contre Racine et Boileau,* 1808 (E).

Jean Hennuyer, évêque de Lisieux

1772, deuxième centenaire de la Saint-Barthélemy ; ce drame est donc, selon l'auteur, « une espèce d'expiation offerte à l'humanité ». Lisieux est menacée, le 27 août 1572, d'une Saint-Barthélemy locale. Tandis que le palais épiscopal est envahi par les protestants traqués, l'évêque refuse d'exécuter l'ordre d'extermination qui lui est communiqué par le lieutenant du roi, ce qui est l'occasion d'une belle scène de confrontation entre les deux personnages. L'évêque, grâce à sa résistance, obtiendra, à la fin, que les protestants soient sauvés et qu'ils renoncent à leur rébellion armée.

La Brouette du vinaigrier

Deux personnages principaux : un commerçant ruiné, et qui ne peut par conséquent doter sa fille, M. Delomer, et un humble vinaigrier plus prospère qu'on ne le croit, le père Dominique. L'enjeu du drame : la fille du négociant et le fils du vinaigrier, entre lesquels est né un amour légitime qui devrait aboutir au mariage. Mais il y a la différence sociale. Or voici que le père Dominique arrive dans le salon de M. Delomer pour presser ce mariage ; il apporte avec lui une brouette chargée d'un baril qui – coup de théâtre ! – contient... 10 000 écus. Le père Dominique ayant expliqué l'origine parfaitement honnête de cette fortune, fruit de son travail, M. Delomer lui crie son admiration, et il ne reste plus qu'à marier les deux jeunes gens.

MÉRÉ, Antoine Gombaud, chevalier de. Poitou 3.1607 – Baussay 29.12.1684. Sa vie est mal connue, et l'on peut seulement dire que, dans les salons parisiens, où il connut les beaux esprits du temps, il apprit les usages du monde et les élabora en une véritable doctrine de la communication humaine. Ses ouvrages constituent en effet le code de l'« honnête homme », ennemi du pédantisme et soucieux de son harmonie avec le milieu où il vit, modèle humain cher à tout le XVIIe s. Plus particulièrement, la conjonction, chez M., qui était l'ami de Pascal, de cette conception morale raffinée du « monde » avec l'esprit libertin marqua profondément l'auteur des *Pensées,* qui sans doute songe souvent à lui en élaborant son *Apologie.* Bien que l'honnêteté contraigne M. à un style impersonnel (« *Le moi est haïssable* », dira son ami Pascal), il apparaît surtout, dans la lignée des moralistes classiques, comme un observateur perspicace et un fin psychologue : sur ce point aussi, Pascal lui doit sans doute quelque chose. Nous avons enfin de M. des *Lettres* (en particulier à Mme de Lesdiguières) qui confirment l'importance de son rôle social.

Œuvres. *Les Conversations de M. de C. et de C. de M.* (du maréchal de Clérambault et du chevalier de Méré), 1669 (E). – *Discours de la justesse,* 1671 (E). – *Des agréments, discours de M. le chevalier de Méré à Mme ***,* 1676 (E). – *De l'esprit, discours à Mme ***,* 1677 (E). – *De la conversation, discours à Mme ***,* 1677 (E). – *Lettres à diverses personnes,* 1682. – *Discours de l'honnêteté, de l'éloquence et de l'entretien ; de la délicatesse dans les choses et dans l'expression ; le commerce du monde,* posth., 1700 (E). – *Œuvres,* éd. établie par C. H. Boudhors, 1930.

MÉRIMÉE Prosper. Paris 27.9.1803 – Cannes 23.9.1870. Bien que peintre, son père découragea les aspirations artistiques de M. et l'engagea à poursuivre des études de droit : il fut reçu avocat (1825) mais n'exerça pas, le démon de la littérature l'ayant déjà saisi. Lié d'amitié avec son aîné Stendhal, il fut rapidement connu dans les salons. Dans ses premières œuvres, il fit montre d'un goût de la mystification qui ne devait jamais le quitter tout à fait ; il publia successivement le *Théâtre de Clara Gazul* et *la Guzla :* le premier ouvrage, censé être écrit par une actrice espagnole et traduit par Joseph L'Estrange, fut un succès mondain plutôt que financier ; le second, présenté comme l'œuvre d'Hyacinthe Maglanovich, écrivain illyrien, fit davantage illusion et trompa de grands esprits. Après de médiocres récits au goût du jour, d'un romantisme facile *(la Jacquerie, la Famille de Carvajal),* M. trouva le chemin d'une meilleure littérature, avec un beau roman historique *(Chronique du règne de Charles IX),* puis avec une série de nouvelles publiées d'abord en revues : *l'Enlèvement de la redoute, Mateo Falcone, Tamango.* Chef de cabinet dans divers ministères, il devint inspecteur des Monuments historiques en 1834 et sauva de la ruine une bonne part de l'héritage roman et gothique de la France. Il continua d'écrire *(les Âmes du Purgatoire ; la Vénus d'Ille ; Colomba ; Carmen ; Lokis),* mais se consacra de plus en plus à ses fonctions, publiant de nombreux recueils de notes de voyage, des ouvrages d'érudition historique et des traductions du russe, ce qui était alors très nouveau. Ayant connu la comtesse de Montijo lors d'un séjour en Espagne, il devint le familier de sa fille, l'impératrice Eugénie, et l'un des personnages en vue du second Empire.

M. précède chronologiquement Maupassant dans cet art de la nouvelle que ce dernier porta à sa perfection ; mais déjà ses qualités de concision dans la clarté, d'âpre froideur, de sensibilité férocement bridée, font de lui un maître du genre, et sans doute eût-il pu aussi donner dans d'autres genres de grandes œuvres : sa pièce *le Carrosse du Saint-Sacrement,* qui fut représentée après sa mort, se libère étonnamment des conventions scéniques, ce qui lui permit de donner lieu, sous la caméra de Jean Renoir, à une adaptation cinématographique exemplaire *(le Carrosse d'or)* ; il en est de même, toujours au théâtre, pour *les Espagnols en Danemark.* Mais les œuvres les plus accomplies sont bien les nouvelles, en particulier, outre les plus célèbres, *Colomba* ou *Carmen,* celles qui composent avec l'impassibilité concentrée de la narration le fantastique ambigu du sujet *(les Âmes du Purgatoire, la Vénus d'Ille, Lokis),* et la raison de ces réussites exceptionnelles, dans un genre qui est à mi-chemin du fantastique et de l'humour noir, nous est donnée par l'auteur lui-même lorsqu'il avoue : « Je me ferais dresser les cheveux sur la tête en me racontant à moi-même des histoires de revenants. » Il convient d'ajouter que, ces histoires, il n'y croit certes pas. Sa *Correspondance* enfin, récemment connue, peint l'Europe entière avec un talent qui devrait suffire à écarter de M. les jugements étriqués, mais souvent répétés, qui le relèguent au nombre des insensibles ou des impuissants. De l'œuvre de nouvelliste de M., restée pour la plus grande part, selon la formule de Stendhal, l'apanage des « happy few », seule *Carmen* a connu une popularité inattendue, grâce à l'opéra de Bizet (1873), non sans que se produise alors, sous la plume des librettistes Meilhac et Halévy, une certaine déformation aussi bien du personnage de Carmen que de la signification que M. avait voulu donner à son récit. Ainsi a pris naissance un « mythe de Carmen », indépendant en quelque sorte de la nouvelle de M. et dont la vie propre s'est poursuivie jusqu'à ce que s'en emparent, pour en tirer les œuvres les plus diverses de ton et de sens, metteurs en scène de théâtre, chorégraphes et cinéastes, de Peter Brook à Carlos Saura et de Godard à Rosi.

Œuvres. *Théâtre de Clara Gazul (les Espagnols en Danemark ; Une femme est un diable ou la Tentation de saint Antoine ; l'Amour africain ; Iñès Mendo ou le Préjugé vaincu ; Iñès Mendo ou le Triomphe du préjugé ; le Ciel et l'Enfer),* 1825 (T). – *La Guzla,* 1827 (P). – *La Jacquerie, scènes féodales,* 1828 (T). – *La Famille de Carvajal,* 1828 (T). – *Chronique du règne de Charles IX,* 1829 (E). – *L'Enlèvement de la redoute* (nouvelle), 1829 (N). – *Mateo Falcone* (nouvelle), 1829 (N). – *Vision de Charles XI* (nouvelle), 1829 (N). – *Tamango* (nouvelle), 1829 (N). – *Le Vase étrusque* (nouvelle), 1830 (N). – *La Perle de Tolède* (nouvelle), 1830 (N). – *Théâtre de Clara Gazul* (2e éd., augm. de *le Carrosse du Saint-Sacrement, l'Occasion),* 1830 (T). – *Mosaïque* (recueil des nouvelles déjà publiées), 1833 (N). – *La Double Méprise* (nouvelle), 1833 (N). – *La Partie de trictrac* (nouvelle), 1833 (N). – *Les Âmes du Purgatoire* (nouvelle), 1834 (N). – *Notes d'un voyage dans le midi de la France,* 1835. – *Notes d'un voyage dans l'ouest de la France,* 1836. – *La Vénus d'Ille* (nouvelle), 1837 (N). – *Notes d'un voyage en Auvergne et dans le Limousin,* 1838. – *Notes d'un voyage en Corse,* 1840. – *Colomba* (nouvelle), 1840 (N). – *Monuments historiques,* 1840 (E). – *Théâtre de Clara Gazul* (3e éd., contient *la Jacquerie* et *la Famille de Carvajal),* 1842 (T). – *Peintures de l'église Saint-Savin,* 1843 (E). – *Études sur l'histoire romaine,* 1844 (E). – *Arsène Guilliot,* 1844 (N). – *Carmen* (nouvelle), 1845 (N). – *L'Abbé Aubain,* 1846 (N). – *Histoire de don Pèdre, roi de Castille,* 1848 (N). – *Épisode de l'histoire de Russie : le faux Démétrius,* 1852 (N). – *Les Deux Héritages* (nouvelle), 1853 (N). – *Mélanges historiques et littéraires,* 1855. – *Les Cosaques d'autrefois,* 1863 (N). – *Lokis* (nouvelle), 1868 (N). – *Djoumâne* (nouvelle), 1869 (N). – *Dernières Nouvelles* (contient *la Chambre bleue ;* adapt. théâtrale, septembre 1873), posth., 1873 (N). – *Lettres à une inconnue,* posth., 1874. – *Étude sur les arts au Moyen Âge,* posth., 1876 (E). – *Lettres à Panizzi,* posth., 1881. – *Lettres à la comtesse de Montijo,* posth., 1930. – *Correspondance* (17 vol.), posth., 1961-1964.

Colomba

Histoire corse, dont sans doute M. a recueilli les éléments lors du voyage qu'il fit dans l'île en 1839. C'est plus un roman bref qu'une simple nouvelle, car l'intrigue y est finalement assez fournie. Mais le récit conserve les caractères de la nouvelle en ce sens qu'il est centré sur le personnage qui lui donne son titre, cette jeune fille animatrice indomptable de la « vendetta » que doit exécuter son frère Orso della Rebbia, lieutenant en demi-solde retour du continent. Celui-ci a sur le bateau lié connaissance avec un colonel anglais et sa fille, Lydie, dont il s'est épris. Orso considère la vendetta comme un usage barbare et périmé, et, d'autre part, il ne veut pas paraître lui-même comme un barbare aux yeux de Lydie. Mais, malgré sa résistance, qui n'est pas lâcheté, il sera pour ainsi dire contraint à la vendetta, pris dans une véritable fatalité : un jour qu'il se rend auprès de Lydie, il est attaqué par deux membres de la famille ennemie, les Barricini, et il doit, en légitime défense, abattre ses deux agresseurs. Colomba triomphe donc. Orso ne sera pas inquiété, il pourra épouser Lydie. Mais la nouvelle s'achève sur la joie sauvage de Colomba au moment où, au cours d'un voyage en Italie, elle rencontre le père Barricini, qui d'ailleurs avoue que sa famille était bien coupable du crime dont Colomba l'accusait (l'assassinat de son père le colonel) ; mais surtout Colomba savoure avec volupté le spectacle de ce vieil homme détruit, pour lequel elle ne manifeste pas la moindre velléité de pitié ou de pardon.

Carmen

Dans le décor de l'Andalousie, que M. restitue avec tout le talent d'un excellent reporter, c'est l'histoire tragique d'une passion fatale, celle que raconte, à la première personne, le bandit José Navarro rencontré par l'auteur au cours d'un de ses voyages. José avait été un jeune homme pacifique et de caractère discipliné ; il est devenu un redoutable bandit et va bientôt être exécuté (l'auteur a obtenu l'autorisation de le visiter dans sa prison). Comment s'est opérée cette métamorphose ? Sous l'effet de sa passion pour la belle gitane Carmen, qui l'a véritablement ensorcelé, et ce sort l'a engagé dans son destin : le soldat modèle est devenu un déserteur, puis un contrebandier et un voleur, enfin un bandit meurtrier ; l'achèvement de ce destin, c'est le meurtre de Carmen, qui est en même temps de sa part un véritable acte d'amour, amour qui à son tour débouche sur sa propre mort, puisqu'il est à la veille de son exécution.

Lokis

C'est une histoire lituanienne qui témoigne de l'intérêt que M. portait au monde slave – que d'ailleurs il connaissait bien, comme e montrent les remarques linguistiques qui alonnent cette nouvelle. Il traite son sujet elon sa technique ordinaire, en y introduiant beaucoup de couleur locale, mais une ouleur locale qui, plutôt qu'un simple lécor, est la traduction concrète de cet nvironnement d'où naît véritablement le antastique de l'histoire. Celle-ci reste crupuleusement fidèle à la légende lituaienne qui l'a inspirée : au cours d'une hasse, une grande dame de la noblesse est apturée et enlevée par un ours ; orsqu'elle est retrouvée, elle est devenue olle, mais donne bientôt le jour à un arçon parfaitement constitué, qui reçoit éducation qui convient à son milieu et evient un jeune comte absolument charnant ; entre lui et la jeune et fantasque Alle Iwinska se développe une idylle qui boutit aux fiançailles ; le narrateur, qui st de leurs amis, est invité au mariage : lendemain des noces, au matin, on écouvre la jeune comtesse égorgée, et le eune comte a disparu. Comme le dit M. ans une lettre à Jenny Dacquin, « c'est ue ce monsieur est le fils illégitime de cet urs mal élevé ». Le dernier chapitre de la ouvelle, qui décrit successivement les réjouissances de la noce et la découverte nacabre, sont un chef-d'œuvre du genre, et révélation finale, placée dans la bouche 'un médecin, répond bien à cet art de la uggestion qui caractérise la nouvelle : Ce n'est pas une lame d'acier qui a fait ette plaie... C'est une morsure ! »

Les Âmes du Purgatoire

'est l'histoire de don Juan, mais non celui e la tradition littéraire issue de Tirso de Aolina : il s'agit en fait de Miguel de Aañara, que M. transforme, par contamiation avec don Juan Tenorio, en don Juan e Maraña. C'est, comme il convient, un bertin, et la première partie de la nouvelle voque quelques épisodes de cette vie ffranchie que don Juan mène en compagnie de son camarade don Garcia, au rand désespoir de sa mère. Nous assistons e la sorte aux progrès réguliers de sa orruption. Or voici qu'une nuit, avant le ver du jour, alors qu'il entre dans Séville, assiste au défilé de deux longues files de énitents accompagnant un cercueil : il pprend alors que la personne qu'on va nterrer est... le comte don Juan de Aaraña ! Une messe, la dernière possible, a être célébrée pour le repos de son âme, ces pénitents sont des âmes tirées du urgatoire par les prières de la mère de on Juan. Celui-ci se convertit, et il ourra comme un saint.

MERLE Robert. Tébessa (Algérie) 9.8.1908. Universitaire, agrégé d'anglais, M. doit sa vocation de romancier à son expérience de la guerre, qu'il a su universaliser en en tirant le thème qui domine toute son œuvre : une relation paradoxale et nécessaire réunit en l'homme les deux traits constitutifs de sa condition, la conscience de l'absurdité et l'appel de la fraternité. On voit que M. n'est pas sans parenté avec la littérature d'inspiration existentialiste, mais, chez lui, l'absurdité de la condition humaine se traduit dans une technique franchement naturaliste, tandis qu'une sorte d'exigence morale surgit de l'appel de la fraternité lancé au cœur même de l'absurdité. Dès son premier roman, *Week-End à Zuydcoote* (prix Goncourt 1949), ce thème fait l'unité d'un récit, par ailleurs documentaire, de la défaite de Dunkerque en 1940. En 1952, dans *La mort est mon métier,* qui raconte, avec une impitoyable objectivité, l'histoire d'un national-socialiste devenu commandant du camp d'Auschwitz, l'accent est mis sur l'absurdité d'une vie où des vertus telles que le zèle et la foi sont radicalement perverties par une situation historique. Mais le livre sans doute le plus significatif de M. est *l'Île ;* l'auteur prend du recul par rapport à l'histoire contemporaine, situe son action à la fin du XVIIIe s. : les marins mutinés d'un navire anglais se sont réfugiés sur une île d'Océanie ; ils tentent de constituer une colonie commune avec des Tahitiens, mais la tentative aboutit, à propos d'une querelle au sujet des femmes, à un massacre réciproque. Il ne reste finalement qu'un Européen et un Tahitien, à qui il aura fallu cette expérience de l'absurde pour redécouvrir la valeur humaine de la fraternité. À travers le schéma d'un roman d'aventures exotiques, M. a su élaborer ici un symbolisme universel qui n'est pas contredit mais, au contraire, rendu plus convaincant par le réalisme documentaire du détail.

Œuvres. *Oscar Wilde,* 1948 (E). – *Week-End à Zuydcoote,* 1949 (N). – *La mort est mon métier,* 1952 (N). – *Flaminéo,* 1953 (T). – *Oscar Wilde ou la Destinée de l'homosexuel,* 1955 (E). – *Théâtre (Nouveau Sisyphe ; Justice à Miramar ; l'Assemblée des femmes),* 1957 (T). – *Vittoria, princesse Orsini,* 1958 (E). – *On ne meurt plus à Corinthe,* 1958 (T). – *Sisyphe et la Mort* (fable en 1 acte), 1960 (T). – *L'Île,* 1962 (N). – *Ahmed Ben Bella,* 1965 (E). – *Moncada, premier combat de Fidel Castro,* 1965 (N). – *Un animal doué de raison,* 1967 (N). – *Derrière la vitre,* 1970 (N). – *Malevil,* 1972 (N). – *Les Hommes protégés,* 1974 (N). – *Madrapour,* 1976 (N). – *Fortune de France,* I, 1978 ; II *En vos vertes années,* 1979 ; III *Paris ma bonne* *ville,* 1980 ; IV *le Prince que voilà,* 1982 ; V *la Violente Amour,* 1983. – *Oscar Wilde* (éd. revue et augmentée), 1984 (E). – *Fortune de France,* VI *La Pique du jour,* 1985 (N).

MERRILL Stuart. Hampstead, Long Island 1863 – Versailles 1915. Poète français d'origine américaine. Il s'établit en France en 1890 et joua bientôt un rôle actif dans le développement du symbolisme, dont il fut un des théoriciens *(Credo).* Ce qui caractérise en lui le poète, c'est surtout la recherche d'une « préciosité » qui pourtant évite les excès de la « décadence ». La manière de M. est proche de celle de son compatriote Vielé-Griffin.

Œuvres. *Gammes,* 1887 (P). – *Les Fastes,* 1891 (P). – *Credo,* 1892 (E). – *Petits Poèmes d'automne,* 1895 (P). – *Les Quatre Saisons,* 1900 (P). – *Rodin,* 1901 (E). – *Une voix dans la foule,* 1909 (P).

MERSENNE père Marin. Soultière (Sarthe) 8.9.1588 – Paris 1.9.1648. Il occupe une place dans l'histoire de la pensée française surtout comme correspondant de Descartes alors que celui-ci se trouvait en Hollande : pour le public, M. était « résident de M. Descartes à Paris ». C'était un ancien élève des jésuites de La Flèche, qui avait devant lui un bel avenir mondain lorsqu'en 1611 il entra dans l'ordre des Minimes. Après sa formation théologique, il s'adonna aux mathématiques et, à partir de 1630 environ, il appartint au cercle international des grands esprits européens, qui correspondaient entre eux par son intermédiaire. On retiendra d'autre part sa tentative – qui le rendit célèbre en son temps – pour élaborer une théorie mathématique de la musique, *l'Harmonie universelle, contenant la théorie et la pratique de la musique.*

Œuvres. *Quaestiones celeberrimae in Genesim,* 1623 (E). – *L'Impiété des déistes et des plus subtils libertins, découverte et réfutée par raisons de théologie et de philosophie,* 1624 (E). – *La Vérité des sciences contre les sceptiques et les pyrrhoniens,* 1625 (E). – *Questions inouïes ou Récréations des savants,* 1634 (E). – *Questions théologiques, physiques, morales et mathématiques,* 1634 (E). – *Les Mécaniques de Galilée* (trad. de l'italien), 1634 (E). – *Préludes de « l'Harmonie universelle »,* 1634 (E). – *L'Harmonie universelle, contenant la théorie et la pratique de la musique,* 1636 et 1637 (E). – *Cogitata physico-mathematica* (6 traités), 1644 (E). – *Universae geometricae mixtaeque mathematicae synopsis* (trad. de mathématicien grecs), 1644 (E). – *Novae observatione physico-mathematicae,* 1647 (E). – *Corres pondance,* posth., 1932 et suivantes.

MESCHINOT Jean. Nantes v. 1422 12.9.1491. Soldat, il servit cinq ducs d Bretagne en qualité d'écuyer. Il particip à leurs campagnes et fut chargé de diverse missions diplomatiques et militaires. termina sa vie comme « maître d'hôtel de la jeune Anne de Bretagne. Poète, il e surtout l'auteur des *Lunettes des prince* 1493 (mille vers) : la première partie e une autobiographie ; la seconde traite d quatre vertus suivantes : Prudence, Justic Force, Tempérance, celles-là même que prince doit posséder pour pouvoir gouve ner. Dévoué à la cour de Bretagne, M. permet pourtant de dénoncer certaines d injustices sociales dont sont responsabl les princes incompétents. En matière d littérature, M. introduisit à la cour d Bretagne, à l'instigation de Chastellai son aîné de quinze ans, la rhétoriqu poétique d'origine bourguignonne. Il ut lise toutes les ressources de la langue des formes toutes faites et abuse, e particulier, de l'allégorie, au détriment d la qualité de la sensibilité. Après sa mor il fut véritablement à l'honneur, serva d'exemple et de modèle à G. Crétin, Lemaire de Belges et même au jeu Marot, qui ne craignit pas, à ses débu de s'inspirer de ces grands rhétoriqueu du XVe s. dont M. fut un des plus éminent Il a laissé un grand nombre de rondeau ballades, et poésies diverses, rassemblés publiés en 1499.

MESSAC Régis. Jonzac 2.8.1893 – déportation 1943. Écrivain de scienc fiction. Il a été l'un des premiers reconnaître l'intérêt du roman policier *(« Detective novel » et l'influence de pensée scientifique)* et de la science-fictic par des thématologies *(les Romans l'homme-singe ; Micromégas).* Rédacte en chef de la revue *les Primaires,* il y traduit O'Brien et H. Keller et publ plusieurs nouvelles importantes comn « le Miroir flexible » (sous le nom COLUMBUS NORTH), œuvre révolutio naire sur un animal cybernétique avant lettre. Il a lancé la première collecti spécialisée en France, « les Hype mondes », et laissé une *Esquisse d'u chrono-bibliographie des Utopies.*

Œuvres. *Le « Detective novel » et l'i fluence de la pensée scientifique,* 1929 (N – « Le Miroir flexible », dans la revue *Primaires,* 1933-1934 (N). – *Micromég*

1935 (N). – *Les Romans de l'homme-singe,* 1935 (N). – *Quinzinzinzili, la cité des asphyxiés,* 1935 (N). – *Les Hypermondes* (3 vol.), 1935-1937 (N). – *Pot-pourri fantôme,* posth., 1958. – *Esquisse d'une chrono-bibliographie des Utopies,* posth., 1962. – *Valcretin,* posth., 1973.

MICHAULT LE CARON, dit **Taillevent.** 1395 ou 1400 – 1450 ? Il est surtout connu comme « joueur de cartes », « valet de chambre » du duc de Bourgogne, organisateur des brillantes festivités données en sa cour. Il chante les fastes de la cour de Philippe le Bon dans *le Songe de la Toison d'or,* faisant l'éloge de l'ordre nouveau établi grâce au mariage du duc avec Isabelle de France. Poète courtisan, il sait jouer de tout ce qui plaît à la cour et, en particulier, faire le récit des amours qui se déroulent dans le cadre des fêtes et des tournois. Il les célèbre, comme dans le *Débat du cœur et de l'œil.*
Moins frivole, il moralise dans un *Psautier des vilains,* sorte de manuel de la morale courtoise. Mais son œuvre la plus fameuse est *le Passe-temps Michault,* plainte qu'il laisse entendre dans sa « ridée vieillesse », méditant sur la fragilité du temps qui s'écoule. Il y regrette le temps perdu, gaspillé, et la vanité d'une vie qui n'eut pour tout souci que le plaisir facile.

Œuvres. *Le Songe de la Toison d'or,* vers 1431 (P). – *L'Entrée au pays du Luxembourg,* vers 1443 (P). – *Le Jardin de Plaisance* (contient *le Débat du cœur et de l'œil*), posth., vers 1501 (P). – *Le Règne de fortune,* posth., vers 1525 (P). – *Le Passe-temps Michault,* posth., vers 1530 (P). – *La Destrousse Michault-Taillevent,* posth., 1910 (P). – *Le Psautier des vilains,* posth., 1954 (P).

MICHAULT Pierre. XVe s. Il fut longtemps confondu avec le précédent. Secrétaire du comte de Charollais, il a composé divers poèmes comme *la Danse aux aveugles* et *le Doctrinal du temps présent.*

Œuvres. *La Danse aux aveugles,* s.d. (P). – *L'Avocat des dames,* vers 1461 (P). – *Le Doctrinal du temps présent,* s.d. (P). – *Le Doctrinal de court, par lequel l'on peut être clerc sans aller à l'école* (réimpr. de l'ouvr. précéd.), posth., 1522 (P).

MICHAUX Henri. Namur 24.5.1899 – Paris 19.10.1984. Poète belge, naturalisé français. Issu d'une famille de la bourgeoisie, M. eut une enfance renfermée que favorisa un séjour dans un pensionnat « pauvre, dur et froid », où il fit ses études en flamand. De retour à Bruxelles, où il passa sa première enfance, il entre chez les jésuites (1911-1914). Son professeur de littérature le pousse à la lecture. Il lit beaucoup, « très vite et très mal », les ouvrages scientifiques, les livres de voyages, les vies de saints de préférence à la littérature proprement dite. Il recherche avant tout des expériences qui lui permettraient de trouver sa voie. En 1919, il abandonne des études de médecine à peine commencées pour s'engager comme matelot sur un cinq-mâts. Il ira jusqu'à Buenos Aires. Il apprend la communauté des hommes, et le retour à terre est pénible. Il exerce divers métiers (1922) et découvre Lautréamont, dont la lecture l'incite à écrire. Franz Hellens puis Jean Paulhan l'encouragent. M. publie, en 1923, quelques textes dans le *Disque vert.* En 1924, il quitte la Belgique pour s'installer à Paris ; il découvre Max Ernst, De Chirico, Paul Klee. Après un voyage d'un an en Équateur (1927), il publie *Qui je fus.* La critique est perplexe. Cette œuvre n'a rien à voir, apparemment, avec la littérature. Pour M., elle n'est, en effet, qu'un moyen pour essayer de « s'en sortir », pour échapper à ce corps clos sur lui-même, que les voyages répétés ne peuvent faire éclater et dont la prise de conscience déclenche une véritable angoisse de l'identité. Il voyage pourtant encore, en Asie (1930-1931) : aux Indes, en Indonésie, en Chine, périple qu'il rapporte dans *Un barbare en Asie.* Il est toujours à l'image de ce personnage créé par lui dans *Un certain Plume,* étranger au monde, étranger à lui-même, individu séparé, en mal de vivre dans une époque où l'homme, en butte à des agressions perpétuelles, ne peut maintenir son intégrité. En 1935, M. voyagera en Amérique du Sud (Uruguay, Argentine). Mais si les poètes voyagent, « l'aventure des voyages ne les possède pas ». M. n'est pas dupe de la vanité de ses pérégrinations et, bientôt, il réduit de plus en plus le champ de ses investigations pour ne plus s'intéresser exclusivement qu'à ses « propriétés » *(Mes propriétés).* Ce qu'il recherche en vain se trouve peut-être « en regardant une quelconque tapisserie du mur ». Dans ses « pays imaginaires », M. se trouve plus à l'aise, confronté seulement aux limites de son propre corps, rejetant résolument les contraintes inutiles de la réalité dite vécue. Ses voyages, pourtant, n'ont pas été complètement inutiles. Aux Indes, M. a découvert les effets de la magie, qu'il assimile au processus de la création littéraire. Celle-ci devient également un « exorcisme », par lequel il tente de se délivrer de ses démons intérieurs, exorcisme qu'il définit de la manière suivante : « L'exorcisme, réaction en force, en attaque de bélier, est le véritable poème du prisonnier. Dans le lieu même de la souffrance et de l'idée fixe, on introduit une exaltation telle, une si magnifique violence, unie au martèlement des morts. » La littérature n'est donc pas une représentation de ses fantasmes ou encore un simple divertissement, mais une véritable expérience vécue dont il faut assumer les conséquences. *Au pays de la magie* et *Exorcismes* rapportent cette découverte. En 1944 paraît *Labyrinthes*, accompagné, pour la première fois, d'un dessin de l'auteur. Une exposition a lieu la même année. Dans le dessin, M. a trouvé un « nouveau langage ». Il ne s'agit pas d'« illustrer » ses œuvres mais de trouver un autre moyen pour vivre le plus directement possible. Le dessin lui apparaît comme plus « libérateur », sans l'obstacle des mots chargés de tout un contenu qui fausse la signification qu'ils devraient avoir. « C'est pour m'avoir libéré des mots, ces collants partenaires, que les dessins sont élancés, presque joyeux ». Depuis ces dernières années, M., de plus en plus, donne la préférence à ce « moyen de vivre ». Mais, pour parvenir à l'exploration intégrale de ses« propriétés », de cet « espace du dedans », il faut encore élargir le champ de la conscience, tenter de se débarrasser, le plus possible, des contraintes du dehors qui encombrent l'être. C'est alors que M., en 1955, décida, pour y parvenir, d'utiliser la drogue, et plus particulièrement, la mescaline. Il a noté les effets obtenus dans *Misérable Miracle, l'Infini turbulent, Paix dans les brisements, Connaissance par les gouffres.* Ce nouveau moyen d'investigation n'est pas une fuite hors de la réalité insupportable, un refuge, mais une « exploration » savamment contrôlée, un moyen de mieux savoir, mais qui a, lui aussi, ses limites : ce n'est qu'un « misérable miracle ». Si M. avait de fait interrompu ses expériences avec la drogue, il a poursuivi inlassablement jusqu'à la fin de sa vie la recherche d'un équilibre qui ne s'établisse pas au prix de la négation de soi.

Œuvres. *Fables des origines,* 1923. – *Les Rêves et la jambe (essai philosophique et littéraire),* 1933. – *Qui je fus,* 1927. – *Écuador, journal de voyage,* 1929, rééd. 1968. – *Mes propriétés,* 1929. – *Difficultés,* 1930. – *Le Drame des constructeurs,* 1930 (T). – *Un certain Plume,* 1930. – *Un barbare en Asie,* 1933, rééd. 1967 (N). – *La nuit remue,* 1935, rééd. 1967 et 1970. – *Voyage en Grande Garabagne,* 1936, repris dans *Ailleurs,* 1948. – *Entre centre et absence,* 1936. – *Sifflets dans le temple,* 1936. – *Chaînes,* 1937 (T). – *Je vous écris d'un pays lointain,* 1937. – *Plume,* précédé de *Lointain intérieur,* 1938, rééd. 1970. – *Au pays de la magie,* 1941, repris dans *Ailleurs,* 1948. – *Arbres des tropiques,* 1942. – *La Ralentie,* 1942. – *Exorcismes,* 1943. – *Labyrinthes,* 1944. – *Le Lobe des monstres,* 1944. – *L'Espace du dedans. Pages choisies,* 1944, rééd. 1966. – *Épreuves, exorcismes, 1940-1944,* 1945. – *Liberté d'action,* 1945. – *Apparitions,* 1946. – *Ici, Poddema,* 1946, repris dans *Ailleurs,* 1948. – *Arriver à se réveiller,* 1947. – *Nous deux encore,* 1948. – *Ailleurs* (reprend *Voyage en Grande Garabagne ; Au pays de la magie ; Ici, Poddema),* 1948, rééd. 1976. – *Portrait des Meidosems,* 1948. – *Poésie pour pouvoir,* 1949. – *La Vie dans les plis,* 1949. – *Lectures,* 1950. – *Passages. 1937-1950,* 1950, rééd. 1963. – *Tranches de savoir,* 1950. – *Veille,* 1951. – *Nouvelles de l'étranger,* 1952. – *Cas de folie circulaire,* 1952. – *Face aux verrous,* 1954, rééd. 1967. – *Quatre cents hommes en croix,* 1956. – *Misérable miracle,* 1956, rééd. 1972. – *L'Infini turbulent,* 1957, rééd. 1964. – *Paix dans les brisements,* 1959. – *Vigies sur cible,* 1959. – *Connaissance par les gouffres,* 1961, rééd. 1978. – *Vents et poussières,* 1962. – *Les Grandes Épreuves de l'esprit,* 1966. – *Vers la complétude (Saisie et dessaisies),* 1967. – *Façons d'endormi, façons d'éveillé,* 1969, rééd. 1970. – *Poteaux d'angle,* 1971, rééd. 1978, rééd. 1981. – *Émergences, Résurgences,* 1972. – *En rêvant à partir de peintures énigmatiques,* 1972. – *Moments. Traversées du temps,* 1973. – *Bras cassé,* 1973. – *Quand tombent les toits,* 1973. – *Par la voie des rythmes,* 1974. – *Moriturus,* 1974. – *Idéogrammes en Chine,* 1975. – *Face à ce qui se dérobe,* 1975. – *Choix de poèmes,* 1976. – *Les Ravagés,* 1976. – *Jours de silence,* 1978. – *Saisir,* 1979. – *Une voie pour l'insubordination,* 1980. – *Affrontements,* 1981. – *Chemins cherchés, chemins perdus, transgressions,* 1981. – *Mouvements,* 1982. – *Les Commencements,* 1983. – *Le Jardin exalté,* 1983. – *Par surprise,* 1983. – *En appel de visages,* 1984. – *Par des traits,* 1984. – *Déplacements, dégagements,* posth., 1985.

MICHEL Jean. Angers vers 1430 – 1501. Son *Mystère de la Passion* nous est parvenu en dix-sept éditions (de 1488 à 1550). Les emprunts à Arnoul Gréban sont presque littéraux, bien que M. ait prétendu avoir seulement voulu apporter des « additions et corrections ». Il lui revient pourtant une part d'originalité : M. a renforcé les parties lyriques et mis l'accent sur certains effets comiques. Sa version, plus simple dans sa forme, eut un grand succès, à tel point que, pendant longtemps, il éclipsa son illustre prédécesseur, à qui il devait tant.

Œuvres. *Mystère de la Résurrection de Notre Seigneur Jésus-Christ,* 1475. – *Mystère de la Passion de Notre Seigneur Jésus-Christ* (connu sous le nom de *Passion d'Angers*), 1486. – *Mystère de la Vengeance de Jésus-Christ,* s.d.

MICHELET Jules. Paris 21.8.1798 – Hyères 9.2.1874. L'agrégation qu'il obtient à vingt-trois ans récompense un courage remarquable : fils d'un artisan imprimeur ruiné par les lois impériales, il doit aider son père tout en suivant ses cours au lycée Charlemagne. Professeur d'histoire au collège Sainte-Barbe dès 1822, il consacre tout son temps libre à ses recherches, à la publication de diverses chronologies et à la lecture d'historiens étrangers. La révolution de 1830 développe en lui l'enthousiasme pour les idées libérales et la conception de l'histoire comme lutte du peuple contre le despotisme. Précepteur d'une petite-fille de Charles X, puis de la benjamine de Louis-Philippe, il est nommé chef de la section historique aux Archives nationales (1831), maître de conférences au Collège de France (1838) ; sa renommée parmi les étudiants libéraux est devenue immense. Dès 1831, son *Introduction à l'histoire universelle* révèle sa personnalité et ses principes : le monde n'est pas conduit par la fatalité divine (idée de V. Cousin) mais par l'énergie populaire. Une *Histoire romaine* et les six premiers volumes d'une *Histoire de France* (jusqu'à Saint-Louis) paraissent, ainsi que des traductions (*Mémoires* de Luther ; *Œuvres choisies* de Vico). Après 1840, l'hostilité de l'humanitariste M. envers le gouvernement s'accroît (cours sur *les Jésuites ; le Peuple ;* cours sur *l'Étudiant*) ; suspendu en janvier 1848, il reprend son cours sous la seconde République mais doit cesser son activité dès mars 1851 ; il refuse de prêter serment à l'Empire et se consacre à son *Histoire de la Révolution française* et aux tomes manquants de son *Histoire de France* (de Louis XI à Louis XVI). En même temps, sa pensée devient de plus en plus lyrique, se libère dans des ouvrages souvent plus enthousiastes que documentés tels que, entre autres, *l'Oiseau, l'Insecte, la Femme.* Il meurt alors qu'il venait d'achever la rédaction du tome III de son *Histoire du XIXᵉ siècle.*

M. est moins un historien qu'un penseur de l'histoire, moins un prosateur qu'un poète visionnaire en prose ; ses principes peu contrôlés, sa passion humanitaire et cosmique font de son œuvre un document peu fiable, mais qui touche au chef-d'œuvre par sa largeur d'inspiration, sa véhémence de plume, son énergie. Le *Journal* monumental (dont la publication intégrale, commencée en 1959, s'est achevée en 1976) confirme son lecteur dans l'idée que M. est beaucoup plus un sculpteur qu'un peintre du monde : sa religiosité, son symbolisme héroïque, sa haine des maîtres ne photographient pas l'histoire mais la modèlent pour en restituer, comme peu ont su le faire, la vérité synthétique et le courant global.

Œuvres. *Tableau chronologique de l'histoire moderne (1453-1789),* 1825 (E). – *Tableaux synchroniques de l'histoire moderne,* 1826 (E). – *Précis d'histoire moderne,* 1827 (E). – *Principes de la philosophie de l'histoire* (adapt. de la *Scienzia nuova* de Vico), 1827 (E). – *Introduction à l'histoire universelle,* 1831 (E). – *L'Histoire romaine : République,* 1831 (E). – *Précis de l'histoire de France jusqu'à la Révolution,* 1833 (E). – *Histoire de France* (6 premiers vol.), 1833-1846 (E). – *Mémoires de Luther* (trad.), 1835 (E). – *Œuvres choisies de Vico* (trad.), 1835 (E). – *Origines du droit français, cherchées dans les symboles et les formules du droit universel,* 1837 (E). – *Le Procès des Templiers* (recueil de documents), tome I, 1841 (E). – Avec E. Quinet, *les Jésuites,* 1843 (E). – *Les Préliminaires, l'esprit et la portée de la Révolution* (cours professé au Collège de France), 1845. – *Le Prêtre, la femme, la famille, « cours d'éducation nationale »,* 1845 (E). – *Le Peuple, « cours d'éducation nationale »,* 1846 (E). – *L'Étudiant, « cours d'éducation nationale »,* 1847-1848 (E). – *Histoire de la Révolution française* (7 vol.), 1847-1848 (E). – *Le Procès des Templiers,* tome II, 1850 (E). – *Les Femmes de la Révolution,* 1854 (E). – *Les Soldats de la Révolution,* 1854 (E). – *Histoire de France* (12 vol.), 1855-1867 (E). – *L'Oiseau,* 1856 (E). – *L'Insecte,* 1857 (E). – *L'Amour,* 1859 (E). – *La Femme,* 1860 (E). – *La Mer,* 1861 (E). – *La Sorcière,* 1862 (E). – *La Bible de l'humanité,* 1864 (E). – *La Montagne,* 1868 (E). – *Nos fils,* 1869 (E). – *La France devant l'Europe,* 1871 (E). – *Histoire du XIXᵉ siècle* (3 vol.), 1872-1875. – *Écrits de jeunesse,* posth., 1959. – *Journal* (4 vol.), posth., 1959-1976.

MILLET ou **MILET Jacques.** Paris vers 1425 – 1466. On ignore tout de sa vie. Il est l'auteur d'une *Istoire de la destruction de Troye la Grant,* composée entre 1450 et 1452. Pour la première fois à l'époque médiévale, le monde antique devenait un sujet de drame, alors que, jusque-là, seuls les thèmes religieux avaient été abordés sur la scène. Ce drame n'a jamais été joué, mais il eut un succès populaire. Confusément, il annonce l'art dramatique de la Renaissance. M. est aussi l'auteur d'un poème allégorique, *la Forest de tristesse* (1459).

MILLEVOYE Charles Hubert. Abbeville 24.12.1782 – Paris 26.8.1816. De bonnes études à Paris lui donnèrent le goût de la poésie, à laquelle il se dévoua, même lorsque, plus tard, il travailla chez un libraire. Il se fit tout d'abord remarquer par des poèmes officiels de type narratif comme *Charlemagne à Pavie* ou *la Peste à Marseille,* dont le ton de fausse épopée ne nous touche plus. Ses *Élégies,* auxquelles il doit sa place dans l'histoire littéraire, dénotent la pauvreté de la poésie sous l'Empire. L'abondance des poncifs et le caractère conventionnel de la forme masquent une sensibilité ainsi qu'un instinct du rythme et de la musique du vers qui n'apparaissent que très exceptionnellement, dans « le Poète mourant » ou « la Chute des feuilles ». M. marque une transition plutôt qu'il n'annonce le romantisme.

Œuvres. *Poésies* (recueil), 1800 (P). – *Le Danger des romans* (épître), 1804 (P). – *L'Indépendance de l'homme de lettres,* 1806 (P). – *Le Voyageur,* 1807 (P). – *Les Embellissements de Paris,* s.d. (P). – *Charlemagne à Pavie* (poème héroïque), 1808 (P). – *Alfred, roi d'Angleterre* (poème héroïque), s.d. (P). – *Belzunce ou la Peste à Marseille,* 1810. – *La Mort de Rotrou,* 1811. – *Poésies* (second recueil), 1811 (P). – *Élégies* (2 recueils : *Huitaines, Dizaines*), 1811 (P). – *Goffin, le héros liégeois,* 1812. – *La Fête des martyrs,* 1815 (P). – *La Sulamite* (ode imitée du *Cantique des Cantiques*), s.d. – *Saül,* posth., 1822 (T).

MILOSZ Oscar Vladislas de LUBICZ. Czereïa (Biélorussie) 28.5.1877 – Fontainebleau 2.3.1939. Poète lituanien naturalisé français en 1931. Baptisé à Varsovie en 1886, le jeune M. fait ses études à Paris, où il suit notamment les cours de l'École du Louvre et de l'École des langues orientales ; il s'intéresse particulièrement à l'épigraphie hébraïque et assyrienne. Son premier recueil, *le Poème des décadences,* paraît en 1899 ; en 1902, le premier article de Miomandre marque le début d'un long apostolat en faveur d'un poète qui, jusqu'à sa mort, restera scandaleusement méconnu. À partir de 1902, M. voyage considérablement, d'abord en Russie Blanche, puis dans de nombreux pays d'Europe et en Afrique du Nord ; l'itinéraire de ces déplacements est mal connu ; M., qui parle français, russe, polonais, anglais et allemand, rapporte de ces voyages la matière d'abondantes traductions littéraires. Lors de ses passages en France, il continue de publier (*les Sept Solitudes,* poèmes ; *l'Amoureuse Initiation,* roman ; *les Éléments,* poèmes). En 1912, outre un volume de traductions qui resta unique *(Chefs-d'œuvre lyriques du Nord),* paraît l'œuvre maîtresse de M., *Miguel Mañara,* premier volet d'une trilogie scénique comprenant également *Méphiboseth* et *Saul de Tarse* (écrit en 1913, inédit jusqu'en 1970). Le 14 décembre 1914, M. connaît une nuit d'illumination mystique comparable à celle de Pascal ; il la raconte dans l'*Épître à Storge.* Mobilisé dans les divisions russes de l'armée française (1916), il est affecté à la maison de la Presse, à Paris. La révolution de 1917 provoque la saisie des biens de M. et sa ruine ; il devient l'année suivante citoyen de la nouvelle république de Lituanie et vivra dès lors des revenus de son poste à la légation de Lituanie en France. De 1919 à 1925, prenant souvent la parole en public, il déploie une importante activité diplomatique au service de la cause lituanienne ; jusqu'à sa mort, il publiera de nombreuses traductions destinées à faire connaître le folklore de son pays. En 1925, il est, sur sa demande, déchargé d'une partie de ses fonctions et peut se consacrer davantage à son œuvre. Il compose et publie *les Arcanes,* donne une anthologie comprenant des inédits *(Poèmes)* et se prend d'un vif intérêt, préparé par ses études hébraïques, pour la Bible et surtout pour l'Apocalypse *(l'Apocalypse de saint Jean déchiffrée).* En 1936, après un long silence, il compose son dernier poème, *le Psaume de l'Étoile du Matin.* En 1938, il prend sa retraite de fonctionnaire à la légation et s'installe à Fontainebleau, où il a créé une volière dont il s'occupe lui-même. La revue *les Cahiers blancs* publie un « Hommage » au poète, le premier article qui reconnaisse son génie au-delà d'une dérisoire minorité de lecteurs ; quelques jours plus tard, M. meurt brusquement. Toute sa gloire reste à naître.

L'œuvre de M. est un long cheminement spirituel, du sarcasme autobiographique des *Scènes de « Don Juan »* à l'affirmation catholique des œuvres d'exégèse de la dernière période. C'est aussi un cheminement géographique, au plan de la réalité puis au plan du symbole : M. est un transplanté. Les voyages incessants d'avant-guerre, à la quête de toutes les expériences, aboutissent à 1914, année cruciale de la révélation intérieure, et se développent ensuite sur le double terrain de l'action pour la Lituanie et des études sur le judaïsme : jusqu'au bout, le poète-penseur cherchera à réduire sa propre dualité ; la solitude franciscaine auprès des oiseaux, dans la paix des déchirements assumés, sera aussi le refus d'un monde dominé par l'hitlérisme.

L'inspiration de M. est riche et diverse : les romantiques allemands l'ont influencé ; Byron aussi, beaucoup moins les Slaves, sauf Mickiewicz. Le génie désordonné l'attire plus que le talent sans failles, et ce trait le définit lui-même : toute influence en son œuvre est plus faible que son propre fonds. Les poèmes de jeunesse promettent déjà le grand M. : si le *Poème des décadences* se complaît dans le mal du siècle à la mode et s'alourdit çà et là de prétentions, de délicieuses chansons laissent percer l'élégiaque. *Les Sept Solitudes,* parues après une tentative de suicide et un long séjour en Lituanie, tentent un sursaut vers la vie positive : ici encore, à côté de grandes pièces, de séduisants pastiches alignent les prouesses rythmiques, et surtout le génial *Tous les morts sont ivres* fait penser à l'Edgar Poe d'*Annabel Lee* ; à la fin du recueil, les *Scènes de « Don Juan »* jettent sur le monde un regard nihiliste. *Les Éléments* cherchent, en de vastes rythmes, la musicalité du tout ; la fiction cosmique masque à peine un appétit d'éternité. *L'Amoureuse Initiation,* confession d'un lyrisme compact, balaie les miasmes du passé : le chemin est tracé pour l'admirable trilogie dramatique. *Miguel Mañara* peint, d'après une documentation scrupuleuse, le repentir du Don Juan historique ; *Méphiboseth* trace un portrait biblique du roi David ; *Saul de Tarse* met en scène le Chemin de Damas ; c'est le premier de ces trois récits de conversions qui révèle le mieux le génie lyrique et spirituel de M. : il y réussit le prodige de résumer tout le dogme chrétien sans rien sacrifier du dramatisme indispensable au théâtre ; il est ici très proche de Péguy et aussi, par le passage des thèmes d'une pièce à l'autre, du Wagner de la *Tétralogie.* Le poète d'après 1914 se fait peu à peu philosophe : son étonnante connaissance des traditions occultistes modernes et anciennes imprègne à des degrés divers ses poèmes : *Symphonies, Nihumim, Adramandoni, la Confession de Lemuel* et les quatre Psaumes de la vieillesse *(Du roi de beauté ; De la maturation ; De la réintégration ; De l'étoile du Matin),* ainsi que ses essais plus spécifiquement philosophiques : *Ars Magna* et *les Arcanes.* Si le traducteur de textes folkloriques lituaniens paraît léger à côté du penseur cosmique, c'est par une méconnaissance du génie synthétique de M. : l'élégiaque et le philosophe s'unissent, toujours présents l'un et l'autre aussi bien dans la poésie la plus charmante, qui en acquiert un poids divin, que dans la méditation la plus touffue, qu'illuminent les richesses verbales et sonores d'un style où tout chante. On connaît peu à peu M., et déjà l'on ne veut plus croire qu'il ait été si gravement ignoré ; il doit pourtant prendre encore sa vraie place, avec, et peut-être avant, les plus célèbres.

Œuvres. *Le Poème des décadences,* 1899 (P). – *Les Sept Solitudes,* 1906 (P). – *Scènes de « Don Juan »,* 1906. – *L'Amoureuse Initiation,* 1910 (N). – *Les Éléments,* 1911 (P). – *Chefs-d'œuvre lyriques du Nord* (trad.), 1912 (P). – *Miguel Mañara,* 1914 (T). – *Symphonies* (recueil), 1915 (P). – *Nihumim,* 1915 (P). – *Épître à Storge,* 1917 (E). – *Adramandoni,* 1918 (P). – *L'Alliance des États baltiques,* 1919 (E). – *Méphiboseth* (écrit en 1913), 1919 (T). – *La Confession de Lemuel* (recueil contenant « le Cantique de la connaissance »), 1920 (P). – *Ars Magna,* 1924 (E). – *Les Arcanes,* 1926 (E). – *Vilna et la civilisation européenne,* 1926 (E). – *Daïnos* (trad.), 1928 (N). – *Poèmes* (anthologie contenant les 4 psaumes *Du roi de beauté ; De la maturation ; De la réintégration ; De l'étoile du Matin*), 1929 (P). – *Contes et fabliaux de la vieille Lituanie,* 1930, rééd. 1972 (N). – *Contes lituaniens de ma Mère l'Oye,* 1933 (N). – *Les Origines ibériques du peuple juif,* 1933 (E). – *L'Apocalypse de saint Jean déchiffrée,* 1933 (E). – *Les Origines de la nation lituanienne,* 1937 (E). – *Le Psaume de l'étoile du Matin,* 1937 (P). – *La Clef de l'Apocalypse,* 1938 (E). – *Nourrissage hivernal,* 1939. – *Le Cahier déchiré,* posth., 1969 (P). – *Soixante-Quinze Lettres inédites,* posth., 1969. – *Saul de Tarse* (écrit en 1913), posth., 1970 (T). – *Les Zborowski,* posth., 1982 (N). – *Œuvres complètes,* 12 vol., 1946-1982.

MIME. [grec *mimos* = imitation]. Chez les Grecs, les mimes étaient de petites pièces composées de quelques scènes avec un nombre limité de personnages et une action insignifiante. Elles se proposaient d'« imiter » la vie et les mœurs des contemporains. Chez les Romains, les mimes tournèrent à la farce et à la satire. Au Moyen Âge, le mime sert encore d'intermède entre les différentes parties du mystère. Le mot désigne également l'acteur qui se livrait à ce genre de théâtre, caractérisé par l'absence totale de parole, le tout reposant sur la mimique de l'acteur. (Voir PANTOMIME.)

MIOMANDRE Francis de, François Durand, dit. Tours 22.5.1880 – Saint-Quay-Portrieux (Côtes-du-Nord) 1.8.1959. Il débuta par des vers *(les Reflets et les Souvenirs),* mais, quand son roman *Écrit sur de l'eau* eut obtenu le prix Goncourt (1908), c'est à ce genre littéraire qu'il consacra la plus large part de son activité. Les transpositions scéniques d'un certain nombre de ses livres eurent du succès. La manière de M. n'évolua guère au long des cinquante ans de sa carrière : humour fondé sur une observation détaillée, séduction faite de grâce et de fantaisie concertée. On lui doit des traductions de l'espagnol (Unamuno, Calderón, Cervantes, Asturias) et, parmi ses articles, de nombreuses analyses de l'œuvre de Milosz, qu'il s'efforça de faire connaître.

Œuvres. *Les Reflets et les Souvenirs,* 1904 (P). – *Écrit sur de l'eau,* 1908 (N). – *Le Vent et la Poussière,* 1909 (N). – *D'amour et d'eau fraîche,* 1913 (N). – *L'Aventure de Thérèse Beauchamp,* 1914 (N). – *Le Voyage d'un sédentaire,* 1918 (N). – *Otarie,* s.d. (N). – *Samsara,* s.d. (N). – *Le Veau d'or et la Vache enragée,* s.d. (N). – *L'Ombre et l'Amour,* 1925 (N). – *Jeux de glaces,* 1930 (N). – *Baroque,* 1930 (N). – *Zombie,* 1935 (N). – *Direction Étoile,* 1937 (N). – *Le Greluchon sentimental,* 1939 (N). – *Humoresques,* 1943 (P). – *Portes,* avec *Récits,* 1943 (N). – *L'Âne de Buridan,* 1949 (N). – *L'Œuf de Colomb,* 1954 (N). – *Aorasie,* 1957 (N). – *Mon caméléon,* 1959 (N). – *Caprices,* posth., 1960.

MIRABEAU Gabriel Honoré, comte de Riqueti. Le Bignon (Loiret) 9.3.1749 – Paris 2.4.1791. Sa conduite scandaleuse amena son père à le faire enfermer à l'île de Ré dès 1766. Marié en 1772, il s'endette : nouvelle incarcération, au château d'If, puis au fort de Joux ; s'y étant épris de Sophie, l'épouse du marquis de Monnier, il s'enfuit avec elle à Amsterdam (1776) ; découvert, il séjourne trois ans au fort de Vincennes. Il y écrit d'admirables *Lettres à Sophie* et plusieurs traités. Exilé à Londres, il édite *Lettres de cachet* et *l'Espion dévalisé,* puis *Histoire secrète de la cour de Berlin.* Revenu en France, il attaque Calonne qui refuse d'employer ses services *(Dénonciation de l'agiotage).* Député du tiers état d'Aix aux états généraux de 1789, il ne parvient pas à s'imposer à l'Assemblée : son royalisme appuyé sur le peuple et sa vie scandaleuse préviennent contre lui. Criblé de dettes, il obtient secrètement la protection royale (1790) mais intrigue en vain pour entrer au gouvernement. Lorsqu'il meurt de maladie, épuisé par ses travaux et ses débauches, il a, tout juste quadragénaire, réussi « la plus belle carrière manquée de l'Histoire » ; mais ses *Lettres à Sophie* (publiées par Manuel en 1792) ne peuvent pas plus laisser indifférent le critique littéraire que l'historien par ses notes remarquablement lucides sur les choses de l'État.

Œuvres. *Essai sur les lettres de cachet et les prisons d'État,* 1782 (E). – *L'Espion dévalisé,* 1784 (E). – *De la monarchie prussienne sous Frédéric le Grand,* 1787 (E). – *Dénonciation de l'agiotage au roi et aux notables,* 1787. – *Adresse aux Bataves,* 1788. – *Lettres politiques écrites de la tour de Vincennes durant les années 1777, 1778, 1779, 1780,* s.d. – *Histoire secrète de la cour de Berlin ou Correspondance d'un voyageur français depuis le mois de juillet 1786 jusqu'au 19 janvier 1787,* 1789. – *Discours* (5 vol.), posth., 1791-1792. – *Lettres à Sophie* (écrites de 1777 à 1780), posth., 1792. – *L'Œuvre du comte de Mirabeau,* posth., 1851.

MIRACLE [latin *mirari* = s'étonner, admirer]. Au Moyen Âge (XIIIe et XIVe s.), représentation en l'honneur d'un épisode de la vie d'un saint ou d'une aventure dénouée grâce à l'intervention d'un miracle (*le Jeu de saint Nicolas,* de Jean Bodel ; le *Miracle de Théophile,* de Rutebeuf ; *Miracles de Notre-Dame*). Au XVe s., le miracle sera éclipsé par le mystère.

MIRBEAU Octave. Trévière (Calvados) 16.2.1850 – Paris 16.2.1917. Orphelin de mère, terrifié par son père, M. ne saura jamais peindre un enfant heureux. Issu d'une lignée de notaires, il fit son droit à Paris mais débuta dès 1872 dans le journalisme. Personnalité violente, bourgeois en rupture de caste, M. haïssait le mensonge ; sa franchise lui attira plusieurs duels. Défenseur des impressionnistes, ennemi virulent du pouvoir dans sa revue *les Grimaces* (fondée en 1883), il pratiqua tous les métiers, les quittant dès la première servitude : on le vit pêcheur en Bretagne (il avait fait ses études secondaires à Vannes), mais aussi sous-préfet à Saint-Girons. Son tempérament ne pouvait qu'influencer sa production littéraire, qui se rattache au courant réaliste ; malheureusement, sa maîtrise de plume n'égalant pas son amour de la vérité, la plupart de ses romans souffrent d'un manque de composition : *le Calvaire, l'Abbé Jules* et *Sébastien Roch,* qui font appel à des souvenirs d'enfance ; *le Jardin des supplices ; le Journal d'une femme de chambre* (adapté au cinéma par Luis Buñuel en 1964) ; *la 628-E 8,* qui fait pour la première fois entrer l'automobile dans le roman ; *Dingo* enfin, où le thème de la perversion s'étend au règne animal. Au théâtre, outre une pièce politique *(les Mauvais Bergers),* il donna de nombreuses pièces en un acte, réunies en volume en 1904 *(Farces et Moralités) ;* la pièce la meilleure de M. est sans conteste *les Affaires sont les affaires,* vigoureuse satire (restée au répertoire) où il a su camper avec un étonnant relief le personnage central d'Isidore Lechat, en tous points digne de Balzac, dont sans doute M. s'est inspiré, une certaine influence balzacienne étant d'ailleurs caractéristique du théâtre naturaliste en général *(cf.* les adaptations par É. Fabre de *César Birotteau* et de *la Rabouilleuse).*

Œuvres. *Lettres de ma chaumière* (nouvelles), 1885 (N). – *Le Calvaire,* 1886 (N). – *La Famille Cannettes,* 1888 (N). – *L'Abbé Jules,* 1888 (N). – *Sébastien Roch,* 1890 (N). – *Contes de ma chaumière* (nouvelles), 1894 (N). – *Les Mauvais Bergers,* 1897 (T). – *Le Jardin des supplices,* 1898 (N). – *L'Épidémie,* 1898 (T). – *Le Journal d'une femme de chambre,* 1900 (N). – *Vieux Ménages,* 1900 (T). – *Les Vingt et Un Jours d'un neurasthénique,* 1901 (N). – *Le Portefeuille,* 1902 (T). – *Scrupules,* 1902 (T). – *Les affaires sont les affaires,* 1903 (T). – *Farces et Moralités,* 1904 (T). – *La 628-E 8,* 1908 (N). – Avec Thadée Natanson, *le Foyer,* 1908 (T). – *Dingo,* 1912 (N). – *Des artistes* (recueil d'articles), posth., 1922.

MIRECOURT Eugène de, Charles Jean-Baptiste Jacquot, dit. Mirecourt (Vosges) 19.11.1812 – Ploërmel (Morbihan) 13.2.1880. Il abandonna l'enseignement pour les lettres, mais on peut négliger une production abondante de romans et nouvelles, publiés dans divers périodiques, pour ne retenir en lui que le pamphlétaire et le chroniqueur littéraire. C'est par le célèbre *Fabrique de romans : maison Alexandre Dumas et Compagnie* que l'on sait comment l'illustre écrivain faisait rédiger son œuvre par des « nègres » ; cette révélation valut à M. une condamnation à six mois de prison pour diffamation, mais il ne guérit pas pour autant de son insolence. De 1854 à 1859, il donna en cent brochures sa *Galerie des contemporains,* suite de portraits qui fit scandale mais reste une précieuse mine de renseignements. M. termina sa vie dans la retraite, et quelques sources affirment qu'il se fit ordonner prêtre.

Œuvres. *La Lorraine historique et pittoresque,* 1839-1840 (E). – *Fabrique de romans : maison Alexandre Dumas et Compagnie,* 1845 (E). – *Mme de Tencin,* 1842 (T). – *Galerie des contemporains,* 1854-1859 (E). – *Les Contemporains, journal hebdomadaire,* 1860-1872 (E).

MIRMONT Jean de La Ville de. (Voir La Ville de Mirmont.)

MIRON Gaston. Sainte-Agathe-des-Monts 8.1.1928. Écrivain québécois. Après une enfance et une adolescence dans ses Laurentides natales, il vient s'établir à Montréal en 1947. Il y travaille comme libraire, avant de se lancer dans l'entreprise de l'édition. Le nom de M. est lié au groupe d'édition *Hexagone* et à tous les écrivains qui ont été lancés par son intermédiaire. M. est, et a toujours été, un poète engagé dont le sort est lié à celui des Québécois en marche ; il est toujours dans la mêlée lorsqu'il s'agit du sort politique ou littéraire des Québécois : il se fait leur interprète, plein de véhémence, d'efficacité et de versatilité ; ses ressources semblent inépuisables, et l'on a pu parler de M. comme d'un mythe vivant.

Pendant des années, il s'est occupé de faire publier les textes des autres écrivains, et il n'a réuni qu'une seule fois ses propres écrits, qu'il a fait paraître conjointement avec Olivier Marchand dans le recueil intitulé *Deux Sangs,* en 1963. Cet événement marquait les débuts d'*Hexagone,* qui n'est devenue une affaire stable que l'année suivante, grâce notamment à l'apport de Jean-Guy Pilon et de quelques autres poètes pleins de courage. Depuis ce premier recueil, le reste de l'œuvre de M. est dispersé au hasard de publications fragmentaires dans divers journaux, revues et anthologies : il s'est voulu d'abord poète oral, s'adressant aux siens sur la place publique.

Dans *l'Homme rapaillé,* des amis de M. ont réuni la plus grande partie des poèmes qu'il avait distribués généreusement depuis 1962. Inutile de souligner l'importance de ce volume, qui rend accessible une œuvre qui le méritait hautement. Dans cette œuvre « rapaillée » (réunie), le terrien M. parle en prophète de la terre de Québec et de la terre tout court. Il y révèle le foyer brûlant de sa poésie : « Ma vérité le mal d'amour. » Sa conversion poétique commence avec le mal d'amour et se poursuit dans le sens d'un retour au pays natal, dans sa réalité totale, géographique, historique et sociale. Son tempérament de terrien, déraciné parce que descendu des « vieilles montagnes râpées du nord » de Montréal vers les quartiers minables, recherche les œuvres qui restent enracinées dans leur terroir. M. est un autodidacte qui s'alimente selon son cœur, à la fois solitaire et solidaire : il sait se détacher des influences littéraires auxquelles il s'est soumis et créer son propre langage poétique ; il sait également rester fidèle aux générations de pionniers – colons, trappeurs, coureurs des bois – qui ont fait le pays. À l'occasion de la parution en France de *l'Homme rapaillé*, M. a obtenu le prix Apollinaire, hommage de la France à l'un des plus importants poètes du Québec.

Œuvres. Avec O. Marchand, *Deux Sangs* (recueil), 1963 (P). – *Notes sur le non-poème*, 1965. – *L'Homme rapaillé* (recueil), 1970. – *Courtepointes*, 1976. – *La Marche à l'amour*, 1977.

MISTLER Jean. Sorèze (Tarn) 1.9.1897. D'ascendance alsacienne par son père (dont la famille avait opté pour la France en 1871) et languedocienne par sa mère, M., après avoir été mobilisé de 1915 à 1918, entra à l'École normale supérieure et, en 1920, fut reçu à l'agrégation des lettres. Il fit carrière d'abord en Hongrie, puis au ministère des Affaires étrangères, où il succéda à Paul Morand en 1925. C'est alors qu'il commença à écrire, se partageant entre le roman *(Châteaux en Bavière)* et la biographie *(Mme de Staël et Maurice O'Donnell ; Vie d'Hoffmann).* Élu député de l'Aude en 1928, il sera plusieurs fois ministre de 1932 à 1940. Ce qui ne l'empêche pas de poursuivre une œuvre littéraire à laquelle il se consacrera presque exclusivement à partir de 1945. Romancier fidèle à la tradition, plus narrateur que psychologue, M. est aussi un critique perspicace dont le mérite principal est d'avoir contribué à mieux faire connaître certaines œuvres ou personnages littéraires, qu'il s'agisse de Mme de Staël et de Benjamin Constant ou d'Hoffmann et de Gaspard Hauser. M. a enfin joué un rôle important d'animateur littéraire comme codirecteur des Éditions du Rocher (1944-1947) et comme directeur du département de Littérature générale de la Librairie Hachette (1964-1969). Acad. fr. 1966.

Œuvres. *Châteaux en Bavière*, 1925 (N). – *Mme de Staël et Maurice O'Donnell*, 1926. – *La Vie d'Hoffmann*, 1927 (E). – *Ethelka*, 1929 (N). – *Vienne*, 1931 (E). – *La Maison du docteur Clifton*, 1‹ (N). – *La Symphonie inachevée*, 1938 (‹ – *Dictées de la nuit*, 1943 (N). – *Vampire*, 1944 (N). – *Hugo et Wagner f‹ à leur destin*, s.d. (E). – *Journal intime ‹ Benjamin Constant* (éd. crit.), 1945. – *Femme nue et le Veau d'or*, 1945 (N‹ *Lettres à un ami, Benjamin Constant ‹ Mme de Staël*, 1949. – *Hoffmann le fan‹ tique*, 1950 (E). – *À Bayreuth, avec Rich‹ Wagner*, 1960 (E). – En collaborati‹ *Épinal et l'imagerie populaire*, 1961. – *14 Juillet*, 1963. – *La Librairie Hach‹ de 1826 à nos jours*, 1964 (E). – *Le B‹ du monde* (autobiogr.), 1964 (N). – ‹ *Orgues de Saint-Sauveur*, 1967 (N). *Discours de réception à l'Académie fr‹ çaise*, 1967. – *Les Cahiers du capita‹ Coignet* (éd. crit.), 1968. – *Gaspard H‹ ser, un drame de la personnalité*, 1971 (‹ – *Aimés des dieux*, 1972 (N). – *Naufrage du Monte-Cristo*, 1973. – *V‹ meer*, 1973 (E). – *L'Ami des pauv‹* (nouvelles), 1974 (N). – *La Route ‹ étangs*, 1975. – *Gare de l'Est*, 1975. – *‹ Poids*, 1976 (N). – *Napoléon*, t. I et ‹ 1979. – *Sous la Coupole*, 1981. – *Faubo‹ Antoine*, 1982 (N). – *Le jeune homme ‹ rôde*, 1984 (N).

MISTRAL Frédéric. Maillane (Bo‹ ches-du-Rhône) 8.9.1830 – 25.3.19‹ Poète français de langue d'oc. Son pè‹ cultivateur aisé, l'envoya faire ses étu‹ en Avignon, à Nîmes et à Aix ; reve‹ dans son village à sa majorité, il y rés‹ toute sa vie. Dès 1852, il collabora a‹ *Provençales* du poète Roumanille, qui av‹ été son répétiteur. Ce fut l'orée d'u‹ longue carrière au service de la renaissan‹ provençale : ayant fondé le « Félibrige‹ le 24 mai 1854, il en fut le princi‹ dirigeant de 1876 à 1888 et en sout‹ jusqu'au bout les efforts. Son œuvre, à ‹ fois riche et diverse, lui valut rapidem‹ une célébrité internationale, confirmée ‹ 1904 par le prix Nobel. Ses principa‹ poèmes sont *Mireille, Calendal, les ‹ d'or, le Poème du Rhône, les Olivad‹* mais il publia aussi un dictionnaire prove‹ çal-français *(le Trésor du félibrige)*, u‹ nouvelle *(Nerte)*, une tragédie en cinq ac‹ *(la Reine Jeanne)*, plusieurs volumes ‹ souvenirs ainsi qu'une traduction en p‹ vençal de la *Genèse*. Son activité « m‹ sionnaire » donna lieu à de nombre‹ *Discours et Allocutions*, qui furent réu‹ en volume en 1906, à un journal, *l'Aïc‹* à un musée, le « Muséon Arlaten », c‹ en 1899. Le plus puissant et le plus lyriq‹ des poètes provençaux, M. en fut nom‹ le Virgile et l'Homère ; c'est l'un des ra‹ écrivains de langue régionale dont ommée se perpétue, dans son pays et delà des frontières, par de nombreuses ductions. Prix Nobel 1904.

ıvres. En collaboration, *les Proven-es* (recueil collectif de vers), 1851 (P). In collaboration, *l'Almanach provençal* cueil annuel), 1855. – *Mireille,* 1859 (P). *ıux poètes catalans,* 1861 (P). – *Calen-*, 1867 (P). – *La Comtesse,* 1867 (P). *es Îles d'or* (recueil), 1873 (P). – *Hymne a race latine,* 1876 (P). – *Le Trésor du brige,* 1878-1886. – *Nerte,* 1884 (P). – *Reine Jeanne,* 1890 (T). – *Le Poème Rhône,* 1897 (P). – *L'Aïoli* (journal), 90-1898. – *Mes origines, Mémoires et its,* 1906 (N). – *Discours et Allocutions* cueil), 1906. – *La Genèse* (trad. en ovençal), 1910. – *Les Olivades,* 1912 (P). *Prose d'almanach,* posth., 1926. – *uvelle Prose d'almanach,* posth., 1927. – *rnière Prose d'almanach,* posth., 1930. *Ĩireille,* éd. bilingue Ch. Rostaing, 1979.

OCKEL Albert. Ougrée-lez-Liège 12.1866 – Ixelles 30.1.1945. Poète belge xpression française. Il fonda à Liège la ue *la Wallonie* (1886), qui réunit tous symbolistes belges ainsi que Moréas et ıllarmé, et qui fut dirigée ensuite par de Régnier. Venu à Paris en 1889, il blia trois recueils, *la Flamme immortelle* nt le plus important. Lyrique et spiri-liste, M. fait de la poésie une quête de me à la recherche de sa propre essence : grandes réussites musicales voisinent ez lui avec une complaisance excessive ns le flou. M. contribua à faire connaître contemporains par d'assez nombreuses ıdes critiques, dont les deux principales ıt *Stéphane Mallarmé, un héros,* et *nile Verhaeren, poète de l'énergie.* Acad. yale de langue et litt. fr. 1920.

uvres. *Les Fumistes wallons,* 1887 (N). *Chantefable un peu naïve* (recueil), 1891). – *Propos de littérature,* 1894 (E). – *éphane Mallarmé, un héros,* 1899 (E). *Clartés* (recueil), 1902 (P). – *Contes pour enfants d'hier,* 1908 (N). – *La Flamme mortelle* (recueil), 1924 (P). – *Émile rhaeren, poète de l'énergie,* 1933 (E).

ODIANO Patrick. Boulogne-Billan-urt 30.7.1945. À première lecture, le manesque de M. apparaît comme un manesque urbain, ce dont témoignent rtains de ses titres : *Place de l'Étoile, ulevards de ceinture* (Grand prix du man de l'Académie française), *Rue des utiques obscures* (prix Goncourt). Mais romanesque – où l'on retrouve l'in-ence aussi bien de Zola que du Baude-re du *Spleen de Paris* ou encore du cinéma – n'est pour M. que le sésame d'un univers souterrain et énigmatique, où règne l'incertitude d'être de personnages quelque peu évanescents : ainsi s'explique la prédilection de M. – du moins dans quelques-uns de ses romans les plus caractéristiques – pour la période de l'Occupation, qu'il n'a pas vécue mais qu'il réimagine comme un souvenir d'une existence antérieure. La technique du mélange et du télescopage des temps, celle aussi de l'enquête, traduisent cette incertitude existentielle des êtres et des événements, qui incite le romancier à souligner les intermittences de la mémoire : le réalisme minutieux du détail accroît encore le sentiment angoissant d'une discordance inéluctable entre l'existence du personnage dans le récit et la vanité fantomatique de son identité. De cette discordance, qui donne naissance à un monde où les personnages ne font que jouer des rôles distribués par un pur hasard, naît un romanesque inquiétant, qui cependant refuse le tragique, alors qu'y sont présents tous les ingrédients du tragique, un romanesque aussi de l'énigmatique et de l'incertain issus du réel le plus présent et le plus quotidien, romanesque qui n'est pas la moindre originalité de M. dans le roman contemporain.

Œuvres. *Place de l'Étoile,* 1968 (N). – *La Ronde de nuit,* 1969 (N). – *Les Boulevards de ceinture,* 1972 (N). – *La Polka,* 1974 (T). – *Lacombe Lucien* (scénario pour le film de L. Malle), 1974. – *Villa triste,* 1975 (N). – *Emmanuel Berl,* interrogatoire, 1976 (E). – *Livret de famille,* 1977 (N). – *Rue des Boutiques obscures,* 1978 (N). – *Une jeunesse,* 1981 (N). – *Memory Lane,* 1981 (N). – *De si braves garçons,* 1982 (N). – *Poupée blonde,* 1983 (N). – *Quartier perdu,* 1984 (N).

MOHRT Michel. Morlaix 28.4.1914. Ayant vécu, sur le front italien des Alpes-Maritimes, l'épisode de la « drôle de guerre » de 1939-1940, il en romance le récit dans *le Répit,* qui paraît en 1945 ; puis, tout en poursuivant une carrière d'enseignant, en particulier aux États-Unis, il élabore une œuvre qui sera couronnée en 1961 par le Grand prix du roman de l'Académie française pour *la Prison maritime.* Représentant, en un temps de bouleversements littéraires, de la permanence du roman dit « traditionnel », M. est d'abord un technicien expérimenté et efficace du récit romanesque et y pratique avec bonheur la synthèse de ses composantes essentielles : analyse psychologique, réalisme ou pittoresque descriptif, progression dramatique, aisance et naturel de la narration. Mais là ne se borne pas sa personnalité littéraire ; au-delà de l'aisance technique et grâce à elle, apparaît, aux yeux du lecteur attentif – et tout est fait pour fixer son attention –, la constance de thèmes obsédants, au moins implicitement moraux et même philosophiques : personnages affrontés au problème du passage à l'action, devant lequel ils se trouvent désemparés, faute de repères ; intrigues mettant en scène un univers pour ainsi dire « dé-structuré » ; références enfin à des valeurs contestées et d'autant plus précieuses, valeurs religieuses, morales, sociales, comme si le roman avait pour fonction de diagnostiquer, au cœur du réel le plus actuel, les « maux du siècle » et d'en suggérer aussi les thérapeutiques. Acad. fr. 1985.

Œuvres. *Montherlant, homme libre,* 1943 (E). – *Le Répit,* 1945, rééd. 1950 (N). – *Mon royaume pour un cheval,* 1949 (N). – *Les Nomades,* 1951 (N). – *Le Serviteur fidèle,* 1953 (N). – *Le Nouveau Roman américain,* 1955 (E). – *La Prison maritime,* 1961 (N). – *La Campagne d'Italie,* 1965 (N). – *L'Ours des Adirondacks,* 1969 (N). – *L'Air du large,* 1969 (E). – *Un jeu d'enfer,* 1970 (T). – *Deux Indiennes à Paris,* 1974 (N). – *Les Moyens du bord,* 1975 (N). – *La Maison du Père,* 1979 (N).

MOINEAUX Georges. (Voir COURTELINE.)

MOLIÈRE, Jean-Baptiste Poquelin, dit. Paris 15.1.1622 – 17.2.1673. Son père, tapissier ordinaire du roi, devenu veuf en 1632, se remarie l'année suivante avec Catherine Fleurette, qui meurt en couches en 1636. L'enfant, qui a vu mourir trois de ses frères et sœurs, grandit dans un climat de deuil ; son grand-père maternel, qui l'emmenait à l'hôtel de Bourgogne voir les farceurs italiens, disparaît à son tour (1638). Resté seul, Jean-Baptiste fait des études de droit ; avocat en 1640, il rencontre Scaramouche, le rénovateur de la comédie italienne, puis Madeleine Béjart, comédienne de vingt-quatre ans et directrice d'une troupe déjà connue. Malgré les efforts de son père, Jean-Baptiste choisit la carrière dramatique et, avec Madeleine et sept autres comédiens, fonde *l'Illustre-Théâtre* (30 juin 1643) ; il prend rapidement la direction de la troupe, choisissant comme pseudonyme le nom d'un romancier naguère à la mode ; mais les échecs se succèdent : les dettes ont raison de cette éphémère expérience. M. et les Béjart se joignent à la troupe de Ch. du Fresne (1645) et commencent de longues tournées à travers la France ; c'es[t] seulement en 1655, à Lyon, qu'est créé[e] la première comédie de M., *l'Étourdi*. Suivent *le Dépit amoureux* (Béziers, 1656) et, surtout, premier triomphe, *les Précieuses ridicules,* créées à Paris le 18 novembre 1659 : naissance, à presque quarante ans, d'un auteur qui donnera tou[s] ses chefs-d'œuvre en moins de quatorz[e] ans. Relégué par des intrigues dans la sal[le] médiocre du Palais-Royal, M. connaît [de] nouveau des difficultés d'argent ; l'éche[c] de *Dom Garcie de Navarre* est à pein[e] compensé par le succès de *l'École des mar[is]* (1661) ; *les Fâcheux,* comédie-balle[t] commandée par Fouquet, sont créés de[-] vant le roi le même été. En 166[2] M. épouse Armande Béjart, fille de Made[-] leine ; il a quarante ans, elle en a moin[s] de vingt ; le 26 décembre, *l'École de[s] femmes* fait sensation et provoque un[e] querelle qui durera deux ans : *la Critiqu[e] de « l'École des femmes »* et *l'Impromp[tu] de Versailles* sont la défense d'un homm[e] qui a reçu publiquement le soutien roy[al] – et une pension. Cette tourmente à pein[e] apaisée, l'« affaire Tartuffe » commence[:] les trois premiers actes de cette pièc[e,] dénonciation des faux dévots, sont joué[s] à Versailles (12 mai 1664). La reine mè[re] la fait interdire avant même son achève[-] ment ; M., qui a envoyé sans succès u[n] placet au roi, donne la totalité de sa pièc[e] chez la princesse Palatine (29 novembre[)]. Il a des ennuis de santé et de ménage, [se] sépare d'Armande, crée une version adou[-] cie de sa pièce, *l'Imposteur* : elle e[st] interdite. Ce n'est qu'après deux autr[es] placets que *Tartuffe* sera créé officiell[e-] ment (5 février 1669). Entre-temps so[nt] apparus *Dom Juan, le Misanthrope, Am[-] phitryon* et *l'Avare.* M., qui jusque-là ava[it] créé et joué de nombreuses pièces d'autr[es] auteurs (notamment des tragédies de Ra[-] cine et Corneille), se restreint davanta[ge] à son propre répertoire : *Monsieur [de] Pourceaugnac, les Fourberies de Scapin, l[es] Femmes savantes, le Malade imaginair[e].* C'est au cours de la quatrième représent[a-] tion de cette dernière pièce que M[.,] interprète du rôle principal, s'écroula ; [il] mourut le jour même.

Prononcer le nom de M., c'est rappeler [la] naissance de la comédie classique fra[n-] çaise, l'apparition de personnages deven[us] autant de noms communs, la force et [la] vigueur d'un comique inégalé ; ce n'est p[as] expliquer le mariage d'amour bien spéci[al] qui unit Jean-Baptiste Poquelin et le publ[ic] français. On ne possède aucune ligne écri[te] de sa main, ni aucune confidence autre q[ue] son œuvre seule ; peu d'écrivains, pou[r-] tant, vivent parmi nous d'une vie si fort[e.] Pourquoi ? Nous avons dit les deuils [de] son enfance ; au collège des jésuites où il fit ses études, il joua, comme ses camarades, des tragédies grecques et latines ; c'est pendant ces années qu'éclata la querelle du *Cid* : doit-on s'étonner que M. ait choisi d'emblée la carrière d'acteur tragique ? Même lorsque sa verve d'auteur se développa, ses préférences d'acteur demeurèrent les mêmes, malgré de moindres succès ; et sans l'échec de *Dom Garcie,* peut-être eût-il écrit d'autres tragi-comédies : la mode faisait de la tragédie le genre le plus élevé ; la noblesse de caractère et les déboires précoces de M., le portaient naturellement à en rechercher les rôles. Il faut se souvenir de cette vocation lorsqu'on cherche à définir la tonalité du comique moliéresque. L'opposition, qui eût découragé un petit auteur, fouetta le génie de cet homme immense ; à lui seul, il fit naître la comédie, qui fut chez lui continuelle compensation d'une impossible carrière tragique.

Il ne faut pas négliger non plus la longue expérience d'acteur qui préluda, pendant plus de dix ans, à la composition des œuvres. Celui qui écrira les grandes pièces, et qui les jouera, connaissait dès l'enfance tous les secrets de la technique : le contenu idéologique de son théâtre sera génialement soumis aux nécessités naturelles de la scène – autre bonne raison de longévité. M. évolua, dit-on, de la farce à la haute comédie : schéma exact, mais rigide. Dès *le Dépit amoureux,* tentative de comédie psychologique française qui s'écartait de la farce italienne, s'élève une voix dont la constante est la sincérité ; dans *le Malade imaginaire,* on trouvera cependant encore de ces épisodes de haut vol et de mise en scène malaisée, témoins tardifs et précieux d'une source gestuelle et visuelle à jamais disparue. Il y a tous les Molière possibles dans chaque pièce de M. Le nerf de sa production n'était pas la création d'un genre littéraire – c'est là une vue d'historien –, mais la recherche d'un équilibre personnel à travers une lutte dont chaque pièce est un épisode ; selon la force d'affleurement de la confidence, la tension se résout en douleur ou dans l'énorme rire, et le plus souvent dans les deux à la fois, ce qui justifie et en même temps frappe de suspicion toute mise en scène partielle. M. évolua, certes ; mais chaque degré gravi vers la comédie parfaite fut synthèse et non renoncement : *les Précieuses ridicules* gardent de la farce sa verve ; dix ans plus tard, *le Bourgeois gentilhomme* s'enrichit de l'expérience tragique des pièces à scandale ; derrière farce et verve toujours présentes s'est glissée l'ombre de la mort. Car les années 1662-1669 sont pour M. celles d'un combat dont nous ne concevons plus l'audace. Dans les grandes œuvres d'alors, c'est l'homme privé et public à la fois qui le préoccupe. Jaloux et souvent déçu en amour, M. s'est peint à la fois du dehors et du dedans : les trompés de son œuvre sont toujours des personnages à double face, et ridicules et pathétiques ; Arnolphe *(l'École des femmes),* Alceste *(le Misanthrope)* vont si loin dans la sincérité que, tout en se condamnant, ils nous bouleversent. Nous ne pouvons rire de leur refus du réel que pour écarter de nous le même sort ; encore est-ce leur peinture qui engage avant tout son auteur. En revanche, le quatuor formé par *la Critique de « l'École des femmes », l'Impromptu, Tartuffe* et *Dom Juan* constitue le plus éclatant, le plus courageux réquisitoire contre l'orgueil et l'imposture des grands. Ennemi de la petitesse d'âme et de la prétention hypocrite, M. les trouve précisément incarnées dans ces privilégiés de la naissance et de la fortune : il n'a de cesse de les démasquer, au risque de sa liberté (être accusé d'irréligion, comme il le fut à propos de *Tartuffe,* pouvait le conduire au moins en prison). Contre la sottise triomphante, la seule arme est le rire ; c'est aussi celle que la victime pardonne le moins, et si M. n'avait pas été appuyé presque constamment par Louis XIV, il eût succombé sous les attaques. Lorsque *Tartuffe* est enfin autorisé, le ton est passé, en quatre ans, de la moquerie à l'accusation fondamentale : M. juge son siècle. Les dernières pièces, « redescendues » aux problèmes de la vie privée *(l'Avare, le Bourgeois gentilhomme, les Femmes savantes),* sont celles d'un homme invaincu mais épuisé ; sous leur comique quintessencié court le flot d'une vie de soucis et de lucidité. À dire la vérité, même en riant, on meurt plus tôt que les autres.

Dans *l'Impromptu de Versailles,* M. a défini son art : « L'affaire de la comédie est de représenter, en général, tous les défauts des hommes, et principalement des hommes de notre siècle » ; et si M. est le plus grand, c'est qu'il a su cueillir parmi les travers des « hommes de son siècle » l'image de l'homme éternel.

Œuvres. *La Jalousie du Barbouillé* (farce), vers 1646 (T). – *Le Médecin volant* (farce), vers 1647 (T). – *La Thébaïde* (drame), 1649 (T). – *L'Étourdi ou les Contretemps,* 1655 (T). – *Le Dépit amoureux,* 1656 (T). – *Couplet d'une chanson de d'Assoucy,* 1656 (P). – *Les Précieuses ridicules,* 1659 (T). – *Sganarelle ou le Cocu imaginaire,* 1660 (T). – *Dom Garcie de Navarre ou le Prince jaloux* (comédie héroïque), 1661 (T). – *L'École des maris* (comédie-ballet), 1661 (T). – *Les Fâcheux,* 1661 (T). – *L'École des femmes,* 1662 (T). – *Remerciement au roi,* 1663 (P). – *La Critique de « l'École des femmes »,* 1663 (T). – *L'Impromptu de Versailles,* 1663 (T). – *Le Mariage forcé* (comédie-ballet, musique de Lulli), 1664 (T). – *Sonnet à M. La Mothe Le Vayer,* 1664 (P). – *La Princesse d'Élide* (comédie galante, musique de Lulli), 1664 (T). – *Le Tartuffe ou l'Imposteur,* 1664 (T). – *Dom Juan ou le Festin de pierre,* 1665 (T). – *L'Amour médecin ou les Médecins* (comédie-ballet), 1665 (T). – *Quatrains,* 1665 (P). – *Le Misanthrope ou l'Atrabilaire amoureux,* 1666 (T). – *Le Médecin malgré lui* (farce), 1666 (T). – *Mélicerte* (comédie pastorale, insérée dans *le Ballet des Muses* de Benserade, musique de Lulli), 1666 (T). – *La Pastorale comique* (dans *le Ballet des Muses*), 1667 (T). – *Le Sicilien ou l'Amour-peintre* (comédie-ballet, dans *le Ballet des Muses*), 1667 (T). – *Air de ballet de M. de Beauchamp,* 1667 (P). – *Amphitryon,* 1668 (T). – *George Dandin ou le Mari confondu,* 1668 (T). – *L'Avare,* 1668 (T). – *Au roi, sur la conquête de la Franche-Comté,* 1668 (P). – *Monsieur de Pourceaugnac* (comédie-ballet, musique de Lulli), 1669 (T). – *Les Amants magnifiques* (comédie-ballet, musique de Lulli), 1670 (T). – *Le Bourgeois gentilhomme* (comédie-ballet, musique de Lulli), 1670 (T). – Avec Corneille et Quinault, *Psyché* (tragédie-ballet, musique de Lulli), 1671 (T). – *Les Fourberies de Scapin,* 1671 (T). – *La Comtesse d'Escarbagnas* (comédie-ballet), 1671 (T). – *Les Femmes savantes,* 1672 (T). – *Le Malade imaginaire,* 1673 (T).

La Jalousie du Barbouillé

Cette farce a sa source dans un conte de Boccace, et M. l'a sans doute empruntée à une comédie italienne : le « Barbouillé » (c'est-à-dire l'enfariné) se plaint de sa femme, Angélique, qui, dit-il, « l'enrage ». Il cherche un moyen de la punir de ses déportements. Il rencontre un « docteur », qui l'accable de son bavardage ; et, pendant ce temps, Angélique a profité de l'absence de son mari pour aller retrouver son galant. Revenue chez elle, elle trouve la porte fermée ; elle menace de se tuer ; le Barbouillé lui ouvre, mais alors c'est Angélique qui s'arrange pour qu'il se trouve à son tour dehors, la porte fermée : elle l'accuse de l'abandonner pour aller au cabaret. Sur ces entrefaites arrive le père d'Angélique, qui contraint le mari à se soumettre et à mériter le pardon de sa femme. M., plus de vingt ans plus tard, se souviendra de ce thème pour *George Dandin.*

Le Médecin volant

Lucile aime Valère, mais son père, Gorgibus, veut la marier à son vieil ami Villebrequin. Aussi Lucile fait-elle semblant d'être malade. De son côté, le valet de Valère, Sganarelle, se présente chez Gorgibus sous le déguisement d'un médecin, et la « consultation » sert d'occasion de rencontre aux deux amoureux. Mais voici que Gorgibus apparaît au moment même où Sganarelle reprend sa livrée de valet ; il se fait alors passer pour le frère du médecin, avec qui il prétend être en mauvais termes. Gorgibus se déclare prêt à les réconcilier. Ce qui contraint Sganarelle à paraître successivement tantôt en médecin, tantôt en valet. Son manège finira par être découvert, mais, devant les supplications de Lucile et de Valère, Gorgibus pardonnera et cédera.

Les Fâcheux

Comédie-ballet sans véritable intrigue, en forme de défilé. Alors qu'Éraste se propose de retrouver la belle Orphise, dont il est amoureux, interviennent pour le retarder une suite de « fâcheux » divers ; tout se passe comme si le défilé de ces importuns, un marquis, un musicien, un danseur, un duelliste, un joueur, deux précieuses, un chasseur, un pédant, un inventeur, ne devait jamais cesser. Heureusement, à la fin, Éraste a l'occasion de secourir l'oncle d'Orphise, Damis, ce qui, à la fois, le délivre des fâcheux et le réunit à sa maîtresse.

L'École des femmes

Un riche bourgeois, Arnolphe, se fait nommer M. de La Souche. Il a adopté une fillette, Agnès, dont il veut faire sa femme ; il en a soigné l'éducation de manière à se mettre à l'abri de toute infortune conjugale. Arrive un jeune homme, Horace, fils d'un ami d'Arnolphe, Oronte : il s'est épris d'Agnès (qui, depuis qu'elle a été adoptée par Arnolphe, a grandi) et a même trouvé le moyen de communiquer avec elle ; et elle aussi communique avec lui. Comme il ne se doute de rien, le jeune homme se confie à Arnolphe. Celui-ci va donc questionner Agnès, qui lui raconte naïvement son aventure avec Horace. Aussi Arnolphe décide-t-il de précipiter le mariage : il fait à Agnès un sermon sur le mariage et les devoirs de la femme (les célèbres « Maximes du mariage » de l'acte III), et Horace vient lui raconter le bon tour joué par Agnès à son « jaloux » : comme Arnolphe lui avait ordonné de recevoir Horace à coups de pierre, elle lui a bien lancé un « grès », mais c'était pour faire passer un billet doux. Arnolphe ne s'avoue pas vaincu ; il persévère dans sa volonté de triompher ; il apprend d'Horace ui-même sa décision d'enlever Agnès pendant la nuit ; Arnolphe convoque le notaire et projette de tendre un piège à Horace. De fait, celui-ci va être rudement reçu par les serviteurs d'Arnolphe, Alain et Georgette, ce qui ne l'empêche pas, après avoir fait le mort, d'enlever Agnès, qu'alors, toujours ignorant de la vraie situation, il confie à... Arnolphe. Celui-ci a-t-il gagné ? Il s'exalte devant Agnès en lui déclarant sa passion, mais la jeune fille a la cruauté innocente de ne point s'en émouvoir. Heureusement, le père d'Agnès, Enrique, de retour en France (d'où il avait dû s'exiler), réapparaît pour imposer à Arnolphe, qui s'enfuit, l'union d'Horace et d'Agnès.

Tartuffe

Une famille de grande bourgeoisie : le maître de maison, Orgon ; sa mère, Mme Pernelle ; sa femme, Elmire ; son fils, Damis ; sa fille, Marianne ; son beau-frère, Cléante ; et enfin la servante forte en gueule, Dorine. Et puis un personnage qu'Orgon a remarqué pour son exceptionnelle dévotion et qu'il a introduit chez lui comme une sorte de directeur de conscience, vite transformé en véritable censeur, Tartuffe. Deux camps se sont formés : pour Tartuffe, inconditionnellement, Orgon et Mme Pernelle ; contre lui, tous les autres. Et voici qu'Orgon, qui s'était engagé à donner la main de sa fille au jeune Valère qui l'aime et qu'elle aime, décide de la donner à Tartuffe. Elmire alors intervient en convoquant Tartuffe, qui, en sa présence, se laisse aller à révéler sa vraie nature et entreprend de lui faire une cour pressante. Orgon refuse d'accorder le moindre crédit aux révélations que lui fait alors Elmire, tandis que Damis, qui, caché dans un cabinet, était intervenu avec violence, est chassé par son père après que Tartuffe a joué à Orgon, avec succès, la comédie de l'humilité. La situation est telle que, pour désabuser Orgon, il va falloir recourir à des solutions extrêmes : Elmire prend l'initiative en convoquant à nouveau Tartuffe, mais en présence de son mari, caché sous une table. Orgon mettra bien longtemps avant d'en croire ses yeux, mais il finira par comprendre le sens de ce qu'il voit et de ce qu'il entend. Il chasse Tartuffe. Mais ce n'est pas si simple : Orgon avait fait à Tartuffe une donation en bonne et due forme et, plus grave encore, lui avait confié les papiers compromettants d'un ami proscrit. C'est donc Tartuffe le maître de la situation puisqu'il peut à la fois expulser et dénoncer Orgon. Fort heureusement, le roi a été mis au courant de l'imposture du personnage, et, lorsque Tartuffe se présente chez Orgon accompagné d'un exempt, c'est lui que l'exempt arrête, sur ordre personnel du roi.

Dom Juan

Le « grand seigneur méchant homme » est accompagné de son valet Sganarelle, à qui il confie que son bonheur consiste à séduire toutes les femmes sans consentir à aucun attachement. Ainsi a-t-il abandonné son épouse Elvire, qui tente, en vain, de le retenir. Voici, à l'acte II, Dom Juan et Sganarelle victimes d'une tempête, sur un rivage où des paysans les recueillent ; Dom Juan en profite pour séduire deux jeunes paysannes à coups de promesses de mariage. Mais il doit s'enfuir et se réfugier dans la forêt, car les frères d'Elvire sont lancés à sa poursuite. Dans la forêt, après avoir fait à son valet horrifié une déclaration d'impiété, Dom Juan rencontre un pauvre, dont il exige qu'il blasphème en échange de son aumône. Par provocation, il sauve la vie à l'un des frères d'Elvire et, dans un suprême défi, invite à dîner la statue d'un commandeur qu'il a tué jadis : par un signe, la statue accepte l'invitation. En attendant ce dîner, Dom Juan accumule les « actions d'éclat » : il dupe et éconduit son créancier, M. Dimanche, insulte son père, Dom Luis, venu lui reprocher sa conduite, manifeste la plus cynique des indifférences à Elvire, venue l'inviter à se repentir avant qu'elle entre elle-même au couvent ; enfin, sous les yeux de Sganarelle horrifié et de Dom Juan impassible, la statue du commandeur paraît et rappelle à son hôte son invitation. En attendant de recevoir le commandeur, Dom Juan feint de se repentir dans une entrevue avec son père, suivie d'une scène où il explique à Sganarelle son nouveau jeu, celui de l'hypocrisie. Averti par un messager surnaturel qu'il n'a plus beaucoup de temps pour se repentir effectivement, Dom Juan y répond par l'indifférence et la moquerie. C'est alors que la statue du commandeur apparaît et que, prenant Dom Juan par la main, elle l'entraîne dans les flammes de l'enfer.

Le Misanthrope

Alceste attend chez elle la jeune Célimène, dont nous apprendrons bientôt qu'il est amoureux. En conversation avec son ami Philinte – l'indulgence même –, il lui fait une virulente déclaration de misanthropie. Arrive Oronte, qui soumet à Alceste un sonnet qu'il vient d'écrire. Après avoir commencé par des réticences polies, Alceste finit par exploser en déclarant le sonnet mauvais, ce qui met en fureur le poète amateur. Toujours dans le salon de Célimène, Alceste lui reproche son goût pour les mondanités et la galanterie. Deux marquis arrivent, et Célimène, qui veut briller, déploie tout son esprit dans les portraits médisants qu'elle fait de quelques-unes de ses relations. Alceste s'en indigne violemment mais ne réussit qu'à s'attirer les railleries de Célimène et doit se retirer pour régler une affaire urgente (suite de l'aventure du sonnet). Durant cette absence d'Alceste, les deux marquis, Acaste et Clitandre, concluent une sorte de pacte par lequel ils s'engagent chacun à céder la place à l'autre si l'un d'entre eux peut présenter une preuve sûre de l'amour de Célimène. Survient une « prude », Arsinoé, qui, après avoir provoqué les réactions sans indulgence de Célimène, entreprend de se venger en tentant de séduire Alceste, à qui elle déclare posséder la preuve que Célimène le trahit. Au début de l'acte IV, une jeune fille qui s'est tenue à l'écart de la médisance à la mode dans le salon de Célimène, Éliante, dont Philinte est amoureux, laisse paraître pour le misanthrope quelque admiration. Alceste, à qui Arsinoé a communiqué un billet écrit par Oronte à Célimène, survient et, par dépit, offre son cœur à Éliante. C'est alors qu'arrive à son tour Célimène, qui, malgré les reproches d'Alceste, triomphe de sa colère. À l'acte V, on apprend qu'Alceste vient de perdre injustement un procès important : il décide alors de se retirer du monde mais voudrait voir Célimène lui prouver son amour en le suivant dans la solitude. Ultime tentative : car, si Célimène accepte bien d'épouser Alceste, elle refuse la solitude. Tandis qu'Éliante épousera Philinte, Alceste sera seul à « fuir dans un désert l'approche des humains ».

Les Amants magnifiques

Comédie-ballet (sur vingt-cinq pièces que M. composa en douze ans, des *Fâcheux* au *Malade imaginaire,* quatorze sont des comédies-ballets, destinées aux divertissements de la cour). Sostrate, général victorieux mais de naissance modeste, soupire en secret pour la princesse Ériphile. Mais la princesse, de sentiments quelque peu complexes, ruse avec son propre cœur (un peu à la manière d'une héroïne de Marivaux, dont M. semble bien être ici le précurseur). Mais voici que Clitidas, ami de Sostrate, « plaisant » de cour, malin, psychologue, courtisan adroit et ironique, se met en tête de réunir Sostrate et Ériphile, laquelle, de son côté, avec une malice plus espiègle que cruelle, mais cruelle tout de même, se plaît à tourmenter Sostrate, qu'elle aime, comme si elle voulait se venger de l'aimer. Enfin, Aristione, mère d'Ériphile, profite de la situation pour railler les mères coquettes qui aimeraient bien être les rivales de leurs filles, tandis que l'astrologie, qui tente d'intervenir dans l'aventure, est dénoncée par M. avec autant de virulence qu'ailleurs la médecine. La comédie se termine bien grâce à la complicité de Clitidas et du « sentiment » d'Ériphile.

Amphitryon

Jupiter est amoureux d'Alcmène, épouse du fameux général thébain qui donne son titre à la pièce. Il va se déguiser, selon sa coutume, et se substituer à Amphitryon tandis que Mercure emprunte les traits du valet Sosie : porteur d'un message de son maître, celui-ci est chassé par... son sosie. Jupiter a donc pris la place de l'époux lorsque le véritable Amphitryon se présente, le quiproquo produit tous ses effets : stupéfaction d'Alcmène, reproches d'Amphitryon auxquels Alcmène ne comprend goutte, effarement de Sosie, jusqu'à ce que les deux Amphitryon se trouvent face à face : nul ne saurait dire quel est le vrai. Jupiter, satisfait, dénoue la situation en révélant son identité.

Les Femmes savantes

Une famille de bonne bourgeoisie : le mari, Chrysale, représentant du « gros » bon sens ; la femme, Philaminte, férue de science et de philosophie ; deux filles, l'une, Armande, en tous points semblable à sa mère, peut-être même un peu plus pédante ; l'autre, Henriette, surtout soucieuse de vivre honnêtement ; entre les deux filles, un jeune homme, Clitandre, qui, las de soupirer en vain pour Armande, s'est tourné vers sa sœur, laquelle partage son sentiment. Interviennent deux « savants », Trissotin et Vadius, qui en viennent à se quereller. Trissotin prétend à la main d'Henriette et bénéficie de l'appui de Philaminte, tandis que Chrysale, appuyé par son frère Ariste, le « raisonneur » de la pièce, est pour Clitandre. Armande, qui, au fond, est éprise de Clitandre et, malgré ses théories féministes hostiles au mariage, voudrait bien récupérer son amoureux, se trouve ainsi dans le camp des partisans de Trissotin. A la suite de leur querelle, Vadius accuse avec vraisemblance Trissotin de cupidité : mais Philaminte s'obstine et convoque le notaire. La situation sera sauvée par un stratagème d'Ariste, qui vient annoncer la ruine de Chrysale, provoquant ainsi le retrait immédiat de Trissotin. Heureusement, la nouvelle était fausse, mais, en forçant Trissotin à se découvrir, elle a eu pour effet de convaincre Philaminte. Henriette épousera Clitandre. Finalement, la victime de cette aventure est la pauvre Armande, qui accuse sa mère de la sacrifier et à qui Philaminte répond, non sans ironie, qu'il lui reste, pour la consoler, la... philosophie !

MOLINET Jean. Desvres (Pas-de-Calais) 1435 – Valenciennes 23.8.1507. Après une jeunesse parisienne quelque peu misérable, il s'attacha à la cour de Bourgogne et devint le second de Chastellain, à qui il succéda, en 1475, dans sa charge de chroniqueur officiel. C'est à ce titre qu'il mérite sa place dans l'histoire littéraire du mouvement bourguignon des « rhétoriqueurs » ; il est en effet l'auteur d'un *Art de rhétorique* qui fait la synthèse des doctrines et techniques de ce mouvement. En 1531, après sa mort, parut une réunion de ses œuvres poétiques sous le titre : *les Faicts et les Dicts de Jehan Molinet.* C'est une poésie qui se contente de se conformer presque mécaniquement aux procédés et recettes des « rhétoriqueurs ».

Œuvres. *Le Sermon de Billouart,* vers 1460 (P). – *Complainte de Grèce,* 1464 (T). – *Dictier des quatre vins franchois,* 1465 (T). – *Trône d'honneur* (vers et prose), 1467 (P). – *Temple de Mars,* vers 1480 (P). – *L'Art et Science de rhétorique,* 1493 (E). – *Le Roman de la rose moralisé* (trad. en prose), 1503 (N). – *Le Mystère de Saint-Quentin,* s.d. (T). – *Passion en rimes franchoises,* s.d. (T). – *Chronique* (1474-1506), 1506 (N). – *Les Faicts et les Dicts de Jehan Molinet,* posth., 1531 (P).

MONFREID Henry de. Leucate (Aude) 1879 – Ingrandes (Indre) 13.12.1974. Fils d'un peintre ami de Gauguin, il mena une existence aventureuse, parcourant les hauts plateaux d'Éthiopie, les rivages de la mer Rouge et du golfe Persique. Il résida en France à partir de 1947, mais le démon du voyage le reprit fréquemment ; dans ses dernières années – il publia son dernier roman à l'âge de quatre-vingt-quatorze ans –, son personnage devint celui d'un des plus étonnants vieillards des lettres françaises. L'accent de conviction et l'aisance d'écriture de ses livres lui donnent une place non négligeable dans notre littérature finalement assez pauvre en bons récits d'aventures.

Œuvres. *Les Secrets de la mer Rouge,* 1932 (N). – *Les Derniers Jours de l'Arabie heureuse,* 1935 (N). – *Le Masque d'or ou le Dernier Négus,* 1936 (N). – *La Croisière du hachisch,* 1937 (N). – *Abdi, l'homme à la main coupée,* 1937 (N). – *Le Roi des abeilles,* 1937 (N). – *L'Enfant sauvage,* 1938 (N). – *La Poursuite du Kaïpan,* 1938 (N). – *Vers les terres hostiles de l'Éthiopie,* 1939 (N). – *La Triolette,* 1948 (N). – *Le Cimetière des éléphants,* 1952 (N). – *La Route interdite,* 1952 (N). – *La Vocation de Caroline,* 1953 (N). – *Ménélik,* 1954 (N). – *L'Oncle Locamus ou Caroline chez les bourgeois,* 1954 (N). – *Pilleurs d'épaves,* 1955 (N). – *Wahanga,* 1955 (N). – *Sous le masque Mau-Mau,* 1956 (N). – *L'Esclave du batteur d'or,* 1957 (N). – *Le Capitaine à la casquette blanche,* 1957 (N). – *Le Naufrage de la « Marietta »,* 1957 (N). – *La Perle noire,* 1957 (N). – *Le Sang du parjure,* 1958 (N). – *Mon aventure à l'île des forbans,* 1958 (N). – *Le Radeau de la Méduse ou Comment fut sauvé Djibouti,* 1958 (N). – *L'Enfant perdu,* 1959 (N). – *Le Récit maudit,* 1959 (N). – *Le Cap des Trois-Frères,* 1959 (N). – *L'Exilé,* 1960 (N). – *Le Lépreux,* 1961 (N). – *L'Abandon,* 1961 (N). – *La Sirène du Rio Pongo,* 1961 (N). – *Le Trésor des flibustiers,* 1961 (N). – *Le Dragon de Cheik Hussen,* 1961 (N). – *La Cargaison enchantée,* 1962 (N). – *Combat,* 1963 (N). – *Testament de pirate,* 1963 (N). – *La Chute imprévue,* 1964 (N). – *Le Mystère de la tortue,* 1964 (N). – *Les Lionnes d'or d'Éthiopie,* 1964 (N). – *L'Homme aux yeux de verre,* 1965 (N). – *En mer Rouge avec Kessel,* 1965 (N). – *L'Ornière,* 1966 (N). – *La Croix de fer forgé,* 1966 (N). – *L'Escalade,* 1968 (N). – *Djalia,* 1969 (N). – *Les Deux Frères,* 1969 (N). – *Karembo,* 1971 (N). – *Le Serpent rouge,* 1971 (N). – *Du Harrar au Kenya,* 1971 (N). – *Chasseurs d'izards,* 1971 (N). – *Le Feu Saint-Elme,* 1973 (N). – *Journal de bord,* posth., 1985.

MONIAGE GUILLAUME (le). Chanson de geste du XIIe s., appartenant au cycle de Garin de Monglane. Deux rédactions en ont été conservées, l'une de neuf cent cinquante décasyllabes, l'autre de six mille six cent vingt-neuf décasyllabes. À la mort de sa femme Guibourc, Guillaume veut se retirer dans un couvent. Mais sa grande vitalité, pourtant atténuée par l'âge, effraie les moines. Bénéficiant de la protection de Dieu, Guillaume réussit, à force de stratagèmes, à convaincre les religieux de l'opportunité de sa venue dans le monastère. Il finit ses jours en ces lieux, non sans effectuer, à plusieurs reprises, quelques escapades pour aller rejoindre et servir, toujours avec le même dévouement, son suzerain, le roi Louis Le Pieux.

MONNIER Henri Bonaventure. Paris 6.6.1799 – 3.1.1877. C'est comme dessinateur de la rue parisienne et, notamment, illustrateur des *Chansons* de Béranger qu'il se fit connaître ; il donna bientôt la parole à ses personnages, et ce furent les quatre séries des *Scènes populaires,* où sont créés Mme Gibou et Joseph Prudhomme. La première, héroïne du *Roman chez la portière,* devint assez populaire pour que l'œuvre fût portée à la scène en 1855 ; le second, type caricatural de bourgeois vaniteux, eut le même destin avec *Grandeur et Décadence de M. Joseph Prudhomme* et *Joseph Prudhomme, chef de brigands,* entre autres. Son image définitive avait été fixée dans les *Mémoires de Joseph Prudhomme.* M. jouait avec succès les rôles, féminins et masculins, de son propre théâtre. Son trait, un peu gros mais amusant, vise aux mêmes effets dans ses écrits que dans ses dessins : certaines de ses illustrations de *la Comédie humaine* de Balzac (qui l'y mit en scène sous le nom de Bixiou) le résument tout entier.

Œuvres. *Les Mendiants,* 1829 (T). – *Scènes populaires dessinées à la plume,* 1830 (N). – *La Famille improvisée,* 1831 (T). – *Nouvelles Scènes populaires,* 1835-1839 (N). – *Le Chevalier de Clermont,* 1837 (N). – *Scènes de la ville et de la campagne,* 1841 (N). – *Physiologie des bourgeois* (texte et dessins), 1841 (N). – *Un voyage en Hollande,* 1845 (N). – *Les Compatriotes,* 1849 (T). – Avec Gustave Vaez, *Grandeur et Décadence de M. Joseph Prudhomme,* 1853 (T). – *Les Bourgeois de Paris,* 1854 (N). – *Le Roman chez la portière* (adapt. d'une *Scène populaire* parue en 1830), 1855 (T). – *Le Bonheur de vivre aux champs,* 1855 (T). – *Les Diseurs de rien,* 1855 (N). – *Peintres et Bourgeois,* 1855 (T). – *Les Métamorphoses de Chamoiseau,* 1856 (T). – *Mémoires de M. Joseph Prudhomme,* 1857 (N). – *Joseph Prudhomme, chef de brigands,* 1860 (T). – *La Religion des imbéciles, nouvelles « Scènes populaires »,* 1862 (N). – *Paris et la province,* 1866 (N).

MONOLOGUE et **MONOLOGUE INTÉRIEUR.** Dans le théâtre classique – qui l'a porté à sa perfection, du fait même de sa nature profonde de théâtre psychologique –, le monologue est une technique de communication directe entre le personnage et le spectateur, alors que la scène avec confident est une technique de communication indirecte. Comme il risque de choquer la vraisemblance, il est justifié par la situation de crise et de paroxysme où se trouve le personnage ; ce qui explique que le monologue ne figure pas, en principe, au début de la pièce (deux exceptions : le monologue d'Émilie, qui forme la première scène de *Cinna,* chez Corneille, et, chez Racine, le monologue d'Antiochus à la scène 2 de *Bérénice*). Le théâtre ultérieur, qu'il s'agisse du drame bourgeois ou du drame romantique, sans y renoncer complètement – ce qui prouve que le monologue fait partie des conventions dramatiques fondamentales –, réduira considérablement sa place à la fois au nom de la vérité et parce que le monologue ralentit l'action. Le théâtre moderne en redécouvrira l'efficacité dramatique, tantôt pour des raisons psychologiques, comme le théâtre classique, tantôt parce que, se voulant un théâtre « ouvert » et s'éloignant des principes réalistes et naturalistes, il trouve dans le monologue une technique favorable à la promotion d'un langage dramatique chargé de symbolisme, dont ce théâtre affirme la primauté par rapport à l'action. Mais le monologue n'est pas non plus absent d'autres genres littéraires, le roman surtout : le romancier peut utiliser le monologue comme le dramaturge, pour faire communiquer directement le lecteur avec le personnage sans recourir à l'intermédiaire du narrateur ; il est, à cet égard, un instrument remarquable d'identification entre le lecteur et le héros : c'est le cas, par exemple, chez Stendhal. Et, d'autre part, la technique, fréquente, du récit à la première personne transforme le roman en une sorte de monologue ininterrompu, qui intègre toutes les autres structures du genre. Mais dans le roman, le monologue s'intériorise surtout en ce sens qu'il exprime les états intérieurs du personnage. À l'époque moderne et contemporaine, le renouvellement technique du roman, sous l'impulsion d'écrivains comme James Joyce et Virginia Woolf, a valorisé le « monologue intérieur » dans un sens plus précis, inauguré en France par Édouard Dujardin (1861-1949) dans son roman *Les lauriers sont coupés.* Le monologue intérieur, forme technique de la réaction contre l'objectivité naturaliste, consiste, dans sa définition la plus simple, en un enregistrement direct de la parole intérieure du personnage et devient le signe d'une libération du « flux de la conscience ou de la vie subjective » (W. James), indépendamment de toute référence ou soumission aux catégories objectives de l'espace et du temps. À partir de là, le monologue intérieur multipliera sa diversification technique pour jouer un rôle primordial dans le renouvellement formel et substantiel du roman contemporain à partir des années 1920 et de l'acclimatation du monologue intérieur dans le roman français par Valery Larbaud.

MONSELET Charles. Nantes 30.4.1825 – Paris 19.5.1888. Venu à Paris en 1846, il collabora à *l'Artiste* et à la plupart des grands quotidiens. Chroniqueur vif et piquant, mais inventeur superficiel au souffle court, il fut médiocre romancier, mais réussit bien dans le journalisme paralittéraire ; son œuvre survit moins comme celle d'un créateur que comme source utile de renseignements sur ses contemporains.

Œuvres. *Le Carreau brisé,* 1844 (T). – *Histoire anecdotique du Tribunal révolutionnaire,* 1850 (N). – *Statues et statuettes contemporaines,* 1851 (E). – *Figurines parisiennes,* 1854 (E). – *Monsieur de Cupidon,* 1854 (N). – *Rétif de la Bretonne, sa vie et ses amours,* 1854 (E). – *La Bibliothèque galante du XVIIIe siècle,* 1855 (E). – *La Cuisinière poétique,* 1855. – *Les Vignes du Seigneur,* 1855 (P). – *La Franc-maçonnerie des femmes,* 1856 (N). – *La Lorgnette littéraire, dictionnaire des grands et des petits auteurs de mon temps,* 1857 (E). – *Oubliés et dédaignés du XVIIIe siècle,* 1857 (E). – *Les Tréteaux du sieur Ch. Monselet* (recueil d'articles), 1859. – *Le Théâtre de Figaro* (recueil d'articles), 1861. – *Galanteries du XVIIIe siècle,* 1862 (E). – *L'Argent maudit,* 1862 (N). – *Fréron ou l'Illustre Critique,* 1864 (E). – *M. le duc s'amuse,* 1865 (N). – *De Montmartre à Séville* (récit de voyage), 1865 (N). – *L'Almanach des gourmands,* 1865-1870. – *Le Plaisir et l'Amour,* 1865 (P). – *La Belle Olympe,* 1873 (N). – *Petits Mémoires littéraires,* 1885.

MONTAIGNE Michel Eyquem de. Château de Montaigne 28.2.1533 – 13.9.1592. Fils de Pierre Eyquem, riche négociant de Bordeaux, et d'Antoinette de Louppes, d'ascendance portugaise (*Louppes* est la francisation du portugais *Lopes*), M. reçut une éducation « moderne », importée d'Italie, « exempte de subjection », « sans fouet ni larmes ». Il était réveillé au son de l'épinette et eut pour langue maternelle le latin : il apprit le français comme une langue étrangère. Il « latinisa » tant et si bien que, lorsque, à l'âge de six ans, il entra au collège de Guyenne à Bordeaux, il n'eut aucune peine à assimiler brillamment l'enseignement des humanistes et passa même pour un prodige. Il eut pour maîtres Buchanan, Muret et Guérente, suivit des cours de philosophie, puis, en 1546, alla étudier le droit à Toulouse.

En 1554, M. est nommé conseiller à la cour des aides de Périgueux, puis, en 1557, au parlement de Bordeaux. C'est là qu'il fait la connaissance de La Boétie, avec qui il noue une amitié d'une qualité exceptionnelle, qui, selon M. lui-même, « arrive une fois en trois siècles ». À la mort de son ami (1563), M. fera tout pour prolonger sa mémoire en publiant ses poésies latines et françaises. Chargé de mission par le parlement de Bordeaux, il voyage (1559-1562). En 1565, il épouse Françoise de Chassaigne, qui lui apporte une dot assez importante pour qu'il soit désormais débarrassé de tout souci matériel. Peu à peu, affecté une fois de plus par un deuil, la mort de son père (1568), M. commence à se désintéresser de la vie publique et s'adonne à des travaux érudits : il traduit la *Théologie naturelle* de Raymond de Sebonde, lit *la Vie des hommes illustres* de Plutarque. En 1571, sa décision est prise : M. se retire dans sa « librairie » (sa bibliothèque) pour passer ses jours « en repos et sécurité », « las depuis déjà longtemps de sa servitude du parlement et des charges publiques ». C'est à ce moment qu'il commence la rédaction des *Essais.* Pourtant, M. ne peut aussi aisément qu'il l'a cru se soustraire à la vie publique. Charles IX fait appel à lui, le nomme gentilhomme ordinaire de la Chambre, et, en 1572, M. se trouve dans l'obligation de rejoindre le duc de Montpensier, général des armées catholiques, dont il devient le messager auprès du parlement (de 1572 à 1574). Il écrit pendant ce temps l'*Apologie de Raymond de Sebonde.* De retour à Montaigne, il se remet à la rédaction de ses *Essais.* Sa santé s'altérant (il souffre de la maladie de la pierre), il est contraint de restreindre ses activités ; ce qui ne l'empêche pas de voyager (Allemagne, Suisse, Italie), sous le prétexte de se rétablir ; à ces voyages nous devons un *Journal,* précieux pour la connaissance de sa personnalité profonde (écrit en partie de sa main, en partie par un secrétaire). Bien qu'il se dise casanier, M. ne résiste pas à l'envie de s'arrêter où bon lui semble, là où sa curiosité le pousse, séjournant, par exemple, six mois à Rome. Il ne revient à Bordeaux qu'à l'annonce de sa nomination comme maire de la ville (fin 1581). Jusqu'à la fin de sa vie, il continuera de partager son temps entre sa vie publique et sa « librairie », travaillant aux *Essais,* lisant beaucoup (Hérodote, Tite-Live, Tacite, saint Augustin), poursuivant jusqu'à sa mort une recherche continue.

La première édition des *Essais* parut à Bordeaux en 1580, la deuxième en 1582 (livres I et II) ; le livre III paraîtra dans la dernière édition publiée du vivant de Montaigne, en 1588. L'édition définitive verra le jour en 1595, mise au point par Mlle de Gournay, sa « fille d'alliance », une des premières à avoir remarqué l'originalité de M.

Les *Essais*, en effet, sont écrits au jour le jour, selon l'inspiration du moment, sans souci d'ordre logique préétabli. Tout en révélant l'anachronisme de la pensée précartésienne, ils sont précurseurs de cette culture « moderne » qui donne un tout premier rôle à l'écriture, la pensée se faisant, pour reprendre une expression de M. lui-même, « par manière de dire ». L'écriture de M. a pour but de débusquer, dans ses moindres retranchements, le caché, le non-dit, voire l'innommable, et de rendre compte du frémissement de la pensée se pensant : « C'est une épineuse entreprise, et plus qu'il ne semble, de suivre une allure si vagabonde que celle de notre esprit, de pénétrer les profondeurs opaques de ses replis internes, de choisir et d'arrêter tant de menus avis de ces agitations. » Microscope de l'âme humaine, les *Essais* sont une tentative constante d'appropriation de la réalité de l'homme, tel qu'il est et tel qu'il se transforme au gré de sa nature et de ses caprices dans le cadre de sa « condition », pour parvenir à une connaissance qui n'est jamais définitive, qui elle-même se dit en se faisant, se défait, et parfois même se contredit, tant est complexe et multiple cette réalité insaisissable que l'on ne peut jamais qu'« essayer » de saisir.

Par souci d'honnêteté, refusant tout aussi bien les erreurs que les vérités closes, M. néglige de se servir des œuvres de ses prédécesseurs. Et pourtant, il a beaucoup lu, et le noyau initial des *Essais,* ce sont des notes de lecture ; il multiplie même les citations. Mais chacune de ses lectures est à ce point incorporée à sa propre personne qu'il ne semble jamais emprunter ou plagier telle ou telle idée. Il y a, dans son œuvre, une reconversion permanente de la culture qui se fond dans son propre moule de telle manière qu'elle semble lui appartenir, même si, çà et là, il est possible de trouver des filiations. Mais, lorsque M. prend la plume, il rejette les livres : « Quand j'écris, je me passe bien volontiers de la compagnie et souvenance des livres, de peur qu'ils n'interrompent ma forme. Ainsi que, à la vérité, les bons auteurs m'abattent par trop et rompent le courage. » Il avoue avoir une « condition singeresse et imitatrice », comme tout un chacun, et reconnaît que ses premiers essais « puent un peu l'étranger ». Mais peu à peu, et plus que tout autre, il s'est débarrassé de tous les livres pour faire un livre qui en soit véritablement un, c'est-à-dire qui essaie de faire ce qui jamais ne fut fait.

Mais cette manière de faire, le vide culturel ainsi créé volontairement, l'absence de tout modèle comme point de repère le laissent perpétuellement insatisfait, car il se trouve toujours en deçà de la forme parfaite qui dirait véritablement ce qui est à dire : « J'ai toujours une idée en l'âme et certaine image trouble qui me présente comme un songe une meilleure forme que celle que j'ai mise en besogne, mais je ne puis la saisir et exploiter. Et cette idée n'est que du moyen étage. » Il est toujours possible de mieux faire, et le degré franchi ne fait jamais que mettre en évidence son insuffisance au regard de celui qui est à franchir et qui se découvre au moment même où le but semblait être atteint. M. s'accuse alors de tous les défauts : « Tout est grossier chez moi. Il y a faute de gentillesse et de beauté. Je ne sais faire valoir les choses plus qu'elles ne valent. Ma façon n'aide rien à la matière. » Il est bien évident que cette recherche de la vérité l'écarte des canons esthétiques de son temps, et que cette « façon » d'écrire et de penser, allant du coq à l'âne, rend difficile un classement de M. dans telle ou telle chapelle littéraire ou philosophique. Doutant de tout, et même de lui-même, parce que trop lucide, M. a pu apparaître comme un sceptique. Certes, il se méfie des idées, qui, généralement, sont ou deviennent des idées toutes faites. Ce qui l'entraîne à préconiser le « dégagement », le retrait devant les vanités mondaines qui s'affrontent : il est donc opposé à la guerre, qui met en présence deux partis dont chacun affirme détenir la vérité, et qui, surtout, promet un désordre certainement plus néfaste que le mauvais ordre dont on souffre. À l'incertain M. préfère le sûr, le connu. Est-il conservateur ? Il l'est, du moins dans l'action, et préfère ce qui est pour lui un moindre mal lui laissant en tout état de cause la liberté de penser à sa guise. Égocentrique, uniquement préoccupé de sa personne, qu'il analyse parfois avec complaisance ? M. est, certes, d'un individualisme farouche, mais il pense seulement que se peindre lui-même est encore le meilleur moyen de connaître les autres, puisque « chaque homme porte en soi la forme entière de l'humaine condition ».

Finalement peu confiant en l'homme et en tout cas inquiet à son propos, M. cherche cependant à l'améliorer, en commençant par lui-même, mettant en évidence le « savoir jouir de son être », l'exploitation de toutes les ressources que chaque individu porte en lui. Pour cela, « Nature est un doux guide », bien meilleur que tous les livres : « Composer nos mœurs est notre office, non pas composer des livres, et gagner, non pas des batailles et provinces, mais l'ordre et tranquillité de notre conduite. » La vie, progressivement, se substitue au livre, et les *Essais,* en fin de compte, ne sont qu'un moyen pour apprendre à vivre afin de « vivre à propos », ce qui implique d'abord et avant tout la connaissance de la mort afin de dédramatiser l'existence et de refuser l'idéalisme d'une vie qui ne devrait pas connaître de fin : voir les choses comme elles sont et ne pas maquiller celles qui ne paraissent pas convenir à l'homme. « Se défaire du pensement de la mort » ne peut mieux se faire qu'en y pensant toujours, et vivre en y pensant est le seul moyen d'apprécier à sa juste valeur le prix de la vie. C'est ainsi que le sceptique, parfois cynique, peut affirmer, dans le dernier chapitre des *Essais,* qu'il « aime la vie », l'ayant, tout au long de son œuvre, mesurée à sa juste valeur et ne l'ayant jamais forcée au-delà des limites à partir desquelles elle se détache de l'homme pour devenir une utopie insupportable. Car l'homme est la seule et unique référence de M., le seul objet vraiment digne de son attention.

Œuvres. *Theologia naturalis de Raymond de Sebonde* (trad.), 1569 (E). – *Essais* (1re éd.), 1580. – *Essais* (2e éd.), 1582. – *Essais* (3e éd., augm. d'un troisième livre), 1588. – *Essais* (nouv. éd.), posth., 1595. – *Journal du voyage de Montaigne en Italie par la Suisse et l'Allemagne, en 1580 et 1581,* posth., 1774. – *Œuvres complètes,* éd. établie par R. Barrat et P. Michel, 1967.

Les Essais sont par nature rebelles à l'analyse et au résumé. Aussi nous bornerons-nous à reproduire ici leur *Table des matières* (trois livres et cent sept chapitres, précédés d'un avis *Au lecteur :* « C'est ici un livre de bonne foi »).

Livre I, cinquante-sept chapitres : 1. *Par divers moyens on arrive à pareille fin.* 2. *De la tristesse.* 3. *Nos affections s'emportent au-delà de nous.* 4. *Comme l'âme décharge ses passions sur des objets faux quand les vrais lui défaillent.* 5. *Si le chef d'une place assiégée doit sortir pour parlementer.* 6. *L'heure des parlemens dangereuse.* 7. *Que l'intention juge nos actions.* 8. *De l'oisiveté.* 9. *Des menteurs.* 10. *Du parler prompt ou tardif.* 11. *Des prognostications.* 12. *De la constance.* 13. *Cérémonie de l'entrevue des rois.* 14. *Que le goût des biens et des maux dépend en bonne partie de l'opinion que nous en avons.* 15. *On est puni pour s'opiniâtrer à une place sans raison.* 16. *De la punition de la couardise.* 17. *Un trait de quelques ambassadeurs.* 18. *De la peur.* 19. *Qu'il ne faut juger de notre heur qu'après la mort.* 20. *Que philosopher c'est apprendre à mourir.* 21. *De la force de l'imagination.* 22. *Le profit de l'un est dommage de l'autre.* 23. *De la coutume et de ne changer aisément une foi reçue.* 24. *Divers événements de même conseil.* 25. *Du pédantisme.* 26. *De l'institution des enfants.* 27. *C'est folie de rapporter le vrai et le faux à notre suffisance.* 28. *De l'amitié.* 29. *Vingt et neuf sonnets d'Étienne de La Boétie.* 30. *De la modération.* 31. *Des cannibales.* 32. *Qu'il faut sobrement se mêler de juger des ordonnances divines.* 33. *De fuir les voluptés au prix de la vie.* 34. *La fortune se rencontre souvent au train de la raison.* 35. *D'un défaut de nos polices.* 36. *De l'usage de se vêtir.* 37. *Du jeune Caton.* 38. *Comme nous pleurons et rions d'une même chose.* 39. *De la solitude.* 40. *Considération sur Cicéron.* 41. *De ne communiquer sa gloire.* 42. *De l'inéqualité qui est en nous.* 43. *Des lois somptuaires.* 44. *Du dormir.* 45. *De la bataille de Dreux.* 46. *Des noms.* 47. *De l'incertitude de notre jugement.* 48. *Des destriers.* 49. *Des coutumes anciennes.* 50. *De Democritus et Heraclitus.* 51. *De la vanité des paroles.* 52. *De la parcimonie des Anciens.* 53. *D'un mot de César.* 54. *Des vaines subtilités.* 55. *Des senteurs.* 56. *Des prières.* 57. *De l'âge.*

Livre II, trente-sept chapitres : 1. *De l'inconstance de nos actions.* 2. *De l'ivrognerie.* 3. *Coutume de l'île de Cea.* 4. *À demain les affaires.* 5. *De la conscience.* 6. *De l'exercitation.* 7. *Des récompenses d'honneur.* 8. *De l'affection des pères aux enfants.* 9. *Des armes des Parthes.* 10. *Des livres.* 11. *De la cruauté.* 12. *Apologie de Raimond Sebond.* 13. *De juger de la mort d'autrui.* 14. *Comme notre esprit s'empêche soi-même.* 15. *Que notre désir s'accroît par la malaisance.* 16. *De la gloire.* 17. *De la présomption.* 18. *Du démentir.* 19. *De la liberté de conscience.* 20. *Nous ne goûtons rien de pur.* 21. *Contre la fainéantise.* 22. *Des postes.* 23. *Des mauvais moyens employés à bonne fin.* 24. *De la grandeur romaine.* 25. *De ne contrefaire le malade.* 26. *Des pouces.* 27. *Couardise, mère de la cruauté.* 28. *Toutes choses ont leur saison.* 29. *De la vertu.* 30. *D'un enfant monstrueux.* 31. *De la colère.* 32. *Défense de Sénèque et de Plutarque.* 33. *L'histoire de Spurina.* 34. *Observations sur les moyens de faire la guerre de Julius César.* 35. *De trois bonnes femmes.* 36. *Des plus excellents hommes.* 37. *De la ressemblance des enfants aux pères.*

Livre III, treize chapitres : 1. *De l'utile et de l'honnête.* 2. *Du repentir.* 3. *De trois commerces.* 4. *De la diversion.* 5. *Sur des vers de Virgile.* 6. *Des coches.* 7. *De l'incommodité de la grandeur.* 8. *De l'art de conférer.* 9. *De la vanité.* 10. *De ménager sa volonté.* 11. *Des boiteux.* 12. *De la physionomie.* 13. *De l'expérience.*

MONTALEMBERT, Charles Forbes de Tryon, comte de. Londres 29.5.1810 – Paris 13.3.1880. Son destin fut lié à celui de Lacordaire, son condisciple de collège, et de Lamennais, dont il fut le collaborateur à *l'Avenir* (1830-1831). Après la condamnation de ce dernier, il fit acte de soumission envers Rome et devint l'un des apôtres du catholicisme libéral. Il collabora à *l'Univers* de Veuillot, dont il se sépara pour devenir, sous le second Empire, directeur du *Correspondant,* dont les opinions étaient alors diamétralement opposées à l'ultramontamisme de *l'Univers.* Ses deux principaux ouvrages sont *Des intérêts catholiques au* XIX*e siècle,* son credo politique, et *les Moines d'Occident, depuis saint Benoît jusqu'à saint Bernard,* somme érudite à laquelle il travailla vingt ans. Acad. fr. 1851.

Œuvres. *Du catholicisme et du vandalisme dans l'art,* 1829 (E). – *Livres de la nation polonaise et des pèlerins polonais* (trad. d'Adam Mickiewicz), 1833. – *Histoire de sainte Élisabeth de Hongrie, duchesse de Thuringe,* 1836 (E). – *Discours prononcés à la Chambre des pairs,* 1844. – *Du devoir des catholiques dans la question de la liberté d'enseignement,* 1844 (E). – *Saint Anselme, fragment de l'introduction à l'histoire de saint Bernard,* 1844 (E). – *Des intérêts catholiques au* XIX*e siècle,* 1852 (E). – *Pie IX et lord Palmerston,* 1856 (E). – *Histoire des moines d'Occident, depuis saint Benoît jusqu'à saint Bernard,* 1860 (E). – *Une nation en deuil, la Pologne,* 1861 (E). – *Le Père Lacordaire,* 1862 (E). – *L'Église libre dans l'État libre,* 1863 (E). – *Le Pape et la Pologne,* 1864 (E).

MONTANHAGOL Guilhem. Toulouse début XIIIe s. – Espagne ? après 1258. Troubadour occitan. Auteur d'un violent *sirventès* contre l'Inquisition, il fut plus tard, à Toulouse, engagé dans un célèbre débat *(partimen)* avec Sordello. Il est un des derniers troubadours, et son œuvre apparaît comme le chant du cygne de la poésie occitane.

Œuvres. *Chansons* (14 compositions lyriques), s.d.

MONTCHRESTIEN ou **MONTCHRÉTIEN Antoine de.** Falaise v. 1575 – Les Tourailles, près de Domfront (Orne), 7.10.1621. De bonne heure orphelin, il aura une vie mouvementée et une fin dramatique. Dès le collège, il s'exerce à la poésie : il laissera notamment un poème en quatre chants, *Suzanne ou la Chasteté,* et composera en cinq ou six ans toutes son œuvre dramatique. Ayant tué en duel un de ses adversaires en 1605, il doit fuir en Angleterre et devient le familier de Jacques Ier, fils de Marie Stuart, qui intercédera en sa faveur pour son retour en France. M. passe également quelque temps en Hollande, où il étudie les sources de la richesse économique du pays. Il écrit ainsi un *Traité de l'économie politique,* qu'il dédie au jeune roi Louis XIII et à Marie de Médicis, œuvre aussi remarquable par ses qualités littéraires et son élévation morale que par sa profondeur, l'originalité de ses vues et sa justesse d'observation. En prenant part, du côté huguenot, à une insurrection, il trouvera la mort après une courageuse défense, et son cadavre sera roué et brûlé à Domfront. L'œuvre dramatique de M., où le chœur joue un rôle important, est surtout éloquente et lyrique ; elle contient de très beaux vers, mais l'action dramatique y est mince. *Sophonisbe,* la première tragédie de M. – qui en reprendra par la suite la forme et le style suivant les conseils de son compatriote Malherbe –, est représentée en 1596. L'ensemble du théâtre de M., est publié une première fois en 1601 avec une dédicace théorique au prince de Condé, puis en 1604, avec des corrections témoignant d'un désir de renouvellement et de modernité ; il comprend six tragédies : *les Lacènes ou la Constance* (la mort de Cléomène de Sparte), puis *David ou l'Adultère* et *Aman ou la Vanité,* deux pièces bibliques (dont la seconde, marquée par les influences successives de Garnier et de Malherbe, inspirera peut-être Racine pour *Esther*), *la Carthaginoise* (ex-*Sophonisbe*), *Hector,* et surtout *l'Écossaise ou le Désastre,* sur un sujet contemporain, son chef-d'œuvre, qui évoque habilement, en vers harmonieux et aisés, la vie et la mort de Marie Stuart. Ce recueil s'achève sur une *Bergerie* en prose, pastorale se déroulant en Arcadie, avec bergers amoureux et variations sur l'amour. Continuateur de la Renaissance, M. est le dernier grand représentant des poètes tragiques humanistes du XVIe s., et son œuvre reste encore très éloignée du théâtre classique.

MONTESQUIEU, Charles-Louis de Secondat, baron de La Brède et de. Château de La Brède 18.1.1689 – Paris 10.2.1755. Son père avait fait carrière militaire ; sa mère, qui mourut dès 1696, avait apporté en dot « de très grandes terres ». Mis en pension chez les oratoriens de Juilly, il montre pour l'étude un goût précoce, écrit en latin ou en vers ; étudiant en droit à Bordeaux, puis à Paris, il est introduit dans les salons par Desmolet, éditeur de Pascal ; il suit les séances de l'Académie des sciences et de celle des inscriptions (1705-1713). Malgré le climat peu favorable aux protestants, le jeune homme, qui vient de perdre son père, épouse en 1715 une calviniste fervente, Jeanne Lartigue. L'année suivante, il reçoit de son oncle une charge de président à mortier, ainsi que le nom sous lequel la littérature le connaît aujourd'hui ; il est admis à l'académie de Bordeaux, où il donne communication de nombreux mémoires sur des sujets touchant aux sciences naturelles et à la physiologie (1716-1721). Les *Lettres persanes,* correspondance imaginaire contenant à la fois une description de la société française et un roman de la jalousie, paraissent anonymement en 1721 à Amsterdam et sont très vite un succès ; le cardinal Dubois les interdit en France. De 1722 à 1724, M. réside à Paris, fréquentant les cercles littéraires des hôtels de Soubise, puis de Hénault, et le salon de Mlle de Clermont, pour laquelle il écrit le galant *Temple de Gnide.* Après un bref retour à Bordeaux, où il commence la rédaction d'un grand ouvrage sur les lois, et son élection à l'Académie française, il entreprend un long voyage à travers toute l'Europe, que couronne un séjour de deux ans à Londres (1729-1731). Revenu en France, il partage à peu près également son temps entre La Brède et Paris ; ses *Considérations sur les causes de la grandeur des Romains et de leur décadence* sont comme un chapitre d'introduction à *l'Esprit des lois ;* ce dernier ouvrage, terminé à grand-peine en juin 1747, est publié anonymement à Genève l'année suivante. Interdit en France, il s'attire nombre d'attaques, généralement sur le plan religieux : jésuites et jansénistes s'unissent pour s'indigner. M. a beau faire paraître une *Défense de « l'Esprit des lois »,* l'œuvre de sa vie est mise à l'index. Devenu presque aveugle, l'écrivain, dont la popularité mondaine est toujours aussi vive, écrit encore un « Essai sur le goût » destiné à l'*Encyclopédie.* Il meurt l'année suivante, victime d'une épidémie de fièvre maligne, n'opposant que de la dignité aux déplaisants assauts d'ecclésiastiques qui voudraient le voir se renier *in extremis.*

L'homme que laissent apparaître les notes intimes publiées après sa mort *(Mes pensées)* est un penseur lucide, plus intellectuel que sensible, passionné pour la vérité, disciple des stoïciens, qu'il admire. Sa pensée, claire et précise dans son expression, soutenue par un style d'une séduisante et haute pureté, s'exprime plus naturellement par petites touches que par grands ensembles. Amour raisonné pour l'homme, don d'analyse plus que de synthèse, penchant pour l'anecdote, connaissance des Anciens..., par plus d'un côté M. est proche de Montaigne, son compatriote. Le rappel de sa biographie a montré la lenteur de la maturation en lui du grand sujet : que serait M. sans *l'Esprit des lois* ? – l'habile fabricateur des *Lettres persanes,* de pièces galantes plus faibles, d'essais dispersés sur mille sujets ; un honnête homme, un styliste sûr, un observateur : la piquante satire sociale cachée sous la fiction des *Lettres* ainsi que leur caractère élégamment licencieux justifient le succès de l'ouvrage – mais c'est bien par son grand œuvre que M. reste un grand nom, non pour les livres qui le firent apprécier des salons.

Certes *l'Esprit des lois* n'est pas né par génération spontanée : les *Lettres* sont déjà riches en aperçus politiques (apologue des Troglodytes) et amorcent une déjà profonde réflexion sociologique et morale ; dès avant 1748 avaient paru plusieurs traités qui peuvent passer aujourd'hui pour des fragments détachés d'avance de l'ensemble. Cependant, le vaste ouvrage que M. s'épuisa à parfaire contient l'essentiel de lui-même. Il se propose d'y montrer que l'infinie diversité des lois humaines est, *in fine,* régie par un certain *ordre ;* description expérimentale fidèle au déterminisme historique, mais aussi description idéologique accordant la préférence à un certain idéalisme social : partisan d'une démocratie mesurée, M. juge la terre habitable et le progrès possible. Son livre, long et pointilliste, n'est irréprochable ni sur le plan de l'information, incomplètement contrôlée, ni sur celui du raisonnement, parfois proche du sophisme. Le génie de M. est d'avoir su, de cet instrument imparfait, tirer une description généralement fidèle de la réalité politique. L'ouvrage, après une *Introduction générale* (liv. I), traite de la nature du gouvernement et de son principe (liv. II-XIII), puis de l'influence politique de l'espace – c'est notamment la célèbre « théorie des climats » (liv. XIV-XXV) – et du temps – c'est l'histoire du droit (liv. XXVI-XXXI). De la lecture globale de l'ouvrage se détachent une attirance nette pour la démocratie anglaise et l'espoir de l'adapter à la monarchie française : la Révolution suivit et dépassa M., mais c'est finalement lui qui visa le plus juste dans son intuition de l'avenir. Si discutables que nous paraissent aujourd'hui ses méthodes d'enquête, il reste le penseur fondamental du XVIIIe s. français. Acad. fr. 1727.

Œuvres. *Dissertation sur la politique des Romains en matière de religion,* 1716 (E). – *Projet d'histoire physique de la terre* *ancienne et moderne,* 1719 (E). – *Lettres persanes,* 1721. – *Le Temple de Gnide* (poème en prose), suivi de *Céphise et l'Amour,* 1725. – *Discours de réception à l'Académie française,* 1728. – *Considérations sur les causes de la grandeur des Romains et de leur décadence, suivies du Dialogue entre Sylla et Eucrate,* 1734 (E). – *De l'esprit des lois ou Du rapport que les lois doivent avoir avec la constitution de chaque gouvernement, les mœurs, le climat, la religion, le commerce, etc. À quoi l'auteur a ajouté des recherches nouvelles sur les lois romaines touchant les successions, sur les lois françaises et les lois féodales* (31 livres), 1748. – *Défense de « l'Esprit des lois »,* 1750 (E). – *Lysimaque* (remerciement à l'académie de Nancy), 1754. – « Essai sur le goût » (dans l'*Encyclopédie*), posth., 1757. – *Pensées diverses,* posth., 1758. – *Lettres familières du président de Montesquieu,* posth., 1767. – *Histoire orientale ou Arsace et Isménie,* posth., 1783 (N). – *Mélanges inédits* (tirage limité), posth., 1899-1901. – *Histoire véritable* (conte philosophique écrit en 1738), posth., 1902. – *Correspondance* (tirage limité), posth., 1914. – *Cahiers* (contiennent *Quelques Réflexions ou Pensées détachées que je n'ai pas mises dans mes ouvrages, Mes pensées, Continuation de mes réflexions*), posth., 1943. – *Spicilège,* posth., 1944. – *Œuvres complètes,* posth., 1950-1955.

Lettres persanes

Outre l'expression indirecte d'une réflexion sociologique et politique à travers la correspondance de deux Persans en voyage, Usbek et Rica, les *L.P.* sont aussi un roman de mœurs, d'amour et de passion. Usbek a dû quitter la Perse pour l'Europe, mais en laissant chez lui ses cinq femmes sous la garde du chef des eunuques. La correspondance échangée par Usbek avec ses épouses et ses esclaves raconte une histoire qui donne progressivement naissance à un drame dont le rythme s'accélère jusqu'à son dénouement tragique. Après Zachi, la première épouse, la préférée, au moins au départ, et qui incarne la fidélité, du moins provisoirement, c'est Fatmé la passionnée qui livre son cœur ; peu à peu, Usbek, de son côté, ressent le mal du pays, il apprend les incidents dont son absence facilite l'éclosion, les incartades de Zéphis l'orgueilleuse, sa querelle et sa réconciliation avec Zachi. L'inquiétude s'empare d'Usbek, qui devient un jaloux imaginaire avant d'apprendre qu'il a de bonnes raisons de l'être. La mort du grand eunuque aggrave la situation et engendre dans le sérail un désordre qui va croissant ; c'est la jeune Roxane qui, désormais, semble seule mériter les faveurs du maître. Celui-ci, soucieux de rétablir, fût-ce cruellement, son autorité, donne à son premier eunuque, Solim, l'ordre de mettre en œuvre une répression sans merci : la violence et l'épouvante s'installent dans le sérail. Usbek apprend alors que Roxane elle-même le trompe : elle a été surprise dans les bras d'un jeune homme. Mais c'est elle qui, finalement, triomphe : dans la dernière lettre du roman, elle annonce à Usbek, en un style hautain et provocant, qu'elle vient de s'empoisonner, mais c'est pour mieux affirmer une liberté dont sa mort elle-même est une preuve absolue : « J'ai réformé tes lois sur celles de la nature, et mon esprit s'est toujours tenu dans l'indépendance. »

L'Esprit des lois

Le livre I forme l'introduction générale de l'ouvrage et traite de la définition des lois dans leur rapport avec la nature, en distinguant entre les lois de la nature et les lois positives. Les livres II à XIII développent une théorie du gouvernement à partir de la notion de loi appliquée à la nature politique. Ici prennent place la célèbre théorie des trois gouvernements – républicain, monarchique et démocratique – et l'analyse de leur principes – respectivement : vertu (c.-à-d. civisme), honneur et crainte. L'auteur examine ensuite les conséquences des principes à la fois dans leur fonctionnement et dans leur corruption. Cette partie s'achève sur l'examen détaillé des formes et conditions de la liberté politique. Les livres XIV à XXV étudient les lois qui régissent les rapports entre la réalité politique et les conditions extérieures : c'est dans ce cadre que M. développe sa célèbre théorie des climats, trop souvent faussée du fait qu'on l'isole de son contexte. Elle apparaît ici comme un cas exemplaire d'une loi plus générale qui relève du rapport nécessaire entre la réalité politique et les conditions de vie des sociétés : c'est ainsi qu'un livre (XVIII) est consacré aux rapports entre les lois et la nature du terrain, qu'un autre (XIX) envisage les rapports avec « l'esprit général, les mœurs et les manières d'une nation », que d'autres enfin traitent des rapports entre les lois et le commerce, la monnaie, le nombre des habitants, la religion, l'histoire. C'est là la partie centrale et la plus concrète de tout l'ouvrage. La dernière partie (les livres XXVI-XXXI) est essentiellement historique : M. y passe en revue les moments selon lui les plus significatifs de l'histoire du droit politique – Rome et la féodalité, en particulier. C'est finalement la partie la plus caduque de l'ouvrage, du fait de l'insuffisance de l'information historique de l'auteur, bien qu'y figurent un certain nombre d'inductions générales qui rejoignent la théorie des principes.

MONTESQUIOU-FEZENSAC Robert, comte de. Paris 19.3.1855 – Menton 11.12.1921. Son illustre ascendance et son faste personnel firent de lui un personnage d'abord mondain ; sa carrière de poète, sur les sommets de l'esthétisme systématique, ne fut qu'un caprice de plus (il publia tous ses recueils à compte d'auteur, en éditions de luxe). Pris pour modèle de décadence par Huysmans (Des Esseintes, dans *À rebours*), il fournit aussi de nombreux traits pour le baron de Charlus de *la Recherche du temps perdu,* car il compta au nombre des amis mondains de M. Proust. Ses Mémoires posthumes *(les Pas effacés)* sont le fidèle reflet d'un personnage que sa propre légende de cynisme contraignit parfois au duel. On a vite oublié les titres, délibérément bizarres, de ses recueils ; mais la silhouette du mondain, deux fois immortalisée par la littérature, restera.

Œuvres. *Les Chauves-Souris,* 1892 (P). – *Le Chef des odeurs suaves,* 1893 (P). – *Félicité,* 1894 (E). – *Le Parcours du rêve au souvenir,* 1895 (P). – *Les Hortensias bleus,* 1896 (P). – *Les Roseaux pensants,* 1897 (P). – *Le Pays des aromates,* 1900 (P). – *Les Paons,* 1901 (P). – *Professionnelles Beautés,* 1905 (P). – *La Petite Mademoiselle,* 1911 (N). – *La Divine Comtesse* (sur Mme de Castiglione), 1913. – *Les Pas effacés* (Mémoires), posth., 1923.

MONTHERLANT, Henry Millon de. Neuilly-sur-Seine 21.4.1896 – Paris 21.9.1972. Descendant d'une noble famille catholique catalane, il fait ses études à l'école Sainte-Croix de Neuilly (*cf. la Relève du matin* et *La ville dont le prince est un enfant*). Blessé durant la Première Guerre mondiale, qui le hantera longtemps, il écrit *le Songe* et le *Chant funèbre pour les morts de Verdun :* l'héroïsme masculin s'oppose ici à la sensibilité féminine. Le sport et la tauromachie lui inspirent *les Olympiques* et *les Bestiaires.* En proie à la crise des « voyageurs traqués », M. cherche, dans ses errances à travers l'Afrique du Nord, l'Espagne et l'Italie, un équivalent de la fraternité du front *(Aux fontaines du désir ; la Petite Infante de Castille).* Toute l'œuvre de cette période reste marquée par l'influence, très proche, du culte du Moi selon Barrès, et celle, plus lointaine, de l'égocentrisme de Chateaubriand. De réflexions sur la colonisation en Afrique du Nord naît le roman *la Rose de sable* ; à sa publication, retardée jusqu'en 1968 par souci patriotique, il a semblé pâle et timide. À partir de 1932, M. étudie les mécanismes de la morale politique et de l'héroïsme *(Mors et Vita ; Service inutile ; l'Équinoxe de septembre ; le Solstice de juin) :* au nom des valeurs viriles, il juge la crise européenne et verra dans la victoire allemande comme une salutaire leçon. Il décrit aussi, sur un ton objectif, la vie des *Célibataires,* vieux nobles incapables de s'adapter à la vie moderne ; dans le roman en quatre parties *les Jeunes Filles,* il attaque le sentiment sous toutes ses formes et, tenant d'une misogynie systématique, il exalte les plaisirs du corps et de la création artistique. Malgré *l'Exil* et *Pasiphaé,* ce n'est véritablement qu'avec *la Reine morte* qu'il se tourne vers le théâtre. *Fils de personne, Demain il fera jour, Celles qu'on prend dans ses bras* et *Brocéliande,* toutes ces pièces se déroulent dans la bourgeoisie contemporaine ; mais ce sont les œuvres « historiques » de M. qui lui apportent le plus de gloire : *Malatesta ; le Maître de Santiago ; Port-Royal ; Don Juan ; le Cardinal d'Espagne ; la Guerre civile.* Il est revenu, vers la fin de sa vie, au roman avec *le Chaos et la Nuit, les Garçons, Un assassin est mon maître.* Redoutant la cécité qui le gagnait peu à peu, et par voie de conséquence le déclin de ses facultés, l'écrivain a préféré se donner la mort.

L'échec spirituel de M. naît de sa réussite esthétique même, qui mène à un refus du tragique ; son art, qui se veut apparemment recherche d'une morale, héroïque ou hédoniste, débouche sur une exclusive satisfaction esthétique. Lancé à l'origine dans une quête de soi et de la maîtrise intérieure, M. semble se résigner à l'entrelacs des différentes voix qui l'habitent. Loin de s'engager au risque de se perdre, comme le voudraient les valeurs viriles dont il s'affirme le défenseur, M. est partagé entre deux tendances relevant de deux morales contradictoires, l'une chrétienne et l'autre profane : goût du sacrifice et goût de l'abandon, goût de l'austérité et goût de la sensualité... La nostalgie des hautes époques *(Malatesta, Don Juan),* le refus obsessionnel de la décadence et de la médiocrité modernes, avec ce qu'elles véhiculent de faiblesse sentimentale, la misogynie, exprimée surtout dans l'œuvre romanesque *(les Jeunes Filles),* n'arrivent peut-être pas à donner à ce long dialogue avec soi qu'est son œuvre une unité et une perfection autres que formelles. L'héroïsme lui-même n'a de valeur qu'esthétique : les personnages du théâtre de M., qui se refusent pourtant à la facilité, restent conscients d'un échec, tel Ferrante sacrifiant Inès à une raison d'État à laquelle il ne croit plus *(la Reine morte)*. S'il fallait être sévère avec M., ce serait dans la mesure même où il exalte et pratique, presque avec volupté, cette sévérité à l'égard de soi-même et d'autrui ; appliquant son immense talent à des recettes éprouvées, par volonté de justification plus que de clarté, il s'est peut-être trop refusé à traiter un problème qu'il était plus à même que tout autre d'aborder avec lucidité : l'analyse d'une certaine forme d'impuissance. Acad. fr. 1960.

Œuvres. *La Relève du matin,* 1920 (N). – *La Jeunesse d'Alban de Bricoule :* I *le Songe,* 1922 ; II *les Bestiaires,* 1926. – *Chant funèbre pour les morts de Verdun,* 1924 (P). – *Les Olympiques,* 1924 (N). – *Les Voyageurs traqués :* I *Aux fontaines du désir,* 1927 ; II *la Petite Infante de Castille,* 1929. – *L'Exil,* 1929 (T). – *Mors et Vita,* 1932 (E). – *Encore un instant de bonheur,* 1934 (P). – *Les Célibataires,* 1934 (N). – *Service inutile* (recueil d'essais), 1935 (E). – *Les Jeunes Filles :* I, 1936 ; II *Pitié pour les femmes,* 1936. – *Pasiphaé,* 1936 (T). – *Les Jeunes Filles,* III *le Démon du bien,* 1937. – *L'Équinoxe de septembre,* 1938 (E). – *Les Jeunes Filles,* IV *les Lépreuses,* 1939 (N). – *Le Solstice de juin,* 1941 (E). – *La Reine morte,* 1942 (T). – *Fils de personne,* 1943 (T). – *Un incompris,* 1943 (T). – *Malatesta,* 1946 (T). – *Le Maître de Santiago,* 1947 (T). – *Demain il fera jour,* 1949 (T). – *Celles qu'on prend dans ses bras,* 1950 (T). – *La ville dont le prince est un enfant,* 1951 (T). – *Textes sous une occupation,* 1953 (E). – *L'Histoire d'amour de « la Rose de sable »,* 1954. – *Port-Royal,* 1954 (T). – *Brocéliande,* 1956 (T). – *Les Auligny,* 1956 (N). – *Carnets* (1930-1944), 1957. – *Don Juan,* 1958 (T). – *Le Cardinal d'Espagne,* 1960 (T). – *Les Voyageurs traqués :* III *Un voyageur solitaire est un diable,* 1961 (N). – *Le Chaos et la Nuit,* 1963 (N). – *La Guerre civile,* 1965 (T). – *Va jouer avec cette poussière* (carnets 1958-1964), 1966. – *La Rose de sable* (texte intégral), 1967 (N). – *La ville dont le prince est un enfant* (pièce remaniée pour sa création à Paris), 1967 (T). – *La Jeunesse d'Alban de Bricoule,* III *les Garçons,* 1969 (N). – *Le Treizième César,* 1970 (E). – *Un assassin est mon maître,* 1971 (N). – *La Marée du soir* (carnets 1968-1971), 1972. – *Mais aimons-nous ceux que nous aimons ?* 1973 (N). – *Le Fichier parisien* (recueil de textes écrits entre 1928 et 1939), posth., 1974. – *Tous feux éteints,* posth., 1975. – *Coups de soleil* (recueil de textes), posth., 1976. – *Correspondance avec Roger Peyrefitte,* posth., 1983. – *Thrasylle,* posth., 1984 (N).

La Reine morte

M. s'inspire de l'histoire d'Inès de Castro (XIVe s.), que la littérature portugaise avait plus d'une fois utilisée. Le roi de Portugal, Ferrante, veut unir son fils Pedro en un mariage politique à l'infante de Navarre. Mais Pedro est lié à une dame portugaise, Inès de Castro, et la situation naît de cette confrontation sans issue entre la raison d'État et les droits du cœur. Ferrante méprise son fils, mais ne peut s'empêcher d'admirer – et peut-être même d'aimer – Inès, cette fascination qu'exerce sur lui la jeune femme atteignant son paroxysme lorsque, avec un courage tranquille, elle lui révèle qu'elle est depuis un an l'épouse légitime de Pedro ; plus tard, elle lui apprendra qu'elle attend un enfant. Ferrante fait mettre Pedro en prison pour crime de « médiocrité » ; il tente de convaincre Inès, dont la résistance, au nom de son amour et de son enfant, reste inexpugnable. Ferrante finira par ordonner l'exécution d'Inès, sans même savoir pourquoi : « Acte inutile, acte funeste. » Il mourra lui-même aussitôt, et c'est Inès qui triomphe dans la mort : Pedro devient roi, couronne Inès morte, dont le corps reçoit les hommages des courtisans, tandis que celui de Ferrante est abandonné.

Fils de personne

Drame « moderne », par opposition au drame « historique » de *la Reine morte.* Un avocat parisien, Georges Carrion, réfugié à Marseille après la défaite de 1940, a eu de sa maîtresse un fils, Gillou, qu'il retrouve à quatorze ans, avec sa mère, à Cannes. Le jeune garçon, comme le Pedro de *la Reine morte,* manque de « qualité ». Georges laissera partir la mère et le fils pour Le Havre, en zone occupée, où, prisonnier évadé, il ne peut se rendre lui-même. Pour ne pas « s'avilir » en s'attendrissant, il a lui-même provoqué l'arrachement qui, à la fin, satisfait son orgueil et blesse son cœur, et qui l'isole comme un châtiment qu'il s'est imposé volontairement.

Le Maître de Santiago

Retour à l'inspiration « historique ». L'action se passe à Ávila, en 1549. Don Alvaro Dabo s'y est retiré après la Reconquête de l'Espagne pour y mener, avec sa fille Mariana, une vie de solitude que rythment les réunions de l'ordre de Saint-Jacques, dont il est le maître. Mais c'est l'époque de l'organisation des colonies d'Amérique. Parmi les cinq chevaliers qui, ce jour-là, se trouvent réunis chez Alvaro, trois annoncent leur volonté de partir pour l'Amérique ; or, don Alvaro a horreur du Nouveau Monde, qui n'est qu' « impureté et ordure ». Son ami Bernal, d'autre part, lui propose de marier Mariana avec son fils et, pour le convaincre, imagine une supercherie : un seigneur de la cour vient de la part du roi proposer à Alvaro de partir pour l'Amérique, afin d'y être le garant de la pureté des intentions espagnoles. Mais Mariana dénonce la supercherie : Alvaro voit dans cette attitude le signe qu'elle est digne de lui, et la pièce s'achève sur le tableau du père enveloppant sa fille dans le grand manteau blanc de l'ordre, à genoux sous le grand crucifix, tandis que Mariana entre en extase.

Port-Royal

Autre drame « historique », mais français. C'est cette journée d'août 1664 où l'archevêque de Paris, Beaumont de Péréfixe, vient exiger des religieuses de Port-Royal qu'elles signent le célèbre « formulaire ». Mais tout est intériorisé : le drame tient tout entier dans le dialogue entre deux âmes, sœur Angélique de Saint-Jean et sœur Marie-Françoise de l'Eucharistie, la première incarnant l'intransigeance absolue, faite à la fois d'humilité et d'orgueil ; l'autre, malgré sa jeunesse – ou à cause d'elle –, incarne la haute spiritualité qui la rend indifférente à une médiocre question de signature. Mais en face de la crise, c'est sœur Angélique qui, ne pouvant supporter la perspective de quitter la maison, renonce à résister ; c'est l'autre qui, inspirée par sa foi, s'apprête à subir la persécution. Tout le drame est dans cette inversion des positions des deux protagonistes, avant que ne se produise le dénouement extérieur, conforme à l'histoire : l'expulsion et l'isolement des douze religieuses, considérées par l'autorité comme les meneuses de la rébellion.

MONTLUC ou MONLUC, Blaise de Lasseran de Massencome, seigneur de. Saint-Puy (Gers) 1499 ? – Estillac (Lot-et-Garonne) 26.7.1577. Aîné d'une famille nombreuse, M., dès qu'il le put, quitta la maison paternelle. Il s'engagea comme simple archer, en 1521, pour participer aux guerres d'Italie et, grâce à son courage et à son habileté, gravit très rapidement les échelons de la hiérarchie militaire. Après un quart de siècle de campagnes (M. est présent sur tous les champs de bataille), il fut nommé gouverneur de Moncalieri (1548), puis gentilhomme de la Chambre du roi. Il hésita quelque temps entre le parti des catholiques et celui des protestants, puis opta pour les premiers en s'acharnant sur les seconds. Lieutenant général de Guyenne (1564), il se fit remarquer par sa cruauté, qu'il justifie de la manière suivante : « Il faut estre cruel bien souvent pour venir à bout de son ennemy. Dieu doit être bien miséricordieux en nostre endroict, qui faisons tant de maulx. » En 1574, il fut nommé maréchal de France. L'année suivante, il se retira dans sa maison de d'Estillac, où il mourut. Il aura servi cinq rois, cinquante années durant.

À l'origine, ses *Commentaires* sont un plaidoyer pour se justifier auprès des protestants qui l'accusèrent d'une mauvaise gestion des affaires de la Guyenne ; le livre parut d'abord sous le titre : *Remontrance de M. de M., où est contenue une grande partie de ses faits et de plusieurs autres seigneurs et capitaines de ce royaume.* Ce n'est que plus tard que M. reprendra son manuscrit, le développera et l'enrichira. Terminé, l'ouvrage comprend sept livres. Les quatre premiers sont consacrés aux campagnes d'Italie, les trois autres aux guerres civiles qui eurent lieu en Guyenne. Son frère Jean les a probablement remaniés. M. s'adresse tout d'abord aux chefs militaires, leur donne des conseils de stratégie (c'est ainsi qu'Henri IV a pu parler de « Bible du soldat » à propos des *Commentaires*). Conteur, M. sait aussi faire revivre les épisodes pathétiques, s'attardant, non sans complaisance, sur les détails qui le mettent en valeur : il cherche sans doute à réparer par l'écrit la réputation qu'il s'est faite dans l'action. Vigoureux, le style est à l'image de l'homme, courageux, lucide mais « extrêmement colère », cruel pour satisfaire aussi bien sa vanité que le désir de vaincre. À partir de 1898, des lettres ont été publiées qui atténuent quelque peu ces traits caractéristiques. M. s'y montre moins cruel, plus scrupuleux, justifiant son action par la politique, cherchant la paix, mais toujours persuadé que la fin justifie les moyens utilisés, quels qu'ils soient.

Œuvres. *Remontrance de M. de Monluc, où est contenue une grande partie de ses faits et de plusieurs autres seigneurs et capitaines de ce royaume,* 1570. – *Commentaires* (première ébauche, précédée d'un *Préambul* [sic] *à Monseigneur*), 1571. – *Dialogue de la Fortune et de luy* (texte perdu), s.d. – *Discours au roi sur le faict de la paix,* 1573. – *Commentaires de Messire Blaise de Montluc, maréchal de France* (précédés d'une *Épître à la noblesse de Gascogne* et suivis d'un *Tombeau*), posth., 1592. – *Commentaires et Lettres de Blaise de Montluc* (5 vol., contenant 273 lettres inédites), posth., 1864. – *Douze Lettres inédites,* posth., 1898. – *Deux*

Lettres inédites au cardinal Carlo Carafa, posth., 1903. – *Vingt Lettres inédites* (1557-1569), posth., 1940.

MORALITÉ. Genre théâtral du XVe s., caractérisé par des intentions satiriques, à tendance moralisante, mises en scène par l'intermédiaire de personnages allégoriques.

MORAND Paul. Paris 13.3.1888 – 23.7.1976. Ancien élève de l'École des sciences politiques, il fit une carrière de diplomate. Après avoir débuté par des poèmes proches de l'esthétique fantaisiste *(Lampes à arc ; Feuilles de température),* il se tourne vers le récit en prose ; les nouvelles londoniennes de *Tendres Stocks,* préfacées par Marcel Proust, précédèrent les deux grands succès *Ouvert la nuit* et *Fermé la nuit,* immédiatement suivis, en 1924, de ce qui est peut-être le chef-d'œuvre du M. de cette période, *Lewis et Irène.* Peintre circonstancié d'une époque, voyageur aux impressions précises et originales (*Venises,* 1971), M. a beaucoup produit dans un genre voisin à la fois de la chronique et de la nouvelle, et son style fait de lui un maître du rythme narratif, le porte-parole des étourdissements des « années folles » de la première après-guerre ; ce qui explique qu'il ait connu un renouveau d'influence au cours de la seconde après-guerre, en particulier auprès d'écrivains comme Nimier, Déon ou Blondin, voire de cinéastes, tel Daniel Schmid qui, en 1982, réalisa *Hécate, maîtresse de la nuit* à partir de l'adaptation par Pascal Jardin d'*Hécate et ses chiens.* Acad. fr. 1968.

Œuvres. *Lampes à arc,* 1919 (P). – *Feuilles de température,* 1920 (P). – *Tendres Stocks* (nouvelles), 1921 (N). – *Ouvert la nuit* (nouvelles), 1922 (N). – *Fermé la nuit* (nouvelles), 1923 (N). – *Lewis et Irène,* 1924 (N). – *L'Europe galante* (nouvelles), 1925 (N). – *Rien que la terre,* 1926. – *Bouddha vivant,* 1927 (N). – *Magie noire* (nouvelles), 1928 (N). – *Paris-Tombouctou,* 1928. – *Champions du monde,* 1930 (N). – *New York,* 1930. – *Papiers d'identité* (chroniques), 1931. – *Air indien,* 1932. – *Londres,* 1933. – *Rococo,* 1933 (N). – *France-la-Doulce,* 1934. – *Bucarest,* 1935. – *Rond-Point des Champs-Élysées,* 1935. – *La Route des Indes,* 1936. – *Les Extravagants* (nouvelles ; contient *Milady, Monsieur Zéro*), 1936 (N). – *Le Réveil-Matin,* 1937 (N). – *L'Heure qu'il est,* 1938 (N). – *Réflexes et Réflexions,* 1939. – *Chroniques de l'homme maigre,* 1941 (N). – *L'Homme pressé,* 1941 (N). – *Petit Théâtre,* 1942. – *Journal d'un attaché d'ambassade,* 1945. – *Le Dernier Jour de l'Inquisition,* 1946 (N). – *Giraudoux,* 1948 (E). – *Le Flagellant de Séville,* 1951 (N). – *Le Coucou et le Roitelet,* 1953 (N). – *L'Eau sous les ponts,* 1954 (N). – *Hécate et ses chiens,* 1954, rééd. 1984 (N). – *La Fausse Épreuve,* 1956 (T). – *La Folle amoureuse,* 1956 (N). – *Fin de siècle,* 1957 (N). – *Le Prisonnier de Cintra,* 1958 (N). – *Isabeau de Bavière,* 1959. – Avec Nino Frank et Carlo Coccioli, *Florence,* 1959. – *Le Lion écarlate,* avec *la Fin de Byzance,* et *Isabeau de Bavière,* 1959 (T). – Avec J. Chardonne et M. Déon, *le Portugal,* 1962. – *U.S.A.,* 1963. – *Fin de siècle,* 1963 (N). – *Majorque,* 1963. – *Tais-toi,* 1965 (N). – *Nouvelles d'une vie :* I *Nouvelles du cœur ;* II *Nouvelles des yeux,* 1965, rééd. 1982 (N). – *La Dame blanche des Habsbourg,* 1966. – *Monplaisir... en littérature,* 1967, rééd. 1982 (E). – Avec Fr. Nourissier, *la Suisse,* 1968. – *Ci-gît Sophie-Dorothée de Celle,* 1968 (N). – *Monplaisir... en histoire,* 1969 (E). – *Discours de réception à l'Académie française,* 1969. – *Montociel, rajah aux Grandes Indes,* 1970. – *Venises,* 1971. – *Un lésineur bienfaisant* (M. de Montyon), 1972. – *Trente Semaines d'orthographe de base,* 1973. – *Fouquet ou le Soleil offusqué,* 1973 (E). – *Anthologie de la littérature équestre,* 1973 (E). – *Poèmes,* 1973 (P). – *Les Écarts amoureux* (nouvelles), 1974 (N). – Avec G. de Palezieux, *Carnet de Venise,* 1975. – *L'Allure de Chanel,* 1976. – Avec J. des Cars et R. Commault, *Sleeping Story, l'Épopée des wagons-lits,* 1976. – *M. Dumoulin à l'Isle de la Grenade,* posth., 1977.

Lewis et Irène

Lewis dirige une grande banque internationale : il joue avec l'argent ; il joue aussi avec les femmes, qu'il « collectionne » ; il en tient une sorte de comptabilité et, au moment de l'aventure qu'il va vivre et qui changera beaucoup de choses, il en est au numéro 414 ! Toujours par jeu, il s'est lancé dans une assez extravagante spéculation sicilienne, à l'occasion de laquelle il rencontre Irène, grecque et banquière (comme lui), femme qui l'étonne et le fascine : avec elle, pas question de jouer comme avec les autres et d'en faire le numéro 415 ! Lewis en est amoureux. Mais alors commence un autre jeu, à un autre niveau, au cours duquel Lewis et Irène, couple sans cesse en mouvement et en changement, ne cessent d'entrecroiser leurs affaires et leurs amours ; cela sur un rythme allègre et élégant qui organise la passion en une sorte de chorégraphie dont la mise en œuvre, en un langage dont la rapidité garantit l'aisance, est, beaucoup plus que l'histoire elle-même, la véritable matière du roman.

MORÉAS Jean, Yanni Papadiamantopoulos, dit. Athènes 15.4.1856 – Saint-Mandé 30.3.1910. Poète grec d'expression française. Fils d'un juriste renommé, il reçut une éducation française et, en 1875, vint à Paris. Rentré en Grèce après des études de droit surtout suivies dans les cafés littéraires, il ne put rester dans sa famille et revint faire carrière en France. Ses premiers recueils, d'inspiration symboliste *(les Syrtes* et *les Cantilènes),* sont très influencés par Verlaine, et M. s'y montre surtout attiré par les mots rares. Auteur d'un manifeste publié dans *le Figaro* en septembre 1886, où étaient posés les principes du mouvement symboliste, il s'éloigne cependant aussitôt d'une école qu'il juge transitoire : libérée de la sécheresse parnassienne, la poésie doit désormais retrouver la tradition classique. Il fonde, avec Maurras, La Tailhède, Raynaud et Du Plessys, l'« école romane » (1891), mais donne dans *le Pèlerin passionné* (1891-1893) l'exemple d'un archaïsme quelque peu artificiel : la poésie du XVIe s., qu'il admire, demeure pour lui une langue morte, un terrain d'acrobaties ; ce n'est qu'avec les *Stances* (1899-1901) qu'il parvient à l'épuration d'un langage chargé, « grammairien », et se livre au public sans coquetteries ni subtils artifices. La belle simplicité de ces vers païens de M. n'eut cependant pas de suite : et ce n'est pas l'œuvre poétique de son disciple Maurras qui peut empêcher l'« école romane » de rester un épisode relativement mineur de la vie littéraire de ce temps. M. publia, en collaboration avec Paul Adam, deux romans (dont *le Thé chez Miranda*) et, en 1903, fit représenter une *Iphigénie.* Personnage important de la vie littéraire, il exerça une certaine influence sur les jeunes poètes de la génération suivante.

Œuvres. *Les Syrtes,* 1884 (P). – *Les Cantilènes,* 1886 (P). – *Manifeste du symbolisme,* 18 septembre 1886. – Avec Paul Adam, *le Thé chez Miranda,* 1886 (N) ; *les Demoiselles Goubert,* 1887 (N). – *Le Pèlerin passionné,* 1891 et 1893 (P). – *Autant en emporte le vent,* 1893 (P). – *Énone au clair visage,* 1893 (P). – *Quatre Sylves,* 1894 (P). – *Ériphyle,* 1894 (P). – *Sylves nouvelles,* 1895 (P). – *Stances* (livres I et II, 1899 ; livres III à VI, 1901). – *Iphigénie à Aulis,* 1903 (T). – *Contes de la vieille France,* 1904 (N). – *Esquisses et souvenirs,* 1908 (N). – *Variations sur la vie et les livres,* 1910. – *Stances,* livre VII, posth., 1920 (P).

MOREAU Hégésippe. Paris 8.4.1810 – 20.12.1838. Orphelin à treize ans, il fut correcteur à Provins, puis compositeur typographe à Paris, où il fit le coup de feu en 1830. Il connut le chômage et la misère, se fit hospitaliser en 1832, échappa au choléra. Revenu à Provins, il fonda *Diogène,* journal satirique (1833), qui n'eut pas de succès. Son retour à Paris vit se reproduire le processus de sa première arrivée ; il mourut, peu après une tentative de suicide, à l'hôpital de la Charité. Type du jeune romantique maudit, M. a laissé un recueil charmant, *le Myosotis* ; dans ce volume, il mêle des vers frais et mélancoliques, où se marque l'influence de Chénier, de Barthélemy et de Béranger, et de remarquables contes en prose, qui furent, après la mort de M., réédités à part *(Contes à ma sœur).*

Œuvres. *Le Myosotis,* 1838 (P). – *Contes à ma sœur (le Gui du chêne ; la Souris blanche ; les Petits Souliers ; Thérèse Sureau ; le Neveu de la fruitière),* posth., 1851 (N). – *Œuvres complètes,* posth., 1890.

MOUNIER Emmanuel. Grenoble 1.4.1905 – Châtenay-Malabry 22.3.1950. Agrégé de philosophie en 1928, il eut comme maîtres Bergson, Maritain et surtout Péguy, auquel il consacra son premier livre *(la Pensée de Charles Péguy).* L'évolution d'une partie des catholiques vers la gauche, à la suite de la condamnation de l'*Action française,* le poussa à fonder la revue *Esprit* (octobre 1932) : il la dirigea jusqu'à sa mort, tentant inlassablement de dissocier les valeurs spirituelles, auxquelles il redonne leur vraie vigueur, et les valeurs bourgeoises, que l'évolution du monde condamne. Sa pensée, synthétisée dans *le Personnalisme,* tente de concilier christianisme et révolution et refuse en profondeur le matérialisme. L'influence de M., très forte de 1944 à sa mort, s'est atténuée du fait de l'orientation choisie par la revue qu'il avait fondée. En face de Sartre et des marxistes, au moment où l'un et les autres étaient tout-puissants, il n'en fut pas moins une voix forte et originale et influença le renouveau du catholicisme.

Œuvres. *La Pensée de Charles Péguy,* 1921 (E). – *Révolution personnaliste et communautaire,* 1935 (E). – *Manifeste au service du personnalisme,* 1936 (E). – *De la propriété capitaliste à la propriété humaine,* 1936 (E). – *Pacifistes ou bellicistes : le chrétien devant le problème de la paix,* 1940 (E). – *L'Affrontement chrétien,* 1945 (E). – *Liberté sous conditions,* 1946 (E). – *Qu'est-ce que le personnalisme ?* 1947 (E). – *Introduction aux existentialismes,*

1947 (E). – *Traité du caractère,* 1948 (E). – *L'Éveil de l'Afrique noire,* 1948 (E). – *La Petite Peur du vingtième siècle,* 1948 (E). – *Le Personnalisme,* 1949 (E).

MULLER Charles. (Voir REBOUX.)

MURET Marc-Antoine. Muret 12.4.1526 – Rome 4.6.1585. Il semble qu'il ait été un autodidacte. Professeur en 1545, il enseigna en province, et c'est ainsi qu'au collège de Guyenne, à Bordeaux, il eut Montaigne pour élève. À Paris, il donna des cours au collège de Coqueret et fut régent du collège Boncourt. Il exerçait sur ses élèves (Belleau, Jean de La Péruse, Vauquelin de La Fresnaye, Ronsard, du Bellay), une grande influence et jouissait d'un prestige qui faisait l'admiration de tous ses amis et de Dorat lui-même. En 1553, il avait publié des poésies légères, sous le titre de *Juvenilia,* précédées d'une tragédie, *Julius Caesar* (dont Jodelle s'inspirera). C'est lui qui préfaça l'édition de 1553 des *Amours* de Ronsard. Accusé, peut-être à juste titre, d'imiter les Anciens jusque dans leurs pratiques hétérodoxes, il fut chassé de Paris (1553), puis, toujours pour la même raison, de Toulouse, où il s'était réfugié (1554). Établi en Italie, il poursuivit sa carrière de professeur et connut les humanistes les plus éminents de ce pays – en particulier l'imprimeur Paul Manuce, chez qui il publia des éditions de Catulle (1554), d'Horace et de Térence (1555), et des *Catilinaires* de Cicéron (1557). Nommé professeur de philosophie morale à l'université de Rome (1563-1584), il enseigna l'*Éthique à Nicomaque* d'Aristote et la *Rhétorique,* à propos desquelles il publia des commentaires. Devenu citoyen romain en 1572 (grâce à l'appui du pape), il entra dans les ordres en 1576 mais continua d'enseigner jusqu'en 1584.

Les divers ouvrages de M. ne sont pas à l'origine de sa réputation. Ses éditions, trop hâtives, ne sont guère améliorées par des commentaires qui manquent d'originalité et sont trop souvent superficiels. Mais l'orateur mérite d'être retenu. Les *Discours,* qui furent improvisés selon les circonstances, les cours qu'il dispensa donnent une source précieuse d'information sur la manière d'enseigner du professeur et, d'une façon plus générale, sur la pédagogie du XVIe s. Il a d'ailleurs rédigé, à l'intention de son neveu, un plan d'études : *Institutio puerilis.* Selon M., les sciences et les lettres ne doivent plus être séparées. Réunies, elles ne peuvent que s'enrichir mutuellement. Humaniste, professeur, M. fut aussi poète, comme en témoignent ses vers latins, élégants et raffinés. Un livre d'hymnes d'église, en latin (1575), et un poème en l'honneur de Notre-Dame de Lorette sont à ajouter à son œuvre poétique la plus importante, *Juvenilia.*

Œuvres. *Discours sur l'excellence de la théologie,* 1552. – En latin : *Juvenilia* et *Poemata varia,* (P), précédés de *Julius Caesar* (T), 1553. – En français : *Commentaire sur les « Amours » de Ronsard,* 1553. – Éditions annotées de Catulle, 1554 ; d'Horace, 1555 ; de Térence, 1555 ; des *Catilinaires* de Cicéron, 1557 ; de Tibulle, 1558 ; de Properce, 1558. – En latin : *Variae lectiones* (8 livres), 1559. – Commentaires sur : l'*Éthique à Nicomaque* d'Aristote, la *Rhétorique* d'Aristote, les *Pandectes* de Justinien, les *Tusculanes* de Cicéron, les *Annales* de Tacite, le *De finibus* et le *De officius* de Cicéron, la *République* de Platon, la *Politique* d'Aristote, 1563-1584. – En latin : *Orationes,* 1572. – *Hymnes d'église,* 1575 (P). – *Institutio puerilis,* 1578 (E). – *Variae lectiones* (15 livres), 1580. – *Variae lectiones* (20 livres), posth., 1600. – *Epistulae* (3 livres), posth., s. d.

MURGER Henri. Paris 24.3.1822 – 28.1.1861. Son père, concierge, le chassa lorsqu'il exprima le désir d'être écrivain : il fit aussitôt l'apprentissage de la misère. Journaliste et poète, puis romancier, il rencontra, par l'entremise d'Arsène Houssaye, Gérard de Nerval (1843). *Le Corsaire* publia en 1847 ses premières *Scènes de la vie de bohème ;* l'ensemble, réuni en volume en 1848, connut un grand succès, surtout dans son adaptation scénique créée en 1851. (Puccini s'inspira de l'œuvre de M. pour composer son opéra *la Bohème,* 1896.) Aucune des autres œuvres de M., qui avait su peindre dans celle-là sa propre vie, n'atteignit la même célébrité. Seul peut encore survivre le beau « Testament du désespéré », inclus dans un recueil posthume, *Nuits d'hiver.*

Œuvres. *Scènes de la vie de bohème,* (adapt. théâtrale, 1851), 1848 (N). – *Le Pays latin,* 1851 (N). – *Claude et Marianne,* 1852 (N). – *Mme Olympe,* 1852 (N). – *Le Bonhomme Jadis,* 1852 (T). – *Les Vacances de Camille,* 1852 (N). – *Le Dernier Rendez-vous,* 1852 (N). – *Adeline Protat,* 1853 (N). – *Les Buveurs d'eau,* 1854 (N). – *Scènes de la vie de jeunesse,* 1855, (N). – *Poésies,* 1855 (P). – *Propos de ville et de théâtre,* 1856 (N). – *Le Roman de toutes les femmes,* 1857 (N). – *Scènes de la vie de campagne,* 1857 (N). – *Le Sabot rouge,* 1859 (N). – *Le Serment* *d'Horace,* 1861 (T). – *Nuits d'hiver,* posth., 1862 (P). – *Le Roman d'un capucin,* posth., 1868 (N). – *Le Souper des funérailles,* posth., 1873 (N). – *Les Roueries d'une ingénue,* posth., 1874 (N).

MUSELLI Vincent. Argentan (Orne) 22.5.1879 – Clichy 28.6.1956. Quelque temps professeur, il se lie peu à peu avec divers artistes : André Salmon, Jean Paulhan, André Derain (qui fait son portrait). Dans les revues des uns et des autres, il publie des vers, réunis dans *les Travaux et les Jeux,* qui prolongent l'œuvre de Moréas. Peu après la parution des *Masques* (sonnets héroï-comiques), il se voit ouvrir les colonnes des *Nouvelles littéraires* et atteint une certaine notoriété. *Poèmes* recueille l'ensemble d'une production qui n'est pas loin d'égaler, dans ses meilleures pièces, Baudelaire et Valéry. Dans sa vieillesse, le chrétien s'exprima avec une splendide noblesse dans *les Douze pas des Muses.* L'originalité de M. tient dans un savoureux mélange de libertinage et de gravité, hérité de Ronsard et nuancé par les acquisitions de la fin du XIXe s.

Œuvres. *Les Travaux et les Jeux,* 1914 (P). – *Les Masques,* 1919 (P). – *Les Sonnets à Philis,* 1930 (P). – *Les Strophes de Contre-Fortune,* 1931 (P). – *Les Sonnets moraux,* 1934 (P). – *Les Sept Ballades de contradiction,* 1941 (P). – *Poèmes* (recueil), 1943 (P). – *Les Épigrammes,* 1943 (P). – *Les Convives,* 1947 (P). – *Sur le thème de convalescence,* 1949 (P). – *Les Douze pas des Muses,* 1952 (P). – *L'Œuvre poétique de Vincent Muselli,* posth., 1957 (P).

MUSET. (Voir COLIN MUSET.)

MUSSET Louis Charles Alfred de. Paris 11.12.1810 – 2.5.1857. Sa famille, originaire du Vendômois, s'était fait connaître dans les lettres, en particulier avec son grand-père, ami de nombreux philosophes du XVIIIe s., et son père, éditeur de Rousseau. Son frère aîné, **Paul de Musset** (1804-1880), également littérateur, fut son biographe (1877).
Brillant latiniste au lycée Henri-IV (1819-1828), il commence des études de droit, puis de médecine, mais ne les poursuit pas, préférant la vie mondaine et amoureuse, et fréquentant le Cénacle de Hugo. Il publie en décembre 1829 *Contes d'Espagne et d'Italie,* son premier volume poétique. L'épidémie de choléra emporte son père (1832) ; décidé à gagner sa vie de sa plume, le jeune homme publie *Un spectacle dans un fauteuil,* entre à la *Revue des Deux Mondes,* écrit ses premières pièces *(Andrea del Sarto* et *les Caprices de Marianne).* En juin 1833, il rencontre George Sand, qui devient bientôt sa maîtresse ; ils rompent huit mois plus tard, au cours d'un voyage à Venise, mais renoueront plusieurs fois, de façon éphémère. M. écrit le poème *Rolla,* les pièces *Fantasio, On ne badine pas avec l'amour* et *Lorenzaccio* et commence son autobiographie, qui paraîtra en 1836 *(Confession d'un enfant du siècle).* Définitivement séparé de G. Sand, il fréquente les salons, écrit les *Nuits (mai, décembre,* 1835 ; *juin, août,* 1836 ; *octobre,* 1837) et poursuit son œuvre théâtrale *(Il ne faut jurer de rien ; Un caprice),* au milieu de nouvelles et décevantes liaisons amoureuses, notamment avec l'actrice Rachel, alors débutante (1839). *Souvenir* et *le Rhin allemand* sont les seuls poèmes importants d'une période morne, au cours de laquelle M. est fréquemment malade ; abusant de l'alcool, il a des crises nerveuses. En 1844, c'est une pleurésie ; l'année suivante, une nouvelle et grave rechute : ces atteintes consacrent l'épuisement physique et intellectuel de l'écrivain, qui termine pourtant *Il faut qu'une porte soit ouverte ou fermée* et se montre encore capable de charmants poèmes *(Sur trois marches de marbre rose).* Reçu à l'Académie française en 1852, il a une brève liaison avec l'amie de Flaubert, Louise Colet ; il réunit en volumes l'ensemble de son œuvre poétique (1852) et dramatique (1854). Nommé bibliothécaire au ministère de l'Instruction publique (1853), il termine sa vie dans la stérilité et l'inaction, buvant beaucoup, voyageant sans entrain. Il fut enterré dans l'indifférence générale.
Ce qui de M. est aujourd'hui célèbre resta longtemps dispersé dans les revues ; lui-même ne regroupa son œuvre qu'à l'heure où ses facultés créatrices s'étaient éteintes : à trente ans, il avait tout dit. Le juger n'est guère aisé : il mena la vie facile et légère d'un dandy se laissant aller à sa pente, mais la plus mondaine de ses œuvres éclaire les fonds du cœur humain d'une lumière souvent cruelle. Faible de caractère et inconstant, il avait l'intelligence vive, le goût sûr, une solide culture classique, et moins le souci de faire carrière que de montrer son esprit ; sa façon de poser, sous le masque de la dérision ou du sentimentalisme, les problèmes qui le hantent reflète la vie constamment désorientée d'un homme qui ne sut jamais sacrifier son plaisir à l'art mais qui comprenait profondément la gravité du débat. Le meilleur de M., dans tous les genres, est confession ; déguisée dans la bavarde *Confession* de 1836 – orchestration romancée mais sincère de son amertume –, la confidence se fait plus directe

dans les *Nuits,* apparemment moins personnelles, alors que le dialogue entre le Poète et la Muse traduit de façon naturelle le déchirement lucide d'un homme pris entre l'avilissement et le salut idéal par l'art.

À quoi rêvent les jeunes filles : ce titre d'un poème de 1832 a longtemps servi de commode étiquette pour classer M. Peu à peu s'est révélé – ne détruisant pas mais surclassant évidemment le poète et le rêveur – un des grands dramaturges de l'ère romantique. M., décu par ses premiers essais traditionnels, s'écarta si bien des normes reçues que la première création, celle d'*Un caprice,* n'eut lieu qu'en 1847, et que les versions adoptées pour la plupart de ses pièces furent longtemps, et de son vivant même, fabriquées à l'aide de coupures et de remaniements. Pourtant, *Lorenzaccio* (créé seulement en 1896) reste, loin devant tous les drames de Hugo, le chef-d'œuvre du théâtre romantique français : sa liberté shakespearienne dans le mélange des genres, l'ampleur de ses dimensions (trente-huit changements de lieu, plus de quarante personnages parlants), sa verve féroce s'enrichissent encore de la plus poignante version qu'ait donnée M. de sa propre angoisse. Le héros, Lorenzo, qui s'est avili pour remplir sa mission (tuer le tyran de Florence), s'en acquitte – bien qu'elle soit devenue inutile et le mène à la mort – pour s'affirmer face à ses ennemis et se hausser lui-même au-dessus de son avilissement : à vingt-quatre ans, comme s'il avait pressenti son destin, M., comme son héros, n'a déjà plus, comme recours suprême, que la mort. Acad. fr. 1852.

Œuvres. *Contes d'Espagne et d'Italie* (« Don Paez » ; « les Marrons du feu » ; « Portia » ; la Ballade à la lune »), 1829 (P). – *Les Secrètes Pensées de Rafaël, gentilhomme français,* 1830 (P). – *Les Vœux stériles,* 1830 (P). – *La Quittance du diable,* 1830 (T). – *La Nuit vénitienne,* 1830 (T). – *Un spectacle dans un fauteuil I : la Coupe et les lèvres* (T), précédé d'une *Dédicace ; À quoi rêvent les jeunes filles* (T) ; *le Saule* (P), *Namouna,* (P), 1832. – *À mon ami Édouard B...,* 1832. – *Le Roman par lettres,* 1833 (N). – *Andrea del Sarto,* 1833 (T). – *Les Caprices de Marianne,* 1833 (T). – *Une matinée de Don Juan,* 1833 (T). – *Rolla,* 1833 (P). – *On ne badine pas avec l'amour* (proverbe), 1834 (T). – *La Quenouille de Barbarie,* 1834 (T). – *Un spectacle dans un fauteuil II : Fantasio, Lorenzaccio,* 1834 (T). – *Nuit de mai,* 15 juin 1835 (P). – *Nuit de décembre,* 1er décembre 1835 (P). – *Un mot sur l'art moderne,* 1835 (E). – *Le Chandelier,* 1835 (T). – *Poésies nouvelles : Lettre à Lamartine ; Stances à la Malibran ; Une bonne fortune ; Lucie ; l'Espoir en Dieu ; Souvenir,* 1835-1841 (P). – *La Confession d'un enfant du siècle,* 1836 (N). – *Faire sans dire,* 1836 (T). – *Salon de 1836,* 1836 (E). – *Lettres de Dupuis et Cotonet,* 1836-1837. – *Les Deux Maîtresses* (nouvelle), 1837 (N). – *Emmeline* (nouvelle), 1837 (N). – *Nuit d'octobre,* 1837 (P). – *Un caprice,* 1837 (T). – *Frédéric et Bernerette* (nouvelle), 1838 (N). – *Margot* (nouvelle), 1838 (N). – *Le Fils du Titien,* 1838 (P). – *De la tragédie, à propos des débuts de Mlle Rachel,* 1838 (E). – *Croisilles* (nouvelle), 1839 (N). – *Un souper chez Mlle Rachel,* 1839 (N). – *Le Poète déchu,* 1839 (N). – *La Servante du roi,* 1839 (T). – *Une soirée perdue,* 1840 (P). – *Silvia,* 1840 (P). – *Le Rhin allemand,* 1841 (P). – *Sur la paresse,* 1842. – *Après une lecture,* 1842 (P). – *Pierre et Camille,* 1843 (N). – *Les Frères Van Buck,* 1844 (N). – *Le Secret de Javotte,* 1844 (N). – *Il faut qu'une porte soit ouverte ou fermée,* 1845 (T). – *Mimi Pinson,* 1845 (N). – *Sur trois marches de marbre rose,* 1849 (P). – *Louison,* 1849 (T). – *Carmosine,* 1850 (T). – *Bettine,* 1851 (T). – *On ne saurait penser à tout,* 1851 (T). – *Histoire d'un merle blanc,* 1852 (N). – *La Mouche,* 1853 (N). – *Pierre et Camille,* 1854 (T). – *Mélanges de littérature et de critique,* posth., 1866. – *Après la lecture d'« Indiana ». À George Sand,* six lettres du 2 août 1833 au 10 janvier 1835, posth., s.d.

Les Caprices de Marianne

Marianne est la jeune épouse du vieux juge Claudio. Cœlio en est amoureux, mais, trop timide, il charge son ami Octave de soutenir sa cause auprès de Marianne, qui commence par repousser ses avances. Blessée par les soupçons de son vieux mari jaloux, elle renoue avec Octave, dont la séduction naturelle et l'habileté qu'il met en œuvre au service de son ami l'incitent à tenter avec lui une aventure. Octave se refuse à profiter de cette occasion et croit que le moment est venu pour Cœlio d'intervenir pour son propre compte : il se rendra à la place d'Octave au rendez-vous que Marianne a donné à celui-ci ; mais ce rendez-vous est aussi un guet-apens tendu par Claudio ; Cœlio prend bien la place d'Octave, mais c'est pour être assassiné. Tandis que Marianne s'offre à consoler Octave de la mort de Cœlio, Octave la repousse et la quitte.

Fantasio

Le jeune Fantasio s'ennuie, et des créanciers le poursuivent. Il s'est donc engagé comme bouffon à la cour de Bavière, où se prépare le mariage de la princesse

Elsbeth avec le prince de Mantoue. Mariage qui ne plaît guère à la jeune fille, dont Fantasio surprend les confidences faites à sa nourrice. Il profitera de son déguisement pour mettre la princesse en face de la réalité de sa condition et de son destin, sous le double signe de la fantaisie et du désenchantement.

On ne badine pas avec l'amour

Camille et Perdican, deux amis d'enfance qui se retrouvent dans une atmosphère d'abord plaisante grâce à ces fantoches que sont, auprès de Perdican, son précepteur Balzius et, auprès de Camille, dame Pluche. Le baron, père de Perdican, a l'intention de marier les deux jeunes gens ; mais Camille prend à l'égard de son cousin, que cependant elle aime, le masque de l'insensibilité. Perdican, comme sur un coup de tête provoqué par le dépit, se tourne vers la jeune servante du château, Rosette, sœur de lait de Camille. Alors commence le « badinage avec l'amour » ; Camille annonce son départ, Perdican continue de jouer avec Rosette. Perdican apprend, par une lettre qu'il a interceptée, que Camille se vante de l'avoir désespéré ; il s'efforce alors de la rendre jalouse, et Camille surprend à son tour les paroles d'amour qu'il dit à Rosette. Piquée au vif, Camille cache Rosette dans sa chambre, fait venir Perdican, qui lui avoue son amour, Rosette s'évanouit : Perdican promet, pour se racheter, d'épouser Rosette, mais c'est alors Camille qui, prise à son propre piège, connaît toutes les tortures de la souffrance. Camille et Perdican se retrouvent, ils se laissent aller à leur passion, sans se douter que Rosette est là qui les entend ; un cri, Camille découvre Rosette morte : « Elle est morte. Adieu, Perdican. »

Lorenzaccio

Florence vit sous la tyrannie du duc Alexandre de Médicis, pourri de vice. La résistance est animée par les grandes familles républicaines, au premier rang desquelles les Strozzi, avec, à leur tête, l'intraitable Philippe. Auprès d'Alexandre, le jeune Lorenzo de Médicis, que le peuple a surnommé par mépris Lorenzaccio. Mais bientôt nous apprendrons que c'est pour entrer dans l'intimité du duc que Lorenzo a revêtu le masque de la débauche, pour pouvoir l'assassiner et ainsi libérer Florence. Mais le masque colle au visage ; Lorenzo rêve de régénération et, progressivement, prend conscience de l'impossibilité où il se trouve de redevenir le jeune libérateur qu'il voulait être. Pour aggraver son désenchantement, les républicains florentins lui apparaissent comme incapables de mener à bien une véritable action politique. Lorenzo tuera Alexandre, tout en étant convaincu que ce meurtre est pour lui dépourvu de sens et politiquement inutile. Effectivement, lorsque Cosme est proclamé duc de Florence et succède à Alexandre, le peuple reste passif, tandis que la tête de Lorenzo est mise à prix. Il réussira à se réfugier à Venise, mais il y sera assassiné, et son corps sera jeté dans la lagune.

MYSTÈRE. Ce genre dramatique médiéval tire son origine du drame liturgique né dès le IXe s. dans le cadre même du culte et à l'intérieur des églises. Le drame religieux proprement dit s'est progressivement développé à partir du moment où, au XIIe s., les représentations ont eu lieu sur le parvis des églises. Entre le XIIe et le XVe s., le drame prend de plus en plus exclusivement pour sujet la Passion du Christ, et, en même temps, se développent et se perfectionnent les techniques de composition, de représentation et de mise en scène, évolution qui conduit des premiers mystères du XIIe s. (*Jeu d'Adam ; Jeu de saint Nicolas* de Jean Bodel) aux grands mystères de la Passion du XVe s. (Arnoul Gréban, Jean Michel). Ce sont des œuvres considérables (35 000 à 45 000 vers), divisées en un certain nombre de journées et représentées selon la technique de la mise en scène simultanée : sur la scène sont figurés symboliquement les différents lieux de l'action, les « mansions », trois au moins (le Ciel, la Terre et l'Enfer), quelquefois beaucoup plus. Le nombre des acteurs est souvent considérable, et ce sont des acteurs professionnels, groupés dans des confréries dont la plus prestigieuse est la Confrérie de la Passion de Paris. Avec la Renaissance et le développement de la pensée humaniste, le mystère, devenu anachronique, a progressivement disparu. Le coup de grâce lui fut porté lorsque, en 1548, le parlement de Paris en interdit la représentation, alors jugée sacrilège. En 1952, un très grand succès accueillit la représentation du *Mystère de la Passion* de Gréban sur le parvis de Notre-Dame de Paris. (Voir JEAN DU PÉRIER, GRÉBAN, MERCADÉ, MICHEL).

MYTHE [grec *mythos* = fable]. Récit exemplaire, relatif à des temps ou à des faits héroïques ou fabuleux, élaboré à partir de l'histoire ou développant des thèmes symboliques incarnés dans des personnages et des événements. Qu'il soit objet de transmission orale ou d'expression littéraire, le mythe résume, dans une histoire simple, un nombre infini de situations possibles et permet de saisir certains types de relations constantes (ex. : le mythe d'Œdipe). Les mythes ont très souvent donné lieu à des œuvres littéraires, en particulier les tragédies antiques, classiques et modernes, d'Eschyle à Giraudoux. Ils ont ainsi été à la fois éclairés et transformés par l'imagination des auteurs. On ne peut plus guère les trouver à l'état pur que dans les sociétés dites « primitives ». C'est la tâche des ethnologues de recueillir les mythes d'une société donnée pour reconstituer, en les analysant, la « culture » des peuples qui en sont les créateurs. (*Cf.* Cl. Lévi-Strauss, *Mythologiques.*)

N

NADEAU Maurice. Paris 21.5.1911. Journaliste, critique littéraire et éditeur, N. a publié en 1945 une *Histoire du surréalisme* qui fait date. Contrairement à Breton, il considérait ce mouvement comme un phénomène historiquement délimité, appartenant déjà alors au passé. Directeur de *Combat* de 1945 à 1951, puis critique au *Mercure de France*, il devient directeur de collection aux éditions Julliard en 1953, puis chez Denoël jusqu'en 1977, date à laquelle il fonde sa propre maison d'édition « Lettres nouvelles – Maurice Nadeau ». Par les *Lettres nouvelles,* puis *la Quinzaine littéraire,* qu'il dirige depuis 1966, N. a joué un rôle primordial dans la diffusion d'œuvres et d'auteurs nouveaux ou peu connus. Ainsi, il introduit en France Malcolm Lowry, Lawrence Durrell, Gombrowicz et découvre Georges Perec. En adoptant une approche résolument moderne, il aborde aussi l'étude critique d'écrivains reconnus : son *Flaubert* lui vaut le Grand prix de la critique littéraire en 1969. Par ailleurs, il fut l'un des premiers à s'intéresser aux œuvres du marquis de Sade et à les éditer.

Œuvres. *Histoire du surréalisme,* 1945 (E). – *Documents surréalistes,* 1948 (E). – *Édition des œuvres du marquis de Sade,* 1948 (E). – *Littérature présente,* 1953 (E). – *Michel Leiris et la quadrature du cercle,* 1963 (E). – *Le Roman français depuis la guerre,* 1964 (E). – *Flaubert,* 1969 (E). – *Gustave Flaubert, écrivain,* rééd. 1980 (E).

NARCEJAC Thomas, Pierre Ayraud, dit. Rochefort-sur-Mer 3.7.1908. À partir de sa formation de philosophe et de son métier d'enseignant, il est amené à s'interroger sur le genre littéraire du roman policier, dont il élabore la théorie dans son *Esthétique du roman policier* de 1947, puis il se place à un point de vue plus concrètement critique en élucidant *le Cas Simenon.* L'essentiel de la théorie ainsi construite, dans la ligne de ce que suggéraient déjà les œuvres du fondateur du genre en France, Émile Gaboriau (1832-1873 ; voir ce nom), est l'idée que le principe originel de ce type de littérature est l'organisation systématique d'une rigueur logique n'excluant pas non plus l'humour noir.
La rencontre de N. avec Pierre Boileau donne ensuite naissance à une collaboration si étroite que leurs deux noms associés n'en forment plus qu'un, celui d'un des auteurs les plus célèbres du genre, l'un de ceux qui, après Simenon, ont largement contribué à conférer au roman policier son statut proprement littéraire (Voir ROMAN POLICIER.)

Œuvres. *Esthétique du roman policier,* 1947 (E). – *Esthétique du roman d'aventure,* 1948 (E). – *La Fin d'un bluff,* 1949 (E). – *Le Cas Simenon,* 1950 (E). – En collab. avec Pierre Boileau : *Les Victimes,* 1964, rééd. 1983 (N). – *Celle qui n'était plus,* 1965 (N). – *Les Louves,* 1967 (N). – *Delirium,* 1969 (N). – *Les Veufs,* 1970 (N). – *Manigances,* 1971 (N). – *La Vie en miettes,* 1972 (N). – *Opération Primevère,* 1973 (N). – *Le Secret d'Eunerville,* 1973 (N). – *Frère Judas,* 1974 (N). – *La Poudrière,* 1974 (N). – *La Tenaille,* 1975 (N). – *Les Intouchables,* 1980 (N). – *Mamie,* 1983 (N). – *La Dernière Cascade,* 1985 (N).

NATANSON Jacques. 1901 – Paris 1975. Il acquit très jeune une assez brillante notoriété en portant à la scène des sujets vifs et légers qui ne sont pas pour autant superficiels : N. sait en effet y masquer la finesse de sa psychologie derrière un humour délicat et suggestif qui trouve sa meilleure expression dans *le Greluchon délicat.* Puis il voulut élever le ton, mais *l'Été,* qui aborde la question sociale, marqua le déclin de sa célébrité.

Œuvres. *L'Âge heureux,* 1921 (T). – *L'Enfant truqué,* 1922 (T). – *Les Amants saugrenus,* 1923 (T). – *Le Greluchon délicat,* 1926 (T). – *Fabienne,* 1933 (T). – *L'Été,* 1934 (T).

NATURALISME. Né du courant réaliste, qu'il prolonge par son souci du document et de l'observation objective, le naturalisme veut parvenir en littérature à une rigueur toute scientifique. Le romancier naturaliste subordonne la psychologie à la physiologie et s'attache à faire ressortir les conditions physiologiques et l'influence des milieux et des circonstances (sociales, politiques, etc.), qui, selon lui, déterminent la personne humaine. À la suite des Goncourt (1864, *Germinie Lacerteux*), Zola, influencé d'abord par Taine puis par le positivisme philosophique, et surtout par les travaux scientifiques de Cl. Bernard (*Introduction à la médecine expérimentale,* 1865) et du Dr Lucas (sur l'hérédité), s'engage dans les voies du naturalisme dès 1867, avec *Thérèse Raquin.* Il en définira l'esthétique dans plusieurs documents et, entre autres, dans son *Roman expérimental* (1880). Pour lui, le romancier naturaliste est un expérimentateur. Sa méthode consiste à vérifier les lois dégagées par l'observation, comme le biologiste contrôle des hypothèses et formule des lois. Zola reprend d'ailleurs entièrement les idées de Cl. Bernard pour les appliquer au roman. Le naturalisme domine la littérature après 1870. Dans sa villa de Médan, près de Paris, Zola réunit autour de lui ses disciples, Maupassant, Huysmans, Céard, Alexis, Hennique. En commun, ces écrivains publient en 1880 le recueil de nouvelles naturalistes connu sous le titre *les Soirées de Médan.* Parallèlement se développe l'effort naturaliste au théâtre. Zola attaque ce qu'il appelle la « convention », qui affadit la comédie d'alors. Le théâtre naturaliste doit « apporter la puissance de la réalité », multiplier les « tranches de vie », sans concession à la morale bourgeoise, et décors, costumes, accessoires seront scrupuleusement documentaires. De nombreux romans naturalistes des Goncourt, de Zola, de Maupassant, de Daudet, etc., sont adaptés à la scène, généralement sans grand succès. Seul, H. Becque, qui se rattache indirectement au naturalisme, donnera d'authentiques chefs-d'œuvre, tandis qu'Antoine (1858-1943), fondateur du Théâtre-Libre, assure l'éphémère triomphe de la mise en scène naturaliste en s'attachant au réalisme des décors et à la vérité de l'interprétation. De 1887 à 1896, il fera jouer quelque cent quatorze auteurs. Pourtant, la doctrine naturaliste est vivement attaquée : on reproche aux œuvres brutalité, obscénité, vulgarité, pseudo-science et mépris de l'art. Au moment de la parution du roman de Zola *la Terre* (1887), plusieurs de ses anciens disciples publient le *Manifeste des Cinq* (J.-H. Rosny, L. Descaves, P. Margueritte, Bonnetain, Guiches), qui rejette le naturalisme. Zola souhaiterait alors arriver à « une sorte de classicisme du naturalisme [par une] acceptation plus logique et plus attendrie de la vie », et c'est sous une forme plus nuancée et plus atténuée que cette littérature sociale va se maintenir, avec son idéalisme réformateur qui veut agir sur la société et la transformer. À ce mouvement vont se rattacher, diversement, des écrivains tels que A. Daudet, J. Vallès, J. Renard, Mirbeau, les frères Rosny, L. Descaves, Brieux, etc., et l'école populiste. Mais l'influence du naturalisme français fécondera la plupart des grandes littératures étrangères, dans les œuvres de Hauptmann en Allemagne, de Dreiser au États-Unis, d'Ibsen et Strindberg en Scandinavie ; en Italie, enfin, le grand mouvement « vériste », illustré par Verga, se rattache directement au naturalisme.

NAU Émile. Écrivain haïtien. (Voir NÉGRO-AFRICAINE [LITTÉRATURE].)

NAU Ignace. Écrivain haïtien. (Voir NÉGRO-AFRICAINE [LITTÉRATURE].)

NDEDI PENDA Patrice. Yabassi 1945. Écrivain camerounais. Il fit de bonnes études secondaires à Douala et se spécialisa, à Nanterre, en philosophie et psychologie. En 1969, sa première pièce de théâtre, *le Fusil,* obtint le prix des Auditeurs à l'O.R.T.F. Avec *la Nasse,* il fit ses premiers pas dans le roman. Cette œuvre traite du conflit entre l'amour et, à la fois, la tradition et la situation créée par l'indépendance récente de l'Afrique.

Œuvres. *Le Fusil,* 1969 (T). – *La Nasse,* 1972 (N).

NÉGRO-AFRICAINE [LITTÉRATURE]. L'intérêt soulevé par les questions africaines depuis quelques années a permis de révéler à un public plus nombreux la variété et les richesses de la littérature négro-africaine. Contes, épopées, proverbes et autres formes de littérature orale ont cessé d'intéresser seulement les folkloristes ou les anthropologues. Des collections de « classiques africains » ont commencé à publier, avec une grande rigueur scientifique, des textes recueillis de la tradition orale ou puisés dans les vieux manuscrits en langues africaines. Poètes et romanciers africains écrivant en français ont trouvé, après l'engouement suscité par leurs débuts, des lecteurs fidèles et attentifs aussi bien en Afrique francophone que dans d'autres parties du monde. Les circonstances de l'histoire ont imposé aux Africains l'usage de langues européennes – l'anglais, le français, le portugais et, dans une moindre mesure, l'afrikaans et l'espagnol ; en retour, l'emploi de ces langues a souligné et parfois favorisé l'unité du monde négro-africain.

Amérique et Antilles. XIXe siècle

C'est en Amérique et aux Antilles que la littérature négro-africaine en langue française se développe au XIXe s. En Louisiane, francophone jusqu'à la guerre de Sécession, des auteurs « créoles », d'ascendance africaine, comme **Camille Thierry** ou **Victor Séjour**, violemment romantiques, retrouvent parfois un ton qui évoque l'Afrique. À la Martinique et en Guadeloupe, la vie intellectuelle reste morne et provinciale. Mais l'indépendance, acquise en 1804, de la république d'Haïti, premier État noir à se libérer de la tutelle coloniale, suscite une vie littéraire intense. Le français y est langue officielle, mais la majorité de la population parle créole. Si la plupart des écrivains s'expriment en français, quelques-uns choisissent le créole pour composer des contes et des chansons... ou telle savoureuse transposition des fables de La Fontaine. L'influence de la littérature française reste prépondérante durant tout le XIXe s., et l'on peut retrouver à Haïti le contrecoup de toutes les révolutions et de toutes les modes littéraires européennes. Du romantisme procèdent la poésie langoureuse et sensuelle de **Coriolan Ardouin** ou d'**Ignace Nau**, le désir d'authenticité culturelle d'**Émile Nau**, qui souhaite naturaliser le français « quelque peu bruni sous les tropiques », et le goût pour l'histoire, entreprise de résurrection du passé national. **Oswald Durand** et d'innombrables épigones du Parnasse chantent les paysages d'Haïti et la beauté de ses femmes. À la fin du siècle, quelques romans vaguement réalistes proposent un tableau pittoresque de la vie populaire.

La « Renaissance nègre ». XXe siècle

À travers tout le monde négro-africain, le début du XXe s. est marqué par un mouvement de renaissance des valeurs culturelles noires. L'Europe elle-même découvre la fécondité artistique des peuples qu'elle méprisait : Cendrars, Apollinaire, Braque et Picasso s'enthousiasment pour l'« art nègre », Jean Cocteau pour la musique de jazz. Le docteur **Jean Price-Mars**, ethnologue et diplomate, réveille la littérature haïtienne en revalorisant, dans *Ainsi parla l'oncle* (1928), le folklore, le parler créole et la religion vaudoue, et en revendiquant l'héritage ancestral, qui est « pour les huit dixièmes un don de l'Afrique ».

Le roman se fait le miroir de la vie quotidienne et paysanne du peuple haïtien ou reflète le malaise des intellectuels noirs qui sentent leur personnalité se dissoudre au contact des influences occidentales. Les romans révolutionnaires et poétiques de **Jacques Roumain** et de **Jacques-Stephen Alexis** obtiennent un succès international, tout en restant, par la langue et le tropicalisme des images, enracinés dans la tradition haïtienne. Plus récemment, la poésie elliptique et hermétique de **Clément Magloire Saint-Aude**, la fulgurance lyrique de **Davertige**, la passion de **Jean-F. Brierre** pour la négritude, les poèmes militants de **René Belance** et de **René Depestre** ont montré la diversité et la vitalité de la poésie haïtienne.

Aux Antilles françaises, c'est la parution de l'unique numéro de la revue *Légitime Défense*, en 1932, qui marque le mieux la volonté de faire renaître la personnalité antillaise. Le message de *Légitime Défense* devait être entendu par les jeunes étudiants négro-africains de Paris et être à l'origine du mouvement de la négritude.

Dès 1921, les Africains avaient pris la parole dans la littérature française. **René Maran**, Antillais de naissance, mais élevé en France et fonctionnaire colonial de métier, avait publié *Batouala,* « véritable roman nègre ». Le livre obtint le prix Goncourt. Poursuivant son œuvre dans une longue série de romans africains, René Maran a composé un tableau nuancé de la vie quotidienne dans les villages de la forêt équatoriale. Un mouvement de retour aux sources s'amorce ainsi et va désormais se développer. À partir de 1930, à Paris, des groupes de discussion se forment, des associations d'intellectuels négro-africains se créent, des journaux (comme *l'Étudiant noir*, 1934) répandent des idées nouvelles. Avant 1940, quelques grandes œuvres littéraires ont déjà été écrites et parfois publiées. Le Guyanais **Léon Damas** (1912-1978) crie dans *Pigments* son dégoût de la culture européenne qu'on l'a forcé à adopter. **Aimé Césaire** torture et martèle la langue française dans son *Cahier d'un retour au pays natal*, évocation sauvage et révoltée des Antilles qui n'ont plus rien d'îles heureuses. Le Sénégalais **Léopold Sédar Senghor** compose les poèmes de *Chants d'ombre*, retour à l'enfance africaine d'un homme qui se découvre trop à l'aise dans la culture occidentale.

Plusieurs revues – *Tropiques*, aux Antilles, pendant la Seconde Guerre mondiale ; *Présence africaine*, à Paris, dès 1947 – et la célèbre *Anthologie de la nouvelle poésie nègre et malgache* (1947), de Léopold Sédar Senghor, précédée d'une retentissante préface de Jean-Paul Sartre *(Orphée noir)*, lancent la réflexion autour d'une notion qui semble être apparue pour la première fois sous la plume de Césaire en 1938 : la négritude. Notion confuse, envahissante, trop riche de ses visages multiples : agressive et violente quand elle est cri des opprimés, expression de la souffrance d'une race ; sereine quand elle chante l'harmonie de la vie africaine traditionnelle ; triomphante quand elle redécouvre avec enivrement les splendeurs nègres occultées dans les « sommeils de l'histoire ». Jusque vers 1960, la littérature africaine de langue française s'écrit plus ou moins directement dans la mouvance de la négritude. La revue *Présence africaine* fonde une maison d'édition et organise deux congrès réunissant, à Paris en 1956 et à Rome en 1959, les « hommes de culture » du monde noir. La *Société africaine de culture* devient l'organisme animateur du mouvement et, en 1966, organise le premier Festival mondial des Arts nègres.

À l'ombre des chantres majeurs de la négritude, d'autres poètes explorent « le pays de souffrance » ou dressent l'inventaire de l'Afrique. **Birago Diop** écoute dans les choses la voix des ancêtres morts. **Bernard Dadié** retrouve la fierté d'être lui-même : « Je vous remercie, mon Dieu, de m'avoir créé noir. »

Le roman historique de **Paul Hazoumé**, *Doguicimi* (1938), avait donné une image fascinante de l'Afrique d'autrefois en évoquant le règne de Guezo, roi d'Abomey. D'autres romans ont tenté de ressusciter les splendeurs du passé africain : épopées lointaines transcrites par **Nazi Boni** ou **Djibril Tamsir Niane** ; grande fresque de l'histoire camerounaise de **Jean Ikellé-Matiba**. On a vu aussi se multiplier les romans autobiographiques où l'Africain qui a perdu sa propre identité se met à la recherche de son être. Dans ce type de romans, le narrateur, ou le personnage qui est la projection de l'auteur, possède seul quelque épaisseur romanesque. Autour de lui, quelques comparses falots s'agitent devant un décor sans profondeur et quasi irréel. L'intrigue, à peine nouée, se réduit à une succession d'événements qui s'abattent au hasard sur les personnages. *L'Aventure ambiguë* de **Cheikh Amidou Kane** demeure l'archétype du roman de l'acculturation. D'autres romanciers se sont engagés dans la voie de la dénonciation d'une situation intenable. Avec eux, le roman devient miroir critique de la société coloniale. La verve satirique et volontiers anticléricale de **Mongo Beti** et de **Ferdinand Oyono** excelle à brosser le tableau impitoyable de la période de la colonisation. Moins directement polémiques, les romans d'**Ousmane Soce, Abdoulaye Sadji, Seydou Badian** ou **Francis Bebey** s'attachent à décrire l'Afrique du XXe s. dans son authenticité. Souvent moralisatrice dans la dénonciation des périls du modernisme, l'analyse sociale y reste fragmentaire. Au contraire, **Sembène Ousmane**, avant de se consacrer au cinéma, s'était fait le romancier d'une révolution africaine qui ne serait pas retour à un passé figé, mais volonté de maîtriser les techniques modernes.

Si ces œuvres s'inscrivent dans le courant de la négritude, d'autres œuvres s'en écartent notablement. Les romans philosophiques de **Camara Laye** *(le Regard du roi)* ou d'**Olympe Bhêly-Quenum**, les jongleries ambiguës de **Yambo Ouologuem**, le monologue intérieur d'**Amadou Kourouma** inaugurent une nouvelle direction du roman africain, qui désormais interroge l'Afrique d'aujourd'hui pour inventer les valeurs de l'Afrique future. Parallèlement, la poésie brutale et blessée de **Tchicaya U'Tamsi**, dans son symbolisme touffu, annonce le renouvellement du lyrisme africain, moins disposé à se plier aux mots d'ordre d'une idéologie. On peut retrouver une évolution semblable à Madagascar. Après **Jean-Joseph Rabearivelo** (qui se suicida en 1937), poète de l'indécis et du choix impossible, prisonnier de la situation coloniale mais fasciné par les voix lointaines de l'Occident, **Jacques Rabemananjara**, cofondateur de *Présence africaine*, se découvrit poète dans les tumultes de l'histoire et le silence des cachots : son lyrisme révolté ou altier incite à une redécouverte intime et combattante de son île. Mais Rabemananjara s'est tu, et la jeune littérature malgache se cherche, préférant l'exploration des possiblités de la langue malgache aux séductions usées du français.

L'avenir de la littérature africaine

Est-il possible de dégager les caractères généraux de la littérature africaine ? Elle s'est développée dans des circonstances historiques particulières : fin de la période coloniale et luttes de la décolonisation. Elle s'est trouvée naturellement engagée dans les combats de libération nationale. Elle s'est tournée vers le public occidental, que ce soit pour l'agresser ou pour lui faire prendre conscience de la politique d'oppression coloniale poursuivie en son nom ou encore pour le séduire par le pittoresque, l'exotisme, le merveilleux, le surréalisme propres à l'Afrique et à sa tradition. « Arme miraculeuse » au service de la révolution africaine ou témoignage des déchirements et des conflits qui agitaient l'Afrique et les Africains colonisés, cette littérature peut-elle survivre aux conditions historiques qui l'ont vu naître, et s'enraciner dans la vie culturelle négro-africaine ? Il est difficile de prévoir le sort réservé en Afrique aux langues européennes : elles seront concurrencées par les grandes langues africaines, mais dans quelle mesure ? Par ailleurs, quelques écrivains se sont efforcés de réserver leurs œuvres à un public spécifiquement africain, en recourant au créole ou en empruntant une thématique étrangère aux références occidentales.

Depuis une vingtaine d'années, les romanciers parviennent ainsi à réaliser une synthèse entre modernisme et traditionalisme (le récit d'Ousmane Sembène, *Xala,* paru en 1973, en est un bon exemple). De plus, ils adoptent plus volontiers aujourd'hui une perspective autocritique et un style humoristique dans des romans de mœurs (*le Fils d'Agatha Moudio* de Francis Bebey, 1967) qui rappellent ceux plus anciens de Mongo Beti ou de Ferdinand Oyono. Néanmoins, l'humour laisse souvent place à une critique plus acerbe du système politique actuel des pays africains et à une profonde réflexion sur ce que devraient être les priorités culturelles, politiques et économiques. Dans cette perspective, par exemple, Kourouma, dans *les Soleils de l'Indépendance,* dénonce le leurre qu'est une liberté sans conscience et affirme la nécessité d'une conquête efficace d'identité. Les véritables chances et l'avenir de la littérature africaine moderne, qu'elle soit de langue africaine ou européenne, réside dans l'élargissement du public africain et dans les possibilités de métamorphose ou d'adaptation à l'écrit de la tradition orale, car c'est bien elle qui conserve la mémoire des peuples et rajeunit les anciens mythes de l'humanité. (Voir BIBLIOGRAPHIE.)

NELLIGAN Émile. Montréal 24.12.1879 – 1941. Écrivain canadien-français. Né d'un père irlandais et d'une mère canadienne-française, il fréquente l'école sans trop d'assiduité, puis il interrompt ses études à dix-huit ans. C'est le type même du mauvais élève, qui rêve pendant que ses camarades travaillent ; il aime marcher et fait d'interminables promenades : dès l'âge de quinze ans, il fait le tour de l'île de Montréal, laissant ses compagnons épuisés derrière lui. Encore enfant, il passait ses nuits à battre les pavés de la ville !

En 1896, à dix-sept ans, il commence à publier ses poèmes dans *la Patrie, le Monde illustré, le Samedi,* revues qu'il a lues ou plutôt dévorées, seul parmi ses contemporains à pénétrer dans l'univers poétique jusqu'à en faire sa retraite et son refuge. Il pratique les symbolistes – Baudelaire, Rimbaud, Verlaine, Poe, Mallarmé, Rollinat surtout, à cause des *Névroses,* et Rodenbach, qui publiait en 1896 les *Vies encloses.* En 1897, présenté par Arthur de Bussières, il est admis au sein de l'école littéraire de Montréal et abandonne définitivement ses études. Son père tente en vain de le pousser vers un métier. Il l'envoie à Liverpool, bref et stérile voyage en Europe qui ne laisse aucune trace. Presque toute son œuvre est écrite entre 1897 et 1899. Il est tout à la fois fêté et envié par ses pairs du cénacle montréalais : lorsqu'il paraît au milieu d'eux, ils en font leur symbole et s'inclinent devant son génie. Un soir de mai de 1899 où il se révèle à ses amis en déclamant sa « Romance du vin », on lui fait par les rues un cortège triomphal. Continuer d'écrire, se renouveler équivaudrait à accepter l'existence de poète triomphant qui s'offre à lui, et il s'y refuse. Il se laisse sombrer dans « l'abîme du rêve », comme Nerval et comme Crémazie dans son exil. Pour N., second des poètes maudits du Canada français, ce retranchement est total. Le 9 août 1899, il est trouvé prostré et en larmes au pied d'une statue de la Vierge, et il entre à la retraite Saint-Benoît, d'où il ne sort qu'en 1925 pour être interné à Saint-Jean-de-Dieu, où il reste jusqu'à sa mort, seize ans plus tard. Dès 1904, son ami Louis Dantin avait fait paraître la première édition de ses poèmes. Dans sa préface, il annonce la valeur et l'originalité du poète, maintenant reconnu avec une ferveur renouvelée. N. est devenu dans la poésie canadienne-française un véritable mythe. On le retrouve aujourd'hui, partout présent, dans les œuvres des jeunes poètes, qui ont souvent, par lui, redécouvert la poésie et leur pays. Ce mythe repose à la fois sur la qualité des vers du poète-enfant, sur la démarche tragique de cette vie et sur la beauté de l'homme. N., physiquement, figure le poète : front large et inspiré, bouche sensuelle et légèrement méprisante, yeux mélancoliques et profonds, chevelure

à l'allure romantique. L'aspect prémonitoire de la poésie de N. est évident dans le célèbre « Vaisseau d'or », l'un de ses plus beaux sonnets. Des poèmes comme celui-là et « Vision » tracent à l'avance le cheminement du poète vers la folie : son rêve est de devenir fou. Le goût du jeu et du théâtre apparaît en filigrane dans les poèmes, où il se joue des mots avec une telle facilité que la tragédie de son drame intérieur échappe parfois, comme dans « la Vierge noire ». « La Romance du vin », qui l'a rendu célèbre, témoigne également de ce délire verbal. Il donne souvent l'impression d'avoir découvert une machine merveilleuse, aux ressources infinies, dont il s'amuse follement dans le désespoir même. Cette machine merveilleuse est la langue française.
Ses thèmes essentiels sont la ville, la mort, la mère. Il est le premier poète canadien à affronter le monde moderne qui le déchire. Il court par les rues, fuyant son démon. Impossible pour lui de se tourner vers le passé ni de comprendre l'avenir. Il s'abandonne à des visions apocalyptiques de destruction et de mort. On le sent notamment dans « Sérénades tristes » et dans « Clair de lune intellectuel ». Sa poésie n'est ni une tentative pour reconstruire le monde ni un essai de compréhension, elle est le cri de rage d'un enfant devant un univers clos. Ce monde doit disparaître : c'est le sens du poème « Devant le feu ». Il choisit la fugue pour échapper aux horreurs de la vie et le déclare expressément dans « Tristesse blanche. »
Il se réfugie souvent dans les bras maternels. Mais même auprès de sa mère, le remords l'attend. Il cause son vieillissement précoce par les inquiétudes qu'il lui inflige. Dans une église, devant une statue de la Vierge, alors qu'il implore son pardon et gémit sur son sort, une folie douce s'empare de lui, cette mort qu'il avait appelée comme le bien suprême.
N. est un précurseur, qui s'est brisé contre la vitre du monde. Il a tenté, à une époque qui ne pouvait comprendre que les petits-maîtres, de donner un rythme à la conscience obscure du Canada français. Cette conscience était faite de haine, de cris incompréhensibles, des déchirements de l'ancienne foi, perdue dans les glaces du monde des machines. N. est devenu fou parce qu'il a compris, au plus profond de son être, le drame intérieur des hommes qui l'entouraient. Il a crié leur désespoir. Il l'a vécu. Il en est mort.

Œuvres. *Émile Nelligan et son œuvre,* 1903, rééd. 1945. – *Poésies* (1re éd.), 1904. – *Poésies complètes, 1896-1899,* posth., 1952, rééd. 1966.

NÉMIROVSKY Irène. Kiev 24.2.1903 – morte en déportation 1942. Romancière française d'origine russe. Fille d'un banquier russe émigré en 1917, elle a écrit un petit nombre de romans amers et violents, qui peignent les haines cachées du cœur humain et prennent le plus souvent comme personnages les réfugiés juifs de l'entre-deux-guerres, cela en particulier dans son œuvre maîtresse, *David Golder.*

Œuvres. *Le Malentendu,* 1926 (N). – *David Golder,* 1929, rééd. 1968 (N). – *Le Bal,* 1930 (N). – *Le Vin de solitude,* 1935 (N). – *Films parlés* (nouvelles), 1935 (N). – *L'Affaire Couriloff,* 1936 (N). – *Jézabel,* 1936 (N). – *La Proie,* 1938 (N). – *Les Chiens et les Loups,* 1940 (N). – *La Vie de Tchekhov,* posth., 1946 (E). – *Les Feux de l'automne,* posth., 1957 (N).

NÉOPLATONISME. Doctrine des théosophes et mystiques, disciples d'Ammonius Saccas et de Plotin, qui mêlaient l'ancien platonisme à la théologie et à la démonologie orientale. Le terme de néoplatonisme est quelquefois abusivement utilisé pour désigner l'école philosophique d'Alexandrie (IIIe s. apr. J.-C. jusqu'au VIe s.). La doctrine néoplatonicienne a d'autre part inspiré une tradition poétique qui a trouvé son origine dans l'école florentine de Marsile Ficin au XVe s. et qui constitua un des grands courants de la culture européenne issue de la Renaissance : groupe platonicien autour de Marguerite de Navarre (voir HÉROËT) et école lyonnaise (voir ce terme), en France, *Cambridge Platonists,* en Angleterre.

NERVAL Gérard de, Gérard Labrunie, dit. Paris 22.5.1808 – 26.1.1855. Il a pour père un médecin militaire qui suit les armées napoléoniennes à travers l'Europe. Sa mère meurt en 1810, « de fièvre et de fatigue », en Silésie, où elle a accompagné son mari. Gérard, laissé en nourrice à Loisy, dans le Valois, est d'abord élevé par son grand-oncle, Antoine Boucher, à Mortefontaine. Chez cet enfant, d'une nature rêveuse et d'une extrême sensibilité, les images et légendes de la campagne du Valois laisseront une empreinte indélébile. Les souvenirs et la bibliothèque du grand-oncle lui apportent, eux, un mélange de scepticisme philosophique et d'illuminisme propre au XVIIIe s. Lorsque, en 1814, son père regagne la France et s'installe à Paris, N. fréquente le collège Charlemagne, où il a pour condisciple Th. Gautier, qui restera son ami. À dix-huit ans, il compose des vers classiques à la gloire de l'Empereur *(Napoléon et la France guerrière,* *élégies nationales)* et une comédie satirique, *l'Académie ou les Membres introuvables.* Dès sa jeunesse, il s'intéresse à l'ésotérisme. En 1827, il traduit et publie une partie du *Faust* de Goethe, qui lui vaut une renommée immédiate. Introduit par Gautier, il fréquente le cénacle romantique, loue Béranger et rencontre, parmi d'autres, Pétrus Borel et surtout Hugo. Du roman de celui-ci, *Han d'Islande,* il tire un mélodrame (1829). Il participe, toujours aux côtés de Gautier, à la célèbre bataille d'Hernani (1830). La même année, il fait paraître une traduction de *Poésies allemandes* et un *Choix de poésies des poètes du* XVI*e s.* À partir de 1831, il prend, après divers autres, le pseudonyme définitif de G. de Nerval, du nom d'un clos appartenant à sa famille maternelle et qui rappelle aussi le nom de l'empereur romain Nerva. Après deux essais dramatiques avortés *(le Prince des sots, Lara),* N. commence, pour complaire à son père, des études de médecine qu'il poursuivra jusqu'en 1834, tout en fréquentant artistes et écrivains. L'héritage de son grand-père maternel lui permet d'abandonner la médecine. Il part alors visiter longuement l'Italie (Florence, Rome, Naples). À son retour, il s'installe impasse du Doyenné, où ses amis mènent joyeuse vie – c'est l'époque des « Châteaux de Bohême » et des insouciantes compagnes, les « Cydalises ». S'étant follement épris de l'actrice Jenny Colon (qui, dans son œuvre, inspirera le mythe d'Aurélie ou Aurélia), il s'emploie à appuyer sa carrière en fondant une revue, *le Monde dramatique,* qui ne tarde guère à faire faillite et le ruine. Dès lors, il ne cessera de se consacrer à des activités littéraires, collabore à des journaux comme feuilletoniste ou chroniqueur et voyage presque constamment. Librettiste et auteur dramatique, il écrit des opéras-comiques comme *Piquillo,* interprété par Jenny Colon, ou *les Monténégrins,* donne des traductions ou des adaptations *(Misanthropie et Repentir,* trad. de Kotzebue, *le Chariot d'enfant,* d'après le drame indien du roi Çudraka) et, en collaboration avec A. Dumas, diverses pièces, notamment *l'Alchimiste* et surtout *Léo Burckhart,* qui demeure sa principale contribution originale à la littérature dramatique. *L'Imagier de Harlem ou la Découverte de l'imprimerie,* un drame-légende inspiré du *Faust* de Klinger et quelques scènes de son *Nicolas Flamel* montrent à quel point le poète est hanté par les thèmes faustiens. L'Allemagne, où sa mère est d'ailleurs enterrée, le fascine, une Allemagne romantique que lui révèlent le poète Henri Heine, qu'il connaît et traduit et dont il est si proche, et le monde fantastique et magique de *Faust* et de Hoffmann. Il s'y rend avec Dumas en 1838. L'année suivante, il est à Vienne, où il rencontre Liszt et une jeune pianiste concertiste, Marie Pleyel, dont il s'éprend *(cf. la Pandora).* Rentré à Paris, il fait paraître une nouvelle édition du *Faust* et la traduction du *Second Faust.* La même année, il retrouve à Bruxelles Marie Pleyel et Jenny Colon. Celle-ci, mariée à un flûtiste depuis 1838, va mourir en 1842, et la nouvelle frappera violemment l'imagination du poète. Déjà, en 1840, il a été profondément bouleversé par la mort d'une autre femme, première incarnation du mythe de l'éternel féminin : Sophie Dawes, baronne de Feuchères, maîtresse du duc de Bourbon, autrefois entrevue alors que la belle amazone chevauchait à travers le parc de Mortefontaine. Cette Sophie, l'Adrienne de « Sylvie », est une figure de rêve, une figure mystique, tout comme la mère qu'il n'a jamais connue. Brutalement, en 1841, N., terrassé par une première crise de folie, a dû être interné dans la clinique du Dr Blanche. Dans ses idées délirantes, le poète revendique les ascendances les plus fantastiques, comme le montrent les lignages multiples et extraordinaires de sa « généalogie fantastique ». Son destin lui apparaît, en particulier, étroitement lié à celui de Napoléon. Dans ses œuvres et dans ses propos, le nom de l'Empereur reviendra maintes fois, que N. s'identifie à lui ou qu'il s'en dise le parent. Lorsque la crise de 1841 est passée, il lui reste l'impression d'une révélation du surnaturel : la folie, expérience assimilable pour lui à une descente aux Enfers, devient un moyen de connaissance spirituelle qu'il maîtrise dans un effort conscient : « Il voyait sa folie face à face », écrira le Dr Blanche, et, jusqu'à la fin, il conservera le pouvoir de transcrire l'« épanchement du songe dans la vie réelle ». Il réussira à « percer... ces portes d'ivoire ou de corne qui nous séparent du monde invisible », du monde du rêve. Son œuvre, d'un art savant et d'une écriture limpide, naît de cette interpénétration de la vie réelle et du songe, jusqu'à ce que le monde de la vie soit tout entier interprété comme un monde de signes, les signes de ces réalités révélées au cœur même de la nuit par les illuminations du songe. Le voyage qu'il entreprend en 1843 vers l'Orient, l'esprit formé par la lecture de nombreuses œuvres ésotériques et par les traditions bibliques de la franc-maçonnerie, sera avant tout une exploration mystique. Son itinéraire le conduit en Égypte, au Liban, à Rhodes, à Constantinople, à Malte, à Naples, vers les sources du sacré, les hauts lieux de l'initiation. Il en rapporte le *Voyage en*

Orient, descriptions et anecdotes de toutes sortes, mais surtout compte rendu de sa quête mystique à travers différentes « histoires » qui donnent au livre son sens profond. 1851 marque chez N. le début de la période des œuvres maîtresses, mais aussi celle des rechutes de plus en plus graves et fréquentes dans la folie. En 1852, il publie *Loreley, souvenirs d'Allemagne ; les Nuits d'octobre,* vagabondage nocturne à bâtons rompus, où rêve et vie se mêlent étroitement ; *les Illuminés ou les Précurseurs du socialisme,* nouvelles écrites à des dates diverses, dans lesquelles le rêveur mystique se double d'un admirable conteur (influencé par Nodier), et dont les plus remarquables sont consacrées à Restif et à Cazotte. À la fin de 1852, mais avec la date de 1853, paraissent les *Petits Châteaux de Bohême,* prose et poésie, représentant les trois âges de la vie du poète : le temps des *Odelettes* (poésies dans le goût de Ronsard, écrites dans la jeunesse de l'auteur) ; celui de l'amour pour Jenny Colon, qui est aussi l'époque où il compose un proverbe, « Corilla » ; et celui du désespoir et de la résignation, évoqué par des vers empruntés à *Piquillo* et aux *Monténégrins.* En 1853, il réunit, sous le titre de *Contes et Facéties,* plusieurs contes écrits entre 1830 et 1849, mi-fantastiques mi-humoristiques, à la manière d'Hoffmann qu'il admire et traduit. Au début de 1854 paraissent, avec les sept nouvelles formant *les Filles du feu,* douze sonnets au mystérieux éclat, *les Chimères,* dont la perfection formelle s'allie à l'expression symbolique et mystique. Ils ont leur origine dans les mystères orphiques des pythagoriciens, et le poète, amalgamant les religions en une mythologie personnelle, y condense la somme de son expérience mystique vécue (lectures, souvenirs, rêves) en une langue d'une pure clarté, qui enveloppe de lumière l'hermétisme de la pensée. *Les Filles du feu,* subtilement reliées entre elles par la progression de la mythologie nervalienne, se partagent en nouvelles françaises, avec « Angélique » et « Sylvie » (suivie de « Chansons et Légendes du Valois »), et nouvelles italiennes et napolitaines (dont « Isis », souvenir de Pompéi et étude sur le culte de la déesse, « Octavie », évocation de la rencontre de N. avec une jeune Anglaise, autre incarnation éphémère de l'éternel féminin qui se fondra, elle aussi, dans le mythe unique d'Aurélia, et « Corilla »). « Sylvie », la plus lumineuse des nouvelles, toute en demi-teintes, d'une délicatesse et d'un charme subtils, aux confins du réel et du rêve, évoque le Valois, ses étangs, ses brumes, ses châteaux. L'année 1854, marquée par de graves crises mentales et par un voyage en Allemagne, va conduire le poète au terme de son aventure spirituelle et mystique. Il écrit encore *la Pandora,* fragment qui, associant Marie Pleyel à l'éternel féminin démoniaque, trahit par sa bizarrerie le désordre de son esprit lorsqu'il le composa. Dans ses *Promenades et Souvenirs,* pages d'une prose pure et poétique, N. se tourne de nouveau vers l'enfance, en un ultime effort pour conjurer la folie par l'écriture. Enfin, au terme mystérieux d'une vie dont l'équilibre s'est rompu entre le réel et le songe, l'angoisse qui le gagne a accru ses tendances au vagabondage et à l'errance. Sans domicile fixe après sa sortie de clinique, il passe ses nuits à la belle étoile, chez des amis ou dans des asiles de nuit. Sa dernière œuvre, *Aurélia,* retrace son itinéraire spirituel à travers les troubles mentaux. Il s'y penche avec inquiétude sur sa double nature, tente de fixer et de connaître le secret du rêve qui s'ouvre sur la communication avec le monde des Esprits, et voit dans sa « descente aux Enfers » la condition de la connaissance et celle d'une initiation rédemptrice. Sa quête, à travers la folie et la mort, est celle du salut. Elle s'organise autour de l'image de la Mère éternelle, en qui se fondent Isis, Cybèle et la Vierge, au-delà de Jenny-Aurélie, idole d'abord, puis médiatrice et Eurydice de ce nouvel Orphée. Transfiguration du réel, obsession d'une culpabilité, communion avec toutes les souffrances humaines, inquiétudes métaphysiques et religieuses, angoisses mystiques (avec des visions apocalyptiques et cosmiques et le thème du soleil noir) s'achèvent sur le moment de la rédemption, avec un hymne poétique, « Memorabilia » (titre emprunté au théosophe mystique suédois Swedenborg).

La première partie d'*Aurélia* paraît au début de 1855 ; la seconde ne sera publiée que le 15 février, sans avoir été revue par le poète, qu'on a trouvé pendu, rue de la Vieille-Lanterne, près du Châtelet, à l'aube du 26 janvier. En prose ou en vers, la poésie nervalienne doit sa résonance unique et étrange à l'extraordinaire expérience qu'a vécue l'auteur. Chez lui, tout possède un aspect double, devient signe et symbole. Vie réelle et souvenirs sont transfigurés par le rêve, et le passé individuel se confond avec celui de l'humanité entière, annonçant un avenir mystique. Le destin du poète figure pour N. celui de l'âme humaine, coupable et punie, mais qui espère le rachat au terme de ses épreuves. L'idée chrétienne de la Rédemption se mêle aux mythes antiques de la purification des âmes. Le premier en France à introduire le mot de *supernaturalisme* (préface des *Chimères*), il dirige la quête humaine vers le fantastique intérieur. Authentiquement inspiré, authentiquement poète, rien n'est artifice littéraire chez ce génial précurseur de toutes les formes du surnaturalisme moderne, qui a influencé plusieurs générations d'écrivains et, entre autres, Rimbaud, Lautréamont, Breton et aussi Alain-Fournier.

Œuvres. *Napoléon et la France Guerrière, élégies nationales,* 1826 (P). – *Nouvelles Élégies. Poésies diverses et Satires politiques,* 1827 (P). – *L'Académie ou les Membres introuvables,* 1827 (T). – *Faust* (trad. de Goethe), 1828 (T). – *Han d'Islande* (d'après V. Hugo), 1829 (T). – *Poésies allemandes* (trad. de Klopstock, Goethe, Schiller, Burger), 1830 (P). – *Tartufe chez Molière,* 1830 (T). – *Le Prince des sots,* 1833 (T). – *Lara,* 1833 (T). – *Odelettes rythmiques et lyriques,* 1835 (P). – Avec A. Dumas, *Piquillo,* 1837 (T). – Avec A. Dumas, *Léo Burckhart ou Une conspiration d'étudiants,* 1839 (T). – Avec A. Dumas, *l'Alchimiste,* 1839 (T). – *Le Second Faust* (trad.), 1840 (T). – *Voyage en Orient,* 1848-1851 (N). – Avec Alboize, *les Monténégrins,* 1849 (T). – Avec Édouard Georges, *le Marquis de Fayolle,* 1849 (N). – Avec Méry, *Le Chariot d'enfant* (d'après Çudraka), 1850 (T). – *L'Imagier de Harlem ou la Découverte de l'imprimerie,* 1851 (T). – *Loreley, souvenirs d'Allemagne,* 1852 (N). – *Petits Châteaux de Bohême,* 1852 (N). – *Nuits d'octobre,* 1852 (N). – *Les Illuminés ou les Précurseurs du socialisme,* 1852 (N). – *La Main enchantée,* 1852 (N). – *Contes et Facéties,* 1853 (N). – *La Pandora,* 1854 (N). – *Promenades et Souvenirs,* 1854 (N). – *Les Filles du feu,* 1854 (N). – *Les Chimères* (sonnets), 1854 (P). – *La Bohème galante,* posth., 1855 (N). – *Misanthropie et Repentir* (trad. de Kotzebue), posth., 1855 (T). – *Aurélia ou le Rêve et la Vie,* posth., 1855 (N). – *Nicolas Flamel,* posth., 1855 (T). – *Œuvres complètes,* en cours de publication (paru t. II, 1984).

Les Filles du feu. Sylvie

Au sortir du théâtre, où il soupire pour l'actrice Aurélie, N. rentre chez lui, se met à rêver : ses souvenirs se transforment en un songe où il voit réapparaître, dans le décor d'un « château du temps de Henri IV », deux figures féminines qui ont enchanté, à Mortefontaine, sa jeune adolescence ; l'une, la brune, petite fille du hameau voisin, nommée Sylvie ; l'autre, la blonde, aristocratique et d'une beauté quelque peu irréelle, apparue dans le charme de la danse et du chant, Adrienne. Irrésistiblement poussé par ce songe, il part pour le Valois à une heure du matin ; il arrive au hameau de Loisy au moment où commence la fête patronale. Il y retrouve Sylvie, se promène avec elle dans la forêt, où elle cueille des pervenches tandis qu'il lui récite des fragments de *la Nouvelle Héloïse.* Il entre ainsi dans une sorte de merveilleux vécu, et le voyage se poursuit parmi les sites à la fois réels et poétiques d'Othys, de Chaalis ou d'Ermenonville. Chemin faisant se rencontrent quelques personnages pittoresques, le Grand Frisé et le père Dodu. N., arrivé à Nanteuil-le-Haudoin, y prend la voiture de Paris. Des mois se passent : Aurélie reprend sa place dans le cœur et l'imagination de N. : elle va jouer à Chantilly, à Senlis, à Dammartin. Un soir, il conduit Sylvie au spectacle et lui confie qu'à ses yeux Aurélie, la comédienne, et Adrienne, devenue religieuse, ne sont peut-être qu'une seule et même femme, tant est grande la ressemblance. Sylvie part d'un grand éclat de rire et ajoute (ce sont les derniers mots de la nouvelle) : « Pauvre Adrienne, elle est morte au couvent de Saint-S... vers 1832. »

Les Filles du feu. Octavie

N., parti en voyage pour l'Italie, rencontre, d'abord à Marseille puis sur le bateau qui le conduit à Naples, une jeune Anglaise, qu'il nomme Octavie ; sur le bateau, elle lui apparaît en train de croquer un citron (la même vision se retrouvera dans le sonnet « Myrtho » des *Chimères*). Un rendez-vous lui est donné par la jeune Anglaise à Portici. Après avoir écrit à Aurélie au cours de la nuit, il se souvient du rendez-vous, se précipite en direction de Portici, retrouve la jeune fille, accompagnée de son père, et lui fait visiter à Pompéi le petit temple d'Isis, en lui expliquant les détails du culte isiaque, tels que les rapporte Apulée ; et voici que la jeune Anglaise joue elle-même le personnage de la déesse, tandis que son compagnon est chargé de celui d'Osiris, dont il explique les « divins mystères ». Épisode mystique sans lendemain : plus tard, de passage à Naples, N. y retrouve la jeune fille mariée à un peintre célèbre frappé de paralysie.

Les Chimères

Douze sonnets : « El Desdichado », « Myrtho », « Horus », « Anteros », « Delfica », « Artémis » « le Christ aux Oliviers » (cinq sonnets), « Vers Dorés », dont les titres sont évidemment mythologiques. Deux d'entre eux, « Myrtho » et « Delfica » (ce dernier adressé à « Dafné »), renvoient au mythe italien et napolitain déjà présent dans *les Filles du feu* (« Octavie »), et il est remarquable qu'il en existe deux variantes, l'une composée des quatrains de « Myrtho » et des tercets de « Delfica », l'autre des quatrains de « Delfica » et des tercets de « Myrtho » ; l'une de ces variantes porte pour titre : « À J.-Y. Colonna », transparente italianisation mythique du nom de Jenny Colon, l'actrice, comme le personnage de « El Desdichado », sonnet à la première personne, est une hispanisation également mythique du poète lui-même. Le sonnet « Horus » se réfère au mythe égyptien et isiaque (*cf.* dans *les Filles du feu,* « Octavie » et « Isis »), et le sonnet « Anteros » au mythe caïnite des « enfants du feu » (*cf.* le personnage d'Adoniram dans le *Voyage en Orient*). « Artémis », la plus mystérieuse de ces « chimères », doit son hermétisme particulier à la contamination de mythes divers : l'image païenne de Diane-Artémis s'y confond implicitement, sous le signe de la mort, avec la Vierge du christianisme, comme le mythe napolitain s'y incarne dans l'image d'une sainte, qui est une « sainte de l'abîme ». Enfin, au terme de cinq sonnets, « le Christ aux Oliviers » débouche sur une autre forme de syncrétisme pagano-chrétien, tandis que « Vers dorés » conclut la suite des *Chimères* sur le thème d'un panthéisme néopythagoricien, sous le signe de Virgile, dont la IVe églogue sert aussi de source au premier tercet de « Delfica ».

Aurélia

Première partie. Suite de rêves insérés dans la structure d'un vagabondage dès le début déterminé par la fascination de l'Orient et de l'Allemagne : à travers ces rêves, une véritable métamorphose du monde, au cœur de laquelle se révèle l'univers mystérieux et inquiétant des Esprits. Mais, peu à peu, le désespoir progresse dans l'âme du rêveur : le point culminant en est le cri douloureux lancé dans la nuit par une voix que N. reconnaît comme celle d'Aurélia. *Seconde partie.* Suggérée par l'épigraphe *(Eurydice ! Eurydice !),* voici l'entrée dans l'expérience orphique de la descente aux enfers. Les visions nocturnes sont marquées par le paroxysme du désespoir, Eurydice-Aurélia étant pour la seconde fois perdue. N. se lance dans une nouvelle divagation à travers Paris, s'arrête à Notre-Dame des Victoires, est finalement conduit à la maison de santé Dubois ; il y rencontre son double, sous la forme d'un autre malade qui lui ressemble et qu'il nomme Saturnin. C'est alors que, grâce à l'interprétation mystique de son expérience, espoir et sérénité reviennent dans son âme, l'image d'Aurélia s'élargit et se métamorphose en vision mystique et rédemptrice, et alors peut éclater le cantique de joie surnaturelle des « Memorabilia ».

NEVEUX Georges. Paris 1900 – 27.8.1982. Un temps collaborateur de Jacques Copeau, il publia un recueil poétique, *la Beauté du diable* (1929), mais surtout fit créer de nombreuses pièces, dont les principales sont *Juliette ou la Clé des Songes* (adaptée au cinéma par Marcel Carné) et *le Bureau central des rêves,* puis *le Voyage de Thésée, Plainte contre inconnu, Zamore, le Loup et la Rose, le Système Deux, la Voleuse de Londres.* Dans ses premières œuvres, il est très proche du surréalisme, dont s'inspire sa liberté d'écriture. Sans rien abandonner des prédilections poétiques de son style, il a mis davantage l'accent, dans ses derniers ouvrages, sur une étude sans illusion du destin humain, peint sous les couleurs d'une absurdité assez camusienne.

Œuvres. *Contrebande,* 1928 (T). – *La Beauté du diable,* 1929 (P). – *Juliette ou la Clé des songes,* suivi de *le Bureau central des rêves,* 1930 (T). – *Ma chance et ma chanson,* 1940, rééd. 1958 (T). – *Le Voyage de Thésée,* 1943 (T). – *Le Songe d'une nuit d'été* (adapt. de Shakespeare), 1945 (T). – *Le Théâtre dans une bouteille* (recueil de sketches), 1946 (T). – *Plainte contre inconnu,* 1946 (T). – *Le Sourire de la Joconde* (adapt. d'A. Huxley), 1949 (T). – *Othello,* 1950 (T). – *Zamore,* 1953 (T). – *Le Loup et la Rose,* 1953 (T). – *La Cerisaie* (adapt. de Tchekhov), 1954 (T). – *Le Système Deux,* 1955 (T). – *Le Chien du jardinier* (d'après Lope de Vega), 1955 (T). – *Le Journal d'Anne Frank,* 1957 (T). – *Le Vampire de Bougival,* 1959 (T). – *La Voleuse de Londres,* 1960 (T). – *Les Nouvelles Aventures de Vidocq,* 1973 (N). – Avec J. Aurenche et P. Bost, *Molière pour rire et pour pleurer,* 1974.

Juliette ou la Clé des songes

Contrepoint de cohérence dramatique et de fantaisie onirique : Michel a entrevu, il y a trois ans, une jeune fille, Juliette, dont le souvenir le hante. Il est à sa recherche dans une ville dont les habitants ont perdu la mémoire. Juliette alors s'invente en toute liberté un passé qu'à son tour, pour lui plaire, Michel n'aura plus qu'à endosser.

NICOLE Pierre. Chartres 13.10.1625 – Paris 16.11.1695. Après d'excellentes études humanistes, il se retira à Port-Royal, où deux de ses tantes étaient déjà religieuses. De nature timide et pacifique, il fut entraîné malgré lui à la polémique : *Dix lettres sur l'hérésie imaginaire ; les Visionnaires.* Il rassembla des documents pour Pascal au temps des *Provinciales* (qu'il traduisit en latin) et contribua également à la *Logique de Port-Royal.* Moins intransigeant que les autres Solitaires, il connaissait Descartes, dont la philosophie imprègne sa pensée, et la littérature profane de son temps ; il puisa peut-être dans les romans de La Calprenède ou de Mme de Lafayette cette connaissance du cœur humain qui fit souvent juger les *Essais de morale* à l'égal des œuvres de Pascal.

Œuvres. *Disquisitiones sex Pauli Irenaei,* 1657. – Sous le pseudonyme de WENDROCK, *Ludovici Montaltii epistolæ* (trad. en latin et commentaires des *Provinciales* de Pascal), 1658. – Avec Antoine Arnauld, *Logique de Port-Royal ou Art de penser,* 1662 (E). – *Traité de la foi humaine,* 1664 (E). – *Dix Lettres sur l'hérésie imaginaire,* 1664-1665 (E). – *Les Visionnaires* (8 lettres), 1667. – Avec Antoine Arnauld, *la Perpétuité de la foi de l'Église catholique touchant l'Eucharistie* (3 vol.), 1669, 1672, 1673 (E). – *Essais de morale et Instructions théologiques,* 1671-1678 (E).

NIMIER, Roger Nimier de la Perrière, dit Roger. Paris 31.10.1925 – autoroute de l'Ouest 1962. Il est issu d'une famille de la noblesse bretonne, la maison des comtes de La Perrière, « corsaires malouins », et son père a inventé l'horloge parlante. Il fait au lycée Pasteur de Neuilly des études brillantes, puis est engagé volontaire dans le 2e régiment de hussards (1944). Après la guerre, il devient critique, rédacteur en chef de grands hebdomadaires et directeur de collection chez Gallimard. En 1962, il se tue accidentellement au volant de sa voiture.
En réaction contre la littérature engagée et les idéologies contemporaines, il adopte dans ses œuvres une désinvolture hautaine, une « indifférence passionnée », le ton du mépris et un romantisme lucide, froid et insolent. Il écrit dans un style sec, rapide et élégant, où l'on retrouve l'influence de Stendhal, et avec une verve gouailleuse, cynique ou amère, voire grinçante, qui masque sa sensibilité. Il est l'auteur de plusieurs romans : *les Épées,* portrait d'adolescent révolté ; *le Hussard bleu,* qui est une suite au précédent roman et nous entraîne dans l'Allemagne de 1945 avec un régiment français d'occupation ; et surtout *les Enfants tristes,* description à la fois ironique et tragique d'un mal du siècle fait de lucidité et de passion, aventure dont l'issue n'est pas sans présenter quelque analogie prémonitoire avec le destin même de l'auteur.

Œuvres *Les Épées,* 1948 (N). – *Le Hussard bleu,* 1950 (N). – *Perfide,* 1950 (N). – *Le Grand d'Espagne,* 1950 (E). – *Les Enfants tristes,* 1951 (N). – *Amour et Néant,* 1951 (E). – *Histoire d'un amour,* 1953 (N). – Avec Louis Malle, *Ascenseur pour l'échafaud* (film), 1957. – Avec Alexandre Astruc, *Éducation sentimentale* (film), 1961. – *D'Artagnan amoureux,* 1962 (N). – *Journées de lecture* (recueil d'articles), posth., 1965 (E). – *L'Étrangère,* posth., 1968 (N). – *L'Élève d'Aristote* (recueil d'articles, préfaces et chroniques écrits de 1950 à 1960), posth., 1981.

Les Enfants tristes

Jeunes hommes des années 1950, qui jouent, avec autant de détachement que de passion, la comédie de l'amour et de l'ambition, de la société ou de la littérature, comme pour s'étourdir, mais d'un étourdissement qui ne les rend que plus conscients de leur solitude. Leur tragédie, c'est qu'au cœur même du jeu et de son cynisme ils n'en ont pas moins une âme, et tourmentée d'une ferveur inassouvie, peut-être même impossible à assouvir. C'est cette qualité d'âme qui distingue le héros central et exemplaire de cette aventure tragique, Olivier Malentraide : l'espoir, un instant entrevu, que l'amour, un amour néoromantique, puisse ouvrir les portes du salut, se révèle finalement aussi illusoire que le jeu, car l'amour est, lui aussi, porteur d'une fatalité d'échec. Alors se trouve libérée la fascination du néant : après avoir épousé celle qu'il n'aimait pas, faute d'avoir pu ou su épouser celle qu'il aimait, Olivier, à la nouvelle de la mort de cette dernière dans un accident d'avion, se suicide en lançant sa voiture de sport à 130 kilomètres à l'heure « dans un grand chantier où l'on avait creusé des fosses profondes ». Et sa femme, Catherine, devient alors « la plus charmante veuve de Paris ».

NIVOIX Paul. 1889 – 1958. Il avait déjà écrit une pièce légère, *le Masque déchiré,* lorsque se noua sa collaboration avec Pagnol, qui devait bientôt l'éclipser. Son seul talent produisit des pièces bien faites mais peu consistantes : il fut beaucoup joué, mais sa gloire ne lui a guère survécu.

Œuvres. *Le Masque déchiré,* 1923 (T). – Avec M. Pagnol, *Tonton,* 1923 (T) ; *les Marchands de Gloire,* 1925 (T) ; *Un direct au cœur,* 1926 (T). – *Ève toute nue,* 1927 (T). – *La Maison d'en face,* 1932 (T). – Avec A. Hornez, *Pampanilla,* 1956 (T).

NIZAN Paul. Tours 7.11.1905 – Audruicq (Pas-de-Calais) 23.5.1940. Dès 1931, il attaqua violemment le colonialisme dans *Aden Arabie;* il s'orienta ensuite vers le roman, choisissant comme terrain de description la jeunesse bourgeoise de l'entre-deux-guerres. N. connut ainsi une certaine notoriété avec *la Conspiration* (prix Interallié, 1938) et continua de publier des essais volontiers « engagés ». Œuvres d'un talent indiscutable, fortement marquées par les idées marxistes de leur auteur, qui exprime à chaque page son espérance dans la force transformatrice des idées révolutionnaires, ce qui l'amena à rompre avec le parti communiste lors de la conclusion du pacte germano-soviétique en 1939. La mémoire de N. a été défendue notamment par son camarade de l'École normale supérieure, J.-P. Sartre, qui présenta plusieurs rééditions de ses œuvres.

Œuvres. *Aden Arabie,* 1931 (E). – *Les Chiens de garde,* 1932 (E). – *Antoine Bloyé,* 1933 (N). – *Le Cheval de Troie,* 1935 (N). – *Les Matérialistes de l'Antiquité,* 1938 (E). – *La Conspiration,* 1938 (N). – *Chronique de septembre,* 1939 (E). – *Pour une nouvelle culture,* posth., 1971 (E). – *Complainte du carabin qui dissèque sa petite amie en fumant deux paquets de Maryland,* écrit en 1924, posth., 1982 (N). – *Hécate,* écrit en 1924, posth., 1982 (N).

NOAILLES, Anna Élisabeth de Bibesco-Brancovan, comtesse Mathieu de. Paris 15.11.1876 – 30.4.1933. D'origine roumaine par sa famille mais parisienne de naissance et de formation, elle fut une brillante personnalité littéraire et mondaine. Enfant précoce, elle écrivit dès son jeune âge mais ne commença à publier qu'à partir de vingt-cinq ans. Elle connut alors un succès très rapide en un temps que caractérisait d'ailleurs un remarquable épanouissement de la poésie féminine, et, à cet égard, la gloire d'A. de N. fait figure de symbole. Elle doit à son atavisme roumain une passion innée de la poésie, dont la spontanéité anime ses meilleurs recueils : lyrisme personnel, influencé à la fois par le romantisme français et par l'égotisme barrésien, qui se traduit volontiers dans des images, des rythmes ou des figures panthéistes, car l'un des mérites majeurs de cette poésie tient à un sentiment aigu de la communion entre le cœur et la nature *(le Cœur innombrable ; les Éblouissements).* Dans les derniers recueils, ce lyrisme, tout en restant vivace, s'assagit et se spiritualise, se soumet aux exigences de rigueur formelle qui apparentent la poétesse au néoclassicisme *(les Forces éternelles)* ; au terme de cette évolution apparaît un stoïcisme qui achève ce processus de spiritualisation poétique *(l'Honneur de souffrir).* A. de N. s'est voulue aussi romancière, et ses œuvres en ce genre révèlent un don narratif, cependant quelque peu contrecarré par la même impulsion lyrique qui fait au contraire la valeur des poèmes ; on pourra peut-être retenir les nouvelles, où se fait jour un féminisme vibrant et délicat *(les Innocents ou la Sagesse des femmes).*

Œuvres. *Le Cœur innombrable,* 1901 (P). – *L'Ombre des jours,* 1902 (P). – *La Nouvelle Espérance,* 1903 (N). – *Le Visage émerveillé,* 1904 (N). – *La Domination,* 1905 (N). – *Les Éblouissements,* 1907 (P). – *Les Vivants et les Morts,* 1913 (P). – *De la rive d'Europe à la rive d'Asie,* 1913 (N). – *Les Forces éternelles,* 1920 (P). – *Les Innocents ou la Sagesse des femmes* (recueil de nouvelles), 1923 (N). – *Passions et Vanités* (recueil de nouvelles), 1923 (N). – *Poème de l'amour,* 1925 (P). – *L'Honneur de souffrir,* 1927 (P). – *Poèmes d'enfance,* 1928 (P). – *Exactitudes* (prose poétique), 1930. – *Le Livre de ma vie* (Mémoires), 1932. – *Derniers Vers et Poèmes d'enfance,* posth., 1934 (P). – *Les Jardins,* posth., 1935 (P).

NODIER Jean Charles Emmanuel. Besançon 29.4.1780 – Paris 27.1.1844. Élevé par ses parents dans le culte des idées républicaines, l'enfant fut profondément marqué par les événements de 1793 ; son père était en effet président du tribunal révolutionnaire de Besançon. Doué d'une nature prédisposée aux songes nocturnes, N. devait conserver au fond de lui-même les images atroces qu'il enregistra dans son enfance, alors qu'il assistait à des exécutions capitales à Besançon : les visions de têtes coupées hanteront son imagination, et, dans *Smarra ou les Démons de la nuit,* il mettra en scène un personnage qui raconte sa propre exécution telle qu'il y a assisté en rêve. Sans doute est-ce là aussi ce qui explique la précocité de N., qui éprouve, dès quinze ans, le besoin d'exprimer par l'écriture son monde intérieur. Élève de l'École centrale (1797), il en devient le bibliothécaire, fonction qu'il retrouvera lorsqu'en janvier 1824 lui sera confiée la bibliothèque de l'Arsenal : il fera alors de son salon le premier cénacle romantique réuni autour de Victor Hugo, dont le groupe, à partir de 1828, délaissera l'Arsenal pour la rue Notre-Dame-des-Champs où habite le poète. C'est à partir de cette date que N., supplanté dans la faveur du public par les romantiques de la génération suivante, tombe peu à peu dans l'oubli et se consacre à la rédaction de *Souvenirs* d'ailleurs largement imaginaires. Le XXe s. remettra à la place qui lui est due le véritable fondateur du fantastique français, dont les œuvres les plus originales sont, il convient de le souligner, antérieures à la mode un peu superficielle du fantastique répandue en France, à partir de 1830, par l'influence de Hoffmann. Le goût de N., très en avance sur son temps, pour le rêve et le surnaturel, aiguisé par le désir de ne pas laisser « immoler la Poésie sur les autels de la Science » naissante, se traduit par sa volonté, déjà très « surréaliste », d'abolir la frontière entre le réel et l'onirique, en faisant communiquer les deux domaines comme naturellement ; ce naturel du fantastique de N. s'inscrit principalement dans l'aisance de son style, dans ce ton quotidien commun à la narration ou à la description des aspects pittoresques du réel et à la représentation des images et événements les plus délirants de l'univers du songe ou même de la démence. C'est lui d'ailleurs qui, dès 1820 (*Mélanges de littérature et de critique*), définissait le romantisme par l'insolite (« aspects encore inaperçus des choses »), mais c'est lui aussi qui opère la synthèse entre cet insolite et, d'autre part, le pittoresque : ce n'est sans doute pas par hasard si, en même temps qu'à ses *Contes* fantastiques, il travaillait aussi, en collaboration avec l'érudit Taylor et des artistes comme Bonington, à la série des *Voyages pittoresques* (en France et en Écosse). Cette relation d'unité profonde établie entre le pittoresque et le fantastique est l'un des traits caractéristiques de l'originalité de N., fantastique et pittoresque étant conjointement les techniques littéraires grâce auxquelles, par personnages interposés, N. tente de franchir imaginairement les limites que la « réalité » impose à la quête de l'impossible. Ainsi s'explique la « modernité » de N., annonciateur de la lignée littéraire qui s'épanouira dans le courant surnaturaliste qui va de Gérard de Nerval à André Breton et Julien Gracq. Acad. fr. 1833.

Œuvres. *Dissertation sur l'usage des antennes dans les insectes,* 1798 (E). – *Bibliographie entomologique,* 1801 (E). – *Les Pensées de Shakespeare, extraites de ses œuvres,* 1801 (E). – *Stella ou les Proscrits,* 1802 (N). – *La Napoléone* (ode satirique), 1802 (P). – *Le Peintre de Salzbourg, journal des émotions d'un cœur souffrant,* 1803 (N). – *Les Méditations du cloître,* 1803 (N). – *Le Dernier Chapitre de mon roman,* 1803 (N). – *Essais d'un jeune barde,* 1804 (P). – *Les Tristes ou Mélanges tirés des tablettes d'un suicidé,* 1806 (N). – *La Nouvelle Werthérie,* 1806 (N). – *Une heure ou la Vision,* 1806 (N). – *Le Solitaire des Vosges,* 1808. – *Dictionnaire raisonné des onomatopées françaises,* 1808 (E). – *Questions de littérature légale,* 1812 (E). – *Histoire des sociétés secrètes de l'armée,* 1815. – *Jean Sbogar,* 1818 (N). – *Thérèse Aubert,* 1819 (N). – *Adèle,* 1820 (N). – *Lord Ruthwen ou les Vampires,* 1820 (N). – *Smarra ou les Démons de la nuit,* 1821 (N). – *Trilby ou le Lutin d'Argail,* 1822 (N). – *Les Aventures de Thibaud de La Jacquière,* 1822 (N). – *Mélanges tirés d'une petite bibliothèque,* 1825 (E). – *Bibliothèque sacrée grecque-latine,* 1826 (E) – *Histoire du roi de Bohême et de ses sept châteaux,* 1830 (N). – *Les Aveugles de Chamouny,* 1830 (N). – *Le Bibliomane,* 1831 (N). – *Les Aventures de Mlle de Marsan,* 1831 (N). – *Maxime Odin,* 1831 (N). – *Souvenirs* (I, 1831 ; II, 1832). – *La Fée aux miettes,* 1832 (N). – *Jean-François les bas bleus,* 1832 (N). – *L'Amour et le grimoire,* 1832 (N). – *Le Songe d'or,* 1832 (N). – *Histoire d'Hélène Gillet,* 1832 (N). – *Baptiste Montauban ou l'Idiot,* 1833 (N). – *La Combe de l'Homme-mort,* 1833 (N). – *Trésor des fèves et Fleur des pois,* 1833 (N). – *Hurluberlu,* 1833 (N). – *Léviathan le long,* 1833 (N). – *Le Dernier Banquet des Girondins,* 1833 (E). – *Paul ou la Ressemblance,* 1836 (N). – *Sibylle Mérian,* 1837 (N). – *Lidivine,* 1837 (N). – *Les Fiancés,* 1837 (N). – *L'Homme et la Fourmi,* 1837 (N). – *Inès de las sierras,* 1837 (N). – *Légende de sœur Beatrix,* 1837 (N). – *Les Quatre Talismans,* 1838 (N). – *La Neuvaine de la Chandeleur,* 1838 (N). – *Lydie ou la Résurrection,* 1839 (N). – *Franciscus Columna,* 1844 (N). – *Histoire du chien de Brisquet,* 1844 (N). – *L'Expédition des Portes de fer,* 1844 (N).

Trilby ou le Lutin d'Argail

Le conte le plus caractéristique du « cycle écossais ». Le principe en est le don de certains êtres, ici Jeannie, l'épouse du pêcheur Dougal, de communiquer avec les messagers du monde surnaturel par l'intermédiaire du rêve, ici le lutin Trilby, que le narrateur loge à dessein dans les pierres du foyer, comme dans le lieu à la fois le plus intime et le plus quotidien de la vie de Jeannie. L'atmosphère écossaise joue ici un rôle décisif car l'efficacité du fantastique suppose une harmonie réciproque entre l'insolite de l'histoire et le pittoresque de son environnement. Ainsi paraîtra parfaitement naturel, et même nécessaire, l'amour qui, progressivement, va tisser entre Jeannie et Trilby des liens de plus en plus étroits. Trilby, le « follet de la chaumière », adresse à Jeannie, dans ses rêves et son sommeil, son appel d'amoureux. Jeannie y prend plaisir et, peu à peu, se laisse pénétrer par le charme opiniâtre du « démon ». Mais voici que Trilby se laisse attirer par les châtelaines d'Argail : Jeannie en ressentira quelque jalousie, et son caractère s'en trouve altéré, ce qui surprend son très prosaïque époux, Dougal. Bientôt paraît le fanatique ennemi des lutins, Ronald, qui, par sa prédication, obtient du peuple l'expulsion du pauvre Trilby. Mais un jour, Jeannie rencontre un vieillard voyageur qui fait appel à son hospitalité et à qui elle avoue combien elle aimait Trilby : le vieillard se révèle alors être Trilby lui-même, condamné au vagabondage : il se dépouille de son déguisement et redevient l'esprit du foyer. Quelque temps après, Jeannie suit un rayon mystérieux qui l'entraîne jusqu'au cimetière devant un bouleau légendaire, l'« Arbre du saint », auprès duquel elle voit Ronald, dressé dans une attitude d'imprécation et d'exorcisme, et entend une voix agonisante, celle de Trilby, voix qui bientôt s'évanouit dans l'arbre. Jeannie se jette alors dans la fosse, « qui l'attendait sans doute », dit le narrateur.

La Fée aux miettes

Ici aussi deux personnages reliés entre eux par-dessus la frontière qui sépare le monde des hommes et le monde surnaturel : Michel le Charpentier, que les hommes ont enfermé dans un asile psychiatrique à Glasgow, où il passe son temps à chercher « la mandragore qui chante » ; et une vieille immémoriale, dont nul ne connaît l'âge, surnommée par dérision la Fée aux miettes, et qui sert de masque à la surnaturelle beauté de Belkiss, la reine de Saba. Un instant, Michel se laissera tenter par l'amour trop humain d'une fille nommée Folly Girlfree, mais il traversera victorieusement cette épreuve, et il connaîtra le bonheur et l'extase dans l'amour de Belkiss-Fée aux miettes. Pas plus qu'il ne trouvera jamais de mandragore qui chante, Michel ne pourra trouver de femme qui lui fasse oublier l'amour de la Fée aux miettes.

NOËL Marie, Marie Rouget, dite. Auxerre 16.2.1883 – 23.12.1967. Par sa vie, uniforme, discrète et provinciale, tout entière écoulée à l'ombre de la cathédrale d'Auxerre, M. N. n'est certes pas un personnage littéraire. Le hasard a voulu qu'elle appartînt à cette génération qui connut une singulière promotion de la poésie féminine ; elle n'en est pas moins seule de son espèce. Mais de n'avoir pas été un personnage littéraire ne l'empêche point d'apparaître de plus en plus, au fil des ans, comme un merveilleux personnage poétique. Ses *Notes intimes,* qu'elle consentit à laisser publier vers la fin de sa vie (1959), n'ont rien d'un journal intime : ce sont comme des éclats de méditation sur le spirituel et sur le quotidien intimement unis ; or, c'est précisément cette intimité réciproque du spirituel et du quotidien qui fait tout le prix de sa poésie. Initiée dès sa jeunesse par un père professeur aux choses de l'esprit et de l'âme, saisie, hors de son éducation, par la spiritualité chrétienne, elle connaît d'instinct les ressources des formes les plus humbles du langage, mais elle sait en même temps leur faire dire, à travers la perfection de la simplicité, tout le mystère des choses, des êtres et de ce qui est au-delà des choses et des êtres ; supérieure peut-être même en cela à Francis Jammes, le poète à qui elle ressemble le plus. En 1908, à vingt-cinq ans, elle écrivait son premier poème, « les Heures », et elle ne cessera plus d'en écrire, au jour le jour, choisissant de préférence le ton de la chanson ou ces formes quelque peu désuètes que sont rondeaux et villanelles. Réunissant les premiers fruits de cette inspiration humble et quotidienne, *les Chansons et les Heures,* en 1921, révéleront un poète pour qui la poésie est bien, selon sa propre parole, le « chant de l'âme » : car c'est la pureté du chant qui est ici chargée de traduire en langage direct toute la complexité intérieure d'une âme exceptionnelle ; le même miracle poétique se renouvellera, au soir de la vie, et avec une gravité presque sacrée, très proche de la prière, dans l'admirable recueil de 1961, les *Chants d'arrière-saison.* Lorsque enfin il arrive à M.N. de recourir à des formes d'expression autres que la forme poétique, elle écrit des contes charmants *(le Voyage de Noël et Autres Contes)* ou même un « miracle dramatique », *le Jugement de Don Juan.* Son *Œuvre poétique* a été rassemblée en 1957.

Œuvres. *Les Chansons et les Heures,* 1921 (P). – *Les Chants de la merci,* 1930 (P). – *Le Rosaire des joies,* 1930 (P). – *Chansons populaires,* 1940 (P). – *Contes,* 1942 (N). – *Chants et psaumes d'automne,* 1947 (P). – *Petit Jour,* 1951 (P). – *Le Jugement de Don Juan,* 1955 (T). – *Œuvre poétique,* 1957. – *Notes intimes,* 1959 (N). – *La Rose rouge,* 1960 (P). – *Chants d'arrière-saison,* 1961 (P). – *Le Voyage de Noël et Autres Contes,* 1962 (N). – *Le Cru d'Auxerre,* 1967 (P).

NORGE Géo, Georges Mogin, dit. Bruxelles 1898. Poète belge d'expression française. Après une période de tâtonnements et de recherche, il semble trouver sa voie personnelle à partir de 1929, en particulier avec *Avenue du ciel.* Sa poésie en effet s'oriente déjà vers l'exploration des « avenues » d'un rêve humaniste fondé sur l'humour, sur la conscience de la fragilité universelle, sur les capacités d'essor que recèle la puissance « icarienne » du langage. À partir de là, le poète va multiplier et diversifier les contenus et les modes d'expression de sa thématique. On dirait que la conscience qu'il prend lui-même, de plus en plus, de ses thèmes intérieurs, de ce qu'il faut bien appeler une sorte de « spiritualité », même si elle est souvent paradoxale, le conduit aussi bien à des simplifications qu'à des prouesses techniques. Mais ce n'est là sans doute que l'apparence d'une angoisse dominée et d'une inquiétude que peut seule sauver du désespoir l'efficacité magique du langage poétique. Le poète est bien le frère de ce prisonnier dont il parle dans « le Gros gibier » (*Famines*), mais ce que le prisonnier ne sait pas, le poète, lui, le sait, parce qu'il est poète : « Non, le prisonnier ne saura jamais – Qu'il aurait suffi d'une note ailée – Pour jeter à bas son cruel palais – La longueur du temps, les grilles forgées – Et boire la mer à pleines gorgées. »

Œuvres. *27 Poèmes incertains,* 1923 (P). – *Plusieurs malentendus,* 1926 (P). – *Avenue du ciel,* 1929 (P). – *Souvenir de l'enchanté,* 1929 (P). – *La Belle endormie,* 1935 (P). – *Le Sourire d'Icare,* 1936 (P). – *L'Imposteur,* 1937 (P). – *Joie aux âmes,* 1941 (P). – *L'Imagier,* 1942 (P). – *Râpes,* 1949 (P). – *Famines,* 1950 (P). – *Oignons,* 1953 (P). – *La Langue verte,* 1954 (P). – *Les Quatre Vérités,* 1962 (P). – *Le Vin profond,* 1968 (P). – *Les Cerveaux brûlés,* 1969 (P). – *La Belle Saison,* 1973 (P). – *Eux les anges,* 1978 (P). – *Œuvres poétiques 1923-1973,* 1978. – *Les Coq-à-l'âne,* 1985 (P). – *Le Sac à malices,* 1985 (P).

NOURISSIER François. Paris 18.5.1927. Il est de famille lorraine et flamande et fait ses études à Paris. Diplômé des Sciences politiques, il fait de nombreux voyages à travers l'Europe, aux États-Unis, au Moyen-Orient, etc., pour s'occuper de réfugiés et de personnes déplacées. En 1951, un remarquable essai sur les déplacements de populations entre 1912 et 1950, *l'Homme humilié,* attire sur lui l'attention. En 1953, il entre dans l'édition. Il est également critique aux *Nouvelles littéraires* et, depuis 1975, au *Figaro.* Ses premières œuvres, au style élégant et nerveux, plaisent par l'agrément de la narration et les grâces de l'analyse. Ce que souhaite l'écrivain, en utilisant la méthode autobiographique qui devient, de livre en livre, « plus dramatisée, plus rêvée, sinon plus romanesque,... [c'est] de parvenir à en dire, sur soi, *davantage...* » « Toute œuvre, dès qu'elle n'est pas de divertissement ni de virtuosité formelle, ne saurait être qu'un dialogue avec le temps et la mort... » Ainsi, le narrateur du *Maître de maison* (1968, Plume d'or du *Figaro*) représente-t-il, comme les personnages des livres précédents, « des images de moi hier ou de moi demain, d'un moi réel ou d'un moi redouté... » L'auteur s'invente ou se réinvente : « Je me regarde ou je me prévois. » On trouve chez lui les qualités traditionnelles du roman d'analyse et les subtilités complexes de l'auto-analyse, l'équilibre étant constamment maintenu entre l'impudeur des aveux et la pudeur ironique du ton : *la Crève* met en scène un homme, enfoncé dans un monologue intérieur, tantôt direct, tantôt indirect, auquel la mort apporte son point d'orgue. L'œuvre de N. semble ainsi s'établir à égale distance de la tradition et de l'invention. Depuis 1983, N. est secrétaire général de l'académie Goncourt.

Œuvres. *L'Homme humilié,* 1951 (E) – *L'Eau grise,* 1951 (N). – *La Vie parfaite,* 1953 (N). – *Lorca dramaturge,* 1955 (E). – *Les Orphelins d'Auteuil,* 1956 (N). – *Les Chiens à fouetter,* 1956 (E). – *Le Corps de Diane,* 1957 (N). – *Portrait d'un indifférent,* 1958 (E). – *Un malaise général :* I. *Bleu comme la nuit,* 1958 ; II. *Un petit bourgeois,* 1964 ; III. *Une histoire française,* 1966 (N). – *Le Maître de maison,* 1968 (N). – *Les Français,* 1968 (E). – *La Crève,* 1970 (N). – *Vive la France* (chronique), 1970. – *Allemande,* 1973 (N). – *Lettre à mon chien,* 1975 (E). – *Lettre ouverte à Jacques Chirac,* 1977 (E). – Avec C. et P. Weisbecker, *Du bois dont on fait les Vosges,* 1978 (E). – *Le Musée de l'homme,* 1979 (E). – *L'Empire des nuages,* 1981 (N). – Avec J.-L. Tartarin, *Metz la fidèle,* 1982 (E).

NOUVEAU Germain Marie Bernard. Pourrières (Var) 31.7.1851 – 4.4.1920. Son invraisemblable existence croisa plusieurs fois celles de Verlaine et Rimbaud, qui furent ses amis, mais ne lui a pas apporté leur gloire. Venu à Paris en 1872, il vit en bohème, cultive la peinture et les lettres, suit Verlaine et Rimbaud en Angleterre, est surveillant de collège, employé de ministère, professeur de dessin. *La Doctrine de l'amour* reste inédite ; en 1885 sont écrits les vers amoureux intitulés

Valentines. Le 14 mai 1891, frappé de délire dans sa classe, il est interné à Bicêtre : il y compose « Aux saints », admirable poème mystique. Sorti d'asile, il continue d'errer (Belgique, Angleterre, Italie, Algérie, Normandie, Espagne...), tente de se faire moine à Lérida ; on publie à son insu ses *Poésies d'Humilis* puis *Savoir aimer ;* retiré dans son village natal, il fait imprimer une paraphrase rimée de l'*Ave maris stella.* Par sa vie errante de chrétien scandaleux, de poète anticonformiste et humblement mystique, N. est le grand méconnu de sa génération.

Œuvres. *Premiers Poèmes,* 1872 (P). – *Les Dizains réalistes,* 1876 (P). – *La Doctrine de l'amour,* 1881 (P). – *Valentines,* 1886 (P). – *Poésies d'Humilis et vers inédits,* 1910 (P). – *Savoir aimer,* 1911 (P). – *Ave maris stella,* 1912 (P). – *Le Marron travesti ou la Quatrième Églogue de Virgile,* posth., 1923 (P). – *Le Calepin du mendiant,* posth., 1949 (P). – *Œuvres poétiques de Germain Nouveau* (2 vol.), posth., 1963 (P).

NOUVEAU ROMAN. (Voir BUTOR, PINGET, PSYCHOLOGIE, ROBBE-GRILLET, ROMAN, SARRAUTE, SIMON Cl.)

NOUVELLE. La nouvelle, comme concentré romanesque, est déjà au XIIe s. le genre auquel appartiennent les *Lais* de Marie de France. Mais elle connaîtra, en prose, son premier grand développement au XVe s. : *les Quinze Joyes de mariage* (1410 ?), *les Cent Nouvelles nouvelles* (1462), puis trouve sa place dans la littérature humaniste du XVIe s. avec les *Nouvelles Récréations et Joyeux Devis* de Bonaventure Des Périers (1558) et *l'Heptaméron* de Marguerite de Navarre (1559). Pendant longtemps (aux XVIIe et XVIIIe s., en particulier), la nouvelle ne se différencie guère du conte (*Contes et Nouvelles* de La Fontaine, *Contes* de Voltaire). C'est, à l'époque romantique, Nodier d'abord, puis Mérimée qui donnèrent à la nouvelle française moderne son caractère spécifique : court récit, où le réalisme se combine volontiers avec l'extraordinaire ; après eux, Maupassant portera la nouvelle à son apogée, comme moyen de condensation de l'esthétique naturaliste, et Villiers de l'Isle-Adam, tout en utilisant le terme de conte (*Contes cruels),* en fera le mode d'expression d'un merveilleux parfois ironique. Au XXe s., la nouvelle connaîtra des fortunes diverses : elle continue d'être utilisée par nombre d'écrivains mais tend à se confondre avec le « récit » ou devient une sorte de roman en raccourci. Il ne semble pas qu'elle occupe dans la littérature française la place qui est la sienne dans d'autres littératures, l'anglo-saxonne ou l'italienne.

NOUVELLE CRITIQUE. Terme polémique utilisé par **Raymond Picard,** professeur à la Sorbonne, dans son pamphlet de 1965, *Nouvelle critique ou nouvelle imposture* ; l'expression servit aussitôt à désigner le mouvement de renouvellement de la critique qui accompagnait alors l'arrivée d'une nouvelle génération littéraire : l'adjectif en question fut ainsi appliqué à la critique comme il l'était, dans le même temps, au « nouveau théâtre » ou au « nouveau roman ». Aussi convient-il de distinguer entre le sens polémique de ce terme et son contenu réel. La réaction pamphlétaire de Raymond Picard, lui-même éminent spécialiste de Racine (*la Carrière de Jean Racine,* 1956), fut déclenchée par le *Sur Racine* de **Roland Barthes** (1963) ; la « querelle de la nouvelle critique » se concentra d'abord sur les interprétations de Racine proposées par Barthes et principalement inspirées par le modèle structuraliste, lesquelles étaient dénoncées par Picard, au cours d'une démonstration implacable, comme arbitraires et réductrices. À partir de là, la querelle englobait aussi d'autres formes de critique nouvelle, en particulier la critique psychanalytique (voir : PSYCHANALYSE ET CRITIQUE LITTÉRAIRE). Barthes répondit dans son essai *Critique et vérité* de 1966 et reçut le soutien d'autres représentants de la critique structurale ou psychanalytique, tel **Jean-Paul Weber** (*Néo-critique et Paléo-critique,* 1966). Finalement, **Serge Doubrovsky,** auteur de ce modèle d'équilibre critique qu'est son *Corneille et la dialectique du héros* (1963), put dégager les aspects positifs de la « nouvelle critique » et énoncer les données des problèmes soulevés par une querelle qui ne revêtait pas seulement un caractère anecdotique, dans son essai de 1966, *Pourquoi la nouvelle critique ? Critique et objectivité.* En fait, le pamphlet de Raymond Picard visait presque exclusivement les tenants d'une critique « scientifique » s'inspirant des sciences humaines et relevant d'une sorte de néopositivisme. La principale cible n'était pas par hasard Roland Barthes, considéré, bien malgré lui, comme un chef d'école, et la raison en était sa référence au modèle structuraliste ; les autres cibles de Picard étaient des critiques se référant, eux, au modèle psychanalytique. En revanche, il n'est question, dans le pamphlet de Picard, que marginalement de critiques, tel **Jean-Pierre Richard,**

qui, tout en étant classés parmi les « nouveaux », se réfèrent beaucoup moins systématiquement à ces divers « modèles ».

Or la « nouvelle critique » ne constitue ni une « école » ni même un « mouvement » : les critiques qu'on a groupés sous cette rubrique commode ont peut-être en commun la volonté d'adapter la critique à la situation créée par les bouleversements littéraires contemporains, mais à cette situation ils réagissent d'abord selon leur tempérament et, en tout cas, ne semblent pas le moins du monde se référer à une quelconque idéologie commune. Il est, dans ces conditions, possible de discerner dans cette « nouvelle critique » deux grands courants, plus souvent divergents d'ailleurs que convergents, malgré certaines apparences dont Picard a pu être dupe. Tout d'abord, ce courant que nous avons appelé néopositiviste, qui, soucieux de découvrir les fondements d'une éventuelle objectivité critique, utilise comme *principes* les modèles fournis par les sciences humaines ; ces modèles sont, pour l'essentiel, au nombre de trois : le modèle linguistique de Saussure et le modèle ethnologique de Lévi-Strauss s'unissant dans le modèle structuraliste, le modèle psychanalytique et le modèle sociologique.

La théorie de la critique structuraliste est exposée par **Jean Cohen** dans *Structure du langage poétique* (1968) et *Linguistique et littérature* (1968), et ce modèle inspire en partie, du moins au départ, l'œuvre de Roland Barthes et de **Gérard Genette** (voir ces noms). Le modèle psychanalytique trouve son expression la plus systématique chez Jean-Paul Weber (*Genèse de l'œuvre poétique,* 1960), mais surtout inspire la « psychocritique » (voir PSYCHANALYSE ET CRITIQUE LITTÉRAIRE) de Charles Mauron. Le modèle sociologique enfin, d'inspiration principalement marxiste, avait été proposé dès 1920, dans sa *Théorie du roman,* par le Hongrois Lukács, dont les idées sont reprises, développées et nuancées par **Lucien Goldmann** dans sa double étude de Pascal et de Racine, *le Dieu caché* (1955), et dans son ouvrage théorique *Pour une sociologie du roman* (1964), où est clairement énoncé le principe de la critique sociologique : « Le tout premier problème qu'aurait dû aborder une sociologie du roman est celui de la relation entre la *forme romanesque* elle-même et la *structure* du milieu social à l'intérieur duquel elle s'est développée » ; de la sorte, se trouve aussi proposée la synthèse entre modèle sociologique et modèle structuraliste. Goldmann précise encore : « La forme romanesque nous paraît être la transposition sur le plan littéraire de la vie quotidienne dans la société individualiste née de la production pour le marché ». Il semble donc bien que ce type de critique aboutisse à une réduction du phénomène littéraire à des phénomènes non-littéraires, mais scientifiquement observables et, par là, elle n'est pas sans quelque analogie avec la critique positiviste du XIXe siècle, illustrée par Taine : alors le modèle était celui des sciences biologiques et historiques tandis qu'au XXe siècle, il est celui des sciences humaines.

L'autre courant de la « nouvelle critique » se refuse en revanche à une telle réduction. Certes, il n'ignore pas les acquis contemporains des sciences humaines non plus que ceux de la réflexion philosophique (la phénoménologie par exemple), mais, plutôt que de les prendre pour *principes,* il n'emprunte à ces sciences nouvelles que les *méthodes* qui pourront aider la critique à mieux définir et cerner l'objet même de ses opérations, sans qu'en soit affectée la nature propre de cet objet, l'œuvre *littéraire.* Telle était déjà l'orientation de la critique de l'École de Genève (voir ce terme) et de Georges Poulet en particulier, dont l'influence, conjointement avec celle de Bachelard, a agi de manière décisive sur la pensée de cette seconde espèce de « nouveaux critiques ». Tel est le cas de **Jean Starobinski** (né en 1920), critique suisse, dont le premier ouvrage, *Racine et la Poétique du regard* (1954), est dédié précisément à Georges Poulet ; il développera dans ses œuvres ultérieures (*Jean-Jacques Rousseau. La Transparence et l'obstacle,* 1957 ; *l'Œil vivant,* 1961 ; *Montaigne en mouvement,* 1982) une recherche des voies et moyens d'accès à l'*essence* du texte littéraire, qui, même s'il lui arrive, chemin faisant, d'utiliser des méthodes empruntées aux « sciences auxiliaires » de la critique, vise avant tout à restituer l'autonomie d'existence de l'être littéraire sans le réduire ou le subordonner à un quelconque système externe.

Un souci analogue inspire l'œuvre critique de Jean-Pierre Richard (né en 1922), qui procède par approximations successives (*Littérature et sensation,* 1954 ; *Poésie et profondeur,* 1955), comme s'il s'agissait de suivre les divers rayons convergents capables de conduire le critique jusqu'au *centre* de l'univers littéraire, ce centre que Richard situe au cœur de l'*imaginaire.* Dans des textes de caractère souvent monographique, Richard explore ainsi des « prototypes » caractéristiques d'imaginaire, *l'Univers imaginaire de Stéphane Mallarmé* (1961) par exemple ; c'est la même méthode qu'il applique aux principaux représentants du romantisme

dans ses *Études sur le romantisme* (1971) ou à *l'Imaginaire de Chateaubriand* (1973). Il avait fait de même pour la poésie moderne dans ses *Onze études sur la poésie moderne* (1964).
Les « nouveaux critiques » retrouvent ainsi les problèmes fondamentaux de toute théorie de la littérature : tout d'abord, le problème du choix entre une critique à visée « scientifique », avec risque de réduction du littéraire au non-littéraire, et une critique posant en principe l'autonomie irréductible du texte ; ensuite, le problème corollaire de la définition des fondements – dans les conditions particulières d'une époque donnée – d'une existence littéraire justifiée, dans sa genèse et dans sa manifestation, par ce qu'elle contient d'irréductible. De ce point de vue, les critiques qui se réfèrent aux modèles des sciences humaines semblent bien trouver leur place dans la lignée de la critique « scientifique » ou « positive » (de Sainte-Beuve à Taine et à Brunetière), tandis que les autres se rattachent à la lignée de Bachelard, de l'École de Genève et de Georges Poulet. Le débat autour de ce problème avait d'ailleurs déjà animé la réflexion critique et esthétique de la fin du XIXe et du début du XXe siècle : qu'on se souvienne des textes réunis dans le *Contre Sainte-Beuve* de Proust, de l'esthétique antipositiviste de Bergson et de la critique d'intériorité de Charles Du Bos.

NOUVELLE REVUE FRANÇAISE (la) [N.R.F.] Revue mensuelle fondée en février 1909 par un groupe d'écrivains, dont Copeau et Gide, et publiée par Gaston Gallimard. Dirigée de 1909 à 1914 par son cofondateur J. Schlumberger, elle reparut après la guerre sous les directions successives de Jacques Rivière (1919-1925), de Jean Paulhan (1925-1940) et, sous l'Occupation, de Drieu La Rochelle ; elle cessa de paraître en juin 1943. J. Paulhan et M. Arland assurèrent sa renaissance sous le titre *La Nouvelle Nouvelle Revue française* (janvier 1953) ; ils lui rendirent son titre primitif en février 1959, date de son cinquantenaire. Le Comité de rédaction est actuellement composé de Dominique Aury, Claude Gallimard, Jean Grosjean et Georges Lambrichs. Rédacteur en chef : G. Lambrichs.
Le rôle de la *N.R.F.* fut divers et son influence forte. À ses débuts, elle ne fut pas infaillible dans la distinction des vraies valeurs : c'est en son nom que Gide refusa le manuscrit de *Du côté de chez Swann ;* après la guerre, Rivière répara l'erreur en accueillant largement les écrits proustiens dans ses colonnes. Cet épisode illustre bien la tension dans laquelle vécurent les collaborateurs de la revue : s'opposant lors de sa fondation au symboliste *Mercure de France* et à toute littérature d'« idées », la *N.R.F.* donne à l'activité littéraire une fonction principale de *connaissance.* La sincérité d'un Gide et celle d'un Rivière pouvaient-elles, parfois, ne pas se heurter, même si les deux hommes militaient pour le même « puritanisme esthétique » ? Refusant la référence facile à l'actualité, la *N.R.F.* a plutôt recherché le talent durable : à la limite, elle se présente comme la perpétuelle anthologie d'un changeant classicisme. Il ne faut pas chercher la cohérence doctrinale d'une investigation seulement fondée sur la prospection des intelligences : la *N.R.F.,* ce fut un climat. Deux animateurs exceptionnels contribuèrent à le façonner : Rivière, déjà cité, trop tôt disparu, et surtout Paulhan, qui, à côté de ses propres méditations sur le langage, sut découvrir et imposer des talents très variés. Parmi les écrivains révélés ou confirmés par la *N.R.F.,* citons Alain, Claudel, Martin du Gard, Montherlant, Romains, Suarès, Valéry et le critique Thibaudet. Actuellement, le vide laissé par la mort de Paulhan rend aussi nécessaire que difficile un renouvellement intellectuel et spirituel, dans l'attente duquel l'audience de cette grande animatrice des lettres s'amenuise, confirmant le déclin de la plupart des revues littéraires depuis les années soixante.

O

OBALDIA René de. Hong Kong 22.10.1918. Tout d'abord poète en prose *(les Richesses naturelles)* et romancier *(Tamerlan des cœurs ; Fugue à Waterloo),* c'est au théâtre que O. a trouvé le meilleur mode d'expression de sa personnalité. Il y apparut, dans les années 1950-1960, comme jouant son rôle propre à l'avant-garde du mouvement de rénovation dramatique caractéristique de ces années-là. Mais tandis que cette avant-garde allait, en particulier avec Beckett, s'engager dans la voie qui conduit de l'humour noir au tragique de la mort de l'homme et de son langage, l'œuvre de O. demeure fidèle à un humanisme à la fois parodique et indulgent ; elle relève d'une fantaisie qui traduit, dans un langage de conversation élaboré en ironique poésie, l'insolite quelque peu fantastique des personnages et des situations : on dirait parfois du Giraudoux, mais un Giraudoux qui aurait traversé l'expérience de l'Absurde. O. commença en effet sa carrière de dramaturge par des « impromptus » tels que *l'Azote, le Sacrifice du bourreau, Édouard et Agrippine,* genre dont le chef-d'œuvre sera, en 1965, *le Cosmonaute agricole.* Mais avec *Génousie* (Théâtre national populaire, 1960), l'inspiration fantaisiste de O., sans aucunement se renier, s'enrichit et s'approfondit : la fantaisie d'une donnée inattendue engendre un comique baroque, qui, à son tour, s'élabore en poésie, à la faveur du paradoxe qui veut qu'entre deux êtres ne parlant pas la même langue naisse, par l'amour, une communication parfaite, tandis qu'autour d'eux les comparses qui, eux, bénéficient d'une langue commune ne sont capables que d'accumuler les absurdités ou de s'adonner aux fausses délices du dialogue de sourds : tout cela sous le signe d'une légèreté aérienne qui est le trait original du style de O. dans toute son œuvre, et ainsi comme le signe symbolique d'un envol de l'imagination vers une véritable « récréation » de l'esprit. Poétique de la récréation qui trouvera sa plus libre expression dans une parodie à la fois ironique et attendrie du western de cinéma : *Du vent dans les branches de sassafras.*

Œuvres. *Midi,* 1949 (P). – *Les Richesses naturelles* (poèmes en prose), 1952. – *Tamerlan des cœurs,* 1955 (N). – *Fugue à Waterloo,* 1956 (N). – *Le Centenaire,* 1959 (N). – *Œuvres théâtrales :* I. *Génousie, le Satyre de La Villette, le Général inconnu ;* II. *L'Air du large, Du vent dans les branches de sassafras, le Cosmonaute agricole ;* III. *Sept Impromptus à loisir : l'Azote, le Défunt, le Sacrifice du bourreau, Édouard et Agrippine, les Jumeaux étincelants, le Grand Vizir, Poivre de Cayenne ;* IV. *Le Damné, les Larmes de l'aveugle, Urbi et Orbi,* 1966 et suiv. – *Le Banquet des méduses,* 1973 (N). – *Innocentines,* 1974 (P). – *M. Klebs et Rozalie,* 1975 (T). – Avec Létizia Galli, *Chez moi* (pour la jeunesse), 1977. – *La Passion d'Émile,* 1979 (N). – *Les Bons Bourgeois,* 1980 (T). – *Grasse matinée,* 1981 (T).

Génousie

Grande réception au château des Tubéreuse. Un invité de marque, auteur dramatique, Philippe Hassingor, accompagné de sa femme Irène, originaire du pays de Génousie, et qui ne parle que le génousien. Un autre invité, un poète, Christian Garcia, qui, d'emblée, forme avec Irène un couple inattendu sous l'effet d'un coup de foudre réciproque, et ils se comprennent ! À la suite d'une discussion littéraire quelque peu farfelue entre Garcia et Hassingor, le premier tue l'autre. Lorsque Irène revient, c'est elle qui parle français, et Christian, lui, ne parle plus que le génousien. Il y aura ensuite un nouveau renversement des langues. Puis Christian, resté seul, décide, dans son désespoir, de tuer tout le monde et lui-même. Aussitôt la scène est plongée dans le noir. Lorsque la lumière revient, les personnages se retrouvent tous dans la position où ils se trouvaient au début, lors de la présentation de Christian et d'Irène.

Le Satyre de la Villette

Urbain est présentateur à la télévision, mais il se sent comme une vocation de satyre ; or c'est lui qui, chaque soir, informe les téléspectateurs des développements de « l'affaire du satyre de La Villette ». Il ne peut alors que se sentir doublement coupable ; il s'enfuit mais ne pourra éviter d'être arrêté. Le véritable satyre, pourtant, ce n'est pas Urbain (qui se contentait de donner des sucettes aux petites filles), mais un de ses voisins, M. Paillard, connu d'ailleurs du spectateur, qui l'a entendu tenir des propos ne laissant aucun doute sur son comportement.

OBEY André. Douai 8.5.1892 – Montsoreau 12.4.1975. C'est en collaborant avec Denys Amiel qu'il donna ses deux premiers chefs-d'œuvre, *la Souriante Madame Beudet* et *la Carcasse.* Ayant rencontré Jacques Copeau, il devint son collaborateur et écrivit pour lui des pièces qui, comme *Noé* ou *le Viol de Lucrèce,* contribuèrent largement au renouveau dramatique déclenché par Copeau au Vieux-Colombier. O. traduisit beaucoup (on lui doit, entre autres, une remarquable adaptation de *l'Orestie* d'Eschyle), tout en poursuivant son œuvre personnelle. Cultivé, de tempérament riche et divers, O. sait faire passer dans son théâtre le souffle original d'un réalisme franc, mais relevé de féerie ; le symbolisme populaire de ses premières pièces est progressivement devenu plus intellectuel dans les dernières, qui, à la façon des pièces d'Anouilh, jouent sur des thèmes éternels (Don Juan, Iphigénie...).

Œuvres. *Le Gardien de la ville,* 1919 (N). – *L'Enfant inquiet,* 1920 (N). – Avec D. Amiel, *la Souriante Madame Beudet,* 1921 (T). – Avec D. Amiel, *la Carcasse,* 1926 (T). – *Le Joueur de triangle,* 1929 (N). – *Noé,* 1931 (T). – *La Bataille de la Marne,* 1931 (T). – *Le Viol de Lucrèce,* 1932 (T). – *Loire,* 1933 (T). – *Le Trompeur de Séville,* 1937 (T). – *Revenue de l'Étoile,* 1939 (T). – *Maria,* 1946 (T). – *L'Homme de cendres,* 1949 (T). – *Lazare,* 1950 (T). – *Une fille pour du vent,* 1953 (T). – *L'Orestie* (trad. d'Eschyle), 1955 (T). – *Les Trois Coups de minuit,* 1958 (T). – *La Fenêtre,* 1961 (T). – *L'Ascension du Sinaï,* 1959 (T). – *La Bibliothécaire,* 1970 (T). – *La Nuit des chevaux,* 1971 (T). – *Le Jour du retour,* 1972 (T).

OCTOSYLLABE. Vers de huit syllabes : la coupe se trouve généralement après la troisième ou la quatrième syllabe, mais elle peut donner lieu à d'autres variantes (2 + 6, par ex.) car il s'agit là d'un vers d'une grande souplesse rythmique. Au Moyen Âge, l'octosyllabe était le vers spécifique de la littérature romanesque (Marie de France, Chrétien de Troyes, *Tristan et Iseut*).

ODE [grec *ôdè* = chant]. Poème lyrique, d'un style élevé, divisé en strophes semblables par le nombre et la mesure des vers. En vogue dans l'Antiquité, elle fut introduite en France par la Pléiade (*Odes pindariques* de Ronsard) et devait connaître une certaine vogue au cours de l'âge classique et néoclassique (Malherbe, Boileau, Lebrun, Chénier). L'ode allait retrouver un nouveau souffle au début du XXe s. dans l'œuvre de Paul Claudel *(Cinq Grandes Odes),* et, sans que le mot soit explicitement employé par le poète, c'est dans la forme renouvelée de l'ode libre que s'exprime la poésie de Saint-John Perse.

OHNET Georges. Paris 3.4.1848 – 6.5.1918. Ses débuts lui firent toucher tous les genres : journalisme politique, chronique mondaine, théâtre (*Regina Sarpi,* drame ; *Marthe,* comédie) ; mais c'est dans le roman qu'il fit fortune, compensant la platitude de son style et le manque d'originalité de son invention par la solidité de construction et la simplicité psychologique qui consiste à opposer noblesse de naissance et noblesse d'intelligence ; nombre de titres de sa série *les Batailles de la vie* furent portés à la scène ou à l'écran et y remportèrent des triomphes. Le seul encore connu parmi ces livres est *le Maître de forges.*

Œuvres. Avec Denayrouze, *Regina Sarpi,* 1875 (T). – *Marthe,* 1877 (T). – *Les Batailles de la vie : Serge Panine,* 1881 ; *le Maître de forges,* 1882 ; *la Comtesse Sarah,* 1883 (N). – *Lise Fleuron,* 1884 (N). – *La Grande Marnière,* 1885 (N). – *Le Docteur Rameau,* 1889 (N).

OLDENBOURG Zoé. Saint-Pétersbourg 31.3.1916. Romancière française d'origine russe. Venue en France dès 1925, elle y poursuit depuis trente ans une solide carrière dans le roman, compensant le manque de souffle de son style par la vérité de ses évocations et son art étonnant du dialogue. La plupart de ses sujets sont empruntés au Moyen Âge : fortement documentée, et passionnée par ses propres créations, elle donne à chacun de ses livres un accent particulièrement attachant.

Œuvres. *Argile et Cendres,* 1946, rééd. 1980 (N). – *La Pierre angulaire,* 1953 (N). – *Réveillés de la vie,* 1956 (N). – *Les Irréductibles,* 1958 (N). – *Le Bûcher de Montségur, 16 mars 1244,* 1959 (N). – *Les Brûlés,* 1960 (N). – *Les Cités charnelles ou l'Histoire de Roger de Montbrun,* 1962 (N). – *Les Croisades,* 1963 (N). – *Catherine de Russie,* 1966 (N). – *La Joie des pauvres,* 1970 (N). – *Saint Bernard,* 1970 (N). – *Que vous a donc fait Israël ?* 1974 (E). – *Visages d'un autoportrait,* 1976. – *La Joie-souffrance,* 1980 (N). – *Le Procès du rêve,* 1982 (N). – *L'Évêque et la vieille dame ou la Belle-mère de Peytavi Borsier,* 1983 (T). – *Que nous est Hécube ? ou Un plaidoyer pour l'humain,* 1984 (E).

OLLIER Claude. Paris 17.12.1922. C'est en 1958 que *la Mise en scène,* avec l'attribution du prix Médicis, attire l'attention sur O., représentant d'un réalisme intégral qui, par les techniques les plus dépouillées de l'objectivité et de la dépersonnalisation, n'est pas sans quelque affinité avec le « nouveau roman » : mais ces techniques conduisent ici à une sorte de découverte concrète de l'objet qui est, finalement, de nature poétique. Quant à la « psychologie », elle est loin d'être abolie, et O. la retrouve à travers le thème, qui lui est cher, de l'« oscillation » : oscillation entre la peur ou l'indifférence et la révolte ou l'action *(le Maintien de l'ordre) ;* oscillation entre le jeu et la vie, entre le piège et la réalité *(Été indien) ;* oscillation entre les diverses hypothèses sur la nature d'une personnalité insaisissable *(l'Échec de Nolan).*

Œuvres. *La Mise en scène,* 1958, rééd. 1982 (N). – *Le Maintien de l'ordre,* 1961 (N). – *L'Été indien,* 1963 (N). – *L'Échec de Nolan,* 1967, rééd. 1984 (N). – *Navette,* 1967 (N). – *La Vie sur Epsilon,* 1972 (N). – *Enigma,* 1973 (N). – *Our ou Vingt Ans après,* 1974 (N). – *Fuzzy sets,* 1975, rééd. 1985 (N). – *Marrakech Médine,* 1979 (N). – *Souvenirs écrans,* 1981 (N). – *Nébules,* 1981 (N). – *Mon double à Malacca,* 1982 (N). – *La Relève, Réseau de Blets rhizomes, Lubéron, Bon entendeur, les Preuves écrites, Mesures de nuit* (textes parus dans des revues ou des volumes collectifs), 1981-1983 (N). – *Cahiers d'écolier* (journal), I : *1950-1960,* 1984.

ORAISON FUNÈBRE. Éloge prononcé après la mort d'un personnage. En usage dans l'Antiquité, l'oraison funèbre se perpétuera dans la chrétienté. Quelque peu dégradée par le style confus des rhétoriqueurs du XVe s., l'oraison funèbre se renouvellera au XVIIe s. et deviendra un véritable genre littéraire avec Bossuet et Bourdaloue, continués par Massillon et Fléchier. Après l'éclipse de la religion au XVIIIe s., elle reprendra quelque vigueur au XIXe s. (Lacordaire, Mgr Dupanloup) pour tomber ensuite en désuétude. Elle a été ressuscité sous forme « laïque », en notre temps, par André Malraux (*Oraisons funèbres,* 1971).

ORMESSON, Jean Bruno Wladimir François-de-Paule Lefèvre, comte d'. Paris 16.6.1925. Fils de diplomate, il passe une partie de son enfance hors de France, où il revient en 1938 pour y poursuivre de brillantes études qui le conduiront à l'École normale supérieure (1945) puis à l'agrégation de philosophie. Il s'engagera dans une carrière internationale (1950 : secrétaire général adjoint du Conseil international de philosophie à l'UNESCO) qu'il accompagne de la carrière de journaliste qui le conduira à la direction du *Figaro* de 1974 à 1977. Parallèlement, il publie en 1956 son premier roman, *L'amour est un plaisir,* et occupera bientôt dans la littérature contemporaine une place à la fois traditionnelle et singulière qui lui assure le succès et une élection précoce à l'Académie française. Traditionnelle, son œuvre l'est, avec beaucoup d'élégance, dans la mesure même où elle met l'accent sur la clarté du récit et sur la pureté du style ; singulière, elle l'est par le charme qu'elle dégage, par l'habile combinaison du plaisir d'écrire avec une analyse si précise qu'elle parvient à équilibrer l'ironie et l'émotion. Lorsque, par exemple, O. intitule un de ses romans *les Illusions de la mer,* il analyse, dans le décor d'un somptueux paquebot de croisière en Méditerranée, les caprices de l'oisiveté, caprices dont l'extravagance peut aller jusqu'au drame ; il introduit dans ses livres ce thème de l'illusion sociale qui le conduira à des œuvres plus graves, cependant marquées du même ton élégant d'apparente légèreté : *la Gloire de l'Empire,* où, à travers l'historiographie d'un empire imaginaire, il évoque l'écroulement de tout un pan de la société française, et *Au plaisir de Dieu,* où le masque du chroniqueur permet à l'auteur de diagnostiquer le mal qui ronge, en ce milieu du XXe s., une vieille famille aristocratique : grâce à une technique habile et souple de montage des épisodes, le contrepoint de l'humour, de la mélancolie et de la lucidité revêt ici une intensité souvent poignante, et, au-delà du charme du souvenir et du temps révolu, une discrète analyse sociologique s'introduit sans dissonance dans le tissu d'une histoire fort bien racontée. Acad. fr. 1973.

Œuvres. *L'amour est un plaisir,* 1956 (N). – *Du côté de chez Jean,* 1959 (E). – *Un amour pour rien,* 1960 (N). – *Au revoir et merci,* 1966 (E). – *Les Illusions de la mer,* 1968 (N). – *La Gloire de l'Empire,* 1971 (N). – *Au plaisir de Dieu,* 1974 (N). – Avec R. Maheu, *Signification et Dimensions nouvelles de la culture,* 1975 (E). – *Le Vagabond qui passe sous une ombrelle trouée,* 1978 (N). – *Dieu, sa vie, son œuvre,* 1981 (E). – *Mon dernier rêve sera pour vous. Une biographie sentimentale de Chateaubriand,* 1982 (E). – *Jean qui grogne et Jean qui rit,* 1984 (E). – *Le Vent du soir,* 1985 (N).

OSTER Pierre. Nogent-sur-Marne 6.3.1933. Après des études en khâgne à Louis-le-Grand et à l'Institut d'Études politiques de Paris, il entre en contact avec P.-J. Jouve et débute en poésie avec des « Quatrains gnomiques » publiés en 1954 dans *la Nouvelle Revue Française.* Plus tard, il rencontrera Saint-John Perse (1961) et publiera une étude sur Claudel (1970). Ce sont là rencontres qui témoignent plutôt d'affinités que d'influences, comme aussi l'amitié avec J. Grosjean, dont O. préfacera *la Gloire* (1969). L'inspiration métaphysique, la confiance dans le pouvoir du langage ou bien la libération lyrique du cri ou de l'intuition oraculaire situent O. à contre-courant des tendances dominantes de la poésie française contemporaine, engagée dans une entreprise de réduction du langage et de mise en question du poème ; mais, par les préoccupations dont il se fait l'écho, il est en unisson avec les grandes questions que se pose la conscience moderne.

Œuvres. *Quatrains gnomiques,* 1954 (P). – *Le Champ de mai,* 1955 (P). – *Solitude de la lumière,* suivi de *Prétéritions,* 1957 (P). – *Un nom toujours nouveau,* 1960 (P). – *La Grande Année,* 1964 (P). – *Les Dieux,* 1970 (P). – *Chiffres en balade,* 1972 (P).

OYONO Ferdinand Léopold. N'Goulemakong 14.9.1929. Romancier camerounais. Il n'entre à l'école qu'à l'âge de dix ans mais progresse très vite. Il doit aider sa mère, qui, pour des raisons religieuses, avait préféré quitter le domicile conjugal et vivre de son travail. Il entre dans une mission et y travaille comme boy ; il se rappellera cet épisode de sa vie dans son premier roman. Son intelligence attire sur lui la sympathie d'un missionnaire, qui entreprend de l'initier aux lettres classiques. O. poursuit ses études au lycée d'Ebolowa ; son père, fier de ce « fils prodige », l'envoie en France, au lycée de Provins. En sa qualité de chef traditionnel et de haut fonctionnaire, il pensait qu'il ne pouvait pas faire moins. O., qui n'a encore aucune œuvre en chantier, passe ensuite à la faculté de droit de Paris, puis à l'École nationale d'administration. En 1956, il donne *Une vie de boy,* qui retient l'attention du public. C'est un roman violemment anticolonialiste. La même année, O. publie *le Vieux Nègre et la médaille,* où l'auteur fait montre d'une maîtrise encore plus grande. Il s'essaie sur la scène dans de petits théâtres parisiens et, en 1960, publie *Chemin d'Europe.* Quand son pays accède à l'indépendance, il entre dans la carrière diplomatique. Il a servi en qualité d'ambassadeur au Libéria, en Belgique, en France, etc. et deviendra en 1975 représentant permanent du Cameroun à l'O.N.U.
Le premier roman de O. a été publié au moment même où il avait les plus grandes chances de rencontrer de nombreux échos auprès du public africain, au lendemain du premier Congrès des écrivains et artistes noirs. Dans cette histoire d'un boy africain, Toundi, qui tient son journal (la source autobiographique en est évidente), l'auteur use tour à tour de l'humour, de l'ironie, de procédés satiriques parfois un peu mécaniques, pour nous montrer son jeune héros, étranger au milieu et à la mentalité des Européens, en train d'observer ce qui se passe autour de lui : ainsi se trouvent dénoncés, dans un climat de naïveté et de bonne humeur, les préjugés et abus de la colonisation. La même technique est utilisée dans *le Vieux Nègre et la médaille,* tandis que, dans *Chemins d'Europe,* s'inspirant toujours de sa propre expérience, O. s'attaque au problème de l'intellectuel africain fasciné par Paris. Mais le trait commun des trois romans de O. est bien que l'éclairage est concentré sur une image parodique et ridicule de la communauté européenne, alors que le monde africain lui-même est, de ce fait, relégué quelque peu au second plan.

Œuvres. *Une vie de boy,* 1956 (N). – *Le Vieux Nègre et la médaille,* 1956, rééd. 1972 (N). – *Chemin d'Europe,* 1960 (N).

OYONO M'BIA Guillaume. Mvoutessi 1939. Dramaturge camerounais. Il grandit en milieu rural et fait de bonnes études au terme desquelles il enseigne dans un collège secondaire. Il reprend ses études en Angleterre puis est nommé assistant à l'université du Cameroun ; il deviendra en 1972 chef de service des Affaires culturelles du ministère de l'Information et de la Culture, poste qu'il quittera en 1975. O., qui écrit aussi bien en anglais qu'en français, s'est fait connaître par *Trois Prétendants... un mari*, pièce qui, jouée au Cameroun, en France et en Angleterre, a obtenu le prix Ahmadou-Ahidjo. Le thème en est le problème de la dot, la signification que les jeunes et les vieux y attachent. Sa deuxième œuvre, *Jusqu'à nouvel avis*, s'inscrit dans la même pensée. C'est une comédie en un acte, qui traite de la différence de mentalité des Africains restés dans leurs villages et de leurs enfants rentrés d'Europe chargés de diplômes et écrasés de hautes responsabilités. Presque tout le théâtre africain est historique, national et révolutionnaire. O. a largement prouvé que l'on peut faire du bon théâtre en développant des thèmes simples qui s'enracinent dans la vie de tous les jours : il s'en tient à une comédie de mœurs qui permet de saisir l'évolution des mœurs et mentalités qui se poursuit en Afrique. Il faut enfin insister sur l'art du dialogue et le style alerte du dramaturge.

Œuvres. *Trois prétendants... un mari*, 1964 (T). – *Jusqu'à nouvel avis*, 1967 (T). – *Notre fille ne se mariera pas*, 1971 (T). – *Chroniques de Mvoutessi* (tome I : *le Sermon de Yohannes Nkatefoé, la Petite Gare, les Sept Fourchettes ;* tome II : *Na Mongô ou le Voyage à Ebolowa*, 1971 ; tome III : *Mme Matalina ou Comment grimper l'échelle sociale ?* 1972) [N]. – *Le Train spécial de Son Excellence*, 1969, trad. 1977 (T).

P

PAGNOL Marcel. Aubagne 1895 – Paris 1974. D'abord surveillant de lycée, puis professeur d'anglais, il publie, dès 1922, un drame en vers, *Catulle,* et fonde la revue *Fantasio* (qui deviendra plus tard *les Cahiers du Sud*). Il rencontre Paul Nivoix, qui l'introduit dans les milieux de théâtre et avec qui il écrit en collaboration *Tonton* et *les Marchands de gloire,* où la part de P. est peut-être la plus importante et dont le succès l'incite à voler désormais de ses propres ailes. Il débute ainsi avec *Jazz,* qui fut remarqué par la critique, mais c'est en 1928, avec *Topaze,* que P. connaît un des plus brillants succès de toute l'histoire du Boulevard (que, d'ailleurs, il va contribuer à renouveler profondément) : trente mois de représentations ! P. commence alors à composer sa célèbre trilogie marseillaise : *Marius, Fanny, César,* que le cinéma contribuera largement à populariser. Loin de se contenter du pouvoir de vulgarisation de l'adaptation cinématographique, P. va désormais consacrer l'essentiel de son activité à ce mode d'expression : les puristes du cinéma feront alors fine bouche, mais il est de fait que P. a délibérément voulu réaliser une synthèse du théâtre et du cinéma, et que, quoi qu'on pense de ce genre peut-être hybride, il est le maître du « théâtre filmé ». Il commence par s'inspirer de Giono, son compatriote provençal *(Angèle ; Regain ; la Femme du boulanger),* puis fait œuvre originale en exploitant avec talent et facilité les richesses de cette même poésie provençale qui avait inspiré sa trilogie dramatique : ainsi vont paraître sur les écrans, avec un succès qui ne se dément pas, *la Fille du puisatier, la Belle Meunière, Manon des sources,* probablement le plus réussi, *les Lettres de mon moulin.* L'œuvre de P., qu'il s'agisse de théâtre ou de cinéma, est marquée, jusque dans l'émotion, la satire ou même le drame, par une gentillesse qui est la caractéristique originale du *ton* de P. En même temps, elle bénéficie d'un métier dramatique assuré et d'un sens particulièrement efficace du langage de théâtre, dont l'effet est encore renforcé par l'art consommé avec lequel P. a su utiliser et transformer en un véritable mythe les expressions les plus diverses du caractère méridional. On ne saurait enfin oublier les ouvrages émouvants et poétiques où P. a rassemblé ses souvenirs d'enfance : *la Gloire de mon père, le Château de ma mère, le Temps des secrets, le Temps des amours.* Acad. fr. 1946.

Œuvres. *Catulle,* 1922 (T). – Avec P. Nivoix, *Tonton,* 1922 (T). – Avec P. Nivoix, *les Marchands de gloire,* 1926 (T). – *Jazz,* 1927 (T). – *Topaze,* 1928 (T). – *Marius,* 1931 (T). – *Fanny,* 1932 (T). – *Pirouettes,* 1932. – *Angèle* (film, d'après Giono), 1934. – *Merlusse* (film), 1935. – *Cigalon* (film), 1936. – *César* (film), 1936. – *Regain* (film, d'après Giono), 1937. – *Le Schpountz* (film), 1938. – *La Femme du boulanger* (film, d'après *Jean le Bleu,* de Giono), 1938. – *La Fille du puisatier* (film), 1939. – *Le Premier Amour,* 1946. – *Notes sur le rire,* 1947. – *Hamlet* (trad. et préface), 1947. – *La Belle Meunière* (film), 1948. – *Critique des critiques,* 1949. – *Manon des sources* (film), 1953. – *Trois Lettres de mon moulin* (film, adapt. d'A. Daudet), 1954. – *Œuvres dramatiques* (2 vol.), 1954. – *Judas,* 1955 (T). – *Fabien,* 1956 (T). – *Souvenirs d'enfance* (I *la Gloire de mon père,* 1957 ; II *le Château de ma mère,* 1958 ; III *le Temps des secrets,* 1960 ; IV *le Temps des amours,* posth., 1977) [N]. – *Les Bucoliques de Virgile* (trad. en vers et notes), 1958. – *Discours de réception à l'Académie française,* 1959. – *L'Eau des collines* (nouvelles, I *Jean de Florette ;* II *Manon des sources*), 1963 (N). – *Le Masque de fer,* 1964 (N). – *Œuvres* *complètes* (6 vol.), 1964-1973. – *Sermons,* 1967. – Avec Y. Audouard, *les Contes de Provence,* 1968. – *Le Secret du Masque de fer,* 1973 (N). – *Les Chefs-d'œuvre de Marcel Pagnol* (15 vol.), 1973-1974. – *La Prière aux étoiles,* 1974.

Topaze

Un professeur de la pension Muche nommé Topaze est congédié : n'a-t-il pas trop franchement donné son opinion sur un élève appartenant à une famille riche ? La mère s'en est offusquée. Que va-t-il devenir ? Heureusement, la tante d'un autre de ses élèves, Suzy, s'intéresse à lui et le présente à son amant, Castel-Bénac, conseiller municipal et, de surcroît, affairiste. Celui-ci a en effet besoin d'un homme de paille pour couvrir quelques opérations à la fois douteuses et lucratives. Topaze, avec sa naïveté et son inexpérience de professeur, doit pouvoir faire parfaitement l'affaire. Dans un premier temps, son honnêteté naturelle le pousse à refuser, mais le charme astucieux de Suzy finit par l'emporter. Topaze va bien éprouver encore quelques scrupules, mais il doit bientôt se rendre à l'évidence : depuis qu'il est le complice de Castel-Bénac, tout va bien pour lui. Et même Mlle Muche, qu'il avait, timidement, prétendu demander en mariage – autre raison de son renvoi de la pension –, tombe dans ses bras ; pour comble, il est décoré... des Palmes académiques ! La réussite transforme bientôt l'honnête professeur en un habile manipulateur des affaires et des hommes : c'est lui qui désormais va « posséder » Castel-Bénac ; il confisque à son profit tout le bénéfice des opérations du conseiller municipal : Topaze devient « Monsieur le Directeur ». Et Suzy, qui a tôt fait de comprendre la situation, abandonne Castel-Bénac pour Topaze, qui gagne ainsi sur tous les tableaux. Pour finir, nous verrons un collègue de Topaze, Tamise, jusque-là incarnation vivante de l'honnêteté, tenté à son tour de suivre un exemple aussi instructif : il a rendez-vous le lendemain avec « Monsieur le Directeur » !

PAILLERON Édouard. Paris 17.9.1834 – 20.4.1899. Il survit grâce à l'excellente pièce *le Monde où l'on s'ennuie* (comédie en prose) : cette satire des salons littéraires où prétention et snobisme ne font que masquer une dérisoire médiocrité intellectuelle préfigure la création proustienne des Verdurin.

Œuvres. *Le Parasite,* 1860 (T). – *Les Parasites* (satires en vers), 1861 (P). – *Le Mur mitoyen,* 1861 (T). – *Le Dernier Quartier,* 1863 (T). – *Le Second Mouvement,* 1865 (T). – *Le monde où l'on s'amuse,* 1868 (T). – *Faux Ménages,* 1869 (T). – *Le Départ,* 1870 (T). – *Prière pour la France,* 1871 (P). – *L'Autre Motif,* 1872 (T). – *Hélène,* 1872 (T). – *L'Âge ingrat,* 1878 (T). – *L'Étincelle,* 1879 (T). – *Pendant le bal,* 1881 (T). – *Le monde où l'on s'ennuie,* 1881 (T). – *La Souris,* 1887 (T). – *Cabotins,* 1894 (T). – *Mieux vaut douceur... et violence,* 1897 (T).

PALISSY Bernard. La Chapelle-Biron (Lot-et-Garonne) 1510 – La Bastille 1589. Émailleur et céramiste, P. entreprit de connaître par lui-même ce que les livres ne lui avaient pas enseigné. Comme compagnon, il fit le rituel tour de France, franchit les frontières, visita l'Europe et s'établit à Saintes (1539) pour découvrir le secret des fameuses faïences italiennes. Au bout de seize années, il y parvint et, dans le même temps, étudia les monuments de l'Antiquité, examina toutes les pierres et les métaux à sa disposition et donna, à ce sujet, des cours très écoutés (A. Paré fut un de ses auditeurs). La protection du duc de Montmorency lui permit d'échapper à la misère et de sortir de la prison où il avait été incarcéré pour ses idées réformatrices. Il obtint alors le brevet d'« Inventeur des rustiques figulines et potier du Roi ». Ce titre lui attira une clientèle de choix.
Autodidacte qui n'avait point « d'autre livre que le ciel et la terre », B. P. a rendu compte de ses recherches, qu'une inlassable curiosité poussait toujours plus avant, dans sa *Recepte véritable par laquelle tous les hommes de France pourront apprendre à multiplier et augmenter leurs thrésors.* Il s'y fait l'apologiste de la nature, qui, selon lui, constitue une source inépuisable de richesse, et la seule observation attentive de l'homme peut permettre de les découvrir. Le *Discours admirable de la nature des eaux et fontaines tant naturelles qu'artificielles* met allégoriquement en présence « Théorique » et « Pratique », la seconde l'emportant sur la première. Caractérisée par l'absence d'érudition savante et la primauté conférée au travail manuel, l'œuvre de P. témoigne d'une curiosité d'esprit très représentative de l'homme de la Renaissance, qui, quels soient le niveau et la nature de ses investigations, est féru d'inventions, et que ses découvertes ne satisfont jamais.

Œuvres. *Recepte véritable par laquelle tous les hommes de France pourront apprendre à multiplier et augmenter leurs thrésors,* 1563 (E). – *Discours admirables de la nature des eaux et des fontaines..., des métaux, des sels et salines, des pierres,* *des terres, du feu et des émaux... Plus un traité de la marne* (contient le *Traité de l'art de terre*), 1580 (E).

PAMPHLET [anglais *pamphlet,* altération du nom propre *Pamphilet,* désignant une comédie en vers latins du XIIe s. intitulée *Pamphilus seu de Amore.*] Petit écrit en prose, polémique, violent et agressif, étroitement lié à l'actualité, ce qui réduit souvent la portée de sa valeur littéraire, le pamphlet cherche avant tout à combattre et détruire une idéologie. Les époques troublées donnent ainsi naissance à une multitude de pamphlets, qui n'ont qu'une valeur de choc, éphémère. Quelques-uns font pourtant exception et conservent un authentique intérêt littéraire : la *Satire Ménippée,* au XVIe s., contre la Ligue ; les *Provinciales,* de Pascal, contre les jésuites ; les écrits de P.-L. Courier au XIXe s.

PANÉGYRIQUE [grec *panegurikos* = éloge, dérivé de *panéguris* = fête solennelle]. Discours public, tenu un jour de fête, en l'honneur d'un personnage. Ce genre fut particulièrement en faveur en Grèce et à Rome. La littérature chrétienne a repris l'usage du panégyrique en lui donnant une valeur d'édification (*Panégyrique de saint Paul,* de Bossuet).

PANTOMIME [lat. *pantomimus* = celui qui mime tout]. Représentation théâtrale où la parole est totalement remplacée par le geste. La pantomime prolonge et enrichit le mime, qui ne donnait que de courtes scènes du même genre. Création typiquement romaine, la pantomime trouva son développement dans le théâtre italien, qui l'introduisit en France au XVIe s. Les acteurs, masqués, mimaient une action en prenant des poses convenues qui indiquaient les sentiments des personnages représentés. C'est ainsi qu'aux XVIIe et XVIIIe s. furent appelés pantomimes des spectacles joués par des acteurs masqués. Vers 1830, après avoir connu un certain développement en Angleterre, la pantomime fut remise à la mode en France par le théâtre des Funambules (Deburau). Sporadiquement, elle réapparaît, sous forme de mimes insérés dans le spectacle (Théâtre-Libre ; dramaturgie brechtienne). À l'heure actuelle, en France, grâce à Jean-Louis Barrault et surtout à Marcel Marceau, qui s'y consacre exclusivement, la pantomime est devenue un art à part entière, avec de nombreux adeptes. Elle est enfin passée au cinéma, dans l'œuvre de J. Tati (*Monsieur Hulot*). On peut aussi rattacher à la pantomime, au moins en partie, les spectacles de marionnettes.

PANTOUM - PANTUN. Genre poétique malais très ancien qui connut une grande faveur jusqu'au début du XXe s., le *pantun* est un quatrain à rimes finales alternées (a b a b) comportant parfois également des rimes intérieures. Il était souvent chanté, et nombre de *pantuns* furent improvisés au cours de joutes oratoires qui s'apparentaient aux chants alternés connus dans toute l'Asie du Sud-Est.
Le principe général selon lequel est construit un *pantun* est que les deux premiers vers évoquent une image (souvent empruntée à la nature) symbolisant l'idée explicitement contenue dans les deux derniers vers. Mais il n'y a souvent aucun rapport de sens entre les deux « distiques » ; les deux premiers vers n'introduisent alors les deux derniers que par leur rythme et leur assonance : le premier vers correspond au troisième et le deuxième au quatrième par le nombre des syllabes (entre huit et dix) ou même par un squelette consonantique identique. Il existe également des « *pantun* liés », suite de quatrains dont chacun reprend deux vers du précédent (1 2 3 4/2 5 4 6/5 7 6 8...). C'est cette forme particulière qui, empruntée à la poésie malaise par les romantiques, et quelque peu déformée par eux, a donné naissance au *pantoum* français, illustré par Hugo *(Orientales),* puis repris par Baudelaire (« Harmonie du soir ») et par certains symbolistes (R. Ghil) : il est composé de quatrains, à rimes croisées, le deuxième et le quatrième vers d'une strophe se répétant aux premier et troisième vers de la strophe suivante.

PARADIS Suzanne. Québec 27.10.1936. Écrivain québécois. Poète et romancière, S.P., après des études à l'École normale de Québec, enseigne quelques années puis choisit de se consacrer à l'écriture. En 1959, elle fait paraître son premier recueil, *les Enfants continuels,* et épouse en 1961 le poète Louis-Paul Hamel. À cette carrière d'écrivain s'ajoute celle de critique littéraire. Chroniqueuse de poésie au *Soleil* en 1970, auteur d'une série radiophonique sur la femme dans le roman québécois en 1972, animatrice d'ateliers littéraires dans les collèges et les universités, S.P. est aujourd'hui membre du collectif « Estuaire » et lectrice aux Nouvelles éditions de l'Arc. Dans ses très nombreux recueils de poèmes, elle poursuit la même démarche que dans ses romans : elle établit un jeu d'échos et de miroirs, mais une nette évolution, tant dans la technique que dans les thèmes de son œuvre, se fait jour dans les années 70. Si la quête du bonheur et de l'authenticité est toujours présente, elle se conjugue peu à peu avec des motifs plus sombres : la souffrance humaine, l'incommunicabilité entre les êtres, la solitude et, au bout du compte, la mort. Les premiers recueils (*les Enfants continuels, la Chasse aux autres, la Malebête*) et son roman *les Hauts Cris* témoignent d'une volonté de revaloriser la vie, démarche à rebours de celle d'autres poètes québécois de sa génération qui donnent de cette vie une image désespérante. L'enthousiasme, la soif de vivre s'expriment dans une langue luxuriante, aux images fortes et sensibles. Pour célébrer les noces du soleil et de la terre, les métamorphoses et la puissance de la vie, la beauté de la nature, S.P. utilise toutes les ressources de la rhétorique avec un souci de rigueur formelle qui peut étonner chez un poète d'aujourd'hui ; elle est de ce fait une héritière directe du symbolisme. Nombreux sont les critiques qui ont vu dans cet excès de figures une faiblesse, nuisible de surcroît à la compréhension de sa pensée. Mais S.P. a le souci de dresser un véritable inventaire du monde. Sa poésie questionne continuellement, cherche à résoudre de multiples contradictions et manipule le réel afin d'en faire jaillir les valeurs fondamentales. À partir de *Cormorans*, puis de *François-les-oiseaux*, l'univers de beauté et d'harmonie se fracture. L'auteur introduit des mondes parallèles (les pays de la mort, de la folie et du rêve), refuges vers lesquels se tournent les personnages qui refusent les compromis de la vie adulte. *Pour voir les plectrophanes naître* est révélateur de cette prise de conscience. Sur fond de neige ou de mer, l'univers des plectrophanes est celui du combat mené contre l'amour faillible, la déception et la solitude de l'être au terme de dialogues tant de fois amorcés et tant de fois rompus. Si les poèmes gardent leur pouvoir d'évocation et témoignent encore d'une communion étroite entre l'homme et les éléments (poèmes cosmiques), les romans ont pour tâche essentielle d'exprimer la tragédie de la vie et les passions dominatrices qui étouffent les êtres. Tous les personnages féminins en particulier sont marqués par la fatalité et signalent leur refus par des attitudes extrêmes. Le suicide de Pamela (*les Cormorans*), le désespoir de Lisbeth (*Quand la terre était toujours jeune*), la folie d'Éléonore et son instinct meurtrier (*Emmanuelle en noir*), l'orgueil d'Aldonore (*L'été sera chaud*), l'incohérence d'Amélie Fable (*Portrait de Jeanne Joron*) sont autant d'expressions de la révolte qui doit, malgré une mort inéluctable, mener à la paix et à la possession de soi. C'est cette réconciliation avec la mort qui fait l'originalité des romans de S.P. À la contemplation pure du monde a succédé chez elle une quête de soi et une exploration minutieuse de l'univers intérieur, dans une langue qui n'a rien perdu de sa richesse et a beaucoup gagné à une plus grande concision.

Œuvres. *Les Enfants continuels,* 1959 (P). – *À temps le bonheur,* 1960 (P). – *Les Hauts Cris,* 1960 (N). – *Il ne faut pas sauver les hommes,* 1961 (N). – *La Chasse aux autres,* 1961 (P). – *La Malebête,* 1962 (P). – *Pour les enfants des morts,* 1964 (P). – *Femme fictive, femme réelle : le personnage féminin dans le roman féminin canadien-français,* 1966 (E). – *Le Visage offensé,* 1966 (P). – *François-les-oiseaux,* 1967 (N). – *Les Cormorans,* 1968 (N). – *L'Œuvre de pierre,* 1968 (P). – *Pour voir les plectrophanes naître,* 1970 (P). – *Emmanuelle en noir,* 1971 (N). – *Il y eut un matin,* 1972 (P). – *La Voie sauvage,* 1973 (P). – *Quand la terre était toujours jeune,* 1974 (N). – *L'été sera chaud,* 1975 (N). – *Noir sur sang,* 1976 (P). – *Un portrait de Jeanne Joron,* 1977 (N). – *Poèmes 1959-1960-1961,* 1978 (P). – *Adrienne Choquette lue par S.P.,* 1978 (E). – *Miss Charlie,* 1979 (N). – *Les Chevaux de verre,* 1980 (P). – *Un goût de sel,* 1983 (P). – *Les Ferdinand,* 1984 (N).

PARAIN Brice. Courcelles-sous-Jouarre (Seine-et-Marne) 10.3.1897 – Brévannes 20.3.1971. Fils d'instituteurs, mobilisé en 1917, il entra en 1919 à l'École normale supérieure, dans la promotion spéciale des démobilisés. Tout en préparant l'agrégation de philosophie, à laquelle il sera reçu en 1922, il fait des études de russe, ce qui lui permettra en 1929 d'être secrétaire du Comité d'étude de la mission Citroën en U.R.S.S. et en Asie centrale, après avoir fondé en 1924, sous le patronage d'Anatole de Monzie, le Centre de documentation russe. En octobre 1927, P. entrera dans l'équipe de direction des éditions Gallimard – il y demeurera jusqu'à sa mort –, et c'est vers cette époque qu'il commence une œuvre discrète mais décisive de philosophe-écrivain, car, à ses yeux, réflexion philosophique et création littéraire ne relèvent pas de deux disciplines distinctes : toute philosophie s'inscrit dans un style – et P. est un maître du style, on l'a trop souvent méconnu –, et toute création littéraire implique une vision du monde. Aussi P. consacre-t-il l'essentiel de sa réflexion aux problèmes du langage, car c'est bien le langage qui est le lieu commun d'incarnation de toutes les formes de la vie de l'esprit. À cet égard, P. apparaît de plus en plus comme un précurseur, dont l'œuvre revêt une importance de plus en plus significative. Dès avant la guerre de 1939, dans un livre paru en 1942 mais fruit d'une réflexion commencée dès 1930, *Essai sur le logos platonicien,* complété et approfondi en 1943 avec *Recherches sur la nature et les fonctions du langage,* P. met l'accent sur la *responsabilité* du langage et amorce une analyse pénétrante des risques que comporte la crise contemporaine du langage : les maladies du langage correspondent profondément aux maladies du corps social ou de l'être personnel. Il y a du reste, chez P., dans sa propre pratique littéraire du langage, un parti pris non seulement de clarté et de rigueur, mais de densité significative, comme si la phrase devait, indépendamment même du nombre de ses lecteurs, fixer un témoignage unique et irremplaçable. Aussi l'idéal de P. est-il un véritable *humanisme du langage,* et, face aux maladies contemporaines du langage, dont il diagnostique la gravité avec une lucidité à la Montaigne, il connaît certes la tentation du désespoir, mais il assume sa solitude d'écrivain étranger à toute complaisance et à tout conformisme (fût-il celui de l'anticonformisme) ; dressant le bilan de sa méditation, il affirme la réalité du langage comme valeur et, par là-même, légitime ce combat pour le salut du langage qui est à ses yeux le combat essentiel pour le salut de l'homme. Et ce combat, il s'y engagera personnellement, en écrivant des œuvres « littéraires » qu'il faudra sans doute un jour redécouvrir pour ce qu'elles sont, des œuvres de profondeur et d'authenticité, en particulier une pièce, *Noir sur blanc,* et un roman, *Joseph.* Enfin P. apparaît comme un de ceux qui ont, les premiers, assuré la promotion contemporaine du genre de l'essai.

Œuvres. *Essai sur la misère humaine,* 1934 (E). – *Retour à la France,* 1936 (E). – *Essai sur le logos platonicien,* 1942 (E). – *Recherches sur la nature et les fonctions du langage,* 1943 (E). – *L'Embarras du choix,* 1947 (E). – *La Mort de Socrate,* 1950 (N). – *Sur la dialectique,* 1953 (E). – *De fil en aiguille,* 1960 (E). – *Noir sur blanc,* 1962 (T). – *Joseph,* 1964 (N). – *Entretiens avec Bernard Pingaud,* 1966 (E). – *France, marchande d'églises,* 1966 (E). – *Petite Métaphysique de la parole,* 1969 (E). – *Correspondance Jean Paulhan-Brice Parain,* posth., 1983.

Joseph

Joseph, un jeune poète, et Nora, une Norvégienne – peintre ayant renoncé à peindre –, se sont mariés. Ils ont une petite fille, vivent pauvrement et ont beaucoup de mal à trouver entre eux la paix. Leurs querelles risquent sans cesse de provoquer une rupture. Mais, jusqu'au bout, Joseph et Nora s'efforcent de l'éviter et, à force d'approfondissement de leur langage réciproque, de parvenir à une entente qui décidera de leur propre accomplissement. Ce livre est donc un livre d'amour, mais où la plénitude de l'amour est solidaire de la conscience des responsabilités du langage interpersonnel.

PARÉ Ambroise. Bourg-Hersent, près de Laval, 1510 – Paris 20.12.1590. Issu d'une famille modeste, Ambroise Paré n'apprit pas le latin et consacra sa vie à la pratique de la chirurgie, après avoir été pendant trois ans attaché à l'Hôtel-Dieu. Successivement chirurgien dans les armées d'Italie (1533), maître barbier chirurgien (1541), puis chirurgien militaire en Hainaut, en Bretagne et en Flandre, il soigna le duc de Guise, blessé devant Boulogne (1545). Cet illustre malade assura sa carrière. À partir de cet événement, Paré soigna les grands de son temps et devint chirurgien ordinaire d'Henri II, puis de François Ier et de Charles IX. Vers 1561, il était attaché à la cour et profitait de ses loisirs pour écrire de nombreux traités. Dès 1545, Paré avait publié *la Méthode de traicter les playes faites par hacquebutes et aultres bastons à feu ;* en 1550 il fit paraître *la Briefve Collection de l'administration anatomique, avec la manière de conjoindre les os...* Médecin militaire, il a inauguré le traitement des blessés sur le champ de bataille. En 1562, *la Méthode curative des playes et fractures de la teste humaine, avec les pourtraicts des instrumens nécessaires pour la curation d'icelles,* propose la trépanation préventive des traumatismes crâniens. Mais il est surtout l'auteur de l'*Anatomie universelle du corps humain* et des *Dix Livres de la chirurgie avec le magasin des instruments nécessaires à icelle.* Ce dernier ouvrage, unique en son genre, fait la somme de toutes les connaissances de l'art de la chirurgie au XVIe s. Les œuvres complètes de P., réunies en 1575 (et qui comprennent vingt-sept livres), contiennent, outre les ouvrages précités, divers traités et un récit : *Voyages qu'il a faicts,* sorte d'apologie d'une existence dont la chirurgie fut la seule raison d'être. P. fut le premier à écrire en français sur des matières scientifiques.

Œuvres. *La Méthode de traicter les playes faites par hacquebutes et aultres bastons à feu,* 1545 (E). – *La Briefve Collection de l'administration anatomique* *avec la manière de conjoindre les os...,* 1550 (E). – *La Méthode curative des playes et fractures de la teste humaine, avec les pourtraicts des instrumens nécessaires pour la curation d'icelles,* 1562 (E). – *Anatomie universelle du corps humain,* 1564 (E). – *Dix Livres de la chirurgie avec le magasin des instrumens nécessaires à icelle,* 1564 (E). – *Traité de la peste, de la petite vérolle et rougeolle ; avec une briefve description de la lèpre,* 1568 (E). – *Cinq Livres de la chirurgie,* 1572 (E). – *Deux Livres de la chirurgie* (I *De la génération de l'homme ;* II *Des monstres tant terrestres que marins*), 1573 (E). – *Œuvres complètes d'Ambroise Paré, divisées en vingt-sept livres avec les figures et portraits, tant de l'anatomie que des instruments de chirurgie,* 1575. – *Discours d'Ambroise Paré... à savoir de la mumie, des venins, de la licorne et de la peste,* 1582 (E).

PARMELIN Hélène. Nancy 19.8.1915. Ses parents étaient des révolutionnaires russes exilés ; elle commence à écrire dès son adolescence. C'est en 1952 qu'au cours d'un long séjour à Vallauris, chez Picasso, elle entre en familiarité avec la peinture et les peintres ; elle épousera le peintre Édouard Pignon. Elle publiera, à partir de 1954, nombre d'essais sur la peinture et, en particulier, en 1968, un pamphlet qui fit quelque bruit, *l'Art et les Anartistes,* où elle dénonce l'imposture d'un faux « art moderne » nourri de snobisme. Fidèle à la tradition révolutionnaire de sa famille, elle adhère au parti communiste français, où, à partir de 1968, elle fera progressivement figure de « dissidente » en jouant un rôle important au sein du groupe des intellectuels communistes contestataires. Mais H.P. est surtout une romancière originale, dont l'œuvre se situe délibérément en marge des « courants » contemporains, en marge surtout du courant dominant de la « littérature féminine » des années 1950-1960. H.P. est en effet une romancière qui définit elle-même le livre comme un « coup de gong sur les esprits », une romancière véritablement hantée, jusqu'à l'angoisse, par le spectre de la guerre et de la violence (*le Guerrier fourbu*), mais elle est aussi fascinée par la chance que l'amour peut offrir à l'homme. Il semble que son évolution la conduise progressivement vers une sérénité d'inspiration poétique capable d'exorciser la conscience angoissée du malheur *(la Femme écarlate).*

Œuvres. *La Montée au mur,* 1951 (N). – *Le Diplodocus,* 1955 (N). – *Picasso sur la place,* 1955 (E). – *Cinq Peintres et le théâtre,* 1956 (E). – *Les Mystères de Moscou,* 1956 (N). – *Léonard dans l'autre monde,* 1957 (N). – *Le Taureau-Matador,* 1959 (N). – *Le Complexe de Filicciano,* 1960 (E). – *Le Soldat connu,* 1962 (N). – *Aujourd'hui,* 1963 (N). – Avec P. Picasso, *Secrets d'alcôve d'un atelier* (I *les Dames de Mougins,* 1964 ; II *le Peintre et son modèle*), 1965 (E). – *Le Voyage à Lucerne,* 1965 (N). – *Picasso dit,* 1965 (E). – *Le Guerrier fourbu,* 1966 (N). – *Notre-Dame de Vie,* 1966 (E). – *La Gadgeture,* 1967 (N). – *La Femme-crocodile,* 1968 (N). – *L'Art et les Anartistes,* 1969 (E). – (Sous le pseudonyme de SLEM MORTIMER) *Pourquoi Sam ?* 1969 (N). – *La Manière noire,* 1970. – *L'Art et la Rose,* 1972 (E). – *Le Contre-pitre. Entrée de clowns,* 1973. – *Le Perroquet manchot,* 1974 (N). – *La Femme écarlate,* 1975 (N). – *Histoire des nus,* 1976 (E). – *Bel Perroque ou l'Enterrement du perroquet* (guignol en trois actes et un épilogue), 1977 (T). – *Le Massacre des Innocents,* 1978 (E). – *Le Monde indigo* (I *Cramponne ;* II *Le soleil tombe dans la mer*), 1978. – *Voyage en Picasso,* 1980 (E). – *Une passion pour Sanary,* 1980 (N). – *La Mort au diable* (conte théâtral), 1982. – *Le Diable et les jouets ou la Ballade des temps restifs,* 1982 (N). – *La Désinvolture (auto-pamphlet),* 1983.

PARNASSE (le). École poétique dont le nom est emprunté au titre d'une revue, *le Parnasse contemporain,* qui a groupé, en particulier lors de ses deux premières séries, entre 1866 et 1871, autour et sous l'influence de Leconte de Lisle, les poètes attachés au « culte de la forme » et à l'esthétique de l'art pour l'art annoncée par Th. Gautier. Dans certains de ses aspects, la poésie parnassienne tente aussi d'intégrer la poésie au grand mouvement positiviste de la seconde moitié du XIXe s. De ce point de vue, elle prône le rapprochement entre la poésie et la science (Sully Prudhomme), entre la poésie et le quotidien (F. Coppée), entre la poésie et l'idéologie scientiste (Leconte de Lisle). Au mouvement parnassien se rattache enfin la poésie dite néo-païenne (Louis Ménard). C'est dans le cadre du mouvement parnassien que débutèrent de futurs symbolistes comme Verlaine et Mallarmé, et la poétique de l'art pour l'art connaîtra un nouvel essor à la fin du siècle avec l'école romane de Jean Moréas.

PARNY, Évariste Désiré de Forges, chevalier de. Île Bourbon 6.2.1753 – Paris 5.12.1814. Après de sérieuses études à Rennes, il embrassa la carrière militaire. Lors d'un séjour dans son île natale, l'amour d'une belle créole lui inspira les *Poésies érotiques,* son seul recueil élégiaque avec les *Chansons madécasses* (dont certaines ont été mises en musique par Ravel en 1925-1926). Ruiné par la Révolution, il dut vivre de sa plume. P. aborda tous les genres, avec une préférence pour la poésie didactique et solennelle ; *la Guerre des dieux anciens et modernes* eut au moins le mérite d'inciter Chateaubriand à composer le *Génie du christianisme.* Très apprécié de son temps, P. fut peut-être le plus grand des poètes élégiaques avant Lamartine. Mais la médiocrité de sa sensibilité comme la platitude conventionnelle de sa versification le firent tomber, après l'éclosion du romantisme, dans un oubli quasi définitif.

Œuvres. *Voyage de Bourgogne,* 1777. – *Épître aux Insurgens de Boston,* 1777. – *Poésies érotiques,* 1778 (P). – *Opuscules poétiques,* 1779 (P). – *Chansons madécasses* (trad., suivi de *Poésies fugitives*), 1787 (P). – *La Guerre des dieux anciens et modernes,* 1799, rééd. 1893 (P). – *Goddam, poète satirique,* 1803 (P). – *Le Portefeuille volé,* 1805 (P). – *Voyage de Céline,* 1806 (P). – *Les Rose-Croix,* 1808 (P). – *Isnel et Aslega,* 1808 (P). – *Œuvres complètes,* 1808 (P). – *Œuvres,* posth., 1862.

PASCAL Blaise. Clermont-Ferrand 19.6.1623 – Paris 19.8.1662. Son père, Étienne P., était conseiller à la cour des aides. Les dons scientifiques de P. s'éveillent très tôt : après avoir, à onze ans, rédigé un traité sur la propagation des sons, il « redécouvre » de lui-même, dit-on, les premières propositions d'Euclide. En 1639, il publie l'*Essai sur les coniques,* puis imagine une « machine arithmétique », destinée à effectuer mécaniquement des opérations de comptabilité. Sa « première conversion » (1646), qui suit sa découverte des œuvres de Jansénius et de Saint-Cyran, ne l'empêche pas de faire à Rouen certaines expériences sur le vide, inspirées de Torricelli, dont il rendra compte dans ses *Expériences nouvelles touchant le vide,* dans la préface au *Traité du vide* et dans la *Lettre à Périer.* Les douleurs dues à sa maladie ne le quitteront plus guère désormais. Son activité scientifique se multiplie cependant dans tous les domaines ; à la suite de Desargues, il rédige la *Generatio conisectionum,* le *Récit de la grande expérience de l'équilibre des liqueurs,* puis le *Traité du vide.* Après la mort de son père (1651), en même temps que sa sœur Jacqueline se retire à Port-Royal (1652), Pascal entre dans le « monde », où il fréquente les esprits libres de l'époque ; il rédige le *Traité du triangle arithmétique* et d'autres œuvres scientifiques. La nuit du 23 novembre 1654, dont rend compte le *Mémorial* (feuille manuscrite découverte cousue dans son pourpoint après la mort de P.), opère en lui une seconde conversion : il se retire une première fois à Port-Royal. L'année 1656 le voit entrer dans la bataille janséniste avec les *Provinciales,* pour la défense d'Arnauld ; le succès de scandale qui accueille ces lettres le force à se cacher pendant leur publication. Sa réflexion sur la religion l'amène alors à rédiger des textes qui trouveront leur sens dans le cadre des *Pensées : Écrits sur la grâce ;* opuscules sur *l'Esprit géométrique* et sur *l'Art de persuader.* Mais il n'abandonne pas pour autant toute activité savante *(Traité sur la cycloïde ; Histoire de la roulette).* Il réunit dès 1658 des notes pour une *Apologie de la religion chrétienne,* qu'il ne pourra achever, et dont nous possédons des fragments sous le titre de *Pensées.* Les suites de la querelle janséniste assombrissent ses dernières années ; la question de la signature du formulaire entraîne de notables divisions dans le parti janséniste. Après avoir encore harcelé la faction jésuite, P., lui-même très malade, prend des positions extrémistes et, à la suite de la mort de sa sœur Jacqueline, fait finalement retraite chez sa sœur et son beau-frère Périer. Sa mort, rapportée avec plus ou moins d'exactitude par le père Beurrier, laisse une impression quelque peu dramatique.

P., dont nul n'ignore la place éminente dans la littérature du XVIIe s., fut d'abord un savant : la physique lui enseigna, contre Descartes, que l'expérience est le seul principe de notre connaissance. Ses expérimentations sur le vide furent menées avec une prudence et une méthode incomparables : elles établirent, point par point, l'existence d'un vide et la fausseté des hypothèses cartésiennes sur ce sujet. Frappé par la perfection de la science géométrique, il accentua la rigueur des vues de Desargues et contribua à fonder la géométrie projective. Il fut également à l'origine du calcul des probabilités. L'œuvre scientifique de P. étonne ainsi par sa diversité ; elle demeura souvent inachevée, et dut notamment à Leibniz son plein accomplissement.

Mais la célébrité de P. auprès de ses contemporains tient essentiellement aux *Lettres écrites (...) à un provincial de ses amis...* : parues clandestinement, elles posent d'abord le problème des querelles de Sorbonne sur la grâce pour en montrer la vanité, en combinant de façon très serrée ironie et argumentation. Puis, découvrant la morale des jésuites à travers Escobar,

P. se lance dans une série d'attaques d'abord indirectes, puis directement adressées au père Annat et aux autres pères de la Compagnie de Jésus. La passion qui entraîne P. ne l'empêche pas de présenter avec une logique et une clarté étonnantes des problèmes de théologie très complexes, et il réussit de la sorte à porter le débat devant le public profane et mondain. L'essentiel de son argumentation consiste à montrer que les jésuites ont des projets tout temporels, et qu'ils sacrifient la religion chrétienne aux exigences du monde. Après avoir montré que leur théorie de la grâce implique un laxisme déplorable et contraire aux doctrines de saint Augustin, il affirme contre eux que « la grâce n'est pas donnée à tous les hommes ». Le problème moral se traduit lui aussi dans d'éloquentes démonstrations : les jésuites détruisent la religion en autorisant les crimes les plus infâmes. Parallèlement à ces attaques, P. défend sans cesse la pensée augustinienne. La valeur littéraire de ces *Lettres* tient donc à la fois à leur puissance d'argumentation et à la force d'évocation de certains passages, comme les dialogues avec le Jésuite, qui sont de véritables schémas de comédie. Mais c'est avec les *Pensées* que P. prend réellement rang de philosophe : son projet est, selon « l'art d'agréer » dont il a élaboré les règles, de convaincre les hommes de la vérité de la religion. Le caractère fragmentaire de cette œuvre rend difficile le rétablissement de l'ordre des raisons : il semble que P. ait voulu montrer d'abord la nécessité pour l'homme de la recherche de Dieu; il aurait ainsi commencé par mettre en évidence la misère naturelle de l'être humain, incapable de retrouver dans l'espace du monde un lieu naturel (thème des deux infinis) ou de fixer des bornes à sa pensée (thèmes de l'ignorance et de l'injustice fondamentales de l'homme), pour amener ensuite le lecteur à la conscience de la grandeur humaine : savoir que l'on est misérable est marque de dignité. La variation continue des perspectives doit provoquer en nous l'inquiétude, liée à une conscience aiguë de la dualité de la nature humaine (misère et grandeur). Cet exposé est profondément polémique, attaquant tour à tour et sur des plans différents Montaigne, Épictète, Aristote, Descartes et les « libertins ». L'idée de péché originel se révèle alors être, ainsi que la religion chrétienne, la seule règle possible de pensée. Peut-être est-ce à cet endroit que Pascal voulait introduire la célèbre métaphore du pari (nous avons tout à gagner, et rien à perdre, à croire en Dieu), mais les commentateurs s'accordent mal sur ce point. La suite de l'Apologie, encore très peu lue, montre comment la religion chrétienne est seule « aimable », en ce qu'elle nous révèle notre souverain Bien, et seule vraie. Pascal y étudie le problème de la personne de Jésus-Christ et du double sens des Écritures et des prophéties. Au terme de l'analyse, le lecteur, arraché aux fausses joies du monde, peut enfin jouir de la foi en un « Dieu sensible au cœur ». La célébrité des *Pensées* tient essentiellement à de belles analyses comme celles du *divertissement,* des esprits de *géométrie* et de *finesse,* de la *justice humaine,* dont on retrouve trace dans les philosophies les plus modernes. Les thèmes dominants, toutefois, sont les thèmes hérités de l'humanisme et de sa tradition pessimiste, ceux en particulier des stoïciens et de Montaigne, ceux aussi qui constituent les grands lieux communs de la littérature moraliste du temps : déréliction de l'homme, incapacité de l'esprit à connaître la vérité, imposture des « puissances trompeuses » : imagination, amour-propre, honneur du monde, divertissement. Mais tout le génie de P. est dans une exemplaire « dynamisation » de ces thèmes que, d'autre part, il prend soin à la fois d'actualiser et d'universaliser, selon un propos éminemment « classique » : c'est là ce qui peut aider à comprendre que l'auteur des *Provinciales* et celui des *Pensées* puissent être le même homme, et que l'idée pascalienne de l'homme rejoigne aussi bien Racine que La Rochefoucauld, et peut-être même un certain aspect de Molière, si surprenant que cela puisse paraître au premier abord. Mais ce qui caractérise P., c'est l'exemplarité de sa méthode, et il est en cela à la fois l'émule et l'antithèse de Descartes : application aux thèmes hérités de la culture humaniste et de l'expérience mondaine des modes de pensée et de raisonnement de l'homme de science, rigueur géométrique et psychologie expérimentale. Mais P., c'est aussi, au-delà de la méthode mais grâce à elle, la constante référence faite au tragique de la condition humaine, tragique qui, s'il est lié à la *condition* de l'homme, se trouve transcendé dans sa *vocation.* À cet égard, les *Pensées* sont une autobiographie, car P. y inscrit le compte rendu de la découverte qu'il fait que sa propre vocation est la vocation même de l'homme universel ; disciple de Montaigne, il transpose et amplifie la formule de son maître, car, pour P., ce n'est pas seulement de l'humaine condition que tout homme porte en lui la « forme », mais aussi de l'humaine vocation. C'est ainsi que l'itinéraire pascalien est bien celui qui conduit de la conscience du tragique à la nécessité du salut, selon une continuité et une détermination à la fois logiques et mystiques. Aussi ne saurait-on, pour comprendre P., négliger, sous peine de contresens, la partie mystique des *Pensées :* c'est elle qui explique que le désespoir existentiel doive apparaître comme le fondement nécessaire d'une transcendance rédemptrice. Si, chez P., la rigueur du géomètre et le sens expérimental du physicien se composent toujours avec la ferveur du mystique, c'est qu'entre le géomètre, le physicien et le mystique il y a comme une sorte de complicité, qui fait de P. le point de convergence et de synthèse des grandes forces spirituelles qui animent le XVIIe s. : la conscience du tragique, l'intelligence de la raison et le renouveau de la ferveur chrétienne. Mais, aux yeux de P., cette synthèse exemplaire obéit elle-même à une hiérarchie qui lui donne son sens : c'est la célèbre *théorie des ordres,* selon laquelle, si l'ordre des corps n'a aucune commune mesure avec l'ordre des esprits, l'un et l'autre sont séparés par une distance infinie de l'ordre de la charité, qui est, au-delà de l'homme, l'ordre même de Dieu, et, dans l'homme, l'ordre du cœur : « Dieu sensible au cœur . » Toute la complexité interne des *Pensées* est ordonnée par cette structure hiérarchique, et seul le génie de P. a pu, à un pareil degré, inscrire dans une expression homogène semblable harmonie entre l'analyse impitoyable de la réalité humaine et la révélation inéluctable d'un au-delà de l'homme exigé par sa réalité même.

Œuvres. *Essai sur les coniques,* 1639 (E). – *Lettre dédicatrice à Monseigneur le Chancelier sur le sujet de la machine nouvellement inventée par le sieur B.P. pour faire toutes sortes d'opérations d'arithmétique par un mouvement réglé sans plumes ni jetons,* 1645 (E). – *Avis à ceux qui auront curiosité de voir la machine arithmétique et de s'en servir,* 1645 (E). – *Expériences nouvelles touchant le vide, faites dans des tuyaux, seringues, soufflets et siphons de plusieurs longueurs et figures : avec diverses liqueurs, comme vif-argent, eau, vin, huile, air, etc. ; avec un Discours sur le même sujet, où est montré qu'un vaisseau si grand qu'on le pourra faire peut être rendu vide de toutes les matières connues en la nature, et qui tombent sous le sens, et quelle force est nécessaire pour faire admettre ce vide,* 1647 (E). – *Préface pour le Traité du vide,* 1647 (E). – *Lettre à son beau-frère Périer,* 1647. – *Réponse à la lettre du P. Noël,* 1647. – *De la génération des sections coniques,* 1648 (E). – *Récit de la grande expérience de l'équilibre des liqueurs projetée par le sieur B.P., pour l'accomplissement du traité qu'il a promis dans son « Abrégé touchant le vide », et faite par le sieur B.P. en une des plus hautes montagnes d'Auvergne,* 1648 (E). – *Lettre à sa sœur, Mme Périer, sur la mort de leur père,* 1651. – *Discours sur les passions de l'amour,* 1652-1653. – *Adresse à l'Académie parisienne de mathématiques,* 1654. – *Deux Lettres à Fermat sur les jeux de hasard,* 1654 (E). – *Traité du triangle arithmétique,* 1654 (E). – *Usage du triangle arithmétique pour les ordres numériques, pour les combinaisons, pour déterminer les partis qu'on doit faire entre deux joueurs qui jouent en plusieurs parties, pour trouver les puissances des binômes et des apotomes,* 1654 (E). – *Traité des ordres numériques,* 1654 (E). – *Caractères de divisibilité des nombres,* 1654 (E). – *Traité de la sommation des puissances numériques,* 1654 (E). – *Sur la conversion du pécheur,* 1654 (E). – *Mémorial,* 23 novembre 1654. – *Entretien avec M. de Saci sur Épictète et Montaigne,* 1655. – *Comparaison des chrétiens des premiers temps avec ceux d'aujourd'hui,* 1655 (E). – *Éléments de géométrie, avec deux opuscules sur l'Esprit géométrique, sur l'Art de persuader,* 1656 (E). – *Lettre à Mlle de Roannez,* 1656. – *Les Provinciales ou Lettres écrites par Louis de Montalte à un provincial de ses amis et aux RR. PP. Jésuites, sur le sujet de la morale et de la politique de ces pères,* 1656-1657. – *Abrégé de la vie de Jésus-Christ,* apr. 1656. – *Écrits sur la grâce,* 1656-1658 (E). – *Factum pour les curés de Paris contre un livre intitulé « Apologie pour les casuistes, contre les calomnies des jansénistes », et contre ceux qui l'ont imposé, imprimé et édité,* janvier 1658. – *Cinquième Écrit des curés de Paris sur l'avantage que les hérétiques prennent contre l'Église de la morale des casuistes et des jésuites,* 1658. – *Réflexions sur la condition des prix attachés à la solution des problèmes de la cycloïde,* 1658 (E). – *Histoire de la roulette, appelée autrement trochoïde ou cycloïde,* 1658 (E). – *Traité de géométrie,* 1658 (E). – *Lettre à Huygens sur la dimension des lignes courbes,* 1658. – *La Vérité de la religion chrétienne,* 1658. – *Prière pour demander à Dieu le bon usage des maladies,* 1659. – *Trois Discours sur la condition des grands,* 1660. – *Traité sur l'équilibre des liqueurs et de la pesanteur de la masse de l'air, contenant l'explication des causes de divers effets de la nature qui n'avaient point été bien connues jusqu'ici et particulièrement de ceux que l'on avait attribués à l'horreur du vide,* posth., 1663 (E). – *Pensées de M. Pascal sur la religion et sur quelques autres sujets* (fragments d'une *Apologie de la religion chrétienne,* inach.), posth., 1670 (E). – *Lettres,* posth., 1679. – *Œuvres complètes,* éd. établie par L. Brunschvicg, P. Boutroux, F. Gazier, 14 vol., 1904-1914 ; F. Strowski, 3 vol., 1923-1931 ; L. Lafuma, 1963 ; J. Chevalier, 1 vol., 1976.

PASQUIER Étienne. Paris 7.6.1529 – Paris 30.8.1615. Après des études à Paris, à Toulouse (pour y entendre Cujas), puis à Pavie et à Bologne, P. devint avocat au barreau de Paris (1549) et y fut le défenseur de l'Université, attaquée par les jésuites. Bien qu'il ait perdu le procès, la haute tenue de sa plaidoirie lui attira l'admiration de l'Europe entière. Commissaire aux grands jours de Poitiers (1579) puis à ceux de Troyes (1583), P. réunissait l'énergie et la modération pour venir à bout, dans ses discours, des désordres de la guerre civile. Pour le récompenser de son zèle, le titre d'avocat général de la Chambre lui fut accordé en 1585, et il mourut après avoir joui d'une vieillesse tranquille.
P. a débuté, en littérature, par *le Monophile* (1554), dialogue sur l'amour. Non sans fantaisie, il célébrera plus tard une puce aperçue sur le sein de Mlle des Roches (1582) ! En 1610, son œuvre poétique fut rassemblée sous le titre *la Jeunesse de P.,* recueil où se trouve inséré *le Monophile.* Magistrat, P. a publié *le Pourparler du prince,* où il se fait le défenseur d'une monarchie fondée sur la liberté (« les peuples ne sont pas faits pour les rois mais les rois pour les peuples »). Dans la même perspective, il publia encore l'*Exhortation aux princes et seigneurs du Conseil privé du roi... :* il y fait preuve de modération et de générosité, réclamant la liberté de la foi et du culte pour les protestants. Ce n'est qu'en 1602 qu'il réglera son différend avec les jésuites en faisant paraître *le Catéchisme des jésuites.* Mais P. s'est surtout attaché, sa vie durant, aux *Recherches de la France.* Le premier volume parut en 1560 ; le second en 1565. Revu à plusieurs reprises, cet ouvrage constitue une somme, non dépourvue d'erreurs mais intelligente et fort érudite, de tous les éléments qui concernent l'histoire de la France et de ses institutions. Repoussant l'anecdote au profit d'une étude critique et approfondie, P. se réfère ainsi aux textes originaux – pour le procès de Jeanne d'Arc, par exemple –, proposant en même temps un jugement personnel, qui est aussi révélateur des préoccupations des hommes de son temps. P. s'est notamment étendu sur les problèmes littéraires : il défend le français contre les « latinisants » et dresse un tableau récapitulatif de la poésie au XVIe s. L'histoire envisagée comme une science et la critique littéraire conçue comme méthode ont trouvé en P. un précurseur efficace.

Œuvres. *Le Monophile* (dialogue), 1554. – *Recueil de rimes et proses,* 1555. – *Recherches de la France* (livre I), plus un *Pourparler du prince,* 1560 (E). – *Exhortation aux princes et seigneurs du Conseil privé du roi pour obvier aux séditions qui occultement semblent nous menacer par le fait de la religion,* 1561 (E). – *Ordonnances générales d'amour,* 1564. – *Recherches de la France* (livre II), 1565 (E). – *Vers sur le tombeau de Messire Anne de Montmorency,* 1567 (P). – *Sonnets sur le tombeau du seigneur de La Châtre,* 1569 (P). – *Au roi, congratulation de la paix faite par S.M. entre ses sujets l'unzième jour d'août,* 1570. – *Epigrammatum,* 1582 (P). – *La Puce de Mlle des Roches,* 1583 (P). – *La Main ou Œuvres poétiques sur la main, d'Estienne Pasquier,* 1584 (P). – *Poemata,* 1585 (P). – *Lettres* (1re éd.), 1586. – *Congratulation au roi sur sa victoire et ses heureux succès contre l'estranger,* 1588. – *Le Plaidoyé de Pasquier pour l'Université de Paris deffenderesse contre les jésuites, demandeurs en requeste,* 1594. – *Recherches de la France* (livres I à VI), 1596 (E). – *Le Catéchisme des jésuites ou Examen de leur doctrine,* 1602 (E). – *La Jeunesse d'Estienne Pasquier et sa suite (Monophile, Colloques d'amour, Lettres amoureuses, Jeux poétiques),* 1610 (P). – *Recherches de la France* (livres I à VII), 1611 (E). – *Recherches de la France* (10 livres), posth., 1621. – *Lettres* (éd. compl., 22 livres), posth., 1621. – *Recherches de la France* (9 livres), posth., 1665. – *Œuvres complètes,* posth., 1723. – *L'Interprétation des « Institutes » de Justinien,* posth., 1847. – *Deux Discours inédits d'Étienne Pasquier,* posth., 1907.

PASSERAT Jean. Troyes 18.10.1534 – Paris 14.9.1602. Professeur aux collèges du Plessis et Cardinal-Lemoine, puis au collège Boncourt, Passerat trouva utile, en 1565, de retourner sur les bancs de l'école pour connaître à fond la langue latine. À Paris (1569), il s'installa comme précepteur chez un magistrat et, durant trente années, demeura à ce poste. Il dédia à son maître les recueils qu'il composait régulièrement à l'occasion de la nouvelle année, et qu'il réunit sous le titre de *Kalendae Januariae* (1597). En 1572, il remplaça Ramus comme professeur d'éloquence au Collège des lecteurs royaux (Collège de France), où son enseignement rencontra un grand succès. Au moment de la Ligue, il collabora, pour une large part, à la *Satire Ménippée.* Il mourut paralysé. Humaniste, il jouissait en son temps d'une large audience. Ses leçons ont été publiées sous le titre *Orationes et praefationes.* Poète, il composa de nombreux vers latins et écrivit une foule de pièces de circonstance qui ne parurent qu'après sa mort, en 1606, sous le titre *Œuvres poétiques.* Délicat, léger, il ne se laisse jamais aller, peut-être par pudeur, à l'émotion profonde, et manifeste une verve et une gaieté souvent communicatives.

Œuvres. *Adieu à Phoebus et aux Muses,* 1559 (P). – *Ode à Bacchus,* 1559 (P). – *Hymne de la Paix,* 1562 (P). – *Chant d'allégresse,* 1564 (P). – *Collaboration à la « Satire Ménippée »,* 1594 (P). – *Kalendae Januariae* (recueil d'épigrammes latines), 1597. – *Orationes et Praefationes* (recueil de leçons), posth., 1606. – *Recueil des œuvres poétiques de Jean Passerat, lecteur et interprète du roi,* posth., 1606 (P).

PASSEUR Stève, Étienne Morin, dit. Sedan 1899 – Paris 1966. Après avoir débuté comme journaliste, il se consacra tôt à sa carrière dramatique, après avoir été découvert par Lugné-Poe et lancé en 1929 par Jouvet avec *Suzanne,* qui reste une de ses pièces les plus caractéristiques. P. a le goût des destins exceptionnels ; il imagine des personnages tranchés, durs et violents, dont le dialogue est tout à l'emporte-pièce *(l'Acheteuse).* Lorsqu'il consent à instiller quelque tendresse dans un monde fondé sur le cynisme et dans le cœur de personnages sans cesse tentés par la brutalité, il met en œuvre un jeu verbal parfois un peu artificiel mais qui produit une sorte d'humour noir dramatiquement très efficace : là est sans doute le secret des brillants succès que P. a obtenus, en particulier avec *la Chaîne* et *Je vivrai un grand amour.* L'origine irlandaise de P. explique peut-être son sens des situations où le cocasse sert de langage au tragique ; il y a chez lui quelque chose de Bernard Shaw, dans cet humour avec lequel il met en scène, par exemple, la « guerre des sexes », thème dominant de ce qui reste de plus durable dans son œuvre : il sait trouver, pour l'exprimer, un langage qui compose habilement la brutalité naturaliste héritée de Becque et la familiarité quotidienne empruntée à la tradition du vaudeville ; on a pu ainsi définir ses meilleures pièces comme des « vaudevilles tragiques », où il est vrai qu'une vision très noire de la nature humaine donne naissance, par une sorte de pirouette cynique, à une traduction grotesque du jeu des passions libérées dans toute leur violence primitive.

Œuvres. *La Maison ouverte,* 1924 (T). – *Suzanne,* 1929 (T). – *L'Acheteuse,* 1930 (T). – *La Chaîne,* 1931 (T). – *Les Tricheurs,* 1932 (T). – *Une vilaine femme,* 1932 (T). – *Je vivrai un grand amour,* 1935 (T). – *Le Vin du souvenir,* 1942 (T). – *Marché noir,* 1942 (T). – *Traîtresse,* 1946 (T). – *107 Minutes,* 1948 (T). – *N'importe quoi pour elle,* 1954 (T).

Suzanne

C'est l'histoire de la Belle et la Bête, transposée dans le contexte sociopsychologique des « années folles ». La Belle : Suzanne Salinié, jeune femme de vingt-six ans, déjà « veuve et divorcée », comme elle dit (son mari, dont elle a divorcé, est mort peu après). La Bête : un grand industriel multimillionnaire, Duvernon, dont nous apprendrons à la fin qu'il séquestrait et torturait sa femme; divorcé lui aussi. Le voici amoureux de Suzanne, qui, elle, est la maîtresse du secrétaire de Duvernon. Autour d'eux, des comparses, dont la présence a pour raison d'être de souligner de façon caricaturale ou grotesque le caractère de jungle de cette « société ». Suzanne offre à Duvernon de faire son éducation morale et sentimentale ; il semble qu'elle y réussisse peu à peu, ce qui ne fait guère plaisir à son amant le secrétaire. Mais au troisième et dernier acte, à l'occasion d'un conflit d'intérêts avec le propriétaire de la somptueuse villa louée par Duvernon à Arcachon (46 000 francs de 1929 par mois !) et qui vient d'être détruite par un incendie dont Duvernon est indirectement responsable, celui-ci révèle qu'il est resté le monstre qu'il est par nature. C'est alors que Suzanne – ce dénouement a scandalisé les contemporains –, qui vient d'apprendre de la victime elle-même comment Duvernon avait traité sa femme, avoue à celui-ci qu'elle l'aime enfin... précisément parce qu'il est bien un monstre ! Mais de ces deux personnages, qui incarnent à égalité la passion de dominer par tous les moyens, lequel désormais dominera l'autre ?

PASTORAL (genre) ou **PASTORALE (la).** D'origine italienne (*l'Arcadie,* de Sannazaro, au XVe s., et *le Berger fidèle,* de Guarini, au XVIe s.), ce genre, qui met en scène des bergers et bergères de convention dans un décor de nature idéalisé, a connu en France un important développement au temps de la préciosité et a suscité d'autre part de fortes réactions. (Voir URFÉ et SOREL.)

PASTOURELLE. Chanson de troubadours (ou de trouvères) des XIIe et

XIIIe siècles, où l'un des protagonistes est une bergère (pastourelle) dialoguant avec un seigneur ou un berger (pastoureau) qui lui offre son amour. Dans le premier cas, le plus fréquent, le poème revêt un ton ironique (de la part de la bergère résistant au seigneur).

PAULHAN Jean. Nîmes 2.12.1884 – Boissise-la-Bertrand (Seine-et-Marne) 9.10.1968. Au cours d'une jeunesse voyageuse et remuante, il fut chercheur d'or et planteur à Madagascar (1905-1912), dont il observa les mœurs et étudia les proverbes (*les Hain-Tenys mérinas; le Repas et l'Amour chez les Mérinas*) ; il enseigna, à son retour en France, le malais et le malgache à l'École des langues orientales. Mobilisé et blessé, il écrivit en 1914 *le Guerrier appliqué.* Lors de la fondation de *Littérature,* ce fut lui qui présenta Éluard à Breton ; entré secrétaire à *la Nouvelle Revue française* (1920), il en prit la direction à la mort de Jacques Rivière (1925) et guida ses destinées jusqu'à la Seconde Guerre mondiale. Dans la clandestinité, il fonda *les Lettres françaises* avec J. Decour (1941) et les éditions de Minuit avec Vercors (1942). Puis il s'occupa des *Cahiers de la Pléiade* jusqu'à la reparution de *la Nouvelle Revue française,* qu'il dirigea de concert avec Marcel Arland (1953-1968).
L'œuvre, très abondante, de P. a été récemment rassemblée en volumes ; jusqu'alors, éparpillée en articles ou en opuscules de petit tirage, elle avait paru moins importante que l'activité de directeur de revue qui absorba son auteur pendant un demi-siècle. Effectivement, celui qui découvrit Jouhandeau, Giono, Ponge, Artaud, Michaux, celui qui, presque seul en son siècle, ne se trompa pas sur les vrais écrivains, dut cette lucidité à l'obligation d'un renouvellement mensuel des textes de la revue. C'est aussi que le caractère de son inquiétude littéraire le poussait naturellement à la recherche ; selon le titre donné à ses entretiens avec R. Mallet, P. traqua en effet toute sa vie les « incertitudes du langage » et se demanda comment « écrire la littérature » à l'aide d'un instrument aussi fascinant que peu fiable : « J'ai toujours pensé que, s'il m'était donné quelque jour de connaître à fond le langage, tout le reste me serait donné de surcroît. » Cette enquête perpétuelle, dont l'apparence grammairienne masque mal la force de passion et de curiosité, se poursuit dans tous ses écrits, notamment : *le Guerrier appliqué,* où la rhétorique décrivant l'état de guerre comme exceptionnel est démasquée avec une tranquille audace ; *Entretien sur des faits divers* (commencé dès 1910, publ. 1930), étude du langage quotidien ; *les Fleurs de Tarbes ou la Terreur dans les Lettres* (commencées en 1930, publ. 1941), qui refusent les classifications de la rhétorique ou de l'histoire littéraire et devaient, dans un second tome, jamais paru mais implicitement contenu dans la pensée même de P., proposer les bases d'une nouvelle sagesse fondée sur la franchise ; parce qu'il n'a jamais menti, P. a souvent déplu (*cf.* sa dénonciation des excès de l'épuration dans sa *Lettre aux directeurs de la Résistance*) ; citons encore *le Guide d'un petit voyage en Suisse,* où se résume l'art allusif et pudique d'un des plus originaux stylistes du siècle ; enfin *le Don des langues,* son ultime essai, qui annonce « en tout langage la présence sacrée d'un monde unique ». Qu'on ne s'y trompe point : nul narcissisme calfeutré chez P. ; mais, au contraire, née dès le contact déroutant avec les langues malgaches, la conscience aiguë d'une nécessaire chasse aux malentendus de l'expression humaine. Il est tout aussi illusoire, selon P., de croire que les mots entravent la pensée que d'affirmer autoritairement qu'il suffit de forcer le langage pour que la pensée jaillisse (c'est là le débat central des *Fleurs de Tarbes*) ; à être jusqu'au bout honnête, on ne peut que refuser toute codification et réclamer, pour soi-même et pour tous, le risque de la liberté, de la création perpétuelle. La révélation des faux du langage n'est jamais, chez P., destructrice mais réconciliatrice, et c'est bien sa sagesse d'avoir cru possible la ré-union de l'homme et de son langage, tout en étant si intimement convaincu de leur divorce réel. Acad. fr. 1963.

Œuvres. Le nombre des articles de P. s'élevant à plusieurs centaines, nous conseillons au lecteur de se reporter au numéro spécial de *la Nouvelle Revue française* (1969), qui en donne la liste complète. Nous indiquons les titres des textes publiés en librairie.
Les Hain-Tenys mérinas (trad. de poèmes populaires malgaches), 1913. – *Le Guerrier appliqué,* 1917, rééd 1982 (N). – *Jacob Cow le Pirate ou Si les mots sont des signes,* 1921 (E). – *Le Pont traversé,* 1921 (N). – *La Guérison sévère,* 1921 (N). – *Expérience du proverbe,* 1925 (E). – *Les Fleurs de Tarbes ou la Terreur dans les Lettres,* 1941, rééd. 1973 (E). – *Aytré qui perd l'habitude,* 1943 (N). – *Clef de la poésie qui permet de distinguer le vrai du faux en toute observation ou doctrine touchant la rime, le rythme, le vers, le poète et la poésie,* 1944 (E). – *F.F. ou le Critique,* 1945 (E). –

Entretien sur des faits divers, 1945 (N). – *Braque le Patron,* 1946, rééd. 1982 (E). – *La Métromanie ou les Dessous de la capitale,* 1946 (E). – *Lettre aux membres du C.N.E. sur la liste noire,* 1947 (E). – *À demain la poésie,* 1947 (E). – *Guide d'un petit voyage en Suisse,* 1947, rééd. 1984 (E). – *De la paille et du grain,* 1948 (E). – *Poètes d'aujourd'hui* (2 vol.), 1948. – *Le Berger d'Écosse, les Passagers, la Pierre philosophale,* 1948 (E). – *Petit Livre à déchirer,* 1950 (E). – *Les Causes célèbres,* 1950, rééd. 1982 (N). – *Le Marquis de Sade et sa complice ou les Revanches de la pudeur,* 1951 (E). – *Petite Préface à toute critique,* 1951 (E). – *L'Aveuglette* (recueil de quatre textes : *la Lettre au médecin,* paru en 1921 ; *les Gardiens,* paru en 1929 ; *l'Art d'influencer,* paru en 1942 ; *Égyptienne,* inédit), 1952 (N). – *Lettre aux directeurs de la Résistance,* 1952 (E). – *La Preuve par l'étymologie,* 1953 (E). – *Le Bonheur dans l'esclavage,* 1954 (E). – *Les Paroles transparentes,* 1955 (E). – *De mauvais sujets,* 1958 (E). – *Georges Braque,* 1958 (E). – *Le Clair et l'Obscur,* 1959, rééd. 1983 (E). – *Karskaya,* 1960 (E). – *L'Art informel,* 1962 (E). – *Fautrier l'enragé,* 1962, rééd. 1984 (E). – *Discours de réception à l'Académie française,* 1964. – *Discours à l'occasion de la mort du général Weygand,* 1965. – *Le Don des langues,* 1967 (E). – *Progrès en amour assez lents,* suivi de *Lalie* (œuvres de jeunesse), posth., 1968, rééd. 1982 (N). – *Le Repas et l'Amour chez les Mérinas* (écrit en 1912), posth., 1968, rééd. 1977. – *Les Incertitudes du langage. Entretiens à la radio avec R. Mallet,* posth., 1970. – *La Peinture cubiste,* posth., 1971, rééd. 1981 (E). – *Deux Cent Vingt-Six Lettres inédites à Étiemble (1933-1967). Contribution à l'étude du mouvement littéraire en France,* par J. Kohn-Étiemble, posth., 1975. – *Correspondance Jean Paulhan-Joë Bousquet,* posth., 1980. – *Traité du ravissement,* posth., 1983 (E). – *Correspondance Jean Paulhan-Brice Parain,* posth., 1983. – *Les Rêves d'un jeune homme,* posth., 1983. – *Correspondance Jean Paulhan-Jean Grenier (1925-1968)*, posth., 1984. – *Correspondance générale,* 3 vol. (en préparation).

PÉGUY Charles. Orléans 7.1.1873 – Villeroy (Seine-et-Marne) 5.9.1914. Fils d'un menuisier et d'une rempailleuse de chaises, tôt orphelin de père, il réussit à faire des études classiques poussées au lycée d'Orléans, puis (après un échec à l'École normale supérieure et une année de volontariat) au collège Sainte-Barbe (1893), où il se lie avec Jérôme Tharaud et avec Marcel Baudouin, qui l'oriente vers un socialisme agnostique très personnel, et dont il épousera la sœur (1897). Entré à Normale en 1894, il se heurte à la routine universitaire, retourne fonder un groupe d'études socialistes à Orléans, et finit par quitter la rue d'Ulm sans avoir obtenu l'agrégation (1898). Avec la dot de sa femme, il ouvre une librairie socialiste au quartier Latin ; mais, s'étant brouillé avec ses associés socialistes, Lucien Herr et Léon Blum, essentiellement à propos de l'exploitation politique de l'affaire Dreyfus, il s'éloigne même de Jaurès et fonde les *Cahiers de la Quinzaine,* hors de tout parti (janv. 1900). Internationaliste et pacifiste, il est bouleversé par le « coup de tonnerre de Tanger » (1905) et, découvrant la menace militaire allemande, cherche à approfondir les traditions de sa race et de sa patrie. Son évolution vers un patriotisme de nuance mystique (*Notre patrie*) est parallèle à son retour au catholicisme, sans qu'il renie cependant son passé socialiste et dreyfusard (*Notre jeunesse*) : d'où ses hésitations et ses réserves à l'égard de dogmes rigides et d'une Église trop institutionnalisée. Refondant *Jeanne d'Arc,* qu'il a publiée en 1897, il donne *le Mystère de la charité de Jeanne d'Arc,* suivi du *Porche du mystère de la deuxième vertu* et du *Mystère des saints Innocents.* Mais cette œuvre poétique, couronnée en 1912 et 1913 par les deux *Tapisseries* et par *Ève,* n'est, malgré son ampleur, que l'aspect « spirituel » d'une production tournée vers les combats « temporels », politiques et intellectuels : *Situations, l'Argent* et *l'Argent, suite, Clio* ; P. polémique en faveur de Bergson, menacé d'être mis à l'Index (1914) ; enfin il écrit des commentaires littéraires, principalement *Victor-Marie, comte Hugo* (1910). Brouillé définitivement avec Jaurès, qu'il accuse de capituler, il veut par son œuvre préparer la « génération de la revanche ». Dédaigné par les écrivains de son temps, sauf Barrès, P. est le centre d'un groupe actif d'influence sur la jeunesse, où se rencontrent provisoirement des personnalités aussi diverses que Rolland, Suarès, Benda, Massis, Maritain... Rêvant d'être « le rassembleur de toutes les traditions françaises », c'est avec allégresse que P. part pour la guerre; il sera tué dès le début de la bataille de la Marne. Écrivain engagé, P. le fut plus que tout autre à son époque, pour cette raison simple qu'il se trouva au carrefour des idées qui la bouleversaient. Seuls points fixes dans sa pensée politique, le républicanisme et le dreyfusisme ; mais l'un évolue du socialisme universel au patriotisme national, et, si P. est dreyfusard, c'est au nom des valeurs dont se réclament les antidreyfusards. Il s'attache en effet plus à des valeurs qu'à des idéologies, et il est même l'adversaire irréductible de toute dégradation idéologique, de ce qu'il appelle la chute de la « mystique » dans la « politique » : telle est l'origine de sa campagne virulente contre le « parti intellectuel ». Ce qui l'intéresse, dans une pensée, c'est l'extrême pointe à laquelle elle peut se porter, l'oubli de soi qu'elle est capable d'engendrer chez un homme ; il célèbre l'honneur, la fidélité et l'héroïsme, parce qu'ils s'opposent à la trahison, à l'abandon et à la mollesse. Toute cause a ses martyrs, qui sont autant de preuves ; de chaque système sera donc retenu le principe qui les a engendrés, et toute trahison pratique ou idéologique de ce principe est condamnée sans appel. P. n'est ni un électique ni un justificateur versatile, mais un homme assoiffé de justice et de liberté. Il refuse la forme moderne des idées qu'il défend, parce qu'il la considère comme une dégradation ; c'est quand il adhère à une institution (l'Église) ou à une idéologie (le socialisme) qu'il les critique le plus violemment, au nom d'une pureté antérieure abolie. Sagesse ou apaisement conduisent au déshonneur et au compromis : « L'essentiel est que [...] dans chaque système la mystique ne soit point dévorée par la politique à laquelle elle a donné naissance. » Ainsi P. veut-il retrouver un passé, des racines, une raison d'être nés de l'histoire – non pas pour les ressusciter, mais pour redonner au présent toute son épaisseur et préparer un futur qui n'ait pas honte de ses origines. Paysan, P. l'est par cette volonté de trouver un fondement, de renouer le lien entre les choses, les pensées et les hommes. D'où, malgré son culte sincère pour le savoir, sa haine du « parti intellectuel », qu'il accuse justement de couper toute chose de ses racines pour en faire un pur objet d'examen ou même de jonglerie. Il attaque la conception scientifique de l'histoire qui règne à la Sorbonne, et il l'oppose à celle de Michelet (*Clio*) ; il méprise l'ironie, qualité prisée des intellectuels, parce qu'elle est un signe de détachement, de manque de sérieux. Son culte de Corneille et de Hugo vient de ce qu'il admire chez l'un la convergence qui mène des trois premières tragédies à *Polyeucte* (héroïsme et sacrifice), tandis qu'il découvre chez l'autre l'intuition d'une unité nécessaire entre la défense de la patrie et la conquête de la liberté. Au fond, le souci premier de P. est l'union intime du charnel et du spirituel ; pour lui, la résurrection des corps est à prendre dans son sens plein, et l'idée de damnation éternelle est insupportable ; c'est pourquoi le problème de la grâce est si grave. La matière même de son œuvre permet à P. de découvrir une solution, que traduit la complexité architecturale de son écriture, aussi bien en prose qu'en poésie. En effet, pour trouver une réponse – et épuiser la discussion, puisque P. est d'abord un polémiste –, il faut examiner tous les problèmes à la fois ; d'où ce mécanisme de la digression : chaque idée en réveille d'autres et rayonne à l'infini, pendant que l'expression tend plus à enserrer l'adversaire, le lecteur, dans un lien unique, une phrase illimitée, qu'à le harceler de brèves pointes. La mémoire de P., sa manière de lire, aussi, et de multiplier les références, aboutissent à un langage surchargé de sens, d'intentions, de répétitions. En cela, la *Jeanne d'Arc* de 1897, œuvre autant d'historien que de poète, rassemblement des diverses formes de pensée qu'a défendues, défend ou défendra P., est caractéristique : mélange de vers et de prose, tours à la fois simples et solennels, récits multipliés autour d'un axe, tout tend à créer l'impression d'une pièce mêlée, hésitante, presque tortueuse, et tout pourtant se dénoue admirablement. En poésie, il peut paraître étrange que P. ait évolué du vers libre des *Mystères,* monologues méditatifs sur les vertus ou dialogues mystiques entre l'homme et Dieu, aux impeccables alexandrins des *Tapisseries* et d'*Ève* (sans oublier l'intermède des *Quatrains,* incantation désespérée alternant les vers de six et quatre syllabes); en fait, cette évolution naît d'une nécessité ressentie toujours plus profondément : rattacher chaque mot à tous les autres, ébranler la parole en cercles concentriques, susciter les images par variations progressives. Le vers libre se prêtait à l'invocation et à l'apostrophe ; l'alexandrin est le vers lent, répétitif et scandé de la litanie, qui est elle-même la figure poétique de la démarche spirituelle incarnée dans le déroulement du pèlerinage. Là est la vraie prière de Péguy, en particulier dans les deux *Présentations* (celle de Paris et celle de la Beauce) *à Notre-Dame.* Chaque vers s'ajoute naturellement à ceux qui le précèdent, chaque quatrain trouve sa place comme le pas du marcheur se répète vers l'horizon de la plaine : rien de marqué, pas de ponctuation réelle, jusqu'au vers final, souvent isolé, signal de la halte et du repos : simplement, le murmure obstiné, grandissant, d'une foule de pèlerins en marche. Aussi, pour découvrir la beauté de cette œuvre, devrait-on la lire en continuité et à haute voix, acquérir cette mémoire du langage et le sentiment du poids charnel des mots. P. est sans doute le seul qui, conscient de l'étroitesse réelle du monde face à l'incommensurable mystère de Dieu, sut

magnifier le charnel en le spiritualisant par l'immensité de la parole et l'infinité des rythmes : ce qui fait de lui, profondément, un *poète,* jusque dans ses œuvres les plus engagées et les plus polémiques, et, qui plus est, un poète *épique,* dans la mesure même où, chez lui, toute parole proférée est porteuse, dans sa forme, son rythme et son ampleur, d'une dimension surnaturelle en même temps que significative d'une exigence humaine et historique. Dans les années 1912-1914, dont il ignorait qu'elles seraient les dernières de sa vie, P. atteint, en particulier avec *Ève,* ce sommet de son génie où le triomphe définitif de la mystique coïncide avec le triomphe définitif de l'épopée : le poème devient le témoin d'une victoire transcendante de la vision poétique sur les contradictions de l'« événement » et du « péché ». L'œuvre de P. se couronne alors et s'achève en une vision conjointement historique et sacrée de l'aventure humaine ; mais cet achèvement s'accomplit dans la continuité fidèle de toute l'œuvre antérieure, consacrée, selon un rythme d'approfondissement sans cesse renouvelé, à la protestation contre tout ce qui, dans le monde moderne, met en danger la relation entre l'homme et Dieu, entre l'histoire de l'humanité et la vérité de cette histoire. Mais ce fut toujours là, pour P., une protestation positive, car son œuvre, tant « polémique » que « poétique », est une œuvre d'affirmation : affirmation de la vocation de l'homme charnel à retrouver le chemin de sa patrie spirituelle, selon la relation réciproque d'incarnation entre ces deux forces – le charnel et le spirituel – qui constituent, ontologiquement et historiquement, la réalité humaine.
La mort de P. apparaît ainsi, à la lumière de sa vie et de son œuvre, comme un témoignage exemplaire, celui même qu'il venait d'annoncer dans son ultime poème, *Ève :*
Heureux ceux qui sont morts pour des cités charnelles / Car elles sont le corps de la Cité de Dieu.

Œuvres. Sous le pseudonyme de Pierre DELOIRE, *De la cité socialiste,* 1897 (E). – *Jeanne d'Arc* (drame en trois pièces : *Domrémy ; les Batailles ; Rouen*), 1897 (T). – *Marcel,* premier dialogue de *la Cité harmonieuse,* 1898. – *Les Cahiers de la Quinzaine,* janv. 1900-août 1914. – *De Jean Coste,* 1902 (E). – *Bernard Lazare,* 1903 (E). – *Zangwill,* 1904 (E). – *Les Suppliants parallèles,* 1905 (E). – *Notre patrie,* 1905 (E). – *De la situation faite à l'histoire et à la sociologie dans les temps modernes,* novembre 1906 (E). – *De la situation faite au parti intellectuel dans le monde moderne,* décembre 1906 (E). – *De la situation faite à l'histoire et à la sociologie et au parti intellectuel dans le monde moderne,* février 1907 (E). – *De la situation faite au parti intellectuel dans un monde moderne devant les accidents de la gloire temporelle,* octobre 1907 (E). – *Le Mystère de la charité de Jeanne d'Arc* (poème dramatique), 1910 (T). – *Notre jeunesse,* 1910 (E). – *Victor-Marie, comte Hugo,* 1910 (E). – *Le Porche du mystère de la deuxième vertu,* 1911 (P). – *Un nouveau théologien : M. Fernand Laudet,* septembre 1911 (E). – *Le Mystère des saints Innocents,* 1912 (P). – *La Tapisserie de sainte Geneviève et de Jeanne d'Arc,* 1912 (P). – *La Tapisserie de Notre-Dame,* 1912 (P). – *L'Argent* (comprend *Langlois tel qu'on le parle*), février 1913 (E). – *L'Argent, suite* (comprend *M. Lanson tel qu'on le loue* et *Vies parallèles de M. Lanson et de M. Andler*), avril 1913 (E). – *Ève,* 1913 (P). – *Note sur M. Bergson et la philosophie bergsonienne,* avril 1914 (E). – *Clio, dialogue de l'histoire et de l'âme païenne,* posth., 1917 (E). – *Note conjointe sur M. Descartes et la philosophie cartésienne* (écrit en 1914), posth., 1924 (E). – *Lettres et Entretiens,* posth., 1927. – *Pierre, commencement d'une vie bourgeoise,* posth., 1931 (N). – *Quatrains 1911-1912,* posth., 1937 (P). – *Les Feuillets de l'Amitié Charles Péguy* (publication d'inédits), posth., 1947 et suiv. – *Par ce demi-clair matin* (écrit en 1905), posth., 1952. – *L'Esprit de système,* posth., 1953. – *Un poète l'a dit,* posth., 1953. – *Deuxième Élégie,* posth., 1955. – *La Thèse,* posth., 1955. – *Une amitié française. Correspondance entre Charles Péguy et Romain Rolland,* posth., 1955. – *Notes politiques et sociales,* posth., 1957. – *La Ballade du cœur* (poème inéd.), posth., 1973. – *Correspondance avec Alain-Fournier* (1910-1914), posth., 1973.

PEIRE (ou PEIROL) D'AUVERGNE. Troubadour occitan. XIIe s. Jongleur d'origine modeste, P. allait de château en château. Il fut surtout bien accueilli à la cour du comte de Toulouse et à celle de Castille. Très soucieux de son rôle de poète, il s'efforça de renouveler les formes et les thèmes traditionnels : « Mon souci angoissé est de chanter d'une manière qui ne ressemble à aucune autre : le chant qui rappelle celui d'un autre ne vaut rien. » Disciple de Marcabru, il chercha à atteindre le plus haut style et ne craignit pas, dans ce dessein, de pratiquer une poésie difficile, voire hermétique.

Œuvres. *Vers,* une vingtaine de chansons écrites de 1150 à 1170.

PEIRE CARDENAL. Le Puy-en-Velay vers 1180 – 1278. Troubadour occitan. Il était destiné à la carrière ecclésiastique et avait appris les rudiments des lettres et des sciences. Parvenu à l'âge adulte, il décida de « s'éprendre de la vanité de ce monde » et de se consacrer uniquement à la poésie, parce qu'il se trouvait « gai, beau, jeune ». Marié, père de famille, il mena une vie pauvre, malgré l'aide de ses protecteurs : Raimon VI de Toulouse, dont il fut le secrétaire, et Raimon VII.
Plus de cent pièces de son œuvre ont été conservées. Les principales sont des *chansons d'amour,* des *sirventès* et des *chants religieux.* Après avoir chanté l'amour dans la plus pure tradition courtoise, P.C., impressionné par la Croisade contre les albigeois, abandonna les thèmes de l'amour, qui lui semblaient bien futiles au regard des graves problèmes du moment. Selon lui, l'amour n'apporte que des soucis, et la plus belle dame ne vaut pas les préoccupations qu'elle occasionne si l'on considère l'attention que doivent susciter les victimes d'une injustice. Désormais, l'amour ne fut plus pour lui qu'une joie éphémère, non négligeable, mais qui ne vaut pas tout le mal et la peine qu'ordonne l'amour courtois. L'amour, avec P.C., s'intellectualise. Vis-à-vis de sa dame, le poète n'est plus « ni son captif ni son homme lige ». La critique de l'amour (courtois) s'accompagne d'une satire contre les riches, contre les clercs, contre Jean sans Terre et sa cour dissolue, qu'il juge ayant « courte courtoisie ». C'est là ce qui fait de P.C. le maître du genre dramatique et polémique du « sirventès ». Cette satire parfois violente n'englobe pas cependant ses protecteurs, particulièrement Raimon VII : « Tout comme l'eau de la fontaine, de lui naît chevalerie. »
Anticlérical, P.C. est toutefois profondément religieux. Il joint à cette foi une très haute idée de son métier de poète. Il n'est guère un novateur, mais la violence qu'il donne à ses satires (56 « sirventès ») fait de lui un des premiers écrivains engagés, vitupérant toutes les injustices sociales et, en priorité, celle dont est victime le poète, qui doit se contenter d'une vie misérable.

Œuvres. *Poésies.* Une centaine de poésies écrites de 1202 à 1280. Éd. établie par R. Lavaud, 1957.

PEIRE VIDAL. Toulouse vers 1150 – Italie vers 1210. Troubadour occitan, il se manifesta pour la première fois à la cour de Raimon V de Toulouse, qui présidait à l'un des centres littéraires les plus actifs du midi de la France. À partir de 1186, P. V. bénéficia également de la protection d'Alphonse VIII de Castille, à qui il offrit ses services au détriment de son ancien maître. Il alla ainsi de cour en cour, et on le retrouve en Terre sainte, « pèlerin involontaire » auprès de Richard Cœur de Lion. Rentré en Provence, il perdit tous ses protecteurs pour l'amour d'une dame qu'il baptisa « la louve ». Il se consacra à elle, non sans humour, se comparant à une bête sauvage qui n'aurait d'autre préoccupation que de s'approprier sa proie. La Provence ne lui offrant plus guère de ressources, il se tourna vers la cour de Boniface de Montferrat, malgré la présence d'un autre troubadour en titre, Raimbaut de Vaqueiras. Une autre dame l'y retint quelque temps. Il suivra encore Constance d'Aragon en Hongrie et reviendra en Italie, à Gênes, où il se plaira tant qu'il y restera tout en se consacrant lui-même « empereur » des Génois. Mais P. V. n'est pas dupe de ses propres vantardises, et la dérision est son arme la plus sûre pour se sauver du ridicule qui le menaçait lorsqu'il s'attribuait un rôle avantageux. Cette attitude contribua à donner à son œuvre un ton qui la distingue de la production de ses contemporains. « À moi tout seul, j'ai fait prisonniers cent chevaliers, j'en ai désarmé cent autres, j'ai fait pleurer cent dames et cent autres rire et se divertir ». Troubadour satirique – il a surtout écrit des *sirventès* –, il se plaît à parodier ses confrères, mais cette critique implicite n'est pas exempte d'amertume, ce qui rend touchant ce poète errant et batailleur qui ne sut jamais pour qui il devait prendre parti, se bornant à suivre les impulsions d'un tempérament ardent et versatile.

Œuvres. *Sirventès,* quarante-cinq poèmes lyriques écrits de 1171 à 1205. Éd. établie par D'Arca, 1960.

PEISSON Édouard. Marseille 1896 – Ventabren (Bouches-du-Rhône) 1963. Comme Loti, il unit dans un même destin son métier de marin et sa vocation littéraire ; solide et fécond romancier, il reçut plusieurs récompenses officielles pour une œuvre, traditionnelle mais attachante, qui comprend de très nombreux titres.

Œuvres. *Ballero, capitaine,* 1928 (N). – *Hans le marin,* 1930 (N). – *Le Courrier de la mer Blanche,* 1930 (N). – *Une femme,* 1931 (N). – *Parti de Liverpool,*

1932 (N). – *Gens de mer,* 1934 (N). – *Chalutier 304,* 1935 (N). – *Le Pilote,* 1937 (N). – *Le Voyage d'Edgar,* 1938 (N). – *L'Aigle de mer,* 1941 (N). – *Les Rescapés du Nevada,* 1948 (N). – *Le Garçon sauvage,* 1950 (N). – *L'Anneau des mers,* 1952 (N). – *Pôles, l'étonnante aventure de Roald Amundsen,* 1952 (N). – *Capitaines de la route de New York,* 1953 (N). – *Le Sel de la mer,* 1954 (N). – *Dieu te juge,* 1955 (N). – *La Route du pôle Sud,* 1957 (N). – *Thomas et l'Ange,* 1959 (N). – *Le Quart de nuit,* 1960 (N). – *Grampus,* 1960 (N). – *Le Cavalier nu,* 1964 (N).

PÉLADAN Joseph ou **Joséphin,** dit **le Sâr Péladan.** Lyon 28.3.1858 – Neuilly-sur-Seine 28.1.1918. Influencé dès sa jeunesse par les mystiques lyonnais et par les rose-croix, il se proclama mage, affirmant que sa famille descendait d'un roi babylonien dont il aurait hérité les pouvoirs avec le titre de « sâr ». Il laissa une œuvre très abondante, oscillant entre le catholicisme mystique et l'érotisme et qu'inspire une réaction générale contre le naturalisme, considéré comme « gouffre matérialiste », « tueur de l'Idée ». P. écrivit aussi pour le théâtre, et il donna des études critiques, notamment sur Wagner, qui le passionnait *(De Parsifal à don Quichotte).* De sa production romanesque se détachent quelques œuvres plus classiquement psychologiques comme *les Amants de Pise.*

Œuvres *La Décadence latine* (épopée en 19 vol., dont : *le Vice suprême,* 1884 ; *Curieuse,* 1885 ; *l'Initiation sentimentale,* 1886 ; *Istar,* 1888 ; *la Gynandre,* 1891 ; *Finis Latinorum,* 1899 ; *la Vertu suprême,* 1900), 1884-1907 (N). – *Comment on devient mage,* 1891 (E). – *Anthologie des sciences mortes* (7 vol.), 1892-1911. – *Babylone,* 1895 (T). – *Le Prince de Byzance,* 1896 (T). – *La Prométhéide,* 1897 (T). – *Œdipe et le Sphinx,* 1898 (T). – *Sémiramis,* 1904 (T). – *La Dernière Leçon de Léonard de Vinci,* 1904 (E). – *De Parsifal à don Quichotte,* 1906 (E). – *Les Drames de la conscience* (série romanesque, contient *les Amants de Pise*), 1906-1913 (N). – *L'Art et la Guerre* (recueil d'essais), s. d. – *Les Dévotes d'Avignon,* posth., 1922 (N). – *Les Dévotes vaincues,* posth., 1923 (N). – *La Torche renversée,* posth., 1925 (N).

PÈLERINAGE DE CHARLEMAGNE (le), fin XIIe s. Chanson de geste appartenant au cycle du Roi, écrite en laisses d'alexandrins. Il s'agit plutôt d'un récit, fait sur le mode plaisant, qui raconte le chemin parcouru par Charlemagne pour se rendre de Jérusalem à Constantinople. Cette œuvre a pu être inspirée par la deuxième croisade (1147-1149). Pour la première fois, l'auteur anonyme ne subit pas les conventions dictées par le genre épique. Il ne craint pas de faire intervenir un humour qui ridiculise parfois ses illustres protagonistes. De la farce la plus grossière à l'ironie la plus raffinée, le personnage déjà légendaire de Charlemagne ainsi que quelques grands de ce temps sont tournés en dérision dans un irrespect qui ne va jamais jusqu'à la malveillance.

PELETIER DU MANS Jacques. Le Mans 25.7.1517 – Paris 1582. Mathématicien, philologue érudit et poète, P. a mené une carrière universitaire et vagabonde, allant d'université en université (Paris, Bayeux, Bordeaux, Poitiers) pour dispenser son enseignement. De 1580 à 1582, il est principal du collège du Mans, après avoir été secrétaire de René du Bellay, archevêque du Mans (de 1540 à 1543). Autodidacte d'esprit curieux, il s'intéressa à toutes les sciences connues du XVIe s. Mathématicien, il fit paraître de nombreux traités. Philologue, il se signala par une conception nouvelle de l'orthographe, et prit part à cette querelle à la mode, orchestrée par Louis Meigret, en proposant un nouveau système graphique dans *Dialogue de l'ortografe et prononciation françoese.* Poète enfin, il débuta par une traduction de l'*Art poétique* d'Horace, qu'il fit précéder d'une apologie de la langue française dont du Bellay s'inspirera dans sa *Défense et Illustration*. Dans les *Œuvres poétiques,* l'influence de Marot est manifeste, mais il s'en dégage cependant une sensibilité originale : P. fait, entre autres, un éloge poétique des mathématiques. Peu à peu, il laissera libre cours à son inspiration personnelle dans le poème intitulé « Louanges », et surtout dans son *Amour des Amours,* où il parvient à renouveler un thème usé. En 1555, il publia un *Art poétique français*, qui contribua à élaborer les principes directeurs de la Pléiade tout en atténuant les excès polémiques de du Bellay. Il y a exprimé « l'opinion d'une Pléiade assagie », donnant une part restreinte à l'imitation et revendiquant surtout la créativité du poète.
Son rôle au sein de la Pléiade fut fondamental : les jeunes Ronsard et du Bellay ont très certainement été influencés par celui qui avait pressenti la place prépondérante que la langue française devait occuper dans la poésie de son siècle.

Œuvres. *L'Art poétique d'Horace* (trad. en vers, précédée d'une dédicace à Cretofle

Perot), 1545. – *Œuvres poétiques,* 1547 (P). – *Arithmétique,* 1549 (E). – *Dialogue de l'Ortografe et prononciation françoese,* 1550 (E). – *L'Art poétique français,* 1555 (E). – *L'Amour des Amours* (96 sonnets, suivis de *l'Uranie*), 1555 (P). – *In Euclidis elementa geometrica demonstrationes,* 1557 (E). – *De occulta parte numerorum quam algebram vocant,* 1560 (E). – *De conciliatione locorum Galeni,* 1560 (E). – *De dimensione circuli,* 1563 (E). – *De peste compendium,* 1563 (E). – *De contactu linearum,* 1563 (E). – *Disquisitiones geometricae,* 1567 (E). – *La Savoie,* 1572 (P). – *Géométrie,* 1573 (E). – *Les Louanges,* 1581 (P).

PEREC Georges. Paris 7.3.1936 – Ivry 3.3.1982. Dans des œuvres qui sont bien, à beaucoup d'égards, des « romans », P. raconte effectivement *des* histoires, non pas seulement *une* histoire : la première impression du lecteur est que cette pluralité narrative résulte d'une virtuosité technique étourdissante ; le lecteur peut même se demander si, chez P., le roman n'a pas pour but principal de provoquer cette impression d'étourdissement, qui n'est pas sans conférer au plaisir de la lecture une dimension supplémentaire, finalement assez agréable ! On se souviendra alors que P. appartient à la lignée de ces acrobates du langage dont l'archétype est Raymond Queneau ; il a d'ailleurs compté au nombre des collaborateurs de l'OULIPO (Ouvroir de littérature potentielle ; voir QUENEAU). Il appartient aussi à la lignée de ces « nouveaux romanciers », pour qui la littérature, même narrative, n'est constituée, en tant que telle, que par un pur jeu de structures et de formes.
Toutefois, si l'on compare *les Choses,* et surtout *la Vie mode d'emploi,* aux romans d'Alain Robbe-Grillet, l'éventuelle assimilation de l'œuvre de P. au « nouveau roman » ne semble guère satisfaisante : le lecteur a désormais le sentiment que cette apparente virtuosité formaliste est plus un masque qu'un révélateur. Car l'ultime impression du lecteur est bien qu'ici le « roman » devient la superposition, rigoureusement calculée, d'un jeu et d'un univers, signe que, pour P., la littérature est le moyen de transcrire et calquer l'ambiguïté de la relation de l'homme avec le monde : relation *ludique* obtenue par la technique du désengagement de l'écriture par rapport à sa matière, mais aussi relation *vitale* traduite inversement par la présence minutieuse, dans le texte, d'un matériau réaliste.
D'ailleurs, l'évolution de P., malheureusement interrompue par sa mort prématurée à 46 ans, confirme cette impression : son premier roman, *les Choses,* qui reçut en 1965 le prix Renaudot, est en apparence un roman de type classique, « une histoire des années soixante » ; mais déjà s'amorce ici la présence d'une sorte de « supplément » du roman, qui, à travers la description et la narration, suscite une rhétorique absorbant et transcendant la matière romanesque sans toutefois l'abolir. Sans doute soucieux de cultiver cet aspect de son art, P. s'adonne alors à des exercices de toutes sortes, dont il rendra compte dans *Créations, Re-créations, Récréations,* comme si ce qui lui était venu par inspiration dans *les Choses* devait désormais être élaboré et systématisé. Cette opération sera achevée avec *la Vie mode d'emploi* (prix Médicis), où, tout en opérant une reproduction méticuleuse du réel, un peu à la Flaubert, P., à force de neutraliser ce réel dans l'affirmation de sa matérialité pure, entreprend de libérer de toute référence le jeu proprement littéraire de l'écriture. Et pour mieux encore réaliser son propos, ce singulier romancier pratique systématiquement la technique de la prolifération : de la sorte, les « choses de la vie », selon le « mode d'emploi » proposé par l'écriture même, se vident sinon tout à fait de signification, du moins de valeur, et, de même, le foisonnement pluriel *des* histoires, dont aucune ne l'emporte sur l'autre, se neutralise lui-même. La question peut alors se poser de savoir si P. ne se propose pas finalement de neutraliser ainsi la littérature elle-même : à son œuvre, en tout cas, semble bien pouvoir s'appliquer la formule de Roland Barthes, « le degré zéro de l'écriture ».

Œuvres. *Les Choses,* 1965 (N). – *Quel petit vélo à guidon chromé au fond de la cour ?* 1966 (N). – *Un homme qui dort,* 1967 (N). – *La Disparition,* 1969 (N). – *L'Augmentation,* 1970 (T). – *Les Revenantes,* 1972 (N). – *La Boutique obscure,* 1973 (N). – *Espèces d'espaces,* 1973 (E). – *Créations, Re-créations, Récréations,* 1973 (E). – *La Poche Parmentier,* 1974 (T). – *W ou le Souvenir d'enfance,* 1975 (T). – *Je me souviens,* 1978 (N). – *La Vie mode d'emploi,* 1978 (N). – *Un cabinet d'amateur,* 1979 (N). – *Mots croisés,* 1979. – *La Clôture et autres poèmes,* 1980. – *Théâtre I,* 1981.

PÉRET Benjamin. Rezé (Loire-Atlantique) 4.7.1899 – Paris 18.9.1959. Soldat malgré lui, il fit la guerre dans les Balkans (1917) ; il se lia avec les surréalistes dès la naissance du mouvement et en dirigea la revue, *Littérature,* durant un bref moment (1924). Parti en 1929 pour le

Brésil, il y déploie une activité politique qui entraîne son arrestation puis son expulsion (1931). Ayant regagné l'Europe, il s'engage contre Franco dès 1936, mais abandonne la lutte l'année suivante, désapprouvant l'orientation politique de ses compagnons. Arrêté par les nazis en 1939, il parvient à quitter la France pour le Mexique, où il vit jusqu'en 1948, en partie en compagnie d'André Breton. Avant de mourir, il aura le temps de retourner encore une fois en Amérique latine (Brésil, 1955). Très peu préoccupé de construire une œuvre, P. multiplia les petites publications, et c'est après sa mort que fut entreprise une édition globale de ses œuvres. P. est un des rares surréalistes à l'avoir été toute sa vie, et à avoir su conserver l'amitié de Breton ; il apparaît aussi comme un des hommes les plus modestes du groupe, et son insouciance de la gloire l'a longtemps condamné à une très injuste relégation. Il sut à la fois rester fidèle à l'indépendance anarchiste léguée par Dada et contrôler son propre usage de l'écriture automatique. C'est cette lucidité naturelle qui marque une œuvre dominée par l'esprit d'enfance, la liberté du vagabondage verbal, l'abondance des trouvailles, la spontanéité souvent féroce de l'humour. Difficile à lire parce qu'il requiert plutôt complicité qu'attention simple, P. mérite grandement sa place, à côté d'Éluard et bien au-dessus de Prévert.

Œuvres. *Le Passager du transatlantique,* 1921. – *Au 125 du boulevard Saint-Germain,* 1923. – *Immortelle Maladie,* 1924. – Avec Paul Éluard, *125 Proverbes mis au goût du jour,* 1925. – *Il était une boulangère,* 1925. – *Dormir, dormir dans les pierres,* 1927. – *Le Grand Jeu,* 1928, rééd. 1969. – *De derrière les fagots,* 1934. – *Je sublime,* 1936. – *Je ne mange pas de ce pain-là,* 1936. – *La parole est à Péret,* 1943. – *Le Déshonneur des poètes,* 1945. – *Main forte,* 1946. – *Feu central,* 1947. – *Air mexicain,* 1952. – *Mort aux vaches et au champ d'honneur,* 1953. – *Le Livre de Chilam Balam de Chumayal,* 1955. – *Anthologie de l'amour sublime,* 1956. – *Le Gigot, sa vie, son œuvre,* 1957. – *La Brebis galante,* 1959. – *Anthologie des mythes, légendes et contes populaires d'Amérique,* posth., 1960. – *Vingt Poèmes,* posth., 1965. – *Lettres de la guerre d'Espagne,* posth., 1965. – *Œuvres complètes* (I, posth., 1969 ; II, posth., 1971). – Avec L. Aragon et A. Breton, *la Révolution surréaliste,* collection complète de la revue, fac-similé, posth., 1975.

PERGAUD Louis. Belmont (Doubs) 22.1.1882 – bataille de la Woëvre (Meuse) 4.4.1915. Ce Jurassien, profondément campagnard, exerça toute sa vie la profession d'instituteur, restant proche et des enfants et de la nature. Il fut d'abord poète, dans *l'Aube* et dans *l'Herbe d'avril,* mais doit surtout sa gloire à trois ouvrages en prose : *De Goupil à Margot* (prix Goncourt 1910), recueil de contes rustiques, d'un ton très naturel ; *la Guerre des boutons, roman de ma douzième année,* remarquable analyse de psychologie enfantine popularisée par le cinéma (film d'Y. Robert, 1961) ; enfin *le Roman de Miraut, chien de chasse,* où l'on peut apprécier une connaissance fine et profonde des réactions animales, ainsi que le don réaliste du narrateur dans l'évocation sans caricature de la vie rurale.

Œuvres. *L'Aube,* 1904 (P). – *L'Herbe d'avril,* 1906 (P). – *De Goupil à Margot, histoires de bêtes,* 1910 (N). – *La Revanche du corbeau,* 1911 (N). – *La Guerre des boutons, roman de ma douzième année,* 1912 (N). – *Le Roman de Miraut, chien de chasse,* 1913 (N). – *Les Rustiques* (nouvelles), posth., 1921 (N). – *La Vie des bêtes,* posth., 1923 (N). – *Mélanges,* posth., 1938 (N). – *Correspondance,* posth., 1955.

PÉRIER Odilon Jean. Bruxelles 9.3.1901 – 22.2.1928. Poète belge d'expression française. Prématurément disparu, il n'a pu donner toute sa mesure. Il est de ceux qui, dans les années vingt, ont fondé la poésie sur la recherche d'une maîtrise du langage qui pût concilier l'expression lyrique de la sensibilité et la rigueur architecturale du poème.

Œuvres. *Combat de la neige et du poète,* 1920 (P). – *La Vertu par le chant,* 1921 (P). – *Notre mère la ville,* 1922 (P). – *Le Citadin ou Éloge de Bruxelles,* 1924 (P). – *Pierre ou les Bûcherons,* 1924 (T). – *Les Indifférents ou L'on s'amuse comme on peut,* 1925 (T). – *Le Passage des ondes,* 1926 (N). – *Le Promeneur,* 1928 (P). – *Poèmes,* posth., 1952 (P).

PÉROCHON Ernest. Vouillé (Deux-Sèvres) 1885 – Niort 10.2.1942. Sa vie se déroula toute en Vendée, où il fut instituteur ; ses romans décrivent l'existence et les mœurs de sa province, d'une façon qui peut paraître aujourd'hui un peu désuète. P. serait sans doute oublié s'il n'avait obtenu le prix Goncourt pour *Nêne,* histoire d'une servante de ferme en butte à l'ingratitude des enfants qu'elle a élevés.

Œuvres. *Nêne,* 1920 (N). – *Le Chemin de plaine,* 1920 (N). – *Les Creux-de-Maisons,* 1921 (N). – *La Parcelle 32,* 1922, (N). – *Poésies (Chansons alternées-Flûtes* *et bourdons),* 1922 (P). – *Les Gardiennes,* 1924 (N). – *L'Instituteur,* 1927 (N). – *Au point du jour,* 1930 (N). – *Marie-Rose Méchain,* 1931 (N). – *Le Crime étrange de Lise Balzan,* 1932 (N). – *Barberine des Genêts,* 1933 (N). – *Les Endiablés,* 1934 (N). – *Milon,* 1936 (N). – *Nicolas et Nicolette au bois charmant,* 1937 (N). – *Babette et ses deux frères,* 1939 (N). – *Le Chanteur de villanelles,* posth., 1943.

PERRAULT Charles. Paris 12.1.1628 – 16.5.1703. Il est le plus jeune de cinq frères, dont l'un, Nicolas, sera théologien, l'autre, Pierre, avocat puis receveur général des finances de Paris, et un troisième, Claude, médecin et architecte célèbre, auteur de la colonnade du Louvre. Fils d'un avocat au parlement, P. embrasse lui-même la carrière de son père (1651), puis deviendra membre de la commission – dite « Petite Académie » – chargée de rédiger les inscriptions commémoratives sur les médailles et bâtiments (qui recevra en 1716 le nom d'Académie des inscriptions et belles-lettres), premier commis de Colbert et contrôleur général de la surintendance des Bâtiments du roi. Ses premiers essais littéraires sont des poésies galantes et des œuvres précieuses ou burlesques : *les Murs de Troie ou l'Origine du burlesque* (en collaboration avec ses frères, 1653), *Dialogue de l'amour et de l'amitié.* En 1686, il publie une épopée chrétienne, *Saint Paulin,* dont la préface reprend les idées exprimées quelques années plus tôt par Desmarets de Saint-Sorlin pour exposer la thèse des Modernes. Il composera encore, dans le même esprit, un autre poème épique, *Adam ou la Création de l'homme,* ainsi que des poésies de circonstance, religieuses (*Ode aux nouveaux convertis,* 1684), morales ou critiques. Il entre en 1671 à l'Académie française et s'attache, officieusement mandaté par Colbert, à introduire certaines innovations ou réformes dans la Compagnie : c'est ainsi que, dès 1672, les séances de réception deviennent publiques. En 1687, il ouvre la grande querelle des Anciens et des Modernes en présentant à l'Académie un poème assez médiocre, *le Siècle de Louis le Grand,* qui proclame la supériorité des auteurs modernes sur ceux de l'Antiquité, en se fondant sur l'idée du progrès des connaissances et des techniques qui permettent le progrès esthétique. La Fontaine, La Bruyère, Racine et surtout Boileau, partisans des Anciens, réagissent et contre-attaquent vigoureusement. Dans cette guerre où chacun des adversaires veut faire triompher les mérites de sa propre thèse, P. répliquera par plusieurs ouvrages qui développent et illustrent ses arguments : *Parallèle des Anciens et des Modernes, Apologie des femmes, Des hommes illustres qui ont paru en France pendant ce siècle, avec leurs portraits en nature.* Finalement, la dispute s'apaise, au moins provisoirement, et Boileau se montre plus conciliant (*Lettre à Ch. P.,* 1694, publiée en 1700). Cependant, c'est par un mince volume publié en 1697 sous le nom de son fils, PERRAULT D'ARMANCOUR (prête-nom ou collaborateur, alors âgé de dix-neuf ans), que P. va devenir célèbre pour la postérité : ses *Contes de ma mère l'Oye ou Contes du temps passé.* Le recueil contient huit contes en prose (« le Petit Chaperon rouge », « Barbe-Bleue », « la Belle au bois dormant », « le Chat botté », « les Fées », « Cendrillon... », « le Petit Poucet », « Riquet à la houppe ») et s'augmentera, lors de la deuxième édition, de trois contes en vers parus précédemment : « Grisélidis », adapté d'une nouvelle du *Décaméron* de Boccace, 1691 ; « Peau d'Âne » ; « les Souhaits... », 1694. L'originalité de P. vient de ce qu'il substitue aux féeries galantes, alors à la mode, des contes véritablement et directement inspirés par la tradition populaire, en leur donnant une forme classique, raffinée, définitive. Il est ainsi à l'origine d'un genre littéraire nouveau, celui du conte de fées tiré du folklore, qui fera école et suscitera à son auteur bien des imitateurs et des continuateurs. Écrite avec grâce, aisance, simplicité et naturel, l'œuvre de P. remporte dès sa publication un éclatant succès qui ne se démentira pas au cours des siècles suivants et reste toujours aussi attrayante de nos jours, pour les adultes comme pour les enfants. P. a également laissé des *Mémoires,* qui ne seront publiés qu'en 1755. (Voir ANCIENS ET MODERNES.)

Œuvres. Avec ses frères Nicolas et Claude, *l'Énéide travestie,* s.d. – Avec les mêmes, *les Murs de Troie ou l'Origine du burlesque,* 1653 (P). – *Œuvres galantes (Dialogue de l'amour et de l'amitié ; Portrait d'Iris ; le Miroir ou la Métamorphose d'Orante ; la Chambre de justice d'amour),* vers 1660. – *Ode aux nouveaux convertis,* 1684 (P). – *Saint Paulin, évêque de Nole* (poème épique), 1686 (P). – *Le Siècle de Louis le Grand,* 1687 (P). – *Parallèle des Anciens et des Modernes en ce qui concerne les arts et les sciences* (4 vol.), 1688-1697 (E). – *Le Cabinet des beaux-arts,* 1690 (E). – *La Marquise de Salusse ou la Patience de Grisélidis* (conte en vers), 1691. – *Apologie des femmes,* 1694 (E). – *Grisélidis* (nouvelle), avec le conte de *Peau d'Âne* et celui des *Souhaits* *ridicules* (contes en vers), 1694 (P). – *Des Hommes illustres qui ont paru en France pendant ce siècle, avec leurs portraits en nature* (2 vol.), 1696-1700 (E). – *Adam ou la Création de l'homme* (poème épique), 1697 (P). – *Contes de ma mère l'Oye ou Histoires et Contes du temps passé, avec des moralités* (8 contes en prose : *la Belle au bois dormant, le Petit Chaperon rouge, Barbe-Bleue, le Chat botté, les Fées, Cendrillon ou la Petite Pantoufle de vair, Riquet à la houppe, le Petit Poucet*), 1697 (N). – *Mémoires,* posth., 1755. – *L'Oublieux,* comédie en vers, posth., 1868.

PERRAULT Pierre. Montréal 29.6.1927. Écrivain québécois. Après des études classiques au collège de Montréal, il s'inscrit en droit et pratiquera cette discipline deux ans, de 1954 à 1956. Il devient alors auteur radiophonique à Radio-Canada et commence à écrire pour la télévision. C'est en 1961 qu'il publie son premier recueil de poèmes, *Portulan,* et, dès 1963, il amorce sa carrière cinématographique : *Pour la suite du monde* est le premier volet de la Trilogie de *l'Île aux coudres* qui allait le rendre célèbre et lui valoir de nombreux prix. Homme de l'image, du cinéma direct, P. se veut avant tout un porte-parole. Son œuvre cinématographique et poétique témoigne du même acharnement : tirer de l'oubli son pays qu'il aime avec ferveur, « rendre le futur disponible à ceux qui n'ont pas d'histoire » *(En désespoir de cause).* Il privilégie dans ce but l'oralité : dans *Chouennes,* par exemple, le projet même de sa poésie se trouve défini par sa fidélité au langage oral puisqu'il se propose d'appeler « parlèmes » ces sortes de poèmes parlés dont se composent ses ouvrages. La parole est l'ultime espoir de vaincre la mort d'un peuple et de le retrouver. Tous ses poèmes se rattachent d'ailleurs de près ou de loin à un aspect du pays ou de la vie du peuple québécois. Gens de la côte nord, chasseurs de caribous, bûcherons ou capitaines de goélettes provoquent l'émerveillement du poète qui s'exprime dans de vastes épopées, à la fois plaidoyers pour la libération et dénonciation véhémente de la lente décomposition. *Gélivures* est à ce titre exemplaire : apprendre le froid, dit le poète, c'est quitter la mollesse pour la dureté, retrouver la sauvagerie nécessaire à la lutte. Poésie de la mémoire et de l'enracinement, l'œuvre de P. est une prise de possession du territoire. Clamant un amour « sans bon sens » pour ce pays qu'il nomme *Québécoisie,* il choisit un langage régionaliste, folklorique parfois, pour le révéler aux gens d'ici et d'ailleurs.

Œuvres. *Portulan,* 1961 (P). – *Ballades du temps précieux,* 1963 (P). – *Toutes Isles, chroniques de terre et de mer,* 1963. – *Au cœur de la rose,* 1964 (T). – *Le Règne du jour* (scénario), 1968. – *Les Voitures d'eau* (scénario), 1969. – *En désespoir de cause,* 1971 (P). – *Un pays sans bon sens* (scénario), 1972. – *Chouennes, poèmes 1961-1971,* 1975. – *Gélivures,* 1977 (P). – *La Bête lumineuse* (journal de tournage), 1982. – *Caméramages,* 1983 (E).

Films. *Pour la suite du monde,* 1963. – *Le Règne du jour,* 1966. – *Les Voitures d'eau,* 1968. – *Un pays sans bon sens,* 1970. – *L'Acadie, l'Acadie,* 1971. – *Un royaume vous attend,* 1976. – *Le Goût de la farine,* 1976. – *Le Retour à la terre,* 1977. – *C'était un Québécois en Bretagne, Madame,* 1977.

PERRET Jacques. Trappes (Yvelines) 8.9.1901. Qu'il raconte ses souvenirs de captivité *(le Caporal épinglé)* ou romance son expérience de maquisard (*Bande à part,* prix Interallié 1951), il est d'abord une sorte de gamin non conformiste qui, à travers des anecdotes vécues ou imaginaires, traduit en termes d'humour le thème de la virilité : on a remarqué que les femmes sont à peu près absentes de son œuvre, et que l'amitié y prend la place de l'amour : il est sans doute, à cet égard, l'un des grands excentriques de la littérature contemporaine. Il cultive cette même excentricité dans son écriture faite de « longues phrases enchevêtrées, écailleuses, drôlement construites, mais toujours bien d'aplomb sur leurs pattes » (R. Nimier), comme si le style lui-même, jusque dans sa forme et ses structures, était lui aussi une aventure, toujours recommencée.

Œuvres. *Roucou,* 1936 (N). – *Ernest le Rebelle,* 1937 (N). – *Histoires sous le vent,* 1944 (N). – *L'Oiseau rare,* 1947 (N). – *Le Caporal épinglé,* 1947 (N). – *Le Vent dans les voiles,* 1948 (N). – *Objets perdus,* 1949 (N). – *Bande à part,* 1951 (N). – *La Bête mahousse et autres nouvelles,* 1951 (N). – *Mutinerie à bord,* 1953 (T). – *Bâtons dans les roues,* 1953 (E). – *Cheveux sur la soupe,* 1954 (E). – *Le Machin,* 1955 (N). – *Rôle de plaisance,* 1957 (N). – *Salades de saison,* 1957 (E). – *L'Oiseau rare,* 1959 (N). – *Les Biffins de Gonesse,* 1961 (N). – *Paquets de mer,* 1962 (N). – *Le Vilain Temps,* 1964 (N). – *Trois Pièces (Maximilien, Monsieur Georges, Caracalla),* 1964 (T). – *Le Couteau,* 1965 (T). – *Rapport sur le paquet de gris,* 1965. – *L'Île de France,* 1966 (N). – *La Compagnie des eaux,* 1969 (N). – *Grands Chevaux et Dadas,* 1975 (N). – *Raisons de famille* (souvenirs), 1976. – *Un* *marché aux puces,* 1980 (N). – *Tirelires* (nouvelles), 1981. – *Belle-lurette* (souvenirs), 1983. – *Le Jardin des Plantes,* 1984 (N).

PERROS Georges. Paris 1923 – Douarnenez 1978. L'œuvre de P. est une de celles qui témoignent d'une des tendances dominantes de la poésie contemporaine en liaison avec la crise du lyrisme ouverte aux environs de 1960. Tout en isolant, pour ainsi dire, et en privilégiant, dans le processus de manifestation de l'univers poétique, l'autonomie du langage, cette poésie n'en continue pas moins de privilégier aussi, à sa manière, la présence du poète au cœur même d'une apparente réduction au silence de sa sensibilité. À cet égard, *Une vie ordinaire* relève d'une poésie qui se tient en équilibre entre silence et expression, entre pudeur et aveu, entre l'indifférence à « ce qu'est un homme » et la passion pour « son envie d'être autre chose ». De la sorte, la « merveille » de la poésie, inscrite dans le simple *écoulement* des mots et des rythmes sans l'insertion d'aucune superstructure rhétorique, peut alors couler de source : « Ne vous étonnez de rien / C'est le plus sublime étonnement ». Aussi dans ses dernières œuvres, P. en arrive-t-il à condenser sa poésie dans des formes aphoristiques et formulaires, faisant ainsi de la pure *définition* la forme ultime de la « merveille » poétique.

Œuvres. *Poèmes bleus,* 1962 (P). – *Une vie ordinaire,* 1962 (P). – *Papiers collés* (journal), 1960, 1973, 1978. – *Lexique,* posth., 1981.

PERRY Jacques, Jacques Touchard, dit. Neuilly-sur-Seine 15.6.1921. À l'âge du « nouveau roman », P. est, si l'on veut, un romancier « traditionnel » : il a le don de faire vivre des personnages, de faire exploser, durer et mourir des passions, cela dans un langage qui coule de source et qui obtient *les effets* qu'il se propose sans jamais recourir à la recherche de *l'effet.* Mais à travers ce romanesque, où psychologie et réalisme retrouvent leur alliance naturelle, le romancier pose implicitement les grands problèmes de notre temps, en particulier celui de l'autonomie individuelle dans le cadre des relations affectives : la relation entre père et fils *(le Mouton noir)* ou la relation de l'amour fou *(la Liberté en croupe).* À partir de là, il débouche sur le « roman de la vie », où la technique impressionniste et mémorative lui sert à reconstituer, dans une totalité « fonctionnelle », la circulation même de la vie dans le « corps intérieur » que construit la mémoire : *Mère Paradis ; le Trouble-source ; le Ravenala ou l'Arbre du voyageur.*

Œuvres. *La Mauvaise Chasse,* 1947 (N). – *Le Testament,* 1948 (N). – *L'Amour de rien,* 1952 (N). – *Le Mouton noir,* 1953 (N). – *M. d'Ustelles,* 1954 (N). – *Dieu prétexte,* 1955 (N). – *L'Amour de toi,* 1956 (N). – *Maurice Vlaminck,* 1957 (E). – Avec Jane Chabert, *l'Affaire Petiot,* 1957 (E). – *La Grande Idée,* 1959 (N). – *Vie d'un païen* (I, 1965 ; II *la Beauté à genoux,* 1966-1971 ; III *la Peau dure,* 1972) [N]. – *La Liberté en croupe,* 1969 (N). – *Rue du Dragon,* 1971. – *Mère Paradis,* 1974 (N). – *Le Trouble-source,* 1975 (N). – *Le Ravenala ou l'Arbre du voyageur,* 1976 (N). – *Les Fruits de la passion,* 1977 (N). – *L'Île d'un autre,* 1979 (N). – *L'Abbé Dom Juan,* 1980 (N). – *Yo Picasso,* 1982 (N). – *Folie suisse,* 1983 (N).

PESQUIDOUX Joseph Dubosc de. Château de Savigny-lès-Beaune (Côte-d'Or) 1869 – Saint-Pierre-du-Houga (Gers) 1946. Ce gentilhomme terrien se fixa en Armagnac, d'où était originaire sa famille paternelle. L'ensemble de ses ouvrages forme un éloge à la fois lyrique et prosaïque du travail de la terre ; on y trouve aussi bien des récits que des essais, écrits dans une langue riche et précise. Membre du Conseil national du maréchal Pétain, P. publia alors une anthologie fortement orientée de ses œuvres, sous le titre *Sol de France.* Acad. fr. 1936.

Œuvres. *Chez nous. Travaux et jeux rustiques* (I, 1920 ; II, 1922 ; III, *la Harde,* 1936) [N]. – *La Glèbe,* 1922 (N). – *L'Église et la terre,* 1935 (E). – *Le Livre de raison* (I, 1925 ; II, 1927 ; III, 1932) [N]. – *Gascogne,* 1939 (E). – *Un petit univers,* 1940. – *Sol de France,* 1942.

PEUCHMAURD Jacques. Clichy 3.3.1923. Représentant d'une forme moderne de l'autobiographie transposée, P. consacre l'essentiel de son art de romancier à la mise en œuvre des structures de style, de composition et de dramatisation, qui confèrent densité et signification aux épisodes qu'il extrait de sa propre expérience, pour soumettre à un examen impitoyable – et par là il se veut aussi moraliste et psychologue – les êtres fictifs tirés de lui-même par génération littéraire.

Œuvres. *La Plage de Saint-Clair,* 1957 (N). – *Le Plein Été,* 1959 (N). – *J'aime le cirque,* 1962 (N). – *Le Soleil de Palicorna,* 1964 (N). – *Le Cap Nord,* 1966

(N). – *Le Masque,* 1967 (N). – *La Nuit allemande,* 1967 (N). – *Soleil cassé,* 1973 (N).

PEYREFITTE Roger. Castres (Tarn) 17.8.1907. D'emblée, P. a connu un succès considérable, en 1944, avec les *Amitiés particulières,* qui racontent les effets d'un tendre sentiment né entre deux adolescents dans un collège religieux. Depuis – on ne sait si c'est par goût ou par désir de scandale –, P. aborde systématiquement les thèmes susceptibles de susciter les passions. Il décrit, par exemple, les intrigues qui se trament dans le milieu des ambassades *(les Ambassades, la Fin des ambassades)* ou au Vatican *(les Clés de saint Pierre).* Il s'est montré particulièrement acerbe dans *les Juifs,* dans *les Américains* et dans *Des Français.* En 1967, il a publié *Notre amour,* qui rapporte une amitié particulière de la maturité. P. s'est plus récemment orienté vers le genre, très prisé du public, de la biographie romancée, avec sa *Biographie d'Alexandre le Grand.*

Œuvres. *Les Amitiés particulières,* 1944 (N). – *Mlle de Murville,* 1947 (N). – *Le Prince des neiges,* 1947 (T). – *L'Oracle,* 1948 (N). – *Les Amours singulières,* 1949 (N). – *La Mort d'une mère,* 1950 (N). – *Les Ambassades,* 1951 (N). – *Du Vésuve à l'Etna,* 1952 (E). – *La Fin des ambassades,* 1953 (N). – *Les Clés de saint Pierre,* 1955 (N). – *Jeunes Proies,* 1956 (N). – *Les Chevaliers de Malte,* 1957 (N). – *L'Exilé de Capri,* 1959 (N). – *Le Spectateur nocturne,* 1960 (T). – *Les Fils de la lumière,* 1961 (N). – *La Nature du prince,* 1963 (E). – *Lettre ouverte à M. François Mauriac,* 1964. – *Le Secret des conclaves,* 1964. – *Les Juifs,* 1965 (E). – *Notre amour,* 1967 (N). – *Les Américains,* 1968 (E). – *Des Français,* 1970 (E). – *L'Enfant amour,* 1970 (N). – *La Coloquinte,* 1971 (N). – *Manouche,* 1972 (N). – *Un musée de l'amour,* 1972. – *La Muse garçonnière,* poèmes traduits du grec, 1973. – *Tableau de chasse ou la Vie extraordinaire de Fernand Legros,* 1976. – *Biographie d'Alexandre le Grand* (I *la Jeunesse d'Alexandre,* 1977 ; II *les Conquêtes d'Alexandre,* 1979 ; III *Alexandre le Grand,* 1981) [N]. – *Propos secrets,* 1977. – *L'Enfant de cœur,* 1978 (N). – *Roy,* 1979 (N). – *Propos secrets II,* 1980. – *L'Illustre Écrivain,* 1982 (N). – Avec Yves Brayer, *la Grèce notre mère,* 1982 (E). – *La Soutane rouge,* 1983 (N) – *Correspondance Henry de Montherlant-Roger Peyrefitte,* 1983.

PHILIPPE Charles-Louis. Cérilly (Allier) 4.8.1874 – Paris 21.12.1909. Ses origines modestes (son père était sabotier) et le petit emploi administratif où le confina sa médiocre santé le mirent à même de décrire le monde des humbles en connaissance de cause. Désireux de réagir à la fois contre les décadences et les préciosités du symbolisme et contre le grandissement épique du naturalisme, l'une et l'autre école déformant la réalité au profit de l'effet artistique, il s'efforça de décrire avec exactitude, mais sans sécheresse, la vie rurale et urbaine des pauvres, d'utiliser la langue populaire avec discernement, de faire naître l'effet poétique de l'observation elle-même : son œuvre, globalement influencée par l'humanitarisme de Tolstoï, doit probablement aux limites naturelles du talent de son auteur d'être tout à fait réussie dans son registre ; ces romans pleins de vie et de vérité sont parmi les premiers, dans le temps et en valeur, de la littérature dite « populiste ».

Œuvres. *Quatre Histoires de pauvre amour,* 1897 (N). – *La Bonne Madeleine et la pauvre Marie,* 1898 (N). – *La Mère et l'Enfant,* 1900 (N). – *Bubu de Montparnasse,* 1901 (N). – *Le Père Perdrix,* 1902 (N). – *Marie Donadieu,* 1904 (N). – *Croquignole,* 1906 (N). – *Dans la petite ville,* posth., 1910 (N). – *Lettres à Vandeputte,* posth., 1911. – *Charles Blanchard,* posth., 1913 (N). – *Contes du matin,* posth., 1916 (N). – *Chronique du canard sauvage,* posth., 1923 (N). – *Lettres à sa mère,* posth., 1928.

PHILOMBÉ René, Philippe-Louis Ombede, dit. Ngaoundéré 1930. Romancier camerounais. De son vrai nom Philippe-Louis Ombede – d'où il a tiré son pseudonyme –, cet écrivain s'est très tôt signalé par son activité dans les milieux littéraires. Il collabore à des journaux, crée des organismes culturels, fonde l'« Association des poètes et écrivains camerounais » (dont il est le secrétaire général jusqu'en 1981) et ne cesse, malgré la grave infirmité qui l'a frappé, de poursuivre ses activités diverses. Il faut reconnaître à Ph., qui est aussi l'auteur de forts beaux poèmes, le talent de conter selon un art direct et précis et de développer avec profondeur des thèmes simples et riches à la fois.

Œuvres. *Passerelle divine,* 1959 (N). – *Lettres de ma cambuse,* 1964, rééd. 1972 (N). – *Sola, ma chérie,* 1966 (N). – *Un sorcier blanc à Zangali,* 1969 (N). – *L'Amour en pagaille,* 1970 (T). – *Histoires queue-de-chat,* 1971 (N). – *Les Époux* *célibataires,* 1971 (T). – *Les Blancs partis, les nègres dansent,* 1972 (N). – *Petites gouttes de chant pour créer l'homme,* 1977 (P). – *Choc anti-choc,* 1978 (P). – *Africapolis,* 1979 (T). – *Espaces essentiels,* 1983 (P).

PICARD Raymond. (Voir NOUVELLE CRITIQUE.)

PICHETTE Henri. Châteauroux 26.1.1924. Lorsque parurent en 1947 les *Apoèmes* (suivis, dix ans plus tard, des *Revendications*), le public se trouva en présence d'un poète sans modèle et pour qui le refus de tout modèle – qu'exprime le titre même de cette œuvre – est l'état originel de l'acte poétique. Profondément marqué dans son adolescence par la guerre (*cf.* le poème « Connaissance de la guerre »), P. se veut le poète d'un monde sans origine, issu d'une explosion figurée par un langage fait de « mots qui boxent ». Mais de cette explosion à la fois spirituelle et verbale naît aussi la nostalgie lyrique d'une éternité, dont le poète entend « faire le siège » à travers « la soudaineté de l'explosif ». Aussi trouve-t-on également chez P., comme témoin de cette nostalgie poétique, la présence fragmentaire, et progressivement plus raffinée, des structures de la strophe et de l'alexandrin. C'est que, lui-même d'origine canadienne par son père, P. devait un jour (1961) découvrir au Québec les racines de « l'Arbre français », et aux *Apoèmes* succéderont alors des odes : *Odes à chacun, Odes à la neige.* Cette poésie est aussi reliée à une double expérience dramatique : en 1946, P. voit sur la scène du T.N.P. Gérard Philipe, dont le jeu est pour lui une révélation *(cf. le Tombeau de Gérard Philipe),* et il rencontre Antonin Artaud. La figuration dramatique de l'explosion spirituelle s'exprimera en 1947 dans le poème dramatique des *Épiphanies,* événement majeur dans l'histoire du théâtre après 1945 (Théâtre national populaire, avec Gérard Philipe et Maria Casarès). Toujours au théâtre, *Nucléa* passe du plan de la révolte pure à celui de la dialectique du Bien et du Mal, de la Violence et de l'Amour, en construisant le rythme dramatique sur la dualité de la prose cadencée et des strophes d'alexandrins. Depuis 1963, P. se consacre à la révision et au remaniement de ses principales œuvres antérieures, en particulier *les Épiphanies* et *Nucléa.*

Œuvres. *Apoèmes,* 1947, rééd. 1979 (P). – *Les Épiphanies,* 1947, rééd. 1969 (T). – *Le Point vélique,* 1950 (P). – *Lettres arc-en-ciel,* 1950 (E). – *Rond-point,* 1950 (E). – *Nucléa,* 1952 (T). – *Les Revendications,* 1958 (P). – *Odes à chacun,* 1961 (P). – *Tombeau de Gérard Philipe,* 1962. – *Dents de lait, dents de loup,* 1962 (P). – *Odes à la neige,* 1967 (P). – *Poèmes offerts,* 1982 (P).

PIEYRE DE MANDIARGUES André. Paris 14.3.1909. Issu du surréalisme, il en a retenu principalement l'héritage onirique et érotique, ainsi que l'obsession des atmosphères étranges, inquiétantes, voire perverses. Dans ses œuvres de forme proprement poétique, il soumet le langage à des opérations qui visent à produire une transfiguration lyrique des apparences sensibles : ainsi naît une sorte de baroque moderne élaboré à partir de la luxuriance, spontanée et contrôlée, des images inconscientes (*l'Âge de craie, Ruisseau des solitudes*). Mais la majeure partie de son œuvre, auprès d'essais qui en explicitent les motivations ou relèvent d'une autopsychanalyse *(le Désordre de la mémoire),* est faite de récits où les lieux et les temps, choisis, avec le plus grand soin, incarnent, dans leur étrangeté propre, les thèmes symboliques et oniriques, dont l'irruption calculée dans le réel produit un fantastique singulier ; car il s'agit là toujours d'un art qui, s'il se nourrit de pulsions et d'obsessions inconscientes, parfois à la limite de l'inavouable, n'en est pas moins rigoureusement l'application d'une esthétique concertée. À ce pouvoir de l'imagination se joint en effet la force d'incantation d'un style à la fois limpide, somptueux et énigmatique, paradoxe calculé en vue d'une fascination qui n'est jamais si efficace que dans les descriptions, tantôt grandioses, tantôt subtiles, tantôt insinuantes, tantôt violentes, tantôt funèbres (*le Deuil des roses*), aussi bien dans l'érotisme que dans la terreur. Cette œuvre est d'autre part dominée par la féminité, élaborée en un mythe multiple, dont la symbolique inspire les récits de *Musée noir,* en particulier « le Sang de l'agneau », et du *Soleil des loups* (« la Vision capitale »). Lorsque P. aborde le roman, c'est pour épanouir l'extension de cette présence inquiétante de la Femme et la libération correspondante des puissances du rêve et de la mémoire *(la Motocyclette)* : P. propose des héroïnes hantées par des goûts quelque peu pervers, un amour quasi délirant de leur propre corps et de leur énergie vitale, un double désir inassouvi et insatiable de sauvage indépendance et d'asservissement volontaire et illusoire à l'homme qui aura su leur donner l'illusion de les dominer, cela le plus souvent dans un décor étrange et exotique, plein de sourdes menaces maléfiques : telle est, par exemple, la Vanina du *Lis de mer.* Il arrive aussi parfois, comme dans *la Marge* (prix Goncourt 1967), que ce décor – ici celui du « quartier gothique » de Barcelone – en vienne à constituer autour du personnage une véritable figuration de son destin, et le minutieux réalisme de la description ne fait alors que renforcer l'énigme magique de cette véritable « mise en scène ». Écrivain inclassable, P. a joué un rôle décisif dans l'intégration de l'héritage surréaliste au romanesque contemporain, et il a, par là, largement contribué à mettre en question la nature même de la forme du roman : il compte au nombre de ceux qui ont rendu possible, et peut-être nécessaire, l'expérience du « nouveau roman ». Grand prix de poésie de l'Académie française, 1979.

Œuvres. *Dans les années sordides,* 1943 (N). – *Hédéra ou la Persistance de l'amour pendant une rêverie,* 1945 (N) – *Le Musée noir,* 1946 (N). – *Les Incongruités monumentales,* 1948 (P). – *Soleil des loups,* 1951 (N). – *Marbre ou les Mystères d'Italie,* 1953, rééd. 1985 (N). – *Contes fantastiques,* 1956 (N). – *Le Lis de mer,* 1956 (N). – *Astyanax,* 1957 (P). – *Les Monstres de Bomarzo,* 1957 (N). – *Le Cadran lunaire,* 1958 (N). – *Le Belvédère,* 1958 (E). – *Feu de braise,* 1959. – *Sugai,* 1960 (E). – *L'Âge de craie,* 1961 (P). – *Cartolines et Dédicaces,* 1961 (P). – *Deuxième Belvédère,* 1962 (E). – *La Motocyclette,* 1963 (N). – *Saint-John Perse ou l'Honneur de la chair,* 1963 (E). – *Sabine,* 1964 (N). – *Le Point où j'en suis* (avec *Dalila exaltée, la Nuit l'amour*), 1964 (P). – *Beylamour,* 1965 (E). – *Les Corps illuminés,* 1965. – *La Porte dévergondée,* 1965. – *La Marge,* 1967 (N). – *Ruisseau des solitudes,* 1968 (P). – *Jacinthes,* 1968 (P). – *Le Marronnier,* 1968 (N). – *Mascarets,* 1971 (N). – *Troisième Belvédère,* 1971 (E). – *La Nuit de mille neuf cent quatorze ou le Style liberty,* 1971. – *Bona, l'amour et la peinture,* 1971 (E). – *Isabella Morra,* 1974 (T). – *Croiseur noir,* 1974. – *Le Désordre de la mémoire* (entretiens avec F. Mallet), 1975. – *Le Grand Livre de la rose. De la naissance de la rose mystique au symbolisme de la beauté,* 1976. – *Sous la lame* (nouvelles), 1976. – *Arcimboldo le Merveilleux,* 1977 (E). – *L'Ivre Œil* (avec *Croiseur noir, Passage de l'Égyptienne*), 1979. – *La Nuit séculaire,* 1979. – *Le Trésor cruel de Hans Bellmer,* 1979 (E). – *L'Anglais décrit dans le château fermé,* 1979 (N). – *Crachefeu,* 1980. – *Arsène et Cléopâtre,* 1981 (N). – *Un Saturne gai,* 1982 (E). – *Le Deuil des roses,* 1983 (N). – *Des cobras à Paris,* 1983 (N). – *Aimer Michaux,* 1984 (E).

Le Lis de mer

Deux jeunes filles en vacances en Sardaigne : Vanina et Juliette. Sur la plage, Vanina remarque un jeune homme, qui lui plaît : elle décide aussitôt que c'est lui qui fera d'elle une femme. Peu de sentiment dans cette décision, la conjonction d'une impulsion et d'une volonté : l'homme n'est que l'instrument, le médiateur d'un « passage ». C'est Vanina qui va soigneusement régler le cérémonial de cette médiation, où l'érotisme apparaît comme le point de jonction de l'imaginaire et de la vie ; mais de cette médiation, c'est Vanina qui conserve la maîtrise absolue : elle se montre nue, en pleine nuit, à son futur amant, avant de se donner à lui, le jour suivant, dans la pinède.

La Motocyclette

Rébecca, dix-neuf ans, vient d'épouser Raymond, professeur chahuté et sans grande personnalité. Elle a deux passions : Daniel, son amant (et son aîné de vingt ans), et la motocyclette que celui-ci lui a offerte comme cadeau de mariage. Rébecca se lève à 5 h du matin pour enfourcher sa moto, qu'elle appelle son « taureau noir », et qui la conduit chez son amant à Heidelberg (elle habite Haguenau). Ces courses constituent le temps de liberté où elle s'abandonne, dans le mouvement fou qui trace la frontière entre ses deux vies, à l'évocation de ses souvenirs et de ses rêves ; et la motocyclette, signe de la rupture, de l'explosion et de la transgression, est l'instrument symbolique de leur révélation.

PIGAULT-LEBRUN, Charles Antoine Guillaume Pigault de l'Épinoy, dit. Calais 8.4.1753 – La Celle-Saint-Cloud 24.7.1835. Il eut une jeunesse fort agitée et fut plusieurs fois enfermé à la Bastille. À partir de 1778, il mena une double et féconde carrière de romancier et de dramaturge. Il faut mettre à part le récit antireligieux *le Citateur.* Auteur d'une intarissable verve, P.-L., sous le couvert systématique d'une gaieté volontiers licencieuse, se montre assez fin observateur des mœurs de son temps.

Œuvres. *Charles et Caroline,* 1778 (T). – *Les Rivaux d'eux-mêmes,* 1778 (T). – *La Mère rivale de sa fille,* s.d. (T). – *Le Pessimiste,* 1789 (T). – *L'Enfant du carnaval,* 1792 (N). – *Les Hussards ou les Barons de Felsheim,* 1798 (N). – *Dragons et Bénédictines,* 1798 (T). – *Angélique et Jeanneton,* 1799 (N). – *Mon oncle Thomas,* 1799 (N). – *La Folie espagnole,* 1799 (N).

– *Les Cent Vingt Jours,* 1799 (N). – *M. Botte,* 1802 (N). – *Le Citateur,* 1803 (N). – *La Famille Luceval,* 1806 (N). – *L'Homme à projets,* 1807 (N). – *Tableaux de la société,* 1813 (N). – *Adélaïde de Mevan,* 1815 (N). – *Le Garçon sans souci,* 1816 (N). – *Mélanges littéraires et critiques,* 1816 (E). – *L'Officieux,* 1818 (N). – *Nous le sommes tous,* 1819 (N). – *L'Observateur,* 1820 (N). – Avec V. Augier, *le Beau-Père et le Gendre,* 1822 (N). – *Œuvres complètes,* 1822-1824. – *Histoire de France abrégée à l'usage des gens du monde,* 1823-1828. – *La Sainte Ligue ou la Mouche,* 1829 (N). – *Contes à mon petit-fils,* 1831 (N).

PILON Jean Guy. Saint-Polycarpe 12.11.1930. Écrivain québécois. Directeur littéraire des éditions de *l'Hexagone,* réalisateur à Radio-Canada, où il supervise les émissions littéraires, il a fondé les *Rencontres des poètes canadiens* et la revue *Liberté.* Il a participé à plusieurs colloques européens de poésie et, en 1967, il fut l'un des principaux organisateurs de la Rencontre internationale des poètes à l'Exposition universelle de Montréal. Il a beaucoup voyagé, en Europe – notamment en France – et en Amérique latine. Au Conseil des arts du Québec, il dirige la commission des Arts et des Lettres. Il a été élu en 1968 à la Société royale du Canada.
Les premiers poèmes de P., réunis dans *la Fiancée du matin,* sont romantiques d'inspiration. Depuis, il s'est acheminé vers un dépouillement et une pureté de plus en plus marqués. Dans *les Cloîtres de l'été* et surtout dans *l'Homme et le jour* et *la Mouette et le large,* il atteint à une sobriété d'expression qui réduit le poème à l'essentiel. Sa poésie devient une affirmation de plus en plus consciente de l'acceptation de la condition canadienne et contemporaine du poète, qui a surmonté les tentations du voyage, de l'exil et de la trahison. P. écrit avec beaucoup de simplicité une poésie directe, intime, vraie, qui déclare son espoir dans l'homme et dans l'avenir.

Œuvres. *La Fiancée du matin,* 1953 (P). – *Les Cloîtres de l'été,* 1955 (P). – *L'Homme et le jour,* 1958 (P). – *La Mouette et le large,* 1961 (P). – *Recours au pays,* 1961 (P). – *Pour saluer une ville,* 1963 (P). – *Solange,* 1966 (N). – *Comme eau retenue : poèmes 1954-1963,* 1969. – *Saisons pour la continuelle,* 1969 (P). – *Poèmes 70,* anthologie, 1970. – *Poèmes 71,* anthologie, 1972. – *Silences pour une souveraine,* 1972 (P).

PINGAUD Bernard. Paris 12.10.1923. Ancien élève de l'École normale supérieure (1943), il publie dès 1946 son premier roman, *Mon beau navire,* qui, à travers une histoire de Résistance, apparaît comme étant essentiellement un exercice esthétique. Mais c'est surtout à propos du problème du couple que, dans *l'Amour triste* et dans *le Prisonnier,* s'approfondit l'exploration du rapport entre esthétique et éthique, incarné dans le débat de la passion et de la raison : engagé jeune dans le mariage, le couple de *l'Amour triste* se trouve pris dans le dilemme d'une double impossibilité, incapable qu'il est à la fois de rompre ce mariage et de le maintenir ; il n'y a d'issue que par la substitution de la volonté au destin, car la vie, comme l'art, est une conquête. Ce que confirme l'échec du *Prisonnier,* qui, faute d'avoir su vivre, c'est-à-dire choisir, est condamné à la solitude. P. écrit dans un style volontiers analytique, où les formes de l'exercice du langage, loin d'être gratuites, figurent les complexes oscillations qui structurent le contrepoint romanesque de l'événement et de l'intériorité.

Œuvres. *Mon beau navire,* 1946 (N). – *L'Amour triste,* 1950 (N). – *Hollande,* 1954 (E). – *Le Prisonnier,* 1958 (N). – *Mme de Lafayette par elle-même,* 1959 (E). – *La Scène primitive,* 1965 (N). – *Inventaire* (recueil d'essais), 1965 (E). – *L'Étranger de Camus,* 1972 (E). – *La Voix de son maître,* 1973. – *L'Imparfait,* 1973 (E). – *Inventaire II : Comme un chemin en automne,* 1979 (E).

PINGET Robert. Genève (Suisse) 19.7.1919. Fortement influencé par Beckett, P. ne s'aventure pas aussi loin que ce dernier dans la négation et dans l'absurde systématisés. Il garde, vis-à-vis de son œuvre et de ses personnages, une distance qui lui permet de les maîtriser, utilisant, le plus souvent, un humour froid. Au cours de chacun de ses romans, il se livre à un véritable « inquisitoire » pour parvenir à la solution d'une énigme dont, peu à peu, l'auteur, comme le lecteur, se désintéresse. L'important, en fin de compte, est moins ce qui est dit que la manière dont cela est écrit. D'un livre à l'autre, en effet, les mêmes lieux, les mêmes personnages réapparaissent ; il ne s'agit, en fait, que d'un seul et même livre, que l'auteur, à chacune de ses publications, approfondit et perfectionne. Pour traduire cette quête sans but mais continue, P. utilise un dialogue bref, des paroles apparemment primaires, pour trouver ce qui finit par disparaître, pour saisir ce que l'écriture finit par embrouiller. Il s'inter-

roge en cours d'œuvre : « Quelle misère d'avoir entrepris d'écrire ça », – « ça », qui ne peut être dit, qui « n'est jamais dit puisqu'on pourrait le dire autrement ». P. s'applique alors à le dire autrement, ce qui revient au même, et le livre retourne à ses commencements. L'intrigue est réduite au minimum ; il n'y a que des « situations » élémentaires (*Quelqu'un*, prix Femina 1965).
P. fait partie de cette école dite du « nouveau roman », qui ne s'embarrasse ni d'intrigues bien nouées ni de personnages psychologiquement définis, école qui cherche avant tout une écriture adéquate, propre à dire ce qui jamais ne put être dit.

Œuvres. *Entre Fantoine et Agapa,* 1951 (N). – *Mahu ou le Matériau,* 1952 (N). – *Le Renard et la Boussole,* 1953 (N). – *Graal Flibuste,* 1956 (N). – *Baga,* 1958, rééd. 1985 (N). – *Lettre morte,* 1959 (T). – *Le Fiston,* 1959 (N). – *La Manivelle* (pièce radiophonique), 1960 (T). – *Clope au dossier,* 1961 (N). – *Ici ou Ailleurs, Architruc, l'Hypothèse,* 1961 (T). – *L'Inquisitoire,* 1962 (N). – *Autour de Mortin,* dialogues, 1965. – *Quelqu'un,* 1965 (N). – *Le Libera,* 1968 (N). – *Passacaille,* 1969 (N). – *Fable,* 1971 (N). – *Identité* (avec *Abel* et *Bela*), 1971 (T). – *Paralchimie* (avec *Architruc, l'Hypothèse, Nuit*), 1973 (T). – *Cette voix,* 1975 (N). – *L'Apocryphe,* 1980 (N). – *Monsieur Songe,* 1982 (N). – *Le Harnais,* 1984 (N). – *Charrue* (journal), 1985 (N).

Quelqu'un
Un narrateur, quelconque, cherche un bout de papier égaré dont il a besoin pour son travail. Il essaye donc de reconstituer son emploi du temps, ses faits et gestes, les lieux et les circonstances ; et, de fil en aiguille, sa mémoire se met à fonctionner, les personnages et les épisodes défilent, sans jamais révéler ce que, peut-être, ils signifient, si toutefois ils signifient quelque chose. Parfois, un temps d'arrêt, comme lorsque le narrateur veut essayer de faire l'éducation de Fonfon, un idiot ; mais ses efforts restent infructueux et eux aussi sans signification apparente, comme tout le reste.

PINSONNAULT Jean-Paul. Waterloo 22.4.1923 – 27.3.1978. Écrivain québécois. Il fait des études classiques au collège Saint-Laurent. En 1951, rédacteur en chef de la revue *Lectures,* il commence à écrire des textes dramatiques pour la télévision et deux pièces de théâtre, *Cette terre de faim* et *Électre,* puis un roman, *le Mauvais Pain.* Boursier du Conseil des arts du Canada, il séjourne en Europe un an, voyageant en France, en Belgique, en Espagne et en Italie. De 1959 à 1961, il dirige le journal *Salaberry,* de Valleyfield, puis devient directeur littéraire chez Fides en juillet 1961. Le roman *les Terres sèches* obtient en 1964 le prix France-Canada et le prix du Gouverneur général. Selon le mot de P. lui-même, le roman se définirait comme une descente aux enfers. C'est précisément l'impression que donne la plongée dans son œuvre romanesque. Les thèmes de la solitude et de l'incommunicabilité, le rôle de la passion et celui de la grâce sont repris d'œuvre en œuvre avec une intuition fine et très poussée.
Dans *le Mauvais Pain,* l'auteur fait ainsi l'étude de l'avarice de la veuve Ruth Villemeure, égoïste, possessive, farouche gardienne du nom et du domaine, qui gâche la vie de ses enfants, Marthe et Alain. *Jérôme Aquin* est le drame de l'échec et de la solitude envahissante dans l'âme orgueilleuse d'un séminariste sûr de sa vocation religieuse mais qui se voit forcé de quitter les ordres. La sensualité domine dans le journal intime d'un adolescent qu'est *les Abîmes de l'aube,* récit de l'éducation amoureuse d'un enfant naturel, Jean Lebrun, renvoyé du collège pour une amitié particulière : c'est après un suicide manqué et une descente aux enfers qu'il découvrira une nouvelle vie. *Les Terres sèches,* c'est toute l'aridité de la nuit spirituelle, roman de la vie intérieure, subtile analyse psychologique, étude des cheminements de la grâce et de l'influence souterraine du péché dans les âmes, évocation de la source qui surgit des terres desséchées. La paroisse d'Aumont est le cadre où évoluent le curé Montreuil et le jeune vicaire Marsan. La médiocrité du milieu les met en présence de misères morales difficiles à envisager avec sérénité. Un Dieu sans tendresse qui sacrifie les hommes en pleine détresse préside aux destinées des personnages, et la paix ne voit le jour qu'au prix des plus grandes douleurs.

Œuvres. *Cette terre de faim,* 1957 (T). – *Électre,* 1958 (T). – *Le Mauvais Pain,* 1958 (N). – *Jérôme Aquin,* 1960 (N). – *Les Abîmes de l'aube,* 1962 (N). – *Les Terres sèches,* 1964 (N). – *Terre d'aube,* 1967 (T).

PIRON Alexis. Dijon 9.7.1689 – Paris 21.1.1773. Venu à Paris en 1719 après avoir exercé plusieurs métiers, il n'obtint la célébrité qu'en 1722, avec *Arlequin-Deucalion,* comédie à un seul personnage écrite pour le théâtre de la Foire, auquel un édit venait d'interdire les pièces dialoguées. Ses autres grands succès furent *l'École des pères* et *la Métromanie.* Il avait composé dans sa jeunesse une *Ode à Priape* qu'on lui reprocha beaucoup, et une satire de sa province, *Voyage de Piron à Beaune.* Il s'essaya sans grand succès à la tragédie, où sa complication alourdit les intrigues. Aujourd'hui oublié comme auteur, P. reste connu pour avoir tenu tête à Voltaire, grâce à son esprit cinglant ; ses *Poésies,* épigrammes improvisées au café Procope, lui firent beaucoup d'ennemis, et Louis XV, prenant prétexte des œuvres licencieuses de ses jeunes années, lui interdit de siéger à l'Académie française, où il venait d'être élu (1753). Il termina sa vie dans une pieuse retraite. Son père, **Aimé Piron** (1640-1727), et son neveu, **Bernard Piron** (1718-1812), tous deux dijonnais, furent également poètes.

Œuvres. *Ode à Priape,* s.d. (P). – *Voyage de Piron à Beaune,* s.d. (P). – *Arlequin-Deucalion,* 1722 (T). – *L'Endriague* (musique de Rameau), 1723 (T). – *Les Fils ingrats ou l'École des pères,* 1728 (T). – *Callisthène,* 1730 (T). – *Gustave Wasa,* 1733 (T). – *Fernand Cortès,* 1734 (T). – *L'Amant mystérieux,* 1734 (T). – *Les Courses de Tempé* (musique de Rameau), 1734 (T). – *La Métromanie ou le Poète,* 1738 (T). – *La Paraphrase du « De profundis »,* 1763. – *Œuvres,* posth., 1776. – *Poésies diverses et Poésies fugitives : Psaumes de la pénitence, la Lourdiale, le Temple, le Poème de Fontenoy, Épîtres et Épigrammes,* posth., 1779 (P). – *Poésies choisies et Pièces inédites de Piron,* posth., 1879 (P).

PIROUÉ Georges. La Chaux-de-Fonds 5.8.1920. Écrivain suisse d'expression française. En marge aussi bien du « nouveau roman » que du roman « traditionnel », P. se rattacherait plutôt à une conception « symbolique » du roman. Il emploie volontiers une technique réaliste et même impressionniste qui fait toute sa part à la description, mais c'est pour mieux explorer ces *signes* que sont les choses, car ce sont celles-ci qui « détiennent le secret des âmes ». Il s'agit donc, pour le romancier, à l'aide d'une écriture précise et consciencieuse, de réorganiser en un tout cohérent – l'action romanesque et ses lieux et décors – les parcelles ou fragments d'existence et de réalité que recueille son observation. Il utilisera volontiers à cette fin le quotidien le plus banal (d'où un certain « naturalisme » à la Maupassant), mais c'est pour y faire apparaître, par la transcription qu'il en exécute, les signes d'un sens de la vie et de la mort.

Œuvres. *Nature sans rivage,* 1950 (P). – *Par les chemins de Marcel Proust,* 1954 (E). – *Chansons à dire,* 1956 (P). – *Mûrir,* 1958 (N). – *Les Limbes,* 1959 (N). – *Proust et la musique du devenir,* 1960 (E). – *Le Premier Étage,* 1961 (N). – *Ariane, ma sanglante,* 1961 (N). – *Une manière de durer,* 1962 (N). – *Victor Hugo romancier ou les Dessous de l'inconnu,* 1964 (E). – *Une si grande faiblesse,* 1965 (N). – *Pirandello,* 1967 (E). – *La Façade et autres Miroirs,* 1969. – *Le Réduit national,* 1970. – *La Vie supposée de Théodore Nèfle,* 1972. – *San Rocco et ses fêtes,* 1976 (N). – *Cesare Pavese,* 1976 (E). – *Comment lire Proust,* 1976 (E). – *Condé,* 1976 (E). – *Sentir ses racines. Discours,* 1977. – *Feux et lieux,* 1979. – *À sa seule gloire,* 1981 (N). – *Aujourd'hier,* 1984 (N).

PIXÉRÉCOURT René Charles Guilbert de. Nancy 22.1.1773 – 27.7.1844. Il a écrit de lui-même qu'il avait « une âme de feu, un cœur tendre, une imagination ardente, une humeur fière et indépendante » : ce sont les traits caractéristiques des personnages qu'il créera dans des œuvres qui feront de lui le maître et, comme on disait alors, le « Père » du mélodrame. Il commençait ses études de droit à Nancy lorsque la tempête révolutionnaire lança ce jeune aristocrate lorrain dans l'aventure de l'émigration, puis de la clandestinité et de la misère après son retour en France. Mais son premier mélodrame, tiré d'ailleurs d'une histoire vraie, *Victor ou l'Enfant de la forêt,* lui assura le succès et fut le point de départ d'une carrière prodigieuse : quatre-vingt-quatorze pièces, trente mille représentations, et des traductions multiples dans toutes les langues de l'Europe. Il prend ses sujets aux sources les plus diverses, à condition qu'ils répondent aux exigences du genre : l'Antiquité orientale, avec *les Ruines de Babylone ;* l'aventure des conquistadores espagnols, avec *Pizarre ou la Conquête du Pérou ;* les thèmes du roman noir ou frénétique (*Cœlina ou l'Enfant du mystère,* adaptation d'un roman de Ducray-Duminil). Mais il a recours aussi à des sources littéraires françaises (Nodier), anglaises (Walter Scott), allemandes surtout (Schiller et Kotzebue). Enfin P. met en relief le caractère spectaculaire du théâtre : il introduit dans la mise en scène le pittoresque fantastique et grandiose en même temps que le réalisme de la couleur locale. Tant par son inspiration « frénétique » que par son sens du spectacle et son génie technique, P. a dominé la scène française comme directeur du théâtre de la Gaîté (1825-1835) et comme auteur à succès des salles du « Boulevard du Crime ». Il a mérité l'admiration passionnée des jeunes romantiques, Hugo ou Gautier, et, sans lui, le drame romantique n'eût sans doute pas été ce qu'il fut.

Œuvres. *Les Petits Auvergnats,* 1797 (T). – *La Forêt de Sicile,* 1797 (T). – *Victor ou l'Enfant de la forêt,* 1798 (T). – *Le Château des Apennins ou les Mystères d'Udolphe,* 1799 (T). – *Cœlina ou l'Enfant du mystère,* 1800 (T). – *Les Orphelins du hameau,* 1801 (T). – *Le Pèlerin blanc,* 1801 (T). – *Pizarre ou la Conquête du Pérou,* 1802 (T). – *Les Maures d'Espagne,* 1804 (T). – *Robinson Crusoé,* 1805 (T). – *Le Solitaire de la Roche-Noire,* 1806 (T). – *Les Ruines de Babylone,* 1810 (T). – *Le Chien de Montargis ou la Forêt de Bondy,* 1814 (T). – *La Fille de l'exilé,* 1819 (T). – *Valentine ou la Séduction,* 1821 (T). – *Le Château de Loch-Leven,* 1822 (T). – *Polter ou le Bourreau d'Amsterdam,* 1828 (T). – *Latude ou Trente-Cinq Ans de captivité,* 1834 (T).

Cœlina ou l'Enfant du mystère

Le drame est situé en Savoie : au début, à Sallanches, dans la maison de M. Dufour ; à la fin, dans la montagne et la forêt, par temps d'orage. Les personnages sont groupés autour de M. Dufour, vieillard de tempérament vif mais foncièrement bon : il y a là son fils, Stephany, sa nièce et pupille, Cœlina, et ses deux domestiques, Tiennette et Faribole ; il y a là aussi un personnage mystérieux, nommé Francisque, que M. Dufour a recueilli après l'avoir trouvé infirme et à l'article de la mort : c'est là le groupe des « bons ». Surviennent bientôt deux autres personnages, le groupe des « méchants » : Truguelin, frère d'Isoline, la femme de M. Dufour, et Germain, son âme damnée ; Truguelin vient demander pour son fils la main de Cœlina, dont il convoite l'héritage. Mis en présence de Francisque, il le reconnaît (car il a déjà tenté de s'en débarrasser, nous saurons plus tard pourquoi) et il ne peut complètement masquer sa surprise de le retrouver ici, ce qui incite Cœlina à se cacher pour découvrir la clé de ce mystère. De fait, dès la fin du premier acte, Truguelin et Germain tentent d'assassiner Francisque par surprise, mais il est sauvé par l'intervention de Cœlina, qui, de sa cachette, a assisté à la scène et s'est montrée au bon moment. Truguelin, chassé de chez M. Dufour, mais furieux de son échec, fait savoir à celui-ci, pièces à l'appui, que Cœlina n'est pas sa nièce, mais la fille de Francisque : la jeune fille quitte donc avec son père la maison de M. Dufour. Sur ces entrefaites, le médecin de M. Dufour lui fait une autre révélation : autrefois, Truguelin avait déjà tenté d'assassiner Francisque et l'avait laissé pour mort, mais celui-ci avait survécu et, recueilli d'abord par un meunier, avait alors suscité la pitié de M. Dufour. Des poursuites sont engagées contre Truguelin l'assassin, qui s'est enfui dans la montagne et que nous voyons errer dans les bois en pleine journée d'orage. Il sera bientôt arrêté, et nous apprendrons que la mère de Cœlina, d'abord unie à Francisque par un mariage secret, avait été contrainte par Truguelin d'épouser le frère de M. Dufour. Truguelin sera châtié, et Cœlina pourra épouser le fils de M. Dufour, Stephany, qu'elle aime et qui l'aime.

PLAGIAT [latin *plagiarus* = celui qui cache les esclaves d'autrui, dér. du grec *plagios* = fourbe, oblique]. Dans le droit romain, était accusé de « plagiat » celui qui vendait les esclaves d'autrui ou encore qui appréhendait des personnes libres pour les réduire en esclavage. En littérature, est accusé de plagiat celui qui pille les ouvrages d'autrui en reproduisant dans ses propres œuvres, et sans avouer ses emprunts, des textes d'un autre auteur.

PLANH [litt. occitane]. Complainte funèbre dont le premier exemple est le *planh* de Cercamon *Sur la mort de Guillaume X d'Aquitaine* (1137).

PLÉIADE (LA). Aux alentours de 1545, un groupe de jeunes étudiants du collège de Coqueret, à Paris, où professait l'humaniste Dorat, se constitua en une sorte de fraternité littéraire avec pour centre la forte personnalité de Ronsard : ce fut d'abord la « Brigade », puis, lorsqu'ils furent au nombre de sept, ils choisirent symboliquement un terme plus poétique en représentant leur groupe par une image cosmique, le nom même d'une constellation de sept étoiles ; mais cette image, les jeunes poètes français, fidèles en cela à leur hellénisme, l'empruntaient au groupe de sept poètes alexandrins qui, à la fin du IIIe s. av. J.-C., s'étaient désignés par ce même nom de *pléiade.* C'est déjà le signe de l'influence considérable qu'exercera la poésie alexandrine sur les œuvres du groupe, qui comprenait alors, outre Ronsard, du Bellay, Baïf, Pelletier, Ponthus de Tyard, Jodelle et Belleau. Et c'est ensemble qu'ils élaborèrent la doctrine qui devait si profondément renouveler la poésie française, celle dont du Bellay fut chargé de rédiger le manifeste, *Défense et Illustration de la langue française,* publié en 1549.

PLISNIER Charles. Ghlin (Hainaut) 13.12.1896 – Bruxelles 17.7.1952. Écrivain belge d'expression française. Avocat au barreau de Bruxelles, il s'inscrivit au parti communiste par admiration pour la Révolution russe de 1917 ; mais, ayant dit trop haut sa déception après un voyage en U.R.S.S., il fut exclu du Parti (1928). Il a fait passer le souffle de son enthousiasme dans de nombreux recueils poétiques parmi lesquels on peut citer *Ève aux sept visages, Brûler vif, Fertilité du désert.* Il se tourna vers le roman en atteignant la quarantaine ; bien que de plus en plus proche de la foi chrétienne, il reste très marqué, dans ses dénonciations de l'hypocrisie bourgeoise *(Mariages ; Meurtres ; Mères),* par un passé idéologique qui teinte également ses dernières poésies *(Sacre ; Ave, Genitrix)* et des recueils de nouvelles comme *la Matriochka, Beauté des laides, Folies douces.* La générosité du message va malheureusement de pair avec des lourdeurs de style ou de composition. P. obtint le prix Goncourt à titre étranger pour son volume de nouvelles *Faux Passeports,* où il fait avec liberté son autoportrait de militant. Académie royale de langue et de littérature françaises 1937.

Œuvres. *Ève aux sept visages,* 1919 (P). – *La Guerre des hommes,* 1920 (P). – *Brûler vif,* 1923 (P). – *Prière aux mains coupées,* 1931 (P). – *Histoire sainte,* 1931. – *Mesure de notre temps,* 1931 (E). – *Figures détruites,* 1932 (N). – *Fertilité du désert,* 1933 (P). – *Déluge,* 1935 (P). – *Mariages* (2 vol.), 1936 (N). – *Sel de la terre,* 1936 (P). – *Faux Passeports,* 1937 [N]. – *Sacre,* 1938 (P). – *Meurtres* (5 vol. : *Prologue et Mort d'Isabelle,* 1939 ; *Retour du fils,* 1939 ; *Martine,* 1940 ; *Feu dormant,* 1940 ; *la Dernière Journée,* 1941) [N]. – *Ave, Genitrix,* 1943 (P). – *Mères* (3 vol. : *Mes bien-aimées ; Nicole Arnaud ; Vertu du désordre*), 1946-1950 (N). – *La Matriochka* (nouvelles), 1949 (N). – *Beauté des laides* (nouvelles), 1951 (N). – *Folies douces* (nouvelles), 1952 (N). – *L'Homme et les hommes,* posth., 1953 (N). – *Patrimoine,* posth., 1953 (N). – *Brûler vif* (œuvre poétique complète), posth, 1957 (P).

PLIYA Jean. Djougou 21.7.1931. Écrivain béninois. P. a réussi à fort bien conduire une double carrière de professeur d'histoire et géographie et d'homme de lettres. Son drame historique *Kondo le Requin* a obtenu le grand prix littéraire de l'Afrique noire 1967. P. est l'auteur d'un remarquable recueil de nouvelles : *l'Arbre fétiche.* Depuis 1982, il est recteur de l'Université du Bénin.

Œuvres. *Kondo le Requin,* 1967, rééd. 1981 (T). – *L'Arbre fétiche,* 1971, rééd. 1979 (N). – *Les Rois d'Abomey,* 1972 (T). – *La Secrétaire particulière,* 1973, rééd. 1978 (T). – Avec Rose Pliya : *Alimentation et santé en Afrique tropicale,* 1974 (E). – *Le Chimpanzé amoureux,* 1977 (N). – *La Fille têtue* (conte), 1982. – *La Conquête du bonheur,* 1982 (E).

POÉSIE [grec *poiêsis* = action de créer]. Dès l'Antiquité, *poiêsis* désignait la création littéraire, et Aristote, dans sa *Poétique,* oppose la poésie à l'histoire : selon lui, en effet, la poésie est proprement créatrice dans la mesure même où elle prend pour matière non pas le réel ou l'historique mais l'imaginaire, à condition qu'il soit de l'ordre du possible et du vraisemblable. Quant aux genres poétiques, l'Antiquité en a reconnu essentiellement trois : l'épique, le lyrique et le dramatique, la tragédie et la comédie comportant des parties lyriques, les chœurs.

Se distinguant ainsi de la littérature historique, politique, oratoire ou philosophique, la poésie se manifeste par la particularité de son langage ; il arrive même – c'est le cas, dans la littérature grecque, pour Homère ou pour les chœurs de tragédie – qu'elle emploie une langue spécifique, exclusivement littéraire. Le propre du langage poétique est qu'il utilise, en les systématisant et en les organisant, les structures phonétiques, musicales et surtout rythmiques de la langue : il est d'abord *langage rythmé,* et l'organisation rythmique donne naissance, selon la nature propre de chaque langue, aux différents types de « versification », le vers étant l'unité élémentaire du langage poétique : versification *métrique,* lorsque le rythme est fondé sur la quantité, longue ou brève, des syllabes (cas de la poésie grecque et de la poésie latine) ; versification *tonique,* lorsque le rythme est fondé sur la répartition des accents dans le vers (cas, par exemple, de la poésie anglaise) ; versification *numérique,* lorsque le rythme est fondé sur le nombre des syllabes (cas de la versification française). On notera que, même lorsque le langage poétique se libère des règles universelles de la « versification », comme c'est le cas pour une bonne part de la poésie du XXe s. – la forme extrême de cette libération étant le « poème en prose » (M. de Guérin, Baudelaire, Rimbaud, Max Jacob) –, les principes qui déterminent la versification ne sont pas pour autant abolis, mais leur application s'adapte aux exigences particulières de l'inspiration dans le cadre non plus de la poésie en général, mais du *poème,* alors considéré comme unité autonome d'expression. À cette structure rythmique, quelle qu'en soit la forme particulière, s'intègrent, pour y jouer un rôle plus ou moins important, les éléments phonétiques et musicaux, sonorités, allitérations, assonances, rimes (voir ces mots) ; il convient enfin de rappeler que la poésie est fréquemment associée à la musique et que cette association est précisément ce qui définit originellement le *lyrisme* (voir ce mot).

Le langage poétique apparaît ainsi comme le mode d'expression spécifique de l'acte littéraire : ainsi s'explique que, par exemple au Moyen Âge, la littérature, quel qu'en soit le genre, utilise les formes poétiques de l'expression ; c'est le cas des trois grands genres initiaux de notre littérature : l'épopée des chansons de geste, le roman, aussi bien bourgeois (le *Roman de Renart*) que courtois (Chrétien de Troyes), et le lyrisme des troubadours et des trouvères ; comme pour illustrer la thèse d'Aristote, les premiers monuments de la prose française seront des œuvres historiques (Villehardouin) tandis que le roman et la nouvelle auront eux aussi recours à la prose en liaison avec les développements du réalisme. Il en résulte qu'à partir du XIIIe s. la poésie tend à se réduire au *lyrisme* et parfois même au *formalisme :* le lyrisme, qui commence par chanter les grands thèmes communs de l'idéalisme courtois, fera, au cours de son évolution, de plus en plus de place à l'expression de la personnalité du poète, de Rutebeuf à Villon. D'autre part, la codification et la pratique des « formes fixes » au XIVe s. (Guillaume de Machaut) favoriseront le développement d'une poésie de jeu et de virtuosité formelle qui atteindra son apogée dans l'œuvre des « rhétoriqueurs » bourguignons du XVe s. C'est contre cette tradition formaliste des « formes fixes » médiévales que réagiront d'abord au XVIe s. les jeunes poètes humanistes de la Pléiade (du Bellay : *Défense et Illustration de la langue française*). Mais l'humanisme détermine surtout une révolution poétique plus profonde et plus positive, que symbolise à lui seul le nom de Ronsard, révolution qui concerne à la fois l'inspiration et les formes. Quant à l'inspiration, elle se veut conjointement personnelle et culturelle, et c'est à travers les images, les mythes et les lieux communs de leur culture, nourrie des Anciens, que les poètes humanistes traduisent poétiquement les réactions de leur sensibilité. Quant aux formes, la poésie humaniste emprunte à l'Italie le sonnet, qui connaîtra, dans la poésie française, au long des siècles, une étonnante fortune, et à l'Antiquité principalement l'hymne et surtout l'ode (sous ses deux principales formes, pindarique et anacréontique). Enfin ce sont les poètes de la Pléiade qui ont assuré la promotion définitive du vers de douze syllabes, l'alexandrin, que le Moyen Âge n'avait pas ignoré, mais auquel il avait généralement préféré le décasyllabe.

Après le triomphe poétique de la Pléiade en général et de Ronsard en particulier, la culture humaniste va traverser à la fin du XVIe s. et au début du XVIIe s. une crise profonde qui ne va pas manquer de retentir sur la poésie. C'est le moment du recours à l'imaginaire, sous les formes diverses du fantastique, de l'onirique, de la violence des métaphores, de l'exaltation mystique ; inspiration qui détermine un déchaînement correspondant de l'image verbale et du dynamisme rythmique ; âge poétique qui a longtemps été considéré, à tort, comme une simple « transition », qui, en réalité, a fait preuve de la plus grande originalité : c'est le temps de la poésie « baroque » (voir ce mot), illustrée par Agrippa d'Aubigné ou La Ceppède, temps où l'inspiration baroque s'empare aussi du théâtre, de Garnier à Rotrou et au premier Corneille.

Car l'âge humaniste avait donné naissance à une nouvelle poésie dramatique en cherchant à restaurer l'insertion, par les chœurs, du lyrisme dans le drame, et surtout à traduire poétiquement, par le recours aux images et au rythme de l'alexandrin multiplié en tirades, les mouvements dramatiques instaurés dans l'âme des personnages par le déroulement de l'action. Aussi le XVIIe s. sera-t-il par excellence l'âge d'or de la *poésie dramatique,* avec Rotrou, Corneille et Racine : à aucun moment de notre histoire littéraire ne s'est trouvée aussi pleinement réalisée la fusion réciproque du poétique et du dramatique, dans l'unité de la *tragédie :* car la tragédie, telle que l'ont conçue Corneille, d'abord, et Racine après lui, ne fait pas appel à la poésie comme à une simple forme : la tragédie est elle-même de nature poétique par les actions et par les personnages où elle s'incarne ; il est fréquent, d'ailleurs, qu'elle soit désignée comme « poème dramatique : (*cf.* les trois *Discours* de Corneille, 1660) ou comme « poème tragique » (La Bruyère, *Caractères,* I.81). Il ne faut pas pour autant négliger les autres formes de la poésie classique : en tous domaines, le XVIIe s., à la suite de la réforme de Malherbe, élabore la subordination technique du langage poétique au principe d'ordonnance et de régularité. La tentation de virtuosité formelle réapparaît dans la pratique des

« petits genres » (épigramme, madrigal, sonnet) chère à la poésie de la Préciosité, qui, toutefois, intègre aussi des éléments de l'héritage baroque. Le lyrisme personnel semble connaître alors un moment de recul, quoiqu'il ne soit pas absent de l'œuvre de certains marginaux (Théophile, Saint-Amant), ou de certains précieux (Tristan l'Hermite). On ne saurait enfin évoquer la poésie classique sans souligner l'irréductible originalité de celui qui est à la fois le plus classique et le plus libre des poètes : Jean de La Fontaine.

Avec le XVIIIe s., la poésie française entre en crise : sa légitimité est tout d'abord mise en question par le rationalisme de l'esprit moderne (Houdar de La Motte), qui ne reconnaît plus la poésie comme messagère d'une réalité spirituelle originale. La forme poétique conserve une certaine valeur mondaine et, au mieux, joue, dans l'expression littéraire, un rôle décoratif et ornemental : c'est sans doute l'idée que s'en faisait Voltaire, qui continue d'écrire des tragédies en vers, mais sans pouvoir retrouver le secret de la poésie dramatique, et qui, à la suite de Boileau, pratique le genre de l'épître, où la forme du vers sert de vêtement élégant à une matière littéraire qui n'a en elle-même rien de poétique. On aurait tort cependant de négliger la survivance au XVIIIe s. de l'ode, introduite dans la poésie française par les poètes humanistes et régularisée par Malherbe : Boileau l'avait épisodiquement pratiquée et, dans son *Art poétique,* lui accordait une place de choix ; elle connaît au XVIIIe s. une certaine vigueur chez des poètes peut-être un peu injustement oubliés, Jean-Baptiste Rousseau et Lebrun (surnommé Lebrun-Pindare). C'est par une ode *(Au Jeu de paume),* dédiée au peintre David et imitée de Lebrun, qu'André Chénier commencera sa brève et fulgurante carrière poétique, et dans cette forme seront écrits quelques-uns de ses plus beaux poèmes (*À Fanny ; la Jeune Captive*).

Mais André Chénier, poète du néoclassicisme, est aussi notre premier grand poète moderne ; dans cette synthèse est toute sa nouveauté, et il se sert de l'ode pour invoquer et glorifier l'Esprit au sens où entendaient ce mot les philosophes du XVIIIe s. Son œuvre, fragmentaire et inachevée, qui ne sera connue qu'en 1819, se construit en effet autour de deux pôles : le pôle hellénique et le pôle moderne. Autour du premier se groupent les odes, les élégies et surtout les idylles *(la Jeune Tarentine),* et le poète y redonne vie à tout l'imaginaire de la culture antique : il fait ainsi le lien entre l'hellénisme de la Pléiade et celui du Parnasse, entre Ronsard et Leconte de Lisle. Autour du second pôle, Chénier avait conçu de construire une vaste épopée idéologique dont il ne nous a laissé que les fragments de l'*Hermès* et de *l'Amérique :* ce dernier poème prenait pour point de départ la découverte de l'Amérique par Christophe Colomb et se proposait de glorifier le progrès de l'esprit en y intégrant la manifestation d'un merveilleux panthéiste et cosmique : c'est déjà le projet qu'accomplira le Hugo de *la Légende des siècles.*

Ainsi se trouve annoncé l'âge d'or de la poésie romantique, dont l'explosion lyrique inaugure sa fédondité avec, en 1820, *les Méditations* de Lamartine. Le premier romantisme est en effet celui du lyrisme personnel (Hugo : *les Voix intérieures ;* Musset : *les Nuits*) ; mais à partir de 1830 environ, tandis que le drame tente une nouvelle synthèse du théâtre et de la poésie *(Hernani),* le lyrisme s'élargit en poésie de l'Humanité, en poésie de l'Esprit, en poésie de l'Inconnu (Lamartine, Vigny, Hugo), et les romantiques sont progressivement conduits à vouloir restaurer l'épopée sous une forme adaptée à l'esprit moderne : Vigny *(Éloa)* et Lamartine *(Jocelyn ; la Chute d'un ange)* ne purent en élaborer que des fragments ; seul Hugo, avec la trilogie de *la Légende des siècles, Dieu* et *la Fin de Satan,* accomplira l'épopée grandiose de la lutte du Bien et du Mal, de la Chute et de la Régénération de l'homme.

Mais le romantique, c'est aussi « quelqu'un pour qui le monde extérieur existe » (Th. Gautier). La poésie romantique avait fait toute sa part au pittoresque, elle avait volontiers privilégié les valeurs plastiques et visuelles. Lorsque, dans les années 1840-1850, le public et les poètes commencent à se lasser des effusions et des confidences, se fait jour une réaction antilyrique : la poésie désormais va privilégier le culte de la forme et l'esthétique de l'art pour l'art ; Th. Gautier illustre cette continuité, apparemment paradoxale, du romantisme à la « poésie de la plastique » (Baudelaire). Dans le même temps, c'est le triomphe progressif de l'idéologie positiviste, et le mouvement de la *poésie parnassienne* résultera de la conjonction de l'esthétique de l'art pour l'art avec la recherche d'objectivité inspirée par le positivisme : poésie qui se veut réaliste et qui, de Leconte de Lisle à J.M. de Heredia, se définit exclusivement par un art de la description et du tableau, fondé sur l'impeccable rigueur de la perfection formelle. Mais la poésie risque d'y perdre sa substance spirituelle, tandis que la référence à l'idéologie positiviste, comme dans le cas du rationalisme du XVIIIe s., risque de priver la poésie de sa légitimité. Déjà

le romantisme le plus profond, celui de Maurice de Guérin ou de Gérard de Nerval, avait vu dans la poésie le mode d'accès privilégié à un univers transcendant, ce que Baudelaire désignera par le mot de *surnaturalisme ;* déjà ce même romantisme profond avait tenté de faire coïncider le langage poétique avec la liberté du rythme et de la vision et avait inventé le poème en prose (M. de Guérin). Ainsi se prépare la réaction surnaturaliste caractéristique du « tournant » de 1860 avec *les Fleurs du mal* et les *Poèmes en prose* de Baudelaire : c'est la poésie des analogies et des correspondances, fondée sur l'exploitation des capacités symboliques du langage. Aussi le surnaturalisme poétique s'accomplira-t-il dans le mouvement symboliste déclenché par les quatre grands initiateurs : Verlaine, Rimbaud, Lautréamont, Mallarmé.
C'est sans doute cette révélation du surnaturalisme qui est à l'origine des triomphes de la poésie dans la littérature du premier quart du XXᵉ s. : qu'il suffise de citer les noms de Péguy, de Claudel, de Valéry, et de constater la plénitude d'épanouissement que représente, dans son ordre propre, l'œuvre poétique de chacun de ces trois écrivains.
Mais ces triomphes sont aussi une sorte d'impasse : dans ces œuvres majeures, la poésie atteint une limite. La nouvelle génération, celle des poètes nés autour de 1880, en est pleinement consciente : il faut recourir à l'inspiration d'un « esprit nouveau » (Apollinaire), et alors commence la grande aventure – encore inachevée – de la poésie contemporaine, dans le cadre d'une crise profonde du langage poétique lui-même, qu'il s'agit dès lors de réinventer : l'acte poétique devient avant tout une expérience sur le langage. Apollinaire oscille entre la restauration du lyrisme (la« Chanson du mal-aimé ») et les révélations d'un langage insolite (« Zone »). Comme Cendrars, il interroge les secrets de cette « modernité » dont Baudelaire avait prévu la fécondité. La poésie s'achemine ainsi vers les expériences de rupture du langage qui caractériseront d'abord le mouvement dada, puis, surtout, le surréalisme : « dictée psychique », « écriture automatique », recours aux images et fantasmes du rêve et de l'inconscient. Une nouvelle substance poétique engendrant d'elle-même son propre langage est ainsi mise au jour, dont se nourrira directement ou indirectement toute la poésie contemporaine.
Mais le problème posé reste celui de la découverte d'une poésie qui puisse, au-delà de la rupture du langage, coïncider avec la révélation ou la construction d'un univers dont la poésie fonde et garantit l'existence, quelle que soit sa substance originelle : tantôt l'image transfigurante (Saint-John Perse), tantôt la vision mythologique et prophétique (P.J. Jouve, P. Emmanuel), tantôt l'exaltation mystique (P. de La Tour du Pin, J.Cl. Renard), tantôt la mystérieuse évidence des choses (F. Ponge) ou des êtres (R. Char), tantôt la quête toujours recommencée d'une identité personnelle en état de perpétuelle évasion (H. Michaux).
C'est ainsi qu'à travers la succession ininterrompue de ses crises et de ses épanouissements, selon un rythme d'incessant renouvellement, la poésie française, des origines à nos jours, n'a jamais manqué d'assurer sa continuité.

POÉSIE SPATIALISTE. Au carrefour d'influences poétiques multiples, la poésie spatialiste est apparue au début des années 60, première époque d'investigation de l'espace par l'homme, période de réflexion sur la guerre et création d'instances supra-nationales destinées à garantir la paix. La recherche linguistique opérée par le mouvement spatialiste participe de cet intense désir d'universalité et d'abolition des frontières.
Empruntant à la fois à Mallarmé (*Un coup de dés*), au dadaïsme et au futurisme, le spatialisme essaie de rassembler sous l'adjectif « spatial » les différentes tendances de poésie concrète, visuelle et sonore apparues dans le monde depuis 1955 (premiers textes d'Eugen Gomringer) et peut être défini comme une expression visuelle et sonore de la langue, considérée comme matière. **Pierre Garnier** (né à Amiens en 1928) est à l'origine du mouvement dont il esquisse schématiquement une théorie en publiant, dans la revue *les Lettres* en 1963, un « manifeste pour une poésie visuelle et phonique ». Ses objectifs y sont clairement exprimés : « Isoler la langue, la modifier, la bouleverser [...], créer des structures neuves (aussi bien acoustiques que visuelles, aussi bien syntaxiques que sémantiques) provoquant l'apparition d'états jusqu'alors inconnus et plaçant l'homme dans un milieu permanent de création et de liberté ». Tout devient dès lors signifiant pour le poète : la réduction des mots, leur atomisation, le travail des souffles et des articulations, la danse des lettres, la création de signes nouveaux, la composition visuelle et acoustique de ces mêmes éléments qui communiquent une vibration et une énergie non exploitées jusque-là. C'est l'espace, agent structurel par excellence, qui doit mimer l'univers tel qu'il est, c'est-à-dire

un monde en expansion. Le poète est en prise directe sur la langue qu'il ne considère plus comme un code à penser ou un mode de communication mais comme une matière que l'on anime. Incluant ainsi la notion de temps et d'énergie, le spatialisme rassemble donc un certain nombre de techniques et de constructions poétiques précédemment utilisées indépendamment les unes des autres. En outre, l'utilisation concomitante de tous les éléments linguistiques sans exception produit un saisissant effet de surprise : « Le rythme est remplacé par une série de rapports spatiaux, les thèmes et les images font place à des structures, le sémantisme est réduit à l'indication ». On vit alors éclore en France et à l'étranger de nombreuses revues de poésie visuelle et sonore telles que *Ou/cinquième saison, les Lettres, Approches, Doc(k)s...* Mais la poésie concrète et la poésie spatiale ont évolué depuis 1970. Au mouvement supranational qui avait animé cette poésie pendant les années 1960 a succédé – bien que ses différents auteurs se rencontrent toujours – un temps de création où les poètes poursuivent une œuvre, plus solitaires ; entre autres Gappmayr en Autriche, Claus en République démocratique allemande, Mukai au Japon ; quant à la poésie sonore, elle s'est affirmée dans le monde entier. Ilse et Pierre Garnier ont, eux aussi, poursuivi leur évolution et les recueils de poèmes spatiaux se sont multipliés depuis 1975. Au stade expérimental du début a succédé une poésie fondée sur la tension entre le mot et la figure (la lecture se faisant dans l'intervalle) et également une poésie des signes, le titre orientant le lecteur dans une ou plusieurs directions. Enfin, ces dernières années, la bande dessinée de poésie spatiale a aussi fait son apparition.

Principaux recueils de poèmes spatiaux de Pierre Garnier. Tous les numéros de la revue *les Lettres* animée par Pierre Garnier, 1963-1967. – *Poèmes mécaniques,* 1964-1965 (Pierre et Ilse Garnier). – *Prototypes,* textes pour une architecture, 1965 (P. et I. Garnier). – Avec Seiichi Niikuni, *Poèmes franco-japonais,* 1966. – *Othon III-Jeanne d'Arc, structures historiques,* 1967 (P. et I. Garnier). – *Ozieux 1 et 2,* textes spatiaux en picard, 1967-1973. – *Esquisses palatines,* 1971 (P. et I. Garnier). – *Les Oiseaux,* 1977. – *Territoires,* 1977. – *Voyage au centre de la langue,* 1978. – *Le Jardin japonais,* tomes I et 2, 1978. – *Congo,* poème pygmée, 1979. – *Tristan et Iseult,* 1980. – *Livre de Danièle,* poème d'amour spatial suivi d'une lettre, tomes I et 2, 1981-1983. – *Poèmes blancs,* 1983. – *Livre d'amour d'Ilse,* poème d'amour spatial, 1984. – *Van Gogh,* B.D. poésie spatiale, 1984. – *Danièle se promène au soleil blanc,* B.D. poésie spatiale, 1985. – *Livre de Peggie,* 1985.

Principaux recueils de poèmes spatiaux d'Ilse Garnier. *Blason du corps féminin,* 1979. – *Poème du i,* 1980. – *Fensterbilder,* 24 sérigraphies, 1983. – *Ermenonville,* 1984.

Discographie. *Poèmes sonores sur spatialisme,* avec Ilse Garnier et Seiichi Niikuni, 1972. – *Poèmes sonores des années 1960,* Pierre et Ilse Garnier, 1984.

Bibliographie. P. GARNIER, *Spatialisme et poésie concrète,* 1968 ; J.-M. LE SIDANER, *Pierre Garnier,* 1976 ; M. LENGELLÉ, *Connaissez-vous le spatialisme ? selon l'itinéraire de Pierre Garnier.* Essai suivi d'un choix de textes, 1979 ; F. EDELINE, *Pierre et Ilse Garnier,* 1982.

POMPIGNAN. (Voir LEFRANC DE.)

PONCHON, Raoul Pouchon, dit. La Roche-sur-Yon (Vendée) 30.12.1848 – Paris 2.12.1937. Les volumes intitulés *la Muse au cabaret, la Muse gaillarde* et *Gazettes rimées* ne réunissent qu'une petite partie des cent cinquante mille vers qu'il publia de 1886 à 1906 dans *le Courrier français* et de 1907 à 1913 dans *le Journal :* ces courtes pièces, consacrées à l'actualité, ont perdu leur intérêt de circonstance, mais l'on y découvre encore une habileté de versification, une variété de verve (le plus souvent sur un ton de saine gauloiserie) et, généralement, une couleur bien rares dans ce genre de petite littérature au jour le jour. Acad. Goncourt 1924.

Œuvres. *La Muse au cabaret,* 1920 (P). – *La Muse gaillarde,* posth., 1939 (P). – *Gazettes rimées,* posth., 1947 (P). – *La Muse vagabonde,* posth., 1947 (P). – *La Muse frondeuse,* posth., 1971.

PONGE Francis. Montpellier 27.3.1899. Né dans une famille bourgeoise, de souche provençale, P. reçut une éducation équilibrée. Sa première passion est pour la musique. Installé à Caen, il va au lycée de cette ville et se montre bon élève. Il le sera durant toutes ses études secondaires et entrera en hypokhâgne à Paris, au lycée Louis-le-Grand. Admissible au concours d'entrée à l'École normale supérieure, il est refusé à l'oral : il lui est impossible de prononcer un seul mot ; rupture qui le décide à se consacrer exclusivement à la poésie. Il entre à *la*

Nouvelle Revue française, comme secrétaire à la fabrication, pour subvenir à ses besoins ; il refuse la routine du travail et ne veut pas « jouer le jeu », mais il se marie : il sera dans l'obligation d'entrer chez Hachette, où il restera jusqu'en 1937. C'est alors que commence un rude combat pour sauvegarder les « vingt minutes par soirée » qui lui sont indispensables pour entrer dans son « laboratoire verbal », exercer la seule occupation digne d'intérêt : écrire. Sa première œuvre, *Douze petits écrits,* passe quasi inaperçue. *Le Parti pris des choses,* qui soulèvera des polémiques parfois injurieuses, ne paraît qu'en 1942. Après la guerre, P. connaît une période économiquement difficile avant de trouver un modeste emploi de professeur à l'Alliance française, poste qu'il conservera dix années durant. On commence à s'intéresser à son œuvre : en 1956, *la Nouvelle Revue française* lui rend hommage, la bibliothèque Doucet organise une exposition rétrospective de son œuvre. Il est invité à faire des conférences en Belgique, en Allemagne, en Italie. En 1962 paraît *le Grand Recueil,* qui groupe la plupart de ses textes. À la différence de bien d'autres, sa révolution poétique ne part pas d'une révolte. P. s'efforce simplement de « prendre le monde en réparation », de réhabiliter méthodiquement ce qui le constitue et, plus particulièrement, les objets. Par l'intermédiaire de ces « choses », prenant délibérément leur « parti », objectivement, avec « un regard-tel-qu'on-le-parle », il veut « s'aboucher au cosmos ». Pour ce faire, il suffit « d'abaisser notre prétention à dominer la nature et d'élever notre prétention à en faire physiquement partie » : il s'agit de s'immiscer dans « les trente-sixièmes dessous », de se frayer un chemin dans ce « monde muet » des objets qui devient sa « seule patrie » ; il s'en veut l'« ambassadeur ».

P. s'en prend à l'Objet par excellence, à savoir le langage et, plus précisément encore, les mots, qui, selon lui, ont été victimes de la pire des dépravations. Le parti pris pour les mots le conduit à vouloir « redonner force et tenue au langage », à rechercher, dans le dictionnaire, une équivalence linguistique toujours plus approchée de l'objet appréhendé. C'est ainsi qu'il rebrousse chemin dans les méandres de l'étymologie, jouant avec les mots et ne craignant pas de créer une parenté, apparemment suspecte, mais pour lui révélatrice, entre « croître » et « croire ». La physiologie du mot, son pouvoir de répercussion sensible, voire sensuelle, importent plus que les significations qui ont pu lui être données. Toutefois, P. ne se contente pas des choses et des mots : ce sont là des éléments essentiels, certes, mais il s'agit, par eux, de parvenir à l'élaboration d'un projet qui dépasse le poème : celui-ci ne cherche pas, en effet, à « exprimer » la réalité ou bien encore à en « rendre compte » ; il cherche à « obtenir ». Quoi ? Un homme différent. Ce qui n'entraîne pas le poète à prendre parti pour une poésie dite « engagée ». Le monde muet demeure sa seule et unique patrie, mais avec l'espérance, tout de même, que d'un monde mis en ordre par ses soins pourra jaillir un homme nouveau. Il obtient le Grand prix national de poésie en 1981.

Œuvres. *Douze petits écrits,* 1926 (P). – *Le Parti pris des choses,* 1942 (P). – *Dix Cours sur la méthode,* 1946 (E). – *L'Œillet, la Guêpe, le Mimosa,* 1946 (P). – *Le Carnet du bois de pins,* 1947 (P). – *Proêmes,* 1948 (P). – *La Crevette dans tous ses états,* 1948 (P). – *La Seine,* 1950 (P). – *Des cristaux naturels,* 1950 (P). – *La Rage de l'expression,* 1952 (E). – *Le Lézard,* 1953 (P). – *Le Grand Recueil* (3 vol. : I *Lyres ;* II *Méthodes ;* III *Pièces*), 1961 (P). – *Braque lithographe,* 1963 (E). – *De la nature morte et de Chardin,* 1963 (E). – *Pour un Malherbe,* 1965 (E). – *Tome premier,* 1965 (P). – *Le Savon,* 1966 (P). – *Le Nouveau Recueil,* 1967 (P). – *Entretiens avec Philippe Sollers,* 1970. – *La Fabrique du pré* (recueil), 1971 (P). – *L'Atelier contemporain,* 1977 (E). – *Comment une figue de paroles et pourquoi,* 1977 (E). – *L'Écrit Beaubourg,* 1977 (E). – *Pratiques d'écriture ou l'Inachèvement perpétuel,* 1984 (E).

PONSARD François. Vienne (Isère) 1.6.1814 – Paris 13.7.1867. Avocat, il débuta tardivement dans la carrière littéraire, mais par un coup de maître, en faisant créer sa tragédie *Lucrèce* à l'Odéon un mois après l'échec des *Burgraves* de V. Hugo (1843) : le triomphe qui porta sa pièce aux nues marque un retour habile au classicisme, que P. avait su assouplir par certaines licences. Il n'obtint à nouveau de grands succès qu'avec *l'Honneur et l'Argent* et *la Bourse,* comédies bourgeoises qui représentent, aussi bien que celles d'Augier, l'« école du bon sens » ; elles sont loin du classicisme de *Lucrèce,* et P. revint même, avec un bonheur d'ailleurs discutable, au drame le plus romantique dans *Charlotte Corday, Ulysse* (poème avec chœurs) et *le Lion amoureux,* qui fut son dernier triomphe.

Œuvres. *Manfred* (trad. de Byron), 1837 (P) – *Lucrèce,* 1843 (T). – *Agnès de*

Héranie, 1846 (T). – *Charlotte Corday,* 1850 (T). – *Horace et Lydie,* 1850 (T). – *Ulysse,* 1852 (T). – *L'Honneur et l'Argent,* 1853 (T). – *La Bourse,* 1856 (T). – *Ce qui plaît aux femmes,* 1860 (T). – *Le Lion amoureux,* 1866 (T). – *Galilée,* 1867 (T).

PONSON DU TERRAIL Pierre Alexis, vicomte. Montmaur (Hautes-Alpes) 8.7.1829 – Bordeaux 10.1.1871. Il débuta dès 1850 et obtint rapidement la célébrité ; sa production surabondante (il lui arriva en 1865 de publier des feuilletons dans cinq journaux à la fois) n'évite ni les fautes d'information ni les fautes de français. Sa série la plus célèbre développe les aventures de l'invincible Rocambole, dont le succès populaire devait plus tard être encore très vif dans diverses adaptations cinématographiques.

Œuvres. *Les Coulisses du monde,* 1853 (N). – *La Tour des Gerfauts,* 1854 (N). – *Les Cavaliers de la nuit,* 1855 (N). – *Diane de Lancy,* 1855 (N). – *Bavolet,* 1856 (N). – *La Cape et l'Épée,* 1857 (N). – *Les Spadassins de l'Opéra,* 1858 (N). – *La Dame aux gants noirs,* 1859 (N). – *Les Exploits de Rocambole,* 1859 (N). – *Le Diamant du commandeur,* 1860 (N). – *Les Gandins, maîtres du demi-monde,* 1861 (N). – *Les Mémoires d'un homme du monde,* 1861 (N). – *Amaury le vengeur,* 1862 (N). – *L'Armurier de Milan,* 1863 (N). – *Les Bohèmes de Paris,* 1863 (N). – *Coquelicot,* 1863 (N). – *Le Chevalier de Rochemaure,* 1864 (N). – *La Bouquetière de Tivoli,* 1865 (N). – *Les Drames de Paris,* 1865 (N). – *La Duchesse de Montpensier,* 1865 (N). – *La Jeunesse du roi Henri,* 1865 (N). – *Les Exploits de Rocambole* (suite), 1866-1867 (N). – *Les Bohémiens du grand monde,* 1867 (N). – *Mon village,* 1867 (N). – *La Messe noire,* 1868 (N). – *L'Auberge de la rue des Enfants-Rouges,* 1868 (N). – *Le Secret du docteur Rousselle,* 1869 (N). – *Les Voleurs du grand monde,* 1870 (N). – *Rocambole ou les Drames de Paris,* (édition complète : I *l'Héritage mystérieux, le Club des valets de cœur, les Exploits de Rocambole ;* II *les Chevaliers du clair de lune, la Dernière Incarnation de Rocambole, le Testament de Grain de sel, le Bagne de Toulon ;* III *le Dernier Mot de Rocambole, les Ravageurs, les Millions de la Bohémienne, le Club des crevés, le Retour de Rocambole, le Bûcher de la veuve, la Vérité sur Rocambole ;* IV *la Nourrisseuse d'enfants, l'Enfant perdu, le Cimetière des suppliciés, la Captivité du maître, l'Homme en gris, les Amours du Limousin*), posth., 1884 (N).

PONTUS DE TYARD. Château de Bissy-sur-Fley (Saône-et-Loire) 1521 – Bragny-sur-Saône 23.9.1605. Destiné à la carrière ecclésiastique, P. de T. écrivit très jeune des poésies et publia son premier recueil, *les Erreurs* (au sens étymologique = divagations, rêveries) *amoureuses,* en 1549. Influencé par l'école lyonnaise, ce recueil s'enrichira progressivement jusqu'en 1555, de plus en plus marqué par l'influence de la Pléiade, et plus particulièrement par celle de Ronsard. P. de T. consacra d'ailleurs au poète, dans son *Chant en faveur de quelques excellents poètes de ce temps,* un hommage auquel Marot, du Bellay et Mellin de Saint-Gelais se trouvent associés. Comme Ronsard, P. de T. loue la nature et cherche à retrouver la spontanéité du sentiment. Il publia également en 1555 *Douze Fables de fleuves ou fontaines,* utilisant l'allégorie à l'exemple d'Ovide et d'Homère. Philosophe autant que poète, il a composé des *Discours philosophiques.*

Après des années de silence, vivant en seigneur érudit dans son domaine de Bourgogne, P. de T. revint à la poésie en 1573 en faisant paraître, à l'instigation de la maréchale de Retz, ses *Œuvres poétiques,* qui débutent par un hommage à Ronsard. À la fin de sa vie, il consacra son temps exclusivement à la religion et à la philosophie. Chanoine de la cathédrale de Chalon-sur-Saône, puis évêque de Chalon en 1578, il fit paraître les *Homélies sur l'oraison dominicale* et la *Passion de Notre-Seigneur.* En 1589, son neveu prit sa place à la tête de l'évêché et P. de T. se retira sur ses terres.

Poète de l'amour idéal, médiateur, chronologiquement et géographiquement, entre l'école lyonnaise et l'humanisme parisien, P. de T. s'est fait le champion de la dialectique platonicienne du *Banquet,* essayant de réconcilier la beauté des corps et celle des esprits. Chrétien et mystique, il ne sépara jamais son œuvre profane et amoureuse de ses écrits philosophiques et religieux. Pour lui, la poésie n'est pas un but en soi, ni non plus un divertissement d'amateur éclairé, mais un moyen de connaissance pour atteindre ce que les disciplines rationnelles, philosophie et théologie, sont incapables de saisir. Il est ainsi, parmi les poètes de la Pléiade, le représentant le plus pur d'une double mystique néoplatonicienne, à la fois spirituelle et poétique : il ne doit donc pas être vu seulement dans l'ombre de Ronsard et mérite plus d'attention qu'on ne lui en accorde généralement, surtout si l'on tient compte de la date, 1549, des premières *Erreurs amoureuses.* C'est lui en effet qui inaugure, au-delà de la simple imitation, le processus d'« innutrition » qui fécondera toute la poésie humaniste. C'est lui également qui inaugure la fortune poétique du sonnet en en faisant, tout en restant fidèle le plus souvent au décasyllabe hérité de Scève, l'instrument privilégié de la poésie symbolique et métaphysique. Il est enfin le premier à opérer une aussi profonde unité poétique entre le sentiment personnel, les images de nature et les symboles mythologiques : il est par là le plus digne précurseur de Ronsard, qui saura d'ailleurs reconnaître en lui un maître, et dont il saura lui-même plus tard saluer le génie.

Œuvres. *Les Erreurs amoureuses* (1er livre), 1549 (P). – *Continuation,* 1551 (P). – *Chant en faveur de quelques excellents poètes de ce temps,* 1551 (P). – *Les Erreurs amoureuses* (3 livres), 1555 (P). – *Le Livre des vers lyriques,* 1555 (P). – *Œuvres poétiques* (recueil), 1573 (P). – *Homélies sur l'oraison dominicale,* 1585 (E). – *La Passion de Notre-Seigneur,* 1586 (E). – *Douze Fables de fleuves ou fontaines* (écrites en 1555), 1586 (P). – *Discours philosophiques* (recueil de cinq discours composés de 1552 à 1558 : 1° *Solitaire premier ou Prose des Muses et de la Fureur poétique ;* 2° *Solitaire second ou Prose de la Musique ;* 3° *Discours du temps, de l'an et de ses parties ;* 4° *l'Univers ou Discours des parties et de la nature du Monde ;* 5° *Mentice ou Discours de la vérité de divination par Astrologie*), 1587 (E). – Éd. des œuvres poétiques établie par J.C. Lapp, 1966.

POPULISME. École créée en 1929 par Léon Lemonnier et André Thérive, avec pour but de sauvegarder, dans la littérature, les sentiments et les comportements des milieux populaires. Il s'oppose au psychologisme de la littérature bourgeoise et mondaine. Se gardant de tout engagement politique, le populisme s'efforce de montrer les classes populaires dans ce qu'elles ont de meilleur. Ce terme a parfois pris un sens péjoratif, les auteurs de cette école ayant quelque peu idéalisé le peuple, à qui ils voulaient donner la place qui lui est due. Au populisme se rattache aussi la tentative de roman « prolétarien » de Henry Poulaille. Au-delà du mouvement lui-même, qui fut relativement éphémère, l'inspiration populiste est une des constantes de la littérature de la première moitié du XXe s., de Charles-Louis Philippe à Jules Romains, ce dont témoigne la création d'un prix populiste, qui fut attribué, entre autres, à des écrivains comme Eugène Dabit *(Hôtel du Nord)* ou Jean-Paul Sartre *(la Nausée).*

PORCHÉ François. Cognac 1877 – Vichy 1944. Remarqué par Péguy, qui rassembla ses premiers vers sous le titre *À chaque jour...* (1904), il mena d'abord carrière de poète ; lorsque ce n'est pas la guerre qui l'inspire, il se fait poète intimiste, prenant pour thème la solitude humaine, et volontiers verlainien dans la forme (il fut d'ailleurs un excellent biographe du « pauvre Lélian » dans son *Verlaine tel qu'il fut*). Au théâtre, il fit créer de nombreux ouvrages, comédies ou drames, pour la plupart écrits en vers libres : il avait épousé l'actrice Simone. Enfin il fut essayiste, et son *Baudelaire,* notamment, donne encore solide matière à discussion.

Œuvres. *À chaque jour...,* 1904 (P). – *Au loin... peut-être,* 1909 (P). – *Humus et Poussière,* 1911 (P). – *Les Dessous du masque,* 1914 (P). – *Nous,* 1914 (P). – *Péguy et les Cahiers,* 1914 (E). – *L'Arrêt sur la Marne,* 1916 (P). – *Le Poème de la tranchée,* 1916 (P). – *Les Butors et la Finette,* 1917 (T). – *Le Poème de la Délivrance,* 1919 (P). – *La Jeune Fille aux joues roses,* 1919 (T). – *Les Commandements du destin,* 1921 (P). – *La Dauphine,* 1921 (T). – *Sonates,* 1923 (P). – *La Vierge au grand cœur,* 1925 (T). – *Paul Valéry et la poésie pure,* 1927 (E). – *Poésies charentaises,* 1930 (P). – *La Race errante,* 1932 (T). – *Tzar Lénine,* 1932 (T). – *Verlaine tel qu'il fut,* 1933 (E). – *Vers,* 1934 (P). – *Portrait psychologique de Tolstoï,* 1935 (E). – *Un roi, deux dames et un valet,* 1939 (T). – *Baudelaire,* posth., 1945 (E).

PORTO-RICHE Georges de. Bordeaux 20.5.1849 – Paris 5.9.1930. Il donna trois recueils de vers *(Prima Verba ; Tout n'est pas rose ; Bonheur manqué)* et, sur la fin de sa vie, un intéressant volume d'essais *(Anatomie sentimentale)* ; mais il dut sa fortune à une abondante production scénique. Après quelques pièces en vers, directement influencées par le romantisme, il se consacra, dans sa série *Théâtre d'amour* (1888-1911), à l'analyse des rapports sentimentaux et passionnels du couple ; son plus grand succès fut *Amoureuse.* P.-R. s'élève au-dessus du théâtre de boulevard par une analyse à la fois audacieuse et profondément tragique du tourment charnel, mais, à force de vouloir en exacerber l'expression, il n'évite pas toujours un certain simplisme psychologique des personnages.

Œuvres. *Prima Verba,* 1872 (P). – *Vertige,* 1873 (T). – *Un drame sous Philippe II,* 1875 (T). – *Tout n'est pas rose,* 1877 (P).

– *Les Deux Fautes,* 1878 (T). – *Vanina,* repris en 1890 sous le titre *l'Infidèle,* 1878 (T). – *La Chance de Françoise,* 1888 (T). – *Bonheur manqué,* 1889 (P). – *Amoureuse,* 1891 (T). – *Le Passé,* 1897 (T). – *Les Malefilâtre,* 1904 (T). – *Le Vieil Homme,* 1910 (T). – *Zubiri,* 1912 (T). – *Le Marchand d'estampes,* 1917 (T). – *Anatomie sentimentale,* 1920 (E). – *Les Vrais Dieux,* 1929 (T).

Amoureuse

« Condamnés l'un à l'autre... », ce pourrait être le titre explicatif de cette tragédie bourgeoise du couple conjugal. Étienne a, à trente ans, épousé Germaine, vingt ans. Mais avec le temps, la violence de l'amour-passion chez Germaine, le déchaînement de sa jalousie rétrospective à la pensée des femmes que son mari a aimées avant elle, tandis que cette tyrannie amoureuse provoque chez Étienne la tentation de la rébellion, instaurent la situation de crise qui, conformément au modèle racinien ici transposé dans la société de 1890, constitue le moment du drame. Étienne et Germaine s'affrontent sans que la violence de leur conflit puisse ni détruire en eux l'amour ni ouvrir sur aucune autre issue. Germaine voudra tromper son mari, mais ne cessera pas de l'aimer ; Étienne s'efforce de se détacher mais n'y parvient pas mieux. Le dénouement ? Le couple se reforme, mais : « *Germaine.* – Tu seras malheureux. » – « *Étienne.* – Qu'est-ce que ça fait ? »

PORT-ROYAL. (Voir JANSÉNISME.)

POSITIVISME. Doctrine philosophique d'Auguste Comte, de ses disciples et de ses successeurs. Le positivisme est, d'une part, une philosophie des sciences (exposée dans le *Cours de philosophie positive*) et, d'autre part, une politique et une religion (exposées dans le *Cours de politique positive*). Le positivisme a exercé une importante influence littéraire dans la seconde moitié du XIXe s. à la fois dans le roman (réalisme et naturalisme), dans la critique (Taine, Renan) et en poésie avec certains aspects du Parnasse (Sully Prudhomme).

POULAILLE Henry. Paris 5.12.1896 – Cachan 10.3.1980. Orphelin de père et de mère, P., après une jeunesse difficile, se trouve à dix-neuf ans engagé dans l'aventure de la Grande Guerre. Il devra, la paix revenue, se faire manœuvre dans une usine de produits pharmaceutiques. C'est alors qu'après sa journée de travail il se met à écrire, poussé par un besoin irrépressible de témoignage. Ce sont des romans consacrés au « peuple », sans référence à aucune idéologie, mais fondés, au-delà du « réalisme », sur la volonté de créer une authentique « littérature prolétarienne » selon une inspiration qui rappellerait plutôt Dickens que Zola et qui révélerait aussi une certaine orientation « unanimiste » ; l'œuvre de P. enfin, marquée par un certain antimilitarisme, revêt aussi volontiers une allure anarchisante. Dans la ligne de sa pensée théorique – exposée dans les essais *Nouvel Âge littéraire* et *la Littérature et le peuple* –, P. tenta de créer, sous le nom de *Musée du soir,* un centre de culture littéraire et artistique pour les ouvriers : expérience qui inspira plusieurs des futurs animateurs des Maisons de la culture, mais qui fut interrompue par les événements de 1940. Bien qu'il n'ait pas explicitement appartenu au mouvement ainsi dénommé, P. reste le grand représentant du courant de littérature « populiste » qui a fortement marqué l'entre-deux-guerres. P. dut une part de sa réussite littéraire à l'éditeur Bernard Grasset, dont il fut l'employé et qui publia la plupart de ses œuvres.

Œuvres. *Âmes neuves* (nouvelles), 1925 (N). – *Ils étaient quatre,* 1925 (N). – *Pour ou contre C. F. Ramuz,* 1926 (E). – *Nouvel Âge littéraire,* 1930 (E). – *Le Pain quotidien,* 1931 (N). – *Les Damnés de la terre,* 1935 (N). – *Pain de soldat,* 1937 (N). – *La Littérature et le peuple,* 1937 (E). – *Les Rescapés,* 1938 (N). – *L'Enfant poète* (nouvelles), 1942 (N). – *La Grande et Belle Bible des noëls anciens,* 1942. – *La Fleur des chansons du XVIe siècle,* 1943. – Avec R. Pernoud, *les Chansons de toile du XIIe siècle,* 1946. – *Noëls régionaux et Noëls contemporains,* 1951. – *Corneille sous le masque de Molière,* 1957 (E). – *Libido,* 1957 (E). – *Seul dans la vie à quatorze ans :* I *Le Feu sacré,* 1980 (N).

POULET Georges. Né en 1902. (Voir ÉCOLE DE GENÈVE et NOUVELLE CRITIQUE.)

POULIN Jacques. Saint-Gédéon 23.9.1937. Écrivain québécois. Après des études classiques aux séminaires de Saint-Georges et de Nicolet, il obtient des licences en orientation professionnelle (1960) et en lettres (1964). Assistant de recherches en psychologie, puis conseiller d'orientation, il apprend parallèlement le métier de traducteur. Depuis une dizaine d'années, il partage son temps entre la traduction et l'écriture. C'est en 1978 qu'il remporte le prix du Gouverneur général pour *les Grandes Marées.* Préférant la solitude et la tranquillité aux obligations de la vie littéraire, P. accorde peu d'interviews et vit aujourd'hui retiré à Cap-Rouge près de Québec. Ses trois premiers romans sont un hymne à l'enfance et au vieux Québec. Les héros effectuent systématiquement un retour aux origines : origine de l'humanité mais aussi naissance de l'enfant et recherche du vieux pays, vierge et sauvage. Pour l'adulte, le rêve demeure le seul moyen d'approcher la réalité immuable de l'enfance. Dans *Jimmy,* P. restitue, par le monologue intérieur, le ton et l'allure de la pensée enfantine. Jimmy, qui vit au bord du fleuve, fait l'expérience du monde adulte et de sa décomposition. Déçu, il crie sa détresse et son besoin de tendresse au moment où tout son univers part lentement à la dérive. De même, *le Cœur de la baleine bleue,* où s'affirme l'admiration de l'auteur pour Hemingway et Vian, apparaît comme une quête du passé pour retrouver l'état initial. Le narrateur, à qui on a greffé un cœur de jeune fille, cherche à résoudre ses multiples contradictions ; et c'est alors une hésitation constante entre le pôle masculin et le pôle féminin, entre le passé et le présent, entre le rêve et la réalité qui crée dans le récit une dualité permanente, révélatrice des incertitudes et des angoisses du héros. Avec les trois romans suivants *(Faites de beaux rêves, les Grandes Marées, Volkswagen blues),* P. s'oriente vers une réflexion plus approfondie sur l'acte même d'écrire. À une conception mythique de l'écriture succède une nouvelle conception de l'écriture, conçue comme artisanat et métier exigeant. C'est ainsi qu'Amadou, le narrateur de *Faites de beaux rêves,* est commis aux écritures, tandis que Teddy Bear, le narrateur des *Grandes Marées,* est traducteur (c'est-à-dire obligé d'effectuer un travail mesuré sur la valeur concrète des mots). Le pacte qui lie l'écrivain à la société, et particulièrement à la société québécoise, est aujourd'hui au cœur des préoccupations d'un écrivain qui se définit lui-même comme « romancier-artisan ».

Œuvres. *Mon cheval pour un royaume,* 1967 (N). – *Jimmy,* 1969 (N). – *Le Cœur de la baleine bleue,* 1970 (N). – *Faites de beaux rêves,* 1974 (N). – *Les Grandes Marées,* 1978 (N). – *Volkswagen blues,* 1984 (N).

POURRAT Henri. Ambert 7.5.1887 – Vernet, près d'Ambert, 16.7.1959. Représentant quasi légendaire du régionalisme littéraire, P. s'était fait le chantre de son terroir pour compenser l'échec de sa vocation d'ingénieur agronome. À partir de là, il réussit ce tour de force de poursuivre avec succès une carrière littéraire féconde sans se soumettre à l'habituelle obligation parisienne. Mais son œuvre dépasse les limites d'un régionalisme étroit et fait au contraire songer à Ramuz : P. appartient sensiblement à la même génération ; il est de neuf ans seulement le cadet du Vaudois. Si la nature et l'origine de son inspiration sont bien « régionalistes », directement issues de son terroir auvergnat, l'œuvre se déploie jusqu'à inscrire, dans la truculence d'une épopée familière, toutes les dimensions d'un puissant humanisme de la nature : la prose de P. est comme la transcription verbale des multiples relations entre les profondeurs de l'homme et les profondeurs correspondantes de la nature et de ses forces les plus vivaces. C'est ainsi, dans *les Vaillances, farces et gentillesses de Gaspard des Montagnes,* le récit des aventures vécues, au lendemain de la Révolution et de l'Empire, par un héros-paysan dans les montagnes du Livradois et du Forez, aventures animées par les multiples conflits qui opposent le personnage, fait à la fois de passion et de pureté, à une société aux valeurs frelatées. Vivante, dramatique, multipliée en épisodes également hauts en couleur, cette œuvre a pu fournir, lors d'une adaptation en 1966, une des plus remarquables émissions « littéraires » de la Télévision française.

Œuvres. *La Colline ronde,* 1912 (N). – *Les Vaillances, farces et gentillesses de Gaspard des Montagnes* (4 vol.), 1922-1931 (N). – *Le Mauvais Garçon,* 1926 (N). – *La Veillée de novembre : vie de Cécile Sauvage,* 1931 (N). – *L'Homme à la bêche,* 1931 (N). – *Le Bosquet pastoral,* 1931 (N). – *Les Sorciers du canton,* 1933 (N). – *Monts et merveilles,* 1934 (N). – *Le Secret des compagnons,* 1937 (N). – *Ceux d'Auvergne,* 1939 (N). – *Vent de mars,* 1941 (N). – *Dans l'herbe des trois vallées,* 1943 (N). – *Sous le pommier* (avec *les Proverbes de la terre ou le Commencement de la sagesse*), 1945 (N). – *La Bête du Gévaudan,* 1946 (N). – *Légendes d'Auvergne,* 1947 (N). – *Le Trésor des contes* (12 vol.), 1948-1962 (N). – *Le Sage et son démon* (avec *le Démon de Socrate*), 1950 (N). – *Le Chasseur de la nuit,* 1951 (N). – *L'Épopée de Guillaume Douare,* 1953 (N). – *Ma maison manque de prières,* 1954 (N). – *Contes du fraisier sauvage,* 1956 (N). – *Chroniques d'Auvergne,* 1957 (N). – *L'Aventure de Roquefort,* 1958 (N). – *Au pays des grands causses,* 1959 (N). – *Le Cabinet de chasse,* 1959 (N). – *Histoire des gens dans les montagnes du Centre,* 1959 (N). – *Le Temps qu'il fait,* posth., 1960 (N). – *Contes de la bûcheronne,* posth., 1960 (N). –

Contes des grands bois, posth., 1960 (N). – *Le Château des loups,* posth., 1961 (N). – *Châteaux en Auvergne,* posth., 1964 (N). – *Almanach, dictons et proverbes des quatre saisons,* posth., 1965 (N). – *Contes du temps de Noël,* posth., 1966 (N). – *La Queue du diable,* posth., 1974 (N). – *Légendes du pays vert,* posth., 1974 (N). – *Batailles et brigandages en Auvergne et en Bourbonnais, Berry, Limousin, Poitou, Rouergue, Quercy, Velay, Forez, Lyonnais,* posth., 1978 (N). – *Saints de France,* posth., 1979. – Sous la direction de Claire Pourrat, *le Trésor des contes* (I *le Diable et ses diableries,* posth., 1977 ; II *les Brigands,* posth., 1978).

PRADON Jacques, dit à tort **Nicolas.** Rouen 1632 – Paris 14.1.1698. Ce médiocre versificateur eut l'ambition de rivaliser avec Racine. Ses deux premières tragédies, *Pyrame et Thisbé* et *Tamerlan ou la Mort de Bajazet,* ayant été jugées bien au-dessus de leur valeur par quelques salons hostiles au grand dramaturge, il osa opposer à *Phèdre* une *Phèdre et Hippolyte,* à laquelle la cabale montée par les hôtels de Nevers et de Bouillon, et soutenue par le *Mercure galant,* valut un très éphémère succès.

Œuvres. *Pyrame et Thisbé,* 1674 (T). – *Tamerlan ou la Mort de Bajazet,* 1675 (T). – *Phèdre et Hippolyte,* 1677 (T). – *La Troade,* 1679 (T). – *Statira,* 1680 (T). – *Regulus,* 1688 (T). – *Scipion l'Africain,* 1697 (T).

PRÉCIOSITÉ. La préciosité est tout d'abord une tendance générale de l'esprit qui se maintient du Moyen Âge (*Roman de la Rose*), à Giraudoux, en passant par Marivaux, et qui consiste à soigner aussi bien les apparences sociales de la personne et son comportement que les idées, les sentiments et le langage. Ce mode d'être et de dire s'est plus particulièrement développé tout au long du XVIIe s., en réaction contre la grossièreté et la vulgarité de la cour de Henri IV. Elle se manifesta dans les salons (présidés par des femmes de l'aristocratie), dont le plus connu fut l'hôtel de Rambouillet, où se rencontrèrent, à partir de 1620 jusqu'à la mort de Mme de Rambouillet en 1665, les esprits les plus distingués de ce temps : Voiture, Scarron, Mlle de Scudéry (qui, par la suite, fonda son propre salon). Au cours de ces rencontres, la conversation tient un rôle important : on échange des idées, des bons mots ; on se livre à des jeux de l'esprit, à des débats, le plus souvent sur un thème amoureux ; débats soutenus par un langage que l'on porte à son plus haut degré de raffinement. Enrichi de métaphores, de néologismes, ce langage devient une création continue où chacun et chacune rivalisent de finesse et de trouvailles, dans une perpétuelle surenchère. Poussés à l'excès, ces exercices deviendront « ridicules », tels que Molière les a mis en scène dans *les Précieuses ridicules.* Mais les précieuses ne furent pas toujours ridicules : leurs salons furent de hauts lieux de l'activité culturelle et intellectuelle de ce temps. Elles revendiquaient une sorte de retour à l'amour courtois : respect de la dame ; interdiction du mariage qui empêche l'amour de s'exprimer ; goût de la conquête ; raffinement sentimental symbolisé par la carte du Tendre (voir Mlle DE SCUDÉRY), géographie métaphorique des itinéraires de l'amour. Elles réclamaient l'égalité des droits entre les hommes et les femmes et représentent ainsi une des premières manifestations modernes du féminisme. On vit même se dessiner des thèses aussi audacieuses que le mariage à l'essai et le droit au divorce. Les excès de la Préciosité ne furent jamais qu'un moyen pour imposer, au risque de tomber dans le ridicule, une nouvelle manière d'envisager les rapports humains, manière élaborée à partir de rencontres quasi quotidiennes, d'échanges d'idées, et fondée sur une pratique où le jeu – de mots, d'idées et de sentiment – intervient comme une véritable méthode d'expérimentation intellectuelle et sentimentale.

PRÉROMANTISME. On désigne par ce terme, de signification historique, le mouvement diffus qui, tout au long du XVIIIe s., prépara, en France, le romantisme. Durant le « Siècle des lumières », où triomphaient la raison et l'esprit critique, des œuvres d'une sensibilité romantique avant l'heure virent le jour : *Manon Lescaut,* de l'abbé Prévost (1730) ; *la Nouvelle Héloïse* (1761) et les *Confessions* (1770), de Rousseau ; les *Études de la nature* (1784), dont *Paul et Virginie,* de Bernardin de Saint-Pierre ; au théâtre, les comédies larmoyantes de Nivelle de La Chaussée. Cette tendance, qui s'affirmait déjà en Allemagne et en Angleterre, fut ensuite importée en France grâce à l'œuvre théorique de Mme de Staël (*De la littérature,* 1800, et surtout *De l'Allemagne,* 1810). Contre les classiques français, qui se contentaient d'imiter les Anciens, Mme de Staël propose, à l'exemple des Anglais et des Allemands, de puiser ses sources d'inspiration dans une réalité nationale ou contemporaine. Le succès du *Génie du christianisme* de Chateaubriand

(1802) donna le coup d'envoi d'un art romantique spécifiquement français. L'aspect purement chronologique et historique de la notion de *préromantisme* fait qu'elle est souvent contestée par la critique moderne, qui tend à interpréter les œuvres de sensibilité du XVIIIe s. comme déjà pleinement romantiques. (Voir ROMANTISME.)

PRÉVERT Jacques. Neuilly-sur-Seine 4.2.1900 – Omonville-la-Petite (Manche) 11.4.1977. Influencé par les surréalistes, P. se fit connaître en 1931 par un texte satirique : *Tentative de description d'un dîner de têtes à Paris-France,* œuvre marquée par le calembour, la contrepèterie, tous les jeux multiples de la langue. Il fit paraître ses premiers poèmes en recueils : *Paroles,* auquel succédèrent *Histoire, Spectacle, la Pluie et le Beau Temps, le Grand Bal du printemps, Fatras.* Utilisant le vers libre, la poésie de P. a un style quasi parlé, seulement soutenu par le rythme de la parole et les jeux des mots. Il exprime, avec tendresse et humour, le train-train de la vie quotidienne, son sordide, ses misères et aussi ses joies. Une émotion constante et sincère le garde de l'absurde et de l'arbitraire. Le sens y est visible. Il dit et donne à imaginer à partir d'un texte simple et parfois même anodin. P. a également participé à de nombreux scénarios de films à succès, qui sont devenus des classiques du cinéma français : *Drôle de drame, Quai des brumes, le Jour se lève, les Visiteurs du soir, les Enfants du paradis...* Grand prix national du Cinéma 1975. Certains de ses poèmes ont été repris par des chanteurs tels que Montand, C. Ribeiro, les Frères Jacques.

Œuvres. *Souvenirs de famille ou l'Ange garde-chiourme,* 1930 (P). – *Tentative de description d'un dîner de têtes à Paris-France,* 1931 (P). – *L'Affaire est dans le sac* (film), 1932. – *Drôle de drame* (film), 1937. – *Quai des brumes* (film), 1938. – *Remorques* (film), 1939. – *Les Visiteurs du soir* (film), 1942. – *Lumière d'été* (film), 1943. – *Les Enfants du paradis* (film), 1944. – *Paroles,* 1945 (P). – *Histoires,* 1946 (P). – *Les Portes de la nuit* (film), 1946. – *Les Amants de Vérone* (film), 1948. – *Spectacle,* 1951 (P). – *Charmes de Londres* (avec photos de Izis), 1952 (P). – *Lettres des îles Baladar,* 1952, rééd. 1977 (P). – *L'Opéra de la lune,* 1953 (P). – *La Pluie et le Beau Temps,* 1955 (P). – *Fatras,* 1966 (P). – *Choses et Autres,* 1972 (P). – *Hebdromadaires,* 1972 (P). – *Arbres,* 1976 (P). – Avec J. Kosma, *Cinquante Chansons Prévert-Kosma,* posth., 1977. – *Contes pour enfants pas sages,* posth., 1977. – *Guignol,* posth., 1978. – *Soleil de nuit,* posth., 1980 (P). – *Collages,* posth., 1982 (P). – *La Cinquième Saison,* posth., 1984 (P). – *Chanson pour chanter à tue-tête et à cloche-pied* (pour les jeunes), posth., 1985.

PRÉVOST Antoine François Prévost d'Exiles dit **l'abbé.** Hesdin (Artois) 1.4.1697 – Courteuil-Chantilly 23.11.1763. Il est le fils d'un conseiller et procureur du roi au bailliage d'Hesdin. Sa vie, instable et agitée, remplie de contradictions, est partagée entre la religion et les aventures. Il fait d'excellentes études au collège des jésuites d'Hesdin, puis à ceux d'Harcourt et de La Flèche. Il est destiné aux ordres ; son noviciat dans la Compagnie est entrecoupé par deux brefs et volontaires passages dans l'armée et son entrée chez les bénédictins de Saint-Maur, suivie de nouvelles fugues. Déjà, il s'adonne à la composition romanesque et, dès 1724, publie une sorte de conte audacieusement libertin et satirique, *les Aventures de Pomponius, chevalier romain,* où l'on trouve, avec l'évocation des mœurs de la Régence, des réflexions très fines sur la lecture et sur l'amour. Ordonné prêtre en 1726, professeur, puis prédicateur, il rompt avec la congrégation, qu'il quitte, irrégulièrement et avec éclat, en 1728. Poursuivi, il passe en Angleterre, où il se fait appeler, en jouant sur les mots, « d'Exiles ». De hautes relations lui permettent d'obtenir la protection du fils d'un personnage important de la Cité londonienne. Il visite Londres et le sud de l'Angleterre, fréquente les théâtres et les écrivains, lit les poètes contemporains et continue de composer un roman dont deux volumes ont déjà paru en 1728, *les Mémoires et Aventures d'un homme de qualité,* qu'il achèvera en 1731 : l'écrivain relate ses propres aventures et celles des inconnus qu'il rencontre ; il multiplie péripéties amoureuses, épisodes tragiques et mélodramatiques. L'imagination macabre dont il fait preuve marquera dans l'histoire du goût pour l'étrange et le terrible en France et en Angleterre (le roman « noir » anglais), tandis qu'il donne à la peinture de l'amour une touche personnelle. L'*Histoire du chevalier Des Grieux et de Manon Lescaut* constitue le tome VII de ces *Mémoires (...) d'un homme de qualité.* Une « petite affaire de cœur » oblige P. à passer en Hollande, où il a une liaison avec une jeune aventurière, Lenki Eckardt, cependant qu'il rédige quatre tomes de son roman *Histoire de Monsieur Cleveland...,* aux péripéties émouvantes et surprenantes. L'œuvre, où l'auteur abandonne la technique du roman à tiroirs, agira sur la sensibilité du XVIIIe s. par ses rêves de vie simple et de religion raisonnable et tolérante, par le sérieux un peu gauche du héros, en proie à des accès de mélancolie et de désarroi intellectuel et moral qui font de lui déjà un romantique. P. lance, à Paris, le *Pour et Contre,* « journal littéraire d'un goût nouveau », où, chaque semaine, il parle de tout, et en particulier de l'Angleterre (1733-1740), où il séjourne à nouveau. Une indélicatesse le fait incarcérer à la prison de Gate-House. Autorisé à rentrer en France, il est réintégré dans les ordres et, peu après, devient aumônier du prince de Conti. Il mène une vie mondaine, tout en écrivant nombre d'ouvrages romanesques et historiques et en se faisant le traducteur et l'adaptateur d'œuvres anglaises. C'est ainsi qu'il fait paraître *le Doyen de Killerine,* roman plus optimiste que les précédents, qui mêle l'humour à l'aventure et à la passion ; l'*Histoire d'une Grecque moderne,* qui conte joliment l'aventure de la belle esclave circassienne, Mlle Aïssé, ramenée en France par l'ambassadeur de France à Constantinople. P. apparaît non seulement comme un auteur fécond, mais aussi, par son art de développer des intrigues complexes et par sa connaissance de l'âme humaine, par son sens de la réalité, comme un romancier accompli. Il s'interroge sur le bonheur et les passions humaines, exprime les angoisses et les souffrances de héros victimes du destin, dont la faiblesse est propre à émouvoir le lecteur. Il est aussi le traducteur-adaptateur des romans de Richardson, dont la vogue sera immense : *Paméla ; Clarissa Harlowe ; Histoire du cavalier Grandison.* Il donne une traduction des *Mémoires pour servir à l'histoire de la vertu,* de Sheridan ; il romance l'histoire dans l'*Histoire de Marguerite d'Anjou* et de *Guillaume le Conquérant,* traduit de l'anglais une *Histoire de Cicéron,* donne les *Lettres de Cicéron à Brutus* et les *Lettres familières de Cicéron,* traduit encore une *Histoire des Stuarts* (d'après Hume). L'*Histoire générale des voyages,* sorte d'encyclopédie des civilisations découvertes (15 vol., 1746-1761), est d'abord, jusqu'en 1748, la traduction de l'ouvrage anglais de John Green, puis, lorsque celui-ci cesse de paraître, devient une compilation que P. poursuit seul. Continuée après lui par Meunier de Querlon et abrégée par La Harpe, elle constituera pendant un siècle la source essentielle des connaissances du grand public sur le monde. Elle est illustrée de planches et de paysages, et ses cartes font date dans l'histoire de la géographie. P. publie également un *Manuel lexique...,* traduction du dictionnaire anglais de Th. Dyche (1750), qui répond aux préoccupations philosophiques et encyclopédistes du moment. Cette intense activité littéraire, qui se développe au milieu d'une vie agitée, de circonstances parfois pénibles, dans la précipitation et sous la nécessité de s'acquitter de ses dettes, n'empêche pas P. de fréquenter libertins et philosophes – on le voit dans les milieux matérialistes et francs-maçons – et de se lier avec Voltaire, qu'il a rencontré en Hollande, mais avec qui il interrompra toutes relations en 1740. En 1741, il se laisse compromettre dans une affaire de pamphlets scandaleux et clandestins. Exilé à Bruxelles, il rentre à Paris l'année suivante, s'assagit et même s'embourgeoise. Protégé du chancelier d'Aguesseau et pourvu d'un bénéfice ecclésiastique, il vit à Chaillot, puis à Passy, avec une « gentille veuve », sa gouvernante. Il rencontre Rousseau, avec qui il sympathise. Enfin, le prince de Condé l'ayant invité à écrire l'histoire de la maison de Condé, il va s'installer à Saint-Firmin, près de Chantilly, cette fois avec une certaine Mme de Genty.

De toute sa production littéraire, à laquelle on ajoutera encore un *Journal étranger,* qui n'atteindra que neuf numéros et qui est consacré aux activités littéraires, scientifiques et érudites étrangères, seule *Manon Lescaut* a immortalisé son auteur. Le livre, jugé scandaleux à deux reprises (1733 et 1735), est d'abord saisi, mais P. en fera paraître une nouvelle édition, sensiblement corrigée et augmentée d'un épisode important, en 1753. Bref, dépouillé et tragique, le récit, où l'on voit sans romantisme ni indiscrète prédication l'amour-jeu et l'amour-folie rachetés et sauvés par l'amour-rédemption, peut aussi satisfaire l'amateur de romans d'aventures par ses nombreuses péripéties. Il laisse apparaître les contradictions spirituelles de l'auteur, ses élans généreux, ses crises profondes et son pessimisme, ainsi qu'une réelle compassion pour les faiblesses humaines. La concision du style, l'art d'exprimer les émotions et un réalisme familier ne sont pas les moindres attraits de cette œuvre d'une simplicité et d'une rigueur toutes classiques. Les qualités humaines du roman, bien révélatrices de la sensibilité de l'auteur, séduisirent rapidement le public et feront sa célébrité. Musiciens et cinéastes ne resteront pas non plus insensibles à la fascination trouble et subtilement perverse de *Manon Lescaut,* dont l'histoire n'a rien perdu de sa fraîcheur et de ses attraits.

Œuvres. *Les Aventures de Pomponius, chevalier romain,* 1724 (N). – Collab. à la *Gallia christiana,* 1726 (E). – *Mémoires et Aventures d'un homme de qualité qui s'est retiré du monde* (7 vol. comprenant l'*Histoire du chevalier Des Grieux et de Manon Lescaut*), 1728-1731 (N). – *Histoire de Monsieur Cleveland, fils naturel de Cromwell, écrite par lui-même, ou le Philosophe anglais,* 1731-1738 (N). – *Pour et Contre,* journal littéraire, 1733-1740. – *Le Doyen de Killerine, histoire morale* (6 vol.), 1735-1740 (N). – *Histoire de Marguerite d'Anjou, reine d'Angleterre,* 1740 (N). – *Histoire d'une Grecque moderne,* 1741 (N). – *Mémoires pour servir à l'histoire de Malte,* 1741 (N). – *Les Campagnes philosophiques ou les Mémoires de M. de Moncal,* 1741 (N). – *Histoire de Guillaume le Conquérant,* 1742 (N). – *Pamela* (trad. de l'angl.), 1742 (N). – *Histoire de Cicéron* (trad. de l'angl.), 1742 (N). – *Voyages de Robert Lade,* 1744 (N). – *Lettres de Cicéron à Brutus* (trad. du lat. et de l'angl.), 1744. – *Lettres familières de Cicéron,* 1745. – *Mémoires d'un honnête homme,* 1745 (N). – *Histoire générale des voyages* (15 vol.), 1746-1761 (E). – *Manuel lexique* (trad. de l'angl.), 1750 (E). – *Clarissa Harlowe* (trad. de l'angl.), 1751 (N). – *Manon Lescaut* (éd. revue et augmentée), 1753 (N). – *Nouvelles Lettres anglaises ou l'Histoire du chevalier Grandison,* 1755 (N). – *Journal étranger,* 1755. – *Histoire de la maison de Stuart* (d'après Hume), 1760. – *Le Monde moral,* 1760 (E). – *Mémoires pour servir à l'histoire de la vertu* (trad. de Sheridan), 1762 (E). – *Supplément des lettres anglaises de miss Clarisse Harlowe,* 1762.

Manon Lescaut

Un jeune chevalier, Des Grieux, est destiné à l'ordre de Malte. C'est lui qui raconte son histoire longtemps après son dénouement. À Amiens, où il achevait ses études, il a rencontré Manon. C'est le coup de foudre, et les deux jeunes gens s'enfuient à Paris. Ils connaissent le bonheur, mais pour peu de temps, car un fermier général, qui s'est épris de Manon, prévient le père de Des Grieux ; celui-ci est récupéré par sa famille et, pour ainsi dire, mis au secret. Il cède alors aux conseils de son ami Tiberge et décide d'entrer au séminaire de Saint-Sulpice, où se révèlent ses dons de prédicateur. Un an s'est passé, et, un jour, après un « exercice public », alors que Des Grieux est de retour au séminaire, Manon vient le demander, et il la retrouve au parloir ; c'est aussitôt la rechute, une nouvelle fuite, l'établissement du couple à Chaillot, un bonheur tout aussi bref et précaire : car Manon ne peut supporter ni la pauvreté ni la solitude, tant est ardente sa soif de plaisir. Intervient alors dans la vie du couple le frère de Manon, personnage peu recommandable, qui entraîne Des Grieux au jeu et à la débauche. C'est aussi Lescaut qui pousse sa sœur à exploiter le vieux G.M., qui d'ailleurs finira par se venger. Tandis que Manon est enfermée à l'hôpital, Des Grieux emprisonné, lui, à Saint-Lazare, reçoit la visite de Tiberge et lui avoue que sa passion est incurable. Il s'évade, libère Manon, se réfugie de nouveau avec elle à Chaillot, tandis que Lescaut est tué dans des circonstances suspectes. Pour les deux amants, c'est alors la misère. Le fils du vieux G.M. s'éprend à son tour de Manon, qui veut tout d'abord en faire sa victime, avec la complicité de Des Grieux ; mais c'est elle qui est séduite par les libéralités du jeune homme, pour qui elle abandonne Des Grieux. Celui-ci un jour lui rend visite, scène qui, après avoir révélé l'opposition de tempérament entre les deux amants, finit cependant par une réconciliation. Pour la sceller, ils décident de se venger du jeune G.M., mais leur entreprise provoque l'intervention du père de celui-ci et leur arrestation. Le père de Des Grieux obtient sa grâce, mais Manon sera déportée en Amérique. Des Grieux décide de s'associer à son sort. Ils sont, en Amérique, bien accueillis par le gouverneur, mais le fils de celui-ci s'éprend de Manon ; Des Grieux le provoque en duel et, convaincu de l'avoir tué, s'enfuit avec Manon dans le désert, pour échapper à d'éventuelles poursuites. Usée par ses aventures antérieures, incapable de supporter la vie rude que les deux amants doivent mener, Manon meurt d'épuisement. Après l'avoir enterrée, Des Grieux, qui ne peut plus connaître que le désespoir, sera ramené en France par son ami Tiberge.

PRÉVOST Jean. Saint-Pierre-lès-Nemours 13.6.1901 – maquis du Vercors 1.8.1944. Élève d'Alain, normalien, P. reçoit le grand prix de Littérature de l'Académie française en 1943 avant de rejoindre le maquis du Vercors. Un an plus tard, à la tête d'une compagnie de groupes francs, il tombait dans une embuscade près de Sassenage (Isère) et était fusillé par les Allemands : il avait quarante-trois ans. Son œuvre, essentiellement critique, mais aussi romanesque, est fondée sur la conviction qu'une intime relation réunit, dans la perspective d'un humanisme total, art de vivre, art de penser et art d'écrire. Après une brève tentative dans l'enseignement, P. renonça à affronter l'agrégation et préféra s'engager dans la vie littéraire sous le signe de la *N.R.F.* de Jean Schlumberger et de Jacques Rivière, dans les années 1925. Il s'essaie au roman (*les Frères Bouquinquant,* où un meurtre consécutif à la rivalité de deux frères est racheté par le sacrifice et le dévouement), mais sa vraie vocation est du côté de l'exploration des secrets de la création littéraire : il expérimente une méthode originale où le psychologue pénétrant qu'était déjà P. romancier, analyse et décrit tous les aspects de l'interdépendance entre vie et littérature : ce sont les deux études considérables sur Stendhal *(la Création littéraire chez Stendhal)* et sur Baudelaire. Enfin, P. avait, dès 1925, avec *Plaisirs des sports,* et dans le sillage de Montherlant, apporté une efficace contribution à la promotion littéraire de la vie sportive.

Œuvres. *Tentative de solitude,* 1925 (E). – *Plaisirs des sports,* 1925 (E). – *La Vie de Montaigne,* 1926 (E). – *Brûlures de la prière,* 1926 (E). – *Merlin, petites amours profanes,* 1927 (N). – *Essai sur l'introspection,* 1927 (E). – *Les Frères Bouquinquant,* 1930 (N). – *Dix-Huitième Année,* 1930 (E). – *Les Épicuriens français,* 1931 (E). – *Nous marchons sur la mer,* 1931 (N). – *Histoire de France depuis la guerre,* 1932 (E). – *Rachel,* 1932 (N). – *Le Sel sur la plaie,* 1934 (N). – *Lucie-Paulette,* 1935 (N). – *La Terre est aux hommes,* 1936 (E). – *La Chasse du matin,* 1937 (N). – *Usonie, esquisse de la civilisation américaine,* 1939 (E). – *La Création littéraire chez Stendhal,* 1942 ; rééd., posth., 1951 (E). – *Problèmes du roman,* posth., 1945. – *Les Caractères,* posth., 1948 (E). – *Philibert Delorme,* posth., 1948 (E). – *Baudelaire, essai sur la création et l'inspiration poétiques,* posth., 1953 (E).

PRÉVOST Marcel. Paris 1.5.1862 – Vianne (Lot-et-Garonne) 8.4.1941. Le succès de sa *Confession d'un amant* et le désir de supplanter le naturalisme le décidèrent à quitter sa profession d'ingénieur des tabacs (il était polytechnicien) pour se consacrer à la littérature. Ses deux séries, *Lettres de femmes* et *Lettres à Françoise,* qui évoluent de la description satirique de la bourgeoisie à la proposition de règles morales correctrices, portent la marque d'un certain talent, mais sont très alourdies par le manque de finesse psychologique. Le succès de scandale des *Demi-Vierges* a permis à ce médiocre roman (porté à la scène dès 1895) de survivre comme le plus célèbre de son auteur. Directeur de la *Revue de France* de 1922 à 1940, P. publia beaucoup d'autres romans et particulièrement *Retraite ardente,* qui marque un retour assez net à l'érotisme. Acad. fr. 1909.

Œuvres. *Le Scorpion,* 1887 (N). – *Chonchette,* 1888 (N). – *Mlle Jaufre,* 1889 (N). – *Cousine Laura,* 1890 (N). – *La Confession d'un amant,* 1891 (N). – *Lettres de femmes,* 1892 (N). – *L'Automne d'une femme,* 1893 (N). – *Les Demi-Vierges,* 1894 (N). – *Nouvelles Lettres de femmes,* 1894 (N). – *Notre compagne,* 1895 (N). – *Jardin secret,* 1897 (N). – *Dernières Lettres de femmes,* 1897 (N). – *L'Heureux Ménage,* 1900 (N). – *Les Vierges fortes,* 1900 (N). – *Lettres à Françoise,* 1902 (N). – *Féminités,* 1912 (N). – *Les Don Juanes,* 1922 (N). – *Nouvelles Lettres à Françoise,* 1924 (N). – *Fébronie,* 1925 (N). – *Retraite ardente,* 1927 (N). – *La Mort des ormeaux,* 1938 (N).

PRÉVOST-PARADOL Lucien Anatole. Paris 8.7.1829 – Washington 11.8.1870. Ancien élève de l'École normale supérieure, il fut nommé en 1855 professeur à Aix-en-Provence, mais vint à Paris dès l'année suivante et se consacra au journalisme. Sa tribune politique aux *Débats* lui attira le succès, et il fit un mois de prison pour son libelle *Anciens Partis ;* il écrivit ensuite au *Courrier du dimanche,* élargissant son public et multipliant les attaques contre le despotisme ; mais il ne put se faire élire député. Il se rapprocha du pouvoir lorsque Napoléon III inaugura l'« Empire libéral ». En juin 1870, il fut nommé ministre plénipotentiaire à Washington ; c'est là qu'il se suicida en apprenant la déclaration de guerre. Son œuvre est mince mais remarquable : *Essais de politique et de littérature, Études sur les moralistes français* et un tour d'horizon politique d'un contenu étonnamment prémonitoire, *la France nouvelle.* Profondément cultivé, styliste d'une sûreté absolue, pessimiste à l'ironie mordante, P.-P. joint la finesse à la pénétration, ce qui le place bien au-dessus de tous les chroniqueurs politiques du second Empire. Acad. fr. 1865.

Œuvres. *Éloge de Bernardin de Saint-Pierre,* 1851 (E). – *De la liberté des cultes en France,* 1858 (E). – *Essais de politique et de littérature,* 1859 (E). – *Anciens Partis,* 1860 (E). – *Nouveaux Essais de politique et de littérature,* 1862 (E). – *Quelques Pages d'histoire contemporaine,* 1862-1866 (E). – *Derniers Essais de politique et de littérature,* 1863 (E). – *Études sur les moralistes français,* 1865 (E). – *La France nouvelle,* 1868 (E).

PRICE-MARS Jean. Grande-Rivière-du-Nord 1876 – Pétionville (Port-au-Prince) 1969. Écrivain haïtien. (Voir NÉGRO-AFRICAINE [LITTÉRATURE].)

PRISE D'ORANGE (la). Chanson de geste du cycle de Garin de Monglane. Milieu du XIIe s. Neuf manuscrits ont été conservés, qui comprennent trois rédactions différentes. À la suite de la conquête de Nîmes (voir *le Charroi de Nîmes*), Guillaume d'Orange et deux de ses compagnons se tournent vers Orange, qui se trouve aux mains des Sarrasins. Ils prendront la ville, en partie grâce à l'aide d'Orable, femme de Thibaut, absent. Elle tombe amoureuse de Guillaume et, pour pouvoir l'épouser, se convertit au catholicisme. C'est à ce moment qu'elle prend le nom de Guibourc. Il semble que cette chanson de geste soit la source primitive du cycle qu'elle inaugure et qui porte le nom de l'ancêtre de Guillaume, Garin de Monglane.

PRIX LITTÉRAIRES. Distinction décernée par une académie (académie Goncourt), un groupe d'écrivains de même tendance (prix Médicis), une institution municipale ou nationale (prix de la Ville de Paris), ou encore par un groupe de personnes exerçant la même fonction (prix des Libraires), et qui a pour but de récompenser le meilleur ouvrage de l'année. Il existe également des prix internationaux (prix Nobel, Pulitzer, Lénine).

Lauréats du prix Goncourt (première attribution 1903) :
1903 J.-A. Nau, *Force ennemie ;* 1904 L. Frapié, *la Maternelle ;* 1905 Cl. Farrère, *les Civilisés ;* 1906 J. et J. Tharaud, *Dingley, l'illustre écrivain ;* 1907 É. Moselly, *Terres lorraines ;* 1908 Fr. de Miomandre, *Écrit sur de l'eau ;* 1909 M. et A. Leblond, *En France ;* 1910 L. Pergaud, *De Goupil à Margot ;* 1911 A. de Châteaubriant, *Monsieur des Lourdines ;* 1912 A. Savignon, *les Filles de la pluie ;* 1913 M. Elder, *le Peuple de la mer ;* 1914 Prix décerné en 1916 ; 1915 R. Benjamin, *Gaspard ;* 1916 A. Bertrand, *l'Appel du sol* (prix 1914) ; 1916 H. Barbusse, *le Feu ;* 1917 H. Malherbe, *la Flamme au poing ;* 1918 G. Duhamel, *Civilisation ;* 1919 M. Proust, *À l'ombre des jeunes filles en fleurs ;* 1920 E. Pérochon, *Nêne ;* 1921 R. Maran, *Batouala ;* 1922 H. Béraud, *le Vitriol de lune ; le Martyre de l'obèse ;* 1923 L. Fabre, *Rabevel ;* 1924 M. Sandre, *le Chèvrefeuille ;* 1925 M. Genevoix, *Raboliot ;* 1926 H. Deberly, *le Supplice de Phèdre ;* 1927 M. Bedel, *Jérôme 60° latitude nord ;* 1928 M. Constantin-Weyer, *Un homme se penche sur son passé ;* 1929 M. Arland, *l'Ordre ;* 1930 H. Fauconnier, *Malaisie ;* 1931 J. Fayard, *Mal d'amour ;* 1932 G. Mazeline, *les Loups ;* 1933 A. Malraux, *la Condition humaine ;* 1934 R. Vercel, *Capitaine Conan ;* 1935 J. Peyré, *Sang et Lumières ;* 1936 M. Van der Meersch, *l'Empreinte du Dieu ;* 1937 Ch. Plisnier, *Faux Passeports ;* 1938 H. Troyat, *l'Araigne ;* 1939 Ph. Hériat, *les Enfants gâtés ;* 1940 Prix réservé à un prisonnier de guerre et attribué en 1946 ; 1941 H. Pourrat, *Vent de mars ;* 1942 M. Bernard, *Pareils à des enfants ;* 1943 M. Grout, *Passage de l'homme;* 1944 (prix décerné en 1945) E. Triolet, *Le premier accroc coûte deux cents francs ;* 1945 J.-L. Bory, *Mon village à l'heure allemande ;* 1946 J.-J. Gautier, *Histoire d'un fait divers ;* 1946 Fr. Ambrière (prix 1940), *les Grandes Vacances ;* 1947 J.-L. Curtis, *les Forêts de la nuit ;* 1948 M. Druon, *les Grandes Familles ;* 1949 R. Merle, *Week-end à Zuydcoote ;* 1950 P. Colin, *les Jeux sauvages ;* 1951 J. Gracq, *le Rivage des Syrtes* (refusé) ; 1952 B. Beck, *Léon Morin, prêtre ;* 1953 P. Gascar, *le Temps des morts ;* 1954 S. de Beauvoir, *les Mandarins ;* 1955 R. Ikor, *les Eaux mêlées ;* 1956 R. Gary, *les Racines du ciel ;* 1957 R. Vailland, *la Loi ;* 1958 Fr. Walder, *Saint-Germain ou la Négociation ;* 1959 A. Schwartz-Bart, *le Dernier des justes ;* 1960 V. Horia, *Dieu est né en exil* (non attribué à la suite du refus de l'auteur) ; 1961 J. Cau, *la Pitié de Dieu ;* 1962 A. Langfus, *les Bagages de sable ;* 1963 A. Lanoux, *Quand la mer se retire ;* 1964 G. Conchon, *l'État sauvage ;* 1965 J. Borel, *l'Adoration ;* 1966 E. Charles-Roux, *Oublier Palerme;* 1967 A. Pieyre de Mandiargues, *la Marge ;* 1968 B. Clavel, *les Fruits de l'hiver ;* 1969 F. Marceau, *Creezy ;* 1970 M. Tournier, *le Roi des aulnes ;* 1971 J. Laurent, *les Bêtises ;* 1972 J. Carrière, *l'Épervier de Maheux ;* 1973 J. Chessex, *l'Ogre ;* 1974 P. Laîné, *la Dentellière ;* 1975 É. Ajar, *la Vie devant soi ;* 1976 P. Grainville, *les Flamboyants ;* 1977 D. Decoin, *John l'Enfer ;* 1978 P. Modiano, *la Rue des boutiques obscures ;* 1979 A. Maillet, *Pélagie-la-Charrette ;* 1980 Y. Navarre, *le Jardin d'acclimatation ;* 1981 L. Bodart, *Anne-Marie ;* 1982 D. Fernandez, *Dans la main de l'ange ;* 1983 F. Tristan, *les Égarés ;* 1984 M. Duras, *l'Amant.*

Lauréats français du prix Nobel de littérature (première attribution 1901) :
Sully Prudhomme, 1901. Frédéric Mistral, 1904. Anatole France, 1921. Henri Bergson, 1927. André Gide, 1947. François Mauriac, 1952. Albert Camus, 1957. Saint-John Perse, 1960. Jean-Paul Sartre, 1964 (prix refusé). Samuel Beckett, 1969. Claude Simon, 1985.

PROLOGUE [grec *prologos* = préambule]. Dans le théâtre grec, le prologue est la partie initiale de la pièce, celle qui précède l'engagement de l'action proprement dite. Il sert généralement à informer le spectateur des éléments essentiels de la situation dramatique, et il n'est pas rare que le personnage qui le prononce soit étranger à l'action. Le théâtre médiéval a, lui aussi, souvent recours au prologue, mais le théâtre classique le proscrira et le remplacera par une scène d'exposition, créant une tradition qui se maintiendra jusqu'à nos jours. Toutefois le théâtre moderne revient volontiers à la technique du prologue : l'un des exemples les plus caractéristiques en est le prologue de l'*Antigone* d'Anouilh, qui l'utilise pour présenter ses personnages et exposer sa conception de la tragédie ; cette fonction moderne du prologue se rencontre aussi, sous des formes diverses, chez Cocteau et chez Giraudoux.

PROUDHON Pierre Joseph. Besançon 15.1.1809 – Paris 19.1.1865. Fils d'un modeste tonnelier, il dut, à dix-neuf ans, interrompre ses études et il se fit ouvrier typographe. Il se cultiva seul, notamment en sciences et en langues, mais avec plus d'ardeur que de méthode. Venu à Paris en 1839, il publia l'année suivante *Qu'est-ce que la propriété ?* et en 1842 un *Avertissement aux propriétaires* qui lui valut un procès au terme duquel il fut acquitté. Il fit ensuite paraître *le Système des contradictions économiques ou la Philosophie de la misère,* créa en 1848 le journal *le Représentant du peuple,* fut élu député en juin ; contraint à l'exil à la suite de ses déclarations, il revint en France et y fut emprisonné (1849-1852) ; il finit par se réfugier en Belgique pour y achever la publication de son œuvre. Très abondante, cette dernière exprime l'essentiel de ce que les marxistes appelleront le « socialisme utopique » et constitue aussi une des sources de l'anarchisme. P. y fait preuve d'un talent littéraire qui lui permet de mettre en œuvre la force polémique de son tempérament dans un style surtout marqué par le sens du rythme et de la formule. L'immense *Correspondance* de P. a parfois été considérée comme son chef-d'œuvre : s'y développent en effet en liberté les qualités naturelles du seul écrivain social français vraiment doué pour la littérature : à la puissance de la pensée répondent la solidité de l'éloquence, l'habileté d'une dialectique puisée aux sources hégéliennes, la grandeur polémique d'un style qui recourt volontiers aux images bibliques. Quant aux idées de P., mutualiste en économie, fédéraliste en politique, ce sont foncièrement celles d'un individualiste ; sa phrase trop fameuse : « La propriété c'est le vol », ne revendique pas en fait la suppression de la propriété mais sa redistribution entre tous. P. réclame la reconnaissance du droit au travail, l'égalité des chances et des conditions, la disparition de l'État. Par cet aspect essentiel de sa pensée, il a beaucoup légué à des écrivains comme Péguy, mais n'a rien apporté au marxisme, qui n'a cessé de s'opposer au proudhonisme.

Œuvres. *Essai de grammaire générale,* 1837 (E). – *Qu'est-ce que la propriété ?* 1840 (E). – *Avertissement aux propriétaires,* 1842 (E). – *De la création dans l'ordre de l'Humanité,* 1843 (E). – *Le Système des contradictions économiques ou la Philosophie de la misère,* 1846 (E). – *Confessions d'un révolutionnaire,* 1849 (E). – *L'Idée générale de la révolution au* XIX*e siècle,* 1851 (E). – *Philosophie du progrès,* 1853 (E). – *De la justice dans la révolution et dans l'Église,* 1858 (E). – *La Guerre et la Paix,* 1861 (E). – *Théorie de l'impôt,* 1863 (E). – *Du principe fédératif,* 1863 (E). – *De la capacité politique des classes ouvrières,* 1865 (E). – *Théorie de la propriété,* posth., 1865 (E). – *Correspondance* (8 vol.), posth., 1874-1875.

PROUST Marcel. Paris 10.7.1871 – 18.11.1922. Son enfance puis son adolescence, partagées entre angoisse et exaltation, ne prennent réellement fin qu'à la mort de sa mère (1905). Fils d'un médecin originaire d'Illiers (Eure-et-Loir) et de Jeanne Weil, grande bourgeoise exceptionnellement cultivée, il vit couvé en enfant fragile, passant les étés chez la tante Léonie à Illiers (jusqu'en 1884), puis sur les plages normandes. Sa scolarité à Condorcet, troublée par la maladie (asthme), lui donne l'occasion d'écrire : *Revue verte, Revue lilas,* correspondance avec son professeur de philosophie, Darlu. Vers 1888 s'ouvre la période mondaine du « snob » P., esthète et observateur. Ses relations : Mme Strauss (veuve de Bizet), Gaston de Caillavet (rencontré à Orléans au cours de son volontariat, en 1890), Madeleine Lemaire. Dandy triomphant, P. n'accéda cependant jamais au « gratin » (salon de la comtesse Greffulhe) : mais un mythe de légèreté l'entoure désormais, qui nuira à sa carrière littéraire. Il écrit – chronique mondaine ou littéraire, notamment dans la *Revue blanche* –, entreprend quelques études (droit et lettres), mène une vie quasi oisive grâce à la fortune paternelle. Sa vie amoureuse, peu à peu dégagée de certaines légendes, reste fort complexe ; il semble possible de dire que la prise de conscience de ses tendances homosexuelles date de 1892. Son amitié la plus profonde est celle qui l'unit au compositeur Reynaldo Hahn, et leur liaison est une des rares périodes de vrai bonheur dans sa vie (1893-1894). Dès cette époque, d'autre part, il a acquis la certitude (il le dit dans une lettre à son père) que « tout ce qui n'est pas littérature et philosophie est du temps perdu » : sa vocation, loin d'être brusque et tardive, mûrit depuis le lycée ; elle s'exprime déjà dans *le Banquet,* éphémère revue des anciens de Condorcet (1892-1893). C'est l'époque où le genre du roman décline ; il s'y mêle des préoccupations morales et philosophiques (Bourget) ou poétiques (floraison de contes et de « proses » dans les revues). Seul surnage le triomphant A. France, chroniqueur au *Temps,* qui fait figure de défenseur de l'intelligence ; P. lui demande la préface de son premier livre, *les Plaisirs et les Jours :* ces nouvelles, volontiers corrosives, sur la vie et la vanité mondaines, sont hantées par les thèmes récurrents de la maladie et de la solitude ; ébauches parfois essentielles pour l'avenir, mais déparées par leur style « décadent » et leur ton impersonnel. Les années 1895-1899 sont occupées par la rédaction fragmentaire de *Jean Santeuil,* tentative autobiographique abandonnée vers 1901, où se croisent l'évocation des séjours en Bretagne de P. et Hahn, et leurs réactions de dreyfusards face à l'Affaire alors en plein développement. Des thèmes futurs apparaissent, mais mal dégagés faute d'un style qui les exprime et d'un sujet qui les unifie. Le monde de l'art absorbe ensuite P. (1899-1904) : il découvre l'œuvre de Ruskin, notamment grâce à l'Anglaise Marie Nordlinger-Riefstahl, cousine de Hahn (*cf. Lettres à une amie*), et, fin 1899, il travaille déjà sur *la Bible d'Amiens,* qu'il songe à traduire. Au cours de voyages (Amiens, 1900 ; Venise, mai et oct. 1900 ; la Hollande, 1902), il prend une « leçon d'impressionnisme » qui confirme sa vocation d'écrivain, et d'autant plus sûrement qu'il se dégage très vite des excès et des ambiguïtés du langage ruskinien tout en assimilant la substance esthétique contenue dans l'œuvre de celui qui reste son maître : P. ne sera pas critique mais créateur, il épanouira en littérature sa propre « vocation invisible » (*Sur la lecture,* préface à *Sésame et les lys,* de Ruskin, juin 1905). Les premières ébauches, reprises de *Jean Santeuil,* sont interrompues par la mort de la mère de P. (26 sept. 1905), puis par une cure. L'écrivain se remet au travail fin 1906, après s'être installé boulevard Haussmann. 1907 est l'« année des articles » : le plus important paraît en novembre dans *le Figaro* (« Impressions de route en automobile ») : c'est le premier extrait publié de l'œuvre future. 1908 est l'« année des pastiches », remarquables réussites d'humour et de compréhension synthétique des auteurs traités, surtout Balzac et Sainte-Beuve, également « héros », dès la même année, d'un second état, après *Jean Santeuil,* de la future *Recherche :* refusé par le *Mercure de France* en août 1909 et publié seulement quarante-cinq ans plus tard, ce *Contre Sainte-Beuve,* disparate mais irremplaçable, contient la première version de l'« expérience de la madeleine », confirmation (et non découverte magique) des pouvoirs de la mémoire involontaire. Dès 1910, P. travaille intensément à réécrire son texte, en le centrant sur le personnage de Swann ; quatre extraits sont publiés dans *le Figaro* (1912-1913), mais les maisons d'édition, *N.R.F.* comprise, refusent toutes le manuscrit. *Du côté de chez Swann* paraît cependant chez Bernard Grasset, à compte d'auteur, le 14 novembre 1913, précédé, dans *le Temps,* d'une interview de l'auteur, capitale pour comprendre la genèse de son œuvre. En février 1913, Proust a pris à son service, comme chauffeur, Alfred Agostinelli, qu'il avait rencontré plusieurs années auparavant ; leur liaison, fort orageuse et interrompue en mai 1914 par la mort accidentelle du jeune homme, inspira le personnage et le destin d'Albertine. L'écrivain, dont le projet gagne en ampleur à mesure que sa santé se détériore, se cloître pour travailler, mettant en même temps sur le chantier de nombreux épisodes ; il reparaît quelquefois dans le monde, avec Paul Morand ou chez Gabriel Fauré (1916-1917) ; sa vie amoureuse traverse des années pénibles, sur lesquelles on ne possède guère que des ragots. En novembre 1918 paraît la deuxième partie de la *Recherche, À l'ombre des jeunes filles en fleurs* (prix Goncourt 1919). L'écrivain, en proie à des difficultés d'argent et de santé, quitte le boulevard Haussmann pour la rue Hamelin et s'efforce de gagner la mort de vitesse. En octobre 1920 paraît *le Côté de Guermantes I,* en avril 1921 *le Côté de Guermantes II,* suivi de *Sodome et Gomorrhe I ;* en mai, lors d'une visite à l'exposition des peintres hollandais au Jeu de Paume, il est victime d'une attaque (qui lui inspirera les admirables pages sur la mort de Bergotte) ; *Sodome et Gomorrhe II* paraît en avril 1922 ; le 18 novembre, une légère pneumonie a raison du corps délabré du malade, qui n'a pu mettre la dernière main à *la Prisonnière* (1923), à *Albertine disparue* (1925), dont le titre exact, *la Fugitive,* ne sera rétabli qu'en

1954, au *Temps retrouvé* (1927). La première édition correcte d'*À la recherche du temps perdu* ne sera publiée qu'en 1954. P. étant par excellence l'homme d'une œuvre, il fallait décrire de front sa vie et la genèse de la *Recherche,* ne fût-ce que pour contribuer à détruire la légende tenace d'une « révélation » soudaine, alors que l'œuvre est née d'une osmose lente et continue. Histoire d'une époque, histoire d'une conscience, ce vaste ensemble est centré sur le narrateur, Marcel, qui parle à la première personne, sauf dans l'épisode symbolique *Un amour de Swann,* qui suit l'évocation initiale de Combray, où P. a fixé le souvenir d'Illiers, et précède l'idylle avec Gilberte, la fille de Swann. *À l'ombre des jeunes filles* introduit la plage de Balbec, où le narrateur rencontre Albertine, Robert de Saint-Loup et le baron de Charlus ; ces trois personnages ouvrent trois « filières » dans la suite de l'œuvre (l'amour, la vie mondaine, l'homosexualité). De surcroît, tout au long, diverses évocations artistiques construisent un « monde parallèle », où vivent Vinteuil le musicien, Elstir le peintre et Bergotte l'écrivain. La dernière partie regroupe autour du narrateur vieilli les thèmes et les personnages de toute sa vie, dans l'expérience du *Temps retrouvé.* Au premier degré, la *Recherche* est un magistral pamphlet sur la société mondaine : l'humour de P., pourtant évident, gêne des commentateurs trop désireux de ne voir dans leur auteur que le martyr littéraire (qu'il est). Dans les descriptions des milieux Guermantes (le sommet aristocratique) ou Verdurin (la bourgeoisie parvenue), le style de P. donne valeur d'anthologie aux conversations et aux portraits, par la transfiguration prismatique qu'opère sa longue phrase mouvante. Les réflexions proustiennes sur la mémoire élèvent l'œuvre à un second niveau d'originalité : le surgissement du souvenir mesure l'évolution du moi et les « intermittences du cœur » ; le « temps perdu » se fait trésor impérissable par la magie de l'évocation. Mais en rester là serait négliger le plus haut projet de P. : peinture d'une société, aventure d'une conscience, prodiges de la mémoire s'unifient dans l'écriture même de la *Recherche,* car c'est bien en sacrifiant sa vie à la rédaction de ce monument que P. a le plus sûrement « retrouvé le temps » : à la dernière page, et pour jamais, le narrateur et l'écrivain se rejoignent et assurent ensemble leur salut.

Œuvres. *Les Plaisirs et les Jours,* 1896 (N). – *La Bible d'Amiens* (trad. de Ruskin), 1904. – *Sésame et les lys* (trad. de Ruskin, précédé de *Sur la lecture*), 1906. – *À la recherche du temps perdu,* 1913. – *Du côté de chez Swann (Recherche I),* 1913 (N). – *À l'ombre des jeunes filles en fleurs (Recherche II),* 1919 (N). – *Pastiches et Mélanges,* 1919. – *Le Côté de Guermantes I (Recherche III),* 1920 (N). – *Le Côté de Guermantes II (Recherche IV),* 1921 (N). – *Sodome et Gomorrhe I (Recherche V),* 1921 (N). – *Sodome et Gomorrhe II (Recherche VI),* 1922 (N). – *La Prisonnière (Recherche VII),* posth., 1923 (N). – *Albertine disparue (la Fugitive) [Recherche VIII],* posth., 1925 (N). – *Le Temps retrouvé (Recherche IX),* posth., 1927 (N). – *Chroniques,* posth., 1927. – *Lettres et Vers à Laure Hayman et Louisa de Mornand,* posth., 1928. – *Quelques Lettres à Jeanne, Simon, Gaston de Caillavet,* posth., 1928. – *Correspondance générale de Marcel Proust* (6 vol.), 1930-1936. – *Lettres à sa mère,* posth., 1938. – *Lettres à un éditeur,* posth., 1939. – *Lettres à une amie,* posth., 1942. – *Lettres à M*[me] *C.* (Mme Catusse), posth., 1948. – *Lettre à un ami* (G. de Lauris), posth., 1948. – *Lettres à André Gide,* posth., 1949. – *Lettres de Marcel Proust à Bibesco,* posth., 1949. – *Jean Santeuil,* posth., 1952 (N). – *Correspondance avec sa mère,* posth., 1953. – *Nouveaux Mélanges (Contre Sainte-Beuve),* posth., 1954 (E). – *Correspondance Proust-Rivière,* posth., 1955. – *Lettres à Reynaldo Hahn,* posth., 1956. – *Choix de lettres,* posth., 1965. – *Lettres retrouvées,* posth., 1966. – *Textes retrouvés,* posth., 1968. – *Correspondance* (en cours de parution) : t. I (1880-1895), 1970; t. II (1896-1901), 1976 ; t. III (1902-1903), 1976 ; t. IV (1904), 1978 ; t. V (1905), 1979 ; t. VI (1906), 1981 ; t. VII (1907), 1981 ; t. VIII (1908), 1981 ; t. IX (1909), 1982 ; t. X (1910-1911), 1983 ; t. XI (1912), 1983 ; t. XII (1913), 1984. – *L'Indifférent* (nouvelle perdue et retrouvée), posth., 1978. – *Matinée chez la Princesse de Guermantes, Cahiers du « Temps retrouvé »,* posth., 1982. – *La Prisonnière,* nouvelle version, 1984. – Une nouvelle éd. de *À la Recherche,* sous la dir. de J.Y. Tadié, est en préparation.

À la recherche du temps perdu

I. *Du côté de chez Swann.* Tout le passé de son enfance resurgit dans la mémoire du narrateur (qui ne sera nommé que rarement Marcel) : l'environnement familial, le « code » de la servante Françoise, les principes de la grand-mère et les lectures qu'elle inspire, tout cela rassemblé dans un lieu et un climat, Combray, ressuscité grâce au goût retrouvé d'une madeleine trempée dans une tasse de thé. Le narrateur tente de retrouver la source de la joie qui accompagne cette résurrection : c'est alors que tout un monde renaît, avec en particulier l'apparition de la « Dame en rose », Odette de Crécy, demi-mondaine qu'épousera M. Swann, voisin des parents du narrateur et lui-même modèle de l'homme du monde parisien. Ici va donc s'insérer l'épisode d'*Un amour de Swann,* le seul écrit à la troisième personne, histoire de la naissance, de la satisfaction, des souffrances et de la progressive décadence d'un amour. Swann a rencontré cette jeune demi-mondaine, Odette, qui l'introduit, lui, familier du Jockey-Club, dans un milieu de riches bourgeois, les Verdurin, lesquels réunissent chez eux un « petit noyau » dont ils prétendent, comme pour pasticher le grand monde du Faubourg Saint-Germain, faire une sorte de « salon » artistique et fermé. C'est l'occasion de quelques portraits aussi féroces que comiques, parmi lesquels le chef-d'œuvre du genre, le portrait de « la Patronne », Mme Verdurin. Devenu follement épris d'Odette, Swann lui rend souvent visite, et, conscient sans doute de la mésalliance mondaine et psychologique dont il se rend ainsi coupable, lui, qui est un amateur d'art, se cherche des justifications esthétiques : Odette devient à ses yeux un personnage de Botticelli. Après un bonheur quelque peu ambigu et de courte durée, Odette se révèle de plus en plus lointaine et difficile. La souffrance s'installe dans le cœur de Swann, à la manière d'une maladie. Il entend un jour, à une réception chez Mme de Sainte-Euverte, une petite phrase musicale appartenant à une sonate du musicien Vinteuil, la même qu'il avait coutume d'entendre chez les Verdurin au temps de son bonheur avec Odette : c'était « l'air national de leur amour ». Rempli de tristesse par cette résurrection de son passé, Swann y trouve aussi quelque apaisement. Il n'en est pas moins torturé par la jalousie et, désormais, ne peut plus que regarder mourir cet amour. Il épousera cependant Odette, au grand scandale des parents du narrateur, lequel, plus tard, sera amoureux de la fille d'Odette et de Swann, Gilberte, auprès de laquelle il comprendra, répétant ainsi pour son compte l'expérience de Swann, qu'aimer c'est d'abord et avant tout souffrir. Le narrateur reprend donc son récit, où l'homme qu'il est devenu se substitue à l'enfant de Combray qu'il aimerait retrouver. C'est ainsi qu'il tente, au cours d'une promenade au Bois, de retrouver le temps où il y avait vu avec fascination Odette, la « Dame en rose », mais le Bois autrefois enchanté n'est plus aujourd'hui qu'un « Bois désaffecté ».

II. *À l'ombre des jeunes filles en fleurs.* La recherche d'une révélation, peut-être impossible, dans l'exploration du passé se poursuit pour ne déboucher que sur la mélancolie des désillusions, qu'il s'agisse de Gilberte, qui s'éloigne de lui et qu'il finira par oublier, ou de la fascination un jour exercée sur lui par une actrice, la Berma (Sarah Bernhardt), dans le rôle de Phèdre. Il passe les vacances sur la côte normande, à Balbec, avec sa grand-mère : il y rencontre une bande de jeune filles parmi lesquelles l'attire particulièrement Albertine Simonet. C'est aussi à Balbec qu'il rencontre le peintre Elstir, tandis que sa grand-mère retrouve à l'hôtel une amie aristocratique, Mme de Villeparisis, tante du duc de Guermantes et grand-tante de Robert de Saint-Loup, avec qui le narrateur va se lier d'amitié. C'est alors qu'apparaît aussi l'un des personnages essentiels de la *Recherche,* le frère du duc de Guermantes, Palamède, baron de Charlus.

III. *Le Côté de Guermantes.* Le château des Guermantes est proche de Combray, et il se trouve que la famille du narrateur va occuper à Paris un appartement qui dépend de l'hôtel de Guermantes. L'univers du narrateur est désormais dominé par la figure de la duchesse Oriane, qui lui inspire la plus vive des passions ; il retrouve le baron de Charlus, qui tente d'établir avec lui de mystérieuses relations dont la nature ne sera révélée que plus tard. Les ambitions mondaines du narrateur, un moment modérées par la mort de sa grand-mère, dont plus tard le souvenir le désespérera, et le commencement de sa liaison avec Albertine, finiront par être satisfaites le jour où il sera admis, grâce à une invitation de la duchesse de Guermantes, à fréquenter les milieux de l'aristocratie.

IV. *Sodome et Gomorrhe.* Le récit va désormais se situer dans les différents milieux que fréquente le narrateur et surtout refléter les différents niveaux de son expérience : M. de Charlus et son mystère, dont la bizarrerie s'explique par sa condition d'inverti ; les milieux mondains et aristocratiques, que le narrateur décrit avec un mélange de tendresse et d'ironie : le point culminant en est l'évocation d'une soirée chez la princesse de Guermantes ; enfin le journal des relations du narrateur avec Albertine, dont il découvre avec stupéfaction les mœurs étranges, car si Charlus l'entraîne du côté de Sodome, Albertine lui ouvre les horizons de Gomorrhe. Dès lors croît en lui une jalousie qui vient multiplier les tortures de sa passion.

V. *La Prisonnière.* Le narrateur décide qu'Albertine habitera désormais chez lui, mais son inquiétude n'en est pas pour autant apaisée, et sa maladie ne manque aucune occasion de renaître avec plus d'acuité. C'est que, même prisonnière, Albertine continue de lui échapper. Parallèlement à cette aventure douloureuse, le narrateur continue à mener sa vie mondaine ; il assiste à la déchéance du baron de Charlus, il retrouve un instant, chez les Verdurin, à l'occasion de l'exécution d'un septuor de Vinteuil, la joie de vivre dans cette « patrie inconnue » que lui découvre la musique : cette expérience n'en est pas moins impuissante à le guérir d'Albertine que, cependant, il se propose de quitter ; mais cet « être de fuite », comme il la nomme, n'a pas attendu : la servante Françoise lui apprend un matin que « Mademoiselle Albertine » est partie.
VI. *La Fugitive* (ancien titre : *Albertine disparue*). Le narrateur apprend par un télégramme qu'Albertine est morte à la suite d'un accident. Il se plonge alors dans le tragique de son angoisse et de sa jalousie posthumes. Il retrouve Gilberte, dont la mère, Odette, a, après la mort de Swann, épousé le baron de Forcheville ; il se rend à Venise, où il apprend le mariage de son ami Robert de Saint-Loup avec Gilberte. Il parvient à conquérir progressivement, non sans beaucoup de peine et de souffrance, le calme intérieur, symptôme de sa guérison.
VII. *Le Temps retrouvé.* Revenu à Combray, le narrateur songe aux figures de son passé ; puis c'est août 1914 ; il évoque le Paris de la guerre. Et un jour qu'il se rend à une matinée chez la princesse de Guermantes, un épisode symétrique de celui de la tasse de thé, survenu dans la cour de l'hôtel de Guermantes, lui apporte l'illumination qui dénoue son angoisse et son drame par la révélation de la vérité suprême, celle qui, par la résurrection, dans sa pleine authenticité, du temps vécu, révèle enfin l'essence des choses. Le narrateur entre ainsi dans sa vraie vocation, celle de l'artiste qui, par sa création, fixe dans son œuvre le temps jusque là perdu et par là même retrouvé.

PROVERBE. Sentence exprimée en peu de mots et entrée dans l'usage populaire. Se différencie de la maxime, qui est réservée à une élite intellectuelle ou mondaine. Le proverbe est généralement l'expression de la sagesse populaire. Il arrive aussi que des formules d'origine littéraire « passent en proverbe ».
Au théâtre, on a donné le nom de proverbe à une petite pièce improvisée où les acteurs illustraient sur une scène un proverbe choisi d'avance. Très en vogue au XVIIe s. (Mme de Maintenon en composa pour les demoiselles de Saint-Cyr), ce genre se développa au XVIIIe s. (Carmontelle) ; il trouva son plein épanouissement au XIXe s. avec A. de Musset, par ex. dans *Il faut qu'une porte soit ouverte ou fermée.* Après avoir connu une certaine fortune mondaine (Nerval, dans *les Amours de Vienne,* évoque ce jeu de société au cours de son récit d'une réception chez l'ambassadeur de France), le genre du proverbe est rapidement tombé en désuétude.

PSICHARI Ernest. Paris 27.9.1883 – Saint-Vincent-Rossignol (Belgique), 22.8.1914. Fils du philologue grec Jean P. et petit-fils de Renan. Son premier livre, *Terres de soleil et de sommeil* (1908), contient tout son idéal d'officier. Il passa entièrement sa brève carrière en Afrique, notamment dans le désert de Mauritanie (1909-1912), et publia *l'Appel des armes* (1913) pour combattre l'influence du pacifisme humanitariste, qui lui semblait responsable de l'affaiblissement moral de son pays ; il fut tué au début de la guerre, deux semaines avant Péguy, qu'il avait rencontré en 1903 et dont il avait subi l'influence. On publia après sa mort *le Voyage du Centurion* (1916), où sa mystique patriotique s'appuie, comme auparavant, sur les thèmes de la grandeur et du dévouement, mais se renforce de conviction catholique, P. s'étant converti vers 1913. Son style, assez faible, a moins d'importance que son témoignage idéologique et moral.

PSYCHANALYSE ET CRITIQUE LITTÉRAIRE. L'exploration de l'inconscient, développée par les recherches de Freud, de ses disciples et de ses continuateurs (Jung en particulier), ne pouvait manquer d'influencer la littérature, traditionnellement nourrie de « psychologie ». En 1892 déjà, Maurice Barrès, à propos de son expérience de « fusion du Moi dans l'Inconscient », se vantait d'avoir « mis en action » le précurseur de Freud, Hartmann, auteur d'une *Philosophie de l'inconscient* (trad. fr. 1877). Et l'on sait quel impact devait avoir sur le surréalisme l'influence de Freud. La psychanalyse en effet, en modifiant les fondements mêmes de la « psychologie » et en valorisant l'inconscient, le rêve et l'imaginaire, devait jouer un rôle décisif dans l'évolution littéraire du XXe siècle.
Il était donc tentant pour une critique à la recherche de son renouvellement de s'inspirer, en particulier pour l'analyse des

facteurs de genèse d'une œuvre littéraire, des méthodes et résultats de la psychanalyse. Ce fut, entre autres, un des points de départ des innovations de **Gaston Bachelard** (voir ce nom), pour qui toutefois la méthode psychanalytique n'est qu'un des moyens d'accès à l'intériorité littéraire.

Si en revanche la méthode psychanalytique devient le principe quasi exclusif de l'enquête critique, elle donne alors naissance à ce que **Charles Mauron** (1899-1966) a appelé la « psychocritique », méthode qu'il a appliquée lui-même à un certain nombre de cas à ses yeux exemplaires. On ne s'étonnera pas qu'après avoir expérimenté sa psychocritique en psychanalysant Mallarmé (*Introduction à la psychanalyse de Mallarmé,* 1950), Mauron se soit, comme d'autres « nouveaux critiques », intéressé au cas de Racine, dans son livre *l'Inconscient dans l'œuvre et la vie de Jean Racine* (1957), qui contribua à déclencher la querelle de la nouvelle critique (voir ce terme). La psychocritique vise, pour l'essentiel, à dégager de l'œuvre, en relation avec la biographie, ce que Mauron appelle les « métaphores obsédantes », lesquelles permettent de remonter, à partir du texte, jusqu'à ce que le psychocritique nomme le « mythe personnel », dont la définition sera ensuite vérifiée par l'étude, elle aussi psychanalytique, de la biographie (*Des métaphores obsédantes au mythe personnel. Introduction à la psychocritique,* 1963). Ce système critique sera en particulier expérimenté sur le cas de Baudelaire dans *le Dernier Baudelaire* (1966). Il est clair que les résultats de cette méthode ne peuvent être que des hypothèses concernant un des aspects de la genèse d'une œuvre ; la méthode court d'autre part le risque de valoriser la biographie du « moi profond » (substituée à celle du « moi social » à laquelle s'intéressait la critique de Sainte-Beuve et de Taine), cela aux dépens de l'œuvre elle-même et de son originalité proprement littéraire. Mais la psychocritique peut fournir au critique, et au lecteur tout aussi bien, une approche susceptible d'éclairer des aspects méconnus ou secrets de l'œuvre, à condition que cette méthode ne prétende pas à l'exclusivité et n'entre pas en conflit avec des modes d'approche plus respectueux de la spécificité littéraire.

De fait, nombre de critiques modernes font éventuellement appel à la psychanalyse pour éclairer certains secrets de la création littéraire chez tel ou tel écrivain (un bon exemple de cette méthode est donné par Gilberte Aigrisse dans sa *Psychanalyse de Paul Valéry* de 1964) et, à cet égard, on ne saurait négliger les travaux souvent convaincants de **Marie Bonaparte**. Mais, dans le cadre de l'attention contemporaine aux problèmes de la « textualité », un des aspects les plus novateurs et les plus féconds de l'application de la psychanalyse à la critique littéraire concerne une sorte de psychanalyse du *texte* lui-même, en tant que tel : cette « textanalyse » est ainsi l'objectif que se propose, par exemple, **Jean Bellemin-Noël** (auteur aussi de *Psychanalyse et littérature*) dans son essai *Vers l'inconscient du texte* (1976) et qu'il applique dans sa récente étude (1985) sur *Armance* de Stendhal.

PSYCHODRAME. Procédé psychanalytique qui consiste à faire jouer par le malade une véritable scène dramatique sur un thème fourni par le thérapeute, thème voisin du problème qui préoccupe le patient : revivre ainsi l'événement traumatisant ou un événement analogue permettra au malade de le « liquider ». Cette technique thérapeutique est due au psychologue américain Moreno. Le psychodrame peut dès lors devenir la source d'une véritable pièce de théâtre : ainsi se trouve posé le problème de la relation éventuelle entre névrose et création ou émotion dramatiques. Enfin il est possible de concevoir une interprétation psychodramatique de certains événements historiques et de certains comportements collectifs, en particulier en période de crise ou de révolution.

PSYCHOLOGIE [grec *psyché* = âme, *logos* = langage]. Dans son sens classique, ce mot désigne cette partie de la philosophie qui traite de l'âme, de sa nature, de ses manifestations et de ses mécanismes. La psychologie, qui, dans la réflexion philosophique de Platon à Descartes et Bergson, n'a cessé d'occuper une place centrale, n'est devenue véritablement une science qu'au XIXe s. On distingue l'analyse introspective de l'analyse objective du comportement (voir : BÉHAVIORISME). La première caractérise tout particulièrement en littérature le journal intime et certains aspects de l'autobiographie ; la seconde accompagne généralement le réalisme (Balzac). De façon plus générale, l'analyse psychologique, qui engendre des personnages considérés en tant que « caractères », est la méthode d'approche de la nature humaine qui a fécondé toute la littérature classique, de Corneille à Racine, de Pascal à La Rochefoucauld et La Bruyère. Néanmoins, le genre dont le développement fut particulièrement redevable à l'intérêt porté à la psychologie par la tradition littéraire française est précisément le roman dit « d'analyse », dont les origines remontent jusqu'au Moyen Âge (Chrétien de Troyes) et dont l'apogée est atteint au XVIIe s. avec Mme de Lafayette ; à cette même tradition se rattache en grande partie le roman stendhalien. Avec le réalisme du XIXe s., de Balzac à Zola, l'analyse cède la place à la description des signes extérieurs du « type » et aux conditionnements sociologiques ou biologiques du personnage. Au XXe s. après le renouvellement en profondeur de l'analyse introspective opéré par Proust, le roman d'analyse connaît, au cours de l'entre-deux-guerres, une brillante résurrection (F. Mauriac, J. Green). Contestée dans ses principes mêmes, à partir de 1950, par l'école du « nouveau roman », l'analyse psychologique n'en est pas moins l'un des principaux ressorts de la création romanesque ou dramatique.

PUGET Claude-André. 1905 – 1975. Après avoir débuté très jeune par des vers, il cueillit ses plus grands succès au théâtre, en écrivant brillamment pour le Boulevard *(la Ligne de cœur ; les Jours heureux).* Il tenta par la suite de porter plus haut son inspiration, mais le public le suivit avec moins d'enthousiasme *(le Grand Poucet ; la Peine capitale ; Un nommé Judas).*

Œuvres. *Pentes sur la mer,* 1923 (P). – *Matin aux oliviers,* 1924 (P). – *Miracle du dormeur,* 1927 (P). – Avec H. Jeanson, *Pas de taille,* 1930 (T). – *La Ligne de cœur,* 1931 (T). – *Valentin le Désossé,* 1932 (T). – *Tourterelle,* 1934 (T). – *Les Jours heureux,* 1937 (T). – *Un petit ange de rien du tout,* 1940 (T). – *Échec à Don Juan,* 1941 (T). – *Le Grand Poucet,* 1943 (T). – *Le Saint-Bernard,* 1946 (T). – *La Peine capitale,* 1948 (T). – *Conte d'hiver* (d'après Shakespeare), 1950 (T). – *Le Roi de la fête,* 1951 (T). – *Peter Pan* (d'après James Barrie), 1953 (T). – Avec P. Bost, *Un nommé Judas,* 1954 (T). – *Pygmalion* (d'après Bernard Shaw), 1955 (T). – *Le Cœur volant,* 1957 (T). – *Le Cœur léger* (d'après Samuel Taylor et Cornelia Otis Skinner), 1959 (T).

PURE, abbé Michel de. Lyon 11.1620 – Paris 1680. Issu d'une famille bourgeoise, il fut reçu docteur en théologie en 1647, puis devint aumônier et historiographe du roi. Outre des œuvres dramatiques, des traductions et des ouvrages savants, on lui doit le plus complet des documents sur la préciosité : *la Prétieuse ou le Mystère des ruelles.* L'abbé de P. nous y révèle les modes, les coutumes, le langage des salons ; il nous livre les surnoms, souvent transparents, des précieux et des précieuses ; il rapporte des discussions qui éclairent de manière exceptionnelle et véridique la pensée originale des précieux, féministes et défenseurs du pur amour. Au total, son témoignage est d'autant plus utile qu'il décrit la préciosité avec sympathie mais sans fanatisme ; et ce témoignage est en outre rendu fort plaisant par le sens de l'humour dont l'auteur sait faire preuve à l'occasion.

Œuvres. *Le Roman de la Prétieuse ou le Mystère des ruelles,* 1656-1658, rééd. par E. Magne, 1938 (N). – *Ostorius,* 1659 (T). – *Épigone, Histoire du siècle futur,* 1659 (N). – *Quintilien, De l'institution de l'orateur* (trad. du latin), 1663. – *Idée des spectacles anciens et nouveaux,* 1668 (E). – *La Vie du mareschal de Gassion,* 1673 (E).

PURISME. Tendance à fixer la langue, de façon souvent arbitraire, à un moment donné de son évolution, en rejetant tous les apports ultérieurs, considérés comme des néologismes plus ou moins « barbares ».

PYTHAGORISME. Dans son aspect mystique, développement de la doctrine de la réincarnation, le pythagorisme a joué un rôle important dans l'Antiquité, en Grèce et en Italie du Sud dès le Ve s. av. J.-C. Il constituait encore une des principales forces religieuses du monde antique au moment de la diffusion du christianisme. À l'époque moderne, il arrivera au pythagorisme de nourrir certaines imaginations romantiques (par ex. : Gérard de Nerval ou Théophile Gautier).

Q

QUEFFÉLEC Henri. Brest 29.1.1910. D'origine bretonne, il passe son enfance à Brest, où il fait ses premières études. Il les poursuit à Paris (lycée Louis-le-Grand, École normale supérieure). Agrégé des lettres en 1933, il commence une carrière universitaire, enseigne à Mont-de-Marsan, devient lecteur à l'université d'Upsal, en Suède, puis retourne à Marseille. En 1941, il abandonne le professorat pour la littérature. À l'époque, il n'a encore publié qu'une plaquette de vers et quelques nouvelles. Catholique, c'est en chrétien qu'il observera la réalité humaine et se penchera sur les conditions sociales dans des œuvres très variées, d'une vigoureuse sobriété ; il est aussi inspiré par un vif amour de la nature, de la Bretagne, des gens et choses de la mer. Dès les premiers romans, l'orientation spirituelle de l'écrivain se précise. En 1944, après *la Fin d'un manoir* et le *Journal d'un salaud* (avec sa suite, *la Culbute*), histoire d'un jeune et crapuleux arriviste évoluant dans les milieux bourgeois corrompus de Marseille pendant les années de guerre, Q. publie *Un recteur de l'île de Sein.* Ce roman, le plus célèbre de l'auteur, sera adapté à l'écran en 1950 sous le titre *Dieu a besoin des hommes.* Il évoque la vie sauvage et dure des îliens pilleurs d'épaves, qui, abandonnés par leur curé, se tournent vers leur sacristain, par besoin de Dieu, tandis que s'éveille chez l'humble et fruste serviteur de la paroisse une authentique vocation sacerdotale. La Bretagne tient la plus grande part dans l'œuvre de Q., comme le montrent les romans qu'il écrit alors, en particulier *Un royaume sous la mer* (Grand prix du roman de l'Académie française), qui évoque la lutte des pêcheurs bretons pour un banc de poissons ; *Un feu s'allume sur la mer* (les bâtisseurs du phare d'Armen contre les éléments) ; *Frères de la brume* (la solidarité des hommes dans le sauvetage en mer). Toujours sur la Bretagne, Q. compose des essais *(Raisons d'aimer la mer ; Je te salue, vieil Océan),* des nouvelles et plusieurs albums sur l'art et le pays bretons. Parmi ses œuvres d'inspiration variée, des romans (*Chemins de terre,* sur la déchristianisation des campagnes ; *Celui qui cherchait le soleil,* sur la recherche d'un idéal par un jeune ouvrier parisien ; *Combat contre l'invisible,* sur le drame du chercheur chrétien et l'édification d'un complexe atomique) ; des essais d'une généreuse inspiration, en particulier sur l'expérience religieuse *(Saint Antoine du désert ; Ce petit curé d'Ars* ; *François d'Assise, le jongleur de Dieu)* ; des nouvelles *(François Malgorn, séminariste ; Sous un ciel noir).* Q. a fait plusieurs grands voyages, en particulier en Acadie et sur les bancs de Terre-Neuve. Il a été le collaborateur d'E. Mounier à la revue *Esprit* et est membre du jury du grand prix catholique de Littérature. On retiendra surtout de son œuvre la constance d'une inspiration qui, à travers la simplicité directe du style et le réalisme authentique de la matière, exprime la grandeur d'une relation spirituelle, et parfois même épique, entre l'homme et la nature.

Œuvres. *Sur la lisière,* 1936 (P). – *La Fin d'un manoir,* 1944 (N). – *Journal d'un salaud,* 1944 (N). – *Un recteur de l'île de Sein,* 1945 (N). – *La Culbute,* 1946 (N). – *Chemins de terre,* 1948 (N). – *Pas trop vite, S.V.P.,* 1948 (N). – *Au bout du monde,* 1949 (N). – *Saint Antoine du désert,* 1950 (E). – *Tempête sur Douarnenez,* 1951 (N). – *François Malgorn, séminariste,* 1952 (N). – *Un homme d'Ouessant,* 1953 (N). – *Celui qui cherchait le soleil,* 1953 (N). – *Combat contre l'invisible,* 1953 (N). – *Le jour se lève sur la banlieue,* 1954 (E). – *Un royaume sous la mer,* 1956 (N). – *Un feu s'allume sur la mer,* 1956 (N). – *Bre-*

tagne, 1956. – *L'Évangile des calvaires bretons,* 1957. – *Bretagne des îles,* 1958. – *Ce petit curé d'Ars,* 1959 (E). – *Franche et Secrète Bretagne,* 1960. – *Ports de pêche en Bretagne,* 1960. – *Frères de la brume,* 1960 (N). – *La Technique contre la foi,* 1962 (E). – *Bretagne des pardons,* 1962. – *Sous un ciel noir,* 1962 (N). – *Tempête sur la ville d'Ys,* 1962 (N). – *Solitudes,* 1963 (N). – *Quand la terre fait naufrage,* 1965 (N). – *Trois Jours à terre,* 1966 (N). – *Raisons d'aimer la mer,* 1966 (N). – *La Voile tendue,* 1967 (N). – *Je te salue, vieil Océan,* 1968. – *Les Grandes Heures de l'Océan,* 1968 (N). – *La Mouette et la Croix,* 1969 (N). – *La Faute de Monseigneur,* 1970 (N). – *Le sursis n'est pas pour les chiens,* 1972 (E). – *Celui qui n'était pas appelé,* 1972 (E). – *Le Folgoët ou le Lys aux lettres d'or,* 1972 (N). – *La Cache éternelle,* 1973. – *Laissez venir la mer,* 1974. – *Les Îles de la miséricorde,* 1974. – Avec P. Baneat, *le Département d'Ille-et-Vilaine, histoire, archéologie, monuments,* 1974 (E). – *Le Phare,* 1975 (N). – *Un cirque à la mer,* 1975 (N). – *La Lumière enchaînée,* 1976 (N). – *Le Grand Départ. Charcot et le « Pourquoi pas ? »,* 1977 (N). – Avec Y. Gallo et J. Garreau, *Finistère,* 1977 (E). – *Histoire d'un bateau,* 1978 (N). – *Un Breton bien tranquille,* 1978 (N). – *Ils étaient six marins de Groix,* 1979 (N). – *Le Voilier qui perdit la tête,* 1980 (N). – *Les Enfants de la mer,* 1980 (N). – *Saint-Malo, ville des corsaires* (guide), 1981. – *De par les sept mers,* 1982 (N). – *Beau-joli, le lapin mal-aimé* (pour enfants), 1982. – *François d'Assise, le jongleur de Dieu,* 1982 (E). – *À quoi rêvent les navires,* 1983 (N). – *Ce sont voiliers que vent emporte,* 1984 (N).

Un recteur de l'île de Sein

Si le lieu est précisé par le titre, l'époque ne l'est pas. C'est que cette île est comme un lieu intemporel où vit une humanité séparée du monde et rendue, par cette séparation, sauvage sans cesser d'être humaine : c'est l'île des légendes qui veulent que ces hommes soient des détrousseurs d'épaves et des provocateurs de naufrages. Le prêtre qui était leur recteur a dû s'éloigner : personne ne veut de ce poste maudit. Un îlien, le sacristain, devient ainsi le centre de l'aventure, car ces hommes sauvages et criminels ne peuvent se passer de culte, ils ne peuvent vivre sans messe et sans eucharistie : ainsi le sacristain se trouvera-t-il entraîné à célébrer des cérémonies, bientôt la messe elle-même : sa fonction l'investit d'une sorte de pouvoir spirituel qu'il se met à exercer à sa manière, en ayant même parfois recours à la contrainte ou à la force. Quelles que soient les réticences et même les mesures disciplinaires de l'autorité ecclésiastique, il est bien devenu le recteur de l'île, cette île où se côtoient, comme en tout homme, le crime et le sacré, la superstition et l'exaltation mystique.

QUENEAU Raymond. Le Havre 21.2.1903 – Paris 25.10.1976. Après sa licence de philosophie, il entre en contact à Paris avec les milieux littéraires d'avant-garde, en particulier le groupe surréaliste : mais il rompra avec Breton dès 1929. Du surréalisme il conservera le goût de l'humour formel et des jeux de langage. Entré en 1936 aux éditions Gallimard, il en devient secrétaire général en 1941 et, à partir de 1956, assurera la direction de l'*Encyclopédie de la Pléiade.* Mais une place importante revient dans sa formation intellectuelle à la réflexion mathématique et aux différentes formes de la science « combinatoire », qu'il appliquera aussi bien à la création littéraire qu'à l'étude des problèmes de langue et de style ; car il y a chez Q. un créateur qui se préoccupe de renouveler radicalement, sur le modèle de Descartes (qu'il ne se fait pas faute d'invoquer), les principes formels de la création, et un grammairien pour qui il existe des lois de la langue mais qui sont des lois de développement et non des lois de conservation. Ainsi s'expliquent l'existence et le non-conformisme des laboratoires qu'il fonde (*Club des Savanturiers,* avec J. Queval, 1952) ou auxquels il participe (*Collège de pataphysique,* voir JARRY). Le centre principal de cette entreprise d'expérimentation sera l'*Ouvroir de littérature potentielle,* dit *« Ou.Li.Po »,* dont les activités sont en relation directe avec les propres œuvres de Q. (*cf. Entretiens* – radiophoniques – *avec G. Charbonnier,* 1962). Cette relation constamment maintenue entre l'esprit de novation et la rigueur mathématique ou philologique de ses expressions est l'une des sources de l'humour très particulier de Q. (fort différent, en tout cas, de l'humour surréaliste), mais il convient aussi bien de souligner que l'humour n'est ici qu'une sorte de supplément ou un simple symbole, il n'est jamais une fin. Il s'agit sans doute, pour l'essentiel, de jumeler le processus de rupture du langage et de la culture elle-même, qui débouche sur une sorte de néant existentiel, avec la rigueur d'une reconstruction qui débouche au contraire sur un « être littéraire » radicalement neuf et par là même à l'abri des menaces du néant. Pour cette opération est indispensable une virtuosité technique où Q. est passé maître, et qui crée d'ailleurs un risque de malentendu : cette virtuosité, en effet, est parfois si brillante qu'elle pourrait faire oublier la fin qui est sa raison d'être, à savoir la réforme systématique, selon des méthodes et des principes rigoureux, de la langue, le français, par laquelle seule peut se perpétuer l'existence de l'esprit, menacé d'anéantissement à la fois par le conservatisme culturel et par la négation anarchique de ce conservatisme. Il est difficile de renfermer dans une formule le « programme » de Q., mais sans doute peut-on parler à son sujet de « réalisme linguistique », avec toutes les conséquences logiques que ce réalisme implique. Il s'agit en effet de promouvoir une langue « réelle », celle qui est effectivement employée, le problème majeur étant d'élaborer une notation juste de cette langue réelle : ce qui explique l'importance accordée par Q. à la réforme de l'orthographe dans le sens d'une « phonétisation » intégrale du français. Mais la même préoccupation de « réalisme » s'étend à la création littéraire, à ses formes d'expression, à ses conditions de communication, à son insertion dans la réalité sociale. Si, par exemple, Q. utilise volontiers comme décors de ses œuvres, parfois même comme éléments constitutifs de ses « histoires », les thèmes et décors de la tradition « populiste », c'est pour bien marquer que son effort de reconstruction linguistique et littéraire ne relève en rien d'on ne sait quel aristocratisme intellectuel. Q. sait que ces décors et ces thèmes recèlent une poésie qui s'accorde avec le néoréalisme du langage, comme le montrent des œuvres telles que *le Chiendent*, où les problèmes philosophiques sont traduits en « beaucoup de photographies de langage populaire », *Pierrot mon ami* ou *le Dimanche de la vie.* Le point d'aboutissement, le couronnement de cette entreprise sera en 1959 le livre qui a assuré la célébrité de Q., *Zazie dans le métro,* histoire de cette petite provinciale aux provocantes incongruités, qui ne pourra parvenir à connaître le métro parisien, mais qui imposera, par sa seule présence, un langage porteur à lui seul de toute une philosophie de la vie : le livre est d'ailleurs comme une tentative pour jeter aussi un pont entre les recherches les plus élaborées des écrivains du XXe s., Joyce par exemple, et les formes les plus populaires de l'évolution du langage, telles que la bande dessinée : on trouve ainsi dans *Zazie* à la fois des techniques inspirées de l'*Ulysse* de Joyce et des souvenirs évidents des *Pieds nickelés.* Mais Q. pousse encore plus loin ses expériences lorsqu'il entreprend d'illustrer par des *Exercices de style* – quatre-vingt-dix-neuf variantes du récit d'une même anecdote – le thème dominant de toute son œuvre, y compris l'œuvre proprement poétique (*cf.* en particulier : *les Ziaux* et *Cent Mille Milliards de poèmes*), à savoir l'affirmation de la toute-puissance créatrice du langage, à condition qu'il soit à la fois libéré et organisé, l'organisation étant la conséquence de la libération *(Bâtons, chiffres et lettres ; Bords).* Témoin exceptionnellement lucide de la crise contemporaine du langage et des risques de « mort de l'homme », Q. a voulu en extraire une signification positive et en même temps proposer, par l'exemple, une définition vivante de l'écrivain futur, celui qui, à travers un jeu formel mais au-delà de ce jeu, grâce à la rigueur de ses combinaisons linguistiques, pourra tenter de redonner un sens aux « exercices » littéraires du langage humain.

Œuvres. *Le Chiendent,* 1933 (N). – *Gueule de pierre,* 1934 (N). – *Les Derniers Jours,* 1936 (N). – *Chêne et Chien* (roman en vers), 1937 (P). – *Odile,* 1937 (N). – *Les Enfants du limon,* 1938 (N). – *Un rude hiver,* 1939 (N). – *Panique,* 1939 (N). – *Pierrot mon ami,* 1942 (N). – *Les Ziaux,* 1943 (P). – *Loin de Rueil,* 1944 (N). – *Une trouille verte,* 1947 (N). – *Exercices de style,* 1947. – *Bucoliques,* 1947 (P). – Sous le pseudonyme de SALLY MARA, *On est toujours trop bon avec les femmes,* 1947 (N). – *Le Cheval troyen,* 1948 (N). – *Saint-Glinglin,* 1948. – *L'Instant fatal,* 1948 (P). – *Monuments,* 1948 (P). – *Bâtons, chiffres et lettres* (recueil d'essais), 1950 (E). – *Petite Cosmogonie portative,* 1950 (P). – Sous le pseudonyme de SALLY MARA, *Journal intime,* 1950 (N). – *Le Dimanche de la vie,* 1952 (P). – *Si tu t'imagines,* 1952 (P). – *Sonnets,* 1958 (P). – *Zazie dans le métro,* 1959 (N). – *Cent Mille Milliards de poèmes,* 1961 (P). – *Entretiens avec Georges Charbonnier,* 1962. – *Les Œuvres complètes de Sally Mara (On est toujours trop bon avec les femmes ; Journal intime ; Sally plus intime),* 1962 (N). – *Bords Mathématiciens, précurseurs, encyclopédistes,* 1963 (E). – *Le Chien à la mandoline,* 1965 (P). – *Bâtons, chiffres et lettres,* 1965 (E). – *Les Fleurs bleues,* 1965 (N). – *Une histoire modèle,* 1966 (E). – *Courir les rues,* 1967 (P). – *Le Vol d'Icare,* 1968 (N). – *Battre la campagne,* 1968 (P). – *Fendre les flots,* 1969 (P). – *Du langage chien chez Sylvie et Bruno,* 1971. – *Le Voyage en Grèce,* 1973 (E). – *Morale élémentaire,* 1975 (E). – *Contes et propos,* posth., 1981 (E).

Le Chiendent

Le livre où se trouve en germe toute l'œuvre ultérieure de Q., et, en ce sens, c'est essentiellement un livre-manifeste, présenté sous la forme d'un livre-expérimentation, qui fond intimement ensemble en un savant contrepoint la théorie et la pratique. On y voit tout d'abord la place qu'occupent les combinaisons arithmétiques au principe de la forme donnée à son ouvrage par un écrivain curieux de tout ce qui touche au formalisme mathématique (*cf.*, dans *Bords,* « la Cinématique des jeux » et « Conjectures fausses en théorie des nombres »). Il s'agit donc de construire au départ une forme fondée sur une proportion numérique, et l'on peut, à ce propos, se souvenir que Q. a été en rapport avec les peintres de la « section d'or », en particulier Marcel Duchamp (*cf. Catalogue de l'Exposition J. Villon,* Musées nationaux, 1975). *Le Chiendent* se compose donc de quatre-vingt-onze sections, 91 (= 7 × 13) étant la somme des treize premiers nombres, tandis que la somme des deux chiffres 9 + 1 donne 10, dont l'addition donne 1. La dernière section de chaque série de treize se situe en dehors du « chapitre » constitué par les douze autres et, pour cette raison, est imprimée en italiques. Cette forme issue d'une rigoureuse proportion numérique étant ainsi constituée, elle va recevoir un « contenu ». Mais le rapport entre forme et contenu n'est pas plus arbitraire que la forme elle-même, car, selon Q. *(cf. Bâtons, chiffres et lettres),* la proportion numérique choisie représente à la fois le nombre (7 × 13) de la mort des êtres et celui (1) de leur retour à l'existence. Le contenu sera donc une histoire cyclique déterminée par le jeu de relations qui va s'établir entre les différents personnages, entre eux et par rapport à leur insertion en des lieux précis, Paris, la banlieue, le bord de la mer en Normandie. On ne saurait mieux résumer cette histoire (où l'on reconnaîtra aisément le thème populaire de la course au trésor) que l'auteur lui-même : « Au début, les personnages, qui étaient immergés dans le chaos et la nuit, prennent forme çà et là en divers points de la banlieue parisienne. Une série d'incidents catastrophiques les réunit peu à peu autour d'une porte énigmatique que se refuse à vendre un brocanteur sordide. Avec l'aide de son neveu, un enfant à l'oreille trop prompte, Mme Cloche, la sage-femme, se lance à la poursuite d'un trésor, à l'existence duquel tout le monde finit par croire. Incidents et accidents se multiplient. Il y a des blessés et des morts. Le trésor se dissipe en fumée. Finalement une guerre éclate : une guerre avec les Étrusques, s'il vous plaît. Et, bien des années plus tard, on retrouve Mme Cloche devenue reine. Comment tout cela peut-il finir ? C'est bien simple, cela ne finit pas, et tout recommence, aussi lugubre et dérisoire qu'à la première page, à peu de chose près. Car peut-on espérer que Mme Cloche ne se laissera pas de nouveau tromper par sa puissance d'illusion ? »

QUERELLE DES ANCIENS ET DES MODERNES. (Voir ANCIENS ET MODERNES [QUERELLE DES].)

QUESNAY François. Méré 4.6.1694 – Versailles 16.12.1774. Secrétaire de l'Académie royale de chirurgie, il devient le chirurgien puis le médecin ordinaire de Louis XV. Philosophe, il est avant tout préoccupé par les questions économiques. Il connaît bien la vie rurale, qu'il a eu l'occasion d'observer pendant ses jeunes années. Il développera ses idées d'abord dans un *Tableau économique* exposant le principe de la circulation du profit net, puis dans les *Maximes générales du gouvernement économique d'un royaume agricole,* enfin dans la *Physiocratie ou Constitution naturelle du gouvernement le plus avantageux au genre humain.* Seule réellement productive, l'agriculture est la véritable créatrice de richesse et laisse par surcroît un produit net (une plus-value), alors que l'industrie et le commerce ne font que transformer cette richesse. Q. a été considéré comme le chef de l'école physiocratique, qui, prônant le libéralisme économique, s'oppose au « colbertisme ». La physiocratie, doctrine essentiellement française, s'est répandue rapidement, trouvant en Dupont de Nemours, Le Mercier de La Rivière, Mirabeau, Turgot, Gournay et Condillac ses représentants ou ses adeptes les plus remarquables, que l'on peut considérer comme les fondateurs de l'économie moderne.

Œuvres. *Observations sur les effets de la saignée,* 1730 (E). – *Essai physique sur l'économie animale,* 1736 (E). – *Préface des Mémoires de l'Académie de chirurgie,* 1743 (E). – *Tableau économique,* 1758 (E). – *Recherches critiques et historiques sur l'origine, sur les divers états et sur les progrès de la chirurgie en France,* 1758 (E). – *Maximes générales du gouvernement économique d'un royaume agricole,* 1760 (E). – *La Physiocratie ou Constitution naturelle du gouvernement le plus avantageux au genre humain,* 1767 (E).

QUIÉTISME [lat. ecclés. *quietismus,* du lat. *quietus* = paisible]. C'est en 1675 que le mystique aragonais Miguel de Molinos (1640-1696) publie sa *Guide spirituelle, qui débarrasse l'âme et la conduit par le chemin intérieur, jusqu'à atteindre la contemplation parfaite et le riche trésor de la paix intérieure.* Il voit dans l'oraison de contemplation ainsi que dans l'inactivité et la passivité spirituelles le moyen pour l'âme de s'abîmer dans le pur amour de Dieu, amour tel qu'il se désintéresse même du salut personnel. Dans cet état de quiétude, l'âme ne peut plus pécher, elle n'a plus à s'inquiéter de la manière dont elle agit, car elle est fixée en Dieu. Ainsi, elle n'est aucunement responsable des fautes que peut commettre le corps, puisqu'elle lui est devenue étrangère. Condamnée par l'Église comme hérétique en 1687, la doctrine ne tarde cependant pas à se répandre en France sous une forme un peu différente, par l'intermédiaire d'une veuve pieuse, animée d'un ardent prosélytisme, Mme Guyon. Elle gagne la Cour et l'entourage de Louis XIV, bien que Nicole l'ait attaquée, dans son *Traité de l'oraison,* dès 1679. Ainsi va se déclencher l'affaire du quiétisme, qui mettra aux prises Fénelon, défenseur de Mme Guyon, et Bossuet, l'adversaire implacable du molinisme. (Voir FÉNELON et BOSSUET.)

QUINAULT Philippe. Paris 1635 – 26.11.1688. D'origine très modeste – son père était boulanger –, il servit comme valet chez le poète et dramaturge Tristan l'Hermite, qui favorisa son goût pour la littérature et lui permet d'étudier le droit. Au reste, Q., qui, à dix-huit ans, avait fait jouer sa première pièce *(les Rivales),* fut adulé d'emblée par les beaux esprits, se vit ouvrir les salons, ne cessa de remporter des succès et parvint à être le rival heureux de Racine. Il n'avait guère de scrupules à emprunter à ses confrères ou à ses devanciers aussi bien les sujets de ses pièces que les procédés dramatiques ; son œuvre trouve son unité dans l'emploi constant du romanesque, des imbroglios et quiproquos issus de la tragi-comédie, où les caractères sont réduits à une inévitable fadeur. Après 1670, il renonça au théâtre pour écrire les livrets des opéras de Lulli, et c'est alors qu'il obtint ses plus grands succès – succès mérités, car il créait un genre et donnait le modèle de ce qu'allait être pour plus d'un siècle le livret d'opéra français ; *les Fêtes de l'Amour et de Bacchus, Phaéton, Armide* s'imposent encore par la grâce du sujet mythologique, par la fraîcheur de l'invention et par la souple liberté de la versification. Acad. fr. 1670.

Œuvres. *Les Rivales,* 1653 (T). – *La Généreuse Ingratitude,* 1654 (T). – *L'Amant indiscret,* 1654 (T). – *La Comédie sans comédie,* 1655 (T). – *Les Coups de l'amour et de la fortune,* 1655 (T). – *La Mort de Cyrus,* 1656 (T). – *Amalasonte,* 1657 (T). – *Le Feint Alcibiade,* 1658 (T). – *Le Mariage de Cambyse,* 1659 (T). – *Le Fantôme amoureux,* 1659 (T). – *Stratonice,* 1660 (T). – *Agrippa, roi d'Albe, ou le Faux Tibérimus,* 1662 (T). – *Astrate,* 1664 (T). – *La Mère coquette ou les Amants brouillés,* 1665 (T). – *Pausanias,* 1668 (T). – *Bellérophon,* 1670 (T). – Avec Molière et Corneille, *Psyché,* 1671 (T). – *Les Fêtes de Cérès et de Bacchus,* 1672 (T). – *Cadmus et Hermione,* 1673 (T). – *Alceste,* 1674 (T). – *Thésée,* 1675 (T). – *Athys,* 1676 (T). – *Isis,* 1677 (T). – *Proserpine,* 1680 (T). – *Persée,* 1682 (T). – *Phaéton,* 1683 (T). – *Amadis de Gaule,* 1684 (T). – *Roland,* 1686 (T). – *Armide,* 1686 (T).

QUINET Edgar. Bourg-en-Bresse 16.2.1803 – Paris 27.3.1875. Il écrivit très jeune, en marge d'études qui n'en furent pas moins brillantes ; ayant été présenté à Michelet par V. Cousin, il se lia avec lui d'une amitié qui ne se démentit jamais ; sa jeunesse fut profondément influencée par la pensée de Herder et des philosophes allemands. Nommé professeur à l'université de Lyon (1838), puis au Collège de France (1841), il y développa devant ses étudiants les idées républicaines qu'il avait exprimées depuis dix ans dans d'innombrables brochures. Son cours, suspendu en 1846, fut triomphalement rouvert après les journées de Février, auxquelles il avait pris part. Élu député, il s'opposa assez violemment à Louis-Napoléon Bonaparte pour être contraint à l'exil en Belgique (1852), puis en Suisse (1858). Il rentra en France après Sedan et fut de nouveau député, mais son influence resta très faible. L'œuvre littéraire et historique de Q. est énorme, souvent plus esquissée qu'achevée, floue et brumeuse, mais d'une importance capitale dans le développement de la philosophie de l'histoire.

Il fut un remueur d'idées, novateur souvent hardi, mais créateur bridé par la confusion de son génie. Hanté par le mythe du Juif errant, qui lui inspira son œuvre la plus ambitieuse et la plus riche d'imagination symbolique, l'épopée *Ahasvérus,* Q. fut lui-même, à beaucoup d'égards, le reflet de son personnage, perpétuellement en état de quête. L'unité de l'œuvre multiforme de Q. est bien dans sa recherche nostalgique d'une figure universelle de l'humanité incarnée dans l'histoire ou l'action politique aussi bien que dans l'art ou la littérature. Comme son ami Michelet, Q. est, au sens le plus profond du mot, un romantique.

Œuvres. *Les Tablettes du Juif errant,* 1823 (E). – *Idées sur la philosophie de l'histoire de l'humanité* (trad. de Herder, précédé d'une *Introduction*), 1825 (E). – *Essai sur l'origine des dieux,* 1828 (E). – *De la Grèce moderne et de ses rapports avec l'Antiquité,* 1830, éd. refondue 1857 (E). – *Le Système politique de l'Allemagne,* 1831 (E). – *Des épopées françaises inédites du XIIe s.,* 1931 (E). – *Ahasvérus* (poème allégorique), 1833 (P). – *Napoléon* (poème en prose), 1836 (P). – *Prométhée* (poème en prose), 1838 (P). – *Examen de la « Vie de Jésus » de Strauss,* 1838 (E). – *Essai d'une classification des arts,* 1839 (E). – *Allemagne et Italie,* 1839 (E). – *Le Rhin,* 1841. – *Le Génie des religions,* 1841 (E). – *Les Jésuites,* 1843 (E). – *L'Ultramontanisme,* 1844 (E). – *Le Christianisme et la Révolution française,* 1845 (E). – *Les Révolutions d'Italie,* 1848-1851 (E). – *L'Enseignement du peuple,* 1850 (E). – *Les Esclaves,* 1853 (E). – *Marnix de Sainte-Aldegonde,* 1854 (E). – *La Philosophie de l'Histoire de France,* 1855 (E). – *Histoire de mes idées,* 1858 (E). – *Protestation contre l'amnistie,* 1859 (E). – *Merlin l'enchanteur,* 1860 (N). – *La Révolution,* 1865 (E). – *La Critique de la Révolution,* 1867 (E). – *La Création,* 1870 (E). – *L'Esprit nouveau,* 1874 (E). – *Le Livre de l'exilé,* 1875 (N).

QUINZE JOYES DE MARIAGE (les). Début XVe s. Il s'agit d'une parodie anonyme des *Quinze Joyes de Notre-Dame.* Cette œuvre est dirigée contre le mariage et surtout contre le rôle que les femmes tiendraient dans cette institution. Elle fut écrite pour consoler les malheureux hommes qui se sont laissé prendre à ce piège tendu par les femmes (et le préambule compare les hommes qui se marient aux poissons qui se laissent séduire par l'appât déposé dans la nasse, qui bientôt se refermera sur eux !). L'erreur consommée, il ne leur reste plus qu'à transformer en joies les malheurs qui les accueillent.

C'est un sujet conventionnel s'il en fut ; Deschamps, Jean de Meung se sont attaqués au même thème ; mais jamais la satire antiféministe ne fut aussi féroce. La drôlerie, la précision du détail dans une langue proche de la langue parlée font de ce tableau une critique de la vie conjugale tout à fait partiale mais vivante et brillante. Cet ouvrage marque une étape importante dans l'histoire de la littérature réaliste. Certains historiens ont cru pouvoir l'attribuer à Antoine de La Sale, mais il s'est avéré que cette attribution était erronée. – Éd. établie par J. Rychner, 1963.

Tierce Joye

Dès le début du mariage, le mari est sucé comme vache à lait ! Puis vient le moment où la dame se trouve enceinte : tel est le moment de la « tierce joye ». Le mari se tourmente pour trouver de quoi satisfaire toutes les « envies » de sa femme, et, quand il lui apporte ce qu'il n'a pu se procurer qu'à grand-peine et à grand prix, voilà que l'appétit lui passe ; elle a d'autres envies, « étranges et nouvelles », et, pour les satisfaire, le mari doit trotter de jour et de nuit, à pied et à cheval, tandis qu'il porte à lui seul toute la lourde charge de la maison. Enfin le jour de l'accouchement arrive, et ce sont de nouveaux ennuis pour le mari ; la maison ne désemplit pas, car se succèdent les visites d'innombrables parents et relations. Les conversations vont bon train et ne cessent d'accabler le mari, qui est accusé de manquer à tous ses devoirs ; aussi les femmes d'expérience qui entourent la jeune mère ne manquent-elles point de la mettre en garde contre l'égoïsme de son mari et de lui donner tous les conseils de tactique conjugale grâce auxquels elle pourra n'être pas trop malheureuse. Sur ces entrefaites, le mari rentre chez lui, accablé de fatigue à force de courir partout pour satisfaire les insatiables caprices de sa femme : toute la maisonnée lui bat froid. C'est lui qui devra préparer le repas, en pleine nuit, pour nourrir tout le monde, et, quant à lui, il ne pourra consommer que les restes. Ce manège dure une bonne quinzaine de jours, et voici que le mari ose parler de relevailles : quel tollé soulève alors cette malencontreuse idée ! Il a droit, de la part de sa femme, à une diatribe en règle, qu'accompagnent les récriminations de l'assistance (féminine, naturellement). Seule la promesse qu'il fait d'acheter à son épouse une belle robe de relevailles et de préparer pour les commères présentes un exceptionnel festin lui assure un provisoire répit. Car, de « joye » en « joye », va se dérouler l'impitoyable mécanisme de la vie conjugale, à chaque occasion remis en marche par les exigences de la nature féminine.

R

RABEARIVELO Jean-Joseph. Tananarive 4.3.1903 – 23.6.1937. Poète malgache. Par sa mère issu d'une caste noble et apparenté aux grandes familles de Tananarive, mais appartenant, par son père, à la petite bourgeoisie impécunieuse, il vécut dans le déchirement sa condition d'intellectuel colonisé. Renvoyé du collège pour indiscipline, il dut accepter toutes sortes de petits métiers. Maîtrisant mal le français, il l'enseigna, pour se perfectionner, à de jeunes élèves dont l'une devint sa femme. Son goût pour la littérature l'amena à publier quelques articles et poèmes dans les revues paraissant à Madagascar et dans des périodiques étrangers. Guidé par l'amitié de quelques poètes (Pierre Camo, Robert-Edward Hart), il s'affirma vite comme un remarquable écrivain de langue française, en même temps qu'il donnait aux journaux de Tananarive des poèmes en malgache d'une sombre et éclatante beauté. Étouffant dans la société bourgeoise malgache, qui le tenait à l'écart, rejeté par la société coloniale, il glissa peu à peu dans la misère. La maladie, la mort de sa fille préférée, une prédilection cultivée pour le morbide, des difficultés financières le poussèrent finalement au suicide. D'abord baudelairien et symboliste dans des recueils *(Sylves, Volumes)* où il entrelace les thèmes de l'exil et du passé, du déracinement et du pays natal, R. trouve sa voie originale dans une poésie qui joue subtilement de son écartèlement entre le français et le malgache. Les *Vieilles Chansons des pays d'Imérina* traduisent ou réinventent des *haïn-teny. Imaitsoanala, fille d'oiseau,* interprète pour le théâtre une vieille légende malgache. Surtout, les recueils bilingues de *Presque-songes* et *Traduit de la nuit,* chefs-d'œuvre incontestés de la littérature malgache, proposent un dialogue passionnant entre la version française, aérienne, musicale, et la version malgache, brillante et chatoyante, des mêmes poèmes. R. s'y révèle le poète de l'indécis et de la métamorphose, de l'aube inaccomplie et du crépuscule incertain. Son univers est celui de l'inachevé et du contradictoire, de la mort fascinante et apprivoisée. Une grande partie de son œuvre reste encore inaccessible, ensevelie dans d'innombrables périodiques. De son *Journal* quelques fragments publiés laissent présager qu'il constitue un document exceptionnel.

Œuvres. *La Coupe de cendres,* 1924 (P). – *Sylves,* 1927 (P). – *Volumes,* 1928 (P). – *Enfants d'Orphée,* 1931 (E). – *Presque-songes,* 1934 (P). – *Traduit de la nuit,* 1935 (P). – *Imaitsoanala, fille d'oiseau,* 1935 (T). – *Tananarive – ses rues, ses quartiers,* 1934 (E). – *Chants pour Abéone,* 1937 (P). – *L'Aube rouge,* posth. (N). – *Trèfles,* posth. (P). – *Vieilles Chansons des pays d'Imérina,* posth., 1939 (P). – *Calepins bleus* (journal), posth., 1938, rééd. 1958. – *Lova,* posth., 1957 (P). – *Poèmes* (éd. bilingue), posth., 1960 (P).

RABELAIS François. Château de la Devinière, près de Chinon, 1484 ? – Paris 9.11.1553. Issu d'une famille récemment parvenue à la bourgeoisie, mais ayant gardé de solides attaches rurales (son père, avocat à Chinon, était propriétaire de fermes et de métairies). R. aurait reçu son éducation comme novice dans des monastères de la région. Durant ses années de « moinage », qui se prolongeront jusqu'à l'âge de trente-trois ans (?), il se montre peu discipliné et peu orthodoxe et manifeste de plus en plus son dégoût d'intellectuel moderne pour la tradition scolastique. Mais au couvent franciscain de Fontenay-le-Comte, où il se trouve transféré en 1520 (ou 1521), il a la chance d'avoir pour condisciples Pierre Amy et André Tiraqueau, qui l'initient à l'hellénisme, l'encouragent à la lecture des Anciens et des Évangiles dans le texte grec ; au cours de cette même période, R. entre en correspondance avec l'humaniste Guillaume Budé. En 1523, la Sorbonne intervient, et le groupe se voit retirer les moyens d'étude qu'il avait pu – non sans peine – se procurer. Grâce cependant à la protection de son évêque, Geoffroy d'Estissac, R. entre chez les bénédictins de Maillezais, et, pour échapper aux rigueurs de la règle, il accompagne son protecteur dans ses différents déplacements, occasion pour R. d'accumuler observations et réflexions. À partir de 1527, il entame le rituel tour de France des universités, Poitiers, Bordeaux, Toulouse, Orléans, Paris. Liberté de mouvement à laquelle il prend goût : il abandonne l'habit monastique et s'inscrit à la faculté de médecine de Montpellier. Très rapidement, d'étudiant il devient professeur, commente et traduit les textes d'Hippocrate et de Galien et acquiert une réputation qui lui vaut, avant même qu'il ait obtenu le titre de docteur, une nomination à l'Hôtel-Dieu de Lyon, ce qui d'ailleurs ne l'empêche pas de continuer sa vie habituelle de voyages. En 1532 paraît, sous le pseudonyme transparent (anagramme de ses nom et prénom) d'ALCOFRIBAS NASIER, un livre intitulé *les Horribles et Espouvantables Faicts et Prouesses du très renommé Pantagruel, roy des Dipsodes, fils du grant Gargantua.* Le succès du livre n'empêche pas sa condamnation par la Sorbonne. Pour échapper aux conséquences de cette censure, R. se réfugie auprès de Geoffroy d'Estissac et, en 1534, récidive avec la publication de *la Vie très horrifique du grant Gargantua, père de Pantagruel.* Condamné à nouveau, R. préfère quitter la France puisque l'occasion lui est offerte d'accompagner en Italie, en qualité de médecin, l'ambassadeur Jean du Bellay. Il utilisera pour sa satire de l'Église les observations recueillies au cours de cette expérience romaine. Il rentre en France, mène une vie sans doute errante, dont on ne sait à peu près rien, sinon qu'il lui arrive encore d'exercer la médecine, et réussit à publier, avec privilège royal, *le Tiers Livre.* Nouvelle condamnation ; R. s'enfuit à Metz, et, finalement, Jean du Bellay lui obtient la cure de Saint-Martin de Meudon (1551), où il pourra se réfugier en cas de besoin, mais où il ne séjourna que fort peu. *Le Quart Livre* paraîtra en 1552, un an avant la mort de R. Dix ans plus tard paraîtra *l'Isle sonante,* dont on sait aujourd'hui que R. n'est pas l'auteur ; mais le continuateur a pu s'inspirer d'une rédaction inachevée de R. lui-même, ou peut-être d'un simple projet de continuation de l'ouvrage ; une nouvelle édition de 1564 portera pour titre *le Cinquième et Dernier Livre des faicts et dicts héroïques du bon Pantagruel,* où, aux quinze chapitres de *l'Isle sonante,* en sont ajoutés trente-deux autres.

L'idée initiale des géants qui sont les héros de ce fabuleux roman d'aventures n'est pas de R. lui-même ; ces êtres légendaires sont les héros d'un écrit anonyme, lui-même inspiré de traditions médiévales, *les Grandes et Inestimables Chroniques de Gargantua,* paru à Lyon alors que R. y était médecin. Mais le génie de R. est d'avoir su hausser l'anecdote fabuleuse au niveau du mythe, en évoquant, à travers une vaste fresque à la fois réaliste et symbolique, les grandes préoccupations qui l'obsédaient comme elles obsédaient toute son époque ; Pantagruel, libéré de toutes contraintes, se lance à la conquête de lui-même et du monde, avec un appétit insatiable de toutes les connaissances, et tout lui est possible. Son aventure, à la recherche de la Dive Bouteille qu'il doit consulter sur le sujet burlesque de l'opportunité du mariage de son compagnon Panurge (grec = capable de tout), devient ainsi à la fois une sorte d'épopée fantastique et comique, et l'image d'une quête passionnée de la vérité : « Rompre l'os et sucer la substantifique moelle. » Cette histoire, mise en scène dans le cadre d'une géographie fantaisiste, est bien d'abord le support d'une énorme farce destinée à faire rire le lecteur, « pource que rire est le propre de l'homme » ; mais ce rire est déjà, en lui-même, un rire d'humaniste, et il n'y a de la sorte nulle discordance à vouloir en même temps « à plus haut sens interpréter ce que, par aventure, cuidiez dict en gaîté de cœur ». C'est R. lui-même qui nous invite à superposer à la lecture comique une lecture symbolique, sans qu'aucune des deux doive nuire à l'autre. Donc nous sommes bien dans le monde de la plaisanterie, mais de la plaisanterie signifiante : il n'est pas un épisode qui ne soit l'expression d'une signification morale, religieuse, pédagogique ou politique. Le célèbre épisode de la guerre menée par Grandgousier, le père de Gargantua, contre son voisin Picrochole (grec = bile amère) pose le problème de la guerre : Grandgousier épuisera tous les moyens pour maintenir la paix, mais, contraint de faire la guerre, il mettra en jeu tous les moyens propres à la victoire. De la même manière sont posés les problèmes de l'éducation, celui aussi du mariage, et, de fil en aiguille, se trouve diagnostiquée toute la crise de la société et de la civilisation en ce XVIe s. : l'Église telle qu'elle est, la justice telle qu'elle est, les « Sorbonnards » tels qu'ils sont. Et l'on notera que, s'il s'agit d'actualité, R. soutient à fond la politique étrangère de François Ier, non seulement par intérêt personnel, mais aussi parce qu'il y trouve appliqués les principes d'une politique moderne. S'il est en effet un principe directeur de la pensée de R. à travers le labyrinthe des aventures de ses héros, c'est bien le principe d'un modernisme militant fondé sur la culture, l'intelligence et la raison.

À partir de là, le symbolisme rabelaisien débouche tout naturellement sur l'utopie ; c'est la célèbre société idéale de l'abbaye de Thélème : « Fais ce que voudras », c'est-à-dire : l'homme règle ici, librement, une vie à sa mesure et selon sa nature, mais sous le signe de cette perfection de la nature humaine qu'est la culture humaniste ; ne sont admis là, en effet, que « gens bien instruits ». Culture d'inspiration optimiste : l'homme est bon par nature, et, s'il est perverti, la responsabilité en incombe à l'ignorance et à l'imbécillité, que l'éducation humaniste a le pouvoir de corriger et de guérir ; l'optimisme n'est pas moins évident en ce qui concerne les pouvoirs de l'homme, figurés par la dimension même des héros de R. L'homme est bien virtuellement un géant, non certes un géant physique, mais un géant spirituel, car les capacités de l'esprit sont proprement gigantesques ; il suffit qu'elles trouvent un terrain favorable à leur développement, et ce terrain, finalement, c'est la liberté, qu'exprime la liberté d'allure, de langage, de mœurs et de pensée des héros de l'aventure rabelaisienne.

Pour obtenir enfin de son œuvre le pouvoir d'évocation et de conviction qu'il veut lui communiquer de toute sa passion de prosélyte humaniste, R. libère toutes les puissances du langage : lorsqu'il se plaît à jouer avec le langage, en inventant des mots, en multipliant les combinaisons les plus inattendues, c'est bien sans doute par intention burlesque et comique, mais aussi par désir de figurer dans ce grouillement presque charnel de sa vitalité linguistique le grouillement correspondant de sa vitalité intellectuelle : la prolixité verbale inscrit ici dans une véritable mythologie de l'écriture les signes d'une infinie fécondité de l'esprit.

Œuvres. *Le Testament de Cuspidius* (édition d'un pastiche latin du XVe s.), 1530 (E). – *Aphorismes d'Hippocrate et de Galien, revus par François Rabelais, médecin accompli dans tous ses grades,* 1532 (E). – *Les Horribles et Espouvantables Faicts et Prouesses du très renommé Pantagruel, roy des Dipsodes, fils du grant Gargantua, composés nouvellement par maître Alcofribas Nasier,* 1532 (N). – *La Pantagruéline Prognostication, certaine, véritable et infaillible pour l'an 1533,* 1532. – *La Vie très horrifique du grant Gargantua, père de Pantagruel, jadis composée par l'abstracteur de quintessence. Livre plein de pantagruélisme,* 1534 (N). – *Pantagruel, roi des Dipsodes, restitué en son naturel avec ses faicts et prouesses épouvantables, composés par feu M. Alcofribas, abstracteur de quintessence* (édition remaniée des deux premiers livres), 1542 (N). – *Le Tiers Livre des faicts et dicts héroïques du noble Pantagruel, composés par M. François Rabelais, docteur en médecine,* 1546 (N). – *Le Quart Livre de Pantagruel,* 1552 (N). – *L'Isle sonante,* posth., 1562 (N). – *Le Cinquième et Dernier Livre des faicts et dicts héroïques du bon Pantagruel,* posth., 1564 (N).

Pantagruel

Après l'évocation de la naissance et de l'enfance, le héros parcourt les universités ; à Orléans, par exemple, il rencontre l'écolier limousin dont la latinité prétentieuse ne réussit qu'à écorcher le français. Pantagruel arrive à Paris, où il reçoit de son père Gargantua une lettre qui est un véritable manifeste humaniste (ce sont les célèbres « pages pédagogiques » de R.). Mais Pantagruel se lie aussi avec Panurge, qui, après que Pantagruel aura expérimenté, pour s'en indigner et s'en moquer, les mœurs et habitudes juridiques, passera au premier plan du récit : mystifications, farces, tours de toutes sortes, en particulier pour se procurer de l'argent, telle est la vocation de Panurge. Mais voici que Pantagruel apprend que son pays d'Utopie vient d'être attaqué par les Dipsodes. Alors commence une fantastique épopée burlesque aux épisodes aussi extraordinaires les uns que les autres : Pantagruel protège de la pluie toute une armée avec sa langue, Panurge a la tête coupée mais est guéri par Épistémon, et, pour terminer plus sérieusement, Pantagruel promet au Seigneur de faire prêcher dans le pays des Dipsodes l'Évangile, purement et simplement.

Gargantua

Le récit commence avec la naissance du héros, relate le grand banquet au milieu duquel il est né, reproduit les propos de table qui accompagnent l'événement. Puis c'est l'âge de l'éducation : dans un premier temps, Gargantua est livré au « sorbonnicquard » Thubal Holoferne, qui ne fait que l'abrutir. Confié ensuite à Ponocratès, à Paris, il connaîtra au contraire un développement harmonieux de l'esprit, grâce à un programme intellectuel et hygiénique équilibré, grâce aussi au contact direct avec les textes aussi bien des Anciens que de l'Évangile. Entre-temps, au cours de son voyage jusqu'à Paris, Gargantua aura eu l'occasion de manifester ses pouvoirs de géant : sa jument fauche dans sa course les forêts de Beauce, et, lors de son arrivée à Paris, Gargantua attache à son cou les cloches de Notre-Dame, qu'il a dérobées dans cette intention. Alors que son éducation humaniste s'achève, Gargantua est rappelé par son père Grandgousier engagé malgré lui dans une guerre avec son voisin Picrochole : on y voit se distinguer un personnage destiné à faire belle figure tout au long de l'œuvre rabelaisienne, frère Jean des Entommeures. C'est lui qui, après la victoire de Grandgousier, fera construire l'abbaye de Thélème : c'est, en fait, une société conforme à l'idéal de la Renaissance, lieu consacré, sous le signe de la liberté, à l'art et à la conversation, dans une atmosphère de culture et de parfaite courtoisie.

Le Tiers Livre

Après sa conquête de la Dipsodie, Pantagruel procède à l'organisation du pays en y installant aussi une colonie d'Utopiens. Tandis que Panurge, devenu châtelain, mange « son blé en herbe », Pantagruel lui dispense les règles d'une saine économie. Mais Panurge se demande s'il doit ou non se marier, et, ne sachant quel parti prendre, il entreprend une vaste enquête sur le sujet en compagnie de Pantagruel et d'Épistémon, interrogeant la sibylle de Panzoult, le sourd-muet Mazdécabre, le poète Raminagrobis, l'astrologue Herr Tripa, le théologien Hippodathée, le médecin Rondabilis, le philosophe sceptique Trouillogan. Mais Panurge n'a toujours pas trouvé les éléments de sa décision, et, après avoir eu une dernière consultation avec le fou Triboulet, il décide de recourir à l'ultime secours : l'oracle de la Dive Bouteille.

Le Quart Livre

L'aventure continue : au cours d'une traversée, Panurge achète un mouton à Dindenault ; il le jette à la mer, et voici que tout le troupeau et le marchand lui-même suivent le même chemin : c'est le célèbre épisode des « moutons de Panurge ». La navigation fantaisiste des héros les conduit à l'île des Chicanous (les gens de loi) ; au cours d'une tempête, Panurge révèle la poltronnerie qui est le fond de sa nature, mais fait le matamore lorsque la tempête est passée. Voici l'île de Tapinois, où Carême-Prenant, souverain du lieu, est aux prises avec les Andouilles, alliées de Mardi-Gras : ces Andouilles habitent l'île Farouche, où Pantagruel débarque, mais il doit avec ses compagnons se défendre à coups d'ustensiles de cuisine contre une attaque des Andouilles. Les choses vont maintenant devenir un peu plus sérieuses : le passage dans l'île des Papefigues (ceux qui « font la figue » au pape, les protestants), puis dans l'île des Papimanes, où l'évêque Homenas défend la politique romaine, est l'occasion d'une satire de l'Église et d'une défense de la politique menée par le roi de France. Le dernier pays où aborderont nos navigateurs est celui de Messire Gaster, l'estomac, maître du monde, symbole de l'universelle et naturelle souveraineté de la nourriture.

Le Cinquième Livre

L'aventure était de toute évidence inachevée, les navigateurs n'ayant pas atteint l'oracle de la Dive Bouteille. Les voici, sous la plume du continuateur inconnu de R., tout d'abord dans l'*Isle sonante,* île des Cloches, peinture burlesque de Rome, lieu habité par des oiseaux-chantres que dirige le Papegault : ceux-ci ne produisent rien que leurs chants et se font nourrir par le reste du monde. Voici ensuite les Chats-Fourrés et leur maître Grippeminaud, qui symbolisent le monde de la corruption ; le royaume de la Quinte Essence, avec ses abstracteurs, figures des sottises et pédanteries philosophiques de la scolastique ; et enfin le pays de Lanternois, où la Lanterne-Reine les conduit à l'oracle dont la réponse tient en un mot : « Trinch », à la signification transparente ; il s'agit sans doute, plutôt que de vouloir extraire la Quinte Essence, de boire directement aux sources de la connaissance.

RABEMANANJARA Jacques. Maroantsetra 23.6.1913. Poète malgache de langue française. Né sur la côte est de Madagascar, en pays betsimisaraka, il a étudié au grand séminaire de Tananarive. Fondateur avec quelques amis, en 1936, de la *Revue des Jeunes de Madagascar,* il fut envoyé en France à l'occasion du cent cinquantième anniversaire de la Révolution de 1789 ; il y fut aidé par Georges Mandel, alors ministre des Colonies, qui le fit entrer dans son cabinet. Fréquentant la Sorbonne et les intellectuels négro-africains exilés à Paris, il participa à la création de la revue *Présence africaine* en 1947. Mais dès 1945, il s'était lancé dans une carrière politique. Élu député de Madagascar, sous les couleurs du M.D.R.M. (mouvement démocratique de la rénovation malgache), R. fut accusé d'être responsable de l'insurrection de 1947. Arrêté, emprisonné, il fut condamné aux travaux forcés. Son talent poétique se révéla dans ces temps d'épreuves : sa voix qui s'élevait des cachots témoignait de la révolte et de la souffrance de son peuple. Après avoir été libéré sous condition en 1956, R. put rentrer à Madagascar après la proclamation de l'indépendance. Il fut élu député de Tamatave, devint ministre, puis vice-président de la République malgache.

D'abord fidèle au classicisme et à l'alexandrin, il rivalise avec les modèles traditionnels dans des poèmes rigidement parnassiens *(Sur les marches du soir)* ou dans un drame en cinq actes et en vers *(les Dieux malgaches),* évocation des malheurs et des meurtres entraînés par la conversion du roi Radama II au christianisme. Les poèmes de prison – cris de colère et chants profonds d'un homme et d'un peuple à la reconquête d'eux-mêmes –, publiés dans la revue *Présence africaine* ou dans l'*Anthologie de la nouvelle poésie nègre et malgache* de Léopold Senghor (1947), trouvent comme naturellement le ton convenable : rythme syncopé, dissonant, d'une versification libérée, rutilance des images, éloquence douloureuse.

Mais le meilleur de l'œuvre de R. est dans la poésie militante et véhémente d'*Antsa,* mot qui en malgache signifie « chant », et de *Lamba* : poésie d'une éloquence inspirée, à laquelle on reproche parfois d'être coupée du public malgache, mais qui établit un pont entre la littérature malgache et la littérature militante de la négritude.

Œuvres. *Sur les marches du soir,* 1940 (P). – *Les Dieux malgaches,* écrit en 1942, 1947 (T). – *Antsa,* 1948 (P). – *Rites millénaires,* 1955 (P). – *Lamba,* 1956 (P). – *Témoignage malgache et colonialisme,* 1956 (E). – *Les Boutriers de l'aurore,* 1957 (T). – *Nationalisme et problèmes malgaches,* 1958 (E). – *Antidote,* 1961 (P). – *Les Agapes des dieux ou Tritriva,* 1962 (T). – *Les Ordalies* (sonnets), 1972 (P). – *Œuvres complètes,* 1978 (P).

RACAN, Honorat de Bueil, seigneur de. Champmarin (Maine) 5.2.1589 – Paris 21.1.1670. D'une vieille famille de noblesse militaire, R., orphelin à treize ans, est placé à Paris sous la tutelle de son cousin, le comte de Bellegarde, premier gentilhomme de la chambre d'Henri IV. Tout en continuant de s'instruire – il s'intéresse aux sciences – et en commençant à « rimailler », il devient page de la chambre du roi. C'est chez son cousin qu'il rencontre Malherbe, son aîné de trente-quatre ans, qui le traitera comme un fils, et avec qui il se lie d'une amitié respectueuse et fervente. Presque chaque jour, sur le tard, Malherbe réunit dans sa chambre quelques jeunes gens épris de poésie, et parmi eux R. et Mainard, avec qui il s'entretient des grandes œuvres poétiques et dont il corrige les premiers essais. En 1630, R. se retire sur ses terres de Touraine et y épouse une jeune fille de quinze ans, après avoir longtemps et vainement soupiré pour la marquise de Termes. Il ne fera plus à Paris que de courts séjours pour assister aux séances de l'Académie française, dont il est devenu membre dès sa fondation (1634). Poète heureusement doué, de tempérament élégiaque, mais à qui Malherbe reproche maintes fois ses « trop grandes licences », R. écrit avec aisance dans une langue harmonieuse. Ses pièces, dans lesquelles il exprime son amour de la nature et de la vie campagnarde et son désir de solitude, valent par leur naturel et leur fraîcheur (ainsi les *Stances sur la retraite,* justement célèbres pour la sincérité qui les anime et pour la beauté de leur forme). Ses *Bergeries,* pastorale dramatique composée vers 1619 (sous le premier titre d'*Arthénice*) contiennent de beaux passages, d'inspiration virgilienne, d'un réalisme familier qui n'exclut pas une grande délicatesse dans l'expression des sentiments. À partir de 1627, R. se consacrera au lyrisme religieux et composera ses *Psaumes de la pénitence,* des *Odes sacrées,* où il donne une résonance moderne à ses paraphrases des *Psaumes* de David. Enfin, il est l'auteur de précieux *Mémoires sur la vie de Malherbe* (1651), témoignant ainsi de sa gratitude envers son père spirituel qui lui a fait prendre conscience de l'art difficile et raffiné de la poésie.

Œuvres. *Les Bergeries,* pastorale jouée en 1618 sous le titre d'*Arthénice,* 1625 (T). – *Les Sept Psaumes de la pénitence,* 1627-1631 (P). – *Discours contre les sciences,* 1634. – *Odes sacrées,* 1651 (P). – *Mémoires sur la vie de Malherbe,* 1651 (N). – *Dernières Œuvres et Poésies chrétiennes de Messire Honorat de Bueil, chevalier seigneur de Racan,* 1660 (P). – *Les Bergeries,* éd. établie par L. Arnould, 1937.

RACHILDE, Marguerite Eymery, Mme Alfred Vallette, dite. Château-l'Évêque (Dordogne) 11.2.1860 – Paris 4.4.1953. Elle débuta jeune dans les lettres et reçut les encouragements de Hugo pour *Monsieur de la Nouveauté* puis de Barrès pour *Monsieur Vénus.* Après son mariage avec A. Vallette, elle devint une personnalité importante du monde littéraire parisien réuni autour de la revue le *Mercure de France,* qu'elle avait fondée avec son mari (1.1.1890) et dont elle fut l'animatrice. Elle ne cessa pas pour autant de publier abondamment des œuvres diverses de genre, généralement un peu superficielles mais vives et élégantes.

Œuvres. *Madame de Sangdieu,* 1878 (N). – *L'Étoile filante,* 1879, rééd. 1985 (N). – *Monsieur de la Nouveauté,* 1880 (N). – *La Mort d'une petite fille de marbre ; la Petite Vierge de plâtre,* 1880, rééd. 1985 (N). – *Le Profil* (lettre), 1880, rééd. 1985. – *Monsieur Vénus,* 1884 (N). – *Nono,* 1885 (N). – *La Virginité de Diane,* 1886 (N). – *Le Marquis de Sade,* 1887 (N). – *Madame Adonis,* 1888 (N). – *Le Démon de l'absurde,* 1894 (N). – Sous le pseudonyme de JEAN DE CHILDRA, *la Princesse des ténèbres,* 1896 (N). – *Les Hors-Nature,* 1897 (N). – *La Jongleuse,* 1900 (N). – *Le Meneur de louves,* 1905 (N). – *La Tour d'amour,* 1914 (N). – *Le Grand Saigneur,* 1922 (N). – *La Haine amoureuse,* 1924 (N). – *Alfred Jarry ou le Surmâle des lettres,* 1928 (E). – *Portraits d'hommes,* 1930 (E). – *Mon étrange plaisir,* 1934 (N). – *Les Accords perdus,* 1937 (P). – *Face à la peur,* 1942 (N).

RACINE Jean. La Ferté-Milon (Aisne) 21 ou 22.12.1639 – Paris 21.4.1699. Orphelin de mère à deux ans, de père à quatre, il est recueilli par son grand-père maternel, Pierre Sconin ; il commence ses études aux Petites Écoles de Port-Royal (1649-1653), dont il bénéficie gratuitement (grâce à la présence en ce lieu de sa tante et de sa grand-mère paternelle), et les termine à Paris (1653-1659). Il noue ses premières relations littéraires et s'intéresse à la querelle soulevée par les *Provinciales ;* il compose en 1660 sa première tragédie, *Amasie,* qui n'est pas représentée. Un oncle Sconin lui ayant laissé espérer un bénéfice ecclésiastique, il part en séjour chez lui à Uzès (octobre 1661-juin 1663) : cet « exil » se révèle infructueux. Revenu à Paris, il tente d'obtenir une pension du roi en lui dédiant des poésies de circonstance et s'éloigne de Port-Royal, qui lui reproche ces compromissions mondaines et littéraires. Après *la Thébaïde,* qui lui vaut une petite pension, sa deuxième tragédie créée sur scène, *Alexandre,* est portée aux nues et provoque sa rupture avec Molière, à qui il a sans préavis retiré le bénéfice de l'exclusivité après seulement quinze jours de représentation. Tandis que R. manque se brouiller avec tout Port-Royal sur un simple malentendu, ses succès théâtraux vont grandissant : *Andromaque, Britannicus, Bérénice, Bajazet.* Élu à l'Académie française il fait encore représenter *Mithridate, Iphigénie, Phèdre.* Des cabales avaient déjà tenté d'enrayer – avec succès dans le cas de *Britannicus* – les triomphes de ses pièces ; sa victoire, d'ailleurs discutable, sur le Corneille vieilli de *Tite et Bérénice* avait contribué à donner de lui l'image type du génie jeune et béni des dieux : *Iphigénie* fut un des succès du siècle (quarante représentations consécutives). Lorsque Pradon avait écrit *Tamerlan ou la Mort de Bajazet,* rien n'avait été bouleversé ; en revanche, sa *Phèdre et Hippolyte,* créée le surlendemain de *Phèdre,* l'emporta pendant quelques jours : faux succès d'intrigue, mais dont le contrecoup fut violent. En septembre 1677, R., déjà profondément lié d'amitié avec Boileau, obtient, en même temps que ce dernier, la charge d'historiographe du roi ; cessant d'écrire pour le théâtre, il devient un personnage officiel, pensionné au plus fort tarif, et dont la préoccupation première est alors celle de sa jeune famille ; en effet, au terme d'une jeunesse ardemment amoureuse (il eut notamment pour maîtresses la Du Parc et la Champmeslé), il vient d'épouser une orpheline de bonne bourgeoisie, Catherine de Romanet (1er juin 1677). S'il compose, ce ne sont que morceaux officiels ; le 2 janvier 1685, recevant à l'Académie Thomas Corneille, qui vient d'être élu au fauteuil de son illustre frère, R. prononce l'éloge de l'auteur du *Cid.* Ses œuvres complètes ont déjà connu deux éditions lorsque, à la demande de Mme de Maintenon, il écrit *Esther* pour les demoiselles de Saint-Cyr (1689) ; nommé gentilhomme ordinaire du roi, honneur exceptionnel pour un homme de lettres de condition moyenne, il confie aux mêmes interprètes la création d'*Athalie* (1691). C'est sa dernière pièce ; il partage ensuite ses soins entre son métier d'historiographe et la défense de Port-Royal, attaqué de toutes parts : ses démarches infatigables permirent à la communauté de survivre un temps. L'extrême fin de sa vie fut assombrie par des ennuis financiers, la situation catastrophique de la cassette royale entraînant le retard de ses pensions. Louis XIV se montra assez affecté de sa mort pour autoriser son inhumation à Port-Royal ; après la destruction de l'abbaye (1709), le roi fit réinhumer ses restes, qui se trouvent de nos jours à Saint-Étienne-du-Mont, à Paris.

R. fut ce que le XVIIe s. appelait un « tendre » : non point du tout un indulgent, puisqu'il polémiqua un temps contre ceux qui l'avaient élevé et ne cessa jamais de lancer contre ses ennemis épigrammes cruelles ou préfaces-manifestes ; mais un sensible, sur qui l'événement, même minime, imprimait durablement sa marque. Il fut tout à ce qu'il fit, que l'on évoque

sa jalousie célèbre d'amoureux ou la rigueur de sa piété après la retraite. Lorsque R. aborde la scène, Corneille a donné ses grands chefs-d'œuvre depuis vingt ans, mais sa production abondante lui permet de demeurer en vue ; cependant celui qui règne est Quinault. Entre eux deux, R. cherche une voie moyenne : entre la « dialectique du héros » et la rhétorique de l'amour, entre Corneille le politique et Quinault le sentimental. La tonalité de son théâtre est due aussi bien à l'absence de maximes sur la conduite idéale qu'à la limitation volontaire du matériau descriptif des passions : la création racinienne part de peu, venant d'une nature dont la richesse intérieure suffit presque à nourrir l'invention. S'il y a du vrai dans le trop fameux parallèle de La Bruyère, c'est à condition de dire que R. peint les hommes moins « tels qu'ils sont » que tels qu'il est lui-même ; dire que les jeunes filles de R. sont d'éthérés fantômes était ne pas comprendre de quelle sensibilité extrême elles tirent leur frémissante faiblesse ; les souffrances d'Aricie sont la face diurne et humaine de celles, infernales et nocturnes, de Phèdre : l'une et l'autre concourent avec une égale nécessité à l'équilibre du discours racinien.
À l'intérieur de cette constante mise en scène de sa propre violence de cœur, R. évolua ; on a pu donner avec justesse comme axe de cette évolution un passage progressif du caractère latin au caractère grec : quelques pièces essentielles le montrent. *Andromaque,* inexpliqué chef-d'œuvre d'un homme de vingt-huit ans qui n'avait derrière lui que des ébauches, doit beaucoup plus à Virgile qu'à Euripide ou même à Homère ; de Virgile cette tragédie de la tendresse maternelle et surtout conjugale possède à la fois la simplicité, la noblesse, la vérité charnelle et certaine préciosité de style ; aussi bien la veuve, dont on n'a pas fini de décider si l'emporte chez elle la coquetterie ou la rigueur, que le roi Pyrrhus, jeune tyran discourtois et indécis, nous restent proches par leur humanité. Mais déjà le personnage, encore mal maîtrisé, d'Oreste et celui, d'une extraordinaire versatilité, de l'enfant-femme Hermione annoncent la puissance du meneur de jeu qui, progressivement, va établir son règne sur le théâtre racinien : le Destin. Si *Bérénice,* aussi étrangement « cornélienne » que *Tite et Bérénice* est pathétiquement « racinienne », marque une étape dans la maîtrise poétique du vocabulaire et de l'expression de l'amour, *Iphigénie* et *Phèdre* installent sur la scène une *cruauté fatale* dont la tendresse est alors le nécessaire exutoire ; le sens du drame et du sacré, la présentation de l'être humain comme jouet des dieux retrouvent la rigueur dramaturgique des Grecs, et moins d'Euripide que de Sophocle et d'Eschyle. Le miracle est que la présence obsédante de la Fatalité, qui seule dénoue, en les tranchant sans douceur, les liens tragiques, laisse intact le pouvoir d'envoûtement poétique d'un langage essentiellement *musical* : R. tentera même, dans *Athalie,* d'accentuer cet aspect lyrique de son art par une versification variée ; quant au sujet de cet ultime chef-d'œuvre, rappelons que c'est le Dieu biblique et vengeur – et non le Rédempteur du Nouveau Testament – que R. avait choisi d'illustrer par ses vers : jusqu'au bout, il resta quelque peu l'« Oriental » fasciné par Roxane. Aussi bien l'intensité des passions en jeu que la puissante sobriété de leur peinture expliquent et le succès prolongé de R., plus accessible que Corneille à une sensibilité moderne, et l'attirance que son œuvre exerce sur la réflexion critique la plus novatrice de notre temps ; la profondeur et la complexité de cet univers humain peuvent en effet révéler encore aujourd'hui plus d'un secret. Acad. fr. 1673.

Œuvres. *Le Paysage ou les Promenades de Port-Royal des Champs,* 1655 (P). – *Ode à la nymphe de la Seine,* 1660 (P). – *Ode sur la convalescence du Roi,* 1663 (P). – *La Renommée aux Muses,* 1663 (P). – *La Thébaïde ou les Frères ennemis,* 1664 (T). – *Alexandre le Grand,* 1665 (T). – *Première Lettre à l'auteur des Imaginaires,* 1666 (E). – *Andromaque,* 1667 (T). – *Les Plaideurs,* 1668 (T). – *Britannicus,* 1669 (T). – *Bérénice,* 1670 (T). – *Bajazet,* 1672 (T). – *Mithridate,* 1673 (T). – *Iphigénie en Aulide,* 1674 (T). – *Phèdre,* 1677 (T). – *Discours pour la réception de M. l'abbé Colbert,* 1678. – *Discours pour la réception de MM. de Corneille et Bergeret,* 1684. – *Hymnes traduites du Bréviaire romain,* 1688 (P). – *Esther,* 1689 (T). – *Athalie,* 1691 (T). – *Relation de ce qui s'est passé au siège de Namur,* 1692. – *Cantiques spirituels,* 1694 (P). – *Épigrammes,* posth., 1722 (P). – *Seconde Lettre à l'auteur des Imaginaires,* posth., 1722. – *Précis historique des campagnes de Louis XIV depuis 1672 jusqu'en 1678,* posth., 1730. – *Abrégé de l'histoire de Port-Royal,* posth. : 1re partie, 1742 ; 2e partie, 1767. – *Lettres,* posth., 1747.

La Thébaïde ou les Frères ennemis

Le sujet est emprunté à la tradition grecque : la haine inexpiable des deux fils d'Œdipe, Étéocle et Polynice. Après l'exposition par Jocaste de la situation ainsi créée (« ils se vont égorger »), celle-ci affronte d'abord Étéocle, tenant du trône, puis débat avec Créon de la tactique à suivre pour dénouer la situation, cela en présence de sa fille, Antigone. Celle-ci, de son côté, fiancée à Hémon, fils de Créon, prend la défense de l'autre frère, Polynice, qui, à son tour, rencontre sa mère ; c'est alors que se forme le nœud tragique : impossibilité de l'arbitrage maternel entre les deux frères. Un oracle intervient qui semble faire renaître l'espoir lorsque, selon la volonté des dieux, Ménécée, autre fils de Créon, se sacrifie pour la paix de Thèbes. Une entrevue aura lieu entre Étéocle et Polynice, en présence de Jocaste, de Créon, d'Hémon et d'Antigone ; elle aboutit à un échec, annihilant ainsi tout espoir. Le dénouement est alors une suite de coups de théâtre : suicide de Jocaste, massacre réciproque d'Étéocle et de Polynice, mort d'Hémon. Créon survivant s'imagine un instant qu'il va pouvoir à la fois accéder au trône et épouser Antigone, espoir démenti par l'annonce du suicide d'Antigone, qui entraîne aussitôt celui de Créon.

Alexandre le Grand

Le sujet est double : historique, puisqu'il s'agit de l'Alexandre vainqueur du roi Porus, et galant, puisqu'il s'agit aussi des amours d'Alexandre et de Cléofile, sœur de Taxile, autre roi de l'Inde, telles qu'elles sont rapportées par Justin et Quinte-Curce. L'exposition, à travers des conversations entre Cléofile et Taxile et entre Taxile et Porus, présente ces deux éléments du sujet. L'amour de Cléofile pour Alexandre est donc soumis à la menace d'une poursuite de la guerre, tandis qu'une intrigue parallèle met en jeu l'amour de Taxile et d'Axiane. Pour accroître encore la complexité de la situation, un affrontement politique oppose les deux rois Taxile et Porus : au cours d'un combat singulier, Porus tue Taxile pour venir ensuite se rendre à Alexandre, à qui il ne reste plus qu'à manifester sa « générosité » : il rend à Porus tous ses États, lui donne Axiane et offre son cœur à Cléofile : « Mais enfin c'est ainsi que se venge Alexandre. »

Andromaque

Oreste se trouve à la cour de Pyrrhus, roi d'Épire, il y rencontre son ami Pylade, à qui il révèle le double motif de sa présence ; motif officiel : il vient de la part des Grecs réclamer à Pyrrhus le fils d'Hector, Astyanax, captif en Épire avec sa mère Andromaque ; motif secret : il veut savoir s'il a quelque chance de succès auprès de la fille de Ménélas, Hermione, qu'il aime et qui est fiancée à Pyrrhus. Nous apprendrons ensuite que Pyrrhus s'est détaché d'Hermione pour, au contraire, s'attacher à Andromaque : l'exposition s'achève sur une première tentative de chantage de Pyrrhus auprès d'Andromaque : il livrera Astyanax aux Grecs si elle ne consent à l'épouser. Mais Hermione ainsi délaissée en conçoit dépit et désespoir, car elle est fille de roi et elle aime Pyrrhus : elle va donc, de son côté, utiliser la passion d'Oreste comme moyen de pression sur Pyrrhus ; elle charge Oreste de lui transmettre son ultimatum : il doit choisir entre elle et Andromaque ; s'il choisit Andromaque, elle suivra Oreste, ce qui fait naître dans le cœur d'Oreste un espoir vite déçu : Pyrrhus lui annonce qu'il va lui livrer Astyanax et épouser Hermione ; Andromaque vient en effet de lui notifier son refus. Celle-ci supplie Hermione, qui la repousse durement, d'intervenir en faveur de son fils et décide alors de tenter un nouvel effort auprès de Pyrrhus, qui consent à un délai. Finalement, Andromaque se résout à épouser Pyrrhus et à se donner ensuite la mort, seul moyen à ses yeux de sauver Astyanax tout en restant fidèle à la mémoire d'Hector. Hermione, à cette nouvelle, folle de rage, donne à Oreste l'ordre d'assassiner Pyrrhus s'il veut lui prouver son amour. Oreste viendra bientôt annoncer à Hermione que Pyrrhus est mort sous les coups des Grecs, qu'il a dressés contre lui ; Hermione le maudit et va se tuer sur le corps de Pyrrhus. Tandis qu'Andromaque triomphe et soulève contre les Grecs le peuple d'Épire, Oreste sombre dans la folie.

Britannicus

Le sujet superpose le conflit politique entre Néron et sa mère Agrippine, à qui il doit d'occuper le pouvoir impérial aux dépens de son demi-frère Britannicus, et le conflit amoureux de Néron et de Britannicus à propos de Junie, qui aime Britannicus, en est aimée, et que Néron désire passionnément. Double raison de la « naissance du monstre » en Néron, qui, quoique disciple de Sénèque et du sage Burrhus, mais soumis à l'influence de son âme damnée Narcisse, va utiliser son pouvoir et ses instincts pour se débarrasser à la fois d'Agrippine et de Britannicus. La tragédie commence par la révélation des inquiétudes d'Agrippine devant les premiers signes de l'évolution de son fils, qui vient de faire enlever Junie, tandis que Burrhus promet son soutien à Britannicus, qui, lui, commet l'imprudence de se confier à Narcisse. Celui-ci reçoit aussi les confidences de l'empereur et le pousse à poursuivre sa double entreprise de libération politique à l'égard d'Agrippine et de conquête amoureuse de Junie. Dans une entrevue avec celle-ci, Néron se déclare, mais c'est pour éprouver la résistance de la jeune fille, affolée. Ce qui décide Néron à faire arrêter Britannicus, tandis qu'il ordonne à Burrhus de garder sa mère à vue. Agrippine réagit, dans une scène violente avec son fils, à qui elle rappelle tout ce qu'elle a fait pour lui. Néron semble souhaiter une réconciliation, mais ce n'est là finalement qu'une suprême hypocrisie. De Burrhus, qui tente d'exploiter ce qui reste en Néron de scrupules, et de Narcisse, qui l'engage de plus en plus dans la voie du crime, c'est Narcisse qui gagne. Une feinte réconciliation a lieu entre Néron et Britannicus, que celui-ci vient annoncer à Junie, toujours inquiète ; Agrippine presse le jeune homme de se rendre au banquet prévu pour célébrer la réconciliation. On apprendra par un récit de Burrhus la mort de Britannicus, empoisonné au cours de ce banquet. Néron, en compagnie de Narcisse, entend sans broncher les reproches de sa mère, sur qui pèse désormais la menace d'un sort semblable à celui de Britannicus. Mais Néron ne possédera pas Junie, qui entre chez les Vestales.

Bérénice

La tragédie de la séparation de Titus et de Bérénice, exigée par la raison d'État. Le sujet tient dans trois mots de Suétone : *Invitus invitam dimisit,* « il la renvoya malgré lui, malgré elle. » R. a inséré dans cette tragédie du couple impossible le personnage d'Antiochus, ami et de Titus et de Bérénice, amoureux sans espoir de Bérénice et préfiguration vivante de la solitude désespérée où se trouveront plongés les personnages au dénouement. Tragédie presque sans action, exclusivement construite sur les hésitations de Titus, pris entre Rome et Bérénice, et les alternances d'espoir et de désespoir qui rythment la vie intérieure de Bérénice. Elle se croit d'abord assurée du bonheur auquel son amour aspire : elle attend avec confiance l'annonce de son mariage avec Titus. Mais Rome intervient, sous la figure de Paulin, comme une force inéluctable d'opposition au bonheur de Bérénice, tandis qu'Antiochus va se trouver dans la même situation de fluctuation entre espoir et désespoir, selon les mouvements correspondants de Titus et de Bérénice. Titus en vient à décider de renvoyer Bérénice, mais il lui est d'abord impossible de trouver en lui la force de lui annoncer cette décision ; il en chargera Antiochus, qui se heurtera à l'incrédulité et aux reproches de la reine. Lorsque enfin Titus a confirmé son arrêt à Bérénice et qu'Antiochus apprend que cette situation ne favorise en rien son amour, l'un et l'autre proclame sa volonté de se donner la mort. C'est alors que Bérénice, portée au-dessus d'elle-même par la « générosité » de ses amants, les invite à renoncer à leur projet de suicide pour, à son exemple, entrer héroïquement dans la solitude d'un silence plus mortel que la mort même.

Bajazet

Si *Bérénice* est une tragédie sans mort violente, *Bajazet* est au contraire la plus sanglante des tragédies de R. (Mme de Sévigné, à propos du dénouement, parlera de « grande tuerie »). Le sujet est oriental et contemporain, mais la proximité des temps est compensée par l'éloignement du lieu, le sérail du sultan Amurat à Constantinople. En l'absence du sultan, le grand vizir Acomat complote contre lui en exploitant l'amour de la favorite Roxane pour Bajazet, frère d'Amurat, emprisonné dans le sérail. Mais Bajazet aime Atalide, et, lorsque Roxane exige de lui qu'il l'épouse s'il veut échapper à la mort ordonnée par Amurat et ainsi accéder au trône, Bajazet refuse. Acomat, par ambition, et Atalide, par amour, obtiennent cependant de Bajazet qu'il tente de tromper Roxane sur ses véritables sentiments, seul moyen de ménager sa vie en gagnant du temps. Le temps en effet va désormais jouer un rôle décisif sous la forme du conflit entre l'impatience de Roxane et les tentatives de Bajazet, sous la pression d'Acomat et d'Atalide, pour ralentir le rythme d'une durée fatale. La découverte par Roxane, sur Atalide évanouie, d'un billet de Bajazet qui lui révèle la vérité détermine, sous l'action de la jalousie, l'accélération de cette durée. Roxane décide de faire exécuter d'abord Atalide et s'engage à laisser la vie sauve à Bajazet s'il consent à assister à son supplice. Mais Bajazet refuse et offre sa vie en échange de celle d'Atalide ; Roxane donne l'ordre d'exécuter Bajazet ; mais elle sera devancée par un ordre d'Amurat dont le fidèle serviteur Orcan assassine Roxane ; Orcan à son tour est tué par les soldats d'Acomat ; quant à Bajazet, il a péri en défendant chèrement sa vie. Tandis qu'Acomat, personnage en quelque sorte extérieur à la tragédie, se prépare à la fuite, Atalide, à qui il avait en vain offert de l'épouser et de le suivre, se tue.

Mithridate

Tandis que le bruit court que Mithridate, roi du Pont, le vieil ennemi des Romains, vient de mourir, ses deux fils se disputent sa succession ; l'un, Xipharès, noble et généreux, l'autre, Pharnace, son contraire et secrètement acquis aux Romains. Ils se disputent aussi la main de la jeune Monime, que Mithridate devait épouser et qui aime Xipharès. Mais voici que tout change avec l'annonce que Mithridate est en vie : c'est la rivalité de Mithridate et de Xipharès, le père et le fils, auprès de Monime, qui passe au premier plan, rivalité aussitôt exploitée par Pharnace : c'est lui qui révélera à son père l'amour réciproque de Monime et de Xipharès. Saisi par la jalousie, Mithridate exige de Monime qu'elle l'épouse sur-le-champ : elle refuse. C'est alors que le vieux roi apprend que Pharnace vient de soulever le peuple dans le dessein de favoriser une invasion romaine. Il donne des ordres pour que Pharnace soit puni de sa trahison ; lui-même, pour ne pas tomber aux mains des Romains, s'est poignardé, et la nouvelle en est communiquée à Monime au moment même où elle s'apprêtait à boire le poison que lui avait envoyé le roi. Mais Xipharès a réussi à repousser les envahisseurs et à rétablir l'ordre. Avant de mourir, c'est Mithridate lui-même qui unit Xipharès et Monime.

Iphigénie

C'est l'épisode célèbre du début de la guerre de Troie qui détermine la situation tragique : Agamemnon est placé par les dieux dans l'obligation de sacrifier sa fille Iphigénie pour que la flotte grecque puisse faire voile vers Troie. Il sera pris ainsi entre son épouse Clytemnestre et le devin Calchas, porte-parole des dieux, comme aussi entre son amour paternel et sa fonction de roi des rois. Car il a mandé à Aulis Clytemnestre et Iphigénie pour célébrer, avant le départ, le mariage de sa fille avec Achille, qu'elle aime et dont elle est aimée. Agamemnon tente d'abord en vain de retarder l'arrivée de son épouse et de sa fille, tandis qu'Ériphile, orpheline de naissance inconnue mais amoureuse d'Achille, se réjouit de la situation ainsi créée, qu'elle croit lui être favorable : tout au long de la tragédie, elle agira sous l'empire de sa passion comme un instrument du destin. Face à ce destin se forme entre Clytemnestre et Achille une alliance en vue de sauver Iphigénie ; mais Ériphile révèle à Calchas la formation de cette sorte de conjuration. Calchas alerte les Grecs, qui exigent le sacrifice d'Iphigénie ; malgré les promesses généreuses d'Achille d'agir en sa faveur, la jeune fille se résigne à la mort et demande à son fiancé de partager avec elle cette résignation. Seul, donc, un coup de théâtre peut dénouer la situation. Alors qu'Achille a pris les armes pour s'opposer par la force au sacrifice, au risque de sa vie, Calchas, éclairé par les dieux, annonce que la victime exigée, une « fille du sang d'Hélène », n'est pas Iphigénie mais Ériphile, qui apprend ainsi à la fois le secret de sa naissance et la nature de son destin : pour le devancer, elle se poignarde sur l'autel.

Phèdre

La plus complexe et, à la fois, la plus parfaitement construite des tragédies de R. Thésée a disparu ; son fils, Hippolyte, annonce qu'il va quitter Trézène pour partir à la recherche de son père, mais aussi pour échapper à la passion que lui inspire la jeune Aricie, lui qui passe pourtant pour inaccessible aux traits de Vénus. C'est alors que paraît Phèdre, l'épouse de Thésée, que tourmente un mal mystérieux, langueur du corps et mélancolie de l'âme. Sa nourrice Œnone la presse de se confier à elle ; Phèdre avoue : elle éprouve pour son beau-fils une passion irrésistible et coupable, elle ne désire que la mort. Survient alors la nouvelle de la mort de Thésée : Œnone persuade Phèdre que cette mort la lave de toute culpabilité, qu'elle a donc le devoir de vivre et ne doit plus hésiter à rencontrer Hippolyte, que, jusque-là, elle fuyait. Du côté du couple Hippolyte-Aricie, l'aveu réciproque de l'amour suscite l'espoir d'un bonheur auquel Thésée s'opposait jusqu'ici pour des raisons politiques. Il apparaît donc que la mort de Thésée libère conjointement les trois personnages impliqués dans la situation, au centre de laquelle se trouve placé Hippolyte. Phèdre vient le trouver et, peu à peu entraînée par ses propres paroles, finit par lui avouer sa passion, provoquant ainsi l'indignation de son beau-fils : Phèdre lui arrache son épée pour se tuer. Œnone l'en empêche, et l'on apprend alors que les Athéniens ont désigné, pour succéder à Thésée, le fils que Phèdre a eu d'un autre lit. Phèdre cependant se nourrit de l'illusion qu'elle pourra parvenir à toucher Hippolyte : mais elle apprend d'Œnone le retour de Thésée (la nouvelle de sa mort était une fausse nouvelle), ce qui la fait retomber dans une situation de culpabilité. À nouveau décidée à mourir, elle cède progressivement aux arguments d'Œnone, qui lui suggère de prendre les devants pour se sauver et de prévenir une éventuelle accusation d'Hippolyte en le calomniant elle-même auprès de son père. Prévenu par Phèdre contre son fils, dont la faute imaginaire est confirmée par Œnone, Thésée appelle sur lui la colère de Neptune, alors qu'Hippolyte lui a, pour se disculper, avoué son amour interdit pour Aricie. Thésée informe Phèdre de cet amour, Phèdre s'en trouve bouleversée et sent s'ajouter en elle aux tourments de sa passion les affres de la jalousie ; pénétrée cependant de remords, elle maudit Œnone, coupable de l'avoir entraînée au crime. Thésée, qui poursuit une sorte d'enquête, et en particulier interroge Aricie, éprouve quelque doute sur la véracité des accusations d'Œnone : les propos d'Aricie lui suggèrent que le vrai coupable n'est pas Hippolyte. Lorsqu'il apprend qu'Œnone s'est volontairement noyée et que Phèdre veut mourir, il est enfin désabusé et supplie Neptune de ne pas réaliser sa malédiction. Mais il est trop tard : Théramène, le précepteur d'Hippolyte, vient annoncer la mort affreuse du jeune homme, dévoré par un monstre marin. Phèdre paraît alors : elle vient d'absorber du poison et, avant de mourir, rend justice à Hippolyte, s'accuse elle-même et dénonce le rôle maléfique d'Œnone.

Esther

Épouse du roi perse Assuérus, qui ignore sa race, Esther, qui est juive, doit assister à la persécution entreprise par le roi contre les Juifs sur les conseils du perfide Aman. Mardochée, oncle d'Esther, lui demande d'intervenir. De son côté, Assuérus, averti par un songe, se souvient que Mardochée l'a autrefois sauvé d'un complot dirigé contre lui : il oblige son favori Aman à rendre hommage à Mardochée. Aman humilié n'en éprouve que plus de haine pour le Juif. Mais l'amour d'Esther triomphera de la haine d'Aman : lorsqu'elle se présente devant Assuérus, celui-ci accueille sa requête ; Esther peut alors à la fois révéler son origine juive et dénoncer les manœuvres d'Aman, qu'Assuérus envoie au supplice, tandis qu'il délivre les Juifs de toute menace et fait de Mardochée son ministre.

Athalie

Selon Voltaire, le chef-d'œuvre de R. Le destin, et le meneur de jeu, est ici le Dieu d'Israël, à la fois vengeance contre ses ennemis et providence pour son peuple. Athalie a fait massacrer la descendance du roi Ochosias, son fils, et a usurpé le trône de Juda en même temps qu'elle abolissait le culte israélite et le remplaçait par le culte de Baal, desservi par un prêtre juif renégat, Mathan, qui est en même temps le conseiller de la reine. En face de ce couple Athalie-Mathan, l'incorruptible grand-prêtre Joad, prophète inspiré, entouré de sa femme Josabet et des jeunes Israélites qui constituent le chœur de la tragédie. Un jeune enfant enfin, Éliacin, autrefois recueilli par Josabet et qu'elle élève dans le temple avec son fils Zacharie : cet enfant, mais Athalie l'ignore, n'est autre que Joas, fils d'Ochosias, sauvé du massacre par les soins du grand-prêtre. Celui-ci s'apprête à proclamer la royauté de Joas, mais craint qu'Athalie, conseillée par Mathan, ne tente un coup de force contre le sanctuaire. De fait, Athalie ose pénétrer dans le temple, a avec le grand-prêtre une entrevue orageuse et se trouble à la vue d'Éliacin. Car un songe lui a montré un enfant qui la poignardait en plein cœur, et elle croît reconnaître l'enfant de son rêve dans la personne d'Éliacin. Mathan lui conseille de le faire périr sans autre forme de procès ; mais Athalie veut d'abord l'interroger. Tandis que Joad assiste caché à cet interrogatoire, l'enfant y répond en termes manifestement inspirés de Dieu. Le trouble d'Athalie est tel que Mathan croit devoir prendre la direction de l'action : c'est lui qui vient exiger de Josabet la reddition d'Éliacin, mais Joad chasse du temple le renégat. Joad décide d'agir sans tarder et d'organiser immédiatement, avec le concours des lévites et du peuple, la cérémonie de l'intronisation de Joas. Transporté par l'inspiration divine, il prophétise alors la grandeur de Dieu et de son peuple et s'abandonne à la vision sacrée de l'Église, nouvelle Jérusalem. Joas est instruit par le grand-prêtre de son identité et de sa vocation, et sa tête est ceinte du diadème sacré. Mais la fureur d'Athalie l'incite à investir le temple, Joad se prépare au combat, le chœur chante sa frayeur. Le général Abner, fidèle à Joad mais prudent, conseille au grand-prêtre de céder, même provisoirement. Joad feint de suivre son conseil et lui demande de faire venir Athalie. Lorsqu'elle arrive au temple, c'est pour voir Joas dans toute la splendeur de sa dignité royale, entouré des lévites armés ; elle sera mise à mort dans ce décor sacré, grandiose et solennel après s'être écriée : « Dieu des Juifs, tu l'emportes ! »

RACINE Louis. Paris 6.11.1692 – 29.1.1763. Fils du précédent. Après ses études au collège de Beauvais, il connut un certain succès avec un poème sur *la Grâce.* Il fut à vingt-six ans élu à l'Académie des inscriptions. Il était ouvert aux langues et littératures modernes et traduisit *le Paradis perdu* de Milton. Il connut à nouveau le succès avec un grand poème sur *la Religion.* Il représente assez bien, par son élégance sans grande inspiration, l'état de la poésie en cette première moitié du XVIIIe s. Ce qui n'empêche pas ses *Réflexions sur la poésie* (1747) de conserver un réel intérêt. Le nom qu'il portait l'a incité à écrire des *Mémoires contenant quelques particularités sur la vie et les ouvrages de Jean Racine* qui ne manquent pas de vie mais auxquels la critique moderne n'accorde plus grande confiance.

Œuvres. *La Grâce,* 1720 (P). – *La Religion,* 1742 (P). – *Réflexions sur la* *poésie,* 1747 (E). – *Mémoires contenant quelques particularités sur la vie et les ouvrages de Jean Racine,* suivis de *Correspondance entre Racine et Boileau,* 1747. – *Le Paradis perdu* (trad. en prose de Milton), 1750.

RADIGUET Raymond. Saint-Maur-des-Fossés 18.6.1903 – Paris 12.12.1923. Poète à quatorze ans, journaliste à quinze, il vécut probablement à la fin de la guerre l'aventure qui constitue l'intrigue du *Diable au corps.* En correspondance avec Breton et Tzara, il se lie particulièrement avec Cocteau et Max Jacob et fréquente le « Bœuf sur le toit » ; on voit sa signature dans *Sic, l'Éveil, l'Heure, le Rire, Littérature, Aujourd'hui.* Son premier poème fut publié dans *le Canard enchaîné* (6 mai 1918), une plaquette de vers parut en 1920 *(les Joues en feu).* Il écrivit une pièce loufoque en deux actes, *les Pélicans,* représentée au théâtre Michel ; un conte, « la Marchande de fleurs » ; des nouvelles, « Devoirs de vacances », « Denise ». Il monte avec Cocteau un opéra-comique, sur une musique de Satie, d'après *Paul et Virginie.* Mais pour l'essentiel il écrit, pendant l'été de 1920, *le Diable au corps,* et pendant ceux de 1922 et 1923, *le Bal du comte d'Orgel.* L'un parut en 1923, peu de mois avant la mort de l'auteur, victime de la typhoïde ; le second fut publié en 1925, dans un recueil réunissant les deux romans et les poèmes sous le titre général *les Joues en feu. Le Diable au corps* raconte, sur le mode de la confession autobiographique, la passion d'un adolescent pour une jeune femme dont le mari est au front ; de retour, le soldat élèvera l'enfant qui n'est pas le sien ; ce roman, découvert par l'éditeur Bernard Grasset, connut un certain succès. L'acteur Gérard Philipe, associé à Cl. Autant-Lara dans une adaptation cinématographique du *Diable au corps* (1946), l'a rendu plus célèbre – peut-être à tort – que le plus accompli *Bal du comte d'Orgel,* traitement moderne du sujet de *la Princesse de Clèves* : le récit y atteint à une pénétration psychologique et à une gratuité qui font de sa lecture un plaisir suraigu de l'esprit ; dans cette solitude éclairée d'une impitoyable lumière, le style, dans sa perfection classique et constamment maîtrisée, se fait lui-même instrument de cruauté. Le roman d'analyse, dans sa longue histoire, a sans doute peu connu d'aussi belles réussites.

Œuvres. Avec Satie et Cocteau, *Paul et Virginie* (opéra-comique), 1920 (T). – *Les Joues en feu,* 1920, rééd. 1978 (P). – *Les Pélicans,* 1920 (T). – *Le Diable au corps,* 1923 (N). – *Deux Carnets inédits,* posth., 1924 (E). – *Le Bal du comte d'Orgel,* posth., 1924 (N). – *Règle du jeu,* posth., 1957 (E).

Le Bal du comte d'Orgel

Une princesse de Clèves dont le mari ne mourra pas, et à qui il sera interdit de se retirer du monde : Mahaut, épouse du comte d'Orgel, aime François de Séryeuse. Celui-ci doit assister au bal costumé que vont donner le comte et la comtesse ; Mahaut se sent incapable d'affronter sa présence. Elle écrit à la mère de François, tente de faire comprendre la situation à son mari, mais en vain ; de sorte que, la veille du bal, elle avoue au comte sa passion pour François. Anne d'Orgel traite d'enfantillage le tourment de Mahaut, et, même s'il « semble comprendre enfin », il ne peut percevoir la métamorphose qui s'est accomplie en Mahaut, devenue « une statue ». La vie doit continuer, surtout la vie mondaine ; François sera présent au bal du comte d'Orgel, et même c'est Mahaut qui lui choisira son costume : telle est la volonté du comte d'Orgel, qui ajoute : « Et maintenant, Mahaut, dormez ! je le veux. »

RADIO, Radiodiffusion, littérature radiophonique. Moyen de diffusion idéal au service de la littérature, tant par la transmission de spectacles scéniques que par la lecture d'œuvres écrites, la radio (on disait la T.S.F.) rechercha dès ses débuts sa propre expression.

En 1928, déjà, dans *la Nouvelle Revue française,* P. Deharme définissait cette position en opposant le *langage phonique* au *langage-papier.*

La radio pourrait néanmoins n'être qu'un instrument idéal mais que nul n'utilise réellement, comme c'est encore le cas pour la télévision. Or, et ceci est mal connu, il existe un patrimoine littéraire phonique considérable et de qualité, correspondant à la renaissance d'une nouvelle tradition littéraire orale issue des techniques modernes de communication.

R. Richard, auteur radiophonique d'une centaine d'œuvres, peut être considéré comme le seul historien sérieux de cette littérature parallèle. Il date de 1924 l'apparition de la première œuvre : *Maremoto,* de G. Germinet (*la Nef,* n° spécial, III, 1951). Germinet, qui écrivit d'autres pièces, est l'auteur d'un ouvrage sur le théâtre radiophonique, où il oppose le théâtre traditionnel et le théâtre radiophonique. En 1936, dans *le Théâtre invisible,* C. Larronde écrit : « Il ne faut pas considérer les auditeurs comme des spectateurs aveugles : ce sont des sur-auditifs ; sachons en faire des voyants. »

C. Larronde savait de quoi il parlait ; R. Richard le considère comme un des « littéraires » les plus importants d'avant-guerre : *l'Autre Soleil* (1932) ; *Douzième Coup de minuit* (1933) ; *le Langage du sommet ; le Chant des sphères* (1936) ; *la Mort du silence* (1938), et ce titre aux résonances symboliques : *la Présence du verbe* (posth.). La radio mérite donc sa véritable *histoire,* dont il n'est possible que de citer des noms qui en marquent le chemin, comme des bornes : Th. Fleischman, F. Divoire, G. Revel, R. Christoflour, P. Deharme, L.-J. Lespine, Cita et Suzanne Malard, G. Charles, N. Jonquille, P. Reynaud, Marthe et Jean Ravenne, J. Dapoigny, L. Farnoux-Reynaud, R.-F. Didelot. A eux tous, ils ont atteint des millions d'auditeurs, infiniment plus que les écrivains de la même époque n'ont eu de lecteurs.

Un autre précurseur de cette entrée des « littéraires » fut P. Descaves en 1936 avec *la Cité des voix.* Puis, dès 1946, A. Vidalie crée pour la radio, et sa production phonique est plus importante, quantitativement et qualitativement, que son œuvre-papier. Nino Frank écrivit pour la radio en collaboration avec P. Mac Orlan ; il est dommage de ne pouvoir citer que rapidement : A. Arnoux *(la Rose de l'Alhambra ; Gontran, roi de Carcassonne),* Peyret-Chappuis *(Paris-Vintimille ; l'Homme de la ville) ;* Thierry Maulnier *(la Ville au fond de la mer) ;* L. Ducreux *(Ulysse-Gazette) ;* Barjavel *(Ne demandez pas la lune) ;* A. Lanoux *(Lucrèce ou la Mandragore ; l'Auberge de la Belle-Étoile) ;* L. Masson *(Un certain Iscariote ; le Pape) ;* Cl. Aveline, lauréat du prix Italia avec *C'est vrai, mais il ne faut pas le croire.* Une autre année, J. Perret remporta le même trophée avec *Composition de calcul.* Giono ne fit qu'une apparition, en dépit de nombreuses citations *(Domitien).* M. Suffran fut révélé par les ondes, tout comme, avec *les Larmes de l'aveugle,* R. de Obaldia. Cette liste ne peut être qu'incomplète ; elle ne sera pas close parce que l'on aura nommé : M. Déon, Audiberti, M. Toesca, J. Cayrol, A. Adamov, M. Butor et enfin Beckett, dont l'œuvre la plus marquante en ce domaine est sans conteste *Tous ceux qui tombent,* conçue (en anglais) pour la B.B.C.

RAIMBAUT D'ORANGE. Orange v. 1146 – château de Courthézon 10.5.1173. Troubadour provençal. Seigneur poète qui nous a laissé une quarantaine de *Canzos,* où la science poétique la plus élaborée se compose avec une liberté d'esprit exceptionnelle dans le cadre des rigueurs du raffinement courtois.

Œuvres. Une quarantaine de *Canzos,* posth., 1952.

RAIMBAUT DE VAQUEIRAS. Vaqueiras (Vaucluse) 1155 ? – Macédoine 1210 ? Troubadour provençal. Auteur de diverses pièces poétiques, entre autres d'une épître à Boniface III, roi de Thessalonique. Représentant exemplaire de la délicatesse et du formalisme courtois, il se fixa en Macédoine à la suite de sa participation à la quatrième croisade.

Œuvres. Une quarantaine de poèmes, dont *Entretien avec une dame génoise* (stances), vers 1194. – *Épître épique* (au marquis Boniface de Montferrat), édition partielle posthume, 1929. – *Le Discordo plurilingue,* s.d. – *El Carros (le Char de triomphe),* poème dédié à Béatrice de Montferrat, vers 1200. – *Le Chant de la croisade,* s.d.

RAMBOUILLET (hôtel de). (Voir PRÉCIOSITÉ.)

RAMUS, Pierre de La Ramée, dit **Pétrus.** Cuts (Oise) 1515 ? – Paris 25.8.1572. D'origine noble, R. est pourtant le fils d'un charbonnier et a fait ses études au collège de Navarre en tant que domestique de l'un de ses camarades. Sa thèse de maître ès arts fit scandale ; il démontrait que l'œuvre d'Aristote est parsemée d'erreurs. Sans désemparer, il approfondit cette idée et, en 1543, fit paraître *Dialecticae partitiones* et *Aristotelicae animadversiones.* R. y préconise un platonisme dans lequel apparaît l'influence de Cicéron. Protégé par le duc de Lorraine, R. évita les foudres de ses censeurs ; il fut même nommé principal du collège de Presles en 1544, et, en 1551, lecteur au collège des lecteurs royaux. En 1555, il fait paraître un ouvrage philosophique en français, *Dialectique,* car R. s'est également intéressé à la langue française ; il réclame une réforme phonétique de l'orthographe (la *Gramère*), et la réforme de l'université était également dans ses projets : *Advertissement sur la réformation de l'université de Paris,* où il propose un enseignement fondé sur les sciences, les mathématiques et le droit, un enseignement qui ne soit plus exclusivement orienté vers la scolastique. Partisan de la Réforme, R. fut dans l'obligation de s'exiler ; il ne revint en France qu'en 1570 pour publier, peu après son retour, *Defensio pro Aristotele adversus J. Schecium,* émouvant document dans lequel il raconte sa vie mouvementée et ses combats. R. fut massacré lors de la Saint-Barthélemy.

Œuvres. *Dialecticae partitiones* (réimprimé sous le titre *Dialecticae institutiones*), 1543 (E). – *Aristotelicae animadversiones,* 1543 (E). – *Oratio initio suae professionis habita,* 1551 (E). – *Pro philosophica Parisiensis Academiae disciplina oratio,* 1551 (E). – *Dialectique,* 1555 (E). – *Ciceronianus,* 1556 (E). – *Dialecticae libri II,* 1556 (E). – *De moribus veterum Gallorum,* 1559 (E). – *De Caesaris militia,* 1559 (E). – *Rudimenta grammaticae,* 1559 (E). – *Rudimenta grammaticae graecae,* 1560-1565. – *Gramère,* 1562 (E). – *Advertissement sur la réformation de l'université de Paris,* 1562 (E). – *Préface sur le proème des mathématiques,* 1566 (E). – *Scholarum metaphysicarum libri XIV,* 1566 (E). – *La Remonstrance de P. de La Ramée faite au conseil privé touchant la profession royalle en mathématiques,* 1567 (E). – *Scholae in liberales artes,* 1569 (E). – *Defensio pro Aristotele adversus J. Schecium,* 1571 (E). – *Testamentum,* posth., 1576 (E).

RAMUZ Charles Ferdinand. Cully (Vaud) 24.9.1878 – Pully (près de Lausanne) 23.5.1947. Écrivain suisse d'expression française. Issu d'une famille aisée de tradition protestante, il grandit au contact de la nature. Parti pour Paris en 1902 dans l'intention d'y mener des recherches érudites, il y demeure jusqu'en 1914, écrivant énormément. Revenu en Suisse pendant la guerre, il y prend la direction des *Cahiers vaudois,* où paraît pendant quelques années la suite de son œuvre. Connu à partir de 1925 par quelques livres majeurs, nouveaux ou réédités, il gagne des lecteurs, qui retournent à sa production d'avant-guerre, restée jusque-là quasiment inconnue. Ses vingt dernières années, malgré la célébrité, restèrent celles d'un travailleur sédentaire, acharné, méditatif.

L'évolution de son œuvre ne peut se diviser en périodes trop nettes ; nous possédons, pour en connaître les racines, le précieux *Journal,* tenu de 1895 à 1947, mais dont R. n'a livré que des fragments, où s'affirme son amour de la vie, de la campagne, d'un pays que son œuvre transfigure, bien au-delà du « régionalisme ». Dès *le Petit Village,* il trouve, assez proche de Jammes, un ton original de poème en prose ; en revanche, *Aline,* roman d'abord rédigé en vers, peine à la recherche d'un style. Une tragédie sentimentale presque tue par le *Journal* donne à *Jean-Luc persécuté,* le premier grand roman de R., l'incomparable grandeur d'une épopée de la démence. Amateur de peinture, R. sonde à ce propos les problèmes du réalisme, aboutissant à l'idée que « l'art ne vit pas de pensée, mais de sensualité » ; c'est ce qu'il faut comprendre dans *Aimé Pache, peintre vaudois,* et dans l'essai *l'Exemple de Cézanne,* où la quête spirituelle de l'artiste se charge évidemment des préoccupations de l'écrivain. Peu à peu, le romancier prend conscience que la communication de sa certitude doit passer par une célébration : d'où, après un significatif *Adieu à beaucoup de personnages,* une œuvre poétique qui sans cesse accompagnera, sans l'éclipser, la production romanesque. Les essais *Raison d'être* et *le Grand Printemps,* affirmations de la nécessité du « vivant » en même temps que douloureuse contemplation du carnage européen, préparent les œuvres où triomphent les forces sataniques, *la Guerre dans le haut pays, le Règne de l'Esprit malin* et surtout cette si personnelle *Histoire du soldat,* fruit d'une amitié inattendue avec Stravinski. R. ne parvient pas à concevoir l'humanité heureuse en ces temps de trouble : *la Guérison des maladies* et *les Signes parmi nous* ne font pas de l'intervention du surnaturel une rédemption ; *Terre du ciel* et *Présence de la mort* conçoivent la fin du monde et l'au-delà comme une continuation, sur un registre différent, de tous les tourments terrestres. R. tente de reprendre confiance en haussant jusqu'au ton poétique l'âpreté naturellement lyrique de son style ; les recueils *Chant de notre Rhône* et *Salutation paysanne* et le roman *Passage du poète* partent de la vie rurale quotidienne et des réalités géographiques pour produire un symbolisme particulièrement majestueux : l'homme à l'unisson de la nature détient tous les trésors. Ce bonheur fugitif s'éteint au moment même où R. accède à une certaine célébrité : la trilogie de 1925-1927 (*l'Amour du monde,* essai ; *la Grande Peur dans la montagne* et *la Beauté sur la terre,* romans) introduit dans l'œuvre un tragique qui ne la quittera plus : l'homme ne possède point la beauté, ni ne maîtrise les éléments, ni ne peut se fier en l'amour, thème central de l'amer *Adam et Ève;* dans *le Garçon savoyard,* le désespoir devant l'impuissance va jusqu'au suicide du héros. Si sa pensée s'obscurcit, R. maîtrise de plus en plus son style, volontairement caractérisé par l'emploi de tournures parlées, de phrases qui ont la lourdeur de la terre : il transcende tout « patois » pour créer une langue paysanne authentiquement littéraire ; qu'il utilise le contrepoint, le simultanéisme ou le récit linéaire, il imprime sa marque de poète sur tout ce qu'il écrit, et, jusque dans ses romans, l'intrigue n'est pas, de loin, le principal. De surcroît, loin de rester enfermé en lui-même, il prête grande attention au mouvement politique du monde : *Taille de l'homme* et *Besoin de grandeur* théorisent une vision lucide et pessimiste qui continue parallèlement de s'exprimer dans les romans : dans *Farinet ou la Fausse Monnaie* meurt la liberté ; dans *Derborence* se détruit l'harmonie, jusque-là reconnue possible, entre l'homme et la nature. Tout un univers de bonheur s'étant écroulé, l'œuvre ne sera plus que le commentaire d'une tristesse, se limitant volontiers à la brève amertume des recueils de nouvelles. Mais la courbe créatrice de R. n'est pas celle d'une défaite : par la splendeur croissante d'un style rèche, proche des choses et visionnaire, inégalable dans ses contrastes, R. a remporté sur le langage une des plus belles victoires de tous les temps.

Œuvres. *Le Petit Village,* 1903 (P). – *Les Pénates d'argile,* 1904 (P). – *Aline,* 1905 (N). – *La Grande Guerre de Sonderbond* (récit en vers), 1906 (N). – *L'Élise,* 1906 (N). – *Deux Coups de fusil,* 1906 (N). – *Les Circonstances de la vie,* 1907 (N). – *Le Village dans la montagne,* 1908 (N). – *Jean-Luc persécuté,* 1909 (N). – *Aimé Pache, peintre vaudois,* 1911 (N). – *Vie de Samuel Belet,* 1913 (N). – *L'Exemple de Cézanne,* 1914 (E). – *Adieu à beaucoup de personnages,* 1914 (E). – *Raison d'être,* 1914 (E). – *Chanson,* 1914 (P). – *La Guerre dans le haut pays,* 1915 (N). – *Le Grand Printemps* (essai poétique), 1917 (E). – *Le Règne de l'Esprit malin,* 1917 (N). – *La Guérison des maladies,* 1917 (N). – *Les Signes parmi nous,* 1919 (N). – *Chant de notre Rhône,* 1920 (P). – *Histoire du soldat* (musique d'I. Stravinski), 1920 (N). – *Terre du ciel,* 1921 (N). – *Salutation paysanne* (précédé d'une *Lettre à Bernard Grasset*), 1921 (N). – *Présence de la mort,* 1922 (N). – *La Séparation des races,* 1922 (N). – *Passage du poète,* 1923 (N). – *Joie dans le ciel* (déjà paru sous le titre *Terre du ciel*), 1925 (E). – *Le Cirque,* 1925. – *La Grande Peur dans la montagne,* 1926 (N). – *La Beauté sur la terre,* 1927 (N). – *Vendanges,* 1927. – *Forains,* 1927. – *Six Cahiers* (souvenirs sur Igor Stravinski), 1928-1929 (E). – *Fête des vignerons* (déjà paru sous le titre *Passage du poète*), 1929 (N). – *Adam et Ève,* 1932 (N). – *Farinet ou la fausse monnaie,* 1932 (N). – *Portes du lac,* 1932 (N). – *Taille de l'homme,* 1933 (E). – *Une main,* 1933. – *Derborence,* 1934 (N). – *Questions,* 1935 (E). – *Le Garçon savoyard,* 1936 (N). – *Si le soleil ne revenait pas,* 1937 (N). – *Besoin de grandeur,* 1938 (E). – *Paris, notes d'un Vaudois,* 1938 (E). – *Découverte du monde,* 1939 (N). – *Œuvres complètes,* 1940-1954. – *Fragments de journal 1895-1920* (suivis de *Choses écrites pendant la guerre*), 1941. – *La Guerre aux papiers,* 1942 (N). – *Nouvelles,* 1944. – *Journal 1896-1942,* 1945. – *Les Servants et Autres nouvelles,* 1946 (N). – *Histoires,* 1946 (N). – *Carnets de C.F. Ramuz,* 1947 (N). – *Journal 1942-1947,* posth., 1949. – *Fin de vie,* posth., 1949 (N). – *Chant de Pâques,* posth., 1951 (N). – *Le Village brûlé, derniers récits,* posth., 1951. – *C.F. Ramuz, ses amis et son temps. Correspondance,* posth., 1967 et suivantes.

La Grande Peur dans la montagne

Une commune de la vallée en montagne : le conseil général, soucieux d'améliorer la situation économique, décide, non sans la résistance d'une minorité d'anciens, d'aller examiner un alpage depuis longtemps abandonné par suite de la malédiction qui pèse sur lui : les plus âgés se souviennent des mystérieuses catastrophes dont ce pâturage, situé au pied d'un glacier, fut, il y a vingt ans, rendu responsable. Les plus jeunes, eux, considèrent qu'il ne convient pas de se laisser arrêter par des ragots superstitieux, et, après la visite du lieu, les conseillers décident de remettre le terrain à la disposition des éleveurs. Peu après, des volontaires, six hommes et un jeune, le « boûbe », montent au pâtis avec le bétail, et, en route, le plus âgé raconte à ses compagnons les maléfices qui ont marqué la dernière tentative d'utilisation du pâturage. Ce récit prend bientôt couleur de prophétie tragique : le « boûbe », malade de peur, s'enfuit, mais ne se remettra pas de sa frayeur ; le mulet tombe dans un ravin ; le bétail est décimé par une maladie inexplicable ; un des hommes, blessé, meurt d'une plaie dont l'infection n'a pu être guérie ; la fiancée d'un des isolés, qui leur portait ravitaillement et nouvelles, se tue en chemin, son fiancé s'enfuit et se tue à son tour dans la montagne. Ainsi disparaissent un à un les volontaires du pâturage maudit, et, pour finir, une avalanche écrase le reste du bétail et dévale sur le village : on ne provoque pas impunément la nature.

RAOUL DE CAMBRAI. Dernier quart du XIIe s. Chanson de geste. Une des plus belles du cycle de Doon de Mayence : dans sa jeunesse, Raoul a été spolié de ses fiefs par le roi de France. Celui-ci lui promet de réparer le tort qui lui a été fait mais ne peut lui offrir autre compensation que la succession du comte de Vermandois. Or, il se trouve que Bernier, fils naturel du comte, est le vassal et le compagnon d'armes de Raoul. Bernier est pris dans un dilemme : ou tuer son suzerain ou manquer à son devoir de fils. Il le résoudra en tuant Raoul et en se donnant la mort, aussitôt après. Hugo a repris le thème central de cette épopée, la poursuite, en en transposant les acteurs et les lieux dans « l'Aigle du Casque » *(la Légende des siècles).*

RAOUL DE HOUDENC. Entre 1170 et 1226. Nous ne savons strictement rien de sa vie, si ce n'est qu'il est originaire de Houdenc en Bray, qu'il fut le rival de Chrétien de Troyes et un partisan de Bernard de Clairvaux. Son œuvre marque un tournant dans l'histoire de la poésie au Moyen Âge. C'est lui qui, dans un roman intitulé *Mérangis de Portlesguez,* employa pour la première fois le développement allégorique. Tous les thèmes chers au roman courtois sont présents dans cet ouvrage : la noblesse chevaleresque, la perfection morale et amoureuse. *Le Songe d'enfer, le Roman des Eles de courtoisie* et *la Voie de paradis* sont attribués à R. de H. Certains ont vu en lui l'auteur de *la Vengeance de Raguidel.*

Œuvres. *Mérangis de Portlesguez* (roman allégorique), s.d. (N). – *Le Songe d'enfer* (poème allégorique), s.d. (P). – *La Voie de paradis* (suite du *Songe d'enfer,* poème allégorique attribué à Raoul de H.), s.d. (P). – *Le Roman des Eles de courtoisie* (poème allégorique), s.d. (P). – *La Vengeance de Raguidel,* s.d. (P).

RAPIN Nicolas. Fontenay-le-Comte 1535 (?) – Poitiers 17.2.1608. R. fit carrière dans la magistrature. Il fut soldat auprès d'Henri de Navarre, avec le grade de capitaine. D'opinion modérée, il était tout autant opposé aux Ligueurs qu'à la Réforme. En 1600, il renonça à ses charges publiques et se retira dans ses terres jusqu'à sa mort. R. fut surtout un poète fécond, excellant tout aussi bien dans la langue française que dans les langues grecque et latine, abordant les sujets les plus légers comme les plus graves (*Sept Psaumes de la Pénitence,* 1588). Mais sa renommée vient surtout de sa participation importante à la rédaction de la *Satire Ménippée.* On lui attribue généralement les harangues du recteur de Roze et de l'archevêque de Lyon ainsi que l'épître du sieur Engoulevent.

Œuvres. *La Puce de Mlle des Roches,* 1579 (P). – *Le Dix-Huitième Chant du Roland furieux, de l'Arioste* (trad. en vers), 1579 (P). – *Les Plaisirs du gentilhomme champêtre,* 1583 (P). – *Les Sept Psaumes de la Pénitence,* 1588 (P). – Collaboration à la *Satire Ménippée,* 1594 (P). – *Œuvres latines et françaises,* posth., 1620 (P).

RAY Jean, Jean Raymond De Kremer, dit. Gand 8.7.1887 – 17.9.1964. Écrivain belge d'expression française. Après une jeunesse consacrée à l'aventure et au voyage, qui n'est pas sans rappeler celle de Cendrars, il a tiré de ses souvenirs des récits savoureux, à l'ambiance tumultueuse, fantastique et quelque peu « barbare ».

Œuvres. *Contes du whisky,* 1925 (N). – Collaboration aux *Aventures de Harry Dickson* (104 fascicules sur 200), vers 1930 ; rééd. en 21 vol. prévue, 9 vol. parus en 1985 (N). – *Le Psautier de Mayence,* 1931 (N). – *La Croisière des ombres,* 1932 (N). – *Le Grand Nocturne,* 1942 (N). – *La Cité de l'indicible peur,* 1943, rééd. 1985 (N). – *Malpertuis,* 1943, rééd. 1955. – *Les Derniers Contes de Canterbury,* 1944 (N). – *Le Livre des fantômes,* 1947 (N). – *Saint-Judas-de-la-Nuit,* 1963 (N). – *Les Contes noirs du golf,* 1964 (N). – *Le Carrousel des maléfices,* 1964 (N). – *Contes d'horreur et d'aventures,* posth., 1972. – *Le Secret des Sargasses,* rééd. 1975.

RAY Lionel, Robert Lorho, dit. Mantes-la-Ville 19.1.1935. Face à l'un des problèmes cruciaux de la poésie contemporaine, celui de la relation entre sens et langage, l'œuvre de R. propose non point une solution, mais une double expérience, celle du dépassement du dilemme poétique par la conjonction dialectique de son terme négatif (la « fragmentation de la parole en éclats de phrases ») et de son terme positif : « Retrouver par la désarticulation complète du discours un état poétique où les mots eux-mêmes en état de rêve constituent la seule réalité » *(les Métamorphoses du biographe).*
En 1970, Robert Lorho, qui avait déjà publié sous son propre nom trois recueils, prend le pseudonyme de Lionel Ray. C'est aussi le moment où son œuvre s'engage dans la voie annoncée par *les Métamorphoses du biographe* ; de sorte que le recours au pseudonyme apparaît lui-même comme un acte poétique positif, signe de l'accès à une identité dont désormais la substance sera régulièrement enrichie par l'activité créatrice. Ainsi s'épanouit un lyrisme purifié, né de la seule magie de l'image, dont R. redécouvre la puissance suggestive, point de départ d'une remontée aux sources de l'âme, de la nature et du langage, poésie concentrée sur la recherche d'un perpétuel retour à l'origine. À cet

égard, l'œuvre de R. rejoint, par l'affirmation même de sa personnalité propre, cette hantise de l'originel caractéristique de ce qu'il y a de meilleur dans la poésie contemporaine.

Œuvres. Sous le nom de R. Lorho : *Les Chemins du soleil,* 1955 (P). – *Si l'aube cède,* 1959 (P). – *Légendaires,* 1965 (P). – *Charles Le Quintrac,* 1971 (E). – Sous le pseudonyme de L. Ray : *Les Métamorphoses du biographe,* 1971 (E). – *Lettre ouverte à Aragon sur le bon usage de la réalité,* 1971. – *L'Interdit est mon Opéra,* 1973 (P). – *Arthur Rimbaud,* 1976 (E). – *Partout ici-même,* 1978 (P). – *Le Corps obscur,* 1981 (P). – *Aveuglant, aveuglé,* 1982 (P). – *Nuages, nuit,* 1983 (P).

RAYMOND Marcel. 1897-1981 (Voir ÉCOLE DE GENÈVE.)

RAYNAL Paul. Narbonne 25.7.1885 – Paris 1971. Il écrivit avant 1914 *le Maître de son cœur,* comédie psychologique dont la création fut repoussée jusqu'à 1920, et se fit connaître ensuite par trois pièces consacrées à la Première Guerre mondiale : *le Tombeau sous l'Arc de triomphe, la Francerie* et *le Matériel humain* (créée en 1948) ; aucune ne fut favorablement accueillie, en raison de la franchise avec laquelle R. posait le problème des rapports entre civils et militaires. Également auteur d'*Au soleil de l'instinct,* de *Napoléon unique,* de *A souffert sous Ponce-Pilate,* R. s'est retiré de la vie littéraire en 1948, interdisant toute reprise de son œuvre sur scène. Le style irréprochable, d'une rare précision, et la réelle noblesse de ton de son théâtre méritent du moins qu'on le lise.

Œuvres. *Le Maître de son cœur* (écrit avant 1914), 1920 (T). – *Le Tombeau sous l'Arc de triomphe,* 1924 (T). – *Au soleil de l'instinct,* 1932 (T). – *La Francerie,* 1933 (T). – *Napoléon unique,* 1936 (T). – *A souffert sous Ponce-Pilate,* 1939 (T). – *Le Matériel humain* (écrit en 1935), 1948 (T).

RÉALISME. Caractère d'une œuvre qui prétend représenter la nature, la société et les hommes tels qu'ils sont, sans les déformations apportées par l'imagination ou les artifices de l'écriture. Une œuvre dite « réaliste » donne la première place au détail de la vie quotidienne, exprimé à l'aide d'un langage à la portée de tous. Mais le réalisme est rarement « pur » : il sert souvent de support à la parodie ou à la caricature, comme dans le cas du réalisme médiéval *(Roman de Renard, Fabliaux)* ; à partir de là, il débouche volontiers sur le comique, ce qui est vrai tout spécialement au théâtre, des farces médiévales à Molière et au-delà (Labiche et Feydeau, par exemple). On retiendra aussi la fonction spécifique du réalisme comme antidote du romanesque, tradition qui se poursuit avec une remarquable continuité du *Roman de Renard* aux « antiromans » du XVIIe s. (Sorel, Furetière) et à Flaubert *(Madame Bovary)* : peut-être le « nouveau roman » du XXe s. appartient-il, par certains aspects, à cette lignée du réalisme antiromanesque. Enfin il convient sans doute de considérer à part le réalisme comme technique d'illusion : c'est à ce réalisme-là, celui du cadre historique, du décor social ou naturel, celui de la « vraisemblance » des personnages et des événements, qu'a recours toute une part de la littérature de l'imaginaire (roman d'aventures, roman policier, etc.). Historiquement, c'est à la suite de l'attention portée par Balzac à la « réalité », en particulier dans ses aspects sociaux, et sous l'influence des sciences naturelles et de l'esprit « positif », que le réalisme s'est systématisé au XIXe s. en une esthétique délibérée et cohérente ; Champfleury en exposa la théorie dans *le Réalisme* en 1857 : « Le réalisme conclut à la reproduction exacte, complète, sincère du milieu social, de l'époque où l'on vit. » La théorie fut illustrée par Champfleury lui-même dans son *Chien-Caillou* (1847), où il fait le procès de ce qu'il considère comme le « faux réalisme » de Murger dans les *Scènes de la vie de bohème.* Après Champfleury, il faut mentionner Duranty, auteur du roman sans doute le plus conforme à la doctrine, *le Malheur d'Henriette Gérard.* Quant à Flaubert, salué malgré lui comme le chef d'une prétendue école réaliste, le réalisme n'est sans doute pour lui qu'une technique négative, antiromanesque et antiromantique, surtout destinée à neutraliser la matière du roman pour permettre l'élaboration du style, dont la perfection esthétique est finalement la seule justification de l'écriture. Après Flaubert, en se spécialisant dans la description de certains secteurs de la réalité sociale et humaine et en accentuant ses références sociologiques, biologiques, scientifiques et même « scientistes », le réalisme se transformera et donnera naissance au naturalisme (voir ce mot), qui est à la fois en continuité et en rupture avec lui, paradoxe qui expliquera la situation quelque peu en marge d'écrivains comme Maupassant et surtout Huysmans.

REBOUL Jean, dit **le Boulanger de Nîmes.** Nîmes 23.1.1796 – 28.5.1864. Il doit son surnom au métier que la pauvreté de sa mère le contraignit d'exercer. Disciple de Lamartine, qui le prit sous sa protection après avoir lu son poème *l'Ange et l'Enfant,* paru dans *la Quotidienne,* il est l'auteur de *Poésies, Poésies nouvelles, les Traditionnelles :* il avait dans sa jeunesse composé des chansons satiriques et écrivit également quelques tragédies. Son succès se limita au recueil de 1836. À la fin de sa vie, il encouragea Mistral et les débuts du félibrige ; il écrivit d'ailleurs des poèmes en langue d'oc (*Une grappe de raisin,* 1865).

Œuvres. *L'Ange et l'Enfant,* 1828 (P). – *Poésies,* 1836 (P). – *Le Dernier Jour* (poème biblique), 1840 (P). – *Poésies nouvelles,* 1846 (P). – *Le Martyre de Vivia,* 1850 (T). – *Les Traditionnelles,* 1857 (P).

REBOUX Paul, Henri Amillet, dit. Paris 21.5.1877 – Nice 1963. Il a laissé de nombreux romans et divers autres ouvrages, toujours spirituels, comme *le Nouveau Savoir-Vivre.* Mais il ne mérite de survivre que par l'entreprise exemplaire qu'il mena avec **Charles Muller** (Paris 1877 – au front 1914) : les trois volumes d'*À la manière de...* sont en effet un des meilleurs ensembles de pastiches humoristiques des grands écrivains ; le succès de leur réédition récente a prouvé la valeur de leur humour, puisé, malgré les apparences, à une sérieuse connaissance des auteurs classiques et modernes.

Œuvres. *Maisons de dames,* 1904 (N). – *La Petite Papacoda,* 1911 (N). – Avec Charles Muller, *À la manière de...* (pastiches), 1908-1913. – *Romulus Coucou,* 1921 (N). – *Le Nouveau Savoir-Vivre,* 1930 (E). – *Madame se meurt, Madame est morte,* 1932 (N). – *Une rude gaillarde: la Princesse palatine,* 1934 (N). – *Liszt ou les Amours romantiques,* 1940 (N). – *Petits Secrets de l'art d'écrire,* 1946 (E). – *Le Nouveau Savoir-Causer,* 1950 (E). – *Le Sixième Sens,* 1953 (N). – *L'Amour et les Amours,* 1954 (N). – *Théodora,* 1954 (N). – *La Vie secrète et publique de Jésus-Christ,* 1955. – *L'Art d'écrire des lettres d'amour,* 1955 (E). – *Mes Mémoires,* 1956. – *Une République de fonctionnaires,* 1956. – *La Belle Gabrielle,* 1957 (N). – *Petits Secrets de l'art d'écrire, les caractères du bon et du mauvais style, les difficultés du langage et de l'orthographe,* 1961 (E). – *Trente-Deux Poèmes d'amour,* s.d. (P).

RÉDA Jacques. Lunéville 1929. En 1970, *Récitatif* révélait en R. un poète pour qui la perception des au-delà du monde et du langage trouvait sa source dans la simple *diction* des choses les plus ordinaires : « Mettez simplement un peu d'air dans une boîte d'allumettes et posez-la dans le courant d'un ruisseau qui n'atteint la mer que noyé dans l'oubli... » Ainsi la poésie prend en charge les plus humbles manifestations de l'existence, pour les hausser, avec une sorte de ténacité inscrite dans le vocabulaire, le rythme, les images, jusqu'à un univers de « lumière obscure », celle de cette « heure de la nuit – Où l'œil juste avant l'aube un instant cligne et se renverse ». La poésie de R. est faite de tels multiples clins d'œil, produisant un effet combiné de lyrisme et d'humour, qui n'est pas la moindre originalité du poète. Après des débuts quelque peu hésitants, il ne tarda pas à figurer au nombre de ceux pour qui le renouvellement de l'expression poétique exige un retour au réel et un parti pris de simplicité qui conditionnent l'ouverture de perspectives neuves : aussi R. a-t-il pu mériter de recevoir en 1979 le prix Max-Jacob et en 1983 le Grand prix de poésie de la Ville de Paris.

Œuvres. *Les Inconvénients du métier,* 1952 (P). – *All Stars,* 1953 (P). – *Cendres chaudes,* 1955 (P). – *Amen,* 1968 (P). – *Récitatif,* 1970 (P). – *La Tourne,* 1975 (P). – *Les Ruines de Paris,* 1977 (P). – *L'Improviste,* 1980 (E). – *Hors les murs,* 1982 (P). – *P.L.M. et autres textes,* 1982 (P). – *Gares et trains,* 1984 (P). – *Le bitume est exquis,* 1984 (P). – *L'Herbe des talus,* 1984 (P). – *Montparnasse Vaugirard Grenelle* (avec des photos de P. Pitrou et B. Tardien), 1985. – *Beauté suburbaine,* 1985 (P). – *Celle qui vient à pas légers,* 1985 (E). – *Jouer le jeu,* 1985 (E).

REGNARD Jean-François. Paris 7.2.1655 – château de Grillon 4.9.1709. Ses parents, de riches marchands de poisson, lui firent donner une très solide éducation et lui léguèrent une importante fortune. Jusqu'à l'âge de trente ans, il se consacra aux voyages, connaissant les aventures les plus romanesques (il fut fait esclave en Alger, emmené à Constantinople, libéré contre rançon au moment où la séduction qu'il exerçait sur les femmes turques allait lui valoir de périr par le feu), et poussa même jusqu'en Laponie ; on lit encore avec intérêt ses *Voyages.* Enfin installé en France, il acheta une charge de trésorier au bureau des Finances et mena, entre Paris et son château, la vie la plus dissolue. La littérature n'était pour lui qu'un passetemps ; il y révéla cependant la plus grande facilité. Il donna d'abord ses comédies aux Italiens, puis se tourna vers le Théâtre-Français lorsqu'il adopta définitivement la forme de la comédie en vers. R. ne s'attache ni à l'étude des caractères ni à la peinture des mœurs ; le lieu et l'époque de ses comédies restent d'ailleurs imprécis. Mais il bâtit de remarquables intrigues, dont le déroulement, les péripéties et les quiproquos sont du plus haut comique. Plusieurs de ces pièces n'ont jamais quitté le répertoire et, lorsqu'elles sont correctement enlevées, déclenchent toujours les mêmes éclats de rire. R. est le créateur de la comédie de « boulevard » ; bien peu surent retrouver sa verve.

Œuvres. *Le Divorce,* 1688 (T). – *Le Marchand ridicule,* 1688 (T). – *La Descente d'Arlequin aux enfers,* 1689 (T). – *L'Homme à bonnes fortunes,* suivi de *Critique de « l'Homme à bonnes fortunes »,* 1690 (T). – *Les Filles errantes ou les Intrigues de l'hôtellerie,* 1690 (T). – *La Coquette ou l'Académie des dames,* 1691 (T). – Avec Dufresny, *les Chinois,* 1692 (T). – Avec Dufresny, *la Baguette de Vulcain,* 1693 (T). – *La Naissance d'Amadis,* 1694 (T). – *La Sérénade,* 1694 (T). – *Attendez-moi sous l'orme,* 1694 (T). – *Satire contre les maris,* 1694 (P). – *Tombeau de M. Boileau-Despréaux,* 1694 (P). – Avec Dufresny, *la Foire Saint-Germain,* 1695 (T). – *La Suite de « la Foire Saint-Germain » ou les Momies d'Égypte,* 1696 (T). – *Le Joueur,* 1696 (T). – *Le Distrait,* 1697 (T). – *Le Carnaval de Venise,* 1699 (T). – *Démocrite,* 1700 (T). – *Les Folies amoureuses,* 1704 (T). – *Le Mariage de la folie,* 1704 (T). – *Les Ménechmes ou les Jumeaux,* 1705 (T). – *Le Légataire universel,* suivi de *la Critique du « Légataire »,* 1708 (T). – *L'Irrésolu,* posth., 1713 (T). – *La Provençale,* posth., 1731 (N). – *Épîtres,* posth., s.d. – *Voyages (Voyage de Flandres et de Hollande, Voyage de Danemark, Voyage de Suède, Voyage de Laponie, Voyage de Pologne, Voyage d'Allemagne),* posth., 1731 (N).

Le Légataire universel

Autour de Géronte, dont la mort est proche, un couple de domestiques – Lisette, servante du moribond, et Crispin, valet d'Éraste, neveu de Géronte – se demande si le maître de maison va enfin faire de son neveu son légataire universel. Car Éraste a besoin d'argent pour pouvoir prétendre à la main d'Isabelle, qu'il aime, tandis que les deux domestiques, qui sont aussi un couple d'amoureux, ont, de leur côté, tout à gagner dans cette affaire. Lorsque Éraste arrive, on peut lui annoncer que Géronte a convoqué ses notaires ; on est convaincu que c'est pour le fameux testament. Fausse joie ! c'est au contraire que Géronte, se sentant ragaillardi, veut faire établir le contrat de son mariage avec... Isabelle ! Isabelle, dont la mère, Mme Argante, exige qu'elle épouse en effet Géronte. Mais bientôt tout change : il y a eu mésentente entre Mme Argante et Géronte, et le mariage est rompu ; de surcroît, son apothicaire morigène Géronte de belle façon : on n'a pas idée de se croire guéri et de vouloir se marier ! Éraste croit pouvoir reprendre espoir. Hélas ! Géronte a découvert qu'il avait un autre neveu et une nièce, et il a décidé de partager son héritage, dont Éraste n'aura plus que la portion congrue. Pas d'autre issue que d'éliminer les deux intrus, et c'est Crispin qui, en bon valet de comédie, devra s'en charger. Il se déguise en gentilhomme de basse Normandie (l'autre neveu est, en effet, de cette province), il se présente chez Géronte comme son neveu, lui tient des propos violents et déplaisants : Géronte le renvoie et le déshérite. Crispin se métamorphose ensuite en la nièce du Maine, forte personne moralisatrice, qui menace Géronte de le faire interdire et qui se voit à son tour expulsée. Mais voici que Géronte a l'air d'entrer pour de bon en agonie ; il a perdu connaissance et va donc mourir intestat ; c'est la pire des catastrophes. Il faut faire vite, plus vite que la mort ; il ne suffit pas de vider les poches du mourant, ce que cependant Éraste se hâte de faire : la plus grosse partie de sa fortune n'est pas dans ses poches, ni dans ses coffres. Crispin lui-même est un moment désemparé. Mais il songe à une solution désespérée : un troisième travesti, cette fois en Géronte lui-même, et il dicte aux notaires, enfin arrivés, le testament souhaité. Mais il se trouve que Géronte n'était qu'en léthargie ; il se réveille heureusement, fort inquiet de cette léthargie ; on lui lit le testament, devant lequel sa surprise est immense, mais la léthargie est là pour tout expliquer : « C'est votre léthargie », lui répète-t-on comme une litanie. Il finit par y croire. Il finira bien aussi par mourir. Éraste épousera Isabelle, et Crispin Lisette : ils auront l'argent, grâce, bien sûr, à l'astuce enfin triomphante de Crispin.

RÉGIONALISME. Chaque grand pays moderne est la réunion, résultant d'une volonté essentiellement historique et politique, de différentes régions dans le cadre d'un État plus ou moins centralisé. Il s'en est suivi le plus souvent une unification linguistique et culturelle parallèle. Le mot « régionalisme » désigne une attitude ou une doctrine qui consiste à vouloir fonder l'expression littéraire ou artistique sur un retour aux sources de l'originalité régionale, en utilisant éventuellement – mais non nécessairement – les langues régionales, à l'exclusion des « patois ». C'est ainsi que le félibrige a entrepris, avec Mistral et Aubanel, de ressusciter une authentique littérature provençale. La littérature « régionaliste » – présente dans toutes les grandes cultures – met généralement l'accent sur l'expression du « terroir » : elle est souvent exposée au risque du provincialisme, mais le « régionalisme » a aussi inspiré des œuvres de portée universelle : Erckmann-Chatrian pour l'Alsace, C.-F. Ramuz pour la Suisse romande, Henri Pourrat pour l'Auvergne, par exemple.

RÉGNIER Henri François Joseph de. Honfleur (Calvados) 28.12.1864 – Paris 23.5.1936. Ayant épousé en 1896 la seconde fille de Heredia (voir D'HOUVILLE), il évolua, dans sa poésie, d'une attirance pour le symbolisme et la nouveauté, dont témoigne son assiduité aux « mardis » de Mallarmé, à une soumission croissante à l'esthétique du Parnasse. Essentiellement mélodique, sa prosodie, noble, mais, grâce au vers libre, très vivante, se distingue par une absolue maîtrise de la langue, qui est aussi la principale qualité de ses ouvrages en prose (romans, contes, chroniques ou maximes). Le soin apporté au style, souvent fondé sur un principe de symétrie, et la rigueur de conception de ces ouvrages, qui sont ceux d'un aristocrate mais non d'un dilettante, méritent à l'œuvre de R. de survivre comme l'une des plus probes de son époque.

Œuvres. *Lendemains,* 1885 (P). – *Apaisement,* 1886 (P). – *Épisodes,* 1888 (P). – *Poèmes anciens et romanesques (1887-1889),* 1890 (P). – *Tel qu'en songe,* 1892 (P). – *Contes à soi-même,* 1893 (N). – *Aréthuse,* 1895 (P). – *Les Jeux rustiques et divins,* 1897 (P). – *Les Médailles d'argile,* 1900 (P). – *La Double Maîtresse,* 1900 (N). – *La Cité des eaux,* 1902 (P). – *Le Bon Plaisir,* 1902 (N). – *Le Mariage de minuit,* 1903 (N). – *Les Vacances d'un jeune homme sage,* 1903 (N). – *Les Rencontres de M. de Bréot,* 1904 (N). – *Le Passé vivant,* 1905 (N). – *La Sandale ailée,* 1905 (P). – *La Peur de l'amour,* 1907 (N). – *La Flambée,* 1909 (N). – *Le Miroir des heures,* 1910 (P). – *L'Amphisbène,* 1912 (N). – *L'Illusion héroïque de Tito Bassi,* 1916 (N). – *Odelettes,* 1917 (P). – *La Pécheresse,* 1920 (N). – *Vestigia flammae,* 1921 (P). – *Les Bonheurs perdus,* 1924 (N). – *L'Escapade,* 1925 (N). – *Flamma terrax,* 1928 (P). – *L'Altana ou la Vie vénitienne,* 1929 (N). – *Le Voyage d'amour ou l'Initiation vénitienne,* 1930 (N). – *Choix de poèmes,* 1932 (P).

RÉGNIER Jean. Auxerre v. 1392 – v. 1468. Il fut nommé bailli de sa ville natale le 18 juillet 1424, après avoir accompli un pèlerinage en Terre sainte. Fait prisonnier en 1432 par les partisans du dauphin, il resta dix-sept mois en prison, où il manqua de perdre la vie. C'est cette expérience éprouvante qu'il relate avec émotion dans son *Livre de la prison* (4 817 vers). Cet ouvrage ne parut qu'en 1526, à Paris, sous le titre de *Fortunes et Aversitez de Messire Jehan Régnier.* Malgré la faiblesse de la forme poétique, cette œuvre est remarquable : avant Villon, R. eut l'originalité de rendre compte d'une expérience personnelle qui ne fût pas celle de l'amour, dans une sorte de « testament » au cours duquel il s'interroge sur les malheurs de la France, dont il est aussi victime.

RÉGNIER Mathurin. Chartres 21.12.1573 – Rouen 22.10.1613. Issu d'une famille bourgeoise de Chartres et neveu de Desportes, il reçut une solide culture humaniste. Désireux de réussir dans la diplomatie, il fit deux importants voyages à Rome, dont l'un à la suite du cardinal de Joyeuse. S'il échoua dans ses ambitions, il put du moins se familiariser avec la littérature italienne. Revenu en France, il s'assura des bénéfices ecclésiastiques qui lui permirent de mener une vie facile à Paris, où il fréquenta les milieux littéraires (il connut Bertaut) et les libertins. Lorsque la mort l'emporta, il avait déjà publié un recueil de *Satires* (1608) et était en passe de devenir un poète de cour. La satire, telle que l'entend R. avant Boileau, est un genre littéraire directement inspiré d'Horace et de Juvénal, qui consiste en une peinture réaliste des mœurs permettant de tirer une leçon morale. R. néglige le didactisme moral, mais, sous l'influence des poètes italiens, il s'attache à peindre les hommes de son temps ; quelques vers lui suffisent souvent pour crayonner une attitude, une mode, un ridicule. Il refuse l'enseignement de Malherbe, et il est vrai que parfois il rejoint la Pléiade par les licences de son style ; mais souvent aussi le naturel et la verve de la forme répondent chez lui à la vivacité des images. Il faut d'ailleurs attacher assez peu d'importance aux prétendues doctrines littéraires de R. : poète-né, il ne se fit théoricien qu'à l'occasion. Il a enfin un sens de la « mise en scène » qui fait de lui peut-être le plus direct précurseur de Molière.

Œuvres. *Premières Œuvres de M. Régnier* (contient *Discours au roi*), 1608. – *Premières Satires,* 1608 (P). – *Poésies diverses* (odes, stances, sonnets, épigrammes), 1608 (P). – *Élégies* (pour Henri IV),

1608 (P). – *Satires* (seconde édition, augmentée de *le Souper ridicule, le Mauvais Gîte*), 1609 (P). – *Inscriptions* (pour la reine Marie de Médicis), 1610 (P). – *Hymne sur la nativité de Notre Seigneur* (pour Louis XIII), 1610 (P). – *Poésies spirituelles,* 1600-1612 (P). – *Œuvres complètes (Satires, Élégies, Épîtres),* posth., 1613 (P) ; éd. établie par J. Plattard, 1930 ; G. Raibaud, 1958.

RENAISSANCE. Nom donné au mouvement artistique et intellectuel qui apparut en Italie au XVe s. et qui y donna naissance à une brillante civilisation dont le rayonnement s'étendit progressivement, au XVIe s., à l'Europe entière. Cette nouvelle culture « renaissante » se caractérise par la recherche, la découverte et la résurrection des valeurs de l'Antiquité gréco-latine, qui semblaient avoir été ignorées durant tout le Moyen Âge. En fait, la culture antique avait survécu tout au long du Moyen Âge parmi les « clercs » et avait déjà connu d'autres « renaissances » avant la grande Renaissance des XVe et XVIe s., par ex. la renaissance carolingienne et la renaissance du XIIe s. La Renaissance s'est manifestée dans tous les domaines de l'art : peinture, sculpture, architecture, musique, et aussi en littérature et dans la pensée religieuse et philosophique. (Voir HUMANISME et PLÉIADE.)

RENAN Joseph Ernest. Tréguier 28.2.1823 – Paris 2.10.1892. Orphelin de père à cinq ans, il fit ses études aux séminaires d'Issy et de Saint-Sulpice, mais, sous l'influence de sa sœur Henriette et de la pensée allemande, il renonça au sacerdoce après avoir reçu les ordres mineurs (1845) : éloigné de la foi catholique, il resta passionné par les problèmes de l'exégèse et consacra une large partie de sa vie à écrire une histoire critique du christianisme. Agrégé de philosophie en 1848, il apprend l'hébreu et, en 1862, est désigné pour enseigner cette langue au Collège de France. Son interprétation du personnage de Jésus, qu'il considère seulement comme un « homme incomparable », fait supprimer son cours dès la première séance ; il retrouvera sa chaire en 1871 et finira sa vie comme administrateur du Collège (1883-1892). Pour la rédaction de son œuvre, il voyagea en Asie Mineure en 1861 – la mort de sa sœur au cours de cette expédition le frappa cruellement –, puis, en 1864, termina son périple par la visite d'Athènes. Rallié à la IIIe République en 1877, il fit jusqu'à sa mort figure de gloire officielle du régime. On connaît l'admirable « Prière sur l'Acropole » (écrite en 1864), contenue dans les *Souvenirs d'enfance et de jeunesse,* et *l'Avenir de la science,* essai daté de 1849 mais publié seulement en 1890 : ces deux ouvrages réunissent les qualités principales de ce penseur dont l'influence, conjuguée avec celle de Taine, marqua toute la fin du siècle : beauté lyrique du style, sérieux critique du propos, affirmation du principe « scientiste ». L'œuvre de Renan représente l'aboutissement et la systématisation de la pensée positiviste. La part la moins caduque en est sans aucun doute la part autobiographique. Acad. fr. 1878.

Œuvres. *Averroès et l'averroïsme,* 1852 (E). – *Histoire générale et système comparé des langues sémitiques,* 1855 (E). – *Études d'histoire religieuse,* 1857 (E). – *Essais de morale et de critique,* 1859 (E). – *Histoire des origines du christianisme* (I *la Vie de Jésus,* 1863 ; II *les Apôtres,* 1866 ; III *Saint Paul,* 1869 ; IV *l'Antéchrist,* 1873 ; V *les Évangiles,* 1878 ; VI *l'Église chrétienne ;* VII *Marc Aurèle,* 1881). – *La Réforme intellectuelle et morale,* 1871 (E). – *Dialogues et fragments philosophiques,* 1876 (E). – *Souvenirs d'enfance et de jeunesse* (contient « la Prière sur l'Acropole »), 1883 (N). – *Histoire du peuple d'Israël,* 1887-1893 (E). – *Drames philosophiques* (*Caliban ; l'Eau de Jouvence ; le Prêtre de Némi ; l'Abbesse de Jouarre,* écrits de 1878 à 1886), 1888 (N). – *L'Avenir de la science (Pensées de 1848),* 1890 (E). – *Correspondance entre Renan et Berthelot (1847-1892),* posth., 1898.

RENARD Jean-Claude. Toulon 22.4.1922. Il se définit lui-même comme « poète essentiel », à la recherche, effectivement, des multiples présences, dans le monde et dans la nature, d'une essence originelle de l'Esprit. Porte-parole du sacré poétique, son œuvre s'inscrit entre deux pôles eux-mêmes essentiels, définis par les titres de deux recueils que séparent quinze années : *Métamorphose du monde* et *la Terre du sacre ;* entre ces deux pôles de la métamorphose et du sacre, le courant s'établit par l'acte poétique essentiel, l'acte d'*incantation :* incantation de l'enfance dans *Cantiques pour des pays perdus, Incantation des eaux, Incantation du temps* (*cf.* aussi : « Connaissance du troisième temps » dans *Métamorphose du monde*). Or l'incantation poétique est affaire de langage, et l'œuvre de R. poursuit une recherche exemplaire du pouvoir d'incantation du rythme et de l'image. Quant au rythme, le poète commence par s'imposer la rigueur de l'alexandrin ou du décasyllabe, et il est, dans la poésie contemporaine, un de ceux qui ont le mieux su reféconder les pouvoirs de ces vers traditionnels ; après quoi, il en viendra à explorer les possibilités de rythmes plus libres et plus souples, mais en leur conservant cette sorte de consécration formelle que leur confère une exigence technique tout aussi rigoureuse. Quant à l'image – la part sans doute la plus originale de cette poétique du sacre –, elle est non pas une figure symbolique, mais l'essence constitutive de la parole, qui, par elle, conquiert le pouvoir, comme dit le poète, d'*incanter le monde.* S'il est vrai que le grand risque de la poésie est de se trouver irrémédiablement affrontée à la distance qui sépare l'Être et le Dire et exposée au risque d'une « dé-réalisation » mallarméenne de la Parole, une « poésie de l'essentiel » ne se peut construire qu'à partir du franchissement de cette distance : telles sont, chez R., la fonction centrale de l'image et la raison de son efficacité. Image qui, certes, n'abolit pas la distance, puisqu'au premier degré sa fonction est de la figurer, mais qui la comble effectivement, puisqu'au second degré sa fonction – et c'est là proprement l'incantation – est de révéler le *sens* de cette distance qui, par là-même, prend sa place dans un ordre à la fois naturel et sacré. Ainsi s'explique une poétique de l'image qui compose les images bibliques et chrétiennes avec les images de nature, et, parmi celles-ci, les images sensorielles, en particulier olfactives, empruntées à l'univers méditerranéen. De sorte que, chez R., poète chrétien, poète mystique, tout risque de confusion entre le sacré poétique et le sacré religieux est écarté : face à l'ambiguïté qui fonde et trouble à la fois la relation entre le spirituel et le poétique, l'image ainsi engendrée possède seule le pouvoir de relier la parole poétique à la transcendance qui la justifie, tout en figurant, au même instant, l'irréductibilité de leur différence. Ainsi en est-il de quelques-uns des « thèmes-images » qui dominent et fécondent cette œuvre : le Père *(Père, voici que l'homme),* la vigne *(En une seule vigne),* l'Eau et le Feu *(la Braise et la Rivière)* et enfin la Terre, celle du sacre, dont la plénitude, de l'herbe à l'arbre, du fleuve à la fleur, du pain au fruit, est le lieu privilégié de *lecture des signes* qui sont conjointement approche de Dieu et approche de l'homme : l'acte poétique devient alors une vaste figuration de la présence universelle de l'Esprit. C'est alors, mais alors seulement, que, dans des œuvres parapoétiques, R. a pu entreprendre de réfléchir sur sa double expérience de la poésie et du sacré. Les *Notes sur la poésie* et les *Notes sur la foi* expriment la conscience qu'il prend désormais du sens profond de son œuvre ; enfin dans *Une autre parole,* l'expérience du langage poétique apparaît comme celle d'une inquiétude qui refuse de se résoudre en se disant et qui, au contraire, en se disant *poétiquement,* devient comme la double conscience de la présence et de l'inaccessibilité de l'Être.

Œuvres. *Juan,* 1945 (P). – *Cantiques pour des pays perdus,* 1947 (P). – *Haute-Mer,* 1950 (P). – *Métamorphose du monde,* 1951 (P). – *Père, voici que l'homme,* 1955 (P). – *En une seule vigne,* 1959 (P). – *Incantation des eaux,* 1961 (P). – *Incantation du temps,* 1962 (P). – *La Terre du sacre,* 1966 (P). – *La Braise et la Rivière* 1969 (P). – *Notes sur la poésie,* 1970 (E). – *Notes sur la foi,* 1973 (E). – *Le Dieu de la nuit,* 1973 (P). – *Connaissance des notes,* 1977 (P). – *La Lumière du silence,* 1978 (P). – *Le Lieu du voyageur,* 1980 (P). – *Les Mots magiques* (pour enfants), 1981. – *Comptines et formulettes* (pour enfants), 1981. – *Une autre parole,* 1981 (P). – *Par vide nuit avide,* 1983 (P). – Avec Jean Georges, *Les 100 plus belles pages de J.-C.R.,* 1983. – *Toutes les îles sont secrètes,* 1984 (P).

RENARD Jules. Chalons-du-Maine (Mayenne) 22.2.1864 – Paris 22.5.1910. Toute sa vie, toute son œuvre furent teintées du malheur de son enfance, passée à Chitry-les-Mines (Nièvre), entre des parents eux-mêmes privés de bonheur : écrire fut pour lui le seul moyen de s'assurer une prise sur la vie ; encore cette prise fut-elle à la mesure de son talent et de son naturel ; d'où ce style par touches, bref – et donnant quelquefois l'impression de l'impuissance –, mais dont la précision nous vaut de belles réussites, et une tristesse, une pudeur uniques dans la littérature de ces années d'entre-deux-guerres. R. écrivit des romans jusqu'en 1896, puis des pièces de théâtre ; de ses deux récits les plus célèbres (*l'Écornifleur,* peut-être l'un des meilleurs romans naturalistes ; *Poil de carotte*), il tira ses deux meilleures pièces *Monsieur Vernet ; Poil de carotte.* Sont à mettre à part, *les Bucoliques* et surtout *Histoires naturelles,* bestiaire d'instantanés dont la difficulté technique tentera aussi Apollinaire. En fait, c'est dans l'autobiographique et déprimant *Poil de carotte* que s'exprime tout R., dès l'enfance victime cocasse et tragique de la mesquinerie ; l'écrivain se révèle plus directement dans l'accumulation pointilliste de son volumineux *Journal.* Quant au théâtre de R. – que notre époque tend à revaloriser, comme en témoigne le succès des reprises à la Comédie-Française du *Pain de ménage* et du *Plaisir de rompre –,* il se rattache certes au naturalisme par ses sujets, mais son originalité tient à la fois à sa condition et au caractère impitoyable de ce qui reste malgré tout un amusement : dans cette conjonction paradoxale mais efficace de la cruauté et du jeu réside peut-être le meilleur de R., l'origine même de la technique littéraire qui atteint sa perfection dans les *Histoires naturelles,* où l'écrivain utilise, comme ailleurs celle de la comédie naturaliste, la formule alors à la mode de la « fable-express » pour produire, sous forme d'impressions instantanées, le même composé explosif de jeu et de cruauté, qui se retrouve dans nombre de passages, fort caustiques, du *Journal.* Acad. Goncourt 1907.

Œuvres. *Crime de village,* 1888 (N). – *Sourires pincés,* 1890 (N). – *L'Écornifleur,* 1892 (N). – *Coquecigrues,* 1893 (N). – *La Lanterne sourde,* 1893 (N). – *Le Vigneron dans sa vigne,* 1894 (N). – *Poil de carotte,* 1894 (N). – *La Demande,* 1895 (T). – *Histoires naturelles,* 1896, rééd. 1984 (N). – *La Maîtresse,* 1896 (N). – *Le Plaisir de rompre,* 1897 (T). – *Les Bucoliques,* 1898 (N). – *Le Pain de ménage,* 1898 (T). – *Poil de carotte* (adapt. théâtr.), 1900 (T). – *Le Vigneron dans sa vigne,* augmenté de *Nouvelles du pays, Tablettes d'Éloi,* 1900 (N). – *Monsieur Vernet* (adapt. théâtr. de *l'Écornifleur*), 1903 (T). – *Huit Jours à la campagne,* 1906 (T). – *L'Invité,* 1906 (T). – *La Bigote,* 1908 (T). – *L'Œil clair,* posth., 1913 (N). – *Les Cloportes* (écrit en 1887-1889), posth., 1919, rééd. 1984 (N). – *Journal* (1887-1910), posth., 1925-1927. – *Correspondance,* posth., 1925-1927. – *Œuvres,* éd. établie par L. Guichard, 1984. – *Journal (1887-1910),* éd. complète, établie par L. Guichard et G. Sigaux, 1984.

Poil de carotte

La structure du « roman » est à la fois analytique et linéaire : suite d'épisodes constituant chacun une petite « histoire » (avec son titre autonome), mais la continuité du récit est assurée non seulement par l'identité du personnage, mais aussi par la constance de la signification. C'est la simple histoire d'une enfance sans amour, racontée avec assez de détachement pour qu'apparaisse un humour souvent noir, et assez de participation pour qu'une souffrance muette se communique intensément au lecteur. Entre Grand Frère Félix et Sœur Ernestine, ses deux aînés, Poil de carotte, ainsi surnommé à cause de ses cheveux roux, petit dernier de M. et Mme Lepic, mène une vie pour ainsi dire à répétition, celle d'un abandonné mais qui a tout de même des parents, un frère et une sœur et qui cumule ainsi le double mauvais sort de l'abandon et de la persécution. Qu'il s'agisse des animaux – les poules, le chien, les lapins –, des gens – Honorine, Agathe –, de l'hygiène – le bain, la propreté nocturne –, ou de tous les autres petits événements de la vie, Poil de carotte est toujours « à côté » de ce que les autres attendent de lui, et il en subit les conséquences logiques. Le roman est suivi d'un savoureux *Album de Poil de carotte,* qui permet au lecteur de savoir ce que Poil de carotte, lui, pense des autres.

RENARD Maurice. Châlons-sur-Marne 1875 – 18.11.1939. Destiné au barreau par son ascendance de hauts magistrats, il abandonna rapidement le droit pour les lettres et est considéré comme un des meilleurs auteurs d'anticipation scientifique français des années 1900-1930, entre Verne et Rosny aîné d'une part, Spitz et Barjavel de l'autre. Outre son œuvre romanesque, on lui doit de pénétrantes études sur le domaine qu'il a illustré : *Du merveilleux scientifique et de son influence sur l'intelligence du progrès ; le Merveilleux scientifique.* Il débuta par une nouvelle, *les Vacances de M. Dupont,* sur la naissance à notre époque d'un dinosaurien, et poursuivit avec ce conte étouffant qu'est *l'Homme au corps subtil* (1913), odyssée d'un homme qui s'enfonce dans la Terre et s'immobilise au centre du globe après un mouvement de va-et-vient. Mais, dans cette veine terrifiante, *la Gloire du Commacchio* se détache singulièrement : défigurer le modèle vivant d'une statue pour que l'œuvre d'art jalousée, par une technique inverse de celle de l'envoûtement, se dégrade progressivement, il est difficile de faire mieux dans l'horreur !
Le roman ne fut pas un terrain moins fertile pour R. qui, dans *le Docteur Lerne, sous-dieu,* fait de son héros un greffeur de cerveaux qui, donc, substitue les personnalités, allant jusqu'à obtenir des situations où l'érotisme aboutit à la bestialité (si deux amants deviennent l'un une chienne, l'autre un taureau...). Mais *le Péril bleu* est sans doute son chef-d'œuvre : notre atmosphère étant la mer d'êtres invisibles, est-il étonnant que ceux-ci nous pêchent ?

Œuvres. *Les Vacances de M. Dupont,* 1905 (N). – *Le Docteur Lerne, sous-dieu,* 1908 (N). – *Le Voyage immobile,* 1909 (N). – *Du merveilleux scientifique et de son influence sur l'intelligence du progrès,* 1909 (E). – *Le Péril bleu,* 1910 (N). – *M. d'Outremort* (devenu *Suite fantastique),* 1913 (N). – *L'Homme au corps subtil,* 1913 (N). – *La Gloire du Commacchio,* 1913 (N). – *Le Merveilleux scientifique,* 1914 (E). – *Les Mains d'Orlac,* 1920 (N). – *L'Homme truqué,* 1921 (N).

– *L'Invitation à la peur,* 1926 (N). – *Un homme chez les microbes,* 1928 (N). – *Le Carnaval du mystère,* 1929 (N).

RENART Jean. Fin XIIe – première moitié du XIIIe s. Clerc lettré et poète de cour, il serait originaire de la Picardie ou de l'Île-de-France. Il semble avoir beaucoup voyagé, connaît Saint-Jacques-de-Compostelle (et s'est peut-être rendu en Terre sainte), Montpellier, Toul, Dole, probablement Mayence, la région de Liège et le pays de Caux. On sait qu'il eut comme protecteurs Beaudouin V de Hainaut, Renaut de Dammartin, Thibaut Ier de Bar, Milon de Nanteuil. Auteur romanesque, R. réagit contre l'abus du surnaturel dans la littérature et blâme les conteurs qui ne tiennent compte ni de la raison ni de la vérité (prologue de *l'Escoufle*). Il s'efforce de conserver un tour d'esprit réaliste en évoquant la vie et les mœurs de son époque, en particulier celles de la société aristocratique, dans des scènes familières et des descriptions alertes, vivantes et colorées. Avec lui, l'idéal courtois, auquel il se rattache encore, perd son aspect quintessencié pour devenir plus correct. *L'Escoufle* (apr. 1200), d'une grâce délicate, renouvelle avec bonheur le thème de *Floire et Blancheflor,* tout en empruntant au conte oriental le thème de l'oiseau voleur. *Guillaume de Dole* (v. 1210), dont le titre réel a d'abord été *le Roman de la Rose* (modifié au XVIe s. pour éviter toute confusion avec le roman de G. de Lorris et de J. de Meung), narre l'histoire de l'amour de Conrad, empereur d'Allemagne, pour une belle inconnue, Linéor, sœur de G. de Dole, et raconte comment celle-ci, injustement calomniée, parvient à faire reconnaître son innocence. Dans ce livre, où apparaissent l'originalité et la souple maîtrise de l'auteur, R. innove, en entrecoupant le récit de chansons de toile ou à danser, ou de strophes de trouvères, artifice que reprendront d'autres romans du temps. *Le Lai de l'ombre* (v. 1220), dialogue galant d'une subtilité gracieuse entre un chevalier et sa dame, est traité avec une psychologie très sûre et finement nuancée. R., qui signe généralement ses œuvres d'un « engin » (anagramme), a signé *le Lai de l'ombre* directement de son nom. On lui doit encore deux *tensons,* qui auraient été écrits entre 1230 et 1240 *(Du Plait Renart de Dammartin contre Vairon son roncin ; De Renart et de Piaudoue).* Un autre roman, *Galeran de Bretagne,* lui a été parfois attribué, probablement à tort.

Œuvres. *Galeran de Bretagne,* s.d. – *L'Escoufle,* apr. 1200. – *Le Roman de la Rose* (connu sous le titre ultérieur *Roman de Guillaume de Dole*), vers 1210. – *Le Lai de l'ombre* (écrit vers 1220), posth., 1890. – *Tensons,* entre 1230 et 1240 (P).

RENAUD DE MONTAUBAN. Chanson de geste, fin XIIe s., appelée aussi *les Quatre Fils Aymon,* qui appartient au cycle du Roi. Cette chanson fait le récit des guerres qui opposèrent Charlemagne aux quatre fils de l'un de ses vassaux, Aymes de Dordonnes : Renaud, Alart, Guichart et Richard. A la suite d'un crime commis par Renaud contre le neveu de l'empereur, Berthelais, les quatre frères s'exilent, aidés dans leur fuite par l'enchanteur Maugis et le cheval miraculeux Bayard. Après une série d'aventures, ils font enfin la paix avec Charlemagne. Pour expier sa faute, Renaud quitte les siens ; il meurt repentant. Le succès de cette chanson fut considérable, si l'on en juge par toutes les versions qui lui ont succédé. En Italie, plus particulièrement, Renaud servit de modèle pour Ricardo, qui devint le héros chevaleresque du roman italien.

RENAUDOT Théophraste. Loudun (Vienne) 1586 – Paris 25.10.1653. Reçu docteur en médecine à Montpellier en 1606, il vint à Paris et fut nommé secrétaire et médecin du roi. Débordant d'activité, il entreprit de soulager les misères des pauvres, avec le titre de Commissaire général des pauvres du royaume (1630), pratiqua gratuitement la médecine et entreprit de réformer les études médicales. Il eut enfin l'idée d'introduire en France la *gazetta* vénitienne et, en 1631, fonda *la Gazette de France.* Il dirigea un temps *le Mercure français.* Historiographe du roi, il publia encore un *Abrégé de la vie et de la mort de Henri de Bourbon, prince de Condé, la Vie et la mort du maréchal de Gassion* et une *Vie de Michel de Mazarin, cardinal.*

Œuvres. *La Gazette de France,* journal fondé en 1631. – *Abrégé de la vie et de la mort de Henri de Bourbon, prince de Condé,* 1647. – *La Vie et la mort du maréchal de Gassion,* 1647. – *Vie de Michel de Mazarin, cardinal,* 1648.

RESTIF ou RÉTIF DE LA BRETONNE Nicolas Anne Edme. Sacy, près d'Auxerre, 22.11.1734 – Paris 3.2.1806. Fils d'un vigneron-laboureur, il montre dès la prime jeunesse une imagination assez débridée et des dispositions passablement licencieuses. Son père le place en 1751 comme apprenti typographe chez un imprimeur d'Auxerre, dont il prétend dans ses écrits avoir séduit la femme, tout en multipliant les aventures amoureuses en ville. En 1755, il se fixe à Paris, travaille dans diverses imprimeries et vit de bonnes fortunes. Imprimeur des autres, il se fait bientôt auteur et souvent imprimeur de sa propre production littéraire. Ses premiers romans passent inaperçus, mais, sans se décourager, R., qui a décidé de vivre de sa plume, continue de composer. Il deviendra bientôt un conteur à la mode, décrivant dans de nombreux romans les mœurs les plus dépravées d'une époque corrompue, peuplée de cyniques et de filles galantes. Ses œuvres vaudront non par leurs qualités de composition ou de style, mais par l'observation réaliste, vivante et colorée, des faits quotidiens de la vie parisienne ou rurale. Il y mêle des considérations philosophiques, moralisatrices et humanitaires et des idées de réforme sociale qui le feront surnommer « le Jean-Jacques des Halles », ou « le Rousseau du ruisseau », ou encore « le Voltaire des femmes de chambre ». Il développe ainsi des plans de réforme dans une série d'ouvrages curieux, les *Idées singulières,* qui le font connaître et apprécier à l'étranger, et notamment dans les pays de langue allemande. Ce sont *le Pornographe* (sur la prostitution) ; *le Mimographe* (sur la réforme du théâtre) ; *les Gynographes* (sur la condition de la femme) ; *l'Andrographe* (sur la réforme des mœurs) ; *le Thesmographe* (sur la réforme des lois) ; *le Glossographe,* sur la réforme de la langue (non publié). *L'École des pères ou le Nouvel Émile* expose à la fois une théorie générale de la société et de son évolution et des projets de réforme de l'éducation. Un autre ouvrage, une utopie, *la Découverte australe,* montre l'intérêt de l'écrivain pour l'aérostation. Sur bien des points, R. apparaît comme un précurseur de Fourier et, politiquement, un communiste avant la lettre. Il résumera sa conception d'un système cosmogonique dans *la Philosophie de Monsieur Nicolas.* La rédaction de certaines œuvres qui ont fait son succès et sa popularité lui a peut-être été facilitée par une appartenance probable à la police : *les Contemporaines,* comprenant *les Contemporaines ou les Aventures des plus jolies femmes de l'âge présent* (17 vol.) ; *les Contemporaines du commun* (13 vol.) ; *les Contemporaines par gradation* (12 vol.). Il continuera par la suite cette série avec *les Françaises ; les Parisiennes ; le Palais-Royal ; l'Année des dames nationales* (12 vol.), qui devient en 1796 *les Provinciales ou Histoires des filles et femmes des provinces de France dont les aventures sont propres à fournir des sujets dramatiques de tous les genres ; les Nouvelles Contemporaines* (2 vol.) ; *les Veillées du Marais,* livre clé dans lequel on trouve divers personnages importants de l'époque (2 vol.) ; *les Nuits de Paris ou le Spectateur nocturne* (8 vol.), œuvre d'abord conçue sous le titre de *Hibou, spectateur nocturne : tableau de la vie et des mœurs au XVIII*[e] *s.* (2 vol.), réédition du livre dont le premier titre était *Monument du costume physique et moral de la fin du XVIII*[e] *s.,* d'abord paru en 1789. À côté de nombreux romans où apparaît sans cesse la description complaisante des plaisirs érotiques, on trouve chez R. des œuvres d'un caractère biographique plus ou moins romancé, en particulier *la Vie de mon père,* où il relate ses années de jeunesse à Sacy et les mœurs rustiques, dont il fait l'apologie. À propos de *Monsieur Nicolas ou le Cœur humain dévoilé* (16 vol.), Mémoires intimes, Schiller écrira à Goethe : « ... dédaignant tout ce que l'ouvrage contient de répugnant, de plat et de révoltant, je m'en suis délecté. Une nature d'une telle sensibilité m'était inconnue. La variété des individualités – féminines surtout – que l'on y rencontre, la vie et la peinture des mœurs françaises en certaines parties de la classe populaire doivent intéresser... » R. s'attache à représenter la ville comme un milieu hostile, propre à pervertir l'individu, dans deux œuvres qui narrent comment la corruption de la ville perdra deux jeunes paysans de Sacy *(le Paysan perverti* et *la Paysanne pervertie,* réunis ultérieurement en un seul ouvrage, *le Paysan et la Paysanne pervertis). La Dernière Aventure d'un homme de quarante-cinq ans* est l'histoire de l'aventure d'une très jeune fille, Sara, avec un quadragénaire (R.) et passe pour l'un des meilleurs livres de l'auteur. *Ingénue Saxancour,* qui s'en prend à son gendre, Augé, comme *la Femme infidèle,* qui est dirigée contre sa femme, Agnès Lebègue, montrent un penchant croissant de R. à étaler au grand jour, avec une complaisance maladive, ses dissensions domestiques. Chez lui, affabulation et faits réels ne cessent de s'entremêler à travers son œuvre, qui met en évidence une personnalité où dominent cynisme et naïveté, tendresse et perversion. Si son *Théâtre* (5 vol.) n'offre guère d'intérêt, ses très nombreux romans ont les qualités (réalisme de l'observation, vitalité de l'expression) mais aussi les défauts caractéristiques de l'époque (déclamation, fadeur et sensiblerie, platitudes, libertinage, cynisme, intentions philosophiques et réformatrices...) et laissent parfois paraître des affinités avec Diderot. R. prétend se servir du roman pour faire « aimer la vertu, inspirer l'horreur du vice... et donner l'âme à la morale qu'il renferme... » Mais ce qu'il y a de plus fascinant dans cette œuvre, par ailleurs si prolixe et aberrante, c'est la rage avec laquelle R. décrit et diagnostique cette interpénétration de plaisir et de perversion d'où il prétend tirer les fondements d'une morale et d'une sociologie expérimentales. Si l'on ajoute que ces descriptions, ce diagnostic et cette prétention s'expriment, avec une inlassable complaisance, sur fond d'égocentrisme, de tendresse et de mélancolie, on aura quelque idée de la complexité du personnage et de son œuvre, de ce qui fait tout l'intérêt de cette inépuisable autobiographie transposée. Peut-être est-ce Gérard de Nerval qui, dans son étude des *Illuminés* (1852), a le mieux expliqué ce que tout lecteur ne peut manquer de ressentir : « Il est impossible de mieux s'exposer en sujet de pathologie et d'anatomie morale. » C'est sans doute la raison principale du renouveau d'intérêt porté par notre époque à l'œuvre de R.

Œuvres. *La Famille vertueuse,* 1767 (N). – *Lucile ou les Progrès de la vertu,* 1768 (N). – *Le Pied de Fanchette,* 1769 (N). – *La Fille naturelle,* 1769 (N). – *Idées singulières* (I *le Pornographe ou Idées d'un honnête homme sur un projet de règlement pour les prostituées*), 1769 (E). – *L'Éducographe,* 1770 (N). – *Idées singulières* (II *le Mimographe ou Idées d'une honnête femme pour la réformation du théâtre national*), 1770 (E). – *Le Marquis de T.,* 1771 (N). – *Adèle de C. ou Lettres d'une fille à son père,* 1773 (N). – *La Femme dans les trois états de fille, d'épouse et de mère,* 1773 (N). – *Le Ménage parisien,* 1773 (N). – *Les Nouveaux Mémoires d'un homme de qualité,* 1774 (N). – *Le Paysan perverti ou les Dangers de la ville,* 1775 (N). – *L'École des pères ou le Nouvel Émile,* 1776 (N). – *Idées singulières* (III *les Gynographes ou Idées de deux honnêtes femmes sur un projet de règlement pour mettre les femmes à leur place*), 1776 (E). – *Le Quadragénaire,* 1777 (N). – *Le Nouvel Abailard ou Lettres de deux amants qui ne se sont jamais vus,* 1778 (N). – *La Vie de mon père,* 1779 (N). – *La Malédiction paternelle,* 1780 (N). – *Les Contemporains ou Aventures des plus jolies femmes de l'âge présent,* 1780-1782 (N). – *La Découverte australe,* 1781 (E). – *Idées singulières* (IV *l'Andrographe ou Idée d'un honnête homme sur un projet de règlement pour opérer une réforme générale des mœurs et, par elle, le bonheur du genre humain*), 1782 (E). – *Les Contemporaines du commun,* 1782-1783 (N). – *La Dernière Aventure d'un homme de quarante-cinq ans,* 1783 (N). – *Les Contemporaines par gradation,* 1783-1785 (N). – *La Prévention nationale,* 1784 (T). – *La Paysanne pervertie,* 1784 (N). – *La Femme infidèle,* 1784 (N). – *Les Veillées du Marais ou Histoire du prince Oribeau et de la princesse Oribelle,* 1785 (N). – *Les Françaises,* 1786 (N). – *Les Parisiennes,* 1787 (N). – *Ingénue Saxancour ou la Femme séparée,* 1789 (N). – *Idées singulières* (V *le Thesmographe ou Idée d'un honnête homme sur un projet de règlement pour opérer une réforme générale des lois*), 1789 (E). – *Monument du costume physique et moral de la fin du XVIIIe siècle,* 1789 (E). – *Hibou, spectateur nocturne : tableau de la vie et des mœurs au XVIIIe siècle,* 1790 (E). – *Le Palais-Royal,* 1790 (E). – *Le Drame de la vie* (pièces en treize actes d'ombre et en dix pièces régulières), 1793. – *Théâtre,* 1793. – *Les Nuits de Paris ou le Spectateur nocturne,* 1788-1794 (E). – *L'Année des dames nationales ou Histoire jour par jour d'une femme de France,* 1791-1794 (N). – *L'Anti-Justine,* 1794 (N). – *Monsieur Nicolas ou le Cœur humain dévoilé* (Mémoires intimes en 16 tomes), 1794-1797. – *Les Provinciales ou Histoire des filles et femmes des provinces de France dont les aventures sont propres à fournir des sujets dramatiques de tous les genres,* 1796 (N). – *La Philosophie de Monsieur Nicolas,* 1796 (E). – *Les Posthumes, lettres reçues après la mort du mari par sa femme,* 1802. – *Les Nouvelles Contemporaines,* 1802 (N). – *Histoire des compagnes de Maria ou Épisodes de la vie d'une jolie femme,* posth., 1811 (N). – *Œuvres,* posth., 1930-1932, rééd. 1970. – *Œuvres érotiques,* comprenant *le Pornographe, l'Anti-Justine, Dom Bougre aux États-Généraux,* 1985.

RETZ, Paul de Gondi, cardinal de. Montmirail (Marne) 20.9.1613 – Paris 28.8.1679. Issu d'une grande famille d'origine italienne promue à de hautes fonctions par Catherine de Médicis, il fut destiné à la succession de son oncle Jean François comme archevêque de Paris. Peu attiré par cette fonction, il eut une jeunesse fort dissipée et marqua son indépendance d'esprit en rédigeant, en 1631, un ouvrage sur *la Conjuration de Fiesque.* Devenu néanmoins coadjuteur en 1643, il participa activement à la Fronde aux côtés du parlement et du duc d'Orléans. Vaincu par les ruses de Mazarin, il sut se retirer sans déshonneur, reçut la riche abbaye de Saint-Denis et partagea son temps entre ses missions diplomatiques à Rome et ses fréquentations littéraires à Paris. Ses *Mémoires* témoignent du génie de ce manœuvrier trop subtil pour conduire un parti, mais assez habile pour triompher de tous les échecs. L'œuvre relève moins de l'histoire que de l'apologie personnelle ;

mais les documents y abondent, dont la valeur n'est pas contestable ; surtout, R. se livre à une remarquable analyse des lois historiques et de l'enchaînement des faits, qui fait de ses *Mémoires* un véritable traité de science politique. C'est en peignant son temps avec réalisme, dans un style vigoureux, parfois même à force d'archaïsme, qu'il invite son lecteur à saisir les mécanismes fondamentaux de l'histoire.

Œuvres. *La Conjuration du comte Jean-Louis de Fiesque* (écrit en 1631), 1665 (N). – *Mémoires de M. le Cardinal de Retz,* posth., 1717 (N). – *Mémoires du cardinal de Retz, contenant ce qui s'est passé de plus remarquable en France pendant les premières années du règne de Louis XIV* (2e éd. augm.), posth., 1718 (N). – *Œuvres* (sermons, pamphlets, correspondance), posth., 1870-1920. – *Œuvres,* éd. établie par M.-T. Hipp et M. Pernot, 1984.

REVERDY Pierre. Narbonne 13.9.1889 – Solesmes (Sarthe) 17.6.1960. Fils de viticulteurs ruinés par la crise de 1907, il fit ses études à Toulouse et à Narbonne, et les interrompit pour venir à Paris (1908), où il se fit, « pour vivre », correcteur d'imprimerie tandis qu'il se mettait, « pour survivre », à écrire. Fixé à Montmartre, il se lie avec Max Jacob, Apollinaire, Picasso, Matisse et Braque, et tente de créer une poésie conforme à leurs principes. Dissociant puis recomposant les éléments du langage, il vise à la fois au secret et à la netteté *(Poèmes en prose).* Engagé volontaire en 1914 et réformé en 1916, il fonde en 1917 la revue *Nord-Sud,* qui regroupe des œuvres voisines de la sienne et que l'on peut considérer comme annonçant le surréalisme. Il publie de nombreux recueils de poèmes, plaquettes le plus souvent illustrées (par Matisse, Léger, Chagall, Braque, Picasso, Gris). En 1917, il écrivit le très important *Voleur de Talan,* divagation onirique sur une trame narrative, que Breton admira et dont les surréalistes se réclamèrent. *La Peau de l'homme,* dans le même style, vint après la révolution surréaliste, en 1926. Retrouvant, pour un temps, la foi catholique, et las de Paris, R. se retira à Solesmes, non loin de l'abbaye, et y resta jusqu'à sa mort, trop pauvre pour en repartir, trop attaché aussi à sa tranquillité et à l'exploration d'un univers poétique à la fois monotone et rigoureux, dominé en 1937 par son chef-d'œuvre, *Ferraille.* Après la guerre, *Plupart du temps* et *Main-d'œuvre* rassemblent la plupart des poèmes antérieurs. Son journal, plutôt destiné à l'éclairage de son œuvre qu'à l'autobiographie, se poursuit, depuis *Self-Defence,* avec *le Gant de crin,* où se trouve défini l'essentiel de son esthétique, *le Livre de mon bord* et *En vrac.* Isolé, solitaire, R. ressent l'univers comme une « impossibilité d'adaptation » : la poésie est donc pour lui un instrument de purification et d'exploration du monde réel. Privé ainsi du sentiment de la réalité, tragiquement conscient de la nécessité de s'incorporer à la Création, il cherche à se délivrer, par l'image, de cette tension dramatique. Car l'image, selon, lui, a sa source dans le subconscient et est donc à la fois nécessaire et gratuite : son rôle est de fonder ce qu'elle dit, durement, péniblement. De là le caractère éclaté, manifeste jusque dans leur disposition typographique, des poèmes, l'aspect de dénombrement et aussi l'étrangeté de la poésie de R. : ses images sont de nouveaux objets, créés à partir des objets du monde visible. Mais tout est transmué, car chaque image représente une victoire sur le désespoir et la sentimentalité. Nombreux sont les vers qui notent, à mots couverts, ce qu'il y a d'héroïque dans la poésie : le thème de l'ascèse et du dénuement joue un rôle considérable ; la valeur suprême pour le poète, démiurge à la fois dérisoire et absolu, c'est la discrétion. Obsédé par ce qui fuit, passe, s'écoule, par ce qui existe à peine un instant, comme le prouvent la plupart de ses images, R. cherche un refuge contre les entraînements de l'imagination et les limites de l'attention. Exemple prestigieux pour les surréalistes, qui ont surtout vu chez lui le foisonnement et le caractère surprenant des rencontres verbales, sans ressentir nettement que ce n'était pas là le fruit d'un heureux hasard mais le signe du heurt d'un homme avec les choses qui le refusent et le rejettent, la poésie de R. est surtout exemplaire parce que son poids proprement poétique ne résulte pas de la richesse des métaphores – qui n'en sont déjà plus et se dépassent elles-mêmes dans leur propre avènement – mais du fait que souvent dans un climat d'angoisse, les images sont à prendre au pied de la lettre.

Œuvres. *Poèmes en prose,* 1915 (P). – *La Lucarne ovale,* 1916 (P). – *Le Voleur de Talan,* 1917 (N). – *Nord-Sud* (revue fondée en 1917). – *Les Jockeys camouflés,* 1918 (P). – *La Guitare endormie,* 1919 (P). – *Self-Defence,* 1919 (E). – *Cœur de chêne,* 1921 (P). – *Étoiles peintes,* 1921 (P). – *Cravates de chanvre,* 1922 (P). – *Pablo Picasso,* 1922 (E). – *Les Épaves du ciel,* 1924 (P). – *Écumes de la mer,* 1925 (P). – *Grande Nature,* 1925 (P). – *La Peau de l'homme,* 1926 (N). – *Le Gant de crin,* 1927 (E). – *La Balle au bond,* 1928 (P). – *Flaques de verre,* 1929 (P). – *Sources du* *vent,* 1929 (P). – *Pierres blanches,* 1930 (P). – *Risques et Périls,* 1930 (N). – *Ferraille,* 1936 (P). – *Plein Verre,* 1940 (P). – *Plupart du temps,* 1945 (P). – *Visages,* 1946 (P). – *Le Chant des morts,* 1948 (P). – *Le Livre de mon bord, Notes 1930-1936,* 1948. – *Main-d'œuvre* (contient des poèmes publiés entre 1913 et 1949 et deux inédits : *Cale sèche* [1913-1915] et *Bois vert* [1946-1949]), 1949 (P). – *Une aventure méthodique,* 1950 (E). – *Au soleil du plafond,* 1955 (P). – *Cercle doré,* 1955 (P). – *En vrac,* 1956 (E). – Avec Georges Duthuit, *Dernières œuvres de Henri Matisse* (1950-1954), 1958 (E). – *Braque,* 1959 (E). – *Recueil de poèmes* (illustré par Braque), 1960. – *À René Char* (écrit en 1955), posth., 1962 (P). – *Sable mouvant,* posth., 1965 (P). – *La Liberté des mers,* posth., 1965 (P). – *Lettres à Jean Rousselot* (1949-1954), posth., 1973. – *Cette émotion appelée poésie* (écrits sur la poésie), posth., 1974 (E). – *Note éternelle du présent* (écrits sur l'art, 1923-1960), posth., 1974 (E). – *La Liberté des mers. Sable mouvant et autres poèmes,* posth., 1978 (P).

REVERZY Jean. Balan (près de Lyon) 10.4.1914 – 9.7.1959. Auteur d'une œuvre rare, inaugurée tardivement et interrompue par une mort prématurée, remarqué lors de l'attribution du prix Théophraste-Renaudot à son premier roman, *le Passage* (1954), R., qui était médecin et qui se savait condamné, s'est mis, semble-t-il, à écrire au moment même où il se sut voué à la mort : il réagit avec une sorte de rage à ce que lui révèle sa lucidité et qui n'est autre, pour lui, que la certitude du néant. Convaincu d'autre part de la vanité de tout espoir de salut littéraire, il semble écrire pour collaborer lui-même à son propre anéantissement : c'est en tout cas l'impression que ressent le lecteur du livre sans doute à la fois le plus autobiographique et le plus significatif de R., *Place des Angoisses.* Œuvre à beaucoup d'égards marginale, témoignage bouleversant non dépourvu de cynisme, où R. se sert de l'écriture et des pouvoirs du langage – qu'il maîtrise avec un étonnant sang-froid – comme de la plus efficace technique d'une autodestruction qu'il poursuit avec autant d'acharnement que d'impatience.

Œuvres. *Le Passage,* 1954 (N). – *Place des Angoisses,* 1956 (N). – *Le Corridor,* 1958 (N). – *Le Silence de Cambridge,* suivi de *la Vraie Vie,* posth., 1960 (N). – *À la recherche d'un miroir,* posth., 1962 (N).

REVUES LITTÉRAIRES. Publications périodiques (mensuelles, bimensuelles, trimestrielles ou encore semestrielles). La revue se distingue du journal par un format plus petit et une présentation plus soignée. Autour de ces revues se regroupent les écrivains d'une même tendance littéraire, qui publient des œuvres (généralement des inédits), des critiques littéraires, alimentant une réflexion commune sur la littérature et la création littéraire. Mis à part les grandes revues, éditées par des maisons d'édition (*la Nouvelle Revue française* chez Gallimard, le *Mercure de France*), la vie d'une revue est souvent éphémère, faute de moyens financiers. Les revues sont pourtant indispensables : elles témoignent, depuis le XVIIe s., de l'activité intellectuelle et littéraire de petits groupes qui, souvent, disparaîtront. Parfois, les revues servent de bancs d'essai aux initiateurs des écoles et des mouvements littéraires.

REY Henri-François. Toulouse 31.7.1919. Il est le romancier de la mort de l'amour et d'un érotisme de l'instant, par là-même sans autre issue que le néant. Ainsi, *les Pianos mécaniques* (1962) sont une sorte de ballet érotique, à la chorégraphie cependant gracieuse, qui fait tourner peintres et écrivains autour de la tenancière de bar Jenny, tandis que se déroule en toile de fond un autre ballet, celui des enfants et de leurs jeux : nostalgie d'une certaine pureté et de la présence d'un avenir dans l'instant ? Le romancier, en tout cas, sait, par son style, animer ce monde, brosser des portraits vivants, susciter des lieux et des décors. Enfin, si l'on en croit l'ironie sous-jacente à ce qui veut être un constat de carence de l'homme contemporain face à sa propre temporalité, il y a chez R. la suggestion que l'anéantissement érotique du temps est comme une forme nouvelle du tragique et une figure moderne du Destin.

Œuvres. *La Fête espagnole,* 1959 (N). – *La Comédie,* 1962 (N). – *Les Pianos mécaniques,* 1962 (N). – *Les Chevaux masqués,* 1965 (N). – *Le Rachdingue,* 1967 (N). – *Opéra pour un tyran,* 1967 (T). – *Halleluya, ma vie,* 1970 (N). – *La Bande à Bonnot,* 1971 (T). – *Le Barbare,* 1972 (N). – *Schizophrénie ma sœur,* 1973 (N). – *Dali dans son labyrinthe,* 1974 (E). – *La Parodie,* 1980 (N). – *Feu le palais d'hiver,* 1981 (N). – *À l'ombre de moi-même,* 1981 (N). – *Le Sacre de la putain,* 1983 (N).

REYBAUD Louis Marie Roch. Marseille 15.8.1799 – Paris 26.10.1879. Fils d'un commerçant, il voyagea beaucoup en

Orient avant de monter à Paris sur les conseils de ses compatriotes Méry et Barthélemy ; il se fit connaître comme journaliste libéral sous le pseudonyme de LÉON DUROCHER et écrivit également, sous son nom, dans *la Revue des Deux-Mondes.* Élu député en 1846, il évolua rapidement vers le monarchisme. Auteur d'ouvrages théoriques *(Histoire scientifique et militaire de l'expédition française en Égypte ; Études sur les réformateurs ou socialistes modernes ; Économistes modernes),* qui lui valurent d'être élu, en 1850, à l'Académie des sciences morales et politiques, il est surtout connu pour son roman *Jérôme Paturot à la recherche d'une position sociale,* tableau de la société bourgeoise au lendemain de 1830, dont le triomphe l'entraîna à lui donner une suite – beaucoup plus médiocre –, *Jérôme Paturot à la recherche de la meilleure des républiques.*

Œuvres. *Histoire scientifique et militaire de l'expédition française en Égypte,* 1830-1836. – *Études sur les réformateurs ou socialistes modernes,* 1840-1843 (E). – *Jérôme Paturot à la recherche d'une position sociale,* 1843 (N). – *César Falempin ou les Idoles d'argile,* 1845 (N). – *Jérôme Paturot à la recherche de la meilleure des républiques,* 1848 (N). – *Mœurs et Portraits du temps,* 1853 (N). – *Marines et Voyages,* 1854. – *Scènes de la vie moderne,* 1855. – *L'Industrie en Europe,* 1856 (E). – *Études sur le régime des manufactures* (I *Condition des ouvriers en soie,* 1859 ; II *le Coton, son régime, ses problèmes, son influence en Europe,* 1863 ; III *la Laine,* 1867 ; IV *le Fer et la Houille,* 1874) (E). – *Économistes modernes,* 1862 (E).

REZVANI Serge. Téhéran (Iran) 1928. Né d'un père persan (homme de théâtre, mage et un peu charlatan) et d'une mère russe émigrée, R. arrive en France en 1929 et y passe une enfance errante. Dès son adolescence, il évolue dans les milieux artistiques parisiens et commence à peindre. C'est en 1950 qu'il rencontre « Lula » et l'épouse un an plus tard. Délaissant le pinceau pour se consacrer à l'écriture, R. se retire dans la forêt des Maures près de la Garde-Freinet où il vit toujours aujourd'hui. En 1967, il publie *les Années-lumière,* son premier roman autobiographique dans lequel il retrace son enfance ballottée entre l'Italie, la Suisse et la France. Suivront, dans la même veine, *les Années Lula, le Portrait ovale* et *le Testament amoureux* en 1981. À travers la célébration de la femme aimée et la peinture d'un bonheur à deux exclusif et unique, R. se livre à la critique virulente d'une société où règnent l'injustice et l'hypocrisie. C'est surtout l'œuvre dramatique qui témoigne de l'engagement de l'écrivain. Procédant par symboles et transpositions, il y dénonce les agressions meurtrières de la civilisation. *La Mante polaire, le Palais d'hiver* et *le Camp du drap d'or,* pièces construites autour de personnages historiques emblématiques, sont une révolte contre l'ordre établi et la passivité sociale qui précipite le monde vers sa fin. Ce « théâtre d'urgence », parfois trop manichéen, est par ailleurs une prise de conscience brutale qui transforme l'écrivain en prophète visionnaire. À la fois peintre, musicien, dramaturge et romancier, R. a produit une œuvre profondément originale qui, sous un foisonnement apparent, recèle une grande unité thématique : la recherche de l'harmonie grâce à un amour salvateur. C'est l'écriture qui réconcilie les multiples facettes de son talent, révélant le peintre sous les images et les métaphores et le musicien dans les savantes constructions symphoniques que constituent ses romans.

Œuvres. *Les Années-lumière,* 1967 (N). – *Les Années Lula,* 1968 (N). – *Le Rémora,* 1970 (T). – *Le Cerveau, Body, l'Immobile,* 1970 (T). – *Capitaine Schelle, capitaine Eçço,* 1971 (T). – *Mille aujourd'hui,* 1972 (N). – *Les Américanoïaques,* 1972 (N). – *Le Camp du drap d'or,* 1972 (T). – *La Voie de l'Amérique,* 1973 (N). – *La Colonie,* 1974 (T). – *Fokouli,* 1974 (N). – *Coma,* 1975 (N). – *Le Palais d'hiver,* 1975 (T). – *Le Portrait ovale,* 1976 (N). – *La Mante polaire,* 1977 (T). – *Feu,* 1977 (N). – *Le Canard du doute,* 1979 (N). – *La Table d'asphalte,* 1980 (N). – *Le Testament amoureux,* 1981, rééd. 1984 (N). – *La Loi humaine,* 1983 (N). – *Variations sur les jours et les nuits* (journal), 1985.

RHÉTORIQUE. Ensemble des procédés qui constituent l'art de bien parler pour convaincre. Dans l'Antiquité, Isocrate à Athènes et Cicéron à Rome lui donnèrent des fondements philosophiques, élargissant ses préceptes purement techniques et accordant à la culture générale un rôle crucial dans l'élaboration de la rhétorique. Privée des conditions politiques favorables à l'éloquence, elle devient souvent ensuite – sauf dans certains cas particuliers, comme chez Bossuet, au XVIIe s. – un jeu de l'esprit, purement arbitraire, et le mot prend même parfois le sens péjoratif de « discours vain et pompeux ». Les « figures de rhétorique » systématisent les procédés de style appropriés aux buts que vise la rhétorique. Dans un sens moins technique, et aujourd'hui moins anachronique, la notion de rhétorique s'applique à l'ensemble des procédés de composition et de style qui confèrent au langage et à la parole leur pouvoir spécifique sur l'esprit d'un lecteur ou d'un auditeur.

RHÉTORIQUEURS (les). Nom que se donnaient à eux-mêmes les poètes de la cour de Bourgogne au XVe s. L'enflure, l'abus de l'allégorie, un goût démesuré pour la période latine (d'où leur nom) caractérisent leurs œuvres. Georges Chastellain, Jean Molinet, Jean Marot, Pierre Gringore, Guillaume Crétin sont les principaux représentants de cette école tout à fait significative à la fois de la décadence et du raffinement d'une époque dont ils systématisent et accentuent les procédés traditionnels, dans un esprit mondain. Ils ont cependant quelque peu annoncé la Renaissance, en se montrant, jusque dans le choix de leur nom, fidèles disciples des Anciens. Ce qui n'empêcha pas du Bellay de déclarer : « Je ne rapporterai jamais favorable jugement de nos rhétoriqueurs français. »

RIBEMONT-DESSAIGNES Georges. Montpellier 1884 – Saint-Jeannet (Alpes-Maritimes) 9.7.1974. Il a participé, en retrait, aux grandes aventures de la littérature subversive du XXe s. : Dada, le surréalisme, le « Grand Jeu ». Sur toute cette période il a apporté un témoignage important dans *Déjà jadis ou Du mouvement dada à l'espace abstrait.*

Œuvres. *L'Empereur de Chine, le Serin muet, le Bourreau du Pérou,* 1921, rééd. sous le titre *Théâtre,* 1966. – *L'Autruche aux yeux clos,* 1924 (N). – *Ariane,* 1925, rééd. 1977 (N). – *Céleste Ugolin,* 1926 (N). – *Le Bar du lendemain,* 1927, rééd. 1972 (N). – *Clara des jours,* 1927 (N). – *Frontières humaines,* 1929, rééd. 1979 (N). – *Adolescence,* 1930 (N). – *Elisa,* 1931 (N). – *Faust,* 1931. – *Monsieur Jean ou l'Amour absolu,* 1934 (N). – *Ombres,* 1942 (P). – *Ecce Homo,* 1945 (P). – *Smeterling,* 1945 (N). – *Le Temps des catastrophes,* 1947. – *Utrillo ou l'Enchanteur des rues,* 1948 (E). – *Tico-Tico* (pour enfants), 1952. – Avec J. Prévert, *Miró,* 1956 (E). – *Déjà jadis ou Du mouvement dada à l'espace abstrait,* 1958, rééd. sans les documents 1973 (E). – *La Nuit, la Faim,* 1960 (P). – *La Vaisselle du roi* (pièce radiophonique), 1965 (T). – *Le Sang, la Sève, l'Eau et les Larmes,* 1968 (P). – *Cryptogrammes n° 1,* 1968 (P). – *La Ballade du soldat,* 1972 (P). – *Le Règne végétal,* 1972 (P). – *Dada* (recueil de textes), I, 1974 ; II, 1978.

RICARDOU Jean. Cannes 17.6.1932. L'un des représentants et animateurs du groupe *Tel Quel,* R. est à la fois un théoricien *(Problèmes du nouveau roman)* et un néo-romancier qui, par exemple dans *l'Observatoire de Cannes,* pousse les techniques de la description pure, avec une implacable logique, jusqu'à en réduire l'essence à une exclusive fonction de combinaison verbale, le « roman » devenant alors une sorte de quête inlassable parmi les mots et une exploration quasi épique de leur pouvoir de métamorphose.

Œuvres. *L'Observatoire de Cannes,* 1961 (N). – *Un ordre dans la débâcle,* précédé de *la Route des Flandres,* par Claude Simon, 1963. – *La Prise de Constantinople,* 1965 (N). – « Fonction critique » et « l'Or du scarabée » (dans *Tel Quel,* « Théorie d'ensemble »), 1966 (E). – *Problèmes du nouveau roman,* 1967 (E). – *Les Lieux-dits,* 1969 (E). – *Pour une théorie du nouveau roman,* 1971 (E). – *Révolutions minuscules,* 1971 (E). – *Le Nouveau Roman,* 1973 (E). – *Paradigme. Albert Ayme,* 1976 (E). – *Robbe-Grillet,* 1976 (E). – *Nouveaux Problèmes du roman,* 1978 (E). – *Le Théâtre des métamorphoses. Une nouvelle éducation textuelle,* 1982 (E).

RICHARD Jean-Pierre. Marseille 1922. (Voir NOUVELLE CRITIQUE.)

RICHARD René. (Voir RADIO.)

RICHARD CŒUR DE LION. Oxford 8.9.1157 – château de Charlus (Limousin) 6.4.1199. Roi d'Angleterre, poète d'expression française. Modèle couronné du chevalier, il est par excellence le guerrier-poète. Le raffinement de sa culture fait de lui l'héritier naturel de la poésie courtoise. Tout au long de sa vie guerrière et aventureuse, il ne voulut jamais cesser de faire œuvre de poète, si l'on en croit sa réputation. On ne peut que regretter que cette œuvre se soit presque tout entière perdue, sauf une courte chanson qui est un chef-d'œuvre de rythme et de sensibilité, le *Rotrouenge du captif,* composé alors que R. avait été fait prisonnier par le duc d'Autriche au cours de la troisième croisade (1192). On peut voir le tombeau de R. et son gisant à l'abbaye de Fontevrault, auprès de ceux d'Aliénor d'Aquitaine et de Henri II Plantagenêt.

RICHARD DE SAINT-VICTOR. Écosse v. 1110 – Paris 10.3.1173. Théologien d'expression latine. Il est presque prouvé qu'il venait d'Écosse, attiré par la renommée dont Paris jouissait à cette époque. Peut-être aussi la personnalité d'Hugues de Saint-Victor, préfet des études de l'école Saint-Victor, ne fut-elle pas étrangère à cette venue, car, dès son arrivée à Paris, R. entra dans l'école pour y rester jusqu'à la fin de ses jours. Il y remplit des tâches importantes. En 1159, il en était vice-prieur ; en 1162, il en devint prieur : cette qualité lui permit de recevoir à Saint-Victor le pape Alexandre III (1164) et Thomas Becket (1170). Ses charges ne l'empêchent pas d'écrire des œuvres dont les plus importantes sont le *Liber exceptionum,* introduction à l'histoire sainte, et le *De Trinitate,* où il expose longuement une dialectique de l'amour réciproque. Outre l'influence de son maître, Hugues de Saint-Victor, il subit celle d'Abélard. Il conserve cependant son originalité propre, tirant l'essentiel de ses sources d'une vie mystique et religieuse authentique. Dante a pu dire de lui : « Pour la contemplation, il fut plus qu'un homme. »

Œuvres. *Liber exceptionum,* s.d. – *Sermones centum,* s.d. – *De Trinitate,* s.d. – *De statu interioris hominis,* s.d. – *Benjamin minor,* s.d. – *Benjamin major,* s.d. – *Tractatus de quatuor gradibus violentae caritatis,* s.d. – *De gratia contemplationis,* s.d. – *De preparatione animi ad contemplationem,* s.d. – *Adnotationes mysticae in Psalmos,* s.d. – *Explicatio in Cantica Canticorum,* s.d.

RICHAUD André de. Perpignan 6.4.1909 – Vallauris 29.9.1968. Imprégné par son enfance et ses origines d'une sorte de mystique méridionale et naturiste qui l'apparente à Joseph Delteil, en qui il a d'ailleurs reconnu un maître *(Vie de saint Delteil),* R. est d'autre part marqué jusqu'au tréfonds de lui-même par le souvenir de la tendresse jalouse d'une mère possessive *(cf. l'Amour fraternel).* Un cœur insatisfait, une sensibilité blessée, une singularité cultivée avec une sorte de passion, tel est R. auteur d'un des livres autobiographiques les plus saisissants de la littérature contemporaine, *la Confession publique,* où le récit de sa propre vie sert de support à une revendication déchirante de reconnaissance : livre dont tous les autres, sous quelque forme littéraire que ce soit, sont, pour ainsi dire, des reprises ou des échos, car l'écrivain n'a cessé de poursuivre un dialogue avec lui-même dont il veut faire, par la thérapeutique de l'aveu, l'exorcisme de sa propre malédiction.

Œuvres. *Vie de saint Delteil,* 1929 (E). – *La Douleur,* 1930 (N). – *La Création du monde,* 1930 (P). – *Village,* 1931 (T). – *Le Château des papes,* 1932 (T). – *L'Amour fraternel,* 1936 (N). – *Hécube,* 1937 (T). – *La Barrette rouge,* 1938 (N). – *Carmen,* 1942 (T). – *La Confession publique,* 1944 (E). – *Le Mauvais* (I *les Brunoy,* 1945 ; II *la Rose de Noël,* 1946) [N]. – *La Nuit aveuglante,* 1945 (N). – *Images de Porto,* 1946 (P). – *Le Mal de la terre* (nouvelles), 1947 (N). – *L'Étrange Visiteur,* 1956 (N). – *Le Secret; les Reliques ; le Roi clos,* 1956 (T). – *Le Droit d'asile,* 1959 (P). – *Je ne suis pas mort,* 1965.

RICHEPIN Jean. Médéa, aujourd'hui Lemdiyya (Algérie) 4.2.1849 – Paris 12.12.1926. Entré à l'École normale supérieure en 1868, il mena, de 1870 à 1875, une vie errante, notamment au Quartier latin, où, sous le patronage de Pétrus Borel et de Jules Vallès, il se composa un rôle de personnage provocateur dont la manifestation publique et littéraire allait être le recueil poétique de *la Chanson des gueux* ; R. y chante une bohème marginale qui n'est plus la bohème romantique de Murger mais celle qui évolue dans un décor de Cour des miracles : œuvre agressive et même un peu « voyou », non dépourvue de verve, qui valut à R. d'être condamné à un mois de prison et 500 francs d'amende. Écrivain aux dons variés, R. connut d'autres succès avec des romans populaires comme *la Glu* et *Miarka, la fille à l'ourse,* et avec sa pièce *le Chemineau,* longtemps restée au répertoire. Sa truculence verbale, son sens du pittoresque, son goût des néologismes frappants auraient pu faire de lui un grand écrivain, si sa prodigieuse facilité d'écriture ne l'avait trop souvent entraîné au bavardage.

Œuvres. *Les Étapes d'un réfractaire,* 1872 (N). – *L'Étoile,* 1873 (T). – *La Chanson des gueux,* 1876 (P). – *Les Caresses,* 1877 (P). – *La Glu* (adapt. théatr. 1883), 1881 (N). – *Miarka, la fille à l'ourse,* 1883 (N). – *Nana Sahib,* 1883 (T). – *Le Pavé,* 1883 (N). – *Sophie Monnier,* 1884. – *Les Blasphèmes,* 1884 (P). – *La Mer,* 1886 (P). – *Les Braves Gens,* 1886 (N). – *Monsieur Scapin,* 1886 (T). – *Les Flibustiers,* 1887 (T). – *Césarine,* 1888 (N). – *Le Chien de garde,* 1889 (T). – *Le Cadet,* 1890 (N). – *Truandailles,* 1890 (N). – *Le Mage* (opéra), 1891 (T). – *Mes paradis,* 1894 (P). – *Par le glaive,* 1894 (T). –

Flamboche, 1895 (N). – *Le Chemineau,* 1897 (T). – *La Bombarde,* 1899 (P). – *Les Truands,* 1899 (T). – *Lagibasse,* 1899 (N). – *Paysages et coins de rue,* 1900 (N). – *La Gitane,* 1900 (T). – *Don Quichotte,* 1905 (T). – *Poèmes durant la guerre,* 1918 (P). – *Les Glas,* 1922 (P). – *Interludes,* 1923 (P).

RICTUS Jehan, Gabriel Randon de Saint-Amand, dit. Boulogne-sur-Mer 21.9.1867 – Paris 7.11.1933. Fils de parents séparés, il vécut une enfance de misère et, au sortir de l'école communale, fit cent métiers, jusqu'à la cloche, avant d'entrer comme employé à l'Hôtel de Ville, où il connut Albert Samain (1889-92). Bientôt renvoyé pour mauvaise conduite, il collabora à de petites revues et même au *Mercure de France,* écrivit un pamphlet contre Sarcey, débuta enfin sous son pseudonyme au cabaret des Quat'z'Arts (1896) : c'est le début d'une brève et féconde carrière de chansonnier faubourien. Il connut Apollinaire, Max Jacob, Carco et tous les Montmartrois, mais se lia d'une particulière amitié avec Léon Bloy. Après 1914, il se retira de la vie littéraire, ne rédigeant plus qu'un immense journal (inédit pour l'instant). Sa haine de la bourgeoisie le porta vers l'extrême droite : nationaliste en 1914, il finit sa vie comme militant actif de l'Action française.

Œuvres. *Soliloques du pauvre,* 1897 (P). – *Les Doléances,* 1899 (P). – *Les Cantilènes du malheur,* 1902 (P). – *Un bluff littéraire : le cas Edmond Rostand,* 1903 (E). – *Dimanche et lundi férié ou le Numéro gagnant,* 1905 (T). – *Fils de fer,* 1906 (N). – *La Frousse,* 1907 (P). – *Les Petites Baraques,* 1907 (P). – *La Femme du monde* (pantomime), 1909 (T). – *Le Cœur populaire,* 1914 (P). – *La Pipe cassée,* 1926 (P).

RIGAUT DE BARBEZIEUX. Barbezieux ou Berbezill (Saintonge) 1150 ? – Haro (Biscaye) 1215 ? Troubadour occitan. La plupart des troubadours ont donné lieu à des légendes rapportées dans les *Vidas (Vies)* occitanes. Celle de R. illustre certains aspects essentiels de la courtoisie. Il passe pour avoir été d'abord amoureux de celle qu'il appelait sa « Mieux-que-Dame » selon la coutume courtoise du pseudonyme poétique : elle était, dit-on, la fille de Jaufré Rudel. Lorsqu'il fut devenu célèbre grâce aux poèmes à elle adressés, une autre Dame entreprit de le détacher de ce premier amour, et y réussit, mais ce fut pour refuser ensuite ses hommages à raison même de son infidélité. Il y a là un bel exemple de la cruauté sentimentale d'un certain jeu courtois qui n'est pas sans rappeler celle de Guenièvre à l'égard de Lancelot dans le roman de Chrétien de Troyes. R. obtint cependant le pardon de sa Dame (comme Lancelot), puis il voyagea, de la Champagne à l'Espagne, où il finit par se fixer à la fin de sa vie. Son œuvre, qui semble avoir été considérable, n'a survécu que dans une dizaine de *cansos* conformes, sur le thème du *fin'amor,* au canon le plus classique de la poésie des troubadours. À cet égard, elles peuvent passer pour des modèles exemplaires.

Œuvres. *Les Bestiaires,* s.d. – *Poésies,* s.d.

RIMBAUD Arthur. Charleville 20.10.1854 – Marseille 10.11.1891. Fils de parents séparés dès 1860, il se signale au collège de Charleville par son habileté à écrire des vers latins. En janvier 1870, il publie des poèmes dans *la Revue pour tous* et envoie à Banville des pièces pour *le Parnasse contemporain.* La guerre éclate alors qu'il termine sa rhétorique ; en août, il fait une fugue à Paris : mis en prison, il en est sorti par son professeur et ami Izambard ; en octobre, il erre entre la France et la Belgique ; enfin, en février 1871, il part pour Paris, d'où il revient à pied en mars, avec un projet de *Constitution communiste* (perdu) et des poèmes blasphématoires exprimant le dégoût du monde et la nostalgie d'un ailleurs innocent. Refusant de travailler, il vit au café, lisant occultistes et cabbalistes. Ses lettres du 13 au 15 mai, l'une à Izambard, l'autre surtout à Démeny (dites *Lettres du voyant*), crient la nécessité d'une nouvelle poétique : « JE est un autre [...] Le poète se fait *voyant* par un long, immense et raisonné *dérèglement* de *tous les sens* [...] Car il arrive à l'inconnu [...] et quand, affolé, il finirait par perdre l'intelligence de ses visions, il les a vues. » Fin août, il envoie à Verlaine le « Sonnet des voyelles » et écrit « le Bateau ivre ». Verlaine lui paie le voyage et l'héberge à Paris. R., vivant aux crochets de chacun, fréquente les poètes connus et se les aliène par son comportement grossier et brutal ; il compose alors ses derniers poèmes en vers réguliers. En juillet 1872 commence l'errance du « drôle de ménage » (R. et Verlaine) entre Bruxelles et Londres ; finalement Verlaine le blesse d'un coup de revolver et est condamné à deux ans de prison. Durant un court séjour à Roche (Ardennes), R. avait commencé à rédiger *Une saison en enfer,* qu'il appelle *le Livre païen* ou *nègre ;* l'ayant terminée, il la fait imprimer à ses frais à Bruxelles mais ne peut payer l'imprimeur ; celui-ci gardera les exemplaires de l'œuvre, restée inconnue jusqu'en 1902. Durant toute cette période, R. a sans doute commencé *les Illuminations.* Revenu à Londres avec G. Nouveau (1874), il doit, pour survivre, chercher du travail en Allemagne et rencontre pour la dernière fois Verlaine (Stuttgart, janvier 1874) ; celui-ci tente en vain de le ramener à la foi ; R. lui confie le manuscrit des *Illuminations,* que Nouveau doit éditer. Il voyage : Italie, Vienne, la Hollande, où il s'engage dans l'armée néerlandaise et s'embarque pour Batavia, d'où il déserte (1876). Après un séjour en Égypte et à Chypre (1878-1879), il essaie de se reclasser socialement, à la suite d'une réconciliation avec sa mère, et devient gérant de comptoirs commerciaux à Harrar et trafiquant d'armes en Éthiopie ; il explore le sud du pays (Ogadine, 1884-1889) et publie ses récits dans un journal du Caire, *le Bosphore égyptien.* Rentré en France pour se soigner et se marier (mai 1891), il est amputé de la jambe dès son arrivée, en raison d'un sarcome au genou, et meurt à Marseille dans les bras de sa sœur Isabelle qui l'a, peut-être, ramené *in extremis* à la foi catholique.

R. est d'abord un mythe : poète adolescent sombrant dans le silence avec la maturité, génie aveuglé par ses visions, le « Passant considérable » (Mallarmé) semble le résultat d'un jaillissement accidentel et bref. Mais l'examen de son œuvre révèle une évolution, rapide certes, mais indiscutable. Étiemble a montré quels souvenirs de Hugo, de Gautier, voire de Coppée, nourrissent les poèmes de 1869-1871. Le « Sonnet des voyelles » va moins loin, malgré l'éclat des images, que les « Correspondances » de Baudelaire ; « le Bateau ivre » est un peu une somme de ces influences dont le poète se délivre déjà par des images qui annoncent les *Illuminations.* Les poèmes de la période communarde et antichrétienne et les « Derniers Vers » (1872) préparent directement la rupture d'*Une saison en enfer :* R. lutte contre des formes dont il est le maître mais qui ne peuvent tout exprimer. De cette période datent les poèmes qui seront inclus, en leur forme définitive, dans « Alchimie du verbe ». Le passage au nouveau est brutal : tournant le dos à ce qui le précède, s'identifiant totalement à son expérience hallucinatoire sans en perdre le contrôle, R. devient le *Je* critique d'*Une saison,* qui tient ses visions à distance et découvre leurs mécanismes, et cet *Autre* des *Illuminations* qu'appelait la lettre à Démeny ; car ce qui frappe chez lui, c'est la rigueur logique de l'expérience, la tension qui maintient parallèles la découverte d'un monde nouveau et son explicitation : sa poésie est le récit d'une quête poussée à ses plus extrêmes conséquences. Même l'échec, le retour à la « vraie vie », qui est celle des autres et non celle des poètes, « ces horribles travailleurs », ces « voleurs de feu », n'est pas un abandon : « Je dois enterrer mon imagination et mes souvenirs !... je suis rendu au sol avec un devoir à chercher et la réalité rugueuse à étreindre ! Paysan. » (« Adieu », fin d'*Une saison*). Ce que n'a pu lui donner la littérature, il va le chercher ailleurs, sans illusion, et savoir qu'il n'aura pas plus de succès n'y change rien. Mais lorsqu'il renonce à la poésie, il renonce à la vie dans l'éternité, qu'il avait un moment « retrouvée », mais non au quotidien ; il sait où il en est et retrouve même, pour se juger, cet échec du Juif errant, thème courant alors : « Assez ! voici la punition. En marche ! » *(Une saison). Les Illuminations,* mot ambigu qui prétend désigner, selon le terme anglais, des gravures coloriées, sont-elles le témoignage de l'accord absolu qui exista entre le poète et son poème, de l'indifférenciation volontaire et heureuse entre la voix qui parle et ce qu'elle dit ? Possession créatrice du monde, la poésie réussit l'impossible synthèse des prérogatives du Moi et de la communion universelle, en la fixant provisoirement. On peut sentir l'exaltation glaciale et lucide de cette œuvre dans une page comme « Matinée d'ivresse ». Poésie du « il y a », de l'événement, du brusque éclairage de l'aube ou de l'éclair qui dévoilent brièvement un monde soudain inconnu, elle sait aussi décrire un espace lisse, calme, sans ombre et sans profondeur (« Phrases »). C'est cet aspect qui sépare surtout R. du seul autre poète pour qui la littérature fut une exigence d'absolu, pouvant conduire véritablement à la mort, et la recherche douloureuse de l'effacement de l'auteur, de celui qui parle *devant* les choses – Lautréamont ; car malgré le silence, il reste à R. l'expérience de ce *passage* qu'est le génie. Damné, le poète l'est, pour R. comme pour Lautréamont, par vocation : mais chez R., c'est de ne pouvoir ni demeurer définitivement en état de grâce ni « changer la vie », c'est de devoir reconnaître la précarité des conquêtes : chez Lautréamont, tout est joué d'avance, dans cette machine à « crétiniser » qu'est une œuvre. Silence, parole ou écriture, tout grouille de mots informulés, de virtualités, grotesques dès qu'on les rapporte à un individu. Le mutisme ultime de R. devient alors non la marque de l'échec, mais celle d'une désertion volontaire, coupable – car ce silence laisse la littérature à son inachèvement essentiel ; la parole de Lautréamont, au-delà du désespoir et de l'extase, la saccage sauvagement, minutieusement, implacablement. Le monde de Lautréamont n'est plus que mots, et les mots sont sans valeur autre que de dérision ; le monde de R. est celui d'une sensation qui se parle, enfin délivrée de celui qui la sent. C'est pourquoi il faut imaginer R. heureux.

Œuvres. « Les Étrennes des orphelins », 1870 (P). – *Une saison en enfer,* 1873 (P). – « Le Bateau ivre », 1883 (P). – *Les Illuminations,* 1886 (P). – *Reliquaire, Poésies,* posth. 1891 (P). – *Poésies complètes* (2e éd.), posth., 1895 (P). – *Lettres du voyant,* posth., 1912.

RIME. Uniformité du son dans la dernière syllabe de deux ou plusieurs mots *(étude* et *solitude).* En versification française traditionnelle, la rime concerne la terminaison des vers (rimes plates : entre deux vers consécutifs ; rimes croisées : a b a b). On nomme *rime intérieure* l'uniformité de son dans les dernières syllabes de mots figurant à l'intérieur du vers. Lorsque les vers ne riment pas, ils sont dits *vers blancs.*

RINGUET Philippe, Philippe Panneton, dit. Trois-Rivières 1895 – Lisbonne 1960. Écrivain canadien-français. Après ses études de médecine, il deviendra praticien, mais de façon épisodique, et, de 1920 à 1940, il fera de nombreux voyages à travers le monde. Non conformiste, d'une étonnante curiosité intellectuelle, il manifeste un esprit d'indépendance précoce, joint à une horreur de la discipline qui l'oriente hors des sentiers battus. Il s'intéresse aux lettres en autodidacte ; ses lectures et ses voyages remplacent les diplômes qu'il ne s'est pas soucié d'obtenir. Il participe à de nombreuses émissions radiophoniques et télédiffusées, tout au long de sa carrière, avant de devenir ambassadeur au Portugal en 1957.
Écrivain réaliste et naturaliste, R. se place au tout premier rang des romanciers canadiens dès la publication de *Trente Arpents,* en 1938. La terre canadienne est le personnage central de son œuvre, où tout le monde rural est représenté avec vigueur et authenticité : de l'accumulation des faits, tous vérifiés et justes, se dégage une puissance évocatrice tragique qui a imposé ce roman du terroir simultanément en France et au Canada. C'est le tableau dur et sombre de la déchéance d'une famille campagnarde qui sombre dans la misère du prolétariat urbain après avoir connu une vie paisible et aisée, lent processus de désintégration qui relève de la fatalité tragique du destin. Un recueil de contes et de nouvelles, *l'Héritage,* est écrit dans la même veine que *Trente Arpents* ; on y retrouve cette puissance du destin qui écrase brutalement des personnages impuissants à maîtriser les réalités auxquelles ils se mesurent.
Dans *le Poids du jour,* c'est en revanche une démarche opposée à *Trente Arpents,* la poursuite effrénée du pouvoir et de la fortune, l'ascension social du petit Michel Garneau, né dans l'illégitimité, à Louisville, qui monte à l'assaut de Montréal et connaît la réussite de l'homme seul avant de goûter l'amertume du retour lucide sur lui-même. Cette longue chronique évoque le drame individuel et collectif de la migration des ruraux vers la grande ville. Mal préparé à faire face au monde complexe et nouveau où il s'engage, l'homme des grands espaces terriens perd son unité intérieure en même temps que son harmonie avec la société simple dont il s'éloigne. C'est dans ce roman que R. atteint sa plus grande profondeur : on y sent mieux que dans ses autres œuvres sa tendresse et sa pitié pour ses personnages. La pénétration de l'analyse et la sympathie de l'auteur pour des personnages broyés par le destin, sympathie traduite dans une langue pure et efficace, font de R. un des romanciers canadiens-français les plus importants de la première moitié du XXe s.

Œuvres. *Trente Arpents,* 1938 (N). – *Un monde était leur empire,* 1943 (N). – *Fausse Monnaie,* 1946 (N). – *L'Héritage,* 1947 (N). – *Le Poids du jour,* 1949 (N). – *L'Amiral et le Facteur,* 1954 (N). – *Confidences,* 1954.

RISSET Jacqueline. Besançon 1936. Agrégée d'italien, elle enseigne la littérature française à l'université de Rome. Après quelques années consacrées à un studieux apprentissage poétique et littéraire, elle s'est engagée, à partir de 1967, dans le mouvement de recherche représenté par le groupe *Tel Quel,* que dirigeait Ph. Sollers. Le thème de sa recherche personnelle est essentiellement le thème du jeu, l'objet littéraire se définissant comme un « jeu de pages » à l'intérieur duquel s'instaure le jeu du récit et du non-récit, le jeu du verbe et de l'image, aboutissant à un « ensemble » dont les fragments, en se rencontrant, en se superposant, en se croisant, recouvrent le « champ de vision » de l'écrivain, cette notion de « champ de vision » se substituant alors à la notion traditionnelle d'univers. Telle est l'expérience qui, après avoir été élaborée sous forme de théorie dans « Questions sur les règles du jeu » *(Tel Quel, 42),* est poursuivie dans *Jeu* et dans *la Traduction commence,* où elle donne naissance à un « ensemble » verbal et métaphorique quelque peu déconcertant, mais soigneusement structuré selon le « jeu » (au sens où l'on emploie le mot en parlant d'un mécanisme) entre le logique et l'aléatoire. Mais au-delà de ce stade expérimental de la recherche littéraire, il reste à tenter, ou du moins à amorcer, la reconstruction d'un instrument d'expression apte à « traduire » un univers dans un texte, ce que promettait la tentative de « commencement » d'une « traduction ». À cet égard, l'opération critique, que J. R. avait déjà expérimentée sur Maurice Scève et sa *Délie,* est comme le prélude à l'opération créatrice proprement dite. Les données du problème littéraire posé au départ par le principe de « textualité » pourront ainsi être plus efficacement élucidées : J. R. choisit alors, pour cette entreprise d'élucidation, de scruter les multiples énigmes d'une écriture exemplaire, celle du poète de *la Divine Comédie* ; son *Dante écrivain* inaugure ainsi une nouvelle avancée dans l'élaboration d'une conscience plus claire des conditions d'un « à venir » de la littérature, et de la poésie en particulier, comme en témoigne aussi le recueil *Sept passages de la vie d'une femme,* où cet « à venir » est expérimenté à travers l'exploration de « strates » temporelles sélectionnées à cet effet.

Œuvres. « Questions sur les règles du jeu » (*Tel Quel,* 42) [E]. – *L'Anagramme du désir. Essai sur la « Délie » de Maurice Scève,* 1971 (E). – *Jeu,* 1971 (P). – *Mors,* 1976 (P). – *La traduction commence,* 1978. – *Dante écrivain,* 1982 (E). – *Sept passages de la vie d'une femme,* 1985 (P).

RIVAROL, Antoine Rivaroli, dit **le comte de.** Bagnols-sur-Cèze (Gard) 26.6.1753 – Berlin 13.4.1801. Fils d'un aubergiste italien, il était l'aîné de seize enfants. Venu à Paris vers 1777, il avait déjà fait ses premiers pas dans le monde des salons et des lettres lorsque parut son célèbre *Discours sur l'universalité de la langue française* (1784). Le prix proposé par l'académie de Berlin revint aisément à ce bref essai dont la langue et le style sont un modèle inégalé d'aisance et de clarté. Le *Petit Almanach de nos grands hommes* et le *Discours préliminaire* prouvent sa culture et son brio ; l'une et l'autre, immenses, lui permettent de moquer les réputations en vogue avec un sens assez sûr des vraies valeurs. Il fit œuvre de journaliste, particulièrement au début de la Révolution, mais dut s'exiler en raison de son royalisme et, après avoir séjourné à Bruxelles et à Londres, finit par s'installer à Hambourg (1795). Homme passionné par les problèmes du langage, R. manqua d'un outil moderne pour les étudier, et peut-être est-ce là une des raisons pour lesquelles il n'entreprit jamais vraiment le *Dictionnaire de la langue* dont il rêvait ; du moins ses *Œuvres complètes* montrent-elles un des esprits les plus profonds de son siècle, et les plus injustement réduits (en grande partie par sa propre faute) à la réputation d'homme d'esprit ou de salon. Il publia avec succès une traduction de *l'Enfer* de Dante.

Œuvres. *Lettres critiques,* 1782 (E). – *L'Enfer* (trad. de Dante), 1784. – *Discours sur l'universalité de la langue française,* 1784 (E). – *Petit Almanach de nos grands hommes,* 1788 (E). – *Petit Dictionnaire des grands hommes de la Révolution,* 1790 (E). – *Lettre au duc de Brunswick,* 1792. – *Lettre à la noblesse française,* 1792. – *De la vie politique, de la fuite et de la capture de M. de La Fayette,* 1792 (E). – *Portrait du duc d'Orléans et de Mme de Genlis,* 1794 (E). – *Prospectus et Discours préliminaire* (à un *Nouveau Dictionnaire de la langue française,* non publié), 1797 (E).– *Œuvres complètes,* posth., 1805.

RIVIÈRE Jacques. Bordeaux 15.7.1886 – Paris 14.2.1925. Il fut romancier avec *Aimée* et *Florence* et raconta son expérience de soldat et de prisonnier dans *l'Allemand* et *Carnet de guerre.* Mais, pour l'essentiel, sa vie, d'abord consacrée à l'enseignement, fut liée aux destinées de *la Nouvelle Revue française,* où il entra dès sa fondation (1909). Il y publia de nombreux essais critiques d'un grand intérêt (réunis dans *Études*) et, devenu directeur en 1919, ouvrit les pages de la revue à de nombreux auteurs ; conscient de l'erreur commise en 1913, il batailla beaucoup pour donner sa vraie place à Proust ; il tenta également de faire reconnaître en France le génie de Joyce. Sa grandeur de caractère et son inquiétude morale s'expriment dans une abondante et souvent admirable correspondance, notamment avec Claudel, Proust et, surtout, Alain-Fournier, son condisciple à la khâgne du lycée Lakanal, et son beau-frère, après son mariage avec Isabelle Fournier, en 1909. Sa femme se voua après sa mort à la publication de ses inédits, ceux notamment qui concernent sa complexe évolution religieuse *(À la trace de Dieu ; De la foi).*

Œuvres. *Études,* 1912 (E). – *L'Allemand,* 1918 (N). – *Aimée,* 1922 (N). – *À* *la trace de Dieu,* posth., 1925 (E). – *De la sincérité avec soi-même,* posth., 1926 (E). – *Correspondance avec Paul Claudel (1902-1914),* posth., 1926. – *Correspondance avec Alain-Fournier (1905-1914),* posth., 1926-1928. – *De la foi,* posth., 1928 (E). – *Carnet de guerre,* posth., 1929. – *Rimbaud,* posth., 1930. – *Moralisme et littérature,* posth., 1933 (E). – *Florence* (inach.), posth., 1935 (N).

ROBBE-GRILLET Alain. Brest 18.8.1922. Ingénieur agronome de formation, R.-G., avant de s'intéresser à la littérature, fut d'abord chargé de mission à l'Institut national de la statistique (1945-1948), puis ingénieur à l'Institut des fruits et agrumes coloniaux. C'est en 1953, avec *les Gommes* (écrit en 1951), qu'il fait dans la littérature une entrée quelque peu explosive : ce « nouveau roman » en effet mettait en œuvre une technique en rupture délibérée avec les techniques antérieures du roman ; à travers cette technique nouvelle se manifestait la volonté de remettre en question la nature même du roman et de contester radicalement sa prétention à la signification. Ce qui apparaît comme le plus frappant dans ce premier ouvrage de R.-G., c'est la minutieuse précision d'une écriture mécanique qui, éliminant la chair du récit ou de la psychologie, ne conserve plus que le pur et simple squelette d'un enregistrement descriptif d'une « matière » qui, elle-même, ne donne naissance à un livre que dans la mesure où elle s'atomise en une multiplicité de variantes dont la seule présence neutralise l'hypothèse d'une éventuelle « signification ». C'est sans doute la forme-limite du roman « objectif », que reflète un style correspondant à ce que, la même année, R. Barthes appelait le « degré zéro de l'écriture ». Dans cet univers (si toutefois ce mot convient ici ; en tout cas, il ne faut pas le prendre dans un sens balzacien), univers dont R.-G. poursuivra l'enregistrement dans *le Voyeur, la Jalousie, Dans le labyrinthe,* chaque élément qui le compose – personnages y compris – apparaît comme un objet dont se dessinent seulement les contours, selon les lois d'un graphisme verbal et linguistique qui peut sembler parfois tourner à la manie. Toutefois, même ce « nouveau romancier » ne pourra éviter, au cours de son évolution, de retomber dans cette « interprétation du monde » que sa technique avait d'abord eu pour objet de neutraliser ; car il y a un « monde » de R.-G., monde de plus en plus dominé par la « mort de l'homme », ou bien encore obsédé par la violence, ou enfin absorbé par un érotisme cérébral. Il apparaît dès lors que les premières œuvres constituaient une étape régressive, une opération de déblaiement destinée à rendre la place libre pour une nouvelle mythologie substituée à ce que R.-G. considérait comme les faux-semblants idéologiques, moraux et psychologiques du roman « traditionnel » : ce qui explique d'ailleurs qu'entre les tenants de ce roman traditionnel et ceux du nouveau roman à la manière de R.-G. le dialogue ou le compromis ne paraissent guère possibles. C'est bien ce qui apparaît clairement à la lecture du manifeste que R.-G. a publié en 1963 en rassemblant dans *Pour un nouveau roman* un certain nombre d'essais théoriques. R.-G. lui-même (*Figaro littéraire,* 14.1.1976) admet l'existence dans son œuvre de trois périodes. Au-delà de la nouvelle mythologie caractéristique de la deuxième période, et qui s'épanouit en 1970 avec *Projet pour une révolution à New York,* une troisième période commence en 1971 à ce moment même où R.-G. entreprend d'écrire *Topologie d'une cité fantôme* (1976), où apparaissent les deux thèmes d'archéologie et d'espace, comme si l'écrivain opérait des fouilles successives sur un même territoire selon la structure dialectique de l'ordre et du désordre dont il affirme qu'elle est « l'enjeu de l'écriture », le *déplacement* de l'ordre devenant le mobile décisif de la création. Parallèlement à cette évolution de son œuvre littéraire, R.-G., après avoir collaboré avec A. Resnais pour *l'Année dernière à Marienbad,* s'est consacré aussi à l'expression cinématographique, dont le langage lui a sans doute paru encore plus apte que l'écriture à une transcription plus directe et finalement plus « objective » encore de son univers personnel et de ses images obsédantes. Trois ans après *Djinn,* R.-G. publie en 1984 *le Miroir qui revient* dans lequel il se livre à une autobiographie apparemment des plus traditionnelles, à l'étonnement général de la critique. Le « je » triomphant, la réflexivité du genre autobiographique se substitue donc au règne de l'objet et à la distanciation prônée par le « nouveau roman ». « Une structure en mouvement », tel se veut ce récit de la vie de l'écrivain, qui, loin d'être un livre à part, annonce une révision incontestable de sa conception du roman et très probablement une nouvelle orientation de son œuvre.

Œuvres. *Les Gommes,* 1953 (N). – *Le Voyeur,* 1955 (N). – *La Jalousie,* 1957 (N). – *Dans le labyrinthe,* 1959 (N). – *L'Année dernière à Marienbad* (film), 1961. – *Instantanés,* 1962. – *Pour un nouveau* roman, 1963 (E). – *L'Immortelle* (film), 1963. – *La Maison de rendez-vous,* 1965 (N). – *Trans-Europ-Express* (film), 1966. – *L'Homme qui ment* (film), 1967. – *L'Eden et après* (film), 1969. – *Projet pour une révolution à New York,* 1970 (N). – *Glissements progressifs du plaisir* (film), 1973. – *Le Jeu avec le feu* (film), 1975. – *La Belle Captive* (ill. de Magritte), 1976. – *Topologie d'une cité fantôme,* 1976. – Avec Ionesco, *Irina, Temple aux miroirs,* 1977. – *Fragment autobiographique imaginaire,* 1978. – *Un régicide,* écrit en 1949, 1978 (N). – *Souvenirs du triangle d'or,* 1978, rééd. 1985 (N) – *Djinn,* 1981 (N). – *La Belle Captive* (film), 1983. – *Le Miroir qui revient* (autobiographie), 1984.

Dans le labyrinthe

C'est la guerre, il y a eu une défaite, un soldat a été tué, son camarade revient en ville rapporter ses affaires. Il a neigé, la ville, étreinte par la peur, est vide. Cependant, voici un enfant ; le soldat, avec son paquet, le suit ; il entre dans un café, dans des maisons, sans que rien se passe. La ville est envahie par l'ennemi, le soldat fuit, il est abattu. Mais qui est ce soldat tué ? Est-ce le mort de tout à l'heure ou l'autre ? le récit serait alors comme l'enregistrement d'un rêve d'agonisant.

ROBIN Armand. Plouguernével (Côtes-du-Nord) 19.1.1912 – Paris 29.3.1961. Il fit des études littéraires classiques : préparation à l'École normale supérieure, puis à l'agrégation des lettres.
Dès son adolescence, il s'était voulu révolutionnaire en politique comme en littérature. Il connut la tentation communiste, mais un voyage en U.R.S.S. en 1935 l'en l'éloigna, et il finit par donner son adhésion à la Fédération anarchiste. Il fréquentait à Paris les milieux de l'avant-garde littéraire mais aussi ceux de la revue *Esprit* et de la *N.R.F.*. Il fut alors remarqué par Paulhan et par Supervielle ; celui-ci appréciait l'inspiration lyrique qui allait s'exprimer dans les poèmes de *Ma vie sans moi* et dans le roman poétique *le Temps qu'il fait.* R. se partage ensuite entre son œuvre poétique personnelle *(Poésie non traduite)* et des traductions du russe *(Quatre Poètes russes* : Blok, Essénine, Maïakovski, Pasternak) et du persan (Omar Khayyam). R. est mort dans des circonstances mytérieuses, laissant des inédits qui furent publiés en 1968 sous le titre *le Monde d'une voix.*

Œuvres. *Ma vie sans moi,* 1940 (P). – *Le Temps qu'il fait,* 1943 (N). – *Quatre Poètes russes* (trad.), 1948 (P). – *Poésie non traduite* (I, 1953 ; II, 1958) [P]. – *Les Poèmes indésirables,* 1945. – *Poèmes d'Endre Ady* (trad. du hongrois), s.d. – *Essai d'histoire comparée du lettrisme, de l'informel-à-signes et de quelques peintres-à-signes indépendants,* posth., 1964 (E). – *Le Monde d'une voix,* posth., 1968 (P).

ROBLÈS Emmanuel. Oran 4.5.1914. Grand voyageur, R. a souvent donné à ses romans un caractère de reportage. *L'Action,* son premier roman, a paru en 1938. *Les Hauteurs de la ville* obtiendront, en 1948, le prix Femina. Sa notoriété est surtout due à son œuvre dramatique : *Montserrat* (1948), où il dépeint, avec éloquence, un cas de conscience émouvant.

Œuvres. *L'Action,* 1938 (N). – *Travail d'homme,* 1943 (N). – *Montserrat,* 1948 (T). – *Les Hauteurs de la ville,* 1948 (N). – *Federico García Lorca,* 1950 (E). – *La Mort en face,* 1951 (N). – *Cela s'appelle l'aurore,* 1952 (T). – *La vérité est morte,* 1952 (T). – *Porfirio,* 1953 (T). – *Frédérica,* 1954 (N). – *Les Couteaux,* 1956 (N). – *L'Horloge,* 1958 (T). – *L'Homme d'avril,* 1959 (N). – *Jeunes Saisons,* 1961. – *Le Vésuve,* 1961. – *La Remontée du fleuve,* 1964 (N). – *Plaidoyer pour un rebelle,* 1965 (T). – *Mer libre,* 1965 (T). – *La Croisière,* 1968 (N). – *Un printemps d'Italie,* 1970. – *L'Ombre et la Rive,* 1972. – *Saison violente,* 1974 (N). – *Un amour sans fin,* avec *les Horloges de Prague,* 1976 (N). – *Les Sirènes,* 1977 (N). – *L'Arbre invisible,* 1979 (N). – *Venise en hiver,* 1981 (N). – *Un château en novembre,* suivi de *la Fenêtre,* 1984 (T). – *La Chasse à la licorne,* 1985 (N). – *Théâtre (Montserrat, La vérité est morte, Mer libre, Un château en novembre),* rééd. 1985.

ROCHE Denis. Paris 21.11.1937. Poète et essayiste, membre de 1962 à 1973 du comité directeur de *Tel Quel,* R. déclare vouloir faire servir l'expression poétique à une entreprise de « dé-figuration » de la parole ; opération qui, d'autre part, revêt volontiers un certain caractère hyper-intellectualiste, en réaction contre toute forme de surréalisme, et qui se retrouve aussi dans l'apport théorique personnel de R. aux recherches de « théorie d'ensemble » du groupe *Tel Quel.* Mais, au-delà de la théorie et de sa mise en œuvre selon les principes de *Tel Quel* (mouvement avec lequel R. entretint des relations souvent conflictuelles), ce poète, qui refuse d'en être un, pousse jusqu'à ses extrêmes limites la mise en question des formes même les plus révolutionnaires de l'écriture poétique : il ne s'agit plus seulement de dissocier signe et sens, il s'agit plutôt de les nier conjointement à travers ce que R. appelle le « mécrit ». Tout se passe finalement comme si, la littérature étant alors perçue comme coincée dans une impasse, il s'agissait non pas de tenter d'en sortir, mais de s'y installer pour rendre compte, par une sorte de défi, de cette situation de « coincement ».

Œuvres. *Récits complets,* 1963 (P). – *Les Idées centésimales de miss Elanize,* 1964 (P). – *Eros énergumène,* 1968 (P). – « La Poésie est inadmissible » (dans *Théorie d'ensemble*), 1968 (E). – *Carnac ou les Mésaventures de la narration,* 1969. – *Le Mécrit,* avec *Lutte et Rature,* 1972. – *Trois Pourrissements poétiques,* 1972. – *Notre antéfixe,* 1973. – *Louve basse, ce n'est pas moi qui fais la guerre, c'est la mort,* 1976 (N). – *Dépôts de savoir et de technique,* 1980 (E). – *Autoportraits photographiques (1898-1981),* 1981. – *La Disparition des lucioles* (réflexion sur l'acte photographique), 1982 (E). – *Légendes de Denis Roche,* 1982.

ROCHEFORT Christiane. Paris 17.7.1917. Née, dit-elle, « dans une famille à contradictions internes », elle poursuit une scolarité agitée en spécialiste de l'indiscipline ! Aussi C. R. trouvera-t-elle l'inspiration de ses romans dans un mélange à tendance explosive de non-conformisme et de féminisme *(le Repos du guerrier).* Mais peu à peu, à travers la peinture réaliste de la vie quotidienne des enfants parisiens *(les Petits Enfants du siècle),* elle retrouve le goût de la merveille cocasse et entreprend de « changer la vie » par le recours à la satire plutôt qu'à la révolte *(les Stances à Sophie). Le Repos du guerrier* a été porté à l'écran par R. Vadim en 1962.

Œuvres. *Cendres et Or,* 1956 (N). – *Le Repos du guerrier,* 1958 (N). – *Les Petits Enfants du siècle,* 1961 (N). – *Les Stances à Sophie,* 1963 (N). – *Une rose pour Morrison,* 1966 (N). – *Printemps au parking,* 1969 (N). – *Archaos ou le Jardin étincelant,* 1972 (N). – *Encore heureux qu'on va vers l'été,* 1975 (N). – *Les Enfants d'abord,* 1976 (N). – *Ma vie, revue et corrigée par l'auteur,* 1978. – *Quand tu vas chez les femmes,* 1982 (N). – *Le monde est comme deux chevaux,* 1984 (N).

ROCHEFORT, Victor-Henri, marquis de Rochefort-Luçay, dit **Henri.** Paris 30.1.1831 – Aix-les-Bains 30.6.1913. Il est resté célèbre pour avoir, sous le second Empire, lancé avec un succès exceptionnel pour l'époque (50 000 exemplaires), le journal *la Lanterne* (1er juin 1868) : ses attaques contre l'Empire entraînèrent la saisie du journal et la prison pour son directeur, qui préféra passer en Belgique. Ultérieurement, après avoir été violemment antiversaillais, déporté à Nouméa (1873), évadé et réfugié en Suisse jusqu'à l'amnistie, il se rallia au boulangisme et devait devenir ensuite antidreyfusard. Ce grand batailleur à la plume vitriolée publia aussi quelques romans, dont un sur son aventure néo-calédonienne *(l'Évadé),* et cinq volumes de Mémoires *(Aventures de ma vie).*

Œuvres. *Les Petits Mystères de l'Hôtel Drouot,* 1862. – *Les Français de la décadence,* 1866 (N). – *La Lanterne* (journal fondé en juin 1868). – *Les Dépravés,* 1875 (N). – *L'Évadé,* 1880 (N). – *De Nouméa en Europe, retour de la Nouvelle-Calédonie,* 1881 (N). – *Aventures de ma vie,* 1895-1896 (N).

RODENBACH Georges. Tournai (Hainaut) 16.7.1855 – Paris 25.12.1898. Écrivain belge d'expression française. Il fut d'abord poète, dans la stricte lignée de Coppée *(le Foyer et les Champs ; la Mer élégante),* et atteignit toutefois un ton plus personnel dans *la Jeunesse blanche* et *le Règne du silence* : symboliste intimiste et délicat, il montre une prédilection, monotone à lecture suivie, pour le vaporeux. Les mêmes caractéristiques font le charme et dessinent les limites de ses romans : *Bruges-la-Morte, l'Arbre, le Carillonneur,* et de ses contes : *le Rouet des brumes* et *le Musée des béguines* (posthumes). Il eut en France, où il se fixa en 1887, une importante activité journalistique.

Œuvres. *Le Foyer et les Champs,* 1877 (P). – *Les Tristesses,* 1879 (P). – *La Mer élégante,* 1881 (P). – *L'Hiver mondain,* 1884 (P). – *La Jeunesse blanche,* 1886 (P). – *L'Art en exil,* 1889 (N). – *Le Règne du silence,* 1891 (P). – *Bruges-la-Morte,* 1892 (N). – *Le Voile,* 1894 (T). – *L'Arbre,* 1894 (N). – *Les Vies encloses,* 1896 (P). – *Le Carillonneur,* 1897 (N). – *Le Miroir du ciel natal,* 1898 (P). – *Le Rouet des brumes,* posth., 1901 (N). – *Le Musée des béguines,* posth. (N). – *Le Mirage* (drame tiré de *Bruges-la-Morte*), posth. (T). – *L'Élite* (recueil d'essais), posth. (E).

ROGER-FERDINAND, Roger Ferdinand, dit. Saint-Lô (Manche) 1898 – Paris 1967. Après *la Machine à souvenirs* et *Irma,* il connut le succès grâce à *Un homme en or* et, par la suite, mena une fructueuse carrière. La veine comique et observatrice de R.-F., même lorsqu'elle s'adjoint quelque gravité, l'apparente au théâtre de Boulevard ; on retiendra surtout la sûreté de son métier, son art du dialogue rapide et percutant, son habileté à porter à la scène les éléments les plus caractéristiques d'une actualité souvent éphémère.

Œuvres. *La Machine à souvenirs,* 1924 (T). – *Irma,* 1926 (T). – *Un homme en or,* 1927 (T). – *La Foire aux sentiments,* 1927 (T). – *Chotard et Cie,* 1928 (T). – *Batoche,* 1932 (T). – *Trois pour cent,* 1935 (T). – *Le Président Haudecœur,* 1938 (T). – *Les J3 ou la Nouvelle École,* 1943 (T). – *Les Derniers Seigneurs,* 1945 (T). – *Le Père de Mademoiselle,* 1952 (T). – *La Voix des auteurs,* 1954 (T). – *Les croulants se portent bien,* 1959 (T). – *Le Signe de Kikota,* 1960 (T). – *Six heures, chaussée d'Antin,* 1961 (T).

ROLAND Mme, née **Jeanne Marie** (dite **Manon) Phlipon, dame Roland de La Platière.** Paris 17.3.1754 – 8.11.1793. Fille d'un graveur, ayant acquis une culture surtout autodidacte, lectrice passionnée de Plutarque, elle fut rédactrice au *Courrier de Lyon* fondé par son mari (1790) avant de jouer à ses côtés un rôle de premier plan au ministère de l'Intérieur (1792) ; ils tentèrent ensemble de s'opposer à la domination montagnarde, et Mme R., compromise avec les Girondins, fut guillotinée après plusieurs mois d'incarcération ; son mari se suicida à la nouvelle de sa mort. Elle avait rédigé des Mémoires qui parurent partiellement en 1795 sous le titre qu'elle avait souhaité leur donner, *Appel à l'impartiale postérité ;* le texte complet en fut connu en 1865. Sa *Correspondance,* témoin tout aussi irremplaçable de son énergie et de sa grandeur d'âme, fut publiée avec des *Documents inédits.*

Œuvres. *Mémoires pour ma fille. Mes dernières pensées* (paru sous le titre *Appel à l'impartiale postérité*), posth., 1795. – *Mémoires particuliers de Mme Roland* (nouv. éd.), posth., 1865. – *Lettres (1780-1793),* posth., 1900-1903. – *Lettres (1767-1790),* posth., 1913-1915. – *Roland et Manon Phlipon (Lettres d'amour 1777-1780),* posth., 1909. – *Documents inédits,* posth., 1900-1915.

ROLLAND Romain. Clamecy (Nièvre) 29.1.1866 – Vézelay (Yonne) 30.12.1944. Durant ses années de scolarité à l'École normale supérieure (1886-1889), ce fils de notaire s'intéressa concurremment à la philosophie et à l'histoire. Professeur d'histoire de l'art rue d'Ulm (1895-1904), puis à la Sorbonne (1904-1912), il publie les biographies de *Beethoven, Michel-Ange, Haendel, Tolstoï.* N'ayant pas réussi à imposer sur scène son *Théâtre de la Révolution (les Loups ; le Triomphe de la raison ; Danton ; le Quatorze-Juillet),* il se consacre à la rédaction de *Jean-Christophe,* dont les dix volumes sont publiés par Péguy aux *Cahiers de la quinzaine,* et de *Colas Breugnon.*
Retiré en Suisse lors de la guerre, il tente de dépasser les particularismes *(Au-dessus de la mêlée),* mais ce qui procède chez lui d'un profond attachement pour la culture occidentale (*cf.* son *Journal* publié en 1953) paraît aux belligérants une trahison. Ses contemporains virent plus en lui l'intellectuel « de gauche », fondateur de la revue *Europe,* invité de Gorki en U.R.S.S. ou ennemi déclaré du nazisme (participation au « Congrès d'Amsterdam », 1932), que le pacifiste ami de Gandhi, auquel il a consacré un de ses livres sur l'Inde et l'hindouisme. Retiré à Vézelay en 1937, R. consacra ses dernières années à rédiger son autobiographie *(le Voyage intérieur)* ou des volumes de souvenirs *(Péguy).* En ne retenant de son œuvre que le roman-fleuve *Jean-Christophe,* la postérité fait paraître R. moins varié qu'il ne l'est, bien que ce roman contienne l'essentiel de son esthétique et de sa vision du monde. Si le lyrisme parfois débordant de l'œuvre risque de dater quelque peu, si l'idéalisme en est aussi trop systématique, il reste que R. a donné, avec *Jean-Christophe,* dans la ligne d'une ambition héritée du siècle précédent, un modèle de « roman total », et, pour qui aime la musique, la description du jeu des sensations les plus complexes ou encore l'exaltation de la poésie en prose ; cette œuvre unique conserve toute sa valeur. Prix Nobel 1916.

Œuvres. *Le Dernier Procès de Louis de Berquin,* 1892 (E). – *Les Origines du théâtre lyrique moderne. Histoire de l'opéra en Europe avant Lulli et Scarlatti,* 1895 (E). – *Cur ars picturae apud Italos* XVI *saeculi deciderit,* 1895 (E). – *Aërt,* 1897 (T). – *Saint Louis,* 1897 (T). – *Morituri,* 1898 (T). – *Le Triomphe de la raison,* 1899 (T). – *Danton,* 1901 (T). – *Le Quatorze-Juillet,* 1902 (T). – *Le temps viendra,* 1903 (T). – *Vie de Beethoven,* 1903 (E). – *Le Théâtre du peuple, essai d'esthétique d'un théâtre nouveau,* 1903 (E). – *Jean-Christophe* (I *l'Aube,* 1904 ; II *le Matin,* 1904 ; III *l'Adolescent,* 1905 ; IV *la Révolte,* 1907 ; V *la Foire sur la place,* 1908; VI *Antoinette,* 1908 ; VII *Dans la maison,* 1909 ; VIII *les Amies,* 1910 ; IX *le Buisson ardent,* 1911 ; X *la Nouvelle Journée,* 1912) [N]. – *Michel-Ange,* 1905 (E). – *Vie de Michel-Ange,* 1906 (E). – *Musiciens d'autrefois,* 1908 (E). – *Musi-*

ciens d'aujourd'hui, 1908 (E). – *Le Théâtre de la Révolution* (contient *les Loups* [joué en 1898 sous le titre *Morituri*], *Danton, le Quatorze-Juillet*), 1909 (T). – *Haendel,* 1910 (E). – *Vie de Tolstoï,* 1911 (E). – Avec F. Raugel, *le « Messie » de G.F. Haendel,* 1912 (E). – *Tragédies de la foi* (contiennent *Saint Louis, Aërt, le Triomphe de la raison*), 1913 (T). – *Au-dessus de la mêlée,* 1915 (E). – *Aux peuples assassinés,* 1917 (E). – *Salut à la révolution russe,* 1917 (E). – *Empédocle d'Agrigente,* 1918 (E). – *Colas Breugnon* (écrit en 1913), 1919 (N). – *Voyage musical au pays du passé,* 1919 (E). – *Liluli* (farce lyrique), 1919 (T). – *Clérambault, histoire d'une conscience libre pendant la guerre,* 1920 (N). – *Europe* (revue fondée en 1922). – *Les Vaincus,* 1922 (T). – *L'Âme enchantée* (7 vol.), 1922-1934 (N). – *Les Précurseurs,* 1923 (N). – *Mahatma Gandhi,* 1923 (E). – *Le Jeu de l'Amour et de la Mort,* 1925 (T). – *Pâques fleuries,* 1926 (T). – *Les Léonides,* 1928 (T). – *Beethoven, les grandes époques créatrices* (7 vol.), 1928-1945 (E). – *Essai sur la mystique et l'action de l'Inde vivante,* 1929-1930 (E). – *Vie de Ramakrishna,* 1929 (E). – *Vie de Vivekananda et l'Évangile universel,* 1930 (E). – *Par la révolution, la paix,* 1935 (E). – *Compagnons de route,* 1936 (E). – *Comment empêcher la guerre,* 1936 (E). – *Robespierre,* 1939 (T). – *Pages immortelles de J.-J. Rousseau,* 1939. – *Le Voyage intérieur* (autobiographie 1926-1942), 1943. – *Péguy,* 1944 (E). – *Souvenirs sur Richard Strauss,* posth., 1948 (E). – *Choix de lettres à Malwida de Meysenbourg,* posth., 1948. – *Correspondance entre R.R. et Louis Gillet,* posth., 1949. – *Inde,* posth., 1951 (E). – *R.R. et Richard Strauss. Correspondance et fragments de journal,* posth., 1951. – *Journal des années de guerre 14-18,* posth., 1952. – *Le Cloître de la rue d'Ulm* (avec *Journal de R.R. à l'École normale ; Quelques Lettres à sa mère 1886-1889 ; Credo quia verum*), posth., 1952. – *Journal,* posth., 1953. – *Printemps romain* (avec *Choix de lettres à sa mère*), posth., 1954. – *Une amitié française. Correspondance avec Charles Péguy,* posth., 1955. – *Mémoires* (avec *Souvenirs de jeunesse* [compléments]. *Fragments de journal*), posth., 1956. – *Correspondance entre R.R. et Lugné-Poe (1894-1901),* posth., 1957. – *Chère Sofia,* choix de lettres de R.R. à Sophia Bertolini Guerrieri-Gonzaga (I *1901-1908,* posth., 1959 ; II *1909-1932,* posth., 1960). – *Inde* (journal 1915-1943), posth., 1960. – *Beau Visage à tous sens* (avec *Choix de lettres de R.R., 1886-1944*), posth., 1967. – *D'une rive à l'autre : Hermann Hesse et R.R. Correspondance et fragments de journal,* posth., 1972. – *R.R.-Charles Péguy. Pour l'honneur de l'esprit. Correspondance 1898-1914,* posth., 1973. – *L'Indépendance de l'esprit. Correspondance avec Jean Guéhenno 1919-1944,* posth., 1975. – *R.R.-A. Privat. Bon voisinage. Correspondance,* posth., 1977.

Jean-Christophe

Dix volumes : *l'Aube, le Matin, l'Adolescent, la Révolte, la Foire sur la place, Antoinette, Dans la maison, les Amies, le Buisson ardent, la Nouvelle Journée.* Monument élevé à la « divine musique » par le récit d'une expérience humaine poursuivie de la naissance à la mort. Né en Rhénanie d'une famille de musiciens, Jean-Christophe Krafft manifeste, dès l'enfance, une capacité exceptionnelle d'émotion. Jeune virtuose au service d'une petite cour allemande, il connaît la gloire dans sa vie officielle ; il cultive son esprit sous l'influence de Mme de Kerich, dont la fille, Minna, est son élève : ainsi naît le premier amour, auquel fera obstacle l'inégalité de condition sociale des deux jeunes gens. Quant à sa vie intérieure, Jean-Christophe traverse, adolescent, une crise générale de scepticisme, mais il est, de nature, une âme religieuse et il connaîtra l'extase, qui, à la fois, le guérira de son scepticisme et lui fera percevoir en lui-même, dans la musique et dans la nature, la présence universelle de l'Essence divine (le « Buisson ardent »). Plus il avance dans sa vie et dans sa carrière, plus il expérimente le divorce entre sa joie intérieure de créateur et les accidents de sa condition dans un monde livré à la bassesse ou à l'intrigue et condamné à l'incompréhension des vraies valeurs, que lui, au contraire, il perçoit en plein lumière, grâce au caractère sacré de son art ; car il se sait de plus en plus évidemment l'instrument d'une puissance transcendante : tout ce qu'il crée vient de Dieu.

Il n'est pas pour autant protégé des accidents et malheurs de la vie : à la suite d'une rixe, il doit s'exiler, non sans éprouver une profonde tristesse, bien que l'artiste puisse trouver partout sa patrie. Le voici à Paris, capitale de la « foire sur la place » : il y rencontre toutefois l'amitié en la personne d'Olivier Jeannin, qui sera plus tard tué au cours d'une émeute, car Jean-Christophe, à l'image de son créateur, ne reste pas indifférent à l'injustice sociale et se révèle capable d'engagement. Il connaît aussi les aventures amoureuses, il voyage, et il arrive même qu'il se trouve jeté dans le « divertissement », en contradiction avec l'orientation, vers l'essentiel, de sa nature profonde. Mais il réussira à dépasser cette contradiction, il connaîtra la sérénité d'une haute contemplation et, parvenu à ce suprême degré de spiritualité, il pourra mourir environné des accents d'un « orchestre invisible », tandis que chantent les oiseaux, que se pressent les souvenirs, et que sonnent les cloches d'une « aube nouvelle », celles même qui avaient, au départ de sa destinée, salué son enfance.

ROLLINAT Maurice. Châteauroux 29.12.1846 – Ivry 26.10.1903. Filleul de George Sand, il vint à Paris vers la fin du second Empire et débuta au cabaret du Chat-Noir. Son œuvre suit deux pentes inverses : l'influence berrichonne commanda la réussite de son premier recueil, *Dans les brandes,* et réapparaît çà et là, surtout dans le subtil impressionnisme de *la Nature* et dans *Paysages et Paysans* ; l'esthétique baudelairienne, mal comprise, entraîna l'échec des recueils macabres : *les Névroses, l'Abîme, les Apparitions.* Dans ses moins bons poèmes, c'est du pire Richepin que s'approche R., par ailleurs doué, comme celui-ci, d'un réel talent. Très tôt victime de troubles névrotiques, R. se retira à Fresselines, dans la Creuse, en 1885.

Œuvres. *Dans les brandes,* 1877 (P). – *Les Névroses* (contient *les Âmes, les Luxures, les Refuges, les Spectres, les Ténèbres*), 1883 (P). – *L'Abîme,* 1886 (P). – *Dix Mélodies nouvelles,* 1887 (P). – *La Nature,* 1892 (P). – *Les Apparitions,* 1896 (P). – *Ce que dit la Vie et ce que dit la Mort,* 1898 (P). – *Paysages et Paysans,* 1899 (P).

ROMAINS Jules, Louis Farigoule, dit. Saint-Julien-Chapteuil (Haute-Loire) 26.8.1885 – Paris 1972. Normalien (1905), agrégé de philosophie (1909), il enseigne jusqu'en 1919, mais très tôt se laisse prendre par une carrière dont les orientations sont diverses. C'est d'abord la poésie qui l'attire, sous les espèces de l'*unanimisme,* croyance philosophique à l'âme collective des choses et des êtres, inspiration qui le met en relation avec le « groupe de l'Abbaye », dont cependant il ne fit pas partie. Puis R. transporta l'unanimisme sur scène *(l'Armée dans la ville ; Cromedeyre-le-Vieil),* mais ne réussit dans son œuvre théâtrale que lorsqu'il libéra son invention comique et satirique *(Monsieur Le Trouhadec saisi par la débauche ; Knock ou le Triomphe de la médecine ; le Mariage de monsieur Le Trouhadec ; Donogoo).* Le principe de ce théâtre est celui de la farce, enrichie des apports du « canular » normalien, que R. avait si bien transcrit en 1913 dans son célèbre récit des *Copains.* Mais la farce devient ici symbolique ; elle s'élève à une nouvelle dignité dramatique dans la mesure où elle se révèle capable de figurer des mythes collectifs (le prestige de la médecine dans *Knock ;* celui de l'aventure économique dans *Donogoo*) en même temps qu'elle dénonce par le rire le pouvoir de ces mythes que ne cautionne aucune réalité ; c'est en particulier le sens de *Donogoo,* qui est, à cet égard, l'œuvre-limite du théâtre de R. À partir de 1930, en effet, l'élément symbolique tend à l'emporter sur l'élément comique, au profit d'une satire plus sérieuse et d'une moindre efficacité dramatique *(Musse ou De l'hypocrisie,* refonte de *Jean le Maufranc ; Boën ou la Possession des biens ; l'An mil).* En fait, dans les années trente, R. renonce à la carrière dramatique, dont on retiendra encore de brillantes pièces en un acte comme *Amédée ou les Messieurs en rang* et l'adaptation française, en collaboration avec Stefan Zweig, de *Volpone,* de Ben Jonson. Mais désormais, après l'essai de la trilogie romanesque *Psyché (Lucienne ; le Dieu des corps ; Quand le navire...),* R. sera l'homme d'un seul livre, le romancier des *Hommes de bonne volonté,* immense roman cyclique en vingt-sept volumes (1932-1946), tableau de la vie politique, économique et sociale entre 1908 et 1933, centré sur les deux amis Jallez et Jerphanion, dont les destinées individuelles nourrissent un récit où se combinent l'unanimisme des débuts, certaine espièglerie normalienne et le sérieux d'une documentation qui parvient, généralement, à ne pas submerger l'ensemble. Car il s'agit bien, pour R., de rendre compte de la dynamique unanimiste qui anime la vie collective dans sa totalité, mais sans que se trouvent par elle submergés les individus et les groupes intermédiaires. Sans doute est-ce la raison pour laquelle la camaraderie approfondie en amitié joue tout au long du roman le rôle d'une sorte de référence humaniste : elle est à la fois le mode privilégié d'insertion du personnel dans le collectif et la plus efficace protection contre le risque d'absorption du personnel par le collectif. Cette entreprise posait de toute évidence des problèmes techniques considérables que, pour l'essentiel, le romancier a réussi à résoudre selon les principes clairement définis dans une remarquable *Préface.* Il est vrai que R. possède au plus haut degré les dons du narrateur, l'aisance de style, le sens des registres appropriés à chaque personnage et à chaque situation. Mais, au-delà de la narration, il y a aussi le souci de proposer, à travers les protagonistes de l'œuvre, une sorte de morale de la vie, la morale de la « bonne volonté » : c'est ce qui explique l'insertion dans le roman soit de méditations sur l'histoire, à propos de la guerre ou de la politique, soit de véritables hymnes humanistes, en particulier à propos du travail des hommes. Ainsi transparaît à chaque instant dans *les Hommes de bonne volonté* cette recherche d'un *humanisme du réel* fondé sur les vertus de l'action consciente et responsable qui est peut-être une des significations du titre. Mais au moment où R. compose les derniers volumes (pour une part au cours de son exil aux États-Unis), l'histoire est en train de contredire l'espérance des « hommes de bonne volonté », et les derniers volumes sont victimes du malaise qu'ils révèlent. Il reste que R., véritable créateur d'univers, comme tout romancier digne de ce nom, impose à son lecteur la présence vivante de cet univers et de sa population. L'œuvre demeure comme le miroir fidèle où se reflète l'existence concrète de la réalité et de l'idéal d'une époque et d'une génération. Acad. fr. 1946.

Œuvres. *L'Âme des hommes,* 1904 (P). – *Le Bourg régénéré,* 1906 (N). – *La Vie unanime,* 1908 (P). – *Premier Livre de prières,* 1909 (P). – *Un être en marche,* 1910 (P). – *Manuel de déification,* 1910 (E). – *Puissances de Paris,* 1911 (N). – *Mort de quelqu'un,* 1911 (N). – *L'Armée dans la ville,* 1911 (T). – *Odes et Prières,* 1913 (P). – *Les Copains,* 1913 (N). – *Europe,* 1916 (P). – Sous le nom de LOUIS FARIGOULE, *La Vision extra-rétinienne et le sens parotique,* 1920 (E). – *Les Quatre Saisons,* 1920 (P). – *Donogoo-Tonka,* 1920 (N). – *Le Voyage des amants,* 1920 (P). – *Cromedeyre-le-Vieil,* 1920 (T). – *Amour couleur de Paris,* 1921 (P). – *Psyché* (I *Lucienne,* 1922 ; II *le Dieu des corps,* 1928 ; III *Quand le navire...*), 1929 (N). – *Monsieur Le Trouhadec saisi par la débauche,* 1923 (T). – *Knock ou le Triomphe de la médecine,* 1923 (T). – *Le Vin blanc de la Villette,* 1923 (N). – *Petit Traité de versification,* 1923 (E). – *Amédée ou les Messieurs en rang,* 1923 (T). – *Ode génoise,* 1924 (P). – *Le Mariage de monsieur Le Trouhadec,* 1926 (T). – *Le Déjeuner marocain,* 1926 (T). – *Démétrios,* 1926 (T). – *Jean le Maufranc,* 1926 (T). – *Le Dictateur,* 1926 (T). – *Chants des dix années,* 1928 (T). – Avec Stefan Zweig, *Volpone* (adapt. de Ben Jonson), 1928 (T). – *Donogoo,* 1930 (T). – *Musse ou De l'hypocrisie* (refonte de *Jean le Maufranc*), 1930 (T). – *Boën ou la Possession des biens,* 1930 (T). – *Les Hommes de bonne volonté* (I *le 6 octobre ;* II *Crime de Quinette ;* III *les Amours enfantines ;* IV *Eros de Paris ;* V *les Superbes ;* VI *les Humbles ;* VII *Recherche d'une église ;* VIII *Province ;* IX *Montée des périls ;* X *les Pouvoirs ;* XI *Recours à l'abîme ;* XII *les Créateurs ;* XIII *Mission à Rome ;* XIV *le Drapeau noir ;* XV *Prélude à Verdun ;* XVI *Verdun ;* XVII *Vorge contre Quinette ;* XVIII *la Douceur de la vie ;* XIX *Cette grande lueur à l'est ;* XX *Le monde est ton aventure ;* XXI *Journées dans la montagne ;* XXII *les Travaux et les Joies ;* XXIII *Naissance de la bande ;* XXIV *Comparutions ;* XXV *le Tapis magique ;* XXVI *Françoise ;* XXVII *le 7 octobre*), 1932-1946 (N). – *Le Couple France-Allemagne,* 1935 (E). – *L'Homme blanc,* 1937 (P). – *Pierres levées,* 1944 (P). – *Le Problème numéro un,* 1947 (E). – *L'An mil,* 1947 (T). – *Bertrand de Ganges,* 1947 (N). – *Choix de poèmes,* 1948 (P). – *Le Moulin et l'Hospice,* 1949 (N). – *Salsette découvre l'Amérique,* 1950 (N). – *Violation de frontières,* 1951 (N). – *Interviews avec Dieu,* 1952 (N). – *Saints de notre calendrier,* 1952 (E). – *Maisons,* 1953 (P). – *Examen de conscience des Français,* 1954 (E). – *Passagers de cette planète, où allons-nous ?* 1955 (E). – *Le Fils de Jerphanion,* 1956 (N). – *Une femme singulière,* 1957 (N). – *Situation de la terre,* 1958 (E). – *Le Besoin de voir clair,* 1958 (N). – *Souvenirs et confidences d'un écrivain,* 1958 (E). – *Mémoires de madame Chauverel,* 1959 (N). – *Les Hauts et les bas de la liberté,* 1960 (E). – *Un grand honnête homme,* 1961 (N). – *Portraits d'inconnus,* 1962 (E). – *Ai-je fait ce que j'ai voulu ?,* 1964 (E). – *Lettres à un ami,* 1964-1965 (E). – *Lettre ouverte contre une vaste conspiration,* 1966 (E). – *Pour raison garder,* 1960-1967 (E). – *Marc Aurèle ou l'Empereur de bonne volonté,* 1968 (E). – *Amitiés et rencontres,* 1970 (E).

Knock ou le triomphe de la médecine
Dans la petite ville de Saint-Maurice, en Dauphiné, arrive le docteur Knock, successeur du docteur Parpalaid dont le cabinet n'était guère florissant. Le nouveau médecin déclare à son prédécesseur que, lui, il va retourner la situation, grâce à de nouvelles méthodes de contact avec la clientèle. Il organise d'abord une consultation gratuite, qui connaît le plus grand succès ; Knock en profite pour se renseigner sur les ressources des différents habitants de la ville ; il n'a pas de peine, d'autre part, à mettre dans son jeu le pharmacien et l'instituteur. Il adopte l'attitude d'un médecin désintéressé qui ne songe qu'au bonheur de ses frères humains, et c'est au nom de cette sorte d'humanitarisme qu'il persuade les gens qu'ils sont gravement malades. Il lui suffit

alors de trois mois pour que l'hôtel de Saint-Maurice se transforme en une maison de santé qui refuse du monde. Parpalaid, qui rend visite à son successeur, n'en revient pas ; il se laisse même convaincre qu'il est lui aussi malade, et, de médecin, il se transforme en client, car la fameuse méthode de Knock consiste à faire que tout un chacun puisse accéder à l'« existence médicale », puisque « tout homme sain est un malade qui s'ignore ».

Donogoo

Candidat à l'Institut, le géographe Yves Le Trouhadec a commis une bévue qui risque de lui coûter son élection : dans un de ses ouvrages, il a situé en Amérique du Sud, et décrit, une ville qui n'existe pas, Donogoo. Voici qu'un individu rencontré par hasard, Lamendin, s'offre à le tirer de ce mauvais pas : ce Lamendin, le spectateur l'a vu, au début de la pièce, sur le point de se suicider en se jetant du haut du pont de la Moselle ; fort heureusement, il y avait trouvé son ami Bénin, qui l'a forcé à réintégrer la vie ; la rencontre de Le Trouhadec lui donne une idée « géniale », qu'il va réaliser avec le concours d'un banquier qui a besoin de se renflouer. On lance, publicité à l'appui, une souscription pour l'exploitation de Donogoo ; l'argent afflue, les hommes aussi, qui veulent aller là-bas comme pour une nouvelle ruée vers l'or. Mais ils n'y trouvent que le désert : ils commencent par poser une pancarte avec le nom de la ville, ils s'installent, s'arrangent pour subsister, commencent même à faire des affaires : voici que la ville inexistante se met à exister. Lorsque Lamendin arrive, il organise aussitôt et gouverne avec autorité cette nouvelle société. Quant au professeur Le Trouhadec, non seulement il est sauvé, mais sa gloire fait un véritable bond en avant, et son élection à l'Institut est un triomphe.

ROMAN. Le mot a d'abord désigné, au Moyen Âge, une des *langues* « romanes », comme on les appelle encore aujourd'hui : la langue littéraire de la France du Nord et, à partir de 1066, de l'Angleterre. Or on sait qu'au XIIe s. France du Nord et Angleterre allaient devenir l'aire de développement d'une civilisation dont l'expression littéraire privilégiée revêt la forme de la narration. Ainsi naquirent le genre littéraire du roman et le personnage du romancier, comme en témoigne le prologue du *Roman de Brut* de Wace (vers 1150). Notons qu'avec l'apparition du roman disparaît l'anonymat littéraire, caractéristique de la forme épique de la littérature narrative, la chanson de geste. Avec les grands romanciers du XIIe s., au premier rang desquels Chrétien de Troyes, le roman épanouit déjà la plénitude de sa substance : l'ampleur narrative – nombre de romans sont déjà des « romans-fleuves » –, l'abondance, l'inattendu et l'extraordinaire des événements et des aventures, la caractérisation des personnages principaux par la description et l'analyse psychologiques, le privilège accordé aux mouvements du cœur, de la sensibilité et de la passion – l'amour, en particulier, mais aussi l'ambition ou l'honneur –, la tendance enfin à ordonner la complexité de l'univers romanesque autour de personnages centraux – le héros, comme dans le *Perceval* de Chrétien de Troyes, ou le couple, comme dans *Tristan et Iseut.* Il n'est pas jusqu'au jeu souvent subtil du réel et de l'imaginaire qui ne soit aussi, déjà, un ressort caractéristique du roman médiéval.

Quant au réalisme proprement dit, qui jouera ultérieurement un rôle si important dans le développement du roman, en particulier à partir du XVIIIe s., il est plutôt, dans la littérature médiévale, la spécialité de cette autre forme de narration qu'est la *nouvelle* (voir ce mot), des fabliaux des XIIe et XIIIe s. aux *Cent Nouvelles nouvelles* du XVe ; le *Roman de Renard* lui-même n'est pas, malgré son titre et la présence d'un héros central, un véritable roman, mais plutôt une suite d'épisodes reliés les uns aux autres par une technique de composition à « tiroirs ».

Au XVIe s., Rabelais utilisera la forme du roman-fleuve pour traduire concrètement sa vision satirique de la réalité et ses conceptions pédagogiques et sociales. Mais il faut attendre le XVIIe s. pour voir apparaître un autre âge d'or du roman. C'est tout d'abord le développement du *roman précieux* (La Calprenède, Mlle de Scudéry) : celui-ci reprend les données traditionnelles de l'extraordinaire et de l'aventure et la forme du roman-fleuve ; mais il est aussi le miroir d'un idéalisme psychologique, moral et social qui incarne, dans la trame et les conventions (en particulier pastorales) du roman, la mythologie d'un projet de perfection humaine. On notera, enfin, parmi les caractéristiques du roman précieux, la manifestation d'un féminisme mondain et parfois militant qui, déjà présent dans le roman médiéval, réapparaîtra régulièrement dans l'histoire ultérieure du genre. Ainsi se forme, dans la première moitié du XVIIe s., ce que désignera plus tard le terme de *romanesque.* C'est en fonction de ce romanesque que s'explique l'autre grand courant du roman du XVIIe s., le courant dit « réaliste » ; il se partage lui-même

entre les *antiromans* de Ch. Sorel, antithèses systématiques des romans précieux, et le scrupuleux réalisme « bourgeois » de Furetière. Ainsi apparaît dans l'histoire littéraire du roman ce couple antithétique du romanesque et de l'antiromanesque qui va, pour une part, structurer l'évolution du roman aux XVIIIe et XIXe s.
Mais le XVIIe s., dans sa période classique, c'est aussi l'âge de la naissance, avec Mme de Lafayette et *la Princesse de Clèves,* du *roman d'analyse,* qui, résistant aux tentations du roman-fleuve, procède à l'intériorisation du roman, valorise le personnage en tant que caractère soumis à l'épreuve révélatrice d'une crise et, en conséquence, réduit l'action au rôle de simple support d'incarnation de la crise psychologique. Quant à sa technique, le roman d'analyse utilise symboliquement la narration et la description et met en œuvre les divers procédés de l'analyse psychologique directe ou indirecte : description des états d'âme et de leur évolution, dialogues et monologues. À partir de là, le roman d'analyse, sous les formes les plus diverses, de Guilleragues à Laclos, Benjamin Constant, Fromentin, Radiguet, Mauriac, Arland ou Chardonne, restera jusqu'à nos jours une des grandes constantes du roman français.
Mais le XVIIIe s. marque sans doute un tournant dans l'histoire du roman : c'est lui en effet qui va tout d'abord développer le *roman à la première personne* et instaurer aussi la fiction autobiographique (*Manon Lescaut* de l'abbé Prévost comme *le Paysan parvenu* de Marivaux), qui elle-même permettra au roman d'acquérir une nouvelle fonction en servant de masque à l'*autobiographie transposée* : inauguré par Rousseau sous la forme du roman par lettres (*Julie ou la Nouvelle Héloïse*), le roman autobiographique, sous cette forme ou sous celle du récit à la première personne, sera la forme privilégiée du roman de l'âge romantique (Chateaubriand, B. Constant, G. Sand, Fromentin).
Le XVIIIe s., d'autre part, en partie sous l'influence du roman picaresque espagnol (Lesage : traduction de *Guzman d'Alfarache* et *Gil Blas*) et aussi du roman anglais de Richardson ou de Fielding, va utiliser la structure traditionnelle de l'aventure, mais de l'aventure réaliste, pour rendre compte, de manière plus ou moins accentuée (de Marivaux à Restif de La Bretonne), de la relation de conflit, de domination ou de défi qui s'instaure entre l'individu et la société : c'est aussi l'orientation d'une œuvre qui n'est qu'à demi un roman, *le Neveu de Rameau,* de Diderot. Dans cette perspective, en effet, le genre acquiert plus de souplesse et moins de régularité, et c'est alors que le roman tend à devenir le plus libre des genres littéraires, et peut-être même cesse d'être véritablement un « genre ».
La voie est ainsi ouverte à ce qui sera la grande ambition du XIXe s., le *roman total,* roman où se rassemble, pour ainsi dire en épaisseur, la totalité d'un monde social et humain : c'est déjà l'ambition du *Comte de Monte-Cristo,* de Dumas, de la *Consuelo,* de G. Sand, des *Misérables,* de Hugo, mais c'est évidemment dans la gigantesque construction de *la Comédie humaine* de Balzac que s'accomplit pleinement la totalité romanesque, entreprise que reprendra Zola, à la fin du siècle, avec *les Rougon-Macquart,* dans les limites plus étroites de la doctrine naturaliste et de l'idéologie scientiste. Mais l'originalité principale de cette ambition de totalité romanesque tient sans doute à ce que, grâce au génie d'un Balzac, d'un Hugo, d'un Zola, le roman devient alors la forme moderne de l'épopée, car, même dans le cadre du réalisme ou du naturalisme, la totalité romanesque détermine une amplification des proportions et des dimensions qui est proprement de nature épique. C'est enfin dans cette même perspective que prend place le roman historique de Dumas ou de Hugo, sous l'influence de W. Scott, roman qui est aussi une tentative de résurrection d'une civilisation et d'une société, et qui s'est heurté d'ailleurs à des difficultés techniques qu'il n'a pas toujours su surmonter.
Mais l'âge romantique a aussi inscrit dans le roman les thèmes de son romanesque particulier : l'apologie de l'amour-passion, l'ivresse des rêves de bonheur par le déchaînement du sentiment, tous les thèmes qui s'expriment avec tant d'intensité dans les romans lyriques de G. Sand *(Indiana, Lélia)* ; romanesque qui se composera avec un certain réalisme dans les *Scènes de la vie de bohème* de Murger. Ce sont ces « romans romanesques », dont la mythologie est alors largement diffusée par la littérature de second ordre, qui – comme cela s'était déjà produit au XVIIe s. – provoquent, à partir de 1850 environ, une réaction réaliste, celle des antiromans de Champfleury (*Chien-caillou*), de Duranty (*le Malheur d'Henriette Gérard*) et surtout de Flaubert (*Madame Bovary*). Mais Flaubert est aussi le représentant d'une conception *esthétique* du roman qui se rattache à la doctrine de l'Art pour l'art : son œuvre relève ainsi doublement de l'antiroman et annonce même le « nouveau roman » du XXe s. dans la mesure où elle tend à dévaloriser la *matière* du roman, pour, au contraire, valoriser l'*écriture* romanesque. À cet égard, l'au-

teur de *Madame Bovary* est en avance de près d'un siècle sur son temps.
Car la grande dominante de la seconde moitié du XIXe s. est le *naturalisme,* répercussion littéraire du positivisme et du scientisme, comme le montre la référence de Zola à l'œuvre de Cl. Bernard (*cf. le Roman expérimental*) et aux théories biologiques de l'hérédité : la combinaison de l'inspiration scientifique avec l'esthétique de la totalité romanesque héritée de Balzac explique aussi l'ambiguïté du naturalisme en général et de l'œuvre de Zola en particulier. À la limite, le principe scientifique du naturalisme risque alors de priver de toute légitimité la *fiction* romanesque, car, malgré tout, même chez Zola, le roman reste aussi une fiction.
Dans les années de la fin du siècle va éclater la crise du naturalisme, soit que ses excès risquent de le discréditer (*Manifeste des Cinq,* après la publication de *la Terre* de Zola, 1887 ; évolution de Huysmans), soit que – et ce fut sans doute plus décisif – cette crise du roman naturaliste doive être mise en relation avec la crise générale du positivisme et du scientisme que manifeste en 1888 l'*Essai sur les données immédiates de la conscience* de Bergson. C'est un fait que le premier grand renouvellement du roman au XXe s. sera, avec Proust, un renouvellement bergsonien : dans le cadre d'un roman presque entièrement à la première personne, ce qui constitue la substance même de *À la recherche du temps perdu,* ce sont les aventures de la mémoire, les événements de la conscience ; le réalisme même, social et psychologique – car il y a aussi une dimension balzacienne de *la Recherche* – se trouve intégralement intériorisé. C'est aussi à un roman de la conscience, quoique de façon moins bergsonienne, que s'attachent les romanciers du moi, du moi vivant et créateur, comme le premier Barrès ou André Gide, lequel en viendra même, avec *les Faux-Monnayeurs* (la seule œuvre, d'ailleurs, qu'il ait intitulée « roman »), à instaurer le procès du roman dans la conscience du romancier (*Journal des Faux-Monnayeurs*).
Ainsi s'ouvre et va s'épanouir dans la première moitié du XXe s. un nouvel âge d'or du roman : il tend à devenir la forme dominante de l'expression littéraire, il tend à envahir tous les domaines possibles d'exploration, de description ou d'analyses, et c'est à lui que vont les prix littéraires, tels le Goncourt d'abord, puis le Renaudot, le Femina, l'Interallié, ainsi que la faveur du public. Le roman apparaît alors comme le miroir de l'homme et du monde ; il reprend à son compte, sous des formes diverses, l'ambition de totalité héritée du XIXe s. : c'est le roman-fleuve de Romain Rolland, le roman cyclique de Duhamel, de Romains, de Martin du Gard. Dans un âge de crise spirituelle et de renaissance de l'inquiétude chrétienne, c'est par le roman que s'exprimeront les grands porte-parole de cette crise et de cette inquiétude : Mauriac, Bernanos, Green, Malègue. Tous les grands thèmes littéraires enfin vont trouver dans le roman une expression privilégiée : l'aventure et l'évasion avec Mac Orlan, Valery Larbaud ou Alain Fournier : l'analyse psychologique avec Radiguet, Arland ou Chardonne ; la société avec Aragon ou Céline ; la nature avec Colette, Giono, Ramuz, Bosco ou Genevoix.
Dans les années 1930 (*la Condition humaine,* de Malraux, est de 1933) se produit une sorte de rupture : voici que paraît sur le devant de la scène l'homme singulier, le personnage que distingue sa grandeur ou son exception, en un mot *le héros,* par définition engagé dans une action où il tente de réaliser sa plénitude humaine en s'affrontant au destin, que son mobile soit l'égotisme comme chez Montherlant, le service comme chez Saint-Exupéry ou l'engagement comme chez Malraux. Rupture qui n'est pas sans rapport avec la renaissance, dans les mêmes années 1930, de la conscience tragique qui se manifeste d'autre part au théâtre. Et il est vrai que le roman héroïque est aussi, parce qu'il met en jeu l'affrontement de l'homme et du destin, la forme moderne de la tragédie. C'est dire que, par sa référence au destin, le roman assume, au moins implicitement, une dimension métaphysique, et, par sa référence à l'action, c'est-à-dire à l'histoire, il met en jeu le ressort de ce qu'on appellera bientôt l'*engagement.* C'est sans doute l'œuvre de Camus, plus que celle de Sartre – du moins en ce qui concerne le roman –, qui répond le mieux à cette double orientation du roman, et il est remarquable que chez Camus il y ait une sorte de solidarité entre le roman et l'essai : *le Mythe de Sisyphe* accompagne *l'Étranger* comme *l'Homme révolté* accompagne *la Peste.* On put ainsi, dans les années 1950, avoir l'impression que le roman, qu'on commence alors à appeler « traditionnel », avait, en un demi-siècle, épuisé, en les réalisant, toutes les virtualités contenues dans les conceptions techniques et esthétiques héritées du XIXe s. En 1953 paraissait le premier roman de Robbe-Grillet, *les Gommes,* tandis que, deux ans auparavant, avait paru le premier roman français de Beckett, *Molloy.* Ce fut le signal de lancement de ce qui s'appellera le *nouveau roman,* caractérisé par le refus de toutes les structures et de tous les

objectifs du roman traditionnel, et par le privilège exclusif accordé à l'enregistrement du monde comme d'un ensemble d'éléments-objets et à la traduction de cet enregistrement en pure « écriture », la substitution même de la notion d'écriture à celle de style ne laissant pas d'être significative.
Mais le nouveau roman n'a pas pour autant aboli le roman traditionnel, qui continue de fort bien se porter en peuplant ses perspectives des personnages, des actions, des décors que lui suggère l'expérience de l'homme contemporain. On retiendra peut-être plus particulièrement comme une des dominantes de l'âge contemporain le développement du *récit autobiographique,* qu'il s'agisse d'autobiographie directe ou d'autobiographie transposée ; la conversion à l'autobiographie de romanciers comme Green ou Mauriac, comme Malraux, Sartre ou Aragon, est sans doute significative, et leur exemple n'a pas manqué d'être suivi par beaucoup. On dirait que, face à l'objectivité intégrale du nouveau roman, une autre ouverture sollicite le roman, l'ouverture, au contraire, sur la subjectivité, dont la forme littéraire la mieux adaptée est bien l'autobiographie.
Ainsi, de part et d'autre du roman proprement dit, semblent se développer deux genres littéraires opposés et parallèles, qui ne se rattachent au roman que par des liens relativement lâches, le « nouveau roman » (pour lequel, peut-être, il faudrait trouver un autre terme) et le récit autobiographique, avec les multiples variantes que peuvent revêtir l'un et l'autre.

ROMAN POLICIER. Le principe originel de ce type de roman est la mise en œuvre d'une enquête menée par un détective ou un policier en vue de découvrir un assassin coupable d'un crime (par extension, le sujet peut concerner un voleur, un escroc, un malfaiteur quelconque). Le roman policier est né en même temps que la société industrielle se développait dans les villes, suscitant la surpopulation, la misère, donc la criminalité. D'origine tout d'abord anglo-saxonne (Edgar Pœ : *Histoires extraordinaires,* et surtout Conan Doyle, avec son fameux Sherlock Holmes), il avait eu en France son précurseur en la personne d'É. Gaboriau, mais il s'y développa surtout à partir du début du XXe s. avec Gustave Le Rouge, Gaston Leroux (et son héros Rouletabille). Maurice Leblanc (Arsène Lupin), Marcel Allain et Pierre Souvestre (Fantômas) [voir ces noms]. Nombre d'auteurs de romans policiers mettent en scène un héros central dont les aventures sont racontées dans des livres successifs. Ce héros, incarnation du « bien », s'oppose au criminel, incarnation du « mal ». Mais peu à peu, cette antithèse entre les « bons » et les « méchants » semble disparaître au profit d'une réalité plus authentique et d'une analyse psychologique plus poussée des mobiles du malfaiteur comme du détective. Le roman policier peut parfois dépasser les limites de son genre et tendre à une plus grande complexité en mettant en œuvre un « romanesque » spécifique. Souvent méconnu, il a cependant ses maîtres (Georges Simenon), qu'il est difficile parfois de détecter au milieu d'une production considérable. L'intrigue policière peut aussi servir de substrat à une œuvre avant tout littéraire comme *Crime et Châtiment* de Dostoïevski ou *les Gommes* de Robbe-Grillet. On notera même que l'enquête sur un crime resté impuni est déjà, dans l'Antiquité, la matière d'une tragédie comme l'*Œdipe-roi* de Sophocle. Du roman, le genre policier est passé au théâtre, au cinéma et à la télévision.
(Voir aussi DARD, NARCEJAC, SIMENON.)

Bibliographie. R. CAILLOIS, *Approches de l'Imaginaire* (« Puissances du roman »), 1941 ; T. NARCEJAC, *Esthétique du roman policier,* 1947 ; T. TODOROV, *Poétique de la prose* (« Typologie du roman policier »), 1971 ; J.-J. TOURTEAU, *D'Arsène Lupin à San Antonio. Le roman policier français de 1900 à 1970,* 1971 ; F. LACASSIN, *Mythologie du roman policier* (2 vol.), 1974 ; BOILEAU-NARCEJAC, *le Roman policier,* 1975 ; T. NARCEJAC, *Une machine à lire : le roman policier,* 1975 ; *EUROPE* (nov.-déc. 1976), *la Fiction policière* ; COLLECTIF, *Enquête sur le roman policier, Bibliographie critique,* 1978 ; R. BONNIOT, *Émile Gaboriau ou la Naissance du roman policier,* 1985.

ROMAN D'ALEXANDRE. Amalgame de tous les récits qui furent ébauchés tout au long du Moyen Âge au sujet du légendaire conquérant macédonien, Alexandre le Grand. Les sources essentielles sont prises dans Quinte-Curce. La figure d'Alexandre n'était pas sans séduire. Elle pouvait aisément servir de modèle au chevalier du Moyen Âge puisqu'elle présentait l'image d'un homme valeureux, guerrier invincible, voyageur infatigable, fin lettré. Dans le *Roman d'Alexandre* fut utilisé le vers de douze syllabes qui, par la suite, prit le nom d'« alexandrin ».

ROMAN D'ÉNÉAS. Long poème en dix mille cent cinquante-six octosyllabes, rédigé entre 1160 et 1170 en dialecte normand. L'auteur en serait Benoît de Sainte-Maure. *L'Énéide* de Virgile est suivie d'assez près, mais l'auteur, fidèle aux exigences du genre courtois, y multiplie les épisodes amoureux sur le modèle de l'idylle d'Énée et de Lavinia.

ROMAN DE FAUVEL. Roman du début du XIVe s., de caractère satirique, dont l'auteur, récemment découvert, serait un certain Gervais de Bus qui vivait encore en 1338 : la seconde partie de ce roman porte sa signature. Il se peut que la première soit l'œuvre d'auteurs différents. Les six lettres du nom F.A.U.V.E.L. sont les initiales de Fausseté, Avarice, Vilenie, Vanité, Envie, Lâcheté, qui caractérisent Fauvel, cheval allégorique rassemblant, à lui seul, toutes les caractéristiques des gens de ce temps. L'auteur s'en prend à toutes les classes de la société – et plus particulièrement au pouvoir temporel, qui a pris le pas sur le pouvoir spirituel sclérosé et en décadence. La seconde partie, moins satirique, montre comment Fauvel veut épouser Fortune, qui refuse. Il finit par se marier avec Vaine Gloire, qui lui donnera une multitude de petits « fauveaux ».

ROMAN DE JEHAN DE PARIS. Roman anonyme en prose, de la fin du XVe s. Il semble que ce roman soit la transposition des amours de Charles VIII avec Anne de Bretagne. Le roi Jehan, destiné à épouser l'infante d'Espagne, Isabelle, décide de se rendre incognito à la cour d'Espagne, où il se fait passer pour le fils d'un simple marchand, afin de mieux connaître sa future épouse. La jeune fille est sensible au charme de ce roturier qui a si belle allure et une suite aussi élégante. Jehan et Isabelle s'aimeront avant que le stratagème ait été découvert. Cette œuvre est fort caractéristique des débuts de la Renaissance : l'humour y est plus facile que dans les textes du Moyen Âge, la joie d'aimer remplace les difficultés de l'approche de la personne aimée, difficultés qui définissaient l'amour courtois. D'après des découvertes récentes, ce roman serait l'œuvre d'un certain Pierre Sala, écrivain lyonnais.

ROMAN DE RENARD. Il s'agit d'une œuvre qui n'est pas à proprement parler un roman, dont elle ne possède pas la continuité : c'est une suite d'épisodes formant chacun un tout, dont l'unité est dans la présence, tout au long, d'un héros central, Renard, nom propre, devenu depuis nom commun : la popularité du personnage a fait tomber en désuétude le nom commun antérieur de *goupil.* Cette structure à épisodes est inscrite dans la division traditionnelle de l'œuvre en « branches », de dates et d'auteurs différents. Les sources sont complexes : fables héritées de l'Antiquité, sources nordiques, en particulier flamandes. Ce qui est à peu près certain, c'est que l'œuvre est née dans un milieu nourri de traditions antiques, milieu de clercs, dont l'un, Pierre de Saint-Cloud, composa vers 1175 le noyau initial du roman, les actuelles branches II et V*a*. Le succès fut tel que d'autres clercs rédigèrent nombre de suites. À partir de là, l'œuvre connut un large rayonnement européen, et l'on retiendra en particulier la version allemande d'Henri le Sournois, *Reinhardt Fuchs,* et la version flamande de Willem, *Reinaert de Vos.*
Malgré sa complexité, le roman laisse apparaître trois grands caractères essentiels : l'anthropomorphisme, qui détermine l'utilisation des animaux comme symboles humains ; le naturalisme, qui se traduit aussi bien dans la présence constante de la nature et de son pittoresque que dans la psychologie fondée sur l'analyse et la description des comportements instinctifs ; enfin la satire, constituée par la parodie systématique de l'idéal courtois et aristocratique. Quant au personnage de Renard, il est comme le point de convergence des ressorts et significations de l'œuvre. Il incarne, sous la forme d'une parodie du héros, l'intelligence, le cynisme et la supériorité de l'homme qui défie une société qu'il méprise ; c'est du côté de ses victimes que se trouvent la prétention, la sottise, la maladresse, la mesquinerie, la lâcheté. Visiblement, c'est à lui que va la sympathie des auteurs, et c'est en vue de communiquer cette sympathie au lecteur qu'ils utilisent le comique. Car Renard n'est pas un révolutionnaire : il est le cynique à la fois désabusé et actif, et une sorte de dilettante qui, devant la fatalité du mal dans l'homme et dans la société, décide d'en profiter pour se donner du bon temps et d'utiliser sa supériorité pour s'amuser aux dépens d'autrui, non sans qu'il lui en advienne toutefois quelques désagréments.
Construit autour d'un certain nombre d'épisodes-clés, le roman originel de Pierre de Saint-Cloud raconte la suite de la vie du héros : celui-ci attaque d'abord Chantecler, le coq, que Pinte, la plus sage des poules, met vainement en garde. Cependant Chantecler s'inquiète bientôt ; il a eu un rêve troublant, qu'il raconte à Pinte, laquelle le lui explique : s'il ne se méfie, il finira dans la gueule du goupil ! Grâce à ce sage avertissement, Chantecler réussira à tromper le trompeur. Renard s'atta-

que ensuite à la mésange, au corbeau Tiercelin, qui lui abandonne un fromage (La Fontaine en reparlera), et finira par être victime de la méchanceté de Tibert le chat. Tout cela pour aiguiser en Renard le désir de la revanche. Voici qu'il rencontre Hersent, l'épouse de son vieil ennemi Isengrin le loup, Hersent à qui il fait la cour avec quelque succès. Lorsque arrive Isengrin, Hersent fait mine d'avoir été « prise » par Renard, et Isengrin doit, non sans ridicule, entreprendre de la « délivrer ». Tel est le point de départ de la grande guerre qui va se poursuivre entre Renard et Isengrin.
Les continuateurs de Pierre de Saint-Cloud mettent en scène, sur le même modèle, de nouveaux épisodes : l'appel de Renard, accusé par ses victimes, à la justice du roi, Noble le lion ; l'échec des animaux chargés d'arrêter Renard et de l'amener devant le tribunal, Brun l'ours, Tibert le chat. Grimbert le blaireau obtient certes de Renard qu'il se rende enfin au tribunal royal, mais, au moment où il est sur le point d'être pendu, Renard offre de se racheter en partant en pèlerinage, ce que lui accorde le roi ; mais Renard va renier son engagement : il assomme Couard le lièvre, provoque le roi et sa cour ; après quoi, échappant à ses ennemis, il se réfugie dans sa forteresse de Maupertuis. Suit un siège en règle, qui s'achève par le triomphe de Renard. Mais bientôt, on va apprendre qu'il est mort ; on célèbre alors ses obsèques, au cours desquelles Bernard l'âne prononce une étonnante oraison funèbre, apologie des vices et péchés du défunt, proclamation des droits naturels de l'amour ! On va jusqu'à organiser des jeux funèbres (sans doute est-ce une parodie des usages antiques). Mais Renard n'était qu'évanoui et, au moment de sa mise en terre, il se réveille, et saute hors de la fosse laborieusement creusée pour lui par Brun l'ours. Renard finira tout de même par mourir pour de bon, quoique ce ne soit pas tellement sûr – il est capable de tout, même de ressusciter ! – puisque son épouse Hermeline montre à Grimbert le blaireau une pierre tombale portant le nom d'un *paysan* nommé Renard : il y aurait donc confusion homonymique. Néanmoins ici s'achève le roman, un peu à la manière d'une chanson de geste : « Ci finit de Renard le nom. »

ROMAN DE LA ROSE. (Voir I. GUILLAUME DE LORRIS ; II. JEAN DE MEUNG.)

ROMAN DE THÈBES. Roman anonyme du XIIe s., attribué parfois à Benoît de Sainte-Maure. Il fait partie du cycle dit antique, qui s'inspire du monde gréco-romain. Le poète a suivi de très près *la Thébaïde* de Stace, tout en ajoutant, dans le contenu, des inventions de son cru. C'est ainsi qu'il a transposé le texte dans un cadre féodal, insistant tout particulièrement sur les épisodes chevaleresques.

ROMAN DE TROIE. Ce roman aurait été composé en 1165 par Benoît de Sainte-Maure, mais l'attribution n'est pas certaine. Il appartient à la « matière antique », celle des légendes grécoromaines. Il raconte l'origine de la ville, son histoire, sa destruction. L'auteur rend compte du sort advenu à tous les héros grecs, et plus particulièrement à Ulysse, tout en y joignant un aspect chevaleresque au gré de sa fantaisie. L'œuvre compte plus de trente mille octosyllabes et a pour sources principales deux relations latines en prose de la guerre de Troie : *De excidio Trojae historia,* d'un pseudo-Darès le Phrygien, et *Ephemeris belli Trojani,* d'un pseudo-Dictys de Crète. Ce long poème ajoute au récit diverses intrigues amoureuses (Jason et Médée, Achille et Polyxène, et surtout l'épisode inventé des amours de Troïlus puis de Diomède avec Briséida, dont se souviendront Boccace dans son *Filostrato* ainsi que Chaucer et Shakespeare dans les œuvres qu'ils composeront sur le thème de *Troïlus et Cressida*). L'auteur se révèle ainsi le porte-parole d'une courtoisie très à l'honneur dans l'entourage d'Aliénor d'Aquitaine, tant par l'expression subtile et nuancée des sentiments et de la passion que par la finesse psychologique de ses analyses. Homme de culture, il ne manque pas non plus l'occasion d'étaler son érudition en savantes digressions. Transmis par trente-neuf manuscrits, adapté en prose et imité (*la Destruction de Troie la Grande,* par J. Millet, XVe s.), ce *Roman de Troie* est également traduit à l'étranger : en Allemagne (H. von Fritzlar et Konrad von Würzburg) et en Sicile, où Guido de Colomba en fait une adaptation latine.

ROMANE (école). École poétique fondée par Jean Moréas qui, dans son « Manifeste » (paru le 14 septembre 1891 dans *le Figaro*), réclamait le retour à la culture gréco-latine et aux lettres françaises telles qu'elles avaient fleuri aux XIe, XIIe, XIIIe s. grâce aux troubadours. L'école se référait également à la tradition de la Pléiade et du classicisme, et rejetait avec mépris toutes les formes antagonistes, qu'elle jugeait décadentes, et, en particulier, le romantisme. Elle regroupait autour de son fondateur des esprits comme

Maurice du Plessis, Ernest Raynaud, Raymond de La Tailhède, Charles Maurras.

ROMANTISME. Le romantisme est un phénomène européen, l'expression littéraire d'une véritable crise de la culture et de l'esprit modernes, qui explose dans les années du milieu du XVIIIe s. En France même, l'œuvre de J.-J. Rousseau peut apparaître comme déjà pleinement romantique. Toutefois, d'un point de vue strictement historique, cette explosion fut en France provisoirement neutralisée par le néoclassicisme de la période révolutionnaire et impériale, et c'est seulement en 1802 que naît, avec le *Génie du christianisme* de Chateaubriand, le romantisme français, en attendant son épanouissement dans les années 1820-1830, avec Lamartine, Hugo, Vigny, Musset. Telles sont les raisons pour lesquelles les historiens de la littérature ont élaboré, pour désigner le premier romantisme, celui du XVIIIe s., la notion de *préromantisme* (voir ce mot).
Originellement, le romantisme est un phénomène conjointement culturel et spirituel : culturellement, il fut, d'abord en Allemagne, une réaction contre l'expansion européenne de l'art classique d'origine française. Dans le romantisme français s'opère ainsi, dès le début du XIXe s., en particulier avec Mme de Staël, un véritable *virage culturel* : le romantisme se détournera des sources classiques de la culture, les « littératures du Midi », pour se tourner vers des sources plus modernes, les « littératures du Nord », conversion qui se traduira concrètement par la référence aux littératures allemande et anglaise, par exemple Schiller, Shakespeare et Walter Scott.

Cette conversion culturelle est elle-même légitimée par une conversion spirituelle à des valeurs pour la plupart d'ailleurs déjà proposées par le romantisme de Rousseau : le culte de la singularité personnelle, qui débouchera sur la promotion du lyrisme ; la conscience aiguë d'une discordance entre l'individu et la société et le monde, qui donnera naissance à la mélancolie et au « mal du siècle » ; le recours enfin au sentiment de la nature, au rêve et à l'imaginaire (et, dans cette voie, le romantisme ouvrira la porte à toutes les formes de l'onirisme et du fantastique). Le romantisme apparaît donc bien, selon la formule de Baudelaire, comme une nouvelle « manière de sentir », qui débouche, au moins virtuellement, sur un renouvellement radical des modes de l'expression littéraire. Car le romantisme n'est pas seulement une esthétique, il ne se réduit pas à un nouvel « art poétique » : il implique une mise en question totale de la littérature, de ses fonctions, de ses thèmes, de ses techniques. Certes le romantisme français se montrera, dans l'ensemble, moins radical que d'autres romantismes européens ; en particulier dans l'ordre technique, il ne rompra pas autant qu'il le prétend parfois avec la tradition. Néanmoins, le recul permet aujourd'hui de restituer toute leur valeur significative et révolutionnaire à des œuvres longtemps considérées comme marginales : celles de Nodier, de Guérin, de Nerval, par exemple. Il reste que cette totalité de la révolution romantique s'est essentiellement manifestée par la volonté des grands romantiques d'exploiter tous les genres et tous les modes d'expression : poésie lyrique et poésie épique, roman personnel, roman historique et roman total, autobiographie directe ou transposée, théâtre enfin. Et l'on sait que c'est au théâtre que le romantisme a cherché son triomphe décisif, et qu'il l'a obtenu lors de la célèbre bataille d'*Hernani,* en février 1830, après que la philosophie dramatique du romantisme eut été exposée par Hugo dans la *Préface de « Cromwell »* en 1827 : mélange des genres, ou plutôt contrepoint dramatique du « sublime » et du « grotesque » ; expansion spatiale et temporelle, par rupture avec la règle des unités, en vue de la manifestation scénique d'un univers multidimensionnel ; libération du langage, soit qu'on ait recours à la prose, comme le Vigny de *Chatterton* ou le Musset de *Lorenzaccio,* soit que, comme Hugo, on reste fidèle au vers. C'est au théâtre aussi que se manifesteront les premiers signes d'un épuisement du romantisme, avec l'échec des *Burgraves* de Hugo en 1843. Quant à l'évolution du romantisme, de part et d'autre de la date cruciale de 1830, elle le conduira, en particulier dans ses expressions poétiques et romanesques, de l'égocentrisme lyrique du premier Lamartine, du premier Hugo, de Musset, à l'expansion humanitaire et prophétique qui se manifestera en particulier par la conversion épique des grands romantiques, parmi lesquels seul Hugo, avec *la Légende des siècles, Dieu* et *la Fin de Satan,* réalisera pleinement son ambition, tandis que Lamartine ou Vigny en resteront à des tentatives fragmentaires ; mais, dans cette perspective, il faut aussi donner toute sa place au romantique qui sut admirablement concilier le sens rigoureux de l'histoire et la vision épique : Michelet.

Les années postérieures à 1830 sont aussi celles où les romantiques, pour traduire en acte cette évolution, cèdent à la tentation de l'engagement social et politique : il ne s'agit plus seulement pour eux de chanter l'histoire mais de la faire ; c'est la conversion de George Sand au socialisme humanitaire de Pierre Leroux ; l'action républicaine de Lamartine jusqu'à son triomphe éphémère de 1848 ; l'opposition irréductible de Hugo à Napoléon III. Tentation politique que dénonce Vigny dans un passage célèbre de *la Maison du berger* ; il se peut, en effet, que l'engagement politique apparaisse comme une sorte de diversion par rapport à la dimension métaphysique d'un romantisme de la pureté spirituelle, celui précisément de Vigny, comme par rapport à un approfondissement des mystères de l'âme et du monde qui caractérise, dans le même temps, le moins politique des romantiques, Gérard de Nerval.

Dans les années 1850, le romantisme commence à paraître anachronique : en témoignent la solitude de Hugo et la décadence de Lamartine, tandis que Vigny s'enferme dans la singularité d'une haute et transcendante méditation. Les nouvelles générations littéraires en effet sont des générations « positives », ce sont celles qui vont privilégier le réalisme et le naturalisme ; ou bien, s'il se trouve parmi elles des tempéraments romantiques, la littérature leur servira non à exprimer mais à exorciser leur romantisme : c'est le cas de Flaubert. Mis à part la gigantesque exception de Hugo, la seconde moitié du siècle verra le triomphe, même en poésie avec le Parnasse, de ce que Baudelaire appellera l'« art positif ».

Telle est la fin *historique* du romantisme. Mais, outre qu'il a été un moment d'épanouissement d'une disposition spirituelle et littéraire permanente – il y a un « romantisme éternel » comme un « classicisme éternel » –, il a déposé dans notre littérature un héritage imprescriptible : en particulier, l'ouverture sur une poétique de l'inconnu, de l'inouï, de l'illimité fécondera toute une part de la littérature ultérieure, de Baudelaire au surréalisme. Et c'est parce qu'il a libéré les forces de ce que Baudelaire appellera le *surnaturalisme* que le romantisme a permis effectivement le renouvellement, de fond en comble, des thèmes d'inspiration et des modes d'expression de la littérature moderne.

RONDEAU ou **rondel** ou **rondin** ou **rondet** ou **rondelet.** Désigne, au XIIIe s., une chanson de danse, la forme métrique étant déterminée par la structure musicale de l'accompagnement. Désigne également un petit poème, nommé aussi « triolet », dans lequel le ou les premiers vers reviennent au milieu ou à la fin de la pièce. (Voir CHARLES D'ORLÉANS.)

RONSARD Pierre de. Château de la Possonnière (Vendômois) 9.1524 – Saint-Cosme-lez-Tours 27.12.1585. Chacune des étapes de la carrière de R. marque un progrès par dépassement de lui-même, qui le fait surclasser, de très loin, tous les poètes du XVIe s.

Dès l'âge de douze ans, il compose des vers, sans doute inspirés par le cadre champêtre du château de la Possonnière, où il passa son enfance, en étroite relation avec la nature. Page de princesses royales, il va en Écosse (avec Madeleine de France) et séjourne quelque temps en Allemagne avec Lazare de Baïf, qui l'initie aux lettres antiques. À l'âge de quinze ans, il est frappé de surdité et doit renoncer à la carrière militaire à laquelle il se destinait. Il ne lui reste plus que l'Église : il reçoit la tonsure, et Michel de l'Hospital lui fait attribuer des bénéfices ecclésiastiques qui lui permettent d'être dégagé de tout souci matériel et de pouvoir désormais se consacrer exclusivement aux Muses selon ce qui est, à ses yeux, sa vocation profonde. Après avoir adapté des odes épicuriennes d'Horace et rencontré Jacques Peletier du Mans, il entre au collège de Coqueret, où il suit les cours de Baïf et surtout ceux de Dorat, en compagnie de son ami du Bellay. En 1550, un an après la publication de la *Défense et Illustration...,* à laquelle il prit sans doute une part active, R. publie les *Quatre Premiers Livres des Odes,* qui le désignent d'emblée comme le chef de file de la nouvelle poésie. Ce recueil se veut révolutionnaire, par une pratique effective des principes édictés dans la *Défense.* Hautainement, R. affirme, dans la préface, qu'il veut faire « style à part, sens à part, œuvre à part ». Pourtant, ce recueil est encore très nettement inspiré par Horace, ce qui ne l'empêche pas d'obtenir un grand succès. Il est vrai que R. y chante les rois, les reines, les princesses qui composent le public à qui il s'adresse. La gloire naissante et soudaine du futur « Prince des poètes » irrite ses concurrents, qui le défient en l'accusant d'être incapable de faire un sonnet « à la Pétrarque ». Changeant radicalement de ton pour répondre à l'impératif du moment, R. écrit des sonnets pétrarquistes, les *Amours,* inspirés par Cassandre Salviati. R. y fond d'une manière heureuse la tradition de l'amour courtois et le platonisme moderne. Malgré la rhétorique, encore influencée par les Anciens, on voit se dégager un courant de passion authentique, un véritable talent de conteur, une spontanéité qui fait oublier tous les artifices de la convention littéraire à laquelle il voulait se soumettre, et, surtout, un art de la facture poétique qui élève R. au-dessus de tous ses rivaux. Pour les convaincre davantage encore de sa supériorité, songeant en particulier à Mellin de Saint-Gelais, qui l'accuse d'hermétisme, R. publie des pièces d'un abord plus simple : le *Bocage,* les *Mélanges,* la *Continuation des Amours,* toujours dédiés à Cassandre. Dans la *Nouvelle Continuation des Amours,* sa nouvelle « dame », Marie Dupin, une jeune paysanne, lui inspire une poésie plus directe : il évoque les bois, les sentiers, les ruisseaux, les oiseaux. Et la cour ne tarit plus d'éloges sur ce poète qui, au travers des enchevêtrements des écoles diverses, plus ou moins influencées par les complications de la rhétorique, a su retrouver le jaillissement spontané d'une poésie naturelle. Mais R. ne se contente pas d'une gloire si facilement acquise ; il vise toujours plus haut. Et, après avoir fait quelques concessions au goût du jour avec les *Folastries,* il compose les *Hymnes,* où il abandonne les sujets dits « légers » pour aborder les grands problèmes cosmiques, moraux et métaphysiques. Il y célèbre, entre autres, dans le langage du mythe et de l'allégorie, la Vertu, l'Éternité, la Mort, les Astres, le Ciel, utilisant tout au long le « vers héroïque », l'alexandrin, seul mètre à la mesure de cette inspiration élevée. R. tient à montrer – et il y réussit admirablement – qu'il est tout aussi capable d'œuvrer dans l'éloquence et la gravité que dans le pétrarquisme ou la badinerie amoureuse. C'est alors en effet qu'apparaît en pleine lumière le poète que du Bellay pourra comparer à Orphée (*Regrets,* XX), celui que des gravures, largement répandues, représenteront couronné de laurier, comme Pétrarque au Capitole. Les *Hymnes,* en effet (*cf. Hymne des Daimons, Hymne de la Mort*), sont l'œuvre d'un génie pour qui la plus haute poésie jaillit au contact de la nature avec l'imaginaire, produisant alors un univers où le délire imaginatif intègre les réalités naturelles les plus immédiates et les plus concrètes ; et le réalisme de la vision mythologique ou fantastique se traduit avec une puissance inégalée dans des suites d'alexandrins dont la structure rythmique est elle-même la figure plastique des mouvements de l'imagination et des secrets de la nature. Reconnu, admiré, entouré, il réunit autour de lui ceux qu'il considère comme les six meilleurs poètes de ce temps et constitue la Pléiade (composée de Du Bellay, Pontus de Tyard, Baïf, Peletier du Mans, Belleau et Jodelle), dont il est le chef incontesté ; il est appelé le « Prince des poètes ». En 1560, une édition collective de ses œuvres (*Odes, Amours, Hymnes*) couronne cette gloire, témoignant de la richesse de son talent et de la variété de son inspiration.

Devenu poète officiel de la cour de Charles IX, pour qui il éprouve un attachement personnel profond, comblé de biens (canonicats, prieurés), R., par conviction personnelle, commence à prendre part aux affaires religieuses de son temps. Il veut aussi montrer qu'il peut tout (et toujours mieux) faire, que les problèmes de l'actualité ne lui sont pas, non plus, étrangers. C'est alors qu'il écrit les *Discours,* dont les principaux ont été rédigés entre 1562 et 1563 : *Discours sur les misères de ce temps, Remontrance au peuple de France,* pour ne citer que les principaux. Malgré son intérêt pour la Réforme, R., au nom du patriotisme et du loyalisme monarchique, prend parti pour les catholiques, mais exhorte les deux factions à se réconcilier, ce qui ne l'empêche pas d'attaquer parfois très violemment les protestants, qui répliquent. R. veut avoir le dernier mot, et c'est la *Réponse aux injures et calomnies de je ne sais quels prédicants et ministreaux de Genève.* C'est qu'aux yeux de R. le magistère poétique qu'il a déjà proclamé dans les *Hymnes* de *Henry II* et de *la Justice,* qu'il réaffirme avec vigueur dans l'*Institution... du roi Charles IX,* impose que le poète s'engage, selon sa responsabilité propre, qui est spirituelle, dans les grands débats de l'histoire : le grand rêve de l'ordre et de la justice se heurte aux réalités de la discorde et de la guerre civile ; il incombe au poète d'intervenir, fût-ce jusqu'à la polémique. Mais la source de l'inspiration des *Discours,* du fait même de son altitude historique, oriente déjà le poète vers l'épopée. Il est, semble-t-il, convaincu que le débat historique contemporain doit aussi se résoudre poétiquement par la construction du grand mythe national qui, selon R., manque encore à la France et où il pense trouver le couronnement de son magistère spirituel. C'est dans cet espoir qu'il entreprend *la Franciade,* épopée construite à la manière de *l'Énéide* de Virgile. Il reprend les procédés de son illustre prédécesseur, les appliquant à une histoire légendaire du royaume de France, des origines à nos jours.

Ce sera le seul échec de ce génie exceptionnel. L'imitation de Virgile, l'artifice d'une histoire sans racines authentiques dans les légendes nationales, l'utilisation anachronique du décasyllabe au lieu de l'alexandrin ne suffisent cependant pas à expliquer cet échec, tout relatif d'ailleurs, car il y a dans *la Franciade* d'admirables morceaux d'anthologie (Charles Martel à la bataille de Poitiers, par ex.). Ce qui a manqué au R. de *la Franciade,* c'est, du fait même de la nature de son projet, ce soutien de l'imaginaire par le réel et du merveilleux par le naturel, qui a, partout ailleurs dans son œuvre, fécondé son génie. Aussi *la Franciade* restera-t-elle inachevée : le poète n'en publiera en 1572 que les quatre premiers livres. Pour retrouver sa « fureur » poétique, malgré son âge avancé, il chante à nouveau l'amour et atteint les sommets d'une poésie à la fois plastique et platonicienne lorsqu'il adresse à Hélène de Surgères, petite-cousine de la maréchale de Retz, ses *Sonnets pour Hélène.* Cette Hélène, qu'on appelait « la Minerve de la cour », était toute désignée pour devenir la nouvelle Laure du Vendômois. En fut-il réellement amoureux ? On ne saurait le dire, et d'ailleurs peu importe ; car, dans ces sonnets, le personnage d'Hélène accède à la plénitude du mythe ; elle est choisie, semble-t-il, surtout pour son nom, et c'est à partir de l'identification onomastique entre Hélène de Surgères et Hélène de Troie que R. construit son ultime et suprême mythe féminin : vision mythologique de l'essence féminine qui, dans la pureté du langage, par la science du rythme et de la mélodie, fonde le grand rêve d'immortalité poétique qui n'a cessé d'être jusqu'au bout l'obsession dominante de R. Après cet admirable chant du cygne, le poète se retire, avec d'autant plus de sérénité que le nouveau roi Henri III semble lui préférer son jeune rival Desportes. Il s'adonne alors à la réflexion religieuse et à la méditation sur lui-même que lui inspire la maladie qui l'emportera bientôt : ce sont les bouleversants *Derniers Vers* :

Je n'ai plus que les os, un squelette je semble...

Quand il mourut, l'Europe entière composa un *Tombeau collectif* en l'honneur de celui qui avait conféré à la France, et surtout à la langue française, un prestige inégalé.

Cette gloire, R. l'avait profondément désirée et même suscitée. Mais il eut le privilège de parvenir à plaire à son public tout en produisant une œuvre digne de l'immortalité dont il rêvait, une œuvre marquée aussi par une conscience poétique exceptionnelle : le soin avec lequel il entreprit les diverses éditions de ses œuvres collectives (en 1560, 1578, 1584) témoigne tout à la fois de ce souci de laisser à la postérité l'image la plus parfaite de son talent et du désir de porter le poème à son plus haut degré de perfection. Lyrique, élégiaque, sensuel, cosmique, il sera méconnu par le XVIIe s., qu'il avait pourtant partiellement annoncé (ne serait-ce que par l'utilisation affirmée de l'alexandrin). Poète à la fois lyrique et visionnaire, modèle d'inspiration et de maîtrise, il sera remis à sa vraie place, la première, par le XIXe et le XXe s.

Œuvres. *Odes (Quatre Premiers Livres des Odes de P. de R., vendômois. Ensemble son Bocage),* 1550 (P). – *Tombeau de Marguerite de Valois, reine de Navarre,* 1551 (P). – Cinquième livre des *Odes,* 1552 (P). – Premier livre des *Amours (les Amours de Cassandre),* 1552 (P). – Livret de *Folastries,* 1553 (P). – *Bocage* (contient 6 odes du premier *Bocage* et une cinquantaine de pièces nouvelles), 1554 (P). – *Mélanges,* 1554-1555 (P). – *Continuation des Amours,* 1555 (P). – *Hymnes,* 1555 (P). – *Gayetez,* 1555-1556 (P). – *Nouvelle Continuation des Amours (les Amours de Marie),* 1556 (P). – Second livre des *Hymnes,* 1556 (P). – *Exhortations,* 1558 (P). – Second livre des *Mélanges,* précédés d'une *Préface au roi François II,* 1559 (P). – *Œuvres* (4 vol., *les Amours, les Odes, les Poèmes, les Hymnes*), 1560 (P). – *Élégie sur les troubles d'Amboise,* 1560 (P). – *Élégie contre les bûcherons de la forêt de Gastine,* 1560 (P). – *Églogues,* 1560 et suivantes (P). – *Institution pour l'adolescence du roi Très-Chrétien Charles, IXe du nom,* 1562 (E). – *Élégie à G. des Autels,* 1562 (P). – *Discours sur les misères de ce temps, dédiés à la reine mère,* 1562 (P). – *Continuation du Discours des misères,* 1562 (P). – *Remontrance au peuple de France,* 1562 (P). – *Réponse aux injures et calomnies de je ne sais quels prédicants et ministreaux de Genève,* 1563 (P). – *Épître au lecteur. Préface au trois livres du Recueil de nouvelles poésies,* 1564 (E). – *Élégies, Mascarades et Bergeries,* précédées d'une *Épître à la reine d'Angleterre,* 1565 (P). – *Abrégé de l'Art poétique français,* 1565 (E). – Sixième et septième livre des *Poèmes,* 1569 (P). – *La Franciade* (4 livres), 1572 (P). – *Sonnets pour Astrée,* 1578 (P). – *Sonnets pour Hélène,* 1578 (P). – *Œuvres* (recueil), 1578 (P). – *Le Bocage royal* (contient *les Panégyriques*), 1584 (P). – *Mascarades, Combats et Cartels,* 1584 (P). – *Derniers Vers,* posth., 1586 (P).

ROSNY, Joseph Henri Boex, dit **J.-H. R. aîné.** Bruxelles 17.2.1856 – Paris 15.2.1940. **Séraphin Justin Boex,** dit **J.-H. R. jeune.** Bruxelles 21.7.1859 – Ploubazlanec (Côtes-du-Nord) 15.6.1948. Ils écrivirent ensemble de 1887 à 1908, d'abord en naturalistes, puis rompirent avec Zola (« Manifeste des Cinq »). Ils furent au nombre des premiers académiciens Goncourt (1896). R. jeune publia, entre autres romans, *l'Affaire Derive, les Sépulcres blanchis, la Courtisane passionnée, le Destin de Marin Lafaille,* et également des ouvrages d'aimable critique, notamment un *Frans Hals.* R. aîné est surtout connu pour ses récits concernant les temps préhistoriques et son œuvre de science-fiction, constamment réédités, alors que le reste de sa production est tombée dans l'oubli. Il est, avant tout, le poète sauvage du cosmos, et on lui doit la seule épopée qui puisse rivaliser avec celle de l'Anglais Olaf Stapledon, une épopée qui commence dès 1887 avec le court roman *les Xipéhuz,* où il conte comment l'Homme faillit ne pas être le roi de la création, étant en lutte, à l'aube des temps historiques, avec des cristaux pensants ; une épopée dont la préface serait *la Légende sceptique* et qui se terminera soixante-quinze ans plus tard par la publication posthume de la suite des *Navigateurs de l'infini, les Astronautes.* Dix-neuf romans (dont cinq « préhistoriques ») et quatorze nouvelles (dont deux « préhistoriques ») composent cet ensemble qui va des premiers balbutiements de l'humanité à la fin de l'Homme détrôné par une espèce nouvelle, les Ferromagnétaux. L'ensemble, en un style qui provient en partie de Hugo et de Leconte de Lisle, et qui constitue un exemple rare d'adéquation du langage aux thèmes, est soutenu par une invention qui ne cessera d'étonner, par la création d'êtres étranges aux noms splendides, les Xipéhuz, l'Aigue du *Cataclysme,* les Moedigne (ces êtres infiniment plats qui nous côtoient sans que nous le sachions), dans « Un autre monde », les Ferromagnétaux de « la Mort de la Terre », les Zoomorphes des « Navigateurs de l'infini ». Une place à part doit être faite aux récits préhistoriques, de *Vamireh* à « Helgvor du fleuve Bleu », parmi lesquels se détache *la Guerre du feu,* fresque universellement connue, sur l'éveil de l'humanité.

Œuvres. *Nell Horn,* 1886 (N). – Avec son frère J.-H. Rosny jeune : *les Xipéhuz,* 1887 (N). – *Le Bilatéral,* 1887 (N). – *L'Immolation,* 1887 (N). – « Manifeste des Cinq », 1887 (E). – *Le Termite,* 1890 (N). – *Vamireh,* 1892 (N). – *Eyrimah,* 1893 (N). – *Le Cataclysme,* 1896 (N). – *Les Profondeurs de Kyamo,* 1896 (N). – *Un autre monde,* 1898 (N). – *Le Crime du docteur,* 1903 (N). – Sous le pseudonyme d'Enacryos : *les Femmes de Setnê,* 1903 (N). – J.-H. Rosny aîné seul : *Marthe Baraquin,* 1909 (N). – *La Guerre du feu,* 1911 (N). – *La Force mystérieuse,* 1914 (N). – *Le Félin géant,* 1918 (N). – *L'Appel du bonheur,* 1919 (N). – Sous le nom de J.-H. Boex-Borel : *le Pluraliste : essai sur la discontinuité et l'hétérogénéité des phénomènes,* 1919 (E). – *L'Étonnant Voyage de Hareton Ironcastle,* 1922 (N). – *Les Autres Vies et les autres Mondes,* 1923 (E). – *La Vie amoureuse de Balzac,* 1930 (E). – *Les Sciences et le pluralisme,* 1930 (E). – *La Sauvage Aventure,* 1935 (N). – *Les Instincts,* 1939 (E). – *Les Astronautes,* posth., 1960 (N). – J.-H. Rosny jeune seul : *le Fauve,* 1899 (N). – *La Charpente,* 1900 (N). – *L'Affaire Derive,* 1912 (N). – *Les Sépulcres blanchis,* 1913 (N). – *L'Énigme de Givreuse,* 1916 (N). – *La Courtisane passionnée,* 1925 (N). – *Frans Hals,* 1930 (E). – *Élisabeth d'Angleterre,* 1937. – *Le Destin de Marin Lafaille,* 1946 (N).

La Guerre du feu

C'est, en trois séries ascendantes d'épisodes, le récit de l'aventure épique vécue, avec ses deux compagnons de la tribu préhistorique des Oulhamr, par Naoh, le chef, le héros central. Les Oulhamr, en effet, à la suite d'un combat malheureux, ont vu l'ennemi détruire les cages où ils conservaient le Feu : privés du Feu, ils sont privés de ce qui assurait à la fois leur nourriture et leur protection contre la Nature et surtout contre les Grands Fauves, ennemis des Hommes. Naoh s'est engagé à partir avec ceux qu'il a choisis, Gaw et Nam, à la conquête du Feu ; il s'est engagé à le rapporter aux Oulhamr, et sa récompense sera Gammla, la fille du grand chef Faouhm, à qui alors Naoh succédera. Mais Naoh, le fils du Léopard, a un rival redoutable en la personne du fils de l'Aurochs, Aghoo, le Velu et la Brute, qui prétend, lui aussi, à la possession de Gammla. Naoh et ses compagnons partent donc à la conquête du Feu : ils auront à affronter la Nature et les Grands Fauves qui la peuplent, en particulier l'Ours gris et, le plus redoutable, l'immense Lion-Tigre ; premier point culminant, celui de la bataille avec le Lion-Tigre et de la victoire surhumaine de Naoh sur le Fauve. Il faudra ensuite affronter les Hommes, et tout d'abord ceux qui détiennent le Feu, les Dévoreurs-d'Hommes, la seule tribu à se nourrir de chair humaine, que jamais aucune autre tribu n'avait osé provoquer. Naoh conclut alors une alliance extraordinaire avec les Mammouths, grâce à quoi il pourra vaincre les Dévoreurs-d'Hommes et leur ravir le Feu, à la suite d'une lutte héroïque : c'est le second moment décisif, le moment où Naoh accède à la pleine stature du Héros. Mais ce n'est pas encore le repos du guerrier : il faut maintenant rejoindre la horde des Oulhamr avec le Feu retrouvé : sur la route du retour, Naoh devra encore vaincre les Nains-Rouges et les Géants-aux-Poils-Bleus, également redoutables par leur force physique ou leur intelligence. Mais surtout – troisième et dernier moment décisif –, alors qu'avec ses compagnons Naoh approche du lieu où campent les Oulhamr, il rencontre Aghoo, accompagné de ses deux frères, qui, faute d'avoir pu lui-même retrouver le Feu, s'apprête à abattre Naoh pour le lui dérober et mériter ainsi la possession de Gammla. Suprême combat, longtemps incertain, dont l'issue couronnera l'invulnérabilité du héros vainqueur, digne alors de recevoir Gammla et le commandement de la Horde. Et sa grandeur est encore multipliée par l'ampleur et le pittoresque insolite et grandiose du décor cosmique, dont les descriptions, qui ne cessent d'accompagner le récit de l'action, suscitent, au long des pages, l'étonnante présence.

ROSTAND Edmond Eugène Alexis. Marseille 1.4.1868 – Paris 2.12.1918. Son premier succès fut la comédie en vers *les Romanesques* (Comédie-Française, 1894), mais sa plus grande gloire – et qui dure toujours – lui vint de *Cyrano de Bergerac* (Porte-Saint-Martin, 28 décembre 1897), un des triomphes les plus éclatants de la scène française, en grande partie sans doute parce que son brio et son panache correspondent profondément à certaine pente du tempérament national. De même que l'acteur Coquelin aîné avait beaucoup contribué au succès de *Cyrano,* de même Sarah Bernhardt assura celui du romanesque et populaire *Aiglon* (1900), que l'actrice continua de jouer à travers la France jusqu'à la fin de sa carrière, bien que, amputée, elle portât une jambe de bois. Par contre, *Chantecler,* en 1910, où R. mettait en scène des oiseaux selon un symbolisme compliqué, fut un échec : R., déjà frappé du mal qui devait l'emporter huit ans plus tard, s'était alors retiré au Pays basque dans sa villa de Cambo. Acad. fr. 1901.

Œuvres. *Le Gant rouge,* 1888 (T). – *Les Musardises,* 1890 (P). – *Ode à la musique* (musique d'E. Chabrier), 1890 (P). – *Les Deux Pierrots,* 1891 (T). – *Les Romanesques,* 1894 (T). – *La Princesse lointaine,* 1895 (T). – *La Samaritaine,* 1897 (T). – *Cyrano de Bergerac,* 1897 (T). – *L'Aiglon,* 1900 (T). – *Chantecler,* 1910 (T). – *Le Vol de « la Marseillaise »,* posth., 1919 (P). – *La Dernière Nuit de don Juan,* posth., 1921 (T). – *Le Cantique de l'aile,* posth., 1922 (P).

Cyrano de Bergerac

Le héros de R. n'a rien de commun avec le vrai Cyrano, qui n'était pas Gascon. Celui-ci l'est et appartient au corps militaire des Cadets de Gascogne, célèbre pour sa vaillance et sa turbulence. Cyrano est d'autre part affligé d'un trop long nez, source de nombreux sarcasmes, et d'une timidité que le héros transforme parfois en provocation, comme lorsqu'il chahute au théâtre l'acteur Montfleury et se bat ensuite victorieusement en duel avec un marquis ridicule. Mais le même Cyrano est amoureux de sa cousine Roxane et n'a jamais osé se déclarer : il n'est pas beau et il le sait. Voici que Roxane lui a demandé une entrevue, et il l'attend, plein d'espoir, chez le célèbre pâtissier-poète Ragueneau. Mais Roxane aime le beau Christian, depuis peu engagé précisément chez les Cadets de Gascogne, et vient demander à Cyrano de veiller sur lui. Dès lors, Cyrano se dévoue corps et âme à Christian : c'est lui qui dicte au jeune homme – beau, mais peu inspiré – les mots amoureux que Roxane entend de son balcon avec ravissement. Or Christian a un méchant rival en la personne du comte de Guiche, assez puissant pour se venger en le faisant envoyer au siège d'Arras. Auparavant, Cyrano a arrangé le mariage de Christian et de Roxane. D'Arras, c'est encore lui qui écrit les lettres que Roxane croit recevoir de son mari. Celui-ci, un jour – et le comte de Guiche s'est arrangé pour que tel soit son sort –, est mortellement blessé. Roxane se retire dans un couvent, où elle reçoit quotidiennement la visite de Cyrano, qui garde son secret au fond de son cœur, secret qui lui échappe enfin au moment où il va mourir assassiné : Roxane comprend alors que ce qu'elle a aimé sous le beau visage de Christian, c'était l'âme sublime de Cyrano.

ROTROU Jean. Dreux 1609 – 27.6.1650. Après des études juridiques qui lui valurent le titre d'avocat, il se tourna vers le théâtre et fut un temps poète à gages de l'hôtel de Bourgogne. Richelieu, sans doute pour l'arracher à cette situation peu reluisante, l'invita à se joindre à la société des Cinq-Auteurs, puis lui accorda la charge peu astreignante de lieutenant particulier au bailliage de Dreux. À sa mort, il laissait trente-cinq pièces : douze comédies, sept tragédies et seize tragi-comédies. R. est le plus doué des représentants du courant baroque français au théâtre : il épanouit les principes dramaturgiques de Garnier et de Hardy, mais, grâce à son génie dynamique et organisateur, il introduit le mouvement là où ses prédécesseurs préféraient les scènes pathétiques et statiques. Peu importe dès lors qu'il fasse mine de respecter les trois unités : sa technique n'en est pas moins « irrégulière », et, s'il ne cherche guère à construire une analyse psychologique, il réussit à créer un univers fascinant où l'imaginaire théâtral est puissamment incarné dans la réalité poétique et scénique. Il est navrant qu'une mort prématurée, et d'ailleurs héroïque – R., obéissant aux devoirs de sa charge, s'était refusé à quitter la ville de Dreux, que ravageait une épidémie de fièvre pourprée –, soit venue interrompre une carrière où se manifestait déjà un génie exceptionnel, aujourd'hui trop souvent méconnu ; et l'on s'étonne que les metteurs en scène de notre temps n'aient pas été attirés par tout ce que l'œuvre de R. contient de puissance et d'originalité. Car, eût-il vécu, il eût sans doute été le seul de sa génération à pouvoir rivaliser avec Corneille, tout en se distinguant de lui.

Telle qu'elle est, néanmoins, l'œuvre de R. reflète la diversité des virtualités dramatiques de cet âge d'invention et de découverte. En 1635, il fait représenter sa tragédie de *Crisante,* où l'on voit une héroïne qui tue sa suivante de sa propre main et qui, après avoir été violée, oblige son agresseur à se suicider, lui tranche la tête, jette cette tête à son mari comme preuve de sa vertu et se suicide. R., en dépassant le Corneille de *Clitandre* (1632), porte ainsi à son paroxysme son goût shakespearien de la violence et de l'horreur. En 1647, dans *Saint Genest,* son chef-d'œuvre, il utilise comme ressort dramatique exclusif le procédé de la pièce dans la pièce, en lui conférant une portée et une efficacité très supérieures à ce qu'avaient pu faire Shakespeare (que R. ignorait certainement) dans *Hamlet* ou Corneille (dont il a pu s'inspirer) dans *l'Illusion comique.* Enfin deux ans avant sa mort, en 1648, il fait représenter une tragédie « barbare » à sujet perse, *Cosroès,* où le déchaînement des passions entre parents atteint un degré inouï de violence, qui se traduit admirablement dans le vocabulaire, les images et la facture même de l'alexandrin. En pleine période classique, R. n'est donc pas un attardé, mais un solitaire et un annonciateur : son goût des émotions fortes, du spectacle, de l'action, fait même de lui un véritable précurseur du drame « frénétique » de l'âge romantique.

Œuvres. *L'Hypocondriaque ou le Mort amoureux,* 1631 (T). – *La Bague de l'oubli,* 1633 (T). – *Cléagénor et Doristhée,* 1635 (T). – *Diane,* 1635 (T). – *Les Occasions perdues,* 1636 (T). – *Les Ménechmes,* 1636 (T). – *Hercule mourant,* 1636 (T). – *L'Heureuse Constance,* 1636 (T). – *La Célimène,* 1637 (T). – *Céliane,* 1637 (T). – *Agésilaus de Colchos,* 1637 (T). – *L'Innocente Infidélité,* 1637 (T). – *Clorinde,* 1637 (T). – *Filandre,* 1637 (T). – *L'Heureux Naufrage,* 1638 (T). – *La Pèlerine amoureuse,* 1638 (T). – *Amélie,* 1638 (T). – *Les Sosies,* 1638 (T). – En collaboration, *l'Aveugle de Smyrne,* 1638 ; *la Comédie des Tuileries,* 1638 (T). – *La Belle Alphrède,* 1639 (T). – *Les Deux Pucelles,* 1639 (T). – *Laure persécutée,* 1639 (T). – *Antigone,* 1639 (T). – *Les Captifs ou les Esclaves,* 1640 (T). – *Crisante,* 1640 (T). – *Iphigénie en Aulide,* 1641 (T). – *Clarice ou l'Amour constant,* 1643 (T). – *Bélisaire,* 1644 (T). – *Célie ou le Vice-roi de Naples,* 1646 (T). – *La Sœur,* 1647 (T). – *Venceslas,* 1647 (T). – *Le Véritable Saint Genest, comédien païen,* 1648 (T). – *Cosroès,* 1649 (T). – *Dessein du poème de la grande pièce des machines de la naissance d'Hercule,* posth., 1650 (T). – *Cosroès,* éd. établie par J. Scherer, 1950. – *La Bague de l'oubli, la Belle Alphrède, Laure persécutée, le Véritable Saint Genest, Venceslas, Cosroès,* dans *Théâtre du XVIIe siècle,* I, éd. établie par J. Scherer, 1975.

Saint Genest

Nous sommes à Rome, au temps de Dioclétien et des persécutions contre les chrétiens. L'empereur va donner sa fille Valeria en mariage à un jeune noble, Maximinus. Lorsque Dioclétien interroge Valeria sur ce qu'il pourrait faire pour lui être agréable ainsi qu'à son fiancé, la jeune fille souhaite assister, au théâtre, à la représentation fictive de la condamnation et de l'exécution d'un chrétien. Or il y a en ce temps à Rome un acteur, le plus extraordinaire de tous les temps, capable de porter à sa perfection l'illusion réaliste du jeu théâtral : cet acteur se nomme Genest, et c'est lui, naturellement, qui sera chargé d'incarner, au cours de ce spectacle impérial, le personnage du martyr chrétien. Nous voici donc transportés au théâtre avec Dioclétien, Valeria et Maximinus, qui sont saisis d'admiration devant la perfection et l'efficacité du jeu de Genest. Mais telles sont, précisément, cette perfection et cette efficacité que Genest finit par *devenir* le personnage qu'il *joue* : la grâce divine s'est servie de son génie d'acteur pour opérer en lui le miracle de sa conversion. Il proclamera donc publiquement sa foi : mais, dans un premier temps, les spectateurs de la « pièce dans la pièce » continuent de croire que Genest joue, alors que, nous, nous savons qu'il ne joue plus : moment étonnant d'équivoque entre illusion et réalité. Il faudra bien que Dioclétien se rende à l'évidence, et Genest finira par être réellement martyrisé, devenant ainsi saint Genest.

Cosroès

Cosroès règne sur la Perse, une Perse sur le point de s'effondrer sous la pression des forces romaines. Il a jadis assassiné son père pour prendre sa place. Il a un fils aîné d'un premier lit, Syroès, qui est donc son héritier légitime ; mais Cosroès a eu, de sa seconde femme, Syra, un autre fils, Mardesane, que, sous l'influence de Syra, il désigne pour lui succéder. Cosroès craint alors que son fils aîné ne lui fasse subir, pour recouvrer son droit, le sort que lui-même a fait subir à son propre père. C'est l'occasion pour R. de mettre en scène, à l'acte II, le délire au cours duquel Cosroès (« furieux », c.-à-d. fou, au sens propre) entend la voix de son père, qui lui apparaît sous la forme d'un « spectre décharné » et l'invite à l'accompagner aux Enfers : Cosroès se voit lui-même percé de coups. De péripétie en péripétie, Syroès sera conduit à juger Syra, Mardesane et son père ; il condamne à mort Syra et Mardesane, et voudrait sauver Cosroès. Mais, dans sa prison, Mardesane s'empare de l'épée d'un de ses gardes et se tue ; Syra absorbe le poison qui lui est, dans une coupe, apporté sur l'ordre de Syroès ; et Cosroès, devant ce spectacle, absorbe à son tour, volontairement, le poison qui reste dans la coupe tombée des mains de Syra morte, ce dénouement étant le sujet des récits qui terminent la tragédie.

ROUBAUD Jacques. Caluire-et-Cuire (Rhône) 5.12.1932. Mathématicien de profession, R. est un des poètes qui font de la poésie un champ d'investigation et d'expériences intellectuelles toujours novatrices. Dans son premier recueil, « ∈ », d'une architecture secrète et savante, il subordonne ses poèmes à des considérations mathématiques et structurelles en partant du symbole d'appartenance « ∈ » que tous les écoliers connaissent bien. Suivront *Trente et un au cube,* composé comme un grand discours philosophique, et *Mono no aware* qui repose sur un poème japonais du XIVe siècle. Cet intermède oriental dans son travail poétique témoigne de la fascination qu'exercent sur lui les œuvres anciennes et méconnues, véritables réservoirs de formes pour le poète. Dans *Autobiographie, chapitre 10,* il propose une sorte d'anthologie des poètes récents qu'il soumet à son échelle de valeurs esthétiques. Usant de tous les procédés modernes : absence de ponctuation, blancs arbitraires, éventail de typographies, graphismes étranges et pseudo-scientifiques, il puise son inspiration dans sa propre connaissance des poètes de l'entre-deux-guerres : Soupault, Cendrars, Desnos, Péret et bien d'autres. A partir de 1977, il s'attache plus particulièrement à vulgariser les légendes arthuriennes. *Graal-Théâtre I et II* sont des adaptations scéniques qui restituent l'enchevêtrement et le foisonnement merveilleux des chroniques médiévales. En outre, il sélectionne et traduit cent dix-neuf poèmes de troubadours qui constituent une remarquable anthologie. Tout en conservant la rudesse des mots anciens, R. a su mettre au jour une poésie qui offre des résonances d'une surprenante modernité. Il faut attendre 1985 pour que R. propose à ses lecteurs son premier roman, *la Belle Hortense,* un roman policier qu'il qualifie lui-même de peu « orthodoxe », à la fois hommage complice et cocasse que R., comme membre de l'OULIPO, rend à Queneau et divertissement déroutant d'une grande virtuosité.

Œuvres. ∈, 1967 (P). – *Mono no aware,* 1970 (P). – *Trente et un au cube,* 1973 (P). – *Autobiographie, chapitre dix,* 1977 (P). – Avec Florence Delay, *Graal-Théâtre,* 1977 (T). – *Graal-Fiction,* 1978 (N). – *Anthologie de la poésie des troubadours,* 1981 (P). – *Joseph d'Arimathie et Merlin l'enchanteur (Graal-Théâtre II),* 1981. – *Dors,* 1981 (P). – *Les Animaux de tout le monde,* 1984 (P). – *La Belle Hortense,* 1985 (N).

ROUGEMONT Denis de. Neuchâtel (Suisse) 8.9.1906. Essayiste suisse d'expression française. Installé en France depuis 1936, il développe une réflexion surtout consacrée à la situation de l'homme dans le monde occidental contemporain, aux résultats de cette culture qu'il revendique mais dont il constate la décadence menaçante. *Penser avec les mains* expose une philosophie d'inspiration existentialiste ; *Journal d'un intellectuel en chômage,* l'expérience de la condition particulière de l'auteur. R. est surtout l'auteur de *l'Amour et l'Occident,* qui retrace les origines mythiques de l'amour dans les pays occidentaux.

Œuvres. *Politique de la personne,* 1933 (E). – *Penser avec les mains,* 1936 (E). – *Journal d'un intellectuel en chômage,* 1937 (E). – *Journal d'Allemagne,* 1938 (E). – *L'Amour et l'Occident,* 1939 (E). – *La Part du diable,* 1944 (E). – *Le Journal des deux mondes,* 1947 (E). – *L'Aventure occidentale de l'homme,* 1957 (E). – *Comme toi-même,* 1961 (E). – *Vingt-Huit Siècles d'Europe,* 1961 (E). – *Les Chances de l'Europe,* 1962 (E). – *La Suisse ou l'Histoire d'un peuple heureux,* 1965 (E). – *Les Mythes de l'amour,* 1967 (E). – *Journal d'une époque (1926-1946),* 1968 (E). –

Lettre ouverte aux Européens, 1970 (E). – *L'Un et le Divers,* 1970. – *Le Cheminement des esprits,* 1970. – *Les Dirigeants et les finalités de la société occidentale,* 1972. – *L'avenir est notre affaire,* 1977. – *Sur l'état de l'union de l'Europe. Rapport au peuple européen,* 1979 (E).

ROUMAIN Jacques. Port-au-Prince 4.6.1907 – 18.8.1944. Écrivain haïtien. (Voir NÉGRO-AFRICAINE [LITTÉRATURE].)

ROUMANILLE Joseph. Saint-Rémy-de-Provence 8.8.1818 – Avignon 24.5.1891. Écrivain français de langue d'oc. Fils d'un maraîcher, il écrivit des vers dès le lycée de Tarascon ; devenu professeur à Avignon, il y eut comme élève F. Mistral, dont il encouragea les premiers essais, puis fut correcteur d'imprimerie, enfin libraire. Toute sa carrière, à partir de 1850, se déroula au service de la renaissance provençale : il assista à la création du félibrige (1854), édita *l'Armana prouvençau* (à partir de 1858) et fut chef du mouvement, « capoulié », après 1884. Les deux chefs-d'œuvre de R. sont les *Noëls* qu'il écrivit pour compléter sa réédition de ceux de Saboly et de Peyrol (1858) et surtout ses *Contes provençaux* (1883), qui établissent le modèle du récit de langue d'oc en prose.

Œuvres. *Li Margarideto (les Pâquerettes),* 1847 (P). – *Li Sounjarello (les Rêveuses),* 1851 (P). – *Li Capelan,* 1851 (N). – *Li Prouvençalo (les Provençales)* [anthologie de poètes provençaux], 1852 (P). – *La Part dou bon Dieu (la Part de Dieu),* 1853 (T). – *La Campano Mountado (la Cloche montée)* [poème héroï-comique], 1857 (P). – *Noëls,* 1858 (P). – *Lis Oubreto en prose (les Œuvrettes en prose),* 1860. – *Lis Oubreto en vers (les Œuvrettes en vers),* 1862. – *Lis Entarro-chin (les Enterrements de chiens),* 1863. – *Li Nouvé de Roumanille et de Saboly,* 1865 (N). – *Lou Mège de Cucugnan,* 1868 (N). – *Fau i' ana (Il faut y aller),* 1877 (E). – *Li Counte prouvençau (les Contes provençaux),* 1883 (N). – *Li Cascareleto (les Bavardages),* 1883 (N).

ROUPNEL Gaston. Laissey (Doubs) 23.9.1871 – Gevrey-Chambertin (Côte-d'Or) 14.5.1946. Sa production s'oriente selon trois directions : romancier, il décrivit avec authenticité la vie des paysans bourguignons *(Nono ; le Vieux Garain ; Siloë ; la Nouvelle Siloë) ;* journaliste, il réunit un choix de ses chroniques dans le volume *Hé ! Vivant ;* surtout sociologue et économiste, il consacra de longues années à sa thèse *(les Populations de la ville et de la campagne dijonnaise au* XVII*e siècle)* et présenta la synthèse de ses travaux dans son *Histoire de la campagne française.*

Œuvres. *Nono,* 1910 (N). – *Le Vieux Garain,* 1914 (N). – *Les Populations de la ville et de la campagne dijonnaise au* XVII*e siècle,* 1922 (E). – *Siloë,* 1927 (N). – *Hé ! Vivant* (recueil de chroniques), 1927. – *Histoire de la campagne française,* 1932. – *Bourgogne, types et coutumes,* 1936. – *Histoire et Destin,* 1943. – *Nouvelle Siloë,* 1945 (N).

ROUSSEAU Jean-Baptiste. Paris 6.4.1671 – Bruxelles 17.3.1741. Fils d'un cordonnier, il sut s'acquérir de hautes protections et put approcher ainsi les poètes de son temps. Après quelques déplorables essais dans le genre comique, il eut l'imprudence de lancer des libelles insultants contre d'autres écrivains, qui le firent bannir. On a de lui quatre livres d'*Odes,* des *Allégories* et des *Cantates* qui lui valurent la renommée de premier poète lyrique en un siècle où le lyrisme se résumait à la mise en vers de lieux communs et de développements impersonnels, selon certaines conventions de style et de vocabulaire. Dans ces limites, R. a su conserver à l'ode de tradition classique ses valeurs formelles de rythme et de structure.

Œuvres. *Le Café,* 1694 (T). – *Jason ou la Toison d'or* (livret d'opéra), 1696 (T). – *Le Flatteur,* 1696 (T). – *Vénus et Adonis* (livret d'opéra), 1697 (T). – *Le Capricieux,* 1700 (T). – *Odes et poésies diverses (Odes, Cantates, Épigrammes, Épîtres, Allégories),* 1712 ; seconde édition, 1723 (P).

ROUSSEAU Jean-Jacques. Genève 28.6.1712 – Ermenonville (Oise) 2.7.1778. Orphelin de mère dès sa naissance, il ne suivit jamais d'études régulières ; après avoir séjourné à Bossey, chez le pasteur Lambercier (1722-1724), il fut placé en apprentissage à Genève, d'abord chez un greffier, puis chez le graveur Abel Ducommun. Il quitta cet atelier et la Suisse le 14 mars 1728 et passa à pied en Savoie ; ayant rencontré Mme de Warens à Annecy, il se convertit au catholicisme par adoration pour elle ; laquais à Turin chez Mme de Vercellis, il se rend coupable du célèbre « vol du ruban » (novembre ou décembre 1728). Revenu en Savoie, il connaît l'« idylle de Thônes » rapportée dans les *Confessions* (été 1730), avant de partir pour un long périple à pied en Suisse, puis à Paris ; il aboutit à Chambéry, où il est quelque temps maître de musique. Mme de Warens, craignant la séduction des jeunes filles que fréquente son protégé, fait de lui son amant (1733) ; de 1736 à 1739, c'est l'« idylle des Charmettes », interrompue par un voyage à Montpellier durant lequel il se laisse séduire par l'experte Mme de Larnage. Mais le partage des faveurs de Mme de Warens entre R., Cl. Anet et plus tard Winzenried, pousse le jeune homme à ne plus traiter sa maîtresse qu'en « maman ». Monté à Paris en 1742, R., qui s'est fait, pour vivre, copiste de musique, tente sans succès de faire admettre par l'Académie une nouvelle méthode de notation et, après une tentative manquée dans la diplomatie (Venise, 1743-1744), se décide à tenter la gloire parisienne ; il rencontre Diderot, Grimm, écrit de la musique, collabore à l'*Encyclopédie.* Ayant rendu visite à Diderot (incarcéré à Vincennes), R. est frappé d'une « illumination » (été 1749) qui provoque la rédaction du *Discours sur les sciences et les arts* (publ. 1750), inspiré par la question posée, en vue de l'attribution de son prix pour l'année suivante, par l'académie de Dijon. (« À l'instant de cette lecture, je vis un autre univers, et je devins un autre homme », *Confessions, VIII.*) Ce fut donc le point de départ de la « réforme » de celui qui, tentant de renoncer au lustre du monde, pratique une ascèse progressive de sa production ; son œuvre se construit presque tout entière en douze ans, à Paris (1751-1756), puis à Montmorency (1756-1762) : *Discours sur l'origine et les fondements de l'inégalité parmi les hommes ; Lettre sur la Providence ; Lettre à d'Alembert sur les spectacles ; Julie ou la Nouvelle Héloïse ;* l'*Émile* et *Du contrat social ;* seule époque d'« écriture heureuse », cette période est également riche en événements privés : rencontre, vers 1746, de Thérèse Levasseur, servante illettrée dont R. aura cinq enfants naturels ; retour officiel au protestantisme (1754) ; passion violente et inassouvie pour Mme d'Houdetot (1757). Les autorités françaises ayant pris prétexte des audaces religieuses de l'*Émile* pour décréter contre R. la prise de corps (9 juin 1762), l'écrivain quitte la France ; mais son élan est brisé, et, quels que soient les chefs-d'œuvre à naître, il ne vivra plus que des « années d'expiation » : à Môtiers d'abord, où sont écrites les *Lettres de la montagne,* mais d'où la « lapidation » de sa maison par les habitants le chasse (7 septembre 1765) vers le lac de Bienne, au milieu duquel, dans l'île Saint-Pierre, il connaît quelques semaines de bonheur, avant d'être de nouveau expulsé. Parti à la rencontre de Hume en Angleterre, il sera fort déçu dans sa confiante amitié pour le philosophe, mais pendant plus d'un an (1766-1767) travaillera aux premiers livres des *Confessions.* Revenu en France, il continue ces dernières au cours de divers séjours précaires, avant de revenir à Paris, où il se fixe (juin 1770) ; son livre terminé, il écrira encore *Trois Dialogues (Rousseau juge de Jean-Jacques),* ainsi que les dix « promenades » qui constituent les *Rêveries du promeneur solitaire.* Parti pour Ermenonville, où l'accueille le marquis de Girardin (mai 1778), il y meurt deux mois plus tard.

La personnalité complexe de R. le rend d'autant plus difficile à analyser qu'il a lui-même mis le plus grand soin à le faire à notre place. S'il faut ne retenir qu'un trait parmi les sources de sa tragédie personnelle, c'est sa passion indivise pour la justice *et* la vérité : valeurs infrangibles qui rendent bien plus graves pour lui le vol du ruban *et* l'accusation calomnieuse qui le suit que le dépôt de ses enfants à l'Assistance publique, moyen le moins mauvais à ses yeux de les faire élever convenablement. Le paradoxe de R. est qu'il tenta de porter cette pureté dans son œuvre, ce qui ne pouvait être que contradictoire : tout ce qu'il écrit pour dénoncer la civilisation se soumet d'abord aux règles de la gloire, et toutes les déclarations les plus contraires à l'esprit du siècle « passeront » sous la forme d'œuvres dont le moule extérieur plaisait au public. Cette gloire littéraire, que R. à la fois refusa et rechercha toujours, ne peut le faire accuser de mauvaise foi, mais explique qu'il ait eu, de plus en plus, mauvaise conscience et, à tort ou à raison, qu'il ait ressenti le besoin bientôt hallucinatoire de se justifier.

Les prestiges de l'esprit de système, évidents dans ses premiers discours, l'ont d'abord conduit à concevoir son œuvre en deux traités massifs : les *Institutions politiques* et le traité de *la Morale sensitive* ; se persuadant peu à peu que la sincérité personnelle doit prendre la place de la rigueur rhétorique, R. en tire des romans : *Julie ou la Nouvelle Héloïse* et *Émile* ; l'un comme l'autre ne sont compréhensibles, cependant, que si on les considère en vérité comme les illustrations d'un principe théorique : contagion de la vertu dans *Julie,* pédagogie négative dans l'*Émile* et, pour son célèbre fragment la « Profession de foi du vicaire savoyard », primauté de la conviction personnelle sur la certitude démontrée en matière de religion (principe de base de la querelle entre R. et Voltaire sur la providence) ; continuant son évolution, R. donne dans le *Contrat social,* notes détachées d'un grand projet initial, le modèle utopique (et ressenti comme tel : seuls des dieux pourraient se gouverner démocratiquement) d'une politique au-delà des systèmes ; enfin, cette « algèbre de la volonté générale » laisse place, dans les années difficiles, à un envahissement progressif de la négation même du système : les *Confessions,* les *Dialogues,* les *Rêveries,* mise en scène d'une personne qui est aussi un personnage, font de la confidence un « système » radicalement nouveau, et R. apparaît dès lors comme le vrai fondateur de l'autobiographie moderne ; c'est donc par le biais de la justification personnelle et de l'ascèse idéologique que l'écriture rousseauiste débouche sur le lyrisme et le romantisme ; mais il faut bien voir que le but de l'opération n'était point d'évoluer vers une nouvelle littérature, mais vers une honnêteté personnelle aussi dégagée que possible des contingences déformatrices du rapport décevant avec autrui. À la limite, R. est passé d'un art de penser (encore très rigoureux dans la présentation du principe de la bonté originelle de l'homme, dans le *Discours sur l'inégalité*) à un difficile art de « ne plus penser », laissant toute leur place à l'imaginaire et aux chimères ; que l'on pense à la vie sexuelle de R. (impuissance et masturbation conduisant à une frayeur croissante de la chair), à son goût insulaire de la solitude, à son souci de se singulariser et d'être respecté dans cette singularisation, on voit combien la compensation a commandé à la fois son existence et son œuvre : Julie et Saint-Preux connaissent l'amour que Jean-Jacques a raté avec Mme d'Houdetot, et toutes les *Confessions* et surtout les *Dialogues,* cet hallucinant monologue à deux voix identiques, ne tentent rien d'autre que de substituer à l'horrible réel (au réel perçu comme tel), l'irréel littéraire – perçu comme seul vrai –, où se rétablissent enfin la vérité et la justice, défigurées par les hommes. Si la puissance imaginative de R. nous a valu ses plus belles pages, la violence croissante des retours au réel ne pouvait que l'éloigner lui-même de cette « paix de l'âme » qu'il ne trouva que quelquefois, solitaire, herborisant, marchant, vivant près de la nature – la seule réalité terrestre qui ne trahisse pas ses amis.

Œuvres. *Le Verger de Mme de Warens,* 1739 (P). – *Dissertation sur la musique moderne,* 1743 (E). – *Les Muses galantes* (opéra), 1743 (T). – Avec Voltaire, *les Fêtes de Ramire* (opéra), 1744 (T). – *Discours à l'Académie de Dijon sur cette question : Si le rétablissement des sciences et des arts a contribué à épurer les mœurs,* 1750 (E). – *Le Devin du village* (opéra), 1752 (T). – *Narcisse ou l'Amant de lui-même,* 1753 (T). – *Lettre sur la musique française,* 1753 (E). – *Discours sur l'origine et les fondements de l'inégalité parmi les hommes,* 1755 (E). – *Lettre à Voltaire sur la providence,* 1756. – *Allégorie sur la Révélation* (inach.), 1756 (E). – *Lettres à Sophie* (Mme d'Houdetot), 1757. – *Lettre à d'Alembert sur les spectacles,* 1758. – *Julie ou la Nouvelle Héloïse,* 1761 (N). – *Du contrat social ou Principes du droit politique,* 1762 (E). – *Émile ou De l'éducation,* 1762 (E). – « La Profession de foi du vicaire savoyard » (livre IV de l'*Émile,* écrit en 1758), 1762 (E). – *Lettre à Christophe de Beaumont, archevêque de Paris,* 1763. – *Lettres écrites de la montagne,* 1764. – *De l'imitation théâtrale,* 1764 (E). – *Projet de constitution pour la Corse,* 1765 (E). – *Dictionnaire de musique,* 1767 (E). – *Lettres sur son exil du canton de Berne,* 1770. – *Pygmalion* (opéra), 1770. – *Considérations sur le gouvernement de Pologne et sur sa réformation projetée,* 1771-1772 (E). – *Émile et Sophie,* posth., 1780. – *Consolations des misères de ma vie,* posth., 1781. – *Les Confessions de Jean-Jacques Rousseau contenant le détail des événements de sa vie et de ses sentiments secrets dans toutes les situations où il s'est trouvé* (6 livres), posth., 1781. – *Rêveries du promeneur solitaire,* posth., 1782. – Six autres livres des *Confessions,* posth., 1788. – *Trois Dialogues (Rousseau juge de Jean-Jacques),* posth., 1789. – *Œuvres complètes,* éd. établie par B. Gagnebin et M. Raymond, 4 vol., 1959-1969 ; éd. en 3 vol. établie par M. Launay, 1967-1971. – *Correspondance complète,* éd. établie par R. A. Leigh, 39 vol. parus depuis 1965.

Documents autobiographiques. *Monuments de l'histoire de ma vie* (dossier réuni pour la rédaction des *Confessions*) : « Jeunesse égarée », 1735-1739 ; « Testament de J.-J. Rousseau », 1737 ; « Mémoire pour répéter l'héritage de son frère », 1739, « Mémoire à S.E. Mgr le Gouverneur de Savoie », 1739 ; « Lettres à M. du Theil sur le séjour à Venise », 1744 ; « le Persifleur », 1749 ; « Lettre à Mme de Francueil sur l'abandon de ses enfants », 1751 ; « Fragment biographique », 1755-1756 ; « Mon portrait » (divers fragments), 1755-1762 ; « À Mme de Luxembourg sur l'abandon de ses enfants », 1761 ; « Quatre Lettres à M. le Président de Malesherbes contenant le vrai tableau de mon caractère et les vrais motifs de toute ma conduite », 1762 ; « Testament de J.-J. Rousseau, citoyen de Genève », 1763 ; « Réponse aux *Sentiments des citoyens* de Voltaire », 1764 ; « Ébauches de prologue des *Confessions* », 1764 ;

« Art de jouir et autres fragments », 1757-1778 ; « À M. de Malesherbes », 1766 ; « À M. David Hume », 1766 (reprend en partie la préc.) ; « Réponses aux questions faites par M. du Chauvet », 1767 ; « À M. le Marquis de Mirabeau, 1767 ; À M. le général Conway », 1767 ; « Deux Lettres au Prince de Conti », 1767 ; « Note mémorative sur la maladie et la mort de M. Deschamps », 1768 ; « Sentiments du public sur mon compte dans les divers états qui le composent », 1768 ; « À Mme Rousseau », 1769 (il s'agit de Thérèse Levasseur) ; « Lettres à M. de Saint-Germain », 1768-1770 ; « Lettres à Mme de Berthier », 1770 ; « À M. de Malesherbes, fragm. », 1770 ; « Discours projeté ou prononcé pour introduire la lecture des *Confessions* », 1770 ou 1771 ; « Déclaration relative à différentes réimpressions de ses ouvrages », 1774. – R. est l'auteur d'articles de l'*Encyclopédie,* notamment « Économie Politique (t. V, 1755).

Du contrat social

À l'origine, le problème de l'autorité politique et de sa légitimité : toute autorité de fait est illégitime, et il n'y a de légitimité que par le droit. Il est donc nécessaire de poser comme postulat que le fondement originel de l'autorité politique est le pacte social, contrat tacite par lequel l'individu échange ses droits naturels contre les garanties que lui assure la communauté. Le postulat du contrat social, par lequel l'homme passe de l'état de nature à l'état civil, entraîne logiquement que la société ne puisse être légitimement fondée que sur les deux principes de liberté et d'égalité. À ce moment intervient la théorie de la volonté générale, dont la souveraineté est l'exercice, ce qui implique que cette souveraineté ne puisse appartenir qu'au corps politique et doive s'exercer dans le cadre des droits légitimement reconnus aux particuliers et selon les normes prescrites par la loi, elle-même expression de la volonté générale, les lois particulières variant avec les temps et les lieux, circonstances et conditions dont la considération appartient au législateur. La volonté générale, la souveraineté, la loi s'incarnent dans la vie sociale par l'intermédiaire d'un agent, le gouvernement. Il existe trois types de gouvernement : la démocratie, système idéal mais difficilement applicable, particulièrement dans un grand pays ; l'aristocratie élective, « l'ordre le meilleur et le plus naturel » ; la monarchie enfin, qui tend nécessairement à l'absolutisme. Tout gouvernement doit être soumis, pour que soient évitées ses perversions, au contrôle de la volonté générale, représentée par des assemblées du corps politique, selon le principe majoritaire. Les derniers chapitres du livre font référence à l'histoire romaine, évoquent la possibilité de mesures exceptionnelles, telle la dictature temporaire, et définissent les aspects moraux (censure) et religieux (religion civile) de la vie sociale.

Émile

En principe, c'est au père et à la mère qu'il appartient, et non à une nourrice, d'élever l'enfant dès sa naissance. Mais Émile est orphelin ; il sera donc confié à un précepteur. Cette éducation se fera par étapes, selon l'âge de l'enfant. Jusqu'à cinq ans, il sera élevé à la campagne, habitué aux rigueurs et à la liberté d'une vie naturelle, progressivement amené, sans aucun excès, sans aucune recherche de précocité, à articuler son langage et à acquérir un vocabulaire peu étendu mais correct et bien assimilé. De cinq à douze ans, c'est le moment de l'« éducation négative », l'enfant n'étant pas encore apte à absorber trop de connaissances. Il s'agit avant tout de le placer dans des situations qui lui feront expérimenter par lui-même les règles fondamentales d'une vie saine et équilibrée, condition indispensable de la formation du caractère, sans aucun recours à des contraintes extérieures ou à des leçons théoriques souvent néfastes (c'est ici que se place la célèbre et sévère critique des *Fables* de La Fontaine). De la sorte, à douze ans, Émile est sain et vigoureux, heureux et naturel. De douze à quinze ans, c'est l'âge de l'éducation positive : la qualité du terrain étant solidement garantie, Émile va pouvoir aborder l'étape de sa formation intellectuelle et professionnelle. Il apprendra à observer et à raisonner, et, au contact de l'expérience, seulement aidé par son précepteur, il produira lui-même ses propres connaissances. Il apprendra aussi un métier manuel – dans son cas, celui de menuisier. Progressivement, au fur et à mesure que vont se multiplier ses connaissances, Émile sera amené à opérer des comparaisons, à pratiquer sur des données concrètes et personnelles sa faculté de juger et de raisonner. Ce sera donc alors, de quinze à vingt ans, l'âge de la formation morale et religieuse ; elle se fera par l'expérience des relations humaines, et aussi par la pratique éclairée de la lecture, à condition qu'elle soit, elle aussi, une expérience des hommes. Ce n'est qu'à dix-huit ans qu'Émile abordera les problèmes religieux. Apparaît à ce moment le personnage du vicaire savoyard, dont la « Profession de foi » révèle à Émile les principes de la vraie religion : ni dogme ni culte, mais l'intuition de l'existence divine dans la Création et dans la Conscience, et la certitude d'une vérité morale dont le fondement et l'origine se trouvent dans une communication directe et intime avec l'Être suprême. À vingt ans, Émile est devenu un homme et peut entrer dans le monde, où il plaira à tous par sa simplicité et son naturel. Bientôt, il lui faudra une compagne : un nouveau personnage est alors introduit, Sophie, dont l'éducation a été parallèle à celle d'Émile, mais adaptée à son sexe. Lorsque Émile et Sophie se rencontrent, ils ne peuvent que sentir qu'ils sont faits l'un pour l'autre (on a veillé à préparer et à provoquer cette rencontre). Mais Émile devra parachever sa formation, en particulier dans le domaine social et politique, en voyageant pendant deux ans. À son retour, il épousera Sophie ; avec le mariage, la tâche du précepteur est terminée. Émile et Sophie ont un enfant, et l'on peut penser qu'ils l'élèveront selon les mêmes principes qui ont présidé à leur propre éducation.

Julie ou la Nouvelle Héloïse

À la manière d'une « ouverture » musicale, les premières lettres révèlent la passion réciproque de Julie d'Étange et du jeune précepteur Saint-Preux, dont la condition sociale est très inférieure à celle de son élève. Mais l'amour de Saint-Preux est si bouleversant que Julie est amenée à lui faire l'aveu de sa propre passion ; elle lui accorde bientôt, dans le bosquet de Clarens, un baiser qui se veut innocent et qui sera suivi de la séparation des deux amants, dont la correspondance est alors consacrée à des variations sur le double thème de l'absence et de l'amour, tandis que Saint-Preux découvre la nature en voyageant dans le Valais. Le père de Julie décide de la marier avec un noble suédois, M. de Wolmar, à qui il a donné sa parole. Cette situation nouvelle agit si profondément sur la jeune fille que sa santé en est gravement altérée ; sa cousine et amie Claire en informe Saint-Preux, qui se hâte de revenir : la passion est alors la plus forte, Julie se donne à son amant, et la plénitude de leur bonheur conduit Julie et Saint-Preux à ne plus pouvoir alors aspirer qu'à la mort. Tel est le premier mouvement du roman, tout entier dominé par la naissance, les difficultés et le triomphe de la passion. Mais la mort n'est pas une solution : le deuxième mouvement sera celui du renoncement rédempteur, qui, seul, peut, jusqu'au cœur même de la tentation, permettre à ces deux cœurs amoureux de transcender le plaisir pour atteindre à la joie d'un bonheur réconcilié avec la vertu. Saint-Preux se sépare de Julie pour un séjour à Paris, qui lui est occasion de faire de la vie parisienne une peinture fortement critique. L'amie de Julie, Claire, épouse M. d'Orbe. Julie elle-même, dont la mère a surpris le secret et en meurt de chagrin, prend sur elle d'accepter librement le mariage voulu par son père. Mais, une nouvelle fois, l'émotion affaiblit sa résistance physique, et elle est atteinte de la petite vérole ; elle est donc en danger de mort. Claire et son mari font venir secrètement, une nuit, Saint-Preux au chevet de la malade, alors que celle-ci croit que l'apparition de son amant est une hallucination due à la fièvre : le baise-main de Saint-Preux à Julie est au centre de cette scène illustrée par une estampe dont le titre est : « l'Inoculation de l'amour ». Julie guérit, elle devient Mme de Wolmar, ce mariage étant à ses yeux le moyen de rendre irréversible son renoncement : repoussant avec horreur la tentation de l'adultère, Julie convainc son ami que son amour pour Mme de Wolmar ne peut plus être celui qu'il éprouvait pour Julie d'Étange. Le troisième mouvement, inauguré par la quatrième partie du roman, sera celui de la conquête du bonheur dans la réconciliation du cœur et de la vertu. Une rupture de six années intervient, au cours desquelles Saint-Preux fait le tour du monde en compagnie de son ami anglais Milord Édouard, non sans que Julie éprouve parfois des angoisses mortelles, qu'elle confie à Claire, à la pensée des dangers d'un pareil voyage. À son retour, Saint-Preux est invité par M. et Mme de Wolmar à séjourner avec eux à Clarens : c'est l'épreuve qui doit fortifier et achever la métamorphose du sentiment. Il est alors possible aux trois héros de cette aventure exceptionnelle d'instaurer en eux et autour d'eux l'ordre du bonheur, ordre moral, social et religieux : le cœur se satisfait par les joies de l'amitié, l'esprit travaille à organiser la justice dans une société domestique où le sentiment occupe la première place et qui célèbre le culte de Julie. C'est le refuge de Clarens, à l'intérieur duquel le lieu nommé l'« Élysée de Julie » est comme le temple du bonheur et de la vertu. Car ce bonheur qui rayonne autour d'elle a sa source dans l'âme de Julie et se répand par contagion sur tout son entourage. Malgré l'offensive des souvenirs, qui se fait plus instante lors d'une absence – volontaire – de M. de Wolmar, l'idéal de Julie, soutenu par une foi religieuse dont la croissance accompagne celle de la résistance à la passion, triomphe de toutes les tentations. Comme M. d'Orbe vient de mourir, Julie rêve de marier Claire et Saint-Preux, projet que celui-ci ne peut que rejeter au nom des « impressions éternelles » laissées en lui par le passé, au nom aussi de la fidélité qu'il a vouée à Julie et grâce à laquelle il peut, lui aussi, transcender la passion. C'est le point final de l'histoire des deux amants : Saint-Preux apprend bientôt que, pour s'être jetée à l'eau afin de sauver son jeune fils qui se noyait, Julie est malade et même mourante. Une dernière lettre de son amie, que Saint-Preux recevra après sa mort, ainsi que le récit que lui fait Claire de cette mort en expriment clairement le sens : l'accès de Julie à la plénitude de sa possession du bonheur, comme si le paradis terrestre de Clarens n'avait été que la préfiguration de ce bonheur absolu que Julie elle-même, au moment de mourir, identifie avec l'accord parfait de la vertu, de l'amour humain et de l'amour divin : « ... trop heureuse d'acheter au prix de ma vie le droit de t'aimer toujours sans crime ».

Rêveries d'un promeneur solitaire

Dix « promenades », qui sont comme une suite d'images choisies des méditations de la solitude et des expériences qui les soutiennent et les provoquent. Le renoncement à la société détermine le recours à l'écriture (I) ; un accident suivi d'évanouissement révèle la joie qui accompagne la seule conscience d'exister (II) ; la vie insulaire, dans l'île Saint-Pierre, confirme l'identification du vrai bonheur avec l'extase de l'existence (V) ; l'herborisation joue aussi son rôle dans l'expérience du vrai bonheur, dans la mesure où elle est pratiquée comme une technique d'intimité avec la nature (VII). D'autre part, les thèmes procurés à la réflexion par ces diverses expériences se conjuguent pour produire la réforme morale et religieuse (III), sous le signe de la sincérité (IV), pour produire aussi la bienfaisance dans le respect de la dignité (VI), ainsi que la résistance victorieuse de l'état de bonheur à toutes les attaques de l'adversité et des hommes (VIII). Dans la IXe promenade, R. répond à ceux qui lui reprochent l'abandon de ses enfants et proteste de la force de son amour pour l'enfance. Dans la Xe, inachevée, il évoque son bonheur du temps des Charmettes.

ROUSSEL Raymond. Paris 20.1.1877 – Palerme (Sicile) 14.7.1933. La fortune de ses parents lui assura une enfance heureuse, orientée vers la musique ; mais, à dix-sept ans, convaincu de son génie poétique, il abandonna le piano pour la table de travail. *La Doublure,* minutieuse description en vers du carnaval de Nice, rencontra une indifférence qui bouleversa profondément l'auteur et influença toute sa production. *La Vue,* tableau d'une plage, fut un autre échec, de même qu'*Impressions d'Afrique,* bien que R. eût conscience d'avoir enfin réussi à s'y exprimer à sa convenance ; il fit créer trois adaptations scéniques de l'œuvre, qui furent trois fours. *Locus solus,* porté de même au théâtre (1922), provoqua des batailles entre une minorité fanatique et la majorité du public ; la critique fut exécrable, mais le scandale imposa le nom de R.

L'œuvre de R. déconcerte moins aujourd'hui des lecteurs qui connaissent et surréalisme et nouveau roman : telles sont en effet les deux écoles dont ce méconnu est le précurseur. Breton a compris quel don visionnaire menait cette imagination minutieuse, et Robbe-Grillet ou Butor, en célébrant dans leurs articles son génie verbal, ont su reconnaître que R. avait, parmi les premiers, ouvert le chemin à la réflexion sur l'*écriture* littéraire.

Œuvres. *La Doublure* (roman en vers), 1897. – *La Vue,* 1904. – *Impressions d'Afrique,* 1910. – *Locus solus* (adapt. théâtr. en 1922), 1914 (N). – *L'Étoile au front,* 1924 (T). – *La Poussière de soleils,* 1926 (T). – *Nouvelles Impressions d'Afrique,* 1932 (P). – *Comment j'ai écrit certains de mes livres,* posth., 1935, rééd. 1985 (E).

Locus solus

C'est la luxueuse villa, à Montmorency, du savant Martial Canterel. C'est aussi la villa des merveilles, dont la visite révèle un monde extra-humain, monde parallèle, gouverné par ses lois spécifiques, selon une mécanique aussi rigoureuse qu'autonome : le fonctionnement en est lui-même déterminé par la logique, également rigoureuse et inattendue, d'un langage associatif, à la fois inscription et moteur de coïncidences et de déroulements imaginaires. Par exemple : l'image d'un *prétendant,* par dislocation du mot, fait surgir le *reître en dents,* cavalier germanique, comme chacun sait, mais dont ici la figure va naître sur le sol à l'aide des *dents* multicolores d'une *demoiselle :* demoiselle qui a été d'abord la jeune fille normalement associée avec le prétendant, mais qui, dès que celui-ci est devenu le reître en dents, se métamorphose en un outil, indispensable à sa figuration qui est alors le produit d'une « singulière mosaïque dentaire ».

ROUSSIN André. Marseille 22.1.1911. À ses débuts, R. fut acteur et, avec Louis Ducreux, fonda le « Rideau gris » (1931-1943), où il fit jouer, en 1937, sa première pièce, *Am-Stram-Gram.* Mais sa grande popularité lui vint de *la Petite Hutte,* qui connut mille cinq cents représentations. R., un des auteurs les plus joués sur les scènes parisiennes, est le maître du théâtre dit « de boulevard » et met en scène une satire complaisante de la société bourgeoise. Il applique, toujours avec bonheur, les mêmes recettes dramatiques, dans le seul propos de faire rire, de divertir aimablement. Acad. fr. 1973.

Œuvres. *Am-Stram-Gram,* 1941 (T). – *Une grande fille toute simple,* 1944 (T). – *La Sainte Famille,* 1946 (T). – *La Petite Hutte,* 1947 (T). – *Les Œufs de l'autruche,* 1948 (T). – *Nina,* 1949 (T). – *Bobosse,* 1950 (T). – *Lorsque l'enfant paraît,* 1951 (T). – *La Main de César,* 1951 (T). – *Hélène ou la Joie de vivre,* 1952 (T). – *Patiences et Impatiences* (souvenirs), 1953. – *Le Mari, la Femme et la Mort,* 1955 (T). – *L'Amour fou ou la Première Surprise,* 1956 (T). – *La Mamma,* 1957 (T). – *Les Glorieuses* (comédie en vers), 1960 (T). – *Une femme qui dit la vérité,* 1960 (T). – *Le Tombeau d'Achille,* 1960 (T). – *L'Étranger au théâtre,* 1960 (T). – *Jean-Baptiste le mal-aimé,* 1962 (T). – *L'École des autres,* 1962 (T). – *Un amour qui ne finit pas,* 1963 (T). – *La Voyante,* 1963 (T). – *La Coquine,* 1964 (T). – *Un contentement raisonnable,* suivi de *Lettre sur le théâtre d'aujourd'hui,* 1965 (E). – *La Locomotive,* 1965 (T). – *On ne sait jamais,* 1969 (T). – *La Claque,* 1972 (T). – *La Boîte à couleurs,* 1974 (N). – *Discours de réception à l'Académie française d'Alain Decaux et réponse de R.,* 1980. – *La vie est trop courte,* 1981 (T). – *Comédies bourgeoises,* 1982 (T). – *Le Rideau rouge, portraits et souvenirs,* 1982 (N). – *Le Rideau gris et l'habit vert,* 1983.

ROUVEYRE André. Paris 1879 – Barbizon (Seine-et-Marne) 1962. Il ne fut d'abord qu'un artiste mondain, portraiturant les célébrités littéraires, de même qu'un brillant illustrateur d'œuvres littéraires : *Vitam impendere amori,* d'Apollinaire (1917), *Lettres à l'Amazone,* de R. de Gourmont (1926). Il a laissé sur cette période de sa vie de précieux *Souvenirs.* Sans abandonner le dessin, et tout en continuant à livrer son expérience des grands hommes (*le Reclus et le Retors,* essai sur Gourmont et Gide), il se fit ensuite romancier, mais ne montre pas dans le genre littéraire la force de crayon de son œuvre picturale (*le Libertin raisonneur,* 1923 ; *Singulier,* 1933 ; *Silence,* 1937 ; *Repli,* 1945).

Œuvres. *Souvenirs,* 1921. – *Le Libertin raisonneur,* 1923 (N). – *Le Reclus et le Retors,* 1927 (E). – *Singulier,* 1933 (N). – *Silence,* 1937 (N). – *Repli,* 1945 (N). – *Apollinaire,* 1945 (E). – *Amour et Poésie d'Apollinaire,* 1955 (E).

ROY Claude, Claude Orland, dit. Paris 28.8.1915. Romancier, R. se situe dans la tradition classique du roman tout en faisant valoir des idées progressistes *(La nuit est le manteau des pauvres).* Poète, il a publié en 1942 *l'Enfance de l'art,* son premier recueil, auquel succédèrent, entre autres, *Élégie des lieux communs* et *Farandoles et Fariboles.* Il est également l'auteur de nombreux essais *(Défense de la littérature)* et surtout de *Descriptions critiques,* où il montre les intérêts les plus éclectiques : *le Commerce des classiques, l'Amour de la peinture, la Main heureuse, l'Homme en question, l'Amour du théâtre.* Ces dernières années, R. se tourne plus particulièrement sur lui-même dans une autobiographie intitulée *Somme toute (Moi, je ; Somme toute).*

Œuvres. *L'Enfance de l'art,* 1942 (P). – *Clair comme le jour,* 1943 (P). – *Suite française,* 1943 (E). – *Le Bestiaire des amants,* 1945 (P). – *Aragon,* 1945 (E). – *Lire Marivaux,* 1947 (E). – *La nuit est le manteau des pauvres,* 1949 (N). – *Le Poète mineur,* 1949 (P). – *Clefs pour l'Amérique,* 1949 (E). – *Descriptions critiques, I,* 1950 (E). – *Premières clefs pour la Chine,* 1950 (E). – *L'Enfant de Paris,* 1950 (E). – *La France de profil,* 1952 (E). – *Jules Supervielle,* 1952 (E). – *Le Parfait Amour,* 1952 (P). – *Stendhal par lui-même,* 1952 (E). – *Élégies des lieux communs,* 1952 (P). – *Clefs pour la Chine,* 1953 (E). – *Descriptions critiques, II le Commerce des classiques,* 1953 (E). – *La Chine dans un miroir,* 1953 (E). – *La Famille quatre cents coups,* 1954 (N). – *Un seul poème,* 1955 (P). – *À tort ou à raison,* 1955 (N). – *Modigliani,* 1955 (E). – *Le Soleil sur la terre,* 1956 (N). – *Trésor de la poésie populaire française,* 1956. – *Hans Erni,* 1956 (E). – *Descriptions critiques, III l'Amour de la peinture,* 1956 (E) ; *IV l'Amour du théâtre,* 1965 (E). – *Le Bébé renard,* 1956 (N). – *Arts sauvages,* 1957 (E). – *Farandoles et Fariboles,* 1957 (P). – *Descriptions critiques, V la Main heureuse,* 1958 (E). – *La Vie de V. Hugo racontée par V. Hugo,* 1958 (E). – *Le Malheur d'aimer,* 1958 (N). – *La Guerre et la Paix de Picasso,* 1958 (E). – *La Maison,* 1959. – *Les Signes du zodiaque,* 1959. – *Patatrape le coq coquin,* 1960 (N). – *Le Journal des voyages,* 1960 (E). – *L'Homme déguisé en homme, conte fantastique,* 1960 (N). – *Descriptions critiques, VI l'Homme en question,* 1960 (E). – Avec Anne Philipe, *Gérard Philipe,* 1960 (E). – *Arts fantastiques,* 1961 (E). – *Jean Lurçat,*

1962 (E). – *Victor Hugo, témoin de son siècle,* 1962 (E). – *Les Plus Belles Lettres de Mlle de Lespinasse,* 1962. – *Léone et les siens,* 1963 (N). – *Arts baroques,* 1963 (E). – *Zoa le petit chameau blanc,* 1963 (N). – *Paul Klee aux sources de la peinture,* 1964 (E). – *Tout Paris,* 1964. – *Chateaubriand,* 1964 (E). – *Houpi, le gentil kangourou,* 1964 (N). – *L'Amour parle, chronologie du cœur selon les poètes français,* 1964. – *C'est le bouquet,* 1964, rééd. 1980 (N). – *Arts premiers,* 1967 (E). – *Trésor de la poésie chinoise,* 1967. – *Défense de la littérature,* 1968 (E). – *Jean Vilar,* 1968 (E). – *La Dérobée,* 1968 (N). – *Moi, je,* 1969 (E). – *Le Chariot de terre cuite,* 1969 (T). – *Le Bon Usage du monde,* 1969. – *Daumier,* 1971 (E). – *Nous,* 1972 (E). – *La Maison qui s'envole,* 1974 (N). – *Enfantasques, poèmes et collages,* 1974 (P). – *Somme toute,* 1976 (E). – *Nouvelles Enfantasques,* 1978 (P). – *Sais-tu si nous sommes encore loin de la mer ?* 1979 (P). – *La Traversée du pont des Arts,* 1979 (N). – *Sur la Chine,* 1979 (E). – *Proverbes par tous les bouts,* 1980. – *Les Chercheurs de Dieu,* 1981 (N). – *Le Chat qui parlait malgré lui,* 1982. – *Les Animaux très sagaces,* 1983. – *Permis de séjour (1977-1982),* 1983. – *Temps variable avec éclaircies,* 1984 (E). – *À la lisière du temps,* 1984 (P).

ROY Gabrielle. Saint-Boniface (Manitoba) 22.3.1909 – Québec 13.7.1983. Romancière canadienne-française. Institutrice au Manitoba, elle s'occupa activement de théâtre à Winnipeg. Elle séjourne en France et en Angleterre en 1937-1938, puis s'installe à Montréal, où elle se consacre à la littérature. Elle publie des reportages et des récits dans divers journaux et revues. Son premier roman, *Bonheur d'occasion,* connaît un éclatant succès et lui vaut le prix Femina en 1947. Il s'agit d'un roman-reportage sur une famille modeste du quartier Saint-Henri, à Montréal. Toute la misère de la crise économique des années trente et de la guerre s'inscrit dans le destin tragique des personnages : reportage émouvant d'une triste histoire d'amour humble et frustré, c'est aussi une fresque sociale d'un réalisme touchant. Dans une langue sobre et familière, l'auteur, avec lucidité et sympathie, fait pénétrer le public dans ce monde fermé de la misère urbaine. Le deuxième roman, *Alexandre Chênevert, caissier,* est l'histoire banale d'un employé de banque dont les préoccupations intérieures dépassent l'horizon borné d'une existence médiocre pour se porter vers le sort de l'humanité : c'est tout le mal du siècle vu dans le miroir d'une âme simple. *La Petite Poule d'eau* est une chronique romancée de la vie des pionniers au nord du Manitoba : personnages attachants, vie champêtre un peu idyllique, entrecoupée de voyages hasardeux où il faut se mesurer aux éléments déchaînés, et qui prennent l'allure d'aventures héroïques. *La Rivière sans repos* groupe trois nouvelles et un roman qui prête son titre à l'ensemble. Le théâtre de l'action est, cette fois encore, le Grand Nord canadien, et il s'agit des Esquimaux, de leur difficile adaptation à des réalités inédites dues à l'invasion civilisatrice des Blancs. Comme dans ses œuvres précédentes, G.R. pose la même interrogation persévérante sur l'homme et le sens de sa destinée. Elle ne cesse en effet de réaffirmer, avec une force croissante (*cf.* les nouvelles de *la Route d'Altamont*), qu'il ne saurait y avoir de solution préfabriquée à l'énigme de la vie, que le drame humain est dans la contradiction entre la solidarité et la culpabilité des hommes. Aussi les livres de R., au-delà de l'anecdote narrative, ont-ils valeur de protestation, protestation que nuance de tendresse la nostalgie de l'enfance, symbole d'une ère d'innocence désormais irrémédiablement révolue. Cette tendre nostalgie l'emporte parfois sur la protestation lorsque la romancière consacre toute sa ferveur à évoquer sa propre enfance et les vastes paysages de son Manitoba natal.

Œuvres. *Bonheur d'occasion,* 1945 (N). – *La Petite Poule d'eau,* 1950 (N). – *Alexandre Chênevert, caissier,* 1954 (N). – *Rue Deschambault,* 1955 (N). – *La Montagne secrète,* 1961 (N). – *La Route d'Altamont,* 1966 (N). – *La Rivière sans repos* (avec *Nouvelles esquimaudes*), 1971 (N). – *Cet été qui chantait,* 1973 (N). – *Un jardin au bout du monde, et autres nouvelles,* 1975 (N). – *Ma vache Bossie,* conte pour les enfants, 1976. – *Ces enfants de ma vie,* 1977 (N). – *Fragiles lumières de la terre, écrits divers (1942-1970),* 1978. – *Courte-queue* (conte pour enfants), 1979. – *De quoi t'ennuyes-tu Evelyne ?,* posth., 1983 (N). – *La Détresse et l'enchantement* (autobiographie), posth., 1984.

ROY Jules. Rovigo, aujourd'hui Bougara (Algérie) 22.10.1907. Après des études au séminaire d'Alger, il fut officier d'infanterie de 1928 à 1943, puis aviateur dans la R.A.F. durant la dernière guerre (*le Navigateur*). Il quitta l'armée avec le grade de colonel lors de la guerre d'Indochine. Il a raconté son expérience de pilote dans des récits autobiobraphiques, *la Vallée heureuse, Retour de l'enfer.* Il y fait l'apologie de l'amitié virile, du contrôle de soi pour dominer la peur ; il place très haut les idéaux traditionnels de l'armée (*le Métier des armes*). Depuis la guerre d'Algérie, qui l'a profondément affecté (*la Guerre d'Algérie ; Autour d'un drame*), R. s'est délibérément orienté vers le roman psychologique, qu'il avait toujours pratiqué : *la Femme infidèle, les Flammes de l'été, les Chevaux du soleil* (adapté à la télévision en 1980).

Œuvres. *La Vallée heureuse,* 1946 (N). – *Comme un mauvais ange,* 1947 (E). – *Le Métier des armes,* 1948 (E). – *Retour de l'enfer,* 1951 (N). – *La Passion de Saint-Exupéry,* 1951 (E). – *Beau Sang,* 1952 (T). – *La Bataille dans la rizière,* 1953 (E). – *Le Navigateur,* 1954 (N). – *Les Cyclones,* 1954 (T). – *La Femme infidèle,* 1955 (N). – *Les Flammes de l'été,* 1956 (N). – *Le Fleuve rouge,* 1957 (T). – *Les Belles Croisades,* 1959 (E). – *La Guerre d'Algérie,* 1960 (E). – *Autour d'un drame,* 1961 (E). – *La Bataille de Dien-Bien-Phu,* 1963 (E). – *Passion et Mort de Saint-Exupéry,* 1964 (E). – *Voyage en Chine,* 1965 (E). – *Le Grand Naufrage,* 1965 (E). – *Les Chevaux du soleil :* I *Chronique d'Alger,* 1967 (N) ; II *Une femme au nom d'étoile,* 1968 (N) ; III *les Cerises d'Icherridène,* 1969 (N). – *La Mort de Mao,* 1969. – *L'Homme à l'épée,* 1970 (E). – *Les Chevaux du soleil :* IV *le Maître de la Mitidja,* 1970 (N). – *L'Amour fauve,* 1971 (N). – *J'accuse le Général Massu,* 1972. – *Les Chevaux du soleil :* V *les Âmes interdites,* 1972 (N). – *Le Tonnerre et les Anges,* 1975 (N). – *Danse du ventre au-dessus des canons,* 1976. – *Pour le lieutenant Karl,* 1977. – *Le Désert de Retz,* 1978. – *Concerto pour un chien,* 1979. – *Éloge de Max-Pol Fouchet,* 1980 (E). – *Les Chevaux au soleil,* 1980 (N). – *La Saison des Za,* 1982 (N). – *Étranger pour mes frères* (autobiographie), 1982. – *À propos d'Alger, de Camus et du hasard,* 1982 (E). – *Une affaire d'honneur (Mers-el-Kébir, 3 juillet 1940),* 1983 (E). – *Beyrouth : Viva la muerte,* 1984 (E). – *Prière à Mademoiselle Sainte-Madeleine,* 1985 (P).

ROYÈRE Jean. Paris 1871 – 1955. C'est en adepte de la « poésie pure » qu'il publie *Eurythmies.* Ayant fondé la revue *la Phalange* (1906), il tente d'y promouvoir, contre le verlainisme sensoriel ou sentimental, un néoclassicisme dont les principes lui viennent de sa lecture de Mallarmé. Son intransigeance l'isola au sein même de son équipe, et c'est en solitaire qu'il échafauda sa théorie du « musicisme ». En tant que poète, il mit ses idées en œuvre dans les recueils qu'il appelle « symphonies », parmi lesquels on retiendra surtout *Sœur de Narcisse nue.* Essayiste, il a écrit avec sensibilité et pénétration sur Baudelaire et Mallarmé.

Œuvres. *Exil doré,* 1898 (P). – *Eurythmies,* 1904 (P). – *Sœur de Narcisse nue,* 1907 (P). – *Par la lumière peinte,* 1919 (P). – *Quiétude,* 1922 (P). – *Ô quêteuse, voici,* 1923 (P). – *Clartés sur la poésie,* 1925 (E). – *Mallarmé,* 1927 (E). – *Baudelaire, mystique de l'âme,* 1927 (E). – *Orchestrations,* 1936 (P).

RUDEL. (Voir JAUFRÉ RUDEL.)

RUTEBEUF, ou **RUSTEBEUF,** ou **RUSTEBUEF.** ? – v. 1285. On ne sait guère de lui que ce que rapporte son œuvre poétique. Probablement d'origine champenoise et d'humble condition, il vit surtout à Paris. Caractère généreux, franc et insouciant, il aime le rire et le jeu et mène l'existence tantôt facile et tantôt rude d'un jongleur professionnel dépendant de protecteurs. Marié deux fois (la seconde fois en 1261), il connaît des soucis de toutes sortes, l'ingratitude des amis, la détresse et la pauvreté, mais garde toujours belle humeur et espoir. Parmi ses protecteurs, le comte de Poitiers, frère de Louis IX, semble lui être venu en aide le plus souvent. Son œuvre, aussi attachante que variée, est le fidèle reflet des tendances de son siècle : piété naïve et profonde, enthousiasme pour les croisades, réalisme satirique, ironie vigoureuse et franche. Sauf la poésie amoureuse, qu'il délaisse volontairement, R. pratique tous les genres : lyrique, satirique, politique, hagiographique, allégorique, dramatique ou narratif, et s'adresse à tous les publics. Dans la querelle de l'Université de Paris, il prend parti pour la cause libérale soutenue par les maîtres séculiers, en particulier par Guillaume de Saint-Amour, contre les intrusions des ordres mendiants – dominicains ou franciscains *(Dit de l'Université, Dit de Maître Guillaume, Complainte de Maître Guillaume de Saint-Amour).* Poète national et politique, il appelle éloquemment à la délivrance des Lieux saints *(Complainte de Jofroi de Sergines, Complainte de Constantinople, Complainte d'outre-mer, Dispute du croisé et du décroisé* – sous forme d'allégorie –, *Dit de la voie de Tunis)* ou incite les nobles à seconder Charles d'Anjou pour conquérir le royaume des Deux-Siciles *(Chanson de Pouille).* Parfois, la satire se fait plus personnelle, familière et apitoyée *(Dit des ribauds de Grève).* R. rime aussi des poèmes hagiographiques *(Vie de sainte*

Marie l'Égyptienne, Vie d'Élisabeth de Hongrie). Il compose encore des œuvres dans les genres allégoriques en vogue à l'époque : *Renart le Bestourné* (le Contrefait), suite de satires attaquant l'hypocrisie religieuse et les ordres mendiants. Il s'en prend en effet, dans ses œuvres satiriques, aux ordres religieux, à leurs manquements, à leur duplicité *(les Ordres de Paris, Chanson des ordres, Vie du monde, le Dit du mensonge, le Dit des béguines, la Bataille des vices contre les vertus, le Dit des jacobins, le Dit d'hypocrisie* [contre les dominicains]) et s'en indigne par piété vraie. Il ne ménage pas, à l'occasion, clercs, laïcs, chevalerie, gens de justice ou paysans (l'*État du monde* dénonce vigoureusement les intrigues politiques et les défaillances sociales). Dans ses œuvres d'inspiration personnelle, R. évoque sa pauvreté, sa malchance au jeu, l'infidélité des amis, les difficultés de la vie conjugale, créant ainsi sa propre légende *(Mariage Rutebeuf, Complainte ..., Pauvreté ..., Mort Rutebeuf ...).* Ses fabliaux sont parmi les plus littéraires du genre, pleins de verve et d'une verdeur parfois assez crue *(Vengeance de Charlot le Juif, Frère Denyse, le Sacristain et la femme du chevalier, le Testament de l'âne, la Dame qui fit trois tours autour du moutier).* Il est l'auteur d'un monologue comique en vers et prose, le *Dit de l'herberie,* parodie d'un boniment de charlatan qui vante avec entrain et bouffonnerie les vertus d'herbes médicinales miraculeuses, propres à tout guérir. Enfin, on lui doit une œuvre dramatique, *le Miracle de Théophile* (probablement entre 1260 et 1270), dont le sujet (voir ci-après) est emprunté à une tradition très populaire au Moyen Âge, et où il exprime avec intensité et émotion la vie intérieure de son personnage comme la sienne propre. Partout, ce poète passionnément engagé dans son siècle montre une variété et une souplesse de talent qui peuvent le faire considérer comme l'initiateur de cette personnalisation de la poésie lyrique qui s'épanouira dans l'œuvre de Villon.

Le Miracle de Théophile

C'est l'œuvre qui annonce le grand développement dramatique, au XIVe s., du genre des *miracles* (voir ce mot), et en particulier des *miracles de Notre-Dame.* R. y reste d'ailleurs surtout un lyrique, mais, s'il s'intéresse peu à l'organisation proprement dramatique de son sujet, il a su exprimer, selon un pathétique à la fois réaliste et symbolique, l'aventure spirituelle de son personnage. Selon la légende, très populaire, dont R. s'inspire, Théophile, clerc oriental, sénéchal de l'évêque d'Adana en Cilicie, se voit disgracié par son maître et privé de sa charge ainsi que des honneurs qu'elle confère. Il s'en trouve profondément humilié, et son orgueil va jusqu'à rendre Dieu lui-même responsable de sa disgrâce : il lui vient alors à l'esprit de se venger de Dieu en ayant recours à Satan. Il va donc trouver un magicien, qui le met en relation avec le Diable, et celui-ci s'engage à lui faire recouvrer honneurs, puissance et richesse, à condition que, par un pacte écrit de son sang, Théophile lui livre et lui consacre son âme. Le pacte rédigé, conclu et signé, Théophile reçoit de Satan des Commandements qui sont l'exact contre-pied des Commandements de Dieu. Théophile recouvrera donc effectivement sa charge, mais il en profite pour donner libre cours à ses passions mauvaises, appliquant à la lettre les Commandements de Satan. Alors survient un coup de théâtre, le miracle intérieur : Théophile, brusquement saisi de remords, se repent, s'humilie devant la Vierge dans une chapelle à Elle dédiée, sans cependant oser demander le pardon de sa faute. La Vierge l'admoneste d'abord, puis le prend en pitié, arrache à Satan, malgré sa résistance, le pacte, qu'elle restitue à Théophile : c'est le deuxième temps du miracle. Sur l'ordre de la Vierge, Théophile remet le pacte à son évêque et lui raconte son histoire : l'évêque à son tour résume cette histoire devant le peuple, et la pièce s'achève sur le *Te Deum laudamus.*

RYTHME [grec *rhuthmos* = cadence]. Succession ordonnée de temps forts, de temps faibles et de pauses dans l'organisation expressive d'un ensemble formel (par ex. : vers, strophe, poème, phrase, période, etc.). En poésie, la forme la plus organisée du rythme est la versification, fondée, selon les langues, sur l'ordonnance numérique des accents, des quantités ou des syllabes. Ainsi le rythme donne naissance à une forme spécifique de l'expression esthétique à la fois dans les arts musicaux, les arts plastiques et les arts littéraires, la « forme rythmique » étant « la forme dans l'instant qu'elle est assumée par ce qui est mouvant » (É. Benveniste, *Problèmes de linguistique générale,* 1966), ce qui explique que, dans tous les arts, le rythme soit l'expression formelle du mouvement, extérieur ou intérieur, et, dans ce dernier cas, le rythme apparaîtra comme étroitement lié au lyrisme.

S

SABATIER Robert. Paris 17.8.1923. Au cours d'une vie sans histoire qui le conduisit à devenir en 1965 directeur littéraire dans une importante maison d'édition, S. a d'abord été poète, poète rigoureux inspiré par un sincère unanimisme cosmique *(les Fêtes solaires)* qu'il ne renie pas lorsqu'il se fait romancier *(Alain et le Nègre).* La réalité brutale composée avec la nostalgie d'un paradis où régnerait l'harmonie explique la complexité du *Marchand de sable.* Bientôt, cette inspiration s'enrichira d'apports naturalistes et poétiques, comme d'une mythologie qui s'incarnerait en multiples paraboles *(cf. le Dictionnaire de la mort),* parmi lesquelles le choix du romancier-poète s'est porté avec prédilection sur une traduction réaliste et semi-autobiographique du mythe de l'enfance, paradis privilégié d'un unanimisme innocent et non dépourvu d'humour qui fait, en profondeur, l'unité d'une œuvre par ailleurs fort diverse (*les Allumettes suédoises ; Trois Sucettes à la menthe ; les Noisettes sauvages*). Mais le poète ne consent pas à se laisser éclipser par le romancier : *Icare et autres poèmes*, en 1976, témoigne de la permanence de l'inspiration lyrique – dont souvent le roman n'est que la transposition narrative – et l'on peut même regretter que la popularité du romancier risque de faire oublier que S. est aussi un poète délicat, chantre souvent inspiré des fraîcheurs de la sensibilité. Enfin sa passion pour la poésie lui inspirera aussi l'immense labeur de sa monumentale *Histoire de la poésie française des origines à nos jours.*

Œuvres. *Les Fêtes solaires,* 1950 (P). – *Alain et le Nègre,* 1953 (N). – *Le Marchand de sable,* 1954 (P). – *Boulevard,* 1955 (N). – *Les Fêtes solaires* (édition augmentée), 1955 (P). – *Le Goût de la cendre,* 1955 (N). – *Canard au sang,* 1958 (N). – *Dédicace d'un navire,* 1959 (P). – *Saint Vincent de Paul,* 1959 (E). – *La Sainte Farce,* 1960 (N). – *L'État princier,* 1961 (E). – *La Mort du figuier,* 1962 (N). – *Dessin sur un trottoir,* 1964 (N). – *Les Poisons délectables,* 1965 (P). – *Le Chinois d'Afrique,* 1966 (N). – *Le Dictionnaire de la mort,* 1967. – *Les Châteaux de millions d'années,* 1969 (P). – *Les Allumettes suédoises,* 1969 (N). – *Trois Sucettes à la menthe,* 1971 (N). – *Les Noisettes sauvages,* 1974 (N). – *Histoire de la poésie française des origines à nos jours* (1, *la Poésie du Moyen Âge,* 1974 ; 2, *la Poésie du* XVI*e siècle,* 1975 ; 3, *le* XVII*e siècle,* 1975 ; 4, *le* XVIII*e siècle,* 1975). – *Icare et autres poèmes,* 1976 (P). – *Histoire de la poésie française des origines à nos jours* (5, I *les Romantismes,* 1977 ; 5, II *Naissance de la poésie moderne,* 1977). – *Les Enfants de l'été,* 1978 (N). – *Les Fillettes chantantes,* 1980 (N). – *L'Oiseau de demain,* 1981 (P). – *Histoire de la poésie française des origines à nos jours* (6, I *Tradition et évolution,* 1982 ; 6, II *Révolutions et conquêtes,* 1982). – *Les Années secrètes de la vie d'un homme,* 1984 (N). – *Histoire de la poésie française des origines à nos jours* (6, III *Poésie actuelle. Francophonie*), à paraître.

Les Noisettes sauvages

Le petit Parisien Olivier a pris le train à la gare de Lyon pour rejoindre le bourg d'où son père est originaire, Saugues, dans la Haute-Loire. Il va passer ses vacances chez ses grands-parents, le « pépé », maréchal-ferrant, et la « mémé », dont le fils Victor se propose de faire l'éducation paysanne montagnarde de l'enfant. C'est alors la découverte des paysages, des travaux et des jours, des mœurs et des coutumes, dans une atmosphère d'inépuisable émerveillement. C'est aussi la découverte des gens : le coiffeur, le pâtissier, la religieuse, les cousins et cousines, tous originaux, chacun à sa manière, et en même temps reliés les uns aux autres en une mystérieuse communauté, sous les yeux de l'enfant, dont la compréhension spontanée pénètre aisément leurs secrets, les secrets profonds d'une immémoriale humanité : récits, légendes, veillées, tout ce qui va nourrir et exalter l'imagination vierge du petit Parisien.

SACHS Maurice, Maurice Ettinghausen, dit. Paris 1906 – Hambourg ? 1945. Ami de Cocteau et de Maritain, il fut secrétaire de l'un et disciple de l'autre et mena une vie marginale dans les milieux artistiques et littéraires, chargé de dettes et prisé pour son esprit. Bien que juif, il « collabora » pendant la guerre. Il trouva la mort dans des circonstances mal connues. Son œuvre principale est *le Sabbat* (1939, publ. 1946), sous-titré « Souvenirs d'une jeunesse orageuse », mais ses qualités de style et de jugement s'étaient déjà exprimées dans *Alias* et dans *André Gide*. Après sa mort, on a publié d'autres volumes de souvenirs, dont l'authenticité est incertaine.

Œuvres. *Alias,* 1935 (N). – *André Gide,* 1936 (E). – *Daumier,* s. d. (E). – *Le Sabbat,* posth., 1946 (N). – *La Chasse à courre,* posth., 1949 (N). – *La Décade de l'illusion,* posth., 1951 (N). – *Derrière cinq barreaux,* posth., 1952 (N). – *Abracadabra,* posth., 1953 (N). – *Tableau des mœurs de ce temps,* posth., 1954 (E). – *Histoire de John Cooper d'Albany,* posth., 1955 (N). – *Le Voile de Véronique,* posth., 1959 (N).

SADE Donatien Alphonse François, marquis de. Paris 2.6.1740 – Charenton 2.12.1814. D'antique et haute noblesse provençale, lié par sa mère aux Condés, il fut élève chez les jésuites du collège d'Harcourt, puis à l'école des Chevaux-légers. Officier de 1755 à 1763, il prit part à la guerre de Sept Ans. Le 17 mai 1763, il épouse Mlle Cordier de Launay de Montreuil, fille d'un président à la cour des Aides (elle lui donnera trois enfants ; il divorcera d'avec elle en 1790). Fin 1763, il est enfermé pour la première fois à Vincennes, pour « libertinage outré et blasphème » ; amant de nombreuses courtisanes et comédiennes, il est accusé de violences par la fille Keller en 1768, interné pour six mois et puni d'amende ; en 1772, à Marseille, il drogue des filles avec des anis cantharidés et, accusé d'empoisonnement et de sodomie, est condamné par contumace et pendu en effigie à Aix. Il s'enfuit en Italie avec sa belle-sœur, qu'il fait passer pour sa femme ; réfugié à Chambéry, il est interné par ordre du roi de Sardaigne, mais s'échappe (1773). Son séjour au château de La Coste (1774-1777) est marqué par de nombreux et obscurs scandales ; il est alors emprisonné, par lettre de cachet, au donjon de Vincennes (1777-1784), puis à la Bastille, où il compose *les Cent Vingt Journées de Sodome* (publ. 1931-1935), *Aline et Valcour* et la première *Justine (Justine ou les Malheurs de la vertu).* Transféré à Charenton début juillet 1789, il est libéré le 2 avril 1790. Secrétaire de la section des Piques, il est arrêté pour modérantisme, échappe miraculeusement à la guillotine, est libéré (août 1794) et fait partie de la société de Mme Tallien et de Joséphine de Beauharnais ; il publie *Aline et Valcour ou le Roman philosophique* et *la Philosophie dans le boudoir.* Arrêté en 1801 comme auteur de *la Nouvelle Justine...suivie de l'Histoire de Juliette, sa sœur...,*d'un érotisme débridé, il est détenu à Sainte-Pélagie, à Bicêtre, puis à Charenton (1803), où il obtient d'organiser des représentations théâtrales jusqu'en 1808. Il meurt après avoir passé plus de trente ans de sa vie en prison.

Écrivain maudit, S. est loin d'avoir été un écrivain méconnu ; la censure consulaire elle-même avait trop bien senti la puissance subversive de son œuvre pour ne pas tenter de le déguiser en auteur érotique, immoral mais inoffensif ; pour Sainte-Beuve, toute la littérature de son siècle a été influencée par S. et Byron. Ainsi, bien qu'une grande partie de son œuvre soit restée inconnue de son vivant (le théâtre, en particulier), S. a bien marqué son temps.

S. est l'aboutissement du Siècle des lumières, et il en a conscience. De là son attitude à l'égard de sa névrose : comment peut vivre un homme qui ne peut obtenir le plaisir que par la douleur subie ou infligée ? S. admet cette situation, mais ne s'y soumet pas ; au contraire, il domine sa névrose pour en faire un instrument de critique et de connaissance ; grâce à son étrangeté même, il découvre le monde tel qu'il est sous les habitudes inconscientes de l'homme. D'où ses choix : athée, il refuse Dieu au nom d'une logique de la vie (*Dialogue entre un prêtre et un moribond,* publ. 1926) ; rebelle et prisonnier, il conteste l'ordre politique (*Français, encore un effort si vous voulez être républicains*) ; homme, il examine et éclaire les pulsions obscures. Car telle est la leçon de S. *(Juliette ; la Philosophie dans le boudoir)* : celui qui cède à quoi que ce soit d'autre que lui-même mérite la mort, se fait objet et matière pour ceux qui ont accepté la lutte avec la nuit des sens et de la pensée. La cruauté est une ruse de la raison ; c'est au sommet même de la jouissance que les héros énoncent les dissertations qui coupent et rythment les récits de S. : prisonniers apparents de leurs vices et de la société qui les rejette dès qu'elle le peut, ils s'en délivrent en prouvant la radicale fausseté du jugement porté contre eux. Mais S. n'entend pas seulement imposer au monde l'ordre d'une raison absolue. La volupté reste la voie qui mène à la cohérence universelle, à l'accord de l'homme et des choses, à l'amour de l'homme pour l'homme. Le « sadique » est celui qui a le moins le droit de se réclamer de S. : victime plus encore que ses proies, il retourne au chaos au lieu de construire sa liberté. C'est à ce titre, et aussi parce qu'il a tenté de transposer cette construction en une esthétique de la provocation, que S. a pu apparaître comme un maître à ceux qui, tels les surréalistes, voyaient dans la « transgression » la condition nécessaire de toute libération.

Œuvres. *Justine ou les Malheurs de la vertu,* 1791 (N). – *Opuscules politiques,* 1791-1793 (E). – *La Philosophie dans le boudoir,* 1795 (N). – *Aline et Valcour ou le Roman philosophique,* 1795 (N). – *La Nouvelle Justine ou les Malheurs de la vertu, suivie de l'Histoire de Juliette, sa sœur, ou les Prospérités du vice,* 1797 (N). – *Pauline et Belval ou les Victimes d'un amour criminel,* 1798 (N). – *Oxtiern ou les Malheurs du libertinage,* 1799 (T). – *Les Crimes de l'amour ou le Délire des passions, nouvelles héroïques et tragiques,* précédées d'une *Idée sur les romans,* 1800 (N). – *L'auteur des « Crimes de l'amour » à Villeterque, folliculaire,* 1801 (E). – *La Marquise de Gange,* 1813 (N). – *Dorci ou la Bizarrerie du sort,* posth., 1881 (N). – *Historiettes, Contes et Fabliaux,* posth., 1926 (N). – *Dialogue entre un prêtre et un moribond ,* posth., 1926 (N). – *Correspondance,* posth., 1929. – *Les Infortunes de la vertu,* posth., 1930 (N). – *Les Cent Vingt Journées de Sodome ou l'École du libertinage,* posth., 1931-1935 (N). – *L'Aigle, Mademoiselle,* posth., 1949 (N). – *Le Carillon de Vincennes,* posth., 1951 (N). – *Histoire secrète d'Isabelle de Bavière, reine de France,* posth., 1953 (N). – *Cahiers personnels,* posth., 1953. – *M. le 6,* posth., 1954 (N). – *Cent Onze Notes pour la Nouvelle Justine,* posth., 1956 (N). – *Théâtre,* posth., 1970. – *Journal inédit,* posth., 1970. – *Lettres et mélanges littéraires,* posth., 1980.

SADJI Abdoulaye. Rufisque 1910 – Dakar 1961. Écrivain sénégalais. Fils de marabout, il passa par l'école coranique avant d'entrer à l'école française. En 1929, il est diplômé de l'École normale William-Ponty de Gorée. À l'époque, c'était la plus grande école de l'Afrique de l'Ouest, qui formait les cadres nécessaires à l'administration coloniale. En sa qualité d'instituteur, il servira dans de nombreuses villes du Sénégal et pourra ainsi acquérir une remarquable connaissance de ses peuples si divers. À Saint-Louis, où il se trouve de 1930 à 1931, il observe la société métisse qui, depuis le XVIIIe s., a servi de lien entre les Français et les Noirs. Il s'attache surtout à la psychologie de ce milieu. *Nini, mulâtresse du Sénégal* sera le fruit de ses observations et méditations. S. y développe le thème de l'aliénation raciale en centrant le récit autour de Nini, jeune fille métisse qui se détourne de tout ce qui est africain pour revendiquer son ascendance française. L'auteur analyse les attitudes du personnage au regard de la tradition africaine, de l'amour, de la mode. Il en fait le type de la femme désaxée, de la métisse déséquilibrée qui refuse de voir la réalité en face pour mieux assurer son double héritage.

Toute l'œuvre de S. tourne autour du problème du conflit de la tradition et du modernisme au Sénégal. Il décrit son pays au moment où les anciennes structures sociales et les habitudes mentales sont fortement ébranlées par l'appel du dehors, les séductions du modernisme et la naissance d'aspirations contraires à la tradition. Son œuvre maîtresse, *Maïmouna,* raconte l'aventure d'une jeune fille de la brousse partie à la conquête de Dakar, symbole de la grande ville, pôle d'attraction de cette humanité campagnarde qui cède à l'appât du gain et à la possibilité d'une vie plus facile. Déshonorée, elle échoue dans sa tentative et passe par un certain nombre d'épreuves. Elle regagne son village pour occuper enfin la place qui semble lui avoir été destinée de tout temps.

Œuvres. *Nini, mulâtresse du Sénégal,* 1947 (N). – *Tragique Hyménée,* 1948 (N). – *Maïmouna,* 1958 (N). – *Modou Fatim,* 1960 (N). – *Tounka,* posth., 1965 (N).

SAGAN Françoise, Françoise Quoirez, dite. Cajarc (Lot) 21.6.1935. Après des études aux institutions des Oiseaux et du Sacré-Cœur, elle écrit, à dix-huit ans, *Bonjour tristesse,* qui devint aussitôt un best-seller et pour lequel elle reçut le prix des Critiques. Depuis 1960, F. S. s'est aussi tournée vers le théâtre et, plus récemment, s'est essayée, non sans succès, au genre de la nouvelle *(Des yeux de soie).* Dramatique ou romanesque, son œuvre traite toujours de la tristesse des amours qui se terminent, de la mélancolie légère qu'elles apportent, durablement, dans un climat mêlé de passion et d'atonie qui se traduit dans la particularité de son style, auquel on a toutefois reproché un certain caractère artificiel et monotone. Toutefois au-delà de la répétition d'une structure romanesque fondamentale – celle du « trio » –, l'œuvre de F.S. fait de chaque roman particulier une variation nouvelle sur le thème de la solitude soudain rompue par l'apparition d'une « folie » provisoirement libératrice et créatrice d'un état de disponibilité qui instaure au moins l'illusion du bonheur ; à beaucoup d'égards, cette œuvre peut être interprétée comme une indirecte autobiographie des illusions du cœur et des sens. Enfin, du point de vue historique, il est désormais incontestable qu'avec *Bonjour tristesse* s'est trouvé inauguré un renouveau de la littérature féminine, caractéristique de la littérature contemporaine.

Œuvres. *Bonjour tristesse,* 1954 (N). – *Un certain sourire,* 1956 (N). – *Dans un mois, dans un an,* 1957 (N). – *Aimez-vous Brahms ?...,* 1959 (N). – *Château en Suède,* 1960 (T). – *Les Merveilleux Nuages,* 1961 (N). – *Les Violons parfois...,* 1961 (T). – Avec Claude Chabrol, *Landru,* 1963 (E). – *La Robe mauve de Valentine,* 1963 (T). – *Bonheur, impair et passe,* 1964 (T). – Avec B. Buffet, *Toxique,* 1964 (E). – Avec Christian Dussard, *Brigitte Bardot,* 1965. – *La Chamade,* 1965 (N). – *Un piano sur l'herbe,* 1966 (T). – *L'Écharde,* 1966 (T). – *Le Cheval évanoui,* 1966 (T). – *Le Garde du cœur,* 1968 (N). – *Un peu de soleil dans l'eau froide,* 1969 (N). – *Des bleus à l'âme,* 1972 (N). – *Un profil perdu,* 1974 (N). – *Réponses 1954-1974* (recueil d'interviews), 1974 (E). – *Des yeux de soie, la Diva, la Mort en espadrilles, l'Étang de solitude et autres nouvelles,* 1976 (N). – *Le Lit défait,* 1977 (N). – Avec Jacques Quoirez, *le Sang doré des Borgia,* 1978 (E). – *Il fait beau jour et nuit,* 1979 (N). – *Le Chien couchant,* 1980 (N). – *La Femme fardée,* 1981 (N). – *Un orage immobile,* 1983 (N). – *Avec mon meilleur souvenir,* 1984 (E). – *La Maison de Raquel Vega,* fiction d'après la peinture de Fernando Botero, 1985. – *De guerre lasse,* 1985 (N).

Bonjour tristesse

Le titre est, pour ainsi dire, le mot de la fin, la parole intérieure sur laquelle se dénoue un drame sans véritable crise, sans véritable tragique, un drame négatif : un père, environ quarante ans, et sa fille, Cécile, dix-sept ans, mènent ensemble, sous le signe d'une complicité apparemment sans problèmes, la vie facile, dissipée et amorale que permettent (qu'exigent ?) le loisir et l'argent. Mais un jour apparaît une femme, Anne, dont la personnalité entre en conflit avec cette sorte de confort du plaisir. Cécile alors se réveille, se défend, provoque la rupture avec Anne, qui, bientôt, est tuée dans un accident de voiture : c'est alors que Cécile salue la *tristesse* qu'elle n'avait encore jamais connue et qu'elle ne cessera désormais de connaître.

SAINT-AMANT, Marc Antoine Girard, sieur de. Quevilly, près de Rouen, 1594 – Paris 29.12.1661. Après une éducation sommaire et médiocre, il entreprit des voyages, exceptionnels pour son temps, qui le menèrent jusqu'en Amérique, en Afrique et en Inde. Lors de ses séjours à Paris, il fréquentait aussi bien les salons, en particulier l'hôtel de Rambouillet, que les cabarets. Libertin, compagnon de Théophile de Viau, il contestait la religion au nom des découvertes récentes de la science et du rationalisme ; il est probable néanmoins qu'il retrouva la foi à la fin de sa vie. En raison de ses vers bachiques et de poésies comme « le Fromage », « le Melon », « la Vigne », « le Poète crotté », on l'a souvent classé parmi les poètes de circonstance incapables de s'élever à la grande poésie. Il aborde pourtant la poésie satirique avec *Rome ridicule,* la poésie religieuse avec « le Contemplateur », l'idylle héroïque avec *Moïse sauvé,* la poésie de la nature avec « la Solitude », « la Pluie ». Son goût de la description, sensible dans toutes ces pièces, fait de lui le plus « réaliste » des poètes de son temps. Cependant, la finesse de l'observation est toujours subordonnée, chez lui, au travail poétique : s'il refuse de traiter les lieux communs imités de l'Antiquité bien qu'il soit tout imprégné de latinité et qu'il ne manque pas de se référer à Sénèque, il préfère s'inspirer des littératures étrangères modernes, en particulier de Gongora et de Berni. Il est donc, à beaucoup d'égards, un marginal, une sorte de « poète maudit » que, à ce titre, le XXe siècle a réhabilité : car il est sans doute le plus inspiré des représentants de la poésie baroque française ; il y a surtout chez lui un sens exceptionnel du pittoresque fantastique (« la Solitude ») ; il possède un singulier génie visionnaire en même temps que l'art de traduire, comme naturellement, l'échange incessant et dynamique des images réelles et oniriques (*cf.* son évocation de la fin du monde dans « le Contemplateur »). Sa situation de poète marginal ne l'empêcha cependant pas de figurer au nombre des premiers académiciens (1634).

Œuvres. *Œuvres du sieur de Saint-Amant,* 1627 (nombreuses éditions augmentées de 1629 à 1658) [P]. – *Épître héroï-comique à Mgr le Duc d'Orléans,* 1644 (P). – *Le Passage de Gibraltar* (caprice héroïque), 1648 (P). – *Rome ridicule* (caprice), 1649 (P). – *Stances sur la grossesse de la reine de Pologne,* 1650 (P). – *Moïse sauvé* (idylle héroïque), 1653 (P). – *Stances à M. Corneille sur son « Imitation de Jésus-Christ »,* 1656 (P). – *La Seine extravagante,* 1658 (P). – *La Généreuse* (seconde idylle héroïque), 1658 (P). – *Œuvres complètes* (4 vol.), 1967-1971.

SAINT-DENYS GARNEAU Hector de. Sainte-Catherine-de-Fossambault 1912 – 1943. Écrivain canadien-français. Il est l'arrière-petit-fils de l'historien national des Canadiens français, François-Xavier G., et le petit-fils du poète Alfred G. De 1916 à 1933, il habite avec sa famille à Sainte-Catherine-de-Portneuf dans une belle maison de pierre, résidence typique des grands bourgeois canadiens des XVIIe et XVIIIe siècles. En 1934, il participe à la fondation de *la Relève,* revue où s'exprime de façon entièrement nouvelle au Canada l'inquiétude des jeunes intellectuels catholiques : l'influence du groupe français *Esprit* y est manifeste. C'est en cette même année 1934 que S.-D. G., atteint d'une lésion cardiaque, doit interrompre ses études. Pendant sa convalescence, il partage son temps entre la peinture, la poésie et son journal. En 1937, il fait un bref voyage à Paris, qu'il interrompt brusquement. À son retour, il devient de plus en plus solitaire. Le 24 octobre 1943, après un dîner avec des amis de sa famille, il part seul, en canoë, vers une île où il avait commencé à bâtir un abri. C'est le lendemain qu'on le retrouve sans vie, auprès de son embarcation. Selon Robert Élie, l'un de ses plus anciens amis, S.-D. G. a écrit l'essentiel de son œuvre entre 1935 et 1938. Son premier recueil, *Regards et jeux dans l'espace,* est de 1937 ; un recueil posthume, *Solitudes,* est publié par ses amis Jean Le Moyne et Robert Élie en 1949 seulement. Ce sont des pièces éparses retrouvées après sa mort. Les premiers poèmes sont d'un style simple et pur et semblent se jouer des sujets les plus graves : la joie, l'amour, le jeu, la solitude, la mort, l'inquiétude devant le silence des espaces infinis. Les mêmes thèmes se retrouvent dans les recueils posthumes. Ils sont abordés avec plus de gravité, sur un ton tragique. La forme, très sobre, s'accorde parfaitement à la nuit des sens et de l'esprit où le poète cherche vainement la lumière et la joie. L'originalité de cette poésie vient de l'authenticité de son message spirituel, et c'est par sa valeur de témoignage encore plus que par sa beauté propre que cette œuvre poétique marque un tournant dans l'évolution de la poésie canadienne. Le *Journal* est le plus beau et le plus tragique témoignage d'un écrivain canadien sur l'angoisse d'un homme de plus en plus impuissant devant la vie quotidienne, qui se sent de moins en moins capable d'exprimer son angoisse par une œuvre poétique. Ce *Journal* explique en grande partie l'auteur et son œuvre poétique. Il explique en particulier que, pour S.-D. G., la poésie ne puisse naître que de « ce dernier retranchement inexpugnable de notre être » qui fixe le poète captif dans son destin de victime mais, finalement, à travers une sorte de règlement de compte avec le monde, met en mouvement le dynamisme de son énergie créatrice. Conscient de la condition absurde du poète, S.-D. G. a voulu, dans une œuvre à la fois détachée et engagée (sinon au sens politique, du moins au sens métaphysique), transmuer cette absurdité en un univers imaginaire où elle puisse à la fois s'exprimer et s'exorciser.

Œuvres. *Regards et jeux dans l'espace,* 1937 (P). – *Poésies complètes,* posth., 1949, rééd. 1972. – *Solitudes,* posth., 1949 (P). – *Journal,* posth., 1954. – *Lettres à ses amis,* posth., 1967. – *Œuvres,* posth., 1971.

SAINT-ÉVREMOND, Charles de Marguetel de Saint-Denis, seigneur de. Saint-Denis-le-Gast (Manche) 1.1616 ? – Londres 20.9.1703. S'étant destiné à la carrière des armes, et ayant déjà fait circuler la *Comédie des académistes pour la réformation de la langue française* et la *Retraite de M. le duc de Longueville en son gouvernement de Normandie,* il voyait s'ouvrir à lui un brillant avenir, lorsque la saisie d'une lettre qui dévoilait son opposition à Mazarin le contraignit à fuir pour éviter l'incarcération (1661). Il s'installa à Londres parmi les émigrés français, devint écrivain malgré lui, et aborda tous les domaines avec une égale pénétration. Il juge avec goût le théâtre français (*De la tragédie ancienne et moderne ; Sur nos comédies ; Sur les poèmes des Anciens*) ; il expose ce que nul critique n'avait su cerner avant lui, les caractères spécifiques du théâtre français moderne, et illustre lui-même le genre satirique avec des comédies comme *Sir Politick would-be.* Historien, il se montre, avec ses *Réflexions sur les divers génies du peuple romain,* le précurseur direct de Montesquieu. Philosophe sceptique, disciple de Gassendi, il se fait, par exemple dans la *Conversation du maréchal d'Hocquincourt avec le P. Canaye,* l'apôtre de l'épicurisme et de la tolérance. À une période charnière de l'histoire de la littérature et de l'histoire des idées, S.-É. sut, grâce à sa remarquable ouverture d'esprit, établir une transition entre les valeurs les plus classiques et la philosophie du XVIIIe s. Car sa formation littéraire est bien celle d'un humaniste : remarquable latiniste, il cite volontiers Virgile et Sénèque ; mais, en matière de goût, il se veut non-conformiste et libéral, et il restera indéfectiblement fidèle à Corneille, même lorsque celui-ci sera devenu anachronique. Surtout, il se veut délibérément « moderne », et il fut, par exemple, le premier à affirmer de façon aussi cohérente un relativisme esthétique fondé sur les progrès de la science et de la philosophie rationnelle. Il va même non seulement jusqu'au refus littéraire du merveilleux, mais aussi jusqu'à la négation philosophique du surnaturel. Quant au style, il conjugue avec une suprême aisance le purisme de la langue avec la liberté d'une ironie que même Voltaire ne surpassera guère. Il fut enfin un des premiers à prendre connaissance de la pensée anglaise, dont l'influence devait être déterminante au siècle suivant. Un des plus brillants esprits de son temps, il fut, avant Fontenelle et Bayle, l'initiateur de la philosophie des lumières.

Œuvres. *Retraite de M. le duc de Longueville en son gouvernement de Normandie,* 1649 (E). – *La Comédie des académistes pour la réformation de la langue française* (composée en 1643), 1650 (T). – *Conversation du maréchal d'Hocquincourt avec le P. Canaye,* 1656 (E). – *Lettre au marquis de Créqui sur la paix des Pyrénées,* 1659 (E). – *Conversation avec M. d'Aubigny,* 1662 (E). – *Réflexions sur les divers génies du peuple romain dans les différents temps de la République,* 1662 (E). – *Comédie à la manière des Anglais, Sir Politick would-be,* 1662 (E). – *Jugement sur César et Alexandre,* s.d. (E). – *Parallèle de M. le Prince et de M. de Turenne,* s.d. (E). – *Éloge de M. de Turenne,* s. d. (E). – *Conversation de Saint-Évremond avec le duc de Candale,* s.d. (E). – *Œuvres mêlées* (1re éd.), 1670. – *Sur les caractères des tragédies,* 1674 (E). – *Sur la tragédie ancienne et moderne,* 1677 (E). – *Sur nos comédies, excepté celles de Molière où l'on trouve le vrai esprit de la comédie, et sur la comédie espagnole,* 1677 (E). – *De la comédie italienne,* 1677 (E). – *De la comédie anglaise,* 1677 (E). – *Défense de quelques pièces de Corneille,* 1677 (E). – *Discours sur les historiens français,* 1684 (E). – *Sur les poèmes des Anciens,* 1685 (E). – *Jugement sur quelques auteurs français,* 1692 (E). – *Portrait par lui-même,* 1696 (E). – *Œuvres mêlées de M. de Saint-Évremond, publiées sur les manuscrits de l'auteur,* posth., 1705. – *Œuvres mêlées de Saint-Évremond, revues, annotées et précédées d'une histoire de la vie et des ouvrages de l'auteur,* posth., 1865.

SAINT-EXUPÉRY Antoine de. Lyon 29.6.1900 – disparu en Méditerranée 31.7.1944. Ayant accompli son service militaire dans l'armée de l'air, il choisit de se faire aviateur. Entré en 1926 chez Latécoère, il participa au transport du courrier entre Toulouse et Dakar, puis, en collaboration avec Mermoz, créa les lignes vers l'Amérique du Sud. Après la suppression de l'Aéropostale, il fut journaliste en Espagne (1936), mais redevint aviateur en 1938. Pilote durant la Seconde Guerre mondiale, il vécut aux États-Unis de juin 1940 à 1943 ; revenu servir en Afrique du Nord, il fut porté disparu au cours d'une mission de reconnaissance aérienne au-dessus de la Corse.

Il commença sa carrière d'écrivain par des œuvres relevant du reportage littéraire : *Courrier Sud* et *Vol de nuit ;* mais il greffe sur la technique du récit documentaire, par l'intermédiaire de ses éléments autobiographiques, un lyrisme qui tantôt amplifie le tableau jusqu'à l'altitude de l'épopée, tantôt y introduit une méditation sur les raisons d'être de l'action humaine. C'est cette méditation qui l'emporte dans *Terre des hommes,* et, à partir de là, S.-E. ne cessera de vouloir approfondir et développer une réflexion humaniste à la recherche d'un message qui puisse réconcilier avec lui-même l'homme d'aujourd'hui, sans que soit jamais absente la référence à l'expérience personnelle de l'aviateur. Mais le message l'emporte sur le récit tandis que le style se métamorphose en rhétorique, jusqu'à ce que, dans *Citadelle,* se libère, un peu anarchiquement, un lyrisme de ton prophétique que vient parfois gâter une éloquence insuffisamment maîtrisée.

Œuvres. « L'Évasion de Jacques Bernis », dans la revue *le Navire d'argent,* 1925 (N). – *Courrier Sud,* 1930 (N). – *Vol de nuit,* 1931 (N). – *Terre des hommes,* 1939 (N). – *Pilote de guerre,* 1942 (N). – *Lettre à un otage,* 1943 (N). – *Le Petit Prince,* 1943 (N). – *Citadelle,* posth., 1948 (N). – *Carnets,* posth., 1953. – *Lettres à sa mère,* posth., 1955. – *Un sens à la vie,* posth., 1956. – *Lettres aux Américains,* posth., 1960. – *Lettres de jeunesse (Lettres à l'amie inventée), 1923-1932,* posth., 1961. – *Écrits de guerre (1939-1940),* posth., 1982. – *Lettres à sa mère,* éd. revue et augmentée, 1984.

SAINT-GELAIS Mellin de. Angoulême 3.11.1491 – Paris 10.1558. Fils naturel ou neveu de l'archevêque mondain Octavien de Saint-Gelais, il fit ses études en Italie. Il fut le type même du poète mondain et courtisan. La gloire naissante de Ronsard rendit vains les efforts qu'il multipliait pour se faire distinguer. Mais Ronsard fut cependant quelque temps inquiété par M. de S.-G., qui excellait dans des pièces courtes (épigrammes, madrigaux, étrennes), généralement accompagnées d'une musique agréable que le poète composait lui-même. Pour pallier tous les malentendus possibles qui auraient été préjudiciables à l'un comme à l'autre, Ronsard lui dédia une ode en 1550 et, en 1555, un hymne, « l'Hymne des astres ». M. de S.-G. conserva longtemps de solides attaches à la cour, d'autant plus qu'il avait le don d'organiser des fêtes ; c'est ainsi qu'il fit représenter devant la reine Catherine de Médicis une traduction en prose, avec « intermède », de *Sophonisbe.* Mais quelle qu'ait été bientôt la prédominance de Ronsard, de plus de trente ans son cadet, M. de S.-G. a joué un rôle important dans la promotion d'une poésie nouvelle ; car il est d'abord un humaniste qui se réfère à l'Antiquité : son chef-d'œuvre est une idylle imitée de Bion, *la Déploration du bel Adonis.* Il est d'autre part un des premiers introducteurs de l'italianisme, et l'on n'a cessé de débattre, depuis le XVIe s. et jusqu'à aujourd'hui, s'il est bien l'auteur du premier sonnet français (1533) ; même s'il eut, comme il semble, quelques rares et médiocres prédécesseurs, il est, en tout cas, par son influence, qui fut considérable, même sur les jeunes gens de la Pléiade, à l'origine de la vogue que connaîtra le sonnet dans la poésie française. Comme Marguerite de Navarre, et plus que Marot, il apparaît, à la suite de Lemaire de Belges, comme une transition vivante entre l'ancienne et la nouvelle poésie.

Œuvres. Posth., 1574 (P). – Éd. établie par P. Blanchemain, 3 vol., 1873.

SAINT-JOHN PERSE, Alexis Saint-Léger Léger, dit. Saint-Léger-des-Feuilles (Guadeloupe) 31.3.1887 – Giens (Var) 20.9.1975. Après des études à Bordeaux et à Paris, il entre dans la carrière diplomatique en 1914. D'abord secrétaire de Briand (1921), il est nommé (1933) secrétaire général du ministère des Affaires étrangères. Il accompagnera Daladier à Munich (1938). Démis d'office en 1940, puis privé de la citoyenneté française par le gouvernement de Vichy, il rejoint les États-Unis et devient conservateur à la Library of Congress. Il reste à Washington après la Libération, bien qu'on lui ait rendu la citoyenneté française ; il entreprend sur son bateau de fréquents voyages sur la mer des Caraïbes ; il ne fait que de rares séjours en France.
Son œuvre est, certes, coupée en deux par les vingt ans de silence d'une carrière diplomatique de premier plan. Mais, dès *Éloges* et *Images à Crusoé,* le ton est trouvé ; l'influence du symbolisme, les souvenirs aussi de Leconte de Lisle, tout cela compte peu en regard de cette intuition première et définitive de la Création qu'est la poésie de S.-J. P. Par son réalisme même, elle se prête peu à l'exégèse : le rythme de la parole n'est pas indépendant du monde, il le magnifie, lui procurant son essence véritable. C'est une célébration, d'abord des images de l'enfance et du souvenir *(Éloges),* puis des éléments *(Vents),* enfin de l'histoire, des civilisations *(la Gloire des rois ; Anabase).* En cela, elle s'oppose à la poésie de Claudel, dont tout pourtant la rapproche : l'emploi des versets, qui se déroulent comme une liturgie, s'accorde à une vision cosmique, mais ce qui est volonté d'action, puissance latente, reconnaissance lyrique d'un ordre réel et transcendant chez Claudel, devient ici contemplation d'une figuration dont la substance propre se suffit à elle-même. Ainsi se construit, avec autant de rigueur dans la forme que de liberté dans l'image, un inépuisable paysage intérieur : « Il n'est d'histoire que de l'âme – il n'est d'aisance que de l'âme » *(Exil).* On pourra découvrir dans l'œuvre de S.-J. P. comme une résurrection de cette imagination baroque pour qui, en effet, la nature entière est un réservoir de signes propres à figurer les délires de l'âme ; et de là vient sans doute la dimension épique de cette œuvre, puisque l'intériorisation du monde passe par l'incantation de la parole humaine et débouche sur un merveilleux au-delà même de l'historique et du cosmique, un merveilleux de cérémonie verbale et de transfiguration imaginaire. La mémoire joue dans cette transfiguration le rôle principal, elle qui transmue la sensation, la réalité naturelle ou culturelle en une parole cérémonielle. De là l'aspect souvent sibyllin des repères invoqués (hiéroglyphes inconnus, villes mortes, sciences oubliées) et l'usage systématique des métaphores, chargées de manifester la relation universelle des choses et des hommes : c'est cette défaite de la mort par le verbe, cette perpétuelle existence des éléments imaginairement recomposés par-delà les accidents de la vie apparente, qui constitue le sacré originel du poète. Car la nature – et surtout les éléments *(Pluies ; Neiges ; Vents)* – est la matière d'incarnation et de

manifestation de ce sacré poétique. La fonction primordiale du verbe organisé en images et en rythmes est bien cette sacralisation du monde obtenue par l'élaboration épique du jeu multiple de ses éléments. Ainsi le thème de l'*Exil* figure-t-il la distance entre le monde et le poète, que la communion avec les éléments transcendera sous la forme de l'*Anabase* poétique, le retour de ce Prince qu'est le Poète, qui a perdu sa puissance et ses terres, mais qui conserve le pouvoir authentique, le pouvoir de domination et de compréhension, par l'Esprit, des éléments du monde et des accidents de l'histoire. La sacralisation du monde débouche ainsi sur la grande tentative de réinvention de l'univers, de redécouverte de l'être au cœur même du mouvement et du changement *(Vents).* Par ce triomphe ascendant d'une glorification décisive et du langage et du monde, la poésie de S.-J. P. apparaît bien comme une poésie *totale,* poésie à la fois de l'âme et de l'univers réunis, mais aussi, conjointement, poème et art poétique : le poète n'est jamais aussi profondément lui-même que lorsqu'il compose, dans une même célébration verbale et rythmique, les images externes que lui fournit la nature et les images intérieures de son propre état poétique. Prix Nobel 1960.

Œuvres. *Éloges,* 1904-1908 (P). – *Images à Crusoé,* 1909 (P). – *Amitié du prince,* 1924 (P). – *La Gloire des rois,* 1924 (P). – *Anabase,* 1925 (P). – *Exil,* 1942 (P). – *Poème à l'étrangère,* 1943 (P). – *Pluies,* 1943 (P). – *Neiges,* 1944 (P). – *Vents,* 1946 (P). – *Amers,* 1957 (P). – *Chronique,* 1960 (P). – *Œuvre poétique* (2 vol.), 1961 (P). – *L'Ordre des oiseaux,* 1962 (P). – *Valery Larbaud ou l'Honneur littéraire,* 1962 (E). – *Oiseaux,* 1963 (P). – *Silence pour Claudel,* 1963 (E). – *Au souvenir de Valery Larbaud,* 1964 (P). – *Pour Dante,* 1965 (P). – *Œuvres complètes,* 1972, éd. conçue et établie par S.-J.P. – *Chant pour un équinoxe,* posth., 1976 (P).

SAINT-JUST Louis Antoine Léon de. Decize (Nièvre) 25.8.1767 – Paris 28.7.1794. *L'Organt,* épopée badine et satirique (1789), fit peu pour sa gloire, au contraire de son traité *l'Esprit de la Révolution et de la Constitution de la France,* qui, paru en juin 1791, fut épuisé en quelques jours. Élu à la Convention (sept. 1792), S.-J. y prononça plusieurs discours fameux ; le dernier, une défense de Robespierre, resta dans les tiroirs – le lendemain, ce réformateur de vingt-sept ans était guillotiné. La rigueur morale et la lucidité politique de S.-J. apparaissent évidentes dans l'édition globale de ses *Fragments sur les institutions républicaines* (posth. 1800). S.-J. est aussi l'auteur d'une comédie symbolique en un acte, *Arlequin Diogène.*

SAINT-LAMBERT Jean-François, chevalier, puis **marquis de.** Nancy 26.12.1716 – Paris 9.2.1803. Son œuvre, sauf peut-être *les Saisons,* exemple typique de poésie descriptive, a été oubliée au profit de son personnage biographique : il est connu pour avoir conquis et conservé le cœur de Mme du Châtelet, venue se réfugier à Lunéville avec Voltaire (1748), puis de Mme d'Houdetot, amie de J.-J. Rousseau ; celui-ci, qui parle de leur trio dans ses *Confessions* (liv. IX), doit à ces relations le point de départ de *Julie ou la Nouvelle Héloïse.* Acad. fr. 1770.

Œuvres. *Ode à l'Eucharistie.* 1732 (P). – *Les Fêtes de l'amour et de l'hymen,* 1756 (T). – *Recueil de poésies fugitives,* 1759 (P). – *Le Matin et le Soir,* 1764. – « Essai sur le luxe » (dans l'*Encyclopédie*), 1764 (E). – *Les Saisons,* 1769 (P). – *Abenaki, Sarah Th... et Ziméo* (contes en prose), 1769 (N). – *Deux Amis* (contes iroquois), 1770 (N). – *Fables orientales,* 1772 (N). – *Les Principes des mœurs chez toutes les nations ou Catéchisme universel,* 1798 (E).

SAINT-MARTIN Louis Claude de, dit **le Philosophe inconnu.** Amboise 18.1.1743 – Aulnay-sous-Bois 13.10.1803. Alors qu'officier il était en garnison à Bordeaux, il rencontra le Portugais Martinez de Pasquali, qui l'initia à l'ésotérisme spirituel de Jacob Boehme et de Swedenborg. S.-M. a ainsi largement contribué au développement de l'illuminisme dans la société de la seconde moitié du XVIIIe s., et son influence, quoique souvent diffuse et indirecte, s'est exercée sur certains romantiques (Hugo, George Sand, Gérard de Nerval).

Œuvres. *Des erreurs et de la vérité ou les Hommes « rappelés » au Principe universel de la science,* 1775 (E). – *Tableau naturel des rapports qui existent entre la nature, l'homme et Dieu,* 1782 (E). – *L'Homme de désir,* 1790 (E). – *Ecce Homo,* 1792 (E). – *Lettre à un ami ou Considérations politiques, philosophiques et religieuses sur la Révolution française,* 1795 (E). – *Le Nouvel Homme,* 1796 (E). – *Le Crocodile* (poème allégorique), suivi de : *De l'influence des signes sur la formation des idées,* 1797 (E). – *De l'esprit des choses,* 1800 (E). – *Le Ministère de l'Homme-Esprit,* 1802 (E). – *Portrait,* posth., 1807.

– *Traité des nombres,* posth., 1842 (E). – *Correspondance avec Kirchberger,* posth., 1862. – *Mon portrait historique et philosophique,* posth., 1862.

SAINT-PIERRE, Charles Irénée Castel, abbé de. Saint-Pierre-Église, près de Barfleur, 18.2.1658 – Paris 29.4.1743. Célèbre pour son *Mémoire pour rendre la paix perpétuelle en Europe* (1712) et son *Projet de paix perpétuelle* (1713), il est l'initiateur de la conception fédéraliste de l'unité européenne. Écrivain politique qui réunit l'idéalisme utopique et un certain réalisme juridique, il se fonde sur l'idéologie du progrès et, par là, est le principal précurseur du courant de pensée politique qui, à travers tout le XVIIIe s., aboutira à Condorcet. Ce principe idéologique, S.-P. l'applique aussi à d'autres sujets que celui de la paix européenne, et, par exemple, dans son *Discours sur la polysynodie* (1718) – qui fit scandale –, il en fait le fondement de sa critique radicale de l'absolutisme. Acad. fr. 1695.

Œuvres. *Mémoire pour rendre la paix perpétuelle en Europe,* 1712 (E). – *Projet de paix perpétuelle,* 1713 (E). – *Mémoire pour perfectionner la police contre les duels,* 1715 (E). – *Projet de paix perpétuelle entre les souverains chrétiens,* 1717 (E). – *Discours sur la polysynodie,* 1718 (E). – *Mémoire pour les pauvres mendiants,* 1724 (E). – *Mémoire pour augmenter le revenu des bénéfices et pour faire valoir davantage, au profit de l'État, les terres et autres fonds de bénéfices,* 1725 (E). – *Mémoire pour diminuer le nombre des procès,* 1725 (E). – *Projet pour perfectionner l'éducation,* 1728 (E). – *Projet pour perfectionner l'orthographe des langues de l'Europe,* 1730 (E). – *Annales politiques,* posth., 1757.

SAINT-PIERRE, Michel de Grosourdy, marquis de. Blois 12.2.1916. Il a acquis la notoriété littéraire avec son roman *les Aristocrates,* où il donne, dans la tradition du roman classique, le tableau d'une famille de la petite noblesse provinciale, pauvre mais digne. M. de S.-P. se veut un témoin critique et authentique des mœurs de son temps, dont il dénonce les travers en s'inspirant de sa nostalgie d'un passé qu'il sait rendre effectivement présent *(Ce monde ancien).* Il s'est fait aussi le porte-parole des catholiques fidèles à la figure traditionnelle de l'Église *(les Nouveaux Prêtres).*

Œuvres. *Contes pour les sceptiques,* 1945 (N). – *Ce monde ancien,* 1948 (N). – *Montherlant, bourreau de soi-même,* 1949 (E). – *La Mer à boire,* 1952 (N). – *Les Aristocrates,* 1954 (N). – *Sainte Bernadette,* 1956 (E). – *Les Écrivains,* 1957 (T). – *Trésors de Turquie,* 1959 (E). – *La Vie prodigieuse du curé d'Ars,* 1959 (E). – *Les Murmures de Satan,* 1959 (E). – *Monsieur Vincent,* 1960 (E). – *Les Nouveaux Aristocrates,* 1961 (N). – *Les Côtes normandes,* 1961 (E). – *La Nouvelle Race,* 1961 (E). – *L'École de la violence,* 1962 (E). – *Trois de la flibuste* (contes), 1963 (N). – *Plaidoyer pour l'amnistie,* 1963 (E). – *Les Nouveaux Prêtres,* 1964 (E). – *Sainte Colère,* 1965 (E). – *J'étais à Fatima,* 1967 (E). – *Le Drame des Romanov* (1, *l'Ascension,* 1967 ; 2, *La Menace*), 1968 (N). – Avec Juliette Saint-Giniez et Henri Spade, *Dieu vous garde des femmes,* 1968 (E). – *Le Drame des Romanov* (3, *la Chute*), 1969 (N). – *Le Milliardaire,* 1970 (N). – *La Jeunesse et l'Amour,* 1970 (E). – *L'Accusée,* 1972 (N). – *Églises en ruine, Église en péril,* 1973 (E). – *Je reviendrai sur les ailes de l'aigle,* 1975 (N). – Avec André Mignot, *les Fumées de Satan. Doléances à nos évêques,* 1976 (E). – *Monsieur de Charette, chevalier du roi,* 1977 (N). – *La Passion de l'abbé Delance,* 1978 (N). – Avec André Mignot, *Le ver est est dans le fruit,* 1978 (E). – *Laurent,* 1980 (N). – *Pour celle qui viendra,* 1981 (N). – *Lettre ouverte aux assassins de l'école libre,* 1982 (E). – *Docteur Erikson,* 1982 (N). – *Le Double Crime de l'impasse Salomon,* 1984 (N).

SAINT-POL ROUX, Pierre Paul Roux, dit. Saint-Henry, près de Marseille, 15.1.1861 – hôpital de Brest 18.10.1940. D'abord retiré dans les Ardennes, puis, de 1898 à sa mort, au manoir qu'il s'était fait construire en Bretagne près de Camaret, Coecilian, du nom de son fils qui devait être tué à Verdun, il avait produit l'essentiel de son œuvre avant 1914 : *les Reposoirs de la procession,* trilogie poétique, et *la Dame à la faulx,* drame. Mais il tenta aussi de substituer dans sa vie même l'imaginaire au réel, en conformant sa personne à son personnage. Un destin tragique voulut que, lors de l'invasion allemande, le poète fût victime de violences dont il devait bientôt mourir, et qu'en 1944 Coecilian, où il avait vécu en solitude avec sa fille Divine, s'effondre en ruine à la suite d'un incendie apocalyptique. Surnommé par ses contemporains « le Magnifique », il posa, non sans complaisance, au poète-mage, catholique comme Jammes, mais bien éloigné de l'humilité de celui-ci : par son désir de « surcréer » la création divine, il fonde ce qu'il appelle l'*idéoréalisme,* véritable congé d'autonomie créatrice donné à l'image verbale : l'agressivité et les recherches d'étrangeté qui marquent sa poésie font comprendre que les surréalistes aient revendiqué son patronage (Breton lui a dédié son *Clair de terre*). Car l'ultra-symbolisme de S.-P. R., son goût baroque pour les enchaînements verbaux générateurs d'images oniriques créaient déjà les conditions de la libération surréaliste. Il a d'ailleurs lui-même condensé l'essentiel de sa poétique dans une formule saisissante : « La mécanique de l'art est intérieure. »

Œuvres. *Lazare,* 1886 (P). – *Le Bouc émissaire,* 1889 (P). – *Épilogues des saisons humaines,* 1893 (T). – *Les Reposoirs de la procession* (1, *les Roses et les Épines du chemin*), 1893 (P). – *La Dame à la faulx,* 1899 (T). – Avec G. Charpentier, *Louise* (roman musical), 1900 (T). – *La Dame en or* (drame), 1901 (T). – *Les Pêcheurs de sardine* (drame), 1902 (T). – *Anciennetés,* 1903 (P). – *Les Reposoirs de la procession* (2, *De la colombe au corbeau par le paon,* 1904; 3, *les Féeries intérieures,* 1907), [P]. – *La Randonnée,* 1937 (P). – *La Mort du berger,* 1938 (P). – *La Supplique du Christ,* 1939 (P). – *Bretagne est univers,* posth., 1941 (P). – *L'Ancienne à la coiffe innombrable,* posth., 1946 (P). – *Août* (recueil de poèmes), posth., 1959.

SAINT-SIMON, Louis de Rouvroy, duc de. Paris 15.1.1675 – 2.3.1755. Pair de France et grand d'Espagne. Fils d'un courtisan que Louis XIII avait fait duc et pair alors qu'il était âgé de soixante ans, pour de menus services mais surtout pour le récompenser de son exceptionnelle loyauté, S.-S. était promis à la plus brillante carrière. Mousquetaire à seize ans, il combattit avec bravoure, tout en commençant dès 1694 à noter ses souvenirs. Mais il perdit la faveur de Louis XIV pour une ridicule contestation avec le maréchal de Luxembourg sur une question de préséance à la pairie (1695) : son obsession nobiliaire se manifestait déjà ! Il reporta ses espoirs sur le duc de Bourgogne, héritier du trône, qui mourut en 1712. Il se tourna alors vers le duc d'Orléans, pour qui il nourrissait d'ailleurs une sincère amitié et qui, une fois proclamé Régent, le récompensa de sa fidélité en le nommant ambassadeur en Espagne (1721). Mais la mort du Régent (1723) mit fin à ses ambitions et lui fit prendre le chemin de la retraite. La lecture d'une copie manuscrite du *Journal* de Dangeau réveilla ses souvenirs et l'incita à apporter de nombreuses corrections à l'œuvre du mémorialiste courtisan. De ces corrections, de ses notes, de son expérience personnelle, des enquêtes qu'il mena auprès de mille témoins naquirent les gigantesques *Mémoires,* couvrant les années 1694-1723, auxquels il consacra les quinze dernières années de sa vie et qui, après des éditions fragmentaires et fautives, ne furent publiés intégralement qu'en 1828. Qu'on n'y cherche pas une œuvre d'historien : S.-S., inspiré à la fois par ses préjugés de caste et par une lucidité naturelle que vient renforcer son amertume, ne se propose pas non plus de démonter, comme Retz, les mécanismes politiques du royaume. Mais si son fanatisme presque féodal l'aveugle souvent, la valeur du témoignage, en revanche, est incontestable ; nul auteur ne livre avec moins de pudeur les réactions d'un grand seigneur passionné de hiérarchie, de titres et d'étiquette, face à l'embourgeoisement des rouages du gouvernement et à l'abaissement de la noblesse : c'est l'extraordinaire dimension symbolique du personnage même de S.-S. qui explique la fascination que n'ont pas cessé d'exercer les *Mémoires.* Intéressants donc dans leur subjectivité même, ils fourmillent de portraits, de tableaux, directement issus des sentiments d'inimitié ou d'admiration de S.-S. C'est qu'il sait non seulement voir mais *regarder ;* et de ce regard aiguisé par la sympathie ou par la haine naissent des figures inoubliables, celle de Fénelon, par ex., ou, en sens inverse, celle de Mme de Maintenon. Car le duc et pair, même s'il semble se laisser emporter par la violence de sa sensibilité, reste un grand artiste, soucieux de rendre vivant son propos par la vivacité et la couleur du style, par les images, par la lumière d'un esprit clair, qui démêle les situations les plus embrouillées. En plein XVIIIe s., S.-S. fait figure d'attardé pour ce qui concerne les idées, cependant que son style porte à leur point le plus haut des vertus de saveur et d'expressivité qui n'appartiennent qu'au Grand Siècle.

Œuvres. *Mémoires du duc de Saint-Simon sur le règne de Louis XIV et la Régence (1694-1723)* [21 vol.], posth., 1829-1830 ; édition définitive (43 vol.), posth., 1879-1928 ; éd. établie par Y. Coirault, t. I, 1983 ; t. II, 1984 ; t. III, 1984 ; t. IV, 1985 (8 tomes prévus). – *Écrits inédits* (8 vol.), posth., 1880-1893.

SAINT-YON. (Voir DANCOURT.)

SAINTE-BEUVE Charles Augustin. Boulogne-sur-Mer 23.12.1804 – Paris 13.10.1869. Au cours de ses études il se détourna de la médecine pour entrer au *Globe* et se lia bientôt avec Hugo et son Cénacle ; bien que sa vocation de critique

soit dès ce moment évidente, il se croit quelque temps destiné à la création. Ses poèmes *(Vie, poésies et pensées de Joseph Delorme ; les Consolations ; Pensées d'août ; le Livre d'amour)* ne valent guère que par leur sincérité ; quant à *Volupté,* récit voilé de sa liaison avec la femme de V. Hugo, Balzac n'eut pas de mal à lui opposer victorieusement, dans le même registre, *le Lys dans la vallée.*
L'activité critique de S.-B., plus encore que sa collaboration aux revues (surtout *la Revue des Deux Mondes*), est liée à son métier de professeur (Lausanne, 1837-1838 ; Liège, 1848-1849 ; Collège de France, 1855 ; École normale supérieure, 1857-1861) ; c'est de ses cours, prononcés ou non, qu'il tire la matière de son œuvre, en particulier *Port-Royal* (1840-1859). Devenu journaliste sous le second Empire, dont il était un peu un personnage officiel, il donna au *Constitutionnel,* au *Moniteur* et au *Temps* une série d'articles qui composent les *Causeries du lundi* et les *Nouveaux Lundis.*
S.-B. s'est plus d'une fois trompé sur ses contemporains, étant subjectif et souvent envieux ; mais sa méthode (pour connaître l'œuvre, connaissons l'homme) dut de belles réussites à ses qualités de sensibilité et d'intuition. L'intuition initiale correspond sans doute au romantisme de S.-B. : si la source de la création littéraire est dans la subjectivité du créateur, l'exploration du moi biographique est bien la meilleure méthode de connaissance de l'œuvre. Mais peu à peu – à cet égard, son travail sur *Port-Royal,* en vue de son cours de Lausanne, a dû jouer un rôle –, c'est tout le contexte historique, spirituel et sociologique des mouvements littéraires qui se trouve englobé dans cette exploration de la personnalité créatrice. Et, de la sorte, S.-B. se rapproche des thèses positivistes qui seront plus tard celles de Taine, lequel s'est d'abord voulu son disciple. Mais, à la différence de celui-ci, S.-B. est tout l'opposé d'un esprit systématique : ses recherches biographiques et historiques sont destinées à soutenir de données objectives une critique qui se veut elle-même créatrice : elle considère l'œuvre littéraire comme un fait à comprendre mais dont la compréhension doit donner naissance à une œuvre d'art au second degré, où l'art est le produit du style et de la curiosité intellectuelle intimement associés. La curiosité de critique de S.-B. lui permet de ramener au jour des âges méconnus de notre littérature, tel le XVIe s. poétique, ou des forces ignorées jusqu'à lui, tel Port-Royal, et, s'il eut tort de se croire poète, c'est en poète du style qu'il écrivit ses grandes pages de critique. C'est là ce qui reste de cette œuvre monumentale, même si (*cf.* le *Contre Sainte-Beuve* de Proust) la méthode biographique peut sembler ignorer le « moi profond » du créateur. D'ailleurs la critique beuvienne, qui se voulait « science des esprits », vaut encore plus par la justesse psychologique, qui fait du critique – et c'est par là qu'il reste un maître – un amateur d'âmes et un admirable portraitiste, comme le montrent ses œuvres finalement les plus attachantes, les *Portraits littéraires* (1844-1852) et les *Portraits de femmes* (1844). Acad. fr. 1844.

Œuvres. *Tableau historique et critique de la poésie française et du théâtre français au XVIe siècle,* 1828 (E). – *Vie, poésies et pensées de Joseph Delorme,* 1829 (P). – *Les Consolations,* 1830 (P). – *Critiques et portraits littéraires* (1 vol.), 1830 (E). – *Volupté,* 1834 (N). – *Critiques et portraits littéraires* (5 vol.), 1836-1839 (E). – *Pensées d'août,* 1837 (P). – *Histoire de Port-Royal* (6 vol.), 1840-1859 (E). – *Le Livre d'amour* (non publié), 1843 (P). – *Portraits de femmes,* 1844 (E). – *Portraits contemporains,* 1846 (E). – *Causeries du lundi,* 1851-1862 (E). – *Étude sur Virgile,* 1857 (E). – *Chateaubriand et son groupe littéraire sous l'Empire,* 1861 (E). – *Portraits littéraires* (3 vol.), 1862-1864 (E). – *Derniers Portraits littéraires,* 1864 (E). – *Nouveaux Lundis,* 1863-1870 (E). – *Proudhon,* posth., 1872 (E). – *Chroniques parisiennes,* posth., 1873 (E). – *Premiers Lundis* (3 vol.), posth., 1874-1875 (E). – *Cahiers,* posth., 1876. – *Correspondance* (lettres de 1822 à 1869), posth., 1877-1878. – *Nouvelle Correspondance,* posth., 1880. – *Mes Poisons* (cahiers intimes inédits), posth., 1926. – *Correspondance générale* (11 vol.), posth., 1935-1961.

Volupté

Le héros, Amaury, malgré l'austérité de ses études, sent la présence en lui d'une inquiétante attirance pour la volupté. Fiancé avec Amélie de Liniers, il s'éprend de la vertueuse Mme de Couaën, dont le mari est arrêté comme suspect politique. Amaury accompagne à Paris Mme de Couaën, qui résidait jusque-là dans son château breton, mais elle ne saurait en aucune façon lui céder. Il tente de lutter contre son penchant en se lançant dans la philosophie moderne (il se fait disciple de Lamarck), puis il s'engage dans l'action politique en adhérant à une organisation royaliste clandestine. Il finira par se lier avec Mme R., une coquette ; mais il se lassera bientôt d'elle, retrouvera Mme de Couaën et Amélie de Liniers, pour s'apercevoir que sa chasse à la volupté a causé le malheur de trois femmes. Transformé par cette crise morale, il entre au séminaire, devient prêtre, assiste Mme de Couaën sur son lit de mort, puis, afin de rompre avec son passé, part pour l'Amérique.

Port-Royal

L'étude prend pour point de départ les origines de la communauté de Port-Royal des Champs et sa réforme au début du XVIIe s., puis s'attache à la décrire à partir de l'action de Saint-Cyran et de la retraite des Solitaires. C'est l'occasion d'une analyse précise et approfondie des querelles doctrinales suscitées par le jansénisme, en liaison avec les portraits psychologiques ou littéraires des grands animateurs de la communauté, de Saint-Cyran et de la famille Arnauld à Pascal. Élargissant à partir de là son horizon, le critique s'attarde aussi sur certaines des grandes personnalités du siècle, Corneille et Rotrou, saint François de Sales, Guez de Balzac, Mlle de Scudéry, Descartes, et il fait retour sur Montaigne à propos de Pascal.

Portraits littéraires et **Portraits de femmes**

Dans ce genre du « portrait littéraire », où S.-B. est passé maître, on retiendra surtout les essais concernant Théocrite, Corneille, La Fontaine, Molière, Pascal, Boileau, Racine, La Bruyère, l'abbé Prévost, Diderot, J. de Maistre, Nodier. On retiendra de même, dans la galerie des *Portraits de femmes,* les études sur Mme de La Fayette, Mme de Sévigné, Mme de Staël.

SAINTE-MARTHE, Scévole II et Louis II de. Loudun 20.12.1571 – Paris 1650 et 1656. Fils jumeaux de Scévole Ier de S.-M., grand commis de Henri III et de Henri IV, ami des lettres, ils vécurent en parfaite entente, se tournèrent vers l'histoire et devinrent historiographes de France. **Pierre Scévole** (1618-1690), fils aîné de Scévole II, lui succéda comme historiographe de France.

Œuvres. Scévole II et Louis II : *Histoire généalogique de la maison de France,* 1619 ; édition augmentée, 1628 (E). – *Histoire généalogique de la maison de Beauvau,* 1626 (E). – *Gallia Christiana,* 1656 (E). – Pierre Scévole : collaboration à *Gallia Christiana.* – *Table généalogique de la maison de France,* 1649 (E). – *L'État de la cour des rois de l'Europe, avec les noms et qualités des princes régnants en Asie et en Afrique,* 1670 (E). – *Traité historique des armes de France et de Navarre,* 1673 (E). – *Remarques sur l'histoire de France du P. Jourdan, jésuite, et sur la critique du duc d'Épernon touchant l'origine de la maison de France,* 1684 (E). – *L'Europe vivante ou l'État des rois et princes souverains et autres personnages de marque dans l'Église, dans l'épée et dans la robe,* 1685 (E).

SALACROU Armand. Rouen 9.8.1899. Fils d'un pharmacien, il fait à Paris des études de médecine et de philosophie et, dès 1923, s'oriente vers le théâtre, où sa production suit d'abord les chemins du surréalisme, sans obtenir un grand succès auprès du public mais en attirant l'attention des créateurs : il travaille chez Dullin, puis, ayant fait fortune dans une entreprise de publicité, s'emploie tout entier à exprimer, dans une suite d'œuvres solides, son inquiétude sociale et morale sur le monde contemporain. Mais la technique du dramaturge joue sur tous les registres d'un métier qu'il possède à la perfection : il y a chez lui à la fois du vaudeville et du drame naturaliste, du théâtre de boulevard et de l'intellectualité ; on lui a parfois reproché cette sorte de mélange des genres, mais il y gagne en variété et en efficacité. Ce jeu théâtral marque d'ailleurs et exprime une inquiétude et une angoisse, celles qu'instille dans un esprit agnostique la conscience lucide de la mort de Dieu. À tel point que même la révolte contre l'injustice, des *Nuits de la colère* à *Boulevard Durand,* ou le recours à la satire la plus féroce *(l'Archipel Lenoir),* ou encore l'expérience de la solidarité ne peuvent réussir à véritablement exorciser le désespoir, sans que toutefois S. consente à sublimer ce désespoir en conscience tragique de la condition humaine, ce qui explique son recours presque systématique aux « pirouettes » du vaudeville ou du boulevard, technique dont une des meilleures réussites est sans doute le dénouement de *l'Archipel Lenoir.*

Œuvres. *Le Casseur d'assiettes,* 1924 (T). – *Tour à terre,* 1925 (T). – *Le Pont de l'Europe,* 1927 (T). – *Patchouli,* 1930 (T). – *Atlas Hôtel,* 1931 (T). – *La Vie en rose,* 1932 (T). – *Une femme libre,* 1934 (T). – *L'Inconnue d'Arras,* 1935 (T). – *Un homme comme les autres,* 1936 (T). – *La terre est ronde,* 1938 (T). – *Histoire de rire,* 1939 (T). – *La Marguerite,* 1944 (T). – *Les Fiancés du Havre,* 1944 (T). – *Le Soldat et la Sorcière,* 1945 (T). – *Les Nuits de la colère,* 1946 (T). – *L'Archipel Lenoir,* 1947 (T). – *Poof,* 1950 (T). – *Pourquoi pas moi ?* 1950 (T). – *Dieu le savait,* 1950 (T). – *Sens interdit,* 1953 (T). – *Les Invités du Bon Dieu,* 1953 (T). – *Le Miroir,* 1956 (T). – *Mon fils,* 1957 (T). – *Une femme trop honnête ou Tout est dans la façon de le dire,* 1957 (T). – *La Boule de verre,* 1958

(T). – *Boulevard Durand,* 1960 (T).– *Les Idées de la nuit,* 1961. – *Comme les chardons...,* 1964 (T). – *Impromptu délibéré,* 1966 (T). – *Dans la salle des pas perdus* (I, *C'était écrit,* 1974 ; II, *les Amours,* 1976).

L'Archipel Lenoir

Dans le manoir normand qui est son lieu familial de rassemblement, la tribu Lenoir, propriétaire d'une marque de spiritueux célèbre dans le monde entier, est réunie pour une sorte de procès. Le patriarche – le grand-père – a violé une jeune ouvrière dont le père refuse tout arrangement, même un éventuel et singulier mariage, ainsi que tout dédommagement financier. Pour la tribu, il n'y a, dans ces conditions, qu'une solution : le vieux doit se suicider, si on ne veut le voir comparaître devant un tribunal, ce qui entraînerait le déshonneur collectif de toute la famille. Mais comment faire devant l'entêtement du vieux à s'accrocher à la vie ? On lui met le revolver en main, on tente de le contraindre à se brûler la cervelle, mais c'est le gendre qui sera blessé ! On attendait un dénouement tragique, et c'est un dénouement cocasse. Car la chance n'est pas pour les victimes, mais pour les coupables : ironie sinistre du sort. Tandis que se poursuit la lutte entre les membres du clan Lenoir, voici que c'est le père de la jeune ouvrière qui meurt. Tout est bien qui finit bien : le maître d'hôtel des Lenoir, Joseph, bien fourni d'argent par ses patrons, épousera la victime du grand-père.

SALMON André. Paris 1881 – Sanary-sur-Mer 1969. Sa vie littéraire se déroula dans les milieux parisiens, et il compta en particulier au nombre des amis d'Apollinaire. Malgré une œuvre littéraire abondante mais inégale, S. fut surtout un animateur, un témoin, un intermédiaire de communication et de compréhension entre artistes et écrivains. Critique d'art et essayiste, il contribua à façonner l'image de toute une génération. Fantaisiste dans sa prosodie, sentimental avec ironie, il a laissé un précieux témoignage sensoriel sur son temps.

Œuvres. *Les Clés ardentes,* 1905 (P). – *Le Douloureux Trésor,* 1907 (P). – *Féeries,* 1907 (P). – *Le Calumet,* 1910 (P). – *Tendres Canailles,* 1912 (N). – *Monstres choisis,* 1912-1918 (N). – *Le Livre et la Bouteille,* 1919 (P). – *Prikaz,* 1919 (P). – *Ventes d'amour,* 1910-1919 (P). – *L'Art vivant,* 1920 (E). – *La Négresse du Sacré-Cœur,* 1920 (N). – *Peindre,* 1920 (P). – *L'Entrepreneur d'illuminations,* 1921 (N). – *L'Âge de l'humanité,* 1922 (P). – *Cézanne,* 1923 (E). – *Un ogre à Saint-Pétersbourg,* 1923 (N). – *Créances, 1905-1921,* 1926 (P). – *Tout l'or du monde,* 1927 (P). – *Carreaux,* 1928 (P). – *L'Érotisme dans l'art contemporain,* 1931 (E). – *Troubles en Chine,* 1935 (P). – *Saint-André,* 1936 (P). – *Le Vagabond de Montparnasse : vie et mort du peintre A. Modigliani,* 1939 (E). – *Odeur de poésie,* 1944 (P). – *Les Étoiles dans l'encrier,* 1952 (P). – *Sylvère ou la Vie moquée,* 1956 (N). – *Le Fauvisme,* 1956 (E). – *La Vie passionnée de Modigliani,* 1957 (E). – *Vocalises,* 1957 (P). – *La Terreur noire,* 1959 (E). – *Souvenirs sans fin* (3 vol., 1re époque : 1903-1908 ; 2e époque : 1908-1920 ; 3e époque : 1920-1940), 1955-1961. – *Henri Rousseau,* 1962 (E). – *Claude Venard,* 1962 (E). – *Baboulène,* 1964 (E). – *Le Monocle à deux coups,* 1968. – *Modigliani, le roman de Montparnasse,* 1968 (E).

SALON LITTÉRAIRE. Lieu de conversation et d'échange qui réunit, dans la maison d'une femme cultivée, des écrivains, des philosophes, des hommes politiques. C'est au XVIIe s. que, à l'exemple de l'Italie, s'ouvrent à Paris des salons littéraires, le premier, et le plus en vue, étant celui de Mme de Rambouillet (voir PRÉCIOSITÉ). C'est également dans un salon, celui de Conrart, que naquit, à la même époque, l'idée de fonder une académie (voir ACADÉMIE FRANÇAISE). Cette habitude se maintiendra au XVIIIe s., mais les salons deviendront alors les lieux de rendez-vous où l'on discute science, religion, philosophie : salons de Mme de Tencin, de Mme du Deffand, de Mlle de Lespinasse. Parfois, ces femmes d'esprit en viendront à dépasser le rôle de simple animation qui était traditionnellement le leur et participeront activement à la vie intellectuelle (car, dès le XVIIe s., les salons ont été aussi les grands centres de développement du féminisme littéraire) : ainsi de Mme du Deffand et de son activité épistolaire, et, plus tard, de Mme de Staël, dont le salon de Coppet jouera un rôle décisif. Dispersés lors de la Révolution française, les salons se reformeront au XIXe s. (salons de Mme Récamier, de Mme de Girardin). C'est dans le cadre de ces salons que se constitueront les cénacles du romantisme. Par la suite, le salon fut éclipsé au profit du café littéraire (voir ce terme).

SAMAIN Albert Victor. Lille 3.4.1858 – Magny-les-Hameaux (Yvelines) 18.8.1900. Orphelin de père à quatorze ans, il abandonna ses études et occupa des emplois administratifs obscurs. Cofondateur du *Mercure de France* en 1890, il réunit ses premiers vers dans *Au jardin de l'Infante,* très vite célèbre grâce à un article de F. Coppée dans *le Journal.* Trop fidèle sans doute à son admiration pour Baudelaire et Verlaine, il allia Parnasse et décadence dans une poésie qui refuse le vers libre. Sa sentimentalité et son destin (il mourut tuberculeux) lui ont gardé longtemps un fidèle public. Mais, au-delà de son maniérisme « fin de siècle », la poésie de S. conserve un charme qu'elle doit à ses affinités profondes avec le symbolisme.

Œuvres. *Au jardin de l'Infante,* 1893 (P). – *Aux flancs du vase,* 1898, rééd. 1947 (P). – *Le Chariot d'or,* posth., 1901 (P). – *Contes,* posth., 1903 (N). – Avec Raymond Bonheur, *Polyphème,* posth., 1904 (T). – *Œuvres complètes* (4 vol.), posth., 1911-1912. – *Œuvres,* 1924-1925, rééd. 1978.

SAND George, Armandine Lucie Aurore Dupin, baronne Dudevant, dite. Paris 1.7.1804 – Nohant (Indre) 8.6.1876. Son père, officier de l'armée impériale, étant mort en 1808, elle fut élevée chez sa grand-mère, à Nohant, et marquée pour toujours par cette influence berrichonne. Son mariage avec le baron Dudevant (1822) tourna vite mal, mais elle n'obtint le divorce qu'en 1836. Après avoir écrit *Rose et Blanche,* en collaboration avec son amant Jules Sandeau, elle garda le pseudonyme qu'il avait trouvé pour leur couple et publia les « romans lyriques » *Indiana, Lélia, Mauprat,* où se déploie le romanesque personnel de l'auteur et qui revêtent, de ce fait, le caractère d'une autobiographie passionnelle, sous le signe de la révolte féministe. Après une orageuse liaison avec Musset (1833-1834), G.S. s'intéresse aux théories humanitaires sous l'influence de Pierre Leroux et de Lamennais ; elle fonde *la Revue indépendante* (1841), puis *la Revue sociale* (1845), et publie les romans *Spiridion, le Compagnon du tour de France,* et surtout *Consuelo* et *la Comtesse de Rudolstadt,* somme romanesque de ses rêves et de ses idées, véritable « monument » du romantisme. C'est, en effet, sous deux titres consécutifs, un unique roman, qui, situé au XVIIIe s. en Italie, en Prusse et en Bohême, revêt la forme d'un roman historique ; mais le cadre de la Bohême, en particulier, y correspond à un véritable mythe, le mythe de l'initiation par la musique, le rêve et l'exaltation visionnaire ; le roman historique devient donc roman symbolique, et l'affabulation romanesque y est le support d'une immense aventure spirituelle où le social se compose avec le mystique. Longtemps méconnu, réédité en notre temps (1959) comme le souhaitait un aussi bon connaisseur qu'Alain, *Consuelo* est une de ces « sommes » où le romantisme a voulu rassembler la totalité vivante de ses nostalgies, de ses rêves, de ses anticipations.

Liée avec Chopin depuis 1838, G.S. se sépare de lui en 1847 et se jette, pleine d'illusions, aux côtés de Ledru-Rollin lors des journées de 1848. Retirée ensuite de la vie politique, elle s'installe à Nohant, qu'elle n'a jamais longtemps quitté et dont la vie rustique lui inspire *la Mare au diable, François le Champi, la Petite Fadette, les Maîtres sonneurs,* romans « champêtres » qui ont rendu célèbre la « bonne dame de Nohant » et où, sous une forme nouvelle et assagie, vibre cependant, pour qui sait lire, la même confiance dans les forces authentiques de la nature. On retiendra aussi la volumineuse *Histoire de ma vie,* suivie de la relation romancée de sa liaison avec Musset *(Elle et Lui).* Pour la postérité, G.S. reste l'apôtre généreuse du féminisme moderne ainsi que le témoin toujours sincère des aspirations de sa génération : l'immense édition générale de sa *Correspondance* (édit. G. Lubin), miroir riche et complexe des multiples relations où se trouvent toujours engagés le cœur et l'âme, apparaîtra peut-être comme l'auxiliaire le plus précieux d'une connaissance en profondeur du romantisme.

Œuvres. Avec Jules Sandeau, sous le pseudonyme de JULES SAND, *Rose et Blanche,* 1831 (N). – *Indiana,* 1832 (N). – *Valentine,* 1832 (N). – *Aldo le rimeur,* 1833 (N). – *Lélia,* 1833 (N). – *Jacques,* 1834 (N). – *Le Secrétaire intime,* 1834 (N). – *Leone Leoni,* 1834 (N). – *André,* 1834 (N). – *Lettres d'un voyageur,* 1830-1836 (N). – *Mauprat,* 1836 (adapt. théâtrale, 1863) [N]. – *Simon,* 1836 (N). – *La Dernière Aldini,* 1837 (N). – *Spiridion,* 1838 (N). – *L'Uscoque,* 1838 (N). – *Un hiver à Majorque,* 1838 (N). – *Gabriel,* 1839 (N). – *Cosima,* 1840 (T). – *Les Sept Cordes de la lyre,* 1840 (N). – *Les Mississippiens,* 1840 (N). – *Pauline,* 1840 (N). – *Le Compagnon du tour de France,* 1841 (N). – *Horace,* 1841 (N). – *Consuelo,* 1842-1843 (N). – *La Comtesse de Rudolstadt,* 1843-1845 (N). – *Jeanne,* 1844 (N). – *Isidora,* 1845 (N). – *Teverino,* 1845 (N). – *Le Meunier d'Angibault,* 1845 (N). – *La Mare au diable,* 1846 (N). – *Les Paysans,* 1846-1847 (N). – *Le Péché de M. Antoine,* 1847 (N). – *Lucrezia Floriani,* 1847 (N). – *François le Champi,* 1847-1848 (adapt. théâtrale, 1849) [N]. – *Lettres au peuple,* 1848. – *Le roi attend,* 1848 (T).

– *La Petite Fadette,* 1849 (N). – *Claudie,* 1851 (T). – *Le Mariage de Victorine,* 1851 (T). – *Marcelle,* 1851 (T). – *Le Démon du foyer,* 1852 (T). – *Molière,* 1853 (T). – *Le Pressoir,* 1853 (T). – *Les Maîtres sonneurs,* 1853 (N). – *Flaminio,* 1854 (T). – *Histoire de ma vie,* 1855 (N). – *Mont-Revêche,* 1855 (N). – *Maître Favilla,* 1855 (T). – *Lucie,* 1856 (T). – *Comme il vous plaira,* 1856 (T). – *Françoise,* 1856 (T). – *Le Diable aux champs,* 1856 (N). – *Les Beaux Messieurs de Bois-Doré,* 1857-1858 (adapt. théâtrale, 1862) [N]. – *Elle et Lui,* 1859 (N). – *Les Dames vertes,* 1859 (N). – *Laure,* 1859 (N). – *L'Homme de neige,* 1859 (N). – *Jean de la Roche,* 1860 (N). – *Flavie,* 1860 (N). – *Tamaris,* 1861 (N). – *Antonia,* 1861 (N). – *La Famille Guermandre,* 1861 (N). – *Le Marquis de Villemer,* 1861 (adapt. théâtrale, 1864) [N]. – *Le Pavé,* 1862 (T). – *M*[lle] *de la Quintinie,* 1863 (N). – *Le Drac,* 1864 (T). – *Confession d'une jeune fille,* 1865 (N). – *M. Sylvestre,* 1866 (N). – *Le Don Juan de village,* 1866 (T). – *Le Dernier Amour,* 1867 (N). – *Cadio* (roman et adapt. théâtrale), 1868 (N). – *M*[lle] *Merquem,* 1868 (N). – *Pierre qui roule,* 1869 (N). – *Lettres sur les événements de 1870,* 1870. – *Rêveries et souvenirs,* 1871-1872. – *Impressions et souvenirs,* 1873-1876. – *Correspondance* (6 vol.) posth., 1882-1884. – *Lettres à Alfred de Musset,* posth., 1897. – *Lettres à Flaubert,* posth., 1904. – *Une conspiration en 1537* (écrit en 1831), posth., 1921. – *Journal intime,* posth., 1926. – *Correspondance,* posth., 1964 et suivantes, éd. établie par G. Lubin (19 vol. parus en 1985).

Indiana

Mme Delmare – Indiana, « triste enfant de l'île Bourbon » (la Réunion) –, mal mariée, comme G.S. elle-même, « se mourait. Un mal inconnu dévorait sa jeunesse ». Elle attend de rencontrer, avec l'amour vrai, celui qu'elle appelle « ce libérateur, ce messie ». Elle croit le trouver en la personne de Raymon, l'ancien amant de sa servante créole, Noun. Raymon aime sans doute sincèrement Indiana, mais il est en même temps asservi à l'égoïsme de son désir masculin. Un jour, Noun, qui ne pardonne pas sa trahison à Raymon, l'accueille dans la chambre même de Mme Delmare, l'envoûte et le possède, les rôles étant pour ainsi dire inversés. Indiana apprendra la vérité, et, tandis que Noun va se noyer, elle éprouve la lassitude d'un amour discrédité par l'égoïsme donjuanesque du partenaire masculin (thème qui se retrouve dans *Lélia*). Aussi se tourne-t-elle vers sir Ralph, qui l'aime depuis toujours, et en qui elle va trouver la perfection et la plénitude de l'amour vrai, après l'épreuve initiatique de son aventure avec Raymon. Mais c'est un amour dont la plénitude même ne semble pouvoir s'accomplir que dans la mort : on songe alors aussi bien à Tristan et Iseut qu'à ce que traduira dramatiquement, cinquante ans plus tard, Villiers de l'Isle-Adam dans *Axël,* avec le couple Axël-Sara. Dans un ultime baiser, Ralph prend Indiana dans ses bras pour se précipiter avec elle dans un torrent. Mais un coup de théâtre, signe de l'intervention d'une puissance quasi surnaturelle, sauve les deux amants, qui mèneront désormais dans la solitude une vie faite de bonheur et de pureté.

Consuelo et la Comtesse de Rudolstadt

Jeune Espagnole, de père inconnu, venue à Venise avec sa mère sous le signe de la musique (on y appelait la mère *la Zingara* et la fille *la Zingarella*), Consuelo commence à chanter dans les rues à dix ans. Elle est alors remarquée par maître Porpora (personnage réel, compositeur italien, 1686-1766) ; il lui fait donner une formation musicale approfondie qui lui permet d'être engagée à l'Opéra : nous sommes alors aux environs de 1745. Consuelo, à dix-huit ans, s'est éprise d'un jeune chanteur, Anzoletto, son condisciple, qui la trahira honteusement. Maître Porpora la fait alors partir, avec sa recommandation et de l'argent, pour la Bohême, où elle devient professeur de chant dans la famille de Rudolstadt : le chef de la famille est la mère, Wanda, descendante du roi Georges Podiebrad, héritière des traditions secrètes de la Bohême de Jean Huss et de Jean Ziska ; elle dirige à ce titre la secte illuministe, à la fois religieuse et nationale, des Invisibles. Chez les Rudolstadt, Consuelo est mise en présence du fils de Wanda, le comte Albert, autre âme habitée par la musique, qu'elle va rejoindre, avec pour guide le paysan Zendko, au Riesenburg, le château des Géants, ou dans la grotte de Schreckenstein. C'est le commencement d'une initiation qui trouvera son couronnement dans l'union d'Albert et de Consuelo, devenue alors la comtesse de Rudolstadt. Celle-ci, au cours d'un voyage à Berlin, voit se révéler à ses yeux l'opposition symbolique entre les « rationaux », Frédéric II, Voltaire, La Mettrie, et les « spirituels », les Illuminés, dont certains appartiennent à la secte des Invisibles. Tandis que Consuelo poursuit son initiation sous la direction de Wanda, Albert tombe victime d'une crise de léthargie, mais on ne le saura que plus tard : pour l'instant, on le croit mort. Or, parmi ceux qui, auprès de Wanda, dirigent l'initiation de Consuelo chez les Invisibles, se trouve un chevalier, Liverani, à l'égard duquel elle éprouve le même sentiment que jadis avec Albert. C'est au cœur du déchirement qui résulte pour elle de cette situation que Consuelo apprendra qu'Albert n'avait été victime que d'une crise de léthargie et qu'il est vivant. Mais bientôt elle apprendra également qu'Albert et Liverani sont le même homme, ce qui explique que le sentiment de Consuelo ait aussi été le même. Parce qu'elle est une grande âme, et parce qu'elle a su parcourir tous les degrés de l'initiation, Dieu accorde à Consuelo, comme le lui déclare Wanda, « de pouvoir concilier l'amour et la vertu, le bonheur et le devoir ». Ainsi, victime d'abord de la condition faite à la femme par un monde oppresseur, Consuelo, en triomphant des obstacles et des épreuves, grâce aux révélations de la musique et de l'initiation, mérite de rejoindre Albert dans la plénitude de l'amour et de réaliser tout aussi pleinement sa vocation de femme à la fois libre et pure.

Les Maîtres sonneurs

Le plus caractéristique sans doute, et peut-être le plus « sandien », des « romans champêtres ». Au cours d'une veillée, en 1828, le père Depardieu raconte ses aventures de jeunesse, dans les années 1770, au temps où il était connu sous le diminutif de Tiennet. Voici un groupe d'amis d'enfance : Tiennet lui-même, sa cousine Brûlette et Joset. Ce dernier, distrait et rêveur, passionné de musique (la musique : un des grands thèmes obsédants de G.S.), est cependant incapable de chanter comme ses compagnons. Les deux autres soupçonnent qu'il a quelque secret, et Brûlette finira par le découvrir : Joset invente lui-même sa musique et la chante, pour lui seul, sur une flûte de roseau qu'il s'est fabriquée. Il consentira un jour à faire entendre sa musique à Brûlette et à Tiennet, émerveillés. La vocation musicale de Joset s'épanouira lorsqu'il ira rejoindre le père Huriel, l'un des plus prestigieux « maîtres sonneurs » (de cornemuse) du Bourbonnais. Mais Joset tombe malade ; seule Brûlette pourra, par sa présence, le guérir : elle se rend auprès de lui avec Tiennet. Est-ce donc que Joset aime à ce point Brûlette ? Au cours d'une scène folklorique, tandis que Brûlette accepte le « bouquet » du jeune Huriel, fils du maître sonneur, provoquant ainsi la jalousie de Joset, et que Thérence, sœur d'Huriel, accepte celui de Tiennet, on se rend compte que la seule passion de Joset est son art, ce qui le condamne à la solitude et aux épreuves d'une véritable initiation douloureuse, au cours de laquelle lui est d'une aide précieuse la pitié affectueuse de ses amis. Il mourra jeune et solitaire, tandis que les deux couples connaîtront la paix et le bonheur de la vie simple. De la sorte, le dénouement des *Maîtres sonneurs* est, en 1853, le symbole du déchirement personnel de G.S. entre l'exaltation de la passion et la nostalgie du bonheur, passion et bonheur qu'elle avait cru au contraire pouvoir réconcilier au dénouement d'*Indiana* et de *Consuelo.*

SANDEAU Jules, Léonard Sylvain Julien, dit. Aubusson (Creuse) 19.2.1811 – Paris 24.4.1883. Venu à Paris étudier le droit, il se lia avec Aurore Dupin (G. Sand) et, sur les encouragements de Latouche, écrivit avec elle *Rose et Blanche* (1831), ouvrage signé JULES SAND (son amie reprendra ce pseudonyme.) Après sa rupture avec G. Sand (1833), qui le marqua durablement, il se réfugia dans une vie sans éclat, se consacrant à la rédaction d'une œuvre assez abondante, mais facile et banale.

Œuvres. Avec George Sand, sous le pseudonyme de JULES SAND, *Rose et Blanche,* 1831 (N). – *Mme de Sommerville,* 1834 (N). – *Les Revenants,* 1836 (N). – *Un jour sans lendemain,* 1836 (N). – *Marianna,* 1839 (N). – *Mlle de Kerouare,* 1840 (N). – *Le Docteur Herbeau,* 1841 (N). – *Milla,* 1843 (N). – *Vaillance et Richard,* 1843 (N). – *Fernand,* 1844 (N). – *Catherine,* 1845 (N). – *Valcreuse,* 1846 (N). – *Mlle de La Seiglière* (adapt. théâtrale, 1851), 1848 (N). – *Madeleine,* 1848 (N). – *La Chasse au roman,* 1849 (N). – *Un héritage,* 1849 (N). – *Sacs et parchemins,* 1851 (N). – *Le Château de Montsabrey,* 1853 (N). – Avec É. Augier, *la Pierre de touche* (adapt. théâtrale de *l'Héritage*), 1853 (T). – *Olivier,* 1854 (N). – Avec É. Augier, *le Gendre de M. Poirier* (adapt. théâtrale de *Sacs et parchemins*), 1854 (T). – Avec É. Augier, *Ceinture dorée,* 1855 (T). – *La Maison de Penarvan,* 1858 (N). – *Un début dans la magistrature,* 1862 (N). – *La Roche aux mouettes,* 1871 (N). – Avec É. Augier, *Jean de Thommeray,* 1873 (T).

SARDOU Victorien. Paris 7.9.1831 – 8.11.1908. Fils d'un directeur de collège, il fit des études dispersées et, dès 1854, faisait représenter à l'Odéon *la Taverne des étudiants,* dont l'échec ne le découragea pas. Il sut se ménager des relations utiles dans les milieux de théâtre, bénéficia de la protection de Déjazet et épousa une comédienne, Mlle de Brécourt. Son répertoire, aussi varié que les courants qui traversaient le théâtre de ce temps, va de la comédie réaliste (*Nos bons villageois,* 1866) au drame historique à grand spectacle : c'est dans ce dernier genre que S. se rendit le plus largement populaire en fournissant d'ailleurs à Sarah Bernhardt quelques-uns de ses rôles les plus spectaculaires, en particulier *la Tosca, Cléopâtre,* tandis qu'avec *Madame Sans-Gêne,* qui joint ensemble les différents registres dramatiques, S. s'assurait un succès durable. Si d'autre part *Thermidor* lui attira les foudres de la censure, il avait connu, dès 1869, un important succès dans le genre du drame national avec *Patrie !,* qui fut repris par Paladilhe dans un opéra de 1886, tandis que l'opéra de Puccini (1900) assurait l'immortalité à *la Tosca.* S. fut accusé de se laisser aller trop aisément au plagiat, mais il s'en défendit avec verve et de manière convaincante dans *Mes plagiats.* Acad. fr. 1877.

Œuvres. *La Taverne des étudiants,* 1854 (T). – *Les Premières Armes de Figaro,* 1859 (T). – *Pattes de mouche,* 1860 (T). – *Candide,* 1860 (T). – *M. Garat,* 1861 (T). – *Les Prés Saint-Gervais,* 1861 (T). – *Piccolino,* 1861 (T). – *Les Femmes fortes,* 1861 (T). – *L'Écureuil,* 1861 (T). – *Nos intimes,* 1861 (T). – *La Perle noire,* 1862 (N). – *La Papillonne,* 1862 (T). – *Les Ganaches,* 1862 (T). – *Les Gens nerveux,* 1863 (T). – *Bataille d'amour,* 1863 (T). – *Les Diables noirs,* 1863 (T). – *Le Dégel,* 1864 (T). – *Don Quichotte,* 1864 (T). – *Les Pommes du voisin,* 1864 (T). – *Les Vieux Garçons,* 1865 (T). – *La Famille Benoîton,* 1865 (T). – *Nos bons villageois,* 1866 (T). – *Maison neuve,* 1867 (T). – *Séraphine,* 1868 (T). – *Patrie !,* 1869 (T). – *Fernande,* 1870 (T). – *Rabagas,* 1872 (T). – *Les Merveilleuses,* 1873 (T). – *Andréa,* 1873 (T). – *L'Oncle Sam,* 1873 (T). – *La Haine,* 1874 (T). – *Le Magot,* 1874 (T). – *Daniel Rochat,* 1880 (T). – *Divorçons,* 1880 (T). – *Fédora,* 1882 (T). – *Mes plagiats,* 1883 (E). – *Théodora,* 1884 (T). – *La Tosca,* 1887 (T). – *Cléopâtre,* 1889 (T). – *Thermidor,* 1891 (T). – *Madame Sans-Gêne,* 1893 (T). – *La Maison de Robespierre,* 1895 (N).

Patrie !

Bruxelles, 1568, où le gouverneur espagnol, le duc d'Albe, fait régner la terreur. Un patriote flamand et protestant, le comte de Rysoor, son épouse, catholique et espagnole, doña Dolorès, et le jeune amant de celle-ci, autre rebelle, Karloo. Donc, conjonction dramatique entre la commune appartenance des deux hommes à la résistance patriotique et la rivalité du mari et de l'amant. Tandis que le comte apprend que sa femme le trompe, sans qu'il sache encore avec qui, Dolorès ne songe qu'à assurer le salut de son amant. Voici que Rysoor apprend la vérité, ce qui décide Dolorès à dénoncer son mari au gouverneur, pour prévenir la vengeance conjugale. En échange, le duc d'Albe lui donne un sauf-conduit pour qu'elle puisse, avec Karloo, franchir la frontière française. Menacé d'être soumis à la question, Rysoor se tuera après avoir pardonné à Karloo, qui, en échange de ce pardon, jure d'exécuter l'auteur de la trahison, dès qu'il sera connu. Karloo ne tarde pas à découvrir que c'est Dolorès ; il la tue, pour tenir son serment, mais lui crie en même temps l'ardeur de son amour : pour le prouver, il se livre au bourreau.

SARMENT Jean, Jean Bellemère, dit. Nantes 1897 – Boulogne-Billancourt 29.3.1976. Il fit quelque temps carrière d'acteur et raconta ses débuts dans le roman *Jean-Jacques de Nantes ;* mais c'est comme dramaturge qu'il s'imposa. La tendre ironie de son romantisme et sa psychologie finement décadente ont donné à son œuvre, d'ailleurs inégale, un ton assez personnel. *Sur mon beau navire* a mérité, en 1972, les honneurs de la télévision ainsi que, en 1975, *Léopold le Bien-Aimé.*

Œuvres. *La Couronne de carton,* 1920 (T). – *Le Pêcheur d'ombres,* 1921 (T). – *Le Mariage d'Hamlet,* 1922 (T). – *Jean-Jacques de Nantes,* 1922 (N). – *Je suis trop grand pour moi,* 1924 (T). – *As-tu du cœur ?* 1926 (T). – *Léopold le Bien-Aimé,* 1927 (T). – *Sur mon beau navire,* 1928 (T). – *Le Plancher des vaches,* 1931 (T). – *Madame Quinze,* 1935 (T). – *Beaucoup de bruit pour rien* (adapt. de Shakespeare), 1936 (T). – *Othello* (adapt. de Shakespeare), 1937 (T). – *Sur les marches du palais,* 1938 (T). – *Mamouret,* 1941 (T). – *Don Carlos* (adapt. de Schiller), 1942 (T). – *Le Pavillon des enfants,* 1955 (T). – *Poèmes,* 1964 (P).

Léopold le Bien-Aimé

C'est une sorte d'élégie dramatique du malentendu, née de la rencontre, après vingt années, de Léopold et de Marie-Thérèse : Léopold, qui, il y a vingt ans, aimait Marie-Thérèse d'un amour maladroit, n'a reçu d'elle alors aucune réponse à ses lettres. Il s'est donc lancé dans de nombreux voyages et aventures exotiques. Le voici en vacances dans la maison de ses parents, auprès de son frère prêtre : il est devenu un célibataire endurci et misogyne et passe son temps à pêcher à la ligne. Il fait connaissance avec M. Ponce, surveillant au service postal des rebuts : celui-ci a collectionné quelques lettres, dont une adressée à un certain Léopold par une certaine Marie-Thérèse. Cette révélation bouleverse Léopold, qui s'imagine que cette lettre, à lui adressée et non parvenue, contenait l'aveu, qu'il attendait, de l'amour de Marie-Thérèse. Il en est tout transformé : le voici gai et bon vivant, il s'intéresse aux femmes, se croit aimé de plusieurs d'entre elles – en particulier d'une toute jeune fille dont son neveu Martial est amoureux – ce qui lui vaut le surnom de « Bien-Aimé ». D'accord avec son frère l'abbé, il invite Marie-Thérèse à venir passer quelques jours de vacances dans leur maison, Marie-Thérèse qui s'est mariée et a vu mourir son mari et ses deux enfants. Elle arrive : Léopold attend qu'il se passe quelque chose, il ne se passe rien. Il continue à tourner autour des autres femmes, qui, d'ailleurs, lui échapperont. À la veille du départ de Marie-Thérèse, M. Ponce consent à remettre à Léopold la fameuse lettre : c'était une fin de non-recevoir ! Entre Léopold et Marie-Thérèse, c'est alors le drame du malentendu : elle finira par lui avouer que ses assiduités et sa timidité l'avaient empêchée de songer même à l'aimer, mais vingt ans ont passé. Quant à lui, il finira par comprendre qu'il aime toujours Marie-Thérèse et qu'il est enfin aimé d'elle ; il aura fallu vingt ans pour que la constance de l'amour l'emporte, malgré tout, sur la maladresse de l'amoureux !

SARRAUTE Nathalie, née **Nathalie Tcherniak.** Ivanovo-Voznessenk 18.7.1900. De Russie elle vint en France avec sa mère à l'âge de deux ans, à la suite du divorce de ses parents. Elle naviguera pendant plusieurs années entre les deux pays. Elle fit, cependant, ses études en France, au lycée Fénelon. Elle obtiendra une licence d'anglais et fera ensuite (1920-1921) un séjour à Oxford, puis à Berlin (1921-1922). Après avoir terminé une licence de droit, elle s'inscrira au barreau de Paris et exercera, sans grand enthousiasme, la profession d'avocat. Dès 1932, elle écrit ses premiers textes, qu'elle réunira en 1938 dans *Tropismes,* qui passe presque inaperçu. *Portrait d'un inconnu* (préfacé par Jean-Paul Sartre, qui le définit comme un « anti-roman ») paraît en 1949, *Martereau* en 1953. En 1956, *l'Ère du soupçon* rassemble un certain nombre d'articles qui constituent, selon N.S. elle-même, « certaines bases essentielles » du « Nouveau Roman ». Après le succès du *Planétarium, les Fruits d'or* reçoivent enfin une consécration officielle, le prix international de Littérature.

Dès *Tropismes,* N.S. imposait sa forme : « Mon premier livre contenait en germe tout ce que, dans mes ouvrages suivants, je n'ai cessé de développer » ; il s'agissait de capter ces « mouvements indéfinissables, qui glissent très rapidement aux limites de notre conscience ; ils sont à l'origine de nos gestes, de nos paroles, des sentiments que nous manifestons, que nous croyons éprouver et qu'il est impossible de définir. Ils me paraissaient et me paraissent encore constituer la source secrète de notre existence ». N.S. se livre ainsi à un renouvellement radical de la « psychologie » : il n'est plus question de décrire ou d'analyser les états d'âme, à travers des caractères avec leurs actions et réactions, mais de déceler les ébauches, les élans, les replis imperceptibles de la conscience qui ne parviennent pas à la connaissance claire. Il faut mettre en évidence ces « sous-conversations » qui sous-tendent un geste, une parole, toujours inachevés. Le dialogue n'est que l'aboutissement de « mouvements intérieurs » dont il faut rendre compte par le langage, « d'un seul coup », comme il est permis au regard de saisir la réalité « en un clin d'œil ». N. S. va toujours plus avant dans l'enfoui de la conscience, non pour y trouver un drame intérieur, un conflit « psychologique », mais pour révéler presque cliniquement ce qui se cache derrière les manifestations apparentes, banales, de la vie quotidienne. Pour rendre sa recherche plus évidente, elle choisit les situations les plus simples, les paroles les plus ordinaires, dont elle se propose de découvrir le support complexe, pour atteindre à une transparence qui cependant ne trahisse pas le caractère indéfini et indéfinissable de la réalité humaine. Et c'est alors que l'art a tout son rôle à jouer, un art qui n'est pas, qui se refuse à être, maîtrise de sa matière, qui se veut au contraire comme le calque minutieux de cette matière même. C'est ce projet qui commande une technique d'approche utilisant une gamme de sensations d'une extrême finesse ; ce même projet commande aussi l'élimination de tout ce qui peut faire obstacle à cette singulière et énigmatique transparence et, au premier chef, le « caractère » ou le « personnage », dont l'identification produit nécessairement la délimitation et, par conséquent, l'appauvrissement. Mais cet « assassinat du personnage » est loin d'être pure négation, car il s'agit par là de libérer et de rendre perceptibles les « pénombres secrètes ». Aussi l'art et l'œuvre de N.S. représentent-ils, au-delà même de ce que sera le « Nouveau Roman », que cependant ils annoncent, une tentative, à certains égards héroïque, pour redécouvrir un nouveau fonds commun de l'homme : lorsque N. S., dans *Enfance*, s'attache à une autre sorte de redécouverte, elle n'en reste pas moins fidèle à la ligne dominante de son œuvre entière en confiant toujours à la seule écriture le soin de révéler ces mêmes « pénombres secrètes » qui sont pour elle l'unique sujet de la littérature. Grand prix national des Lettres en 1982.

Œuvres. *Tropismes,* 1938. – *Portrait d'un inconnu,* 1949 (N). – *Martereau,* 1953 (N). – *L'Ère du soupçon,* 1956 (E). – *Tropismes* (nouv. éd.), 1957. – *Le Planétarium,* 1959 (N). – *Les Fruits d'or,* 1962 (N). – Avec Lucien Goldmann, *Problèmes d'une sociologie du roman,* 1964 (E). – *Le Silence,* 1966 (T). – *Le Mensonge,* 1967 (T). – *Entre la vie et la mort,* 1968 (N). – *Isma ou Ce qui s'appelle rien,* 1970 (T). – *Vous les entendez ?* 1972 (N). – *« ... Disent les imbéciles »,* 1976 (N). – *Le Silence,* 1978 (T). – *L'Usage de la parole,* 1980 (N). – *Pour un oui ou pour un non,* 1982 (T). – *Enfance,* 1983 (N).

Le Planétarium

C'est le roman qui illustre le mieux le thème des « tropismes » : un ensemble de personnages, quelque peu anonymes, constitue une sorte de constellation (d'où le titre) soumise aux mouvements d'une gravitation complexe, structurée selon les mouvements d'attraction ou de répulsion qui s'instaurent, arbitrairement, semble-t-il, entre des éléments humains privés par là même de tout « caractère ». Chacun d'eux existe sous la forme de l'image que s'en fait autrui et la plupart restent inconscients de cette sorte d'inexistence dans l'existence apparente, sauf un, pourtant, qui, parce qu'il est écrivain, tente désespérément de découvrir une « vérité » des êtres. Cela dans le cadre d'une anecdote familiale avec une belle-mère, sa fille, son gendre et leur entourage, que le regard du narrateur, par un processus d'atomisation progressive des éléments et de leurs rapports, vide de toute signification objective, pour produire une véritable dé-réalisation de cette anecdote et de ses acteurs.

Les Fruits d'or

C'est le titre d'un livre dont on parle, un best-seller, qui provoque, chez ceux qui en parlent, des réactions dont les autres croient qu'elles sont « révélatrices ». Mais en fait elles ne révèlent rien d'autre qu'un comportement social relevant d'un pur et simple snobisme. Tout est dans ce décalage, car l'opinion émise par un tel résulte de l'image qu'il se fait de lui-même, et même de l'image qu'il croit que les autres se font de lui. À partir de cette sorte de télescopage se construit, en forme de labyrinthe, un cercle vicieux impossible à rompre, dans la mesure même où l'échange entre ces « personnages » (qui n'ont même pas de nom) s'instaure à l'intérieur d'un monde – qui mérite à peine ce nom – d'illusions et de trompe-l'œil, un monde où l'éventuelle signification de ces personnages et de leurs images se trouve radicalement détruite, dans l'œuf, par une fausseté congénitale.

SARRAZIN Albertine. Alger 17.9.1937 – Montpellier 10.7.1967. Déposée à sa naissance à l'Assistance publique, adoptée par un ménage de médecins, elle se révolta dès l'enfance, séjourna à la prison-école de Doullens en 1956 et, au cours d'une tentative d'évasion, se fractura l'astragale et rencontra celui qu'elle épousera, Julien. Leur vie se partage entre la prison et l'hôpital, et c'est à l'hôpital qu'A. S. mourra, après une opération suspecte qui provoqua un procès retentissant. *L'Astragale,* qu'elle écrivit en 1964, est le récit, partiellement autobiographique, d'une évasion, d'une rencontre et d'un amour. La valeur de l'œuvre réside dans l'authenticité de son style et dans le message d'espoir qui se fait jour à travers l'expression de la révolte. À tel point même qu'il y a, chez cette jeune femme apparemment réprouvée, un tempérament de moraliste, inspiré, à travers la violence de sa protestation, par la volonté d'accéder à une vraie liberté.

Œuvres. *L'Astragale,* 1964 (N). – *La Cavale,* 1965 (N). – *La Traversière,* 1966 (N). – *Poèmes,* posth., 1969. – *Lettres et Poèmes,* posth., 1971. – *Lettres à Julien (1958-1960),* posth., 1971. – *Journal de prison 1959,* posth., 1973. – *La Crèche,* posth., 1973 (N). – *Lettres de la vie littéraire,* posth., 1974. – *La Crèche et autres nouvelles,* posth., 1975 (N). – Avec Josane Duranteau, *le Passe-peine (1949-1967),* posth., 1976. – *Biftons de prison,* posth., 1977.

SARTRE Jean-Paul. Paris 21.6.1905 – 15.4.1980. D'origine bourgeoise, il est élevé par son grand-père maternel, l'oncle d'Albert Schweitzer. À l'École normale supérieure (1924-1928), il se signale par ses prises de position contre le cartésianisme et l'éclectisme. Professeur au Havre et à Laon, puis à Paris, il passe ensuite une année à Berlin (1933-1934), étudiant surtout Husserl et Heidegger. Il multiplie les œuvres philosophiques, relevant à la fois de la phénoménologie (*l'Imagination* ; *Esquisse d'une théorie des émotions* ; *l'Ima-*

ginaire) et de l'existentialisme *(l'Être et le Néant).* Connu comme philosophe, il s'attache à donner de sa pensée une expression plus à la portée du public et à créer un nouveau style de littérature engagée, en particulier dans son théâtre : *les Mouches, Huis clos, la Putain respectueuse, les Mains sales, le Diable et le Bon Dieu, les Séquestrés d'Altona.* De même, après *la Nausée* et *le Mur,* son roman en quatre volumes, *les Chemins de la liberté* (1945-1949, t. IV inach.), se présente comme une quête des relations de l'homme avec l'histoire et comme une solution au problème des valeurs et de la liberté qu'il faut conquérir chaque jour dans l'angoisse et le désespoir, sans même avoir la certitude de ne pas être un « salaud ». S. fonde, en 1945, *les Temps modernes,* revue où il publie des œuvres philosophiques et critiques. Abordant sous divers aspects le problème des valeurs, il écrit *L'existentialisme est un humanisme, Réflexions sur la question juive* et la série des *Situations.* Le tome I de *Critique de la raison dialectique* est un examen de la pensée de Marx qui n'aura pas de suite. Après l'échec du mouvement politique qu'il avait fondé avec David Rousset, le Rassemblement démocratique révolutionnaire (1952), S., se rapproche des communistes ; il voyage en U.R.S.S., aux États-Unis et à Cuba, d'où il revient très favorable à Castro. Parallèlement, il poursuit, toujours sur des bases existentialistes, une œuvre de critique littéraire : *Qu'est-ce que la littérature ?; Baudelaire; Saint-Genet, comédien et martyr; l'Idiot de la famille* (étude sur Flaubert). En 1964, il refuse le prix Nobel de littérature. Quoique écartant le « mariage bourgeois », il a partagé sa vie, depuis ses années d'études, avec Simone de Beauvoir. Dans *les Mots,* S. mène, à partir de son enfance, une brillante « psychanalyse existentielle » de lui-même et de sa situation d'écrivain, comparable, sur le plan autobiographique, à celles qu'il a tentées à propos de Baudelaire ou de Flaubert ; malgré l'ironie du ton, c'est autant une justification qu'une explication qu'il propose tout en soulignant le paradoxe d'une vocation littéraire aussi vaine que nécessaire : l'homme n'existant pour rien dans un monde qui n'a ni sens ni but, sinon de l'écraser, c'est son action seule qui peut engendrer des significations. C'est pourquoi nos actes seuls nous jugent, et non nos intentions, car ils sont la preuve de ce que nous avons su faire (ou ne pas faire) de notre liberté ; de là l'importance du jugement d'autrui et le caractère terrifiant de la mort, qui nous fige dans une image définitive aux yeux de tous *(Huis clos).* S. ne s'est voulu écrivain, malgré le plaisir évident qu'il y trouve, que dans la mesure où il désirait mettre ses thèses en lumière : c'est pourquoi, avec un sens dramatique très sûr, il a usé du théâtre, qui lui permettait de faire jouer à la fois le raisonnement et l'émotion. Reprenant le vieux mythe d'Électre, il le transforme complètement et montre en Oreste l'homme qui sait se libérer de la mauvaise conscience, refuser l'escroquerie des dieux et du destin et assumer pleinement sa liberté *(les Mouches).* Malgré l'importance de ces thèses et la façon dont elles imprègnent l'œuvre, la réussite de S. vient de ce qu'il sacrifie rarement la parole à la pensée et jamais la pensée à la parole : le laisser-aller apparent du style est l'expression la plus adéquate d'une imagination volontiers morbide et protéiforme.

Source et centre, surtout dans les années 1950, d'un mythe auquel, d'ailleurs, il n'a jamais accepté de s'identifier, S. reste certes le maître de l'existentialisme, et son œuvre philosophique élabore en doctrine quelques-unes des réactions les plus profondes de toute une génération à la recherche de son identité humaine. À partir de là, la théorie et la pratique de l'engagement littéraire, la poursuite passionnée et difficile, dans la vie et dans l'œuvre, d'une expérience efficace de convergence entre création et action confèrent au personnage et à l'œuvre de S. toute leur dimension tragique. L'ironie elle-même ou la désinvolture apparente du ton et du langage ne sont que des moyens de révéler, en se donnant l'air de les exorciser, les démons intérieurs d'une torture à laquelle se réduit, finalement la condition humaine. L'importance centrale, dans l'œuvre de S., du thème de la mort, tantôt cruellement présent, tantôt habilement camouflé par un des plus étonnants virtuoses de l'expression littéraire, rattache cette œuvre à l'un des grands courants de la littérature du XXe s. : la mise au jour d'une humanité qui, réduite à sa seule existence, expérimente le tragique à la fois comme une vocation et comme un scandale. Dans sa meilleure part, l'œuvre de S., par le double jeu de la lucidité et de la passion, de l'analyse et de la dramatisation, cherche et réussit à traduire en personnages, en événements et en style la plus profonde authenticité de ce tragique moderne.

Œuvres. *L'Imagination,* 1938 (E). – *La Nausée,* 1938 (N). – *Le Mur,* 1939 (N). – *Esquisse d'une théorie des émotions,* 1939 (E). – *L'Imaginaire,* 1940 (E). – *L'Être et le Néant,* 1943 (E). – *Les Mouches,* 1943 (T). – *Huis clos,* 1944 (T). – *Les Chemins* de la liberté (1, *l'Âge de raison,* 1945 ; 2, *le Sursis,* 1945) [N]. – *Morts sans sépulture,* 1946 (T). – *La Putain respectueuse,* 1946 (T). – *L'existentialisme est un humanisme,* 1946 (E). – *Réflexions sur la question juive,* 1946 (E). – *Baudelaire,* 1946 (E). – *Qu'est-ce que la littérature ?* 1947 (E). – *Les jeux sont faits* (film), 1947. – *Situations,* 1947 (E). – *Situations II,* 1948 (E). – *Les Mains sales,* 1948 (T). – *Situations III,* 1949 (E). – *Les Chemins de la liberté* (3, *la Mort dans l'âme*), 1949 (N). – *Entretiens sur la politique,* 1949 (E). – *Le Diable et le Bon Dieu,* 1951 (T). – *Saint-Genet, comédien et martyr,* 1952 (E). – *Kean* (d'après Alexandre Dumas), 1953 (T). – *L'Affaire Henri Martin,* 1953 (E). – *Nekrassov,* 1955 (T). – *Critique de la raison dialectique. Questions de méthode,* 1960 (E). – *Les Séquestrés d'Altona,* 1960 (T). – Avec Roger Garaudy, *Marxisme et existentialisme,* 1962 (E). – *Situations IV. Portraits,* 1964 (E). – *Situations V. Colonialisme et néo-colonialisme,* 1964 (E). – *Les Mots,* 1964 (N). – *Situations VI. Problèmes de marxisme,* 1964 (E). – *Les Troyennes* (adapt. d'Euripide), 1965 (T). – *Situations VII,* 1965 (E). – Avec S. Le Bon, *la Transcendance de l'ego. Esquisse d'une description phénoménologique,* 1965 (E). – *Les communistes ont peur de la révolution,* 1969 (E). – *L'Idiot de la famille,* 1971-1972 (E). – *Situations VIII. Autour de 1968,* 1972 (E). – *Situations IX. Mélanges,* 1972 (E). – *Plaidoyer pour les intellectuels,* 1972 (E). – Avec Michel Contat, Michel Rybalka, *Un théâtre de situations,* 1973. – *On a raison de se révolter* (entretiens), 1974. – *Situations X. Politique et autobiographie,* 1976 (E). – *Lettres au Castor et à quelques autres* (I : *1926-1939 ;* II : *1940-1963*), posth., 1983. – *Les Carnets de la drôle de guerre (novembre 1939-mars 1940),* posth., 1983. – *Cahiers pour une morale,* posth., 1983. – *Le Scénario Freud,* posth., 1984.

La Nausée

Un intellectuel engagé dans des recherches historiques, Antoine Roquentin, s'est installé en vue de ce travail à Bouville (Le Havre). Il ne sait trop pourquoi il fait ce travail, qui semble n'avoir pas pour lui grande signification, et il s'en dégoûte. Pour s'occuper, il tient un journal, où il note et décrit les anecdotes banales de sa vie, ce qui déclenche en lui une sorte d'obsession de l'insignifiance. Il s'enfonce ainsi, en utilisant des techniques d'introspection, dans une expérience de l'absurdité, celle de sa condition d'abord, puis, à travers cette expérience personnelle, il éprouve une « nausée » incurable à l'égard de tout ce qui l'entoure, à l'égard de la condition humaine elle-même, en un mot à l'égard de l'« existence » : « ...un tas d'existants gênés... *De trop* ». Tel est le mot clé, où se condensent l'expérience et le tragique de Roquentin : tout est *de trop,* et surtout l'homme.

Les Mouches

À son retour à Argos, Oreste trouve « une charogne de ville tourmentée par les mouches ». Depuis l'assassinat d'Agamemnon, Égisthe entretient le remords collectif, et les dieux sont consentants. Seule Électre se révolte. Mais après l'accomplissement de *l'acte,* la vengeance, le double meurtre d'Égisthe et de Clytemnestre, tandis qu'Oreste l'assume intégralement et non sans fierté, Électre est troublée, et se sent envahie par la peur des Érynnies, « les déesses du Remords » ; elle finira par rompre avec son frère, qui ose, lui, affronter Jupiter d'égal à égal. Oreste est désormais *l'homme seul,* qui devra certes renoncer à régner, mais qui aura, par son acte, révélé aux hommes la liberté dont ils sont capables. C'est là sa victoire.

Huis clos

Le salon d'un hôtel de misérable aspect. Entrent un homme et deux femmes : Garcin, Estelle et Inès. On parle de pneumonie, de gaz, de « balles dans la peau ». Ce sont donc des morts introduits dans l'antichambre de l'Enfer. Ils restent tout d'abord dans le vague, mais la conversation, dans cette sorte de salle d'attente, débouche naturellement sur des confidences. Ce sont là non seulement des morts, mais des criminels : Estelle, une infanticide ; Inès, une « femme damnée » ; Garcin, un déserteur. L'aveu réciproque va-t-il permettre aux personnages de se sentir solidaires ? Non, car l'aveu, loin de les justifier, les ouvre chacun au regard de l'autre, et ce regard est, pour celui qui y est soumis, une torture constante. En un mot, « l'Enfer, c'est les autres. » Lorsque Garcin frappe à la porte, celle-ci s'ouvre : il pourrait donc quitter ce « huis clos » où il est enfermé avec Estelle et Inès, mais, devant le vide de l'inconnu, il recule. Les trois damnés sont voués à rester ensemble pour l'éternité, sous la torture de leur regard réciproque.

SATIRE (latin *satura*). 1 [arch.]. Mélange de vers et de prose. 2. Écrit en vers ou en prose, qui a pour but d'attaquer et de ridiculiser les travers du temps sans ménager les personnes. Même s'il ne se manifeste pas dans le genre satirique, l'esprit de la satire se remarque dès le Moyen Âge dans les fabliaux, les moralités et les soties, qui sont une critique acerbe et même féroce de la société. La Renaissance donnera libre cours à l'esprit critique, donc à l'esprit satirique (Rabelais). Elle laissera un chef-d'œuvre du genre : la *Satire Ménippée.* Jusque-là haute en couleur et usant d'un langage souvent peu soucieux de la convenance, la satire sera, après Mathurin Régnier, affinée par Boileau, qui la débarrassera de toutes ses vulgarités d'expression et de pensée en se donnant pour modèles Horace ou Juvénal. Voltaire l'aiguisera, et la satire, s'insinuant alors dans les genres les plus différents (le conte, par ex.) et intimement liée à l'esprit critique, deviendra une des caractéristiques de ce qu'il est convenu d'appeler l'« esprit français ». Elle en vient ainsi à revêtir les formes les plus diverses, de l'humour à la férocité et à la violence, qui la fait alors déboucher sur le pamphlet.

SATIRE MÉNIPPÉE. Œuvre collective parodique et satirique, en prose et vers, publiée en 1594, dont les auteurs sont des bourgeois parisiens : les chanoines J. Gillot et P. Le Roy (qui en est l'instigateur), le poète humaniste J. Passerat, un érudit, Fl. Chrestien, et des hommes de loi, G. Durant, N. Rapin et P. Pithou. Le titre est emprunté à l'Antiquité : *satire* a ici le sens du mot latin *satura,* mélange, pot-pourri de vers et de prose, *Ménippée* rappelle le nom du philosophe cynique Ménippe (IIIe s. av. J.-C.) et annonce un franc-parler brutal et burlesque. La *S. M.* évoque, sur le mode caricatural, la réunion des états généraux de 1593 : on sait que, à l'époque, sous le couvert de la Sainte Ligue, la maison de Lorraine tentait de s'emparer du pouvoir. Henri de Guise soulève d'abord Paris contre Henri III (1588), mais le roi le fait assassiner et s'entend avec Henri de Navarre, héritier de la couronne. À son tour, Henri III est assassiné, et le Béarnais doit conquérir son trône avec l'aide des protestants et des « politiques » (parti modéré qui veut surtout la paix). Paris, bastion des ligueurs les plus acharnés et occupé par les Espagnols, est alors assiégé. Cependant, le duc de Mayenne, frère d'Henri de Guise et lieutenant général du royaume, convoque les états généraux dans l'espoir de leur faire désigner un roi de France catholique ayant l'approbation de l'Espagne. Les députés, en particulier ceux du tiers état, font échouer la manœuvre, et, bientôt après, Paris accueillera Henri IV. Véritable pamphlet politique, la *S.M.* ridiculise l'adversaire en prêtant aux champions de la Ligue des propos cyniques ou niais. Sa composition se présente comme une action dramatique et une suite de harangues : elle s'ouvre sur la parade de deux charlatans, l'un lorrain – le cardinal de Pellevé –, l'autre espagnol – le cardinal de Plaisance –, qui vantent dans la cour du Louvre les vertus mirifiques de leur drogue, le *catholicon.* On assiste ensuite à une procession burlesque de la Ligue, puis viennent la description des tapisseries allégoriques ornant la salle des états et l'ordre de préséance des participants. Alors commencent les harangues (fictives) prêtées à des personnages réels et dont les six premières, prononcées par des représentants de la Ligue et de ses alliés, sont bouffonnes. Seule, la réponse de M. d'Aubray, représentant du Tiers, est empreinte d'éloquence, de gravité et de sincérité : elle évoque les malheurs de Paris, l'ambition et les intrigues des Guise, les souhaits de paix et d'avènement du vrai roi légitime. La satire politique s'achève sur la description des tableaux allégoriques de l'escalier de la salle des États, et par un épilogue contenant des épigrammes, des pièces satiriques et ironiques, entre autres les couplets du « Trépas de l'âne ligueur ». L'œuvre est inégale certes, mais le discours de M. d'Aubray (rédigé par P. Pithou) est écrit dans une langue vigoureuse, savoureuse et imagée. Connue dès 1593, la *S.M.* ne paraît que l'année suivante, alors que Henri IV est devenu roi. Elle exprime le bon sens populaire et la clairvoyance politique des Français aspirant à la paix après les années de guerre civile qui ont déchiré le pays.

SAUVAGE Cécile. 1883 – 1927. Mère du compositeur Olivier Messiaen. Ses débuts *(Tandis que la terre tourne)* furent encouragés par ses compatriotes Mistral et Aubanel ; les recueils qui suivirent : *l'Âme en bourgeon, Mélancolie, Fumées, Primevère, le Vallon,* furent réunis en 1929 en un volume. Ils placent leur auteur parmi les femmes poètes alors ardentes à célébrer les richesses sensuelles ou spirituelles de la nature.

SAVARD Félix-Antoine. Québec 31.8.1896 – 24.8.1982. Écrivain québécois. S. est à l'origine du grand mouvement de littérature dite du « pays », qui apparaît au Québec dans les années 60. Son *Menaud, maître-draveur,* roman-phare de toute une génération d'écrivains, exalte l'appartenance, la fidélité au passé et aux traditions, à une époque où la littérature québécoise ne reflétait pas les préoccupations et les aspirations de son peuple. S. passe une enfance aventureuse dans la région du lac Saint-Jean. Après des études classiques au séminaire de Chicoutimi, il poursuit des études de théologie et est ordonné prêtre en 1922. Pendant quelques années, il se partage entre l'exercice de son ministère et l'enseignement de la littérature. En 1934, il participe avec enthousiasme à l'entreprise de colonisation de la région de l'Abitibi. C'est dans *l'Abatis* qu'il relate son aventure de missionnaire-pionnier. Né d'une observation émerveillée et presque enfantine de la nature, ce récit de conquête intègre avec aisance les images de l'Antiquité à la réalité du pays. Les héros antiques semblent à nouveau personnifiés dans ces aventuriers avec lesquels le narrateur a passé des jours dignes d'une épopée. La fidélité de S. aux traditions populaires trouve une expression privilégiée dans la fondation des archives folkloriques à l'université de Laval en 1945. *Menaud,* qui a marqué avec éclat son entrée en littérature, vient alors d'être couronné par le prix David, puis par l'Académie française. Lorsque *la Minuit* paraît en 1948, S. est déjà un écrivain de premier plan. Au problème d'identité nationale, soulevé par Menaud, ce nouveau récit associe les réflexions humanitaires et charitables d'un poète qui est aussi un chrétien et un prêtre. Dénonçant les illusions qu'engendre la soif de posséder, S. prône la solidarité humaine. La vraie misère est celle du cœur, c'est l'individualisme supplantant la fraternité. *Menaud* et *la Minuit* forment ainsi un tout où se trouvent définis, d'une part l'amour instinctif du pays, et de l'autre le sens de la fidélité aux vérités essentielles contenues dans l'Évangile. D'une part, la révolte qui fait appel au meilleur de l'homme, et d'autre part l'échec de la révolte qui repose sur la haine et l'esprit de possession. C'est surtout le théâtre de S. et son allégorie sur saint Martin qui véhiculent cette forme originelle de la charité prêchée par le Christ. Retiré à la campagne, méditant sur Claudel et Péguy, S. quitte le roman pour le drame lyrique où l'historique côtoie la métaphore et le symbole, et ce sont des images fortes qui créent ici l'illusion du réel. Quant à l'aspect didactique de l'œuvre de S., il est manifeste : journaux, carnets et mémoires sont là pour éduquer les générations futures, proposer des modèles et rappeler que la vertu n'est pas une valeur périmée.

Œuvres. *Menaud, maître-draveur,* 1937 (N). – *L'Abatis,* 1943 (P). – *La Minuit,* 1948 (N). – *Le Barachois,* 1959 (N). – *Martin et le pauvre,* 1959 (N). – *La Folle,* 1960 (T). – *La Dalle des morts,* 1965 (T). – *Symphonie du miséréor,* 1968 (P). – *L'Abatis* (version définitive), 1969 (P). – *Le Bouscueil,* 1972 (P). – *La Roche Ursule,* 1972 (P). – *Journal et souvenirs,* t. I *1961-1962,* 1972. – *Aux marges du silence,* 1974 (P). – *Journal et souvenirs,* t. II *1963-1964,* 1974. – *Discours,* 1975. – *Discours d'un vieux sachem huron à l'occasion des fêtes du tricentenaire du diocèse de Québec,* 1975. – *Carnet du soir intérieur,* t I, 1978 (E). – *Carnet du soir intérieur,* t II, 1979 (E). – *Le Choix de Félix-Antoine Savard dans l'œuvre de Félix-Antoine Savard,* 1981 (E).

SAVOIR Alfred, Alfred Poznański, dit. Lodz (Pologne) 1883 – Paris 1934. Son théâtre, expression caractéristique du Boulevard de l'entre-deux-guerres, allie la vivacité parfois féroce des dialogues à la finesse incontestable de l'observation, dans une série de comédies brillamment enlevées, dont le style n'est pas exempt de négligence ; mais l'auteur sait mettre en œuvre des procédés de langage qui passent aisément la rampe : à la lecture, les pièces de S. sont plus décevantes qu'à la représentation.

Œuvres. *Le Troisième Couvert,* 1906 (T). – Avec P. Nozière, *le Baptême,* 1907 (T). – Avec P. Nozière, *la Sonate à Kreutzer* (adapt. de Tolstoï), 1910 (T). – Avec A. Picard, *le Bluff,* 1913 (T). – *La Huitième Femme de Barbe-Bleue,* 1921 (T). – *Banco!* 1922 (T). – *La Couturière de Lunéville,* 1923 (T). – *La Grande-Duchesse et le garçon d'étage,* 1924 (T). – *Le Dompteur ou l'Anglais tel qu'on le mange,* 1925 (T). – *Le Figurant de la Gaîté,* 1926 (T). – *Baccara,* 1927 (T). – *Lui,* 1929 (T). – *La Petite Catherine,* 1930 (T). – *Passy 00-13,* 1931 (T). – *La Margrave,* 1932 (T). – *La Voie lactée,* 1933 (T). – *Maria,* 1933 (T). – *Le Joli Monde,* 1934 (T).

SCALIGER, Jules-César de Lescale, dit. Riva del Garda (Italie) 1484 – Agen 1558. Humaniste franco-italien d'expression latine. Après de nombreuses aventures militaires pendant les guerres d'Italie, il vint en France en 1525, comme médecin attaché à la personne d'Angelo della Rovere, évêque d'Agen. Il se maria dans cette ville et eut quinze enfants. Soldat d'abord, S. a pourtant compté aussi dans la vie des lettres. En 1531, il répond à Érasme, qui condamne ceux qui font de Cicéron leur unique modèle, par un pamphlet véhément : *Oratio pro M. Tullio Cicerone contra Des. Erasmum Roterodamum.* Il y accuse Érasme d'être un « traître », un « bourreau », un « parricide », etc. Dolet se range à ses côtés : S. l'attaque cependant (Dolet, selon S., est « le cancer de la plaie des Muses »). Rabelais n'échappe pas à ses colères. Ce « moine défroqué » s'est permis de parodier son commentaire sur Hippocrate *(In librum de somniis Hippocratis commentarius).*

Polémiste intraitable, S. a aussi écrit nombre de poésies latines de circonstance. Mais son œuvre majeure reste *Poetices libri septem (Poétique),* parue en 1561, ouvrage quelque peu fastidieux qui expose ses réflexions sur la poésie et la tragédie. D'après Sainte-Beuve, il aurait été le précurseur du classicisme français, subordonnant « l'imagination et la sensibilité elle-même à la raison », suivant une démarche logique, réclamant des règles auxquelles se soumettre et, en premier lieu, celle des trois unités. Il n'est pas sûr que S. ait lui-même appliqué ses théories, mais il n'en reste pas moins vrai que, le premier dans la littérature française, il a énoncé la nécessité de lois strictes en matière de littérature et que sa *Poétique* a joué un rôle considérable dans la diffusion du rationalisme esthétique. Ce qui a pu faire dire à Gabriel Guéret en 1669 : « Je veux que ceux qui se mêlent de poésie sachent par cœur Aristote, Horace et Scaliger. »

Œuvres. *Oratio pro M. Tullio Cicerone contra Des. Erasmum Roterodamum,* 1531 (E). – *Adversus Des. Erasmi orationes duae, eloquentiae romanae vindices,* 1531-1536 (E). – *Adversus Des. Erasmi dialogum ciceronianum oratio secunda,* 1537 (E). – *In luctu filii oratio,* 1538 (P). – *De comœdiae origine et de comicis versibus liber,* 1539 (E). – *Heroes,* 1539 (P). – *De causis linguae latinae libri tredecim,* 1540 (E). – *Poemata ad illustrem Constantiam Rangoniam,* 1546 (P). – *In librum Theophrasti « De causis plantarum » commentarius,* 1556 (E). – *In libros duos qui inscribuntur de plantis, Aristotele auctore libri duo,* 1556 (E). – *Exotericarum exercitationum liber quintus decimus de subtilitate ad Hieronymum Cardanum,* 1557 (E). – *Poetices, libri septem,* posth., 1561 (E). – *In librum de somniis Hippocratis commentarius,* 1561 (E). – *De sapientia et beatitudine libri duo quos Epidorpides inscripsit,* posth., 1573 (E). – *De analogia sermonis latini disputatio,* posth., 1573 (E). – *Poemata in duas partes divisa,* posth., 1574 (P). – *Epigrammatum liber unicus,* posth., 1583 (P). – *Hymni duo Joannis Baptistae,* posth., 1583 (P). – *Prosopopoeia christianissimi Francorum Regis Francisci Valesii,* posth., 1584 (P). – *Epistolae,* posth., 1600. – *Poemata sacra,* posth., 1600 (P). – *Aristotelis « De animalibus historiae » libri decem,* posth., 1619 (E).

SCARRON Paul. Paris 4.7.1610 – 7.10.1660. Orphelin de mère à trois ans, il fut brimé, ainsi que ses frères et sœurs, par la seconde femme de son père et passa même des mois entiers loin de chez lui ; on ne sait rien de ses études : adulte, il connaissait le grec, le latin et l'espagnol. Vers sa vingtième année, il mène à Paris la vie d'un mondain apprécié ; mais son père lui obtient un bénéfice ecclésiastique au Mans, où il arrive en 1633. Chanoine consciencieux, mais toujours répandu dans la bonne société, il écrit, pour complaire à l'un de ses protecteurs ennemi de Corneille, deux pamphlets contre *le Cid.* Atteint de rhumatisme tuberculeux en 1638, il vivra pendant vingt ans de plus en plus difforme et perclus.

S. utilise dans son œuvre les observations qu'il a faites au cours de sa jeunesse active dans les milieux parisiens et manceaux. C'est à Paris qu'il écrit ses *Vers burlesques,* fait jouer plusieurs pièces *(Jodelet ou le Maître valet, Dom Japhet d'Arménie)* et commence un *Virgile travesti* dont ne paraîtront que huit chants. Mais son œuvre essentielle est *le Roman comique,* récit tour à tour burlesque et romanesque des aventures d'une troupe de comédiens ambulants, dont la réussite marque une rupture avec le roman traditionnel du XVIIe s. et annonce en partie le Diderot de *Jacques le Fataliste* par la fréquence des interventions d'auteur.

Œuvres. *Recueil de quelques vers burlesques,* 1643 (P). – *Le Typhon ou la Gigantomachie,* 1644 (P). – *Jodelet ou le Maître valet,* 1645 (T). – *Les Boutades du capitaine Matamore et de Boniface pédant,* 1646 (T). – *Suite de la première partie des « Œuvres burlesques »,* 1647 (P). – *Suite des « Œuvres burlesques »,* 2e partie, 1647 (P). – *Les Trois Dorothée ou Jodelet souffleté,* 1647 (T). – *Virgile travesti,* 1648-1652 (P). – *L'Héritier ridicule,* 1649 (T). – *Troisième partie des « Œuvres burlesques »,* 1651 (P). – *Le Roman comique I,* 1651 (N). – *Don Japhet d'Arménie,* 1652 (T). – *Factum ou Requête ou Tout ce qu'il vous plaira pour Paul Scarron, doyen des malades de France,* 1652. – *L'Écolier de Salamanque,* 1654 (T). – *Le Gardien de soi-même,* 1655 (T). – *Le Marquis ridicule ou la Comtesse faite à la hâte,* 1655 (T). – *Nouvelles tragi-comiques* (contiennent : *la Précaution inutile ; les Hypocrites*), 1655-1657 (N). – *Le Roman comique II,* 1657 (N). – *La Fausse Apparence,* posth., 1662 (T). – *Le Prince corsaire,* posth., 1662 (T). – *Poésies diverses,* éd. établie par M. Cauchie, 1947. – *Le Roman comique,* avec un choix des *Suites,* éd. établie par J. Serroy, 1985.

Le Roman comique

Le titre signifie : « Histoire de comédiens ». C'est en effet l'histoire d'une troupe de comédiens ambulants de la région du Mans. Dans la troupe figure – c'est l'élément romanesque – un jeune homme de fort bonne famille qui, avec celle qu'il aime, a pris ce déguisement pour échapper à la jalousie du baron de Saldagne ; le couple se cache sous les noms de Destin et de Mlle de l'Étoile. Il y a aussi un jeune bourgeois, spécialiste des rôles de valet, nommé Léandre, qui est là parce qu'il aime une jeune comédienne, Angélique, fille d'une autre comédienne (vieille, celle-là), la Caverne. Mais tout le pittoresque du roman tient à la présence des autres personnages : le bien nommé la Rancune, comédien aigri ; l'avocat sans cause Ragotin ; le lieutenant de police la Rapinière. La première représentation de la troupe doit avoir lieu dans une auberge dont le patron vient de mourir : les comédiens escamotent le cadavre, et il s'ensuit une bagarre épique dont aucun détail n'est épargné au lecteur, pour sa plus grande réjouissance. Il y a encore l'enlèvement d'Angélique et la chasse à ses ravisseurs ; c'est ensuite Mlle de l'Étoile qui est enlevée et vite retrouvée : mais l'organisation de l'enlèvement était le fait du... policier la Rapinière, qui doit alors restituer les diamants dérobés à Destin. Il y a la cour assidue que font aux comédiennes l'avocat Ragotin et le poète Roquebrune, les batailles où se trouve constamment engagé le même Ragotin. Il y a une certaine Mme Bouvillon, constituée par « trente quintaux de chair », qui prétend conquérir Destin à force d'amour... Et bien d'autres choses encore, quoique le roman soit inachevé et que la suite, composée par un continuateur, ne soit qu'un assez médiocre pastiche.

SCEPTICISME. Doctrine qui repose sur la suspension du jugement, surtout en matière de métaphysique. Le scepticisme est aussi une attitude de l'esprit qui consiste à refuser d'adhérer d'emblée à des idées ou à des croyances généralement admises. Il a souvent déterminé en littérature un style ironique ou humoristique caractéristique de certains écrivains (Voltaire, A. France).

SCÈVE Maurice. Lyon entre 1501 et 1505 – après 1562. Issu d'une famille de la bourgeoisie lyonnaise, S. reçut une éducation fort soignée, qu'il alla compléter, semble-t-il, en Italie. En 1533, il est docteur en droit en Avignon ; il suit des cours à l'Université et participe aux recherches effectuées pour retrouver le tombeau de Laure de Noves, qui fut aimée par Pétrarque. Il croit découvrir sa sépulture et, sur la pierre qui la recouvre, un sonnet qu'il attribue à Pétrarque lui-même. Certains critiques crièrent au scandale : S. aurait lui-même écrit ce poème... Après avoir fait la connaissance d'Étienne Dolet (1535), il fait imprimer sa première œuvre, une traduction du roman de Juan de Flores, *la Déplorable Fin de Flamecte.* À l'exemple de Marot (épigramme sur « le Beau Tétin »), S. et plusieurs poètes lyonnais écrivent, sur le corps féminin, des blasons, qu'ils mettent curieusement en compétition. S. remporte le concours grâce à sa célébration du « sourcil ». Et c'est la gloire. S. se retrouve à la tête de ce qui fut par la suite appelé l'École lyonnaise, groupe de poètes qui témoignent de l'activité culturelle et artistique de la ville de Lyon à cette époque. À la mort du fils de François Ier, les poètes lyonnais se réunissent de la même manière pour déplorer la mort du jeune dauphin et composent collectivement un *Recueil de vers latins et vulgaires de plusieurs poètes français composés sur le trespas de feu Monseigneur le Dauphin.* En compagnie de Dolet, de Marot, de Mellin de Saint-Gelais et d'autres poètes moins connus, S. participe à cet hommage : il est plus précisément l'auteur de l'« Arion églogue sur le trespas de Monseigneur le Dauphin ». S. ne se contente pas d'écrire, il est également très actif dans l'administration des réjouissances de la ville (il organise, par exemple, les fêtes de l'Île-Barbe, destinées à accompagner la vénération publique des reliques de sainte Anne en 1537). Pendant deux années (1539 et 1540), il est même le responsable en titre de toutes les festivités de Lyon. La rencontre avec Pernette du Guillet assombrit quelque peu cette vie joyeuse et insouciante. Cet amour impossible (Pernette est mariée et entend rester fidèle à son époux) prend allure de drame à la mort prématurée de la jeune femme (1545). Celle-ci a eu le temps de prendre connaissance de *Délie, objet de plus haute vertu* (1544), résultat de cette expérience qui fut pour S. une véritable initiation, une découverte de lui-même, comme s'il trouvait, par cet amour, une seconde naissance. Mais Délie c'est aussi *l'Idée* (mot dont ce nom est l'anagramme) de la Femme, selon l'inspiration platonicienne qui est la source principale du recueil. Après la mort de Pernette du Guillet, S. se retire dans la solitude, retraite qui lui inspire *la Saulsaye, églogue de la vie solitaire.* Cette réclusion ne pouvait pourtant pas durer longtemps. Les Lyonnais avaient besoin de leur grand

ordonnateur des plaisirs pour fêter dignement l'entrée solennelle de Henri II dans la ville de Lyon. Ils firent appel à S. Sa renommée, alors, avait dépassé les frontières de sa province. Les personnalités les plus diverses lui rendaient hommage, du Bellay comme Sébillet ; il fréquentait les salons, en particulier celui de Louise Labé. Les guerres de religion éclatent à Lyon en 1560 et mettent fin au rayonnement littéraire dont S. était le centre prestigieux. À partir de cette date, sa trace se perd. Les hypothèses les plus diverses sont proposées : il serait mort ; il se serait converti au protestantisme en Allemagne... Toujours est-il que le seul signe de sa présence est, en 1562, la parution du *Microcosme,* ce qui laisse supposer qu'il était encore vivant à cette date.
Mais c'est *Délie, objet de plus haute vertu,* recueil de quatre cent quarante-neuf dizains, qui fit la gloire de S. ; il aurait été influencé par la Kabbale, si l'on en croit le chiffre quatre cent quarante-neuf et les savants calculs qui ont été effectués à partir de cette donnée : on constate en effet que la composition de *Délie* est fondée sur les chiffres privilégiés 3 et 7, chiffres sacrés par excellence. Sans s'attarder sur ces considérations ésotériques, qu'il convient pourtant de ne point négliger en un temps où Lyon commençait déjà d'être la capitale de l'occultisme, on peut constater que la poésie de S. est construite quasi mathématiquement, organisée, comme il le dit lui-même, par la « froide raison » qui considère la poésie (et l'amour) non plus comme une effervescence inconsidérée de sentiments et de passions, mais comme un moyen de connaissance et d'ascension spirituelle. Et pour pouvoir parvenir à l'état poétique, c'est-à-dire à un état qui permet à l'homme de prendre connaissance de ce qu'il est et de tous les problèmes fondamentaux de son existence – de la mort, en particulier –, l'amour est le médiateur par excellence, un amour contrôlé par une lucidité exemplaire, sans laquelle la vie se perdrait « à l'impourveue » : « Non de Vénus les ardents estincelles / Et moins les traicts, desquels Cupidon tire / Mais bien les morts qu'en moi tu renovelles / Je t'ai voulu en cest œuvre décrire. » Soucieux de la justesse de l'idée claire jusqu'à la concision, S. fait preuve d'une rigueur qui, pour parvenir à l'expression la plus parfaite de ce qui est à dire, a pu être comparée, toutes proportions gardées, à celle d'un Valéry ou d'un Mallarmé. Ainsi quelle qu'ait été, quant à la forme, l'influence pétrarquiste, tout le génie poétique de S. est dans l'originalité de son assimilation du platonisme que lui avaient transmis ses sources italiennes, Léon Hébreu ou Sperone Speroni, ou encore Mario Equicola, auteur d'un *Libro di Natura d'Amore* paru à Venise en 1531. Si S. est le premier grand poète de la Renaissance française, s'il mérite pleinement l'hommage que lui rend du Bellay passant par Lyon sur le chemin et au retour de Rome (*Sonnets divers,* XLI, 1553 et *Regrets,* CXXXVII, 1558), c'est grâce à son pouvoir de synthèse poétique : le platonisme s'incarne dans le langage hérité de Pétrarque ; imagination poétique et spéculation métaphysique communiquent entre elles à travers le dialogue inspiré de la passion et de la mystique ; et ce qui est, dans *Délie,* proprement et universellement poétique, c'est bien cette synthèse imaginaire de réalité et d'idéalité, de présence et de rêve, de passion et de spiritualité : parmi les « images obsédantes » du poète, il y a celle, symbolique, du « ravissement », qui traduit clairement le point poétique de convergence de la nostalgie contemplative de l'âme et de l'itinéraire dramatique du cœur. Quant au *Microcosme* de 1562, le poète s'y dégage du pétrarquisme pour tenter de s'élever jusqu'à un symbolisme métaphysique complexe dont les sources sont sans doute multiples et dont l'hermétisme répond à ce goût des correspondances secrètes que S. partageait avec nombre de ses contemporains. Mais, pour un lecteur moderne, ce *Microcosme* reste plus un document de culture qu'un poème, à la différence de la *Délie,* si proche, jusque dans sa facture et ses techniques, des recherches poétiques modernes.

Œuvres. *La Déplorable Fin de Flamecte* (trad. de Juan de Flores), 1535 (N). – *Hécatomphile* (contient cinq blasons composés par Scève : « le Front », « le Sourcil », « le Soupir », « la Larme », « la Gorge »), 1536 (P). – Dans *Recueil de vers latins et vulgaires de plusieurs poètes français composés sur le trespas de feu Monsieur le Dauphin :* « Arion, églogue sur le trespas de Monseigneur le Dauphin », 1536 (P). – *Délie, objet de plus haute vertu,* 1544 (P). – *La Saulsaye, églogue de la vie solitaire,* 1547 (P). – *La Magnificence de la superbe et triomphante entrée à Lyon du roi Henri II,* 1549. – *Microcosme,* 1562 (P).

SCHAKOVSKOY, princesse Zinaïda Alexeïevna Chakhovskaïa, dite aussi **Jacques Croisé.** Moscou 30.8.1906. Femme de lettres belge d'expressions russe et française. Elle quitte la Russie avec les siens en 1919 et fait ses études à Constantinople, puis à Bruxelles et à Paris. Deux recueils de poèmes paraissent en Estonie en 1932 et 1934 *(le Départ : la Route)* : ce sera, avec *Avant le sommeil,* l'essentiel de son œuvre russe. Très impressionnistes, les vers de S. sont caractérisés, d'une part, par le lyrisme intimiste et, de l'autre, par une atmosphère crépusculaire, presque fantomatique, qui leur confère un cachet très particulier. *Insomnies* paraît en français en 1937, suivi d'un grand nombre d'ouvrages critiques et historiques de qualité, comme *la Vie quotidienne à Moscou au XVIIe siècle,* et de romans (sous pseudonyme), tels que *Europe et Valérius* ou *Jeu de massacre.* Depuis, S. s'est surtout consacrée au journalisme et à l'édition : elle est en particulier, et depuis 1968, rédactrice en chef de *la Pensée russe* (Paris), le principal hebdomadaire de la diaspora russe en Europe.

Œuvres. En russe : *le Départ,* 1932 (P). – *La Route,* 1934 (P). – En français : *Insomnies,* 1937 (P). – *Europe et Valérius,* 1949 (N). – *Jeu de massacre,* 1956 (N). – *Ma Russie habillée en U.R.S.S., retour au pays natal,* 1958 (N). – *La Vie quotidienne à Moscou au XVIIIe siècle,* 1963 (E). – En russe : *Avant le sommeil,* 1970 (P).

SCHEHADÉ Georges. Alexandrie (Égypte) 2.11.1907. Poète et dramaturge libanais d'expression française. Issu d'une famille libanaise de culture française, S. fait ses études à Paris en vue d'une licence en droit. Découvert en 1930 par Saint-John Perse, il ne fera représenter sa première pièce, *M. Bob'le,* qu'en 1951. L'ensemble de son œuvre, de forme dramatique, est de nature poétique : l'imagination rêve, sans souci de réalisme. Les personnages sont mal définis, déterminés essentiellement par l'attente, éternellement en transit dans des lieux qui ne les retiennent pas. La démarche irrationnelle de S. (reconnue par André Breton) est rendue plus percutante par un humour qui ruine toute complaisance métaphysique, même si l'angoisse issue de cette perpétuelle errance est réelle, même si les problèmes posés sont graves : la guerre, l'injustice, la bêtise. Auteur dramatique, S. est resté le poète qu'il était à ses débuts, influencé par le surréalisme, inventant un genre qui lui est propre, proche de l'absurde d'un Beckett ou d'un Ionesco mais plus onirique dans sa transfiguration de la réalité.

Œuvres. *Poésies I,* 1938 (P). – *Rodogune Sinne,* 1947 (P). – *Poésies II,* 1948 (P). – *Poésies III,* 1949 (P). – *L'Écolier sultan,* 1950 (P). – *Si tu rencontres un ramier,* 1951 (P). – *M. Bob'le,* 1951 (T). – *Poésies* (recueil), 1952 (P). – *La Soirée des proverbes,* 1954 (T). – *Histoire de Vasco,* 1956 (T). – *Les Violettes,* 1960 (T). – *Le Voyage,* 1961 (T). – *L'Émigré de Brisbane,* 1965 (T). – *Poésies* (2e éd., avec : *Portrait de Jules ; Récit de l'an zéro*), 1969 (P). – *L'habit fait le prince* (pantomime), 1973 (T). – *Anthologie du vers unique,* 1977 (P). – *Le Nageur d'un seul amour,* 1985 (P).

Le Voyage

Le port de Bristol, un magasin de boutons dont l'employé, Christopher, regarde par la fenêtre : vont et viennent les bateaux sous son regard, et il rêve. Il est aimé de miss Georgia, qui ne lui est pas indifférente, mais plus fort encore est son rêve maritime. Il lui arrive de fréquenter la taverne de Mme Edda ; il y rencontre un quartier-maître, Alexandre Wittiker, qui lui propose un échange de vêtements ; Christopher pourra donc partir à sa place ? Non, car, pris pour Wittiker, qui est un assassin, il est arrêté. Tout finira relativement bien : l'innocence de Christopher est reconnue, mais il a dû dépenser tout l'argent qu'il avait économisé pour un voyage éventuel. Il ne lui reste plus qu'à partir pour un autre voyage, la vie avec miss Georgia.

SCHLUMBERGER Jean. Guebwiller (Haut-Rhin) 26.5.1877 – Paris 25.10.1968. Issu d'une famille protestante, il resta marqué par ses origines, dans sa vie comme dans son œuvre. Celle-ci comprend quelques pièces dont les premières furent créées par J. Copeau, et dont la meilleure est sans doute *Césaire,* et des romans psychologiques austères dont les personnages baignent dans un milieu rigoureusement décrit *(l'Inquiète Paternité ; Saint-Saturnin ; Passion).* Mais il apparaît de plus en plus évident, avec le recul, que le rôle de S. fut surtout celui d'un animateur des lettres ; il dirigea, avec J. Copeau et A. Ruyters, *la Nouvelle Revue française* de sa fondation (1909) à la Première Guerre mondiale et lui donna l'impulsion initiale décisive ; quant à ses ouvrages critiques, deux au moins sont encore d'une valeur certaine : l'essai *Plaisir à Corneille,* très nouveau en 1936, et l'étude pleine de tact sur *Madeleine et André Gide.* Enfin les essais réunis dans *Essais et Dialogues,* en particulier « Sur les frontières religieuses », font de S. un témoin exemplaire de l'inquiétude spirituelle de toute une génération et l'un des promoteurs de l'exploration littéraire de ce qu'il appelle lui-même « les diverses provinces du sacré ».

Œuvres. *Le Mur de verre,* 1903 (N). – *L'Inquiète Paternité,* 1913 (N). – *Les Fils*

Louverné, 1914 (T). – *Un homme heureux,* 1921 (N). – *La Mort de Sparte,* 1921 (T). – *Le Camarade infidèle,* 1922 (N). – *Césaire ou la Puissance de l'esprit,* 1922 (N). – *Le Lion devenu vieux,* 1924 (N). – *L'Enfant qui s'accuse,* 1927 (E). – *Dialogues avec le corps endormi,* 1927 (E). – *Les Yeux de dix-huit ans,* 1928 (T). – *Le Marchand de cercueils,* 1930 (T). – *Saint-Saturnin,* 1931 (N). – *Sur les frontières religieuses,* 1934 (E). – *Histoire de quatre potiers,* 1935 (N). – *Plaisir à Corneille,* 1936 (E). – *Essais et Dialogues,* 1937 (E). – *Stéphane le Glorieux,* 1940 (N). – *Jalons,* 1941 (E). – *Le Procès Pétain,* 1949 (E). – *Éveils,* 1950 (N). – *Madeleine et André Gide,* 1956 (E). – *Passion,* 1956 (N). – *Rencontres. Feuilles d'agenda. Pierre de Rome,* 1968 (E).

SCHWOB Marcel. Chaville 23.8.1867 – Paris 12.2.1905. D'une érudition immense et volontiers originale, il se consacra d'abord à l'étude du parler populaire *(l'Argot français),* puis fit du journalisme ; son nom fut connu par des traductions de l'anglais (Defoe, Poe), des contes *(Cœur double ; le Roi au masque d'or)* et des poèmes en prose *(Mimes ; le Livre de Monelle).* Avant sa disparition prématurée, il publia de nombreuses études historiques, notamment sur le Moyen Âge *(la Croisade des enfants),* et donna, sous le pseudonyme de LOYSON-BRIDET, une description satirique de son milieu professionnel *(Mœurs des diurnales,* 1903). Il avait épousé Marguerite Moreno en 1900.

Œuvres. *Étude sur l'argot français,* 1889 (E). – *Cœur double,* 1891 (N). – *Le Roi au masque d'or,* 1892 (N). – *Mimes,* 1894 (P). – *Vie du Morphiel, démiurge,* 1895, rééd. 1985 (E). – *Le Livre de Monelle,* 1896 (P). – *La Croisade des enfants,* 1896 (E). – *Vies imaginaires,* 1896 (E). – *Spicilège,* 1896 (E). – *Mœurs des diurnales,* 1903, rééd. 1985 (E). – *La Lampe de Psyché,* 1903 (E).

SCIENCE-FICTION. La science-fiction est le résultat d'un état d'esprit – curiosité, inquiétude sociale ou métaphysique – analogue à celui qui préside d'autre part à la science. Elle se présente sous toutes sortes de formes (écrits, jouets, affiches, timbres-poste, disques, etc.) et utilise tous les modes d'expression, du poème au roman, au cinéma, à la peinture, par exemple. Son aspect écrit est prédominant, quantitativement et qualitativement, mais ni nécessaire ni unique. Il n'est donc pas étonnant que son histoire révèle une continuité ponctuée d'hypothèses et de lois successives. Sa thématique, par ailleurs, est d'une grande richesse, multipliée à l'usage par les variations dues aux formes et aux genres qu'elle utilise et à l'expression des diverses tendances ou écoles.

Cette histoire, très schématiquement, peut se scinder en quatre parties distinctes : de l'Antiquité à la Révolution industrielle, de celle-ci à Jules Verne, de Jules Verne à Hugo Gernsback, et de ce dernier à nos jours. La fin de la première époque est marquée par la première anthologie de conjectures romanesques rationnelles, les trente-six volumes des *Voyages imaginaires* publiés de 1787 à 1789 et qui rééditèrent Lucien de Samosate, Cyrano, Swift, Holberg et bien d'autres auteurs. La deuxième coïncide avec les débuts, en 1867, de la collection des *Voyages imaginaires* publiée par Hetzel et la capitalisation par Jules Verne des conquêtes techniques et de l'apport scientifique du XIXe siècle. La troisième culmine en avril 1926 avec le lancement du premier magazine spécialisé, *Amazing Stories,* aux États-Unis. La dernière, à travers une prise de conscience qui est marquée par la naissance, aux États-Unis encore, de deux revues « sophistiquées » (*The Magazine of Fantasy and Science Fiction* et *Galaxy Science Fiction*) et l'entrée en force de la production anglo-saxonne en Europe en 1950, aboutit à un éclatement du domaine en Heroic Fantasy, science-fiction sociopsychologique raffinée, et enfin utilisation consciente des ultimes techniques de l'art de la narration dans la revue anglaise *New Worlds* à partir de 1966.

Mais la science-fiction française, déjà au début du XXe siècle, alors que la science-fiction anglo-saxonne était encore dans l'enfance, avait commencé d'affirmer son originalité propre avec l'œuvre de Maurice Renard (1875-1939. Voir ce nom). Elle suivra de même, après 1945, face à la prédominance américaine, une voie originale avec en particulier les deux chefs de file de la science-fiction française contemporaine, René Barjavel et Gérard Klein (voir ces noms). Elle tend donc, en particulier avec les œuvres de Charles et Nathalie Henneberg, Francis Carsac, Daniel Drode, Jacques Spitz ou Stéphane Wul, à combiner le déchaînement de l'imaginaire fantastique issu de l'anticipation scientifique avec la modernisation formelle et thématique de la tradition moraliste et utopique caractéristique de la littérature française au moins depuis le XVIe siècle, de Cyrano de Bergerac à Jean-Jacques Rousseau et au-delà.

Bibliographie. H. BAUDIN, *la Science-fiction,* 1971 ; P. VERSINS, *Encyclopédie de* *l'utopie, des voyages extraordinaires et de la Science-fiction,* 1972 ; G. GATTEGNO, *la Science-fiction,* 1973 ; J. VAN HERP, *Panorama de la Science-fiction,* 1973 ; G. KLEIN, *Malaise dans la Science-fiction,* 1975 ; I. et G. BOGDANOFF, *Clefs pour la Science-fiction,* 1976 ; M. BATTESTINI, G. KLEIN et J. GOIMARD, *Anthologie de la S.F. française,* 1975-1977 (3 vol.) ; *EUROPE,* n° 580-581, *la Science-fiction par le menu, problématique d'un genre,* 1977 ; J. SADOUL, *Histoire de la S.F. moderne (1911-1984),* 1984 ; voir aussi la revue *Fiction* et *l'Année de la S.F. et du Fantastique.*

SCIENTISME. Mouvement philosophique de la fin du XIXe s., selon lequel la science nous fait seule connaître la nature intime des choses et suffit à satisfaire tous les besoins de l'intelligence humaine. Le scientisme fut appliqué à la critique littéraire par Taine et Renan.

SCOLASTIQUE [grec *scholastikos* = relatif à l'école]. On désigne par ce terme l'enseignement qui était dispensé dans les écoles monastiques et épiscopales du Moyen Âge, réduisant la théologie et la philosophie à une seule et même chose. Il s'agit moins d'une doctrine que d'une méthode de spéculation et d'argumentation qui utilise le syllogisme, selon une pratique aristotélicienne quelque peu sclérosée. Le XVIe s. s'insurgea contre cette déformation en retournant aux sources mêmes de la méthode : l'Antiquité.

SCRIBE Augustin Eugène. Paris 24.12.1791 – 20.2.1861. Il fit créer plus de cinquante pièces, surtout des vaudevilles écrits en collaboration, avant d'obtenir son premier triomphe *(l'Ours et le Pacha).* À partir de cette date, sa carrière se poursuivit sans faiblir, et il aborda tous les genres avec succès. C'est surtout un technicien habile et un bon faiseur d'intrigues. Les tentatives des écrivains romantiques eurent notamment pour but de contester son règne ; leurs échecs lui permirent d'accumuler jusqu'à sa mort une immense fortune. Parmi ses activités les plus lucratives, celle de librettiste d'opéras : il écrivit surtout pour Auber et Meyerbeer. Acad. fr. 1834.

Œuvres. *Le Prétendu sans le savoir ou l'Occasion fait le larron,* 1810 (T). – *Le Solliciteur ou l'Art d'obtenir des places,* 1817 (T). – *Les Deux Précepteurs ou Asinus asinum fricat,* 1817 (T). – *Une visite à Bedlam,* 1818 (T). – *Le Somnambule,* 1819 (T). – *L'Ours et le Pacha,* 1820 (T). – Avec C. Delavigne, *le Colonel,* 1821 (T). – *Frontin, mari-garçon,* 1821 (T). – *Le Secrétaire et le Cuisinier,* 1821 (T). – *Le Mariage enfantin,* 1821 (T). – *Michel et Christine,* 1821 (T). – *Le Nouveau Pourceaugnac,* 1822 (T). – *Le Vieux garçon et la Petite Fille,* 1822 (T). – *La Veuve du Malabar,* 1822 (T). – *Valérie,* 1822 (T). – *Rodolphe ou Frère et Sœur,* 1823 (T). – *L'Héritière,* 1823 (T). – *La Loge du portier,* 1823 (T). – *Le Baiser au porteur,* 1823 (T). – *La Haine d'une femme ou le Jeune Homme à marier,* 1824 (T). – *Le Charlatanisme,* 1825 (T). – *La Dame blanche* (opéra comique, musique de Boïeldieu), 1825 (T). – *Les Premières Amours ou les Souvenirs d'enfance,* 1825 (T). – *Le Mariage de raison,* 1826 (T). – *La Demoiselle à marier ou la Première Entrevue,* 1826 (T). – *Le Plus Beau Jour de la vie,* 1827 (T). – *Le Diplomate,* 1827 (T). – *Le Retour ou la Suite de « Michel et Christine »,* 1827 (T). – Avec C. Delavigne, *la Muette de Portici* (opéra, musique d'Auber), 1828 (T). – *Avant, pendant et après,* 1828 (T). – *Malvina ou Un mariage d'inclination,* 1828 (T). – Avec Delestre-Poirson, *le Comte Ory* (opéra, musique de Rossini), 1828 (T). – *La Fiancée* (opéra-comique, musique d'Auber), 1829 (T). – *Une faute,* 1830 (T). – *Fra Diavolo ou l'Hôtellerie de Terracine* (opéra-comique, musique d'Auber), 1830 (T). – *Dieu et la Bayadère* (opéra-ballet, musique d'Auber), 1830 (T). – *La Calomnie,* 1830 (T). – Avec C. Delavigne, *Robert le Diable* (opéra, musique de Meyerbeer), 1831 (T). – *Le Philtre* (opéra, musique d'Auber), 1831 (T). – *Bertrand et Raton ou l'Art de conspirer,* 1833 (T). – *Gustave III ou le Bal masqué* (opéra, musique d'Auber), 1833 (T). – *L'Ambitieux,* 1834 (T). – Avec Mélesville, *le Chalet* (opéra-comique, musique d'A. Adam), 1834 (T). – *La Juive* (opéra, musique d'Halévy), 1835 (T). – Avec E. Deschamps, *les Huguenots* (opéra, musique de Meyerbeer), 1836 (T). – Avec Saint-Georges, *l'Ambassadrice* (opéra-comique), 1836 (T). – *La Camaraderie ou la Courte Échelle,* 1837 (T). – *Les Indépendants,* 1837 (T). – *Le Domino noir* (opéra-comique, musique d'Auber), 1837 (T). – *Le Lac des fées* (opéra, musique d'Auber), 1839 (T). – *La Calomnie,* 1840 (T). – *Le Verre d'eau ou les Effets et les Causes,* 1840 (T). – Avec A. Royer et G. Vaëz, *la Favorite* (musique de Donizetti), 1840 (T). – *Japhet ou la Recherche d'un père,* 1840 (T). – *Une chaîne,* 1841 (T). – Avec Saint-Georges, *les Diamants de la couronne* (opéra-comique, musique d'Auber), 1841 (T). – *La Sirène* (opéra-comique, musique d'Auber), 1844 (T). – *Geneviève ou la Jalousie paternelle,* 1846

(T). – *Haydée ou le Secret* (opéra-comique, musique d'Auber), 1847 (T). – *Le Puff ou Mensonge et Vérité,* 1848 (T). – *Le Prophète* (opéra, musique de Meyerbeer), 1849 (T). – Avec E. Legouvé, *Adrienne Lecouvreur,* 1849 (T). – *Les Contes de la reine de Navarre ou la Revanche de Pavie,* 1850 (T). – Avec E. Legouvé, *Bataille de dames ou Un duel en amour,* 1851 (T). – Avec C. Delavigne, *la Nonne sanglante* (opéra, musique de Gounod), 1854 (T). – *L'Étoile du Nord* (opéra-comique, musique de Meyerbeer), 1854 (T). – *La Czarine,* 1855 (T). – Avec E. Legouvé, *les Doigts de fée,* 1858 (T).

SCUDÉRY Georges de. Le Havre 8.1601 – Paris 14.5.1667. Après une enfance difficile, il embrassa la carrière des armes et, jusqu'en 1630, servit comme officier aux gardes françaises. Toute sa vie, il affecta des allures de soldat, et montra une vanité de matamore. Outre l'interminable poème baroque et « gothique » d'*Alaric* (1654), on lui doit une quinzaine de pièces de théâtre. Son incapacité à dénouer une intrigue psychologique explique la médiocrité de ses tragédies *(la Mort de César).* Il réussit mieux dans la comédie *(le Trompeur puni)* et dans la tragi-comédie *(le Prince déguisé ; l'Amour tyrannique),* où la vraisemblance des caractères compte moins que la complexité de l'intrigue. Représentant typique du romanesque et du baroque, S. se fit, curieusement, le champion de la tragédie dite « régulière » lors de la querelle du *Cid.* Acad. fr. 1649.

Œuvres. *Lygdamon et Lydias,* 1631 (T). – *Épître héroïque sur le siège de Nancy,* 1633 (P). – *Le Trompeur puni,* 1633 (T). – *Le Temple, poème à la gloire du Roi et de Monseigneur le Cardinal de Richelieu,* 1633 (P). – *La Comédie des comédiens,* 1634 (T). – *Discours de la France à Monseigneur le Cardinal de Richelieu,* 1634 (P). – *Le Vassal généreux,* 1635 (T). – *Le Prince déguisé,* 1635 (T). – *Orante,* 1635 (T). – *Le Fils supposé,* 1636 (T). – *La Mort de César,* 1636 (T). – *Didon,* 1637 (T). – *Observations sur « le Cid »,* 1637 (E). – *Preuve des passages allégués dans les « Observations sur le Cid »,* 1637 (E). – *L'Amant libéral,* 1638 (T). – *L'Amour tyrannique,* 1639 (T). – *Apologie du théâtre,* 1639 (E). – Avec sa sœur Madeleine, *Ibrahim ou l'Illustre Bassa,* 1641 (adapt. théâtrale, 1643) [N]. – *Andromire,* 1642 (T). – *Arminius ou les Frères ennemis,* 1643 (T). – *L'Ombre du grand Armand,* 1643 (P). – *Axiane,* 1644 (T). – *Le Cabinet de M. de Scudéry,* 1645 (P). – *Discours politiques des rois,* 1648 (E). – *Poésies diverses,* 1649 (P). – *Alaric ou Rome vaincue,* 1654 (P). – *Poésies nouvelles,* 1661 (P).

L'Amour tyrannique

Deux tentes : celle de Tiridate, roi du Pont, et celle d'Ormène, son épouse, fille d'Orosmane, roi de Cappadoce. Tiridate est en conflit avec son beau-père et le fils de celui-ci, Tigrane, et se vante de ses succès guerriers. Tigrane apparaît, déguisé en soldat, un poignard à la main : il vient, croit-il, de tuer par jalousie sa femme Polyxène, qui, cependant – on l'apprend ensuite –, n'est pas morte. Mais, aux yeux de Polyxène, ce geste meurtrier est un signe d'amour. Quant à Tigrane, il a composé des stances galantes, qu'il récite après les avoir inscrites sur des tablettes qu'il confie à Cassandre, dame d'honneur d'Ormène. Tandis que la haine progresse entre Tiridate et Tigrane et que Tiridate prétend posséder Polyxène « sans amour, par vengeance », Orosmane intervient dans son rôle de père et de juge et réussit à rétablir la paix entre les anciens ennemis.

SCUDÉRY Madeleine de. Le Havre 1607 – Paris 2.6.1701. Sœur du précédent. Très cultivée, elle ouvrit un salon à Paris, fréquenta l'hôtel de Rambouillet et fut l'amie de Mmes de La Fayette et de Sévigné. On peut raisonnablement penser que son frère, qui signa assez souvent ses gigantesques romans, ne prit guère part à leur rédaction. *Ibrahim ou l'Illustre Bassa* appartient encore à la veine romanesque et historique. *Le Grand Cyrus* (plus de treize mille pages) et *Clélie* appartiennent à un genre tout différent ; la couleur historique n'y sert que de déguisement à la peinture de la société contemporaine, et un fil romanesque très ténu relie des portraits à clef, des récits d'aventures amoureuses et des discussions sur des problèmes psychologiques (*Clélie* contient la « Carte du Tendre »). On ne saurait imaginer document plus authentique sur la société des précieux.

Œuvres. Avec son frère Georges, *Ibrahim ou l'Illustre Bassa,* 1641 (N). – Avec son frère Georges, *Artamène ou le Grand Cyrus* (10 tomes), 1649-1653 (N). – *Clélie, histoire romaine* (10 tomes), 1654-1660 (N). – *Almahida ou l'Esclave reine* (8 tomes), 1660-1663 (N). – *Célinte,* 1661 (N). – *Les Femmes illustres ou Harangues héroïques,* 1665 (N). – *Mathilde d'Aguilar,* 1667 (N). – *La Promenade de Versailles ou Histoire de Célanire,* 1669 (N). – *Discours de la gloire,* 1671 (E). – *Conversations sur divers sujets,* 1680 (E). – *Conversations nouvelles sur divers sujets,* 1680 (E). – *Conversations morales,*

1686 (E). – *Nouvelles Conversations morales,* 1688 (E). – *Entretiens de morale,* 1692 (E). – *Lettres de Mlle de Scudéry à M. Godeau, évêque de Vence,* posth., 1835. – *Lettres de Mlle de Scudéry à Mascaron,* posth., 1885.

La Carte du Tendre (Clélie)

Il s'agit de se rendre de *Nouvelle-Amitié* à *Tendre,* noms allégoriques de signification transparente. Mais le chemin est difficile : trois routes s'offrent, le long de trois rivières, et jalonnées par trois villes : *Tendre-sur-Inclination, Tendre-sur-Reconnaissance* et *Tendre-sur-Estime.* La voie la plus rapide est évidemment celle qui passe par *Tendre-sur-Inclination :* on y parvient sans avoir à s'arrêter. Mais sur les autres voies, il y a de nombreuses étapes obligées : *Grand-Esprit, Jolis-Vers, Billet-Galant, Billet-Doux,* puis : *Sincérité, Générosité, Exactitude, Bonté.* Il y a aussi des risques de s'égarer, et alors on se retrouve à *Négligence* ou à *Tiédeur,* et l'on finirait par être arrêté sur les bords du *Lac d'Indifférence.* Si l'on se perd du côté de *Perfidie,* d'*Orgueil* ou de *Médisance,* on arrive au lieu des grands naufrages sentimentaux, la *Mer d'Inimitié.* Quant à la rivière d'*Inclination,* il faut se souvenir qu'elle conduit directement à la *Mer Dangereuse,* au-delà de laquelle se trouvent les *Terres Inconnues.*

Le Grand Cyrus

Une ville incendiée dans un paysage de rochers et dominant la mer ; dans ce cadre apparaît Artamène, le héros, que l'on presse de sauver « une illustre personne » : c'est le roi d'Assyrie, ravisseur de Mandane, objet de la passion d'Artamène. Or, Artamène n'est autre que Cyrus le Grand, fils de Cambyse, roi de Perse, autrefois abandonné et recueilli par des bergers. Il va désormais prouver sa race par ses exploits. Comme on le croit mort en tant que Cyrus, il décide de rester, incognito, dans cette ville où se trouve sa maîtresse, dont la recherche est le mobile de tous ses actes les plus héroïques. Mandane, peu à peu, se laissera impressionner par la grandeur du héros, qui devra encore éprouver les souffrances de la jalousie lorsque Mandane « parle avantageusement » du roi du Pont (car tout cela se passe dans un Orient antique et romanesque). Un jour, Mandane, devant Cyrus-Artamène, trace son portrait de l'homme idéal, celui qu'elle pourrait aimer : c'est le portrait même d'Artamène. Il faudra encore bien des épisodes, bien des obstacles, bien des péripéties, et même un roman dans le roman – l'histoire analogique et peut-être autobiographique de Sapho et de Phaon –, avant que Cyrus retrouve son identité, son trône et Mandane.

SÉBILLET Thomas. Paris 1512–1589. Il fit paraître, en 1548, un *Art Poëtique François pour l'instruction des jeunes studieus, et encore peu avancez en la Poësie Françoise.* Cet ouvrage fut réimprimé six fois au cours du XVIe s. S. recommandait l'imitation des Anciens mais conservait aussi les genres anciens du Moyen Âge comme le lai, le virelai, la ballade ou le rondeau. La réplique de ce qui allait devenir la Pléiade ne se fit pas attendre, et c'est en réponse à l'*Art Poëtique* de S. que s'élabora la *Défense et Illustration de la langue française* de Du Bellay. S. répondit à ces attaques dans l'épître *Au lecteur* qui précède sa traduction d'*Iphigénie.* Le différend, en vérité, n'était guère profond : S. n'a jamais servi que de prétexte pour permettre aux jeunes érudits du collège de Coqueret de théoriser leurs activités intellectuelles et poétiques. Par la suite, S. se réconcilia avec l'auteur de la *Défense,* qui lui dédia même un des sonnets des *Regrets.* S. est encore l'auteur de traductions : l'*Antéros* de Fulgosi et le *Dialogue contre les folles amours* de Platine, qu'il fit paraître sous le titre de *Contramours.*

Œuvres. *Art Poëtique François, pour l'instruction des jeunes studieus, et encore peu avancez en la Poësie Françoise,* 1548 (E). – *Iphigénie, d'Euripide, tournée du grec en françois, précédée d'une épître au lecteur,* 1549. – *Traité du mépris de ce monde,* 1579 (E). – *Contramours* (trad. de l'*Antéros* de Fulgosi et du *Dialogue contre les folles amours* de Platine), 1581. – *Advis civils* (trad. de Francesco Lottini), 1584. – *Vie d'Apollonios de Tyane* (trad. de Philostrate), s.d.

SEDAINE Michel Jean. Paris 4.7.1719 –17.5.1797. Fils d'un entrepreneur des Bâtiments du roi, il est contraint par la ruine et la mort de son père à interrompre ses études et à se faire tailleur de pierre. Il se cultive pourtant et montre rapidement des dispositions littéraires, que la rencontre d'un architecte ami des lettres lui permet de développer. Une *Épître à mon habit* (1745) attire sur lui l'attention ; en 1752, ce sont ses *Poésies fugitives,* recueil de petites pièces (fables, chansons, pastorales) ; en 1756, il fait paraître un poème didactique en quatre chants sur *le Vaudeville.* Il fréquente gens de lettres et encyclopédistes et se lie avec d'Alembert, Diderot, Favart. Le théâtre l'attire et lui apportera la renommée. Il se met d'abord à composer des livrets d'opéras-comiques dont Philidor ou Monsigny écriront la musique. Il connaît enfin une réussite éclatante avec *le Philosophe sans le savoir,* chef-d'œuvre du « drame bourgeois » inspiré des théories de Diderot. Peinture des mœurs bourgeoises du XVIIIe s., ce drame reflète la sensibilité de l'époque, mais S. y fait montre d'un sens dramatique qui lui permet de faire jouer les ressorts du tragique à l'intérieur d'une peinture de la société contemporaine. Cette même capacité technique caractérise aussi *la Gageure imprévue,* autre drame bourgeois, qui confirme la place occupée par S. dans le théâtre du XVIIIe s. S. est aussi, avec Favart, un de ceux qui contribuèrent largement au succès du genre de l'opéra-comique : ses livrets excellent en particulier dans la représentation des naïves idylles paysannes. Il collaborera enfin aux premières tentatives d'opéra historique, en s'associant surtout avec le musicien Grétry, en particulier pour *Richard Cœur de Lion,* ouvrage commandé par Catherine II de Russie. La Révolution, qu'il accueillit avec ferveur, le ruine, et il mourra oublié. Acad. fr. 1786.

Œuvres. *Tentation de saint Antoine* (vaudeville), 1745 (T). – *Épître à mon habit,* 1745 (P). – *Le Vaudeville* (poème didactique), 1750 (P). – *Pièces fugitives,* 1752 (P). – *Le Diable à quatre ou la Double Métamorphose* (opéra-comique, musique de Philidor), 1756 (T). – *Blaise le savetier* (opéra-comique, musique de Philidor), 1759 (T). – *L'Huître et les Plaideurs* (opéra-comique, musique de Philidor), 1759 (T). – *Les Troqueurs dupés* (opéra-comique), 1760 (T). – *Recueil de poésies,* 1760 (P). – *Le Jardinier et son seigneur* (opéra-comique, musique de Philidor), 1761 (T). – *On ne s'avise jamais de tout* (opéra-comique, musique de Monsigny), 1761 (T). – *Le Roi et le Fermier* (opéra-comique, musique de Monsigny), 1762 (T). – *Rose et Colas* (opéra-comique, musique de Monsigny), 1764 (T). – *Le Philosophe sans le savoir,* 1766 (T). – *Philémon et Baucis* (opéra-comique, musique de Monsigny), 1766 (T). – *Aline, reine de Golconde* (opéra « ballet héroïque », musique de Monsigny), 1766 (T). – *Ernelinde, princesse de Norvège* (opéra-comique, musique de Philidor), 1766 (T). – *La Gageure imprévue,* 1768 (T). – *Les Sabots,* 1768 (T). – *Le Déserteur* (opéra-comique, musique de Monsigny), 1769 (T). – *Bagatelle,* 1770 (P). – *Le Magnifique* (opéra-comique, musique de Grétry), 1773 (T). – *Les Femmes vengées* (opéra-comique, musique de Philidor), 1775 (T). – *Félix ou l'Enfant trouvé* (opéra-comique, musique de Monsigny), 1777 (T). – *Aucassin et Nicolette* (opéra-comique, musique de Grétry), 1781 (T). – *Maillard ou Paris sauvé* (drame historique), 1782 (T). – *Richard Cœur de Lion* (opéra-comique, musique de Grétry), 1786 (T). – *Discours de réception à l'Académie française,* 1786. – *Amphytrion* (opéra-comique, musique de Grétry), 1788 (T). – *Raymond V, comte de Toulouse* (drame historique), 1789 (T). – *Raoul Barbe-Bleue* (opéra-comique, musique de Grétry), 1791 (T). – *Guillaume Tell* (opéra-comique, musique de Grétry), 1793 (T). – *Œuvres choisies,* posth., 1813.

Le Philosophe sans le savoir

M. Vanderk, noble de naissance, a dû, pour faire face à des revers de fortune, se résoudre à entrer dans le commerce. À force de travail et grâce à sa probité, il y a brillamment réussi, et il est fier de cette condition de négociant. Son fils, qui est officier, est à la veille de se battre en duel, à la suite d'une « affaire d'honneur », un de ses camarades ayant publiquement exprimé son mépris pour la condition de négociant. Or, cet incident se produit au moment même où M. Vanderk marie sa fille Sophie. Le drame va donc naître du conflit entre la morale sociale du négociant (c'est lui, le vrai « philosophe », même s'il ne le sait pas) et le préjugé de caste dont son fils est victime. S. met alors en œuvre un suspens dramatique qui entretient l'incertitude angoissée des personnages – et du spectateur – sur l'issue de cette situation, tout en introduisant, dans le cours de l'action, des scènes de détente, grâce à l'intervention de personnages ridicules. Un faux dénouement – un domestique a cru voir Vanderk fils tué – rend encore plus saisissant le coup de théâtre final, grâce auquel les adversaires se réconcilient : réconciliation scellée par la présence côte à côte des deux familles, celle de l'offensé et celle de l'offenseur, au repas de noce de Sophie Vanderk.

SEGALEN Victor Ambroise Désiré. Brest 14.1.1878 – Huelgoat (Finistère) 21.5.1919. Médecin de la marine, il voyagea beaucoup, surtout en Chine, où il connut Claudel, fit deux importantes expéditions vers le Tibet et les plateaux centraux, et revint en France après avoir été réformé pour mauvaise santé en 1917. Ses œuvres, dont une partie ne fut connue qu'après sa mort, tentent de dégager l'essence de cette expérience exotique. On retiendra surtout *les Immémoriaux* (souvenirs de Tahiti, son premier poste), *Stèles,* poèmes suivis de *Peintures,* et *Équipée* (récit de son expédition chinoise de 1914). Son lyrisme pur et froid ne facilite pas l'accès d'une œuvre pourtant attachante, qui semble, avec le recul du temps, imposer progressivement son originalité, grâce, en particulier, à l'étude pénétrante de P. J. Jouve (éd. de 1955 de l'*Œuvre poétique*).

Œuvres. *L'Observation médicale chez les écrivains naturalistes,* 1902 (E). – *Les Synesthésies et l'école symboliste,* 1902 (E). – *Les Cliniciens ès lettres,* 1902 (E). – Sous le pseudonyme de MAX ANÉLY : *les Immémoriaux,* 1907, rééd. 1985 (N). – *Dans un monde sonore* (nouvelle), 1907. – *Stèles,* 1912 (P). – *Peintures* (proses poétiques), 1916. – *Orphée-Roi* (projet d'opéra), posth., 1921. – *René Leys,* posth., 1922 (N). – Avec Gilbert de Voisins et Jean Lartigue, *Mission archéologique en Chine,* posth., 1923-1924. – *Odes,* posth., 1926 (P). – *Équipée. De Pékin aux marches thibétaines,* posth., 1929 (N). – *L'Art funéraire à l'époque des Han,* posth., 1935. – *Œuvre poétique* (préf. de P. J. Jouve), posth., 1955. – *Thibet,* posth., 1958. – Avec Claude Debussy, *Correspondance. Entretiens,* posth., 1962. – *Trahison fidèle* (correspondance avec Henry Manceron), posth., 1985.

SEGRAIS, Jean Regnauld ou Renaud de. Caen 22.8.1624 – 25.3.1701. Après de bonnes études au collège des jésuites de sa ville, il servit le comte de Fiesque, puis fut secrétaire des commandements de Mlle de Montpensier. Plus tard, après avoir essuyé bien des déceptions, il trouva en Mme de La Fayette la meilleure des protectrices et des amies. Ses *Poésies diverses* contiennent les *Églogues* et *Athis,* qui connurent un franc succès jusqu'à la fin du XVIIIe s. *Bérénice,* qui influencera Racine, et les *Nouvelles françaises* marquent un effort louable pour ramener le roman à plus d'exactitude historique et à plus de réalisme dans la peinture du sentiment. Acad. fr. 1662.

Œuvres. *La Mort d'Hippolyte,* s. d. (T). – *Bérénice,* 1648 (N). – *Athis,* 1653 (P). – *Les Nouvelles françaises ou Divertissement de la princesse Aurélie,* 1656-1657 (N). – *Poésies diverses,* 1658 (P). – *Le Tolédan ou Histoire romanesque de don Juan d'Autriche,* 1659 (N). – Avec Mlle de Montpensier, *Relation de l'île imaginaire,* 1659 (N). – Avec Mlle de Montpensier, *la Princesse de Paphlagonie,* 1659 (N). – *L'Énéide* (trad. de Virgile, en vers), 1668-1681 (P). – *L'Amour guéri par le temps,* 1701 (T). – *Les Géorgiques* (trad. en vers), posth., 1711 (P). – *Poésies diverses* (nouv. éd., contenant *les Églogues*), posth., 1723 (P).

SÉGUR, Sofija Fedorovna Rostopchina, comtesse Sophie de. Saint-Pétersbourg 19.7.1799 – Paris 31.1.1874. Fille du comte Rostopchine, gouverneur de Moscou lors de l'incendie de cette ville (1812), elle vint en France à dix-huit ans et se maria en 1819. Retirée dans l'Orne, elle écrivit pour ses petits-enfants des « compositions nigaudes » qui firent le tour du monde. Bien que le style ait vieilli, l'imagination de la conteuse exerce toujours ses prestiges : la vision « paternaliste » de la France du second Empire par la classe dominante accroît pour nous l'intérêt de ces romans, également remarquables par la richesse, récemment mise en lumière, de leurs implications psychanalytiques.

Œuvres. *La Santé des enfants,* 1857. – *Nouveaux Contes de fées pour les petits enfants,* 1857 (N). – *Les Petites Filles modèles,* 1858 (N). – *Livre de messe des petits enfants,* 1858. – *Les Vacances,* 1859 (N). – *Mémoires d'un âne,* 1860 (N). – *La Sœur de Gribouille,* 1861 (N). – *Pauvre Blaise,* 1862 (N). – *Les Deux Nigauds,* 1862 (N). – *Les Bons Enfants,* 1862 (N). – *L'Auberge de l'Ange-Gardien,* 1863 (N). – *Les Malheurs de Sophie,* 1864 (N). – *François le Bossu,* 1864 (N). – *Le Général Dourakine,* 1864 (N). – *Évangile d'une grand-mère,* 1865. – *Jean qui grogne et Jean qui rit,* 1865 (N). – *Un bon petit diable,* 1865 (N). – *Comédies et Proverbes,* 1865. – *Diloy le Chemineau,* 1870 (N). – *Après la pluie le beau temps,* 1871 (N). – *La Fortune de Gaspard,* 1871 (N). – *Le Mauvais Génie,* 1871 (N).

SÉJOUR Victor. Écrivain louisianais d'expression française. (Voir NÉGRO-AFRICAINE [LITTÉRATURE].)

SEMBÈNE Ousmane. Ziguinchor (Sénégal) 1.1.1923. Romancier sénégalais. Ce fils de pêcheurs s'inscrit très jeune à l'école de céramique de Marsassoum (Mali). Rentré à Dakar, il exerce plusieurs métiers. Pendant la guerre, il se bat en Italie, en Allemagne ; il se retrouve docker à Marseille, à la Libération. Voilà une carrière qui jure avec celle des écrivains africains, qui, pour la plupart, sont de distingués universitaires. La vie rude des dockers de Marseille ouvre les yeux de S. sur les problèmes sociaux, sur ceux de la colonisation. Il s'engage dans la littérature militante.
Ses œuvres, romans et nouvelles, attestent toutes ce militantisme politique. Cet écrivain combattait le colonialisme, comme, aujourd'hui, il combat les régimes africains nés de l'indépendance. À des degrés divers,

tous lui paraissent attenter à la liberté du peuple, dont il décrit la lutte pour l'émancipation. Il n'ignore cependant aucun des problèmes auxquels l'Afrique se heurte dans la voie de la modernisation. *Ô pays, mon beau peuple* rend compte du heurt de cette jeunesse éclairée, soucieuse de progrès, avec les anciens, incapables d'imaginer une autre forme de vie que celle qu'ont léguée les Ancêtres. S. montre avec un bonheur certain comment les préjugés des traditionalistes et ceux des coloniaux se conjuguent pour bloquer tout progrès.
Son chef-d'œuvre cependant se trouve être *les Bouts de bois de Dieu,* où l'action est centrée sur la grève des chemins de fer de 1947 : S. y fait éclater l'action romanesque, approfondit singulièrement la psychologie de ses personnages et donne de la vie africaine une peinture à la fois réaliste et symbolique. Dans toutes les œuvres de S., l'individu apparaît presque toujours comme croulant sous le poids de traditions désuètes ou simplement écrasé par un régime politique : S., militant marxisant, est cependant plus préoccupé de solutions d'ensemble que de problèmes individuels ; il veut retenir l'attention plus par son réalisme social que par le souci d'un quelconque perfectionnement moral. Outre cet aspect de son œuvre, on peut aussi expliquer certaines insuffisances par son obstination à voir le monde « en noir et blanc », à créer un univers manichéen sans nuance aucune.
L'œuvre de S., qui comprend des romans de mœurs, des romans sociaux, des romans politiques, des nouvelles d'inspiration diverse, frappe au total par sa variété d'atmosphère et de ton, tandis que son unité est dans la volonté de l'écrivain de prolonger la tradition de l'engagement politique de la littérature, non par jeu, mais par conviction. À partir de 1963, S. s'est lancé dans la carrière de réalisateur de cinéma et y a fort bien réussi.

Œuvres. *Le Docker noir,* 1956 (N). – *Ô pays, mon beau peuple,* 1957 (N). – *Les Bouts de bois de Dieu,* 1960 (N). – *La Noire de...,* 1962 (adapt. cinématographique 1966) [N]. – *Voltaïque,* 1962 (N). – *Borom Sarret* (film), 1963. – *L'Harmattan,* 1964 (N). – *Niaye* (film), 1964. – *Vehi Ciosane,* 1966 (adapt. cinématographique sous le titre : *le Mandat,* 1969) [N]. – *Mandabi* (film), 1968. – *Taaw* (film), 1971. – *Emitai* (film), 1971. – *Xala,* 1974 (adapt. cinématographique 1975) [N]. – *Fat Ndiay Diop,* 1976 (N). – *Ceddo* (film), 1977. – *Dernier de l'Empire,* 2 vol., 1979-1982 (N).

SENANCOUR Étienne Pivert de. Paris 5 ou 6.11.1770 – Saint-Cloud 10.1.1846.
Destiné par sa famille à la prêtrise, il émigra en Suisse (1789), où la lecture de Rousseau et des romantiques allemands renforça sa tendance naturelle à la méditation ; un mariage malheureux, une santé faible firent de lui l'être mélancolique qui s'exprime dans *Obermann,* sorte de journal intime d'une âme romantique écrit sous forme de roman par lettres, avec peu d'action, mais de nombreuses méditations sur l'isolement, l'insatisfaction, les rapports de la nature et de l'âme. Ce livre, qui allait plus loin que *René* dans l'analyse du premier « mal du siècle », n'eut aucun succès à sa parution ; il reçut sa place dans l'histoire littéraire en 1833, lorsque Sainte-Beuve fit précéder sa réédition d'une intelligente préface. Et ce n'est qu'avec le recul du temps que S. apparaît comme le premier représentant d'un romantisme profond qui, en attendant Guérin ou Nerval, met au jour, dans *Obermann* (« l'homme des hauteurs »), les racines spirituelles de sa nostalgie. La mélancolie de S., en effet, n'est pas seulement sentimentale, mais métaphysique ; c'est une mélancolie qui se situe au-delà même du tragique de la condition humaine, un mal déjà « existentiel », consubstantiel à la conscience qu'en vivant l'homme prend de lui-même, une sorte de vocation inversée, aussi incurable qu'inéluctable. Déjà d'ailleurs en 1791, lorsque S. écrivait, à la manière de Rousseau, ses *Rêveries sur la nature primitive de l'homme* (publ. 1799), il faisait subir à la spiritualité rousseauiste une déviation pessimiste qui est à l'origine de la mélancolie d'*Obermann,* cet état d'une conscience déchirée par la dissociation définitive de l'existence et de la signification : à cet égard, *Obermann* apparaît bien comme la première œuvre « existentialiste » de notre littérature. Cette situation absurde de son être, S. la traduit dans un style musical et quasi magique dont le charme relève d'une sorte de sensualité verbale où peut seulement s'assouvir l'inquiétude de la sensibilité, tandis que le recours au sentiment de la nature, malgré sa douceur, ne fait qu'aiguiser la virulence de l'insatisfaction.

Œuvres. *Aldomen ou le Bonheur dans l'obscurité,* 1795 (N). – *Rêveries sur la nature primitive de l'homme,* 1799 (E). – *Obermann,* 1804 (N). – *De l'amour selon les lois primordiales et selon les convenances des sociétés modernes,* 1805 (E). – *Valombré,* 1807 (T). – *Simples Observations soumises au congrès de Vienne par un habitant des Vosges,* 1814 (E). – *Lettre d'un habitant des Vosges sur MM. Buonaparte, Chateaubriand, Grégoire, etc.,* 1814 (E). – *De Napoléon,* 1815 (E). – *Observa-*

tions critiques sur le « Génie du Christianisme », 1816 (E). – *Libres Méditations d'un solitaire inconnu sur le détachement du monde et sur d'autres objets de la morale religieuse,* 1819 (E). – *Vocabulaire de simple vérité,* 1821 (E). – *Résumé de l'histoire de la Chine,* 1824 (E). – *Résumé de l'histoire des traditions morales et religieuses chez tous les peuples,* 1825 (E). – *Résumé de l'histoire romaine,* 1827 (E). – *Isabella,* 1833 (N).

SENGHOR Léopold Sédar. Joal (Sénégal) 9.10.1906. Poète et homme d'État sénégalais. Fils d'un riche commerçant de la « petite côte », où l'on peut noter aujourd'hui encore les vestiges de la présence portugaise, S. a grandi au sein d'une famille nombreuse dont il a évoqué la « chaleur de poussins ». Il fait ses études à l'école de N'Gazobil et au collège Libermann des Pères du Saint-Esprit. Il s'était cru une vocation sacerdotale. Il passe à l'enseignement public. En 1928, il prépare l'École normale à Louis-le-Grand avec, comme condisciple, Georges Pompidou, qui devient bientôt son ami ; il obtient l'agrégation de grammaire en 1935 et enseigne à Tours, puis à Saint-Maur-des-Fossés. Ses premiers poèmes paraissent dans de nombreuses revues : ils seront repris dans *Chants d'ombre.* Depuis son passage à la Sorbonne, il a réussi à regrouper autour de Césaire, Damas et lui-même l'intelligentsia noire, pour lutter contre la politique d'assimilation et faire reconnaître la personnalité culturelle de l'Afrique. Il est l'un des théoriciens les plus brillants et les plus autorisés de la négritude.

Mobilisé pendant la guerre, il est fait prisonnier en 1940 ; il connaît pendant deux ans l'expérience des stalags. Il y compose ses poèmes de guerre pour dire la nostalgie de son pays, dont il chante la douceur de vivre. Il y dit sa grande commisération pour ses frères d'armes, les tirailleurs sénégalais : *Hosties noires,* qui regroupe ces poèmes, paraîtra en 1948. Ce recueil achèvera, après *Chants d'ombre,* d'asseoir la réputation de S., considéré comme l'un des poètes africains les plus doués. À la Libération, on lui confie une chaire de langues et civilisations africaines à l'École de la France d'outre-mer. Il siège aussi à l'Assemblée constituante. C'est surtout comme animateur du renouveau des cultures noires qu'il se signale à l'attention. Il publie en particulier une *Anthologie de la nouvelle poésie nègre et malgache de langue française,* depuis devenue classique, participe à de nombreux congrès culturels et préside à la création de la revue *Présence africaine,* qui regroupe l'élite intellectuelle africaine et française.

S. donne, en 1948, les *Chants pour Naëtt.* Ses activités politiques le ramènent bien souvent en Afrique. Il en visite de nombreux pays, parcourt la campagne sénégalaise, passe plus de temps avec les paysans, dont il chantera les vertus, que dans l'agitation des villes. Cependant ses responsabilités en Europe s'accroissent. Il prend part aux réunions de nombreuses organisations internationales. En 1955, il entre au gouvernement français, au sein duquel il lui reviendra souvent de faire entendre la voix de l'Afrique. L'année suivante, il assiste au Congrès des écrivains et artistes noirs et y définit l'esthétique négro-africaine. S., qu'aucune sujétion ne parvient à éloigner de la poésie, donne *Éthiopiques.* Le recueil est très bien accueilli par la critique, qui était comme restée sur sa faim depuis les premières publications. La vie de S. va désormais se partager encore plus nettement entre la politique et la défense et illustration de la négritude : c'est en qualité de ministre qu'il préside le IIe Congrès des écrivains et artistes noirs, tenu à Rome en 1959.

Le pôle de la politique africaine se déplace de Paris à l'Afrique. S. est élu président de l'Assemblée de l'éphémère fédération du Mali. De 1960 à 1980, il est président de la République du Sénégal. À ce poste, il contribue à la consolidation de l'unité et de l'indépendance de l'Afrique : il réussira à faire reconnaître à la culture africaine sa véritable place dans le monde ; il organise le Festival des arts nègres de Dakar en 1966 et, l'année suivante, accueille le Congrès des africanistes. Il fait partie des initiateurs du Festival panafricain de l'Organisation de l'unité africaine (Alger 1969). Il n'a pas pour autant interrompu sa production poétique. En 1961, il a publié *Nocturnes,* qui comprend *Chants pour Naëtt* et des élégies. De nombreuses pièces parues en revue témoignent que la veine poétique de S. reste encore particulièrement féconde.

En vérité, l'action politique et l'action poétique de S. attestent toutes deux, en lui, la même volonté patiente et triomphante de se dépasser dans la création. Le plus remarquable est cependant que, d'emblée, dès *Chants d'ombre,* S. témoigne d'une telle aisance dans l'exécution, d'une telle profondeur dans la pensée qu'il est difficile de retracer le chemin par lequel il a abouti à la pleine maîtrise de son art.

Les caractéristiques de cette poésie sont claires : S. est un classique. Il obéit à une sorte de fétichisme de la forme, de l'équilibre des parties. Il ne se laisse jamais aller au gré de sa fantaisie. Ses audaces sont parfaitement calculées et n'ont pour fin que de faire ressortir la perfection formelle de l'ensemble du poème. S. est aussi l'héritier de ce que la tradition africaine a de plus fécond. Très jeune, il a été initié à l'esprit et aux valeurs de cette tradition, il a été bercé aux accents de la poésie du terroir. La curiosité d'esprit et la volonté de donner à son œuvre un cachet authentiquement africain feront le reste. Il répète des motifs, scande des mesures, bouleverse les formes habituelles de la sensation de son lecteur. Il tonne et prie à la fois. Si l'on veut tenter – ce qui est certes difficile – une synthèse de cette poétique issue de la conjonction d'une personnalité exceptionnelle et d'une culture dont les deux sources, la française et l'africaine, se rejoignent en profondeur, il faut sans doute mettre l'accent sur sa double dimension, lyrique et métaphysique. Quant au lyrisme, outre la part qui revient à l'expression d'une sensibilité riche et subtile, il est d'essence rythmique et prophétique, ce qui se traduit par la technique de l'amplification métaphorique, le sens de la chorégraphie verbale et le recours à toutes les variations d'un verset à la Claudel ; quant à la dimension métaphysique, l'imagination cosmique que S. doit à Teilhard de Chardin se compose avec toute la complexité d'un symbolisme animiste proprement africain, mais élaboré en une vision concrète des forces intimes de l'homme et du monde. Classique de goût et de culture, S. déploie les formes d'un langage poétique rigoureux, jusqu'à en faire un univers qui, centré sur les richesses de la négritude, restitue, par l'ascèse poétique, un humanisme universel. C'est même cette passion de l'universel, intégrée à une égale passion de l'« africanité », qui explique l'engagement de S. au service de la « francophonie » et le lien entre cet engagement et l'approfondissement de la culture africaine. Parallèlement à son œuvre poétique, il a poursuivi une œuvre féconde de critique ; il n'est pas d'art ni de genre africain qui n'ait suscité de sa part des réflexions, attestant la profondeur de sa pensée, l'étendue de sa curiosité et son extrême sensibilité, comme en témoigne l'essai dont le titre est comme le condensé du plus profond de l'œuvre entière de S. : *Négritude et Humanisme.* Acad. fr. 1983.

Œuvres. *Chants d'ombre,* 1945 (P). – *Hosties noires,* 1948 (P). – *Anthologie de la nouvelle poésie nègre et malgache de langue française,* 1948, rééd 1969. – *Chants pour Naëtt,* 1949 (P). – *Éthiopiques,* 1956 (P). – *Nocturnes,* 1961 (P). – *Pierre Teilhard de Chardin et la politique africaine,* 1962 (E). – *Poèmes* (recueil), 1964 (P). – *Négritude et Latinité,* 1964 (E). – *Négritude et Humanisme,* 3 vol., 1964 (E). – *Chaka* (poème dramatique), 1968 (P). – Avec A. Césaire, J. Rabemananjara, *Premiers Jalons pour une politique de culture,* 1968 (E). – *Élégie des alizés,* 1969 (P). – *Liberté II : Nation et Voie africaine du socialisme,* 1971 (E) – *La Parole chez Paul Claudel et les Négro-Africains,* 1973 (E). – *Lettres d'hivernage,* 1973 (P). – *Pour une relecture africaine de Marx et d'Engels,* 1976 (E). – *Liberté I : Négritude et Civilisation de l'universel,* 1977 (E). – Avec J.-P. Sartre, *Orphée noir,* 1977. – *Élégies majeures* (P), avec : *Dialogues sur la poésie francophone,* 1979 (E). – *Liberté III : la Poésie de l'action, dialogue,* 1980 (E). – *Liberté IV : Socialisme et planification,* 1983 (E). – *Poèmes,* 1984 (P).

Hosties noires

Réunion des poèmes de guerre, miraculeusement sauvés de la tourmente et rapportés de la captivité. Le poète y célèbre, par le cérémonial de l'organisation verbale, le sacrifice de ses compatriotes, avec, en contrepoint, une autre célébration, celle des grandes figures allégoriques de la vie : d'une part, la splendeur majestueuse de la femme ; d'autre part, la symbolique exaltante des masques. Il s'y joint enfin la prière, pour les amis comme pour les adversaires, et la dénonciation des innombrables visages de la violence. L'unité de ces thèmes divers est dans le flux poétique inscrit dans la continuité croissante des rythmes et des images.

Éthiopiques

Le titre évoque la nostalgie de l'unité africaine, et le recueil est centré sur la passion de Chaka, incarnation simultanée du mythe du héros, de l'aspiration à l'amour et du tragique du destin africain. Aussi l'expression poétique revêt-elle ici, autour de ce personnage historique et légendaire, la forme plus organisée du poème dramatique, centre par rapport auquel prennent leur place les poèmes qui construisent une mythologie lyrique de la Mort et de la Vie (« Kaya Magan » ; « Épîtres à la princesse »).

SENNEVILLE. (Voir MÉNARD.)

SERMENTS DE STRASBOURG. Ce sont les textes qui scellèrent l'accord entre Charles le Chauve et Louis le Germanique, le 14 février 842. Les serments prononcés à cette occasion ont été écrits en « langue romane » pour Charles le Chauve et en « langue tudesque » pour Louis le Germanique. Les vassaux de chacun des deux rois prétèrent également un serment par lequel ils s'engageaient à ne plus suivre leur suzerain respectif si celui-ci manquait à sa promesse. Les *Serments de Strasbourg* constituent le premier écrit en langue française (*lingua romana) :* ils nous ont été transmis par Nithard, l'historien de Louis le Pieux, dans ses *Historiarum libri.*

SERMON [latin *sermo* = parole orale]. Discours religieux prononcé en chaire et destiné à expliquer la parole de Dieu en vue de susciter la mise en pratique de cette parole. La qualité de certains sermons, en particulier au XVIIe s., a permis l'instauration d'un véritable genre littéraire, l'éloquence sacrée. (Voir BOSSUET, BOURDALOUE, FLÉCHIER, LACORDAIRE, MASSILLON.)

SERRES Olivier de, seigneur de Pradel. Villeneuve-de-Berg (Ardèche) 1539 ? – Le Pradel 2.7.1619. D'une famille protestante, frère de l'historien Jean de Serres, O. de S. milite tout d'abord dans les rangs des calvinistes, où il joue un rôle important. Ce qui ne l'empêche pas de préconiser un rapprochement entre les catholiques et les protestants. À la vie militante il préfère cependant le « mesnage des champs » et, à partir de 1573, se retire dans sa propriété du Pradel, en Languedoc, qu'il entreprend de mettre en valeur. Il parvient à en faire une exploitation modèle, cultivant le maïs et le mûrier, effectuant d'importants travaux d'irrigation, vulgarisant la pomme de terre. Pour encourager la culture de la soie, et à la demande de Henri IV, il publie en 1599 un *Traité de la cueillette de la soye.* Mais son ouvrage essentiel est le *Théâtre d'agriculture,* paru en 1600, où O. de S. rassemble la somme des expériences qu'il a effectuées sur ses terres ; longtemps, le *Théâtre d'agriculture* restera comme une bible champêtre. O. de S. est intervenu à un moment capital de l'économie française, quand, à la suite des guerres civiles, celle-ci avait besoin d'être reprise en main. Cette reconstruction radicale permit aussi aux idées nouvelles en matière d'agriculture de s'imposer contre les méthodes rétrogrades du Moyen Âge. Implicitement se dégage de l'œuvre d'O. de S. un éloge de la vie naturelle : la joie de vivre au contact de la terre s'y manifeste à chaque instant.

Œuvres. *Traité de la cueillette de la soye par la nourriture des vers qui la font,* 1599 (E). – *Théâtre d'agriculture et mesnage des champs,* 1600 (E). – *La Seconde Richesse du mûrier blanc,* 1603 (E).

SÉVIGNÉ, Marie de Rabutin-Chantal, marquise de. Paris 5.2.1626 – château de Grignan 16.4.1696. Petite-fille de sainte Jeanne de Chantal, la fondatrice de l'ordre religieux de la Visitation, orpheline de père dès l'âge de sept ans, elle sera élevée avec beaucoup de soin par sa famille maternelle – ses grands-parents et l'aîné de ses oncles, Philippe de Coulanges. Elle vit tantôt à Paris, tantôt dans le domaine des Coulanges, à Sucy-en-Brie. On lui enseigne le français, l'italien, l'espagnol et le latin, et aussi les arts d'agrément – danse, chant, déclamation. Elle a pour maîtres Chapelain et, plus tard, le spirituel Ménage, qui en est amoureux, comme d'ailleurs ses jeunes oncles et son cousin Bussy-Rabutin. En 1644, elle épouse le baron Henri de Sévigné, gentilhomme breton et seigneur des Rochers, qui n'est marquis que par « courtoisie ». Mauvais mari, volage et prodigue, il est tué en duel en 1651. Sa femme se retrouve veuve à vingt-cinq ans, avec deux enfants, Marguerite-Françoise et Charles, et une fortune très compromise. L'oncle Christophe de Coulanges, le « Bien-Bon », l'aidera à rétablir ses affaires. Par économie, elle se retire d'abord en son château des Rochers, près de Vitré, puis revient à Paris en 1652 et retrouve la vie de société et ses amis, les Turenne, Fouquet, Ménage, Bussy. Reçue à la cour, elle fréquente aussi les salons précieux, ceux de Mlle de Scudéry et de Mme de La Fayette, sa parente et amie, et l'hôtel de Rambouillet. Elle ne se remariera pas, préférant se vouer, en mère attentive, à l'éducation de ses enfants : son fils recevra une solide culture classique, tandis qu'elle se charge elle-même de l'instruction de sa fille, sur qui elle reporte une tendresse un peu trop possessive et inquiète. Françoise, « la plus jolie fille de France » au dire de Bussy, épousera en 1669 le comte de Grignan et devra suivre son mari, nommé lieutenant général de Provence, au château de Grignan, près de Montélimar. La séparation sera déchirante pour Mme de S. Elle partage son temps entre les mondanités de Paris et de la Cour – l'hôtel Carnavalet sera sa résidence parisienne de 1677 à sa mort – et la campagne, qu'elle aime et où elle s'enterre durant des mois, « affamée de jeûne et de silence ». Aux divertissements parisiens et à ceux de Versailles succèdent les plaisirs et les réalités champêtres, dans « l'aimable liberté » de son château des Rochers à Livry, ou les agréments des cures à Vichy et à Bourbon-l'Archambault et les retrouvailles avec sa fille à Grignan, à moins que la jeune comtesse ne vienne rejoindre sa mère à Paris. Bien que les réunions soient fréquentes, cette mère passionnée comble par une correspondance abondante le vide insupportable de l'absence. Elle relate à sa fille tous les menus incidents et événements de sa vie parisienne et provinciale, ceux de la société et de la Cour. Sur les quelque mille cinq cents lettres écrites par Mme de S., près de huit cents sont adressées à Mme de Grignan, les autres se répartissant entre son cousin Bussy-Rabutin, auquel elle reste fidèle malgré des brouilles passagères, Mme de La Fayette, le comte de Grignan, Coulanges – son cousin germain –, Pomponne – un janséniste, ministre et ami –, l'abbé Ménage – le guide littéraire de sa jeunesse –, des voisins, son fermier, etc. En 1696, Mme de S. s'éteindra au château de Grignan, où elle est venue soigner sa fille malade avec un inlassable dévouement. Elle est enterrée à Grignan, mais sa sépulture sera violée en 1793, pendant la Révolution. Épistolière sans égale, d'une étonnante jeunesse d'esprit et de cœur, expansive et enjouée, elle laisse paraître une sensibilité naturelle, vive et volontiers romanesque, en même temps qu'un solide bon sens et une intelligence lucide, et donne à force de talent l'impression d'une parfaite spontanéité. Qu'elle parle d'elle-même, d'autrui ou d'un événement quelconque, ses lettres sont révélatrices d'une parfaite indépendance d'esprit et d'une nature profondément originale. Chez elle, la disponibilité intellectuelle s'accompagne d'une curiosité réceptive toujours en éveil. Elle fait participer ses correspondants à la vie politique, mondaine et littéraire du temps. Il n'est pas de fait historique marquant qui ne soit évoqué – procès de Fouquet (là encore, Mme de S. manifeste envers le surintendant la même loyale amitié que pour son cousin Bussy, toujours « mal en cour »), passage du Rhin, mort de Turenne, affaire des poisons... Sa chronique de l'actualité se fait l'écho non seulement des guerres de Louis XIV et des potins de la Cour, mais de sa vie mondaine : elle va « en Bourdaloue » ou assiste à des spectacles, s'intéresse aux lettres, aux écrivains, fait part de ses lectures et de ses jugements littéraires. Elle s'épanche, s'analyse, ou idolâtre sa fille. Rien n'est banal chez elle, son imagination s'empare avec vivacité de ce qui la frappe, elle écrit à bride abattue, dans un style parlé et senti, hardi et savoureux, avec un vocabulaire dru et familier et des irrégularités grammaticales qui ne sont pas le moindre charme de ces lettres marquées par une allure « à sauts et à gambades ». Son bonheur d'écrire, de plaire et de surprendre donne à la lecture de ses lettres une vie et un agrément particuliers, auxquels s'ajoute le plaisir de découvrir une femme qui, « par son aisance et ses grâces naturelles, la douceur de son esprit, en donnait par sa conversation à qui n'en avait pas... » (Saint-Simon).

Œuvres. *Lettres de Mme de Sévigné, 1646-1696* (2 vol., posth., 1726 ; 4 vol., posth., 1754 ; 10 vol., posth., 1817-1819 ; 14 vol., posth., 1862-1864 ; édition complète, 3 vol., posth., établie par R. Duchêne, 1973-1978).

SIBILET. (Voir SÉBILLET.)

SIMENON Georges Joseph Christian. Liège 13.2.1903. Romancier belge d'expression française. Après une éducation classique, il se fit journaliste dans sa ville natale et très tôt publia son premier roman, *Au pont des Arches ;* il continua à écrire d'abord sous divers pseudonymes (dont celui de GEORGES SIM), puis en signant ses œuvres de son propre nom. Sa production deviendra, à partir des années 30, régulière et abondante, et, en 1969, *Il y a encore des noisetiers* portera en sous-titre : « le 200e Simenon » ! Phénomène peut-être unique dans l'histoire des lettres : une œuvre qui, tout au long d'un demi-siècle, a réussi le tour de force d'une production aussi exceptionnelle quantitativement que qualitativement. Qu'ils soient proprement policier, ou d'inspiration naturaliste, les romans de S. utilisent des techniques éprouvées pour produire un univers dont les paysages et les personnages imposent leur présence sans cesse renouvelée selon les lois d'une cohérence psychologique, sociologique et narrative d'une exemplaire rigueur. L'un des secrets de S. est sans doute dans la multiplicité des lieux où il situe ses romans, car, dans une œuvre où les décors, plus suggérés que décrits, acquièrent une dimension quasi mythologique, le pouvoir d'envoûtement qu'ils exercent sur les personnages et sur le lecteur (et peut-être aussi sur l'auteur) s'en trouve considérablement amplifié. Le célèbre Maigret lui-même, si sédentaire de tempérament et dont le rêve est de s'installer à demeure, après sa retraite, dans sa petite maison de Meung-sur-Loire, doit l'essentiel de sa présence romanesque à ses déplacements : la multiplicité des lieux devient alors le révélateur de la multiplicité des milieux et des êtres, de la multiplicité même des mystères humains. Et c'est bien pourquoi Maigret ne peut agir efficacement qu'après avoir assimilé ces atmosphères dont la respiration conditionne l'accès à la clé du mystère. Ainsi, dans ses romans « policiers », S. va très au-delà de la simple mise en œuvre des lois ordinaires du genre, tout en les respectant scrupuleusement. Son réalisme est un réalisme symbolique, comme est aussi symbolique le canevas policier ; et la banalité délibérée du style, réduit à une pure technique de transcription, confère à ce symbolisme toute son efficacité : ce monde est le monde du tragique quotidien, le tragique de la solitude et du malentendu, le tragique de la faute qui fait de l'homme un excommunié. Si Maigret est un enquêteur et non un juge, s'il peut tenter de reconstituer, de l'intérieur, l'enchaînement des mobiles d'un être isolé par son acte, c'est que, par son effort d'assimilation de ce qui constitue cet être, en lui-même et dans son environnement, il retrouve les structures inéluctables d'un destin. Mais ce tragique est d'autre part solidaire d'une poésie qui à la fois l'exprime et l'exorcise – poésie des villes et des banlieues, poésie de la brume ou de la pluie, poésie des lieux étranges et insolites. La synthèse et le contrepoint des différents éléments constitutifs de l'univers de S., outre qu'ils engendrent une étonnante efficacité romanesque, fondent aussi l'originalité d'une œuvre proprement inclassable et irréductible à tout autre modèle qu'elle-même. S. est membre de l'Académie royale belge de langue et de littérature françaises.

Œuvres. *Au pont des Arches,* 1920 (N). – *M. Gallet décédé,* 1931 (N). – *Le Charretier de la providence,* 1931 (N). – *La Nuit du carrefour,* 1932 (N). – *Le Port des brumes,* 1932 (N). – *Le Locataire,* 1932 (N). – *Les Fiançailles de M. Hire,* 1933 (N). – *Le Coup de lune,* 1933 (N). – *Maigret,* 1934 (N). – *Les Suicidés,* 1934 (N). – *L'Homme de Londres,* 1934 (N). – *Quartier nègre,* 1935 (N). – *Le Chien jaune,* 1936 (N). – *Les Demoiselles de Concarneau,* 1936 (N). – *L'Assassin,* 1937 (N). – *Le Testament Donadieu,* 1937 (N). – *La Marie du port,* 1938 (N). – *La Mauvaise Étoile,* 1938 (N). – *L'Homme qui regardait passer les trains,* 1938 (N). – *Les Rescapés du « Télémaque »,* 1938 (N). – *Chemin sans issue,* 1938 (N). – *Le Cheval blanc,* 1938 (N). – *Monsieur la Souris,* 1938 (N). – *Les Sœurs Lacroix,* 1938 (N). – *Les Trois Crimes de mes amis,* 1938 (N). – *Le Coup de vague,* 1939 (N). – *Les Inconnus dans la maison,* 1940 (N). – *Malempin,* 1940 (N). – *Le Voyageur de la Toussaint,* 1941 (N). – *L'oncle Charles s'est enfermé,* 1942 (N). – *Le Fils Cardinaud,* 1943 (N). – *Maigret revient,* 1943 (N). – *Le Rapport du gendarme,* 1944 (N). – *L'Aîné des Ferchaux,* 1945 (N). – *La Fenêtre des Rouet,* 1946 (N). – *Trois Chambres à Manhattan,* 1946 (N). – *Je me souviens,* 1946. – *Les Noces de Poitiers,* 1946 (N). – *Maigret à New York,* 1947 (N). – *Les Vacances de Maigret,* 1948 (N). – *Maigret et son mort,* 1948 (N). – *Pedigree,* 1948. – *La neige était sale,* 1948 (adapt. théâtrale, 1950) [N]. – *Mon ami Maigret,* 1949 (N). – *L'Amie de Mme Maigret,* 1950 (N). – *Maigret et la vieille dame,* 1950 (N). – *Maigret et la grande perche,* 1951 (N). – *Les Mémoires de Maigret,* 1951 (N). – *Un Noël de Maigret,* 1951 (N). – *Marie qui louche,* 1952 (N). – *Les Frères Rico,* 1952 (N). – *Maigret en meublé,* 1952 (N). – *Le Revolver de Maigret,* 1952 (N). – *Maigret a peur,* 1953 (N). – *Le Bateau d'Émile,* 1954 (adaptation cinématographique, 1961) [N]. – *Maigret à l'école,* 1954 (N). – *Sept Petites Croix dans un carnet,* 1954 (N). – *La Boule noire,* 1955 (N). – *Maigret chez le coroner,* 1955 (N). – *Maigret chez le ministre,* 1955 (N). – *L'Âne rouge,* 1956 (N). – *Les Gens d'en face,* 1956 (N). – *Un échec de Maigret,* 1956 (N). – *En cas de malheur,* 1956 (N). – *Le Petit Homme d'Arkhangelsk,* 1957 (N). – *L'Affaire Saint-Fiacre,* 1957 (adapt. cinématographique, 1959) [N]. – *Maigret s'amuse,* 1957 (N). – *Le Passager clandestin,* 1957 (N). – *Maigret tend un piège* (adapt. cinématographique), 1957. – *Le Nègre,* 1958 (N). – *Strip-tease,* 1958 (N). – *Les Scrupules de Maigret,* 1958 (N). – *Le Président,* 1958 (N). – *Maigret voyage,* 1958 (N). – *Le Roman de l'homme,* 1959 (N). – *Une confidence de Maigret,* 1959 (N). – *La Vieille,* 1959 (N). – *L'Ours en peluche,* 1960 (N). – *Maigret et les vieillards,* 1960 (N). – *La Mort de Belle* (adapt. cinématographique), 1960. – *Le Veuf,* 1960 (N). – *Le Train,* 1961 (N). – *Maigret et le voleur paresseux,* 1961 (N). – *Maigret et le clochard,* 1963 (N). – *Les Anneaux de Bicêtre,* 1963 (N). – *La Rue aux trois poussins,* 1963 (N). – *Antoine et Julie,* 1964 (N). – *Maigret se défend,* 1964 (N). – *La Chambre bleue,* 1964 (N). – *Le Petit Saint,* 1965 (N). – *Le Train de Venise,* 1965 (N). – *La Patience de Maigret,* 1965 (N). – *Le Fils,* 1966 (N). – *Le Voleur de Maigret,* 1967 (N). – *Quarante-Cinq Degrés à l'ombre,* 1967 (N). – *La Prison,* 1968 (N). – *Maigret hésite,* 1968 (N). – *Il y a encore des noisetiers,* 1969 (N). – *Maigret et le marchand de vin,* 1970 (N). – *Quand j'étais vieux,* 1972. – *Le Riche Homme,* 1973. – *Lettre à ma mère,* 1974. – *Tant que je suis vivant,* 1978. – *Je suis resté un enfant de chœur,* 1979. – *Au-delà de ma porte-fenêtre,* 1979. – *Romans de jeunesse,* rééd., 1980 (N). – *Mémoires intimes,* 1981.

SIMON Claude. Tananarive (Madagascar) 10.10.1913. L'œuvre de S. s'apparente à l'école dite du « nouveau roman », mais, dès *le Tricheur,* il a mis au point une méthode qui lui est propre, s'intéressant plus particulièrement à l'analyse de personnages en prise directe sur les fluctuations du temps, hésitant constamment entre la réalité du passé et celle du présent, à l'intersection desquelles interfère l'avenir. Mêlés inextricablement, les temps se court-circuitent, donnant à des personnages falots, pris dans des situations banales, l'épaisseur d'une existence qui ne tient qu'à la longueur de la phrase, laquelle évolue de manière à cerner, dans son développement, dans ses retours sur elle-même et ses répétitions, les moindres évolutions de la conscience tentant de récapituler la réalité de la réalité et ses aberrations dues à l'incertitude de la mémoire. Chacun de ses romans est une « tentative de reconstitution » du monde « tel quel », sans l'entremise d'un langage dont il faut pourtant se servir, tentative qui atteint sa pleine efficacité dans *la Route des Flandres.* Quant au *Palace* (1962) et à *Histoire* (prix Médicis 1967), ils cherchent moins, selon les propres termes de S., à « raconter une histoire qu'à décrire l'empreinte laissée par elle dans une mémoire et une sensibilité ». Nul artifice dans cette œuvre : un flux à la fois prolixe et maîtrisé produit dynamiquement par une phrase qui contourne et enveloppe – à la manière de Proust – la réalité mouvante, guettée avec une vigilante attention et parfois saisie. Prix Nobel 1985.

Œuvres. *Le Tricheur,* 1946 (N). – *La Corde raide,* 1947 (N). – *Gulliver,* 1952 (N). – *Le Sacre du printemps,* 1954 (N). – *Le Vent,* 1957 (N). – *L'Herbe,* 1958 (N). – *La Route des Flandres,* 1960 (N). – *Le Palace,* 1962 (N). – *La Séparation,* 1963 (N). – *Histoire,* 1967 (N). – *La Bataille de Pharsale,* 1969 (N). – *Orion aveugle,* 1970 (N). – *Les Corps conducteurs,* 1971 (N). – *Triptyque,* 1973 (N). – *Leçon de choses,* 1976 (N). – *Quatre Matriochkas,* 1977 (N). – Avec Colette Fredric, *l'Igloo des quatre enfants ennemis,* 1979 ; *Une souris dans la lune,* 1979 ; *le Voyage de Monsieur Chat,* 1979. – *Les Géorgiques,* 1981 (N). – *La Chevelure de Bérénice,* 1984 (N). – *L'Herbe,* 1984.

SIMON Pierre Henri. Saint-Fort-sur-Gironde 16.1.1903 – Paris 21.9.1972. Après son passage à l'École normale supérieure, S. publie son premier roman, *les Valentin,* dès 1931. Il poursuit ensuite une double carrière d'universitaire (universités catholiques de Lille, Gand et Fribourg) et d'écrivain engagé *(les Catholiques, la politique et l'argent ;* collaboration aux revues *la Vie intellectuelle* et *Esprit* et à l'hebdomadaire *Sept).* Après la guerre, tout en poursuivant une importante œuvre romanesque *(les Raisins verts ; Les hommes ne veulent pas mourir ; Histoire d'un bonheur),* S. s'est engagé dans une œuvre de critique littéraire qui cherche avant tout dans la littérature la révélation d'un témoignage sur les vocations essentielles de l'homme de toujours. Ainsi en est-il des études contenues dans son œuvre majeure : *Témoins de l'homme : la condition humaine dans la littérature contemporaine* (1951). Acad. fr. 1966.

Œuvres. *Les Valentin,* 1931 (N). – *Destin de la personne humaine,* 1935 (E). – *Les Catholiques, la politique et l'argent,* 1936 (E). – *Recours au poème,* 1943 (P). – *Chants du captif,* 1943 (P). – *La France à la recherche d'une conscience,* 1944 (E). – *L'Affût,* 1945 (N). – *Georges Duhamel,* 1947 (E). – *L'Homme en procès,* 1949 (E). – *Les Raisins verts,* 1950 (N). – *Procès du héros,* 1950 (E). – *Témoins de l'homme : la condition humaine dans la littérature contemporaine,* 1951 (E). – *Définitions pour servir l'amitié française,* 1951 (E). – *Celle qui est née un dimanche,* 1952 (N). – *Mauriac par lui-même,* 1953 (E). – *L'Esprit et l'histoire,* 1954 (E). – *Elsinfor,* 1956 (N). – *Les Regrets et les Jours* (vers et prose), 1956 (P). – *Histoire de la littérature française au XXe siècle,* 1956 (E). – *Contre la torture,* 1957 (E). – *La France a la fièvre,* 1958 (E). – *Portrait d'un officier,* 1958 (N). – *Théâtre et destin,* 1959 (E). – *L'École entre l'Église et la République,* 1959 (E). – *Figures à Cordouan* (1, *le Somnambule,* 1960) [N]. – *Le Sort d'un monde,* 1960 (N). – *Présence de Camus,* 1961 (E). – *Le Jardin et la ville,* 1962 (E). – *Le Domaine héroïque des lettres françaises,* 1963 (E). – *Les hommes ne veulent pas mourir,* 1964 (N). – *Figures à Cordouan* (2, *Histoire d'un bonheur,* 1965) [N]. – *Ce que je crois,* 1966 (E). – *Pour un garçon de vingt ans,* 1967 (E). – *Discours de réception à l'Académie française,* 1968. – *Questions aux savants,* 1969 (E). – *Figures à Cordouan* (3, *la Sagesse du soir,* 1971) [N]. – *Parler pour l'homme,* posth., 1973 (E).

SIRVENTÈS. Genre poétique médiéval occitan. Probablement, à l'origine, pièce de vers composée par un vassal qui se serait chargé de « servir », aussi bien par les mots que par les armes, le suzerain auquel il était attaché. Les troubadours en ont fait un poème de combat, le plus souvent satirique et orienté vers l'invective. Il s'oppose donc par là à la *canzo,* poème d'amour.

SOLLERS Philippe, Philippe Joyaux, dit. Talence (Gironde) 28.11.1936. Il a fait très jeune de brillants débuts littéraires et, en 1959, a suscité l'enthousiasme d'Aragon et de Mauriac avec *Une curieuse solitude.* De 1960 à 1982, S. anime le groupe *Tel Quel* et la revue du même nom : ce groupe s'efforce de fonder une théorie du jeu littéraire et de l'écriture et d'étudier le mode de production des textes : « Une théorie d'ensemble pensée à partir de la pratique de l'écriture demande à être élaborée », « théorie d'ensemble » marquée par les influences structuraliste et marxiste. Mais progressivement, à partir de 1970 jusqu'à la dissolution du groupe *Tel Quel,* l'évolution personnelle de S. se précipite. Le premier tournant est pris en 1972 avec *Lois,* sorte de combinaison de roman et d'essai où s'ouvrent des perspectives philosophiques ; celles-ci s'affirmeront ultérieurement et déboucheront sur une forme quasi métaphysique d'humour dans *H.*, et dans *Paradis,* œuvres qui éclairent aussi quelque peu l'énigme déjà sensible, dès 1965, dans *Drame,* où sont posés les problèmes de « l'énonciation », de l'équivoque du « sujet » et des ambiguïtés de la rhétorique. De même, en 1968, dans *Logiques,* S. scrute, comme plus tard un autre membre du groupe *Tel Quel,* Jacqueline Risset, le problème posé par « Dante et la traversée de l'écriture » : en 1981 le titre *Paradis* contient une évidente allusion à *La Divine Comédie.* Désormais, la question est bien celle de savoir ce qui peut se découvrir au-delà de la « traversée de l'écriture » ; S. se référant, implicitement ou explicitement, aux expériences de Proust et plus encore de Joyce, interrogeant aussi la Bible et les diverses expressions littéraires du Sacré, élargit son propos jusqu'à expérimenter la synthèse des formes : narration et lyrisme, rhétorique et épopée, humour et parodie tendent à fonctionner selon un contrepoint commandé par la différenciation des diverses « strates » d'un « sujet » à la fois aboli et reconstitué dans ses multiples variations. À partir de là, comme en témoignent *Femmes* et *Portrait du joueur,* S. tente de retrouver une « lisibilité » qui, sous les apparences peut-être trompeuses d'un retour en arrière, peut aussi apparaître comme le point de départ d'une nouvelle évolution. Depuis la disparition de *Tel Quel,* S. a fondé une nouvelle revue, *l'Infini.*

Œuvres. *Une curieuse solitude,* 1959, rééd. 1985 (N). – *Le Parc,* 1961 (N). – *L'Intermédiaire,* 1963 (N). – *Drame,* 1965 (N). – *Logiques,* 1968 (E). – *Nombres,* 1968 (N). – *Entretiens avec Francis Ponge,* 1970 (E). – *L'Écriture et l'expérience des limites,* 1971 (E). – *Lois,* 1972 (N). – *H,* 1973 (N). – *Sur le matérialisme,* 1974 (E). – Avec Maurice Clavel, *Délivrance,* 1977 (E). – *Paradis,* 1981 (N). – *Femmes,* 1983, rééd. 1985 (N). – *Portrait du joueur* (récit autobiographique), 1984 (N).

SOMME. On désigne par ce terme un ouvrage qui traite, sous forme de synthèse organisée, toutes les parties d'une science ou d'une doctrine (*Somme théologique* de saint Thomas d'Aquin). S'écrit alors avec un « S » majuscule. Peut s'employer dans un sens plus large : une encyclopédie tend à faire une *somme* de toutes les connaissances, à une époque donnée.

SONNET [provençal *sonet* = petite chanson]. Pièce de poésie composée de deux quatrains (quatre vers) et deux tercets (trois vers), au total quatorze vers. Cultivé par Pétrarque en Italie, le sonnet fut probablement introduit en France par Mellin de Saint-Gelais. Les poètes de la Pléiade (Pontus de Tyard, du Bellay, Ronsard) le mirent à l'honneur. Il fut, au XVIIe s., l'objet d'un véritable engouement (« Un sonnet sans défaut vaut seul un long poème », [Boileau]). Délaissé par le XVIIIe s., il reparaît au XIXe chez les parnassiens (*les Trophées,* de J.-M. de Hérédia), ainsi que chez Baudelaire et Mallarmé, et au XXe s., entre autres, chez Valéry.

SORBON Robert de. Sorbon, près de Rethel, 1201 – Paris 1274. Il devint chanoine de Paris en 1258. R. de S. s'occupa alors tout particulièrement de la fondation d'un collège destiné à promouvoir l'enseignement de la théologie et à procurer un mode de vie convenable pour les étudiants. Il établit les statuts de la maison de manière que tous, sans distinction, puissent, dans la mesure du possible, bénéficier de cet enseignement : les *socii* (associés) s'occupaient de l'administration, les *hospites* (ou hôtes) et les *benificiarii* (étudiants pauvres) étudiaient. Le but de R. de S. était d'organiser une vie commune dont la devise était : *vivere socialiter et collegialiter et moraliter et scolaster.* Par cette façon d'envisager l'étude, celle-ci se trouvait tout naturellement imbriquée dans la vie de tous les jours. R. de S. a composé quatre traités religieux : *De conscientia,* qui traite de l'importance de la confession (naïvement, il compare le jugement de Dieu à l'examen universitaire) ; *De tribus datis,* où il examine les trois voies d'accès au paradis ; *De confessione,* sur la confession, et *De matrimonio,* sur le mariage. Le collège qui devint par la suite « la société de la Sorbonne » est naturellement son plus beau titre de gloire.

SOREL Charles, sieur de Souvigny. Paris 1602 – 7.3.1674. Fils d'un procureur, il fait ses études à Paris. Dès l'âge de quatorze ans, il compose un *Épithalame sur l'heureux mariage du Très Chrétien Roi de France Louis XIIIe du nom.* À dix-neuf ans, il publie son premier roman, pastoral et héroïque, l'*Histoire amoureuse de Cléagénor et de Doristée,* que Rotrou adaptera pour le théâtre en 1635. Secrétaire du comte de Cramail en 1621, puis du comte de Marcilly et, plus tard, du comte de Baradas, il obtient la charge d'historiographe de France (1635), titre qu'il conservera alors même que la pension qui y est attachée aura cessé de lui être versée (vers 1663). Des revers de fortune font de ce taciturne bourgeois de Paris, dont la vie est consacrée à l'étude et à la littérature, un écrivain besogneux qui subsiste dans les conditions matérielles les plus médiocres : il a alors pour fidèle ami le célèbre médecin Guy Patin (1601-1672). S., qui publie la plupart de ses œuvres – sauf celles qui ont trait à l'histoire ou à la philosophie – anonymement ou sous des pseudonymes, les a souvent reniées. Ses romans les plus significatifs seront des réactions contre les modes littéraires de l'époque – le roman pastoral et précieux et l'idéalisme quintessencié. *Le Palais d'Angélie* et les *Nouvelles françaises* marquent déjà son intention d'éviter le romanesque outré et de se rapprocher du réalisme. Avec *la Vraie Histoire comique de Francion,* S. écrit un roman authentiquement réaliste, dans lequel il fait valoir un esprit hardi et novateur, critique et rationaliste, de la générosité et un réel talent d'observation. Son héros, un jeune gentilhomme libertin, lutte contre les préjugés de différents groupes sociaux, décrits avec vérité et scepticisme, même si le propos de l'auteur est avant tout d'en souligner les traits comiques. Tableau de mœurs, critique de l'homme et de la société que S. dissimule sous des effets burlesques souvent appuyés, et également histoire à clef qui met en scène des contemporains, l'œuvre est marquée par l'influence du roman picaresque espagnol, du roman épique et des conteurs français. Mais S. est surtout l'auteur d'un « anti-roman », *le Berger extravagant,* où il parodie avec une ironie féroce les procédés du roman pastoral, avec l'intention évidente de dénoncer et de discréditer l'illusion romanesque. S. est enfin l'un des premiers « modernes », et sa *Relation extraordinaire venue du royaume de Cypre* ridiculise l'engouement littéraire pour la mythologie antique, tandis que *Polyandre* ne parvient pas à séduire un public que n'intéresse guère la médiocrité de la vie bourgeoise qu'on lui décrit. Sans négliger, pour vivre, le genre à la mode des bergeries *(l'Orphyse de Chrysante, histoire cyprienne),* S. compose des œuvres romanesques ou satiriques, précieuses ou antiprécieuses, parfois en mélangeant les genres *(la Vraie Suite des aventures de Polyxène ; la Maison des jeux ; le Parasite Mormon).* Remarquable critique littéraire, il donne, avec *la Bibliothèque française,* une excellente introduction à l'étude des écrivains de la première moitié du XVIIe s., cependant que *De la connaissance des bons livres* se rapporte plus particulièrement au genre romanesque. Dans la querelle du *Cid,* il prend fait et cause pour Corneille *(le Jugement sur « le Cid », composé par un bourgeois de Paris).* Philosophe spiritualiste, qui ne méconnaît pas la valeur de la raison, et moraliste, il compose, entre autres, *la Science universelle,* des *Pensées chrétiennes sur les commandements de Dieu,* un *Recueil de lettres morales et politiques, avec un discours du courtisan chrétien, ou les Moyens de vivre chrétiennement dans la Cour.* Auteur d'ouvrages historiques, il s'inspire d'une conception très moderne du métier d'historien : *Histoire de France ; Histoire de la monarchie française sous le règne de Louis XIV ; Divers Traités sur les droits et prérogatives des rois de France.*

Sa modestie et son anonymat volontaire ont empêché cet écrivain de premier plan d'occuper dans notre histoire littéraire la place qui lui revient, en particulier comme auteur du *Berger extravagant* et de *Francion,* injustice depuis heureusement réparée.

Œuvres. *Épithalame sur l'heureux mariage du Très Chrétien Roi de France Louis XIIIe du nom...,* 1616 (P). – *Les Vertus du roi,* 1616. – *Histoire amoureuse de Cléagénor et de Doristée,* 1621 (N). – *Le Palais d'Angélie,* 1622 (N). – Sous le pseudonyme de NICOLAS DE MOULINET, *Histoire comique de Francion, fléau des vicieux* (7 livres), 1622, réédité sous le titre : *la Vraie Histoire comique de Francion* (12 vol.), 1633 (N). – *Les Nouvelles françaises,* 1623 (N). – En collaboration, *Vers pour le ballet des Bacchanales,* 1623 (P). – *L'Orphyse de Chrysante, histoire cyprienne,* 1626, réédité sous le titre : *l'Ingratitude punie, où l'on voit les aventures d'Orphyse* (3 vol.), 1633 (N). – En collaboration, *Grand Bal de la duchesse douairière de Billebahaud,* 1626 (P). – *Le Berger extravagant,* 1627, réédité sous le titre : *l'Anti-roman ou l'Histoire du berger Lysis* (4 vol.), 1633-1634 (N). – *Avertissement sur l'histoire de la monarchie française, depuis Pharamond,* 1629, réédité sous le titre : *Histoire de France,* 1647 (E). – *La Vraie Suite des aventures de Polyxène,* 1634 (N). – *Rôle des présentations faites aux grands jours de l'éloquence française,* 1634 (E). – *Pensées chrétiennes sur les commandements de Dieu,* 1634 (E). – *La Science des choses corporelles,* 1634 (E). – *La Science des choses spirituelles,* 1637 (E). – *Le Jugement sur « le Cid », composé par un bourgeois de Paris,* 1637 (E). – *La Solitude et l'Amour philosophique de Cléomède,* 1640 (E). – *La Science universelle* (3 vol.), 1641 (E). – *Recueil de lettres morales et politiques, avec un discours du courtisan chrétien, ou les Moyens de vivre chrétiennement dans la Cour,* 1641 (E). – *La Maison des jeux,* 1642 (N). – *Relation extraordinaire venue du royaume de Cypre,* 1643 (N). – *Récit mémorable du siège de la ville de Pectus par le prince Rhuma,* 1643 (N). – *Polyandre* (histoire comique), 1648 (N). – *Traité du bien de la paix,* 1648 (E). – *Le Parasite Mormon* (histoire comique), 1650 (N). – *Discours sur l'Académie française,* 1654. – *La Flandre française,* 1658 (E). – *Description de l'île de la Portraiture,* 1659 (N). – *Relation de ce qui s'est passé au royaume de Sophie,* 1659 (N). – *Relation de ce qui s'est passé dans la nouvelle découverte du royaume de Frisquemore,* 1662 (N). – *Histoire de la monarchie française sous le règne de Louis XIV,* 1662 (N). – *Le Chemin de la fortune,* 1663 (E). – *La Bibliothèque française,* 1664 (E). – *La Science de l'histoire,* 1665 (E). – *Divers Traités sur les droits et prérogatives des rois de France,* 1666 (E). – *De la connaissance des bons livres,* 1671 (E). – *De la prudence,* 1673 (E). – *Histoire comique de Francion,* éd. établie par A. Adam, 1958.

Le Berger extravagant

Le héros, Louis, est le fils d'un marchand de soie de la rue Saint-Denis, à Paris. Il fait des études de droit, mais il les délaisse bientôt, fasciné qu'il est par la lecture des romans. Il prend un pseudonyme, Lysis, traduction romanesque de son nom, s'habille en berger, se procure quelques moutons et s'installe, pour mener sa nouvelle vie, au pied des coteaux de Saint-Cloud : cette nouvelle vie consiste à mimer ce qu'il a lu, en le prenant au pied de la lettre. Il y a là aussi de vrais paysans, qui ne comprennent rien au langage et aux manières du pseudo-Lysis et qui, la surprise du premier moment passée, décident de s'en amuser. On propose à Lysis de l'emmener en Forez sur les bords du Lignon (voir : URFÉ, *l'Astrée*) ; il s'y croit pour de bon alors qu'il est tout simplement... en Brie : les gens du coin ont été prévenus et entretiennent la mystification, jusqu'au jour où on lui dévoilera la supercherie. Redevenu Louis et bourgeois, il se mariera, comme il convient, très bourgeoisement.

SOTTIE ou SOTIE. Genre dramatique du XVe s. La sottie met en scène tout un peuple imaginaire, composé de sots et de fous, lesquels représentent, à travers leur comique symbolique, des personnages importants du monde réel. Ce subterfuge permet à l'auteur de faire passer toutes les audaces de sa satire sous une forme délibérément décousue, fantaisiste, où le calembour, le jargon, les incohérences ne manquent pas pour amuser le public. Les thèmes de la sottie relèvent essentiellement de la satire sociale et politique *(Sottie nouvelle de l'astrologue),* et même de la satire religieuse (*le Jeu du prince des Sots,* de P. Gringoire, qui s'attaque directement au pape Jules II). Le mot a été ressuscité au XXe s. par André Gide pour désigner un récit où la pensée se cache sous le masque du jeu *(les Caves du Vatican).*

SOULIÉ Frédéric. Foix 24.12.1800 – Bièvres (Essonne) 23.9.1847. Lié avec Casimir Delavigne et Alexandre Dumas, il obtint son premier succès théâtral à l'Odéon avec une traduction en vers de *Roméo et Juliette,* et *la Closerie des genêts* remporta un triomphe durable. Il fut également un romancier prolifique : après *les Deux cadavres,* il donna, entre autres, *les Mémoires du Diable,* restés célèbres par le déploiement d'une imagination étonnamment féconde.

Œuvres. *Amours françaises,* 1824 (P). – *Roméo et Juliette,* 1828 (T). – *Christine à Fontainebleau,* 1829 (T). – *Nobles et bourgeois,* 1830 (T). – *Une nuit du duc de Montfort,* 1830 (T). – *La Famille Lusigny,* 1831 (T). – *Le Port de Créteil,* 1832 (N). – *Clotilde,* 1832 (T). – *Les Deux Cadavres,* 1832 (N). – *L'Homme à la blouse,* 1833 (T). – *Le Roi de Sicile,* 1833 (T). – *Le Vicomte de Béziers,* 1834 (N). – *Une aventure sous Charles IX,* 1834 (T). – *Le Magnétiseur,* 1834 (N). – *Le Comte de Toulouse,* 1834 (N). – *Le Conseiller d'État,* 1835 (N). – *Les Deux Reines* (opéra-comique), 1835 (T). – *Deux Séjours, province et Paris,* 1836 (N). – *Les Mémoires du diable,* 1836 (N). – *L'Homme de lettres,*

1838 (N). – *Le Proscrit,* 1839 (T). – *Six Mois de correspondance,* 1839 (N). – *Le Maître d'école,* 1839 (N). – *Diane de Chivry,* 1839 (T). – *Le Fils de la folle,* 1839 (T). – *L'Ouvrier,* 1840 (T). – *Un rêve d'amour,* 1840 (N). – *La Lanterne magique, histoire de Napoléon racontée par deux soldats,* 1840 (N). – *La Chambrière,* 1840 (N). – *Diane et Louise,* 1840 (N). – *Confession générale* (6 vol.), 1840-1846 (N). – *Les Quatre Sœurs,* 1841 (N). – *Si jeunesse savait, si vieillesse pouvait* (6 vol.), 1841-1845 (N). – *Marguerite,* 1842 (N). – *Gaëtan il Mammone,* 1842 (T). – *Eulalie Pontois,* 1842 (N). – *Les Prétendus,* 1843 (N). – *Le Bananier,* 1843 (N). – *Maison de campagne à vendre,* 1843 (N). – *Le Château des Pyrénées,* 1843 (N). – *Le Château de Walstein,* 1843 (N). – *Au jour le jour,* 1844 (N). – *Les Amants de Murcie,* 1844 (T). – *Les Étudiants,* 1845 (T). – *Les Talismans* (féerie), 1845 (T). – *Les Drames inconnus* (9 vol.), 1846 (N). – *La Closerie des genêts,* 1846 (T). – *La Comtesse de Monrion* (4 vol.), 1846-1847 (N). – *Huit Jours au château,* 1847 (N). – *Saturnin Fichet,* 1847 (N). – *Hortense de Blengy,* posth., 1848 (T).

SOUMET Alexandre. Castelnaudary 8.2.1788 – Paris 30.3.1845. Il eut une carrière remplie d'honneurs et de succès ; contemporain et concurrent de Casimir Delavigne, il est à la fois le dernier des classiques, par sa façon « officielle » d'écrire, et l'annonciateur du romantisme, par sa contribution au renouveau spiritualiste. Considéré avec respect par ses cadets – notamment par Victor Hugo, dont il encouragea les débuts –, il donna l'essentiel de sa production en l'espace de dix ans. Acad. fr. 1824.

Œuvres. *L'Incrédulité,* 1810 (P). – *Mme de La Vallière ; Hymne à la Vierge,* 1811 (P). – *Les Embellissements de Paris,* 1812 (P). – *La Pauvre Fille,* 1814 (P). – *Les Scrupules littéraires de Mme de Staël,* 1814 (E). – *La Découverte de la vaccine,* 1815 (P). – *Oraison funèbre de Louis XVI,* 1817. – *Clytemnestre,* 1822 (T). – *Saül,* 1822 (T). – *Cléopâtre,* 1824 (T). – *La Guerre d'Espagne,* 1824 (P). – Avec Ancelot et Guiraud, *Pharamond,* opéra, 1825 (T). – *Ode à Pierre-Paul Riquet, baron de Bon-Repos, auteur du canal du Languedoc,* 1825 (P). – *Les Macchabées,* 1827 (T). – *Jeanne d'Arc,* 1827 (T). – *Élisabeth de France,* 1828 (T). – *Emilia,* 1829 (T). – Avec L. Belmontet, *Une fête de Néron,* 1830 (T). – *Norma,* 1831 (T). – *La Divine Épopée,* 1840 (P). – *Le Gladiateur,* 1841 (T). – *Jane Grey,* 1844 (T). – *David* (opéra), 1846 (T).

SOUPAULT Philippe. Chaville 2.8.1897. D'origine bourgeoise, il trouva dans le mouvement « dada » l'expression momentanée de sa révolte contre le milieu familial (il était le neveu du constructeur d'automobiles Louis Renault) ; la lecture de Lautréamont, contemporaine pour lui de sa rencontre avec Apollinaire et Reverdy, le prépara directement à collaborer avec Breton : ensemble, ils publièrent le premier texte strictement surréaliste, c'est-à-dire fondé sur l'utilisation de l'écriture automatique (*les Champs magnétique ;* [voir SURRÉALISME]). Mais, très vite, S. ressent le besoin d'évoluer seul, et son œuvre s'est bâtie à l'écart des écoles. Multiforme, elle comporte des poèmes, des romans mais surtout des essais, qui sont plus le fait d'un journaliste au contact permanent du réel que d'un érudit soucieux d'être exhaustif *(Histoire d'un Blanc ; Souvenirs de James Joyce ; Eugène Labiche ; Sans phrases ; Alfred de Musset).* Resté, jusque dans sa vieillesse, convaincu de la nécessité d'entretenir une vie littéraire dont la progression suive celle de l'actualité, S. anima pendant de longues années des émissions radiophoniques qui perpétuaient selon la technique orale propre à ce mode d'expression le style qu'il avait donné à son œuvre : une clarté sans emphase, proche de la chronique, et plus volontiers dépouillée qu'abondante. S. apparaît dès lors comme un maître du genre de l'essai, dont il a contribué à élaborer la forme proprement moderne.

Œuvres. *Aquarium,* 1917 (P). – Avec André Breton, *les Champs magnétiques,* 1920, rééd. 1984 (version originale). – *Rose des vents,* 1920, rééd. 1983 (P). – *Westwego,* 1922, rééd. 1983 (P). – *Le Bon Apôtre,* 1923 (N). – *A la dérive,* 1923 (N). – *Les Frères Durandeau,* 1924 (N). – *Wang-Wang,* 1924 (P). – *Le Voyage d'Horace Pirouelle,* 1925, rééd. 1983 (N). – *En joue !* 1925, rééd. 1983 (N). – *Georgia,* 1926 (P). – *Corps perdu,* 1926 (N). – *Histoire d'un Blanc* (autobiographie), 1927 (N). – *Le Nègre,* 1927 (N). – *Guillaume Apollinaire,* 1928 (E). – *William Blake,* 1928 (E). – *Les Dernières Nuits de Paris,* 1928 (N). – *Lautréamont,* 1929 (E). – *Le Grand Homme,* 1929, rééd. 1983 (N). – *Charles Baudelaire,* 1931 (E). – *Les Moribonds,* 1934 (N). – *Il y a un océan,* 1936 (P). – *Poésies complètes,* 1937 (P). – *Souvenirs de James Joyce,* 1943 (E). – *Tous ensemble au bout du monde,* 1943 (T). – *Eugène Labiche,* 1944 (E). – *Ode à Londres bombardée,* 1944 (P). – *Le Temps des assassins,* 1945 (E). – *L'Arme secrète,* 1946 (P). – *Odes,* 1946 (P). – *Message de l'île déserte,* 1947 (P). –

Chansons du jour et de la nuit, 1949 (P). – *La fille qui faisait des miracles,* 1951 (T). – *Sans phrases,* 1953 (P). – *Le Triomphe de Jeanne,* 1956 (T). – *Rendez-vous !* 1956 (T). – *Alfred de Musset,* 1957 (E). – *Charlot,* 1957 (E). – *Le Rossignol de l'empereur,* 1957 (E). – *Helman,* 1960 (E). – *Profils perdus,* 1963 (E). – *L'Amitié,* 1965 (E). – *Poèmes et Poésies (1917-1973),* 1973 (P). – Avec Alain Dran, *Hélène Martin,* 1973 (E). – *Mémoires,* 1975. – *Papazoff, le domaine unique de la diversité et de la surprise,* 1975 (E). – *Écrits de cinéma (1918-1931),* 1979 (E). – Avec Ré Soupault, *Histoire merveilleuse des cinq continents* (2 vol.), 1979 (N). – *Vingt mille et un jour,* 1980 (E). – *Ecrits sur la peinture,* 1980 (E). – *Odes (1930-1980),* 1980. – *Mémoires de l'oubli I (1914-1923),* 1981. – *Poèmes retrouvés (1918-1981),* suivi de *Essai sur la poésie,* 1982. – *Poésies pour mes amis les enfants, petits et grands,* 1983. – *Mort de Nick Carter,* 1983 (N). – *Mémoires de l'oubli II (1923-1926),* 1984.

SOUVESTRE Pierre. Paris 1874 – tué au front en 1914. Auteur, avec l'aide de son secrétaire **Marcel Allain** (Paris 15.9.1885 – Saint-Germain-en-Laye 1969), de la série des romans policiers ayant pour héros Fantômas (32 vol., 1911-1914). La lutte de ce hors-la-loi contre l'inspecteur Juve tint les lecteurs en haleine au rythme d'un tome mensuel, et l'œuvre marque un sommet du genre ; *Fantômas* inspira les cinéastes à diverses époques, sans qu'aucun toutefois n'ait égalé la réussite des films muets de Louis Feuillade (1913-1914).

SPATIALISME. (Voir POÉSIE SPATIALISTE.)

SPITZ Jacques. Nemours (Algérie) 1896 – Paris 16.1.1963. D'abord touché par la grâce surréaliste, il publia quelques fictions assez hermétiques *(la Croisière indécise ; le Vent du monde),* revenant du reste à cette influence en 1947 avec *Ceci est un drame,* fantaisie burlesque. Entretemps, il avait fait paraître huit « romans fantastiques » – ouvrages parfaitement rationnels, en dépit de l'étiquette, et dont le fantastique se situait dans un avenir très éloigné, sous le pape Pie CIV. C'est d'ailleurs comme auteur d'anticipation scientifique, très brillant et d'une ironie mordante, que S. est apprécié aujourd'hui. Particulièrement notables sont : *la Guerre des mouches,* où les insectes, mutant, déclarent la guerre à l'homme et l'écrasent sous le simple poids de leur nombre, le récit étant conté par un homme que l'on a conservé comme spécimen de l'humanité, avec un dictateur et un pape, dans une réserve ; *l'Homme élastique,* variation sur le thème du rapetissement et de l'agrandissement des individus, phénomène dont les conséquences psychologiques et sociales sont finement analysées ; et *l'Œil du purgatoire* : la vision d'un homme est décalée de plus en plus par rapport à l'époque où il vit, ce qui le contraint à évoluer en aveugle, distinguant par contre l'avenir de plus en plus lointain, jusqu'à la fin des temps.

Œuvres. *La Croisière indécise,* 1926 (N). – *Le Vent du monde,* 1928 (N). – *Le Voyage muet,* 1930 (N). – *Les Dames de velours,* 1933 (N). – *La Guerre des mouches,* 1938 (N). – *Les Évadés de l'an 4000,* 1936 (N). – *L'Homme élastique,* 1938 (N). – *L'Œil du purgatoire,* 1945 (N). – *Ceci est un drame,* fantaisie burlesque, 1947 (N). – *Albine ou Poitrail,* 1958 (N).

SPONDE Jean de. Mauléon 1557 – Bordeaux 18.3.1595. Issu d'une famille d'origine espagnole, S. put poursuivre ses études humanistes (il apprit aussi le droit) grâce à la protection de Jeanne d'Albret, puis de Henri de Navarre, le futur Henri IV. Excellent helléniste, il débute en 1577 par une traduction latine et un commentaire d'Homère. Ses études terminées au collège de Lescar, de stricte obédience calviniste, S. complète ses connaissances par un voyage à l'étranger : il ira à Bâle, en particulier, attiré par la réputation des savants et des imprimeurs de cette ville, et peut-être aussi par l'activité alchimiste qui régnait alors dans cette région. D'après une correspondance échangée avec son protecteur et ami, Théodore Zvinger, S., durant cette période bâloise, se serait livré à des opérations en vue de la découverte de la pierre philosophale. En 1592, après une période au cours de laquelle sa trace se perd, il est nommé, grâce à l'appui de Henri IV, lieutenant général de la sénéchaussée de La Rochelle. Il entre en conflit avec les magistrats de cette ville, qui voulaient imposer des édits visant à restreindre les libertés municipales. Obligé de quitter La Rochelle, il obtient pourtant la charge de maître des requêtes. Il mourut après s'être converti au catholicisme, à la suite de Henri IV. La fin de sa vie fut tourmentée par les controverses que lui valut cette conversion sincère, profondément méditée. Des attaques calomnieuses furent dirigées contre lui (Agrippa d'Aubigné, entre autres, pris d'une haine farouche contre le « renégat », l'accusa d'adultère). Jamais, comme la plupart de ses contemporains, il ne put trouver une place stable dans la magistrature ou à la cour, trop occupé par des travaux qu'il ne cessa de mener de front avec ses activités professionnelles. Retiré dans son pays de Biscaye, il travailla jusqu'à ses derniers jours à des ouvrages religieux, répondant à des détracteurs (Théodore de Bèze, en particulier), projetant peu avant sa mort un livre qu'il n'eut pas le temps d'achever : *l'Idée de la religion.*

Pour ses contemporains, S. n'a jamais été qu'un humaniste érudit, un magistrat dont la probité était appréciée de tous. Le poète, secret, a pourtant laissé une œuvre, qui, de nos jours, le place au premier rang : des « Sonnets d'amour », des « Sonnets sur la mort », des stances qui font de S., avec La Ceppède, Scève et Chassignet, un des rares poètes « métaphysiques » français. Poésie où l'amour et la mort sont inséparablement liés, le premier mettant la seconde en évidence. La joie (de l'amour) appelle aussitôt la fin de cet amour (sa mort) : mort qui rend la vie infiniment précaire. Le contraire est également vrai : la perspective de la mort pousse l'homme à jouir de la vie, vie qui pourtant n'est jamais à la hauteur de l'infini que l'homme pressent, que la mort propose confusément, et, pour atteindre à ce degré ultime, « l'esprit pour mieux vivre en souhaite la mort ». Jouant de l'antithèse, sans que celle-ci soit jamais artificielle, S. rend compte à tout instant de cette double attraction, de cette ambiguïté fondamentale : « J'ai vu le monde embrasser ses délices / Et je n'embrasse rien au monde que supplices. » Il convient de détacher de cette œuvre les admirables « Stances de la mort », où S., en proie à une véritable angoisse métaphysique, exprime d'une façon bouleversante les aléas, les heurs et les malheurs d'un homme qui enregistre, dans tous les détails, les moindres fluctuations de l'âme humaine, et qui ne peut en considérer l'endroit sans tout aussitôt mettre l'envers en évidence. Tombé dans l'oubli depuis le XVIIe s., S. a été redécouvert par Alan Boase, puis par Thierry Maulnier et Marcel Arland.

Œuvres. *Homeri poematum versio latina, ac notae perpetuae,* 1583. – *La Logique d'Aristote* (texte grec et latin), 1591. – *Hesiodi opera et dies* (texte grec et latin), 1592. – *Recueil des « Remontrances » de Despeisses et de Pibrac,* 1592. – *Déclaration des principaux motifs qui induisent le sieur de Sponde [...] à s'unir à l'Église catholique,* 1594. – *Recueil de diverses poésies, tant du feu sieur de Sponde, que des sieurs du Perron, de Bertaut, de Porchères et d'autres non encore imprimées. Recueillies par Raphaël du Petit Val,* posth., 1597.

STAËL Mme de, née **Anne Louise Germaine Necker, baronne de Staël-Holstein.** Paris 22.4.1766 – 13.7.1817. Écrivain français d'origine suisse. Fille du banquier genevois Necker, ministre de Louis XVI, elle connut les grands esprits de la fin du XVIIIe s. dans le salon de sa mère et, dès son mariage, en tint un elle-même, l'orientant toutefois très vite vers la politique plus que vers la littérature. Émigrée en 1792, elle s'installa, après un séjour à Londres, au château de Coppet, sur les rives du Léman. Revenue à Paris en 1795, elle indisposa, par son libéralisme, Bonaparte, qui, en 1803, lui interdit de se rapprocher à moins de quarante lieues de la capitale : elle séjourna dès lors le plus souvent à Coppet et ne revint à Paris qu'après la chute de l'Empire. Deux fois mariée, elle eut en outre des liaisons retentissantes, principalement avec Benjamin Constant. *Corinne* peut utilement préparer à la connaissance de cette femme exceptionnelle : l'intrigue et le climat de ce roman sont en effet très proches de la propre situation de Mme de S., intellectuelle cosmopolite tiraillée entre les exigences du cœur et les devoirs de l'esprit. Dans *Corinne,* comme déjà dans *Delphine,* s'inaugure le féminisme romantique, celui qui s'épanouira dans le personnage et l'œuvre de G. Sand : la femme y est en effet incarnation exemplaire de l'individualisme du cœur, victime à la fois de la contrainte sociale et de la lâcheté ou de l'impuissance masculines, cela en raison même de sa nature enthousiaste et passionnée. À travers ses héroïnes, c'est bien elle-même que Mme de S. dépeint ; à travers leur histoire, c'est l'histoire de sa liaison orageuse avec B. Constant. Mais, non contente de composer ainsi des œuvres qui se rattachent au romanesque autobiographique hérité de Rousseau (*Lettres sur le caractère et les écrits de J.-J. Rousseau,* 1788), Mme de S. éprouve aussi le besoin d'élaborer en théorie générale le romantisme de son tempérament, car elle est aussi, et peut-être surtout, une intellectuelle : *De la littérature...* et *De l'Allemagne* ont ainsi marqué durablement le XIXe s. et constituent l'acte de naissance théorique du romantisme français. Le premier de ces essais, après avoir réaffirmé vigoureusement l'idée de la relativité du beau, présente comme naturelle et nécessaire l'évolution de la littérature vers une perfection accrue : par là il oppose le *classicisme,* caractérisé par l'imitation d'une Antiquité considérée comme modèle immuablement parfait, au *romantisme,* tiré de la tradition nationale de chaque pays et soumis à l'évolution historique (rappelons qu'en 1800 et, *a fortiori,* en 1810, le romantisme était en plein épanouissement en Angleterre et en Allemagne). *De l'Allemagne,* livre connu en France seulement après l'Empire (Napoléon en ayant censuré la publication), constitue la somme des idées que la brillante conversation de Mme de S. avait déjà répandues dans les milieux antibonapartistes et dans le salon de Coppet. Car, animatrice du « groupe de Coppet », où l'opposition libérale à l'Empire se conjuguait avec l'esprit cosmopolite et l'affirmation du romantisme, Mme de S. vit son influence se répandre à travers toute l'Europe : c'est là en effet que l'Allemand Schlegel conçut son *Cours de littérature dramatique,* qui allait influencer tout le mouvement du théâtre romantique ; c'est là aussi que le Suisse Sismondi écrivit son essai *De la littérature du midi de l'Europe,* où il analyse ce qu'il nomme « les mœurs romantiques ». On ne saurait mieux définir la portée de l'œuvre et de l'action de Mme de S. que Chateaubriand lorsqu'il écrit dans les *Mémoires d'outre-tombe* (XIII, 11) : « La littérature qui exprime l'ère nouvelle n'a régné que quarante ou cinquante ans après le temps dont elle était l'idiome. Pendant ce demi-siècle, elle n'était employée que par l'opposition. C'est Mme de S., c'est Benjamin Constant..., c'est moi enfin qui les premiers avons parlé cette langue. »

Œuvres. *Sophie ou les Sentiments secrets,* 1786 (T). – *Lettres sur le caractère et les écrits de J.-J. Rousseau,* 1788 (E). – *Réflexions sur le procès de la reine,* 1793 (E). – *Réflexions sur la paix adressées à Pitt et aux Français,* 1795 (E). – *Mirza, Adélaïde et Théodore, Pauline* (nouvelles écrites entre 1781 et 1785), 1795 (N). – *Essai sur les factions,* 1795 (E). – *De l'influence des passions sur le bonheur des individus et des nations,* 1796 (E). – *De la littérature considérée dans ses rapports avec les institutions sociales,* 1800 (E). – *Delphine,* 1802 (N). – *Du caractère de Necker et de sa vie privée,* 1804 (E). – *Corinne ou l'Italie,* 1807 (N). – *De l'Allemagne,* 1810 (E). – *Réflexions sur le suicide,* 1812 (E). – *Considérations sur les principaux événements de la Révolution française,* posth., 1818 (E). – *Lettres de Nanine à Sinphal,* posth., 1818. – *Dix Années d'exil,* posth., 1821 (N). – *Essais dramatiques,* posth., 1821. – *Œuvres inédites,* posth., 1831. – *Lettres à Benjamin Constant,* posth., 1938.

De la littérature considérée dans ses rapports avec les institutions sociales

Une partie de synthèse historique et une partie prospective (respectivement vingt et neuf chapitres). I. À partir d'une comparaison entre la Grèce et Rome et d'une analyse des conséquences des invasions barbares sur l'évolution du goût, Mme de S. conclut en affirmant un certain déterminisme de la littérature, dont le principe est la théorie des climats, déterminisme condensé dans la double affirmation selon laquelle le premier modèle de littérature nordique est Ossian et le premier modèle de littérature méridionale Homère. II. L'histoire permettant donc de dégager cette loi générale, la loi, à son tour, permet de déterminer les conditions de développement d'une littérature « moderne », qui doit correspondre à l'ère historique moderne. Cette littérature présentera un aspect négatif : libération à l'égard des modèles anciens, et un aspect positif : expression de la liberté qui découle des progrès intellectuels et politiques.

De l'Allemagne

Quatre parties portant sur les quatre principaux aspects de la culture allemande et sur les conclusions qui peuvent être tirées de leur analyse. I. Tableau des mœurs germaniques, caractérisées par la prédominance du sentiment. II. Analyse de la littérature allemande à travers ses genres spécifiques, aboutissant, par opposition au « classicisme » français, à la définition du « romantisme » allemand, exprimé par les œuvres de Lessing, Schiller, Goethe, Jean-Paul. III. Examen de la philosophie allemande, en particulier Kant, Fichte et Schelling, et étude de l'influence de la pensée philosophique sur la littérature et les arts. IV. Caractères de l'âme germanique : tendance au mysticisme, sentiment de la nature et de l'infini, en particulier chez Novalis. Développement, en manière de conclusion, du thème de l'*enthousiasme,* condition du bonheur, source de l'inspiration, germe et origine d'un véritable esprit créateur.

STANCE [latin *stare* = se tenir en arrêt]. Groupe de vers proposant un sens complet en lui-même, et suivi d'un repos. Dans l'usage, la stance fut remplacée par la strophe (voir STROPHE). Aux XVIe et XVIIe s., on donnait le nom de « stance » à des poèmes composés de strophes lyriques. (la *Consolation à Dupérier,* de Malherbe, les *Stances sur la retraite* de Racan, les Stances de l'acte I du *Cid*, de l'acte IV de *Polyeucte*). Cette forme fut ressuscitée à la fin du XIXe s. par Jean Moréas, dans le cadre du mouvement de l'*école romane.*

STAROBINSKI Jean. Genève 1920. (Voir ÉCOLE DE GENÈVE et NOUVELLE CRITIQUE.)

STENDHAL, Marie-Henri Beyle, dit. Grenoble 23.1.1783 – Paris 23.3.1842. Tôt orphelin de père, il garda un mauvais souvenir d'une enfance seulement éclairée par la présence de son grand-père, le médecin Gagnon, vrai philosophe du XVIIIe s. Venu à Paris terminer des études de mathématiques, il renonce à se présenter à Polytechnique et s'engage dans l'armée d'Italie (1800). D'abord séduit par la vie militaire, il démissionne au bout de deux ans ; puis, devant ses premiers échecs d'écrivain, il rengage, cette fois dans l'intendance (1806-1814). Libéré par la chute de l'Empire, B. s'installe à Milan, décidément sûr que l'Italie est le meilleur séjour possible. Après quelques écrits alimentaires, il signe STENDHAL (nom d'une petite ville d'Allemagne) un *Rome, Naples et Florence* qui marque son vrai début (1817). Ayant dû quitter Milan pour raisons politiques, il revient à Paris en 1821 et parachève, au contact des salons, les réflexions largement ébauchées au cours de sa liaison avec Métilde Dembowska ; l'influence des Idéologues, surtout celle de Destutt de Tracy, est sensible dans la rédaction d'apparence scientifique du traité *De l'amour* (1822). Attentif aux ferments nouveaux, il précède Hugo dans la bataille romantique avec *Racine et Shakespeare* (1823-1825). Dramaturge non joué, romancier sans succès (*Armance,* 1827), nostalgique des ciels de l'heureux exil (*Promenades dans Rome,* 1829), S. atteint enfin un sommet avec *le Rouge et le Noir.* Nommé consul à Trieste (1830), puis à Civita Vecchia (1831), il peut de nouveau vivre le plus souvent en Italie. Il entreprend plusieurs romans, mais, si *la Chartreuse de Parme* paraît en 1839, *Lucien Leuwen* (commencé en 1834) et *Lamiel* (commencé en 1839) restent inachevés ; une grande partie de son œuvre est d'ailleurs inédite lorsqu'il meurt d'apoplexie, lors d'un congé demandé pour raison de santé.

Le vaste ensemble des documents autobiographiques stendhaliens *(Journal, Vie de Henry Brulard, Souvenirs d'égotisme)* ne fut connu que tardivement ; ce sont pourtant ces textes qui nous facilitent l'abord d'une personnalité malaisément saisissable, en ce qu'elle mêle la sensibilité la plus romantique (cachée sous une désinvolture cynique) et une intelligence critique aiguë, avide d'authenticité et haïssant l'hypocrisie. Pour S., la principale raison de vivre est la « chasse au bonheur » : toutes les forces passionnelles de ses héros seront sacrifiées à cet idéal « égotiste » (c'est S. qui a inventé ce mot). Pour bien comprendre la complexité du sentiment stendhalien du bonheur, il faut se souvenir de l'héritage reçu du grand-père Gagnon : déisme voltairien, refus du sentiment, mais aussi épicurisme ardent, hantise de l'ennui, amour de la vie dangereuse et du plaisir.

La personnalité de S. imprègne son œuvre ; non seulement il intervient pour juger ses personnages en ironiste, comme eût fait Diderot, mais la plupart de ses héros sont le prolongement de ses propres virtualités : Julien Sorel, Fabrice del Dongo, Lucien Leuwen sont les divers S. qu'aurait pu devenir Henri Beyle. S. n'a cependant rien de Narcisse : c'est un observateur, soucieux de rigueur jusque dans un style pour lequel il réclama un jour la sécheresse du Code civil. L'analyste mathématicien de *De l'amour* survit dans les romans de la maturité : toutes les amoureuses, douces ou violentes, qu'ils mettent en scène illustrent la théorie de la « cristallisation » (tendance à parer l'être aimé des qualités qu'on lui souhaite). Quant aux sujets, ils ont leur source dans la réalité contemporaine ou historique : un fait divers de 1828 pour *le Rouge et le Noir,* une chronique italienne de la Renaissance pour la *Chartreuse.* Mais ces chefs-d'œuvre ne sont ni des romans à thèse ni de simples comptes rendus ; ils présentent aussi le tableau le plus suggestif de la société dans laquelle ils se déroulent. *Le Rouge et le Noir,* significativement soustitré *Chronique de 1830,* peint la noblesse de province (ménage de Rénal), les milieux ecclésiastiques (Julien au séminaire) et l'aristocratie parisienne (famille de La Môle) et leur donne comme toile de fond diverses scènes de mœurs politiques de l'extrême fin de la Restauration. *Lucien Leuwen* constitue, malgré son inachèvement, sur le triomphe du bourgeois louis-philippard, un document parfois digne de la *Comédie humaine.* Enfin S., dans la *Chartreuse,* reconstitue avec une virtuosité de miniaturiste la complexité des intrigues d'une petite cour italienne vers 1820.

Mais ces romans ont pour eux d'autres atouts encore : S. s'y montre, avec génie mais résolument, de parti pris. Sa description est beaucoup plus souvent satirique que sereine. Il ne cache pas sa haine de l'absolutisme, ses sentiments anticléricaux, fait ouvertement la moue devant le régime de Juillet. Il lui arrive d'aller jusqu'à la virulence du pamphlet, comme dans le réquisitoire qu'il prête à Julien durant son procès. Plus souvent, et surtout dans la *Chartreuse,* il pratique une ironie désabusée mais tendre, qui établit entre lui-même et son lecteur des rapports d'interdépendance tout à fait originaux. Ses personnages nous prennent vraiment par un *charme,* surtout les femmes, qu'il s'agisse

de sosies féminins de lui-même (Mathilde de La Môle, la Sanseverina) ou au contraire d'idéalisation de son « type » amoureux (Mme de Rénal, Clelia Conti) ; et comment négliger une composition aussi complète et aussi nuancée que celle du comte Mosca, qui a perdu, en vrai frère de son créateur, ses illusions mais non tout son enthousiasme ?
Enfin S. brille au XIXe s. d'une lumière spécialement vive, en ce qu'il fut, à proprement parler, un auteur d'avant-garde. Il le savait, assurant qu'on ne le comprendrait qu'en 1880 ou même en 1935, et dédiant ses livres, non sans quelque audace, *« to the happy few ».* Balzac, qui eut l'intuition de tout ce que la *Chartreuse* disait de nouveau, ne sut en pénétrer vraiment le secret ; ce qui, dans la fameuse description de Warterloo, lui semble relever de la « confusion » dénote en réalité chez S. la mise en question, parfaitement consciente, de la loyauté du romancier par rapport à son œuvre : le *Waterloo* des *Misérables* est le tableau que livre l'omniscience ; celui de la *Chartreuse,* tracé fragmentairement selon ce qu'en peut voir, sans comprendre, le seul Fabrice, relève finalement d'un *réalisme* plus authentique. Les soucis d'écriture du roman, jusque dans ses recherches les plus récentes, ne procèdent pas d'une autre démarche, et c'est une des gloires de S. que d'avoir montré la route : ce fut au prix de son succès personnel, puisqu'il ne fut effectivement « découvert » que par Taine et par Bourget et dut attendre presque un siècle une édition correcte de son œuvre. Aujourd'hui, S. fascine par tout ce qui déplaisait à son siècle ; c'est le lot de beaucoup de précurseurs.

Œuvres. Pour les œuvres posthumes, la première date est celle de composition, la seconde celle de publication. Sous le pseudonyme de L.A.C. BOMBET, *Lettres écrites de Vienne, en Autriche, sur le célèbre compositeur Joseph Haydn, suivies d'une vie de Mozart et de considérations sur Métastase et l'état présent de la musique en France et en Italie,* 1814 (E). – Sans nom d'auteur, *Histoire de la peinture en Italie,* 1817 (E). – Sous le pseudonyme de STENDHAL, *Rome, Naples et Florence,* 1817 (E). – *De l'amour,* 1822 (E). – *Vie de Rossini,* 1823 (E). – *Racine et Shakespeare,* 1823-1825 (E). – *D'un nouveau complot contre les industriels,* 1825 (E). – *Souvenirs d'un gentilhomme italien* (nouvelle), 1826 (N). – *Armance,* 1827 (N). – *Promenades dans Rome,* 1829 (N). – *Vanina Vanini* (nouvelle), 1829 (N). – *Le Coffre et le Revenant, aventure espagnole* (nouvelle), 1830 (N). – *Le Philtre* (nouvelle), 1830 (N). – *Philibert Lescale, esquisse de vie d'un jeune homme riche à Paris* (nouvelle), 1827-1830 (N). – *Le Rouge et le Noir,* 1830 (N). – *Le Juif* (nouvelle), 1831 (N). – *Nina de Vanghel* (nouvelle), 1832 (N). – *Le Chevalier de Saint-Ismier* (nouvelle), 1832 (N). – *Une position sociale* (nouvelle), 1832-1833 (N). – *Le Conspirateur* (nouvelle), 1837 (N). – *Le Rose et le Vert* (nouvelle), 1837 (N). – *Les Cenci* (nouvelle), 1837 (N). – *Mémoires d'un touriste,* 1838 (N). – *La Duchesse de Palliano* (nouvelle), 1838 (N). – *L'Abbesse de Castro* (nouvelle), 1839 (N). – *Vittoria Accoramboni, duchesse de Bracciano* (nouvelle), 1839 (N). – *Féder ou le Mari d'argent* (nouvelle inach.), 1839 (N). – *Trop de faveur tue* (nouvelle inach.), 1839 (N). – *La Chartreuse de Parme,* 1839 (N). – *Idées italiennes sur quelques tableaux célèbres,* 1840 (E). – *Don Pardo* (nouvelle), 1840 ; posth., 1933 (N). – *Suora Scolastica* (nouvelle inach.), 1842 ; posth., 1921 (N). – *San Francisco a Ripa* (nouvelle), 1831 ; posth., 1853 (N). – *Anecdote italienne,* 1835. – *Journal (1801-1823),* posth., 1888. – *Vie de Henry Brulard,* 1835-1836 ; posth., 1890. – *Souvenirs d'égotisme,* 1832 (inach.) ; posth., 1892. – *Lucien Leuwen,* 1833-1836 ; posth., 1894 (N). – *Journal d'Italie,* posth., 1911. – *Voyage dans le midi de la France,* 1838 ; posth., 1927 (N). – *Napoléon :* 1er essai, 1817-1818 ; 2e essai, 1836-1837 ; posth., 1929 (E). – *Théâtre,* 1796-1834 ; posth., 1931. – *Journal* (édition complète), 1801-1819 ; posth., 1932-1935. – *Courrier anglais,* 1822-1829 ; posth., 1935, rééd. sous le titre *Chroniques pour l'Angleterre,* 3 vol., 1980-1983. – *Lamiel,* 1839-1842 ; posth., 1936 (N). – *Œuvres intimes,* éd. établie par V. Del Litto, t. I, 1981 ; t. II, 1982.

De l'amour

« Description détaillée et minutieuse de tous les sentiments qui composent la passion nommée *amour.* » S'inspirant des principes expérimentaux et scientifiques de ses maîtres les Idéologues, S., dans le livre I, analyse les composantes psychologiques fondamentales de l'amour, puis décrit le développement du sentiment à travers ses étapes successives : admiration, désir, espérance, première cristallisation, doute, seconde cristallisation. C'est l'étape de la cristallisation qui apparaît comme la plus décisive : lorsqu'on jette un rameau dans les mines de sel de Salzbourg, deux ou trois mois plus tard on en retrouve les branches recouvertes de cristaux brillants ; de même, au cœur de la cristallisation amoureuse, l'être aimé est recouvert de perfection par le travail de l'esprit et de l'imagination de celui qui aime. Le livre II applique à l'amour la théorie des climats en distinguant les caractères de l'amour non seulement selon les tempéraments, mais aussi selon les conditions politiques et sociales et selon les traits distinctifs des différents pays.

Le Rouge et le Noir

C'est l'histoire des relations du héros, Julien Sorel, avec deux femmes successives, l'une, la douce, Mme de Rénal, l'autre, la violente, Mathilde de La Môle, ce qui structure le roman en deux grands versants correspondant aussi aux deux étapes de l'ascension de Julien. Celui-ci en effet, fils d'un scieur de bois de Verrières, en Franche-Comté, comme il fait preuve, dès l'enfance, de dons exceptionnels, poursuit des études et est finalement engagé comme précepteur des enfants du maire de Verrières, M. de Rénal, alors qu'il se prépare à la carrière ecclésiastique. Autant par ambition que par amour, du moins au début (c'est l'ambiguïté constitutive du personnage), autant par instinct que par calcul, il entreprend de conquérir Mme de Rénal, chez qui la cristallisation opère à partir de l'attendrissement, et y parvient. Après avoir dû quitter la maison de M. de Rénal, Julien entre au séminaire, utilise ses dons de séducteur pour se faire bien voir du supérieur, l'abbé Pirard, grâce à qui il obtient une place, de secrétaire cette fois, et à Paris, chez un grand seigneur ultra, le marquis de La Môle ; la fille du marquis, Mathilde, romanesque et exaltée, dans un milieu terne et sans grandeur, commence par sentir sa curiosité en éveil devant ce qu'il y a chez Julien de singulier, curiosité qui devient le noyau de la cristallisation amoureuse, jusqu'à ce qu'entre Julien et Mathilde se développe une passion telle que Julien, après avoir séduit Mathilde, obtient à la fois une promotion sociale et une promesse de mariage : c'est le point culminant de l'ascension que Julien avait délibérément voulu mener à bien pour se venger d'une société qui l'ignorait ou le méprisait. Mais Mme de Rénal, entraînée par la jalousie, révèle au marquis de La Môle la vérité sur Julien, alors réduit aux yeux de son protecteur à l'état de simple intrigant, ce qui lui est intolérable. Il se rend à Verrières, où il tire sur Mme de Rénal deux coups de pistolet, sans d'ailleurs mettre sa vie en danger. Arrêté et jugé, il est condamné à mort et guillotiné : tandis que Mathilde, avec une solennité funèbre et passionnée, ensevelit la tête de Julien dans une grotte du Jura, Mme de Rénal meurt de remords et de chagrin.

La Chartreuse de Parme

Fabrice del Dongo, jeune noble milanais, généreux et romanesque, et qui rêve de Napoléon, croit être le fils du marquis del Dongo, hobereau rétrograde et pro-autrichien : on apprendra qu'en fait il est le fils d'un officier français. Sa tante, Gina Del Dongo (avec qui il n'est donc pas lié par le sang), appartient à la même race spirituelle que Fabrice et l'aide à rejoindre, pendant les Cent-Jours, l'armée napoléonienne : Fabrice assistera de la sorte, sur le terrain, à la bataille de Waterloo (ce sont là quelques-unes des pages les plus célèbres du roman). Cette aventure le rend suspect à Milan, où il est revenu après la défaite de l'Empereur. Gina, elle, est devenue duchesse Sanseverina et, à ce titre, occupe une brillante position à la cour de Parme, où elle fait venir Fabrice : il y sera, comme elle-même, protégé par le Premier ministre, le comte Mosca, bientôt amoureux de la duchesse, qui, elle, commence à ressentir un tendre sentiment, quelque peu ambigu, pour son « neveu ». Ici, s'élabore une double cristallisation : de Mosca autour de Gina et de Gina autour de Fabrice. Mais la cour de Parme est aussi un nœud d'intrigues ; le prince régnant, Ranuce-Ernest, sans doute lui aussi amoureux de la duchesse, est pris entre le camps des « généreux », dominé par Gina, et le clan des « âmes basses » dirigé par le fiscal Rassi. Le prince, malgré ses promesses, finira par faire arrêter Fabrice, qui est alors enfermé à la tour Farnese, où on doit s'en débarrasser en l'empoisonnant. C'est là toutefois qu'il trouve le bonheur : la fille du gouverneur, Clelia Conti, a été immédiatement émue à la vue de Fabrice lors de son arrivée à la prison (les deux jeunes gens s'étaient d'ailleurs rencontrés fortuitement auparavant), et Fabrice à son tour « cristallise » autour de Clelia, dont les oiseaux habitent la fenêtre. L'amour prend force entre Fabrice et Clelia dès le moment où la jeune fille paraît à cette fenêtre. Cependant, la duchesse a mis au point un plan d'évasion, que Fabrice refuse d'exécuter pour ne pas être privé de la vue de Clelia : il faut que celle-ci joigne ses instances à celles de la duchesse pour que Fabrice accepte de s'évader, évasion à laquelle Clelia prend elle-même une part active. Fabrice et la duchesse se réfugient alors à Belgirate, sur les bords du lac Majeur, lieu sûr et enchanteur, où Fabrice ne manifeste que de la tristesse. Alors grandit dans le cœur de la duchesse la jalousie, qui lui inspire « une tristesse sombre ». Sans doute trouve-t-elle dans cette jalousie une raison supplémentaire de poursuivre de sa haine le prince de Parme Ranuce-Ernest : elle le fait empoisonner par un personnage à la fois extravagant et héroïque, Ferrante Palla. Le nouveau prince, Ranuce-Ernest V, est fasciné par la duchesse, qui d'autre part renouvelle sa liaison avec Mosca, mais c'est un jeune homme sans caractère. Fabrice est à nouveau en danger, Gina le sauve une nouvelle fois. Mais l'amour de Clelia est le plus fort. Celle-ci a épousé le marquis Crescenzi, elle a eu un fils ; tourmentée de scrupules, comme Mme de Rénal, elle a fait le vœu de ne plus revoir Fabrice, lequel, poursuivant la carrière ecclésiastique où la duchesse l'avait engagé, devient archevêque de Parme et acquiert une brillante réputation de prédicateur, en menant d'ailleurs une vie exemplaire. Mais Fabrice et Clelia ne peuvent pas ne pas se retrouver un jour, pour jouir, dans l'instant de leur rencontre, d'un bonheur parfait et absolu. Après quoi, il ne leur reste plus qu'à mourir : tandis que la duchesse rejoindra Mosca, Clelia, frappée par le malheur en la personne de son fils, meurt en pleine jeunesse. Quant à Fabrice, il renonce alors à l'honneur du monde, se retire à la chartreuse de Parme et ne tarde pas, lui aussi, à mourir.

Lucien Leuwen

Inspiré par une ébauche romanesque d'une amie de S., Mme Jules Gauthier, ce roman inachevé devait comprendre trois parties, selon une structure de style balzacien : la vie de province, avec le séjour de Lucien Leuwen, jeune officier, à Nancy ; la vie à Paris d'un Lucien devenu secrétaire du ministre de l'Intérieur ; enfin la vie dans les milieux cosmopolites de Rome (ou de Madrid), Lucien y étant secrétaire d'ambassade. S. semble avoir renoncé à cette dernière partie. Lucien Leuwen est riche, il est aimé de sa mère, il est compris de son père : il a reçu du ciel les conditions du bonheur qu'un Julien Sorel devait conquérir de vive force. Mais Lucien est comme obsédé par la volonté de mériter ce qui lui a été ainsi donné gracieusement. Il s'engage dans une première épreuve lorsque, en garnison à Nancy, il s'éprend de Mme de Chasteller, avec laquelle il se brouillera, finalement, pour cause – mais cela n'est pas dit explicitement, – de médiocrité. À Paris, dans ses fonctions de secrétaire du ministre, il éprouve à nouveau la médiocrité de toute une société : il est, comme à Nancy, et un peu comme Fabrice avant la rencontre de Clelia, à la recherche d'une passion, qui le hausserait jusqu'au plus haut degré de son cœur, de son esprit et de son âme : étranger au monde qui l'entoure, il veut vivre de manière à savoir ce qu'il vaut, d'une connaissance intime et indiscutable à ses propres yeux, et par là il rejoint tous les héros stendhaliens. La seconde partie du roman se termine – ce n'est de toute évidence pas un dénouement – sur la nomination de Lucien comme deuxième secrétaire d'ambassade à Madrid. Au cours de son voyage, il visite « les lieux divers que *la Nouvelle Héloïse* a rendus célèbres », tandis qu'à « la sécheresse d'âme » qui le gênait à Paris... « avait succédé une mélancolie tendre ».

STERN Daniel, Marie Catherine Sophie de Flavigny, comtesse d'Agoult, dite. Francfort-sur-le-Main 31.12.1805 – Paris 5.3.1876. Elle tint, vers 1830, un salon littéraire dont toutes les gloires du moment furent tour à tour l'illustration. De sa liaison avec le compositeur Franz Liszt, évoquée par Balzac dans *Béatrix* (1839), naquirent deux filles, dont l'une épousa Émile Ollivier, l'autre Richard Wagner. Les opinions politiques de Mme d'A. trouvèrent une expression vigoureuse dans *Essai sur la liberté, Lettres républicaines* et *Histoire de la Révolution de 1848 ;* l'ensemble de son œuvre (des romans, des essais politiques et philosophiques) révèle une virilité de pensée et d'écriture, conforme d'ailleurs à l'un des traits les plus courants du féminisme littéraire, du XVIIe s. à nos jours, de Mlle de Scudéry à Mme de Staël, George Sand et Simone de Beauvoir.

Œuvres. *Nélida,* 1846 (N). – *Essai sur la liberté,* 1847 (E). – *Lettres républicaines,* 1848 (E). – *Histoire de la Révolution de 1848,* 1851-1853 (E). – *Mes souvenirs,* 1877. – *Correspondance avec Liszt,* posth., 1933.

STERNBERG Jacques. Anvers 14.4.1923. Écrivain belge de science-fiction. Sa particularité est de refuser les règles de la science-fiction comme un écrivain réaliste refuserait les règles du réalisme. Le résultat est, bien entendu, de la science-fiction, mais d'une qualité rare de sincérité, révélant chez S. un écœurement superbe pour tout ce qui existe ou pourrait exister. Et c'est pourquoi il n'a jamais écrit, sous l'apparence de la multiplicité des œuvres successives, qu'un seul roman, qui est aussi une autobiographie fantasmatique, avec toutes les longueurs, les redites, les attentats à la syntaxe et le génie que comporte obligatoirement le défoulement d'un aliéné de l'activité et de l'affectivité.

Œuvres. *La sortie est au fond de l'espace,* 1956 (N). – *La Géométrie dans la terreur,* 1956 (N). – *Une succursale du* *fantastique nommée science-fiction,* 1958. – *Le Délit,* 1958 (N). – *L'Employé,* 1958 (N). – *Entre deux mondes incertains,* 1958 (N). – *Une belle journée,* 1960 (N). – *Manuel du parfait petit secrétaire commercial,* 1960. – *L'Architecte,* 1960. – *La Banlieue,* 1961. – *La Géométrie dans l'impossible,* 1961 (N). – *Un jour ouvrable,* 1961 (N). – *Toi, ma nuit,* 1965 (N). – Avec Alain Resnais, *Je t'aime, je t'aime,* 1969. – *Les Chroniques de « France-Soir »,* 1971. – *Le Tour du monde en 300 gravures,* 1972 (E). – *Dictionnaire du mépris,* 1973. – *Le Cœur froid,* 1973 (N). – *Lettre ouverte aux Terriens,* 1974. – *Un siècle de dessins contestataires, 1870-1970,* 1974 (E). – *Sophie, la mer et la nuit,* 1976 (N). – *Futurs sans avenir* (nouvelles), 1977 (N). – *Le Navigateur,* 1977 (N). – *Mai 86,* 1978. – *Vivre en survivant. Démission, démerde, dérive,* 1977. – *Agathe et Béatrice, Claire et Dorothée,* 1979 (N). – *Suite pour Evelyne, sweet Evelin,* 1980 (N). – *L'Anonyme,* 1982 (N). – *Dictionnaire des idées revues,* 1985.

STOÏCISME. Doctrine de Zénon de Citium, de ses disciples et de ses successeurs. Le stoïcisme considère que la force et l'énergie intérieures sont le fondement de toute valeur. Sur le plan de la logique, toute opération de la pensée est possible du moment que la volonté s'exerce. Sur le plan de la morale, le bien se trouve dans l'effort même de la vertu pour le conquérir librement. Grâce à la volonté, tout devient possible : l'homme peut aussi bien créer ce qu'il désire que se créer lui-même, à condition qu'il s'efforce de repousser tout ce qui ne relève pas de la raison, plus précisément les passions. Car l'essentiel est dans l'autonomie de l'homme par rapport à lui-même et par rapport au monde : c'est la morale de la « maîtrise de soi ». L'influence littéraire du stoïcisme fut considérable en Europe, et particulièrement en France, au début du XVIIe s. (néostoïcisme de G. du Vair, aspects néostoïciens de Descartes et de Corneille).

STROPHE [grec *strophê* = évolution du chœur, de *strephein* = tourner]. Dans l'Antiquité : première des trois parties qui composent le chant du chœur (strophe, antistrophe, épode). Dans la poésie moderne : ensemble formé de plusieurs vers, avec une disposition déterminée de mètres et de rimes qui assure sa cohésion, son harmonie, figure formelle semblable aux évolutions et aux chants du chœur dans le théâtre antique. Les combinaisons sont multiples. On distingue, par exemple, la strophe isométrique (composée d'une seule espèce de vers) de la strophe hétérométrique (composée de plusieurs espèces de vers). Jusqu'au XVIIIe s., on préféra dire « stance » plutôt que « strophe ».

STRUCTURALISME. Terme de linguistique. Théorie qui tend à définir les fonctions des divers éléments de la langue, chacun d'entre eux étant relié aux autres selon une disposition caractéristique, appelée structure, l'ensemble constituant un « système ». Le structuralisme est devenu une méthode d'analyse qui tend à s'appliquer à toutes les sciences humaines (ethnologie, critique littéraire...) [Voir LÉVI-STRAUSS.]

SUARD Jean-Baptiste Antoine. Besançon 15.2.1733 – Paris 20.7.1817. Il s'associa avec l'abbé Arnaud et fonda le *Journal étranger ;* il fut également rédacteur de *la Gazette de France* (1762-1771) et du *Publiciste* (1799-1810) ; à part ses *Variétés littéraires* et ses *Mélanges de littérature,* son œuvre a eu moins d'importance que son rôle dans le monde des lettres (il fut, par exemple, censeur dramatique de 1774 à 1789) ; le salon de sa femme (sœur de l'éditeur Charles Joseph Panckoucke) reçut de nombreux écrivains et joua un rôle appréciable après comme avant la Révolution. Acad. fr. 1774 (secrétaire perpétuel en 1803).

Œuvres. *Supplément aux lettres de Clarisse Harlowe* (trad.), 1762. – *Exposé de la contestation entre Hume et Rousseau* (trad.), 1766 (E). – *Voyage de John Byron* (trad.), 1767. – *Variétés littéraires ou Recueil de pièces tant originales que traduites* (4 vol.), 1768 ; (4 vol.), 1804. – Avec Jansen, *Histoire de Charles Quint* (trad. de Robertson, 2 vol., 1771 ; 6 vol., 1781) [E]. – *Discours de réception à l'Académie française,* 1774. – Avec Demeunier, *Voyages de Cook* (trad.), 1785. – *Mélanges de littérature* (5 vol., 1803-1805 ; 3 vol., 1806). – *Notice sur le caractère et la mort du baron Malouet,* 1814 (E). – *De la liberté de la presse,* 1814 (E). – Avec Arnaud, *Clytemnestre* (opéra, musique de Piccinni), s.d. – *Mémoires et Correspondance historique et littéraire* (5 vol.), posth., 1858.

SUARÈS André. Marseille 12.6.1866 – Saint-Maur-des-Fossés 7.10.1948. Il ne connut jamais le succès et reste difficile d'abord, tant du fait de sa hauteur d'inspiration que de la condensation de son style. Son œuvre n'en est pas moins un témoignage capital sur les inquiétudes de sa génération. Partagé entre ascétisme mystique et esthétisme intellectuel, il est un des annonciateurs de la promotion contemporaine du genre de l'essai, dont il est aussi un des maîtres : qu'il prenne pour sujet *Wagner* ou *Tolstoï* ou encore *Pascal, Ibsen, Dostoïevski,* il déborde progressivement le point de vue du critique pour élaborer un art subtil et difficile des correspondances entre le domaine esthétique de la littérature ou de la musique et le domaine spirituel de l'intériorité personnelle. On retrouve la même préoccupation dans sa correspondance, en particulier dans les lettres qu'il échangea avec le peintre Georges Rouault. Grand prix de littérature de l'Acad. fr. 1935. Grand prix de littérature de la Ville-de-Paris, 1948.

Œuvres. *Les Pèlerins d'Emmaüs,* 1893 (T). – *Wagner,* 1899 (E). – *Airs,* 1900 (P). – *Images de la grandeur,* 1901 (E). – *Le Livre de l'émeraude. En Bretagne,* 1902. – *Sur la mort de mon frère,* 1904. – *La Tragédie d'Élektre et Oreste,* 1905 (T). – *Voici l'Homme,* 1906 (E). – *Le Bouclier du zodiaque,* 1907 (E). – *Sur la vie,* 1909 (E). – *Lais et Sônes,* 1909 (P). – *Vers Venise,* 1910 (E). – *Tolstoï vivant,* 1911 (E). – *De Napoléon,* 1912 (E). – *Cressida,* 1913 (T). – *Idées et Visions,* 1913 (E). – *Trois Hommes : Pascal, Ibsen, Dostoïevski,* 1913 (E). – *Portraits,* 1914 (E). – *Cervantès,* 1916 (E). – *Amour,* 1917 (E). – *Les bourdons sont en fleur,* 1917 (E). – *Remarques,* 1917-1918 (E). – *Poète tragique,* 1921 (E). – *Debussy,* 1922 (E). – *Puissance de Pascal,* 1923 (E). – *Xénies,* 1923 (E). – *Polyxène,* 1925 (E). – *Présences,* 1925 (E). – *Musique et Poésie,* 1928 (E). – *Poème du temps qui meurt,* 1929 (P). – *Variables,* 1929. – *Marsiho,* 1929 (P). – *Musiciens,* 1931 (E). – *Goethe, le grand Européen,* 1932 (E). – *Le Voyage du Condottiere* (3 vol.), 1932, rééd. 1985 (E). – *Vues sur Napoléon,* 1933 (E). – *Cité, nef de Paris,* 1933 (P). – *Portraits sans modèles,* 1935 (E). – *Valeurs,* 1936 (E). – *Rêves de l'ombre,* 1937 (P). – *Trois Grands Vivants (Cervantès, Tolstoï, Baudelaire),* 1937 (E). – *Vues sur l'Europe,* 1939 (E). – *Hélène chez Archimède,* posth., 1949 (E). – *Paris,* posth., 1949 (E). – *Rosalinde sur l'eau,* posth., 1950. – *Présentation de la France,* posth., 1950. – *Minos et Pasiphaë,* posth., 1950. – *Correspondance A.S.-Paul Claudel,* posth., 1951. – *Cette âme ardente, lettres de jeunesse de Suarès à Romain Rolland,* posth., 1954. – *Ignorées du destinataire,* posth., 1955. – *Correspondance A. S.-Georges Rouault,* posth., 1960.

SUBLIGNY Adrien Thomas Perdou de. 1636 ? – 1696. Avocat, il préféra se consacrer à la littérature et fréquenta le salon de Mme de La Suze. D'abord journaliste, il participa aux cabales avec sa *Muse dauphine* et se fit l'ardent défenseur de Molière. Son journal ayant été interdit en 1667, il eut recours à une comédie satirique, *la Folle Querelle,* pour combattre l'*Andromaque* de Racine. Il publia encore un roman parodique, *la Fausse Clélie,* en réaction contre les romans précieux. Quoique médiocre, cette œuvre eut le mérite de marquer une étape dans l'affaiblissement progressif des genres mondains au XVIIe s.

Œuvres. *La Muse Dauphine* (gazette en vers), 1666-1667. – *La Folle Querelle ou la Critique d'« Andromaque »,* 1668 (T). – *La Fausse Clélie, histoire française galante et comique,* 1670 (N). – *Le Désespoir extravagant,* 1670 (N). – *Réponse à la critique de la « Bérenice » de Racine par l'abbé de Villars,* 1671 (E). – *Dissertations sur les tragédies de « Phèdre » et « Hippolyte »,* 1667 (E).

SUE Marie-Joseph, dit **Eugène.** Paris 10.12.1804 – Annecy 3.8.1857. Son premier métier (chirurgien de la marine) orienta l'inspiration de ses œuvres lorsque l'héritage paternel lui laissa le loisir d'écrire à sa guise ; le succès de ses romans maritimes *(Plick et Plock ; Atar-Gull ; la Salamandre ; la Cucaratcha ; la Vigie de Koatven)* se prolongea plusieurs années ; en revanche, malgré le sérieux de sa documentation, l'*Histoire de la marine française* se vendit mal. S. avait déjà d'autres entreprises en chantier : romans historiques (*Latréaumont ; Jean Cavalier*), romans de mœurs au climat désabusé (*Arthur ; Mathilde*). Mais c'est dans les deux grands feuilletons *les Mystères de Paris* et *le Juif errant,* que S. atteignit sa plus grande gloire ; son propos y était de montrer à ses lecteurs bourgeois la misère du peuple parisien telle que l'entretenait le régime de Juillet, auquel il était hostile, et, à cet effet, il utilisait les techniques éprouvées de l'action romanesque et du pathétique sentimental. Mais c'était aussi un moyen de diffuser efficacement une sensibilité sociale sincère et généreuse. De surcroît, S. est à compter au nombre des grands initiateurs du réalisme, en particulier par sa peinture – toute nouvelle alors – des bas-fonds urbains et des milieux ouvriers. Ses décors et ses personnages peuvent paraître fardés tant ils ont de couleur et de relief, mais c'est que leur peinture est authentique, et il est des pages des *Mystères de Paris* où S. se révèle digne d'apporter à la *Comédie humaine* un complément qui lui manque. Malheureusement, et sauf exception, S. n'a pas trouvé de véritable style : Sainte-Beuve ne s'y trompait pas, lorsqu'il rapprochait S. de Balzac pour son génie de la fécondité et de la composition mais regrettait l'absence d'une véritable capacité d'expression et de création d'un style. S., en tout cas, a influencé probablement le Balzac de *Splendeurs et misères des courtisanes* et certainement le Hugo des *Misérables*.

Œuvres. *Kernoch le pirate,* 1830 (N). – *Plick et Plock,* 1831 (N). – *Atar-Gull,* 1831 (N). – *La Salamandre* (2 vol.), 1832 (N). – *La Cucaratcha* (4 vol.), 1832-1834 (N). – *La Vigie de Koatven,* 1832 (N). – *Cécile,* 1835 (N). – *Histoire de la marine française* (5 vol.), 1835-1837. – *Latréaumont,* 1837 (adapt. théâtrale, 1840) [N]. – *Arthur,* 1838 (N). – *Deleytar,* 1839 (N). – *Le Marquis de Létorière,* 1839 (N). – *Deux Histoires,* 1840 (N). – *Jean Cavalier ou les Fanatiques des Cévennes,* 1841 (N). – *Histoire de la marine militaire de tous les peuples,* 1841. – *Le Commandeur de Malte,* 1841 (N). – *Mathilde ou Mémoires d'une jeune femme,* 1841 (adapt. théâtrale, 1842) [N]. – *Thérèse Dunoyer,* 1842 (N). – *Paula Monti,* 1842 (N). – *Le Morne au diable,* 1842 (adapt. théâtrale, 1848) [N]. – *Les Mystères de Paris* (10 vol.), 1842-1843 (adapt. théâtrale, 1843) [N]. – *Le Juif errant* (10 vol.), 1844-1845 (adapt. théâtrale, 1849) [N]. – *Martin ou l'Enfant trouvé* (12 vol.), 1847 (N). – *Les Sept Péchés capitaux* (16 vol.), 1847 (N). – *Le Républicain des campagnes,* 1848 (N). – *Le Berger de Kravan,* 1848-1849 (N). – *Les Mystères du Peuple ou Histoire d'une famille de prolétaires à travers les âges* (16 vol.), 1849-1856 (N). – *Les Enfants de l'amour,* 1850 (N). – *La Bonne Aventure,* 1851 (N). – *Les Misères des enfants trouvés* (14 vol.), 1851 (N). – *Fernand Duplessis* (6 vol.), 1852 (N). – *La Marquise d'Amalfi,* 1853 (N). – *Gilbert et Gilberte,* 1853 (N). – *La Famille Jouffroy* (7 vol.), 1854 (N). – *Le Diable médecin* (7 vol.), 1855-1857 (N). – *Les Fils de famille* (9 vol.), 1856 (N). – *Les Secrets de l'oreiller* (7 vol.), posth., 1858 (N).

Les Mystères de Paris

Le prince Rodolphe, qui a dû consentir à la rupture de son mariage morganatique avec Sarah, en a conçu le plus vif désespoir. Aussi décide-t-il de s'en aller vagabonder à travers le monde, à la manière d'une sorte de chevalier errant des Temps modernes, protecteur de l'innocence persécutée et redresseur de torts. Le voilà donc à Paris, déguisé en ouvrier au cœur de la Cité ; il rencontre la courtisane au grand cœur Fleur-de-Marie ; c'est l'occasion pour l'auteur de faire défiler personnages et décors : le ménage de concierges Pipelet, l'ouvrier Morel, la grisette Rigolette, les figures inquiétantes du meurtrier le Chourineur, du Maître d'école ou de la Chouette, l'abominable mégère qui a fait de Fleur-de-Marie ce qu'elle est devenue ; c'est aussi l'occasion de multiplier les meurtres, les enlèvements, les intrigues secondaires. Quant à Fleur-de-Marie, surnommée la Goualeuse, elle a, au cœur même de sa dégradation, conservé la pureté d'âme et la délicatesse de sentiment qui lui permettront de faire l'éducation morale de ses codétenues de la prison Saint-Lazare. Finalement, Rodolphe reconnaîtra en elle sa fille, autrefois abandonnée par Sarah, et, dès lors réconcilié avec son destin, il retourne dans sa patrie de Gerolstein, où il emmène sa fille, il rend à celle-ci son titre et son opulence, mais, marquée par son horrible passé, elle entrera au couvent ; c'est le jour même de sa prise de voile que Rodolphe meurt ; sa fille le suivra peu après dans la mort.

SULIVAN Jean. Montauban-de-Bretagne 1914 – Paris 18.2.1980. D'origine paysanne, il entre au séminaire et est ordonné prêtre. Prêtre solitaire et écrivain solitaire, il ne cesse de poursuivre son *Voyage intérieur* (titre de son premier roman). Il élargit son inspiration en portant son regard sur la Grèce antique *(l'Obsession de Delphes)* ou sur l'Inde *(Quelque temps de la vie en Inde).* Mais l'unité profonde de son œuvre, qui relève du roman-témoignage, tient dans cette profession de foi où se rejoignent, dans une commune vocation, le prêtre et l'écrivain : « Je dis ma vérité et je prie pour qu'elle rejoigne la vérité. J'espère être prêtre en dedans. »

Œuvres. *Le Voyage intérieur,* 1958 (N). – *Bonheur des rebelles,* 1959 (N). – *Provocation ou la Faiblesse de Dieu,* 1959 (N). – *Le Prince et le Mal,* 1960 (N). – *Livre de Crète,* 1961 (N). – *Du côté de l'ombre,* 1962 (N). – *Paradoxe et scandale,* 1962 (N). – *Mais il y a la mer,* 1964 (N). – *Le Plus Petit Abîme,* 1965 (N). – *Car je t'aime, ô éternité,* 1966 (N). – *L'Obsession de Delphes,* 1967 (N). – *Consolation de la nuit,* 1968 (N). – *Les Mots à la gorge,* 1969 (N). – *Miroir brisé,* 1969 (N). – *D'amour et de mort à Mogador,* 1970 (N). – *Petite littérature individuelle. Logique de l'écrivain chrétien,* 1971 (E). – *Joie errante,* 1974 (N). – *Je veux battre le tambour,* 1975 (N). – *Matinales I,* 1976. – *Matinales II. La Traversée des illusions,* 1977. – *Quelque temps de la vie en Inde,* 1979.

SULLY PRUDHOMME, René François Armand Prudhomme, dit. Paris 16.3.1839 – Châtenay-Malabry 6.9.1907. Une mère veuve et sévère, une santé médiocre qui lui barre la route de Polytechnique, une formation juridique qui le mène à l'ennui des stages de notariat, un célibat mélancolique consécutif à une déception décisive : la vie de S. P. a les grises couleurs de sa littérature. Engagé dans une carrière d'ingénieur qu'il mena de front avec son œuvre, il fut présenté à Heredia et à Leconte de Lisle, mais ne put s'intégrer au Parnasse, bien qu'il ait tenté d'en suivre les recettes pour égaler Lucrèce dans *les Destins, le Zénith, la Justice, le Bonheur* (1888) – et préféra se consacrer à l'intimisme, qui correspondait mieux à sa nature. Sa poésie scientifique atteint parfois, cependant, à une certaine grandeur, mais souffre de la volonté constante de l'auteur d'illustrer la fonction idéologique de la poésie. On le regrette d'autant plus que, dans les œuvres plus lyriques – non seulement le célèbre « Vase brisé » *(Stances et Poèmes),* mais aussi, par exemple, « les Yeux » *(la Vie intérieure)* –, le poète fait preuve d'une délicate sensibilité. Mais c'est à sa poésie scientifique, qui glorifiait quelques-uns des mythes dominants de l'époque – la science, le progrès –, que S. P. dut la célébrité internationale que consacra, en 1901, l'attribution du premier prix Nobel de littérature. Acad. fr. 1881.

Œuvres. *Stances et Poèmes,* 1865 (P). – *La Vie intérieure,* 1865 (P). – *Les Épreuves,* 1866 (P). – *Les Solitudes,* 1869 (P). – *De la nature des choses* (trad. de Lucrèce), 1869 (P). – *Impressions de la guerre,* 1870 (P). – *Les Destins,* 1872 (P). – *Les Vaines Tendresses,* 1875 (P). – *Le Zénith,* 1876 (P). – *La Justice,* 1878 (P). – *De l'expression dans les beaux-arts,* 1884 (E). – *Le Prisme,* 1886 (P). – *La Révolte des fleurs,* 1886 (P). – *Le Bonheur,* 1889 (P). – *Réflexions sur l'art des vers,* 1892 (E). – *Testament poétique,* 1902 (E). – Avec Ch. Richet, *le Problème des causes finales,* 1902 (E). – *La Vraie Religion selon Pascal,* 1905 (E). – *Psychologie du libre arbitre,* 1906 (E). – *Les Épaves,* posth., 1908 (P).

SUPERVIELLE Jules. Montevideo (Uruguay) 16.1.1884 – Paris 17.5.1960. Fils d'une famille de la grande bourgeoisie, venu en France aussitôt après sa naissance, il est orphelin à deux ans et élevé par son oncle. Possesseur de la double nationalité, marié à une Uruguayenne, il fait de très fréquents séjours à Montevideo, où la guerre le surprend en 1939. Après une vie en marge, tout entière consacrée à son œuvre et à de brefs voyages, il meurt parisien.
Son œuvre, très riche, s'étend sur un demi-siècle et touche aussi bien au théâtre qu'au roman ; mais c'est la poésie qui y joue le rôle prépondérant. D'abord influencé par Laforgue *(Poèmes de l'humour triste),* il use du vers libre, souvent court, sans rime à l'occasion ; plus tard seulement il reviendra aux vers classiques. L'exemple de Larbaud et son expérience des voyages, ainsi que le sentiment de ne pas posséder réellement de point fixe entre deux patries, lui inspirent *Débarcadères* et *Gravitations,* que Rilke célébra avec enthousiasme. Obsédé par le problème de l'absence, par la conscience de présences inconnues, mais fugaces et insaisissables, il interroge la nature *(le Forçat innocent),* évoque *les Amis inconnus* qui la peuplent ou écoute avec angoisse la « tristesse de Dieu » *(la Fable du monde).* La guerre lui inspire les *Poèmes de la France malheureuse* et *Ciel et Terre.* Puis il revient à l'exploration de l'invisible et de l'angoisse et des intuitions qu'ils engendrent en nous *(Orphée,* contes ; *À la nuit ; Oublieuse Mémoire ; Naissance ; le Corps tragique).* Attaché, dans ses poèmes, à la clarté du sens, S. excelle d'autre part à conter des histoires baignant dans une atmosphère irréelle, à la fois heureuse et inconcevable (*l'Enfant de la haute mer* – sa plus parfaite réussite en ce domaine –). De même son théâtre, sauf *Bolivar,* est essentiellement une féerie, manière qui culmine dans *Schéhérazade.* D'une grande simplicité technique, la poésie de S. cherche à créer l'impression d'une absence, d'un manque, par le mouvement même qui les cerne ; bénéficiaire de la libération du langage due à la poésie moderne, elle se refuse pourtant à l'hermétisme et utilise des sonorités et des rythmes légers, des images simples et apparemment sans mystère. La mélodie enchâsse le sens dans un murmure, continu, spontané mais attaché à découvrir et faire apparaître les fantômes qui habitent l'homme. Car le bonheur, la transparence de l'œuvre de S. reposent sur une conscience aiguë du corps, prison où bat si faiblement le cœur, cage aussi pour l'esprit, et du temps, domaine inconnaissable sur lequel règnent à la fois la mort et Dieu. Les visions et les rêves sont des comptes rendus d'exploration ; tout objet dissimule une réalité autre, dont il est à la fois le signe et le masque. Cette absence universelle débouche nécessairement sur une poésie elle-même presque absente : c'est ce qui, loin des modes, donne à S. sa place dans la littérature moderne parmi ceux pour qui le fantastique, beaucoup plus intérieur

qu'extérieur et accidentel, se traduit en ébauches de récits, en suggestions de sensations, et non en images dures, frappées de façon étincelante ou grimaçante. Ce qui éloigne S. des surréalistes, c'est l'idée même qu'il se fait de ce qui est au-delà de la réalité, en dehors d'elle : pour lui, il s'agit d'un ensemble de « conditions de possibilité » et non d'un monde où règnerait souverainement la « beauté frénétique » réclamée par A. Breton.

Œuvres. *Brumes du passé,* 1900 (P). – *Comme des voiliers,* 1910 (P). – *Poèmes de l'humour triste,* 1919 (P). – *Débarcadères,* 1922 (P). – *L'Homme de la pampa,* 1923 (N). – *Gravitations,* 1925 (P). – *Le Voleur d'enfants,* 1926 (adapt. théâtrale, 1948) [N]. – *Oloron Sainte-Marie,* 1927 (P). – *Saisir,* 1928 (P). – *Le Survivant,* 1928 (N). – *Uruguay,* 1928. – *Le Forçat innocent,* 1930 (P). – *Bolivar et les femmes,* 1930 (N). – *Poème chorégraphique,* 1931 (P). – *L'Enfant de la haute mer,* 1931 (N). – *La Belle au bois* (féerie), 1932 (T). – *Boire à la source,* 1933 (N). – *Les Amis inconnus,* 1934 (P). – *Phosphorescences,* 1936 (P). – *La Première Famille* (farce), 1936 (T). – *Bolivar* (musique de Darius Milhaud), 1936 (T). – *La Fable du monde,* 1938 (P). – *L'Arche de Noé* (contes), 1938 (N). – *Ciel et Terre,* 1941 (P). – *Le Petit Bois et autres contes,* 1942 (N). – *Poèmes de la France malheureuse,* 1943 (P). – *Une métamorphose ou l'Époux exemplaire* (conte), 1945 (N). – *Orphée* (contes), 1946 (N). – *Poèmes 1939-1945,* 1946 (P). – *À la nuit,* 1947 (P). – *La Fuite en Égypte* (conte), 1947 (N). – *Oublieuse Mémoire,* 1949 (P). – *Robinson,* 1949 (T). – *Schéhérazade,* 1949 (T). – *Les B.B.V.,* 1949 (P). – *Premiers Pas de l'Univers* (contes mythologiques), 1950 (N). – *Naissances,* 1951 (P). – *La Création des animaux* (conte), 1951 (N). – *Le Jeune Homme du dimanche et des autres jours,* 1952-1955 (N). – *L'Escalier,* 1956 (P). – *Le Corps tragique,* 1959 (P). – *Les Suites d'une course,* suivi de *l'Étoile de Séville,* 1959 (T).

SURNATURALISME. Ce terme a été introduit dans le vocabulaire littéraire par Baudelaire *(Curiosités esthétiques)* pour désigner la capacité poétique de révélation, d'expression et de communication d'une « surnature ». De son côté, Gérard de Nerval avait emprunté à l'Allemagne le terme de « supernaturalisme » (*les Filles du feu,* 1854).

SURRÉALISME. Le mot apparaît dans la préface des *Mamelles de Tirésias,* d'Apollinaire (1917). L'effervescence d'idées qui se manifeste dans les milieux littéraires et artistiques au sortir de la guerre se concentre dans un esprit de rupture et de révolte qu'expriment, les premiers, en littérature, *les Champs magnétiques* de Breton et Soupault (1919). Ce recueil de poèmes est un tri effectué dans une masse de papier noirci selon le principe de l'écriture automatique, laquelle donne lieu en 1924 à cette définition, la plus étroite, du mot « surréalisme » : « Automatisme psychique pur par lequel on se propose d'exprimer, soit verbalement, soit par écrit, soit de toute autre manière, le fonctionnement réel de la pensée. Dictée de la pensée, en l'absence de tout contrôle exercé par la raison, en dehors de toute préoccupation esthétique ou morale » *(Manifeste du surréalisme).* Une fois dégagé de la perturbation *dada,* le surréalisme se répandit dans toutes les branches de l'expression artistique : en 1916 déjà, Diaghilev avait créé *Parade,* de Satie et Cocteau, avec des décors de Picasso ; au cinéma, on voit en 1924 *le Ballet mécanique* de Fernand Léger, en 1928 et 1930 les chefs-d'œuvre de Buñuel, *Un chien andalou* et *l'Âge d'or.* En peinture, Ernst et Picabia suivent la même orientation, accompagnés un temps par Dali et De Chirico. En littérature, les principaux noms sont ceux de Breton, Soupault, Crevel, Desnos, Éluard, Aragon, Péret. La poésie, expérience surréaliste privilégiée, est conçue comme un préambule expérimental à la conquête effective d'une manière d'exister qui soit ce que Breton appelait la « vraie vie » ; rupture, révolte, certes, mais bientôt volonté constructive. L'art comme technique d'exploration de l'inconnu n'est pas séparable de la révolution comme tentative de réunion des hommes : c'est dans cet esprit que Breton tenta – en vain – de mêler les destinées de son mouvement à celles du parti communiste. Du moins voulait-il conserver aux productions du groupe qu'il dirigeait leur valeur originelle de provocation, d'« appel » à réagir ; moins qu'une théorie – qui vint s'ajouter à la pratique et ne la précéda jamais –, le surréalisme se révèle plutôt, à mesure qu'il se développe et, pour ainsi dire, s'institutionnalise, comme un moyen de vivre la littérature. Mais si l'on a pu avec raison rapprocher du surréalisme, voire lui rattacher, les aînés Cendrars et Reverdy, un indépendant comme Artaud ou des cadets aussi évidemment doués que Julien Gracq, c'est aller trop loin que d'y joindre, sur des parentés superficielles, les noms d'un Cocteau, d'un Max Jacob, d'un Supervielle. La production surréaliste proprement dite (poèmes automatiques, peinture et sculpture de la première époque) s'est souvent révélée caduque ; l'*esprit* surréaliste, lui, continue d'imprégner profondément la vie artistique et même la vie quotidienne. C'est au point que si, en 1969, Jean Schuster, le « successeur » de Breton, a signé solennellement l'acte de décès du surréalisme historique, on peut bel et bien parler aujourd'hui dans la littérature d'un surréalisme *critique* ; l'adjectif *surréaliste,* détaché de son contexte précis mais non de l'élan créateur qui le fit naître, est entré dans le vocabulaire et sert de catégorie de jugement pour l'appréciation d'un grand nombre d'œuvres ou d'événements ; il ne prétend nullement leur imposer une filiation, mais au contraire fournir un élément de référence permettant de cerner leur originalité.

Manifeste du surréalisme

(A. Breton, 1924). L'homme est un « rêveur définitif », mais il ne sait plus laisser aller son imagination en liberté. Or, « le langage a été donné à l'homme pour qu'il en fasse un usage surréaliste », pour qu'il en fasse le miroir et l'expression de la surréalité, dont il a pour vocation de susciter la présence. Qu'est-ce donc que la surréalité ? Littérairement, elle se manifeste par le merveilleux, lui-même produit d'une création libre et personnelle ; c'est aussi affaire de sensibilité réceptive à ces moments privilégiés qui, dans toute expérience humaine, s'accompagnent d'étonnement et d'émerveillement (ce que, traditionnellement, on appelle l'inspiration ; mais, pour atteindre à la vraie surréalité, il faut recourir à de nouveaux modes d'inspiration). Moments privilégiés qu'il est possible aussi de provoquer : le *Manifeste* développe alors les « secrets de l'art magique surréaliste » et s'attache particulièrement, au-delà du rêve et de l'écriture automatique, à l'exploration de l'image surréaliste définie comme présentant « le degré d'arbitraire le plus élevé ».

Second Manifeste du surréalisme

(A. Breton, 1930). C'est le manifeste « politique », sur le thème du surréalisme comme révolte ; révolte qui se propose de ruiner les idées de famille, de patrie, de religion ; aspect négatif d'une réaction qui, dans son aspect positif, vise à modifier radicalement la condition humaine ; car le surréalisme, c'est la « révolte absolue ». Aussi ne peut-on admettre que l'art, même surréaliste, serve d'alibi à la démission politique, ni non plus que l'engagement politique se fasse aux dépens de l'art. À partir de là, le *Second Manifeste* propose une doctrine de la *totalité* surréaliste, fondée sur une recherche ininterrompue, qui, elle-même, suppose, pour rester pure et authentique, une « occultation » destinée à la protéger de toutes les déviations. En cela, le surréalisme rejoint l'ésotérisme, celui par exemple des alchimistes, et son progrès exige à la fois secret et initiation.

SYMBOLISME. Courant littéraire qui, vers 1880, s'opposa au positivisme et à la littérature qui s'en réclamait : le naturalisme. C'est Jean Moréas qui inventa le terme, dans un article paru dans *le Figaro* (septembre 1886) et intitulé « Manifeste du symbolisme ». Autour de lui se groupèrent des poètes comme Gustave Kahn (inventeur du vers libre), Albert Samain, Jules Laforgue, Laurent Tailhade. À l'encontre du naturalisme, qui s'en tient à la réalité sensible, le symbolisme part à la découverte des mondes cachés, qui ne peuvent se signaler que par des signes qu'il s'agit de déchiffrer et de transcrire. À partir de là, le symbolisme s'orientera vers un idéalisme à tendance métaphysique (Mallarmé, Maeterlinck) dont certains poètes élaboreront la théorie explicite (R. Ghil, *Traité du verbe ;* Stuart Merrill, *Credo ;* A. Mockel, *Propos de littérature*). Bien avant l'époque dite « symboliste », Baudelaire voyait déjà le monde comme une « forêt de symboles » dont il faut trouver les correspondants dans le langage écrit. Le mouvement symboliste, qui a concerné tous les modes d'expression, a constitué, à la fin du XIXe et au début du XXe s., un phénomène culturel quasi universel et a fécondé quelques-unes des œuvres modernes les plus originales.

SYNCHRONIE [grec *synchronos* = contemporain]. Ensemble des faits linguistiques, considérés comme formant un système en étroite relation avec le moment de l'histoire où il se développe. S'oppose à diachronie.

SYSTÈME [grec *sustêma* = ensemble, assemblage, composition]. Partie d'une langue donnée, constituée de faits de phonétique, de morphologie, de syntaxe, de lexique, etc., reliés les uns aux autres par des rapports spécifiques qui en déterminent la structure. (Voir STRUCTURALISME.)

T

TAHUREAU Jacques. Le Mans 1527 – 1555. Son maître fut Ronsard ; ses amis, du Bellay, Baïf, Jodelle. Il se retira assez rapidement dans son domaine du Maine, qu'il a dépeint dans ses *Dialogues.* Poète galant, il s'est bien essayé à une poésie plus profonde, mais sans grand succès. Outre ses *Dialogues,* il a laissé un recueil de ses *Premières Poésies* et des *Sonnets, Odes et Mignardises amoureuses de l'Admirée,* « Admirée » qui fut sans doute la Francine chantée par Baïf et qu'il épousa l'année même de sa mort. Disparu à vingt-huit ans, alors qu'il n'avait pu encore donner sa mesure, il apparaît comme l'auteur d'une œuvre inégale mais dont la qualité poétique confirme qu'il méritait bien l'estime où le tenaient ses amis de la Pléiade.

Œuvres. *Premières Poésies,* 1554 (P). – *Sonnets, Odes et Mignardises amoureuses de l'Admirée,* 1554 (P). – *Oraison au roi de la grandeur de son règne et de l'excellence de la langue française,* 1555 (P). – *Dialogues non moins profitables que facétieux,* posth., 1562. – *Poésies mises toutes ensemble,* posth., 1574 (P).

TAILHADE Laurent. Tarbes 16.4.1854 – Combs-la-Ville (Seine-et-Marne) 2.11.1919. Veuf à trente-cinq ans, il vint à Paris comme auteur inconnu du recueil *le Jardin des rêves ;* il se lia avec Samain, Verlaine et Moréas et gaspilla sa fortune dans une vie de bohème. Sa poésie emprunta deux voies fort différentes : parnassien, mais décadent et « fin de siècle » dans ses *Poèmes élégiaques,* T. se montre en revanche féroce satiriste et critique savoureux dans les pamphlets en vers groupés sous le titre *Poèmes aristophanesques ;* les deux plus caractéristiques de ces pamphlets sont *Au pays du mufle* et *À travers les groins.* T., qui poussait la sincérité jusqu'au duel, dut le principal de sa célébrité tardive à la violence avec laquelle il soutint les attentats anarchistes de 1892-1894.

Œuvres. *Le Jardin des rêves,* 1880 (P). – *Au pays du mufle,* 1891 (P). – *Vitraux,* 1892 (P). – *Terre latine* (prose), 1897. – *À travers les groins,* 1899 (P). – *Imbéciles et Gredins* (prose), 1900. – *La Touffe de sauge* (prose), 1901. – Traduction du *Satyricon* de Pétrone, 1902. – *Poèmes aristophanesques,* 1904 (P). – *Poèmes élégiaques,* 1907 (P).

TAINE Hippolyte. Vouziers 21.4.1828 – Paris 5.3.1893. Entré premier à l'École normale supérieure (1848), il fut refusé à l'agrégation de philosophie en raison de ses idées libérales ; exilé dans des postes secondaires en province, il renonça à l'enseignement et entra à *la Revue des Deux Mondes* (1857), peu après avoir soutenu une thèse sur *les Fables de La Fontaine.* D'abord historien *(Essai sur Tite-Live ; Essais de critique et d'histoire),* T. se préoccupa surtout de philosophie, partant en guerre contre l'éclectisme *(les Philosophes français du XIX*[e] *siècle)* et donnant, dans *De l'intelligence,* la synthèse de sa méthode expérimentale : l'art et la littérature sont des fonctions naturelles de l'homme, et ils revêtent diverses formes selon les influences géographiques *(cf. Voyage aux Pyrénées),* selon la race, le moment et le milieu où est produite l'œuvre *(cf.* la préface d'*Histoire de la littérature anglaise).* T. développa ces vues déterministes dans *Nouveaux* puis *Derniers Essais de critique et d'histoire* et dans *Philosophie de l'art* (ensemble de ses cours, publ. 1882). *Les Origines de la France contemporaine* s'attachent plus particulièrement à déceler les causes de la faiblesse morale du vaincu de 1870-1871. La rigueur de sa méthode mesure chez T. la réussite comme l'excès ; son influence, dénoncée par Bourget dans *le Disciple,* ne fut pas seulement néfaste. Acad. fr. 1878.

Œuvres. *Essai sur les fables de La Fontaine,* 1853 (E). – *Voyage aux eaux des Pyrénées,* 1855 (E). – *Essai sur Tite-Live,* 1856 (E). – *Les Philosophes français du XIXe siècle,* 1857 (E). – *Essais de critique et d'histoire,* 1858 (E). – *La Fontaine et ses fables,* 1860 (E). – *Les Écrivains actuels de l'Angleterre,* 1863 (E). – *L'Idéalisme anglais,* 1864 (E). – *Le Positivisme anglais,* 1864 (E). – *Histoire de la littérature anglaise* (4 vol.), 1864 (E). – *Nouveaux Essais de critique et d'histoire,* 1865 (E). – *Philosophie de l'art,* 1865 (E). – *La Philosophie de l'art en Italie,* 1866 (E). – *Voyage en Italie. Naples, Rome, Florence et Venise,* 1866 (E). – *De l'idéal dans l'art,* 1867 (E). – *Notes sur Paris ou Vie et opinions de M. Frédéric-Thomas Graindorge, docteur en philosophie de l'université d'Iéna, principal associé commanditaire de la maison Graindorge et Cie (huile, porc salé à Cincinnati, U.S.A.),* 1867 (E). – *La Philosophie de l'art dans les Pays-Bas,* 1868 (E). – *La Philosophie de l'art en Grèce,* 1869 (E). – *De l'intelligence,* 1870 (E). – *Du suffrage universel et de la manière de voter,* 1871 (E). – *Notes sur l'Angleterre,* 1872 (E). – *Histoire de la littérature anglaise* (5e vol.), 1872 (E). – *Les Origines de la France contemporaine :* 1er vol., *l'Ancien Régime,* 1876 ; 2e vol., *la Révolution* (3 tomes : *l'Anarchie, la Conquête jacobine, le Gouvernement révolutionnaire*), 1878-1884 ; 3e vol. (tome I : *le Régime moderne*), 1891 (E). – *Histoire de la littérature anglaise* (éd. rev. et augm.), 1891 (E). – *Derniers Essais de critique et d'histoire,* 1892 (E). – *Les Origines de la France contemporaine :* 3e vol. (tome II : *l'Empire*), posth., 1893 (E).

TALLEMANT DES RÉAUX Gédéon. La Rochelle 2.10.1619 – Paris 10.11.1690. Fils d'un banquier protestant, il fit ses études à Bordeaux, voyagea à Rome avec Retz et Voiture, puis s'installa à Paris, où il fréquenta les salons. Observateur-né et ironiste féroce, il eut l'idée de mettre sur le papier quelques portraits, qui plurent tellement qu'on le pria de persévérer ; de là naquirent les *Historiettes,* rédigées régulièrement après 1657 (publ. 1834). La verve en est si mordante qu'on a cru T. de mauvaise foi ; il n'en est rien, et l'histoire vient peu à peu confirmer ses dires, fruits de l'examen personnel et d'une information soigneusement triée. Rien n'est plus éloigné de l'hagiographie que les *Historiettes,* œuvre indispensable à qui veut mieux connaître la vie quotidienne et les grands hommes du XVIIe s. et n'est pas effarouché par la grivoiserie.

TARDIEU Jean. Saint-Germain-de-Joux (Ain) 1.11.1903. Fils d'un peintre et d'une musicienne, il grandit dans une atmosphère tout imprégnée d'art. Mais, à dix-huit ans, il est victime d'une crise de santé qui détermine en lui une concience aiguë de ce qu'il appellera l'« étrangeté d'être ». À partir de la rencontre, aux décades de Pontigny (1923), des animateurs de la *N.R.F.* (Gide, Rivière), il se lance dans la poésie et, en 1927, publie ses premiers poèmes. Mais il devra attendre l'après-guerre pour être plus largement reconnu. Il est en effet en avance sur sa génération, et, tandis qu'après 1945 il s'oriente vers des expériences très neuves de théâtre poétique, favorisées par ses activités au Club d'essai de la Radiodiffusion française (1946), c'est à partir de 1950 que son *Théâtre de chambre* connaîtra une certaine diffusion en France et à l'étranger. Il invente aussi le genre des *Poèmes à jouer,* tant son tempérament le pousse dans la voie de la *fable,* contrepoint de poème et de diction. T. est le poète de l'univers-désert, mais ce désert a un secret, qu'il ne cesse de pourchasser – secret énigmatiquement situé entre l'être et le néant, monde du silence et de l'absence mais aussi de l'écoulement des choses et du temps. *Le Fleuve caché* est le titre symbolique du recueil où T. a rassemblé l'essentiel de son œuvre poétique.

Œuvres. *Accents,* 1939 (P). – *Le Témoin invisible,* 1943 (P). – *Lapique,* 1945 (E). – *Les Dieux étouffés,* 1946 (P). – *Le Démon de l'irréalité,* 1946 (E). – *Jours pétrifiés,* 1947 (P). – *Monsieur Monsieur,* 1951 (P). – *La Première Personne du singulier,* 1952 (P). – *Une voix sans personne,* 1954 (P). – *Théâtre de chambre,* 1955, rééd. 1979 (T). – *L'Espace et la flûte,* 1958 (E). – *Poèmes à jouer,* 1960, rééd. 1979 (T). – *De la peinture abstraite,* 1960 (E). – *Histoires obscures,* 1961. – *Choix de poèmes,* 1961. – *Villon,* 1961 (E). – *De la peinture que l'on dit abstraite,* 1962 (E). – *Hans Hartung,* 1962 (E). – *Hollande. Jean Bazaine,* 1963 (E). – *Conversation - sinfonietta,* 1966. – *Pages d'écriture,* 1967. – *Le Fleuve caché (poésies 1938-1961),* 1968 (P). – *Les Portes de toile,* 1969 (P). – *Grandeurs et faiblesses de la radio,* 1969 (E). – *La Part de l'ombre,* 1972 (P). – *L'Obscurité du jour,* 1974 (P). – *Une soirée en Provence ou le Mot et le cri,* 1975 (T). – *Formeries,* 1976 (P). – *Infra-critique de l'œuvre du professeur Frœppel,* 1976 (E). – *Dix variations sur une ligne,* 1976 (P). – *Le Profes-*

seur Frœppel, 1978 (T). – *Il était une fois, deux fois, trois fois* (conte pour enfants), 1978 (N). – *Comme ceci, comme cela* (conte pour enfants), 1979 (N). – *La Cité sans sommeil et autres pièces,* 1984 (T). – *Les Tours de Trébizonde et autres textes,* 1984.

TCHICAYA Gérald U'Tamsi. M'Pili (Congo-Brazzaville) 1931. Poète congolais. En 1946, il suivit en France son père, alors député à l'Assemblée nationale. Il y acheva ses études et s'y installa. Il apparut vite comme le plus fécond et le plus original des poètes noirs de la nouvelle génération. Lors même que l'on relève des influences diverses dans son œuvre, on y constate une sensibilité authentiquement africaine. Prix de poésie du Festival des arts nègres.

Œuvres. *Le Mauvais sang,* 1955, rééd. 1978 (P). – *Feu de brousse,* 1957, rééd. 1970 (P). – *A triche-cœur,* 1960 (P). – *Épitomé,* 1962, rééd. 1970 (P). – *Le Ventre,* 1965, rééd. 1978 (P). – *L'Arc musical,* 1966 (P). – *Légendes africaines,* 1969 (N). – *La Veste d'intérieur,* suivi de *Notes de veille,* 1977 (P). – *Le Zulu,* suivi de *Vwène le fondateur,* 1977 (T). – *Le Pain ou la Cendre,* 1978 (P). – *Le Destin glorieux du Maréchal Nnikon Nniku, prince qu'on sort,* 1979 (T). – *Les Cancrelats,* 1980 (N). – *La Main sèche,* 1980 (N). – *Les Méduses,* 1982 (N). – *Les Phalènes,* 1984 (N).

TEILHARD DE CHARDIN Pierre. Orcines (Puy-de-Dôme) 1.5.1881 – New York 10.4.1955. Après une enfance campagnarde dans le domaine séculaire de la famille, il entra comme novice chez les jésuites d'Aix-en-Provence mais, en raison de la loi sur les congrégations, fut ordonné prêtre en Angleterre (1905). Au cours d'un séjour en Égypte (1905-1908), la passion de T. pour la géologie confirma chez lui une vocation scientifique, rapidement spécialisée dans la paléontologie, et qui donna naissance à des travaux, découvertes et publications techniques très remarquables ; en particulier, il passa près de vingt ans en Chine, en plusieurs séjours (1923-1945), et voyagea également à Java (1936, 1937 et 1938) et en Afrique du Sud (1951 et 1953). Parallèlement à cette inlassable recherche, le catholique qu'était T. travailla très tôt à concilier ses découvertes de savant avec une théorie philosophique du progrès humain qui ne fût en contradiction ni avec le dogme ni avec les évidences de la science ; lorsqu'il mourut, restait à éditer une œuvre immense. L'émotion soulevée au Vatican et dans certains milieux théologiques par la pensée de T. commença seulement à s'apaiser dans les années 1960. Mais T. n'est pas seulement savant, philosophe et théologien, il possède aussi le don du prophète : sous sa plume, dans un style volontiers oratoire et imagé, il élabore en vision poétique et mystique cette synthèse de la science et de la foi qui constitue l'objectif unique de sa pensée. Son influence est due pour une grande part non seulement à la coïncidence entre cette pensée et quelques-uns des besoins intellectuels les plus profonds de l'esprit moderne, mais aussi à l'efficacité proprement prophétique de son langage.

Œuvres. *Œuvres I, le Phénomène humain,* posth., 1955 (E). – *Le Christique,* posth., 1955 (E). – *Le Groupe zoologique humain, structure et directions évolutives,* posth., 1956 (E). – *Lettres de voyage (1923-1939),* posth., 1956. – *Œuvres II, l'Apparition de l'homme,* posth., 1956 (E). – *Œuvres III, la Vision du passé,* posth., 1957 (E). – *Œuvres IV, le Milieu divin,* posth., 1957 (E). – *Nouvelles Lettres de voyage,* posth., 1957. – *Œuvres V, l'Avenir de l'homme,* posth., 1959 (E). – *Construire la terre,* posth., 1959 (E). – *Réflexions sur le bonheur,* posth., 1960 (E). – *Messe sur le monde,* posth., 1961 (P). – *Genèse d'une pensée (lettres 1914-1918),* posth., 1961. – *Hymne de l'univers,* posth., 1961 (E). – *Œuvres VI, l'Énergie humaine,* posth., 1962 (E). – *La Parole attendue,* posth., 1963 (E). – *Lettres d'Égypte (1904-1908),* posth., 1963. – *Œuvres VII, l'Activation de l'énergie,* posth., 1963 (E). – *Œuvres VIII, la Place de l'homme dans la nature,* posth., 1963 (E). – *Œuvres IX, Science et Christ,* posth., 1965 (E). – *Lettres à Léontine Zanta,* posth., 1965. – *Lettres d'Hastings et de Paris (1908-1914),* posth., 1965. – *Je m'explique,* posth., 1966 (E). – *Sur l'amour,* posth., 1967 (E). – *Être plus,* posth., 1968 (E). – *Le Dieu de l'évolution,* posth., 1968 (E). – *Accomplir l'homme* (lettres inédites 1926-1952), posth., 1968. – *Le Christ évoluteur, socialisation et religion,* posth., 1968 (E). – *Le Prêtre,* posth., 1968 (E). – *Œuvres X, Comment je crois,* posth., 1969 (E). – *Toujours en avant. Le Petit Livre de Teilhard de Chardin,* posth., 1970 (E). – *Sens humain, sens divin,* posth., 1971 (E). – *Réflexions et Prières dans l'espace-temps, anthologie de textes,* posth., 1972. – *Œuvres XI, les Directions de l'avenir,* posth., 1973 (E). – *Sur la souffrance,* posth., 1974 (E). – *Terre promise,* posth., 1974 (E). – *Journal (26 août 1915 - 4 janvier 1919),* posth., 1975. – *Œuvres XII, Écrits du temps de la guerre (1916-1918),* posth., 1976 (E). – *Œuvres XIII, le Cœur de la* *matière,* posth., 1976 (E). – Avec Pierre Leroy, *Lettres familières de Pierre Teilhard de Chardin, mon ami. Les Dernières Années (1948-1955),* posth., 1976.

TÉLÉVISION ET LITTÉRATURE. Il semble que, dans ses relations avec la littérature, la télévision soit plus proche du cinéma que de la radio, et qu'en tout cas elle ait quelque peine à trouver sa voie originale. Ce qu'elle pratique en effet le plus volontiers, c'est l'*adaptation,* et, sur ce point, les problèmes qui se posent sont sensiblement les mêmes que ceux du cinéma (voir cet article). On retiendra aussi que la télévision est un puissant instrument de *communication* des œuvres littéraires, et tout particulièrement des œuvres de théâtre, soit sous la forme de l'enregistrement pur et simple d'une représentation, soit sous la forme d'une mise en scène spécifiquement télévisuelle, cet art de la *mise en scène* de télévision étant sans doute celui où les recherches ont été poussées le plus loin et ont connu de belles réussites, particulièrement en ce qui concerne les œuvres du répertoire classique. Reste le problème du *texte* original de télévision, qui doit sans doute affirmer sa distinction par rapport au scénario de cinéma ; il semble que, sur ce point, la télévision n'ait pas encore vraiment su inventer son propre langage littéraire : il faudra qu'à force d'expériences et de recherches naisse un véritable langage télévisuel capable de fonder son pouvoir créateur sur l'autonomie de ses structures expressives. On notera enfin que la télévision a hérité de certains modes d'expression littéraires, qu'elle a su rénover et revivifier, en particulier sous la forme, qui lui est particulièrement adaptée, du « feuilleton », le mot lui-même étant emprunté par la télévision à la tradition littéraire du XIXe siècle. Quant aux « émissions littéraires », elles ne relèvent pas seulement de la fonction d'information de la télévision, mais, à partir d'une information sur l'actualité littéraire, elles occupent une place originale, auprès de la presse et de la radio, dans la critique d'aujourd'hui.

TEL QUEL (groupe et revue). 1960 – 1982. (Voir : RISSET, ROCHE, SOLLERS, THIBAUDEAU.)

TENDRE (CARTE DU). (Voir SCUDÉRY [Mlle de].)

TENSO ou TENSON (litt. occitane). Poème-débat dont les strophes sont dites alternativement par plusieurs poètes sur un thème offrant matière à débat. Correspond à ce qu'est, dans la poésie des trouvères, le *jeu-parti.*

TERCET [italien *terzetto,* dérivé de *terzo* = tiers]. Groupe de trois vers, unis par le sens et la combinaison de certaines rimes. Chaque tercet comprend deux vers rimant ensemble, qui embrassent un troisième vers, lequel rime avec le premier et le troisième vers du tercet suivant. Surtout utilisée par Pétrarque et Dante (sous le nom de *terza rima*), cette forme fut introduite en France au XVIe s., puis connut une période d'oubli, d'où la tirèrent les Parnassiens. Le tercet figure d'autre part comme strophe constitutive du sonnet français.

THARAUD Jérôme et Jean, Ernest et Charles, dits. JÉRÔME : Saint-Junien (Haute-Vienne) 18.3.1874 – Varengeville-sur-Mer 28.1.1953. JEAN : Saint-Junien 9.5.1877 – Paris 8.4.1952. Jérôme, condisciple de Péguy à l'École normale supérieure, obtint de lui de débuter, avec son frère, dans les *Cahiers de la Quinzaine ;* la collaboration de J. et J. T. avait pour principe le partage du travail entre le cadet, chargé du premier jet, et l'aîné, responsable de la mise au point. Après s'être essayés au roman *(le Coltineur débile ; la Maîtresse servante)* ou au portrait littéraire fantaisiste (*Dingley, l'illustre écrivain,* sur Kipling, [prix Goncourt 1902]), ils trouvèrent leur voie originale en donnant au reportage ses lettres de noblesse littéraire. Fins observateurs, possédant le sens des paysages, des mœurs, des climats, ils mirent à profit leur expérience du monde musulman et juif pour en donner, dans un style de grande aisance, des comptes rendus à la fois perspicaces et séduisants : on retiendra surtout leurs livres marocains, *Marrakech ou les Seigneurs de l'Atlas* et *Rabat ou les Heures marocaines,* ou palestiniens, en particulier *l'An prochain à Jérusalem.* Acad. fr. Jérôme, 1938 ; Jean, 1946.

Œuvres. *Le Coltineur débile,* 1898 (N). – *La Lumière,* 1900 (N). – *Dingley, l'illustre écrivain,* 1902 (N). – *Les Contes de la Vierge,* 1902 (N). – *La Légende de la Vierge,* 1902-1904 (N). – *Les Hobereaux,* 1904 (N). – *Bar-Cochebas,* 1907 (N) – *La Maîtresse servante,* 1911 (N). – *La Fête arabe,* 1912 (N). – *La Tragédie de Ravaillac,* 1912 (N). – *À l'ombre de la Croix,* 1917 (N). – *Rabat ou les Heures marocaines,* 1918 (N). – *Une relève,* 1919 (N). – *Un royaume de Dieu,* 1920 (N). –

Marrakech ou les Seigneurs de l'Atlas, 1920 (N). – *Quand Israël est roi,* 1921 (N). – *La Randonnée de Samba Diouf,* 1922 (N). – *Les Bien-Aimés,* 1922 (N). – *L'An prochain à Jérusalem,* 1924 (N). – *Notre cher Péguy* (souvenirs), 1926. – *La Rose de Saron,* 1927 (N). – *Pour les fidèles de Péguy* (souvenirs), 1927. – *Mes années chez Barrès* (souvenirs), 1928. – *Chronique des frères ennemis* (souvenirs), 1929. – *La Nuit de Fez,* 1930 (N). – *Fez ou les Bourgeois de l'Islam,* 1930 (N). – *Les Cavaliers d'Allah,* 1935 (N). – *Le Passant d'Éthiopie,* 1936. – *Cruelle Espagne,* 1937. – *Les Grains de la grenade,* 1938 (N). – *Le Rayon vert,* 1941 (N). – *Pour les fidèles de Barrès* (souvenirs), 1944. – *Vieille Perse et Jeune Iran,* 1947. – *Les Enfants perdus,* 1948 (N). – *Le Chemin d'Israël,* 1948 (N). – *La Chaîne d'or,* 1950 (N). – *La Double Confidence* (souvenirs), 1951.

THÉÂTRE. Le théâtre en France fut d'abord chrétien et naquit, comme jadis en Grèce, du culte même ; la forme dramatique de la messe et des textes du Nouveau Testament offrait une matière première conservée vivante par les variations de l'année liturgique. Peu à peu les clercs élargirent cette base par des *tropes,* puis par des drames liturgiques ; écrits d'abord en latin, ceux-ci s'écartent progressivement des événements proprement liturgiques, accueillent la langue populaire (*l'Époux ou les Vierges folles,* deuxième tiers du XIIe s.), enfin sortent sur la place publique. La dramaturgie cesse d'être cléricale pour se centrer sur le souci du jeu et de la mise en scène (*Jeu d'Adam,* XIIe s.) : dans ces premières œuvres, qui ont toute la vigueur des naissances, l'inspiration littéraire est plus forte que celle des mystères qui suivront. Au XIIIe s., dans la même ligne, Rutebeuf donne *le Miracle de Théophile* ; au XIVe sont joués les quarante-deux *Miracles* de la Vierge *(Miracles de Notre-Dame)* : nulle évolution remarquable, si ce n'est l'édification du ton et le décousu de la construction, ne sépare ces œuvres de leurs devancières ; le théâtre de source chrétienne ne revivra de grands jours qu'au XVe s. Mais à ses côtés, et dès la fin du XIIe s., s'est également développé un théâtre comique, né de l'amalgame de la littérature bas-latine (farces), des déclamations de jongleurs et de forains et des acquis techniques du drame liturgique. Le XVe s., époque de paix relative, laisse à la bourgeoisie le loisir de se passionner pour le théâtre. En premier lieu, les *Mystères* : œuvres cycliques, aux rédacteurs souvent multiples, leur but essentiel reste l'édification morale. Les acteurs, bourgeois ou artisans, laissent de droit le rôle du Christ à un prêtre ; les nobles et les femmes ne jouent guère. Entreprises collectives dont nous n'avons guère idée, les mystères pouvaient réunir cinq cents personnages et durer plusieurs semaines. Après leur apogée (A. Gréban) et du fait même de leur succès, leur réalisme à la fois méticuleux et naïf s'avilit et s'affaiblit progressivement ; d'ailleurs, la valeur *littéraire* des mystères était souvent médiocre. La fin de ce genre, décadent dès la fin du XVe s., fut accélérée par l'arrêt de 1548 interdisant aux Confrères de la Passion, détenteurs des rôles depuis deux siècles, de jouer des mystères sacrés.

Durant ce même XVe s., la vitalité du théâtre profane et comique ne fut pas moindre. Deux corporations se partageaient la scène : la « Basoche » (regroupant les clercs de procureurs) jouait des *moralités* et des *farces* ; les « Sots » ou « Enfants sans souci » (confrérie de circonstance, probablement issue de parodies des cérémonies religieuses) jouaient des *sotties* (ou *soties*) ; vers le milieu du siècle, le répertoire était devenu commun. La *moralité* sorte de drame, souvent attendrissant et pathétique, visait à l'enseignement moral ; elle évolua peu à peu vers la tragi-comédie précornélienne ; il y avait cependant des moralités comiques, et d'autres, polémiques, traitaient des problèmes politico-religieux de la Réforme. La *sottie,* dont l'apogée se situe au tout début du XVIe s., quintessencie ce genre polémique en soulevant le public contre l'ambition de l'Église romaine (P. Gringore). Le domaine de la *farce,* lui, est beaucoup plus confus, et d'ailleurs très vaste ; nous ne connaissons que des bribes d'une production plus populaire que littéraire, que caractérise aussi sa grossièreté. Les thèmes éternels de la poltronnerie, du vol, du mari trompé y règnent. La seule œuvre qui s'élève au-dessus du lot est *la Farce de Maître Pathelin* (entre 1470 et 1490), déjà proche de la comédie par la cohérence des caractères et le maniement des situations.

Avec le XVIe s., nous assistons à la naissance de la tragédie, selon un processus comparable à celui de l'Italie : les humanistes imitent en latin les chefs-d'œuvre de l'Antiquité ; ces œuvres, jouées dans les collèges jésuites – cette tradition scolaire persista jusqu'au milieu du XVIIIe s. –, remportèrent souvent des succès prolongés (*Jephté,* de Buchanan ; *Jules César,* de Muret). Dans le même temps paraissaient des traductions de ces mêmes œuvres antiques en langue vulgaire. Enfin fut créée la *Cléopâtre captive,* de Jodelle (1552), dont l'apparition est considérée comme une date charnière ;

Garnier et Montchrestien sont les deux plus remarquables successeurs immédiats de Jodelle. Ce théâtre reste étonnamment peu dramatique et se limite à l'illustration statique de thèmes ; les œuvres les plus intéressantes sont celles où le choix d'un sujet moderne ou biblique (et non grec ou latin) libère un peu le ton et contraint à l'originalité (J. de La Taille). Enfin la pastorale, genre venu d'Italie, donne naissance à des œuvres plus hybrides et plus rhétoriques encore : seule la *Bradamante* de Garnier émerge du lot. La substitution d'une réelle action dramatique au pathétisme statique de ces précurseurs est due principalement à Hardy. La distraction et le divertissement devenaient l'apanage de deux genres désormais bien distincts, la tragi-comédie et la pastorale (Théophile : *Pyrame et Thisbé* ; les *Bergeries,* de Racan ; *Silvie,* de Mairet ; *Amaranthe,* de Gombault). Puis, au moment où la tragi-comédie, par ses débordements, semblait devoir envahir seule la scène française, l'introduction par Mairet des *unités* permit à la tragédie régulière de naître brusquement avec *Sophonisbe* (1634). Chapelain convertit Richelieu au bien-fondé des règles ; quant au public, ce n'est que vers 1640 qu'il accepta vraiment le règne du théâtre régulier – tout en goûtant fort les pièces non régulières d'un Scudéry, par exemple. La progressive instauration des unités influença la recherche par les auteurs de la *vraisemblance,* concept essentiel pour comprendre et mettre à sa place la pièce-phare que fut *le Cid.* La tragédie, illustrée en 1636 par *la Mort de César,* de Scudéry, et *Marianne,* de Tristan, s'était figée dans la rhétorique et la boursouflure. Au milieu de cette stagnation ou de cette vulgarité, *le Cid* éclate ; son triomphal succès excita toutes les jalousies, mais les faux problèmes de la *querelle du Cid* permirent aux vrais de se résoudre. Quant à la longévité de l'œuvre, elle en confirme la richesse fondatrice. Les quelques contemporains que n'écrase pas le génie cornélien sont Du Ryer, Tristan et surtout l'original Rotrou, le seul de son siècle à permettre d'évoquer Shakespeare. L'échec de *Pertharite* (1651) ayant poussé provisoirement Corneille à la retraite, on vit s'affronter Quinault et Th. Corneille ; leurs succès occupent l'« interrègne » (env. 1650-1665) et préparent la venue de Racine, dont *Andromaque* (1667) fit autant de bruit que, trente ans plus tôt, *le Cid.* La radicale nouveauté poétique de l'œuvre racinienne et l'ardente sensibilité d'un génie qui fit de la passion humaine l'unique ressort de la vérité dramatique laissent dans l'ombre la production contemporaine et postérieure : seul subsiste le vieux Corneille, dont *Suréna* (1674) est sublime mais injustement négligé ; Pradon et Campistron ne sont que fadeur : les chefs-d'œuvre d'une décennie brillent en solitaires.

Durant ce même XVIIe s., le plus riche du théâtre français, la *comédie* prit son définitif essor. Elle aussi, ébauchée par Jodelle (*Eugène ou la Rencontre,* 1552), ne fait, durant tout le XVIe s., que suivre l'Italie : intrigues complexes, expression volontiers grossière, facticité d'une imitation de seconde main caractérisent une production dominée par Larivey (1540-1611). Quasi disparue pendant le premier quart du XVIIe s., elle renaît grâce à Rotrou, Corneille, Mairet ; libérée par la définition régulière du genre tragique, elle constitue peu à peu son autonomie grâce à Desmarets, Scarron, Boisrobert, Th. Corneille, Quinault, Cyrano de Bergerac, Tristan, et ses succès vont même, dans les années cinquante, jusqu'à supplanter ceux de la tragédie. L'apport de Corneille, auteur de plusieurs comédies avant *le Cid (la Galerie du Palais, la Place Royale),* n'est pas négligeable, dans le registre du réalisme spirituel ; les autres pièces de ces années puisent plutôt dans le répertoire espagnol. L'analyse des caractères conçue comme objet principal de la comédie n'apparaît guère qu'avec *les Visionnaires,* de Desmarets (1637) ; originales ou d'imitation, toutes ces pièces restent d'un comique fort gros (*Le Pédant joué,* de Cyrano, 1654) – seul le grand Corneille, une fois encore, sait rester indépendant et subtil (*l'Illusion comique,* 1635). Mais, pour l'essentiel, c'est la farce qui règne lorsque se lève l'étoile de Molière, qui débuta à vrai dire dans la même veine. La disproportion est très vite énorme entre le génie de l'auteur de *Tartuffe* et le talent de ses contemporains et – souvent – rivaux : parmi les comédies contemporaines, on ne peut guère citer que *les Plaideurs,* de Racine, *la Mère coquette,* de Quinault, et, un peu plus tard, *l'Homme à bonnes fortunes,* de Baron. Toutefois, la fin du règne de Louis XIV voit naître trois vrais talents comiques, celui de Regnard, qui vise d'abord à divertir – et à se divertir ; celui de Dancourt, sans vrai talent mais qui fait la transition essentielle avec Marivaux ; enfin celui de Lesage, dont le *Turcaret* (1709) est un chef-d'œuvre de réalisme. Le XVIIIe s., si Marivaux et Beaumarchais ne l'éclairaient, serait la plus ingrate des étapes du théâtre français ; la tragédie est tout à fait décadente (Crébillon : *Rhadamiste et Zénobie ;* Voltaire : *Œdipe*). Autour de Voltaire et après lui, personne, si ce n'est l'adaptateur de Shakespeare, Ducis, dont les tentatives furent une étape essentielle dans l'introduction en France de l'immense génie anglais. La comédie, elle, dans des orientations plus diverses, fut plus féconde. Au premier rang se place évidemment Marivaux : l'analyse psychologique de la naissance des sentiments se fait le principal ressort d'un comique de plus en plus épuré, souvent proche d'un pathétique plus ou moins discret. La faveur actuelle du théâtre de Marivaux tend à laisser dans l'ombre d'autres tendances non négligeables de la comédie : Destouches (*le Glorieux,* 1732) représente une survivance assez ennuyeuse de la comédie de caractères, mais la médiocrité de son œuvre importe moins que l'évolution du goût qu'elle consacra en partie. Il devint peu à peu indécent de rire et bienséant de pleurer : venaient le règne théâtral de la *sensibilité,* les genres de la comédie larmoyante et du drame. L'œuvre de Nivelle de La Chaussée illustre la première (*Mélanide,* 1741) ; quant au drame, il fut surtout servi par Sedaine, dont *le Philosophe sans le savoir* (1765) – une œuvre essentielle du XVIIIe s. – se situe très au-dessus de l'ennuyeux *Fils naturel* de Diderot (créé en 1771) et de plusieurs pièces de Beaumarchais. Enfin, il ne faut pas négliger les courants marginaux, comme les théâtres de la Foire, servis par Piron, Vadé, Favart, et souvent orientés vers l'opéra-comique, ou les comédies satiriques d'un Gresset et d'un Poinsinet. Il reste que la tendance générale de la comédie sérieuse du XVIIIe s. était de remplacer la peinture des caractères par celle des « conditions » (Diderot, Beaumarchais).

Après les succès de Beaumarchais et une éphémère résurrection de la tragédie sous la Révolution (M. J. Chénier), l'Empire éteignit le théâtre, dont ne survécurent que les formes officielles (drames et tragédies en vers) ou les plus populaires (cabarets, mélodrames). L'explosion romantique elle-même, qu'on date de 1820, année de publication des *Méditations,* ne se répercuta vraiment sur scène que dix ans plus tard (la bataille d'*Hernani* est du 25 fév. 1830). Le « drame romantique » reposait sur des principes sans grande nouveauté : abolition des unités (déjà effective chez Beaumarchais), mélange des genres (déjà présent dans le drame bourgeois), abandon du style noble, recherche de la couleur locale ; cette théorie, exposée par Hugo dans la préface de *Cromwell* (1827), fut illustrée par quatre auteurs. Chez Alexandre Dumas priment le pathétique brutal et l'action violemment pittoresque (*Antony,* 1831 ; *la Tour de Nesle,* 1832). Le génie de Hugo s'est mal adapté à la scène : ses héros byroniens évoluent dans un monde invraisemblable dramatiquement, et sommaire psychologiquement ; restent l'érudition historique, la puissance, parfois l'humour. À Vigny nous ne devons guère que *Chatterton* (1835), mais c'est un des rares « drames romantiques » dignes de survivre, par la noblesse de ton qui caractérise ce portrait idéal du Poète. Enfin l'on s'avisa, bien tard, que, peut-être supérieur à toutes ces expériences ambiguës, brillait l'exacerbé *Lorenzaccio* (1834 ; créé en 1896 [Voir : MUSSET]). Le seul résultat tangible obtenu au théâtre par le romantisme est d'avoir étranglé la tragédie « classique » : Delavigne, après *les Vêpres siciliennes* (1819), dut habiller d'oripeaux romantiques ses *Enfants d'Édouard* pour qu'on les applaudisse (1833) ; et, plus tard, Ponsard, dont la *Lucrèce* avait semblé enterrer *les Burgraves* de Hugo (1843), revint aux sujets modernes avec *Charlotte Corday* (1850) et *le Lion amoureux* (1866). En fait, le seul genre théâtral dont l'essor fut réel et continu durant les années 1800-1850 est le *mélodrame ;* si l'on considère le théâtre du point de vue de son succès public – ce qui est en réalité en faire l'histoire –, c'est le nom de Pixérécourt qu'il faut mettre en relief, accompagné de ceux des acteurs Frédérick-Lemaître et Marie Dorval, tous deux formés aux pièces de Ducange. À l'inverse, d'ailleurs, une actrice comme Rachel, au sein de la Comédie-Française, sut, à partir de 1845, faire triompher à nouveau les vrais tragiques, ceux du XVIIe s.

La comédie du XIXe s. est bien diverse. Sous l'Empire, elle n'existe guère ou s'infiltre dans des genres annexes comme le drame historique (*Pinto,* de Lemercier, 1800). Les romantiques la délaissèrent : Dumas écrivit plutôt des vaudevilles ; quant au théâtre de Musset, souvent joué des années après avoir été écrit, son génie fantaisiste, amer et poétique le place tout à fait à part. Le grand nom du théâtre comique de 1815 à 1850, et cela mesure sa pauvreté, c'est Scribe. Le drame romantique mort, la comédie moribonde, il fallait ouvrir d'autres voies. Certains se contentèrent de servir le vaudeville de tout leur talent, soit au théâtre proprement dit, comme Labiche (*le Voyage de M. Perrichon,* 1860) et V. Sardou, soit dans la fosse d'orchestre, comme Meilhac et Halévy, triomphants librettistes d'Offenbach sous le second Empire. Mais deux écrivains tentèrent de promouvoir une « école du Bon Sens » : Augier, avec *Gabrielle* (1849) ; Dumas fils, avec *la Dame aux camélias* (1852) et ses autres drames « sociaux ». Ce sera ensuite l'échec du théâtre naturaliste, que Zola tenta de lancer à partir de 1880 : son tempérament épique de romancier pouvait faire vivre une thèse, mais la restriction nécessaire du langage scénique ne laisse subsister des *Rougon-Macquart* qu'un piteux squelette. Le seul qui réussit la gageure de porter le naturalisme à la scène était aussi le moins docile aux théories zoliennes : Becque ; c'est son système dramatique qui donna naissance au Théâtre-Libre d'Antoine (1887), puis, par réaction, au Théâtre d'art de P. Fort (1890), devenu en 1893 le théâtre de l'Œuvre de Lugné-Poe. Ces pionniers favorisèrent ainsi le développement de deux tendances parallèles, l'une héritée du naturalisme, l'autre accompagnant le symbolisme. Jusqu'à la Grande Guerre, on peut distinguer les « observateurs » : d'abord Curel et Porto-Riche, bientôt supplantés par Bataille et Bernstein ; et les « poètes » : Maeterlinck et le jeune Claudel. Parallèlement à ces deux veines « sérieuses » (dont la seconde seule a survécu), la comédie légère (Flers et Caillavet) et le vaudeville (Feydeau) continuaient d'être vivaces, et le talent d'un Courteline dépassait même le niveau habituel du genre. Enfin l'esprit patriotique entretenu en France depuis la défaite de 1871 explique partiellement les succès de l'inclassable E. Rostand.

Après la guerre de 1914, l'éclatement du théâtre en genre multiples se confirma ; le nombre des animateurs (Copeau, Pitoëff, Dullin, Jouvet, Baty) permit aux tentatives nouvelles de trouver place aux côtés d'un théâtre traditionnel. Certains auteurs recherchent les types rares, bâtissent un théâtre de l'inhumain ou du surhumain (Lenormand, Passeur, Raynal). Le genre léger, illustré par S. Guitry et J. Sarment, s'est poursuivi jusqu'à nos jours dans la longue carrière de M. Achard ; il s'altère en drame chez Crommelynck, en farce surréaliste chez Vitrac. Le théâtre dit « intimiste » réunit des auteurs comme Vildrac, Géraldy, J.-J. Bernard, en réaction contre la grandiloquence. La satire connaît de belles réussites, soit dans l'audace morale avec Bourdet, soit dans la farce géniale avec J. Romains et Pagnol, les deux genres s'alliant dans l'œuvre d'un Salacrou. Les années trente sont dominées par la production de Giraudoux, dont la diversité extrême prend pour commun dénominateur l'intelligence.

Tandis qu'en 1943 Claudel voit enfin créer *le Soulier de satin* et, en 1948, *Partage de midi,* et que les romanciers viennent à la scène (Mauriac ; Green), deux nouveaux noms s'imposent définitivement : ceux d'Anouilh et de Montherlant, qui recherchent par des voies opposées les chemins de la grandeur humaine face au destin. Mais ce sont là des créateurs qui ne remettent pas en cause les traditions théâtrales ; de même, les réussites de Sartre ou de Camus illustrent des idées plus qu'elles ne rénovent des techniques. Plusieurs autres dramaturges contribuent au contraire à faire de l'après-guerre une période de féconde nouveauté ; ce sont principalement, après les précurseurs M. de Ghelderode et B. Vian, et à côté de poètes indépendants tels qu'Audiberti et Schehadé : E. Ionesco, J. Genet et surtout S. Beckett, dont les illustrations d'un théâtre de l'absurde sont devenues des classiques. Enfin, parmi les noms les plus récents, on remarquera ceux de R. de Obaldia, J. Vauthier, R. Dubillard, A. Adamov, F. Billetdoux, F. Arrabal. Tous ces auteurs, soit par la fantaisie, soit par la provocation, cherchent s'il peut encore y avoir de nos jours un *langage théâtral,* question posée dans toute son acuité par A. Artaud. Enfin, rappelons qu'une histoire du théâtre n'est complète que lorsqu'on a pris conscience de la persistance, en tout temps, d'un théâtre « facile » : le « Boulevard » existe, c'est lui qui draine les foules – et ce n'est pas le moindre problème de la recherche que de se trouver un *public.*

THÉOPHILE, Théophile de Viau, dit. Clairac-en-Agenais 1590 – Paris 25.9.1626. Issu d'une famille protestante, il révéla son instabilité et son goût des voyages dès l'époque de ses études, fut lié un temps avec Guez de Balzac, puis vint mener à Paris une existence nonchalante, comme secrétaire du comte de Candale. Son irréligion et ses rapports avec le milieu libertin le firent exiler en 1619, puis condamner à être brûlé vif. De hautes protections firent commuer cette peine en deux ans de prison (1623-1625), mais il mourut peu après sa mise en liberté. Si ses essais dramatiques *(Pyrame et Thisbé)* révèlent un disciple de Hardy fidèle à des procédés archaïques, les poésies réunies dans ses recueils d'*Œuvres* attestent le modernisme de celui qui fut considéré par ses contemporains comme un des poètes les plus remarquables de son siècle. Il se garde bien de combattre les réformes de Malherbe tant qu'elles ne briment pas son inspiration, mais refuse de se limiter aux genres officiels ; il leur préfère l'élégie ou la satire, plus appropriées à son tempérament et à ses conceptions. Car il s'oppose au culte superstitieux des Anciens et prétend être le poète de la nature. On se tromperait cependant en croyant que pour autant son style est naturel : en repoussant la rhétorique antique, T. se tourne vers le maniérisme ou le baroque, annonce presque la préciosité. Par là, son œuvre est exemplaire et marque les limites d'une poésie plus soucieuse de la forme que de l'expression des sentiments personnels.

Œuvres. *Pyrame et Thisbé,* 1617 (T). – *Pasiphaé,* s.d. (T). – *La Parnasse satyrique du sieur Théophile,* 1620 (P). – *Œuvres de M. Théophile* (1re partie, contient des épigrammes, impromptus, madrigaux, un *Traité de l'immortalité de l'âme* et un conte, *Larissa*), 1621. – *Le Parnasse des poètes satyriques* (contient des poèmes de Théophile), 1622 (P). – *La Quintessence des poètes satyriques ou Seconde Partie du Parnasse des poètes satyriques* (contient des poèmes de Théophile), 1622 (P). – *Œuvres de M. Théophile* (2e partie, contient des poésies, odes, sonnets, élégies, *Pyrame et Thisbé* et des fragments d'une *Histoire comique,* 1623 ; 3e partie, contient son *Anthologie,* 1624). – *Œuvres poétiques* (édition complète), 1626. – *Nouvelles Œuvres de M. Théophile,* posth., 1641. – *Œuvres complètes,* éd. établie par G. Saba, t. II, 1979 ; t. III, 1979 ; t. I, 1985.

THÉRIAULT Yves. Québec 28.11.1915 – 1983. Écrivain canadien-français. Après ses études primaires à Montréal, il se forme lui-même, à l'écart des institutions et des diplômes, au hasard d'entreprises de toutes sortes parmi lesquelles sa carrière littéraire demeure la plus élevée et la plus durable. Par contraste avec son enfance protégée auprès de parents sévères, il a choisi, au terme de son adolescence, la revendication, la bohème et la liberté. Sa révolte est à l'origine de contacts assez exceptionnels avec les catégories sociales, les races et les milieux les plus divers du Québec et du Canada, qu'il a parcourus en tous sens. Il se prévaut de ses origines indiennes pour refuser l'appartenance au monde québécois. Il s'est essayé à différentes activités pendant plusieurs années : traduction, commerce de fromage et vente de tracteurs à Montréal, direction artistique de spectacles à Trois-Rivières, administration d'un journal à Toronto, scripts pour la radio et la télévision, collaboration à plusieurs journaux et revues, sans compter ses tentatives dans les sports professionnels. Quant à sa production littéraire, elle est aussi abondante que régulière. De nombreux voyages et des séjours prolongés en Europe – en Italie et en Yougoslavie notamment – lui permettent un renouvellement constant. Il est sans contredit le plus prolifique et le plus imprévisible des romanciers canadiens-français d'aujourd'hui. Il a débuté par des contes et un roman d'un naturalisme érotique inconnu jusque-là dans la littérature québécoise, *Contes pour un homme seul* et *la Fille laide.* Il aborde ensuite la satire sociale dans *le Dompteur d'ours* et surtout les *Vendeurs du temple,* controverse sur la politique et le clergé. Mais ses deux plus importants succès de librairie, en même temps que ses deux œuvres les mieux structurées, demeurent *Aaron* et *Agaguk.* Le premier de ces romans évoque les conflits qui opposent un juif fidèle à la tradition et son fils, marqué par son milieu canadien. Plus que le drame personnel du jeune Aaron, c'est le destin tragique du vieux grand-père Moishe qui est l'axe du roman ; T. en recrée l'existence misérable, persécutée, subordonnée aux exigences de la loi judaïque, sans compromis possible avec les nécessités quotidiennes. Il y a là d'ailleurs quelque analogie symbolique avec la condition du Canadien français que la tradition risque d'enfermer dans une sorte de ghetto moral et religieux. Dans la ligne de cette exploration de destinées marginales en conflit avec les conditions « normales » de vie, *Agaguk* met en scène un couple esquimau et retrace ses efforts pour se libérer de la tyrannie de traditions bien ancrées dans les mœurs de ce peuple. Plus généralement, quel que soit le sujet, l'amour et la mort sont les obsessions centrales de T. : l'émancipation des opprimés, thème souvent repris, n'est que le symbole de la lutte pour la libération des forces vitales qui triomphent des pressions sociales, religieuses, morales et ethniques, sources d'aliénation pour une humanité animée par les pulsions irrésistibles de la nature et de l'instinct. T. laisse une des œuvres les plus prolifiques et certainement la plus diversifiée de la littérature québécoise. Tous les registres s'y retrouvent, mais par cette variété même et par son originalité, l'œuvre résiste au classement et demeure à bien des égards un phénomène singulier, isolé, quelque peu marginalisé dans la littérature du Québec.

Œuvres. *Contes pour un homme seul,* 1944 (N). – *La Fille laide,* 1950 (N). – *Le Dompteur d'ours,* 1951 (N). – *Les Vendeurs du temple,* 1951 (N). – *Aaron,* 1954 (N). – *Agaguk,* 1958 (N). – *La Revanche du Nascopie,* 1960 (N). – *Ashini,* 1961 (N). – *La Loi de l'Apache,* 1961 (N). – *Les Commettants du Caridad,* 1961 (N). – *Amour au goût de mer,* 1961 (N). – *Le Roi de la côte Nord,* 1961 (N). – *Cul-de-sac,* 1961 (N). – *L'Homme de la Papinachois,* 1961 (N). – *Séjour à Moscou,* 1961 (E). – *Le Vendeur d'étoiles et autres contes,* 1962 (N). – *Le Rapt du lac caché,* 1962 (N). – *La Montagne sacrée,* 1962 (N). – *Si la bombe m'était contée,* 1962 (N). – *Nakika, le petit Algonquin,* 1962 (N). –

Avea, le petit tramway, 1963 (N). – *Nauya, le petit Eskimo,* 1963 (N). – *Maurice, le Moruceau,* 1963 (N). – *Le Grand Roman d'un petit homme,* 1963 (N). – *Les Aventures de Ti-Jean,* 1963 (N). – *Les Extravagances de Ti-Jean,* 1963 (N). – *Ti-Jean et le Grand Géant,* 1963 (N). – *La Rose de pierre,* 1964 (N). – *Le Ru d'Ikoué,* 1964 (N). – *Le Secret de Mufjarti,* 1965 (N). – *La Montagne creuse,* 1965 (N). – *Zibon et Coucou,* 1965 (N). – *Contes pour un homme seul* (nouvelle édition), 1965 (N). – *Le Temps du carcajou,* 1966 (N). – *Les Dauphines de M. Yu,* 1966 (N). – *Le Château des petits hommes verts,* 1966 (N). – *Le Dernier Rayon,* 1966 (N). – *La Bête à 300 têtes,* 1967 (N). – *Les Pieuvres,* 1967 (N). – *L'Appelante,* 1967 (N). – *Les Vampires de la rue Monsieur-le-Prince,* 1968 (N). – *La Mort d'eau,* 1968 (N). – *Kesten,* 1968 (N). – *N'tsuk,* 1968 (N). – *L'Île introuvable* (nouvelles), 1968 (N). – *Mahigan,* 1968 (N). – *Le Marcheur,* 1968 (T). – *Valérie (scénario),* 1969. – *Antoine et sa montagne,* 1969 (N). – *L'Or de la felouque,* 1969, rééd. 1981 (N). – *Tayaout, fils d'Agaguk,* 1969 (N). – *Le Dernier Havre,* 1970 (N). – *Fredange,* suivi de *les Terres neuves,* 1970 (T). – *La Passe-au-crachin,* 1972 (N). – *Le Haut Pays,* 1973 (N). – *Agoak : l'héritage d'Agaguk,* 1975 (N). – *Œuvre de chair,* 1975 (N). – *Moi, Pierre Huneau,* 1976 (N). – *Les Aventures d'Ori d'Or* (contes), 1979. – *Cajetan et la Taupe* (contes), 1979. – *La Quête de l'ourse,* 1980 (N). – *Popok, le petit Esquimau* (conte pour enfants), 1980. – *Le Partage de minuit,* 1980 (N). – *L'Étreinte de Vénus,* 1981 (N). – *Le Château des petits hommes verts : une aventure de Volpek,* 1981 (N). – *La Femme Anna et autres contes,* 1981 (N). – *Valère et le grand canot,* 1982 (N).

Agaguk

Le héros, Agaguk l'Esquimau, est aux prises à la fois avec les Blancs – qui s'efforcent de le « normaliser » en l'opprimant –, avec les traditions et les conformismes de sa propre tribu et avec les redoutables difficultés climatiques de la vaste toundra. Le courage, la ruse et l'intelligence d'Iriosk, sa femme, l'arracheront par deux fois à la mort. La première fois, à la suite d'un corps à corps avec un loup blanc, il est cruellement mutilé. La seconde fois, il réussit à échapper à l'enquête policière sur le meurtre d'un sordide trafiquant blanc, crime dont il est coupable. À travers ses péripéties, le roman est un hymne à la gloire du couple.

THÉRIVE, Roger Puthoste, dit. Limoges 19.6.1891 – Paris 14.6.1967. Après quelques romans comme *l'Expatrié* et *le Plus Grand Péché,* il adhéra au mouvement populiste de L. Lemonnier et orienta sa création vers la description réaliste des personnages et des milieux : mais le style, délibérément objectif, s'efforce surtout de dégager une atmosphère de grisaille et de médiocrité. T., qui était aussi un puriste de la langue, se veut styliste jusque dans l'expression de la banalité et du quotidien, et son œuvre frôle souvent le maniérisme. Écrivain habile, il réussit toutefois à éviter cet écueil et à concilier populisme et littérature. Mais son œuvre de romancier s'efface progressivement devant son activité de critique influent, subtil et pénétrant, de plus en plus préoccupé de la conservation des valeurs formelles de la langue, avec, en particulier, *Querelles de langage.* Il tint la rubrique littéraire de *l'Opinion* (1922-1929), puis du *Temps* (1929-1940 ; *cf. la Galerie de ce temps*).

Œuvres. *L'Expatrié,* 1921 (N). – *Le Français langue morte,* 1923 (E). – *Le Plus Grand Péché,* 1924 (N). – *Opinions littéraires,* 1925 (E). – *Le Retour d'Amazan ou une Histoire de la littérature française,* 1926 (E). – *Sans âme,* 1928 (N). – *Le Charbon ardent,* 1929 (N). – *Noir et Or,* 1930 (N). – *La Galerie de ce temps,* 1931 (E). – *Querelles de langage* (3 vol.) 1931-1940 (E). – *Anna,* 1932 (N). – *Fils du jour,* 1936 (N). – *Comme un voleur,* 1948 (N). – *L'Envers du décor,* 1948 (N). – *Moralistes de ce temps* (Maeterlinck, Benda, Lavelle, Montherlant, Bernanos, Gide, ...), 1948 (E). – *Libre histoire de la langue française,* 1954 (E). – *Les Voix du sang,* 1955 (N). – *Clinique du langage,* 1956 (N). – *Clotilde de Vaux ou la Déesse morte,* 1957 (N). – *Claude Yvel,* 1958. – *Christianisme et Lettres modernes (1715-1880),* 1958 (E). – *Procès du langage,* 1962 (E). – *L'Homme fidèle,* 1963 (N). – *La Foire littéraire,* 1963 (E). – *Le Baron de paille,* 1965 (N). – *J. K. Huysmans,* 1965 (E). – *Entours de la foi,* 1967 (E).

THEURIET André. Marly-le-Roi 8.10.1833 – Bourg-la-Reine 22.4.1907. Mis à part quelques recueils de vers assez pâles et quelques pièces de théâtre, il fit surtout œuvre de romancier sentimental, célébrant volontiers sa province d'origine, la Lorraine. Se souciant peu de psychologie, influencé par le réalisme, T. recherche avant tout un équilibre entre la peinture vraisemblable d'une réalité moyenne et la description d'états d'âme simples et touchants. Ayant pleinement réussi à atteindre ces objectifs, il connut un large succès, mais, pour la même raison, son œuvre apparaît aujourd'hui anachronique. Acad. fr. 1896.

Œuvres. *Le Chemin des bois,* 1867 (P). – *Nouvelles intimes : Claude Blouet, l'Abbé Daniel, Lucile Désenclos,* 1869 (N). – *Jean-Marie,* drame en vers, 1871 (T). – *Le Bleu et le Noir,* 1873 (P). – *Mademoiselle Guignon,* 1874 (N). – *Le Mariage de Gérard,* 1875 (N). – *La Fortune d'Angèle,* 1876 (N). – *Raymonde,* 1877 (N). – *Le Don Juan de Vireloup,* 1877 (N). – *Sous bois, impressions d'un forestier,* 1878 (N). – *Le Filleul d'un marquis,* 1878 (N). – *Le Fils Maugars,* 1879 (N). – *La Maison des deux Barbeaux,* suivi de *le Sang des Finoël,* 1879 (N). – *Toute seule,* suivi de *Un miracle* et de *Saint-Énogat,* 1880 (N). – *Madame Véronique,* 1880 (N). – *Sauvageonne,* 1881 (N). – *Les Enchantements de la forêt,* 1881 (P). – *Le Livre de la payse,* 1882 (P). – *Les Mauvais Ménages,* 1882 (N). – *Madame Heurteloup,* 1882 (N). – *Le Secret de Gertrude ; Péchés de jeunesse,* 1882 (N). – *Le Journal de Tristan, impressions et souvenirs,* 1883 (N). – *Michel Verneuil,* 1883 (N). – *Tante Aurélie,* 1884 (N). – *Bigarreau,* 1885 (N). – *Eusèbe Lombard,* 1885 (N). – *Jules Bastien-Lepage,* 1885 (E). – *Les Œillets de Kerlaz,* 1885 (N). – *Péché mortel,* 1885 (N). – *La Maison des deux Barbeaux,* adaptation théâtrale, 1885 (T). – *Hélène,* 1886 (N). – *Nos oiseaux,* 1886 (P). – *Au paradis des enfants,* 1887 (N). – *Contes pour les jeunes et les vieux,* 1887 (N). – *L'Affaire Froideville,* 1887 (N). – *La Vie rustique,* 1887 (N). – *Raymonde,* adaptation théâtrale, 1887 (T). – *Amour d'automne,* 1888 (N). – *Contes de la vie intime,* 1888 (N). – *Josette,* 1888 (N). – *L'Amoureux de la préfète,* 1889 (N). – *Deux Sœurs,* 1889 (N). – *Contes pour les soirs d'hiver,* 1890 (N). – *Reine des bois,* 1890 (N). – *Les Maugars,* 1901 (T). – *La Petite Dernière,* 1901 (N). – *Le Manuscrit du chanoine,* 1902 (N). – *La Sœur de lait,* 1902 (N). – *Les Revenants,* 1904 (N). – *Mon oncle Flo,* 1906 (N).

THIBAUDEAU Jean. La Roche-sur-Yon 7.3.1935. Ancien membre du groupe *Tel Quel* (de 1960 à 1971). Sa recherche propre porte sur « le corps de l'écriture », recherche fondée sur la conviction que le texte achevé constitue une « réalité interdite », que, par conséquent, l'acte littéraire est nécessairement construction fragmentaire et progressive et, en tant que telle, à jamais inachevée. Il s'agit donc pour le livre d'adhérer exactement à sa propre histoire, de s'instaurer dans le temps, toujours décalé, de sa formation, et non dans un temps prétendu « objectif » dont le livre ne saurait, de par sa nature, rendre compte. Ainsi T., dans *Une cérémonie royale* (prix Fénéon 1960), s'attache-t-il à l'enregistrement minutieux d'une cérémonie en composant les éléments qui la constituent « objectivement » avec la description, techniquement réaliste, des virtualités qu'elle contient : attentat, meurtres, etc. De sorte que le « réel » devient aussi fantasmagorique que l'« imaginaire », l'un et l'autre étant également privés d'objectivité : la réalité littéraire n'a de caution que par l'existence des mots et revêt le caractère d'une sorte de simulacre verbal dont la raison d'être est dans le caractère inépuisable de ses manifestations possibles, et T. traite aussi de la même manière le rêve ou le souvenir d'enfance *(Ouverture).* On notera enfin qu'il a écrit un essai pénétrant sur le poète Francis Ponge, avec lequel il possède quelque affinité dans la mesure où T. se propose, lui aussi, de renouveler, par sa technique de l'écriture, l'image de l'objet. Il dirige depuis 1976 les *Cahiers critiques de la littérature.*

Œuvres. *Les sous s'en vont... et la France aussi* (drame paysan), 1957 (T). – *Une cérémonie royale,* 1960 (N). – *Ouverture,* 1966 (N). – *Francis Ponge,* 1967 (E). – *Imaginez la nuit (Ouverture II),* 1968 (N). – *Mai 68 en France* (avec : *Printemps rouge,* de Philippe Sollers), 1970. – *Socialisme, Avant-garde, Littérature, Interventions,* 1972 (E). – *Roman noir ou Voilà les morts, à notre tour d'en sortir (Ouverture III),* 1974 (N). – *L'Amérique,* 1979 (N). – *Alexandre Dumas,* 1983 (E). – *Journal des pirogues,* 1984.

THIBAUDET Albert. Tournus (Saône-et-Loire) 1.4.1874 – Genève 16.4.1936. Après deux échecs à l'agrégation de philosophie, il enseigna l'histoire et la géographie jusqu'à ce que sa réputation lui permît d'obtenir des chaires de littérature, notamment en Suisse, où il passa la fin de sa vie. Il appliqua la méthode intuitive de son maître Bergson à l'explication littéraire de *la Poésie de Stéphane Mallarmé,* son poète préféré, renouvelant ainsi les vues critiques de Taine, Brunetière et Lemaitre. Entré à *la Nouvelle Revue française,* en 1911, il y donna pendant vingt ans de longs et brillants articles, partiellement réunis dans *Réflexions (sur le roman ; sur la littérature, I ; sur la critique ; sur la littérature, II)* ; ses essais sur Barrès, Thucydide, Flaubert, Valéry ont été dépassés dans le domaine de l'information érudite mais restent intellectuellement suggestifs. Enfin son *Histoire* *de la littérature française de 1789 à nos jours* (publiée juste après sa mort) brille par sa clarté et sa vigueur. Mais quelle que soit la forme que revêt le sujet qu'aborde sa réflexion, le critique reste fidèle à une inspiration qui fonde l'unité de son œuvre ; inspiration qui fait de lui, auprès de Ch. Du Bos, malgré les différences de tempérament entre les deux hommes, le promoteur exemplaire de la « critique créatrice ». C'est d'abord, en partie par réaction contre la critique érudite et universitaire, la réconciliation de la littérature avec la vie, la fonction du critique étant de recréer ce mouvement vital qui produit les œuvres littéraires ; c'est ensuite, à partir de cette première opération, la traduction, en un langage lui-même créateur, de cette entreprise de résurrection ; la critique devient alors comme une activité poétique : le critique reconstruit des ensembles littéraires en opérant des rapprochements fondés sur le principe de l'affinité, il élabore une orchestration des différents éléments qui constituent la réalité spirituelle d'une œuvre, d'une génération, d'un genre. On a parlé à son propos de « métacritique » : c'est, de toute évidence, son objectif ultime ; bergsonien, T. se propose, à travers les opérations de la critique, de dépasser en effet le niveau proprement critique pour atteindre l'originalité propre de ce qu'il appelle lui-même la « durée littéraire », qu'il entreprend de saisir dans sa substance mouvante et continue.

Œuvres. *Le Cygne rouge,* 1897 (P). – *La Poésie de Stéphane Mallarmé,* 1912 (E). – *Les Heures de l'Acropole,* 1913 (E). – *Trente Ans de vie française* (3 vol.) : 1. *Les Idées de Charles Maurras,* 1920 ; 2. *La Vie de Maurice Barrès,* 1921 ; 3. *Le Bergsonisme,* 1923 (E). – *Intérieurs,* 1924 (E). – *Paul Valéry,* 1924 (E). – *Les Princes lorrains,* 1924 (E). – *La Poésie de Stéphane Mallarmé* (nouvelle édition), 1926 (E). – *La République des professeurs,* 1927, rééd. 1979 (E). – *Amiel ou la Part du rêve,* 1929 (E). – *Physiologie de la critique,* 1930 (E). – *Mistral ou la République du soleil,* 1930 (E). – *Stendhal,* 1931 (E). – *Les Idées politiques de la France,* 1931 (E). – *Gustave Flaubert,* 1935 (E). – *Histoire de la littérature française de 1789 à nos jours,* posth., 1936 (E). – *Réflexions sur le roman,* posth., 1938 (E). – *Réflexions sur la littérature,* posth., 1938 et 1941 (E). – *Réflexions sur la critique,* posth., 1939 (E). – *Panurge à la guerre,* posth., 1941 (N).

THIBAUT IV, comte de Champagne. Troyes 30.5.1201 – Pampelune 7.7.1253.

Fils posthume de Thibaut III et de Blanche de Navarre, petit-fils de Marie de Champagne, la protectrice de Chrétien de Troyes et de Gace Brûlé, il est élevé à la cour de Philippe Auguste et fait à celui-ci serment d'hommage en 1214. Des démêlés avec la Couronne en 1226 le conduisent à se coaliser avec de grands feudataires contre Blanche de Castille, alors régente du royaume. Puis, s'étant soumis, il doit se défendre contre ses anciens alliés, avec l'aide de l'armée royale. En 1234, il devient roi de Navarre. Après avoir dirigé une croisade en Terre sainte (1239-1240), il ne s'éloignera plus de France qu'une seule fois pour se rendre en pèlerinage de pénitence à Rome, et achèvera ses jours en se partageant entre la Champagne et la Navarre : le troubadour Peire Guilhem raillera sa dévotion des dernières années. Ce grand seigneur est aussi l'un des meilleurs trouvères du XIIIe s. ; Dante l'a placé parmi les « poètes illustres » dans sa *Divine Comédie.* Sa vaste culture et son amour des lettres lui font rechercher la compagnie des poètes. Il s'est lié avec des trouvères tels que Raoul de Soissons et Philippe de Nanteuil. Une légende invérifiable veut qu'il ait aimé la reine Blanche de Castille et que celle-ci soit ainsi à l'origine de sa vocation poétique. Sa renommée a été grande, si l'on considère le nombre de manuscrits (trente-deux) contenant ses œuvres, et, parmi les quelque quatre-vingts pièces qu'ils transmettent, cinquante-trois peuvent être considérées comme d'une authenticité certaine. Il mérita d'ailleurs le surnom de « Faiseur de chansons ». On compte trente-six chansons courtoises, deux pastourelles, un lai marial, des chansons religieuses, trois chansons de croisade, neuf jeux-partis, cinq débats de casuistique amoureuse, un serventois contre les gens d'Église. Poète courtois, T. recherche les thèmes de la symbolique et de l'idéalisme courtois ; il célèbre le *service d'amour* et le *fin'amor* en suivant tous les rites habituels de soumission et d'admiration à l'égard de la dame, sans pourtant perdre la conscience de son rang. Sa poésie est enjouée, gracieuse, précieuse et raffinée, avec une pointe de malice et de désinvolture. La composition en est toujours claire, le style brillant, spirituel, original. Il use de métaphores, d'images symboliques pour évoquer son aventure sentimentale et tire du bestiaire médiéval les animaux fantastiques qui symbolisent l'amant se consumant d'amour (licorne et phénix). Avec habileté, il fond tous les éléments de la rhétorique courtoise, et ses mélodies ont un tour élégant et aisé.

Œuvres. *Poésies du roi de Navarre, avec des notes et un glossaire français, et un mémoire intitulé : Révolution de la langue française depuis Charlemagne jusqu'à Saint Louis,* 2 volumes, posth., 1742. – Éd. établie par A. Wollensköld, 1925.

THIERRY Camille. Écrivain louisianais d'expression française. (Voir NÉGRO-AFRICAINE [LITTÉRATURE].)

THIERRY Jacques Nicolas Augustin. Blois 10.5.1795 – Paris 22.5.1856. Entré à l'École normale supérieure en 1811, il adhéra au mouvement saint-simonien comme secrétaire de son inspirateur, mais se tourna rapidement vers le journalisme politique, au service des idées libérales. Dès ce moment, il aborde le domaine de l'histoire, vocation qui lui fut inspirée, dit-il, par la lecture des *Martyrs* de Chateaubriand : en un quart de siècle, sa méthode, fondée sur une théorie personnelle des races et sur le refus des à-peu-près, des intuitions sans base et des excès philosophiques, se concentra progressivement sur une recherche passionnée de l'exactitude qui se traduit aussi dans la perfection littéraire d'un style fait de rigueur et de fermeté. La meilleure expression des idées de T. sur sa propre science sont contenues dans les *Considérations sur l'histoire de France.* Travailleur insoucieux de sa santé, T. mourut aveugle et paralysé.

Œuvres. *Histoire de la conquête de l'Angleterre par les Normands,* 1825. – *Lettres sur l'histoire de France,* 1827. – *Dix Ans d'études historiques, 1817-1827,* 1834. – *Nouvelles Lettres sur l'histoire de France. Récits des temps mérovingiens,* 1837. – *Considérations sur l'histoire de France,* 1840. – *Essai sur l'histoire de la formation et des progrès du tiers état,* 1850. – *Recueil des monuments inédits de l'histoire du tiers état,* 1853.

THIERS Louis Adolphe. Marseille 15.4.1797 – Saint-Germain-en-Laye 3.9.1877. Dès sa jeunesse, et avant que la révolution de 1830 lui permît d'inaugurer la grande carrière politique que l'on connaît (il fonda alors le grand journal libéral, *le National*), il s'était intéressé aux problèmes que pouvait poser une conception moderne de l'histoire : il avait, dans cet esprit, composé, selon les principes de l'objectivité narrative, son *Histoire de la Révolution,* remarquable par la précision et la clarté de son style. Il la continua plus tard, fidèle aux mêmes principes, et conservant les mêmes qualités formelles, avec son *Histoire du Consulat et de l'Empire.*

Œuvres. *Histoire de la Révolution française,* 1823-1827 (E). – *Law et son système de finances,* 1826 (E). – *La Monarchie de 1830,* 1831 (E). – *Du droit de propriété,* 1848 (E). – *Du communisme,* 1849 (E). – *Sainte-Hélène,* 1862 (E). – *Waterloo,* 1862 (E). – *Histoire du Consulat et de l'Empire* (20 vol.), 1845-1862 (E). – *Le Congrès de Vienne,* 1863 (E). – *Discours parlementaires* (16 vol.), posth., 1880. – *Notes et souvenirs (1870-1873),* posth., 1901.

THIRY Marcel. Charleroi 13.3.1897 – Liège 5.9.1977. Poète belge d'expression française. La guerre de 1914-1918 fut pour lui l'occasion d'un tour du monde qui a profondément marqué son atmosphère intérieure (engagé sur le front de l'Est, il se retrouve en 1918 à Vladivostok, d'où il rentre chez lui par les États-Unis). Avocat de métier, il est en contact avec le milieu des affaires et du négoce, et il trouve là aussi quelques-unes de ses inspirations les plus originales : « Machine à calculer qui moud les lents bilans... » Très classique de forme, la poésie de T. se déroule, selon une ordonnance rigoureuse et savante, comme un montage apparemment capricieux d'images et d'impressions. Acad. royale de langue et littérature fr. 1939.

Œuvres. *Le Cœur et les sens,* 1919 (P). – *Toi qui pâlis au nom de Vancouver,* 1924 (P). – *Plongeantes Proues,* 1925 (P). – *L'Enfant prodigue,* 1927 (P). – *Statue de la Fatigue,* 1934 (P). – *La Mer de la Tranquillité,* 1938 (P). – *Échec au temps,* 1945 (N). – *Âges,* 1950 (P). – *Juste ou la Quête d'Hélène,* 1950 (N). – *Trois Longs Regrets du lis des champs, Anabase platane, Prose des forêts mortes, Air du wagon postal,* 1956 (P). – *Usine à penser des choses tristes,* 1957 (P). – *Nouvelles du Grand Possible,* 1958 (N). – *Poésie 1924-1957,* 1958 (P). – *Voie lactée,* 1960 (N). – *Comme si,* 1960. – *Vie-Poésie,* 1961 (P). – *Simul et autres cas,* 1963 (N). – *Le Festin d'attente,* 1963 (P). – *M. T., poète d'aujourd'hui* (recueil), 1965 (P). – *Nondum jam non,* 1966. – *Le Poème et la langue,* 1967 (E). – *Saison cinq et quatre proses,* 1969. – *Le Jardin fixe,* suivi de *la Prose des cellules He La,* 1969. – *Attouchements des sonnets de Shakespeare,* précédés d'un argument, 1970. – *L'Ego des neiges,* 1972 (P). – *Songes et Spélongues,* 1973. – Avec R. Brucher, A. Sodenkamp, *Essai, Documents,* 1975 (E). – *Toi qui pâlis au nom de Vancouver* (œuvres poétiques 1924-1974), 1975 (P).

THOMAS Henri. Anglemont (Vosges) 7.12.1912. Studieux traducteur d'œuvres allemandes ou américaines (Jünger, Melville, Faulkner...), T. doit peut-être à cette culture cosmopolite une conception de la littérature qui superpose l'exploration du destin de l'homme et celle du destin de l'écrivain, déterminant ainsi le perpétuel contrepoint de la recherche littéraire et de l'inquiétude métaphysique : le mystère de la vie et de la mort, mais aussi, au cœur du contact avec ce mystère, la question de savoir si l'art est simulacre et complaisance illusoire ou recherche et découverte de la vérité. Dans l'ordre métaphysique comme dans l'ordre littéraire, c'est toute l'angoisse et aussi la fascination de l'énigme omniprésente. Ainsi s'explique l'événement littéraire que fut *le Promontoire* (prix Femina 1961) : énigme de cette fille aveugle, Diane, qui avait coutume de se promener nue dans les sentiers solitaires d'un coin de Corse, et qui vient d'être assassinée, à moins qu'elle ne se soit suicidée ; énigme de la complicité autour de ce drame d'une communauté villageoise ; énigme enfin du reflet de cette histoire dans la conscience du narrateur et dans celle d'un autre écrivain, à la fois son double et son contraire. C'est, porté à sa plus haute acuité, et par excellence, l'art de l'*interrogation* universelle.

Œuvres. *Le Seau à charbon,* 1940, rééd. 1979 (N). – *Travaux d'aveugle,* 1941 (P). – *Le Précepteur,* 1942 (N). – *Signe de vie,* 1944 (P). – *La Vie ensemble,* 1945 (N). – *Le Monde absent,* 1947 (P). – *Le Porte-à-faux,* 1948 (N). – *Nul Désordre,* 1950 (P). – *Les Déserteurs,* 1951 (N). – *La Cible,* 1955 (N). – *La Nuit de Londres,* 1956, rééd. 1977 (N). – *Histoire de Pierrot et quelques autres nouvelles,* 1960 (N). – *La Dernière Année,* 1960 (N). – *John Perkins,* suivi de *Un scrupule,* 1960. – *Le Promontoire,* 1961 (N). – *La Chasse aux trésors* (recueil d'essais), 1961. – *Sous le lien du temps,* 1963 (E). – *Le Parjure,* 1964 (N). – *La Relique,* 1969 (N). – *Poésies* (recueil), 1970 (P). – *Tristan le dépossédé (Tristan Corbière),* 1972 (E). – *Sainte Jeunesse* (nouvelles), 1973 (N). – *Les Tours de Notre-Dame* (nouvelles), 1976 (N). – *À quoi tu penses ?* 1980 (P). – *Joueur surpris,* 1982 (P). – *Le Migrateur,* 1983 (P). – *Le Tableau d'avancement,* 1983 (P). – *Le Croc des chiffonniers,* 1985 (N).

THOMAS D'ANGLETERRE. (Voir TRISTAN ET ISEUT.)

THOU Jean Augustin de. Paris 8.10.1553 – 7.5.1617. Issu d'une famille de magistrats, T. étudie le droit sous la direction de Cujas et, à l'âge de vingt ans, fait le rituel voyage d'Italie. Conseiller au parlement de Paris (1576), il sera plus tard président à mortier (1595) après avoir été maître de la Bibliothèque du roi à la suite d'Amyot (1593). Chargé de différentes missions, il négocie à Bordeaux avec les protestants, puis avec Henri de Navarre, et voyage en Allemagne pour aller chercher des renforts, à la demande de Henri III ; il participera à la rédaction de l'édit de Nantes. Témoin de temps troublés, T., dès 1591, a commencé à écrire une *Histoire de mon temps* qui relate les événements de 1543 à 1607, un des plus importants documents que nous possédions pour connaître l'histoire du XVIe s. Écrit en latin, traduit en français en 1734, cet ouvrage est très sérieusement informé grâce aux hautes fonctions occupées par son auteur, qui s'efforce, dans son rapport, d'être impartial et juste. Le « fidèle historien » (Bossuet) se double d'un « grand auteur » dont le style recherché, mais sans préciosité, contribue à rendre un compte exact et nuancé des événements de cette période. Afin de se justifier auprès des Ligueurs, qui le tenaient pour suspect après la parution de son *Histoire,* Th. écrivit ses *Mémoires,* qui complètent l'*Histoire* tout en montrant que l'adhésion à telle ou telle cause n'exclut pas nécessairement la tolérance. T. a également laissé des vers latins, des paraphrases de la Bible et un livre sur la chasse.

Œuvres. *Metaphrasis poetica librorum sacrorum aliquot,* 1588 (P). – *Poemata sacra,* 1599 (P). – *Histoire de mon temps (1543-1607)* [connue sous le titre latin : *Thuana Historia* ou *Thuana*], 1604-1608 (E) ; seconde édition (4 vol.), posth., 1620 ; édition définitive (7 vol.), posth., 1733 ; traduction française, posth., 1734. – *Mémoires (1553-1601),* 1614 (E) ; traduction française, posth., 1711.

TILLIER Claude. Clamecy (Nièvre) 11.4.1801 – Nevers 18.10.1844. Fils d'un serrurier, il fit, grâce à une bourse, des études secondaires partielles et fut surveillant d'études à Soissons, puis instituteur à Paris, avant de débuter dans le journalisme d'opposition en 1831, par de violents articles publiés dans *l'Indépendant,* feuille de sa ville natale. De là, puis de Nevers, où il dirigea l'éphémère *Association* (1841), il fit entendre jusqu'à Paris la voix d'un virulent satirique et fut comparé à P.L. Courier. Mais il dut à un roman de passer à la postérité, roman au succès durable et aujourd'hui encore bien vivant (comme en témoigne le film d'É. Molinaro interprété par J. Brel) : *Mon oncle Benja-*

min (1843). C'est une œuvre qui se rattache aux premières manifestations du réalisme, mais qui, en situant son intrigue dans la province du XVIIIe siècle et en utilisant habilement cette distance, introduit l'humour dans le réalisme : on pense à l'Anglais Sterne ou au Diderot de *Jacques le Fataliste.* T. s'y est inspiré d'un personnage réel de sa famille, qui devient dans le roman ce médecin qui doit épouser une demoiselle Minxit. La construction volontairement lâche, un peu selon la technique des tiroirs, fait progresser l'action de scène en scène jusqu'à l'enlèvement de Mlle Minxit par un mousquetaire et à sa mort. C'est une œuvre, dans son affabulation comme dans sa technique, d'une simplicité qui ne nuit pas, au contraire, à son originalité, car elle représente le cas, presque unique à cette date, d'un réalisme fort différent dans son esprit de celui qui allait bientôt triompher, de Flaubert à Maupassant.

Œuvres. *Belle Plante et Cornelius,* 1841, rééd. 1977 (N). – *Mon oncle Benjamin,* 1843 (N). – *Œuvres* (édition complète, avec les deux romans déjà publiés et *Comment le chanoine eut peur, Comment le capitaine eut peur,* ainsi que trente pamphlets écrits de 1841 à 1844), posth., 1846.

TOCQUEVILLE Alexis Charles Henri Maurice Clérel de. Verneuil (Yvelines) 29.7.1805 – Cannes 16.4.1859. C'est comme juge au tribunal de Versailles qu'il fut envoyé en mission outre-Atlantique : *Du système pénitentiaire aux États-Unis et de son application en France,* publié de concert avec son compagnon de voyage et ami G. de Beaumont, eut une grande influence mais entraîna la destitution de Beaumont. T. quitta alors sa charge et rédigea *De la démocratie en Amérique,* dont le succès lui permit d'être élu député libéral de la Manche. Il fit montre, dans son activité politique, de sérieux et de perspicacité, comme dans la suite de son œuvre d'historien, qui, jalonnée par deux études sur Louis XV et Louis XVI, fut couronnée par son chef-d'œuvre, *l'Ancien Régime et la Révolution.* Incarcéré pour son opposition au coup d'État du Deux-Décembre, T. dut s'exiler plusieurs années et termina sa vie loin de la capitale. Acad. fr. 1841.

Œuvres. *Du système pénitentiaire aux États-Unis et de son application en France,* 1833 (E). – *De la démocratie en Amérique* (1re partie, 1835 ; 2e partie, 1840) [E]. – *Histoire philosophique du règne de Louis XV,* 1846 (E). – *Coup d'œil sur le règne de Louis XVI,* 1850 (E). – *L'Ancien Régime et la Révolution,* 1856 (E). – *Souvenirs,* posth., 1893.

De la démocratie en Amérique

C'est à la fois une étude et une analyse politique. Dans une première partie, T. examine les rapports entre les conditions géographiques et historiques et l'avènement de la démocratie aux États-Unis. Il passe ensuite à l'étude des institutions, pour faire apparaître, par une analyse rationnelle, le rapport entre les institutions et la stabilité politique. L'ouvrage se termine par une dernière série d'analyses des rapports entre le système politique et les mœurs et le mode de vie des Américains.

L'Ancien Régime et la Révolution

Le thème de ce livre est apparemment paradoxal, car il contredit l'idée commune selon laquelle la Révolution aurait opéré une rupture historique. Au-delà des phénomènes que T. considère comme superficiels, quelle qu'ait été leur violence, l'analyse des réalités politiques, sociales et administratives révèle au contraire une continuité historique, la Révolution n'étant alors en profondeur que l'aboutissement de l'Ancien Régime. La conclusion est donc qu'il est vain de prétendre contrarier les effets et conséquences de la Révolution, même au nom d'une prétendue restauration de l'ordre ancien.

TÖPFFER Rodolphe. Genève 31.1.1799 – 8.6.1846. Écrivain suisse d'expression française. Fils de peintre, il dut sans doute à son environnement familial et à son sens visuel une exceptionnelle intuition du pittoresque, qui se manifeste avec autant de réalisme que de simplicité dans ses *Voyages en zigzag,* enregistrement de ses randonnées annuelles à travers la Suisse. Il a illustré lui-même ses *Nouvelles genevoises,* où se retrouvent les mêmes qualités de naturel et d'intime bonhomie, ce qui ne contribua pas peu à lui assurer une large audience.

Œuvres. *La Bibliothèque de mon oncle,* 1832 (N). – *La Peur,* 1833 (N). – *Le Presbytère* (1re partie), 1834 (N). – *L'Histoire de Jules,* 1838 (N). – *Nouvelles genevoises (l'Héritage ; la Traversée ; la vallée du Trient ; le Lac de Gers ; le Col d'Anterne),* 1829-1840 (N). – *Monsieur Pencil,* 1840 (N). – *Voyages et aventures du Dr Festus,* 1840 (N). – *Nouvelles et Mélanges,* 1840. – *Monsieur Crépin, Monsieur Jabot, Monsieur Vieux Bois, Histoire d'Albert,* 1839-1843 (N). – *Voyages en zigzag,* 1843 (N). – *Monsieur Cryptogame,* 1845 (N). – *Essai de physiognomonie,* 1845 (E). – *Rosa et Gertrude,* 1846 (N). – *Le*

Presbytère (2e partie), 1839-1846 (N). – *Réflexions et menus propos d'un peintre genevois,* 1839-1848 (E). – *Nouveaux voyages en zigzag,* posth., 1853.

TORTEL Jean. Saint-Saturnin-lès-Avignon 4.9.1904. C'est en 1926 que, grâce à J. Royère, il peut publier ses premiers poèmes. Pendant la guerre, il se liera avec F. Ponge, dont il partage les convictions poétiques, et, fidèle à sa Provence natale (il réside en Avignon), il rejoindra l'équipe des *Cahiers du Sud,* mais cela peu de temps avant leur disparition. À beaucoup d'égards, T. apparaît comme un précurseur, représentant d'une avant-garde discrète qui annonce la coïncidence contemporaine du poétique avec la nudité de la parole, qui annonce aussi la contestation de la parole elle-même comme moyen d'atteindre la poésie au-delà de toute rhétorique, fût-elle surréaliste, tout cela débouchant sur la recherche des *Clefs pour la littérature* et la pratique des « explications de textes » *(Explications ou bien Regard)* visant à une véritable incorporation du monde à la nudité de la parole-objet.

Œuvres. *De mon vivant,* 1940 (P). – *Poèmes du jour et de la nuit,* 1944 (P). – *Paroles du poème,* 1946 (P). – *Le Mur du ciel,* 1947 (N). – *La Mort de Laurent,* 1948 (N). – *Le Préclassicisme français,* 1952 (E). – *Naissance de l'objet,* 1955 (P). – *Explications ou bien Regard,* 1960 (P). – *Élémentaires,* 1961 (P). – *Guillevic* (choix de textes), 1963. – *Les Villes ouvertes,* 1965 (P). – *Clefs pour la littérature,* 1965 (E). – *Relations,* 1968 (P). – *Limites du regard,* 1971 (P). – *Instants qualifiés,* 1973 (P). – *Tracés de l'objet,* avec *Discours des yeux, Tortel 1976,* 1976 (P). – *Des corps attaqués,* 1979 (P). – *Les Solutions aléatoires,* 1983 (P).

TOULET Paul-Jean. Pau 5.6.1867 – Guéthary (Pyrénées-Atlantiques) 6.9.1920. Après une enfance béarnaise, puis un voyage à l'île Maurice et en Algérie, il passe quatorze ans à Paris (1898-1912), hantant les boulevards et les cafés, où il rencontre Bernanos, Arthur Machen (écrivain fantastique anglais)... Il écrit des « pièces de circonstance », des romans et des contes au titre révélateur *(Comme une fantaisie ; les Contes de Behanzigue).* À partir de 1912, retiré au Pays basque, il écrit son meilleur roman, *la Jeune Fille verte,* et rassemble les courts poèmes qui constituent le recueil posthume *Contrerimes,* où ils sont accompagnés de *Chansons* et de *Coples.* Le titre vient du système minutieux de versification, où s'opère un renversement de l'alternance des rimes masculines et féminines (ABBA).

« Fantaisiste », T. l'est par l'attention diffuse qu'il prête à la vie, et qui lui permet d'isoler un instant pour en faire une œuvre brève, à la fois obscure et transparente. La virtuosité de ses poèmes suggère ce qu'il y a de plus fugitif dans un moment : plaisir ou tristesse, souvent mêlés par le jeu de souvenirs fugacement évoqués. Mais sa sensualité, lumineuse et allusive, reste hantée par l'obsession de la mort. De là ces échos imperceptibles qui font son originalité.

Œuvres. *M. du Paur, homme public,* 1898 (N). – *Le Mariage de don Quichotte,* 1902 (N). – *Les Tendres Ménages,* 1904 (N). – *Mon amie Nane,* 1905 (N). – *Comme une fantaisie* (recueil de trois contes), 1918 (N). – *La Jeune Fille verte,* 1920 (N). – *Les Contes de Behanzigue,* 1920 (N). – *Les Contrerimes,* posth., 1921, rééd. 1979 (P). – *Almanach des trois impostures,* posth., 1922 (N). – *Le Souper interrompu* (comédie), posth., 1922 (T). – *Les Demoiselles de la Mortagne,* posth., 1923 (N). – *Notes d'art,* posth., 1924 (E). – *Lettres à soi-même,* posth., 1927, rééd. 1950. – *Lettres de P.-J. Toulet et d'É. Henriot,* posth., 1959. – *Douze Lettres à Pierre Labrouche,* posth., 1963.

TOUPIN Paul. Montréal 7.12.1918. Écrivain canadien-français. Il a fait des études classiques, a été journaliste et a travaillé au Conseil des arts du Canada puis des Affaires culturelles du Québec. Lauréat du prix du Gouverneur général pour la littérature en 1961, il est membre de l'Académie canadienne-française. T. est le solitaire des lettres québécoises, et son œuvre est conçue dans le silence et l'isolement. Sa prose est l'une des plus belles qui s'écrivent au Canada français. D'un tout autre caractère que celui de Gélinas et de Dubé, son théâtre est nettement antipopulaire et très littéraire dans sa forme. Dès sa première pièce, *le Choix,* dont l'action se passe en France sous l'occupation allemande, il apparaît comme un dramaturge classique aussi bien par la conduite de l'action que par le dialogue et le style. Il se refuse catégoriquement à toute concession au goût du public. Attitude qui ne s'est pas démentie dans ses œuvres suivantes, *Brutus, le Mensonge, Chacun son amour.* Aucune de ces pièces ne traite de thèmes spécifiquement canadiens ; aucune allusion à des mœurs locales ou à des coutumes particulières comme chez Gélinas et Dubé. Études lucides et nuancées de l'homme

universel, ses pièces sont remarquables de concision. Elles sont rédigées dans une langue rigoureuse et raffinée.
Brutus est la pièce majeure de T., qui a relevé de façon très originale le défi que représentait un sujet aussi connu que l'événement historique de la mort de César, en établissant sa tragédie sur le conflit entre l'amitié qui lie César à Brutus et le souci de la grandeur de Rome. *Le Mensonge* est bâti sur un thème cher aux chevaliers du Moyen Âge, la franchise : cette œuvre met en scène les aventures romanesques d'une châtelaine bretonne, gardienne obstinée d'un château et d'un domaine que le roi de France convoite, et qu'il obtiendra, grâce à la supercherie d'un timide seigneur. Cette situation tragique séparera pendant trois années deux amoureux loyaux, fidèles, et faits pour s'aimer. *Chacun son amour* présente, dans un style nerveux, sobre et élégant, le thème classique de Don Juan.
L'œuvre de T. essayiste n'est pas moins attachante que son œuvre dramatique. Dans un essai de jeunesse, *Au-delà des Pyrénées,* nourri de Montherlant, qu'il a choisi pour maître, il affirme son admiration pour l'austérité de l'âme espagnole. *Souvenirs pour demain* est composé de trois récits inspirés par des souvenirs d'enfance que domine la mort du père : les trois parties, consacrées à la littérature, à l'amour et à la mort, sont empreintes d'une gravité rare dans les lettres canadiennes.

Œuvres. *Au-delà des Pyrénées,* 1950 (E). – *Rencontre avec Berthelot Brunet,* 1950 (E). – *Le Choix,* 1951 (T). – *Brutus,* 1951 (T). – *Souvenirs pour demain,* 1954, rééd. 1960 (E). – *Chacun son amour,* 1957 (T). – *Le Mensonge,* 1960 (T). – *L'Écrivain et son théâtre,* 1964 (E). – *Les Paradoxes d'une vie et d'une œuvre,* 1965. – *Mon mal vient de plus loin* (souvenirs), 1969. – *Le cœur a ses raisons,* 1971 (N). – *Au commencement était le souvenir* (souvenirs), 1973. – *La Nouvelle Inquisition,* 1975 (N). – *Dans le blanc des yeux,* 1975 (P). – *De face et de profil* (mémoires), 1977. – *Son dernier rôle,* 1979 (T).

TOURNIER Michel. Paris 19.12.1924.
T. est d'abord un conteur, ce qui apparaît dans sa manière d'écrire, quel que soit le thème qu'il aborde : il joue de tous les tons, traverse tous les registres, le grave et le léger, l'ironique et le sérieux, le féerique et le quotidien ; il se plaît même, le plus souvant, à mêler les tons et à confondre les registres, pour produire des discordances calculées, qui ne sont pas le moindre charme de son écriture. On ne s'étonnera donc pas qu'il ait écrit des contes pour enfants, *Vendredi ou la Vie sauvage, Pierrot ou les Secrets de la nuit,* ou bien encore la fort jolie nouvelle « Amandine ou les Deux Jardins », reprise dans le recueil le *Coq de bruyère.* Mais T. avoue lui-même (interview publiée dans *le Monde,* 9 décembre 1977) que ce dernier conte, par exemple, appelle plusieurs degrés de lecture, qu'au-delà du conte proprement dit le récit contient une dimension quelque peu ésotérique, de caractère initiatique. Or, c'est là ce qui fait l'unité de l'œuvre de T., au demeurant fort diverse, ce qui explique la prédilection de l'écrivain pour le légendaire, qu'il puise dans les légendes traditionnelles, celle du *Roi des Aulnes,* titre d'un roman qui obtient le prix Goncourt, ou celles des rois Mages, dans *Gaspard, Melchior & Balthazar ;* des légendes d'origine littéraire aussi, comme celle de Robinson Crusoé, qui fournit le sujet de *Vendredi ou les limbes du Pacifique* (grand prix du Roman de l'Académie française). Au besoin, ces légendes, T. les invente, et parfois il les entrelace à l'intérieur d'un même récit : *les Météores* naissent ainsi du contrepoint de multiples légendes, celle de l'enfance, celle de la Bretagne, les deux dominantes étant la légende de la gémellité (histoire de relations entre deux jumeaux, qui prend progressivement les dimensions d'un mythe de l'unité et de la dualité, de l'harmonie et de la discordance) et celle de l'oncle Alexandre, « l'Empereur des gadoues », spécialiste génial de la collecte et du traitement des ordures ménagères, qui trouve le moyen de construire sur cette activité et sur son homosexualité une extraordinaire et délirante épopée du rejet universel. Ainsi se crée un univers où se rencontrent le réalisme le plus actuel (le Robinson de *Vendredi* n'ignore pas les problèmes du racisme ou de l'écologie), la fascination des horizons que peuplent les fées ou les esprits et démons les plus variés, et une ouverture sur un au-delà du réel, d'autant plus magique qu'il reste délibérément imprécis quant à sa nature, mais intensément présent dans le texte même du récit. Indépendant de toute appartenance idéologique ou esthétique, à l'affût de l'insolite partout où il peut le rencontrer ou le provoquer. T. raconte des histoires d'une facture formelle rigoureuse, qui séduisent à la fois par leurs qualités narratives et par leur aptitude à traduire toutes les formes imaginables de présence du mystère.

Œuvres. *Vendredi ou les limbes du Pacifique,* 1967 (N). – *Le Roi des Aulnes,* 1970 (N). – *Les Météores,* 1974 (N). – *Le Vent*

Paraclet, 1977 (E). – *Vendredi ou la Vie sauvage* (pour enfants), 1977. – *Le Coq de bruyère,* contes et récits, 1978 (N). – *Pierrot ou les Secrets de la nuit* (pour enfants), 1979. – *Gaspard, Melchior & Balthazar,* 1980 (N). – *Barbedor* (pour enfants), 1980, rééd. 1985. – *Le Vol du vampire,* 1981 (E). – *Vue de dos, photos d'Édouard Boubat,* 1981 (E). – *Gilles et Jeanne,* 1983 (N). – *Des clés et des serrures* (images et proses), 1983 (E). – Avec Jean-Max Toubeau, *le Vagabond immobile,* 1984 (N). – *Journal de voyage au Canada,* 1984.

TRAGÉDIE. Poème dramatique, dont le sujet est le plus souvent emprunté à la légende ou à l'histoire, mettant en scène des personnages illustres impliqués dans une situation destinée, selon la doctrine exposée dans la *Poétique* d'Aristote, à susciter la pitié et la terreur par le spectacle des passions humaines et des catastrophes fatales qu'elles provoquent. Aux sources mêmes du théâtre, la tragédie refléta au Vᵉ s. av. J.-C. l'épanouissement de la culture athénienne, avec Eschyle et Sophocle puis Euripide. Le même phénomène se reproduisit en France au XVIᵉ et surtout au XVIIᵉ s. : bien qu'imitant les Anciens, les classiques se sont inspirés de l'idéal de grandeur de leur siècle pour donner à la France un art dramatique équivalant à celui de la Grèce. C'est alors que la tragédie revêt sa forme définitive : sujet historique ou mythologique mettant en action la fatalité, unités de lieu, de temps et d'action, division en cinq actes, langage poétique de l'alexandrin ; structures et modes d'expression qui visent à réaliser la synthèse parfaite du poétique et du dramatique en traduisant le dilemme tragique dans le déroulememt d'une véritable cérémonie poétique, la cérémonie de l'épreuve du héros chez Corneille, la cérémonie du sacrifice de la victime chez Racine, tandis que la réduction des passions à leur essence psychologique et leur concentration dans l'instant d'une crise confèrent à l'action l'intensité et la pureté qui seules conviennent au tragique. Le XVIIIᵉ s. (Voltaire et Crébillon) ne put éviter la décadence de la tragédie classique en quelque sorte épuisée par Racine : tous les efforts alors entrepris pour créer une tragédie « moderne » ont abouti à un échec. Le XXᵉ s., surtout pendant l'entre-deux-guerres, a tenté à son tour de rénover la tragédie (Cocteau, Giraudoux, Montherlant, Mauriac, Anouilh, Sartre, Camus), mais non sans ambiguïté, et il se peut qu'en notre temps le tragique ait trouvé dans le roman (A. Malraux) une forme mieux adaptée à son expression moderne. (Voir aussi THÉÂTRE.)

TRAGI-COMÉDIE. D'un style moins noble et moins relevé que celui de la tragédie, la tragi-comédie emprunte ses sujets à des thèmes romanesques et chevaleresques, s'attarde plus volontiers sur la description des passions amoureuses, et son dénouement est heureux. En vogue au début du XVIIᵉ s., elle devint populaire avec Alexandre Hardy. Corneille lui-même s'y essaya, mais son unique tragi-comédie, *le Cid,* se heurta à la critique de l'Académie, soucieuse de donner un théâtre régulier à la France. Considérée comme un genre hybride, elle disparut. On peut admettre que cette disparition est un des signes du triomphe de l'esprit classique, car la tragi-comédie avait joui d'une certaine faveur dans les milieux de la préciocité, comme en témoigne l'œuvre dramatique de G. de Scudéry *(l'Amour tyrannique).*

TREMBLAY Michel. Montréal 25.6.1942. Écrivain québécois. Fils de pressier (ouvrier imprimeur), T. est né dans ce quartier de Montréal qu'on appelle le « Plateau Mont-Royal ». Après ses études secondaires, il exerce plusieurs métiers (livreur, typographe, vendeur de tissus) et remporte en 1964 le premier prix au concours des jeunes auteurs de Radio-Canada pour *le Train,* une pièce inédite écrite en 1959. Il s'oriente alors vers l'adaptation d'œuvres théâtrales tant pour la radio que pour la télévision. Possédant un sens peu commun du spectacle et du divertissement, T. dramaturge s'affirme dans les années 70 comme l'un des auteurs les plus représentatifs de sa génération. Couronnées par de nombreux prix, certaines de ses pièces ont été traduites et jouées aux États-Unis et en Europe. T., pour débarrasser le théâtre québécois d'un réalisme psychologique conventionnel, choisit délibérément le mode de la satire et de la caricature. À travers des portraits-charges, féroces ou tendres, il entreprend une critique virulente des institutions sociales, morales et surtout religieuses, qui témoigne d'une observation impitoyable des mentalités et du mode de vie de ses contemporains. Ainsi *les Belles-Sœurs,* qui connut un énorme succès et inaugure le « cycle de l'incommunicabilité », décrit avec humour la vie de quinze Canadiennes françaises du milieu ouvrier de Montréal. L'utilisation délibérée du « joual », l'emploi simultané du chœur à l'antique et du monologue, grâce auquel les femmes expriment leurs revendications, le mélange des tons, du réalisme et du fantastique, concourent à renforcer le climat de tension et de conflit qui caractérise aussi le théâtre de T. Les affrontements, s'ils traduisent le refus d'une aliénation (familiale, religieuse, sexuelle), sont l'occasion de métamorphoses en chaîne. Le jeu du déguisement, qui va du travestissement à l'inversion pure et simple, symbolise à la fois l'impuissance des personnages à aller au bout de leurs désirs et la quête d'une identité qui se heurte à des inhibitions de toutes sortes. *Hosanna* aborde ce thème à travers la relation homosexuelle, *Damnée Manon, Sacrée Sandra* par l'aventure d'un travesti et *Bonjour là, bonjour* analyse les relations filiales (père/fils) et aussi incestueuses (frère/sœur) au sein d'une famille. Tenaillés par l'espoir, le rêve ou la volonté de s'en sortir, tous ces marginaux ne parviennent à leurs fins que momentanément, grâce au spectacle. C'est le même cheminement que nous offrent les œuvres romanesques. Les « chroniques du plateau Mont-Royal » (*La grosse femme d'à côté est enceinte, Thérèse et Pierrette à l'école des Saints-Anges, la Duchesse et le roturier, Des nouvelles d'Édouard*) reconstituent le monde pittoresque et quotidien d'une petite collectivité, brossant indirectement un tableau coloré, satirique et attendri de toute une société. Ce microcosme est exclusivement féminin (les hommes sont absents, falots ou invertis), et comme dans ses pièces, T. analyse des climats familiaux tendus, des relations de couple difficiles d'où le discours amoureux est presque toujours banni, et effectue aussi un travail original sur la langue : seule la langue populaire est capable d'établir la communication entre les personnages, qui tous refusent ainsi de se fondre dans un moule culturel qui ne leur correspond pas.

Œuvres. *Contes pour buveurs attardés,* 1966 (N). – *Les Belles-Sœurs,* 1968 (T). – *La Cité dans l'œuf,* 1969 (N). – *En pièces détachées,* suivi de *la Duchesse de Langeais,* 1970 (T). – *À toi pour toujours, ta Marie-Lou,* 1971 (T). – *Trois petits tours,* 1971 (T). – *Demain matin, Montréal m'attend,* 1972 (T). – *C't'à ton tour, Laura Cadieux,* 1973 (N). – *Hosanna,* 1973 (T). – *Il était une fois dans l'Est* (scénario de film), 1974. – *Bonjour là, bonjour,* 1974 (T). – *Les Héros de mon enfance* (comédie musicale), 1976. – *Sainte Carmen de la Main,* 1976 (T). – *Damnée Manon, Sacrée Sandra,* suivi de *Surprise ! Surprise !* 1977 (T). – *La grosse femme d'à côté est enceinte,* 1978 (N). – *L'Impromptu d'Outremont,* 1980 (T). – *Thérèse et Pierrette à l'école des Saints-Anges,* 1980 (N). – *Les Anciennes Odeurs,* 1981 (T). – *La Duchesse et le roturier,* 1982 (N). – *Des nouvelles d'Édouard,* 1983 (N). – *Albertine en 5 temps,* 1984 (T).

TRENET Charles. Narbonne 18.5.1913. Il a commencé sa carrière de chanteur à l'âge de vingt ans en exécutant un duo avec Johnny Hess. Auteur compositeur, il a largement contribué, avant et après la Seconde Guerre mondiale, à la renaissance de la chanson française : écrivain authentique à l'aise aussi dans la narration, il a opéré une véritable revalorisation du texte en lui conférant un caractère poétique, accordé à la musique qui l'accompagne. Certains de ses succès (*la Mer,* par exemple) ont acquis une audience internationale. Il a écrit plus de trois cent cinquante chansons.

Œuvres. *Un noir éblouissant,* 1965 (N). – *Charles Trenet* (recueil de chansons), 1965 (P). – *Mes jeunes années, racontées par ma mère et par moi,* 1978 (N). – *La Route enchantée. Cinquante ans d'éclat,* 1981 (N). – *Pierre, Juliette et l'automate,* 1983 (N).

TRIOLET. Petite pièce ou couplet de huit vers (généralement octosyllabiques), dont trois vers (le premier, le quatrième et le septième) sont semblables.

TRIOLET Elsa, née Elsa Kagan. Moscou 12.9.1896 – Paris 1970. Romancière française d'origine russe. Son nom d'écrivain est celui de son premier mari. Belle-sœur de Maïakovski, elle rencontra Aragon en 1928 et devint non seulement sa femme (1939) mais l'inspiratrice continue de son œuvre poétique et romanesque. Elle fut elle-même romancière d'obédience communiste bien qu'elle n'ait jamais été membre du parti, mais l'auréole de son personnage de muse a entraîné la critique à surestimer une œuvre qui pâlit cruellement au voisinage de celle d'Aragon, dans l'édition des *Œuvres romanesques croisées.*

Œuvres. *Bonsoir Thérèse,* 1938 (N). – *Maïakovski, poète russe* (souvenirs), 1939 (N). – *Le Cheval blanc,* 1943 (N). – *Le Mythe de la baronne Mélanie,* 1943 (N). – *Le premier accroc coûte deux cents francs,* 1944 (N). – *Mille Regrets,* 1944 (N). – *Personne ne m'aime,* 1946 (N). – *Les Amants d'Avignon,* 1947 (N). – *Les Fantômes armés,* 1947 (N). – *Yvette,* 1948 (N). – *L'Écrivain et le livre ou la Suite dans les idées,* 1948 (E). – *L'Inspecteur des ruines,* 1948 (N). – *Le Cheval roux ou les Intentions humaines,* 1953 (N). – *Trois Braves Petits Boucs,* 1953 (N). – *Trois*

Enfants contre les Indiens, 1953 (N). – *Trois Ours et autres contes,* 1953 (N). – *L'Histoire d'Anton Tchékhov, sa vie, son œuvre,* 1954 (E). – *Le Rendez-vous des étrangers,* 1956 (N). – *Le Monument,* 1957 (N). – *Vers et Proses* (trad. de Maïakovski), 1957. – *E. Triolet choisie par Aragon* (anthologie), 1960. – *Les Manigances, journal d'une égoïste,* 1962 (N). – *L'Âge de Nylon* (1. *Roses à crédit ;* 2. *Luna Park ;* 3. *l'Âme*), 1959-1963 (N). – *Le Grand Jamais,* 1965 (N). – Avec L. Aragon, *Œuvres romanesques croisées,* 1965 (N). – *Anthologie de la poésie russe* (trad.), 1965 (P). – *Écoutez-voir,* 1968 (N). – *La Mise en mots,* 1969 (N). – *Le rossignol se tait à l'aube,* 1970 (N). – *Fraise des bois* (écrit en russe en 1926, sous le titre *Zemlianitchka*), posth., 1974 (N). – *Chroniques théâtrales, 1948-1951,* posth., 1981.

TRISTAN ET ISEUT. Légende du XIIe s., mise en forme par Béroul puis par Thomas, dit d'Angleterre. Elle fut très certainement importée d'Irlande. Tristan est chargé par son oncle, le roi Marc, de partir à la recherche d'une épouse qui soit digne de sa royale condition. Iseut la Blonde, princesse irlandaise, est toute désignée par sa beauté. Sur le bateau qui les ramène, Tristan et Iseut boivent par erreur un philtre qui était destiné aux futurs époux. Désormais, Tristan et Iseut sont attirés l'un vers l'autre par une force irrésistible. Malgré tous les obstacles dressés devant leur passion pour les détacher l'un de l'autre (séparation des amants, mariage d'Iseut la Blonde et de Marc, d'une part, de Tristan et d'Iseut aux blanches mains, d'autre part), le destin est le plus fort : ils ne peuvent ni se réunir ni s'oublier ; leur amour ne s'accomplira que dans la mort.

Cette légende est diffusée sur le continent dès 1130. Béroul, tout d'abord, traite ce thème dans une œuvre dont il nous reste un fragment de 4 485 vers. Il met surtout l'accent sur la passion, qui excuse et justifie par avance toutes les actions des deux amants, et, en particulier, Tristan n'est pas accusé de « trahison » pour s'être approprié la femme de son suzerain. Cette passion permet de surpasser tous les obstacles, épreuves qui l'entretiennent et la fortifient.

Reprise par Thomas dans une œuvre de 31 500 vers, la légende de Tristan et Iseut se propage. Plus rigoureux que son prédécesseur, Thomas structure le schéma passionnel en introduisant dans le processus amoureux les règles de l'amour courtois et en transformant l'action du philtre en une véritable fatalité. Plusieurs versions seront encore composées : *la Folie Tristan* de Berne (572 vers) et la *Folie Tristan* d'Oxford (998 vers). Les œuvres littéraires ayant trait à cette légende ont cédé le pas à l'idéologie qu'elle a suscitée et qui a contribué à informer les caractéristiques des rapports amoureux dans le monde occidental. Fondé sur une attirance réciproque et exclusive, contrarié par les obstacles qui le stimulent, l'amour est plus fort que tout, et tout l'excuse et le justifie. Pour s'accomplir, il ne peut être que malheureux, voire mortel. Ce type tragique de relation amoureuse se retrouve dans toute la littérature occidentale, de *Roméo et Juliette,* en passant par *la Princesse de Clèves, Madame Bovary* et l'opéra de Wagner, jusqu'au théâtre de Boulevard ou aux romans-photos populaires.

TRISTAN L'HERMITE, François l'Hermite, sieur du Soliers, dit. Château de Soliers (Calvados) 1601 – Paris 7.9.1655. D'une famille qui prétend compter parmi ses ancêtres Pierre l'Hermite qui prêcha la première croisade, il a une jeunesse aventureuse, qu'il raconte, en la romançant selon la meilleure tradition du roman picaresque, dans *le Page disgracié.* C'est ainsi qu'à la suite d'un duel une vie errante l'aurait mené en Angleterre et même en Norvège. Quoi qu'il en soit, on sait qu'il occupe plusieurs emplois avant d'entrer en 1621 au service de Gaston d'Orléans, qu'il suit en Lorraine et en Flandre. Plus tard – en 1646 – il s'attachera au duc de Guise. Poète épris de solitude, il n'appartiendra à aucune chapelle littéraire, mais connaît et admire Th. de Viau, dont il subit l'influence à côté de celle des poètes italiens : d'abord l'influence pétrarquisante, déjà bien estompée, mais surtout celle de Marino et du marinisme, dont il adopte les thèmes, les raffinements de goût, les images précieuses, le sens de la beauté plastique et les subtilités du langage qui répondent au goût de l'époque pour le concettisme. Sa première poésie et peut-être la plus belle – une ode, *la Mer* – est dédiée à Gaston d'Orléans. Il publie ensuite *les Plaintes d'Acante,* œuvre influencée par les *Sospiri d'Ergasto,* de Marino ; *les Amours de Tristan,* contenant la célèbre pièce « le Promenoir des deux amants », qui inspirera Debussy ; *la Lyre ; Vers héroïques.* T. se montre avant tout élégiaque et précieux, et d'un talent très sûr dans la poésie descriptive ; témoignant d'un sentiment sincère de la nature, il excelle aussi à suggérer de délicates et subtiles correspondances entre paysages et états d'âme. Ses vers, d'une fine musicalité, n'évitent cependant pas toujours la fadeur. Il ne dédaignera pas, à l'occasion, la veine burlesque (*Épître burlesque, Portrait burlesque de la médecine,* etc.) mais, malgré les mérites de sa poésie, c'est à la scène qu'il devra le meilleur de sa réputation. Il aborde le théâtre en 1636 avec une tragédie, *Mariamne,* qui, grâce au talent de l'acteur Mondory et à la cabale montée contre l'auteur du *Cid,* n'a pas moins de succès que la pièce de Corneille. Le sujet en est tiré de l'histoire ancienne, la durée de l'action réduite à quelques heures ; l'intrigue est dépouillée et bien menée, et l'héroïne, admirable de dignité et de grandeur d'âme, comparable aux figures cornéliennes les plus belles, cependant que le contenu moral et la facture des vers de la tragédie sont déjà cornéliens. T. donnera ensuite d'autres tragédies : *Penthée, la Mort de Sénèque* (qui inaugure l'Illustre-Théâtre de Molière), tragédie belle dans sa simplicité, sa grandeur et la tension des caractères ; *la Mort de Chrispe* et *la Mort du grand Osman,* empruntés à des sujets orientaux, témoignent des mêmes qualités. Il fait représenter à l'hôtel de Bourgogne une tragi-comédie, *la Folie du sage,* avec un éclatant succès. Probablement lié avec Rotrou, T., qui est aussi un ami de Cyrano de Bergerac, se tourne vers la comédie imitée de l'italien, après avoir donné une pastorale, *Amarillis,* d'après la *Célimène* de Rotrou : *les Parasites,* comédie en vers burlesques reposant sur une intrigue romanesque, s'inspirent des conceptions de Rotrou, et les ressemblances sont souvent frappantes entre les deux auteurs. Acad. fr. 1649.

Œuvres. *Les Plaintes d'Acante,* 1633 (P). – *Mariamne,* 1636 (T). – *Penthée,* 1637 (T). – *Les Amours de Tristan,* 1638 (P). – *La Lyre du sieur Tristan,* 1641 (P). – *Mélanges poétiques,* 1641 (P). – *Lettres mêlées,* 1642. – *Le Page disgracié,* 1642 (N). – *Les Plaidoyers historiques ou Discours de controverse,* 1643. – *La Folie du sage,* 1644 (T). – *La Mort de Sénèque,* 1645 (T). – *La Mort de Chrispe,* 1645 (T). – *Office de la Sainte Vierge,* 1646. – *Vers héroïques du sieur Tristan l'Hermite,* 1648 (P). – *Amarillis,* 1652 (T). – *Le Parasite,* 1654 (T). – *La Mort du grand Osman,* 1656 (T).

TROIS AVEUGLES DE COMPIÈGNE (les). Un des plus célèbres fabliaux du XIIIe s., composé de trois cent cinquante-quatre octosyllabes. Si l'on en croit un nom cité à deux reprises dans le texte, l'auteur en serait un certain Cortebarbe. C'est le récit d'une farce jouée par un clerc cruel qui fait mine de remettre une pièce à trois aveugles. Ceux-ci se dépêchent de la dépenser joyeusement dans une taverne. Au moment de payer, l'argent manque. Chacun croyait qu'un des deux autres le possédait. Le clerc simule la pitié devant cet incident et promet à l'hôtelier que le curé s'acquittera de la dette ainsi contractée. Mais, par la suite, le clerc s'empresse d'avertir le curé en question qu'il va avoir affaire à un fou.

TROUBADOUR [provençal *trobador* = le trouveur]. Forme méridionale de **trouvère** [de *trobare* = composer des mélodies]. Poète lyrique des XIIe et XIIIe s. qui écrivait ses œuvres en langue d'oc (troubadour) ou en langue d'oil (trouvère). Le troubadour (ou le trouvère) fut, à l'origine, un jongleur ou un roturier lettré qui allait de château en château pour interpréter sa propre production poétique, moyennant une rétribution qui constituait son seul moyen de vivre. De grands seigneurs se firent aussi troubadours : Guillaume d'Aquitaine, Thibaut de Champagne. Ces derniers influencèrent la production des troubadours et des trouvères, qui devint aristocratique, raffinée, chantant et célébrant l'amour courtois.

TROYAT Henri, Lev Tarassov, dit. Moscou 1.11.1911. D'origine russe, venu en France avec sa famille en 1920, à l'âge de neuf ans, T. fait de bonnes études classiques à Neuilly et sera naturalisé français lors de son service militaire. Dès 1938, il reçoit le prix Goncourt et connaît un premier succès avec *l'Araigne,* roman d'analyse psychologique où se manifeste déjà toute son aisance de narrateur. Mais, sans renoncer complètement à ce genre de romanesque, auquel il reviendra épisodiquement, il aborde en 1940 le genre qui lui vaudra une large popularité : opérant, avec bonheur et habileté, la combinaison du roman d'aventures, du roman historique et de la structure cyclique, il entreprend alors son premier grand cycle russe, *Tant que la terre durera,* où il retrace la fin de la Russie tsariste et les débuts de la Révolution. Il publie ensuite un second cycle, *la Lumière des justes,* qui, à partir de l'histoire des « décembristes » de 1825 et de la répression de leur mouvement par Nicolas Ier, élabore une vaste fresque socio-historique : dans le cadre de l'extension d'un espace géographique qui va de Moscou à la Sibérie, T. applique ici une méthode parfaitement mise au point d'insertion de l'historique et du social dans le quotidien et dans l'individuel, source d'un « effet de réalité » encore renforcé par la transparente simplicité du style. Il continuera d'utiliser la même technique, toujours avec succès, dans ses autres cycles russes (*le Moscovite*) ou français (*les Semailles et les moissons ; les Eygletière*). Dans ces différents cycles, T. fonde volontiers la construction de l'intrigue romanesque sur des entrecroisements de destinées individuelles, ce qui le conduit à accentuer les aspects biographiques de la narration. Aussi entreprend-il de populariser un genre relativement nouveau dans la littérature française, quoique déjà « lancé » par André Maurois, le genre de la biographie de grands personnages historiques ou littéraires ; il n'est pas douteux qu'à cet égard, l'œuvre de T. a largement contribué au développement du goût contemporain pour la biographie. C'est encore la Russie qui inspire principalement le biographe, qu'il s'agisse d'écrivains comme Dostoïevski, Lermontov, Pouchkine, Tolstoi ou Tchekhov, ou des grands personnages de l'histoire russe, Pierre le Grand et Catherine II. Tout l'art du récit biographique, où T. est passé maître – il a servi de modèle à de nombreux émules –, consiste à harmoniser ensemble l'authenticité documentaire et les ressorts traditionnels de l'intérêt romanesque : individualisation des personnages, présence de l'environnement social dans ses aspects les plus réalistes, description psychologique et surtout organisation de la biographie selon une loi de progression dramatique qui, soutenue par le naturel et le dynamisme du style, ne laisse jamais faiblir l'intérêt du lecteur. À cet égard, plus encore peut-être dans ses biographies que dans ses cycles romanesques, T. est bien un des représentants les plus efficaces de la permanence et de la vitalité du roman dit « traditionnel ». Acad. fr. 1959.

Œuvres. *La Pierre, la feuille et les ciseaux,* 1928. – *Faux Jour,* 1935 (N). – *Grandeur nature,* 1936 (N). – *L'Araigne,* 1938 (N). – *La Fosse commune,* 1939 (N). – *Les Vivants,* 1940 (T). – *Dostoïevski,* 1940 (E). – *Le mort saisit le vif,* 1942 (N). – *Le Signe du taureau,* 1945 (N). – *Pouchkine,* 1946 (E). – *Tant que la terre durera,* 1, 1947 (N). – *Sébastien,* 1948 (T). – *Tant que la terre durera* (2, *le Sac et la Cendre,* 1948 ; 3, *Étrangers sur la terre,* 1950) [N]. – *L'Étrange Destin de Lermontov,* 1952 (E). – *La Neige en deuil,* 1952 (N). – *Les Semailles et les Moissons* (1, 1953 ; 2, *Amélie,* 1955 ; 3, *la Grive,* 1956) [N]. – *Sainte Russie,* 1956 (N). – *Les Semailles et les Moissons* (4, *Tendre et Violente Élisabeth,* 1957 ; 5, *la Rencontre,* 1958) [N]. – *La Vie quotidienne en Russie au temps du dernier tsar,* 1959 (E). – *La Case de l'oncle Sam,* 1959. – *La Lumière des justes* (1, *les Compagnons du coquelicot,* 1959 ; 2, *la Barynia,* 1960) [N]. – *Le Jugement de Dieu,* 1960 (N). – *Naissance d'une dauphine,* 1960. – *La Lumière des justes* (3, *la Gloire des vaincus,* 1961 ; 4, *les Dames de Sibérie,* 1962 ; 5, *Sophie ou la Fin des combats,* 1963) [N]. – *Le Geste d'Ève* (contes), 1964 (N). – *Tolstoï,* 1965 (E). – *Les Eygletière,* 1, 1965 (N). – *Les Ailes du diable* (nouvelles), 1966 (N). – *Les Eygletière* (2, *la Faim des lionceaux,* 1966 ; 3, *la Malandre,* 1967) [N]. – *Les Héritiers de l'avenir* (1, *le Cahier,* 1968 ; 2, *Cent Un Coups de Canon,* 1969 ; 3, *l'Éléphant blanc,* 1970) [N]. – *Gogol,* 1971 (E). – *Le Moscovite* (1, 1974 ; 2, *Désordres secrets,* 1974) [N]. – *Le Front dans les nuages,* 1976 (N). – *Un si long chemin* (conversations avec Maurice Chavardès), 1976. – *Catherine la Grande,* 1977. – *Le Moscovite* (3, *les Feux du matin,* 1977) [N]. – *Le Prisonnier,* 1978 (N). – *Pierre le Grand,* 1979. – *Viou,* 1980 (N). – *Alexandre Ier,* 1981 (N). – *Le Pain de l'étranger,* 1982 (N). – *Ivan le Terrible,* 1982. – *La Dérision,* 1983 (N). – *Maria Karpovna,* 1983 (N). – *Tchekhov,* 1984 (E). – *Le Bruit solitaire du cœur,* 1985 (N).

t'SERSTEVENS Albert. Uccle (Brabant) 1886 – 1974. Écrivain belge naturalisé français. L'essentiel de son œuvre reflète une passion pour l'époque héroïque des flibustiers et des aventuriers du temps des conquêtes. Tous ses récits, riches d'imagination, pleins d'un exotisme à la fois historique et géographique, utilisent le réalisme de la description et de l'action pour produire un merveilleux romanesque que traduit, dans les meilleurs moments, la poésie originale du style.

Œuvres. *Poèmes en prose,* 1911 (P). – *L'Or du Cristobal,* 1919 (N). – *Les Sept parmi les hommes,* 1919 (N). – *Un apostolat,* 1920 (N). – *L'Amour autour de la maison,* 1920 (N). – *Le Dieu qui danse,* 1921 (N). – *Le Vagabond sentimental,* 1923 (N). – *Béni Ier, roi de Paris,* 1926 (N). – *Les Corsaires du roi,* 1930 (N). – *Taïa,* 1930 (N). – *La Fête à Amalfi,* 1933 (N). – *L'Itinéraire espagnol* (récit de voyage), 1933 (N). – *L'Itinéraire portugais* (récit de voyage), 1940 (N). – *Le Carton aux estampes,* 1943 (N). – *Tahiti et sa couronne* (récit de voyage), 1950 (N). – *La Grande Plantation,* 1950 (N). – *Le Nouvel Itinéraire espagnol,* 1951 (N). – *Regards vers la jeunesse,* 1954 (E). – *Mexique, pays à trois étages* (récit de voyage), 1955 (N). – *Le Livre de Marco Polo. Le Devissement du monde. (Anonyme de la fin du XIVe siècle.) Miniatures du « Livre des Merveilles »,* 1957. – *Sicile, Éoliennes, Sardaigne, itinéraires italiens,* 1958 (N). – *Les*

Précurseurs de Marco Polo, 1959. – *Intimité de la Sicile,* 1961. – *Itinéraires de la Grèce continentale* (récit de voyage), 1961 (N). – *Le Périple des archipels grecs* (récit de voyage), 1963 (N). – *Intimité de Venise,* 1969. – *Escale parmi les livres,* 1969 (E). – *Ungaretti* (recueil), 1969. – *L'Itinéraire marocain* (récit de voyage), 1970 (N). – *L'homme que fut Blaise Cendrars,* 1972 (E). – *Flâneries dans Istanbul et ses entours,* 1973 (N). – *Les Priapées,* posth., 1977.

TURNÈBE, Adrien Tournebous, dit. Les Andelys (Eure) 1512 – Paris 12.6.1565. Professeur à l'université de Toulouse, puis titulaire de la chaire de littérature grecque et latine au Collège de France (1547), T. est en même temps directeur de l'Imprimerie royale pour les livres grecs et donne des éditions de Philon d'Alexandrie et de Synésios de Cyrène. Latiniste, il polémique avec Ramus à propos de Cicéron. Philosophe, il soutient Platon contre Aristote. Professeur estimé par ses étudiants et connu dans le monde entier, il jouit de l'estime de tous, y compris de celle de Montaigne. Ronsard lui-même, « voulant Turnèbe ranimer », déclare : « Je suis vaincu, ayant trop de matière. » T. a laissé une œuvre considérable : les *Adversaria* (1564), « ouvrage inestimable en variété et en savoir », selon un professeur allemand du temps. Après sa mort, un choix de *Variorum operum* fut publié à Strasbourg, en 1600.

TZARA Tristan, Samy Rosenstock, dit. Moinesti 4.4.1896 – Paris 1963. Poète français d'origine roumaine. Après avoir inventé Dada (cabaret Voltaire, Zürich, 1916), il se fixa à Paris (1919), où le heurt avec Breton et le surréalisme se résolut bientôt en rupture (1922), l'insurrection intellectuelle absolue qu'il préconisait se heurtant à un désir *littéraire* de construire la révolution de la poésie. Après son éviction, et bien qu'il ait renoué ensuite avec les surréalistes, T. mena une œuvre assez solitaire, guidé dans ses choix par son adhésion au parti communiste : on fausse son personnage en oubliant qu'il survécut quarante ans à son bref triomphe. Après la Seconde Guerre mondiale, durant laquelle il participa à la Résistance, il contribua notamment au renouveau des études occitanes. Son œuvre, abondante, se partage entre théorie et pratique de la poésie, cette dernière, dans le compagnonnage de P. Éluard, se faisant avec le temps plus lyrique.

Œuvres. *La Première Aventure céleste de M. Antipyrine,* 1916 (T). – *Poèmes nègres,* 1916. – *Poèmes simultanés,* 1917. – *Vingt-Cinq Poèmes,* 1918. – *Vingt-Cinq et Un Poèmes,* 1918. – *Cinéma calendrier du cœur abstrait,* 1920 (P). – *De nos oiseaux,* 1923 (P). – *Sept Manifestes dada,* 1re éd. collective, 1924 (E). – *Mouchoir de nuages* (tragédie en quinze actes), 1925 (T). – *Indicateur des chemins de cœur,* 1928 (P). – *Le Surréalisme au service de la Révolution. Essai sur la situation de la poésie,* 1931 (E). – *L'Homme approximatif,* 1931, rééd. 1968 (P). – *Où boivent les loups,* 1933 (P). – *L'Antitête,* 1933 (P). – *Grains et Issues,* 1935 (P). – *La main passe,* 1936 (P). – *Le Cœur à gaz,* 1938 (P). – *La Deuxième Aventure céleste de M. Antipyrine* (jouée en 1920), 1938 (T). – *Midis gagnés,* 1939, nouv. éd. augmentée 1948 (P). – *Entre-temps,* 1946 (P). – *Le Signe de vie,* 1946 (P). – *Terre sur Terre,* 1946 (P). – *La Fuite,* 1947 (P). – *Le Surréalisme et l'après-Guerre,* 1947 (E). – *Phases,* 1949 (P). – *Sans coup férir,* 1949 (P). – *Parler seul,* 1950 (P). – *De mémoire d'homme,* 1951 (P). – *Le Poids du monde,* 1951 (P). – *La Face intérieure,* 1953 (P). – *À haute flamme,* 1955 (P). – *La Bonne Heure,* 1955 (P). – *Miennes,* 1955 (P). – *Le Temps naissant,* 1955 (P). – *Le Fruit permis,* 1956 (P). – *Frère Bois,* 1957 (P). – *La Rose et le chien,* 1958 (P). – *De la coupe aux lèvres,* 1962 (P). – *Vigies,* 1962 (P). – *Œuvres complètes,* éd. établie par H. Béhar : t. I (1912-1924), 1975 ; t. II (1925-1933), 1977 ; t. III (1934-1946), 1979 ; t. IV (1947-1963), 1981 ; t. V « les Écluses de la poésie » (1924-1963), 1982 ; t. VI « le Pouvoir des images » (1924-1963), à paraître.

U

UNANIMISME. Mouvement littéraire et poétique défini dans les années 1910 par Jules Romains *(la Vie unanime)* et qui inspira le groupe dit de l'Abbaye (de Créteil) [Arcos, Duhamel, Vildrac...] Il s'agit de se servir de l'expression littéraire pour manifester l'âme collective, considérée comme une sorte d'esprit divin : l'unanimisme tend ainsi à déboucher sur un « panthéisme de l'humain ». Quant à sa fécondité littéraire, elle apparaît clairement dans le grand « roman unanime » de J. Romains, *les Hommes de bonne volonté* (1932-1947).

UNITÉS (règle des trois). Règle dramatique, inspirée par Aristote, mais surtout dictée, selon les classiques, par la « vraisemblance » et la « raison ». D'après cette règle, une pièce de théâtre doit comporter une seule action (unité d'action), se dérouler dans un lieu unique (unité de lieu) et durer un laps de temps n'excédant pas vingt-quatre heures (unité de temps). Boileau l'a ainsi résumée dans son *Art poétique* (III, 45-46) : *Qu'en un lieu, en un jour, un seul fait accompli / Tienne jusqu'à la fin le théâtre rempli.*

URFÉ Honoré d'. Marseille 1567 – Villefranche-sur-Mer 1.6.1625. Issu d'une vieille famille du Forez, il passe sa jeunesse au château de La Bastie, sur les bords du Lignon, et fait ses études au collège de Tournon, qu'il quitte en 1584. Ligueur à partir de 1589, il combattra les troupes royales jusqu'en 1601. Fait prisonnier en 1595 et libéré grâce à l'intervention de sa belle-sœur, Diane de Châteaumorand, dont il est secrètement épris, il passe au service du duc de Savoie contre la France. En 1600, il épouse Diane, qui a obtenu l'annulation de son mariage avec le frère d'Honoré, après avoir lui-même rompu ses attaches avec l'ordre de Malte, dont il est chevalier. Son mariage et la réconciliation de la Savoie et de la France lui permettent de retrouver la faveur de la Cour et du roi Henri IV. Vers 1613, Diane et lui, en désaccord, se séparent à l'amiable, mais, avec le temps, ils se réconcilieront. D'U. voyage (Rome, Paris, Turin, Venise) et guerroie pour le duc de Savoie. Il est emporté par une pneumonie alors qu'il se trouve à Villefranche-sur-Mer. Diane meurt quelques mois plus tard. Homme d'action, d'U. a consacré aux lettres les loisirs d'une vie aventureuse. Il débute dans la littérature par un petit poème, *Sireine,* puis compose ses *Épîtres morales,* qui témoignent d'un penchant pour la spéculation intellectuelle et d'une bonne connaissance de la philosophie platonicienne. La première partie du roman pastoral – déjà ébauché en 1593 – qui va le rendre célèbre, *l'Astrée,* paraît en 1607. Il s'y conforme aux traditions pastorales dont il trouve le modèle dans l'*Arcadie* de Sannazar, la *Galatée* de Cervantès et surtout la *Diane* de Montemayor. Il en donne la suite en 1610 et 1619, mais meurt avant d'avoir publié la dernière partie, peut-être inachevée, et dont il existe deux versions : celle de son secrétaire, le poète Balthazar Baro (1627), et celle de Borstel de Gaubertin (1625). Constituée par une intrigue principale simple (les amours de la bergère Astrée et du berger Céladon), l'œuvre se complique de multiples actions secondaires (quarante-cinq histoires). D'U. représente, dans le décor bucolique mais bien réel du Forez de sa jeunesse – et non dans une Arcadie de convention –, des bergers et bergères raffinés et élégants qui passent leur temps à aimer, à se conter des histoires galantes, à discuter de leurs sentiments, à écrire des vers. Avec sa subtile analyse des manifestations de l'amour, sa conception intellectualiste du sentiment, l'intervention de la raison et de la volonté pour résister aux passions, *l'Astrée* marqua profondément la sensibilité du XVIIe s., façonna l'esprit et les mœurs des salons précieux, influença indirectement bien des écrivains classiques (Corneille, Racine). Son style élégant et pur réagit contre le galimatias alambiqué de la fin du XVIe s. On lui reproche toutefois ses interminables longueurs, ses digressions et subtilités, son idéalisme quintessencié, contre lesquels se dressera C. Sorel dans son *Berger extravagant* (1626).

D'U. reste néanmoins un maître écrivain : à une époque où la mode veut encore que l'élégance du langage consiste à imiter la rhétorique latine, il est un des premiers créateurs de la prose classique, et, si *l'Astrée* eut le retentissement qui fut le sien si longtemps, c'est qu'elle était plus encore qu'un chef-d'œuvre littéraire : un art de vivre. On ne peut, sans s'y référer, prétendre connaître et comprendre l'esprit de la nouvelle civilisation que ce roman exceptionnel inaugure.

Œuvres. *Sireine,* 1604 (P). – *Épîtres morales,* 1598, 1603, 1608. – *La Sylvanire ou la Morte vive,* 1625 (P). – *L'Astrée, où, par plusieurs histoires et sous personnages de bergers et autres, sont déduits les divers effets d'une honnête amitié* (5 parties), 1607-1627 (N).

L'Astrée

Le lieu est le Forez, sur les bords du Lignon ; l'époque, le Ve siècle apr. J.-C. Le berger Céladon est amoureux de la bergère Astrée, qui partage son sentiment, mais ils appartiennent à deux familles ennemies. Pour conserver le secret, Astrée demande à son amant de courtiser ouvertement une autre bergère, Aminthe, et elle prie Céladon de ne plus désormais se montrer à ses yeux avant qu'elle ne l'en prie elle-même. Désespéré, Céladon se jette dans le Lignon, alors grossi par la fonte des neiges : il est emporté par le fleuve. Tandis qu'Astrée se tourmente de remords, la reine Galathée, en promenade, alors qu'elle est l'objet des poursuites amoureuses du roi Polémas, rencontre Céladon, en qui elle croit voir l'homme que le destin lui avait promis (et qui aurait dû être Polémas, dont le stratagème a échoué à la suite d'un contretemps) ; c'est Céladon qu'elle reçoit magnifiquement dans son château d'Isoure. Céladon résiste à l'amour de Galathée, par fidélité pour Astrée, et tombe malade. Grâce à l'intervention du druide Adamas, il quittera le château sous le déguisement d'une jeune fille pour se retirer, inconsolable, dans une grotte. Mais un oracle a prédit à Adamas que sa propre prospérité dépendait du mariage de Céladon et d'Astrée : il met au point le plan, compliqué, qui va rapprocher, sous le couvert d'une innocente amitié, Astrée et Céladon, travesti en jeune vierge du nom d'Alexis, et Astrée se prend de passion pour cette jeune Alexis. Après un épisode guerrier, où Adamas prend victorieusement la tête de la résistance aux agressions de Polémas, les deux jeunes gens, grâce aux incantations du druide et malgré les scrupules d'Astrée, se retrouvent unis dans le décor enchanté d'une fontaine qui porte le beau nom de « Vérité d'amour ».

UTOPIE. [latin moderne *utopia*, forgé sur le grec *ou* = non, et *topos* = lieu; c.-à-d. : lieu qui n'existe pas]. Mot créé en 1514 par Th. More. Dans son sens général, le mot désigne un projet chimérique ou impossible à réaliser dans le présent, mais qui peut devenir la réalité de demain. Plus précisément, l'utopie littéraire est l'exposé cohérent et imaginaire, mais d'apparence réaliste, d'une société idéale. Historiquement, c'est l'âge humaniste qui, sous l'influence de l'Antiquité (*la République* de Platon) et sur le modèle des utopies italiennes, a fait de l'utopie une sorte de genre littéraire : l'exemple le plus célèbre en est l'abbaye de Thélème de Rabelais. Mais le courant utopique réapparaît périodiquement, et il occupe une place importante dans la littérature romantique (Ballanche ; G. Sand). À l'époque contemporaine, l'utopie cède la place à l'anticipation (de J. Verne à la science-fiction), qui, à la différence de l'utopie, dont les principes sont d'ordre philosophique, se présente comme une prévision rationnelle et scientifique.

V

VACHÉ Jacques. Nantes 1896 – Paris 1919. Brillant dessinateur de mode masculine, il était en traitement à l'hôpital de Nantes, en 1916, lorsque le jeune Breton le rencontra et fut immédiatement fasciné par ce personnage. Dandy glacial, V. fut l'écrivain sans écriture, mais son influence fut déterminante sur la naissance du surréalisme. Ses *Lettres de guerre à André Breton* (1919) sont placées sous le signe du Des Esseintes de Huysmans, et de l'« umour » tiré de l'univers de Jarry. Dadaïste avant l'essor parisien de Dada, V. mourut à vingt-quatre ans, d'une ingestion excessive d'opium.

VADÉ Jean Joseph. Ham (Somme) 17.1.1719 – Paris 4.7.1757. De 1752 à 1757, V. fit représenter vingt opéras-comiques et comédies (dont *les Troqueurs* et *Nicaise*) et surtout créa le « genre poissard », littérature populaire et réaliste reproduisant le truculent langage des Halles, en réaction contre la fadeur mondaine des poètes et romanciers à la mode. La pièce maîtresse de V. qui fut surnommé « le Callot de la poésie », est son recueil posthume *Catéchisme poissard* (1758), qui s'achève sur la célèbre « Pipe cassée », en quatre chants. La mode linguistique lancée par V. lui survécut plusieurs années.

Œuvres. *La Fileuse,* 1752 (T). – *Le Poirier,* 1752 (T). – *Le Bouquet du roi,* 1752 (T). – *Le Suffisant,* 1753 (T). – *Le Rien,* 1753 (T). – *Les Troqueurs,* 1753 (T). – *Le Trompeur trompé,* 1754 (T). – *Il était temps,* 1754 (T). – *La Nouvelle Bastienne,* 1754 (T). – *La Fontaine de jouvence,* 1754 (T). – *Les Troyennes en Champagne,* 1755 (T). – *Jérôme et Fanchonnette,* 1755 (T). – *Le Confident heureux,* 1755 (T). – *Folette ou l'Enfant gâté,* 1755 (T). – *Nicaise,* 1756 (T). – *Les Racoleurs,* 1756 (T). – *L'Impromptu du cœur,* 1757 (T). – *Le Mauvais plaisant ou le Drôle de corps,* 1757 (T). – *La Veuve indécise,* posth., 1758 (T). – *Catéchisme poissard* (contient « la Pipe cassée », poème épi-tragi-poissardi-héroï-comique), posth., 1758 (P). – *La Canadienne,* posth., 1759 (T).

VADEBONCŒUR Pierre. Strathmore 28.7.1920. Écrivain québécois. Considéré comme l'un des penseurs les plus marquants du Québec, essayiste de grand talent, V. est un écrivain militant et combatif. Après des études d'art et de droit, il s'engage dans la lutte syndicale et en 1950 devient conseiller permanent de la Confédération des syndicats nationaux (C.S.N.). La même année, il collabore à la revue *Cité libre* en tant que rédacteur. C'est en 1963 qu'il adopte la cause indépendantiste et suit de très près l'évolution de la situation québécoise. Ses premiers essais rassemblent des textes commandés par l'événement et le hasard des circonstances. *La Ligne de risque* et *l'Autorité du peuple* traduisent ainsi l'attention que porte l'auteur à l'immédiateté de la lutte politique mais n'en sont pas moins gouvernés par une nécessité : la permanence intérieure de l'écrivain, sa fidélité à des valeurs que les événements remettent sans cesse en question. Annonçant l'émergence d'idéologies de plus en plus radicales (laïcisation, montée de l'indépendantisme, politisation du mouvement ouvrier), V. démontre comment elles ont été préparées par les générations antérieures. Dès le début des années 60, il a établi la nécessité d'un « rattrapage » tant économique que culturel. C'est dans un langage simple et limpide qu'il fustige toute attitude doctrinaire tout en préconisant l'émotion et la spontanéité. Sa persévérance à dénoncer les injustices et sa vigilante lucidité sont couronnées par le prix David en 1976. Parmi ses derniers essais, *les Deux Royaumes* et *Trois essais sur l'insignifiance* délaissent le politique pour un examen approfondi de la situation culturelle. L'essayiste dénonce avec véhémence l'insignifiance de la société actuelle marquée par le « modèle » américain. L'Amérique, « fille de l'acte non de la pensée », « vouée à l'inculture », guidée « par une incroyable médiocrité » est coupable d'avoir étouffé ce royaume essentiel à l'épanouissement de l'esprit : la spiritualité.

Œuvres. *La Ligne du risque,* 1963 (E). – *L'Autorité du peuple,* 1965 (E). – *Lettres et Colères,* 1969 (E). – *La Dernière Heure et la première,* 1970 (E). – *Un amour libre,* 1970 (N). – *Indépendances,* 1972 (E). – *Un génocide en douce,* 1976 (E). – *Chaque jour, l'indépendance (1972-1978)* [recueil d'articles politiques], 1978. – *Les Deux Royaumes,* 1978 (E). – *To be or not to be : that is the Question* (recueil d'articles politiques), 1980. – *Trois essais sur l'insignifiance,* suivis de *Lettre à la France,* 1983 (E).

VAILLAND Roger. Acy-en-Multien (Oise) 1907 – Meillonnas (Ain) 1965. Après des études au lycée de Rennes, où il fait la connaissance de Roger Gilbert-Lecomte et de René Daumal, avec qui il fondera, en 1928, *le Grand Jeu,* il prépare une licence de philosophie et devient journaliste. De 1929 à 1939, il est à *Paris-Soir,* où il publie de grands reportages (Balkans, Proche-Orient, Abyssinie). Au cours de cette période, V. expérimente à plein la vie ; il a recours à tous les paradis artificiels afin de pouvoir se dépasser pour se conquérir : l'alcool, la drogue, l'érotisme, la poésie... Ce qu'il appelle lui-même « les années d'apprentissage » a pour but de le libérer de la contrainte exercée sur lui par la morale bourgeoise durant son enfance. La guerre lui fera comprendre la nécessité d'un engagement politique : il entre dans la Résistance puis, en 1952, adhérera au parti communiste. C'est alors qu'il écrit la majeure partie de son œuvre romanesque *(les Mauvais Coups, Bon pied, bon œil, Un jeune homme seul, Beau Masque, 325 000 francs).* Il y cherche à dégager la figure d'un homme nouveau, « forgé dans les luttes ouvrières ». Mais, à la suite des événements de Budapest, en 1956, V. quitte le parti communiste : c'est la désillusion, le « désintéressement » ; d'autre part, il ressent alors avec acuité la tension que crée en lui l'incompatibilité entre l'engagement et l'égotisme stendhalien qui s'exprimait dès 1945 dans *Drôle de jeu.* Il n'écrira plus que trois romans : *la Loi,* qui obtiendra le prix Goncourt, *la Fête, la Truite.* Mais le cœur n'y est plus. Seule *la Fête* reste à l'image de l'homme et de son talent. Aussi bien dans sa vie que dans son œuvre, V. a recherché, par tous les moyens, un art de vivre, faisant de sa personne une œuvre à part entière. Il s'est voulu un homme nouveau à défaut de pouvoir renouveler les autres, sans pour autant y renoncer. Il a pour modèles Sade, Stendhal, Choderlos de Laclos. Parfait libertin, libre de disposer de sa personne comme il l'entendait, V. revendiquait, avant tout, le droit au plaisir. Il est l'un des premiers à avoir réclamé conjointement la révolution politique et la révolution sexuelle, désirant « plier la réalité à ses désirs et à ses besoins sans se soucier des tabous ».

Œuvres. *La Bataille d'Alsace,* 1945 (N). – *La Dernière Bataille de l'armée de Lattre,* 1945 (N). – *Drôle de jeu,* 1945 (N). – *Quelques réflexions sur la singularité d'être français,* 1945 (rééd. *in le Regard froid,* 1962) [E]. – *Esquisses pour le portrait du vrai libertin,* suivi de *Entretiens de Mme Merveille avec Lucrèce, Octave et Zéphyr,* 1946 (E). – *Héloïse et Abélard,* 1947 (T). – *Les Mauvais Coups,* 1948 (N). – *Bon pied, bon œil,* 1950 (N). – *Un jeune homme seul,* 1951 (N). – *Laclos par lui-même,* 1953 (E). – *Beau Masque,* 1954 (N). – *325 000 francs,* 1955 (N). – *Éloge du cardinal de Bernis,* 1956 (E). – *La Loi,* 1957 (N). – *Monsieur Jean,* 1959 (T). – *La Fête,* 1960 (N). – *Le Regard froid,* 1962 (E). – *La Truite,* 1964 (N). – *Écrits intimes,* posth., 1969. – *Lettres à sa famille,* posth., 1972. – *Le colonel Foster plaidera coupable,* posth., 1973 (T). – *Chronique des années folles à la Libération* (recueil d'articles 1928-1945), posth., 1984.

VALÉRY Ambroise Paul Toussaint Jules. Sète 30.10.1871 – Paris 20.7.1945. Lycéen maussade à Montpellier, il lit, pendant son service militaire, *À rebours,* de Huysmans, découvre par lui Verlaine et Mallarmé, écrit lui-même de nombreux vers (1889). Pierre Louÿs, avec qui il s'est lié d'amitié, publie quelques-uns de ses poèmes, mais, en 1892, au cours d'une grave crise morale, le jeune homme sent les dangers que court la vie intellectuelle au contact excessif des sentiments et des arts et décide de se consacrer en priorité à la connaissance de soi la plus rigoureusement pure. Après un passage au ministère de la Guerre (1895), il devient secrétaire particulier du publiciste Édouard Lebey, directeur de l'agence Havas, qu'il secondera de 1900 à 1922, accumulant dans les milieux financiers et politiques une riche expérience et jouissant d'abondants loisirs qui lui permettent de méditer « au cloître de l'Intellect ». Les rares œuvres alors composées sont des essais, tous influencés par l'exercice très particulier de l'intelligence auquel se livre V., et qui consiste à noter quotidiennement et méticuleusement le travail de la conscience sur elle-même, sur le temps, le rêve, le langage : cette auscultation de toute une vie couvre deux cent cinquante-quatre *Cahiers* (publ. à partir de 1957). Le retour de V. à la poésie fut fortuit ; ses amis Gide et Gallimard le poussant à publier ses vers de jeunesse, il eut le désir, en les révisant, de les compléter par un petit « exercice ». Ce fut en réalité l'épuisante mise au jour de *la Jeune Parque,* dont le succès précède ceux des autres grands poèmes composés alors, particulièrement *le Cimetière marin.* En 1920, les vers de 1890-1893 sont publiés sous le titre *Album de vers anciens* ; en 1922 paraissent sous celui de *Charmes* les principales pièces écrites depuis le début de la guerre. Là s'arrête la carrière poétique de V., et la célébrité fait de lui un personnage officiel : sa vie se passe en conférences, en voyages, et il écrit de nombreux textes de circonstance ; y font écho les volumes successifs de *Variété.* Devenu « poète d'État », il est élu académicien au fauteuil d'A. France (1925), nommé professeur au Collège de France (1937), et l'acte de résistance que constitue son éloge funèbre de Bergson (1941) n'en a que plus d'écho. Il enseigna jusqu'à sa mort, travaillant par ailleurs à la double esquisse de *Mon Faust* (1941). Après des funérailles nationales, on l'inhuma à Sète, dans « son » cimetière marin.

Comment parler de V. poète sans avoir évoqué M. Teste, cette création unique dont il s'est toujours défendu d'être le modèle ? « Inventé » à la suite de la crise de 1892, il apparaît d'abord dans *la Soirée avec M. Edmond Teste,* mais les *Cahiers* et d'autres notes contiennent, jusqu'à la mort de l'écrivain, des remarques sur ce héros-frère, pour la plupart publiées en 1946. M. Teste, c'est l'intelligence portée à son degré suprême ; esprit qui, par l'introspection parfaite, se maîtrise lui-même, Teste est aussi le génie lucide dont le langage est à la fois exact et adéquat ; infaillible observateur, Teste préfère la volupté de savoir à celle de dominer : il est le maître inconnu et, pouvant tout, peut ne rien faire ; il lui suffit de savoir que « le génie est *facile* ». V. fut-il Teste ? Cela est sûr pendant des années ; certains en doutèrent lorsque la célébrité lui fournit un personnage, et qu'il l'endossa ; la publication des *Cahiers* prouve aujourd'hui que la vraie vie fut jusqu'au bout pour lui la plus secrètement intellectuelle. Cette inclination ne pouvait manquer de colorer sa poétique. Poésie pour V. signifie d'abord création d'un langage, d'un univers où s'unissent parole et esprit par une magie dont Mallarmé a donné l'exemple ; la maîtrise de la forme doit être telle que le sens ne soit jamais premier. V. affirma même imprudemment qu'il fallait tendre à la « poésie pure », terme qui entraîna de célèbres excès de langage, en particulier de la part de l'abbé Bremond. Le poète a dit aussi, plus clairement, que « c'est l'exécution du poème qui est le poème » : V. préfère le travail à l'inspiration : « créer en toute conscience » ; il affirme l'existence et la nécessité d'un *métier poétique.* De là les choix formels d'un poète qui conserva les modèles classiques les plus contraignants et considéra toujours ses poèmes comme inachevés, selon une théorie de l'« art difficile » qui rend la tâche du lecteur, elle aussi, malaisée. Mais, pour V., l'obscurité de *la Jeune Parque* est ce qui fait sa poésie même. Il ne s'agit pas de transmettre un sens mais un langage : créer une forme perpétue l'outil, et la langue française fait partie des valeurs que V. s'efforce de conserver et à la survie desquelles il s'efforce de croire, en toute lucidité quant à la « mortalité » des civilisations. Car il ne faut pas non plus isoler, dans leur lacis intellectuel et sensuel, les grands poèmes des années vingt : toute l'œuvre de Valéry *tend* vers les textes de *Variété* et les autres essais, aboutit à une vaste et unique réflexion sur l'Occident. Les « Fragments de Narcisse », le « Cantique des colonnes », « Palme », « la Pythie » sont autant de réflexions sur la connaissance et sur l'avenir de l'intelligence humaine, au même titre que les dialogues *(Eupalinos ; l'Idée fixe)* ou que les travaux du critique littéraire et, à la limite, du philosophe et du moraliste. La cohérence de l'œuvre vient de l'inquiétude même d'un homme pour qui l'histoire fut toujours un sujet de méditation et qui se demandait avec angoisse « où va l'Europe ». Nul doute que sa fortune littéraire ne suive le sort de la civilisation qu'exprime et où s'est enfermée son œuvre.

Œuvres. *Introduction à la méthode de Léonard de Vinci,* 1895 (E). – *La Soirée avec M. Edmond Teste,* 1896 (N). – *La Conquête allemande,* 1897 (E). – *La Jeune Parque,* 1917 (P). – *Note et Digression,* 1919 (E). – *Odes* (« Aurore », « la Pythie », « Palme »), 1920 (P). – *Le Cimetière marin,* 1920 (P). – *L'Album de vers anciens* (contient : « Narcisse parle »), 1920 (P). – *Charmes* (contient : « Fragments du Narcisse »), 1922 (P). –

Eupalinos ou l'Architecte (dialogue), 1923. – *L'Âme et la Danse* (dialogue), 1924. – *Cahier B (1919),* 1924 (E). – *Variété I,* 1924 (E). – *Lettre de Mme Émilie Teste,* 1924 (N). – *Une conquête méthodique* (déjà publiée sous le titre : *la Conquête allemande*), 1924 (E). – *Extrait du Log-Book de M. Teste,* 1925 (N). – *Rhumbs,* 1926 (E). – *Quinze Lettres de Paul Valéry à Pierre Louÿs (1915-1917),* 1926. – *Analecta,* 1926 (E). – *Nouveaux Rhumbs,* 1927 (E). – *Essai sur Stendhal,* 1927 (E). – *Discours de réception à l'Académie française,* 1927. – *Lettre sur Mallarmé,* 1928 (E). – *Entretiens avec Frédéric Lefèvre,* 1928. – *Léonard et les philosophes,* 1929 (E). – *Propos sur l'intelligence,* 1929 (E). – *Variété II,* 1929 (E). – *Poésies,* 1929 (P). – *Choses tues,* 1930. – *Amphion* (mélodrame, musique d'Arthur Honegger), 1931 (T). – *Regards sur le monde actuel,* 1931 (E). – *Pièces sur l'art,* 1931. – *Discours en l'honneur de Goethe,* 1932 (E). – *Moralités,* 1932 (E). – *L'Idée fixe* ou *Deux Hommes à la mer* (dialogue), 1932. – *Sémiramis* (mélodrame, musique d'Arthur Honegger), 1934 (T). – *Fonction et Mystère de l'Académie,* 1935 (E). – *Degas, Danse, Dessin,* 1936 (E). – *Variété III,* 1936 (E). – *L'Homme et la Coquille,* 1937 (E). – *Introduction à la poétique,* 1937 (E). – *Discours aux chirurgiens,* 1938 (E). – *La Cantate du Narcisse* (livret, musique de Germaine Tailleferre), 1938. – *Variété IV,* 1938 (E). – *Mélange,* 1941 (E). – *Tel Quel I,* 1941 (E). – *Mauvaises Pensées et autres,* 1942 (E). – *Tel Quel II,* 1942 (E). – *Variété V,* 1944 (E). – *Regards sur le monde actuel et autres essais* (nouvelle édition), 1945 (E). – *Voltaire,* 1945 (E). – *L'Ange,* 1945 (P). – *Mon Faust* (ébauches, groupe deux pièces inachevées : « Lust ou la Demoiselle de cristal » ; « le Solitaire ou les Malédictions d'Univers » [féerie dramatique]), posth, 1945. – *Monsieur Teste* (comprend : « Promenade avec M. Teste » ; « Pour un portrait de M. Teste »; « Quelques Pensées de M. Teste »), posth., 1946 (N). – *Vues,* posth., 1948 (E). – *Histoires brisées* (contient : « la Lettre d'un ami » ; « le Journal d'Emma »), posth., 1950 (N). – *Lettres à quelques-uns,* posth., 1952. – *Correspondance avec André Gide,* posth., 1955. – Traduction en vers des *Bucoliques* de Virgile, avec : *Variations sur les Bucoliques,* posth., 1956. – *Correspondance avec Gustave Fourment,* posth., 1957. – *Poèmes inédits,* posth., 1960 (P). – *Descartes,* posth., 1961 (E). – *Cahiers,* posth., publiés à partir de 1957. – *L'Idée fixe* (adapt. théâtrale), posth., 1966 (T). – *Les Principes d'an-archie pure et appliquée,* posth., 1984.

VALLÈS Jules. Le Puy-en-Velay 11.6.1832 – Paris 14.2.1885. Fils de professeur, journaliste et homme politique, il est arrêté après le coup d'État du 2 décembre 1851. Libéré, il mène une vie de bohème et de conspirateur et, tout en gagnant sa vie comme employé de mairie, collabore au *Figaro,* à *la Presse,* à *l'Événement* et au *Progrès de Lyon.* Il publie anonymement *l'Argent,* pamphlet dirigé contre le romancier Mirès, fonde une revue littéraire et politique, *la Rue* (1867-1868), puis un quotidien, *le Peuple* (1869), qui disparaît bientôt faute de fonds. Arrêté comme suspect en 1870, libéré dès la chute de l'Empire, il se réfugie de justesse à Londres après la Commune, à laquelle il a activement participé et est condamné à mort par contumace (1872). Malgré l'amnistie (1880), il ne regagne Paris qu'en 1883, et il publie *le Cri du peuple,* toujours révolutionnaire ; en exil, il avait collaboré, sous le nom de JEAN DE LA RUE, à *l'Événement* et au *Voltaire.* Outre ses recueils de chroniques *(les Réfractaires ; la Rue ; la Rue à Londres),* il est l'auteur, sous le titre de *Jacques Vingtras,* d'une trilogie autobiographique généreuse et révoltée, très romantique de ton : *l'Enfant, le Bachelier, l'Insurgé.* Cruel et lucide, V. unit la douleur de l'enfant frustré, quotidiennement rossé, et le désespoir du chômeur intellectuel, détenteur d'une culture inutile. Aliéné, désadapté, il suit la logique de sa révolte et tente de changer la société. Son style tumultueux, à la fois elliptique et lyrique, d'un humour impitoyable et déchirant, fait éclater les apparences, belles ou non, qu'il accuse les réalistes de vouloir sauvegarder.

Œuvres. *L'Argent,* 1857 (N). – *Les Réfractaires* (recueil d'articles), 1866. – *La Rue* (recueil d'articles), 1867. – *Jacques Vingtras,* 1878 ; repris sous le titre : *l'Enfant,* 1879 (N). – *Les Mémoires d'un révolté,* 1879 ; repris sous le titre : *le Bachelier,* 1881 (N). – *Les Blouses,* 1881 (N). – *La Rue à Londres* (recueil d'articles), 1884. – *L'Insurgé,* posth., 1886 (N). – *Le Tableau de Paris* (recueil d'articles parus en 1882 et 1883), posth., 1932. – *Œuvres,* éd. établie par R. Bellet, t. I (1857-1870), 1975 ; t. II (1871-1885) [en préparation].

Jacques Vingtras

Le premier volume de cette trilogie autobiographique, *l'Enfant,* d'abord publié sous le titre qui devint celui de l'ensemble, fait du narrateur l'ardent porte-parole de tous ceux « qui, pendant leur enfance, furent tyrannisés par leurs maîtres ou rossés par leurs parents ». Le deuxième, *le Bachelier,* attaque, sur un mode à la fois sarcastique et virulent, les institutions scolaires, dont aucune ne trouve grâce aux yeux du narrateur : les établissements et leurs directeurs ou surveillants, les programmes, les professeurs, les examens (au premier rang desquels le baccalauréat) sont l'objet d'une dénonciation implacable et d'une caricature féroce. Le troisième volume enfin, *l'Insurgé,* centré sur la Commune, étend à la société entière la violence d'une révolte universelle, qui trouve ici son style littéraire ; quoique inachevé, c'est, des trois volumes, celui où la part des choses vues et vécues, soutient le mieux la vigueur du récit et de la protestation par son réalisme authentique.

VAN DER MEERSCH Maxence. Roubaix 4.5.1907 – Le Touquet 14.1.1951. Sans oublier ses origines bourgeoises, qui lui fournirent le décor d'un virulent roman contre la médecine de son temps *(Corps et Âmes),* il s'attacha principalement à peindre le milieu ouvrier. La violence et la générosité de son écriture s'adjoignent une nette inspiration catholique ; le décor préféré de V. der M. est sa Flandre natale.

Œuvres. *La Maison dans la dune,* 1932 (N). – *Quand les sirènes se taisent,* 1933 (N). – *Car ils ne savent ce qu'ils font,* 1933 (N). – *Le Péché du monde,* 1934 (N). – *Invasion 14,* 1935 (N). – *Maria, fille de Flandre,* 1935 (N). – *L'Empreinte du Dieu,* 1936 (N). – *L'Élu,* 1937 (N). – *Pêcheur d'hommes,* 1940 (N). – *Vie du curé d'Ars,* 1942 (N). – *Corps et Âmes,* (1, *Enchaîné à toi-même ;* 2, *Qu'un amour t'emporte*), 1943 (N). – *Femmes à l'encan,* 1945 (N). – *La Petite Sainte Thérèse,* 1947 (N). – *La Fille pauvre* (1, *le Péché du monde ;* 2, *le Cœur pur,* 1948 ; 3, *la Compagne,* posth., 1955) [N].

VAN LERBERGHE Charles. Gand 21.10.1861 – Bruxelles 26.10.1907. Écrivain belge d'expression française. Orphelin de père à sept ans, il fut éduqué chez les jésuites, où il connut Maeterlinck. Sa carrière se déroula toute en Belgique, bien qu'il ait en partie publié à Paris ; il fut emporté prématurément par une congestion cérébrale. Après avoir donné au théâtre *les Flaireurs* (1889 ; création, 1892), drame mystérieux qui s'apparente à la production contemporaine de Maeterlinck, il publia deux recueils poétiques qui comptent parmi les productions les plus remarquables de la seconde génération symboliste : *Entrevisions* et *la Chanson d'Ève.* Il fit enfin créer *Pan,* drame satirique, opposition forte et imagée des tendances chrétiennes et païennes de la conscience, dont la verve annonce Crommelynck.

Œuvres. *Solyane,* 1886 (P). – *Les Flaireurs,* 1889 (T). – *Entrevisions,* 1898 (P). – *La Chanson d'Ève,* 1904, rééd. 1980 (P). – *Pan,* 1906 (T). – *La Compagne,* posth., 1955 (P).

VAUBAN, Sébastien Le Prestre, marquis de. Saint-Léger-de-Fougeret (Nièvre) 1.5.1633 – Paris 30.3.1707. On connaît l'activité de l'ingénieur militaire du roi, qui, dès 1678, couvrit les frontières françaises de fortifications ne relevant pas seulement de l'art militaire mais aussi de l'architecture. À la fin de sa carrière, malade en congé sur sa demande, V. s'intéressa aux problèmes économiques et administratifs que posait la situation de la France dans les dernières années du règne de Louis XIV : il consigna le fruit de ses réflexions dans un livre, *Projet d'une dixme royale* (généralement connu sous le titre *la Dîme royale*), qui témoigne d'une exceptionnelle lucidité et qui lui valut d'ailleurs la disgrâce royale. Dans ce livre, comme aussi dans ses ouvrages techniques, V. se révèle comme un véritable écrivain, en particulier par la qualité de sa langue.

Œuvres. *Projet d'une dixme royale* (écrit en 1698), 1707 (E). – *Traité de l'attaque et de la défense des places,* posth., 1737-1742 (E). – *Traité des fortifications de campagne,* posth., 1739 (E). – *Mémoires pour servir à l'instruction dans la conduite des sièges* (écrit en 1669), posth., 1740 (E). – *Traité des mines,* posth., 1740 (E). – *Mes oisivetés* (Mémoires inédits de V.), posth., 1841-1843. – *Mémoires militaires,* posth., 1847.

VAUDEVILLE. [Sans doute altération d'un composé de *vadere* = aller et virer.] Au Moyen Âge, le vaudeville est une chanson satirique et caustique. Au XVIIIe s., il fut incorporé aux pièces du théâtre de la Foire. C'est ainsi que débuta l'opéra-comique. Parallèlement, la comédie « avec vaudeville » persista, et le dialogue parlé prit l'avantage sur la chanson. Dans les premières années du XIXe s., le vaudeville connut, sur les théâtres des boulevards, un succès analogue à celui des mélodrames (Scribe). On donne encore le nom de vaudeville à un théâtre léger, sans prétention, d'où la musique a complètement disparu. Destiné à faire rire, le vaudeville n'hésite pas à adopter les lieux communs et à utiliser les ficelles du comique le plus gros. Il fait partie de ce que l'on appelle le « théâtre de boulevard ». La comédie musicale tente de retrouver, en le modernisant, le vaudeville traditionnel.

VAUDOYER Jean-Louis. Plessis-Pignet (Hauts-de-Seine) 10.9.1883 – Paris 10.5.1963. Humaniste quelque peu dilettante et « touche-à-tout », V. est essentiellement un esprit impressionniste. Il fut conservateur du musée des Arts décoratifs et du musée Carnavalet et administrateur – efficace dans des circonstances difficiles – de la Comédie-Française (1941-1944). Son œuvre littéraire, qui avait commencé par des *Poésies* raffinées mais superficielles, s'est poursuivie avec des romans d'analyse subtils et brillants *(les Papiers de Cléonthe)* et surtout des évocations de ses paysages de prédilection, les paysages méditerranéens : *Beautés de la Provence ; l'Italie retrouvée ; la Sicile ; les Saintes-Marie-de-la-Mer.*

Œuvres. *L'Amour masqué,* 1908 (N). – *Suzanne et l'Italie,* 1909 (P). – *La Bien-Aimée,* 1909 (N). – *La Maîtresse et l'Amie,* 1912 (N). – *Poésies,* 1913 (P). – *Les Papiers de Cléonthe,* 1919 (N). – *L'Album italien,* 1922 (P). – *La Reine évanouie,* 1923 (N). – *Les Délices de l'Italie,* 1924 (N). – *Raymonde Mangematin,* 1925 (N). – *Beautés de la Provence,* 1926 (E). – *Rayons croisés,* 1928 (P). – *Franges,* 1938 (P). – *Peintres provençaux,* 1947 (E). – *L'Italie retrouvée,* 1950 (E). – *La Sicile,* 1958 (E). – *Les Saintes-Maries-de-la-Mer,* posth., 1964 (E).

VAUGELAS Claude Favre de. Meximieux 1585 – Paris 1650. Son père, haut magistrat de la Savoie et ami des lettres, est lié avec François de Sales et fonde avec lui l'Académie florimontane d'Annecy, en 1606. Présenté au cardinal du Perron, V. rencontre chez ce prélat des hommes de lettres et en particulier le poète Malherbe et le prédicateur Coëffeteau, alors considéré comme l'un des maîtres de la langue française. C'est à l'instigation de ce dernier que V. traduit les *Sermons* de l'Espagnol Fonseca (1615). En 1612, ses connaissances en langues étrangères l'avaient fait choisir pour accompagner en Espagne le duc de Mayenne, chargé de négocier le mariage d'Anne d'Autriche avec Louis XIII. V. ayant été appelé à siéger à l'Académie française dès sa fondation (1634), Richelieu lui confiera le soin de veiller à la préparation du *Dictionnaire.* En 1647, V. publie ses *Remarques sur la langue française,* fruit de dix années d'un long et patient travail. Elles ne visent pas à fixer la langue mais s'efforcent d'en établir et d'en régler le « bon usage » d'après l'exemple qu'en offre la bonne société du temps. V. souhaite l'unité du vocabulaire, qui favorise la clarté de la langue, et pense qu'en matière de style il faut s'en tenir aux constructions habituelles de la langue parlée. Moderne sans excès et sans pédanterie, il voit dans la perfection de la langue la résultante d'un harmonieux équilibre, et ses *Remarques* joueront un grand rôle dans l'élaboration du français classique.

VAUQUELIN DE LA FRESNAYE Jean. La Fresnaye (Calvados) 1535 ou 1536 – Caen 1606. Il fit ses études à Angers et à Poitiers. Humaniste éminent (il connaissait le latin, le grec, l'espagnol et l'italien), il étudia également le droit et fit carrière dans la magistrature, où il atteignit la haute fonction de président au présidial de Caen. Député aux états de Blois (1588), il soutint Henri IV. Poète, il publia dès l'âge de vingt ans ses *Foresteries* imitées des Anciens mais inspirées également par les poètes de la Pléiade, qu'il admirait beaucoup (particulièrement Ronsard et Baïf), et marquées par le goût de la nature. Il faudra attendre l'année 1574 pour réentendre parler de V. : à la demande de Henri III, il commença un *Art poétique français, où l'on peut remarquer la perfection et le défaut des anciennes et des modernes poésies.* Cette œuvre ne paraîtra qu'en 1605. Il y développe les théories de la Pléiade tout en laissant une place importante et inattendue à la poésie du Moyen Âge, qui avait été quelque peu malmenée par ses prédécesseurs. Cet *Art poétique* sert de préface à la publication de ses *Diverses Poésies.* V. a encore écrit des satires, des idylles, qui, survenant après la flambée poétique de la Pléiade, ne se remarquent pas par leur originalité. Pourtant, un ton personnel, authentique ne fait pas douter de la qualité du talent de V. Prosateur, il a fait paraître en 1567 un *Discours pour la monarchie de ce royaume contre la division* et l'*Oraison de ne pas croire légèrement la calomnie :* chrétien et bon citoyen, V. y exhorte ses compatriotes à cesser leurs querelles. Poète et moraliste, V. est, auprès de G. du Vair, le représentant du grand courant néostoïcien qui influencera si profondément Malherbe et, après lui, la génération de Descartes et de Corneille.

Œuvres. *Foresteries,* 1555 (P). – *Discours pour la monarchie de ce royaume contre la division,* 1567 (E). – *Oraison de ne pas croire légèrement la calomnie,* 1587 (E). – *Diverses Poésies,* précédées de : *Art poétique français, où l'on peut remarquer la perfection et le défaut des anciennes et des modernes poésies,* 1605 (P).

VAUTHIER Jean. Grâce-Berleur, près de Liège (Belgique), 20.9.1910. C'est en

1952, avec *Capitaine Bada,* que V., dans le cadre de la révolution dramatique contemporaine, traduit en dramaturgie cohérente le corps à corps tragique de l'homme avec son langage. Il met volontiers en scène des écrivains, comme Bada lui-même ou le héros du *Personnage combattant,* œuvre au titre symbolique (1955). Et dans *les Prodiges,* le corps à corps avec le langage est le symbole de la haine irréductible qui, à l'intérieur de l'amour, naît, entre deux êtres, d'une divergence proprement congénitale. En conséquence, le théâtre devient avant tout un jeu de rythmes que traduit la structure de la « séquence ». De sorte que V. apparaît comme un véritable « réinventeur » du théâtre, mais il s'agit d'une réinvention opérée de l'intérieur de l'univers dramatique.

Œuvres. *Capitaine Bada,* 1952 (T). – *La Nouvelle Mandragore* (adapt. de *la Mandragore* de Machiavel), 1952 (T). – *Le Personnage combattant,* 1955 (T). – *Les Prodiges,* 1958 (T). – *Le Rêveur,* 1960 (T). – Avec E. Ionesco et F. Billetdoux, *Chemises de nuit,* 1962 (T). – *Les Abysses* (scénario), 1963. – *Badadesques* (pièce radiophonique), 1965 (T). – *La Médée* (d'après Sénèque), 1967 (T). – *Le Sang,* 1970 (T). – *Le Massacre de Paris* (d'après Christopher Marlowe), 1972 (T). – *Les Prodiges,* 1974 (T). – *Ton nom dans le feu des nuées ; Élisabeth,* 1976 (T). – *L'Othello de Shakespeare* (version française pour la scène), 1980 (T). – *Roméo et Juliette* (d'après Shakespeare), 1984 (T). – *Le Roi Lear de Shakespeare* (version française pour la scène), 1984 (T).

Capitaine Bada

Comme le soulignent les indications scéniques, c'est la tragédie du dédoublement d'un personnage qui se regarde et s'écoute, et qui traduit sa situation d'égocentrique absolu dans la double parole qu'il ne cesse d'échanger avec lui-même. S'il est question d'amour, c'est pour que soit plus dramatiquement fixée et en même temps rythmée cette dialectique intérieure de l'égocentrisme : Bada, dans sa relation avec lui-même, se raille et s'admire ; dans sa relation avec celle qu'il prétend aimer, il la repousse et la poursuit, la repousse quand elle vient vers lui, la poursuit quand elle le fuit. Et cette tragédie de la contradiction dans les termes mêmes de l'existence et de son langage débouche sur la double impossibilité d'une communication sincère ou d'un silence où s'élaborerait l'exigence même de la communication.

Les Prodiges

Un jeune couple, Marc et Gilly, chez qui l'amour se nourrit de contradictions. Lui subit l'influence de « Nounou » et ne peut assurer à sa maîtresse qu'une vie médiocre. Gilly décide de quitter Marc ; mais, au moment même de leurs adieux, Marc – inventeur d'une foreuse perfectionnée – se trouve soudainement riche tout en déclarant que, tout cet argent, auquel il est indifférent, il va le confier à Nounou. Dès lors, Gilly est prête à tout pour récupérer cette fortune, car, comme elle dit, elle « aime le faux ». Marc, lui, voudrait au contraire atteindre « l'insurmontable et l'indescriptible » ; il s'abandonne donc à ses rêves. Gilly en profite pour se débarrasser de Nounou, et, après avoir avoué son crime à Marc, elle s'en va.

VAUVENARGUES, Luc de Clapiers, marquis de. Aix-en-Provence 6.8.1715 – Paris 28.5.1747. D'une famille provençale d'ancienne noblesse mais peu fortunée, il naît à Aix-en-Provence, où son père sera, lors de la peste qui ravage la ville en 1720, le seul administrateur municipal à ne pas s'enfuir. On ne sait rien de précis sur son éducation, sinon qu'en raison de sa mauvaise santé il a probablement fait des études assez décousues. Il ne peut lire les auteurs anciens dans le texte, mais n'en connaît pas moins très jeune l'Antiquité héroïque, s'enthousiasme pour les *Vies* de Plutarque et pour les lettres de Brutus à Cicéron, et admire Sénèque au point de passer par une crise d'idéal stoïcien, idéal à l'expression duquel la violence et l'intensité du sentiment confèrent un éclat déjà romantique. Il lit aussi les grands écrivains français, et ses maîtres seront essentiellement Pascal, La Rochefoucauld, Fontenelle et Voltaire. À dix-huit ans, épris d'action et de gloire, il embrasse la carrière militaire et entre comme sous-lieutenant dans le régiment du roi. Il fait d'abord campagne en Italie, sous les ordres de Villars, puis, la paix revenue, mène l'habituelle vie terne et médiocre de garnison, coupée de congés et peut-être de quelques rares et discrètes aventures, toujours éphémères. La futilité des jeunes officiers et les mœurs soldatesques le déçoivent et le rebutent ; il se sent mal à l'aise dans une société peu conforme à son austérité naturelle. À la solitude morale viennent s'ajouter les embarras d'argent qu'entraînent les obligations de la vie militaire pour un jeune homme noble, serviable et généreux. Il prend part en 1741-1742 à la campagne de Bohême, au siège puis à la terrible retraite de Prague, en plein hiver. Victime d'engelures aux jambes, il doit encore cependant participer à la campagne d'Allemagne (1743), assiste au désastre de Dettingen et rentre ensuite au camp d'Arras avec son régiment. Se sentant décidément peu fait pour le métier des armes et pour des fonctions subalternes auxquelles il se sait très supérieur, voyant son avancement compromis par son mauvais état physique, il donne sa démission en 1744 et tente d'entrer dans la diplomatie. Il y parviendrait, avec l'appui efficace de Voltaire, si une malencontreuse petite vérole, s'ajoutant au délabrement de plus en plus sévère de sa santé, ne venait définitivement ruiner ses espérances. Déception d'autant plus profondément ressentie qu'il porte en lui un très vif désir d'action et l'amour de la gloire. Son ambition va alors se tourner vers les lettres, malgré les préjugés de sa classe et les préventions de sa famille à l'égard des gens de lettres. Déjà Mirabeau, avec qui il entretenait une correspondance suivie lorsqu'il appartenait à l'armée, l'avait exhorté à écrire. Ce n'est qu'après d'innombrables hésitations et sur l'insistance de ses amis – tout particulièrement de Voltaire, qui a eu connaissance de ses essais – que V. prend conscience de sa véritable vocation. Longtemps, la littérature ne lui a paru qu'un divertissement, un moyen de formation intellectuelle et morale, et il n'a écrit que pour lui-même. Sa première œuvre a été un *Traité sur le libre arbitre,* exprimant sa conception stoïcienne de la liberté. Délaissant maintenant Aix, où il s'ennuie, et sa famille, défiante à son égard, il va s'installer à Paris. Chez Voltaire, il rencontre des hommes de lettres, notamment Marmontel, et il tente de se faire connaître. Mais il est pauvre, malade, seul. Pourtant, il se résout à reprendre notes, réflexions et essais composés précédemment, les remanie et les publie sans nom d'auteur, sous le titre *Introduction à la connaissance de l'esprit humain, suivie de (...) Réflexions et Maximes.* L'ouvrage, qui passe à peu près inaperçu du grand public, recueille l'approbation d'une petite élite et l'éloge chaleureux de Voltaire, qui soumet à V. des observations minutieuses, en vue d'une nouvelle édition. V. tiendra docilement compte, dans la plupart des cas, des avis de Voltaire, mais la mort le surprend avant la parution d'une seconde édition dont prendront soin, la même année, les abbés Trublet et Séguy, en mentionnant cette fois le nom de l'auteur : elle constitue le reflet fidèle de la pensée définitive de V. Il faudra cependant attendre 1857 pour qu'une édition critique de l'ensemble de son œuvre soit publiée (édition Gilbert), contenant entre autres : les trois cent trente pensées dans la forme qu'il leur a donnée dans sa seconde édition ; trois cent soixante-dix pensées posthumes, qui complètent ou nuancent les précédentes ; deux cent quarante-cinq pensées que V. avait rejetées, le plus souvent à la suggestion de Voltaire. On ne saurait enfin ignorer la *Correspondance* de l'auteur avec Mirabeau, Voltaire, Saint-Vincens (un autre de ses amis). « Toute ma philosophie, écrit-il à Mirabeau en 1739, a sa source dans mon cœur ; croyez-vous qu'il soit possible qu'elle recule vers sa source, et qu'elle s'arme contre elle ? Une philosophie naturelle, qui ne doit rien à la raison, n'en saurait recevoir les lois ; la philosophie que je suis ne souffre rien que d'elle-même ; elle consiste proprement dans l'indépendance, et le joug de la raison lui serait plus insupportable que celui des préjugés. » En opposition avec l'esprit du XVIIIe s., V. donne ainsi la préférence aux sentiments plutôt qu'à la raison, sans pour autant mépriser celle-ci, car « la raison et le sentiment se conseillent et se suppléent tour à tour », et l'homme véritablement éclairé recourra à l'une et à l'autre. S'il admire Voltaire, dont il partage les idées religieuses et l'hostilité envers la métaphysique, il annonce déjà Diderot et surtout Rousseau par la prééminence du sentiment dans sa psychologie et dans sa morale. Combattant le pessimisme de La Rochefoucauld et l'humilité de Pascal, qui abaisse l'homme, il réhabilite les passions, où il voit la source des plus nobles activités et souvent des plus belles vertus. Il a le culte de l'énergie et des grandes passions – amour, ambition, gloire – et fait surtout consister la vertu dans la bonté et dans la vigueur de l'âme, dans le déploiement d'une énergie héroïque. Il tend ainsi à élever l'homme au-dessus de lui-même, avec une confiance fondamentale dans la nature humaine, qui est la garantie de la liberté du cœur et de l'esprit. Lui-même s'impose par la force de cette vertu qui enseigne à l'homme la dignité et la grandeur de l'effort. « Avec lui, dira Marmontel, on apprenait à vivre et on apprenait à mourir. » Il n'a pas eu le temps de réaliser l'œuvre qui aurait exposé dans leur ensemble « les vérités essentielles, les grandes sources de nos opinions, l'origine des principales erreurs, des coutumes et des mœurs différentes, les fondements de la religion et de la morale ». Il reste essentiellement, avec ses *Réflexions et Maximes,* un moraliste, dont l'influence se fera sentir non seulement après 1750, alors que la croyance à la bonté de la nature et à la valeur du sentiment va dominer la vie morale, en réaction contre le culte de la raison et de l'esprit, mais au XIXe s., en marquant profondément certains écrivains, en particulier Stendhal, par son goût des passions viriles.

Œuvres. *Introduction à la connaissance de l'esprit humain, suivie de : Réflexions sur divers sujets ; Réflexions et Maximes*, 1746 (E). – *Œuvres de Vauvenargues* (édition augmentée de : *Conseils à un jeune homme ; Dialogues ; Premier Discours sur la gloire d'un ami ; Second Discours sur la gloire ; Discours sur les plaisirs adressé au même ; Oraison funèbre* [pour son compagnon d'armes, Hippolyte de Seytres, tué en Bohême] ; *Réflexions critiques sur quelques poètes ; Essai sur quelques caractères ; Fragments sur les orateurs et sur La Bruyère ; Sur le caractère des différents siècles ; Fragment sur les effets de l'art et du savoir et sur la prévention que nous avons pour notre siècle et contre l'Antiquité ; Discours sur les mœurs de ce siècle ; Discours sur l'inégalité des richesses ; Méditation sur la foi ; Prière ; Correspondance*), posth., 1857 (E).

VÉDRÈS Nicole. Paris 4.9.1911 – 20.11.1965. Fille d'un bibliothécaire à la Chambre des députés et d'une traductrice d'écrivains anglais, américains et russes (qui traduisit notamment le *Dedalus* de Joyce), N.V. grandit dans une atmosphère éminemment littéraire. Spécialisée dans les études historiques, elle entreprend, à partir de 1936, l'étude des archives de Jules Ferry. De façon moins inattendue qu'il peut sembler, elle trouve dans ces recherches l'inspiration du film de montage qu'elle réalisa en 1947, *Paris 1900* (prix Louis-Delluc 1948). Elle découvrit ainsi un mode d'expression qu'elle continua d'explorer *(La vie commence demain ; Aux frontières de l'homme)* et qui lui vaut d'occuper dans l'histoire du cinéma une place originale. Ayant épousé le réalisateur Marcel Cravenne, elle passa bientôt (1954) du cinéma à la télévision. Mais, entretemps, comme si le cinéma n'avait été pour elle qu'une introduction, et selon un itinéraire inverse de l'itinéraire habituel, elle avait aussi abordé l'expression littéraire avec *le Labyrinthe ou le Jardin de sir Arthur*, et elle s'y consacrera presque exclusivement jusqu'à sa mort. Les personnages de N.V. sont des êtres secrets et solitaires, marqués d'un destin tragique que tente de compenser le recours de la conscience au souvenir d'un passé devenu à la fois mythique et présent : univers peuplé d'ombres, symboles à la fois d'attachement à la vie et de faiblesse devant cette même vie. Ces romans sont bien des romans de l'échec, mais d'un échec solidaire d'une certaine qualité d'âme face à un monde incapable de la reconnaître.

Œuvres. *Le Labyrinthe ou le Jardin de sir Arthur*, 1951 (N). – *Christophe ou le Choix des armes*, 1953 (N). – *Les Cordes rouges*, 1953 (N). – *L'Exécuteur*, 1958 (N). – *Paris, le...*, 1958 (N). – *Suite parisienne*, 1960 (N). – *La Bête lointaine*, 1960 (N). – *Les Abonnés absents*, 1961 (N). – *La Fin de septembre*, 1962 (N). – *L'Horloge parlante*, 1962 (N). – *L'Hôtel d'Albe*, 1963 (N). – *Point de Paris*, 1963 (N). – *Paris 6e*, 1965 (N). – *Les Canaques*, posth., 1966 (N).

VERCEL, Roger Crétin, dit. Le Mans 1894 – Dinan 1957. Tout en passant sa vie à Dinan comme professeur dans l'enseignement secondaire, il s'adonna à la littérature avec une œuvre abondante, celle d'un écrivain résolument fidèle à la tradition et apprécié pour la solidité psychologique et stylistique de ses récits militaires ou maritimes. Dans un style transparent et réaliste, il analyse le drame personnel d'un « héros » de la guerre incapable de s'adapter à la paix (*Capitaine Conan*, prix Goncourt 1934). Il met en scène de véritables tragédies (*Remorques*, porté au cinéma par Jean Grémillon, 1941). Il est enfin un des écrivains les plus représentatifs de sa Bretagne natale.

Œuvres. *Notre père Trajan* (nouvelle), 1930 (N). – *En dérive*, 1931 (N). – *Au large de l'Éden*, 1932 (N). – *Le Maître du rêve*, 1933 (N). – *Capitaine Conan*, 1934 (N). – *Remorques*, 1935 (N). – *Léna*, 1936 (N). – *Sous le pied de l'archange*, 1937 (N). – *À l'assaut des pôles*, 1938 (N). – *Jean Villemeur*, 1939 (N). – *La Clandestine*, 1941 (N). – *La Hourie*, 1942 (N). – *Rafales*, 1946 (N). – *Francis Garnier*, 1946 (E). – *Aurore boréale*, 1947 (N). – *La Caravane de Pâques*, 1948 (N). – *La Fosse aux vents* (1, *Ceux de la « Galatée »*, 1949 ; 2, *la Peau du diable*, 1950) [N]. – *Du Guesclin*, 1950 (N). – *La Fosse aux vents* (3, *Atalante*, 1952) [N]. – *Visage perdu*, 1953 (N). – *L'Île des revenants*, 1954 (N). – *Les Îles Anglo-Normandes*, 1956. – *L'Été indien*, 1956 (N). – *Bretagne aux cent visages*, 1959. – *Au bout du môle*, posth., 1960 (N). – *La Tête d'Henri IV*, posth., 1960. – *Vent de terre*, posth., 1961 (N). – *Saint-Malo et l'âme malouine* (nouvelle édition), posth., 1961. – *Goar et l'ombre* (nouvelles), posth., 1962 (N). – *Visages de corsaires* (nouvelle édition), posth., 1963.

VERCORS, Jean Bruller, dit. Paris 26.2.1902. Après avoir obtenu un diplôme d'ingénieur, il se consacra au dessin et à la peinture (1925-1939). En 1942, il fonda dans la clandestinité, avec Pierre de Lescure, les éditions de Minuit. C'est là que fut publié *le Silence de la mer,* nouvelle à laquelle il doit la célébrité et qui reconte le séjour d'un officier allemand dans une famille française durant l'Occupation : récit où le souci de traduire une atmosphère enveloppant des personnages que tout oppose mais entre lesquels naît un dialogue tendu et pathétique confère à un épisode d'actualité la transcendance du tragique ; *le Silence de la mer* a été porté au cinéma par J.-P. Melville en 1949. Après *la Marche à l'étoile* et *les Armes de la nuit,* autres récits inspirés par la guerre, V. s'est surtout interrogé sur les problèmes posés par les conséquences du conflit dans des récits à tendance philosophique, selon une inspiration à laquelle il est resté depuis fidèle. De sa nouvelle *les Animaux dénaturés* il a tiré une comédie « judiciaire, zoologique et morale » intitulée *Zoo ou l'Assassin philanthrope* et jouée au T.N.P. en 1964, tentative dramatique intéressante mais qui n'a pas eu de suite.

Œuvres. *Hypothèse sur les amateurs de peinture,* 1927 (E). – *Vingt et Une Recettes pratiques de mort violente,* 1928 (E). – *Un homme coupé en tranches,* 1929 (E). – *Le Silence de la mer,* 1942 (N). – *La Marche à l'étoile,* 1943 (N). – *Le Sable du temps,* 1945 (N). – *Les Armes de la nuit,* 1946 (N). – *Les Yeux et la Lumière,* 1948 (N). – *Les Mots,* 1949 (N). – *Plus ou moins homme,* 1950 (N). – *La Puissance du jour,* 1951 (N). – *Les Animaux dénaturés,* 1952 (N). – *Les Pas sur le sable,* 1954 (N). – *Portrait d'une amitié et d'autres morts mémorables,* 1954 (N). – *Les Divagations d'un Français en Chine,* 1956 (N). – *Colères,* 1956. – *P.P.C... Pour prendre congé,* 1957 (E). – *Sur ce rivage* (1. *Le Périple,* 1958 ; 2. *Monsieur Prousthe,* 1958) [N]. – *Goetz,* 1959 (E). – *Sur ce rivage* (3. *La Liberté de décembre,* 1960) [N]. – *Sylva,* 1961 (N). – *Zoo ou l'Assassin philanthrope* (adapt. théâtrale des *Animaux dénaturés*), 1964 (T). – Avec Coronel, *Quota ou les Pléthoriens,* 1966. – *Le Radeau de la Méduse,* 1969 (N). – *La Bataille du silence,* 1970 (E). – *Contes des cataplasmes,* 1971 (N). – *Sillages,* 1972 (N). – *Sept Sentiers du désert,* 1972 (N). – *Questions sur la vie à Messieurs les biologistes,* 1973 (E). – *Comme un frère,* 1973 (N) – *Tendre Naufrage,* 1974 (N). – *Ce que je crois,* 1975. – *Je cuisine comme un chef (les 101 plus fines recettes de la gastronomie française mises à la portée des personnes les moins expérimentées),* 1976. – *Les Chevaux du temps,* 1977 (N). – *Camille ou l'Enfant double,* 1978 (N). – *Zoo, le Fer et le Velours,* 1978 (N). – *Le Piège à loup,* 1979 (N). – *Assez mentir !...,* 1979 (E). – *Cent ans d'histoire de France* (I *Moi, Aristide Briand, 1862-1932 ;* II *les Occasions perdues ou l'Étrange destin, 1932-1942,* 1982 ; III *les Nouveaux Jours,* 1984). – *Anne Boleyn,* 1985 (E).

VERGNIAUD Pierre Victurnien. Limoges 1753 – Paris 31.10.1793. Fils d'un fournisseur des armées du Limousin, ami de Turgot, il devient brillant avocat à Bordeaux, malgré une inclination à la nonchalance, à la rêverie et à la mélancolie romantique. Les lettres l'intéressent, et il fréquente les milieux littéraires. Élu député à l'Assemblée législative en 1791, il sera rapidement l'un des chefs du parti girondin et son plus grand orateur, mais son engagement politique apparaît comme une évasion de désespéré romantique. Son éloquence, imprégnée de lyrisme, n'est pas celle de l'homme d'action que réclameraient les circonstances mais fait de V. le plus « inspiré » des orateurs de la période révolutionnaire. Ennemi de la monarchie, il contribue à la renverser. Président de la Législative, puis de la Convention, il votera la mort du roi, mais après avoir tenté d'obtenir une consultation du peuple qui l'eût probablement sauvé. Adversaire politique de Robespierre et de la Commune, il est arrêté, ainsi que les chefs girondins, le 2 juin 1793 ; condamné à mort, il est exécuté.

Œuvres. *Choix de rapports, opinions et discours prononcés à la tribune nationale,* posth., 1818-1825.

VERHAEREN Émile. Sint-Amands (Belgique) 21.5.1855 – Rouen 27.11.1916. Poète belge d'expression française. Né dans la campagne flamande, sur les bords de l'Escaut, entre Anvers et Gand, il appartient à une famille profondément catholique de la bourgeoisie commerçante aisée. Il fait chez les jésuites de Gand des études classiques qu'il poursuit par l'étude du droit à l'université de Louvain. Inscrit au barreau de Bruxelles en 1881, il ne tarde guère à le délaisser pour les lettres. Il retrouve son ancien condisciple et ami de Gand, G. Rodenbach, et collaborera jusqu'en 1887 à *la Jeune-Belgique,* revue de la renaissance littéraire belge d'expression française, que vient de fonder Max Waller. En 1883, il publie son premier recueil poétique, imprégné de naturalisme, *les Flamandes,* suite de pièces descriptives où V. *peint flamand,* cette expression définissant une « manière solide, sanguine, profonde, large et grasse de sentir ». Il fréquente les milieux artistiques et s'initie à la critique d'art, séjourne à Paris, où il rencontre Coppée, Bourget, Mallarmé,

Huysmans et René Ghil. En 1886, il donne un nouveau recueil de poèmes, *les Moines,* inspiré par son passage à la trappe de Notre-Dame-de-Chimay et marqué par le formalisme parnassien et le symbolisme naissant. Une grave crise religieuse et morale qui l'amène au bord de la folie et du suicide, la mort de ses parents, des déceptions diverses seront à l'origine d'un nouveau courant d'inspiration qui s'exprime dans la « trilogie noire » : *les Soirs, les Débâcles* et *les Flambeaux noirs,* dont le lyrisme pessimiste et chaotique se libère dans des visions de délire. Pour la première fois, le poète utilise le vers libre, qui correspond à une nécessité concrète. Des voyages en Italie et à Londres et son mariage avec une Liégeoise, Marthe Massin, viennent peu à peu atténuer, puis apaiser cette crise de désespoir, comme le recueil *les Apparus dans mes chemins* le marque déjà. Un lyrisme intime et délicat, mais sans platitude, exprimera à diverses reprises dans ses vers le bonheur de son foyer *(les Heures claires; les Heures d'après-midi; les Heures du soir).* Cependant, il a définitivement perdu la foi et se tourne maintenant vers la réalité du monde moderne, les grandes transformations humaines et sociales, la révolution industrielle, le spectacle des villes « myriadaires », l'effort humain. *Les Campagnes hallucinées* et *les Villages illusoires* évoquent la misère et la désertion des campagnes, tandis que *les Villes tentaculaires* disent la toute-puissance de l'appel de la ville, avec ses usines, ses quais, son port, ses rues, ses misères, ses tumultes et ses foules inextricables. Lié avec le chef du parti socialiste belge, É. Vandervelde, V. adhère à un socialisme plus généreux et idéaliste que doctrinal. Il célèbre le travail de l'homme sous ses formes nouvelles et la poésie du monde moderne sous ses multiples aspects, dans des œuvres d'un souffle épique et populaire et de caractère déjà « unanimiste » ; proche de Hugo et de Whitman par ses aspirations, il chante, dans *les Visages de la vie, les Forces tumultueuses, la Multiple splendeur, les Rythmes souverains,* un hymne continu à la présence humaine dans un monde tendu vers l'avenir. Mais V. est aussi le chantre de la terre natale. Sous le titre général de *Toute la Flandre,* il compose une suite de cinq recueils : *les Tendresses premières; la Guirlande des dunes; les Héros; les Villes à pignons; les Plaines.* Il chante les paysages flamands, évoque les grandes figures du passé, l'Escaut et la Lys, les villes : « J'ai aimé la Flandre dans sa terre, dans ses eaux et dans son ciel. ». V. est devenu un maître du vers libre, qu'il utilise avec habileté dans une langue véhémente, riche et puissante. Pour le théâtre, il écrit *les Aubes,* drame lyrique, message d'espoir dans l'avenir, la paix et l'amour (1898), deux drames historiques *(le Cloître; Philippe II)* et une tragédie *(Hélène de Sparte).* Célèbre, consacré comme poète national par la Belgique, il partage son temps entre Paris, où il s'est installé, sa retraite du Hainaut et des voyages à travers l'Europe entière, où il fait des tournées de conférences. Champion de l'européanisme, il est bouleversé par la guerre de 1914, qui réduit à néant toutes ses illusions, et plus encore par l'invasion de son pays. En 1916, il publie un dernier recueil d'inspiration patriotique, *les Ailes rouges de la guerre,* et, venu à Rouen pour y faire une conférence, connaît une mort tragique en tombant sous un train. Son corps sera transféré à Sint-Amands, sa ville natale, sur les bords de l'Escaut, en 1927. Si une partie de l'œuvre poétique de celui qu'on a parfois appelé le Hugo des Flandres a vieilli, et si l'on peut lui reprocher souvent emphase, lourdeur, voire brutalité dans l'expression, il n'en apparaît pas moins comme un poète moderne et même moderniste et le premier à glorifier une nouvelle vision du monde, celle du travail, de la cité et de la machine, avec sincérité et générosité. Il avait reçu en 1902 le grand prix quinquennal de Littérature de Belgique.

Œuvres. *Les Flamandes,* 1883 (P). – *Les Contes de minuit,* 1885 (N). – *Les Moines,* 1886 (P). – *Les Soirs,* 1887 (P). – *Les Débâcles,* 1888 (P). – *Les Flambeaux noirs,* 1890 (P). – *Les Apparus dans mes chemins,* 1891 (P). – *Les Campagnes hallucinées,* 1893 (P). – *Les Villages illusoires,* 1895 (P). – *Les Villes tentaculaires,* 1895 (P). – *Les Douze Mois de l'almanach,* 1895 (P). – *Les Bords de la route,* 1895 (P). – *Les Heures claires,* 1896 (P). – *Les Aubes,* 1898 (T). – *Les Visages de la vie,* 1899 (P). – *Le Cloître,* 1900 (T). – *Les Petites Légendes,* 1900 (P). – *Philippe II,* 1901 (T). – *Les Forces tumultueuses,* 1902 (P). – *Rembrandt,* 1904 (E). – *Toute la Flandre* (1, *les Tendresses premières*), 1904 (P). – *Les Heures d'après-midi,* 1905 (P). – *La Multiple Splendeur,* 1906 (P). – *Toute la Flandre* (2, *la Guirlande des dunes,* 1907 ; 3, *les Héros,* 1908) [P]. – *James Ensor,* 1908 (E). – *Toute la Flandre* (4, *les Villes à pignons*), 1909 (P). – *Pierre Paul Rubens,* 1910 (E). – *Les Rythmes souverains,* 1910 (P). – *Les Heures du soir,* 1911 (P). – *Toute la Flandre* (5, *les Plaines*), 1911 (P). – *Les Blés mouvants,* 1912 (P). – *Hélène de Sparte,* 1912 (T). – *Les Ailes rouges de la guerre,* 1916 (P). – *Quelques Chansons de village,* posth., 1924 (P). – *Notes sur* *l'art,* posth., 1929 (E). – *Lettres à Marthe V.,* posth., 1937.

VERLAINE Paul Marie. Metz 30.3.1844 – Paris 8.1.1896. Son père était officier, de souche ardennaise et de tradition catholique, sa mère issue de la bonne bourgeoisie rurale aisée de l'Artois ; il est élevé à Paris, où la famille s'installe en 1851 dans le quartier des Batignolles, lorsque le père quitte l'armée. Il a une jeunesse choyée et heureuse, suit les cours du lycée Bonaparte (aujourd'hui Condorcet), obtient son baccalauréat en 1862 et abandonne rapidement les études de droit pour entrer comme expéditionnaire dans les bureaux de la Ville de Paris. Jeune homme au « gueusard de physique », il a déjà perdu la foi, et il se met à boire dès sa dix-huitième année. Il fréquente les concerts, les milieux littéraires, se lie avec C. Mendès, A. France, Sully Prudhomme, F. Coppée. Dès l'âge de quatorze ans, il a « rimé à mort » – et souvent des vers orduriers. En 1865, il publie, dans la revue *l'Art,* des études sur Barbey d'Aurevilly et Baudelaire et deux poèmes. L'année suivante, il donne au *Parnasse contemporain* sept poèmes et fait paraître ses *Poèmes saturniens,* où se manifestent déjà des tendances très personnelles – sensualité, sensibilité inquiète et mélancolique, musicalité suggestive. La mort de son père (1865) et celle d'une cousine qu'il aime tendrement (1867) ne sont pas sans contribuer à un inquiétant laisser-aller. Le poète passe une grande partie de son temps dans les cafés. Il y retrouve des amis, rêve ou écrit, en buvant le plus souvent de l'absinthe. L'ivresse le rend irascible, et, dans ses crises de fureur alcoolique, il en arrive à brutaliser non seulement ses compagnons de ribote, mais sa mère, que, cependant, il chérit. À l'époque, ses mœurs semblent avoir déjà été dépravées. La famille ne voit qu'un remède à pareille vie de débauche : le mariage. En 1869, V. rencontre la demi-sœur de l'un de ses amis, la très jeune Mathilde Mauté. Il l'épousera un an plus tard. Il vient de publier *les Fêtes galantes,* recueil poétique d'une musique et d'un charme subtils, à la grâce légère, frivole et mélancolique, qui emprunte ses personnages à la comédie italienne et son décor à Watteau, mais qui trahit, dans son inquiétude indéfinissable, l'angoisse profonde et la dissonance secrète de l'âme du poète. Ses fiançailles inspirent à V. les vers simples et intimes de *la Bonne Chanson.* Le poète s'efforce alors sincèrement de se corriger de ses vices, mais, pour ce caractère faible, l'idylle ne sera qu'un feu de paille. Peu après le mariage, V., qui s'est engagé dans la garde nationale pendant le siège de Paris, se remet à boire. Suspect de sympathies pour la Commune, il perd son emploi à l'Hôtel de Ville et doit même s'éloigner de Paris avec sa femme pendant quelques semaines. Sur la fin de l'été 1871, il reçoit, de Charleville, la lettre d'un jeune poète inconnu de dix-sept ans, Arthur Rimbaud. Dès son retour à Paris, V. l'invite. C'est ainsi que Rimbaud s'installe bientôt chez les V., et ce petit provincial au comportement de voyou ne tarde pas à être le « Satan adolescent », puis l'« époux infernal » du poète. Au cours de scènes toujours plus violentes, V. brutalise sa femme, enceinte, et, quelques semaines plus tard, son enfant (1872). Mathilde se réfugie alors à Périgueux avec le petit Georges. Après une réconciliation sans lendemain, la vie commune reprend, plus infernale que jamais, jusqu'au jour où V. abandonne femme et enfant pour s'enfuir de Paris avec Rimbaud. Ensemble, les deux compagnons mènent une existence vagabonde qui les conduit en Belgique, puis en Angleterre. Entre V. et Rimbaud éclatent déjà d'effroyables disputes. Celui-ci se lasse de sa vie misérable avec la « vierge folle » et regagne Charleville, laissant V. seul à Londres. Au début de 1873, il retournera cependant auprès du poète, alors malade, dans la capitale anglaise. Ensemble, ils s'embarquent pour la Belgique, se séparent, se retrouvent de nouveau. Les embarras d'argent provoquent de nouvelles disputes, et, cette fois, c'est V. qui quitte Rimbaud et gagne Bruxelles, où son compagnon le rejoint. L'aventure tourne au drame. V., qui a bu, tire deux coups de revolver sur Rimbaud, qu'il blesse légèrement. Arrêté, il est condamné à deux ans de détention, qu'il fera à la prison de Mons. Sa femme obtient la séparation de corps et de biens (1874). V., qui a encore espéré une réconciliation avec elle, en est profondément bouleversé. Réflexions amères, repentir sincère, désespoir et regrets suscitent chez le poète, astreint dans sa prison aux servitudes les plus humbles, un changement radical, un désir de redressement moral, et sa conversion. Pénétré de l'amour divin, V. sera, lors de sa libération, un catholique pratiquant et fervent (1875). Toute cette période dramatique de sa vie a été féconde. L'œuvre s'est poursuivie en prenant un nouvel élan. Les *Romances sans parole* ont été, pour la plupart, composées pendant l'intimité du poète avec Rimbaud : l'art verlainien s'y exprime avec une subtilité et une sensibilité musicale qui n'excluent jamais la clarté. Avec la détention, l'inspiration du poète va traduire de nouveaux états d'âme. En prison, il a composé des poèmes qui seront répartis entre plusieurs recueils *(Sagesse; Jadis et Naguère; Parallèlement).* Le chef-d'œuvre de V., *Sagesse,* dont la composition s'échelonne de 1873 à 1880, ne comprend donc qu'un petit nombre de poèmes écrits en prison, les autres étant postérieurs. La conversion du poète constitue le thème central du recueil. Le ton est simple, humble et émouvant, le sentiment intense, l'expression d'une grande fraîcheur, souple et juste. Installé en Angleterre, dans un petit village du Lincolnshire, à Stickney, où il a obtenu un poste de professeur, V. mène pendant de longs mois une vie irréprochable. Engagé en 1877 comme professeur à l'Institution Notre-Dame-de-Rethel, il y reste deux ans, mais a déjà recommencé à boire. En 1882, V. s'installe à Paris avec sa mère, mais ne parvient pas à se faire réintégrer dans son ancien emploi à l'Hôtel de Ville et va dès lors vivre uniquement de sa plume. Il reprend peu à peu contact avec les milieux littéraires et se lie avec le jeune Moréas. Au début de 1886, sa mère prend froid et meurt. C'est alors la misère pour le poète. Le capital de la mère a fondu, les dettes se sont accumulées, et les derniers titres, ultime ressource, vont servir à payer la pension alimentaire de son ex-femme. Malade et sans un sou, V. va traîner dans les hôpitaux parisiens. 1887 et 1888 seront les années les plus noires. En 1885, il a publié un recueil disparate, *Jadis et Naguère,* qui groupe poésies anciennes et poésies récentes et contient du meilleur et du pire. On y trouve surtout le fameux « Art poétique », écrit dès 1874, qui définit remarquablement sa conception personnelle de la poésie et qui lui vaudra de passer malgré lui pour le chef de l'école symboliste. *Sagesse, Bonheur* (1891) et *Liturgies intimes,* forment un ensemble de poèmes d'inspiration spiritualiste. À ceux-ci s'opposent les accents charnels de plusieurs autres recueils, entre autres *Parallèlement,* à dominante érotique, probablement le dernier des recueils importants. La situation matérielle de V. s'est améliorée : on se souvient qu'il a révélé au public l'œuvre de Corbière, Rimbaud, Mallarmé *(les Poètes maudits),* et on lui demande des conférences, des souvenirs *(Mémoires d'un veuf; Mes hôpitaux; Mes prisons; Quinze Jours en Hollande; Confessions).* À la mort de Leconte de Lisle, on le sacre Prince des poètes (1894). Mais sa santé est définitivement ruinée. Les abus de toutes sortes ont prématurément usé son corps. Il erre encore quelque temps d'hôpital en hôpital, vit en ménage avec Eugénie Krantz, surtout soucieuse de lui soutirer de l'argent. C'est dans cette promiscuité misérable et dans le plus complet dénuement qu'il meurt d'une congestion, au début de 1896. Écrivains, artistes et admirateurs assistent en foule à ses funérailles et à l'inhumation au cimetière des Batignolles.

Partagé toute sa vie entre la volupté et l'inquiétude, l'appel des plaisirs et le besoin d'un bonheur paisible, V. n'en a pas moins conservé dans un cœur corrompu la nostalgie de l'innocence perdue, du « cœur enfantin et subtil ». Son œuvre est le constant reflet de ces contrastes. Située au confluent des grands courants poétiques et artistiques du XIXe s., elle a été marquée par des influences diverses (Baudelaire, les Parnassiens, les impressionnistes). V. a pratiqué un art soucieux de traduire le mystère et l'âme des choses en utilisant les suggestions de la musique. Renonçant à l'harmonie conventionnelle, au rythme « carré », il emploie les techniques les plus variées, et le vers impair, avec sa cadence fluide et complexe, qui favorise le rêve, est l'un des instruments favoris du poète. Mais V. est surtout le grand représentant d'une poésie du *chant,* qui prend sa place, au premier rang, dans la lignée du du Bellay des *Regrets,* du Lamartine des *Méditations,* de l'Apollinaire de « la Chanson du mal-aimé » : il a retrouvé, par la liberté de sa facture rythmique et la spontanéité de ses associations d'images, cette musique de l'*enchantement* qu'évoque précisément du Bellay au sonnet XII des *Regrets,* la même musique qui, dans un tout autre langage, hantait aussi l'oreille intérieure de Pétrarque; c'est auprès de ces grands noms poétiques que la postérité se doit de placer celui de V. : même son personnage de mauvais garçon, qui vient si souvent fausser son image de poète, lui inspire à lui-même une conscience de la déréliction qui dramatise, en tonalité sous-jacente, la chanson du « pauvre Lelian ». Même les paysages de la nature participent de cette entreprise de « musicalisation » du monde qui, composée avec la « musicalisation » correspondante de la vie intérieure, quels qu'en soient les accidents, confère au chant verlainien son accent à la fois fascinant et déchirant.

Œuvres. En collaboration, *le Parnasse contemporain,* 1866 (P). – *Poèmes saturniens,* 1866 (P). – *Les Fêtes galantes,* 1869 (P). – *La Bonne Chanson,* 1870 (P). – *Romances sans paroles,* 1874 (P). – *Sagesse,* 1881 (P). – *Jadis et Naguère* (contient « l'Art poétique », écrit en 1874), 1884 (P). – *Les Poètes maudits,* 1884 (E). – *Mémoires d'un veuf,* 1886. – *Amour,* 1888 (P). – *Parallèlement,* 1889

(P). – *Dédicaces,* 1890 (P). – *Femmes,* 1890 (P). – *Chansons pour elle,* 1891 (P). – *Mes hôpitaux,* 1891. – *Liturgies intimes,* 1892 (P). – *Mes prisons,* 1893. – *Odes en son honneur,* 1893 (P). – *Élégies,* 1893 (P). – *Dans les limbes,* 1894 (P). – *Épigrammes,* 1894 (P). – *Quinze Jours en Hollande,* 1894. – *Confessions,* 1895. – *Invectives,* 1896 (P). – *Chair,* 1896 (P). – *Hombres,* posth., 1904 (P). – *Femmes/Hombres,* posth., rééd. 1985.

VERNE Jules. Nantes 8.2.1828 – Amiens 24.3.1905. Fils aîné d'un avoué nantais, il tente, à onze ans, de s'embarquer sur un bateau à destination de l'Inde ; rattrapé, il promet : « Je ne voyagerai plus qu'en rêve. » Étudiant en droit à Nantes, puis à Paris, il rencontre Dumas père ; il écrit des pièces de théâtre, sans succès, et des récits pour boucler son budget, passe sa thèse (1850), mais refuse de rentrer à Nantes. Marié avec une jeune veuve (1857), il devient agent de change à la Bourse de Paris et voyage : Angleterre (1859), Scandinavie (1861). En 1862, il présente à Hetzel, qui lui offre immédiatement de signer un contrat de vingt ans, *Cinq Semaines en ballon.* S'étant ainsi assuré l'aisance, il se consacre à son œuvre, qui bénéficie d'un public double : les adolescents du *Magasin d'éducation et de récréation* et les adultes passionnés par son jeu scientifique. Contemporain très « parisien » des vaudevillistes, il construit aussi un monde qu'il explore rigoureusement. Sa verve et sa fécondité produisent quatre-vingts romans, quinze pièces de théâtre, plusieurs ouvrages de vulgarisation. Cette abondance productive n'altère en rien son souci artisanal du détail. Il est riche : hôtel particulier ; yacht, avec lequel il fait de longues croisières vers le Nord. Il est élu au conseil municipal d'Amiens, sur une liste radicale (1889). Quoique endeuillé par un drame mystérieux, il travaille jusqu'au bout, se passionnant en particulier pour l'œuvre de Poe : il rédige *le Sphinx des Glaces* pour faire suite aux *Aventures d'Arthur Gordon Pym.* Contrairement à H. G. Wells, son rival anglais, qu'il accusait d'utiliser de simples « trucs », V., sans être ingénieur, se souciait de la vraisemblance scientifique et technique de ses récits et eut quelques intuitions étonnantes. De plus, par sa volonté de créer, pour l'explorer, un univers cohérent, de lier ses personnages dans un cycle organisé (particulièrement celui du capitaine Némo), il se rattache aux grands romanciers de son temps. Pourtant c'est le XXe s. qui l'a découvert, en partie à la suite du surréalisme ; on a désormais souligné la beauté parfois visionnaire de ses descriptions, le pouvoir poétique des listes d'animaux ou d'objets bizarres, les aspects anarchiques de sa pensée (haine de l'or), enfin les fantasmes et les obsessions qui font de lui notre contemporain : hantise d'un point central, immobile, mais hors d'atteinte au centre d'un tourbillon, nostalgie de l'âge d'or, angoisse devant le pouvoir que peut donner la machine, mais aussi espoir d'un progrès illimité. Il apparaît dès lors comme le grand prophète mythologique de notre temps.

Œuvres. *Les Pailles rompues,* 1850 (T). – *Colin-maillard* (livret d'opérette), 1883 (T). – *Les Compagnons de la Marjolaine* (livret d'opérette), 1855 (T). – *M. de Chimpanzé* (livret d'opérette), 1860 (T). – *L'Auberge des Ardennes* (livret d'opérette), 1860 (T). – *Onze Jours de siège,* 1861 (T). – *Cinq Semaines en ballon, voyage de découvertes,* 1863 (N). – *Voyage au centre de la terre,* 1864 (N). – *De la Terre à la Lune, trajet direct en quatre-vingt-dix-sept heures,* 1865 (N). – *Le Désert de glace. Aventures du capitaine Hatteras,* 1866 (N). – *Autour de la Lune,* 1867 (N). – *Géographie illustrée de la France,* 1867-1868. – *Les Enfants du capitaine Grant,* 1867-1868 (N) ; adapt. théâtrale, 1878. – *Vingt Mille Lieues sous les mers,* 1870 (N). – *Découverte de la terre,* 1870 (N). – *Les Anglais au pôle Nord,* 1870 (N). – *L'Île mystérieuse. Les Naufragés de l'air,* 1870 (N). – *Une ville flottante,* 1871 (N). – *Un neveu d'Amérique,* 1873 (T). – *Le Pays des fourrures,* 1873 (N). – *Le Tour du monde en quatre-vingts jours,* 1873 (N) ; adapt. théâtrale, 1874. – *Aventures de trois Russes et de trois Anglais dans l'Afrique australe,* 1874 (N). – *Le Docteur Ox,* 1874 (N). – *L'Abandonnée* (2e partie de *l'Île mystérieuse*), 1875 (N). – *Le Chancellor,* 1875 (N). – *Le Secret de l'île* (3e partie de *l'Île mystérieuse*), 1875 (N). – *Michel Strogoff,* 1876 (N) ; adapt. théâtrale, 1880. – *Hector Servadac,* 1877 (N). – *Un capitaine de quinze ans,* 1878 (N). – *Les Cinq Cents Millions de la bégum,* 1879 (N). – *La Jangada,* 1881 (N). – *Le Voyage à travers l'impossible,* 1882 (T). – *Kéraban le Têtu,* 1883 (N). – *Mathias Sandorf,* 1885 (N). – *Robur le Conquérant,* 1886 (N). – *Nord contre Sud,* 1887 (N). – *César Cascabel,* 1890 (N). – *Mistress Branican,* 1891 (N). – *Le Château des Carpathes,* 1892 (N). – *Claudius Bombarnac,* 1893 (N). – *Mirifiques Aventures de maître Antifer,* 1894 (N). – *L'Île à hélice,* 1895 (N). – *Clovis Dardentor,* 1896 (N). – *Face au drapeau,* 1896 (N). – *Le Sphinx des glaces,* 1897 (N).

VERNEUIL, Louis Colin du Bocage, dit. Paris 1893 – 3.11.1952. Il débuta en 1913 et poursuivit pendant quarante ans, souvent en collaboration avec son ami G. Berr, une carrière d'aimable fabricateur de comédies selon l'esprit du « Boulevard », en tentant une sorte de synthèse du vaudeville et de la satire psychologique ou sociale. Il émigra aux États-Unis en 1940 et y écrivit des pièces en anglais, qui obtinrent un succès variable. Il se suicida peu après son retour en France.

Œuvres. *M. Beverley,* 1917 (T). – *Pour avoir Adrienne,* 1919 (T). – *L'Amant de cœur,* 1921 (T). – *Ma cousine de Varsovie,* 1924 (T). – *Azaïs,* 1925 (T). – *Le Fauteuil,* 1926 (T). – *Maître Bolbec et son ami,* 1928 (T). – *La Banque Nemo,* 1932 (T). – *L'École des contribuables,* 1934 (T). – *Affairs of State,* 1950 (T). – *Love and Let Love,* 1951 (T).

VEUILLOT Louis François. Boynes (Loiret) 11.10.1813 – Paris 7.3.1883. Après une enfance pauvre, il débute comme critique dramatique à Rouen puis à Périgueux, avant de tenter à Paris d'égaler les succès de romancier de P. de Kock. Il se convertit au catholicisme en 1838, après une entrevue avec le pape, et écrit des romans religieux, fort médiocres, tandis qu'en 1843 il entre à la rédaction de *l'Univers.* Quoique favorable au second Empire, il défend contre les autorités religieuses françaises le pouvoir temporel de Pie IX et s'oppose à Napoléon III lorsque celui-ci soutient la révolution italienne. *L'Univers* ne pouvant paraître de 1860 à 1867 en raison de la censure, V. exprime ses idées dans des livres tous très proches du pamphlet. Dans sa vieillesse, V. continua à produire des romans médiocres, mais en même temps se révéla excellent critique littéraire *(Études sur Victor Hugo).*

Œuvres. *Pèlerinages en Suisse,* 1839 ; *Rome et Lorette,* 1841. – *Les Libres Penseurs,* 1848 (E). – *Étude sur saint Vincent de Paul,* 1854 (E). – *Le Parti catholique,* 1856 (E). – *De quelques erreurs sur la papauté,* 1859 (E). – *Le Pape et la diplomatie,* 1861 (E). – *Le Parfum de Rome,* 1862 (E). – *Pie IX,* 1864 (E). – *Les Odeurs de Paris,* 1866 (E). – *L'Illusion libérale,* 1866 (E). – *Mélanges religieux, historiques, politiques et littéraires,* 1856-1875 (E). – *Pensées de M. Louis Veuillot,* 1868 (E). – *Rome pendant le concile,* 1871. – *Paris pendant les deux sièges,* 1871. – *Études sur Victor Hugo,* posth. 1885 (E). – *Correspondance,* posth., 1883-1892.

VIALAR Paul. Saint-Denis 18.9.1898. Après de longs débuts obscurs dans la comédie réaliste (1920-1931), il vint au roman (*la Rose de la mer,* prix Femina 1939) et, depuis, s'y est entièrement consacré. Outre un certain nombre de romans autonomes composés selon la forme traditionnelle du genre, V. semble avoir mieux manifesté son originalité de psychologue et de styliste dans de grandes œuvres cycliques organisées autour d'un groupe de caractères fortement typés *(La mort est un commencement)* ou centrés sur l'observation de l'évolution sociale *(Chronique française du XXe siècle).*

Œuvres. *Le Cœur et la Boue,* 1920 (P). – *Les Lauriers coupés,* 1921 (P). – *Pothu, brave homme,* 1920 (T). – *L'Âge de raison,* 1924 (T). – *Les Hommes,* 1931 (T). – *La Rose de la mer,* 1939 (N). – *La Grande Meute,* 1943 (N). – *La Caille,* 1945 (N). – *La Maison sous la mer,* 1946 (N). – *La Tour aux amants,* 1947 (N). – *L'Éperon d'argent,* 1951 (N). – *La mort est un commencement* (8 vol.), 1946-1951 (N). – *La Chasse aux hommes* (10 vol.), 1952-1953 (N). – *Le Bon Dieu sans confession,* 1953 (N). – *Le Voilier des îles,* 1956 (N). – *Le Petit Garçon de l'ascenseur,* 1957 (N). – *La Découverte de la vie,* 1957 (N). – *Clara et les Méchants,* 1958 (N). – *Images du monde,* 1959 (N). – *Ligne de vie,* 1960 (N). – *Le Fusil à deux coups,* 1960 (N). – *Le Temps des imposteurs,* 1960 (N). – *Chronique française du XXe siècle* (10 vol.), 1955-1961 (N). – *La Fin des imposteurs,* 1962 (N). – *Monsieur Dupont est mort,* 1963 (N). – *Le Roman des oiseaux et des bêtes de chasse,* 1964 (N). – *La Jeunesse du monde,* 1966 (N). – *Lettre ouverte à un jeune sportif,* 1967 (E). – *La Cravache d'or,* 1968 (N). – *Les Invités de la chasse,* 1969 (N). – *Safari vérité,* 1970 (N). – *Mon seul amour,* 1971 (N). – *Trois Romans d'aventures,* 1972 (N). – *La Croule,* 1974 (N). – *Les Zingari. Ceux du cirque,* 1975 (N). – *Le Triangle de fer,* 1976 (N). – *Lettres pour les chasseurs,* 1977 (E). – *La Chasse de décembre,* 1979 (N). – *Rien que la vérité,* 1980. – *L'Homme du fleuve,* 1981 (N). – *Cheval mon bel ami,* 1982 (N).

VIALATTE Alexandre. Magnac-Laval (Haute-Vienne) 1901 – 1971. Originaire de la Haute-Vienne, il fait des études de lettres et d'allemand et enseigne en Égypte avant 1939. Fait prisonnier au cours de la Seconde Guerre mondiale, puis chroniqueur de diverses revues, en particulier à *la Nouvelle Revue française* (« Chroniques de la montagne »), il a consacré la plus grande part de son activité littéraire à la traduction de grands auteurs de langue allemande (Nietzsche, Th. Mann, Werfel, Carossa, Hofmannsthal, Goethe, Brecht, G. Benn...). Il est surtout connu comme le traducteur de Kafka, qu'il a fait connaître en France. Concevant la littérature « un peu comme ces chansons de ménestrels qui faisaient rêver les dames, quand le seigneur rentrait, fourbu, se réchauffer à son grand feu », V. est un écrivain sensible, d'un charme discret, influencé par les romantiques allemands et par Alain-Fournier, à mi-chemin entre le réel et le rêve. Outre une belle évocation de *l'Auvergne,* l'œuvre, peu nombreuse mais d'une haute originalité, de V. est celle d'un romancier-poète qui, de *Battling le Ténébreux* aux *Fruits du Congo,* met en scène des héros dont la vie se transfigure par le recours au souvenir et au rêve ; hantés par la mort, ces personnages, pour lui échapper, se déguisent : mais leur déguisement est pour eux le salut qui coïncide avec la découverte de leur « vraie vérité ».

Œuvres. *Battling le Ténébreux,* 1928, rééd. 1982 (N). – *Badonce et les créatures,* 1937, rééd. 1982 (N). – *Le Fidèle Berger,* 1942 (N). – *Les Fruits du Congo,* 1951, rééd. 1981 (N). – *L'Auvergne absolue,* 1964, rééd. 1983 (E). – *Dernières Nouvelles de l'homme,* posth., 1978. – *Et c'est ainsi qu'Allah est grand* (chroniques), posth., 1978. – *L'éléphant est irréfutable* (chroniques), posth., 1980. – *L'Almanach des quatre saisons* (chroniques), posth., 1981. – *Antiquité du Grand Chosier,* posth., 1984.

VIAN Boris. Ville - d'Avray 10.3.1920 – Paris 23.6.1959. Ingénieur, musicien de jazz, traducteur, critique musical, journaliste, compositeur, bricoleur, inventeur, chanteur, acteur-poète, romancier, auteur dramatique ! Issu d'une famille bourgeoise très aisée, il eut une enfance heureuse. Il fit ses études au lycée de Sèvres et entra au lycée Condorcet, où il obtint aisément ses baccalauréats de philosophie et de mathématiques. Parallèlement, il fréquente assidûment les concerts de Duke Ellington, crée, avec ses amis, un orchestre de jazz et donne, dans la villa familiale de Ville-d'Avray, des « surprises-parties » préfigurant ce que seront, après la guerre, les soirées de Saint-Germain-des-Prés. Cette jeunesse dorée ne l'empêche pas d'entrer en 1939 à l'École centrale, d'où il sortira en 1942, muni du diplôme d'ingénieur. En 1943, il exerce cette profession « officielle » à l'AFNOR ; en 1946, il entre à l'Office professionnel des industries du papier et du carton. La même année, sous le pseudonyme de VERNON SULLIVAN, il publie un roman qu'il aurait traduit de l'américain : *J'irai cracher sur vos tombes,* dont il fera ensuite une pièce de théâtre. C'est le succès et le scandale. Il abandonne son métier d'ingénieur et vit de traductions. Il organise en même temps les beaux soirs de Saint-Germain-des-Prés dans les cabarets où il se produit comme musicien de jazz (il joue de la trompette). Peu à peu, il délaisse cette activité et, de 1954 à 1956, effectue un tour de chant où il se fait l'interprète de ses propres chansons (dont *le Déserteur,* qui sera interdit). Ayant subi une grave crise d'œdème pulmonaire, il doit renoncer à ses tournées. Il est promu directeur artistique des éditions Barclay. La maladie le contraindra à démissionner, peu avant sa mort prématurée.

V. a longtemps fait figure d'esprit primesautier, éminemment doué mais incapable de canaliser des dons trop hétéroclites. Son activité littéraire est apparue comme un jeu et même un canular qui ne visait qu'à amuser ses amis. Mais, depuis sa mort, il est considéré comme le porte-parole d'une jeunesse qui se retrouve dans une nonchalance apparente où l'on reconnaît de plus en plus, au-delà d'une mode sans doute éphémère, le masque destiné, très consciemment, à exorciser une angoisse irrémédiable. Lorsque, dans *l'Automne à Pékin,* V. s'amuse à rassembler arbitrairement dans un désert un groupe hétéroclite de personnages inattendus, lorsqu'il instaure entre eux des relations psychologiques qui relèvent d'une très astucieuse parodie de l'analyse, c'est pour traduire poétiquement l'arbitraire du destin des hommes : un monde où tout peut arriver, tout et surtout *n'importe quoi.* Lorsque V. a recours au théâtre, il s'y livre délibérément à la fantaisie la plus débridée et la plus provocante : lorsque, dans *les Bâtisseurs d'Empire,* il met en scène un personnage mythique, le Schmürtz, on ne sait s'il s'agit d'une incarnation fantomatique de la Mort ou d'une farce de la Vie. Le principe même de l'équivoque, sur lequel se fondent l'univers et le langage de V., est la source d'un automatisme burlesque qui déguise et traduit à la fois une amertume radicale.

Œuvres. *J'irai cracher sur vos tombes,* 1946 (N) ; adapt. théâtrale, 1948 (T). – *Les morts ont tous la même peau,* 1947 (N). – *Vercoquin et le plancton,* 1947 (N). – *L'Écume des jours,* 1947 (N). – *L'Automne à Pékin,* 1947 (N). – *L'Équarrissage pour tous,* 1949 (T). – *Les Fourmis* (nouvelles), 1949 (N). – *L'Herbe rouge,* 1950 (N). – *Cantilènes en gelée,* 1950 (P). – *L'Arrache-cœur,* 1953 (N). – *Le Chevalier de neige* (opéra, musique de George Delerue), 1953. – *En avant la zizique... et par ici les gros* *sous,* 1957 (E). – *Fiesta* (opéra, musique de Darius Milhaud), 1959. – *Histoire du jazz,* 1957 (E). – *Les Bâtisseurs d'Empire ou le Schmürz,* 1959 (T). – *Et on tuera tous les affreux,* posth., 1960 (N). – *Elles se rendent pas compte,* posth., 1960 (N). – *Les Lunettes fourrées* (nouvelles), posth., 1962 (N). – *Le Goûter des généraux,* posth., 1962 (T). – *Je voudrais pas crever,* posth., 1962 (P). – *Le Dernier des métiers,* posth., 1964 (T).

L'Écume des jours

Belle et triste histoire d'amour, « le plus poignant des romans d'amour contemporains » (R. Queneau). Histoire intégrée à une rêverie fantaisiste qui transpose choses et gens, langage et événements, dans un univers de mythe à la cohérence secrète, sous le double signe de la tendresse et de l'humour. Un jeune homme riche, Colin, est amoureux de Chloé, et il l'épouse : ils se destinent à être heureux et ont tout pour y réussir ; un ami de Colin, Chick, disciple fanatique du philosophe Jean-Sol Partre, aime Alise, autre disciple à peine moins fanatique : eux aussi semblent faits, à leur manière, pour être heureux. Mais voici que, dès après le mariage, Chloé est atteinte d'un mal étrange : un nénuphar dans la poitrine, et, malgré les soins du professeur Mangemanche, elle mourra. Quant au couple de Chick et d'Alise, il est rongé par un autre mal, une sorte de cancer philosophique, qui ruine Chick : il en mourra, tandis qu'Alise s'amenuise jusqu'à disparaître à force de lutter contre cette emprise intellectuelle. Car c'est là le roman de l'amenuisement et de la disparition des êtres sous la pression de forces extérieures aussi mystérieuses qu'implacables : Colin, ruiné, reste seul, au bord de l'eau ; il attend que paraisse un nénuphar pour exercer sur lui sa vengeance.

L'Herbe rouge

Contrepoint de tragique et de burlesque, de jeu et de désespoir. Nous sommes dans un pays où l'herbe est rouge (couleur de sang ?). Dans une maison vivent deux couples : Wolf et sa femme Lil ; Saphir Lazuli et son amie Folavril. Wolf est « mal dans sa peau » ; il croit que la responsabilité en incombe à la mémoire ; aussi fabrique-t-il, avec l'aide de Saphir, une machine à détruire les souvenirs, qui commence par le réintroduire dans son passé : suite d'interrogatoires divers par des personnages singuliers, Monsieur Perle et Monsieur Brul. Ce qui épuise Wolf, toujours aussi mal dans sa peau. Quant à Saphir, chaque fois qu'il veut caresser Folavril, il a l'impression que surgit auprès de lui un indiscret témoin, qu'un jour il tue d'un coup de couteau : mais le témoin est immédiatement remplacé (ou ressuscité ?). Saphir finira par se suicider, tandis qu'une dernière expérience avec la fameuse machine entraîne la mort de Wolf. Mais il y avait aussi dans la maison un chien, Sénateur Dupont, qui avait envie d'un « ouapiti » : Wolf le lui a donné ; il est donc satisfait et survivant. Mais est-ce là le bonheur, même pour un chien ? Car enfin qu'est-ce qu'un « ouapiti » ?

VIAU. (Voir THÉOPHILE.)

VIDALIE Albert. Châtillon-sous-Bagneux 25.5.1915 – 1971. D'ascendance auvergnate, il passe sa jeunesse dans le Hurepoix. Personnage pittoresque et gaillard, il est d'abord chanteur de cabaret, puis journaliste et romancier, très lié avec Blondin et Nimier, dont il a partagé le goût pour les frasques nocturnes. Il apporte au roman populiste une saveur nouvelle et particulière, faite de verdeur, de gouaille et de poésie, en même temps qu'il se souvient avec tendresse des paysages campagnards qu'il aime, dans des romans qui ont aussitôt connu la faveur du public. Auteur de nouvelles et parolier apprécié *(Chansons de métier),* il a également écrit pour la scène, la radio et la télévision.

Œuvres. *Les Bijoutiers du clair de lune,* 1954 (N). – *La Bonne Ferte,* 1955 (N). – *La Nuit romaine,* 1957 (T). – *Chandeleur l'artiste,* 1958 (N). – *La Belle Française,* 1959 (N). – *Cadet la Rose (*nouvelles), 1960. – *Le Pont des Arts,* 1961 (N). – *Les Verdures de l'Ouest,* 1964 (N). – *Les Hussards de la Sorgue* (nouvelles), 1968.

VIE DE SAINT ALEXIS (la). XIe s. Poème en laisses régulières comprenant chacune cinq vers décasyllabiques assonancés. Parmi les nombreuses œuvres hagiographiques qui virent le jour à la fin du Xe s. et au début du XIe s., celle-ci est particulièrement remarquable par la sobriété du pathétique et la rigueur de la forme. Elle annonce, en maints endroits, la chanson de geste et peut être considérée comme une des premières œuvres proprement littéraires en langue française.

VIELÉ-GRIFFIN Francis. Norfolk (Virginie, États-Unis) 16.3.1863 – Bergerac 12.11.1937. De vieille souche protestante, il naît aux États-Unis et viendra en France dès l'âge de huit ans. Il s'y fixe définitivement, vivant tantôt à Paris, tantôt dans ses propriétés de Touraine. Il consacrera sa vie aux lettres françaises, et son nom demeure attaché à la poésie et à l'histoire du symbolisme et du vers-librisme. Il écrit ses premiers poèmes en vers traditionnels, mais déjà il s'efforce de trouver des rythmes nouveaux, en utilisant l'allitération et l'assonance, et de rejeter « les gentilles difficultés vaincues, le bon vieux rythme numérique et carré, le jeu puéril des césures, l'or un peu fané des rimes masculines et féminines, la cheville artiste... » C'est à son « rythme personnel, auquel il doit d'être », que le poète doit obéir. L'art n'est pas pour V.-G. uniquement tradition, mais évolution, et aussi moyen d'atteindre et de réaliser la beauté. Fidèle habitué des « mardis » de Mallarmé, il n'en garde pas moins une parfaite indépendance. Il collabore à diverses revues, en particulier à *Entretiens politiques et littéraires,* publiant, outre des poèmes, des articles d'esthétique et de critique, généralement consacrés au symbolisme. Symboliste intégral, V.-G. s'adonne avec souplesse et aisance aux jeux de la prosodie nouvelle, mêlant vers traditionnel et vers libre (qu'il emploie avec prédilection), cherchant les effets mélodiques et la mise en valeur du pouvoir expressif de la langue, usant d'« une rime redevenue simple, rare, naïve, éblouissante d'éclat, au gré du tact poétique qui la manie... ». Avec une langue pure, claire, simple, harmonieuse et légère, une grande fraîcheur d'inspiration, une sensibilité émotive, expressive, il exalte la vie, la joie et la beauté, la nature et l'amour, les délicats paysages de Touraine, évoque le thème de la mort, puise aussi dans le trésor des légendes germaniques et nordiques ou des mythes antiques. En marge de son œuvre personnelle, V.-G. s'est révélé un remarquable traducteur de poésie (Walt Whitman, Swinburne).

Œuvres. *Cueille d'avril,* 1886 (P). – *Les Cygnes,* 1885-1886 (P). – *Joies,* 1888-1889 (P). – *Les Cygnes* (nouveaux poèmes), 1890 (P). – *Swanhilde,* 1890 (P). – *Diptyque,* 1891 (P). – Avec P. Adam et B. Lazare, *Entretiens politiques et littéraires,* 1890-1892 (E). – *La Chevauchée d'Yeldis* (poème dramatique), 1893 (P). – *Poèmes et Poésies,* 1895 (P). – *La Clarté de la vie,* 1897 (P). – *Phocas le jardinier* (poème dramatique), 1898 (P). – *La Partenza,* 1899 (P). – *La Légende ailée de Wieland le Forgeron* (poème dramatique), 1900 (P). – *L'Amour sacré,* 1903 (P). – *Plus loin,* 1906 (P). – *La Lumière de Grèce,* 1912 (P). – *Voix d'Ionie,* 1914 (P). – *La Rose au flot,* 1922 (P). – *Le Domaine royal,* 1923 (P). – *La Sagesse d'Ulysse,* 1925 (P). – *Saint François aux poètes,* 1927 (P). – *Le Livre des reines,* 1929 (P). – *Poèmes* (choix de poèmes), posth., 1983.

VIGNEAULT Gilles. Natashquan 27.10.1928. Écrivain québécois. Poète, conteur, chansonnier et compositeur, V. a fait des études classiques au séminaire de Rimouski, puis obtenu une licence ès lettres à l'université Laval. C'est là qu'il rencontre Félix-Antoine Savard qui guidera pendant quelques années les pas du jeune poète. Jusqu'en 1960, V. fait du théâtre, participe à la fondation de la revue *Émourie* et anime des émissions folkloriques. Il commence à chanter à Québec en 1959. La même année, il publie son premier recueil de poèmes, *Étraves,* fonde les éditions de l'Arc et rédige des textes pour la télévision et le cinéma. C'est en 1962 qu'il enregistre son premier disque et que débute véritablement sa carrière de chanteur. Il entreprend alors de nombreuses tournées qui le conduiront en Europe où il remporte un grand succès. Auteur de plus d'une vingtaine de livres (contes, poèmes) et d'une bonne trentaine de disques, V. est avant tout celui qui a redonné à la chanson ses lettres de noblesse. Chansons poétiques et poèmes musicaux sont indissociables. Toute son œuvre rend hommage aux gens de son pays, aux travaux quotidiens qu'ils effectuent avec fierté et vaillance. Il construit, ce faisant, une sorte de « geste » des Québécois à la manière des troubadours du Moyen Âge. Défiant les modes, il a recours à des formes poétiques délaissées (ballades, sonnets, rondeaux) et reconnaît en Villon, Rutebeuf, Ronsard ses véritables modèles. Poète de l'amour, du pays (Natashquan, son village natal, est le lieu privilégié où il puise son inspiration), du temps et de l'espace, il sait mieux que tout autre évoquer les plus beaux mythes du Moyen Âge et de la Renaissance. C'est paradoxalement ce double enracinement, dans un temps révolu et au sein d'une terre sauvage, qui confère à sa poésie une résonance universelle. Il aime à être un « voyageur immobile », vagabond de l'âme, dont les errances tout intérieures doivent toucher au cœur.

Œuvres. *Étraves,* 1959 (P). – *Contes sur la pointe des pieds,* 1960 (N). – *Balises,* 1964 (P). – *Avec les vieux mots,* 1964 (P). – *Pour une soirée de chansons,* 1965 (P). – *Quand les bateaux s'en vont,* 1965 (P). – *Contes du coin de l'œil,* 1966 (N). – *Où la lumière chante,* 1966 (P). – *Les Gens de mon pays* (paroles de chansons), 1967. – *Tam di delam,* 1967 (P). – *Ce que je dis c'est en passant,* 1970 (P). – *La Grande Aventure du fer,* 1970 (N). – *Les Dicts du voyageur sédentaire* (contes poétiques), 1970. – *Exergues,* 1971 (P). – *Les Neufs Couplets,*

1973 (P). – *Je vous entends rêver,* 1974 (P). – *Natashquan : le voyage immobile* (paroles de chansons), 1976. – *À l'encre blanche,* 1977 (P). – *Silences,* 1978 (P). – *Passer l'hiver* (interview), 1978. – *Les Quatre Saisons de Piquot* (contes pour enfants), 1979. – *La Petite Heure,* 1979 (N). – *Quelques pas dans l'univers d'Eva,* 1981 (N). – *Autant de fois que feuille tremble au vent,* 1982 (P). – *Tenir paroles* (rétrospective de chansons), 1983. – *Silences. Poèmes 1957-1977* (rétrospective de poèmes), 1983. – *Assonances,* 1984 (P).

VIGNY, comte Alfred de. Loches 27.3.1797 – Paris 17.9.1863. Issu d'une famille de très ancienne noblesse, ruinée par la Révolution, il en hérite la fierté du nom et le culte des armes et de l'honneur. À Paris, où ses parents se sont installés, il connaît une enfance austère et studieuse. Puis, se prenant d'un « amour vraiment désordonné de la gloire des armes », il prépare Polytechnique, malgré son aversion pour le régime napoléonien. La Restauration lui permettra cependant d'aborder la carrière militaire par une autre voie : il entre comme sous-lieutenant dans l'aristocratique corps des compagnies rouges de la maison du roi. Son appétit d'action ne trouvant pas à s'employer, il lit, intensément, et échafaude des projets littéraires. Pendant ses loisirs, il fréquente les cercles parisiens, où il rencontre des écrivains célèbres. Chez les frères Deschamps, apôtres du romantisme, il fait la connaissance de V. Hugo, avec qui il se lie étroitement. Il collabore aux journaux des jeunes romantiques, *le Conservateur littéraire* et *la Muse française,* et donne ses premiers essais littéraires. En 1822 paraissent ses *Poèmes,* où il hésite entre néo-classicisme et romantisme. Malgré la beauté de certaines pièces (en particulier « la Fille de Jephté »), le recueil passe presque inaperçu. V. en donnera une édition augmentée (il ne retire que le poème « Héléna ») en 1826. Les *Poèmes antiques et modernes,* – tel est le nouveau titre de l'ouvrage – se répartissent en un « Livre mystique », un « Livre antique » (Antiquité biblique et homérique) et un « Livre moderne » (d'inspiration médiévale, espagnole ou moderne). Recueil inégal, mais qui contient quelques-unes des très grandes œuvres poétiques de V. : « Moïse », composé en 1822 et dont il soulignera plus tard la portée symbolique ; « le Déluge », qui pose le problème de la souffrance de l'innocent ; « Eloa ou la Sœur des anges », épopée mystique parue d'abord en 1824 et poème de « la pitié pour le mal », où V. se souvient du *Paradis perdu* de Milton ; des pièces d'inspiration diverse, parmi lesquelles « le Cor », composé au pied des Pyrénées, et évoquant le souvenir de Roland à Roncevaux. Envoyé en garnison dans les Pyrénées, V. rencontre à Pau la fille d'un très riche Anglais, miss Lydia Bunburry, qu'il épouse en 1825. Malgré l'affection qui unit les époux, le mariage sera un échec. Lydia s'adapte difficilement à la vie et à la langue françaises ; elle ne peut avoir d'enfant et, constamment malade, finira par devenir presque impotente. Elle mourra en 1862, soignée avec dévouement par son mari. V., qui s'est fixé à Paris après son mariage, quitte définitivement l'armée en 1827 pour se consacrer entièrement à la littérature. En 1826, il a abordé le roman historique avec *Cinq-Mars,* qui évoque les luttes entre le tout-puissant Richelieu et la noblesse sous le règne de Louis XIII. Le livre est sévèrement critiqué par Sainte-Beuve, qui reproche à l'auteur les libertés prises avec l'histoire et va jusqu'à parler de « transmutation de la vérité ». V. essaiera de se justifier dans ses *Réflexions sur la vérité dans l'art* (écrites en 1827, mais publiées en 1833, en avant-propos de la cinquième édition du roman). Il prétend que l'art doit se nourrir « de la vérité d'observation sur la nature humaine et non [de] l'authenticité du fait », et l'histoire lui apparaît comme « un roman dont le peuple est l'auteur ». D'autre part, son intérêt se trouve sollicité par un autre aspect des lettres : la mutation de l'art dramatique sous l'influence shakespearienne. En collaboration avec son ami Émile Deschamps, V. décide de traduire *Roméo et Juliette.* La pièce, reçue au Théâtre-Français en 1828, ne sera cependant pas jouée. Le poète prépare ensuite une adaptation du *Marchand de Venise (Shylock),* qui ne connaîtra pas davantage les feux de la rampe, et une adaptation scénique d'*Othello, le More de Venise.* Ce drame, donné en 1829 à la Comédie-Française avec Joanny et Mlle Mars dans les rôles principaux, surprend et scandalise, mais réussit, grâce à l'appui enthousiaste du camp des « conjurés », à la tête duquel se trouvent Hugo et É. Deschamps. Dans sa *Lettre à Lord*** sur la soirée du 24 octobre 1829 et sur un système dramatique,* publiée en préface à son adaptation d'*Othello,* V. exposera sa conception de l'art dramatique : il veut que la tragédie moderne produise « dans sa conception, un tableau large de la vie, au lieu du tableau resserré de la catastrophe d'une intrigue ; dans la composition, des caractères, non des rôles, des scènes paisibles sans drame, mêlées à des scènes comiques et tragiques ; dans son exécution, un style familier, comique, tragique, et parfois épique... » Cependant, V. ne réussira à s'imposer ni avec son drame historique, la *Maréchale d'Ancre*, ni avec un proverbe en un acte, *Quitte pour la peur*. Ces deux pièces ont été écrites pour l'actrice Marie Dorval, avec qui il entretient une liaison orageuse qui durera jusqu'en 1838. Mais le triomphe d'*Hernani* a fait de Hugo le chef incontesté de l'école romantique, et V. se trouve relégué au second plan. Froissé dans son amour-propre, le poète en conçoit de l'amertume, et ses relations avec Hugo s'aigrissent jusqu'à la rupture. Après la révolution de 1830, V. traverse une crise morale et intellectuelle qui le conduira à un pessimisme mêlé de stoïcisme et de pitié. En 1832, il publie *Stello*, recueil de trois nouvelles évoquant, par l'exemple de Gilbert, Chatterton et A. Chénier, la condition du poète, paria d'une société qui le laisse périr avec indifférence. Le poète doit donc « séparer la vie poétique de la vie politique. Seul et libre, accomplir sa mission : la Solitude est sainte ». C'est de l'une des nouvelles de *Stello* que V. tire un peu plus tard un « drame de la pensée », *Chatterton*, qui est peut-être le chef-d'œuvre du théâtre romantique. La pièce triomphe à la Comédie-Française en 1835, avec Marie Dorval. Romantique par son thème – elle plaide la cause du génie –, par le mélange des tons et la mise en scène, elle est aussi rendue émouvante et humaine par l'amour de Chatterton et de Kitty Bell, mais reste presque classique par sa simplicité et une action tout intérieure. La même année, V. fait paraître un « pendant » de *Stello*, *Servitude et grandeur militaires*, qui évoque en trois épisodes la condition du soldat dans la société moderne (« Laurette ou l'Ordre cacheté », qui deviendra le « Cachet rouge » ; « la Veillée de Vincennes », « la Vie et la Mort du capitaine Renaud ou la Canne de jonc »). Réquisitoires contre « l'amour de la gloire guerrière » et plaidoyers pour l'armée, où V. a appris « l'art de bien mourir, l'honneur de souffrir en silence », ces récits illustrent les drames moraux que peut provoquer le conflit entre la conscience et le devoir d'obéissance passive du soldat. Chef-d'œuvre de la prose, le livre joint la simplicité et l'élévation morale à la pureté et à la sobriété de la langue. Dès lors, V. se consacre à méditer sur les « révélations de la solitude » et sur la destinée de « victimes » exemplaires (Julien l'Apostat ou Lamennais). Il aborde ainsi les questions religieuses en s'efforçant de « diviniser » la conscience : il en tirera *Daphné*, qui ne sera publié qu'en 1912, tandis que cette méditation domine les pages graves et belles de son *Journal d'un poète*, rédigé entre 1823 et sa mort (publ. 1867-1949). À partir de 1837, V. est assailli de soucis et d'épreuves : la mort de sa mère, la rupture avec Marie Dorval, la maladie de sa femme. Il recherche la solitude et part s'installer dans son manoir du Maine-Giraud, en Charente, mais doit bientôt se rendre à Londres pour s'occuper de la succession de son beau-père. En Angleterre, il fait la connaissance de l'écrivain anglais Carlyle, rencontre Louis-Napoléon Bonaparte et se lie avec une jeune femme d'origine genevoise, Camilla Maunoir, avec qui il correspondra par la suite. De retour à Paris, il mène une vie mondaine, reçoit écrivains et artistes, a plusieurs aventures amoureuses (Julia Battlegang, Triphina Holmès...). Outre divers projets qu'il ne mènera pas à terme, il s'intéresse au problème de la propriété littéraire (1841) et se porte candidat à l'Académie française en 1842. Après cinq échecs, il finira par être élu (1845) grâce à l'appui de Hugo, de Lamartine et de l'historien Mignet. Bien que n'ayant jamais cessé d'écrire, V. n'a publié depuis 1835 qu'un petit nombre de poèmes, parus dans *la Revue des Deux Mondes*. Son exécuteur testamentaire, Louis Ratisbonne, les rassemblera, avec plusieurs autres poèmes inédits, en un recueil qu'il intitule *les Destinées* (1864). La plupart de ces « poèmes philosophiques » – onze pièces composées entre 1838 et la mort du poète – sont des chefs-d'œuvre de l'expression romantique. À travers le symbole, devenu inséparable de sa création poétique, V. transmet un message philosophique fait de pessimisme stoïque et de foi dans l'humanité, dans le courage lucide qui permet à l'homme, abandonné par la divinité, de triompher des destinées qui l'écrasent, foi qui aboutit à une véritable religion de l'Esprit (« l'Esprit pur »). Divers commentateurs ont cherché à interpréter l'architecture des *Destinées*, mais l'ordre des pièces reste incertain, en raison de projets contradictoires de l'auteur. De ces poèmes qui donnent toute la mesure de la maturité du poète et du penseur, les plus célèbres sont « les Destinées », qui fournissent au recueil son titre, « la Maison du berger », « la Colère de Samson », « la Mort du loup », « le Mont des Oliviers », « la Bouteille à la mer », « l'Esprit pur » (testament spirituel de Vigny). De 1823 à sa mort, le poète avait tenu un journal de ses impressions, de ses pensées, de ses préoccupations ou d'événements intimes. Ce témoignage précieux sur la personnalité de V., publié fragmentairement par L. Ratisbonne en 1867 sous le titre *le Journal d'un poète,* a été complété par des éditions successives dont la dernière date de 1949. La *Correspondance* a été rassemblée dans l'édition Conard des *Œuvres complètes* (1914), cependant que les lettres de Marie Dorval à Vigny ont été publiées en 1942.

Œuvres. *Poèmes* (avec « la Dryade », « Symétha », « Héléna », « la Fille de Jephté »), 1822 (P). – *Eloa ou la Sœur des anges,* 1824 (P). – *Poèmes antiques et modernes* (Livre mystique, avec « le Déluge », « Moïse », « Eloa » ; Livre antique ; Livre moderne, avec « la Neige », « le Cor »), 1826 (P). – *Cinq-Mars,* 1826 (N). – *Roméo et Juliette* (trad. de Shakespeare), 1827 (T). – *Poèmes antiques et modernes* (édition augmentée), 1829 (P). – *Othello, le More de Venise* (trad. en vers de Shakespeare), 1829 (T). – *La Maréchale d'Ancre,* 1831 (T). – *Stello, les Consultations du docteur Noir,* 1832 (N). – *Réflexions sur la vérité dans l'art* (préface à la cinquième édition de *Cinq-Mars*), 1833 (E). – *Quitte pour la peur* (proverbe), 1833 (T). – *Chatterton,* 1835 (T). – *Servitude et grandeur militaires,* 1835 (N). – *Poèmes antiques et modernes* (nouvelle édition augmentée, avec « Paris » [1831], « les Amants de Montmorency » [1832]), 1837 (P). – *Les Destinées* (11 poèmes philosophiques : « les Destinées » [1849], « la Colère de Samson » [1839], « la Mort du loup » [1843], « la Maison du berger » [1844], « la Bouteille à la mer » [1853], « la Flûte » [1843], « la Sauvage » [1843], « Wonda » [1847], « les Oracles » [1862], « le Mont des Oliviers » [1844], « l'Esprit pur » [1863]), posth., 1864 (P). – *Le Journal d'un poète,* posth., 1867. – *Correspondance,* posth., 1905. – *Daphné, deuxième consultation du docteur Noir,* posth., 1912 (N).

Eloa

L'héroïne est un ange féminin né d'une larme du Christ : elle est donc la pure incarnation spirituelle de l'amour et de la pitié. Aussi ne peut-elle manquer d'être troublée lorsqu'elle apprend l'histoire de Lucifer, le révolté, banni par Dieu, mais le plus beau des anges. En Eloa naissent alors des sentiments inconnus, une tendresse mais aussi une insatisfaction, une curiosité qui l'entraînent à travers l'abîme : elle veut voir et connaître le Maudit pour tenter aussi de le sauver (on retrouve ici ce thème du salut de Satan qui est un des grands thèmes du romantisme). Arrivée en sa présence, elle est alors saisie d'une étrange fascination. Un instant, Lucifer est, lui aussi, ému par la pure beauté d'Eloa ; mais, en lui, le Mal reprend le dessus, il se sert de son pouvoir pour attendrir et finalement séduire Eloa, qu'il entraîne avec lui dans l'abîme.

Cinq-Mars

Roman historique où, à la différence de W. Scott, V. a voulu porter au premier plan les personnages historiques ; roman tragique aussi, car c'est le roman de la fatalité – ici politique – qui pèse sur la jeunesse et sa générosité, thème analogue à celui de *Chatterton.* Le jeune marquis de Cinq-Mars rêve de jouer un grand rôle politique pour se rendre digne d'épouser une princesse du sang, Marie de Gonzague. Sa politique est celle de la générosité, au sens cornélien du terme, incarnée dans la noblesse et ses rêves de grandeur. Aussi Cinq-Mars est-il opposé à la politique « réaliste » de Richelieu et à son entreprise de soumission de la noblesse à l'absolutisme monarchique et ministériel : il brave le Cardinal en acceptant d'être témoin dans un duel, en compagnie de son ami de Thou. Fort de l'appui royal (Louis XIII a remarqué sa valeur militaire), Cinq-Mars s'apprête à un affrontement décisif avec le Cardinal. Mais celui-ci est informé par le père Joseph de la conjuration qui s'organise contre lui, il reprend en main le roi ; la reine, qui avait semblé appuyer les conjurés, se désiste ; Marie de Gonzague hésite devant ce qui serait pour elle une mésalliance. Face à cette conjonction fatale qui le condamne à l'isolement, Cinq-Mars se constitue prisonnier ; il sera exécuté à Lyon avec de Thou ; Richelieu triomphe, et Marie de Gonzague, atteinte au plus profond d'elle-même par la mort de celui que finalement elle aimait, accepte la couronne de Pologne : tout est rentré dans l'ordre.

Chatterton

Si *Cinq-Mars* raconte le destin politique d'un jeune noble, *Chatterton* met en scène le destin social, moral et métaphysique d'un jeune poète. L'acte I met en place les éléments de ce destin : la famille de l'industriel londonien John Bell, époux tyrannique et mauvais patron ; sa femme Kitty, douce et tendre. Le jeune poète Chatterton, sans ressources, a loué une modeste chambre dans la maison. Un témoin est là, un quaker bienveillant et philosophe, dont le cœur est ouvert à la compréhension et à la pitié, et qui jouera le rôle de confident. L'acte II introduit dans cette situation un élément perturbateur : arrivent chez John Bell quelques jeunes nobles, anciens condisciples de Chatterton à Oxford, et parmi eux lord Talbot, qui, tout en vantant les mérites littéraires du poète, ne manque pas de faire allusion devant le mari aux relations qu'il suppose entre Kitty Bell et Chatterton.

Kitty, troublée par cette malveillance, avoue au quaker que la seule vue de Chatterton malheureux suffit à l'émouvoir ; le quaker lui révèle alors le désespoir qui ronge le jeune homme. Celui-ci se résout toutefois à écrire au lord-maire pour obtenir un emploi. À l'acte III, tandis que Chatterton, seul dans sa chambre, écrit, médite, maudit les hommes et la société et s'apprête à absorber de l'opium, le quaker intervient et tente de lui redonner espoir en lui révélant l'amour de Kitty. Mais un créancier menace le poète d'arrestation, un critique l'accuse de plagiat, le lord-maire lui offre un emploi humiliant. Trop de forces se coalisent contre lui, que l'amour même de Kitty ne peut vaincre : Chatterton absorbe le poison ; avant de mourir, il avoue son amour à Kitty, qui ne lui survivra pas.

Stello

Stello est lui aussi un jeune homme à l'âme généreuse et qui porte en lui une vocation de poète. Auprès de lui, son ami, le docteur Noir, lucide et réaliste, qui, craignant pour Stello la fatalité d'un destin malheureux et meurtrier, voudrait le guérir de son ardeur comme d'une maladie. Sa thérapeutique consiste à raconter l'histoire de trois poètes du XVIIIe siècle également marqués par le destin : Gilbert, Chatterton, André Chénier, tous trois victimes de la société, que l'État soit monarchique, constitutionnel ou révolutionnaire. Stello réagit en protestant et en s'indignant ; quelque peu désabusé, le docteur Noir rédige néanmoins une ordonnance qui prescrit de « séparer la vie poétique de la vie politique » (thème qui se retrouve dans un passage célèbre de *la Maison du berger,* II).

Daphné

Dans ce récit, publié pour la première fois en 1912, nous retrouvons Stello et le docteur Noir, qui découvrent dans la chambre d'un jeune malade obsédé par les problèmes religieux un manuscrit où est conservée une correspondance du temps de l'empereur Julien. À Antioche s'opposent alors les païens et les « nazaréens » ; l'auteur de ces lettres est un juif d'Alexandrie, Joseph Jechaïah, venu rendre visite dans sa retraite de Daphné à son ami le sage païen Libanios. Il y rencontre aussi les chrétiens Jean Chrysostome et Basile de Césarée. On parle des tentatives de Julien (« l'Apostat », pour les chrétiens) visant à restaurer le paganisme. Voici que Julien lui-même arrive à Antioche ; il vient demander le soutien de sa sagesse à Libanios, qui refuse et qui, contre toute attente, condamne l'entreprise de l'empereur, car, selon lui, les dieux païens sont définitivement morts. Comme pour confirmer la prescience de Libanios, la fatalité fait que l'armée impériale est vaincue et Julien meurt au combat. Après cette lecture, les deux amis jettent un regard par la fenêtre ; que voient-ils ? un cortège de carnaval marqué de la vulgarité la plus grossière. S'il y a en ce XIXe siècle quelques « prophètes », ils ne sont, pour la masse, que des « illuminés » : dans un monde désormais privé de foi, le grand triomphateur, c'est Voltaire, « le contempteur universel ».

VILDRAC Charles, Charles Messager, dit. Paris 22.11.1882 – Saint-Tropez 1971. Son père, ancien communard, avait été déporté en Nouvelle-Calédonie. Sa mère est la plus jeune directrice d'école de Paris. Dès le collège, il écrit des vers. En 1901, il publie le *Vers-librisme,* pamphlet dirigé contre les théoriciens du vers libre, G. Kahn et R. Ghil. Ses premiers recueils poétiques *(Poèmes ; Images et Mirages)* s'inspirent de Verhaeren et de Verlaine. Mais sa place dans l'histoire littéraire tient surtout au rôle qu'il joua, avec G. Duhamel, dans la fondation du « groupe fraternel d'artistes » de l'abbaye de Créteil, poètes réunis pour œuvrer en commun et mener une vie conforme à leurs goûts, expérience qui durera de 1907 à 1908 et se terminera par un échec. L'œuvre poétique de V., d'inspiration intimiste, est toute de spontanéité et de simplicité, imprégnée d'une généreuse chaleur humaine et de tendresse fraternelle pour le monde des hommes, où il veut « greffer l'amour ». V. connaîtra enfin la célébrité au théâtre avec sa première pièce, *le Paquebot « Tenacity »,* montée par J. Copeau et qui montre d'emblée une parfaite maîtrise de l'art dramatique. De cette œuvre se dégage la poésie mélancolique de destins manqués, inscrite dans un réalisme discret où transparaît l'atmosphère de sympathie qui enveloppe les personnages malgré leur modestie, leur insignifiance ou leurs aventures : un contrepoint de noblesse et de médiocrité, de réalisme et de rêve structure ainsi un théâtre essentiellement suggestif. *L'Air du temps* est peut-être le chef-d'œuvre de ce dramaturge trop souvent méconnu : un tel art de la nuance dans la suggestion dramatique et dans l'évocation psychologique mérite à ce théâtre d'être vraiment désigné comme « intimiste », au sens le meilleur du terme, et, s'il peut exister un modèle d'intimisme dramatique, c'est bien dans l'œuvre de V. qu'on pourra le trouver.

Œuvres. *Le Vers-librisme,* 1901 (E). – *Poèmes,* 1905 (P). – *Images et Mirages,*

1908 (P). – *Le Livre d'amour,* 1910 (P). – *Notes sur la technique poétique,* 1910 (E). – *Découvertes,* 1912 (P). – *Les Chants du désespéré,* 1920 (P). – *Le Paquebot « Tenacity »,* 1920 (T). – *Michel Auclair,* 1921 (T). – *Poucette,* 1924 (T). – *L'Île rose,* 1924 (N). – Avec G. Duhamel, *Notes sur la technique poétique,* 1925 (E). – *Poèmes de l'Abbaye,* 1925 (P). – *Madame Béliard,* 1925 (T). – *Récits,* 1926 (N). – *Le Pèlerin,* 1926 (T). – *L'Indigent,* 1927 (T). – *Prolongements,* 1927 (P). – *La Brouille,* 1930 (T). – *Le Jardinier de Samos,* 1932 (T). – *Les Lunettes du lion,* 1932 (N). – *Trois Mois de prison,* 1938 (T). – *L'Air du temps,* 1938 (T). – *Russie neuve,* 1947 (N). – *D'après l'écho,* 1949 (N). – *Amadou le bouquillon,* 1951 (N). – *L'Absence,* 1952 (T). – *Vitrines. Le Vin de Paris,* 1953 (P). – *La Belette,* 1960 (T). – *Dommages de guerre,* 1962 (T). – *Pages de journal (1922-1966),* 1968.

Le Paquebot « Tenacity »

Deux typographes, Bastien et Ségard, un peu ennuyés de la vie qu'ils mènent en cette année de la fin de la guerre, se sont engagés pour aller défricher des terres au Canada, et c'est un paquebot nommé « Tenacity » qui doit les y conduire. Le départ est retardé : ils sont immobilisés quinze jours dans une auberge du port. Bastien, qui est un actif, s'embauche en attendant ; Ségard, qui est plutôt un rêveur, fait la cour à la bonne de l'auberge. Mais c'est Bastien, parce qu'il sait parler aux femmes, qui enlèvera Thérèse, la bonne, et il restera en France avec elle : Ségard, lui, n'aura plus qu'à s'embarquer, mais seul.

L'Air du temps

Nous sommes à la campagne, où s'est réfugié le héros, le sculpteur Capellan, misanthrope et misogyne, depuis qu'il a été abandonné par sa femme, Paulette, de quinze ans sa cadette. Survient un ami, marchand de tableaux, Devilder, porteur d'une lettre de Paulette repentante. Il réussit à convaincre Capellan de rentrer à Paris. Celui-ci reprend une vie domestique où, environné de tous les signes d'une vilenie morale qui commande le comportement de son entourage, Devilder, Paulette et jusqu'à son propre fils Robert, il parvient cependant à se libérer de toute amertume pour accéder à la supériorité spirituelle de l'indulgence : c'est le triomphe de la noblesse morale sur « l'air du temps ».

VILLANELLE [italien *villano* = paysan (*cf.* ancien français : *villain*)]. Poème constitué par un nombre variable de tercets, construit sur deux rimes, l'une masculine, l'autre féminine, et terminé par un quatrain.

VILLEHARDOUIN Geoffroi de. Vers 1150 – Mistra apr. 1212-av. 1218. Maréchal de Champagne, chargé des affaires administratives et politiques de ce comté, V. devait avoir entre trente et quarante ans quand il partit pour la quatrième croisade (1199), à la suite de son suzerain, Thibaud de Champagne. Dès la préparation de la croisade, il se signala par son esprit d'initiative, et chacun l'écouta quand il proposa Boniface de Montserrat comme chef de l'expédition. (Thibaud de Champagne était mort entre-temps.) Il fut chargé de missions diplomatiques auprès de Louis de Blois et de Baudouin Ier pour les exhorter à se joindre à la croisade. Tant sur le plan politique que sur le plan militaire, V. joua un rôle important pendant toute la durée de l'expédition. Placé en 1205 à la tête de l'armée, il fut nommé maréchal de Romanie et participa à de nombreuses campagnes. Après 1206, il semble qu'il ait été écarté des opérations militaires. Il était encore en Orient en 1212, devenu puissant seigneur de Messinople. L'*Histoire de la conquête de Constantinople* (1207-1213) est le récit d'un grand seigneur tout à la fois acteur et spectateur des opérations. Il apparaît que le récit ne fut rédigé que plus tard, à partir de notes et de documents rassemblés par V. Malgré la rigueur dans l'exposé des faits que garantit cette méthode, l'œuvre reste sujette à caution, les hautes fonctions occupées par V. rendant difficile un témoignage impartial. Son propos d'ailleurs est plutôt d'expliquer, afin de le justifier, le comportement des responsables de l'expédition, ce qui le conduit à insérer dans sa chronique une analyse politique au demeurant fort intéressante. Il prend, certes, systématiquement le parti des chefs de la croisade, dont il fut le plus éminent, qui, au lieu d'arracher Jérusalem aux mains des musulmans, besogne pour laquelle l'expédition avait été entreprise, s'attardèrent à conquérir Constantinople, mais il fonde son parti pris sur une démonstration rationnelle de la nécessité politique qu'imposait aux croisés l'attitude des Vénitiens. V. affirme que le plus court chemin pour atteindre un but n'est pas nécessairement la ligne droite et que si les croisés s'en tinrent à Constantinople, c'est qu'ils ne purent, matériellement, poursuivre leur route. Mais avec ce rationalisme politique, V. combine une sorte de providentialisme historique ; son argument le plus décisif, selon lui, est encore l'intervention de la présence divine : s'il y eut des actions condamnables, elles ne sont que l'effet de la colère de Dieu, indigné par la faiblesse des hommes devant la haute tâche qui leur avait été confiée. Chevalier du Moyen Âge, V. ne pouvait négliger cette interprétation des faits dont la sincérité ne saurait être mise en doute, mais il est déjà « moderne » dans la mesure même où il fait aussi appel à des causes rationnelles. Cette défense systématique des responsables d'une croisade détournée de son objet ne le cède en rien au désir d'informer. V. est, en cela, servi par une langue précise, concise, au service d'une lucidité qui se veut exemplaire et qui donne parfois l'illusion d'une objectivité sans failles. De ce fait, il apparaît comme le premier grand maître de la prose française.

VILLIERS DE L'ISLE-ADAM Jean-Marie Mathias Philippe Auguste, comte de. Saint-Brieuc 7.11.1838 – Paris 18.8.1889. Dernier représentant d'une très ancienne lignée bretonne, il compte parmi ses aïeux un maréchal de France et le fondateur de l'ordre de Malte. Son père achève de se ruiner en se livrant à des spéculations chimériques. V., nature fantasque et ombrageuse, aura aussi le goût du rêve et du chimérique. Il fait des études discontinues en Bretagne et séjourne à différentes reprises à Paris, où il s'installera avec sa famille en 1859. Il noue des relations littéraires avec les poètes parnassiens, C. Mendès et ses amis, collabore à la *Revue fantaisiste* et s'initie à l'hégélianisme. Après des débuts discrets dans les lettres avec *Deux Essais de poésie* et *Premières Poésies,* œuvres nourries de romantisme, il s'essaiera au roman en publiant *Isis,* conçue comme la première partie d'un vaste ensemble philosophico-romanesque qui demeurera inachevé. Il a fait la connaissance de Baudelaire, qu'il admire profondément et qui l'aide à découvrir et à comprendre l'œuvre d'E. Poe et l'esthétique du conte « terrible ». Il s'enthousiasme pour Wagner, qu'il a rencontré, correspond avec Flaubert et se lie d'amitié avec Mallarmé. Pour le théâtre, dont il a le goût, il écrit deux drames, *Elën* et *Morgane.* Dans l'éphémère *Revue des lettres et des arts* qu'il vient de fonder, il publie deux récits fantastiques qui révèlent sa maîtrise de conteur : *Claire Lenoir,* pour laquelle il a puisé une érudition occultiste dans *Dogme et Rituel de la haute magie* du cabbaliste Eliphas Lévi, et *l'Intersigne.* Il fréquente le salon de Nina de Villars, où se retrouvent Cros, Verlaine, Coppée..., et se rend en Suisse avec C. Mendès et J. Gautier pour revoir Wagner (1869). Il continue de composer des œuvres dramatiques : *la Révolte,* pièce en un acte, *l'Évasion* ; en 1872, il publie le début d'un drame, *Axël,* dont il fera paraître le texte complet en 1885-1886 ; une version remaniée par V. sera publiée un an après sa mort. Considéré comme « injouable », en raison de ses audaces poétiques et scéniques, ce drame n'en est pas moins un chef-d'œuvre du théâtre symboliste et influencera de façon décisive le théâtre de la fin du siècle. Dans une situation matérielle quasi désespérée après la mort de sa grand-tante, qui subvenait aux besoins de la famille, l'écrivain publie des contes dans divers périodiques et écrit une autre pièce, *le Nouveau Monde,* à l'occasion du centenaire de l'Indépendance américaine. L'œuvre, primée à un concours, ne sera cependant représentée qu'en 1883. V. travaille dans des conditions déplorables, « à plat ventre sur un plancher rasé de meubles et éclairé d'un bout de bougie ». En 1881, il tente de se lancer dans la politique en se présentant aux élections comme candidat légitimiste. Il est battu. L'année suivante, sa mère meurt, et il est au comble de la misère. En 1883, il va enfin connaître la célébrité avec la publication des *Contes cruels,* recueil de récits déjà parus séparément, qui dessinent un univers déchiré mais cohérent où le rire et le rêve sont les expressions complémentaires d'une souffrance, d'une révolte et d'un idéal. V. se lie à l'époque avec Huysmans et Bloy et donne régulièrement des contes au *Figaro* et à diverses revues. En 1886, il publie *l'Ève future,* conte symbolique auquel il a travaillé de 1877 à 1879. Le récit, qui prend pour héros l'illustre savant américain Edison, fait intervenir la science comme auxiliaire de l'idéal poursuivi. *L'Amour suprême,* groupant douze contes composés depuis 1884, paraît également en 1886, ainsi qu'un autre conte, *Akëdysséril.* Le recueil portant le titre de *Tribulat Bonhomet* (1887) – nom qui est le symbole haïssable de la médiocrité satisfaite, du faux savant, l'« archétype du siècle » – contient, outre le récit ancien de *Claire Lenoir,* quatre contes nouveaux avec Bonhomet pour personnage central. Paraîtront encore : *Histoires insolites* et les *Nouveaux Contes cruels,* qui dénoncent le positivisme alors en vogue. Malade et moralement épuisé, l'écrivain, qui, depuis 1879, vit avec une humble servante, Marie Brégéras, dont il a eu un fils en 1881, épouse sa compagne, mais meurt bientôt d'un cancer. Après sa mort seront encore publiés deux recueils de récits *(Chez les passants ; Propos d'au-delà),* des fragments inédits *(Reliques ; Nouvelles Reliques)* et la *Correspondance* *générale et documents inédits.* Hostile au réalisme (« les réalistes sont les éternels provinciaux de l'Esprit humain ; ils ont raison comme le fossoyeur a raison... »), V. a une conception idéaliste de l'art. Selon lui, le propre de l'artiste est d'éveiller « des impressions intenses, inconnues et sublimes ». Attiré par le mystère et le surnaturel, ce croyant sincère recherche dans l'occultisme des preuves de la nature spirituelle de l'univers. Il emprunte à Hegel la conception d'un monde matériel mouvant où l'Idée seule forme la réalité, réalité qu'il appartient à l'homme enfermé dans ses illusions de créer, par un libre effort de sa volonté. L'univers des *Contes* est profondément marqué par la forte personnalité de V., et la fiction projette la vision du monde d'un écrivain pour qui la création littéraire est une manière d'être. Les *Contes* révèlent encore la dualité de cette personnalité : évasion et lyrisme, avec des décors de rêve habités de figures idéales ; dérision et satire, avec les aspects ridicules ou comiques du monde moderne, les caricatures très marquées et abondantes, l'humour macabre, le sarcasme, la verve burlesque, l'ironie. Poète attentif au pouvoir évocateur des mots, V. recherche aussi l'expressivité des termes rares et des expressions insolites. Il se veut d'une totale authenticité et affirme sa maîtrise d'écrivain en faisant de l'expression littéraire une œuvre de combat, de ferveur et d'art.

Œuvres. *Deux Essais de poésie,* 1858 (P). – *Premières Poésies,* 1859 (P). – *Isis,* 1862 (N). – *Elën,* 1865 (T). – *Morgane,* 1866 (T). – *Claire Lenoir,* 1867 (N). – *L'Intersigne,* 1868 (N). – *La Révolte,* 1870 (T). – *L'Évasion,* 1871 (T). – *Axël* (fragments), 1872 (T). – *Le Nouveau Monde,* 1880 (T). – *Contes cruels,* 1883, rééd. 1983 (N). – *Axël* (2e éd.), 1885-1886 (T). – *L'Ève future,* 1886 (N). – *Akëdysséril,* 1886 (N). – *L'Amour suprême,* 1886 (N). – *Tribulat Bonhomet,* 1887 (N). – *Le Secret de l'échafaud,* 1888 (N). – *Histoires insolites,* 1888 (N). – *Nouveaux Contes cruels,* 1888 (N). – *Axël* (éd. déf.), posth., 1890 (T). – *Chez les passants,* posth., 1890 (N). – *Propos d'au-delà,* posth., 1893 (N). – *Trois portraits de femmes,* posth., 1929. – *Œuvres complètes* (6 vol.), posth., 1922-1931. – *Reliques,* posth., 1954. – *Correspondance générale, posth., 1962.* – *Le Prétendant,* posth., 1965. – *Nouvelles Reliques,* posth., 1968.

Véra (Contes cruels)

Le comte d'Athol et son épouse Véra forment un couple parfait dans la plénitude de l'amour, perfection que ne peut tolérer le destin : Véra meurt. Le comte l'ensevelit dans le caveau familial, dont il jette la clé d'argent à l'intérieur du tombeau. Pendant un an, il vit, par la seule imagination, au contact de la présence spirituelle de Véra, car, en lui, l'amour est plus fort que la mort. Arrive le jour anniversaire : tout se passe comme si « la comtesse Véra s'efforçait adorablement de revenir dans cette chambre tout embaumée d'elle ». Et cette volonté suscite la présence réelle de son épouse auprès du comte. Lorsque celui-ci se souvient que Véra est morte, et le lui dit, l'enchantement est rompu et la présence disparaît. Mais, avant de disparaître, Véra a laissé dans la chambre la clé d'argent de son tombeau.

Axël

Le drame s'organise en quatre parties : « le Monde religieux », « le Monde tragique », « le Monde occulte », « le Monde passionnel », les mondes que traverse le couple idéal d'Axël d'Auersperg et Sara de Maupers. Ils passent de l'un à l'autre par renoncement successif à chacun d'eux, et, lorsqu'ils entrent dans le monde passionnel, représenté par les trésors enfermés dans les souterrains du château d'Auersperg, c'est pour eux la tentation de la puissance qui les transformerait en êtres surhumains. Jusque-là, ils n'avaient jamais hésité à s'accorder dans le refus des mondes traversés, toujours incapables de les satisfaire. Mais voici l'ultime dilemme : tandis que Sara invite Axël à vivre enfin pleinement en nourrissant leur vie commune de cette « coupe qui déborde », Axël, au contraire, l'exhorte à franchir les portes de la mort, pour transcender les limites mêmes du surhumain et accéder à la pleine possession de l'esprit. Sara, saisie de ravissement, alors qu'elle vient de se parer de diamants étincelants, partage avec Axël le poison qui leur ouvrira les horizons de l'infini.

VILLON François. Paris 1431 – après 1463. Il porte sans doute le nom de celui qui l'a élevé, maître Guillaume de Villon, chanoine de Saint-Benoît-le-Bestourné, mais son véritable nom est peut-être de Montcorbier, ou des Loges, comme il se fait parfois appeler. Bachelier en 1449, puis licencié et maître ès arts de l'université de Paris en 1452, il mène une vie insouciante et désordonnée, hante les mauvais lieux et fréquente truands et ribauds. Au cours d'une rixe, en 1455, il blesse mortellement son agresseur et doit prendre la fuite. Il obtient l'année suivante des lettres de rémission pour ce meurtre et rentre à Paris. Vers la Noël 1456, il prend part à un vol avec effraction, commis au collège de Navarre, opération qui rapporte cinq cents écus à ses auteurs. (L'un des complices se trahira quelques mois plus tard par des confidences faites à un compagnon de rencontre et sera arrêté.) V. prétexte une désillusion sentimentale pour s'éloigner immédiatement de Paris, une fois le coup réussi. À cette occasion, il a écrit le *Lais* (ou *Legs,* souvent appelé le *Petit Testament*). On le retrouve à Angers, chez un oncle ecclésiastique, puis à Bourges et à Blois, où Charles d'Orléans le protège quelque temps et où il compose sa fameuse *Ballade des contradictions,* dont le prince lui a fourni le thème et le premier vers. À Moulins, il cherche aide et protection chez le duc de Bourbon. Il court les chemins, affilié à une dangereuse bande de malfaiteurs, celle des Coquillards, à qui il dédiera ses six *Ballades en jargon,* œuvre énigmatique posant bien des problèmes d'exégèse. Chacune des ballades s'adresse à un type particulier de criminels, dans une langue secrète que la découverte, en 1842, des archives du procès des Coquillards tenu à Dijon en 1455 permet d'identifier comme le jargon de la Coquille. Difficile et controversée, l'interprétation du texte a été soumise récemment aux méthodes de la linguistique structurale et a permis d'avancer une hypothèse hardie, susceptible, si elle se vérifie, d'apporter à l'étude du *Testament* un éclairage nouveau (P. Guiraud, *le Jargon de Villon ou le Gai Savoir de la Coquille*). Quoi qu'il en soit, les *Ballades* confirment l'appartenance de V. à l'organisation de la Coquille. En 1461, on trouve le poète enfermé dans un cachot de l'évêque d'Orléans, à Meung-sur-Loire, pour quelque méfait. Il ne doit alors sa liberté qu'à l'intervention de Louis XI passant par cette ville au moment de son accession au trône. V. gagne ensuite les environs de Paris, mettant la dernière main à son œuvre maîtresse, le *Testament,* au cours de l'hiver 1461-62. À Paris, c'est de nouveau l'emprisonnement pour vol, la relaxe, puis la prison encore à la suite d'une rixe, le supplice de la question et finalement la sentence du Châtelet, qui le condamne à être « pendu et estranglé ». Perspective de mort ignominieuse qui est à l'origine de l'épitaphe dite *Ballade des pendus* (1463), cri d'angoisse et de profonde détresse. La sentence annulée, la peine est commuée en un bannissement de dix ans hors de Paris, et l'on perd dès lors toute trace du poète.

En dehors des *Poésies diverses,* de valeur inégale, sur des sujets variés, et dont la composition s'échelonne de 1457 environ à 1463, l'œuvre de V. est uniquement constituée par les *Testaments* et obscurcie par quantité d'allusions à des personnages ou à des faits de son temps qui demeurent inconnus. Le *Lais* utilise pour ses 320 vers (quarante huitains d'octosyllabes) le genre médiéval du *congé :* V. quittant Paris fait à ses amis et ennemis des legs imaginaires, généralement bouffons. Il parodie ironiquement le didactisme traditionnel, le langage amoureux courtois, le vocabulaire scolastique. Le *Testament,* qui comprend 2 023 vers (186 huitains et 535 vers en ballades et rondeaux), amplifie le thème du *Lais.* Tout en léguant à sa famille et à ses amis ce qu'il possède, V. pleure jeunesse perdue et erreurs passées, évoque mélancoliquement la brièveté de la vie, la faiblesse et la détresse de l'homme, la vanité de toutes choses ; il prie la Vierge avec une foi ardente et naïve, exprime remords et repentir et médite sur la mort qui rôde, redoutable, obsédante, omniprésente, avec son cortège de douleurs et de hideurs, avant de s'abattre impitoyablement sur chaque être. Piété et sensualité, fraîcheur et candeur en dépit du mal et du vice, tragique humain, violence parodique et satirique ou humour macabre et joyeusetés souvent obscènes se retrouvent chez V., intensément partagé, dans ce pathétique ou sarcastique débat, entre le réalisme et l'idéalisme hérités de la tradition médiévale. Rien n'est convention dans cet art que transcendent la présence humaine et la personnalité puissante du poète. Maître du verbe, avec sa langue drue, vivante, pleine d'une sève généreuse et populaire, V. sait aussi se faire grâce fragile, pieuse et douce mélodie. Maître du rythme, qu'il manie avec une souple aisance, il adapte heureusement l'harmonie du vers et les sonorités aux mouvements de la pensée. Réaliste, parfois avec brutalité, son lyrisme a la grandeur de l'authentique et du vécu. Les *Œuvres* de V. sont publiées pour la première fois en 1489. Marot en donnera en 1533 une édition revue et complétée.

Œuvres. *Le Lais ou Petit Testament,* 1456 (P). – *Le Testament,* 1461-1462 (P). – *Ballade des pendus,* 1463 (P). – *Œuvres* (édition princeps), posth., 1489 (P). – *Œuvres complètes,* posth., 1533 (P).

VILMORIN Louise Lévêque de. Verrières-le-Buisson (Essonne) 4.4.1902 – 26.12.1969. Elle passe une enfance heureuse et choyée, entourée de ses quatre frères et d'une sœur, dans le domaine familial de Verrières-le-Buisson, près de Paris. De santé fragile, elle ne sera pas astreinte à une discipline scolaire et ne fera que des études limitées. Jeune fille qui aime plaire, elle se fiancera plusieurs fois, ébauchera même une idylle avec Saint-Exupéry et épousera un Américain, H. Keigh Hunt, qui l'emmènera aux États-

Unis. Elle en aura trois filles, mais, déçue par l'absence presque constante d'un mari retenu à l'étranger par ses affaires, elle divorce et rentre en Europe. Peu après, elle épousera le comte Palffy et passera ses meilleures années en Hongrie et en Autriche. Divorcée de nouveau, elle rentre en France, partageant son temps entre l'Autriche, l'Alsace et le domaine de Verrières, où elle reçoit artistes et écrivains avec qui elle est liée d'amitié : au premier rang d'entre eux figure André Malraux. C'est en Amérique qu'elle a commencé à écrire, pour tromper son ennui, « parler et plaire à ceux qui sont loin d'elle ». Le succès remporté par son premier roman, *Sainte Unefois,* qui lui vaut les éloges enthousiastes de Cocteau, l'amène à se vouer à une carrière littéraire à laquelle rien ne la préparait. Elle sera l'auteur de romans et nouvelles d'une grâce fine et élégante, légèrement ironiques et très vivants, aux personnages brossés en traits rapides et précis, souvent pleins de fantaisie mais aussi de profondeur ; on retiendra particulièrement *Madame de...* et *Julietta.* On lui doit aussi quelques recueils de poésie, dont le curieux *Alphabet des aveux,* très proche des jeux surréalistes. Elle a reçu en 1955 le grand prix littéraire de Monaco.

Œuvres. *Sainte Unefois,* 1934 (N). – *La Fin des Villavide,* 1937 (N). – *Fiançailles pour rire,* 1939 (P). – *Le Lit à colonnes,* 1941 (N). – *Le Sable du sablier,* 1945 (P). – *Le Retour d'Érica,* 1946 (N). – *Julietta,* 1951 (N). – *Madame de...,* 1951 (N). – *Les Belles Amours,* 1954 (N). – *L'Alphabet des aveux,* 1955 (P). – *Histoire d'aimer,* 1956 (N). – *La Lettre dans un taxi,* 1958 (N). – *Migraine,* 1959 (N). – *Le Violon,* 1960 (N). – *L'Heure Maliciôse,* 1967 (N). – *Carnets,* 1970. – *Le Lutin sauvage,* 1970 (N). – *Poèmes,* 1970. – *Solitude, ô mon éléphant,* posth., 1972 (P).

VINCENT DE BEAUVAIS. Beauvais 1190 – 1264 ? Compilateur français d'expression latine. Il était, à l'abbaye de Royaumont, lecteur de Saint Louis, ce qui lui donna l'occasion d'acquérir une vaste culture encyclopédique. Sa vie de cénobite le fit considérer comme un saint par ses contemporains. Son *Grand Miroir (Speculum majus),* qui comprend le *Miroir naturel* (trente-deux livres), *le Miroir doctrinal* (dix-sept livres), le *Miroir moral* (trois livres), dont l'authenticité n'est pas assurée, et le *Miroir historial* (trente et un livres), fut regardé à juste titre comme une véritable encyclopédie de la culture de cette époque et valut à son auteur une réputation qui dura plusieurs siècles.

Œuvres. *Speculum majus* (écrit vers 1244, comprend : *Speculum naturale, Speculum doctrinale, Speculum historiale,* complété par un *Speculum morale,* d'un autre auteur, 10 vol.), posth., 1473-1476.

VITRAC Roger. Pinsac (Lot) 17.11.1899 – Paris 22.1.1952. Un temps dadaïste, puis, à partir de 1922, membre du groupe surréaliste, dont il est mis à l'écart en 1925 et dont il fut exclu en 1930, il donne deux remarquables recueils poétiques *(Cruautés de la nuit* et *Connaissance de la mort),* puis fait sa carrière au théâtre, travaillant notamment avec Artaud, avec qui il a fondé en 1926 le théâtre Alfred-Jarry. Le but visé par les deux amis, auxquels s'est joint l'essayiste et historien Robert Aron, est de « créer un théâtre qui se développera dans le sens d'une entière liberté et qui (s'efforcera) de satisfaire aux exigences les plus extrêmes de l'imagination et de l'esprit... » Les promoteurs de cette tentative de révolution théâtrale (qui ne pourront, au reste, monter que quatre spectacles) cherchent à établir « un libre-échange entre la scène et la salle » et à bannir « l'imitation des faits et gestes de la vie courante... au profit de la liberté sans bornes du rêve et de l'esprit ». À l'époque, V. est déjà l'auteur de plusieurs pièces, dans lesquelles il s'ingénie à utiliser des formules neuves : *Mademoiselle Piège,* « poème conversation » ; *Poison,* drame sans paroles, avec ombres chinoises ; *Entrée libre,* premier essai de théâtre entièrement surréaliste. Il va désormais écrire des pièces de genres très différents : comédie ironique *(les Mystères de l'amour) ;* satire corrosive de la bourgeoisie, soit dans un registre nettement surréaliste *(Victor ou les Enfants au pouvoir),* soit sur un mode plus proche du théâtre de boulevard *(le Coup de Trafalgar ; le Loup-garou ; le Sabre de mon père) ;* drame psychologique enfin *(les Demoiselles du large).* Avec *les Mystères de l'amour,* première pièce représentée par le théâtre Alfred-Jarry et peut-être la plus surréaliste de ses œuvres, V. se livre à une observation approfondie des tensions internes du couple en utilisant les trouvailles de l'écriture automatique et une mise en scène insolite. Il met aussi constamment en cause le spectateur, en portant la scène dans la salle. *Victor ou les Enfants au pouvoir* ouvre la voie à un nouveau théâtre, avec les personnages types de la Bonne et du Général, des épisodes d'une liberté échevelée, la folie surréelle des monologues intérieurs du héros, un constant passage du cocasse à l'horrible, la logique absurde des clichés et des lieux communs, la véhémence du langage et la violence du jeu scénique. *Le Coup de Trafalgar,* que d'aucuns considèrent comme le chef-d'œuvre de V., observe et enregistre la vie des locataires d'une maison modeste entre 1914 et 1921. *Le Camelot* peint avec verve, sous forme de parodie, le monde du journalisme, de la politique et de la finance pendant les années folles, et, dans *les Demoiselles du large,* « l'amour revêt l'aspect d'un conflit entre des êtres qui agissent obscurément et leurs propres victimes... ». V. a ainsi exploré nombre de voies où s'engagera le théâtre contemporain, d'Anouilh à Ionesco. Dès 1938, V. s'était lié d'amitié avec Anouilh, qui lui dédia *la Valse des toréadors* et qui, en 1962, en mettant en scène *Victor,* assurera au chef-d'œuvre de V. le succès qui lui avait manqué trente-quatre ans auparavant : éclatante démonstration du caractère prophétique des intuitions verbales et scéniques de V. Car, au-delà des thèmes et des sujets, c'est en tant que créateur d'un nouveau langage scénique que V. apparaît comme le grand initiateur, dès les années trente, du théâtre contemporain.

Œuvres. *Le Faune noir,* 1922 (P). – *Le Peintre,* 1922 (T). – *Entrée libre,* 1922 (T). – *Cruautés de la nuit,* 1927 (P). – *Connaissance de la mort,* 1927 (P). – *Humoristiques,* 1927 (P). – *Les Mystères de l'amour,* 1927 (T). – *Georges de Chirico,* 1927 (E). – *Victor ou les Enfants au pouvoir,* 1928 (T). – *L'Éphémère,* 1929 (T). – *Jacques Lipchitz,* 1929 (E). – *Le Coup de Trafalgar,* 1934 (T). – *Le Camelot,* 1936 (T). – *Les Demoiselles du large,* 1938 (T). – *Le Loup-garou,* 1939 (T). – *Théâtre* (1, 1946 ; 2, 1948). – *Le Sabre de mon père,* 1951 (T). – Théâtre (3, avec : *le Peintre, Mademoiselle Piège, Entrée libre, Poison, l'Éphémère, la Bagarre, Médor*), posth., 1964. – *Théâtre* (4, avec : *Croisière oubliée, le Sabre de mon père, le Condamné*), posth., 1964. – *Dés-Lyre,* posth., 1964 (P). – *Le Voyage oublié* (nouvelles) ; avec J.-P. Han, *R. Vitrac et le théâtre surréaliste,* posth., 1974.

Victor ou les Enfants au pouvoir

Victor, neuf ans et 1,80 mètre, et « terriblement intelligent ». Autour de lui, le monde familial, adultes qui parlent comme doivent parler de vrais adultes dans un milieu bourgeois. Victor, lui, parle *naturellement,* comme si ce monde et ce milieu n'existaient pas : il suffit que soient mis en présence ces deux langages pour qu'éclate l'absurdité du langage conventionnel.

Le Coup de Trafalgar

Les locataires de l'immeuble se retrouvent tantôt chez la concierge, tantôt chez l'un d'eux, Letourneur, tantôt à la cave pendant un des bombardements de Paris en 1918. Leurs propos sont simplement enregistrés, et cela suffit à en faire des fantoches sans consistance. Voici qu'on découvre dans une cave le nommé Anglade, qui a déserté parce que, dit-il, « cette guerre ne m'intéresse pas ». D'ailleurs, il veut se réserver pour l'autre, « celle qui décidera de tout », et, se muant en prophète mi-burlesque, mi-apocalyptique, il se met à décrire cette future guerre parfaite, sans bruit ni explosions ni sang : on sent que la pièce est faite pour produire ce cauchemar de destruction parfaite sur fond de médiocrité et d'insignifiance.

VITRY Philippe de. Vitry 31.10.1291 – Meaux 9.6.1361. Il entra de bonne heure au service du roi Charles VI. Il fit simultanément une carrière d'homme de Cour et d'homme d'Église, avec la protection de Philippe VI et surtout celle de son fils, Jean de Normandie, qui lui fit obtenir le siège épiscopal de Meaux. La variété des dons de V. lui attira l'admiration de Pétrarque, dont il fut l'ami et le correspondant. Philosophe, mathématicien, érudit, poète, musicien, V. est surtout connu par le *Dit de Franc-Gontier* (trente-deux vers), qui célèbre la vie champêtre. On peut encore lui attribuer *la Chapel des trois fleurs,* où sont énumérées les qualités qui permettent au chevalier de triompher en Terre sainte, quelques écrits satiriques, des motets et une ballade. V. prend place parmi les premiers poètes à forme fixe, avant même Guillaume de Machaut, qui les mettra en vedette. La musique qui accompagne les motets de V. semble avoir bouleversé l'art musical de cette époque, mais aucune partition n'a été conservée pour en établir la preuve. Si l'on en croit l'*Ars nova,* traité d'art musical dont il est l'auteur, V. est le véritable fondateur d'un « nouvel art » polyphonique français. Ce document est le seul que nous possédions sur l'évolution de la musique du XIVe s.

VIVIEN Renée, Pauline Mary Tarn, dite. Londres 8.6.1877 – Paris 18.11.1909. Poétesse française d'origine anglo-américaine. Elle mena une vie désordonnée et réprouvée, et sa traduction des poèmes lyriques de Sappho (1903) ne fit qu'aggraver le scandale causé par ses mœurs homosexuelles. Comme poétesse, elle mit en œuvre dans ses propres recueils, toujours fidèles à une forme très traditionnelle, un mysticisme vague où l'on peut voir un reflet affadi du sensualisme baudelairien.

Œuvres. *Études et préludes,* 1901, rééd. 1976 (P). – *Cendres et poussières,* 1902, rééd. 1977 (P). – *Brumes de fjords* (poèmes en prose), 1902. – *Évocations,* 1903 (P). – *Du vert au violet* (poèmes en prose), 1903. – Traduction de Sappho, 1903 (P). – *Les Kitharèdes* (poèmes traduits du grec), 1904. – *Une femme m'apparut,* 1904, rééd. 1977 (N). – *La Dame à la louve,* 1904, rééd. 1977 (P). – *À l'heure des mains jointes,* 1906 (P). – *Les Flambeaux éteints,* 1907 (P). – *Dans un coin de violettes,* posth., 1909 (P). – *Le Vent des vaisseaux,* posth., 1909 (P). – *Haillons,* posth., 1910 (P). – *Vagabondages* (poèmes en prose), posth., 1917. – *Poésies complètes,* posth., 1923-1924.

VOITURE Vincent. Amiens 1597 – Paris 26.5.1648. Fils d'un riche négociant, V. fit d'excellentes études, qui devaient lui ouvrir les carrières juridiques, mais il préféra s'attacher à Gaston d'Orléans, dont il accompagna la vie mouvementée ; c'est ainsi qu'il connut l'exil, les armes, la diplomatie. Mais ce courtisan-né ne se vit pourtant jamais interdire l'accès de Paris, où il faisait fureur dans les salons. Ce fut avant tout un mondain, pour qui la littérature n'était qu'un passe-temps, et qui ne voulut jamais laisser publier ses œuvres de son vivant. La vogue inouïe qu'il connut s'explique par son extrême virtuosité dans les genres poétiques mineurs et dans l'épître. La *Lettre de la carpe au brochet* ou le *Sonnet d'Uranie* (que l'on opposa plus tard au *Sonnet de Job* de Benserade lors de la fameuse querelle des Sonnets) sont bien représentatifs de son appartenance à la Préciosité et de sa poésie, faite de recherche, de maniérisme et de galanterie ; il ne faut d'ailleurs pas négliger l'influence qu'exercèrent sur lui les écoles italienne et espagnole et le roman médiéval français. Surtout, c'est lui qui apprit aux habitués de l'hôtel de Rambouillet le beau langage et les belles manières ; il prépara par là les milieux aristocratiques au goût de la perfection littéraire. Il fit partie des premiers académiciens (1634).

Œuvres. *Lettre sur la prise de Corbie,* 1636. – *Lettre de la carpe au brochet,* nov. 1643. – *Épître à Monseigneur le Prince sur son retour d'Allemagne,* 1645-1648. – *Sonnet d'Uranie,* 1649 (P). – *Poésies de M. de Voiture,* posth., 1650. – *Lettres de Voiture,* posth., 1729. – *Lettres,* éd. établie par Ubicini, 1855. – *Poésies* (2 vol.), éd. établie par H. Lafay, 1971.

VOLNEY, Constantin François de Chassebœuf, comte de. Craon (Mayenne) 3.2.1757 – Paris 25.4.1820. Après avoir interrompu de brillantes études de médecine, il se lança dans divers travaux d'érudition, qui occupèrent l'essentiel de sa vie. Député du tiers état en 1789, il fut incarcéré en 1793 pour royalisme. Sauvé par le 9-Thermidor, il fut nommé professeur d'histoire à l'École normale supérieure et figura parmi les hommes de lettres que tolérait Napoléon. La plupart de ses ouvrages se signalent par leur précision et par l'effort qu'ils représentent pour instaurer une méthode scientifique de critique historique *(Voyage en Égypte et en Syrie ; la Loi naturelle ; Tableau du climat et du sol des États-Unis d'Amérique* et *Recherches nouvelles sur l'histoire ancienne).* Son livre le plus célèbre n'annonce guère le romantisme que par son titre *(les Ruines ou Méditations sur les révolutions des empires).* Acad. fr. 1795.

Œuvres. *Voyage en Égypte et en Syrie,* 1787 (E). – *La Sentinelle du peuple, aux gens de toute profession, sciences, arts, commerce et métiers, composant le tiers état de la province de Bretagne, par un propriétaire de ladite province* (5 pamphlets parus du 10 novembre au 25 décembre 1788). – *Considérations sur la guerre des Turcs avec les Russes,* 1788 (E). – *Mémoire sur la chronologie des douze siècles antérieurs à Xerxès,* 1790 (E). – *Les Ruines ou Méditations sur les révolutions des empires,* 1791 (E). – *Précis de l'état de la Corse,* 1793 (E). – *Loi naturelle ou Catéchisme du citoyen français,* 1793 (E). – *Simplification des langues orientales ou Méthode nouvelle et facile d'apprendre les langues arabe, persane et turque avec des caractères européens,* 1795 (E). – *Leçons d'histoire professées à l'École normale,* 1799. – *Tableau du climat et du sol des États-Unis,* 1803 (E). – *Rapport sur les « Vocabulaires comparés des peuples de toute la terre », du professeur russe Pallas,* 1805 (E). – *Supplément à l'« Hérodote » de Larcher,* 1808 (E). – *Chronologie d'Hérodote,* 1809 (E). – *Recherches nouvelles sur l'histoire ancienne,* 1814 (E).

VOLTAIRE, François Marie Arouet, dit. Paris 21.11.1694 – 30.5.1778. Après de bonnes études classiques chez les jésuites, au collège de Clermont (aujourd'hui lycée Louis-le-Grand), ce fils de notaire est introduit au Temple par son parrain, l'abbé de Châteauneuf, ce qui le conduit à troquer ses études de droit contre la vie d'un libertin spirituel. De plume tôt agile, il lance satire sur satire, doit s'exiler en province, se fait embastiller par le Régent, contre qui il a écrit une épigramme en latin. Il met à profit ses onze mois de séjour en prison (1717-1718) pour compléter ses lectures. Le succès, dès sa sortie, de sa tragédie *Œdipe* rend célèbre le nom anagrammatique qu'il s'est choisi. Héritages, pensions, faveurs, succès de poète *(la Ligue)* le comblent ; mais, derechef envoyé à la Bastille pour avoir insulté le chevalier de Rohan, il est autorisé à s'exiler en Angleterre (1726-1729). Le spectacle de la civilisation de ce pays portera longuement ses fruits dans son œuvre. Il publie *la Henriade,* remaniement de *la Ligue,* avant de rentrer en France, où il retrouve le succès avec les tragédies *Brutus, Zaïre, Adélaïde du Guesclin.* Mais la publication, clandestine, de l'*Histoire de Charles XII,* puis, avouée, du *Temple du goût* et surtout des *Lettres philosophiques* ou *Lettres anglaises,* qui portent des jugements sévères sur le régime monarchique français, le contraint à l'exil en Lorraine : de 1734 à 1744, il réside à Cirey, chez Mme du Châtelet, et travaille d'arrache-pied *(la Mort de César ; le Mondain ; Discours sur l'homme ; Mahomet ; Mérope).* Nostalgique de Paris, où il se rend quelquefois, il entretient une énorme correspondance et conserve l'habitude du pamphlet, volontiers grossier et injurieux. Un bref retour à Paris (1744-1746) marque pour lui le sommet et la fin de sa carrière de courtisan : l'amertume de cet échec transparaît dans le conte *Zadig* (1747). Revenu à Cirey, il se voit en 1749 « veuf » de Mme du Châtelet et part calmer son désarroi en Prusse, chez son disciple le roi Frédéric II (1750-1753). Il publie à Berlin *le Siècle de Louis XIV* et écrit *Micromégas,* mais l'harmonie intellectuelle entre les deux hommes est fragile, et les jugements de V. sur le despotisme éclairé se nuancent au contact de la réalité d'un pouvoir souvent tracassier. N'osant rentrer en France, il s'installe, après un passage en Alsace, dans la propriété des Délices, près de Genève (1755) ; en 1760, il se fixera tout près de là, mais en France, à Ferney. La province ne modifie pas le rythme de sa vie, beaucoup moins rustique qu'artificiellement marquée d'esprit parisien ; son rythme productif ne faiblit pas : théâtre *(l'Orphelin de la Chine),* philosophie *(Poème sur le désastre de Lisbonne ; Essai sur les mœurs),* pamphlets contre les ennemis de l'*Encyclopédie* (Fréron, Pompignan, les jésuites de Trévoux), contes et romans *(Candide).* En correspondance avec l'Europe entière, le « patriarche de Ferney » accueille mille invités, écrit sur Corneille *(Commentaire),* joue ses propres pièces sur son théâtre, lutte contre l'intolérance (affaire Calas, 1761-1765), lance dans le combat philosophique des romans *(l'Ingénu),* des pamphlets et dialogues, publie le *Dictionnaire philosophique* (1764) et trouve encore le temps de gouverner son village, dont il modernise résolument l'économie. Il revient mourir à Paris, après avoir vu couronner son propre buste sur la scène du Français à l'issue de la création d'*Irène,* sa dernière tragédie.

On ne peut qu'esquisser cette vie débordante ; de même doit-on schématiser la présentation intellectuelle de l'infatigable polémiste que fut V. Hostile aux spéculations de la métaphysique et partisan d'une attitude plus modeste, celle du doute, il est déiste : son culte d'un Être suprême est plus une morale qu'une foi, et sa non-croyance en la Providence divine fut le point de départ de sa polémique puis de sa rupture avec Rousseau. L'idéal voltairien est fondé sur la tolérance, qui n'est pas indulgence – car les ennemis de V. n'ont jamais été traités avec douceur – mais tentative d'humilité. Partisan théorique du libéralisme politique, V. combat plus largement pour une *civilisation* faite de paix d'abord, de liberté de conscience, enfin de bien-être physique et économique. Ses propres manquements à ces principes n'en altèrent pas la permanence à travers son œuvre. Si les *Lettres philosophiques* et, trente ans plus tard, le *Dictionnaire* définissent la plupart des idées voltairiennes sur la liberté, la politique, la religion et la littérature, la partie la plus lue de son œuvre reste celle qui réunit ses romans et ses contes : *Candide,* considéré comme son chef-d'œuvre, dispense, sous le couvert d'une aventure vivement narrée, une leçon de scepticisme, égratigne au passage les ennemis idéologiques, aborde sans didactisme mille thèmes qui sont autant de thèses. Le divertissement du style et l'ironie du ton cherchent à faire du lecteur un complice plus qu'un juge. Parmi les autres départements de l'œuvre, il faut souligner l'apport de V. en histoire : *le Siècle de Louis XIV* et l'*Essai sur les mœurs et l'esprit des nations...* s'appuient sur une vraie documentation et considèrent leur sujet d'un point de vue critique ; même si des partis pris idéologiques affaiblissent leur valeur, le soin apporté à leur présentation rend leur lecture souvent passionnante, et l'œuvre historique de V. reste une étape primordiale vers l'histoire des civilisations dont le XIXe s. verra s'affirmer l'essor. La querelle avec Rousseau suit la courbe même des idées voltairiennes sur la destinée, plus pessimistes avec le temps, même lorsque la lutte effective du philosophe contre l'intolérance fut couronnée de succès. Enfin le poète, fort prisé en son temps, ne nous paraît plus, dans ses tragédies, qu'un fade nostalgique de l'art racinien, et, dans ses vers, qu'un faiseur seulement plus brillant que les autres. Le prestige et la limite de V. sont peut-être, en tout domaine, cette magique aisance dans le maniement de la langue : une charge injuste, une pochade, une pièce fanée, un conte où l'univers est mis en jeu, le sérieux d'un traité ou d'une plaidoirie, tout est revêtu de la même lumière. Si beaucoup contestent l'œuvre, c'est que V. fut toute sa vie un écrivain de combat : ce n'est pas le chemin le plus sûr de la considération universelle. Retenons du moins l'épistolier, car c'est peut-être le meilleur de lui-même qu'il nous laisse dans ses lettres. Acad. fr. 1746.

Œuvres. *Ode sur les malheurs du temps,* 1713 (P). – *Le Vœu de Louis XIII,* 1714 (P). – *Œdipe,* 1718 (T). – *Artémire,* 1720 (T). – *Le Pour et le Contre,* 1722 (P). – *Essai sur les guerres civiles,* 1723 (E). – *Poème de la Ligue ou Henri le Grand,* 1723 (P). – *Marianne,* 1724 (T). – *L'Indiscret,* 1725 (T). – *La Henriade,* 1728 (T). – *Le Dîner du comte de Boulainvilliers, par M. de Saint-Hyacinthe,* 1728 (N). – *Brutus,* 1730 (T). – *La Mort de Mlle Lecouvreur,* 1730 (P). – *Histoire de Charles XII,* 1731 (N). – *Zaïre,* 1732 (T). – *Ériphyle,* 1732 (T). – *Le Temple du goût,* 1733 (P). – *Épître à Uranie,* 1733. – *Samson* (opéra), 1733 (T). – *24 Lettres anglaises* (en anglais), août 1733 (E). – *Lettres sur les Anglais ou Lettres anglaises,* 1734 (E). – *Adélaïde du Guesclin,* 1734 (T). – *La Mort de César,* 1735 (T). – *L'Enfant prodigue,* 1736 (T). – *Alzire ou les Américains,* 1736 (T). – *Le Mondain ou l'Apologie du luxe,* 1736 (P). – *Épître à Mme du Châtelet sur la calomnie,* 1736 (E). – *Lettres philosophiques* (nouvelle édition augmentée des *Lettres anglaises*), 1737 (E). – *Discours en vers sur l'homme,* 1738 (E). – *Éléments de la philosophie de Newton mis à la portée de tout le monde,* 1738 (E). – *L'Envieux,* 1738 (T). – *Essai sur le siècle de Louis XIV,* 1739 (E). – *Vie de Molière,* 1739 (E). – *Réponse à toutes les objections faites en France contre la philosophie de Newton,* 1739 (E). – *Pièces fugitives en vers et en prose,* 1739. – *Métaphysique de Newton ou Parallèle des sentiments de Newton et de Leibniz,* 1740 (E). – *Zulime,* 1740 (T). – *Panégyrique de Saint Louis..., par M. l'abbé d'Arty,* 1740 (E). – *Le Fanatisme ou Mahomet le Prophète,* 1741 (T). – *Les Vous et les Tu* (épître écrite en 1729), 1741. – *Mérope,* 1743 (T). – *La Princesse de Navarre* (ballet), 1745 (T). – *La Bataille de Fontenoy,* 1745 (P). – *Le Temple de la gloire* (opéra), 1745 (T). – *Memnon ou la Sagesse humaine,* 1747 (N). – *Le Monde comme il va : vision de Babouc écrite par lui-même,* 1748 (N). – *Sémiramis,* 1748 (T). – *Zadig ou la Destinée, histoire orientale* (paru d'abord sous le titre : *Memnon, histoire orientale*), 1748 (N). – *Pandore* (opéra), 1748 (T). – *Panégyrique de Louis XV,* 1748. – *Éloge funèbre des officiers qui sont morts dans la guerre de 1741,* 1749. – *Nanine ou le Préjugé vaincu,* 1749 (T). – *Oreste,* 1750 (T). – *Bababac et les fakirs* (publié sous le titre : *Lettre d'un Turc*), 1750 (N). – *Le Siècle de Louis XIV (publié par M. de Francheville, conseiller aulique de Sa Majesté et membre de l'Académie royale des sciences et belles-lettres de Prusse),* 1751 (E). – *Histoire de la guerre de 1741,* 1749-1752. – *Dialogues entre Mme de Maintenon et Mlle de Lenclos,* 1751. – *Dialogue entre Marc Aurèle et un récollet,* 1751. – *Dialogue entre un philosophe et un contrôleur des finances,* 1751. – *Micromégas,* 1752 (N). – *Abrégé de l'histoire universelle,* 1753 (E). – *Annales de l'Empire,* 1753 (E). – *Diatribe du docteur Akakia,* 1753 (N). – *Supplément au « Siècle de Louis XIV »,* 1753 (E). – *La Pucelle d'Orléans* (poème héroïque), 1755 (P). – *L'Orphelin de la Chine,* 1755 (T). – *Histoire des voyages de Scarmentado, écrite par lui-même* (écrite en 1747), 1756 (N). – *Les Deux Consoles,* 1756 (N). – *Le Songe de Platon,* 1756 (N). – *Poème sur le désastre de Lisbonne,* 1756 (P). – *Discours sur la religion naturelle,* 1756 (P). – *Dialogue entre Lucrèce et Posidonius,* 1756. – *Dialogue entre un brahmane et un jésuite sur la nécessité de l'enchaînement des causes,* 1756. – *Essai sur les mœurs et l'esprit des nations et sur les principaux faits de l'histoire depuis Charlemagne jusqu'à Louis XIII,* 7 vol., 1756 (E). – *Le Pauvre Diable* (satire), 1758 (P). – *Candide ou l'Optimisme,* 1759 (N). – *Tancrède,* 1759 (T). – *Relation de la maladie du jésuite Berthier,* 1759 (E). – *Le Café ou l'Écossaise,* 1760 (T). – *La Vanité* (satire), 1760. – *Les Quand,* 1760 (P). – *Mélanges de littérature, d'histoire, de philosophie,* 1761 (E). – *Le Roi de Boutan ou Jusqu'à quel point doit-on tromper le peuple ?* 1761 (N). – *Histoire d'un bon gamin,* 1761 (N). – *Discours sur les Cinquante,* 1762 (E). – *L'A.B.C. (dialogue traduit de l'anglais, de M. Huet),* 1762 (E). – *Le Testament de Jean Meslier,* 1762. – *Histoire de l'empire de Russie sous Pierre le Grand,* 1759-1763. – *La Philosophie de l'histoire,* 1763 (E). – *Traité sur la tolérance,* 1763 (E). – *Saül,* 1763 (T). – *Commentaire sur le théâtre de Pierre Corneille,* 1764 (E). – *L'Évangile de la raison,* 1764 (E). – *Dictionnaire philosophique ou la Raison par alphabet* (intitulé ensuite *Dictionnaire philosophique portatif*), 1764. – *Le Sentiment des citoyens,* 1764 (E). – *Olympie Mars,* 1764 (T). – *Le Triumvirat,* 1764 (T). – *Contes de Guillaume Vadé,* 1764 (N). – *Ce qui plaît aux* *dames,* 1764 (N). – *Azolan,* 1764 (N). – *Jeannot et Colin,* 1764 (N). – *Le Blanc et le Noir,* 1764 (N). – *De l'horrible danger de la lecture,* 1765 (E). – *La Philosophie de l'histoire, par feu l'abbé Bazin,* 1765 (E). – *Questions sur les miracles,* 1765 (E). – *Dialogue du chapon et de la poularde,* 1765 (N). – *Pensées philosophiques de M. de Voltaire,* 1766 (E). – *Avis au public sur les parricides imputés aux Calas et aux Sirven,* 1766. – *Aventure indienne,* 1766 (N). – *Les Questions de Zapata, traduites par le sieur Tamponet, docteur en Sorbonne,* 1766 (E). – *L'Examen important de Milord Bolinbroke, écrit sur la fin de 1731,* 1767 (E). – *L'Ingénu, histoire véritable, tirée des manuscrits du père Quesnel,* 1767 (N). – *La Guerre civile de Genève ou les Amours de Robert Codelle* (poème héroïque), 1767 (P). – *L'Homme aux quarante écus,* 1767 (N). – *La Défense de mon oncle,* 1767 (E). – *Honnêtetés littéraires* (pamphlet), 1767. – *Précis du siècle de Louis XV,* 1768 (E). – *Les Trois Empereurs en Sorbonne, par M. l'abbé Caille,* 1768 (P). – *La Princesse de Babylone,* 1768 (N). – *Le Recueil nécessaire,* 1768 (E). – *Histoire du parlement de Paris, par M. l'abbé Big,* 1769 (E). – *Dieu et les hommes, par le docteur Oben,* 1769 (E). – *Épître à Boileau,* 1769 (P). – *La Canonisation de saint Cucufin,* 1769 (N). – *La Confiance perdue* (fable turque), 1769 (N). – *Le Serpent mangeur de Kaïmack,* 1769 (N). – *Les Choses subtiles et agréables,* 3 vol., 1769-1770 (N). – *Les Guèbres,* 1769 (T). – *Lettres d'Ameled..., traduites par l'abbé Tamponet,* 1769 (N). – *L'Équivoque,* pamphlet, 1771. – *Épître à Horace,* 1772 (P). – *Les Systèmes,* 1772 (P). – *La Bégueule* (conte moral en vers), 1772 (N). – *Jean qui pleure et Jean qui rit* (conte en vers), 1772 (N). – *Les Lois de Minos,* suivi de : *les Cabales,* 1772 (T). – *Questions sur l'« Encyclopédie »* (9 vol.) 1770-1772. – *Fragments historiques sur l'Inde,* 1773 (E). – *Le Crocheteur borgne,* 1774 (N). – *Le Taureau blanc,* 1774 (N). – *Dialogue de Pégase et du Vieillard,* 1774 (N). – *Nouveaux Mélanges philosophiques* (19 volumes), 1765-1775. – *Le Cri du sang innocent,* 1775 (E). – *Aventure de la mémoire,* 1775 (N). – *Les Aveugles, juges des couleurs,* 1775 (N). – *Le Dimanche ou les Filles de Minée* (conte en vers), 1775 (N). – *Éloge historique de la raison,* 1775 (N). – *Don Phèdre,* 1775 (T). – *Histoire de Jenni ou le Sage et l'Athée, par M. Sherloc, traduit par M. de La Caille,* 1775 (N). – *Les Oreilles du comte de Chesterfield et le chapelain Goudman,* 1775 (N). – *La Bible enfin expliquée* (pamphlet), 1776 (E). – *Dialogues d'Évhémère,* 1777 (N). – *Commentaire sur « l'Esprit des lois »,* 1778 (E). – *Irène,* 1778 (T). – *L'Évangile du jour* (recueil, 18 vol.), 1769 ; posth., 1780. – *Mémoires de M. de Voltaire écrits par lui-même,* posth., 1784. – *Correspondance,* 1re éd., posth., 1784-1790 ; éd. compl., posth., 1953 et suivantes.

Zaïre

Influencé par le Shakespeare d'*Othello* – car il s'agit d'une tragédie de la jalousie aggravée par une tragédie « raciale » et religieuse –, V., fidèle d'autre part à la tradition classique, noue la situation dès le début de l'acte I : Zaïre, fille de chrétien – elle n'est cependant pas baptisée –, est captive d'Orosmane, « soudan » de Jérusalem, qu'elle aime et qui l'aime. Arrive un chevalier français, Nérestan, qui apporte une rançon en échange de Zaïre et de dix chevaliers français. Orosmane se montre généreux en accordant la libération de cent chrétiens, mais il refuse celle de Zaïre, qu'il se propose d'épouser, et aussi celle de Lusignan, parce que celui-ci est de sang royal. À l'acte II, qui n'est pas sans rappeler l'*Esther* de Racine, Zaïre obtient d'Orosmane la libération de Lusignan, qui, à son tour, provoque un coup de théâtre : Lusignan reconnaît alors en Nérestan son fils, et en Zaïre sa fille ; après quoi, sans lui avouer toute la vérité, mais pour satisfaire le désir de son père, Zaïre déclare à Orosmane qu'elle veut être chrétienne. La réaction d'Orosmane ne tarde pas : il annule ses précédentes générosités. Les actes III et IV sont ceux de la crise : tout en consentant à se faire baptiser, Zaïre avoue à son frère son amour pour Orosmane, qui s'inquiète de ces relations entre les deux jeunes gens, dont il ignore qu'ils sont frère et sœur : la jalousie commence à faire son œuvre ; elle va se déchaîner au cours de l'acte IV : Zaïre, tout en confirmant à Orosmane la constance de son amour, se refuse à lui révéler son secret, ce qui ne fait qu'exacerber la jalousie de son amant, jalousie qui atteint son maximum de violence lorsque Orosmane surprend un billet de Nérestan, qui donne à Zaïre un rendez-vous secret. À l'acte V, les événements se précipitent : Zaïre se rend à ce rendez-vous ; Orosmane, furieux, la poignarde ; Nérestan révèle alors toute la vérité à Orosmane, qui, après avoir ordonné la libération de tous les chrétiens, se tue.

Le Siècle de Louis XIV

L'introduction est consacrée à la définition du propos de l'ouvrage et à un tableau général de l'Europe avant l'avènement de Louis XIV. V. aborde ensuite le récit des aspects politiques et militaires du règne, récit qui s'achève sur un tableau de l'Europe en 1715. Suit une partie de transition et, pour ainsi dire, de détente, composée avec des anecdotes et des faits divers, puisés dans des textes inédits ou fournis par des témoins : c'est la « petite histoire » du règne, l'envers du décor. Les trois parties suivantes, plus analytiques, abordent ce que V. considère comme les aspects les plus profondément significatifs du siècle de Louis XIV : 1°, l'organisation administrative, économique et financière, dont le tableau est présenté comme largement positif ; 2°, les sciences et les arts, dont la fécondité et le rayonnement révèlent l'intelligence avec laquelle le roi a su favoriser leur développement ; 3°, les affaires religieuses qui constituent le revers de la médaille, en particulier la révocation de l'édit de Nantes, ruineuse pour le pays.

Zadig

Voici un jeune homme qui appartient à la haute classe de la société babylonienne et qui se trouve, en outre, pourvu de tous les dons du corps et de l'esprit : il se nomme Zadig. Il rêve de trouver le bonheur dans l'amour, certes, mais aussi dans la science et dans le pouvoir. Deux femmes successives le désabusent de l'amour ; la science lui vaut d'être condamné ; et la puissance se révèle vaine et dangereuse : s'il parvient en effet à devenir le favori du roi et son Premier ministre, s'il gouverne sagement, voilà qu'il tombe amoureux de la reine Astarté, qui l'aime à son tour ; le secret ne peut être gardé, et la jalousie du roi contraint Zadig à s'enfuir et à quitter à la fois le pouvoir et Astarté. Il passe en Égypte, où, pour avoir sauvé une femme des coups de son amant, il est réduit en esclavage. Heureusement acheté par un riche marchand arabe, Sétoc, Zadig lui devient si précieux que son maître l'affranchit. Est-ce la fin de ses épreuves ? Envoyé pour une mission diplomatique auprès du roi de Serendib, Zadig fait preuve d'une telle sagesse que tous les sectarismes se déchaînent contre lui. Le voici à nouveau contraint à la fuite ; après diverses aventures, il pourra tout de même rentrer à Babylone, qu'il trouve en pleine révolution ; il délivre Astarté, elle aussi réduite en servitude, et participe incognito au combat singulier dont, par la volonté des Babyloniens, le vainqueur sera leur nouveau roi. Zadig est bien vainqueur mais ne peut se faire reconnaître comme tel, car on lui a volé son armure ! Il faudra l'intervention de l'ange Jesrad, rencontré sous la figure d'un ermite, pour que Zadig comprenne enfin, grâce aux paraboles que lui propose l'ange, que sont insondables, et parfois même scandaleuses, les voies de la Providence (ou du Destin ?). Tout finit bien : Zadig est tout de même reconnu, il monte sur le trône et épouse Astarté. Mais le lecteur se demande si cette heureuse fin ne relève pas plutôt de l'humour que de la logique.

Micromégas

Le nom de ce personnage venu de Sirius signifie en grec *Petitgrand,* manière de souligner la relativité des échelles de grandeur : petit par rapport à l'échelle cosmique, Micromégas est immense par rapport à l'échelle terrestre. Au cours de son voyage intersidéral, il rencontre un habitant de Saturne, le prend pour compagnon et arrive avec lui sur la Terre. Les deux cosmonautes de Sirius et de Saturne entrent en relation avec les hommes – minuscules à leurs yeux – et, devant leur invraisemblable prétention (surtout philosophique et métaphysique), tentent de leur faire comprendre la relativité des choses et des idées. Toutefois Micromégas et son compagnon sont bien obligés de remarquer qu'il y a au moins un point sur lequel la supériorité des hommes est évidente : la science mathématique, et ils sont alors remplis d'admiration ; car, chose curieuse, ces hommes qui sont incapables de comprendre la relativité des idées philosophiques sont en même temps parfaitement capables de se mettre d'accord pour calculer exactement les grandeurs et évaluer leurs valeurs relatives !

Candide

Un château en Westphalie ; le baron ; le fils du baron ; la fille du baron, Cunégonde ; un jeune homme élevé avec les enfants du baron, Candide ; le précepteur Pangloss, leibnizien convaincu que « tout est pour le mieux dans le meilleur des mondes possibles ». Naturellement, Candide est amoureux de Cunégonde, ce qui le fait chasser par le baron ; et le voici malgré lui lâché dans le vaste monde, où jamais il ne cessera de songer à retrouver Cunégonde (mais quand il la retrouvera, il n'y sera pour rien). En attendant, il est enrôlé de force dans l'armée bulgare et assiste aux atrocités de la guerre ; passé en Hollande, il retrouve un Pangloss en piteux état, car le château a été brûlé et tout le monde massacré. Voici Candide et Pangloss à Lisbonne au moment du fameux tremblement de terre ; pour comble, ils sont condamnés par l'Inquisition. Mais ils sont alors sauvés par l'intervention de... Cunégonde, qui a, par chance, échappé au massacre. Après avoir tué un Juif et le Grand Inquisiteur, qui voulaient s'approprier Cunégonde, Candide s'embarque avec elle pour l'Amérique. Mais l'Inquisition les poursuit : à Buenos Aires, Candide n'est plus en sûreté ; il doit se séparer de Cunégonde pour se réfugier au Paraguay, où il retrouve le frère de son amie, échappé lui aussi au massacre et devenu jésuite, qui apprend avec horreur la situation de sa sœur : Candide le tuera au cours d'une querelle. Du Paraguay, il passe alors en Eldorado, véritable paradis social et politique, où, d'ailleurs, il ne s'arrête pas longtemps. Candide repart alors pour l'Europe, avec un nouveau compagnon, le philosophe Martin, qui, lui, pense que tout est mal dans le pire des mondes possibles. Les voici à Paris, où ils ne rencontrent que des coquins ; à Londres, où ils assistent à l'exécution de l'amiral Byng ; à Venise, où se trouvent rassemblés des rois en exil ; à Constantinople, enfin, où ils retrouvent Cunégonde et Pangloss, et même le fils du baron que Candide n'avait pas vraiment tué. Certes, Cunégonde est bien vieillie et a mauvais caractère ; Candide l'épouse tout de même, et, en compagnie de Martin et de Pangloss, ils vont former une petite communauté qui se contentera de « cultiver son jardin », comme le leur conseille un vieux sage turc, qui ne s'encombre ni de politique ni de philosophie.

Dictionnaire philosophique.

On en retiendra surtout les articles de caractère critique, qu'il s'agisse de littérature et d'esthétique (« Anciens et Modernes », « Art dramatique », « Beau », « Goût », « Style »), de matières sociales et politiques (« Coutumes, », « Gouvernement », « Guerre », « Lois », « Patrie ») ou de questions religieuses (« Catéchisme », « Christianisme », « Dogmes », « Prêtres », « Prophètes »).

VRIGNY Roger. Paris 19.5.1920. Il semble avoir été, au cours de ses études puis de ses années de professorat au collège oratorien de Rocroy-Saint-Léon, à Paris, fasciné par l'adolescence, par la psychologie de l'homme en état d'apprentissage. Il fonde une compagnie théâtrale, « le Miroir » (1950), qui obtiendra en 1953 le premier prix du Concours national du théâtre universitaire. Mais surtout, à partir de 1959, année où il collabore avec R. Mallet, avant de devenir un des principaux animateurs littéraires de la radio, il ne vit plus désormais que dans et pour la littérature. Lorsqu'il publie *la Nuit de Mougins* (prix Femina 1963), il apparaît comme un romancier de l'incertitude, incertitude romantique traduite dans un langage que caractérise d'autre part une pudeur toute classique. Il y a d'ailleurs peu d'exemples, dans la littérature contemporaine, d'une littérature qui soit autant que celle-ci une « littérature d'atmosphère » : personnages qu'imprègne l'épanchement du songe dans la vie réelle ; libération personnelle obtenue par recours aux mythes du rêve ou de la mémoire ; interpénétration de réalité et d'irréalité –, et ce n'est pas pas hasard que *la Nuit de Mougins* s'achève par une fort belle méditation sur la signification tragique de la contradiction entre la réalité du rêve et l'irréalité de la vie.

Œuvres. *L'Enlèvement d'Arabelle,* 1952 (T) – *L'Impromptu du réverbère,* 1953 (T). – *Arban,* 1954 (N). – *Lauréna,* 1956 (N). – *Barbegal,* 1958 (N). – *La Nuit de Mougins,* 1963 (N). – *La Dame d'Onfrède,* 1963 (T). – *Les Irascibles* (télévision), 1964 (T). – *Le Serment d'Amboise* (télévision), 1966 (T). – *Fin de journée,* 1968 (N). – *La Vie brève,* 1972, rééd. 1980 (N). *Pourquoi cette joie ?* (journal), 1974. – *Un ange passe* (télévision), 1979 (T). – *Sentiments distingués* (télévision), 1983 (T). – *Accident de parcours,* suivi de *Amours* et de *Une tache sur la vitre,* récits, 1985 (N).

WACE. Jersey vers 1100 – 1175. Écrivain anglo-normand. Chanoine de Bayeux, il fit partie de l'entourage d'Henri II Plantagenêt, et c'est à Aliénor d'Aquitaine qu'il dédia son œuvre principale, le *Roman de Brut,* d'après l'*Historia regum Britanniae* de G. de Monmouth : c'est le poème épique et romanesque de la geste des Bretons autour du personnage du roi Arthur. Et ce poème est la première expression littéraire de la légende arthurienne. W. est aussi l'auteur d'un *Roman de Rou* (= Rollon), qui développe de son côté la geste des Normands.

Œuvres. *Vie de sainte Marguerite,* s. d. (P). – *Vie de saint Nicolas de Myre,* s.d. (P). – *L'Établissement de la fête de la Conception, dite la fête aux Normands,* s.d. (P). – *Roman de Brut ou Geste des Bretons,* vers 1155 (P). – *Roman de Rou ou Geste des Normands,* vers 1160 (P). – *Chronique ascendante des ducs de Normandie,* vers 1172 (P).

WEBER Jean-Paul. (Voir NOUVELLE CRITIQUE.)

WEIL Simone. Paris 3.2.1909 – Ashford 24.8.1943. C'est fortement influencée par Alain, son professeur, qu'elle entra à l'École normale supérieure (1928), puis obtint l'agrégation de philosophie (1931) ; dès 1933, toutefois, elle abandonna l'enseignement et travailla comme manœuvre sur machines aux usines Renault afin de se rapprocher de ceux qui souffrent. Traumatisée moralement par cette expérience, elle s'y ruina également la santé ; *la Condition ouvrière* (posth., 1951) réunit un journal et des lettres. Après avoir participé à la lutte des républicains espagnols contre Franco (1936), elle redevint ouvrière, tomba sous le coup des lois françaises antijuives, mais put gagner Londres en 1942 ; très affaiblie, elle mourut dans un sanatorium. Toute son œuvre, publiée d'après ses notes, est posthume. Agnostique à l'origine, la pensée de S. W. tend à se rapprocher de Dieu par un mysticisme personnel, non systématisé, resté très proche de la réalité sociale la plus vive : cette femme, qui refusa le baptême par méfiance envers l'institution ecclésiastique, est un exemple unique de résistance spirituelle aux forces d'écrasement qui accablent l'homme.

Œuvres. *La Pesanteur et la Grâce,* posth., 1947 (E). – *La Connaissance surnaturelle,* posth., 1950 (E). – *Attente de Dieu,* posth., 1950 (E). – *L'Enracinement,* posth., 1950 (E). – *Intuitions préchrétiennes,* posth., 1951. – *La Condition ouvrière,* posth., 1951 (E). – *Lettre à un religieux,* posth., 1951 (E). – *La Source grecque,* posth., 1953 (E). – *Oppression et Liberté,* posth., 1955 (E). – *Cahiers* (3 volumes), posth., 1951-1956 (E). – *Écrits de Londres et Dernières Lettres,* posth., 1957 (E). – *Écrits historiques et politiques,* posth., 1960 (E). – *Pensées sans ordre concernant l'amour de Dieu,* posth., 1963 (E). – *Venise sauvée,* posth., 1965 (T). – *Sur la science,* posth., 1966 (E). – *Poèmes,* posth., 1968 (P). – *Correspondance avec Joë Bousquet,* posth., 1982.

WEINGARTEN Romain. Paris 5.12.1926. À la recherche d'un renouvellement de l'essence même du théâtre, influencé par Artaud, W. n'en reste pas moins un romantique moderne (curieusement proche de Musset) : tel est le paradoxe de son originalité, qui naît d'une combinaison de rêve et d'humour, de mélancolie et d'exaltation. Mais cette inspiration se moule dans les schémas dramatiques de l'« absurde » contemporain pour produire, au-delà du tragique, des mythes où se mêlent l'innocence et la perversité – le mythe du *chat,* par exemple, figure centrale d'*Akara* et de *l'Été.* Osera-t-on parler d'un désespoir joyeux ? Peut-être car le drame lui-même et le tragique sont dépassés et exorcisés par la mythologie de l'imaginaire, comme dans *les Nourrices,* mascarade féminine où les multiples formes de l'auto-aliénation ne font que proposer en creux la nostalgie de la liberté.

Œuvres. *Akara,* 1948 (T). – *Le Théâtre de la chrysalide,* 1950 (T). – *Fomalhaut,* 1956 (T). – *Les Nourrices,* 1960 (T). – *Au péril des fleurs,* 1960 (P). – *L'Été,* 1966 (T). – *Poèmes,* 1968. – *Alice dans les jardins du Luxembourg,* 1970 (T). – *Comme la pierre,* 1970 (T). – *La Mandore,* 1973 (T) – *Neige,* 1979 (T). – *La Mort d'Auguste,* 1982 (T). – *Le Roman de la table ronde ou le Livre de Blaise,* 1983.

Akara

Le personnage central est un chat, mais un « chat-homme », la figure animale représentant sa *différence.* Marthe, sa femme, chaque fois qu'il tente de se dégager de cette différence, l'y replonge délibérément. Bientôt arrivent des invités, dont le langage et le comportement révèlent combien ils sont sous-humains. Puis il en arrive d'autres, on se met à jouer aux cartes. Seul le chat reste à l'écart de ce jeu, d'ailleurs bizarre. Ainsi s'amorce l'investissement du chat par le monde, qui va se poursuivre par multiplication des personnages qui interviennent, jusqu'à ce qu'à la fin, aux cris de mort proférés par la foule contre le chat, Marthe, parce qu'elle est sa femme, répond par l'appel de son prénom humain : *Henri !*

L'Été

Six jours et six nuits de la vie de deux enfants, Lorette et Simon, et de deux chats, Moitié-Cerise et Sa Grandeur d'Ail. Il y a – dans la coulisse – le monde des adultes, dont on entend parler et où se déroule un drame qui sert à l'« apprentissage » de nos quatre héros. Les enfants communiquent avec les chats tant qu'ils restent fidèles à leur enfance ; s'il arrive qu'ils s'en échappent, les chats leur deviennent étrangers. Cette expérience se déroule dans un jardin qui est un paradis, tandis que l'autre monde, où se déroule un drame banal entre amants, est l'enfer de la trahison et de la souffrance. Tandis que les enfants sont exposés au risque de contamination, même à distance, les chats en sont, eux, miraculeusement préservés. Si les enfants restent fidèles aux chats, ils connaîtront les délices de *l'Été,* sinon... ce qui se passe « là-bas » donne une idée de ce qui les attend.

WIESEL Élie. Sighet (Transylvanie) 1928. Déporté avec sa famille à l'âge de seize ans, il fut profondément marqué par cette expérience ; son œuvre (il a appris le français à partir de son arrivée en France en 1947) s'interroge sur le sens de l'aventure juive en la dissociant de ses perspectives religieuses traditionnelles, mais il en conserve la dimension légendaire et mythologique. Le personnage qui représente le mieux la signification de cette œuvre est sans doute ce Michael *(la Ville de la chance)* qui, à partir d'un retour sur son propre passé, ne peut se retenir de revenir clandestinement dans sa ville natale, où il est interdit de séjour, et qui, torturé par la police, ne pourra lui-même dire ses raisons pas plus que ses bourreaux ne pourront les comprendre.

Œuvres. *La Nuit,* 1958 (N). – *L'Aube,* 1960 (N). – *Le Jour,* 1961 (N). – *La Ville de la chance,* 1962 (N). – *Les Portes de la forêt,* 1964 (N). – *Le Chant des morts,* 1966 (N). – *Les Juifs du silence,* 1966. – *Le Mendiant de Jérusalem,* 1968 (N). – *Zalmen ou la Folie de Dieu,* 1968 (T). – *Entre deux soleils,* 1970 (N). – *Célébration hassidique. Portraits et légendes,* 1972, rééd. 1981 (N). – *Le Serment de Kolvillag,* 1973 (N). – *Célébration biblique. Portraits et légendes,* 1975 (N). – *Un juif d'aujourd'hui,* 1977 (E). – *Le Procès de Shamgorod tel qu'il se déroula le 25 février 1649,* 1979 (N). – *Contre la mélancolie,* 1981 (E). – *Le Testament d'un poète juif assassiné,* 1981 (N). – *Paroles d'étranger,* 1982 (E). – *Le Cinquième Fils,* 1983 (N). – *Signes d'exode* (essais, histoires, dialogues), 1985.

Y

YACINE Kateb. Condé-Smendou (aujourd'hui Zighout-Youcef [Constantine]) 26.8.1929. Écrivain algérien d'expression française. Dans le mouvement d'expression originale d'une culture maghrébine, l'œuvre de Y. occupe une place de choix. Par la poésie, le récit ou l'expression dramatique, il est à la recherche d'un humanisme qui se situerait au point de rencontre – et éventuellement de conflit – entre les traditions de la culture natale et les exigences de l'histoire. Ainsi *Nedjma,* c'est la femme sauvage, peut-être une allégorie de l'Algérie elle-même, source d'amour obsédant pour des hommes qui ne savent s'ils font l'histoire ou si c'est l'histoire qui les détruit. Le personnage réapparaît dans *le Cadavre encerclé,* première pièce de la trilogie dramatique intitulée *le Cercle des représailles,* où se retrouve, comme aussi dans *le Polygone étoilé,* l'entrecroisement des obsessions : la fascination du passé, la conscience de l'actualité, l'inextricable coïncidence et discordance simultanée du mythe et de l'histoire.

Œuvres. *Soliloques,* 1946 (P). – *Nedjma ou le poème et le couteau,* 1948 (P). – *Le Cadavre encerclé,* 1955 (T). – *Nedjma,* 1956, rééd. 1981 (N). – *Les ancêtres redoublent de férocité,* 1959 (T). – *Le Cercle des représailles,* 1959 (T). – *La Rose de Blida,* 1963 (P). – *La Femme sauvage,* 1963 (T). – *Le Polygone étoilé* (cantate), 1966. – *La Poudre d'intelligence,* 1967 (T). – *L'Homme aux sandales de caoutchouc,* 1970 (T).

YOURCENAR Marguerite, Marguerite de Crayencour, dite. Bruxelles 8.6.1903. Essayiste et romancière française née d'un père français et d'une mère d'origine belge. Depuis 1947, M. Y. a la double nationalité française et américaine. La remarquable intelligence de cette érudite et de cette moraliste se fit jour d'abord dans des livres d'où l'influence de Gide, qu'elle connut bien, n'est pas absente : *Alexis ou le Traité du vain combat, le Coup de grâce,* puis elle donna le chef-d'œuvre que sont les *Mémoires d'Hadrien,* tour de force littéraire dans le genre de l'autobiographie imaginaire et en marge du roman historique. Sa verve, servie par un style d'une pureté riche en images, a trouvé d'autre part une grande réussite dans *l'Œuvre au noir,* remarquable chronique alchimique dont l'action se situe au Moyen Âge. Vivant aux États-Unis dans la solitude (l'île de Mount Desert, sur la côte nord-est), M.Y. trouve dans une culture largement diversifiée, de l'Antiquité grecque au Japon (*Mishima ou la Vision du vide*), la source d'une sagesse qui explique sans doute le « personnage » qu'elle est devenue. Cette sagesse faite de lucidité et de conscience s'exprime dans un style où la rigueur intellectuelle s'allie au sens poétique du langage.

Qu'il s'agisse d'Hadrien, dans les *Mémoires,* ou de Zénon, dans *l'Œuvre au noir,* M. Y., mémorialiste par procuration mais aussi romancière « historique », s'approprie le personnage tout en lui conservant son extériorité : dans ce contrepoint d'assimilation personnelle et d'authenticité documentaire réside la principale originalité de M. Y., et telle est aussi, sous des formes diverses, la caractéristique de son œuvre entière, quel que soit le sujet qu'elle aborde. Ainsi fait-elle lorsqu'elle s'approprie les différentes cultures dont elle s'est imprégnée : au-delà d'un simple syncrétisme, elle élabore entre elles, pour ainsi dire, une appropriation réciproque ; mais cette méthode n'est pas pour l'écrivain une fin en soi ; elle est le moyen de construire un humanisme capable d'intégrer les unes aux autres et de conjuguer ensemble les valeurs de l'humanisme traditionnel et « classique » et celles d'un humanisme véritablement « moderne ».

C'est que, jusque dans les suggestions de son style, cette œuvre est implicitement philosophique, sans doute même métaphysique ; quelques thèmes récurrents en témoignent : la relation entre la chair et l'esprit, entre le corps et l'âme ; la relation entre la matière – toujours présente au cours de l'expérience humaine – et une hypothétique « essence », dont la transcendance reste problématique dans la multiplicité même de ses expressions culturelles. La diversité de l'œuvre naît, sans que soit rompue l'unité profonde de sa signification, des multiples variations sur ces thèmes suggérées à l'écrivain par la richesse de sa culture, la sûreté érudite de sa documentation et la sérénité de sa méditation.
Or la métaphysique impliquée dans sa recherche d'une « sagesse » – objectif que son regard ne perd jamais de vue, même lorsqu'il a l'air de s'en distraire – retentit jusque sur son écriture : l'écriture est, elle aussi, une « matière » dont il s'agit de retrouver l'essence qui lui est à la fois immanente et transcendante. De sorte que, face aux problèmes posés par la crise contemporaine du langage littéraire, M. Y. propose un dépassement des données mêmes de cette crise (qu'illustrent en particulier les expériences du « nouveau roman ») par l'inscription, dans les formes de l'écriture, en un mot dans le *style* de cette sagesse lapidairement définie par une formule de *Sous bénéfice d'inventaire* (1962-1978) : « Une théorie de l'équilibre humain ». La manifestation d'un tel équilibre dans un équilibre correspondant du style est le fondement d'une cohérence exemplaire, tout au long de cette œuvre, entre sa dimension esthétique et sa dimension moraliste : cette cohérence intellectuelle, inscrite dans l'équilibre du style, vaut à M. Y. d'occuper une place unique dans le mouvement de la littérature du XXe siècle ; peut-être même lui doit-elle d'avoir été la première femme reçue par l'Académie française en 1980.

Œuvres. *Alexis ou le Traité du vain combat,* 1929 (N). – *La Nouvelle Eurydice,* 1931 (N). – *Pindare,* 1932 (E). – *Denier du rêve,* 1934, éd. définitive 1959, rééd. 1982 (N). – *La mort conduit l'attelage,* 1934 (N). – *Feux,* 1936, rééd. 1973 (P). – *Nouvelles orientales,* 1938, rééd. 1963 (N). – *Les Songes et les Sorts,* 1938 (E). – *Le Coup de grâce,* 1939 (N). – *Mémoires d'Hadrien,* 1951 (N). – *Sur quelques thèmes érotiques et mystiques de la Gītā-Govinda,* 1952, rééd. 1985. – *Électre ou la Chute des masques,* 1954 (T). – *Les Charités d'Alcippe et autres poèmes,* 1956, éd. revue et augmentée 1984 (P). – *L'Andalousie ou les Hespérides,* 1957, rééd. 1985. – *Présentation critique de Constantin Cavafy (1863-1933),* suivie d'une traduction intégrale des poèmes, 1958 (E). – Préface à la *Gītā-Govinda,* 1958 (E). – *Sous bénéfice d'inventaire,* 1962, éd. définitive 1978 (E). – *Le Mystère d'Alceste,* suivi de *Qui n'a pas son minotaure ?* 1963 (T). – *Fleuve profond, sombre rivière* (anthologie de « negro spirituals »), 1964. – *L'Œuvre au noir,* 1965 (N). – *Présentation critique d'Hortense Flexner,* trad. suivie d'un choix de poèmes, 1969 (E). – *Réception de M. Y. à l'Académie royale de langue et de littérature françaises de Belgique. Discours de Mme M. Y. et M. Carlo Bronne,* 1970. – *Mémoires d'Hadrien* (avec *Carnets de notes des Mémoires d'Hadrien,* nouv. éd.), 1971. – *Théâtre I : Rendre à César ; la Petite Sirène ; le Dialogue dans le marécage,* 1971. – *Théâtre II : Électre ou la Chute des masques ; le Mystère d'Alceste ; Qui n'a pas son minotaure ?* 1971. – *Le Labyrinthe du monde,* I : *Souvenirs pieux,* 1974 (N). – *Le Labyrinthe du monde,* II : *Archives du Nord,* 1977 (N). – *Comment Wang-Fo fut sauvé,* 1979 (N). – *La Couronne et la Lyre* (trad. de poètes grecs), 1979, rééd. 1984 (P). – *Les Yeux ouverts* (entretiens), 1980 (E). – *Mishima ou la Vision du vide,* 1981 (E). – *Anna, soror,* 1981 (N). – *Comme l'eau qui coule,* 1982 (N). – *Œuvres romanesques,* 1982. – *Notre-Dame des hirondelles. Contes de Noël* (pour enfants), 1982. – *Le Temps, ce grand sculpteur,* 1983 (E). – *Blues et Gospels* (album de textes présentés et traduits), 1984 (P). – *Un homme obscur. Une belle journée,* rééd. 1985 (déjà paru dans *Comme l'eau qui coule,* 1982) [N]. – *Le Labyrinthe du monde,* III : *Quoi, l'Éternité ?* (à paraître).

Z

ZERAFFA Michel. Nice 29.1.1918. Théoricien du roman avec une thèse sur *Personne et personnage, le romanesque des années 1920 aux années 1950* (1969), il avait fait précéder ses recherches d'un certain nombre d'expériences, dont la première, le roman *le Temps des rencontres,* sur le thème de la jeunesse, met l'accent sur la contradiction entre romanesque et histoire. De même, *le Commerce des hommes* (1952), où l'histoire revêt la forme de l'action politique, achemine ses protagonistes vers la tragédie de la désillusion. C'est ainsi que le romancier est conduit à privilégier, selon sa propre expression, un « romanesque du non-sens », mais comme condition d'une lucidité qui, exorcisant l'illusion, peut permettre aux hommes de cesser d'être ces simples *Doublures* (titre d'un roman de 1958) qui, faute de pouvoir dominer leur propre tragique, risquent de ne plus être, hors de toute existence propre, que des accidents de l'histoire.

Œuvres. *Le Temps des rencontres,* 1948 (N). – *L'Écume et le Sel,* 1950 (N). – *Le Commerce des hommes,* 1952 (N). – *Les Derniers Sacrements,* 1953 (N). – *Tunisie,* 1955 (E). – *Eugene O'Neill, dramaturge,* 1956 (E). – *Les Doublures,* 1958 (N). – *Aspects psychologiques du langage romanesque,* 1962 (E). – *L'Histoire,* 1964 (N). – *Personne et personnage, le romanesque des années 1920 aux années 1950,* 1969 (E). – *Métro aérien,* 1976 (N). – *Roman et société,* 1976 (E). – *Tunisie,* 1978. – *L'Art de la fiction. Gustave Flaubert, Julia Bride. Avec neuf études,* 1979 (E).

ZOLA Émile Édouard Charles Antoine. Paris 2.4.1840 – 29.9.1902. Son père, ingénieur civil né à Venise, est emporté par une pneumonie en 1847, alors qu'il devait construire un barrage près d'Aix-en-Provence ; c'est au collège de cette ville que l'enfant fait ses études. En 1858, il est à Paris, mais le dépaysement et la démoralisation lui font rater son baccalauréat ; il mène jusqu'en 1861 une triste vie de bohème, ne rêvant que de littérature. Entré comme expéditionnaire chez Hachette en 1862, il est naturalisé français la même année ; poussé par quelques amis, il peut faire paraître les *Contes à Ninon* (1864), puis plusieurs romans, dont *Thérèse Raquin* (1867). Il a rencontré en 1865 Alexandrine Meley, qui devient sa maîtresse (il l'épousera en 1870). Devenu chroniqueur à *l'Événement* (1866), il milite pour Manet, qui lui devra beaucoup, écrit dans les journaux d'opposition, salue, presque seul, *l'Éducation sentimentale* de Flaubert. Chroniqueur politique à Bordeaux pendant l'Occupation (1870-1871), il entreprend la même année de publier son grand projet, *les Rougon-Macquart* (qui s'échelonneront de 1871 à 1893), tout en continuant une carrière de journaliste dans plusieurs feuilles de province, notamment *le Sémaphore de Marseille.* En 1874, de *Nouveaux Contes à Ninon* compensent l'échec de deux pièces de théâtre. C'est en 1877 que la publication fracassante de *l'Assommoir* consacre la célébrité de Z. : porté à la scène, c'est encore un triomphe. Le 1er mai 1880 paraît le manifeste collectif de l'école naturaliste, dont Z. est le chef reconnu, *les Soirées de Médan* ; en 1880 et 1881, Z. multiplie les études-déclarations sur ses théories littéraires et abandonne le journalisme pour se consacrer plus longuement à son œuvre. Il travaille d'arrache-pied, au prix d'une grande fatigue nerveuse, parvenant toutefois à produire chaque année un nouvel épisode. *Germinal* constitue un sommet dans une série dont presque tous les titres sont portés à la scène (en général médiocrement et rarement avec succès). *L'Œuvre* brouille Z. et son ami d'enfance Cézanne, qui se sent visé ; en 1887, après la publication et le scandale de *la Terre,* le *Manifeste des Cinq,* « trahison » de récents disciples, porte un grave coup moral au chef du naturalisme. Il a hâte, d'ailleurs, de terminer les *Rougon,* après que sa liaison pleine de bonheur avec la jeune Jeanne Rozerot lui a inspiré *le Rêve,* et ménage sa santé car il songe déjà à mettre en chantier un nouveau cycle romanesque : *les Trois Villes (Lourdes, Rome, Paris)* ; les trois volumes seront rédigés et publiés de 1892 à 1898. Fin 1897, Z. s'est brusquement passionné pour le sort de Dreyfus ; son manifeste « J'accuse », paru dans *l'Aurore* le 13 janvier 1898, contribue à donner à l'« Affaire » une portée nationale. Condamné en justice, Z. s'exile en Angleterre et se réfugie dans la rédaction d'un autre cycle, les *Quatre Évangiles,* dont il n'écrira que trois tomes : *Fécondité, Travail, Vérité* (Z. n'eut le temps de rédiger que quelques pages de *Justice.*) Revenu en France après l'annulation de son jugement, il continue d'écrire des articles en faveur de Dreyfus, qui seront recueillis en 1901 dans *la Vérité en marche.* Pour son ami le compositeur Alfred Bruneau, il s'est fait depuis longtemps librettiste : c'est avec lui qu'il connaît son dernier succès, l'opéra-comique *Ouragan.* Il meurt asphyxié dans son appartement, sans que l'on ait pu établir si ce fut par simple accident.

Malgré ses déclarations sur le « théâtre naturaliste », Z. n'a pas réussi son œuvre dramatique ; souvent, d'ailleurs, il n'était pas seul à effectuer le travail d'adaptation scénique de ses romans. Et, à coup sûr, son tempérament stylistique était ailleurs. On aperçoit déjà sa vraie vocation chez le journaliste et le polémiste, dont la plume n'est jamais féroce par principe, mais passionnée pour la justice et la vérité : créateur incompris de la censure et de certaine « bonne société » littéraire, Z. tenta toujours, aussi bien envers d'autres artistes (les impressionnistes, pour l'essentiel) qu'envers des innocents comme Dreyfus, de briser le cercle de l'incompréhension, refusant le seul service égoïste de ses propres intérêts.

Aujourd'hui, c'est, en Z., le romancier que nous retenons : bien que la thèse fondamentale en soit devenue caduque, le cycle des *Rougon* demeure la seule grande création romanesque du dernier quart du XIXe siècle. On sait quel modèle hantait l'écrivain : écrire après Balzac le chapitre négligé de sa *Comédie humaine,* celui du *Peuple,* tel était le projet du romancier. Balzac, Z. le lisait déjà adolescent et ne put jamais ni tout à fait se libérer de son emprise ni effacer leur différence principale : Balzac avait imaginé le retour des personnages en cours de route, alors que Z., lui, dès avant de commencer son premier volume, avait l'intention *théorique* de tracer l'histoire d'une dynastie familiale sous le second Empire. D'où, chez Balzac, un grouillement qui semble, chez Z., s'être figé ; on a d'ailleurs remarqué que le lien de certains des plus beaux épisodes des *Rougon* avec l'intrigue principale du cycle est si ténu qu'on peut parfaitement n'en point tenir compte. Doit-on penser que Z. a mieux réussi l'illustration romanesque et dramatique de son esthétique « naturaliste » : décrire les milieux, en particulier le milieu ouvrier, dans leur vérité quotidienne, selon la ligne du « réalisme » de Champfleury ou des Goncourt, complété par le scientisme inspiré de Cl. Bernard ? La critique récente a au contraire montré, par des études décisives, que les *Rougon, les Trois Villes* et *les Quatre Évangiles* sont le produit d'une puissante démarche mythologique et dessinent une courbe qui va « de la nausée au salut », en liaison d'ailleurs avec l'expérience personnelle de Z., ce qui introduit aussi dans cette démarche un symbolisme autobiographique. Ce qui a sans doute faussé, ce qui fausse encore, la vision commune de l'œuvre de Z., c'est la réduction de cette œuvre au naturalisme « noir » ; en fait, le centre de la création romanesque, comme de l'expérience personnelle, est de nature symbolique et visionnaire, réalisme et naturalisme ne fournissant que des matériaux : évolution du sombre pessimisme des premiers romans au messianisme illuminé des derniers, comme le montre bien le rapprochement-charnière du dernier des *Rougon, le Docteur Pascal,* et du premier des *Trois Villes, Lourdes* (1893 et 1894). Dans les chefs-d'œuvre, même appartenant au premier mouvement, ces deux tendances se rejoignent ; et, par exemple, à propos de *Germinal,* dont le titre est révélateur, ce n'est pas tant de naturalisme que de vision épique et prophétique qu'il convient de parler, car, au vrai, Z. est avant tout poète.

Œuvres. *Contes à Ninon,* 1864 (N). – *La Confession de Claude,* 1865 (N). – *Le Vœu d'une morte,* 1866 (N). – *Mes haines* (recueil d'articles), 1866 (E). – *Mon Salon,* 1866 (E). – *Thérèse Raquin,* 1867 (N) ; adapt. théâtrale, 1873. – *Les Mystères de Marseille,* 1867 (N). – *Édouard Manet,* 1867 (E). – *Madeleine Férat,* 1868 (N). – *Les Rougon-Macquart, histoire naturelle et sociale d'une famille sous le second Empire* (20 vol.), 1871-1893 : 1. *La Fortune des Rougon,* 1871 (N) ; 2. *La Curée,* 1872

(N) ; 3. *Le Ventre de Paris,* 1873 (N) ; adapt. théâtrale, 1887. – *Les Héritiers Rabourdin,* 1874 (N). – *Nouveaux Contes à Ninon,* 1874 (N). – *Les Rougon-Macquart,* 4. *La Conquête de Plassans,* 1874 (N) ; 5. *La Faute de l'abbé Mouret,* 1875 (N) ; 6. *Son Excellence Eugène Rougon,* 1876 (N) ; 7. *L'Assommoir,* 1877 (N) ; adapt. théâtrale, 1879 ; 8. *Une page d'amour,* 1878 (N). – *Le Bouton de rose,* 1878 (T). – *Les Rougon Macquart,* 9. *Nana,* 1880 (N) ; adapt. théâtrale, 1880. – « L'Attaque du moulin » (nouvelle, dans : *les Soirées de Médan*), 1880 (N). – *Le Roman expérimental,* 1880 (E). – *Les Romanciers naturalistes,* 1881 (E). – *Le Naturalisme au théâtre,* 1881 (E). – *Nos auteurs dramatiques,* 1881 (E). – *Documents littéraires,* 1881 (E). – *Une campagne,* 1882 (E). – *Le Capitaine Burle* (nouvelle), 1882 (N). – *Les Rougon-Macquart,* 10. *Pot-Bouille,* 1882 (N) ; adapt. théâtrale, 1882 ; 11. *Au bonheur des dames,* 1883 (N) ; 12. *La Joie de vivre,* 1884 (N). – *Naïs Micoulin* (nouvelle), 1884 (N). – *Les Rougon-Macquart,* 13. *Germinal,* 1885 (N) ; 14. *L'Œuvre,* 1886 (N) ; 15. *La Terre,* 1887 (N). – *Renée* (adapt. théâtrale de *la Curée*), 1887. – *Les Rougon-Macquart,* 16. *Le Rêve,* 1888 (N) ; adapt. théâtrale, 1891 ; 17. *La Bête humaine,* 1890 (N) ; adapt. cinémat., 1938 ; 18. *L'Argent,* 1891 (N) ; 19. *La Débâcle,* 1892 (N) ; 20. *Le Docteur Pascal,* 1893 (N). – *Les Trois Villes,* 1. *Lourdes,* 1894 ; 2. *Rome,* 1896 ; 3. *Paris,* 1897 (N). – *Lettre à la jeunesse,* 1897 (E). – *Nouvelle Campagne,* 1897 (E). – *Lettre à la France,* 1898 (E). – *Les Quatre Évangiles,* 1. *Fécondité,* 1899 ; 2. *Travail,* 1901 ; 3. *Vérité,* posth., 1903 ; 4. *Justice* (inach.) [N]. – *Messidor,* posth., 1917. – *Poèmes lyriques. Livrets d'opéra,* posth., 1921 (T). – *Mme Sourdis* (nouvelles), posth., 1921 (N). – *Documents littéraires,* posth., 1926 (E). – *L'Inondation,* posth., 1930. – *La République en marche* (chroniques parlementaires 1871-1872, 2 vol.), posth., 1956 (E). – *Mes voyages : Lourdes, Rome. Carnets inédits,* posth., 1958 (E). – *Salons,* posth., 1959 (E). – *Lettres inédites à Henry Céard,* posth., 1962. – *L'Atelier de Z.,* posth., 1963 (E). – *Lettres de Paris* (choix d'articles parus entre 1875 et 1881 dans *le Messager de l'Europe* de Saint-Pétersbourg ; traduits du russe), posth., 1963 (E). – *L'Affaire Dreyfus : la vérité en marche* (avec choix de lettres et d'extraits des impressions d'audience), posth., 1969. – *La Correspondance d'Émile Zola,* posth., 1979.

Les Rougon-Macquart

Vingt volumes écrits et publiés d'année en année conformément à la devise d'Apelle inscrite sur le mur du cabinet de travail de Z., *Nulla dies sine linea* (« Pas un jour sans une ligne ») : *la Fortune des Rougon* (1871, on y voit la tante Dide, dont sont issus tous les personnages de la série, devenir folle, finir dans un asile et ainsi inaugurer la fatalité biologique de l'hérédité) ; *la Curée* (1872, la spéculation) ; *le Ventre de Paris* (1873, les Halles) ; *la Conquête de Plassans* (1874, la province et l'Église) ; *la Faute de l'abbé Mouret* (1875, les milieux ecclésiastiques) ; *Son Excellence Eugène Rougon* (1876, la politique) ; *l'Assommoir* (1877, les ouvriers parisiens) ; *Une page d'amour* (1878, parenthèse en demi-teinte) ; *Nana* (1880, viveurs et femmes faciles) ; *Pot-Bouille* (1882, la bourgeoisie) ; *Au bonheur des dames* (1883, les grands magasins) ; *la Joie de vivre* (1884, autre parenthèse) ; *Germinal* (1885, les mineurs du Nord) ; *l'Œuvre* (1886, les artistes, roman à la suite duquel Z. se brouilla avec son ami Cézanne) ; *la Terre* (1887, les paysans) ; *le Rêve* (1888, roman idyllique) ; *la Bête humaine* (1890, histoire d'un cheminot) ; *l'Argent* (1891, le titre dit tout) ; *la Débâcle* (1892, la défaite de 1871) ; *le Docteur Pascal* (1893, la fin de la malédiction héréditaire).

L'Assommoir

Gervaise Macquart, abandonnée avec ses enfants par Auguste Lantier, rencontre l'ouvrier zingueur Coupeau : ils forment aussitôt un couple sérieux et sympathique qui voit s'ouvrir devant lui la perspective d'une vie heureuse. Mais la rencontre n'en a pas moins lieu au cabaret du père Colombe, à l'enseigne de *l'Assommoir* (à cause de la proximité des abattoirs de Belleville). Le couple, le cabaret : coïncidence initiale et symbolique de deux forces inégales ; l'alambic est déjà là, qui trône comme une figure du Destin. Gervaise et Coupeau se marient ; elle va pouvoir avoir une boutique de blanchisserie, lorsque survient le coup du sort : une chute de Coupeau, une jambe cassée. Le plus grave est que cet accident du travail dégoûte Coupeau de son métier : il se met à boire. Gervaise fait face d'abord avec courage : elle installe sa blanchisserie. Mais, sous le regard fatal de l'alambic, Coupeau sombre dans l'alcoolisme, devient brutal. Gervaise se laisse aller ; bientôt elle devra céder la blanchisserie et se contenter d'un taudis. À son tour, comme par contagion, elle devient la proie de la « machine à soûler ». Coupeau est enfermé à Sainte-Anne, où il mourra après une crise de *delirium tremens* à laquelle assiste Gervaise. Dans un coin de la maison, qu'elle appelait le « coin des pouilleux », il y avait sous l'escalier un trou, qu'occupait le père Bru, à qui Gervaise jetait des croûtons de pain. C'est là qu'à son tour elle aboutira avant de disparaître.

Germinal

Le fils que Gervaise Macquart avait eu d'Auguste Lantier, Étienne, intelligent et généreux, est mineur à Montsou, dans le Nord, où il loge chez les Maheu, dont la fille, Catherine, lui inspire un tendre sentiment. Mais Étienne est aussi un militant au service de la libération de la classe ouvrière. Une grève éclate, qu'Étienne, inexpérimenté, essaie en vain d'organiser : malgré ses efforts, les mineurs se laissent aller à des violences, la troupe tire, il y a des morts, parmi lesquels le père Maheu. Et les mineurs sont contraints par la faim de reprendre le travail. Étienne avait auprès d'eux un rival en la personne du nihiliste Souvarine, dont l'action et l'influence se trouvent favorisées par l'échec de la grève et qui procède au sabotage des installations en les inondant. Les mineurs sont bloqués au fond ; parmi eux il y a Lantier et Catherine, qui mourra victime de l'inondation. Quant à Étienne, il ne sera sauvé qu'après une interminable attente. À travers cette suite d'épreuves, il a compris qu'idéalisme et générosité ne sauraient suffire : tout le drame est venu de l'absence d'organisation ; il quitte le Nord pour Paris, afin d'y travailler à la mise sur pied de cette organisation. C'est alors, dans la nature, le printemps, qui inspire à Étienne l'espoir qu'un « germinal » de justice peut aussi luire pour le bonheur des hommes.

Le Docteur Pascal

Le dernier roman de la série des *Rougon-Macquart,* celui qui, en rompant la fatalité héréditaire inscrite dans la physiologie de la famille, met fin au cycle romanesque et amorce le grand tournant de l'œuvre de Z. Le docteur Pascal est en effet un Rougon, mais il est aussi le double de son créateur : en lui aucune trace de la tare héréditaire de la tante Dide, comme si ce venin se trouvait alors enfin épuisé. Le docteur Pascal est un savant qu'anime sa foi dans le progrès social et moral. Il incarne ainsi une sorte de sagesse positiviste illuminée d'exaltation quasi mystique et soulevée de tendresse le jour où – comme Z. lui-même avec Jeanne Rozerot – il rencontre l'amour en la personne de la jeune Clotilde ; l'enfant qui va naître porte la promesse d'une rédemption qui lavera enfin l'humanité à venir de la souillure héréditaire : le roman peut alors faire toute sa place à un hymne à la fécondité et à la paternité comme sources de salut, thème que Z. reprendra, dans une sorte de parallèle à cette fin de l'histoire des Rougon, à la fin de *Lourdes,* le premier volume des *Trois Villes.*

BIBLIOGRAPHIE

Nous présentons ici une bibliographie méthodique où, après les ouvrages généraux sur la littérature française et sur les genres, les travaux critiques mentionnés sont classés selon la succession des âges littéraires, du Moyen Âge au XXe siècle ; ils sont ensuite répartis, à l'intérieur de chaque âge littéraire, en deux sections : 1. ***Généralités****, 2.* ***Auteurs****. Dans cette dernière section, ils sont classés selon l'ordre alphabétique des auteurs ; lorsque plusieurs ouvrages se rapportent à un même auteur, ils sont alors classés selon l'ordre chronologique de leur publication. Enfin une section spéciale est réservée à la francophonie.*

Ces ouvrages sont accessibles soit dans les collections dont on trouvera la liste ci-après, soit dans les bibliothèques publiques et les bibliothèques universitaires.

PRINCIPALES COLLECTIONS

Connaissance des lettres (Hatier).
Publications de la *Société d'Édition de l'Enseignement supérieur* (SEDES).
Publications des *Éditions universitaires* (entre autres : *Classiques du XXe siècle).*
Collection U (Armand Colin).
La Bibliothèque idéale (Gallimard).
Poètes d'aujourd'hui (Seghers).
Écrivains d'hier et d'aujourd'hui (Seghers).
Théâtre de tous les temps (Seghers).
Écrivains de toujours (éd. du Seuil).
Les Critiques de notre temps et ... (Garnier-Flammarion).
On pourra aussi consulter les collections *Folio-guides* (Colin-Gallimard) et *Profil d'une œuvre* (Hatier).

OUVRAGES GÉNÉRAUX

F. BRUNETIÈRE, *Études critiques sur l'histoire de la littérature française,* 1880-1907. – *id., l'Évolution des genres dans l'histoire de la littérature,* 1890. – G. LANSON, *Histoire de la littérature française,* 1894, rééd. 1967. – A. THIBAUDET, *Histoire de la littérature française de 1789 à nos jours,* 1936. – E. HENRIOT (sous la direction de), *Neuf siècles de littérature française,* 1958. – ENCYCLOPÉDIE DE LA PLÉIADE (dir. R. QUENEAU), *Histoire des littératures française, connexes et marginales,* 1958. – J. ROGER (sous la direction de), *Histoire de la littérature française.* I. *Moyen Âge-XVIIe siècle.* II. *XVIIe-XXe siècle,* 1970.

F. BRUNOT, *Histoire de la langue française,* rééd. 1966.

D. OSTER, *Histoire de l'Académie française,* 1970.

LES GENRES

POÉSIE

H. BREMOND, *la Poésie pure,* 1925. – R. WALTZ, *la Création poétique, essai d'analyse,* 1952. – J.-P. RICHARD, *Poésie et profondeur,* 1955. – S. BERNARD, *le Poème en prose de Baudelaire jusqu'à nos jours,* 1959. – M. DUFRENNE, *la Poétique,* 1963. – H. LEMAÎTRE, *la Poésie depuis Baudelaire,* 1965. – J.-C. PAYEN et J.-P. CHAUVEAU, *la Poésie des origines à 1715,* 1968. – M.-L. ASTRE et F. COLMEZ, *Poésie française,* 1982.

ROMAN

F. MAURIAC, *le Romancier et ses personnages,* 1933. – A. THIBAUDET, *Réflexions sur le roman,* 1938. – R. CAILLOIS, *Puissance du roman,* 1941. – J. PRÉVOST, *Problèmes du roman,* 1945. – K. HAEDENS, *Paradoxe sur le roman,* 1964. – H. COULET, *le Roman jusqu'à la Révolution,* 1967. – M. RAYMOND, *le Roman depuis la Révolution,* 1967. – R. BOURNEUF et R. OUELLET, *l'Univers du roman,* 1972, rééd. 1981. – J. RICARDOU, *le Nouveau Roman,* 1973. – *id., Nouveaux problèmes du roman,* 1978.

THÉÂTRE

H. GOUHIER, *l'Essence du théâtre,* 1943. – R. GARAPON, *la Fantaisie verbale et le comique dans le théâtre français,* 1957. – H. GOUHIER, *l'Œuvre théâtrale,* 1958. – M. LIOURE, *le Drame,* 1963. – P. VOLTZ, *la Comédie,* 1964. – J. MOREL, *la Tragédie,* 1964. – G. SIGAUX, *le Mélodrame,* 1969. – J.-M. THOMASSEAU, *le Mélodrame,* 1984.

CRITIQUE LITTÉRAIRE

R. FAYOLLE, *la Critique littéraire en France du* XVIe *siècle à nos jours,* 1964. – R.-E. JONES, *Panorama de la nouvelle critique en France,* 1968. – G. POULET, *la Conscience critique,* 1971. – S. DOUBROVSKY, *Pourquoi la nouvelle critique ? Critique et objectivité,* 1972. – P. BRUNEL – D. MADELÉNAT – D. COUTY, *la Critique littéraire,* 1977.

DIVERS

A. MAUROIS, *Aspects de la biographie,* 1929. – PH. LEJEUNE, *l'Autobiographie en France,* 1971. – *id., le Pacte autobiographique,* 1975. – *id., Je est un autre,* 1980.

Voir aussi à leur place alphabétique dans le dictionnaire les monographies BANDE DESSINÉE, FANTASTIQUE, POÉSIE SPATIALE, ROMAN POLICIER, SCIENCE-FICTION.

MOYEN ÂGE

GÉNÉRALITÉS

A. PAUPHILET, *le Legs du Moyen Âge,* 1950. – P. ZUMTHOR, *Histoire littéraire de la France médiévale,* 1954. – V.-L. SAULNIER, *la Littérature du Moyen Âge,* 1957. – A. FOURNIER, *l'Humanisme médiéval,* 1962. – P. LE GENTIL, *la Littérature française du Moyen Âge,* 1963. – J. FRAPPIER, *Du Moyen Âge à la Renaissance. Études d'histoire et de critique littéraire,* 1976.

M. WILMOTTE, *l'Épopée française,* 1953. – M. DE RIQUER, *les Chansons de geste françaises,* 1957. – J. RYCHNER, *la Chanson de geste : essais sur l'art poétique des jongleurs,* 1958. – I. SICILIANO, *les Chansons de geste et l'Épopée,* 1968.

J. BÉDIER, *les Fabliaux,* 1893, rééd. 1963. – J. BOULENGER, *les Romans de la Table ronde,* 1948. – M. WILMOTTE, *Origine du roman en France,* 1953. – P. MOISY, *la Queste du Saint-Graal d'après les romans de la Table ronde,* 1954. – J. RASMUSSEN, *la Prose narrative française au* XVe *siècle,* 1958. – R.-R. BEZZOLA, *la Société courtoise. Littérature de cour et littérature courtoise,* 1963.

J. FRAPPIER, *la Poésie lyrique française aux XIIe et XIIIe siècles,* 1949. – P. ZUMTHOR, *Essai de poétique médiévale,* 1972. – P. BEC, *la Lyrique française au Moyen Âge,* 1977.

H. DAVENSON, *les Troubadours,* 1960. – R. DRAGONETTI, *la Technique poétique des trouvères dans la chanson courtoise,* 1960. – R. NELLI, *l'Érotique des troubadours,* 1963. – D. POIRION, *le Poète et le Prince : l'évolution du lyrisme courtois de Guillaume de Machaut à Charles d'Orléans,* 1965.

G. COHEN, *le Théâtre en France au Moyen Âge,* 1928, rééd. 1946. – *id., le Théâtre comique au XVe siècle,* 1940. – J.-C. AUBAILLY, *le Théâtre médiéval profane et comique,* 1975.

ŒUVRES ANONYMES ET AUTEURS

ABÉLARD ♦ G. GILSON, *Héloïse et Abélard,* 1958. – J. JOLIVET, *Arts du langage et théologie chez Abélard,* 1969.

ADAM DE LA HALLE ♦ J. DUFOURNET, *Adam de la Halle à la recherche de lui-même,* 1974.

BODEL ♦ C. FOULON, *l'Œuvre de Jean Bodel d'Arras,* 1958.

CHANSON DE ROLAND ♦ P. LE GENTIL, *la Chanson de Roland,* 1955, rééd. 1967. – G. MOIGNET, *Pour connaître la Chanson de Roland,* 1969, rééd. 1985.

CHARLES D'ORLÉANS ♦ J. CHARPIER, *Charles d'Orléans,* 1970.

CHRÉTIEN DE TROYES ♦ J. FRAPPIER, *Chrétien de Troyes,* 1963. – S. GALLIEN, *la Conception sentimentale de Chrétien de Troyes,* 1975.

CHRISTINE DE PISAN ♦ J. MOULIN, *Christine de Pisan,* 1962. – R. PERNOUD, *Christine de Pisan,* 1982.

COMMYNES ♦ J. DUFOURNET, *Commynes,* 1967. – *id., Études sur Philippe de Commynes,* 1975.

FROISSART ♦ J. BASTIN, *Froissart chroniqueur, romancier et poète,* 1960.

GUILLAUME D'AQUITAINE ♦ J.-C. PAYEN, *le Prince d'Aquitaine. Essai sur Guillaume IX, sa vie, son œuvre, son érotique,* 1980.

GUILLAUME DE MACHAUT ♦ A. MACHABEY, *Guillaume de Machaut,* 1955.

GUILLAUME D'ORANGE (Cycle de) ♦ J. FRAPPIER, *les Chansons de geste du cycle de Guillaume d'Orange,* 1955, rééd. 1967.

MARIE DE FRANCE ♦ E. SIENAERT, *les Lais de Marie de France. Du conte merveilleux à la nouvelle psychologique,* 1978. – PH. MÉNARD, *Marie de France,* 1979.

RENART ♦ R. LEJEUNE-DEHOUSSE, *l'Œuvre romanesque de Jean Renart,* 1935. – M. ZINK, *« le Roman de la Rose ou de Guillaume de Dole » de Jean Renart,* 1979.

ROMAN DE RENART ♦ J. FLINN, *le « Roman de Renart » dans la littérature française et les littératures étrangères du Moyen Âge,* 1963. – R. BOSSUAT, *le Roman de Renart,* 1971.

ROMAN DE LA ROSE ♦ G. PARÉ, *le Roman de la Rose,* 1951. – A. STRUBEL, *le Roman de la Rose,* 1984.

RUTEBEUF ♦ G. LAFEUILLE, *Rutebeuf,* 1966.

SALE (DE LA) ♦ F. DESONAY, *Antoine de la Sale, aventurier et pédagogue,* 1940, rééd. 1960.

VILLON ♦ F. DESONAY, *Villon,* 1947. – J. CHARPIER, *François Villon,* 1959. – F. HABECK, *Villon ou la légende d'un rebelle,* 1970. – J. DEROY, *François Villon, coquillard et auteur dramatique,* 1977.

XVIe SIÈCLE

GÉNÉRALITÉS

A. BAILLY, *la Vie littéraire sous la Renaissance,* 1952. – A. RENAUDET, *Humanisme et Renaissance,* 1958. – D. MÉNAGER, *Introduction à la vie littéraire au XVIe siècle,* 1968.

H. CHAMARD, *Histoire de la Pléiade*, 1939. – G. DEMERSON, *la Mythologie dans l'œuvre de la Pléiade*, 1972. – A. ROUBICHOU-STRETZ, *la Vision de l'histoire dans l'œuvre de la Pléiade*, 1973.

R. LEBÈGUE, *la Tragédie religieuse en France*, 1929. – E. FORSYTH, *la Tragédie française de Jodelle à Corneille*, 1962. – R. LEBÈGUE, *Études sur le théâtre français, I : Moyen Âge, Renaissance, Baroque*, 1977. – M. LAZARD, *la Comédie humaniste au XVIe siècle et ses personnages*, 1980.

H. WÖLFFLIN, *Renaissance et baroque*, 1888, rééd. 1967. – M. RAYMOND, *Baroque et Renaissance poétique*, 1955. – J. ROUSSET, *la Littérature de l'âge baroque en France : Circé et le paon*, 1966. – J.-F. MAILLARD, *Essai sur l'esprit du héros baroque*, 1974.

A.-M. SCHMIDT, *la Poésie scientifique en France au XVIe siècle*, 1938, rééd. 1970.

L. SOZZI, *la Nouvelle française de la Renaissance*, 1981.

AUTEURS

AMYOT ♦ R. AULOTTE, *Amyot et Plutarque*, 1965.

AUBIGNÉ (D') ♦ H. WEBER, *le « Printemps » d'Agrippa d'Aubigné*, 1960. – J. GALZY, *Agrippa d'Aubigné*, 1965. – J. BAILBÉ, *Agrippa d'Aubigné poète des « Tragiques »*, 1968.

DU BELLAY ♦ V.-L. SAULNIER, *Du Bellay, l'homme et l'œuvre*, 1968. – M. DEGUY, *Tombeau de Du Bellay*, 1973. – F. GRAY, *la Poétique de Du Bellay*, 1978. – G. GADOFFRE, *Du Bellay et le sacré*, 1978.

BELLEAU ♦ S. ECKHARDT, *Rémy Belleau, sa vie, sa « Bergerie »*, 1917.

BRANTÔME ♦ A. GRIMALDI, *Brantôme et le sens de l'histoire*, 1971.

BUDÉ ♦ J. PLATTARD, *Guillaume Budé et les origines de l'humanisme français*, 1923, rééd. 1966. – M.-M. DE LA GARANDERIE, *Christianisme et lettres profanes. Essai (...) sur la pensée de Guillaume Budé*, 1975.

CALVIN ♦ A.-M. SCHMIDT, *Calvin et la tradition calvinienne*, 1957. – J. CADIER, *Calvin*, 1967.

CHASSIGNET ♦ R. ORTAL, *Un poète de la mort : J.-B. Chassignet*, 1968.

DESPORTES ♦ J. LAVAUD, *Un poète de cour au temps des Valois, Philippe Desportes*, 1936.

GARNIER ♦ M.-M. MOUFLARD, *Robert Garnier, la vie, l'œuvre, les sources*, 1961.

LABÉ ♦ G. GUILLOT, *Louise Labé*, 1962. – E. GIUDICI, *Louise Labé*, 1981. – F. PÉDRON, *Louise Labé, la femme d'amour*, 1984.

LA BOÉTIE ♦ C. PAULUS, *Essai sur La Boétie*, 1949.

LEFÈVRE D'ÉTAPLES ♦ G. BÉDOUELLE, *Lefèvre d'Étaples et l'intelligence des Écritures*, 1976. – *id.*, *le « Quincuplex Psalterium » de Lefèvre d'Étaples. Un guide de lecture*, 1979.

LEMAIRE DE BELGES ♦ G. DOUTREMONT, *Jean Lemaire de Belges et la Renaissance*, 1934, rééd. 1974. – P. JODOGNE, *Jean Lemaire, poète franco-bourguignon*, 1972. – P. ZUMTHOR, *le Masque et la lumière*, 1978.

MARGUERITE DE NAVARRE ♦ P. JOURDA, *Marguerite de Navarre, étude biographique et littéraire*, 1930, rééd. 1968. – N. CAZAURAN, *« l'Heptaméron » de Marguerite de Navarre*, 1976.

MAROT ♦ P. JOURDA, *Clément Marot*, 1967. – C.-A. MAYER, *Clément Marot*, 1972.

MELLIN DE SAINT-GELAIS ♦ H. J. MOLINIER, *Mellin de Saint-Gelais*, 1910, rééd. 1969.

MONLUC ♦ P. MICHEL, *Blaise de Monluc*, 1971.

MONTAIGNE ♦ M. COUCHÉ, *Montaigne ou la Conscience heureuse*, 1964. – P. MOREAU, *Montaigne*, 1966. – M. BUTOR, *Essai sur « les Essais »*, 1968. – H. FRIEDRICH, *Montaigne*, 1968. – J. STAROBINSKI, *Montaigne en mouvement*, 1982.

PONTUS DE TYARD ♦ J.-F. BARIDOU, *Pontus de Tyard*, 1952.

RABELAIS ♦ V.-L. SAULNIER, *le Dessein de Rabelais*, 1956. – A. GLAUSER, *Rabelais créateur*, 1966. – M. BAKHTINE, *l'Œuvre de François Rabelais et la culture populaire au Moyen Âge et sous la Renaissance,* 1970. – F. RIGOLOT, *les Langages de Rabelais,* 1972. – M. LAZARD, *Rabelais et la Renaissance,* 1979. – V.-L. SAULNIER, *Rabelais,* 2 vol., 1982.

RONSARD ♦ P. LAUMONIER, *Ronsard poète lyrique,* 1909, rééd. 1932. – R. LEBÈGUE, *Ronsard,* 1950, rééd. 1966. – M. RAYMOND, *l'Influence de Ronsard sur la poésie française,* 1965. – D. MÉNAGER, *Ronsard, le Roi, le poète et les hommes,* 1979.

SCÈVE ♦ V.-L. SAULNIER, *Maurice Scève. Les milieux, la carrière, la destinée,* 1948. – J. RISSET, *l'Anagramme du désir. Essai sur la « Délie » de Maurice Scève,* 1971. – A. ROUBICHOU-STRETZ, *Maurice Scève et l'École lyonnaise,* 1973. – P. QUIGNARD, *la Parole de la « Délie »,* 1974. – P. ARDOUIN, *Maurice Scève, Pernette du Guillet, Louise Labé, l'Amour à Lyon au temps de la Renaissance,* 1980.

SPONDE ♦ M. ARLAND, *l'Œuvre poétique de Jean de Sponde,* 1943. – P. RUCHON et A. BOASE, *la Vie et l'œuvre de Jean de Sponde,* 1949. – A. BOASE, *la Vie de Jean de Sponde,* 1977.

XVIIe SIÈCLE

GÉNÉRALITÉS

R. BRAY, *la Formation de la doctrine classique en France,* 1927, rééd. 1963. – A. ADAM, *Histoire de la littérature française au XVIIe siècle,* 1948-1956. – V.-L. SAULNIER, *la Littérature du siècle classique,* 1955. – V.-L. TAPIÉ, *Baroque et classicisme,* 1957, rééd. 1967.

P. HAZARD, *la Crise de la conscience européenne (1680-1715),* 1935.

G. MONGRÉDIEN, *les Précieux et les Précieuses,* 1939, rééd. 1963. – R. BRAY, *la Préciosité et les Précieux,* 1948. – R. LATHUILLIÈRE, *la Préciosité, étude historique et linguistique,* 1960.

G. REYNIER, *le Roman réaliste au XVIIe siècle,* 1914. – M. MAGENDIE, *le Roman français au XVIIe siècle, de « l'Astrée » au « Grand Cyrus »,* 1930. – F. BAR, *le Genre burlesque en France au XVIIe siècle. Étude de style,* 1960.

P. BRISSON, *la Pensée religieuse de Charron à Pascal,* 1933. – H. BUSSON, *la Religion des classiques,* 1943. – R. PINTARD, *le Libertinage érudit dans la première moitié du XVIIe siècle,* 1943. – P. BÉNICHOU, *Morales du Grand Siècle,* 1948. – L. COGNET, *le Jansénisme,* 1961.

J. SCHÉRER, *la Dramaturgie classique en France,* 1950. – J. ROUSSET, *l'Intérieur et l'extérieur. Essai sur la poésie et le théâtre au XVIIe siècle,* 1968. – J. TRUCHET, *la Tragédie classique en France,* 1976.

AUTEURS

BALZAC (GUEZ DE) ♦ E. SUTCLIFFE, *Guez de Balzac et son temps,* 1960. – Z. YOUSSEF, *Polémique et littérature chez Guez de Balzac,* 1972.

BOILEAU ♦ P. CLARAC, *Boileau,* 1962.

BOSSUET ♦ TH. GOYET, *l'Humanisme de Bossuet,* 1965. – J. TRUCHET, *Politique de Bossuet,* 1966. – J. LE BRUN, *la Spiritualité de Bossuet,* 1972.

CORNEILLE ♦ J. SCHLUMBERGER, *Plaisir à Corneille,* 1936. – O. NADAL, *le Sentiment de l'amour dans l'œuvre de Pierre Corneille,* 1948. – S. DOUBROVSKY, *Corneille et la dialectique du héros,* 1963. – J. MAURENS, *la Tragédie sans tragique : le néo-stoïcisme dans l'œuvre de Corneille,* 1967. – A. STEGMANN, *l'Héroïsme cornélien,* 1968. – B. DORT, *Corneille dramaturge,* 1971. – R. GUERDAN, *Corneille ou la Vie méconnue du Shakespeare français,* 1984.

CYRANO DE BERGERAC ♦ J. PRÉVOT, *Cyrano de Bergerac romancier,* 1977. – *id., Cyrano de Bergerac poète et dramaturge,* 1978.

DESCARTES ♦ ALAIN, *Étude sur Descartes,* 1928. – F. ALQUIÉ, *Descartes,* 1955. – G. RODIS-LEWIS, *l'Œuvre de Descartes,* 1971.
FÉNELON ♦ J.-L GORÉ, *l'Itinéraire de Fénelon : humanisme et spiritualité,* 1956. – J.-R. ARMOGATHE, *Fénelon,* 1972.
FONTENELLE ♦ J.-M. CARRÉ, *la Philosophie de Fontenelle ou le Sourire de la raison,* 1932. – A. FAYOL, *Fontenelle,* 1961. – A. NIDERST, *Fontenelle à la recherche de lui-même (1657-1702),* 1972.
FRANÇOIS DE SALES ♦ H. LEMAIRE, *les Images chez saint François de Sales,* 1963. – R. BADY, *François de Sales,* 1970.
FURETIÈRE ♦ G. MONGRÉDIEN, *le « Roman bourgeois » de Furetière,* 1955.
LA BRUYÈRE ♦ J.-P. RICHARD, *La Bruyère et ses « Caractères »,* 1965. – L. VAN DELFT, *La Bruyère moraliste,* 1971. – J. BRODY, *Du style à la pensée : trois études sur les « Caractères » de La Bruyère,* 1980.
LA CEPPÈDE ♦ J. ROUSSET, *les « Théorèmes » de La Ceppède,* 1965.
LA FAYETTE (MME DE) ♦ M. LAUGAA, *Lectures de Mme de La Fayette,* 1971. – R. FRANCILLON, *l'Œuvre romanesque de Mme de La Fayette,* 1973.
LA FONTAINE ♦ J. GIRAUDOUX, *les Cinq Tentations de Jean de La Fontaine,* 1938. – P. CLARAC, *La Fontaine, l'homme et l'œuvre,* 1947, rééd. 1959. – J.-P. COLLINET, *le Monde littéraire de La Fontaine,* 1970. – J. ORIEUX, *La Fontaine ou la Vie est un conte,* 1976.
LA ROCHEFOUCAULD ♦ E. MORA, *La Rochefoucauld,* 1965. – L. HIPPEAU, *Essai sur la morale de La Rochefoucauld,* 1967.
MAIRET ♦ G. DOTOLI, *Matière et dramaturgie dans le théâtre de Jean Mairet,* 1976.
MALHERBE ♦ F. BRUNOT, *la Doctrine de Malherbe d'après son commentaire sur Desportes,* 1891, rééd. 1969. – R. FROMILHAGUE, *la Vie de Malherbe. Apprentissage et luttes (1555-1610),* 1954. – *id., Malherbe, technique et création poétiques,* 1954. – F. PONGE, *Pour un Malherbe,* 1965.
MOLIÈRE ♦ R. BRAY, *Molière homme de théâtre,* 1954, rééd. 1979. – J. GUICHARNAUD, *Molière : une aventure théâtrale,* 1964. – L. JOUVET, *Molière et la comédie classique,* 1965. – R. LAUBREAUX, *Molière,* 1973. – J. COPEAU, *Molière,* 1976.
PASCAL ♦ J. STEINMAN, *Pascal,* 1962. – CH. BAUDOUIN, *Blaise Pascal ou l'Ordre du cœur,* 1962. – J. GUITTON, *Génie de Pascal,* 1962. – J. MESNARD, *Pascal,* 1967. – M. LE GUERN, *l'Image dans l'œuvre de Pascal,* 1969.
PERRAULT ♦ M. SORIANO, *les Contes de Perrault, culture savante et traditions populaires,* 1968, rééd. 1977.
RACINE ♦ TH. MAULNIER, *Racine,* 1934. – R. PICARD, *la Carrière de Jean Racine,* 1961. – R. BARTHES, *Sur Racine,* 1963. – J.-J. ROUBINE, *Lectures de Racine,* 1971. – A. NIDERST, *Racine et la tragédie classique,* 1978. – J.-L. BACKÈS, *Racine,* 1981. – J. SCHÉRER, *Racine et/ou la cérémonie,* 1983.
RETZ ♦ B.-B. DE MENDOZE, *le Cardinal de Retz et ses Mémoires : étude de caractérologie littéraire,* 1974. – A. BERTIÈRE, *le Cardinal de Retz mémorialiste,* 1977.
ROTROU ♦ J. MOREL, *Jean Rotrou dramaturge de l'ambiguïté,* 1968.
SAINT-AMANT ♦ J. LAGNY, *le Poète Saint-Amant. Essai sur sa vie et ses œuvres,* 1964.
SAINT-ÉVREMOND ♦ A.-M. SCHMIDT, *Saint-Évremond ou l'humaniste impur,* 1932. – R. TERNOIS, *Saint-Évremond et la politique de son temps,* 1959.
SAINT-SIMON ♦ G. POISSON, *Monsieur de Saint-Simon,* 1973. – Y. COIRAULT, *l'Optique de Saint-Simon,* 1975.
SCARRON ♦ P. MORILLOT, *Scarron et le genre burlesque,* 1888. – E. MAGNE, *Scarron et son milieu,* 1924. – L.-S. KORITZ, *Scarron satirique,* 1977.
SCUDÉRY (MLLE DE) ♦ A. NIDERST, *Madeleine de Scudéry, Paul Pellisson et leur monde,* 1976. – R. GODENNE, *les Romans de Mlle de Scudéry,* 1983.
SÉVIGNÉ (MME DE) ♦ J. CORDELIER, *Mme de Sévigné par elle-même,* 1967. – E. AVIGDOR, *Madame de Sévigné, portrait intellectuel et moral,* 1975. – R. DUCHÊNE, *Mme de Sévigné ou la Chance d'être femme,* 1982.
SOREL ♦ E. ROY, *Vie et œuvres de Charles Sorel,* 1891, rééd. 1970. – F. SUTCLIFFE, *le Réalisme de Charles Sorel,* 1965. – H. BÉCHADE, *les Romans comiques de Charles Sorel : fiction narrative, langue et langages,* 1981.

VIAU ♦ A. ADAM, *Théophile de Viau et la libre pensée française en 1620*, 1936.

URFÉ ♦ J. EHRMANN, *Un paradis désespéré : l'amour et l'illusion dans « l'Astrée »*, 1963. – M. GAUME, *les Inspirations et les sources de l'œuvre d'Honoré d'Urfé*, 1977.

XVIIIe SIÈCLE

GÉNÉRALITÉS

P. TRAHARD, *les Maîtres de la sensibilité française au XVIIIe siècle*, 1933. – P. HAZARD, *la Pensée européenne au XVIIIe siècle, de Montesquieu à Lessing*, 1947. – M. GLOTZ et M. MAIRE, *les Salons du XVIIIe siècle*, 1949. – R. MAUZI, *l'Idée de bonheur dans la littérature et la pensée françaises au XVIIIe siècle*, 1960. – J. EHRARD, *l'Idée de nature en France dans la première moitié du XVIIIe siècle*, 1963. – J. ROGER, *les Sciences de la vie dans la pensée française du XVIIIe siècle*, 1963. – J. STAROBINSKI, *l'Invention de la liberté, 1700-1789*, 1964. – M. LAUNAY et G. MAILHOS, *Introduction à la vie littéraire au XVIIIe siècle*, 1969. – J. DEPRUN, *la Philosophie de l'inquiétude en France au XVIIIe siècle*, 1979.

J. FABRE, *Lumières et romantisme*, 1963. – R. MORTIER, *Clartés et ombres du siècle des Lumières*, 1969. – G. BENREKASSA, *le Concentrique et l'excentrique : marges des Lumières*, 1980.

A. FAIVRE, *l'Ésotérisme en France et en Allemagne au XVIIIe siècle*, 1973.

AUTEURS

BACULARD D'ARNAUD ♦ G. VAN DE LOUW, *Baculard d'Arnaud romancier ou vulgarisateur, essai de sociologie littéraire*, 1972.

BAYLE ♦ P. ANGELESCO, *Pierre Bayle et son influence en Europe au XVIIIe siècle*, 1953. – P. RÉTAT, *le Dictionnaire de Bayle et la lutte philosophique au XVIIIe siècle*, 1971.

BEAUMARCHAIS ♦ J. SCHÉRER, *Dramaturgie de Beaumarchais*, 1954. – R. POMEAU, *Beaumarchais, l'homme et l'œuvre*, 1956. – M. DESCOTES, *les Grands rôles du théâtre de Beaumarchais*, 1974. – G. CONESA, *la Trilogie de Beaumarchais*, 1985.

BERNARDIN DE SAINT-PIERRE ♦ P. TOINET, *Paul et Virginie*, 1963.

BUFFON ♦ R. HEIM, *Buffon*, 1952. – J.-L. BINET et J. ROGER, *Un autre Buffon*, 1977.

CAZOTTE ♦ G. DÉCOTE, *l'Itinéraire de Jacques Cazotte : de la fiction littéraire au mysticisme politique*, 1981.

CHÉNIER ♦ J. FABRE, *Chénier*, 1965. – G. D'AUBARÈDE, *André Chénier*, 1970.

DELILLE ♦ E. GUITTON, *Jacques Delille et le poème de la nature en France de 1750 à 1820*, 1974.

DIDEROT ♦ J. THOMAS, *l'Humanisme de Diderot*, 1930. – R. KEMPF, *Diderot et le roman ou le Démon de la présence*, 1964. – R. POMEAU, *Diderot, sa vie, son œuvre, avec un exposé de sa philosophie*, 1967. – J. CHOUILLET, *la Formation des idées esthétiques de Diderot*, 1973. – J. PROUST, *Lectures de Diderot*, 1974. – E. DE FONTENAY, *Diderot et le matérialisme enchanté*, 1981. – J. CHOUILLET, *Diderot, poète de l'énergie*, 1984. – A. M. WILSON, *Diderot, sa vie et son œuvre*, 1985 (éd. fr.).

ENCYCLOPÉDIE ♦ J. PROUST, *Diderot et l'Encyclopédie*, 1962. – *id.*, *l'Encyclopédie*, 1965. – R. DARNTON, *l'Aventure de l'« Encyclopédie »*, 1982.

LACLOS ♦ R. VAILLAND, *Laclos par lui-même*, 1953. – J.-L. SEYLAZ, *« les Liaisons dangereuses » et la création romanesque chez Laclos*, 1958. – C. BELCIKOWSKI, *Poétique des « Liaisons dangereuses »*, 1972. – R. POMEAU, *Laclos*, 1975. – G. POISSON, *Choderlos de Lados ou l'obstination*, 1985.

LESAGE ♦ CH. DÉDEYAN, *Alain-René Lesage*, 1956. – R. LAUFER, *Lesage ou le métier de romancier*, 1971.

MARIVAUX ♦ M. ARLAND, *Marivaux,* 1950. – F. DELOFFRE, *Une préciosité nouvelle : Marivaux et le marivaudage,* 1955, rééd. 1971. – H. COULET et M. GILOT, *Marivaux, un humanisme expérimental,* 1973. – H. COULET, *Marivaux romancier. Essai sur l'esprit et le cœur dans les romans de Marivaux,* 1975. – M. GILOT, *les Journaux de Marivaux, itinéraire moral et accomplissement esthétique,* 1975. – A. SCAPAGNA, *Entre le oui et le non. Essai sur la structure profonde du théâtre de Marivaux,* 1978.

MONTESQUIEU ♦ J. STAROBINSKI, *Montesquieu par lui-même,* 1953, rééd. 1967. – J. EHRARD, *Politique de Montesquieu,* 1965. – G. BENREKASSA, *Montesquieu,* 1968. – C. ROSSO, *Montesquieu moraliste : des lois au bonheur,* 1971. – R. OUELLET et H. VACHON, *« Lettres persanes »,* 1976. – P. VERNIÈRE, *Montesquieu et « l'Esprit des lois » ou la Raison impure,* 1977.

PRÉVOST ♦ H. RODDIER, *l'Abbé Prévost, l'homme et l'œuvre,* 1955. – J. SGARD, *Prévost romancier,* 1968. – J.-L. JACCARD, *« Manon Lescaut ». Le personnage-romancier,* 1978. – P. ROSMODUC, *le Monde moral de Prévost. Une dynamique des passions,* 1981.

RESTIF DE LA BRETONNE ♦ M. CHADOURNE, *Restif de la Bretonne ou le Siècle prophétique,* 1958. – P. TESTUD, *Rétif de la Bretonne et la création littéraire,* 1977.

ROUSSEAU ♦ J. GUÉHENNO, *Jean-Jacques, grandeur et misère d'un esprit,* 1952. – J. STAROBINSKI, *Jean-Jacques Rousseau. La Transparence et l'obstacle,* 1957, rééd. 1976. – M. RAYMOND, *Jean-Jacques Rousseau, la quête de soi et la rêverie,* 1962. – M. LAUNAY, *Rousseau,* 1968. – P.-P. CLÉMENT, *Jean-Jacques Rousseau : de l'éros coupable à l'éros glorieux,* 1976.

SADE ♦ P. KLOSSOWSKI, *Sade mon prochain,* 1947. – G. LÉLY, *Sade,* 1967. – A.-H. LABORDE, *Sade romancier,* 1974. – PH. ROGER, *Sade : la philosophie dans le pressoir,* 1976.

VAUVENARGUES ♦ P. SOUCHON, *Vauvenargues philosophe de la gloire,* 1947. – Y. LAINEY, *les Valeurs morales dans les écrits de Vauvenargues,* 1975.

VOLTAIRE ♦ A. BELLESSORT, *Essai sur Voltaire,* 1925. – R. NAVES, *Voltaire, l'homme et l'œuvre,* 1942, rééd. 1955. – R. POMEAU, *Voltaire par lui-même,* 1955. – *id., Politique de Voltaire,* 1963. – J. ORIEUX, *Voltaire ou la Royauté de l'esprit,* 1966. – J. VAN DEN HEUVEL, *Voltaire dans ses Contes, de « Micromégas » à « l'Ingénu »,* 1967.

XIXe SIÈCLE

GÉNÉRALITÉS

R. JULLIAN, *le Mouvement des arts du Romantisme au Symbolisme,* 1979. – H. LEMAÎTRE, *Du Romantisme au Symbolisme, 1790-1914,* 1982.

D. RINCÉ, *la Poésie française du XIXe siècle,* 1977.

R. MOLHO, *la Critique littéraire en France au XIXe siècle,* 1963.

J. ROBICHEZ, *le Siècle romantique,* 1962. – L. CELLIER, *l'Épopée humanitaire et les grands mythes romantiques,* 1971. – J.-P. RICHARD, *Études sur le Romantisme,* 1976.

M. DESCOTES, *le Drame romantique et ses grands créateurs,* 1955.

E. ESTÈVE, *le Parnasse,* 1929.

R. DUMESNIL, *le Réalisme,* 1936, rééd. 1957. – P. COGNY, *le Naturalisme,* 1953. – J.-H. BORNECQUE et P. COGNY, *Réalisme et naturalisme,* 1958.

P.-G. CASTEX, *le Conte fantastique en France de Nodier à Maupassant,* 1951.

A.-M. SCHMIDT, *la Littérature symboliste 1870-1900,* 1942, rééd. 1969. – G. MICHAUD, *Message poétique du Symbolisme,* 1947. – A. MERCIER, *les Sources ésotériques et occultes de la poésie symboliste,* 1969.

AUTEURS

AMIEL ♦ A. Thibaudet, *Amiel ou la Part du rêve,* 1929. – P. Trahard, *H.-F. Amiel, juge de l'esprit français,* 1978.

BALLANCHE ♦ A. George, *Pierre-Simon Ballanche,* 1945. – P. Emmanuel, *Avec Ballanche dans la Ville des expiations,* dans : *Le monde est intérieur,* 1967.

BALZAC ♦ E.-R. Curtius, *Balzac,* 1933. – M. Bardèche, *Balzac romancier,* 1945, rééd. 1980. – A. Béguin, *Balzac visionnaire,* 1946. – F. Marceau, *Balzac et son monde,* 1955, rééd. 1970. – A. Maurois, *Prométhée ou la Vie de Balzac,* 1965. – M. Fargeaud, *Balzac et la recherche de l'absolu,* 1968. – P. Barbéris, *Balzac et le mal du siècle, contribution à une physiologie du monde moderne,* 2 vol., 1970. – *id., le Monde de Balzac,* 1971. – *id., Balzac, une mythologie réaliste,* 1971. – P.-L. Rey, *la Comédie humaine,* 1979.

BARBEY D'AUREVILLY ♦ R. Bésus, *Barbey d'Aurevilly,* 1957. – J. Petit, *Barbey d'Aurevilly critique,* 1963. – J. Canu, *Barbey d'Aurevilly,* 1965. – P. Colla, *l'Univers dramatique de Barbey d'Aurevilly,* 1965. – H. Hofer, *Barbey d'Aurevilly romancier,* 1974. – J. Petit, *Essais de lectures des « Diaboliques »,* 1974. – H. Juin, *Barbey d'Aurevilly,* 1975. – Ph. Berthier, *Barbey d'Aurevilly et l'Imagination,* 1978.

BAUDELAIRE ♦ A. Ferran, *l'Esthétique de Baudelaire,* 1933. – P.-J. Jouve, *Tombeau de Baudelaire,* 1942, rééd. 1958. – J. Prévost, *Baudelaire, essai sur l'inspiration et la création poétiques,* 1953. – M.-A. Ruff, *Baudelaire, l'homme et l'œuvre,* 1955, rééd. 1960. – P.-G. Castex, *Baudelaire critique d'art,* 1969. – G. Poulet, *la Poésie éclatée,* 1980. – P. Emmanuel, *Baudelaire, la femme et Dieu,* 1982. – D. Rincé, *Baudelaire et la modernité poétique,* 1984.

BECQUE ♦ M. Descotes, *Henry Becque et son théâtre,* 1962.

BERTRAND ♦ H. Corbat, *Hantise et imagination chez Aloysius Bertrand,* 1975.

BONALD ♦ J. Gritti, *Louis de Bonald,* 1967.

BOURGET ♦ M. Mansuy, *Un moderne : Paul Bourget,* 1961.

BRUNETIÈRE ♦ J.-G. Clark, *la Pensée de Ferdinand Brunetière,* 1954.

CÉARD ♦ R. Frazee, *Henry Céard, idéaliste détrompé,* 1963.

CHATEAUBRIAND ♦ M.-J. Durry, *la Vieillesse de Chateaubriand (1830-1848),* 1933. – P. Moreau, *Chateaubriand, l'homme et l'œuvre,* 1956. – M. Levaillant, *Chateaubriand prince des songes,* 1960. – A. Vial, *Chateaubriand et le Temps perdu,* 1963. – M. de Dieguez, *Chateaubriand ou le Poète face à l'histoire,* 1965. – G. Dupuis - J. Georges - J. Moreau, *Politique de Chateaubriand,* 1967. – J.-P. Richard, *l'Imaginaire de Chateaubriand,* 1973. – Duc de Castries, *Chateaubriand ou la Puissance du songe,* 1976. – G.-D. Painter, *Chateaubriand. Une biographie : orages désirés,* 1979. – J. d'Ormesson, *Mon dernier rêve sera pour vous : une biographie sentimentale de Chateaubriand,* 1982.

CONSTANT ♦ Ch. Du Bos, *Grandeur et misère de Benjamin Constant,* 1946. – P. Bastid, *Benjamin Constant et sa doctrine,* 1966. – G. Poulet, *Benjamin Constant par lui-même,* 1968. – P. Delbouille, *Genèse, structure et destin d'« Adolphe »,* 1971.

CORBIÈRE ♦ M. Dansel, *Langage et modernité de Tristan Corbière,* 1974.

COURTELINE ♦ C. Bornecque, *le Théâtre de Georges Courteline,* 1969.

CROS ♦ L. Forestier, *Charles Cros, l'homme et l'œuvre,* 1969.

CUREL ♦ E. Braunstein, *François de Curel et le théâtre d'idées,* 1963.

DAUDET ♦ Y.-E. Clogenson, *Alphonse Daudet peintre de la vie de son temps,* 1947. – J. Rouré, *Alphonse Daudet,* 1983.

DESBORDES-VALMORE ♦ J. Moulin, *Marceline Desbordes-Valmore,* 1955.

DUMAS ♦ H. Clouard, *Alexandre Dumas,* 1955. – A. Maurois, *les Trois Dumas,* 1957. – J.-C. Perrin, *« les Trois Mousquetaires » et les « Mémoires » de d'Artagnan,* 1976.

DUMAS FILS ♦ G. Octavian, *les Romans de Dumas fils,* 1935.

DURANTY ♦ M. Crouzet, *Un méconnu du réalisme : Duranty,* 1964.

FEYDEAU ♦ H. Gidel, *la Dramaturgie de Feydeau,* 1978.

FLAUBERT ♦ A. Thibaudet, *Flaubert,* 1922, rééd. 1973. – V. Brombert, *Flaubert par lui-même,* 1971. – J.-P. Sartre, *l'Idiot de la famille,* 1971-1972.

– G. BOLLÊME, *la Leçon de Flaubert,* 1972. – M. BARDÈCHE, *l'Œuvre de Flaubert,* 1975. – M. ROBERT, *En haine du roman, étude sur Flaubert,* 1982.

FRANCE ♦ J. LEVAILLANT, *Anatole France,* 1970. – M.-C. BANCQUART, *Anatole France, un sceptique passionné,* 1984.

FROMENTIN ♦ A. LAGRANGE, *l'Art de Fromentin,* 1952. – C. HERZFELD, *« Dominique » de Fromentin. Thèmes et structure,* 1971.

GAUTIER ♦ B. DELVAILLE, *Théophile Gautier,* 1968. – J. SAVALLE, *Travestis, métamorphoses, dédoublements,* 1981. – M. VOISIN, *le Soleil et la nuit, l'imaginaire dans l'œuvre de Théophile Gautier,* 1981.

GONCOURT ♦ R. RICATTE, *la Création romanesque chez les Goncourt,* 1953. – E. CARAMASCHI, *Réalisme et impressionnisme dans l'œuvre des frères Goncourt,* 1970. – W. BANNOUR, *Edmond et Jules de Goncourt ou le Génie androgyne,* 1985.

GUÉRIN ♦ B. D'HARCOURT, *Maurice de Guérin et le poème en prose,* 1932. – F.-F. J. DRISKENINGEN, *Temps et Journal intime : essai sur l'œuvre de Maurice de Guérin,* 1959. – M. SCHÄRER-NUSSBERGER, *Maurice de Guérin, l'errance et la demeure,* 1965.

HELLO ♦ S. FUMET, *Ernest Hello ou le Drame de la lumière,* 1945.

HUGO ♦ J.-B. BARRÈRE, *Victor Hugo, l'homme et l'œuvre,* 1952. – J. GAUDON, *Hugo dramaturge,* 1955. – P. MOREAU, *« Les Contemplations » ou le Temps retrouvé,* 1962. – P. ALBOUY, *la Création mythologique chez Victor Hugo,* 1963. – G. PIROUÉ, *Victor Hugo romancier ou les Dessous de l'inconnu,* 1964, rééd. 1984. – J. GAUDON, *le Temps de la contemplation : l'œuvre poétique de Hugo,* 1969, rééd. 1985. – C. VILLIERS, *l'Univers métaphysique de Victor Hugo,* 1970. – A. GLAUSER, *la Poétique de Hugo,* 1978. – D. CASIGLIA, *Victor Hugo, sa vie, son œuvre,* 1984. – A. DECAUX, *Victor Hugo,* 1984. – H. JUIN, *Victor Hugo,* 1. *1802-1843,* 1984 ; 2. *1844-1870,* 1985.

HUYSMANS ♦ P. COGNY, *J.-K. Huysmans à la recherche de l'unité,* 1953. – R. BALDICK, *la Vie de J.-K. Huysmans,* 1958. – *L'HERNE, Huysmans* (sous la dir. de P. Brunel et A. Guyaux), 1985.

JANIN ♦ J. LANDIN, *Jules Janin conteur et romancier,* 1978.

JARRY ♦ F. CARADEC, *À la recherche d'Alfred Jarry,* 1973. – N. ARNAUD, *Alfred Jarry, d'Ubu-roi au docteur Faustroll,* 1974. – H. BÉHAR, *Jarry dramaturge,* 1980.

LAFORGUE ♦ M.-J. DURRY, *Laforgue,* 1952. – P. REBOUL, *Jules Laforgue,* 1960.

LAMARTINE ♦ P. JOUANNE, *l'Harmonie lamartinienne,* 1926. – MARQUIS DE LUPPÉ, *les Travaux et les jours d'A. de Lamartine,* 1942. – M.-F. GUYARD, *Lamartine,* 1956.

LAMENNAIS ♦ Y. LE HIR, *Lamennais écrivain,* 1949. – L. LE GUILLOU, *l'Évolution de la pensée religieuse de Lamennais,* 1966.

LAUTRÉAMONT ♦ G. BACHELARD, *Lautréamont,* 1939, rééd. 1965. – P. ZWEIG, *Lautréamont et les violences du Narcisse,* 1967. – J. DECOTTIGNIES, *Prélude à Maldoror,* 1973. – C. BOUCHÉ, *Lautréamont, du lieu commun à la parodie,* 1974. – M. PRESSENS, *Lautréamont. Éthique à Maldoror,* 1984.

LECONTE DE LISLE ♦ P. FLOTTES, *Leconte de Lisle, l'homme et l'œuvre,* 1954. – J.-M. PRIOU, *Leconte de Lisle,* 1966. – E. PICH, *Leconte de Lisle et sa création poétique,* 1975.

LITTRÉ ♦ A. REY, *Littré, l'humaniste et les mots,* 1969.

LOTI ♦ K.-G. MILLWARD, *l'Œuvre de Pierre Loti et l'esprit « Fin-de-siècle »,* 1956, rééd. 1971. – LE TARGAT, *À la recherche de Pierre Loti,* 1974.

MAETERLINCK ♦ G. DONEUX, *Maeterlinck, une poésie, une sagesse, un homme,* 1961. – J.-M. ANDRIEU, *Maeterlinck,* 1962. – M. POSTIC, *Maeterlinck et le Symbolisme,* 1970.

MAISTRE ♦ R. TRIOMPHE, *Joseph de Maistre,* 1968.

MALLARMÉ ♦ A. THIBAUDET, *la Poésie de Stéphane Mallarmé,* 1912. – H. MONDOR, *Vie de Mallarmé,* 1942. – L. CELLIER, *Mallarmé et la Morte qui parle,* 1959. – J.-P. RICHARD, *l'Univers imaginaire de Mallarmé,* 1961. – CH. MAURON, *Mallarmé par lui-même,* 1964. – C. ABASTADO, *Expérience et théorie de la création poétique chez Mallarmé,* 1970. – G. MICHAUD, *Mallarmé,* 1971.

MAUPASSANT ♦ A. VIAL, *Guy de Maupassant et l'Art du roman,* 1954. – A.-M. SCHMIDT, *Maupassant par lui-même,* 1962. – M.-C. BANCQUART,

Maupassant conteur fantastique, 1976. – G. DELAISEMENT, *Guy de Maupassant, le témoin, l'homme, le critique,* 1984.
MÉRIMÉE ♦ P. TRAHARD, *Prosper Mérimée et l'art de la nouvelle,* 1923, rééd. 1952. – R. BASCHET, *Du romantisme au Second Empire : Prosper Mérimée,* 1958. – J. AUTIN, *Prosper Mérimée, écrivain, archéologue, homme politique,* 1983.
MICHELET ♦ J. GUÉHENNO, *l'Évangile éternel, étude sur Michelet,* 1927. – R. BARTHES, *Michelet par lui-même,* 1954. – J. GAULMIER, *Michelet,* 1968. – J. CABANIS, *Michelet, le prêtre et la femme,* 1978.
MISTRAL ♦ A. THIBAUDET, *Mistral ou la République du soleil,* 1930. – R. LAFONT, *Mistral ou l'Illusion,* 1955, rééd. 1980. – J.-P. CLÉBERT, *Mistral ou l'empire du soleil,* 1984.
MORÉAS ♦ R. JOUANNY, *Jean Moréas, écrivain français,* 1973.
MUSSET ♦ S. JEUNE, *Musset et sa fortune littéraire,* 1970. – B. MASSON, *Lorenzaccio ou la Difficulté d'être,* 1970. – J. DELAIS, *Alfred de Musset,* 1974. – B. MASSON, *Musset et le Théâtre intérieur,* 1974.
NERVAL ♦ M.-J. DURRY, *Gérard de Nerval et le mythe,* 1956. – L. CELLIER, *Gérard de Nerval,* 1963. – J. RICHER, *Nerval, expérience et création,* 1964, rééd. 1970. – P.-G. CASTEX, *« Sylvie » de Gérard de Nerval,* 1970. – *id., « Aurélia » de Gérard de Nerval,* 1971.
NODIER ♦ P.-G. CASTEX, *Nodier et ses rêves,* 1958. – H. JUIN, *Charles Nodier,* 1970. – M.-S. HAMENACHEM, *Charles Nodier. Essai sur l'imagination mythique,* 1972.
NOUVEAU ♦ M. RUFF (sous la direction de), *Germain Nouveau,* 1967. – L. FORESTIER, *Germain Nonveau,* 1971.
RENAN ♦ H. PEYRE, *Sagesse de Renan,* 1968. – H.-W. WARDMAN, *Renan historien philosophe,* 1979.
RENARD ♦ M. POLLITZER, *Jules Renard, sa vie, son œuvre,* 1966. – M. AUTRAND, *l'Humour de Jules Renard,* 1978.
RIMBAUD ♦ ÉTIEMBLE, *le Mythe de Rimbaud,* 1952. – H. MONDOR, *Rimbaud ou le Génie impatient,* 1955. – Y. BONNEFOY, *Rimbaud par lui-même,* 1961. – S. FUMET, *Rimbaud, mystique contrarié,* 1966. – J.-R. GIUSTO, *Rimbaud créateur,* 1980. – G. POULET, *la Poésie éclatée,* 1980. – R. DE RENÉVILLE, *Rimbaud le Voyant,* rééd. 1985.
SAINT-POL ROUX ♦ TH. BRIANT, *Saint-Pol Roux,* 1952.
SAINTE-BEUVE ♦ M. REGARD, *Sainte-Beuve,* 1960. – P. MOREAU, *la Critique selon Sainte-Beuve,* 1964.
SAND ♦ CL. CHONEZ, *George Sand,* 1973. – F. MALLET, *George Sand,* 1976.
SENANCOUR ♦ A. PIZZORUSSO, *Senancour,* 1950. – M. RAYMOND, *Senancour, sensations et révélations,* 1965. – B. LE GALL, *l'Imaginaire chez Senancour,* 1966.
STAËL (MME DE) ♦ J.-C. HÉROLD, *Germaine Necker de Staël,* 1962. – P. CORDAY, *Mme de Staël ou le Deuil éclatant du bonheur,* 1967. – S. BALAYÉ, *Madame de Staël. Lumières et libertés,* 1979. – G. DE DIESBACH, *Madame de Staël,* 1984.
STENDHAL ♦ G. BLIN, *Stendhal et les problèmes du roman,* 1954, rééd. 1973. – G. DURAND, *le Décor mythique de « la Chartreuse de Parme »,* 1961. – V. DEL LITTO, *la Vie intellectuelle de Stendhal,* 1963. – M. CROUZET, *Stendhal et le langage,* 1981. – *id., Stendhal et l'italianité,* 1982. – *id., « la Vie de Henri Brûlard » ou l'Enfance de la révolte,* 1982. – *id., Nature et société chez Stendhal,* 1985. – J. LAURENT, *Stendhal comme Stendhal ou le Mensonge ambigu,* 1984.
SUE ♦ J.-L. BORY, *Eugène Sue, le roi du roman populaire,* 1962, rééd. en 1973 sous le titre *E. Sue, dandy et socialiste.* – P. GINISTY, *Eugène Sue,* 1979.
VALLÈS ♦ P. COGNY, *Jules Vallès et son temps,* 1980.
VERHAEREN ♦ L. CHRISTOPHE, *Émile Verhaeren,* 1955.
VERLAINE ♦ A. ADAM, *Verlaine,* 1953. – CL. CUÉNOT, *le Style de Paul Verlaine,* 1962. – G. ZAYED, *la Formation littéraire de Verlaine,* 1962. – P. PETITFILS, *Paul Verlaine,* 1980. – J. ROBICHEZ, *Verlaine entre Rimbaud et Dieu,* 1982.
VERNE ♦ S. VIERNE, *Jules Verne et le roman initiatique,* 1973. – G. PROUTEAU, *Jules Verne,* 1978.
VIÉLÉ-GRIFFIN ♦ H. DE PAYSAC, *Francis Viélé-Griffin, poète symboliste et citoyen américain,* 1976.

VIGNY ♦ G. BONNEFOY, *la Pensée religieuse et morale d'Alfred de Vigny,* 1944. – P.-G. CASTEX, *Alfred de Vigny,* 1959. – F. GERMAIN, *l'Imagination d'Alfred de Vigny,* 1962. – F. BARTFELD, *Vigny et la figure de Moïse,* 1968.

VILLIERS DE L'ISLE-ADAM ♦ A. LEBOIS, *Villiers de l'Isle-Adam révélateur du verbe,* 1952. – A.-W. RAITT, *Villiers de l'Isle-Adam et le mouvement symboliste,* 1965. – J.-M. BORNECQUE, *Villiers de l'Isle-Adam, créateur et visionnaire,* 1974. – J. DECOTTIGNIES, *Villiers le taciturne,* 1983. – A. MÉRY, *les Idées politiques et sociales de Villiers de l'Isle-Adam,* 1984.

ZOLA ♦ H. GUILLEMIN, *Zola, légende et vérité,* 1960. – R. TERNOIS, *Zola et son temps,* 1961. – M. EUVRARD, *Émile Zola,* 1967. – A. DE LATTRE, *le Réalisme selon Zola,* 1974. – M. SERRES, *Feux et signaux de brume, Zola,* 1975. – PH. HAMON, *le Personnel du roman. Le Système des personnages dans « les Rougon-Macquart » d'Émile Zola,* 1983.

XXe SIÈCLE

GÉNÉRALITÉS

A. ROUSSEAUX, *Littérature du XXe siècle,* 1939-1958. – P.-H. SIMON, *Histoire de la littérature française contemporaine,* 1957. – H. LEMAÎTRE, *l'Aventure littéraire du XXe siècle.* I. *1890-1930.* II. *1920-1960,* 1984.

M. SANOUILLET, *Dada à Paris,* 1965.

M. NADEAU, *Histoire du Surréalisme,* 1945, rééd. 1964. – R. BRÉCHON, *le Surréalisme,* 1971. – S. ALEXANDRIAN, *le Surréalisme et le rêve,* 1974. – M. JEAN, *Autobiographie du Surréalisme,* 1979. – A. BIRO et R. PASSERON (sous la dir.), *Dictionnaire général du surréalisme et de ses environs,* 1982.

J.-P. RICHARD, *Onze études sur la poésie moderne,* 1964. – H. LEMAÎTRE, *la Poésie depuis Baudelaire,* 1965. – M. RAYMOND, *De Baudelaire au surréalisme,* rééd. 1965. – S. BRINDEAU, *la Poésie contemporaine de langue française,* 1973.

C.-E. MAGNY, *Histoire du roman français depuis 1918,* 1950. – R.-M. ALBÉRÈS, *Histoire du roman moderne,* 1962, rééd. 1971. – *id., Métamorphoses du roman,* 1965. – M. RAYMOND, *la Crise du roman des lendemains du naturalisme aux années vingt,* 1967. – M. ZÉRAFFA, *Personne et personnage, le Romanesque des années 1920 aux années 1950,* 1969 ; condensé et rééd. sous le titre *la Révolution romanesque,* 1972. – M. RAYMOND, *le Roman contemporain,* 1976.

P.-H. SIMON, *la Signification de la renaissance dramatique en France,* 1961. – P. SURER, *le Théâtre français contemporain,* 1964. – J.-M. DOMENACH, *le Retour du Tragique,* 1967. – M. CORVIN, *le Théâtre nouveau en France,* 1969. – G. SERREAU, *Histoire du « nouveau théâtre »,* 1975. – M. BORIE, *Mystère et théâtre aujourd'hui,* 1981.

A. BLANCHET, *la Littérature et le spirituel,* 1959. – D. MOUTOTTE, *Égotisme français moderne : Stendhal, Barrès, Gide, Valéry,* 1980. – B.-T. FITCH, *Écrivains de la modernité,* 1982.

AUTEURS

ABBAYE ♦ M.-L. BIDAL, *les Écrivains de « l'Abbaye »,* 1938.

ADAMOV ♦ R. GAUDY, *Arthur Adamov, essai et documents,* 1971. – P. MÉLÈSE, *Arthur Adamov,* 1972.

ALAIN ♦ A. MAUROIS, *Alain,* 1949. – A. SERNIN, *Alain, un sage dans la cité,* 1985.

ALAIN-FOURNIER ♦ M. GUIOMAR, *Inconscient et imaginaire dans « le Grand Meaulnes » d'Alain Fournier,* 1964. – W. JÖHR, *Alain-Fournier, le Paysage d'une âme,* 1972.

ALBERT-BIROT ♦ J. FOLLAIN, *Pierre Albert-Birot,* 1964.
ANOUILH ♦ J. VIER, *le Théâtre de Jean Anouilh,* 1976.
APOLLINAIRE ♦ P. PIA, *Apollinaire par lui-même,* 1954. – M.-J. DURRY, *Apollinaire,* 1964. – C. BONNEFOY, *Apollinaire,* 1969. – PH. RENAUD, *Lecture d'Apollinaire,* 1969. – R. JEAN, *la Poétique du Désir,* 1974. – D. OSTER, *Guillaume Apollinaire,* 1975.
ARAGON ♦ P. DE LESCURE, *Aragon romancier,* 1960. – R. GARAUDY, *l'Itinéraire d'Aragon,* 1961. – G. RAILLARD, *Aragon,* 1964. – Y. GINDINE, *Aragon prosateur surréaliste,* 1966. – P. DAIX, *Aragon, une vie à changer,* 1975.
ARLAND ♦ J. DUVIGNAUD, *Marcel Arland,* 1962.
ARRABAL ♦ B. GILLES, *Fernando Arrabal,* 1970.
ARTAUD ♦ J. ARMAND-LAROCHE, *Antonin Artaud et son double,* 1963. – A. VIRMAUX, *Antonin Artaud et le théâtre,* 1970. – H. GOUHIER, *Antonin Artaud et l'essence du théâtre,* 1974. – A. et O. VIRMAUX, *Artaud,* 1979.
AUDIBERTI ♦ A. DESLANDES, *Audiberti,* 1964. – J.-Y. GUÉRIN, *le Théâtre d'Audiberti et le baroque,* 1976.
AUDOUX ♦ L. LANOIZELÉE, *Marguerite Audoux,* 1954.
AYMÉ ♦ J. CATHELIN, *Marcel Aymé ou le Paysan de Paris,* 1958. – P. VANDROMME, *Marcel Aymé,* 1960. – J.-L. DUMONT, *Marcel Aymé et le merveilleux,* 1970.
BACHELARD ♦ P. GINESTIER, *la Pensée de Bachelard,* 1968. – V. THÉRIEN, *la Révolution de Gaston Bachelard en critique littéraire,* 1970. – J.-C. MARGOLIN, *Gaston Bachelard,* 1974.
BARRÈS ♦ A. THIBAUDET, *la Vie de Maurice Barrès,* 1921. – P. MOREAU, *Barrès,* 1946. – P. DE BOISDEFFRE, *Barrès parmi nous,* 1959. – J.-M. DOMENACH, *Barrès par lui-même,* 1963.
BATAILLE ♦ A. SARANE, *« Georges Bataille et l'amour noir »,* dans *les Libérateurs de l'amour,* 1977. – F. MARMANDE, *Georges Bataille politique,* 1985. – *id., l'Indifférence des ruines. Variations sur l'écriture du « Bleu du ciel »,* 1985.
BAZIN ♦ P. MOUSTIERS, *Hervé Bazin ou le romancier en mouvement,* 1974.
BEAUVOIR ♦ G. HOURDIN, *Simone de Beauvoir et la liberté,* 1962. – L. GAGNEBIN, *Simone de Beauvoir ou le Refus de l'indifférence,* 1968. – CH. MOUBACHIR, *Simone de Beauvoir,* 1972. – A. SCHWARZER, *Simone de Beauvoir aujourd'hui,* 1984.
BECKETT ♦ O. BERNAL, *Langage et fiction dans les romans de Beckett,* 1969. – M. FOUCRE, *le Geste et la parole dans le théâtre de Beckett,* 1971. – B. ROJTMANN, *Forme et signification dans le théâtre de Beckett,* 1976. – D. BAIR, *Samuel Beckett,* 1979. – A. SIMON, *Beckett,* 1983.
BÉGUIN ♦ P. GRÖTZER, *Albert Béguin ou la Passion des autres,* 1977.
BERGSON ♦ V. JANKÉLÉVITCH, *Henri Bergson,* 1931, rééd. 1959. – A. ROBINET, *Bergson,* 1965.
BERNANOS ♦ A. BÉGUIN, *Bernanos par lui-même,* 1954. – L. CHAIGNE, *Georges Bernanos,* 1954. – G. GAUCHER, *le Thème de la mort dans les romans de Bernanos,* 1955. – M. ESTÈVE, *le Sens de l'amour dans les romans de Bernanos,* 1959. – J. LYAN-MILLESPIE, *le Tragique dans l'œuvre de Bernanos,* 1960.
BLANCHOT ♦ F. COLLIN, *Maurice Blanchot et la question de l'écriture,* 1971.
BLOY ♦ A. BÉGUIN, *Léon Bloy l'impatient,* 1944. – S. FUMET, *Léon Bloy, captif de l'absolu,* 1967.
BORNE ♦ P. VINCENSINI, *Alain Borne,* 1970. – N° spécial de la revue *SUD,* 56-57, 1985.
BOSCO ♦ J.-P. GAUVIN, *Henri Bosco et la Poétique du sacré,* 1974.
BOUSQUET ♦ R. NELLI, *Joë Bousquet, sa vie, son œuvre,* 1975.
BRASILLACH ♦ P. VANDROMME, *Robert Brasillach,* 1956.
BRETON ♦ J. GRACQ, *André Breton,* 1948. – P. AUDOIN, *Breton,* 1970. – G. LEGRAND, *André Breton en son temps,* 1976. – P. LAVERGNE, *André Breton et le mythe,* 1985.
BUTOR ♦ J. ROUDAUT, *Michel Butor ou le Livre futur,* 1964. – F. VAN ROSSUM-GUYON, *Critique du roman. Essai sur « la Modification » de Michel Butor,* 1970. – F. AUBRAL, *Michel Butor,* 1973.
CADOU ♦ M. MANOLL, *René-Guy Cadou,* 1954.

CAILLOIS ♦ A. BOSQUET, *Roger Caillois,* 1971.

CAMUS ♦ J.-J. ARROCHI, *Albert Camus,* 1968. – R. GAY-CROSIER, *les Envers d'un échec : le théâtre d'Albert Camus,* 1968. – P. GAILLARD, *Camus,* 1973. – L. MAILHOT, *Albert Camus et l'imagination du désert,* 1973. – H.R. LOTTMAN, *Albert Camus,* 1978 (éd. fr.). – J. GASSIN, *l'Univers symbolique d'Albert Camus, essai d'interprétation psychanalytique,* 1981.

CAYROL ♦ D. OSTER, *Jean Cayrol et son œuvre,* 1968.

CÉLINE ♦ E. OSTROVSKY, *Céline le voyeur voyant,* 1973. – P.-J. DAY, *le Miroir allégorique de L.-F. Céline,* 1974. – F. VITOUX, *Céline,* 1978. – P. MURAY, *Céline,* 1981, rééd. 1984.

CENDRARS ♦ J. ROUSSELOT, *Blaise Cendrars,* 1955. – J. BUHIER, *Blaise Cendrars, l'homme et l'œuvre,* 1962. – J.-CL. LOREY, *Situation de Cendrars,* 1965. – J.-C. FLUCKIGER, *Au cœur du texte, essais,* 1977. – M. CENDRARS, *Blaise Cendrars,* 1984, rééd. 1985.

CÉSAIRE ♦ H. JUIN, *Aimé Césaire, poète noir,* 1963. – L.-L. KESTELOOT, *Aimé Césaire,* 1963. – B. CAILLER, *Proposition poétique. Une lecture de l'œuvre d'Aimé Césaire,* 1976.

CHAR ♦ G. GRAU, *René Char ou la Poésie accrue,* 1957. – P. GUERRE, *René Char,* 1961. – J.-C. MATHIEU, *la Poésie de René Char ou le Sel de la splendeur.* I. *Traversée du surréalisme,* 1984. II. *Poésie et Résistance,* 1985.

CHARDONNE ♦ G. GUITARD-AUVISTE, *la Vie de Jacques Chardonne et son art,* 1953. – *id., Jacques Chardonne,* 1984.

CHEDID ♦ J. IZOARD, *Andrée Chedid,* 1977.

CLANCIER ♦ M.-G. BERNARD, *G.E. Clancier,* 1967.

CLAUDEL ♦ J. MADAULE, *le Génie de Paul Claudel,* 1933. – *id., le Drame de Paul Claudel,* 1936, rééd. 1964. – S. FUMET, *Claudel,* 1958. – M. LIOURE, *l'Esthétique dramatique de Paul Claudel,* 1971. – J.-B. BARRÈRE, *Claudel, le destin et l'œuvre,* 1979.

CLAVEL ♦ M. RAGON, *Bernard Clavel,* 1975.

COCTEAU ♦ A. FRAIGNEAU, *Cocteau par lui-même,* 1957. – M. MEUNIER, *Cocteau et les mythes,* 1972. – F. STEEGMULLER, *Cocteau,* 1973.

COHEN ♦ G. VALBERT, *Albert Cohen ou le Pouvoir de vie,* 1981.

COLETTE ♦ M. RAAPHORST-ROUSSEAU, *Colette, sa vie, son art,* 1965. – L. PERCHE, *Colette,* 1976. – P. D'HOLLANDER, *Colette, ses apprentissages,* 1979.

CREVEL ♦ C. COURTOT, *René Crevel,* 1969.

CURTIS ♦ P. ROY, *Jean-Louis Curtis romancier,* 1971.

DERRIDA ♦ S. KOFMAN, *Lectures de Derrida,* 1984.

DESNOS ♦ P. BERGER, *Robert Desnos,* 1970. – M.-C. DUMAS, *Robert Desnos ou l'Exploration des limites,* 1980.

DHÔTEL ♦ P. REUMAUX, *l'Honorable Monsieur Dhôtel,* 1984.

DRIEU LA ROCHELLE ♦ D. DESANTI, *Drieu la Rochelle, le séducteur mystifié,* 1978. – P. ANDRIEU et F. GROVER, *Drieu la Rochelle,* 1979. – J.-L. SAINT-YGNAN, *Drieu la Rochelle ou l'Obsession de la décadence,* 1984.

DU BOS ♦ A.-M. GOUHIER, *Charles Du Bos,* 1951. – CH. DÉDEYAN, *le Cosmopolitisme littéraire de Charles Du Bos,* 1965-1971. – M. LELEU, *Charles Du Bos, approximation et intériorité,* 1976.

DUHAMEL ♦ P.-H. SIMON, *Georges Duhamel,* 1946. – C. SANTELLI, *Georges Duhamel,* 1947.

DURAS ♦ M. MARINI, *Territoires du féminin avec Marguerite Duras,* 1977. – M. ALLEINS, *Marguerite Duras, médium du réel,* 1984.

ÉLUARD ♦ R. JEAN, *Éluard par lui-même,* 1974. – D. BERGEZ, *Éluard ou le Rayonnement de l'être,* 1982. – L. DECAUNES, *Éluard, l'amour, la révolte, le rêve,* 1982.

EMMANUEL ♦ A. BOSQUET, *Pierre Emmanuel,* 1959. – A. MARISSEL, *Pierre Emmanuel, sa vie, son œuvre,* 1974.

ESTAUNIÉ ♦ G. CESBRON, *Édouard Estaunié, romancier de l'être,* 1977.

FARGUE ♦ E. DE LA ROCHEFOUCAULD, *Léon-Paul Fargue,* 1959. – L. RYBKO-SCHUB, *Léon-Paul Fargue,* 1973. – J.-C. WALTER, *Léon-Paul Fargue ou l'Homme en proie à la ville,* 1973.

FORT ♦ P. BÉARN, *Paul Fort,* 1960.

FOUCAULT ♦ G. DELEUZE, *Un nouvel archiviste. Sur Michel Foucault,* 1972. – H.-L. DREYFUS et P. RABINOW, *Michel Foucault, un parcours philosophique,* 1984.

GARELLI ♦ P. CAMINADE, *l'Image et la métaphore,* 1970.

DE GAULLE ♦ R. AGLION, *De Gaulle et Roosevelt,* 1984. – J. LACOUTURE, *le Rebelle,* 1984.

GENET ♦ J.-P. SARTRE, *Saint Genet, comédien et martyr,* 1952. – C. BONNEFOY, *Jean Genet,* 1965. – J.-M. MAGNAN, *Essai sur Jean Genet,* 1966.

GHELDERODE ♦ P. VANDROMME, *Michel de Ghelderode,* 1963. – A. WEISS, *le Monde théâtral de Ghelderode,* 1966. – J. DECOCK, *le Théâtre de Michel de Ghelderode,* 1969. – R. BEYEN, *Michel de Ghelderode ou la Hantise du masque,* 1971, rééd. 1980.

GIDE ♦ CH. DU BOS, *Dialogue avec André Gide,* 1929, rééd. 1947. – J. COCTEAU, *Gide vivant,* 1952. – P. LAFILLE, *André Gide romancier,* 1954. – J. DELAY, *la Jeunesse d'André Gide,* 1956-1957. – J.-J. THIERRY, *Gide,* 1962. – C. MARTIN, *Gide par lui-même,* 1963. – *id., la Maturité d'André Gide,* 1977. – É. MARTY, *l'Écriture du jour : le journal d'André Gide,* 1985.

GIONO ♦ CL. CHONEZ, *Jean Giono,* 1956. – A.-J. CLAYTON, *Pour une poétique de la parole chez Giono,* 1978.

GIRAUDOUX ♦ M. MERCIER-CAMPICHE, *le Théâtre de Giraudoux et la condition humaine,* 1954. – V.-H. DEBIDOUR, *Jean Giraudoux,* 1955. – R.-M. ALBÉRÈS, *Esthétique et morale chez Jean Giraudoux,* 1957. – J. BODY, *Jean Giraudoux et l'Allemagne,* 1975. – J. ROBICHEZ, *le Théâtre de Giraudoux,* 1976.

GRACQ ♦ J.-L. LEUTRAT, *Julien Gracq,* 1966. – A.-C. DOBBS, *Dramaturgie et liturgie dans l'œuvre de Julien Gracq,* 1972. – M. FRANCIS, *Forme et signification de l'attente dans l'œuvre romanesque de Julien Gracq,* 1979. – V. BRIDEL, *Julien Gracq et la dynamique de l'imaginaire,* 1981. – E. CARDONNE-ARLYCK, *la Métaphore raconte. Pratique de Julien Gracq,* 1984.

GREEN ♦ J. UISTERVAAL, *Julien Green, personnalité et création romanesque,* 1968. – J. PETIT, *Julien Green, l'homme qui venait d'ailleurs,* 1969. – J.-P. PÉRIOU, *Sexualité, religion et art chez Julien Green,* 1976.

HERGÉ ♦ B. PEETERS, *le Monde d'Hergé,* 1983. – N. SADOUL, *Entretiens avec Hergé,* 1983. – J.-M. APOSTOLIDES, *les Métamorphoses de Tintin,* 1984.

IONESCO ♦ C. ABASTADO, *Eugène Ionesco,* 1971. – P. VERNOIS, *la Dynamique théâtrale d'Eugène Ionesco,* 1972. – R. FRICKX, *Eugène Ionesco,* 1976.

JACOB ♦ F. GARNIER, *Max Jacob,* 1953. – P. ANDREU, *Max Jacob,* 1962. – R. LANTIER, *l'Univers poétique de Max Jacob,* 1976. – P. ANDREU, *Vie et mort de Max Jacob,* 1982.

JAMMES ♦ R. MALLET, *Francis Jammes, sa vie, son œuvre,* 1961.

JANKÉLÉVITCH ♦ L. JERPHAGON, *Vladimir Jankélévitch ou de l'Effectivité,* 1969. – COLLECTIF, *Écrit pour Jankélévitch,* 1978. – *L'ARC,* n° spécial, 1979.

JOUHANDEAU ♦ H. RODE, *Marcel Jouhandeau et ses personnages,* 1950. – J. CABANIS, *Jouhandeau,* 1959. – J. GAULMIER, *l'Univers de Marcel Jouhandeau,* 1959.

JOUVE ♦ J. STAROBINSKI - P. ALEXANDRE - M. EIGELDINGER, *Pierre-Jean Jouve poète et romancier,* 1946. – M. BRODA, *Pierre-Jean Jouve,* 1981. – D. LEUWEN, *Jouve avant Jouve ou la Naissance d'un poète (1906-1928),* 1984.

KESSEL ♦ Y. COURRIÈRE, *Joseph Kessel ou sur la piste du lion,* 1985.

KLOSSOWSKI ♦ D. WILHEM, *Pierre Klossowski, le corps impie,* 1979. – J.-M. MONNOYER, *le Peintre et son démon* (entretiens avec Pierre Klossowski), 1985.

LACAN ♦ A. RIFFLET-LEMAIRE, *Jacques Lacan,* 1970. – J.-M. PALMIER, *Lacan,* 1972. – J.-B. FAGÈS, *Comprendre Jacques Lacan,* 1973. – A. KREMER-MARIETTI,

Lacan ou la Rhétorique de l'inconscient, 1978. – C. CLÉMENT, *Vies et Légendes de Jacques Lacan,* 1981. – A. JURANVILLE, *Lacan et la philosophie,* 1984. – J. DOR, *Introduction à la lecture de Lacan,* 1985.

LARBAUD ◆ B. DELVAILLE, *Essai sur Valery Larbaud,* 1963. – F. WEISSMANN, *l'Exotisme de Valery Larbaud,* 1966. – A. CHEVALIER, *l'Égotisme de Valery Larbaud,* 1982.

LA TOUR DU PIN ◆ E. KUSHNER, *Patrice de la Tour du Pin,* 1961.

LA VARENDE ◆ P. BRUNETIÈRE, *La Varende le visionnaire,* 1959.

LÉAUTAUD ◆ R. MAHIEU, *Paul Léautaud, la recherche de l'identité,* 1975. – É. SILVE, *Paul Léautaud et le Mercure de France,* 1985.

LEIRIS ◆ M. NADEAU, *Michel Leiris et la quadrature du cercle,* 1963. – R. BRÉCHON, *« l'Âge d'homme » de Michel Leiris,* 1973. – P. CHAPPUIS, *Michel Leiris,* 1975. – P. LEJEUNE, *Lire Leiris. Autobiographie et langage,* 1975. – M. BEAUJOUR, *Miroirs d'encre,* 1980. – A. CLAVEL, *Michel Leiris,* 1984.

MAC ORLAN ◆ P. BERGER, *Pierre Mac Orlan,* 1951. – B. BARITAUD, *Mac Orlan,* 1971.

MALÈGUE ◆ L. ÉMERY, *Joseph Malègue romancier de l'inactuel,* 1962. – J. LEBREC, *Joseph Malègue : le romancier, le penseur,* 1969.

MALRAUX ◆ G. PICON, *André Malraux,* 1953. – J. HOFFMANN, *l'Humanisme de Malraux,* 1963. – J. CARDUNER, *la Création romanesque chez Malraux,* 1968. – F.-E. DORENLOT, *Malraux ou l'Unité de pensée,* 1973. – M. DE COURCEL (dir.), *Malraux, Être et dire,* 1976. – J. LACOUTURE, *Malraux, une vie dans le siècle,* 1976. – M. TISON-BRAUN, *Ce monstre incomparable ... Malraux ou l'Énigme du moi,* 1983. – R. STÉPHANE, *André Malraux, entretiens et précisions,* 1984.

MARCEL ◆ P. GRÖTZER, *la Conscience du Temps dans l'œuvre de Gabriel Marcel,* 1962. – C. WIOMER, *Gabriel Marcel et le théâtre existentiel,* 1971. – M. BELAY, *la Mort dans le théâtre de Gabriel Marcel,* 1980.

MARTIN DU GARD ◆ C. BORGAL, *Roger Martin du Gard,* 1958. – J. BRENNER, *Martin du Gard,* 1961. – E. GARGUILO, *la Genèse des « Thibault »,* 1974.

MAURIAC ◆ B. ROUSSEL, *Mauriac, le péché et la grâce,* 1964. – J. DE FABRÈGUES, *François Mauriac,* 1971. – M. SUFFRAN, *François Mauriac,* 1973. – J. LACOUTURE, *François Mauriac,* 1980. – *L'HERNE,* n° spécial, *François Mauriac,* 1985.

MAUROIS ◆ J. SUFFEL, *André Maurois,* 1963.

MAURRAS ◆ A. THIBAUDET, *les Idées de Charles Maurras,* 1920. – J.-P. BARKO, *l'Esthétique littéraire de Charles Maurras,* 1961. – P. BOUTANG, *Maurras, la destinée et l'œuvre,* 1984.

MICHAUX ◆ R. BRÉCHON, *Henri Michaux,* 1959, rééd. 1969. – R. BELLOUR, *Henri Michaux ou Une mesure de l'être,* 1965, rééd. 1986. – M. BEGUELIN, *Henri Michaux, esclave et démiurge,* 1974. – J.-M. MAULPOIX, *Michaux : passager clandestin* (biographie poétique), 1985.

MILOSZ ◆ A. GODOY, *Milosz poète de l'amour,* 1960. – J. BUGE, *Milosz en quête du divin,* 1963. – J. BELLEMIN-NOËL, *la Poésie-philosophie de Milosz,* 1977.

MONTHERLANT ◆ A. MARISSEL, *Henry de Montherlant,* 1966. – H. PERRUCHOT et H. MAVIT, *Montherlant,* 1969. – P. SIPRIOT, *Montherlant par lui-même,* 1969. – J. ROBICHEZ, *le Théâtre de Montherlant,* 1974. – P. SIPRIOT, *Montherlant sans masque,* t. I *(1895-1932),* 1982.

MORAND ◆ J.-F. FOGEL, *Morand-express,* 1980. – G. GUITARD-AUVISTE, *Paul Morand, légende et vérités,* 1981.

MOUNIER ◆ L. GUISSARD, *Emmanuel Mounier,* 1962. – J.-M. DOMENACH, *Emmanuel Mounier,* 1972.

MUSELLI ◆ J. LOISY, *Vincent Muselli,* 1961.

NIZAN ◆ J. LEINER, *le Destin littéraire de Paul Nizan,* 1970. – J. KING, *Paul Nizan écrivain,* 1976.

NOAILLES (CTESSE DE) ◆ J. COCTEAU, *la Comtesse de Noailles,* 1963. – E. DE LA ROCHEFOUCAULD, *Anna de Noailles,* 1976.

NOËL ♦ R. Escholier, *La neige qui brûle,* 1957. – M. Manoll, *Marie Noël,* 1962. – H. Gouhier, *le Combat de Marie Noël,* 1971.
PAULHAN ♦ R. Jodrin, *la Vocation transparente de Jean Paulhan,* 1961.
PÉGUY ♦ J. Delaporte, *Connaissance de Péguy,* 1944, rééd. 1959. – R. Rolland, *Péguy,* 1944. – J. Roussel, *Mesure de Péguy,* 1946. – A. Chabanon, *la Poétique de Péguy,* 1947. – B. Guyon, *Péguy,* 1960. – S. Fraisse, *Péguy,* 1979.
PÉRET ♦ C. Courtot, *Introduction à la lecture de Benjamin Péret,* 1965.
PERGAUD ♦ H. Frossard, *Louis Pergaud,* 1982.
PIEYRE DE MANDIARGUES ♦ S. Stiétié, *André Pieyre de Mandiargues,* 1979.
PONGE ♦ J. Thibaudeau, *Francis Ponge,* 1967. – Ph. Sollers, *Entretiens avec Francis Ponge,* 1970.
POURRAT ♦ G. Roger, *Maîtres du roman de terroir,* 1959. – R. Gardès, *Henri Pourrat au travail,* 1981.
PRÉVERT ♦ J. Queval, *Jacques Prévert,* 1955. – A. Bergens, *Jacques Prévert,* 1969. – M. Rachline, *Jacques Prévert. Drôle de vie,* 1982.
PROUST ♦ E.-R. Curtius, *Marcel Proust,* 1928. – G. Cattaui, *Marcel Proust,* 1952. – G. Picon, *Lecture de Proust,* 1963. – G. Poulet, *l'Espace proustien,* 1963. – G. Deleuze, *Proust et les signes,* 1964, 2e éd. augmentée, 1970. – J.-Y. Tadié, *Proust et le roman,* 1971. – M. Bardèche, *Marcel Proust romancier,* 1971-1974. – A. de Lattre, *la Doctrine de la réalité chez Proust,* 1979. – J.-T. Rosasco, *les Voies de l'imagination proustienne,* 1980. – B. Gros, *De « Swann » au « Temps retrouvé »,* 1982. – J.-Y. Tadié, *Proust,* 1983.
QUENEAU ♦ J. Bens, *Raymond Queneau,* 1962. – A. Bergens, *Raymond Queneau,* 1963. – J. Queval, *Raymond Queneau,* 1971. – J. Queval et A. Blavier, *Raymond Queneau, portrait d'un artiste,* 1984.
RABEMANANJARA ♦ E. Boucquey de Schutter, *Jacques Rabemananjara,* 1964. – M. Kadima-Nzuji, *Jacques Rabemananjara,* 1981.
RADIGUET ♦ D. Noakes, *Raymond Radiguet,* 1968. – C. Borgal, *Raymond Radiguet,* 1969. – N. Odouard, *les Années folles de Raymond Radiguet,* 1973.
RAMUZ ♦ A. Béguin, *Patience de Ramuz,* 1949. – Y. Guers-Villate, *Charles-Ferdinand Ramuz,* 1966. – B. Voyenne, *l'Art et la vie. L'Esthétique de C.-F. Ramuz,* 1982.
RENARD ♦ J. Decreus, *Poésie et transcendance : Jean-Claude Renard,* 1957. – A. Alter, *Jean-Claude Renard,* 1966.
REVERDY ♦ M. Guiney, *la Poésie de Pierre Reverdy,* 1967. – M. Collot, *Horizon de Reverdy,* 1981.
RIBEMONT-DESSAIGNES ♦ F. Jotterand, *Georges Ribemont-Dessaignes,* 1966.
RIVIÈRE ♦ M. Raymond, *Études sur Jacques Rivière,* 1972.
ROBBE-GRILLET ♦ B. Morissette, *les Romans d'Alain Robbe-Grillet,* 1963, rééd. 1971. – J. Alter, *la Vision du monde d'Alain Robbe-Grillet,* 1966. – J.-C. Vareille, *Alain Robbe-Grillet l'étrange,* 1981.
ROBLÈS ♦ M.-A. Rozier, *Emmanuel Roblès ou la Rupture du cercle,* 1973.
ROLLAND ♦ J. Robichez, *Romain Rolland,* 1961. – J.-B. Barrère, *Romain Rolland, l'âme et l'art,* 1966. – P. Sipriot, *Romain Rolland,* 1968.
ROMAINS ♦ P. Blanchart, *Jules Romains et son univers dramatique,* 1945. – A. Cuisenier, *Jules Romains, l'unanimisme et « les Hommes de bonne volonté »,* 1969.
ROUSSEL ♦ M. Foucault, *Raymond Roussel,* 1963. – B. Caburet, *Raymond Roussel,* 1968. – J. H. Matthews, *le Théâtre de Raymond Roussel,* 1977. – S. Houppermans, *Raymond Roussel, écriture et désir,* 1985.
SAINT-EXUPÉRY ♦ C. François, *l'Esthétique de Saint-Exupéry,* 1958. – S. Losic, *l'Idéal humain de Saint-Exupéry,* 1965. – P. Chevrier et M. Quesnel, *Saint-Exupéry,* 1971. – E. Deschott, *Saint-Exupéry,* 1982.
SAINT-JOHN PERSE ♦ R. Caillois, *Poétique de Saint-John Perse,* 1954, rééd. 1972. – A. Loranquin, *Saint-John Perse,* 1963. – M. Levillain, *le Rituel poétique de Saint-John Perse,* 1977. – M. Aquien, *Saint-John Perse, l'être et le nom,* 1985.

SARRAUTE ♦ M. TISON-BRAUN, *Nathalie Sarraute ou la Recherche de l'authenticité,* 1971. – F. CALIN, *la Vie retrouvée. Étude sur l'œuvre romanesque de Nathalie Sarraute,* 1976. – A. ALLEMAND, *l'Œuvre romanesque de Nathalie Sarraute,* 1980.
SARTRE ♦ C. AUDRY, *Jean-Paul Sartre,* 1966. – G.-J. PRINCE, *Métaphysique et technique dans l'œuvre romanesque de Sartre,* 1968. – F. GEORGES, *Deux études sur Sartre,* 1976. – D. HOLLIER, *Politique de la prose : Jean-Paul Sartre et l'an quarante,* 1982.
SAVARD ♦ A. MAJOR, *Félix-Antoine Savard,* 1968. – F. RICARD, *l'Art de Félix-Antoine Savard dans « Menaud, maître-draveur »,* 1972.
SEGALEN ♦ C. COURTOT, *Victor Segalen,* 1984.
SENGHOR ♦ L. DIAKHATÉ, *Essai sur la poétique de L.-S. Senghor,* 1961. – G. LEBAUD, *L.-S. Senghor ou la Poésie du royaume d'enfance,* 1976.
SIMENON ♦ T. NARCEJAC, *le Cas Simenon,* 1950. – A. PARINAUD, *Connaissance de Georges Simenon,* 1957. – B. TILLINAC, *le Mystère Simenon,* 1980. – M. PIRON, *l'Univers de Simenon, guide des romans et nouvelles (1931-1972),* 1982. – F. BRESLER, *l'Énigme Georges Simenon,* 1985.
SUARÈS ♦ Y.-A. FAVRE, *la Recherche de la grandeur dans l'œuvre d'André Suarès,* 1978.
SUPERVIELLE ♦ T.W. GREENE, *Jules Supervielle,* 1958. – ÉTIEMBLE, *Supervielle,* 1960. – R. VIVIER, *Lire Supervielle,* 1971. – J.-A. HUDDLESTON, *Lire Supervielle,* 1972.
THÉRIAULT ♦ E. MAURICE, *Yves Thériault et le combat de l'homme,* 1973. – J.-P. SIMARD, *Rituel et langage chez Yves Thériault,* 1979. – H. LAFRANCE, *Yves Thériault et l'institution littéraire québécoise,* 1984.
THIBAUDET ♦ A. GLAUSER, *Albert Thibaudet et la critique créatrice,* 1952. – J.-C. DAVIES, *l'Œuvre critique d'Albert Thibaudet,* 1955.
TOULET ♦ P.-O. WALZER, *Paul-Jean Toulet, l'œuvre, l'écrivain,* 1949, rééd. 1954. – D. ARANJO, *Paul-Jean Toulet,* 1980. – M. BULTEAU, *Paul-Jean Toulet,* 1984.
TREMBLAY ♦ M. BÉLAIR, *Michel Tremblay,* 1972.
TRENET ♦ R. CANNAVO, *la Ballade de Charles Trenet,* 1984.
TRIOLET ♦ D. DESANTI, *les Clés d'Elsa,* 1983.
VALÉRY ♦ H. BREMOND, *Racine et Valéry,* 1930. – M. RAYMOND, *Paul Valéry et la tentation de l'esprit,* 1946. – M. BÉMOL, *la Méthode critique de Paul Valéry,* 1950. – P.-O. WALZER, *la Poésie de Paul Valéry,* 1953. – J. HYTIER, *la Poétique de Valéry,* 1963 – J. DE BOURBON-BUSSET, *Paul Valéry ou le Mystique sans Dieu,* 1964. – N. CELEYRETTE-PIÉTRI, *Valéry et le moi. Des « Cahiers » à l'œuvre,* 1979. – D. OSTER, *Monsieur Valéry,* 1981.
VIAN ♦ N. ARNAUD, *les Vies parallèles de Boris Vian,* 1970, rééd. 1981. – J. DUCHÂTEAU, *Boris Vian ou les Facéties du destin,* 1982.
VIGNEAULT ♦ A. ROBITAILLE, *Gilles Vigneault,* 1968. – M. GAGNÉ, *Propos de Gilles Vigneault,* 1974. – D. SMITH, *Gilles Vigneault, poète et conteur,* 1984.
VITRAC ♦ H. BÉHAR, *Roger Vitrac, un réprouvé du surréalisme,* 1967. – J.-P. HAN, *Roger Vitrac,* 1974. – H. BÉHAR, *Vitrac. Théâtre ouvert sur le rêve,* 1982.
WEIL ♦ V.-H. DEBIDOUR, *Simone Weil ou la Transparence,* 1963. – F. HEIDSIECK, *Simone Weil,* 1965. – S. PÈTREMENT, *la Vie de Simone Weil,* 1973.

FRANCOPHONIE

BELGIQUE

D. SCHEINERT, *Écrivains belges devant la réalité,* 1965. – R. BURNIAUX et R. FRICKX, *la Littérature belge d'expression française,* 1973. – *Alphabet des lettres belges de langue française,* avec une étude de M. Quaghebeur, 1982.

SUISSE

Écrivains suisses d'aujourd'hui, répertoire bio-bibliographique, 1962, nouv. éd. 1978. – G. TOUGAS, *Littérature romande et culture française,* 1963. – J. CHESSEX, *les Saintes-Écritures, essai sur vingt-trois écrivains romands,* 1972. – M. GSTEIGER, *la Nouvelle littérature romande,* 1978.

QUÉBEC

P. DE GRANDPRÉ, *Histoire de la littérature française du Québec,* 1968-1970. – G. MARIOTTE, *la Poésie canadienne-française,* 1969. – R. BRUNET, *Histoire de la littérature canadienne-française,* 1970. – G. TOUGAS, *la Littérature canadienne-française,* 1974. – Union des Écrivains Québécois, *Dictionnaire des écrivains québécois contemporains, 1970-1982,* 1983.

MAGHREB

A. MEMMI (dir.), *Anthologie des écrivains maghrébins d'expression française,* 1965. – J. DÉJEUX, *la Littérature maghrébine d'expression française,* 1970, rééd. 1978. – G. MERAD, *la Littérature algérienne d'expression française,* 1975. – J. DÉJEUX, *la Poésie algérienne de 1830 à nos jours,* nouv. éd. 1983. – A. MEMMI, *Anthologie des écrivains francophones du Maghreb,* 1985.

AFRIQUE NOIRE

L.-S. SENGHOR, *Anthologie de la nouvelle poésie nègre et malgache* (précédée de : J.-P. Sartre, *Orphée noir*), 1949, rééd. 1969. – L. KESTELOOT, *les Écrivains noirs de langue française : naissance d'une littérature,* 1963. – J. CHEVRIER, *Littérature nègre,* 1975. – L. KIMONI, *Destin de la littérature négro-africaine,* 1975. – R. CORNEVIN, *Littérature d'Afrique noire de langue française,* 1976. – A. NORDMANN-SEILER, *la Littérature néo-africaine,* 1976. – M. ROMBAULT, *la Poésie négro-africaine,* 1976. – R. LECHERBONNIER, *Initiation à la littérature négro-africaine,* 1977. – J. ACHIRIGA, *la Révolte des romanciers noirs de langue française,* 1978. – S. ENO-BELINGA, *la Littérature orale africaine,* 1978. – P. MÉRAND et S. DABLA, *Guide de littérature africaine,* 1979. – L. KESTELOOT, *Anthologie négro-africaine,* 1982. – P. NGANDU NKASHAMA, *Littératures africaines de 1930 à nos jours* (avec anthologie), 1984.

ANTILLES, GUYANE, OCÉAN INDIEN

G. COURAIGE, *Histoire de la littérature haïtienne,* 1960. – J. CORZANI, *la Littérature des Antilles et de la Guyane française,* 1978. – J.-G. PROSPER, *Histoire de la littérature mauricienne,* 1978. – J.-L. JOUBERT, *Littératures de l'océan Indien,* 1980. – A. DEV CHINTAH, *la Fascination des images. Études sur sept poètes mauriciens,* 1982.

INDEX DES ŒUVRES

Le lecteur trouvera ci-dessous la liste alphabétique des œuvres (renvoyant chacune à leur auteur) qui font l'objet, dans le dictionnaire, soit d'un résumé complet en fin d'article, soit d'un commentaire particulier dans le corps de l'article. Tout en permettant d'attribuer une œuvre à son auteur, cet index constitue un répertoire des œuvres majeures du patrimoine littéraire français.

Isle sonnante (L') : RABELAIS
Jacob : EMMANUEL
Jacques le fataliste : DIDEROT
Jacques ou la Soumission : IONESCO
Jacques Vingtras : VALLÈS
Jalousie du Barbouillé (La) : MOLIÈRE
Jardin des délices (Le) : ARRABAL
Jean-Christophe : ROLLAND (R.)
Jean de la Lune : ACHARD
Jean Hennuyer, évêque de Lisieux : MERCIER
Jeanne d'Arc : PÉGUY
Jérôme Aquin : PINSONNAULT
Jérôme Paturot à la recherche d'une position sociale : REYBAUD
Jeu : RISSET
Jeu de l'amour et du hasard (Le) : MARIVAUX
Jeu de la feuillée (Le) : ADAM DE LA HALLE
Jeu de patience (Le) : GUILLOUX
Jeu de Robin et Marion (Le) : ADAM DE LA HALLE
Jeu de saint Nicolas (Le) : BODEL
Jeu du prince des Sots et de mère Sotte (Le) : GRINGOIRE
Jeune Tarentine (La) : CHÉNIER (A.)
Jeux de la nuit (Les) : CABANIS (J.)
Jocelyn : LAMARTINE
Joseph : PARAIN
Journal de Salavin : DUHAMEL
Journal de voyage : MONTAIGNE
Journal intime : AMIEL (H.) ; MAINE DE BIRAN
Juives (Les) : GARNIER
Julie ou la Nouvelle Héloïse : ROUSSEAU (J.-J.)
Juliette ou la Clé des songes : NEVEUX
Jusqu'à nouvel avis : OYONO M'BIA.

Kamouraska : HÉBERT
Klondyke : LANGUIRAND
Knock ou le Triomphe de la médecine : ROMAINS

Là-bas : HUYSMANS
Lai d'Aristote (Le) : ANDELY (D')
Lais : MARIE DE FRANCE
Lais (Legs) : VILLON
Lancelot ou le Chevalier à la charrette : CHRÉTIEN DE TROYES
Lanval : MARIE DE FRANCE
Laostic (Le) : MARIE DE FRANCE
Leçon (La) : IONESCO
Légataire universel (Le) : REGNARD
Légende des siècles (La) : HUGO
Léopold le Bien-Aimé : SARMENT
*Lettre à Lord*** sur la soirée du 24 octobre 1829 et sur un système dramatique* : VIGNY
Lettre sur les aveugles : DIDEROT
Lettres de mon moulin : DAUDET (A.)
Lettres d'une religieuse portugaise : GUILLERAGUES
Lettres familières écrites en Italie en 1739 et 1740 : BROSSES (DE)
Lettres persanes : MONTESQUIEU
Lewis et Irène : MORAND
Liaisons dangereuses (Les) : LACLOS
Lion (Le) : KESSEL
Lis de mer (Le) : PIEYRE DE MANDIARGUES
Livre de prison : RÉGNIER (J.)
Livre des quatre dames (Le) : CHARTIER (A.)
Livre des saintes paroles et des bons faits de notre saint roi Louis : JOINVILLE

Locus solus : ROUSSEL
Lokis : MÉRIMÉE
Lorenzaccio : MUSSET
Lucien Leuwen : STENDHAL
Lutrin (Le) : BOILEAU
Lys dans la vallée (Le) : BALZAC (H. DE)

Macbett : IONESCO
Madame Bovary : FLAUBERT
Mademoiselle : DEVAL
Mademoiselle Gauche : ESTAUNIÉ
Maigret... : SIMENON
Maïmouna : SADJI
Maître de Milan (Le) : AUDIBERTI
Maître de Santiago (Le) : MONTHERLANT
Maîtres sonneurs (Les) : SAND
Mal Court (Le) : AUDIBERTI
Malicroix : BOSCO
Mangeur de rêves (Le) : LENORMAND
Manifeste des Cinq : Naturalisme
Manifestes du Surréalisme : Surréalisme
Mannequin d'osier (Le) : FRANCE
Manon Lescaut : PRÉVOST D'EXILES
Maria Chapdelaine : HÉMON
Mariage de Figaro (Le) : BEAUMARCHAIS
Mariamne (La) : TRISTAN L'HERMITE
Marion Delorme : HUGO
Martyrs (Les) : CHATEAUBRIAND
Mas Théotime (Le) : BOSCO
Mauvais Pain (Le) : PINSONNAULT
Maximes : LA ROCHEFOUCAULD
Maximes et Pensées : CHAMFORT
Médecin de campagne (Le) : BALZAC (H. DE)
Médecin volant (Le) : MOLIÈRE
Méditations poétiques : LAMARTINE
Mélanide : LA CHAUSSÉE
Mélite : CORNEILLE (P.)
Mémoire : BRAULT
Mémoires : COMMYNES ; RETZ ; SAINT-SIMON
Mémoires de guerre : GAULLE (DE)
Mémoires d'Hadrien : YOURCENAR
Mémoires d'outre-tombe : CHATEAUBRIAND
Mémoires du diable : SOULIÉ
Mémoires et aventures d'un homme de qualité : PRÉVOST D'EXILES
Mensonge (Le) : TOUPIN
Mespris de la vie et consolation de la mort (Le) : CHASSIGNET
Menteur (Le) : CORNEILLE (P.)
Métamorphose du monde : RENARD (J.-C.)
Microcosme : SCÈVE
Micromégas : VOLTAIRE
Miguel Mañara : MILOSZ
Miracle de Théophile (Le) : RUTEBEUF
Miracles de la Sainte-Vierge : GAUTIER DE COINCI
Miroir qui revient (Le) : ROBBE-GRILLET
Misanthrope (Le) : MOLIÈRE
Misérables (Les) : HUGO
Mithridate : RACINE
Modification (La) : BUTOR
Mon oncle Benjamin : TILLIER
Mon village à l'heure allemande : BORY
Monsieur Bergeret à Paris : FRANCE
Monsieur Nicolas ou le Cœur humain dévoilé : RESTIF DE LA BRETONNE
Monsieur Teste : VALÉRY
Mont Analogue (Le) : DAUMAL
Mort est mon métier (La) : MERLE
Motocyclette (La) : PIEYRE DE MANDIARGUES
Mots (Les) : SARTRE
Mots et les Choses (Les) : FOUCAULT

DU MÊME AUTEUR

Proust et Ruskin, Didier-Privat, Toulouse, 1944.
Châteaux en France, Massin, Paris, 1948.
Le Paysage anglais à l'aquarelle, Bordas, Paris, 1955.
Beaux-Arts et Cinéma, éd. du Cerf, Paris, 1956.
La Poésie depuis Baudelaire, Armand Colin, Paris, 1965.
La Littérature française (en coll.), 5 vol., Bordas-Laffont, Paris, 1970-1972.
Du Romantisme au Symbolisme, 1790-1914, P. Bordas et fils, Paris, 1982.
L'Aventure littéraire du XXe siècle. I. *1890-1930.* II. *1920-1960,* P. Bordas et fils, Paris, 1984.
William Blake. Vision et Poésie, José Corti, Paris, 1985.

Édition critique, dans les *Classiques Garnier,* de Nerval, *Œuvres,* 2 vol.
Baudelaire, *Curiosités esthétiques. Art romantique.*
Baudelaire, *Petits poèmes en prose (le Spleen de Paris).*

La littérature française aux éditions Bordas

(extraits du catalogue)

- *Dictionnaire des littératures de langue française.* 250 auteurs sous la direction de Jean-Pierre de Beaumarchais, Daniel Couty et Alain Rey (trois volumes).
- Collection littéraire Lagarde et Michard « Les siècles » (nouvelle édition) :
  - *Le Moyen Âge ;*
  - *Le XVIe siècle ;*
  - *Le XVIIe siècle ;*
  - *Le XVIIIe siècle ;*
  - *Le XIXe siècle ;*
  - *Le XXe siècle.*
- *La Littérature en France de 1945 à 1968,* par J. Bersani, M. Autrand, J. Lecarme, B. Vercier.
- *La Littérature en France depuis 1968,* par B. Vercier, J. Lecarme, J. Bersani.
- *Poésie française,* anthologie critique, par M.-L. Astre.
- *Histoire de la littérature française,* par P. Brunel, Y. Bellenger, D. Couty, P. Sellier, M. Truffet :
  - Tome 1 : du Moyen Âge au XVIIIe siècle ;
  - Tome 2 : XIXe et XXe siècles.
- *Approches littéraires, les thèmes et les genres,* par P. Brunel et D. Couty :
  - *Approches littéraires,* 1 – Les thèmes ;
  - *Approches littéraires,* 2 – Les genres.
- « Univers des Lettres Bordas », collection dirigée par F. Angué, A. Lagarde, L. Michard, M. Autrand. Plus de 100 titres. Textes intégraux. Extraits. Recueils thématiques (12 titres).
- « Série Vie Littéraire »
  - *Introduction à la vie littéraire du Moyen Âge,* par P.-Y. Badel.
  - *Introduction à la vie littéraire du XVIe siècle,* par D. Ménager.
  - *Introduction à la vie littéraire du XVIIe siècle,* par J.-C. Tournand.
  - *Introduction à la vie littéraire du XVIIIe siècle,* par M. Launay et G. Mailhos
  - *Introduction à la vie littéraire du XIXe siècle,* par J.-Y. Tadié.

Composition et impression :
Maury-Imprimeur S.A.
45330 Malesherbes
N° d'imprimeur J85/17539D
Achevé d'imprimer : novembre 1985
Dépôt légal : décembre 1985